DER NEUE PAULY

Altertum   Band 9   Or–Poi

DER NEUE PAULY

(DNP)

DER NEUE PAULY

Enzyklopädie der Antike

Herausgegeben
von Hubert Cancik und
Helmuth Schneider

Altertum

Band 9 Or–Poi

Verlag J. B. Metzler
Stuttgart · Weimar

Die Deutsche Bibliothek – CIP-Einheitsaufnahme

Der neue Pauly : Enzyklopädie der Antike/hrsg.
von Hubert Cancik und Helmuth Schneider. –
Stuttgart ; Weimar : Metzler, 2000
  ISBN 3-476-01470-3
NE: Cancik, Hubert [Hrsg.]

Bd. 9. Or–Poi – 2000
  ISBN 3-476-01479-7

Inhaltsverzeichnis

Gedruckt auf chlorfrei gebleichtem,
säurefreiem und alterungsbeständigem
Papier

ISBN 3-476-01470-3 (Gesamtwerk)
ISBN 3-476-01479-7 (Band 9 Or-Poi)

© 2000 J. B. Metzlersche Verlags-
buchhandlung und Carl Ernst Poeschel
Verlag GmbH in Stuttgart
www.metzlerverlag.de
info@metzlerverlag.de

Typographie und Ausstattung:
Brigitte und Hans Peter Willberg
Grafik und Typographie der Karten:
Richard Szydlak
Abbildungen: Günter Müller
Satz: pagina GmbH, Tübingen
Gesamtfertigung: Franz Spiegel Buch
GmbH, Ulm
Printed in Germany

Dezember 2000
Verlag J. B. Metzler Stuttgart · Weimar

Redaktion

Jochen Derlien
Dr. Brigitte Egger
Susanne Fischer
Dietrich Frauer
Dr. Ingrid Hitzl
Heike Kunz
Vera Sauer
Christiane Schmidt
Dorothea Sigel
Anne-Maria Wittke

Hinweise für die Benutzung

Anordnung der Stichwörter

Die Stichwörter sind in der Reihenfolge des deutschen Alphabetes angeordnet. I und J werden gleich behandelt; ä ist wie ae, ö wie oe, ü wie ue einsortiert. Wenn es zu einem Stichwort (Lemma) Varianten gibt, wird von der alternativen Schreibweise auf den gewählten Eintrag verwiesen. Bei zweigliedrigen Stichwörtern muß daher unter beiden Bestandteilen gesucht werden (z.B. *a commentariis* oder *commentariis, a*).

Informationen, die nicht als Lemma gefaßt worden sind, können mit Hilfe des Registerbandes aufgefunden werden.

Gleichlautende Stichworte sind durch Numerierung unterschieden. Gleichlautende griechische und orientalische Personennamen werden nach ihrer Chronologie angeordnet. Beinamen sind hier nicht berücksichtigt.

Römische Personennamen (auch Frauennamen) sind dem Alphabet entsprechend eingeordnet, und zwar nach dem *nomen gentile*, dem »Familiennamen«. Bei umfangreicheren Homonymen-Einträgen werden *Republik* und *Kaiserzeit* gesondert angeordnet. Für die Namensfolge bei Personen aus der Zeit der Republik ist – dem Beispiel der RE und der 3. Auflage des OCD folgend – das *nomen gentile* maßgeblich; auf dieses folgen *cognomen* und *praenomen* (z.B. erscheint M. *Aemilius Scaurus* unter dem Lemma *Aemilius* als *Ae. Scaurus, M.*). Die hohe politische Gestaltungskraft der *gentes* in der Republik macht diese Anfangsstellung des Gentilnomens sinnvoll.

Da die strikte Dreiteilung der Personennamen in der Kaiserzeit nicht mehr eingehalten wurde, ist eine Anordnung nach oben genanntem System problematisch. Kaiserzeitliche Personennamen (ab der Entstehung des Prinzipats unter Augustus) werden deshalb ab dem dritten Band in der Reihenfolge aufgeführt, die sich auch in der »Prosopographia Imperii Romani« (PIR) und in der »Prosopography of the Later Roman Empire« (PLRE) eingebürgert und allgemein durchgesetzt hat und die sich an der antik bezeugten Namenfolge orientiert (z.B. L. *Vibullius Hipparchus Ti. C. Atticus Herodes* unter dem Lemma *Claudius*). Die Methodik – eine zunächst am Gentilnomen orientierte Suche – ändert sich dabei nicht.

Nur antike Autoren und römische Kaiser sind ausnahmsweise nicht unter dem Gentilnomen zu finden: *Cicero*, nicht *Tullius*; *Catullus*, nicht *Valerius*.

Schreibweise von Stichwörtern

Die Schreibweise antiker Wörter und Namen richtet sich im allgemeinen nach der vollständigen antiken Schreibweise.

Toponyme (Städte, Flüsse, Berge etc.), auch Länder- und Provinzbezeichnungen erscheinen in ihrer antiken Schreibung (*Asia, Bithynia*). Die entsprechenden modernen Namen sind im Registerband aufzufinden.

Orientalische Eigennamen werden in der Regel nach den Vorgaben des »Tübinger Atlas des Vorderen Orients« (TAVO) geschrieben. Daneben werden auch abweichende, aber im deutschen Sprachgebrauch übliche und bekannte Schreibweisen beibehalten, um das Auffinden zu erleichtern.

In den Karten sind topographische Bezeichnungen überwiegend in der vollständigen antiken Schreibung wiedergegeben.

Die Verschiedenheit der im Deutschen üblichen Schreibweisen für antike Worte und Namen (*Äschylus, Aeschylus, Aischylos*) kann gelegentlich zu erhöhtem Aufwand bei der Suche führen; dies gilt auch für Ö/Oe/Oi und C/Z/K.

Transkriptionen

Zu den im NEUEN PAULY verwendeten Transkriptionen vgl. Bd. 3, S. VIIIf.

Abkürzungen

Abkürzungen sind im erweiterten Abkürzungsverzeichnis am Anfang des dritten Bandes aufgelöst.

Sammlungen von Inschriften, Münzen, Papyri sind unter ihrer Sigle im zweiten Teil (Bibliographische Abkürzungen) des Abkürzungsverzeichnisses aufgeführt.

Anmerkungen

Die Anmerkungen enthalten lediglich bibliographische Angaben. Im Text der Artikel wird auf sie unter Verwendung eckiger Klammern verwiesen (Beispiel: die Angabe [1. 5²³] bezieht sich auf den ersten numerierten Titel der Bibliographie, Seite 5, Anmerkung 23).

Verweise

Die Verbindung der Artikel untereinander wird durch Querverweise hergestellt. Dies geschieht im Text eines Artikels durch einen Pfeil (→) vor dem Wort / Lemma, auf das verwiesen wird; wird auf homonyme Lemmata verwiesen, ist meist auch die laufende Nummer beigefügt.

Querverweise auf verwandte Lemmata sind am Schluß eines Artikels, ggf. vor den bibliographischen Anmerkungen, angegeben.

Verweise auf Stichworte des zweiten, rezeptions- und wissenschaftsgeschichtlichen Teiles des NEUEN PAULY werden in Kapitälchen gegeben (→ ELEGIE).

Karten und Abbildungen

Texte, Abbildungen und Karten stehen in der Regel in engem Konnex, erläutern sich gegenseitig. In einigen Fällen ergänzen Karten und Abbildungen die Texte durch die Behandlung von Fragestellungen, die im Text nicht angesprochen werden können. Die Autoren der Karten und Abbildungen werden im Verzeichnis auf S. VIff. genannt.

Karten- und Abbildungsverzeichnis

NZ: Neuzeichnung, Angabe des Autors und/oder der
zugrundeliegenden Vorlage/Literatur
RP: Reproduktion (mit kleinen Veränderungen) nach der
angegebenen Vorlage

Lemma
Titel
AUTOR/Literatur

Orakel
Die wichtigsten Orakelstätten der griechisch-römischen Welt
(6. Jh. v. Chr.–392 n. Chr.)
NZ: V. ROSENBERGER

Ornament
Griechische Vasenmalerei
Plastik und Architektur
NZ nach: R. M. COOK, P. DUPONT, East Greek Pottery,
1998 · N. KUNISCH, Ornamente geom. Vasen, 1998.

Ostia
Ostia: Lageplan der ergrabenen Flächen
(4. Jh. v. Chr.–4. Jh. n. Chr.)
NZ: REDAKTION

Palast
Büyükkale, Palastanlage von Ḫattusa
(13. Jh. v. Chr.; Grundriß).
NZ nach: P. NEVE, Hattuša, ²1996, Abb. 18.
Dūr Šarrukīn, Palast Sargons II. (722–705 v. Chr.; Grundriß).
NZ nach: E. HEINRICH, Die Paläste im alten Mesopotamien,
1984, Abb. 88.
Achaimenidische Palastanlage von Persepolis. Begonnen unter
Dareios [1] I. (Grundriß).
NZ nach: L. TRÜMPELMANN, Persepolis, 1988, Abb. 32.
Palast Amenophis' III. in Malqata (Grundriß).
NZ nach: W. S. SMITH, The Art and Architecture of
Ancient Egypt, 1958, Abb. 55.
Aigai (Vergina), Palast (Ende 4. Jh. v. Chr.; Grundriß).
NZ nach: C. KUNZE, Die Skulpturenausstattung hell.
Paläste, in: W. HOEPFNER, G. BRANDS (Hrsg.), Basileia. Die
Paläste der hell. Könige, 1996, 120, Abb. 8.
ʿIrāq al-Amīr (Jordanien), Palast des Hyrkanos [1] (187 v. Chr.;
Grundriß).
NZ nach: I. NIELSEN, Hellenistic Palaces. Tradition and
Renewal, 1994, 141, Abb. 74.
Rom. Palatin (Gesamtplan; Grundriß).
NZ nach: H. P. ISLER, Die Residenz der röm. Kaiser auf
dem Palatin. Zur Entstehung eines Bautypus, in: Antike
Welt 9, 1978, 4, Abb. 3.
Spalatum, Palast des Diocletianus (Anfang des 4. Jh. n. Chr.;
Grundriß).
NZ nach: H. KÄHLER, Die Villa des Maxentius bei Piazza
Armerina, 1973, Abb. 4.

Palmyra
Palmyra (Tadmor): Oase und Handelsknotenpunkt im
Zentrum der syrischen Wüste (2./3. Jh. n. Chr.)
NZ: H. NIEHR/REDAKTION

Pannonia
Die provinziale Entwicklung in Noricum und Pannonia
(1. Jh. v. Chr.–3. Jh. n. Chr.)
NZ: F. SCHÖN/REDAKTION

Pantheon [2]
Rom, Pantheon. Grundriß (3. Bau-Phase; 118–125 n. Chr.).
NZ nach: W. L. MACDONALD, The Architecture of the
Roman Empire, Bd. 1, 1965, Taf. 98.
Pantheon, Querschnitt.
NZ nach: F. COARELLI, Rom. Ein arch. Führer, 1975, 259.

Papyrus
Herstellung von Schreibpapyrus.
NZ nach: W. BRASHEAR, J. S. KARIG, in: Staatliche Museen
zu Berlin, Preußischer Kulturbesitz. Führungsblatt Nr. 23
ÄMP (Äg. Mus. Pap.-Slg.), 1994.

Parthenon
Athen, Parthenon. Grundriß und Verteilung der Bauplastik
(447–432 v. Chr.).
NZ nach: H. R. GOETTE, Athen – Attika – Megaris.
Reiseführer zu den Kunstschätzen und Kulturdenkmälern
im Zentrum Griechenlands, 1993, 31, Abb. 12.
Parthenon. Positionen der Skulpturen.
NZ nach: L. SCHNEIDER, CH. HÖCKER, Griech. Festland,
1996, 102.

Peiraieus
Peiraieus, der antike Hafen
NZ nach: K.-V. VON EICKSTEDT, Beiträge zur Top. des ant.
Piräus, 1991, Beil. 1.

Peloponnesischer Krieg
Der Peloponnesische Krieg (431–404 v. Chr.)
NZ: W. EDER/REDAKTION

Pentathlon
Beispiel für den Verlauf eines Fünfkampfes
NZ nach Vorlage von W. DECKER

Pergamon
Pergamon: Burg- und Stadtberg (7. Jh. v. Chr. bis in die
spätrömische Zeit)
NZ: W. RADT
Pergamon: Stadtentwicklung (7. Jh. v. Chr. bis in die
spätrömische Zeit)
NZ: W. RADT
Das pergamenische Königreich der Attaliden
(240 – ca. 185 v. Chr.)
NZ: W. EDER/REDAKTION

Peripteros
Olympia, Zeustempel (472–457 v. Chr.). Grundriß.
NZ nach: H. BERVE, G. GRUBEN, Griech. Tempel und
Heiligtümer, 1961, 124, Abb. 14.

Perserkriege
Die Perserkriege (ca. 500–478/449 v. Chr.)
NZ: W. EDER/REDAKTION

Perspektive
Fragment eines Kelchkraters. Proskenion in verkürzter
  Darstellung. Würzburg, Martin-von-Wagner-Museum,
  Inv. Nr. H 4696. H 4701. Mitte 4. Jh. v. Chr.
  (Umzeichnung).
  NZ nach: G. GÜNTNER, CVA/Deutschland, Bd. 71:
  Würzburg (4), 1999, Taf. 52.
›Fischgrätenperspektive‹ nach E. Panofsky.
  NZ nach: E. PANOFSKY, Die Perspektive als symbolische
  Form, 1927, in: H. OBERER, E. VERHEYEN (Hrsg.), Aufsätze
  zu Grundfragen der Kunstwiss., 1992, 107, Abb. 5 unten.

Pertinax
Stationen in der Laufbahn des Publius Helvius Pertinax
  (126–193 n. Chr.)
  NZ: TH. FRANKE/REDAKTION

Pes (Längenmaß)
NZ nach Vorlage von H. SCHNEIDER

Petra [1]
Petra: Die wichtigsten Denkmäler
  (ca. 1. Jh. v. Chr.-ca. 150 n. Chr.)
  NZ: TH. LEISTEN/REDAKTION

Peuketische Vasen
Gefäßformen der peuketischen Keramik
  · NZ nach: A. CIANCIO, CVA/Italia, Bd. 68: Gioia del Colle
  (1), 1995, Taf. 4, 5, 8, 10, 13.

Pflug
Römischer Pflug (schematische Zeichnung).
  NZ nach: M. S. SPURR, Arable Cultivation in Roman Italy,
  1986, 31, Abb. 1.

Phigaleia
Phigaleia (Bassai). Tempel des Apollon Epikureios
  (ca. 420 v. Chr.). Grundriß.
  NZ nach: H. BERVE, G. GRUBEN, Griech. Tempel und
  Heiligtümer, 1961, 152, Abb. 45.

Phönizier, Punier
Die phönizischen Städte im Ostmittelmeerraum
  (ca. 12.–7. Jh. v. Chr.)
  NZ.: H. G. NIEMEYER/W. RÖLLIG/REDAKTION
Die phönizisch-punische Welt im westlichen Mittelmeerraum
  NZ.: H. G. NIEMEYER/REDAKTION

Piazza Armerina
Piazza Armerina, Kaiservilla. 305–325 n. Chr. (Grundriß)
  NZ nach: H. KÄHLER, Die Villa des Maxentius bei Piazza
  Armerina, 1973, Abb. 3.

Pilgerschaft
Zentren und ungefähre Routen christlicher Wallfahrten
  (4.–7. Jh. n. Chr.)
  NZ.: A. MERKT/REDAKTION

Planeten
Abb.   1 Hippopede
Abb.   2 Dynamische (dreidimensionale) Darstellung der
             Planetenbewegung nach Eudoxos
Abb.   3 Epizykel
Abb.   4 Exzenter
Abb.   5 (ohne Titel)
             NZ nach Vorlagen von A. JORI
Abb.   6 Planetennamen
Abb.   7 Symmetrie des astrologischen Planetensystems
Abb.   8 Quincunx der fünf echten Planeten
Abb.   9 Die Heptazonos der Planetenhäuser
Abb. 10 Erhöhung und Erniedrigung der Planeten
Abb. 11 Die Planeten des Dodekatropos
             NZ nach Vorlagen von W. HÜBNER

Plutarchos [2]
Die Schriften in Plutarchs *Moralia*
  NZ: M. BALTES/REDAKTION

Autoren

Maria Grazia **Albiani** Bologna	M.G.A.	Roland **Deines** Herrenberg	RO.D.
Klaus **Alpers** Lüneburg	K.ALP.	Massimo **Di Marco** Fondi (Latina)	M.D.MA.
Annemarie **Ambühl** Basel	A.A.	Karlheinz **Dietz** Würzburg	K.DI.
Walter **Ameling** Jena	W.A.	Joachim **Dingel** Hamburg	J.D.
Silke **Antoni** Kiel	SI.A.	**DNP-Gruppe Kiel** Kiel	DNP-G.K.
Wolfram **Ax** Köln	W.AX.	Roald Fritjof **Docter** Amsterdam	R.D.
Balbina **Bäbler** Bern	B.BÄ.	Alice A. **Donohue** Bryn Mawr	A.A.D.
Ernst **Badian** Cambridge, MA	E.B.	Tiziano **Dorandi** Paris	T.D.
Matthias **Baltes** Münster	M.BA.	Klaus **Döring** Bamberg	K.D.
Pedro **Barceló** Potsdam	P.B.	Paul **Dräger** Trier	P.D.
Jens **Bartels** Bonn	J.BA.	Boris **Dreyer** Göttingen	BO.D.
Dorothea **Baudy** Konstanz	D.B.	Hans-Peter **Drögemüller** Hamburg	H.-P.DRÖ.
Manuel **Baumbach** Heidelberg	M.B.	Andrew **Dyck** Los Angeles	A.DY.
Jan-Wilhelm **Beck** Bochum	J.-W.B.	Werner **Eck** Köln	W.E.
Hans **Beck** Köln	HA.BE.	Walter **Eder** Bochum	W.ED.
Andreas **Bendlin** Erfurt	A.BEN.	Beate **Ego** Osnabrück	B.E.
Lore **Benz** Kiel	LO.BE.	Susanne **Eiben** Kiel	SU.EI.
Albrecht **Berger** Berlin	AL.B.	Klaus-Valtin **von Eickstedt** Athen	K.v.E.
Walter **Berschin** Heidelberg	W.B.	Ulrich **Eigler** Trier	U.E.
Vera **Binder** Tübingen	V.BI.	Paolo **Eleuteri** Venedig	P.E.
Carsten **Binder** Kiel	CA.BI.	Karl-Ludwig **Elvers** Bochum	K.-L.E.
Jan **Biskup** Kiel	J.BI.	Johannes **Engels** Köln	J.E.
Jürgen **Blänsdorf** Mainz	JÜ.BL.	Michael **Erler** Würzburg	M.ER.
Bruno **Bleckmann** Straßburg	B.BL.	R. Malcolm **Errington** Marburg/Lahn	MA.ER.
Heide **Blödorn** Mainz	HE.BL.	Christos **Fakas** Berlin	CH.F.
François **Bovon** Cambridge, MA	F.BO.	Giulia **Falco** Athen	GI.F.
Barbara **Böck** Madrid	BA.BÖ.	Martin **Fell** Münster	M.FE.
István **Bodnár** Budapest	I.B.	Jean-Louis **Ferrary** Paris	J.-L.F.
Elke **Böhr** Wiesbaden	E.BÖ.	Hans-Jürgen **Feulner** Tübingen	H.J.F.
Henning **Börm** Kiel	HE.B.	Klaus-Dietrich **Fischer** Mainz	K.D.F.
Annalisa **Bove** Pisa	A.BO.	Menso **Folkerts** München	M.F.
Ewen **Bowie** Oxford	E.BO.	Nikolaus **Forgó** Wien	N.F.
Hartwin **Brandt** Chemnitz	H.B.	Sotera **Fornaro** Sassari	S.FO.
Eva Andrea **Braun-Holzinger** Frankfurt/Main	E.B.-H.	Karl Suso **Frank** Freiburg	K.-S.F.
Iris **von Bredow** Bietigheim-Bissingen	I.v.B.	Thomas **Franke** Dortmund	T.F.
Jan N. **Bremmer** Groningen	J.B.	Michael **Frede** Oxford	M.FR.
Burchard **Brentjes** Berlin	B.B.	Klaus **Freitag** Münster	K.F.
Klaus **Bringmann** Frankfurt/Main	K.BR.	Alexandra **Frey** Basel	AL.FR.
Sebastian P. **Brock** Oxford	S.BR.	Thomas **Frigo** Bonn	T.FR.
Kai **Brodersen** Mannheim	K.BRO.	Peter **Frisch** Köln	PE.FR.
Stefano **Bruni** Florenz	ST.BR.	Jörg **Fündling** Bonn	JÖ.F.
Jörg **Büchli** Zürich	J.BÜ.	Peter **Funke** Münster	P.F.
Leonhard **Burckhardt** Basel	LE.BU.	William D. **Furley** Heidelberg	W.D.F.
Alison **Burford-Cooper** Ann Arbor	A.B.-C.	Massimo **Fusillo** L'Aquila	M.FU.
Jan **Burian** Prag	J.BU.	Lucia **Galli** Florenz	L.G.
Pierre **Cabanes** Clermont-Ferrand	PI.CA.	Hartmut **Galsterer** Bonn	H.GA.
Claude **Calame** Lausanne	C.CA.	Hannes D. **Galter** Graz	HA.G.
Gualtiero **Calboli** Bologna	G.C.	Richard **Gamauf** Wien	R.GA.
Lucia **Calboli Montefusco** Bologna	L.C.M.	José Luis **García-Ramón** Köln	J.G.-R.
Paul A. **Cartledge** Cambridge	P.C.	Hans Armin **Gärtner** Heidelberg	H.A.G.
Heinrich **Chantraine** Mannheim	HE.C.	Paolo **Gatti** Trient	P.G.
C.E.A. **Cheesman** London	C.E.CH.	Hans-Joachim **Gehrke** Freiburg	H.-J.G.
Johannes **Christes** Berlin	J.C.	Karin **Geppert** Tübingen	KA.GE.
Justus **Cobet** Essen	J.CO.	Tomasz **Giaro** Frankfurt/Main	T.G.
Gregor **Damschen** Halle/Saale	GR.DA.	Chris **Gill** Exeter	C.GI.
Lorraine **Daston** Berlin	L.DA.	Christian **Gizewski** Berlin	C.G.
Giovanna **Daverio Rocchi** Mailand	G.D.R.	Reinhold F. **Glei** Bochum	R.GL.
Lorena **De Faveri** Venedig	L.d.F.	Anne **Glock** Potsdam	A.GL.
Loretana **de Libero** Hamburg	L.d.L.	Hans **Gottschalk** Leeds	H.G.
Stefania **de Vido** Venedig	S.d.V.	Marie-Odile **Goulet-Cazé** Antony	M.G.-C.
Wolfgang **Decker** Köln	W.D.	Fritz **Graf** Princeton	F.G.
		Anthony **Grafton** Princeton	AN.GR.
		Walter Hatto **Groß** Hamburg	W.H.GR.

Kirsten **Groß-Albenhausen** Frankfurt/Main	K. G.-A.
Joachim **Gruber** Erlangen	J. GR.
Fritz **Gschnitzer** Heidelberg	F. GSCH.
Maria Ida **Gulletta** Pisa	M. I. G.
Linda-Marie **Günther** München	L.-M. G.
Matthias **Günther** Bielefeld	M. GÜ.
Andreas **Gutsfeld** Münster	A. G.
Volkert **Haas** Berlin	V. H.
Mareile **Haase** Berlin	M. HAA.
Peter **Habermehl** Berlin	PE. HA.
Ilsetraut **Hadot** Limours	I. H.
Pierre **Hadot** Limours	P. HA.
Claus **Haebler** Münster	C. H.
Verena Tiziana **Halbwachs** Wien	V. T. H.
Ruth Elisabeth **Harder** Zürich	R. HA.
Henriette **Harich-Schwarzbauer** Graz	HE. HA.
Roger **Harmon** Basel	RO. HA.
Elke **Hartmann** Berlin	E. HA.
Ulrich **Heider** Köln	U. HE.
Martin **Heimgartner** Basel	M. HE.
Gottfried **Heinemann** Kassel	GO. H.
Johannes **Heinrichs** Bonn	JO. H.
Theodor **Heinze** Genf	T. H.
Joachim **Hengstl** Marburg/Lahn	JO. HE.
Albert **Henrichs** Cambridge, MA	AL. H.
Thomas **Hidber** Bern	T. HI.
Gerhard **Hiesel** Freiburg	G. H.
Friedrich **Hild** Wien	F. H.
Christoph **Höcker** Kissing	C. HÖ.
Nicola **Hoesch** München	N. H.
Peter **Högemann** Tübingen	PE. HÖ.
Karl-Joachim **Hölkeskamp** Köln	K.-J. H.
Jens **Holzhausen** Berlin	J. HO.
Malte **Hossenfelder** Graz	M. HO.
Blahoslav **Hruška** Prag	BL. HR.
Wolfgang **Hübner** Münster	W. H.
Oliver **Hülden** Tübingen	O. HÜ.
Christian **Hünemörder** Hamburg	C. HÜ.
Rolf **Hurschmann** Hamburg	R. H.
Werner **Huß** Bamberg	W. HU.
Brad **Inwood** Toronto	B. I.
Karl **Jansen-Winkeln** Berlin	K. J.-W.
Nina **Johannsen** Kiel	NI. JO.
Klaus-Peter **Johne** Berlin	K. P. J.
Sarah Iles **Johnston** Princeton	S. I. J.
Alberto **Jori** Tübingen	AL. J.
Tim **Junk** Kiel	T. J.
Jochem **Kahl** Münster	J. KA.
Ted **Kaizer** Oxford	T. KAI.
Hans **Kaletsch** Regensburg	H. KA.
Lutz **Käppel** Kiel	L. K.
Klaus **Karttunen** Helsinki	K. K.
Robert A. **Kaster** Princeton	R. A. K.
Emily **Kearns** Oxford	E. K.
Peter **Kehne** Hannover	P. KE.
Edward John **Kenney** Cambridge	E. KE.
Karlheinz **Kessler** Emskirchen	K. KE.
Wilhelm **Kierdorf** Köln	W. K.
Konrad **Kinzl** Peterborough	K. KI.
Claudia **Klodt** Hamburg	CL. K.
Dietrich **Klose** München	DI. K.
Heiner **Knell** Darmstadt	H. KN.
Thorsten **Knorr** Hamburg	TH. KN.
Nadia Justine **Koch** Tübingen	N. K.
Valentin **Kockel** Augsburg	V. K.
Christoph **Kohler** Bad Krozingen	C. KO.
Barbara **Kowalzig** Oxford	B. K.
Herwig **Kramolisch** Eppelheim	HE. KR.
Helmut **Krasser** Gießen	H. KR.
Jens-Uwe **Krause** München	J. K.
Christina **Kuhn** Kassel ·	CH. KU.
Andreas **Külzer** Wien	A. KÜ.
Heike **Kunz** Tübingen	HE. K.
Jean Louis **Labarrière** Paris	J. L. L.
Yves **Lafond** Bochum	Y. L.
Marie-Luise **Lakmann** Münster	M.-L. L.
Jean-Luc **Lamboley** Grenoble	J.-L. L.
Joachim **Latacz** Basel	J. L.
Marion **Lausberg** Augsburg	MA. L.
Yann **Le Bohec** Lyon	Y. L. B.
Eckhard **Lefèvre** Freiburg	E. L.
Gustav Adolf **Lehmann** Göttingen	G. A. L.
Thomas **Leisten** Princeton	T. L.
Hartmut **Leppin** Hannover	H. L.
Silvia **Letsch-Brunner** Benglen	S. L.-B.
Adrienne **Lezzi-Hafter** Kilchberg	A. L.-H.
Cay **Lienau** Münster	C. L.
Alexandra **von Lieven** Berlin	A. v. L.
Jerzy **Linderski** Chapel Hill, NC	J. LI.
A. W. **Lintott** Oxford	A. W. L.
Rüdiger **Liwak** Berlin	R. L.
Johanna **Loehr** Heidelberg	JO. L.
Hans **Lohmann** Bochum	H. LO.
Mario **Lombardo** Lecce	M. L.
Werner **Lütkenhaus** Marl	WE. LÜ.
Wolfram-Aslan **Maharam** Gilching	W.-A. M.
Marilena **Maniaci** Rom	MA. MA.
Ulrich **Manthe** Passau	U. M.
Christian **Marek** Zürich	C. MA.
Christoph **Markschies** Berlin	C. M.
Wolfram **Martini** Gießen	W. MA.
Stephanos **Matthaios** Köln	ST. MA.
Andreas **Mehl** Halle/Saale	A. ME.
Mischa **Meier** Bielefeld	M. MEI.
Gerhard **Meiser** Halle/Saale	GE. ME.
Klaus **Meister** Berlin	K. MEI.
Giovanni **Mennella** Genua	G. ME.
Andreas **Merkt** Mainz	AN. M.
Aldo **Messina** Triest	AL. MES.
Ernst **Meyer** † Zürich	E. MEY.
Simone **Michel** Hamburg	S. MI.
Martin **Miller** Berlin	M. M.
Heide **Mommsen** Stuttgart	H. M.
Ornella **Montanari** Bologna	O. M.
Maria Milvia **Morciano** Florenz	M. M. MO.
Christian **Müller** Hagen	C. MÜ.
Hans-Peter **Müller** Münster	H.-P. M.
Christa **Müller-Kessler** Emskirchen	C. K.
Peter C. **Nadig** Duisburg	P. N.
Heinz-Günther **Nesselrath** Bern	H.-G. NE.
Richard **Neudecker** Rom	R. N.
Hans **Neumann** Berlin	H. N.
Johannes **Niehoff** Freiburg	J. N.
Herbert **Niehr** Tübingen	H. NI.
Inge **Nielsen** Kopenhagen	I. N.
Hans Georg **Niemeyer** Hamburg	H. G. N.

Hans Jörg **Nissen** Berlin	H. J. N.	Karin **Schlapbach** Zürich	K. SCHL.
René **Nünlist** Basel	RE. N.	Peter L. **Schmidt** Konstanz	P. L. S.
Vivian **Nutton** London	V. N.	Tassilo **Schmitt** Bielefeld	TA. S.
John H. **Oakley** Williamsburg, VA	J. O.	Winfried **Schmitz** Bielefeld	W. S.
Eckart **Olshausen** Stuttgart	E. O.	Helmuth **Schneider** Kassel	H. SCHN.
Robin **Osborne** Oxford	R. O.	Franz **Schön** Regensburg	F. SCH.
Ömer **Özyiğit** Izmir	Ö. ÖZ.	Hanne **Schönig** Halle/Saale	H. SCHÖ.
Gianfranco **Paci** Macerata	G. PA.	Martin **Schottky** Pretzfeld	M. SCH.
Johannes **Pahlitzsch** Berlin	J. P.	Heinz-Joachim **Schulzki** Mannheim	H.-J. S.
Aliki Maria **Panayides** Bern	AL. PA.	Andreas **Schwarcz** Wien	A. SCH.
Umberto **Pappalardo** Neapel	U. PA.	Elmar **Schwertheim** Münster	E. SCH.
Robert **Parker** Oxford	R. PA.	Johannes **Schwind** Trier	J. SCH.
Barbara **Patzek** Wiesbaden	B. P.	Reinhard **Senff** Bochum	R. SE.
Christoph Georg **Paulus** Berlin	C. PA.	H. Alan **Shapiro** Baltimore	A. SH.
C. B. R. **Pelling** Oxford	C. B. P.	Anne Viola **Siebert** Hannover	A. V. S.
Maria Federica **Petraccia Lucernoni** Mailand	M. F. P. L.	Roswitha **Simons** Düsseldorf	R. SI.
Georg **Petzl** Köln	G. PE.	Bernhard **Smarczyk** Köln	B. SMA.
C. Robert III. **Phillips** Bethlehem, PA	C. R. P.	Kurt **Smolak** Wien	K. SM.
Volker **Pingel** Bochum	V. P.	Raphael **Sobotta** Heidelberg	R. SO.
Robert **Plath** Erlangen	R. P.	Holger **Sonnabend** Stuttgart	H. SO.
Annegret **Plontke-Lüning** Jena	A. P.-L.	Christine **Sourvinou Inwood** Oxford	C. S. I.
Thomas **Podella** Lübeck	TH. PO.	Anthony J. S. **Spawforth** Newcastle upon Tyne	A. SPA.
Wolfgang **Polleichtner** Würzburg	W. PO.	Wolfgang **Spickermann** Bochum	W. SP.
Karla **Pollmann** St. Andrews	K. P.	Karl-Heinz **Stanzel** Tübingen	K.-H. S.
Werner **Portmann** Berlin	W. P.	Frank **Starke** Tübingen	F. S.
Daniel T. **Potts** Waverley	D. T. P.	Ekkehard Wolfgang **Stegemann** Basel	E. STE.
Friedhelm **Prayon** Tübingen	F. PR.	Elke **Stein-Hölkeskamp** Köln	E. S.-H.
Francesca **Prescendi** Genf	FR. P.	Matthias **Steinhart** Freiburg	M. ST.
Joachim **Quack** Berlin	JO. QU.	Jan **Stenger** Kiel	J. STE.
Wolfgang **Radt** Istanbul	W. R.	Magdalene **Stoevesandt** Basel	MA. ST.
Georges **Raepsaet** Brüssel	G. R.	Daniel **Strauch** Berlin	D. S.
Dominic **Rathbone** London	D. R.	Michael P. **Streck** München	M. S.
Ellen **Rehm** Frankfurt/Main	E. RE.	Karl **Strobel** Klagenfurt	K. ST.
François **Renaud** Moncton	F. R.	Meret **Strothmann** Bochum	ME. STR.
Johannes **Renger** Berlin	J. RE.	Gerd **Stumpf** München	GE. S.
Peter J. **Rhodes** Durham	P. J. R.	Thomas A. **Szlezák** Tübingen	T. A. S.
John A. **Richmond** Blackrock, VA	J. A. R.	Sarolta A. **Takacs** Cambridge, MA	S. TA.
Thomas **Richter** Frankfurt/Main	TH. RI.	Hildegard **Temporini – Gräfin Vitzthum** Tübingen	
Christoph **Riedweg** Zürich	C. RI.		H. T.-V.
Josef **Rist** Würzburg	J. RI.	Andreas **Thomsen** Tübingen	A. T.
Helmut **Rix** Freiburg	H. R.	Gerhard **Thür** Graz	G. T.
Emmet **Robbins** Toronto	E. R.	Stephanie **Thurmann** Kiel	S. T.
Michael **Roberts** Middletown, CT	M. RO.	Teun **Tieleman** Leeuwarden	TE. TI.
Wolfgang **Röllig** Tübingen	W. R.	Franz **Tinnefeld** München	F. T.
Malte **Römer** Berlin	M. RÖ.	Malcolm **Todd** Durham	M. TO.
Veit **Rosenberger** Augsburg	V. RO.	Kurt **Tomaschitz** Wien	K. T.
Kai **Ruffing** Münster	K. RU.	Isabel **Toral-Niehoff** Freiburg	I. T.-N.
David T. **Runia** Leiden	D. T. R.	Renzo **Tosi** Bologna	R. T.
Jörg **Rüpke** Erfurt	J. R.	Alain **Touwaide** Madrid	A. TO.
Ian C. **Rutherford** Reading	I. RU.	Giovanni **Uggeri** Florenz	G. U.
Henri D. **Saffrey** Paris	H. SA.	Jürgen **von Ungern-Sternberg** Basel	J. v. U.-S.
Klaus **Sallmann** Mainz	KL. SA.	Ioannis **Vassis** Athen	I. V.
Antonio **Sartori** Mailand	A. SA.	Zoltán **Végh** Salzburg	Z. VE.
Vera **Sauer** Stuttgart	V. S.	Rainer **Voigt** Berlin	R. V.
Kyriakos **Savvidis** Bochum	K. SA.	Artur **Völkl** Innsbruck	A. VÖ.
Livio **Sbardella** L'Aquila	L. SB.	Hans **Volkmann** Köln	H. VO.
Gerson **Schade** Berlin	GE. SCH.	Christine **Walde** Basel	C. W.
Dietmar **Schanbacher** Dresden	D. SCH.	Katharina **Waldner** Berlin	K. WA.
Gerald P. **Schaus** Waterloo, Ontario	G. P. S.	Uwe **Walter** Köln	U. WAL.
Ingeborg **Scheibler** Krefeld	I. S.	Irina **Wandrey** Berlin	I. WA.
Hans-Martin **Schenke** Berlin	H.-M. SCHE.	David **Wardle** Kapstadt	D. WAR.
Johannes **Scherf** Tübingen	JO. S.	Ralf-B. **Wartke** Berlin	R. W.
Gottfried **Schiemann** Tübingen	G. S.	Irma **Wehgartner** Würzburg	I. W.

Peter **Weiß** Kiel	P. W.	Nigel **Wilson** Oxford	N. W.
Michael **Weißenberger** Greifswald	M. W.	Eckhard **Wirbelauer** Freiburg	E. W.
Karl-Wilhelm **Welwei** Bochum	K.-W. WEL.	Orell **Witthuhn** Marburg/Lahn	O. WI.
Otta **Wenskus** Innsbruck	O. WE.	Anne-Maria **Wittke** Tübingen	A. W.
Otto **Wermelinger** Fribourg	O. WER.	Gerda **Wolfram** Wien	GE. WO.
Rainer **Wiegels** Osnabrück	RA. WI.	Michael **Zahrnt** Kiel	M. Z.
Josef **Wiesehöfer** Kiel	J. W.	Bernhard **Zimmermann** Freiburg	B. Z.
Christian **Wildberg** Princeton	CH. WI.	Martin **Zimmermann** Tübingen	MA. ZI.
Wolfgang **Will** Bonn	W. W.	Sylvia **Zimmermann** Freiburg	S. ZIM.
Dietrich **Willers** Bern	DI. WI.		

Übersetzer

J. Derlien	J. DE.	B. Onken	B. O.
H. Dietrich	H. D.	C. Pöthig	C. P.
E. Dürr	E. D.	S. Preiswerk	SO. PR.
C. Eichmüller	C. EI.	B. v. Reibnitz	B. v. R.
S. Externbrink	S. EX.	L. v. Reppert-Bismarck	L. v. R.-B.
S. Felkl	S. F.	P. Riedl	PE. R.
S. Fischer	SU. FI.	U. Rüpke	U. R.
K. Fleckenstein	K. FL.	A. Schilling	A. SCH.
Th. Gaiser	TH. G.	I. Sauer	I. S.
A. Heckmann	A. H.	G. Schade	GE. SCH.
T. Heinze	T. H.	Ch. Schmidt	CH. SCH.
G. Krapinger	G. K.	H. Schneider	H. SCH.
H. Kunz	HE. K.	R. Sobotta	R. SO.
J. W. Mayer	J. W. MA.	R. Struß-Höcker	R. S.-H.
M. Mohr	M. MO.	Th. Zinsmaier	TH. ZI.

Mitarbeiter in den Fachgebietsredaktionen

Alte Geschichte:	Dr. Thomas Franke Anne Krahn Stefanie Märtin Christian Müller	Lateinische Philologie, Rhetorik:	Katharina Fleckenstein Kristin Linke Diana Püschel
Alter Orient:	Kristin Kleber	Mythologie:	Silke Antoni
Archäologie (Sachkultur und Kunstgeschichte):	Dr. Fulvia Ciliberto	Philosophie:	Vanessa Kucinska
Christentum:	Dr. Martin Heimgartner	Religionsgeschichte:	Markus Eckart Katharina Fleckenstein Diana Püschel
Griechische Philologie:	Raphael Sobotta	Sozial- und Wirtschaftsgeschichte:	Bettina Jarosch-von Schweder Björn Onken
Historische Geographie:	Vera Sauer M. A. Christian Winkle	Sprachwissenschaft:	Christel Kindermann Dr. Robert Plath
Kulturgeschichte:	Janine Andrae Sandra Schwarz		

O

Oracula Chaldaica. Mit dem Begriff O. Ch. werden griech. Gedichte in daktylischen Hexametern bezeichnet, welche angeblich von → Hekate und vielleicht auch anderen Gottheiten entweder direkt zu einer unter dem Namen → Iulianos [4] der Chaldäer bekannten Figur gesprochen werden, der sie angerufen hatte, oder über ein von Iulianos eingesetztes göttlich besessenes Medium. Die Gedichte sind in archaisierender Sprache verfaßt, die sowohl Homer als auch ältere Orakel nachahmt. Obwohl sie aus dem späten 2. oder frühen 3. Jh. n. Chr. stammen, wird die Bezeichnung O. Ch. erst mehrere hundert Jahre später auf sie angewandt (z. B. Prokl. in Plat. Parm. 800,19), wahrscheinlich in der Absicht, die Gedichte und ihre Botschaften mit der hochgeschätzten spirituellen Weisheit der → Chaldaioi in Verbindung zu bringen. Frühere Autoren, die die O. Ch. zitieren, bezeichnen sie als *ta hierá lógia* (»die heiligen Sprüche«) oder einfach *ta lógia* (»die Sprüche«) [4. 443–447].

Erh. sind die O. Ch. heute nur in etwa 200 Fr., welche von späteren Autoren, darunter Proklos, Damaskios und Michael Psellos, zitiert werden. Porphyrios, Iamblichos und Proklos schrieben auch Komm. zu den O. Ch., die jedoch verloren sind; Iamblichos bezieht sich auf die O. Ch. und paraphrasiert sie wahrscheinlich sogar in *De mysteriis* [1. 18–57; 4. 449–456; 5]. Kritische Editionen mit Übers. und Komm. sind [1] und [2]; [1] enthält auch verwandte Exzerpte aus Psellos. [4] ist nunmehr veraltet und mit Vorsicht zu benutzen, doch bleibt es die gründlichste Darstellung der O. Ch.

Die O. Ch. enthalten Lehren, die für die Theurgen (→ Theurgie) zentral waren, einschließlich kosmogonischer und theologischer Informationen sowie Anweisungen für Rituale, die ihnen helfen sollten, weitere Informationen von den Göttern zu erlangen und dann ihre Seelen zu reinigen, um sie zum Himmel aufsteigen zu lassen. Philos. sind diese Lehren in großem Maße dem Platonismus verpflichtet. So gibt es etwa einen einzigen höchsten Gott, der Vater heißt und transzendent ist und die unteren Regionen des Kosmos nur durch Hypostasen wie seinen *Nus* (»Vernunft«) und seine *Dýnamis* (»Potentialität«) affiziert; jenseits des physischen (oder hylischen) gibt es ein noetisches Reich, das Menschen nur intellektuell erfassen können; und körperlichen Begierden müsse man widerstehen, da sie gefährlich seien [1. 14–17; 2. 1–46; 3]. Die Riten beruhen auf der Manipulation von Substanzen und dem Aussprechen heiliger Worte und sind damit denen der zeitgenössischen → Magie und Rel. sehr ähnlich (z. B. [3]). → Iulianos [5] der Theurg

1 E. DES PLACES (ed.), Oracles Chaldaïques (mit frz. Übers. und Komm.), 1971 **2** R. D. MAJERCIK (ed.), The Chaldaean Oracles (mit engl. Übers. und Komm.) (Studies in Greek and Roman Rel., Bd. 5), 1989 **3** S. I. JOHNSTON, Rising to the Occasion. Theurgic Ascent in its Cultural Milieu, in: P. SCHAEFER, H. KIPPENBERG (Hrsg.), Envisioning Magic, 1997 **4** H. LEWY, Chaldaean Oracles and Theurgy, ²1978 **5** F. W. CREMER, Die Chaldäischen Orakel und Jamblich de mysteriis, 1969.   S. I. J./Ü: T. H.

Oracula Sibyllina s. Sibyllinische Orakel

Orakel   I. ALTER ORIENT   II. ÄGYPTEN
III. KLASSISCHE ANTIKE

I. ALTER ORIENT s. Divination

II. ÄGYPTEN

Eine Form der → Divination war vom NR bis in die röm. Zeit das O., die schriftl. oder mündl. Befragung der Gottheit, meist durch einen vermittelnden Priester. Diese fand in der Regel bei Götterfesten (→ Fest) statt, wenn das Kultbild aus dem Allerheiligsten getragen wurde. Selten und auf Könige beschränkt waren O. im Allerheiligsten. Beim Prozessions-O. erfolgte die zustimmende oder ablehnende Antwort des Gottes in Form von Bewegungen der Tragbarke oder Sänfte mit dem Kultbild. Der Terminus O. legt den Vergleich mit dem griech. O. nahe, v. a. dem von → Delphoi. Gemeinsam ist dem O. in beiden Kulturen, daß Menschen nicht auf göttliche Vorzeichen reagierten (→ Omen), sondern ein Anliegen an die Gottheit herantrugen. Doch waren in Äg. Fragen nach der Zukunft seltener als Fragen nach dem Willen des Gottes, z. B. ob man eine bestimmte Person in eine vakante Stellung bringen dürfe. Wo es um göttliches Wissen ging, spielte das Wissen über die Vergangenheit eine große Rolle, z. B. wenn in Gerichts-O. gefragt wurde, wer etwas gestohlen habe.

Während Delphoi zum zentralen O. für alle Städte im griech. Mutterland und in der Oikumene wurde, konnte in Äg. offenbar jeder bed. Gott O. geben, auch wenn dies nicht für alle Götter belegt ist. Da es auf die Kundgabe des Willens der Götter nicht weniger ankam als auf ihr Wissen, waren die mächtigsten auch die am häufigsten befragten O.-Götter. So war im NR → Amun-Re von Karnak als König der Götter und Vater des regierenden Königs der wichtigste O.-Gott. Daneben spielte auch die persönliche Nähe zur Gottheit eine Rolle und ließ in bestimmten sozialen Gruppen auch weniger bed. Götter zu wichtigen O.-Gebern werden, so den vergöttlichten König → Amenophis I. als Schutzpatron der Arbeitersiedlung von Dair al-Madīna. Auch wenn das O. des Amun von Karnak zeitweise als das bedeutendste galt und in der 21. Dyn. als das Medium seiner Königsherrschaft angesehen wurde, ist dennoch ein Wirken dieses O. im ganzen Land, vergleichbar mit dem Einfluß des delphischen O. auf Politik und Kult der griech. Städte, nicht nachzuweisen. Die meisten der bekannten O.-Sprüche des Amun beziehen sich auf den thebanischen Raum.

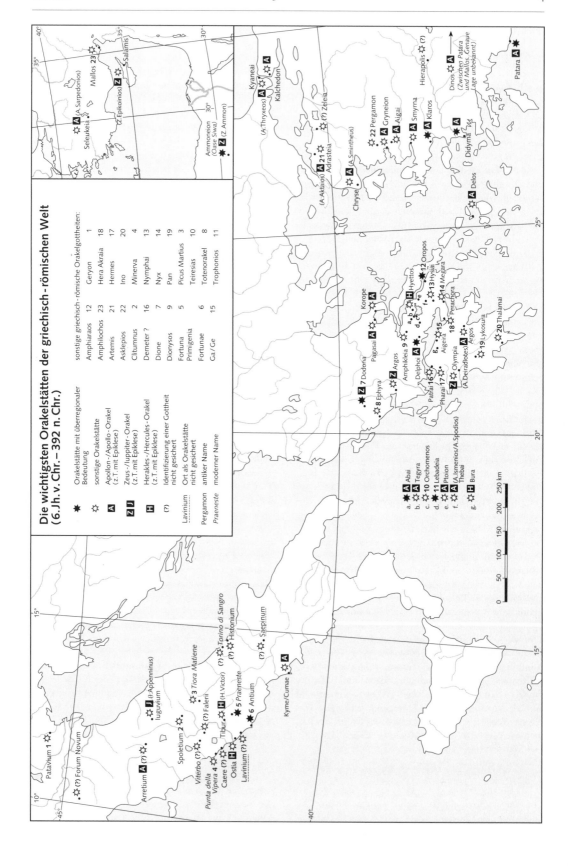

Die wichtigsten Orakelstätten der griechisch-römischen Welt (6.Jh. v.Chr. – 392 n.Chr.)

	Orakelstätte mit überregionaler Bedeutung
	sonstige Orakelstätte
A	Apollon-/Apollo-Orakel (z.T. mit Epiklese)
Z J	Zeus-/Iuppiter-Orakel (z.T. mit Epiklese)
H	Herakles-/Hercules-Orakel (z.T. mit Epiklese)
	Identifizierung einer Gottheit nicht gesichert
(?)	Ort als Orakelstätte nicht gesichert
Lavinium	antiker Name
Pergamon	moderner Name
Praeneste	

sonstige griechisch-römische Orakelgottheiten:

Amphiaraos	12	Geryon	1
Amphilochos	23	Hera Akraia	18
Artemis	21	Hermes	17
Asklepios	22	Ino	20
Clitumnus	2	Minerva	4
Demeter ?	16	Nymphai	13
Dione	7	Nyx	14
Dionysos	9	Pan	19
Fortuna Primigenia	5	Picus Martius	3
Fortunae	6	Teiresias	10
Ga/Ge	15	Totenorakel	8
		Trophonios	11

H. BONNET, s. v. O., RÄRG, 560–564 · L. KÁKOSY, s. v. O., LÄ 4, 600–606 · A. VON LIEVEN, Divination in Äg., in: Altorient. Forsch. 26, 1999, 77–126, bes. 78–97.   M. RÖ.

III. KLASSISCHE ANTIKE
A. ALLGEMEINES B. ORAKELSTÄTTEN
C. ORAKELTECHNIKEN D. FUNKTIONEN
E. GESCHICHTLICHES

A. ALLGEMEINES
Unter den zahlreichen Methoden der → Divination sind O. (griech. *manteíon, chrēstḗrion,* lat. *oraculum*) Weissagungen, die an bestimmten Orten nach einem festgelegten Ritus und zu festgelegten Zeiten, an denen die Gottheit als anwesend gedacht war, erteilt wurden; zugleich bezeichnet O. den Ort der Weissagung.

B. ORAKELSTÄTTEN
Insgesamt lassen sich bisher – abgesehen von den im 2. Jh. n. Chr. im Osten weit verbreiteten Astragal-O. ([1]; → Astragal [2]) sowie den O. in Syrien [2] – über 60 O.-Stätten von unterschiedlicher Bed. nachweisen (s. Karte). Höchstes Ansehen genoß → Delphoi (Delphi) mit Ausstrahlung über die griech. Welt hinaus. Überregionale Bed. besaßen auch die O., die → Kroisos zusammen mit Delphi getestet haben soll: → Dodona als das angeblich älteste O., → Didyma, → Abai, → Oropos, → Lebadeia sowie das → Ammoneion der Oase Siwa (Hdt. 1,46). Zu diesen kommen noch → Klaros [1] und → Gryneion. → Olympia und → Delos sind als O. v. a. in archa. Zeit belegt. In It. am bekanntesten sind die O. der → Fortuna Primigenia in → Praeneste und der Fortunae in → Antium. Mit Ausnahme der Astragal-O. zeichneten sich die O. meist durch eine marginale Lage aus: Zum Ambiente gehörte eine Quelle, oft auch ein Hain wie beim O. des umbrischen Flußgottes → Clitumnus (Plin. epist. 8,8; [3]).

C. ORAKELTECHNIKEN
Allen O. gemeinsam war die Forderung nach → Reinheit (Fasten, Enthaltsamkeit und Verwendung von Wasser). Die O. lassen sich in vier Gruppen aufteilen: 1. Ein inspiriertes Medium, z. B. die → Pythia in Delphi, erteilt Auskunft; zumeist stehen zwischen Medium und Klienten vermittelnde → Priester. 2. Ein Medium verwendet zufallsgesteuerte Mantik, z. B. das Bohnen-O. in Delphi, bei dem Bohnen aus einem Gefäß gezogen wurden; eine helle Frucht bedeutete Zustimmung, eine dunkle Ablehnung. 3. Der Klient wird selbst zum inspirierten Medium, wie in der Höhle des Heros → Trophonios in Lebadeia (Paus. 9,39–40) oder beim Traumorakel des → Amphiaraos in Oropos. 4. Der Klient wendet selbst zufallsgesteuerte Mantik an, wie bei dem Würfel-O. des Herakles in → Bura: Man hatte vier Würfe, wobei die Deutung jeder möglichen Kombination schriftlich fixiert war (Paus. 7,25). Los-O. (→ Los II.) waren bes. in It. verbreitet [4].

D. FUNKTIONEN
O. stifteten gesellschaftl. Normen und besaßen legitimatorische Qualität. Zumeist half ein O. bei der Wahl zw. zwei Möglichkeiten: Als sich z. B. die Athener 352/1 v. Chr. fragten, ob die Heilige Au von Eleusis verpachtet werden oder brachliegen solle, deponierten sie beide Möglichkeiten auf zwei identischen Zinntäfelchen unter der Aufsicht der Volksversammlung in einer silbernen und einer goldenen Hydria, wobei nicht mehr nachvollziehbar war, welches Gefäß welche Antwort enthielt. Beide Gefäße wurden dem delph. O. zur Wahl vorgelegt (IG II² 204; Syll.³ 204). Allenfalls in den (oft als dunkel geltenden) myth. und semihistor. O.-Sprüchen findet sich in dieser Zeit eine Vorhersagung der Zukunft. Diese Trad. setzt sich z. T. in den → Sibyllinischen O. oder in Los-O. wie z. B. den *Sortes* des → Astra(m)psychos fort. Auch wenn zahlreiche Sprüche aus Delphi bei der Kolonisation den Weg gewiesen haben sollen (z. B. Hdt. 4,155–165), ist die tatsächliche Bed. Delphis für die griech. Landnahme nicht gesichert [6]. Kultische und polit. Neuerungen in griech. Poleis waren oft durch einen Spruch aus Delphi sanktioniert. Bei innergriech. Kriegen verweigerte Olympia die Auskunft (Xen. hell. 3,2,22). Auch Privatpersonen konsultierten ein O. zu zahlreichen Anlässen: Reise, Heirat, Krankheit, Rechtsstreitigkeiten, Statusfragen, Unglück, bes. Seuchen und Unfruchtbarkeit etc. (z. B. Xen. an. 3,1,5–8).

E. GESCHICHTLICHES
Aufgrund der Quellenlage läßt sich die Chronologie einzelner O. nur in wenigen Fällen nachvollziehen; zugleich ist von einem ständigen Bedürfnis nach göttl. Rat auszugehen. Bereits im 6. Jh. v. Chr. kursierten O.-Sammlungen, u. a. des → Orpheus, des → Bakis und des → Musaios [1]. → Hippias [1] soll im Exil am persischen Königshof mit der O.-Sammlung des Musaios den Großkönig zum Zug gegen Athen bewogen haben (Hdt. 7,6). Delphi erlebte seine Blütezeit vom 6.–5. Jh. v. Chr. Seit dem 4. Jh. trat ein Wandel ein: Durch die Umstrukturierung der griech. Welt zu Flächenstaaten nahm die Zahl der Anfragen von selbständigen Gemeinwesen ab, dafür erhöhte sich die Konsultierung durch Privatpersonen. Spätestens in hell. Zeit kam es zur Fixierung von Vorschriften und Publikation der Klienten sowie ihrer Fragen und Antworten. Im 2. Jh. n. Chr. ist – nach zwischenzeitlichem Niedergang (z. B. Plut. de def. or., Plut. de Pyth. or. 29; [6]) – in einigen Orten (z. B. Delphi, Didyma, Gryneion) ein Aufschwung zu erkennen [7. 200–259]; vgl. auch das Glykon-O. des → Alexandros [27] aus Abonuteichos. Nicht zuletzt die röm. Kaiser unterstützten die großen O.-Stätten zuweilen materiell [6]; diese bildeten in der Kaiserzeit das Ziel eines transregionalen rel. und »Bildungstourismus«. Unter Theodosius I. wurden die letzten O. 392 n. Chr. geschlossen.
→ OKKULTISMUS

1 J. NOLLÉ, Südkleinasiat. Los-O. in der röm. Kaiserzeit, in: Ant. Welt 18.3, 1987, 41–49 2 Y. HAJJAR, Divinités oraculaires et rites divinatoires en Syrie et en Phénicie à l'époque gréco-romaine, in: ANRW II 18.4, 1990, 2289–2313 3 F. GRAF, Bois sacrés et oracles en Asie mineure, in: Les bois sacrés (Coll. Centre Bérard 10), 1993,

23–29 **4** J. Champeaux, Sors oraculi, in: MEFRA 102, 1990, 271–302 **5** C. Morgan, Athletes and Oracles, 1990 **6** S. Levin, The Old Greek Oracles in Decline, in: ANRW II 18.2, 1989, 1599–1606 **7** R. Lane Fox, Pagans and Christians, 1986.

H. Brandt, Pythia, Apollon und die älteren griech. Tyrannen, in: Chiron 28, 1998, 193–212 · L. Bruit Zaidman, P. Schmitt-Pantel, Die Rel. der Griechen, 1994, 119–127 · J. Fontenrose, The Delphic Oracle, 1978 · J.-D. Gauger, Sibyllin. Weissagungen, 1998 · J.-G. Heintz (Hrsg.), Oracles et prophéties dans l'antiquité, 1997 · L. Maurizio, Anthropology and Spirit Possession, in: JHS 115, 1995, 69–86 · H. W. Parke, Greek Oracles, 1967 · Ders., The Oracles of Zeus: Dodona, Olympia, Ammon, 1967 · Ders., The Oracles of Apollo in Asia Minor, 1985 · S. R. F. Price, Delphi and Divination, in: P. E. Easterling, J. V. Muir (Hrsg.), Greek Rel. and Society, 1985, 128–154 · Robert, OMS, 1989, 584–646 · V. Rosenberger, Griech. O., 2000. V. RO.

Oral poetry s. Schriftlichkeit-Mündlichkeit; HOMERISCHE FRAGE

Orarium (auch *sudarium*). Der Gebrauch des »Gesichts«- (o.) oder »Schweißtuches« (*sudarium*) ist seit dem 1. Jh. v. Chr. bezeugt (Quint. inst. 6,3,60; 11,3,148); man benutzte es, um den Schweiß abzuwischen, den Mund zu bedecken (Suet. Nero 25), den Kopf zu verhüllen (Suet. Nero 45) und die Hände abzutrocknen (Petron. 67). Auch konnte man es um den Hals tragen (Suet. Nero 51; Petron. 67). Nach Catull 12,14 und 25,7 war das *sudarium* aus spanischem Leinen. Die Bezeichnung o. taucht erst seit dem 3. Jh. n. Chr. auf; beide werden syn. verwandt, wobei das o. jetzt zum Beifallspenden in den Arenen, zum Verbinden der Augen bei Hinrichtungen, zum Umhüllen von Gegenständen oder des Kopfes diente. Ab dem 4. Jh. konnten auch liturgische Gewänder bzw. Gewandstücke o. genannt werden. R. H.

Orbelos (Ὄρβηλος). Gebirge im Grenzgebiet zw. Thrakia und Makedonia (Hdt. 5,16; Strab. 7a,1,36; Arr. an. 1,1,5), im allg. mit dem h. Belasica im Norden der Chalkidike gleichgesetzt. Es war für seinen Dionysos-Kult bekannt (Mela 2,17).

T. Spiridonov, Istoričeskata geografija na trakijskite plemena, 1983, 24 f., 118. I. v. B.

Orbi. Die »Kinderlosen«, die nach röm. Recht seit Augustus gewisse Rechtsnachteile erfuhren: Zur Förderung des Kinderreichtums wurden Frauen mit mehreren Kindern nach der *lex Iulia de maritandis ordinibus* und nach der *lex Papia* begünstigt (→ *ius liberorum*) und als »Kehrseite« hiervon Kinderlose (Frauen wie Männer) in ihrer Fähigkeit (*capacitas*) zum Erwerb von Erbschaften und Vermächtnissen beschränkt: Was den o. testamentarisch hinterlassen war, fiel ihnen nur zur Hälfte (dem überlebenden Ehegatten sogar nur zu einem Zehntel) zu. Der verbleibende Rest wurde als → *caducum* (verfallene Erbschaft) anderen männlichen Erben oder Vermächtnisnehmern mit Nachkommen zugeteilt, und wenn es solche private Erbberechtigte nicht gab, dem Staat (dem → *aerarium*, später dem → *fiscus*).

Kaser, RPR 1, 320 f., 724 f. G. S.

Orbilius Pupillus, L. Lat. Grammatiker. O. zog 63 v. Chr. im Alter von 50 J. von Benevent nach Rom, nachdem er als *apparitor* (subalterner Bediensteter eines Magistrats) zu Hause sowie in einem Makedonienfeldzug gedient hatte. Er wurde fast 100 J. alt. Als mürrischer Charakter und harscher Kritiker des Gelehrtenmilieus in Rom, wo er keinen Erfolg hatte, blieb er seinem Schüler → Horatius [7] wegen seiner Schläge im Gedächtnis (Hor. epist. 2,1,69–71), wurde aber in → Beneventum mit einer Statue geehrt (Suet. gramm. 9). Gelehrte Schriften sind nicht bezeugt, doch schrieb er zwei bei Sueton erwähnte nichtwiss. Werke (eine Schrift autobiographischen Inhalts und eine öffentliche Verurteilung der Behandlung von Lehrern durch Schülereltern). Er behauptete, die Veröffentlichung der Enniusstudie des → Pompilius Andronicus sichergestellt zu haben.

R. A. Kaster, C. Suetonius Tranquillus, De Grammaticis et Rhetoribus, 1995, 128–137. R. A. K./Ü: M. MO.

Orbona. Röm. Göttin, von *orbus* (»kinderlos«) abgeleitet und als böse Macht erklärt, die Eltern die Kinder raube. Zu ihrer Besänftigung war ihr ein Heiligtum nahe beim Tempel der → Laren geweiht (Cic. nat. deor. 3,63; Plin. nat. 2,16; Tert. nat. 2,15,2). Laut Arnob. 4,7 die Göttin der Eltern, die ihre Kinder verloren haben.

Latte, 53 · Radke, 240 f. L. K.

Orchestra s. Theater

Orchius. Brachte 182 v. Chr. die erste bezeugte röm. *lex sumptuaria* (»Gesetz gegen Luxus«) durch. Sie begrenzte die Zahl der Teilnehmer beim Gastmahl (Macr. Sat. 3,17,2). Wie andere Gesetze dieser Zeit sollte auch dieses die Chancen des polit. Konkurrenzkampfes regeln. M. Porcius → Cato [1] mußte gegen seine Abschwächung kämpfen (Fest. 280–82 L.). Es wurde 161 v. Chr. durch die schärfere *lex Fannia* abgelöst (s. → Fannius [I 6]); → *luxus*.

E. Baltrusch, Regimen morum, 1989, 77–81. TA. S.

Orchomenos

[1] (Ὀρχομενός; boiotisch Ἐρχομενός, LSAG 95, Nr. 17).
A. Geographie
B. Mykenische bis klassische Zeit
C. Spätklassische und hellenistische Zeit
D. Römische Zeit E. Religion
F. Archäologie

A. Geographie
Stadt in NW-Boiotia (Hom. Il. 2,511) am Berg Akontion, am NW-Rand der → Kopais in der Nähe des

mod. Skripou, h. wieder O. Zum Polisgebiet gehörte ein ausgedehntes Hinterland, v. a. die Kephisos-Ebene [1]. Schon seit prähistor. Zeit war O. einer der bedeutendsten Orte in → Boiotia (Keramik [2]; Tholos-Grab, das »Grab des Minyas«, aus dem 14. Jh. v. Chr., vgl. Paus. 9,36,4–6; 9,38,2). In O. existierte eine (Palast?-)Anlage, östl. des Kuppelgrabes entdeckt [3]. Von O. aus wurden im 2. Jt. v. Chr. Deichbauten und Meliorationsarbeiten in der Kopais durchgeführt. Gegen E. des 2. Jt. bewirkte ein Ansteigen des Sees und die Aufgabe der Entwässerungsanlagen eine Reduzierung des Territoriums [4].

B. Mykenische bis klassische Zeit

Im homer. Schiffskat. (Hom. Il. 2,511; [5]) wird O. zusammen mit → Aspledon getrennt von den übrigen Boiotoi aufgelistet. Das ständige Beiwort Μινύειος/ Minýeios (»minyisch«, Hom. Il. 2,511; Thuk. 4,76,3) ist wohl von einem einst dort ansässigen Stamm abzuleiten. Verm. kontrollierte O. in myk. Zeit einen eigenen Einflußbereich, dem auch andere tributpflichtige Städte angehörten (Isokr. or. 14,10; Diod. 15,79,5). Der Reichtum des alten O. war sprichwörtlich (Hom. Il. 9,381; Strab. 9,2,40; Paus. 1,9,3). O. war Mitglied der *amphiktyonía* von → Kalaureia (Strab. 8,6,14; [6. Bd. 2, 213 f.]. Die weitere Gesch. von Boiotia ist geprägt von der Rivalität zw. → Thebai und O. (vgl. den Mythos [7]). → Hesiodos soll in O. begraben sein (Paus. 9,38,3–5; [8]). Im 6. Jh. v. Chr. konnte O. einen Sieg gegen oder bei → Koroneia erringen (LSAG 95, Nr.11). Wohl erst nach 480 v. Chr. trat O. dem Boiotischen Bund (→ Boiotia, mit Karte) bei. Nach 446 v. Chr. stellte O. gemeinsam mit Hyettos zwei der elf → Boiotarchen des Bundes (Hell. Oxyrh. FGrH 66 F 1 (XI) 3; [9]). Bis 424 v. Chr. gehörte neben anderen weniger bed. Städten noch → Chaironeia zu O. (Thuk. 4,76,3). 427/6 verwüstete ein schweres Erdbeben die Stadt (Thuk. 3,87,4). 424 v. Chr. gelang es aus O. verbannten Demokraten nicht, die Stadt auf die Seite der Athener zu bringen (Thuk. 4,76,3; 93,4).

C. Spätklassische und hellenistische Zeit

395 v. Chr. verbündete sich O. mit → Sparta, eine spartanische Garnison wurde in die Stadt gelegt (Xen. Hell. 3,5,6; 4,3,15 f.). 370 wurde O. nach Kämpfen mit → Thebai (Xen. Hell. 6,4,10; Diod. 15,37,1) wieder in den Boiotischen Bund gezwungen (Diod. 15,57,1). 364 zerstörte Thebai O.; ein Großteil der Bevölkerung wurde ermordet bzw. versklavt (Diod. 15,79,3–6; Dem. or. 16,4; 25; 20,109). Bald wurde ein Bevölkerungsverband wieder nach O. zurückgeführt (IG IV² 1,94,8). 354/3 v. Chr. kam O. unter phokische Kontrolle (Diod. 16,33,4); 346 v. Chr. wurde O. von → Philippos II. wieder den Thebanern übergeben (Dem. or. 5,21 f.). Danach ist öfters von Rückgabe und Wiederaufbau von O. die Rede (Dem. or. 19,112; 141; 325; Paus. 4,27,10; 9,37,8). Nach der Zerstörung von Thebai durch Alexandros [4] d.Gr. 335 v. Chr. trat O. erneut dem Boitischen Bund bei. In hell. Zeit teilte O. das Schicksal von Boiotia [10].

D. Römische Zeit

Von den Kriegen zw. Rom und → Mithradates [6] VI. wurde O. schwer betroffen. 86 v. Chr. wurde die Stadt von Römern unter → Cornelius [I 90] Sulla geplündert (Plut. Sulla 20,3). Reiche Römer kamen in den Besitz des Acker- und Weidelandes. In der röm. Kaiserzeit war O. nur noch eine unbed. Kleinstadt [11].

E. Religion

O. galt als uraltes Zentrum der Verehrung der → Charites (Pind. Ol. 14; Paus. 9,35,1; [12]). Daneben gab es u. a. Kulte für Zeus [6. Bd. 3, 120–124], Asklepios [6. Bd. 1, 108 f.] und Dionysos [6. Bd. 1, 179–181]. Ein Heiligtum des → Herakles lag acht Stadien (ca. 1,5 km) von O. entfernt (Paus. 9,38,6; [6. Bd. 2, 10 f.]).

F. Archäologie

Eine Stadtmauer mit Hügelkastell, das unter Alexandros [4] d.Gr. zusätzlich gesichert wurde (Arr. an. 1,9,10), ein Theater aus dem 4. Jh. v. Chr. [13], drei Heiligtümer, eine hell.-röm. Stoa und ein röm. Bad sind nachgewiesen [14. 353–357]. Seit 1997 finden eine Aufnahme der Stadt O. und ein Survey statt [15]. Zu den Inschr.: [14. 357–359] mit [16]. Zu den Mz.: HN 346 f.

1 S. Lauffer, Kopais, Bd. 1, 1986, 131–138 2 P. A. Mountjoy, Mycenaean Pottery from O., Eutresis and Other Boeotian Sites (Orchomenos Bd. 5), 1983 3 T. G. Spyropoulos, Τὸ ἀνάκτορον τοῦ Μινύου εἰς τὸν Βοιωτικὸν Ὀρχομενόν, in: Ἀρχαιολογικὰ Ἀνάλεκτα ἐξ Ἀθηνῶν 7, 1974, 313–324 4 J. Knauss, Die Melioration des Kopaisbeckens durch die Minyer im 2. Jt. v Chr, 1987 5 E. Visser, Homers Kat. der Schiffe, 1997, 364–378 6 Schachter 7 S. Lauffer, s. v. O., RE Suppl. 14, 331–333 8 P. W. Wallace, The Tomb of Hesiod and the Treasury of Mynias at Orkhomenos, in: J. M. Fossey, H. Giroux (Hrsg.), Actes du 3ᵉ congrès international sur la Béotie antique, 1985, 165–180 9 C. J. Dull, Thucydides 1.113 and the Leadership of O., in: CPh 72, 1977, 305–314 10 D. Hennig, Der Bericht des Polybios über Boiotien und die Lage von O. in der 2. H. des 3. Jh. v. Chr., in: Chiron 7, 1977, 119–148 11 J. M. Fossey, Papers in Boiotian Topography and History, 1990, 246–249 12 J. Buckler, The Charitesia at Boiotian O., in: AJPh 105, 1984, 49–53 13 T. G. Spyropoulos, Ἐκδόσεις τῆς Βοιωτίας, in: Ἀρχαιολογικὰ Ἀνάλεκτα ἐξ Ἀθηνῶν 6, 1973, 392 f. 14 Fossey 15 K. Fittschen, in: Achaeological Reports 45, 1998/9, 55 f. (Fundber.) 16 D. Knoepfler, Recherches sur l'épigraphie de la Béotie, in: Chiron 22, 1992, 488–496.

K. F.

[2] (Ὀρχομενός). Von den zahlreich O. genannten Orten ist nur der bei Diod. 20,110,3 genannte sicher in Thessalia (→ Thessaloi) zu suchen: → Kassandros plante 302 v. Chr., O. und Dion [II 4] mit der phthiotischen Stadt Thebai zu vereinigen, was Demetrios [1] verhinderte. Demnach lag O. nördl. der → Othrys, südl. von Thebai am Rand der Krokischen Ebene (Κρόκιον πεδίον).

E. Kirsten, s. v. O. (2), RE 18, 886 f.   HE.KR.

[3] (Ὀρχομενός). Stadt in NO-Arkadia (Skyl. 44; Mela 2,43; Plin. nat. 4,20), gelegen an einem der wichtigsten Verkehrswege auf der Peloponnesos auf dem östl., nach

Norden und Westen steil abfallenden Gipfel (936 m H) eines westöstl. streichenden Höhenzuges zw. einer höheren südl. (630 m H) und einer tieferen, in der Regenzeit meist überschwemmten nördl. (620 m H) Ebene (beide ganz von Bergen umschlossen), beim h. O. (ehemals Kalpaki). Schon Homer bekannt (Hom. Il. 2,605; Hom. Od. 11,459), war O. im 6. Jh. v. Chr. unter seinen Königen → Aristokrates [1] und Aristodamos in → Arkadia polit. tonangebend (Herakleides Pontikos bei Diog. Laert. 1,7,1). In klass. Zeit (Beteiligung an den → Perserkriegen: Hdt. 7,202; 9,28,3; 31,3; Schlangensäule, Syll.³ 31,12; Paus. 5,23,2; [5; 6]) Mitglied im → Peloponnesischen Bund, wurde O. von → Epameinondas zum Anschluß an den Arkadischen Bund gezwungen (Syll.³ 183,49 f.). Bis 368/7 hatte O. gegen Westen ein ausgedehntes Gebiet mit abhängigen Orten (Methydrion, Thisoa, Teuthis) besessen, die ihm mit der Gründung von → Megale Polis genommen wurden (Paus. 8,27,4).

Mit dem Verlust der Schutzmacht Sparta geriet O. immer stärker in die Strudel der Machtkämpfe, die auf der Peloponnesos tobten: unter den → Diadochen (315–303 Polyperchon: Diod. 19, 63,5; Demetrios [2]: Diod. 20,103,5 f.), im → Chremonideischen Krieg (Syll.³ 434,24 ff.), unter Tyrannen (u. a. Aristomelidas und Nearchos; Paus. 8,47,6; Syll.³ 490,13 ff.), im Achaiischen und im Aitolischen Bund (Pol. 4,6,5 f; Liv. 32,5,4), mit Sparta unter Kleomenes [6] (Plut. Kleomenes 7,3), seit 223 v. Chr. unter dem Makedonenkönig Antigonos [3] (Pol. 2,54; Plut. Aratos 45,1) und schließlich auf Betreiben Philippos' V. seit 199 v. Chr. wieder im Achaiischen Bund (Liv. 32,5,4). Strabon (8,8,2) nennt O. unter den ›fast verschwundenen Städten‹ von Arkadia, und Pausanias (8,13,2) schildert O. als unbed. Ort – zu seiner Zeit (Mitte 2. Jh. n. Chr.) war die Oberstadt ganz verlassen. Ptolemaios und Hierokles nennen O. nicht, aber Überreste und Mz. bezeugen den Bestand eines Ortes noch bis ins 14. Jh. n. Chr.

Erh. sind Reste einer Mauer des 4. und 3. Jh. v. Chr. um die Oberstadt [1; 2] – von der Mauer des 5. Jh. (vgl. Thuk. 5,61,5) ist nichts mehr nachzuweisen; Siedlungsspuren in der Oberstadt (in die Stadtmauer eingebaut ein Theater im NO [3; 4], Agora, vgl. Paus. 8,13,2, daran der ion. Tempel der Artemis Mesopolitis aus dem späten 6. Jh. v. Chr., zwei Säulenhallen) und der Unterstadt am flacheren Südhang bis in die Ebene (Spuren von geom. bis in röm. Zeit, zwei Tempel). Inschr.: [7]; IG V 2, 343–350. Mz.: HN 451.

1 R. MARTIN, Sur deux enceintes d'Arcadie, in: RA 21, 1944, 107–114 2 F. E. WINTER, in: Echos du Monde Classique 33, 1989, 192–196 3 G. BLUM, A. PLASSART, Orchomène d'Arcadie, in: BCH 38, 1914, 71–88 4 F. E. WINTER, in: Echos du Monde Classique 31, 1987, 235–246 5 S. DUSANIC, Notes épigraphiques sur l'histoire arcadienne du IVᵉ siècle, in: BCH 102, 1978, 333–346 6 J. ROY, Polis and Tribe in Classical Arcadia, in: M. H. HANSEN, K. RAAFLAUB (Hrsg.), More Studies in the Ancient Greek Polis, 1996, 107–112 7 A. PLASSART, Orchomène d'Arcadie. Inscriptions, in: BCH 39, 1915, 53–97.

F. CARINCI, s. v. Arcadia, EAA 2. Suppl. 4, 1996, 334 • JOST, 113–122 • E. FREUND, s. v. O., in: LAUFFER, Griechenland, 492.   Y. L. u. E. O.

Orcivius. Italischer Gentilname, belegt v. a. in Praeneste (ILS 3684; CIL I² 1460; 2439); zu weiteren Trägern vgl. [1. 68; 364; 397] und AE 1983, 173.

1 SCHULZE.

[1] O., C. Praetor 66 v. Chr. zusammen mit Cicero, leitete den Gerichtshof für Unterschlagungen (*peculatus*) (Cic. Cluent. 94; 147; vgl. → Cornelius [I 87]) und wurde 65 von Cicero verteidigt (Q. Cicero, Commentariolum petitionis 19).   JÖ. F.

Orcus (auch *Orchus*, seltener *Horcus*). Totenreich (Varro Men. 423), dann auch Herr des Totenreichs (Plaut. Most. 499) oder personifizierter Tod (Enn. ann. 564 f.). O. ist genuin röm. und eher volkstümlich im Vergleich zu → Dis Pater, der röm. Entsprechung des griech. → Pluton. Doch schon Enn. fragmenta varia 78 VAHLEN nähert sich O. dem Pluton an. O. besaß keinen eigenen Kult oder Tempel. Die Etym. ist umstritten; ant. Erklärer verbanden O. mit *recipere* (»aufnehmen«, Isid. orig. 8,11,42), *oriri* (»entstehen«, Varro ling. 5,66), *urgere* (»bedrängen«, Verrius Flaccus bei Fest. 222,6–11 L.), ὅρκος/*hórkos* (»Eid«, Serv. georg. 1,277).

F. GIUDICE, s. v. O., LIMC 7.1, 61–63.   K. SCHL.

Ordo bezeichnet lat. sowohl eine Ordnung (z. B. eine Marsch- oder Prozeßordnung) als auch die Gruppe oder Körperschaft, in die mehrere oder viele eingeordnet waren (auch im Pl. *ordines*), z. B. die röm. Ritterschaft (*o. equester*).

I. PROZESSRECHT   II. STAATSRECHT
III. MILITÄR   IV. CHRISTENTUM

I. PROZESSRECHT

Im prozessualen Kontext wird *o.* herkömmlicherweise in der Zusammensetzung ›o. iudiciorum‹ (Cod. Iust. 7,45,4) verwendet. Damit werden die ordentlichen Verfahrenstypen (vgl. noch heute: ›ordentliche‹ Gerichtsbarkeit) sowohl des Formularprozesses (→ *formula*) als auch des Legisaktionenverfahrens (→ *legis actio*) gekennzeichnet und auf diese Weise von dem sich später etablierenden, seit Augustus bereits eingeführten »außerordentlichen« Verfahren *extra ordinem*, dem Kognitionsverfahren (→ *cognitio*) abgegrenzt. Während dieser kaiserliche Prozeßtyp bis hin zum Urteilserlaß von einem Kognitionsbeamten geleitet und durchgeführt wurde, war den beiden ordentlichen Verfahren nach h. herrschender Sicht eine Zweiteilung gemeinsam – der erste Teil *in iure* vor dem Praetor, der zweite Teil *apud iudicem* vor dem privaten Richter. Freilich zeigt sich bei genauerer Betrachtung des Formularprozesses eine eher dreigeteilte Struktur, weil die vorprozessuale Auseinandersetzung der Parteien von einem gewissen Stadium

des Streits an bereits durch das Prozeßrecht vorgeformt ist. Für das Verhältnis der beiden ordentlichen Verfahrenstypen zueinander spielen eine *lex Aebutia* aus dem 2. Jh. v. Chr. sowie zwei von Augustus 17 v. Chr. erlassene *leges Iuliae* gewichtige Rollen, indem sie die sukzessive Ablösung des alten Verfahrens durch das modernere regelten.
→ Iudicium

M. KASER, K. HACKL, Das röm. Zivilprozeßrecht, ²1996, 161, 163 · C. PAULUS, Die Beweisvereitelung in der Struktur des dt. Zivilprozesses, in: Archiv für die civilistische Praxis 197, 1997, 136–160.   C. PA.

II. STAATSRECHT

Ein *o.* war im röm. Staatsrecht eine verfaßte und privilegierte Körperschaft des öffentl. Lebens mit geschlossener, meist in einem → *album* [2] festgehaltener Mitgliedschaft. Der *o.* pflegte in sich, nach der *dignitas* (»soziales Ansehen«) der Mitglieder, hierarchisch geordnet zu sein. Im Dt. wird der Begriff meist mit »Stand« wiedergegeben (Bedenken bei [2] und [5]).

Schon König Servius → Tullius soll nach Livius die röm. Bürgerschaft in *ordines* gegliedert haben (1,42,4: *conditor omnis in civitate discriminis ordinumque*). Die beiden wichtigsten *o.* waren der *o. senatorius* und der *o. equester*, die häufig als *uterque o.* (»die beiden *o.*«) zusammengefaßt und deren Eintracht (*concordia*) in der ausgehenden Republik beschworen wurde (s. → *senatus*; → *equites Romani*/»Ritter«). Sie beide waren reichseinheitlich organisiert, im Gegensatz zu den *ordines decurionum*, den Stadträten der vielen tausend Einzelgemeinden im röm. Reich, deren Zusammensetzung sich nach lokalen Kriterien richtete (→ *decurio* [1]). Im weiteren Sinn konnte der Begriff auch auf andere Gruppen angewandt werden, z. B. die → *apparitores*, → *augustales*, → *publicani* u. a. [1; 3]. Auch die Centurien (→ *centuria* A.) der Volksversammlung werden bei Cicero (leg. 3,7; rep. 4,2), vielleicht in altertümlicher Sprache, als *o.* bezeichnet.

Voraussetzung für die Zugehörigkeit – die *de facto*, bei den Senatoren ab Augustus (oder Caligula?) auch *de iure* – erblich war, waren freie Geburt und ein bestimmter → *census* (1 Mio. Sesterzen für Senatoren; 400 000 Sesterzen für Ritter; unterschiedlich, aber sicher geringer bei den Dekurionen). Rangabzeichen waren der breite Purpurstreifen (*latus clavus*) an der Tunica für Senatoren, der schmale Purpurstreifen (*angustus clavus*) sowie der Goldring für die Ritter (s. auch → *magistratus* C. 2.). Für die Senatoren breitete sich ab Kaiser Hadrian (117–138 n. Chr.) der Rangtitel → *(vir) clarissimus* aus, bei den Rittern erhielten nur die staatl. Funktionsträger den Titel → *(vir) egregius* und → *perfectissimus* bzw. die höchsten Beamten den des → *eminentissimus*. Ehrensitze in den untersten Reihen der Theater standen allen Mitgliedern eines *o.* zu.

1 B. KÜBLER, s. v. O. (1), RE 18, 930–934 2 CL. NICOLET (Hrsg.), Des ordres à Rome, 1984 3 B. COHEN, Some Neglected *Ordines*: The Apparitorial Status-Groups, in: [2], 23–60 4 O. G. OEXLE, s. v. Stand, Klasse, in: O. BRUNNER

(Hrsg.), Gesch. Grundbegriffe 6, 1990, 166–169
5 R. RILINGER, O. und dignitas als soziale Kategorien der röm. Republik, in: M. HETTLING (Hrsg.), Was ist Ges.-Gesch.? FS. H.-U. Wehler, 1991, 81–90 6 FR. VITTINGHOFF, in: W. FISCHER u. a. (Hrsg.), Hdb. der europäischen Wirtschafts- und Sozialgesch., Bd. I, 1990, 214–232.   H. GA.

III. MILITÄR

Im röm. Militärwesen hat *o.* verschiedene Bed.: erstens eine Gruppe von Soldaten ohne Rücksicht auf ihren Dienstgrad, bes. die → *centuria* (Caes. civ. 2,28,1; CIL III, 12411), ferner eine Schlachtreihe (*acies*; Caes. Gall. 7,62,4; Veg. mil. 1,26; 3,19) oder Marschordnung (*agmen*, Curt. 3,3,9; Veg. mil. 1,9). Auch zur Kennzeichnung des mil. Dienstgrades wurde *o.* verwendet (*superioris ordinis nonnulli*: Caes. civ. 3,74,2; vgl. zu den *centuriones* Caes. Gall. 5,44,1); dabei ist es durchaus möglich, daß ein Autor das Wort *o.* in unterschiedlichen Bed. gebraucht.

1 C. NICOLET (Hrsg.), Des ordres à Rome, 1984
2 T. SARNOWSKI, Nova ordinatio im röm. Heer, in: ZPE 95, 1993, 197–204 3 Ders., Primi ordines, in: ZPE 95, 1993, 205–219.   Y. L. B./Ü: C. P.

IV. CHRISTENTUM

Der 1. Clemensbrief (= 1 Clem; wohl 96 n. Chr.) interpretiert im Rahmen des ant. (und v. a. stoischen) Ordnungsdenkens die Schöpfung (1 Clem 20) und die entstehende christl. Ämterstruktur. Wie der at. Opferkult (1 Clem 40 f.) ist auch die christl. Amtshierarchie in geradezu mil. Weise »wohlgeordnet« (*eutáktōs*: 1 Clem 37,2; 42,1 f.; vgl. auch 1 Kor 14,40).

Das lat. Christentum entwickelte seit → Tertullianus und → Cyprianus [2] von Karthago den Begriff *o.* zur Bezeichnung der verschiedenen Stände der Kirche, etwa des Witwenstandes (Tert. ad uxorem 1,7,4), v. a. aber des aus Bischof, Priester und Diakon bestehenden Klerus, dessen Angehörigen »ordiniert« (lat. *ordinare*) werden (Tert. de exhortatione castitatis 7; Tert. de monogamia 11 f.; Cypr. epist. 1,1; 38,1; *ordinare*: Tert. de monogamia 12,2).

A. ANZENBACHER, s. v. Ordnung, LThK³ 7, 1998, 1112 f. (Lit.) · G. L. MÜLLER, s. v. O., LThK³ 7, 1998, 1113 f.   M. HE.

Ordovices. Britannisches Volk, bewohnte das Gebiet zw. Snowdon-Massiv und dem Severn-Tal (Ptol. 2,3,18); ein Zentralort ist nicht bekannt. Sie widersetzten sich der röm. Invasion unter Nero (50 n. Chr.), wurden aber von Iulius → Frontinus und Iulius [II 3] Agricola zw. 74 und 79 n. Chr. unterworfen (Tac. ann. 12,33); nach Tac. Agr. 18,2 wurden sie von Agricola aufgerieben. Immerhin überlebte ihr Name z. B. in Dinorwig und Rhyd Orddwy (Wales).
→ Britannia (mit Karte: Die indigenen Stämme)

M. G. JARRETT, J. C. MANN, The Tribes of Wales, in: Welsh History Review 4, 1968/9, 161–171 · V. NASH-WILLIAMS, The Roman Frontier in Wales, ²1969 · TIR N 30/O 30 Britannia Septentrionalis 61.   M. TO./Ü: I. S.

Oreaden s. Nymphen

Oreibasios (Ὀρειβάσιος bzw. Oribasios/Ὀριβάσιος).
Griech. Arzt und Verf. medizinischer Abh., geb. um 320
n. Chr. in Pergamon, gest. um 390/400 an unbekann-
tem Ort. O., der nicht Christ war, kehrte nach dem
Studium in Alexandreia nach Pergamon zurück; dort
übte er seinen medizinischen Beruf aus und erwarb sich
einen hervorragenden Ruf – als Arzt wie als hochgebildeter Mann. Er war mit dem nachmaligen Kaiser → Iulianus [11] bekannt, den er vielleicht während dessen
Aufenthalts in Pergamon i. J. 351 kennengelernt hatte.
Als dieser Caesar wurde, betraute er O. mit seiner Bibliothek, später nahm er ihn als Leibarzt mit in den
Westen. Nach der Ernennung zum Kaiser i. J. 360 wurde
O. Quaestor in Konstantinopel. Die Gesch. vom delphischen Orakel, die O. dem Iulian i. J. 362 erzählt und
die den Verfall der Anlage betrifft, ist vielleicht nur eine
Erfindung christl. Propaganda. O. begleitete Iulian anschließend auf seinen Feldzügen im Osten und versorg-
te ihn nach dessen Verletzung in der Schlacht von Ktesiphon i. J. 363, ohne jedoch seinen Tod verhindern zu
können. Nachdem er unter den Nachfolgern Iulians ins
gotische Exil geschickt worden war, wurde er unter
Valens oder Theodosius nach Konstantinopel zurückgerufen, zweifellos wegen seines hervorragenden Rufes
als Arzt. Er heiratete in dieser Zeit und hatte vier Kinder,
von denen eines, Eustathios, ebenfalls Arzt wurde.

Von O.' medizinischen Abh. sind die wichtigsten:
1. eine Zusammenfassung der Schriften des → Galenos
auf Einladung durch Iulian (dem sie gewidmet ist), vor
361 abgeschlossen; sie ist uns nur durch die Beschreibung des Photios bekannt; 2. eine medizin. Enzyklopädie, welche das vorangehende Werk umarbeitete und
durch Informationen aus medizin. Abh. anderer Autoren erweiterte; sie trug den Titel Ἰατρικαὶ συναγωγαί/
Iatrikaí synagōgaí (*Collectiones medicae*) und war ebenfalls
Iulian gewidmet; von den urspr. 70 B. ist nur ungefähr
ein Drittel erh.; behandelt sind dort: Ernährung (1–5),
Gymnastik und Diätetik (6), Aderlaß und Kathartika (7),
geoklimatischer Einfluß auf die Gesundheit (8), Bäder
und äußerlich anzuwendende Heilmittel (9), innerlich
anzuwendende Medikamente (10), medizinische Materie (11–15), zusammengesetzte Medikamente (16),
Anatomie (24–25), Pathologie (43–45), Frakturen und
Orthopädie (46–49), Urologie und Harnwege (50);
3. eine dem Sohn Eustathios gewidmete Zusammenfassung dieser Enzyklopädie mit dem Titel Σύνοψις πρὸς
Εὐστάθιον/*Sýnopsis pros Eustáthion*; sie umfaßt neun B.,
welche Gymnastik, Aderlaß und Purgationen (1), medizinische Materie (2), Pharmazie (3), allgemeine (4)
und spezielle Diätetik (5), Symptomatologie (6) und
Pathologie (7–9) behandeln; 4. ein dem Sophisten Eunapios von Sardeis gewidmetes Hdb., das Σύνοψις πρὸς
Εὐνάπιον/*Sýnopsis pros Eunápion* bzw. nach dem Wortlaut des Vorworts Εὐπόριστα/*Eupórista* (›Hausmittel‹)
heißt; es ist für ein weiteres Publikum bestimmt und
umfaßt vier B., welche Diätetik und Hygiene (1), me-

dizinische Materie (2), medikamentöse Therapie (3)
und Physiologie, Pathologie sowie Therapeutik (4) behandeln.

Das Werk des O. entsprach einer programmatischen
Zielsetzung: der Restauration der paganen Kultur durch
Iulian. In diesem Sinne beruht es zum großen Teil auf
der medizin. Lit. der klass. Zeit, die es in Gestalt von
Auszügen reichlich zitiert. Es gehört zu der lit. Gattung
der → Enzyklopädie und war in Byzanz lange Zeit ge-
läufig, selbst über die Enzyklopädie des → Paulos von
Aigina hinaus.

Von den beiden Zusammenfassungen (1. und 3.) besitzen wir zwei lat. Versionen: die eine verbindet die
Sýnopsis pros Eustáthion und die *Sýnopsis pros Eunápion*
miteinander, in der anderen bleiben sie getrennt. Während man lange meinte, daß sie im 6. bzw. 9. Jh. erstellt
worden seien, wurden sie beide vor einiger Zeit ins
6. Jh. datiert, dann der Schule von Ravenna zugewiesen. Diese Lokalisierung ist zugunsten einer solchen
nach Nordafrika in Frage gestellt worden, und die beiden Übers. werden gegenwärtig als voneinander unabhängige Bearbeitungen ein und derselben Vorlage angesehen. Außerdem wurden die drei erh. Werke ins
Syrische und Arabische übers. (nicht erh.). Die erste
vollständige Ausgabe des griech. Texts war die von C.
DAREMBERG und U. C. BUSSEMAKER.

B. BALDWIN, The Career of Oribasius, in: Acta Classica 8,
1975, 85–98 · C. DAREMBERG, U. C. BUSSEMAKER (ed.),
Œuvres complètes d'Oribase, 6 Bde., 1851–1876 ·
M. GRANT, Dieting for an Emperor, 1997 · A. H. M. JONES,
J. R. MARTINIDALE, J. MORRIS, The Prosopography of the
Later Roman Empire, 1, 1971, 653 f. · H. MØRLAND, Die
lat. Oribasiusübersetzungen (Symbolae Osloenses,
Suppl. 5), 1932 · Ders., Oribasius Latinus, 1. Teil
(Symbolae Osloenses, Suppl. 10), 1940 · I. RAEDER (ed.),
CMG 6, 1–3, 1926–1933 · H. O. SCHRÖDER, s. v. O., RE
Suppl. 7, 797–812. A. TO./Ü: T. H.

Oreitai (Ὠρεῖται, auch Ὦροι). Keine indische (vgl. Arr.
Ind. 21,8; 22,10; 25,2; irrig Arr. an. 6,21,3), sondern
wohl eine iranische Ethnie mit dem Hauptort Rham-
bakeia (Arr. an. 6,21,5; wohl nahe dem h. Las Bela) in
der h. pakistanischen Prov. Belutschistan. Nach Arr. an.
6,21,3 lebten die O., bevor → Alexandros [4] d. Gr. sie
325 v. Chr. unterwarf und dem Satrapen Apollophanes
unterstellte, in völliger Unabhängigkeit.

P. H. L. EGGERMONT, Alexander's Campaigns in Sind and
Baluchistan, 1975, s. v. Oritans, Oritene. J. W.

Oreithyia (Ὠρείθυια). Bei Homer (Il. 18,48) als → Ne-
reide erwähnt, jedoch nicht im Nereidenkatalog des
Hesiod (theog. 240 ff., Apollod. 1,11 f.). Ihr Name (»im
Gebirge stürmend«) weist sie eher als »Windsbraut« aus.
In die attische Myth. wird sie als Tochter des att. Königs
→ Erechtheus und der → Praxithea eingebaut. O. wird
vom Windgott → Boreas nach Thrakien entführt, der
sie zu seiner Frau macht (Hdt. 7.189; Verg. georg.
4.463). Das Paar hat als Kinder → Kleopatra [I 1] und
→ Chione [1] sowie → Kalais und Zetes, welche am

Argonautenzug (→ Argonautai) teilnehmen (Apoll. Rhod. 1.212ff.; Hyg. fab. 14; Ov. met. 6,614–621). O. wird für die Athener in den Perserkriegen wichtig, als ein Orakelspruch diese im Sommer 480 v. Chr. anweist, den »Schwiegersohn« (Boreas) zu Hilfe zu rufen (Hdt. 7,189). Nach dem Sieg über die Perser errichteten die Athener für O. und Boreas ein Heiligtum am Ilissos (Sim. fr. 3 IEG, der den Raub der O. an den Brilettos, den Nordhang des Pentelikon verlegt). Andere Versionen verbinden den Ort des Raubes mit dem Heiligtum (Plat. Phaidr. 229b-d) oder nennen weitere Plätze (Aischyl. O. fr. 281 TrGF; Choirilos von Samos fr. 7 PEG I; Ov. met. 6,682–721; Apollod. 3,199).

Lit.: E. Frank, s.v. O. (1–3), RE 18, 951–958 · E. Simon, s.v. O. (1), LIMC 7.1, 64f.
Abb.: Dies., s.v. O. (1), LIMC 7.2, 49f.   R. Ha.

Orestai (Ὀρέσται). Volk im Tal des oberen → Haliakmon um den See von Kastoria (Keletron, vgl. Liv. 31,40,1–4 [1. 236–239; 3. 163–166; 4. 110–116]), von Hekat. FGrH 1 F 107 bzw. Strab. 7,7,8 und 9,5,11 (vgl. auch Thuk. 2,80,6) zu den → Molossoi bzw. Epeirotai, von Strab. 9,5,11 zu den → Makedones gerechnet (zur Diskussion dieses Widerspruchs vgl. [5]). Seit dem 4. Jh. v. Chr. unter maked. Herrschaft (eine Abteilung der O. im Heer Alexandros' [4] d.Gr. bei Diod. 17,57,2), 196 v. Chr. von Rom für frei erklärt und als *koinón* organisiert (Pol. 18,47,6; Liv. 33,34,6; Plin. nat. 4,35; Cic. harusp. resp. 35; [2. 362ff.]).

1 F. Papazoglou, Les villes de Macédoine à l'époque romaine (BCH Suppl. 16), 1988 2 Dies., La province de Macédoine, in: ANRW II 1.7, 1979, 302–369 3 J.-N. Corvisier, Aux origines du miracle grec, 1991 4 N. G. L. Hammond, A History of Macedonia, Bd. 1, 1972 5 J. Schmidt, s.v. O., RE 18, 960–965.   E. O.

Orestes (Ὀρέστης).
[1] Sohn des → Agamemnon und der → Klytaimestra, der die Ermordung seines Vaters durch seine Mutter grausam an dieser und ihrem Geliebten → Aigisthos rächt. Schon der ›Odyssee‹-Dichter kennt die Gesch. (Hom. Od. 1,29ff., 298ff.; 3,193ff., 248ff., 303ff.; 4,90–92, 512ff.; 11,387ff.; 24,20ff., 93ff., 192ff.), die in den → Nostoi erzählt wurde (EpGF p. 67,25–27; PEG I p. 95); je nach Kontext ist sie als Folie entweder negativ für Penelope, die treue Ehefrau (vs. Klytaimestra, die untreue Gattenmörderin), oder positiv für Telemachos, den tüchtigen Sohn, der die Freier tötet (analog: O., der tüchtige Sohn, der Aigisthos tötet), verwendet [1. 297–310; 2]. Bei Hesiod ist erstmals eindeutig direkt davon die Rede, daß O. seine Mutter tötet (Hes. fr. 23a M.-W.). Bedeutende lyrische Bearbeitungen des Stoffes erfolgten durch Stesichoros (PMGF fr. 210–219) und Pindaros (P. 11), voll ausgearbeitet erscheint die Sage jedoch vor allem bei den attischen Tragikern: Aischylos (die nach O. benannte Trag.-Trilogie ›Oresteia‹), Sophokles (›Elektra‹) und Euripides (›Elektra‹, ›O.‹, ›Iphigeneia in Tauris‹).

Vulgata: Als Aigisthos und Klytaimestra den aus Troia heimkehrenden Agamemnon ermorden, läßt seine Tochter → Elektra [4] (Pind. P. 11,34ff.; Soph. El. 11ff.; Eur. El. 14ff.) oder Klytaimestra selbst (kurz vor der Tat: Aischyl. Ag. 877ff.) ihren jüngeren Bruder O. zu seinem Onkel → Strophios nach Phokis bringen, wo er mit dessen Sohn → Pylades aufwächst (der sein dauernder enger Freund und Begleiter wird). Sobald O. erwachsen ist, vollzieht er auf Geheiß → Apollons die Rache und tötet Klytaimestra und Aigisthos (Aischyl. Choeph.; Soph. El.; Eur. El.). Daraufhin wird er als Muttermörder von den Erinyen (→ Erinys) in den Wahnsinn getrieben und unerbittlich verfolgt (Aischyl. Choeph. 1021ff.; Aischyl. Eum.), bis er sich in Athen auf dem Areopag (→ *Areíos págos*) einem Gerichtshof stellt. Die Erinyen klagen O. an, Apollon verteidigt ihn, durch die entscheidende Stimme der Göttin → Athena wird er freigesprochen (Aischyl. Eum.; Eur. Iph. T. 940ff., 1469ff.; Eur. Or. 249ff.; 1648ff.). Nach Eur. Iph. T. 949ff. kommt O. zum Zeitpunkt des Festmahles der → Anthesteria in Athen an: Der König möchte O. nicht abweisen, muß aber die Bürger vor der Befleckung durch O.' Blutschuld bewahren. Daher befiehlt er, alle Tempel zu schließen und jeden Gast mit einer eigenen Weinkanne zu versehen. Dadurch muß O. weder heiligen Boden betreten und entweihen, noch kann er durch Kontakt die übrigen Athener beflecken. So trinken Gastgeber und Gast schweigend jeder für sich, wie es bis in histor. Zeit bei diesem Fest üblich war (Aition) [3. 98; 4. 114].

Nach anderer Version wird O. von der Verfolgung durch die Erinyen befreit, sobald er das hölzerne Bild der → Artemis aus dem Land der Taurer in die Heimat gebracht hat (→ Iphigeneia; Eur. Iph. T. 77ff., 970ff.). Nach der Befreiung von der Blutschuld heiratet O. → Hermione, die Tochter des Menelaos [1] und der Helene [1], und übernimmt die Regierung in Mykenai (Eur. Andr. 966ff.; Eur. Or. 1653ff.; → Erigone [2] als Gattin des O.: Lykophr. 1374). Seine Schwester Elektra verheiratet er mit Pylades (Eur. El. 1249; Eur. Or. 1658f.). O. stirbt in Arkadien am Biß einer Giftschlange (Apollod. epit. 6,28; schol. Eur. Or. 1645). Sein Sohn → Teisamenos folgt ihm in der Herrschaft und kämpft später gegen die → Herakleidai.

Kleinere Geschichten: → Telephos bemächtigt sich des Knaben O., um seine Heilung zu erzwingen (Eur. Telephos) [5]. → Neoptolemos [1] gerät in Konflikt mit O. wegen Hermione und wird in Delphi von O. oder auf seine Anstiftung hin ermordet (Pind. N. 7,34; Eur. Andr. 993f.). → Aletes [2] wird von O. beseitigt.

In histor. Zeit wird von einer Entführung der Gebeine des O. aus Tegea nach Sparta berichtet (Hdt. 1,67f.; Paus. 3,3,5f.; 8,54,4). Mit seinem Namen wird auch die aiolische → Kolonisation (von Amyklai aus) in Verbindung gebracht (Pind. N. 11,34; Hellanikos FGrH 4 F 32). Neueste Forsch. deuten O. als typischen Epheben (→ Ephebeia), in dessen Mythos sich der Übergang von der Jugend zum Erwachsenendasein vollzieht (Initiation) [6]. Zahlreiche mod. Neubearbeitungen des Stoffes thematisieren das Verhältnis von Schicksal und Freiheit am Beispiel des Muttermordes (T.S. ELIOT, SARTRE) [7. 508–511].

1 U. HÖLSCHER, Die Odyssee. Epos zwischen Märchen und Roman, 1988 2 A. LESKY, Die Schuld der Klytaimestra, in: WS N.F. 1, 1967, 5–21 3 DEUBNER 4 PARKE 5 C. COLLARD, M.J. GROPP, K.H. LEE, Euripides, Selected Fragmentary Plays, Bd. 1, 1995, 17–52 (Text, Komm. und engl. Übers.) 6 A. BIERL, Apollo in Greek Tragedy: O. and the God of Initiation, in: J. SOLOMON (Hrsg.), Apollo, Origins and Influences, 1994, 81–96, 149–159 7 E.M. MOORMANN, W. UITTERHOEVE, Lex. der ant. Gestalten, 1995.

M.I. DAVIES, Thoughts on the Oresteia before Aeschylus, in: BCH 93, 1969, 214–260 · J. DEFRADAS, Les thèmes de la propagande delphique, 1954, 160–188 · M. DELCOURT, O. et Alkméon, 1959 · J.D. DENNISTON (ed.), Euripides, Electra, 1939, IX–XXVI · W. FERRARI, L'Orestea di Stesicoro, in: Athenaeum N.S. 16, 1938, 1–37 · J. FONTENROSE, The Delphic Oracle, 1978, 108–110 · A.F. GARVIE, Aeschylus: Choephori, 1986 (Komm. und Übers.), IX–XXVI · A. LESKY, s.v. O., RE 18, 966–1010 · A.J.N.W. PRAG, The Oresteia: Iconographic and Narrative Trad., 1985 · H. SARIAN, V. MACHAIRA, s.v. O., LIMC 7.1, 68; 7.2, 50–55 · A.H. SOMMERSTEIN (ed.), Aeschylus: Eumenides, 1989 (mit Komm.), 1–6 · E. VERMEULE, The Boston Oresteia Krater, in: AJA 70, 1966, 1–22. L.K.

[2] Röm. Cognomen, in republikanischer Zeit in den Familien der Aufidii (→ Aufidius [I 8]) und Aurelii (→ Aurelius [I 14–16]), in der Kaiserzeit auch bei den Claudii, Flavii, Rufii.

DEGRASSI, FCIR 261. K.-L.E.

[3] 412–415 (416?) n. Chr. *praefectus Augustalis* in Ägypten, Christ und Gegner des Patriarchen → Kyrillos [2] von Alexandreia, insbesondere wegen dessen Repressalien gegen die Juden. Im Verlauf dieses Konfliktes wurde er selbst von Mönchen verwundet. Den Höhepunkt der Auseinandersetzungen bildete der Mord an der Philosophin → Hypatia; angeblich hatte sie der Aussöhnung zwischen O. und Kyrillos im Wege gestanden (Sokr. 7,13–15; Iohannes Nikiu 84; 88; 93; 99; Cod. Theod. 16,2,42).

J. ROUGÈ, La politique de Cyrille d'Alexandrie et le meurtre d'Hypatie, in: Cristianesimo nella storia 11, 1990, 485–504 · PLRE 2, 810f. Nr. 1. K.G.-A.

[4] Vielleicht identisch mit dem 448 n. Chr. bezeugten, aus Pannonien stammenden Sekretär und mehrfachen Gesandten → Attilas. Kaiser Iulius → Nepos [3] erhob ihn zum *patricius* und zum obersten Heermeister, um ihn in Gallien einzusetzen. O. erhob sich jedoch im August 475 gegen Nepos und macht seinen unmündigen Sohn → Romulus Augustulus zum Kaiser. Wirtschaftl. Forderungen seiner Soldaten entsprach er nicht; damit löste er die Erhebung → Odoacers aus. Am 28.8.476 wurde O. in Placentia (h. Piacenza) erschlagen. PLRE 2, 811f..
H.L.

Orestilla. Cognomen der Fabia [6] O.
K.-L.E.

Oretani. Keltiberischer Stamm im Gebiet des mittleren und oberen Guadiana und am Nordhang der Sierra Morena (*Oretana iuga*, Plin. nat. 3,6) mit Zentrum in Oretum, 33 km westl. von Valdepeñas am Jabalón [1; 2], erstmals erwähnt unter den Truppen, die Hannibal [4] 219 v. Chr. zur Sicherung der Metagonia und Karthagos nach Afrika schickte (Ὀρῆτες Ἴβηρες, Pol. 3,33,9, evtl. zur Unterscheidung von den im selben Gebiet ansässigen Ωρητανοί, Ptol. 2,6,58, bzw. *O. Germani*, Plin. nat. 3,25 [3. 297²¹]). In westgot. Zeit (6./7. Jh. n. Chr.) erscheint das Bistum *Oretum* und die *Oretana ecclesia* regelmäßig in den Konzilsakten [4. 451].

1 J.M. BLÁZQUEZ, Oretum, PE 655 2 HOLDER 2, 871, s.v. Oreton 3 HUSS 4 A. SCHULTEN (Hrsg.), Fontes Hispaniae Antiquae 9, 1947.

A. SCHULTEN, Numantia, Bd. 1, 1905, 398 · TOVAR 3, 28–30. P.B.

Orfidius
[1] C.? O. Benignus. Legat der neu aufgestellten *legio I Adiutrix*; er fiel in der Schlacht von Bedriacum im J. 69 n. Chr. PIR² O 136.
[2] P. O. Senecio. Praetorischer Statthalter von Dacia superior unter Antoninus [1] Pius. Im J. 148 n. Chr. übernahm er, wohl noch in der Prov., den Suffektkonsulat [1. 57f.]. PIR² O 137.

1 PISO, FPD. W.E.

Orfitus Das Cogn. O. findet sich bei mehreren kaiserzeitl. senator. Familien (vgl. PIR², Bd. 5, 461–463).
[1] Dritter Ehemann der → Vistilia; aus der Ehe ging ein Sohn hervor (Plin. nat. 7,39). Verm. Großvater des P. Cornelius [II 50] Scipio Salvidienus Orfitus. PIR² O 139.

SYME, RP, Bd. 2, 812.

[2] Nach der *Historia Augusta* (SHA Aur. 29,1) ein Liebhaber der → Faustina [3]; Marcus [2] Aurelius soll ihn dennoch befördert haben. Eine Identifizierung mit einem der zahlreichen senatorischen Orfiti dieser Zeit ist nicht möglich; vgl. PIR² O 142. W.E.

Orgel s. Musikinstrumente (V.B.2.; VI.)

Orgeones (ὀργεῶνες, auch ὀργειῶνες, M. Sg. ὀργεών). O. waren allg. »Durchführende von → *órgia*« (Aischyl. fr. 144 RADT; Hom. h. ad Apollinem 389: ὀργίονες). In engerem Sinn hießen O. (evtl. schon seit archa. Zeit: Gai. apud Dig. 47,22,4 *ex lege Solonis*; inschr. erst ab dem 4. Jh. v. Chr. dokumentiert) die Mitglieder von auf Attika beschränkten → Vereinen zur meist jährlichen Durchführung von Opferfeiern zu Ehren eines Heroen (→ Heroenkult) oder Gottes. Diese [2] lassen sich in ältere Vereine, welche meist lokale Heroen verehrten, und in jüngere einteilen, die sich dem Kult von (oft nichtgriech.) Göttern widmeten und Nichtbürger aufnahmen oder wie die thrak. O. der → Bendis ausschließlich aus Fremden bestanden. Ein wohl aus dem

5. Jh. v. Chr. stammendes Gesetz (Philochoros FGrH 328 F 35a) verpflichtete → Phratrien offenbar dazu, O. der älteren Art wie Mitglieder von *géne* (»Geschlechtern«, d.h. organisierten Teilen der Bürgerschaft) ohne weitere Anforderungen aufzunehmen.

1 A. ANDREWES, Philochoros on Phratries, in: JHS 81, 1961, 1–15 2 W. S. FERGUSON, The Attic O., in: Harvard Theological Review 37, 1944, 61–140 3 Ders., Orgeonika, in: Commemorative Studies in Honor of Th. L. Shear (Hesperia Suppl. 8), 1949, 130–163 4 N. F. JONES, The Associations of Classical Athens, 1999, 33–45, 249–267, 311–320 5 E. KEARNS, The Heroes of Attica, 1989, 73–77 6 R. PARKER, Athenian Rel., 1996, 109–111, 337–340.

T. H.

Orgetorix (keltisches Namenskompositum: »König der Totschläger« [1. 108 f.]). Einflußreicher und wohlhabender helvetischer Adliger, der laut → Caesar aus Gier nach der Königsherrschaft eine Verschwörung des Adels angezettelt und seinen Stamm 61 v. Chr. zum Auszug aus seinem angestammten Gebiet überredet haben soll. Zum Führer dieses Unternehmens bestimmt, habe O. (so Caesar) dann mit → Casticus und → Dumnorix die Eroberung ganz Galliens geplant. Als er deshalb im Frühj. 60 v. Chr. von seinem Stamm vor Gericht gestellt werden sollte, wurde dies durch die große Zahl seiner Gefolgsleute verhindert. Im Verlauf der darauf folgenden Unruhen starb er verm. durch Selbstmord (Caes. Gall. 1,2–4; Cass. Dio 38,31,3; Oros. 6,7,3–4). Für den dann 58 v. Chr. erfolgten Auszug der → Helvetii war aber weniger die Initiative des O., sondern eher der Druck rechtsrheinischer Germanen ausschlaggebend. Neuzeitliche Dramen um O. von Karl VON MÜLLER-FRIEDBERG (1755–1836), Josef Viktor WIDMANN (1842–1911) und Edith Gräfin SALBURG (1868–1942).

1 EVANS.

B. KREMER, Das Bild der Kelten bis in die augusteische Zeit, 1994, 133–142 • B. MAIER, s. v. O., Lex. der kelt. Rel. und Kultur, 1994, 259.

W. SP.

Orgia (ὄργια, N. Pl.; lat. *sacra*). Etym. ist O. wie *orgeón* (→ *orgeónes*) wohl von der Wurzel *Ϝεργ abzuleiten [2] und so mit ἔρδω/*érdō* – ῥέζω/*rhézō* verwandt (»ich tue, opfere«; vgl. Hom. h. ad Cererem 273 f.). Die Zugehörigkeit des myk. Adj. *wo-ro-ki-jo-ne-jo* ist noch nicht ausgeschlossen [1]. Neben der Bed. »rituelles Tun«, »Kulthandlungen«, wozu Opfer gehören (Syll.³ 57,4; Aischyl. Sept. 180; Soph. Ant. 1013, Soph. Trach. 765), kann das Wort, oft durch ἄρρητος/*árrhētos* (»unsagbar«) verdeutlicht, auch »(geheime) Riten« in → Mysterien bezeichnen (etwa der → Demeter: Hom. h. ad Cererem 273, 476; der samothrak. → Kabeiroi: Hdt. 2,51; bes. des → Dionysos: Eur. Bacch. 470–472). In bezug auf ekstat. Kulte scheint es verschiedenen Ableitungen gleich (Aristot. pol. 1341a 22, 1342a 9–10, b 3; Strab. 10,3,10) die Bed. »ekstat. Riten« anzunehmen. Wie *ta hierá/ta mystéria* sind O. auch in Kulthandlungen benutzte Gegenstände (Theokr. 26,13; GVI 1344; auch im Sg.: Lukian. de Syria Dea 16; Clem. Al. protreptikos 2,22; so

auch im Kulttitel *orgiophántes* ≙ *hierophántes*, [5. 225–229]).

1 DMic, Bd. 2, 1993, 446 f. 2 FRISK, Bd. 2, 412; Bd. 3, 163 3 J. CASABONA, Recherches sur le vocabulaire des sacrifices en grec des origines à la fin de l'époque classique, 1966, 65–67 4 N. M. H. VAN DER BURG, ΑΠΟΡΡΗΤΑ – ΔΡΩΜΕΝΑ – ΟΡΓΙΑ. Bijdrage tot de kennis der religieuze terminologie in het Grieksch, 1939, 91–131 5 A. HENRICHS, Die Maenaden von Milet, in: ZPE 4, 1969, 223–241. T. H.

Orgyia (ὄργυια; »Klafter«). Spannweite der ausgestreckten Arme, größtes vom menschlichen Körper abgeleitetes Längenmaß. Die o. enthielt 4 Ellen (→ *péchys*), 6 Fuß (→ *pus*) und war 1/100 des → Stadion. Die Norm schwankt gemäß dem jeweils zugrunde liegenden Fuß- bzw. Ellenmaß zw. 1,78 und 2,10 m.

F. HULTSCH, Griech. und röm. Metrologie, ²1882, 28 ff., 697 • H. NISSEN, Griech. und röm. Metrologie, in: Hdb. der klass. Altertumswiss. 1, ²1892, 836 f., 865.

HE. C.

Orient und Okzident. Orient (Or.) und Okzident (Ok.) heißen als Weltgegenden nach den Himmelsrichtungen, in denen sie liegen. Diese wiederum sind nach dem Sonnenaufgang (ἀνατολή/*anatolé*, »Aufgang«, vgl. »Anatolien«; lat. *sol oriens*) und in Analogie dazu nach dem Untergang (δύσις, lat. *sol occidens*) benannt. Durch diese Phänomene war schon für Homer eine ost-westl. Hauptachse der Welterfassung und -beschreibung bestimmt (Od. 10,190–192), die sich etwa von der in Äg. üblichen unterschied, die an der Fließrichtung des Nil ausgerichtet war. Sie konnte durch Namen der Windrose ergänzt oder überlagert werden und hat insgesamt ein anderes System der Benennung nach Farben weitgehend verdrängt, das sich von Palaestina bis China nachweisen läßt (vgl. als biblischen Beleg Sach 6,1–8; [1]) und in Überresten wie den Bezeichnungen »Rotes« (Hdt. 4,37; → Erythra Thalatta) oder »Schwarzes« Meer überlebt hat.

Der Vorteil der »Orientierung«, also der Ausrichtung nach dem Sonnenaufgang, bestand in ihrer generellen Verfügbarkeit. Sie setzt eine Fixierung beim Betrachter als Mitte voraus und legt relativ dazu Or. und Ok. zunächst als Extremwerte an den Enden der Erde fest. Deswegen kann einerseits die Strecke vom Aufgang bis zum Untergang metonymisch für die Welt stehen (so bereits in der Rede des Königs Lugal-zag-gi-si von Uruk über seine Herrschaft, [2. 154 f.]). Andererseits ist impliziert, daß der Beobachter selbst weder zu Or. noch zu Ok. zählt; diese Selbstortung als dazwischen (Hom. Od. 8,29) liegt wohl noch dem Synchronismus (480 v. Chr.) der Kämpfe der Griechen bei → Salamis gegen die Perser und an der → Himera gegen die Karthager, gegen Ost und West, zugrunde. Erst sekundär und durch andere Unterscheidungen (etwa Europa/Asia; Hellenen/Barbaren) bestimmt sind erstens die eigene Teilhabe an oder die Abgrenzung vom anderen als Or. oder Ok. oder zweitens die entsprechende Binnendifferenzierung. Die jeweilige Zuweisung war lange weder in ihren Bestimmungen noch in ihren Konnotationen und Wertungen einheitlich: So konnte etwa ein urspr. romkritisches Orakel über die kommende Herrschaft eines Königs aus dem Or. auch zur Legitimation von → Vespasianus' Kaisertum herangezogen werden (Tac. hist. 5,13, mit [1]).

Noch in der späten Kaiserzeit war der Or. sowohl das Gebiet östl. außerhalb der Reichsgrenzen als auch der östl. Reichsteil und sogar der Name einer der als Diözesen (→ *dioíkēsis*) bezeichneten Verwaltungseinheiten. Erst die Teilung des Röm. Reiches, die Auflösung des Westteils, der Rückgang der lat. Sprachkenntnisse im Osten und der griech. Sprachkenntnisse im Westen und v.a. die Entfremdung zw. den lat. (d.h. okzidentalen) und den griech. (d.h. orientalischen) Kirchen haben eine relativ klare Trennungslinie zw. Ok. und Or. gezogen und gefestigt, aus der im Selbstverständnis des in der Neuzeit aufsteigenden Ok. eine (auch rassistisch angereicherte) Superioritätsvorstellung erwachsen konnte, zu der ein mit Stereotypen gezeichnetes Bild vom unterlegenen Or. gehörte [3]. Sie ist selbst dort nicht grundsätzlich überwunden, wo von Ost und West als ›großen Komponenten des europ. Geistes‹ [4] die Rede ist oder wo man die ›orientalisierende Epoche‹ der griech. Gesch. als Entwicklungsschub kennzeichnet [5]. Denn dabei bleibt die Möglichkeit einer Unterscheidung von einem jeweils bestimmbaren »Wesen« von Ost oder West immer vorausgesetzt.

→ Astronomie; Sonne; Welt; Winde

1 H.G. Kippenberg, ›Dann wird der Or. herrschen und der Ok. dienen‹, in: N.W. Bolz (Hrsg.), Spiegel und Gleichnis. FS J. Taubes, 1983, 40–48 2 F. Thureau-Dangin (ed.), Die sumer. und akkad. Koenigsinschr. (Vorderasiat. Bibl. 1), 1907 (Ndr. 1972) 3 E.W. Said, Orientalism, 1978 4 V. Ehrenberg, Ant. Or. und Ok., in: Ders., Ost und West, 1935, 13–45 5 W. Burkert, Die orientalisierende Epoche in der griech. Rel. und Lit., 1984.

J. Fischer, Oriens – Occidens – Europa, 1957.   TA.S.

Orientalisierende Vasenmalerei.

Die Vorherrschaft des geom. Formenrepertoirs (→ geometrische Vasenmalerei) in Griechenland begann in der 2.H. des 8.Jh. zu schwinden. Die Vasenmaler entlehnten stattdessen Motive von Kunstwerken, die aus dem Nahen Osten importiert worden waren, und schufen so verschiedene »orientalisierende« Stile in unterschiedlichen Zentren der Keramikherstellung, namentlich in Korinth, Athen, auf den ägäischen Inseln und in Ostgriechenland. Vom späten 8. bis zum späten 7.Jh. besaßen der Ornamentdekor und die Tierfriese auf griech. Vasen ein ausgeprägt »östl.« Aussehen, aber weil die Vasenmalerei im Nahen Osten (mit Ausnahme Phrygiens) nicht gebräuchlich war, muß der oriental. Einfluß von anderen Quellen gespeist worden sein, z.B. von Metallarbeiten, Elfenbeinschnitzereien oder Textilien. Mit Ausnahme eines kurzen Versuchs, polychrome Wandmalerei zu imitieren – eine Neuheit aus Ägypten gegen Mitte des 7.Jh. (→ Polychromie) – scheinen die meisten östl. Ein-

flüsse im orientalisierenden Stil aus dem syrisch-phönizischen Raum zu stammen. Östl. Thematik und Ornamentik werden gelegentlich schon auf spätgeom. Vasen gefunden, aber der neue Dekor der nachfolgenden Periode steht mit seinen direkten Übernahmen und seinen Motivadaptionen den Vorbildern näher, und seine Verbreitung reicht über die Zentren der geom. Vasenmalerei hinaus.

Im bedeutenden Handelszentrum Korinth mit seinen guten Töpfereien wurde zuerst das begrenzte geom. Formenrepertoire verlassen. Die → Protokorinthische Vasenmalerei entstand in den letzten Jahrzehnten des 8.Jh. Sie überzog die Körper der beliebtesten Vasenform, des → Aryballos, mit Tierbildern (bzw. → Mischwesen, einschließlich Sphingen, Greifen und Hähnen) und Menschendarstellungen. Rosetten, Lebensbaummuster, Palmetten, Bänder, Voluten, Spiralen und andere östl. Motive wurden als zusätzlicher Dekor hinzugefügt. Anfangs wurden die Figuren in Silhouettentechnik und Umrißzeichnung wiedergegeben, aber ab ca. 700 v. Chr. wurde Binnenzeichnung dadurch ermöglicht, daß man Ritzlinien durch den schwarzen Auftrag bis in den hellen Ton eintiefte – eine Neuerung, die wahrscheinlich aus der Metallbearbeitung herrührte. Alsbald kamen als Farbeffekte *added red* (aufgesetztes Rot) und weißer Farbauftrag nach dem Brand hinzu, wodurch der sog. → Schwarzfigurige Stil entstand. Kompositionen mit Tieren (Prozessionen, Tierkampfbilder, heraldische Gruppen) sowie einzelne Typen von Tieren (Löwen, Panther, Stiere) und → Mischwesen (Sphingen, Greifen, Sirenen) verdanken den oriental. Vorbildern viel. Szenen mit menschlichen Figuren sind entschiedener griech. und spiegeln mit narrativen Elementen den Mythos. Gelegentlich werden Namen hinzugefügt, um Götter und Heroen leichter erkennbar zu machen.

Während das Protokorinthische weitgehend ein Miniaturstil blieb, setzte in Athen das Protoattische die geom. Trad. fort und drückte sich in großflächigen Figurenszenen in weiten Zonen auf größeren Gefäßen aus. Der Analatos-Maler manifestiert den Übergang vom geom. zum orientalisierenden Dekor im späten 8. und frühen 7.Jh. Kühne florale Muster und locker verteilte Streumuster sind deutliche Anzeichen für die Entstehung eines neuen Stils. Umrißzeichnung und Aussparung für Einzelangaben wurden bis nach der Mitte des 7.Jh. beibehalten, aufgesetztes Rot und Weiß wurden bereits früher üblich, aber Ritzlinien blieben selten. Anders als die protokorinth. Keramik wurde die protoatt. kaum exportiert. Die Ausnahme bildete die benachbarte Insel Ägina, wo auch eine lokale protoatt. Werkstatt in der »Schwarz-und-Weiß-Phase« ca. 670–640 v. Chr. tätig war, die freilich noch att. Ton benutzte.

Auf den Kykladen und Euboia sowie in Boiotien hielt sich ein subgeom. Stil länger. Aber nachdem der orientalisierende Stil einmal akzeptiert war, standen florale und andere Ornamente in Blüte, wie auch polychrome Effekte mit aufgesetztem Rot und Weiß und eine begrenzte Reihe von figürlichen Bildern mit Tieren und Menschen. Beeinflußt waren sie mehr von Athen und Ostgriechenland als von Korinth. Eine Anzahl fortschrittlicher Vasenmaler arbeitete auf den Kykladen in unabhängiger Weise. Die »Ad«-Gruppe (der Name von der Klassierung der Funde auf Delos), die »Linear Island«-Gruppe und die »Heraldische« Gruppe wurden mit Paros, Naxos oder einer der kleineren Inseln verbunden und ins frühere 7. Jh. datiert. Später zog der »melische« Stil, wahrscheinlich auf Paros beheimatet, die Aufmerksamkeit auf sich. Er folgt mit seinen kühnen Ornamenten und seiner Figurenzeichnung, die den ganzen Vasenkörper bedecken, stärker korinth. Einfluß. Hohe, weite Grabamphoren mit einer polychromen myth. Szene auf dem Vasenkörper sind die am besten bekannten Erzeugnisse dieser Werkstatt.

Auf → Kreta experimentierte man bereits im 9. Jh. v. Chr. mit orientalisierenden Motiven im sog. »Protogeom.-B«-Stil, vielleicht in der Folge einer Einwanderung östl. Handwerker nach Knosos. Das Experiment währte kurz und wurde von einer streng geom. Arbeitsweise im 8. Jh. verdrängt. Eine neue orientalisierende Welle erreichte Kreta im späten 8. Jh. und ließ eine spezielle eklektische Dekorform entstehen. Kühne florale Muster, Bänder und Zungenmuster sind durchsetzt mit subgeom. Ornamenten einschließlich konzentrischer Kreise. Vögel und andere Tiere sind häufig, weniger dagegen menschliche Figuren. Klagefrauen und Göttinnen sind eher dargestellt als myth. Erzählungen. Heller roter und blauer Dekor auf weißem Überzug sind typisch für die farbigen Grabpithoi von Knosos (→ Pithos). Umrißzeichnung ist üblich, aber zuweilen wird Ritzzeichnung versucht. Anleihen bei korinth., att. und sogar kyprischen Arbeiten sind evident, aber vieles andere ist lokal.

In der → Ostgriechischen Vasenmalerei ersetzte ein orientalisierender Tierstil die langwährende subgeom. Trad. gegen 650 v. Chr. Er trat zuerst im Gebiet um → Miletos [2] auf; ein zweites Zentrum befand sich auf → Chios ab ca. 625 v. Chr. Die Dekorationsweise – gewöhnlich nach dem am häufigsten dargestellten Tier »Wildziegenstil« genannt – benutzte bis ca. 600 v. Chr. nur Aussparung und Umrißzeichnung. Seit diesem Zeitpunkt wurde in Nordionien eine sf. Zeichenweise eingeführt. Als Tierstil besaß sie gefällige dekorative Qualitäten, bot aber wenig weitere Entwicklungsmöglichkeiten.

D. A. Amyx, Corinthian Vase-Painting of the Archaic Period, 1988, 363–395 · J. Boardman, The Greeks Overseas, ³1980, 54–84 · J. K. Brock, Fortetsa, 1957, 142–191 · R. M. Cook, Greek Painted Pottery, ³1997, 41–153 · K. Kübler, Altattische Malerei, 1950 · S. P. Morris, The Black and White Style. Athens and Aigina in the Orientalizing Period, 1984.   G.P.S.

Orientius. Christl. Dichter des frühen 5. Jh. n. Chr. aus Gallien; wohl identisch mit dem gleichnamigen Bischof von Auch (SW-Frankreich). Bei dem in elegischen Distichen verfaßten *Commonitorium* (2 B., Titel nach Sigebert von Gembloux, De viris illustribus 34) handelt es sich um ein moraltheologisches Gedicht paränetisch-protreptischen Charakters, das stellenweise Elemente der → Diatribe und der → Satire aufweist. Der zentrale Gegenstand sind die Hauptsünden, vor denen O. seine Rezipienten anhand von biblischen Beispielen sowie unter Verweis auf Höllenstrafen und Jüngstes Gericht eindringlich warnt. In der rhet.-stilistischen Gestaltung ist eine Verwandtschaft zu → Sedulius zu erkennen. Die einzige Hs. überl. unter O.' Namen noch vier kleinere Gedichte zweifelhafter Herkunft.

Ed.: R. Ellis, CSEL 16, 1888, 191–261 · C. A. Rapisarda, 1958.
Lit.: M. G. Bianco, Il Commonitorium di O., in: Annali della Facoltà di Lettere e Filosofia, Università di Macerata 20, 1987, 33–68 · L. Bellanger, Le poème d'O., 1903 · C. A. Rapisarda, Linguaggio biblico e motivi elegiaci nel Commonitorium di O., in: G. Catanzaro (Hrsg.), La poesia cristiana latina in distici elegiaci, 1993, 167–190 · K. Smolak, Poetische Ausdrücke im sog. ersten Gebet des O., in: WS 87, 1974, 188–200.   J.SCH.

Origanon (ὀρίγανον oder ὀρείγανον, auch ὁ/ἡ ὀρίγανος, neugriech. ρίγανη, lat. *origanum*) bezeichnete eine nicht sicher bestimmbare Art der Labiaten-Gattung Origanum oder Dost. Der Same war ein (wie auch h. noch) beliebtes Speisegewürz, das auch wegen der erwärmenden und zerteilenden Wirkung unter Zusatz von Wein als Abkochung medizinisch verwendet wurde. Es diente (Dioskurides 3,27 Wellmann = 3,29 Berendes, vgl. Plin. nat. 20,175 und 177) v. a. als Mittel gegen Vergiftungen durch Skorpionsstich, Schlangenbiß oder Schierling, aber auch gegen Krämpfe, Wassersucht und Menstruationsbeschwerden. Angeblich sollte sein Geruch Ameisen töten (Plin. nat. 10,195).

A. Steier, s. v. O., RE Suppl. 7, 813–818.   C.HÜ.

Origenes (Ὠριγένης).

[1] Platonischer Philosoph des 3. Jh. n. Chr., nicht gleichzusetzen mit dem gleichnamigen Christen O. [2] [1. 17ff.; 2. 404ff.]. Zusammen mit Erennios und Plotinos war er Schüler des Ammonios [9] Sakkas. O. verfaßte zwei Schriften: ›Über die Dämonen‹ und ›Alleiniger Schöpfer ist der König‹ (Ὅτι μόνος ποιητὴς ὁ βασιλεύς, fr. 1 und 2 Weber) [3. 92, 336f.]. → Proklos überliefert zahlreiche Äußerungen zu stilkritischen und inhaltlichen Fragen zum Proömium des platonischen ›Timaios‹ (fr. 8–16 Weber). Da O. keinen Komm. zu diesem Dialog geschrieben hat, gehen diese vermutlich auf Vorlesungsnachschriften eines Schülers (vielleicht → Porphyrios) zurück [3. 219f.].

O. wandte sich gegen die Trennung von Erstem Gott (dem Einen, τὸ ἕν) und Schöpfergott, wie sie → Numenios und → Plotinos lehrten. Für ihn ist das oberste Seiende der Nus (νοῦς, die Vernunft), und dieser ist mit dem Weltschöpfer identisch (fr. 7 Weber) [3. 336]. Unter diesem Gott stehen die → Dämonen, von denen es gute und schlechte gibt. Die schlechten sind zahlenmäßig überlegen, die guten an Macht und Kraft (fr. 12 WEBER) [3. 337]. In seiner Beurteilung von Platons Stil (fr. 9; 11; 13; 14 WEBER) vertrat O. im Gegensatz zu seinem Schüler → Longinos die Auffassung, daß Platon sich zwar um stilistische Anmut bemühe, jedoch nicht um einer gekünstelten Annehmlichkeit willen; Platons Ziel sei vielmehr die natürliche Überzeugungskraft und eine treffende, der jeweiligen Situation nachempfundene Darstellung (fr. 14 WEBER).

O. genoß zu seinen Lebzeiten sehr hohes Ansehen (fr. 1; 3–6 WEBER). Da er an den Lehren des → Mittelplatonismus festhielt, wurden seine Gedanken in der Zeit des → Neuplatonismus kaum weiter tradiert. Allein seine ›Timaios‹-Erklärungen fanden weiterhin Anerkennung.

1 K.-O. WEBER, O. der Neuplatoniker, 1962 2 F. M. SCHROEDER, Ammonius Saccas, in: ANRW II 36.1, 1987, 493–526 3 DÖRRIE/BALTES, 3, 1993.

FR.: WEBER (s. o. [1]), 3–12.
LIT.: R. BEUTLER, s. v. O., RE 18, 1939, 1033–1036 ·
L. BRISSON, Notices sur les noms propres, in: Ders. u. a. (Hrsg.), Porphyre, La vie de Plotin, 1, 1982, 113 f. ·
R. GOULET, Sur la datation d'Origène le Platonicien, in:
L. BRISSON u. a. (Hrsg.), La vie de Plotin, 2, 1992, 461–463 ·
H.-D. SAFFREY, L. G. WESTERINK (ed.), Proclus, Théologie Platonicienne 2, 1974, X–XX. M. BA. u. M.-L. L.

[2] Christl. Theologe.
A. BIOGRAPHIE B. WERKE C. THEOLOGIE

A. BIOGRAPHIE

Die ant. Angaben zur Biographie des O. bei → Eusebios [7] (Eus. HE 6,1–39) und → Hieronymus, → Rufinus und → Photios (Phot. bibl. cod. 118) müssen jeweils kritisch überprüft werden [2. passim]: O. wurde ca. 185/6 n. Chr. als Sohn wahrscheinlich christl. Eltern in → Alexandreia [1] geb. Sein Vater Leonides wurde 202 hingerichtet, die Finanzierung der Ausbildung des O. zum grammatikós (→ grammaticus) übernahm eine vornehme Matrone (Eus. HE 6,2,13). O. war ein Schüler des → Ammonios [9] Sakkas (Eus. HE 6,19,1–10; vgl. Porph. vit. Plot. 3). Bald nach dem Tode seines Vaters arbeitete O. auch an der Ausbildung der Taufbewerber (Katechumenen) in seiner christl. Heimatgemeinde mit und erwarb sich auf diese Weise größeres Ansehen. Ein angesehener Einwohner der Stadt namens Ambrosius finanzierte ihm ein Schreibbüro (Eus. HE 6,23,2). O. wandte sich während dieser Zeit einem asketischen Lebensstil zu (Eus. HE 6,3,8 f.); ob er sich aber in diesem Zusammenhang entmannte, bleibt sehr unsicher (Eus. HE 6,8; vgl. Epiphanios, Adversus haereses 64,3). Seine Lehrtätigkeit in Alexandreia dürfte während der 220er J. durch zunehmende Spannungen mit dem Ortsbischof Demetrios überschattet worden sein. In Folge einer Reise des O. nach Griechenland und Palaestina, während der er in Kaisareia (→ Caesarea [2] Maritima) zum Presbyter ordiniert wurde (Eus. HE 6,8,4; 23,4; Phot.

bibl. cod. 118), eskalierte die Kontroverse; O. verlegte seinen Lebensmittelpunkt nach Kaisareia. Dort lehrte und predigte er mit beträchtlicher öffentlicher Wirkung. Wie Gregorios [1] Thaumaturgos bezeugt, etablierte O. in Kaisareia eine schulische Ausbildung, die eine Lebensgemeinschaft mit dem Lehrer umfaßte und sich in vielfacher Hinsicht an der platonischen Akademie (→ Akadḗmeia) orientierte. Möglicherweise lernte ihn → Porphyrios in diesem Kontext kennen (Eus. HE 6,19; vgl. Sokr. 3,23,38). Im Rahmen der decischen Christenverfolgung um 250 (→ Decius [II 1]) wurde O. zwar verhaftet, er dürfte aber erst 254 wahrscheinlich in Tyros verstorben sein (Eus. HE 6,46,2; 7,1 sowie Hier. vir. ill. 54; Hier. epist. 84,7).

B. WERKE

Die organisierende Mitte des Lebenswerkes des O. war die möglichst präzise Interpretation der → Bibel; allerdings ist ein großer Teil seiner exegetischen Schriften verloren gegangen. Intendiert war eine umfassende Kommentierung nach zeitgenössischen Maßstäben wiss. Textauslegung als Vorbereitung für die Abfassung von Gemeindepredigten (teilweise durch O. selbst). Dieses Unternehmen wurde auch philol. sorgfältig vorbereitet, schon in Alexandreia begann O. eine synoptische Ausgabe verschiedener griech. Übers. des AT, die sog. »Hexapla« [1. 1500, 1501]. Daneben verfaßte O. dogmatische und polemische Schriften grundsätzlicheren Charakters bzw. zu aktuellen theologischen Streitfragen sowie eine Schrift ›Über das Gebet‹ [1. 1477] und eine ›Ermunterung zum Martyrium‹ [1. 1475].

In Alexandreia entstanden die ersten fünf B. eines Komm. zu Jo [1. 1453], die ersten acht eines Komm. zu Gn [1. 1410] und Komm. zu den Pss 1–25 [1. 1426] sowie vier B. ›Von den Prinzipien‹ (Περὶ ἀρχῶν/De principiis), die erste systematische Gesamtdarstellung christl. Lehre [1. 1482]. Aus der Zeit in Kaisareia stammt dagegen O.' umfangreiche Auseinandersetzung mit dem längst verstorbenen mittelplatonischen Philosophen → Kelsos, Κατὰ Κέλσου/Contra Celsum [1. 1476], und ein großer Teil der exegetischen Arbeiten.

C. THEOLOGIE

O. versucht, biblische Gesch. und Theologie vor dem Hintergrund eines platon. Weltbildes zu interpretieren. Dabei ist für diesen Versuch charakteristisch, daß er oft lediglich Erwägungen vorträgt. Diese sprachliche und sachliche Gestalt seiner Theologie wurde freilich später nicht beachtet, so daß seit dem 4. Jh. seine Rechtgläubigkeit in Frage gestellt wurde und schließlich in den J. 543 und 553 einzelne Punkte seiner Lehre verurteilt wurden, was jedoch der Rezeption v. a. seiner Bibelauslegung im Osten wie im Westen keinen Abbruch tat. Charakteristisch für seine Theologie ist eine Zwei-Welten-Lehre, bestehend aus einem ewigen kósmos noḗtós und einem aus dem Nichts geschaffenen aisthētós kósmos (κόσμος νοητός bzw. αἰσθητὸς κόσμος, Orig. comm. in Jo 1,26): Die erste Welt besteht aus Gott, seinem Sohn und dem Geist (die die drei Hypostasen der → Trinität bilden) sowie einer Fülle von urspr. gleichberechtigten Geistwesen (Orig. de principiis 2,11,3; 4,4,9). Aus den gefallenen Geistwesen (νόες, λογικά) entstehen Seelen (*psychaí*/ψυχαί, von ἀποψύχειν abgeleitet), die von Gott als Engel, Menschen und Dämonen in die Ordnung eines gestuften und aus *hýle* (→ Materie) bestehenden *kósmos* erbracht werden. Alle streben wieder zu ihrem urspr. Ort, aber bevor dieser Urzustand wieder erreicht ist (ἀποκατάστασις πάντων, vgl. Apg 3,21), müssen verschiedene Weltperioden als »Läuterungswerk« absolviert werden. Inkarnation und Himmelfahrt des Christos-Logos sind eine Peripetie dieses Läuterungswerkes; das Erlösungswerk wird in allen Sphären der gefallenen Geistwesen vollbracht.

Die histor. und sakramentale Dimension dieses Heilsereignisses ist für O. nur die äußerliche Seite eines innerlichen Prozesses der vollkommeneren Christen (πνευματικοί/*pneumatikoí*); er betont u. a. deswegen den freien Willen des Menschen. Freilich ist das Evangelium für alle Menschen zugänglich (Orig. de principiis 4,1,1). Das zyklische Weltbild der philos. Rahmentheorie ist bei O. durch eine klare eschatologische Ausrichtung gebrochen (Orig. comm. in Jo 10,42). Die Bibel wird ebenfalls als Inkarnation des → *lógos* [1] gedeutet (Orig. comm. in Mt 11,2) und erfährt u. a. deswegen eine so große Aufmerksamkeit im Œuvre des O. → METAPHYSIK D.

1 CPG 1   2 P. NAUTIN, Origène. Sa vie et son œuvre, 1977.
ED.: CPG 1, 1410–1525 (mit Suppl. 1998).
LIT.: H. CROUZEL, Bibliogr. critique d'Origène, 1971 (Suppl. 1, 1982) • C. ANDRESEN, Logos und Nomos (AKG 30), 1955 • U. BERNER, O., 1981 • H. CHADWICK, Origen Contra Celsum, ³1980 (engl. Übers. mit Komm.) • H. CROUZEL, Origen, 1989 • CH. MARKSCHIES, Für die Gemeinde ... nicht geeignet?, in: Zschr. für Theologie und Kirche 94, 1997, 39–68 • R. WILLIAMS, s. v. O./Origenismus, TRE 25, 397–420.   C. M.

Origo (»Abstammung«). Im Gegensatz zu den Poleis in Griechenland und den unabhängigen Gemeinden im vorröm. Italien fielen in den hell. Reichen und dann im röm. Reich die Zugehörigkeit zu der größeren polit. Einheit und die zu der Geburts- und Wohngemeinde auseinander. Erstere wird meist als griech. → *politeía* bzw. lat. → *civitas* (B.) bezeichnet, für letztere war, v. a. im ptolem. Ägypten, der griech. Ausdruck ἡ ἰδία <κώμη> (*hē idía* <*kṓmē*>, »das eigene Dorf«) gebräuchlich, in Rom seit der Kaiserzeit *o*. Neben der eigentlichen »Staatsangehörigkeit« bezeichnet *o*. also eine »Stadtzugehörigkeit«, den Ort, an dem man »gemeldet« ist.

Überlegungen zu dem Verhältnis zwischen der *civitas Romana* und dem munizipalen Bürgerrecht (→ *municipium*) der immer zahlreicheren röm. Bürger aus den *municipia* oder zu den Konsequenzen, die sich ergaben, wenn ein Römer das Bürgerrecht einer griech. Stadt annahm, führten spätestens im 1. Jh. v. Chr. zu der Vorstellung von den zwei *patriae* (»Heimaten«), die ein Bürger haben konnte (Cic. leg. 2,5); zwei gleichwertige Bürgerrechte nebeneinander werden jedoch z. B. von Cicero (Balb. 28) kategorisch ausgeschlossen. Diese eher theoretischen Überlegungen scheinen jedoch nicht feste Rechtsnormen gewesen zu sein [2. 562 f.].

Juristische Relevanz erhielt die Lehre von der *o*. ab dem 2. Jh. n. Chr., weil die *o*. den Ort bestimmte, an dem man zur Übernahme bürgerlicher Pflichten (*munera*; s. → *munus*) herangezogen wurde. Sie erscheint zunächst in → *Constitutiones* der Kaiser Hadrian und Antoninus [1] Pius und wurde dann von den spätklass. Juristen verfeinert. Außerhalb der städtischen *munera*-Pflicht spielte die *o*. kaum eine Rolle.
→ Bürgerrecht; Civitas; Kome; Municipium; Pagus; Politeia

1 H. BRAUNERT, Ἰδία. Stud. zur Bevölkerungsgeschichte des ptolem. und röm. Äg., in: Journal of Juristic Papyrology 9/10, 1955/6, 211–328 2 D. NÖRR, O. Stud. zur Orts-, Stadt- und Reichszugehörigkeit in der Ant., in: TRG 31, 1963, 525–600 3 Ders., s. v. O., RE Suppl. 10, 433–473.   H. GA.

Origo gentis Romanae. Unter der sog. O. versteht man einen lat. Text von 23 Kap., in dem die Vorgesch. der Gründung Roms von → Saturnus bis → Romulus knapp zusammengefaßt und damit die göttliche und menschliche Deszendenz der Könige von → Alba Longa nach Generationen entwickelt wird. Die O. geht wohl letztlich auf ein Kapitel aus den *Res memoria dignae* des → Verrius Flaccus zurück und durchlief bis zur Spätant. verschiedene Überarbeitungs- und Epitomierungsphasen [3]. Der Verf. ist unbekannt. Wir verdanken die Überl. der O. der Tatsache, daß sie im 4. Jh. n. Chr. ein unbekannter Redaktor in einem Corpus mit der ebenfalls anon. überl. Schrift *De viris illustribus urbis Romae* und dem *Liber de Caesaribus* des S. Aurelius → Victor vereinigte. Dieser bietet ebenso mit dem Jahr 360/1 den *terminus post quem* für die Entstehung des Corpus. Unter Aurelius Victors Namen steht dann auch die ma. Trad. des Corpus, das mit den drei Teilen gleichsam die gesamte röm. Gesch. von der Frühzeit bis zu Constantius [2] II., mit dem Aurelius Victor seine Darstellung beschließt, umfaßt. Man bezeichnet die Zusammenstellung h. daher als *Corpus Aurelianum*. Die O. entsprang der im 4. Jh. dominanten Bemühung um die röm. Vergangenheit und Sicherung einer kulturellen Identität. Sie gehört wohl in den Kontext des Grammatikunterrichts bzw. der *Aeneis*-Lektüre, was auch die Klassikerzitate belegen dürften.

ED.: 1 F. PICHLMAYR, Aurelius Victor, ²1911, 1–22 2 J.-C. RICHARD (ed.), Pseudo-Aurélius Victor, Les origenes du peuple Romain, 1983 (mit Komm. und frz. Übers.). LIT.: 3 P. L. SCHMIDT, s. v. Das Corpus Aurelianum und S. Aurelius Victor, RE Suppl. 15, 1978, 1583–1634 4 Ders., in: HLL Bd. 5, § 532.1.   U. E.

Orikos (Ὤρικος, auch Ὠρικός, Ὠρικόν). Hafenstadt in → Epeiros, im südl. Winkel des gleichnamigen Golfs (h. Golf von Vlorë in Albanien). Der Sage nach von Euboieis (→ Euboia) auf der Heimfahrt von Troia gegr., bereits im 6. Jh. v. Chr. bei Hekat. FGrH 1 F 106 genannt. Spätestens seit dem 4. Jh. v. Chr. bestanden enge Beziehungen zu Korkyra [1]. Die Stadt, auf einer Halbinsel gelegen, verfügte über einen geschützten Hafen und war oft Kriegsschauplatz (Hdt. 9,93,1; Strab. 7,5,8; Liv. 24,40; Plin. nat. 2,204).

1 S. DAKARIS, Les lamelles oraculaires de Dodone, in: P. CABANES (Hrsg.), L' Illyrie méridionale et l'Épire dans l'antiquité, Bd. 2, 1993, 60.

N. G. L. HAMMOND, Epirus, 1967.   D. S.

Orion (Ὠρίων).

[1] Myth. riesengroßer Jäger (seit Hom. Od. 11,310; 11,572–575), auch Sternbild (seit Hom. Il. 18,485 f.; → Sternsagen). Sohn des Poseidon und der Euryale [2] (Hes. fr. 148(a) M.-W.) oder der Erde (Apollod. 1,25 f.) oder des Zeus, Poseidon und Hermes bzw. des → Hyrieus (Ov. fast. 5,535; Hyg. fab. 195). Nach der letztgenannten Version verdankt er seinen Namen seiner ungewöhnlichen Zeugung: Nach der Bewirtung durch Hyrieus gewährt Zeus/Iuppiter ihm die Erfüllung einer Bitte. Als Hyrieus um die mutterlose Zeugung eines Kindes bittet, ergießen die drei Götter ihren Samen in ein Stierfell, woraus das Kind entsteht. Hyrieus benennt das Kind nach der Art seiner Zeugung (griech. οὐρέω/ uréō, »harnen«): Urion, woraus O. wird (Ov. fast. 5,493– 536). Diese Gesch. entspricht dem Erzähltypus der »Götterbewirtung durch Alte und deren Belohnung« [1. 283³¹¹] (→ Motivforschung). O.s Gattin Side wird in den Hades geworfen, weil sie mit Hera wetteifert (Apollod. 1,25). O. wirbt um → Merope [2], die Tochter des → Oinopion, der ihn blendet (Apollod. l.c.). Im Osten gewinnt er durch einen Sonnenstrahl das Augenlicht zurück. Er stirbt schließlich durch Pfeile der Artemis (Hom. Od. 5,121–124) für seine → hýbris (Hor. carm. 3,4,70–72; vgl. Ov. fast. 5,539 f.; Hyg. astr. 2,34) oder aus Neid auf → Eos, die ihn entführt hat (Hom. Od. 5,118 ff.). In einer anderen Version stirbt O. durch den Stich eines Skorpions und wird verstirnt (Arat. 636– 644). Verstirnt wird er auch als Lohn für die Rettung Latonas (→ Leto) vor einem Skorpion (Ov. fast. 5,541– 544). Das Sternbild O. steht im Zusammenhang mit der Verfolgung der → Pleione und der → Pleiaden (Hes. erg. 619 f.). Das Sternbild Sirius gilt als O.s Hund (Hom. Il. 22,29). O. war in Boiotien heimisch und wurde dort als Heros verehrt [2. 193 f.].
→ Sternsagen

1 J. LOEHR, Ovids Mehrfacherklärungen in der Trad. aitiologischen Dichtens (Beitr. zur Alt.kunde 74), 1996 2 SCHACHTER, Bd. 2.

J. FONTENROSE, O. The Myth of the Hunter and the Huntress, 1981 • B. FORSSMANN, Der altgriech Name O., in: Der Eigenname in Sprache und Ges., 15. Internationaler Kongreß für Namenforsch., Leipzig 1984, 1985, 81–86 • R. MUTH, s. v. O., RE Suppl. 11, 1300–1303 • PRELLER/ ROBERT, Bd. 1, 448–454 • W. SCHADEWALDT, Die Sternsagen der Griechen, 1956, 18–28 • M. P. SPEIDEL,

Mithras-O. Greek Hero and Roman Army God (EPRO 8), 1980 • C. LOCHIN, s. v. O., LIMC 7.1, 78–80; 7.2, 56 f.
JO. L.

[2] s. Sternbilder

[3] Grammatiker aus Theben, 5. Jh. n. Chr., wirkte in Alexandreia [1], wo er Lehrer des → Proklos war (Marinos vit. Procl. 8), in Konstantinopel und in Kaisareia. Von seinen Werken (Titel in der Suda ω 188, 189 ADLER) sind ein attizistisches Lex. und ein Enkomion auf Kaiser Hadrian verloren; erh. ist dagegen eine kurze Zusammenfassung von acht Kap. der Συναγωγὴ γνωμῶν / Synagōgḗ gnōmṓn (auch Ἀνθολόγιον / Anthológion genannt und der Kaiserin Eudokia gewidmet, welche laut Tzetz. chil. 10,56–60 seine Vorlesungen hörte), die offenkundig vor allem aus dem poetischen Erbe schöpfen. Wichtig ist das in den großen byz. → Etymologika mehrfach zitierte Ἐτυμολογικόν (Etymologikón), von dem uns drei verschiedene Kurzfassungen erh. sind (die umfangreichste im Cod. Parisinus Graecus 2653 aus dem 16. Jh., während STURZ [1] in der Appendix zu seiner Ausgabe des Etymologicum Gudianum eine kürzere Fassung transkribierte, welche in der Darmstädter Hs. 2773 aus dem 14. Jh. erh. ist). O. ordnet das Material aus Philoxenos, Herodianos [1], Herakleides [21] Pontikos und Soranos alphabetisch; oft freilich ohne große Sensibilität für Unterschiede in Ansatz oder Schule.

ED.: 1 F. G. STURZ, Orionis Thebani Etymologicon, 1820. LIT.: 2 F. RITSCHL, De Oro et Orione (1834), in: Ders., Opuscula Philologica 1, 1866, 582–673 3 R. REITZENSTEIN, Gesch. der griech. Etymologika, 1897, 309–311, 347–350 4 C. WENDEL, s. v. O., RE 18, 1083–1087.   R. T./Ü: T. H.

Orkades (Ὀρκάδες, lat. Orcades).

Die Orkney-Inseln (h. etwa 70 Inseln, von denen 24 bewohnt sind) vor der Nordküste Schottlands, der Kenntnis der ant. Welt wohl erstmals durch → Pytheas (E. 4. Jh. v. Chr.) vermittelt. Nach den ant. Autoren handelt es sich um 30 (Mela 3,54; Ptol. 2,3,31) bis 40 (Plin. nat. 4,103) nur zum kleineren Teil bewohnte Inseln. Die Flotte des Iulius [II 3] Agricola (Tac. Agr. 10) erkundete die O. 83/4 n. Chr. Einige O. waren Ptolemaios (2,3,31) mit ungenauen Koordinaten bekannt. Die Kontakte zu Rom beschränkten sich auf den Handel (wenige röm. Funde).

I. A. RICHMOND, Roman and Native in North Britain, 1958 • A. L. F. RIVET, C. SMITH, The Place-Names of Roman Britain 1979, 40 • A. und G. RITCHIE, Scotland, 1983 • TIR N 30/O 30 Britannia Septentrionalis 61.
M. TO./Ü: I. S.

Orkistos (Ὀρκιστός).

Wohl urspr. Polis in Galatia, südl. vom h. Ortaköy (ehemals Alikel Yayla), E. des 3. Jh. n. Chr. → Nakoleia (Phrygia) zugeschlagen, was Constantinus [1] d.Gr. vor 331 n. Chr. rückgängig machte (MAMA 7, 69–75). Zum Territorium von O. gehörte der Ort Malkaitenoi [1. 2020]. Seit dem 5. Jh. als Bischofssitz bezeugt (Domnos 431 beim Konzil von Ephesos, Longinos 451 beim Konzil von Kalchedon: Acta Conciliorum Oecumenocorum 1,1 Nr. 121; 2,1,1 Nr. 192). Wenige ant. und byz. Reste.

T. Drew-Bear, C. Naour, Divinités de Phrygie, in: ANRW II 18.3, 1990, 1907–2044.

Belke/Restle, 211.   E.O.

Ormenion, Orminion (Ὀρμένιον, Ὀρμίνιον). Nach dem Kontext im homer. Schiffskat. (Hom. Il. 2,734 ff.) war *Orménion* die Residenz des → Eurypylos [1] und lag in der westl. Thessaliotis, war aber in histor. Zeit verlassen und ist bis h. nicht lokalisiert.

Der histor. Ort *Orminion* lag in der → Magnesia [1] und wurde um 290 v.Chr. in die Neugründung → Demetrias [1] eingemeindet, bestand aber als *kómē* weiter (Strab. 9,5,15; 18: Ὀρμίνιον; Plin. nat. 4,32). O. wurde schon von ant. Autoren trotz der geogr. Differenz mit dem homer. O. gleichgesetzt. Auf dem Berg Goritsa (210 m) südl. von Volos befindet sich eine große Befestigungsanlage (Umfang ca. 2480 m) des späten 4. Jh. v.Chr., die in hell. Zeit zum Verteidigungssystem von Demetrias gehörte und allg. mit O. gleichgesetzt wird. Sie kann aber nur kurze Zeit als Wohnort genutzt worden sein, da – trotz Anlage von Straßensystem etc. – entsprechende Funde fehlen. O. ist am Fuß von Goritsa zu vermuten (so auch Strab. l.c.), wo sich Siedlungsspuren bis in frühbyz. Zeit gefunden haben.

S. C. Bakhuizen, Goritsa, A New Survey, in: AD (Chronika) 27, 1972, 396–408 · H. Kramolisch, s. v. O., in: Lauffer, Griechenland, 495 f. · E. Meyer, s. v. O., RE 18, 1105–1107 (Quellen) · E. Vischer, Homers Kat. der Schiffe, 1997, 699.   HE.KR.

Ornament I. Einleitung
II. Griechische Vasenmalerei
III. Griechische Architektur
IV. Griechische Skulptur
V. Hellenismus und Kaiserzeit

I. Einleitung

Lat. *ornamentum* (= *o.*), »Zierde, Schmuck, Ausrüstung«, im Pl. »Auszeichnung« (→ *ornamenta*). In den Rechtsquellen der Kaiserzeit bezeichnet *o.* den überflüssigen Zusatz, der der *voluptas* (»Vergnügen«) dient, aber fest mit dem Bau verbunden ist. Zum *o.* gehören neben Gemälden, Gärten und Springbrunnen vor allem *loricationes* (Hypokaustenanlagen) und → *incrustationes* (Marmorverkleidungen) [36. 275]. Dieses späte Verständnis von *o.* drängt sich immer wieder in den Umgang mit O. als t.t. der arch. Forsch. Ob ›die sich wiederholende Verzierung an Bauwerken und Gegenständen aller Art‹ (Brockhaus-Enzyklopädie 1991) als Zusatz oder notwendiger Bestandteil des Ganzen zu sehen ist, wird ebenso stark von neuzeitlicher Befindlichkeit wie von der histor. Interpretation bedingt, vgl. etwa A. Loos' Kampfruf ›Ornament ist Verbrechen‹ [3]. U.a. deshalb wohl übergingen Lexika und Enzyklopädien das Lemma gerne, so z.B. die RE (1939), die EAA (1958–1966), der KlP (1964–1975) oder das Lex. Alte Kulturen (1990–1993). Die Unsicherheit gegenüber dem Phänomen weist auf einen unzureichenden Forsch.-Stand,

was trotz einer Fülle von Detail-Unt. gilt. Grundlegende Werke der Forsch. haben seinerzeit eine Definition von O. gar nicht erst versucht [2; 5]. Wenn ein populäres Großlexikon einleitend formuliert: ›Das O. kann die Form des Gegenstands, dessen Schmuck es bildet, gliedern und betonen, sich aber auch neutral zu ihr verhalten oder sie überwuchern. Die Formensprache der Ornamentik (Gesamtkomposition der O.) bewegt sich zwischen den beiden Polen einer rein linearen, abstrakt geom. und einer auf organische Formen zurückgreifenden figuralen, zuweilen naturalistischen Gestaltungsweise‹ (Brockhaus-Enzyklopädie, s. v. O., 1991), dann ist damit das zentrale Problem der inhaltlichen Bed.-Möglichkeiten von O. noch gar nicht angesprochen. Formtypologie und O.-Geographie dominieren in der Forsch., die Probleme der inhaltlichen Deutung von O.-Formen sind erst teilweise in den Blick genommen. Obendrein hat das O. in der griech. Kunst bis in klass. Zeit einen stark evolutionären Charakter, der sich in einem Prozeß kontinuierlicher Umwandlung ausdrückt; für die hell. und kaiserzeitl. Ornamentik ist dagegen im allg. eine gewisse Beliebigkeit in Verwendung und Ausführung des O. festzustellen, so daß die Unt. und Darstellung für die einzelnen Epochen unterschiedlichen Charakter haben muß. In diesem Sinn sind die folgenden Hinweise teilweise von vorläufiger Art.

II. Griechische Vasenmalerei

Die Keramik muß am Anf. stehen, weil allein sie über das O. der Frühzeit hinreichend Auskunft geben kann und weil sie die einzige Gattung ist, die so weit erh. ist, daß sie Entwicklungen erkennen läßt.

A. Protogeometrische und geometrische Vasenmalerei
B. Archaische und klassische Vasenmalerei

A. Protogeometrische und geometrische Vasenmalerei

Die sog. protogeometrische und → geometrische Vasenmalerei, am genauesten in Attika zu überblicken, entwickelte ein in der Einzelform einfaches, in der Syntax aber komplexes System von Verzierungsmotiven. Striche und Linien werden vertikal und – überwiegend – horizontal eingesetzt, werden zu rechtwinkligen O. ausgeformt (Rosettenfelder, Zinnenmuster = → Mäander, → Swastika), treten als Rauten auf, werden dreieckförmig durchgestaltet (Dreiecke, »Sanduhr«- und »Doppelaxt«-Motiv, Zickzack, Winkel) oder kreisförmig gebildet. Hinzu kommen piktographische O.-Muster wie Blätter, Bäume und Tiere (Fische, Schlangen, Vögel) [40]. Dabei gibt es kein festes Verhältnis von Grund und Aufgemaltem, von Hell und Dunkel. Im Schachbrett bewirkt beides die Erscheinung, im Mäander ist das Aufgemalte wichtig. Die O.-Bänder der verschiedenen Dekormuster sind immer von rahmenden Leisten eingeschlossen. Der Motivbestand erfährt in der Entwicklung von der protogeom. Vasenmalerei zur

Griechische Vasenmalerei

1 linksläufiger Mäander (geom. Zeit)
2 Doppelmäander (geom. Zeit)
3 Flechtbänder
4 Rankenkopf (4. Jh. v. Chr.)

5 Lotusknospen (archa. u. klass. Zeit)
6 Lotus-, Palmettenornamente
  (archa. u. klass. Zeit)

7 Palmetten-, Wellen-, Rankenornamente
  mit Lotusknospen (klass. Zeit)
8 Palmetten-, Wellen-, Rankenornamente
  (klass. Zeit)

geom. (mit Ausnahme des Mäanders) keine grundsätzliche Veränderung, alle wesentlichen Elemente sind
von Anf. an vorhanden. Auf der geom. Entwicklungs-
stufe wird der Formbestand um gefüllte Quadrate und
Rauten, um schraffierte Wellenbänder, Lanzettblätter,
Blattsterne und schließlich in der späteren Phase um
Tierfriese (Vögel, Pferde) an den untergeordneten Stellen der Gefäße bereichert. Die Haupt-O. werden nunmehr durch mehrere rahmende Streifen betont. Eine
wohlbedachte Abfolge und Anordnung der Dekor-
streifen und die symmetrische Zuordnung von Neben-
motiven zum Hauptmotiv schaffen eine Syntax der O.
und Gesamtkompositionen des Gefäßdekors. Zum Verhältnis von O. und Gefäßaufbau ist festzuhalten, daß das

Plastik und Architektur

1 Grabstelen: Palmettenornamente (archa. Zeit)

2 Bauten und Grabstelen: Lotus-, Palmettenornamente
(klass. Zeit)

O. immer integriert wird – je nach dem Platz am Gefäß
als fortlaufender Fries, als zentrierter Friesausschnitt
oder als metopenartig geschlossenes Bild. Das läßt die
formalen, »abstrakten« Kräfte der Komposition hervortreten. Für diese formale Betrachtung ist das Hauptmotiv, der Hakenmäander, von bes. Interesse. Er hat
weder Anf. noch Ende; er ist ein Band, das aus Längs-
und Querstrecken gebildet ist, die sich nicht über-
schneiden, er hat keine gliedernden Gelenke und hat
Richtungstendenz, weil die Längsstrecken dominieren.
So gehört er ursprünglich in die Gefäßzonen oberhalb
und unterhalb der Henkel, in denen er ohne Unterbrechung umlaufen kann. In einer späteren Phase, die
zum »Bild« hin drängt, werden Mäander-Abschnitte,
die aber immer aus dem umlaufenden Ganzen heraus-
geschnitten sind, in eine gerahmte Fläche hineinge-
nommen.

Daß die geom. Keramik Überl. eines bestimmten
Kulturhorizonts ist, wurde von [1] erkannt. Als Folge
der in der 2. H. des 19. Jh. zeitgenössisch-mod. O.-
Theorie Gottfried SEMPERS wurde ihr Dekor selbstverständlich ungegenständlich interpretiert; es wurde postuliert, daß das geom. O. einen technischen Ursprung
habe. Diese ungegenständliche Deutung des frühen O.
führte zur Bezeichnung »geometrisch«. Aus dem ästhetischen Urteil wurde in der Folge ein strukturelles;
aus den hierin angelegten Gründen wurde in der Forsch.
die abstrakt ungegenständliche und tektonische Deutung vorangetrieben, allenfalls um symbolische und em-
blematische Deutungen erweitert [9; 10], damit aber
nicht eigentlich überwunden. Die bildlichen Möglichkeiten des geom. O. jedoch wurden – trotz früher Hinweise [5. 87 ff.] – erst vergleichsweise spät umfassend in
den Blick genommen (v. a. [12]). Die ornamentale,
scheinbar abstrakte Form kann nicht etwa nur Gegen-
ständlichkeit nachträglich annehmen, sondern sie charakterisiert von ihrem Kern her gegenständlich. Dabei
sind durchaus verschiedene Grade von Realität möglich, wie dies für die spätere archa. und klass. Bildspra-
che aus der Interpretation markanter Einzelfälle schon
früher geläufig war (z. B. der → Mäander als Darstellung
des → Labyrinths in der Erzählung des Mythos [12. 262–
265]).

B. ARCHAISCHE UND KLASSISCHE VASENMALEREI
1. ARCHAIK   2. KLASSISCHE ZEIT

1. ARCHAIK

Eine Fülle neuer, eindeutig vegetabilisch aufgefaßter
Ornamente beginnt im fortgeschrittenen 8. und v. a. im
7. Jh. v. Chr. die alten Muster abzulösen. Diese von der
griech. Kunst aus dem Vorderen Orient rezipierten,
gegenständlich-vegetabilischen Ornamente (Palmette,
»Lotus«-Blüte, Blattrosette, Spirale, Flechtband usw.)
sowie ihre syntaktische Verwendung (z. B. im sog. Lo-
tus-Palmetten-Fries, im Motiv des sog. → Lebensbaumes und in anderen Wappenkompositionen) sind v. a.
durch phönizische Luxusimporte wie die sog. »kypro-
phönizischen« Bronzeschalen [19] vermittelt worden,
aber auch durch in der Ägäis ansässig gewordene oriental. Kunsthandwerker und -werkstätten [25]. Die
O.-Muster der Textilien können dabei ebenfalls eine
Rolle gespielt haben. Die gelegentlich in der Forsch.
betonten ägypt. Einflüsse auf die Entwicklung des »Lo-
tus-Blüten-Motivs« [15] sind indirekt: sie laufen über
die Vermittlung durch phöniz. Gebrauch. Die Elemente
werden in der attischen und korinthischen Keramik in
Kreuz- oder Sternkompositionen axial eingebunden
oder in Bändern geordnet, die ebenfalls axial erweite-
rungsfähig sind. Pflanzenteile und schematische Ordnung stehen dabei durchaus in einem Spannungsverhältnis. Die Kompositionen können im Fries und im
Bildfeld auftreten, dort v. a. in der Mitte von antitheti-
schen Gruppen. Bes. wichtig wird der Platz unter den
Henkeln der Gefäße und überhaupt die Henkelzone.
Sie wird in der 2. H. des 6. Jh. zum wichtigsten Platz für
das O. Große, mehrfach eingerollte Spiralranken mit
Zwickelpalmetten werden ausgebildet und sind gelegentlich mit dem Henkelansatz verbunden. Das O. kann

sich jetzt deutlich auf seinen O.-Wert beschränken, kann aber auch verschiedene Grade von Realitätswert besitzen [29]. Die eingestreuten Blumen (Rosetten), Kreuzchen, Rauten u. ä. (die sog. Füll-O.) haben eher Naturwert und sind auf ihre Weise »realistisch«.

In der insel- und ostionischen Keramik (→ Ostgriechische Vasenmalerei) der archa. Zeit ist die Ornamentik bes. vielgestaltig ausgebildet. Neben den Blüten- und Palmettenfolgen und den Spiralranken haben die Mäander-, Haken-, Kreuz-, Stern- und Rosettenfüllungen Bed., und bes. wichtig sind zopfartige Flechtbänder und Reihen von (mond-)sichelförmigen Bögen, die aber keine Fortsetzung in der nacharcha. Vasenmalerei erfahren. Für diese Ornamentik steht die wiss. Beschäftigung mit den Inhalten noch aus.

2. Klassische Zeit

In der Ornamentik der Vasenmalerei des 5. Jh. ist die attische die richtungsweisende [5]. Als rahmende O. sind üblich: Reihungen von umschriebenen Palmetten, von alternierenden und auch gegenständigen Folgen von Palmetten und Lotosblüten, des Mäanders und von Blattstäben. Wichtiger aber sind die Systeme der Palmettenwellenranken, die auf den Außenseiten sowohl der Schalen als auch der Gefäße mit steiler Wandung sich dem Gefäß in Ausbreitung und Aufstreben anpassen, dies bei Wahrung strenger Flächigkeit: Eine Ranke, die in scheinbar freier Kurve schwingt, treibt Blätter, die sich zu Palmetten entfalten, sowie (Lotos-)Knospen und Blüten. In der 1. H. des 5. Jh. erhält die Ranke einen Anf. mit der Ausbildung eines Stammes oder des Zentrums eines stabilen Palmettenherzens. Lebendige Beweglichkeit zeichnet die ganze Ranke aus, doch insgesamt ist das System auf eine axiale Ordnung derart festgelegt, daß nur zwei Grundtypen der Komposition auf Dauer bestehen bleiben. Im einzelnen ist die Wiedergabe der Details in den verschiedenen Werkstätten und bei den unterschiedlichen Meistern so charakteristisch »ausgeschrieben«, daß diese Ranken-O. neben anderen Details zur Klassierung und Ordnung der Vasen dienten. Mehrfarbigkeit wird für die Ranken-O., im Gegensatz zu den figürlichen Darstellungen, nicht benutzt. »Organisch-pflanzlich« ist der Aufbau dieser Palmettenwellenranken, und pflanzliche Geltung kann ihnen grundsätzlich zugebilligt werden [5. 87ff.]: Eroten sitzen auf den Stengeln, Silene hängen schaukelnd daran, Vögel flattern und sitzen im Rankenwerk, und Tiere bewegen sich zw. ihnen. Inwieweit dies Ausdruck weitergehender Anschauungen ist, bedarf noch der Erforschung.

Speziell gefragt wird dies für das ausufernde Rankenwerk der → unteritalischen Vasenmalerei des 4. Jh. v. Chr. An den Hälsen der späteren großformatigen apulischen Gefäße finden sich weibliche Köpfe und ganzfigurige Gestalten in reiche Akanthusranken eingebunden, häufig durch ein aufwendiges System von Spiralbändern bereichert (»Rankenkopf«, »Rankengöttin«). Mit einiger Berechtigung wird vermutet, daß Unsterblichkeitshoffnungen hinter der Bildformel stehen,

ähnlich wie hinter den Naiskoi (→ Naiskos) auf den Bildern derselben Vasengattungen, in deren Mitte eine einzelne Pflanze erscheint [16. 44, 115–130].

III. Griechische Architektur

Vom O. in der griech. Architektur heißt, von der Sakralarchitektur zu handeln, da vom frühen Wohn- und sonstigen Profanbau über die Grundrisse hinaus und zumal von der Ausstattung zu wenig bekannt ist. Jedes Bauglied der frühen archa. Architektur kann auf das kostbarste ausgeschmückt und damit zum Schmuckstück werden. Das gilt natürlich für die eigentlich schmückenden Zusätze wie z. B. die Akrotere an den äußeren Giebelseiten und auf dem First, aber ebenso für die konstruktiv notwendigen Bestandteile wie z. B. Architrave und Friese. Für die Charakterisierung und Entwicklung der Einzelelemente vgl. → Akroterion, → Epistylion, → Fries, → Kyma(tion), → Lacunar, → Säule, → Sima, → Tempel. Toreutischer Schmuck ist von der Frühzeit an verwendet worden [37].

Die klassizistische und neuzeitliche Trennung in die konstruktiv notwendigen Bauteile einerseits und den zusätzlichen und nicht notwendigen ornamentalen − wenn auch kostbaren − Dekor andererseits trifft offensichtlich die Vorstellung der früheren archa. Zeit vom Tempel nicht [36]. Die erh. Reste machen wahrscheinlich, daß die Teile der Architektur je für sich als einzelne Weihgaben an die Gottheit verstanden wurden, daß die Säule und alle anderen Teile als Einzelstücke gesehen wurden und deshalb jeder Teil für sich wirken konnte. Das erlaubte nicht nur, sondern verlangte geradezu, daß jedes Bauglied so reich und so kostbar wie möglich ausgeziert wurde. In spätarcha. und verstärkt in klass. Zeit fand eine Vereinheitlichung der Vorstellung vom Ganzen des Tempels statt, wodurch viele Einzelelemente des Dekors ihre Daseinsberechtigung verloren. So wurden z. B. an den Kapitellen Blattüberfälle und andere Dekorelemente fortgelassen. Ornamentaler Dekor in Relief oder durch eigene Bauteile wurde auf »kanonische« Stellen des Baus beschränkt. Für die archa. Zeit gilt folglich, daß Architektur-Ornamentik im Heiligtum unter dem Gesichtspunkt des Weihgeschenks (→ Weihung) gewürdigt werden muß und von da ausgehend nach dem möglichen gegenständlichen Sinn von früher Bauornamentik zu fragen ist; dies werden künftige Unt. leisten müssen. Hierbei wird die farbliche Fassung der Marmorbauten einzubeziehen sein, deren Erkenntnis erst am Anf. steht.

IV. Griechische Skulptur

Beim heutigen Kenntnisstand sind die Stelenbekrönungen der Grab-, später − in geringerem Umfang − auch der Weihreliefs die auffälligsten O. der frühen griech. → Plastik. Für die Bekrönung der schlanken archa. Grabstelen (→ Stele) benutzt die Forsch. für gewöhnlich den t. t. Anthemion, der mit dem ant. Wortgebrauch nicht deckungsgleich ist und auch formal Unterschiedliches umfassen kann [31]. Seit dem Anf. des

6. Jh. v. Chr. finden sich zwei stehende S-förmige Voluten oder eine Lotosblüte als Zwischenglied zw. Stele
und Aufsatz, z. B. einer hockenden Sphinx. In spätarcha. Zeit bevorzugte man bei horizontalem Abschluß
der Stele zwei einfache Voluten, bei giebelartigem zwei
schrägstehende S-Voluten, die jeweils von einer Palmette überragt wurden. Der Umriß der Palmette mit
starren Blättern ist zunächst ein Kreisbogen, gegen E.
des 6. Jh. wächst die Mitte der Palmette empor. Diese
Anthemien sind in Attika und Ostionien bes. verbreitet
[31]. Das 5. Jh. v. Chr. entwickelte die Voluten aus gemeinsamem Zentrum; nach dem Vorbild des klass.
Tempelakroters werden die Palmetten pflanzlich. Die
att. Grabstelen vom E. des 5. Jh. an bilden ein Bekrö-
nungssystem aus, in dem in der Mitte aus einem Akanthus eine gesprengte Palmette herauswächst und Ranken zu den seitlichen Halbpalmetten hinführen [7]. Im
Hinblick auf den Akanthus, der in der Sepulkralsymbolik der → unteritalischen Vasenmalerei eine nicht un-
wichtige Rolle spielt, hat man sich gefragt, ob die Bekrönung der att. Grabstelen ähnlichen Inhalten verdankt werden. Tatsächlich aber bleibt bestehen, daß es
sich um Übernahme aus der Architektur handelt [21]
und keine Sepulkralsymbolik enthalten ist. In den einfachen späthell. und kaiserzeitl. Stelen Attikas und des
Ostens überleben auch nur einfachste Akroterformen
rudimentärer Palmetten.

In der archa. und klass. Rundskulptur war der wichtigste Träger des O. die farbliche Fassung, die bisher nur
im Ausnahmefall, etwa im Fall der Korenstatuen von
der Athener Akropolis teilweise bekannt ist. Neue Unt.-
und Dokumentationsmethoden lassen künftig einen erheblichen Zuwachs an Kenntnissen erwarten.

V. Hellenismus und Kaiserzeit
A. Architektur　B. Plastik
C. Mosaik und Keramik

A. Architektur
In der Architektur gewann der ornamentale Dekor
durch Relief oder mit toreutischen Applizierungen in
nachklass. und hell. Zeit erhebliche Freiheiten zurück,
die Bauten an fast allen Baugliedern zu überziehen. Das
O. verliert anscheinend an direktem gegenständlichen
Sinn, und die symbolische und allegorische Aufladung
der Elemente bereitet sich vor. Sodann bedeutet der
Wandel der Technik hin zum Ziegelbau endgültig die
Trennung der Struktur des Baus von der Verkleidung
mit Marmorplattierung oder Stuckierung (→ Inkrustation). Das gewandelte Verständnis des Dekors zeigt sich
in der Anhäufung dekorativer Elemente einerseits (ant.
Kritiker wie Vitruv, z. B. Vitr. 7,5, werfen dieser → *lu-
xuria* vor, sie lenke von der wesentlichen Aufgabe der
Bauten nur ab [18. 4 ff.]) und andererseits darin, daß die
röm. Nutzbauten (z. B. Aquädukte) ohne Verkleidung
bleiben. Das O. ist definitiv als »Zusatz« begriffen, wird
aber als allegorische Ansprache an den Betrachter wichtig. Figürliche → Friese sind die anspruchsvollste Form

des O. Ansonsten herrschen Akanthus und sonstige rea-
listische Pflanzenmotive vor. Bes. in röm. Zeit sind Blü-
tenranken bevorzugt, daneben Mäander und andere
Muster [17]. Die häufigen Früchte- und Bukraniengir-
landen (die an Stierschädeln aufgehängt sind), Masken-,
Opfergerätfriese müssen jeweils im Kontext der Bauten,
die sie schmücken, ihre Deutung finden. In der Wand-
dekoration spielen sie z. B. auf das Glück an, wie es die
Mysteriengötter verleihen, mit einem unerschöpflichen
Reichtum an Motiven aus dem dionysisch-bacchischen
Bereich oder dem der Isis-Rel., an Staatsmonumenten
auf das Heil, das vom Kaiser kommt. Unterhalb der Prozession auf den Außenseiten der → Ara Pacis steigen
Ranken wie Gewächse auf, als würden sie den Altar
umgeben; sie gehören zu den Vorstellungen des Glücks,
das der Frieden des Kaisers verleiht. Die wunderbar
mannigfaltige Flora und Fauna ist über das natürlich
Mögliche hinaus märchenhaft zusammengestellt und
großen flächigen, symmetrischen Systemen unterworfen. Auf einfacherem Niveau bleibt der Zwang zur ornamentalen Ausgestaltung der Marmor- oder Stuckhaut
der Bauten bis zum Abbruch des öffentlichen Bauens im
3. Jh. n. Chr. bestehen und entgeht auch nicht den Gefahren des banal Repetitiven.

B. Plastik
In der → Plastik hat das O. bes. in hell. und röm. Zeit
ein fast unübersehbares Anwendungsgebiet an allen Arten von Gerät aus Metall, Holz, Glas und bes. Stein wie
Dreifüßen, Kandelabern, Tischstützen, Sesseln, Prunk-
gefäßen, Brunnenschalen, Urnen, Sarkophagen, Pflan-
zensäulen u. a. mehr, aber auch in Stukkaturen, ohne
daß sich auf eine einzelne Gattung beschränkte O.-
Typen herausgebildet hätten. Auch hier ist das O.
durchaus allegorisch. Auf Grabmonumenten spielen
Girlanden, Bukranien und Unsterblichkeitssymbole auf
Frömmigkeit und Jenseitserwartungen an. Auch in der
Kleinkunst findet sich die veränderte rel. Haltung.
Röm. Gefäße werden durch die Ornamentik geweiht,
über den Gebrauchszweck hinaus erhoben; Tänien
(→ *taenia*) und Kränze erhalten im Dekor viel mehr Gewicht, sie betonen die rel. Weihe. Zur Architekturpla-
stik s. o. A.

C. Mosaik und Keramik
Das → Mosaik ist geradezu dazu prädestiniert, Träger
von O. zu sein. Die Gliederung der Mosaikböden erfolgt in Systemen, deren Ränder und Binnenrahmun-
gen sich einer Syntax von nichtfigürlichen Motiven be-
dienen [14]. Die Typologie und die kunsttop. Verteilung ist bisher v. a. Thema der Forsch. [22; 24; 27; 30;
39]. Die Fragen nach dem möglichen Bildsinn der abstrakten Muster sind noch kaum beantwortet [33; 34].

Nach dem Ende der rf. Vasenmalerei in Attika und
Unterit. (→ Apulische Vasen) werden in hell. Zeit zwei
Techniken der Keramikherstellung dominierend: die
Malerei mit Deckfarben auf dem gefirnißten Gefäß
(→ Gnathiavasen) und die → Reliefkeramik, die aus
Formgefäßen gewonnen wurde oder mit applizierten,
einzeln aufgesetzten Elementen versehen wurde. Beide

Gattungen benutzen kleinformatige, einfache O., wobei Ranken (Wein, Efeu, Lorbeer), Masken oder Vögel
vorherrschen.

Im Bereich der Keramik der späten Republik und
der Kaiserzeit hat die → Terra sigillata italischer, sonstiger westl., nordafrikanischer und östl. Produktion eine
gleichsam »weltweite« Verbreitung gefunden, die bis in
die Spätant. reicht. Sie konnte mit eingeschnittenen und
eingeprägten sowie mit applizierten O. (und Figuren)
verziert sein. Damit wurden O.-Muster und Dekorsy-
steme verbreitet, die zwar nicht gänzlich neue Muster
erfanden, aber in ihrer eher begrenzten Auswahl mit
den feinen Waren die Verbindung zum Dekor des
Tischgeschirrs edlerer Materialien wahrten, sonst aber
für die fortdauernde Präsenz alter Muster im Imperium
sorgten.

→ Akroter; Geometrische Vasenmalerei; Inkrustation;
Kymation; Lacunar; Lebensbaum; Mäander [2]; Sima;
Tempel; Terra sigillata

1 A. Conze, Zur Gesch. der Anf. griech. Kunst (SAWW,
philos.-histor. Klasse 64, Bd. 1), 1870, 505–534, Taf. 1–11
2 A. Riegl, Stilfragen, 1893 3 A. Loos, O. und Verbrechen,
1908 4 M. Schede, Ant. Traufleisten-O., 1909
5 P. Jacobsthal, O. griech. Vasen, 1927 6 E. Buschor,
Die Tondächer der Akropolis, Bd. 1: Simen, 1929, Bd. 2:
Stirnziegel, 1933 7 H. Möbius, Die O. der griech.
Grabstelen klass. und nachklass. Zeit ¹1929 (²1968)
8 P. Meyer, Zur Formenlehre und Syntax des griech. O.
Diss. Zürich, 1945 9 H. Marwitz, Kreis und Figur in der
att.-geom. Vasenmalerei, in: JDAI 74, 1959, 52–113
10 Ders., Das Bahrtuch, in: A&A 10, 1961, 7–18
11 I. Scheibler, Die symmetrische Bildform in der
frühgriech. Flächenkunst, 1960 12 N. Himmelmann, Über
einige gegenständliche Bed.-Möglichkeiten des frühgriech.
O. (AAWM 1968.7) 13 Ch. Vogelpohl, Zur Ornamentik
der griech. Vasen des 7. Jh. v. Chr., Diss. München, 1972
14 G. Salies, Unt. zu den geom. Gliederungsschemata röm.
Mosaiken, in: BJ 174, 1974, 1–178 15 P. Charvát, Notes on
the Origin and Development of the Lotus Flower
Decoration, in: Památky Archeologické 68, 1977, 317–322
16 H. Lohmann, Grabmäler auf unterital. Vasen, 1979
17 L'art décoratif à Rome à la fin de la république et au
début du principat. Table ronde, Rome 10–11 mai 1979,
1981 18 H. Drerup, Zum Ausstattungsluxus in der röm.
Architektur, ²1981 19 G. Markoe, Phoenician Bronze and
Silver Bowls from Cyprus and the Mediterranean, 1985
20 B. Otto, Dekorative Elemente in den Bildschöpfungen
des Kleophrades- und des Berliner Malers, in: H. A. G.
Brijder (Hrsg.), Ancient Greek and Related Pottery, Proc.
of the International Vase Symposium in Amsterdam, 1984,
198–201 21 H. Froning, Zur Interpretation vegetabilischer
Bekrönungen klass. und spätklass. Grabstelen, in: AA 1985,
218–229 22 C. Balmelle et al., Le décor géométrique de la
mosaïque romaine, 1985 23 V. Riemenschneider,
Pompejanische O.-Bänder des 4. Stils, in: Boreas 9, 1986,
105–112 24 C. Pallasmann-Unteregger, Entstehung und
Entwicklung der Quadratsysteme in der röm. Mosaikkunst,
in: JÖAI 57, 1986/87, Beibl. 220–290 25 A. M. Bisi, Ateliers
phéniciens dans le monde égéen, in: E. Lipinski (Hrsg.),
Phoenicia and the East Mediterranean in the First
Millennium B. C., 1987, 225–237 26 W. Müller-Wiener,
Griech. Bauwesen in der Ant., 1988, 112–137

27 C. Koranda, Geom. Gliederungsschemata frühchristl.
Mosaiken in Bulgarien, in: JÖAI 61, 1991/92, 83–111
28 Proc. of the International Conference on Greek
Architectural Terracottas of the Classical and Hellenistic
Periods (Hesperia Suppl. 27), 1994 29 J. M. Hurwit, A
Note on O., Nature, and Boundary in Early Greek Art, in:
BABesch 67, 1992, 63–72 30 K. Schmelzeisen, Röm.
Mosaiken der Africa Proconsularis. Stud. zu O., Datier. und
Werkstätten, 1992 31 E. Semantone-Bournia, Anthemia
ionikon epitymbion stelon, in: Archaiognosia 8, 1993/94,
141–152 32 E. Rystedt (Hrsg.), Deliciae fictiles. Proc. of
the First International Conference on Central Italic
Architectural Terracottas at the Swedish Inst. in Rome,
10–12 December 1990, 1993 33 H. Maguire, Christians,
Pagans, and the Representation of Nature, in: D. Willers
(Hrsg.), Begegnung von Heidentum und Christentum im
spätant. Ägypten (Riggisberger Ber. 1), 1993, 131–160
34 Ders., Magic and Geometry in Early Christian Floor
Mosaics and Textiles, in: Jb. der öst. Byzantinistik 44, 1994,
265–274 35 J. Rohmann, Einige Bemerkungen zum
Ursprung des feingezahnten Akanthus, in: MDAI(Ist) 45,
1995, 109–121 36 H. v. Hesberg, Ornamentum: Zur
Veräußerlichung architektonischer Schmuckformen in der
Ant., in: E. G. Schmidt (Hrsg.), Griechenland und Rom.
Vergleichende Unt. zu Entwicklungstendenzen und
-höhepunkten der ant. Gesch., Kunst und Lit., 1996,
273–281 37 A. von Normann, Architekturoreutik in der
Ant., 1996 38 N. Kourou, N. Stampolidis, A propos d'une
amphore géométrique. Reconsidération d'un cadre
théorique, in: BCH 120, 1996, 705–719 39 M. P. Raynaud,
La composition en croix de U dans la mosaïque de
pavement, in: RA 1996, 69–102 40 N. Kunisch, O.
geometrischer Vasen. Ein Kompendium, 1998
41 F. Villard, Le renouveau du décor floral en Italie
méridional au IVe siècle et la peinture grecque, in: L'Italie
méridionale et les premières expériences de la peinture
hellénistique, 1998, 203–221 42 Y. Turnheim, Imported
Patterns and Their Acclimatization in Eretz-Israel, in:
Assaph 3, 1998, 19–36.   DI. WI.

Ornamenta. *O.* sind äußere Abzeichen und Sonderrechte von republikanischen Magistraturen (→ *magistratus* C. 2; so z. B. das Tragen der → *toga praetexta* oder ein
bes. Platz bei den öffentl. Spielen) und konnten ohne
die damit verbundenen polit. Rechte, von den Ämtern
getrennt, an Personen verliehen werden, die dazu nicht
oder noch nicht berechtigt waren. Diese Entwicklung
setzte bereits in der röm. Republik ein, freilich nur in
relativ wenigen Fällen. So wurde laut Cicero (Cic. Cluent. 132) einem Popilius, dem Sohn eines Freigelassenen, von einem Censor bei den *ludi* ein Sitz unter den
Senatoren sowie alle anderen *o.* eingeräumt, weil er
wegen seiner Herkunft nicht in den Senat aufgenommen werden konnte. C. Papirius Carbo wurde als
Volkstribun 67 v. Chr. nach einer erfolgreichen Anklage
mit den *o. consularia* geehrt. Es konnten also Mitglieder
und Nichtmitglieder des Senats in dieser Weise ausgezeichnet werden.

Zahlreicher wurden die Verleihungen von *o.* erst seit
→ Caesar. Octavianus (→ Augustus) erhielt so im J. 43
v. Chr. die *o. consularia* (Liv. epit. 118), später → Tiberius
und → Claudius [II 24] Drusus die *o. praetoria*; einige

Jahre danach bekleideten sie dann jedoch auch das Amt des Praetors (ebenso wie Petillius Firmus, der auf Antrag von Vespasianus und Titus durch den Senat die *o. praetoria* erhielt, CIL XI 1834 = AE 1980, 468). Sie durften aber bereits vorher im Senat unter den ehemaligen Praetoren abstimmen.

Verliehen wurden die *o.* vom Senat auf Antrag des Kaisers, und zwar *o. quaestoria, aedilicia* (sehr selten; CIL VIII 15503; 26519; AE 1976, 265), *praetoria* und *consularia.* Ein Sitz im Senat war mit den *o.* allein nicht verbunden; die Inhaber konnten aber in der Öffentlichkeit unter den Senatoren in der entsprechenden Rangklasse auftreten.

Größtenteils wurden die *o.* jedoch verwendet, um Nichtsenatoren zu ehren: Klientelkönige, ritterliche Amtsträger wie etwa Aelius [II 19] Seianus, der als Prätorianerpräfekt mit den *o. praetoria* ausgezeichnet wurde, und auch kaiserliche Freigelassene, wie Antonius [II 10] Pallas unter Claudius [III 1], der an seinem Grabmal das *senatus consultum* publizierte, das ihm die *o. praetoria* zuerkannt hatte (Plin. epist. 7,29).

Seit der Severerzeit (E. 2. Jh. n. Chr.) wurden die *o. consularia* von ehemaligen Angehörigen des Ritterstandes, die damit ausgezeichnet worden waren, oft mißbräuchlich als ein erster Konsulat präsentiert, wenn sie einen späteren Konsulat mit einer Iteration versahen (etwa bei Messius [II 1] Extricatus im J. 217, PIR² M 518 und Maecius [II 2] Laetus im J. 215, PIR² M 54). Erst seit Augustus wurden, weil nur noch der Kaiser selbst einen → Triumph feiern durfte, an Feldherrn, die einen triumphwürdigen Sieg errungen hatten, *o. triumphalia* als Ersatz verliehen. Das geschah nach den uns bekannten Quellen zum letzten Mal unter Hadrianus nach dem Krieg gegen → Bar Kochba.

Analog zur Stadt Rom wurden in röm. → *coloniae* und → *municipia o. decurionalia, duumviralia, quinquennalicia* (Bsp. CIL VIII 7986) verliehen, dort v. a. an Nichtmitglieder des Decurionenstandes (→ *decurio* [1]) wie etwa an *seviri* → *Augustales*; auch die *o. seviralia* konnten ehrenhalber übertragen werden. Analoges findet sich selbst für nichtröm. Ämter, wie etwa die *o. sufetis* für das pun. Amt der → Sufeten (CIL VIII 26517 = AE 1976, 702). Die *o.* dienten also zur sozio-polit. Auszeichnung derer, die die eigentlichen Ämter nicht übernehmen konnten.

→ Aediles; Consules; Quaestores; Praetores

W. Eck, Kaiserliche Imperatorenakklamationen und o. triumphalia, in: ZPE 124, 1999, 223–227 · Mommsen, Staatsrecht, Bd. 1, 455 ff. · R. A. Talbert, The Senate of Imperial Rome, 1984, 366 ff.   W. E.

Ornatus. Aus dem weiten Bed.-Spektrum des lat. Wortes, u. a. als Auszeichnung einer röm. Rangklasse (→ *ornamenta*), wird hier nur der rhet. t. t., »rhet. Ausgestaltung«, behandelt. Die erste systematische Behandlung des stilistischen *o.* findet sich in → Theophrastos' Lehre von den Tugenden der Rede (→ *virtutes dicendi*). Hier tritt der *o.* als vierte Tugend nach *Hellēnismós/Lati-*

nitas (Sprachrichtigkeit), *saphéneia/explanatio, perspicuitas* (Klarheit) und *prépon/decorum, aptum* (Angemessenheit) hinzu (Cic. orat. 79; die Stoiker fügen später auch die → *brevitas* als fünfte Tugend an).

Theophrast spricht von κατασκευή/*kataskeué* (Diog. Laert. 7,59; vgl. Cic. orat. 79; [1]), aber Aristoteles (poet. 1457b 2, 1458a 33 u. ö.) von κόσμος/*kósmos.* Theophrast gliedert in drei Teile: 1) *eklogé*, 2) *harmonía*, 3) *schémata* (Cic. orat. 80; Dion. Hal. de Isocrate 3,1 58 V.-R.; [2]). Der erste Teil besteht in der Wahl der natürlich schönen Wörter, der zweite in deren Zusammensetzung (Cic. orat. 149; Dion. Hal. comp. 18,2,7,18), der dritte entspricht den → Figuren (*schémata*), doch kann schon im ersten Teil zw. eigenen Wörtern und Metaphern gewählt werden (s. Simpl. comm. in Aristot. cat. p. 10). Die Figurenlehre findet sich nach einer ausführlichen Darstellung bei Aristoteles (auch in der ›Poetik‹) voll ausgebaut erstmals in der → *Rhetorica ad Herennium* (B. 4) und scheint auf die Sophisten, die »Gorgianischen Figuren« (Γοργίεαι σχήματα; zum Namen [3]) und die auf Protagoras verweisenden »Wortfiguren« (σχήματα τῆς λέξεως) zurückzugehen. Neben beiden finden sich in der Rhet. Her. die → Metaphern und die später von den Stoikern »Tropen« (τρόποι) genannten zehn (in anderen Hdb. 14) → Figuren [2. 305–437; 4. 222–240]. Die lat. Bezeichnung *exornationes* stellt auch begrifflich die Nähe zum *o. her.*

Die Häufigkeit von Tropen und Figuren in einer Rede hängt mit dem *genus dicendi* dieser Rede zusammen. Die Lehre von den → *genera dicendi* kann Theophrast oder wenigstens der peripatetischen Schule zugeschrieben werden [5. 50–55]. Je höher das Genus ist, desto häufiger wird jede Art von Schmuck wie die *schémata* verwendet. Die asiatische Beredsamkeit (→ Asianismus) unterscheidet sich von der attischen gerade wegen der häufigen Verwendung von Schmuck wie den Figuren, der Sentenz (→ *gnómē*) und der *léxis katestramméné* mit großen, komplizierten Perioden und Benutzung von Satzklauseln. So betrifft der O. auch den Satzbau, die *compositio* (vgl. [6. 315–328]).

→ Figuren; Tropen; Virtutes dicendi

1 J. F. D'Alton, Roman Literary Theory and Criticism, 1962, 85, Anm. 6 **2** G. Calboli (ed.), Cornifici Rheotrica ad C. Herennium, ²1993 (mit Komm.) **3** M.-P. Noël, Gorgias et l'»invention« des Γοργίεα σχήματα, in: REG 112, 1999, 193–211 **4** F. L. Müller (ed.), Rhetorica ad Herennium, 1994 (mit dt. Übers.) **5** G. Calboli, From Aristotelian λέξις to Elocutio, in: Rhetorica 16, 1998, 47–80 **6** J. Martin, Ant. Rhet., 1974.   G. C.

Orneai (Ὀρνε(ι)αί). Kleine Stadt ca. 120 Stadien nordwestl. von → Argos [II 1] zw. den Gebirgen Lirkion, Durmiza und Megalovuni, wohl kaum bei Kastro, 3 km südl. von Jimnon am Osthang der Durmiza (myk. Siedlungsspuren, Turm aus klass. Zeit), eher aber auf einem Hügel (550 m H) im oberen Tal des → Inachos [2], 2,5 km westl. von Sterna (Reste eines Mauerrings; [2. 188 f.]). O. war selbständige Polis (vgl. Hom. Il.

2,571; Paus. 10,18,5), aber seit dem 5. Jh. v. Chr. als Perioikengemeinde (→ *períoikoi*) von Argos abhängig (Hdt. 8,73; Strab. 8,6,24; [1. 127–131, 210–213]), mehrfach von Sparta beansprucht (zum J. 416/5: Thuk. 6,7; Diod. 12,81,4f., zum J. 352 v. Chr.: Diod. 16,39,4). Strabon (1. Jh. v. / 1. Jh. n. Chr.) meint, O. sei verlassen (Strab. 8,6,24), Pausanias (2. Jh. n. Chr.) schildert O. aber als bewohnt (Paus. 2,25,5f.; 8,27,1; 10,18,5).

1 M. MOGGI, I sinecismi interstatali greci, 1976 2 N. D. PAPACHATZIS, Παυσανίου Ἑλλάδος Περιήγησις, Bd. 2, 1976.

PRITCHETT 3, 19–32. · MÜLLER, 818. Y. L. u. E. O.

Ornis s. Sternbilder

Ornithiai s. Winde

Orobazos (Ὀρόβαζος). Gesandter des parthischen Königs → Mithradates [13] II., der sich 96 v. Chr. mit → Cornelius [I 90] Sulla, dem proconsularischen Statthalter von Cilicia, traf (Plut. Sulla 5,4), um ihm ›Freundschaft und Bündnis‹ anzutragen (Liv. epit. 70; Rufius Festus 15,2; Flor. epit. 3,12). Er soll später seinen mangelnden Widerstand gegen das demütigende Verhalten des Römers mit dem Leben bezahlt haben (Plut. Sulla 5,4). J. W.

Orobiai (Ὀρόβιαι). Küstenstadt im NW von → Euboia, im Alt. stets von Histiaia abhängig, h. Rovies. Orakelstätte des Apollon Selinuntios. 426 v. Chr. von einem heftigen Erdbeben und Tsunami schwer verwüstet (Thuk. 3,89,2; Strab. 9,2,13; 10,1,3; IG XII 9, 1186, 2; 1189,27 und 37).
→ Naturkatastrophen

F. GEYER, Top. und Gesch. der Insel Euboia, 1903, 95f. · J. SCHMIDT, s. v. O., RE 18, 1133f. · E. FREUND, s. v. O., in: LAUFFER, Griechenland, 496. A. KÜ.

Orodes (Ὀρώδης).
[1] O. I. Partherkönig 81/80–76/5 v. Chr., wird (unter dem Namen *Uruda*) nur in Keilschrifttexten erwähnt [1. 517, 1162f., 1165, 1170f., 1174, 1446]. Verm. war er ein Sohn des → Artabanos [4] I. und damit ein Bruder der vor und nach ihm regierenden Könige → Mithradates [13] II., Gotarzes I. und → Sanatrukes.

1 T. G. PINCHES, J. N. STRASSMAIER, A. J. SACHS, Late Babylonian Astronomical and Related Texts, 1955.

J. OELSNER, Randbemerkungen zur arsakid. Gesch. anhand von babylon. Keilschrifttexten, in: AfO 3, 1975, 25–45, bes. 38f. M. SCH.

[2] O. II. Partherkönig, Sohn → Phraates' III., den er um 57 v. Chr. gemeinsam mit seinem Bruder Mithradates [14] III. beseitigte (Cass. Dio 39,56,1–2). In dem folgenden Thronkampf unterlag Mithradates seinem Bruder, der ihn töten ließ (Iust. 42,4). Als Licinius [I 11] Crassus 54 in Mesopotamien einfiel, ging O. selbst gegen den mit Rom verbündeten → Artavasdes [2] II. von

Armenien vor, den er zum Übertritt auf die parth. Seite nötigen konnte (Cass. Dio 40,16; Plut. Crassus 22 und 33), während der Kronfeldherr Suren das röm. Heer 53 bei Karrhai (→ Ḥarran) vernichtete. Die parth. Gegenoffensive, die Cicero 51 als Statthalter von Kilikien befürchtete, ließ O. ohne große Energie durchführen (Cass. Dio 40,28,3; 40,29,3). Auch in den Kampf zwischen Caesar und Pompeius griff O. nicht ein, obwohl letzterer erwog, bei den Parthern Asyl zu suchen (Plut. Pompeius 76). Später unterstützte er die Partei der Caesarmörder mit einem Kontingent Bogenschützen (App. civ. 4,88; 4,133). Nach dem vorübergehenden Ende des Machtkampfs in Rom ließ sich O. durch den jungen → Labienus [2], der nach der Schlacht bei Philippoi (42) an seinem Hof geblieben war, zu einem erneuten Einfall in röm. Gebiet drängen. Nach Anfangserfolgen erlag jedoch der parth. Kronprinz → Pakoros bei Gindaros den Römern unter Ventidius Bassus. Durch den Tod seines Lieblingssohnes schwermütig geworden, dankte O. 38 zugunsten seines Sohnes → Phraates IV. ab, der ihn bald ermorden ließ (Iust. 42,4,11–5,1).

P. ARNAUD, Les guerres parthiques de Gabinius et de Crassus et la politique occidentale des Parthes Arsacides entre 70 et 53 av. J.-C., in: E. DABROWA (Hrsg.), Ancient Iran and the Mediterranean World (Electrum 2), 1998, 13–34 · D. TIMPE, Die Bed. der Schlacht von Carrhae, in: MH 19, 1962, 104–129 · J. WOLSKI, L'émpire des Arsacides, 1993, bes. 128–140. M. SCH.

[3] O. III. Arsakidischer, aber im übrigen unbekannter Abkunft, wurde nach der Vertreibung des → Phraates V. (um 4 n. Chr.) auf den parth. Thron gehoben und bald wegen seiner Grausamkeit ermordet (Ios. ant. Iud. 18,2,4). PIR² O 151.
[4] Sohn → Artabanos' [5] II. Nachdem dieser bereits seinen Sohn → Arsakes [3] bei dem Versuch verloren hatte, eine Nebenlinie seines Hauses in Armenien einzusetzen, schickte er um 36 n. Chr. O. mit demselben Ziel ab. Dieser unterlag dem von Rom unterstützten Iberer → Mithradates [20] und seinen kaukasischen Hilfstruppen in einer Schlacht. O. wurde verwundet und starb wohl bald darauf (Tac. ann. 6,33–35; vgl. Ios. ant. Iud. 18,2,4). PIR² O 152.

M. SCHOTTKY, Parther, Meder und Hyrkanier, in: AMI 24, 1991, 61–134, bes. 63, 82, 98f. M. SCH.

Oroites (Ὀροίτης). Persischer Statthalter in Sardeis, der (nach Hdt. 3,120ff.) → Polykrates von Samos nach Magnesia locken und kreuzigen ließ. Als O. nach dem Tode des → Kambyses [2] dem → Dareios [1] I. seine Hilfe versagte, ließ ihn dieser (nach Herodot durch einen Befehl des königlichen Gesandten Bagaios an die Leibwache des O.) aus dem Weg räumen. Aus der Umgebung des O. gelangte der Arzt → Demokedes an den pers. Hof.

BRIANT, s. v. O. J. W.

Orolaunum, h. Arlon-Arel (Belgien, Prov. Luxembourg). Bed. → *vicus* der *civitas* der → Treveri, wahrscheinlich Hauptort eines ihrer *pagi* (→ *pagus*); entstand an den Quellen der Semois am Kreuzungspunkt der wichtigen Fernstraßen von → Durocortorum nach → Augusta [6] Treverorum (Itin. Anton. 366,2; [1]) und von → Divodurum nach Aduatuca. Angesichts der Bedrohung durch Barbaren wurde E. des 3./Anf. des 4. Jh. n. Chr. die Siedlung auf den nördl. Stadthügel (h. St. Donat) verlagert und mit einem ovalen, 780 m langen und 4 m dicken Mauerring gesichert. Vom 15 ha großen *vicus* in der Ebene selbst sind Thermen (CIL XIII 11374), Latrinen, Keller sowie Kalkbrennereien und Keramikwerkstätten bekannt. Aus den zahlreichen im spätant. Wall als Spolien verbauten Reliefs und Steinen mit Inschr. ([2]; CIL XIII 3980–4027; 11341–1143), überwiegend Grabdenkmäler, lassen sich künstlerische und kulturelle Parallelen zu Augusta [6] Treverorum (Trier) erkennen. In der Nähe der Thermen, die im 4. Jh. weiterbetrieben wurden, ist die einzige frühchristl. Kirche (4. Jh.) Belgiens bezeugt.

1 P. Waltzing, Inscriptions latines de la Belgique romaine, in: Musée Belge 26, 1922, 62 2 Espérandieu, Rec. 5, 4012–4125, 4128, 4136; Rec. 9, 7224f.

R. Brulet, Arlon, in: J.-P. Petit (Hrsg.), Atlas des agglomérations secondaires de la Belgique, des Germanies et de l'Occident romain, 1994, 259f. (Nr. 329) • P. Goessler, s. v. O., RE 18, 1144–1156 • H. Gratia u. a., Sauvetage dans le vicus romain d'Arlon, in: Archaeologica Belgica 258, 1984, 47–51 • J. Mertens, Le rempart romain d' Arlon (Archaeologicum Belgii Speculum 7), 1973. F. SCH.

Orontes (Ὀρόντης, Hss.; Ὀρόντας, OGIS 264,4; Ἀροάνδης, OGIS 390ff.). Armenische Satrapen und Könige: O. [1–6], der Fluß O. [7].

[1] Verwandter des königlichen Hauses, nach anfänglicher Gegnerschaft Gefolgsmann → Kyros' [3] d. J., wurde des Verrats überführt und hingerichtet (Xen. an. 1,6; 9,29). J. W.

[2] O. I. Sohn des Baktriers Artasyras, heiratete bald nach 401 v. Chr. als persischer Statthalter von Armenien → Rhodogune, die Tochter → Artaxerxes' [2] II. (OGIS 392; Xen. an. 2,4,8). Seine Beteiligung am Satrapenaufstand von 361/60 (Pomp. Trog. prol. 10) kostete ihn sein Amt in Armenien, doch wurde er mit der Statthalterschaft von Mysien abgefunden (Diod. 15,90f.; [2. Nr. 3863–3865]). Von hier aus erhob er sich 357 gegen → Artaxerxes [3] III. (OGIS 264a), schloß aber schließlich Frieden und starb nach 349.

1 M. C. Osborne, O., in: Historia 22, 1973, 515–551 2 E. und W. Szaivert, D. R. Sear, Griech. Münzkatalog, Bd. 2, 1983 3 R. D. Wilkinson, O., Son of Artasyras, in: Revue des Études Arméniennes N. S. 7, 1970, 445–450.

[3] O. II. Sohn von O. [2], wurde von → Dareios [3] III. zum Statthalter von Armenien ernannt und befehligte bei Gaugamela (331 v. Chr.) die Truppen der Satrapie (Arr. an. 3,8,5). Er scheint sich dann selbständig gemacht

(OGIS 393) und die von Alexandros [4] d. Gr. geplante Verwaltung Armeniens durch → Mithrenes abgewehrt zu haben. Bald darauf starb er.

[4] O. III., gegen [1] nicht mit O. [3] identisch, sondern wohl dessen Enkel, ist 317 v. Chr. als Satrap von Armenien unter maked. Oberhoheit belegt (Diod. 19,23; vgl. Polyain. 4,8,3) und erkannte nach der Schlacht bei → Ipsos (301) die Herrschaft → Seleukos' I. an (App. Syr. 55). Um 280 unterstützte O., nunmehr »König«, Ariarathes II. von Kappadokien gegen die dortigen seleukidischen Strategen Amyntas (Diod. 31,19,4f.).

1 W. Orth, Die Diadochenzeit im Spiegel der histor. Geogr. (TAVO Beih. B 80), 1993, 112 s. v. Armenia.

[5] Nachkomme (wohl Urenkel) von O. [4]; der erste nachweisbare Machthaber eines eigenständigen Ostarmeniens um 200 v. Chr. (Strab. 11,14,15), aus dem Groß-Armenien entstand (→ Armenia). Eine griech. Inschrift aus Armavir [1] zeigt, daß O. ein Vorfahr (wohl Großvater) des ostarmen. »Reichsgründers« → Artaxias [1] I. war, mit dem er unter seleukidischer Oberhoheit zeitweise gemeinsam regierte.

1 J. und L. Robert, Bulletin épigraphique, Nr. 176: Arménie, in: REG 65, 1952, 181–185.

[6] O. IV. (*Artanes*: Strab. 11,14,15). Der Nachkomme von O. [4], Sohn des → Mithrobuzanes, war König von → Sophene, eines in der Trad. des hell. (west-)armen. Reiches stehenden Staates. Er wurde um 93 v. Chr. von → Tigranes II. von Groß-Armenien, einem Nachfahren von O. [5], abgesetzt, aber wohl kaum, wie [1] annimmt, getötet.

1 Th. Frankfort, La Sophène et Rome, in: Latomus 22, 1963, 181–190.

M. Schottky, Media Atropatene und Groß-Armenien in hell. Zeit, 1989 • C. Toumanoff, A Note on the Orontids I, in: Muséon 72, 1959, 1–36. M. SCH.

[7] Der h. Nahr al-ʿĀṣī. Dieser etwa 450 km lange Strom entspringt in der Nähe von Heliopolis (h. → Baalbek, Libanon) zw. Libanos und Antilibanos (vgl. Plin. nat. 5,80). An seinen fruchtbaren Ufern lagen u. a. die Städte → Emesa (h. Ḥimṣ, Syrien), → Epiphaneia [2] (h. Ḥamāh) und → Antiocheia [1] (h. Antakya, Türkei), von wo aus er bis zur Mündung ins Mittelmeer südl. von → Seleukeia bei Samadağı um die Zeitenwende schiffbar war (vgl. Strab. 16,2,7). Zur Lokalisierung seines kurzen unterirdischen Verlaufs in ant. Zeit (Strab. 6,2,9; 16,2,7) vgl. [1. 1161f.].

1 E. Honigmann, s. v. O. (2), RE 18, 1160–1164. E. O.

Orontopates (Ὀροντοβάτης, Arrianos; POONTOΠATO, Mz., HN 630). Jüngerer Bruder des karischen Satrapen → Maussolos, von → Dareios [3] III. eingesetzter persischer Mitregent und Schwiegersohn des karischen Dynasten → Pixodaros, nach dessen Tod 334 v. Chr. er als Satrap von Karien → Halikarnassos gegen Alexandros

[4] d.Gr. und zuletzt die Burg gegen → Ptolemaios verteidigte. Nach seiner Flucht 333 befehligte O. pers. Truppen bei → Gaugamela. Arr. an. 1,23; 2,5,7; 3,8,5; 11,5; Strab. 14,2,17; Curt. 4,12,7.

BRIANT, Index s.v. O. • S.RUZICKA, Politics of a Persian Dynasty, 1992, 132–155. J.W.

Orophernes

[1] Bruder Ariarathes' I. von Kappadokien, half → Artaxerxes [3] III. bei den äg. Feldzügen. Sein Bruder adoptierte seinen Sohn Ariarathes II.

[2] (in den Hss. auch Olophernes). Sohn Ariarathes' IV. von Kappadokien und der Antiochis, angeblich von der zunächst kinderlosen Königin untergeschoben. Da diese ihrem jüngeren Sohn Mithradates (= Ariarathes V.) die Krone verschaffen wollte, wurde O. außer Landes geschickt und in Priene erzogen. Nach dem Tod Ariarathes' IV. suchte O., im Bund mit → Demetrios [7] I. um 160 v.Chr. den Thron zu erlangen, doch verfügte der röm. Senat 157/6 die Teilung des Reiches zwischen ihm und Ariarathes V. Bald darauf floh O. vor dem Haß seiner Untertanen zu Demetrios, der ihn gefangensetzte. Nach seinem Vorbild mag der Name des Feldherrn Holophernes im apokryphen Buch Judith gebildet worden sein.

H.H. SCHMITT, s.v. Kappadokien, Kleines Lexikon des Hellenismus, ²1993, 329–332. M.SCH.

Oropos

Oropos (Ὠρωπός). Küstenstadt im NW von Attika gegenüber Eretria, h. Skala Oropu (zu den ant. Resten [1; 5; 6. 304 Abb. 378, 379]), Vorort der zw. Athen und Boiotia strittigen Landschaft Oropia. 6 km südöstl. liegen Hauptheiligtum und Orakelstätte des → Amphiaraos in einem schmalen Waldtal. Grabungen seit 1884 legten u.a. einen Tempel und eine dorische Halle des 4. Jh. v.Chr. frei, ein Theater (älteste Phase klass. mit trapezoidalem Koilon: [2]), ein Stadion, Gäste- und Verwaltungsgebäude sowie Statuenbasen bed. hell. Persönlichkeiten [3]. Inschr. [4] überliefern Namen eponymer Priester, von Siegern in den Amphiareia sowie ant. Fachtermini der Bühnenarchitektur. Quellen: Thuk. 2,23,3; Diod. 14,17,1 f.; Herakleides Kritikos 1,6 f.; 25; Dionysios Kalliphontos 85 ff.; Nikokrates FGrH 376 F 1; Strab. 9,1,22; 2,6; Paus. 1,34; 7,11,4; Steph. Byz. s.v. Ὠ.; Ptol. 3,14,7.

1 A.DRAGONA, Η αρχαιοτάτη τοπογραφία του Ωρωπού, in: ArchE 133, 1994, 43–45 2 H.R. GOETTE, Stud. zur histor. Landeskunde Attikas 5, in: MDAI(A) 110, 1995, 253–260 3 C.LÖHR, Die Statuenbasen im Amphiareion von O., in: MDAI(A) 108, 1993, 183–212 4 V.C. PETRAKOS, Οι επιγραφές του Ωρωπού, 1997 5 M.POLOGIORGE, Τάφοι του Ωρωπού, in: AD 43, 1988 (1995) Nr. 1, 114–137 6 TRAVLOS, Attika, 301 ff. Abb. 378–401 (mit älterer Lit.).

G. ARGOUD, Digues du torrent de l'Amphiaraion d'O., in: H.BEISTER, J.BUCKLER (Hrsg.), Boiotika, 1989, 245–252 • H.R. GOETTE, Athen – Attika – Megaris, 1993, 202–207 • M.KOSMOPOULOS, Αρχαιολογική έρευνα στην περιοχή του Ωρωπού, in: ArchE 128, 1989, 163–175 • A.PETROPOULOU,

The Eparche Documents and the Early Oracle at O., in: GRBS 22, 1981, 39–63 • M.POLOGIORGE, Μνημεία του δυτικού νεκροταφείου του Οροπού, 1998. H.LO.

Oros

[1] (Ὦρος). Grammatiker der 1. H. des 5. Jh. n.Chr. O. stammte aus Alexandreia, wirkte aber in Konstantinopel (Suda ω 201), vgl. [9. 87–101]. Seine Zeit wird bestimmt durch ein Zitat (in Werk 3) aus dem 438 rezitierten Epos des Ammonios [9. 89 f.]. Ungeklärt ist der in den beiden Hss. (AB) des Etymologicum genuinum und dessen Abkömmlingen überlieferte Beiname »der Milesier« (ὁ Μιλ() bzw. ὁ Μιλήσιος). Von den zahlreichen Werken des O. (eine Liste Suda ω 201, darunter ein Πίναξ τῶν ἑαυτοῦ, ›Verzeichnis der eigenen Werke‹) ist wenig hsl. erh., viele Fr. finden sich bei ant. Benutzern des O.

1) ›Orthographie‹ (Ὀρθογραφία): einen anon. Auszug [2] einer alphabetischen Behandlung (μ-π; φ-ω) erwies [3. 289–296] als Werk des O. und fügte die im Etymologicum genuinum namentlich zitierten Fr. hinzu (zu streichen ist fr. 13; es fehlen Etym. gen. s.v. ἤειν und ζώστρειον, ζώντειον); vgl. [6. 276 ff.]. Über eine angebliche Hs. (α-ε) s. [7. LXII⁹⁹].

2) ›Über mehrdeutige Wörter‹ (Περὶ πολυσημάντων λέξεων). Mehrere Auszüge sind hsl. erh. (ed. [3. 335–347]).

Aus Zitaten rekonstruierbar:

3) ›Wie Völkernamen zu bezeichnen sind‹ (Ὅπως τὰ ἐθνικὰ λεκτέον). Das Buch war eine der Hauptquellen des → Stephanos von Byzanz, zahlreiche Exzerpte im Etym. gen.; die namentlich zitierten bei [3. 316–330; vgl. 6. 274 f.].

4) ›Slg. att. Wörter‹ (Ἀττικῶν λέξεων συναγωγή). Über 80 Fr. sind im Lex. des Ps.-Zonaras (13. Jh.) erh.; Nachweis und komm. Ausgabe dieser Fr. sowie der sonst erreichbaren Reste bei [9. 149–260]. Zu den übrigen Titeln s. [5]. Zu Unrecht bestritten [5. 1182] wurde die Existenz der Schrift ›Akzentlehre der Ilias‹ (Ἰλιακὴ προσῳδία), s. [6. 102 f.]. Wahrscheinlich stammt von O. und nicht von Herodianos der in dem Palimpsest Cod. Lips. Tischend. 2 erh. und von [3. 299–309] edierte Traktat, vgl. [5. 1179, 48 ff.] und [8. 13 f.].

O., dem noch eine große Fülle gelehrter, uns verlorener Lit. des Alt. zur Verfügung stand, war ein bes. wichtiger Vermittler an die Byzantiner und damit an die moderne Philologie.

→ Etymologica

1 F.RITSCHL, De Oro et Orione commentatio, 1834 (Ndr. in: Ders., Opuscula Philologica 1, 1866, 582–673) 2 H.RABE, Lexicon Messanense de iota ascripto, in: RhM 47, 1892, 404–413; 50, 1895, 148–152 3 R.REITZENSTEIN, Gesch. der griech. Etymologika, 1897 4 C.WENDEL, in: Hermes 72, 1937, 351 5 Ders., s.v. O., RE 18, 1177–1183 6 H.ERBSE, Beitr. zur Überl. der Iliasschol., 1960, 101 ff., 274–280 7 ScholiaII, Bd. 1 8 K.ALPERS, Ber. über Stand und Methode der Ausg. des Etymologicum genuinum, 1969 9 Ders., Das attizistische Lex. des O., 1981 (SGLG 4).

K.ALP.

[2] (Ὄρος). Höchste Erhebung der Insel → Aigina (532 m), h. Hagios Elias; Kegel vulkan. Ursprungs im Süden der Insel. Auf dem Gipfel befestigte Ansiedlung aus myk. Zeit, seit geom. Zeit Kultort des Zeus Hellanios mit Altar und Heiligtum, das bis in hell. Zeit ausgebaut wurde: am Nordhang eine Terrasse mit Bauresten, Inschr.

G. WELTER, Aigina, 1938, 26f., 91f., 102 · J. SCHMIDT, s.v. O., RE 18, 1175–77 · PHILIPPSON/KIRSTEN 3, 52. A. KÜ.

Orosius. Paulus (?) O. stammte aus Bracara (h. Braga/Portugal) und kam 414 n. Chr. nach Africa, wo er mit → Augustinus in Verbindung trat. Für diesen unternahm er eine Reise zu → Hieronymus nach Bethlehem. 415 nahm er auf der Jerusalemer Synode Stellung gegen → Pelagius. O.' Engagement gegen abweichende Tendenzen innerhalb der Kirche belegt auch die als Brief an Augustinus gesandte Schrift *Commonitorium de errore Priscillianistarum et Origenistarum*, die Augustinus mit der Abh. *Ad Orosium contra Priscillianistas et Origenistas* beantwortete (→ Origines; → Priskilla). In diesem Zusammenhang ist auch der *Liber apologeticus* des O. zu sehen, in dem er Stellung zum Pelagianismus nimmt.

Als Hauptwerk des O. gelten die 416–417/8 entstandenen 7 B. *Historiae adversum paganos*, die ›Gesch. gegen die Heiden‹, die erste christl. Universalgesch., die vom ersten Sündenfall das Leid der menschlichen Existenz (1,1,4) darlegen soll: *Ego initium miseriae hominum ab initio peccati hominis docere institui.* Erst ab 1,4 setzt die ausführlichere Darstellung mit dem Repräsentanten der ersten Weltreichsbildung, dem Assyrerkönig Ninos [1], ein und wird schließlich bis zum Jahre 417 n. Chr. geführt. Wie O. im Prolog betont (prol. 1–3), befolgt er damit einen Auftrag des Augustinus, der eine historiographische Ergänzung zu seinem Werk ›Gottesstaat‹ (*De civitate dei*) wünschte. Aus der Gesch. sollte in apologetischer Absicht dargelegt werden, daß die Heimsuchungen der Gegenwart nicht das Ergebnis unterlassener Götterverehrung und damit Schuld des Christentums seien. Vielmehr sei die gesamte Menschheitsgesch. von Katastrophen geprägt, die erst in den *tempora Christiana*, der Zeit nach Christi Geburt, stetig abnähmen. Diesem Argumentationsziel dient die Aufzählung von Kriegen und Schrecken, die O. wohldisponiert darlegt. Das erste B. reicht bis zur Gründung Roms, das zweite schließt mit dem Galliereinfall (387 v. Chr.). B. 3 und 4 behandeln hauptsächlich die Expansion Roms bis zum Untergang Karthagos (146 v. Chr.). B. 6 endet mit der Zeitenwende, B. 7 enthält die Ereignisse seit der Geburt Christi.

O. hat sich der Weltchronik des → Eusebios [7] in der Übers. des Hieronymus bedient, aber auch auf die → Livius-Periochae und → Suetonius zurückgegriffen. Bes. scheint er die Weltgesch. des → Pompeius Trogus in der Epitome des Iustinus [5] verwendet zu haben. Darauf geht mit Sicherheit auch die Gliederung des histor. Ablaufs nach vier Weltreichen (babylonisch, maked., karthagisch und röm. Reich) zurück, die dann im MA bes. Wirkung entfalten sollte [8; 10]. Das Gesch.-

Werk des O. war im MA von eminenter Bed. (245 Hss.) – als Quelle wie als formales Vorbild [7; 5; 6].

ED.: **1** PL 31, 663–1216 **2** K. D. DAUR (ed.), CCL 49, 1985, 157–163 (*Commonitorium*) **3** C. ZANGEMEISTER, CSEL 5, 1882; Ndr. 1967 (*Liber apologeticus; Historiae*) **4** A. LIPPOLD, 2 Bde., 1985–86 (dt. Übers.).
ÜBERL.: **5** D. J. A. ROSS, Illuminated Manuscripts of O., in: Scriptorium 9, 1955, 35–56 **6** J. M. BATELEY, D. J. A. ROSS, A Check List of Manuscripts of O., Hist. adv. pag. l. VII, in: Scriptorium 15, 1961, 329–334.
LIT.: **7** A. D. VON DEN BRINCKEN, Stud. zur lat. Weltchronistik bis in das Zeitalter Ottos von Freising, 1957, 80ff. **8** H.-W. GOETZ, Die Gesch.-Theologie des O., 1980, 71–79 **9** R. HERZOG, O. oder die Formulierung eines Fortschrittskonzepts aus der Erfahrung des Niedergangs, in: R. KOSELLECK u.a. (Hrsg.), Niedergang, 1988, 79–102 **10** D. KOCH-PETERS, Ansichten des O. zu seiner Zeit, 1984. U. E.

Orpheus (Ὀρφεύς; auch Ὀρφής: Ibykos fr. 306 PMGF). Mythischer Sänger thrakischer Herkunft, bedeutende Symbol- und Identifikationsfigur in Kultur und Kunst (lit. Quellen bei [1]).

A. MYTHOS B. KULT
C. ANTIKE IKONOGRAPHIE
D. WIRKUNGSGESCHICHTE

A. MYTHOS

O. gilt meist als Sohn der Muse → Kalliope [1] und des thrak. Königs → Oiagros, seltener des Apollon (Apollod. 1,14f.; schol. Pind. P. 4,313a DR. = FGrH 12 F 6a; Apoll. Rhod. 1,24f. mit schol.). Auf die Nähe zu den → Musen weist auch hin, daß mitunter Pieria (→ Pierides) als Wohnort genannt wird (Apoll. Rhod. 1,23–33). Verwandtschaftliche, z.T. auch Lehrer-Schüler-Beziehungen werden u.a. hergestellt zu → Linos (schol. Eur. Rhes. 895 = FGrH 12 F 6b; Apollod. 1,14f.; Diod. 3,67,2), → Musaios [1] (Diod. 4,25,1) u.v.a., sogar zu → Homeros [1] (Charax FGrH 103 F 62). Man rechnet O. schon früh (früheste Quellen: Sim. fr. 384 PMG (?); bildliche Darstellung: Delphi, Mus. 1323.1323a.1210, 570/60 v. Chr.) auch zu den → Argonautai (Pind. P. 4,176f.; Apoll. Rhod. 1,32–34; dagegen Pherekydes von Athen FGrH 3 F 26), evtl. als Taktschläger für die Ruderer (Eur. Hypsyle fr. 1 col. 3 v. 8–15a BOND).

Den Kern des O.-Mythos bildet die Zauberkraft seiner Musik und seines Gesanges. Als Instrumente werden O. die Phorminx (Pind. P. 4,176f. mit schol.; Apoll. Rhod. 1,31), die Kithara (Plat. Ion 533b-c) und die Lyra (Nikom., MSG 266, 2–4; Kallistratos ekphrasis 7 p. 59 SCHENKL-REISCH) zugeschrieben (→ Musikinstrumente). Später wird er auch mit der (Neu-)Erfindung der Harmonie in Verbindung gebracht (Diod. 3,59,5f.) und gilt als Erweiterer der bis dahin siebensaitigen Lyra des Hermes auf neun Saiten, der Zahl der Musen entsprechend (Ps.-Eratosth. katasterismoi 24 p. 28,4–29,4 OLIVIERI). Mit seiner bezaubernden Musik betört O. alles

(Aischyl. Ag. 1629f.), sogar Tiere und Pflanzen (Sim. fr. 384 PMG; Eur. Bacch. 560–564; Ov. met. 10,86ff.; bildl. Darstellung: Palermo, NM 2287) und die unbelebte Natur (Eur. Iph. A. 1211–1214; Apoll. Rhod. 1,26–31).

Seinen größten Sieg und zugleich seine größte Niederlage erlebt O. in der Unterwelt (Eur. Alc. 357–360; Verg. georg. 4,453–506; Ov. met. 10,1–63; Apollod. 1,14f.; bildl. Darstellung: [13]): Nach dem Tode seiner Gattin → Eurydike [1] (nach Hermesianax bei Athen. 13,597b-c: Agriope) steigt O. in die Unterwelt hinab, um sie wieder heraufzuführen (vgl. Plat. Phaid. 68a; bei Isokr. or. 11,8 übernimmt O. allgemein die Rolle des Totenrückführers). Er kann die Götter der Unterwelt mit Hilfe seiner Musik erweichen und bekommt Eurydike zurück (nur als Trugbild bei Plat. symp. 179d-e), darf sich allerdings nicht nach ihr umdrehen, bevor er die Oberwelt erreicht hat. O. aber mißachtet dieses Gebot, woraufhin Eurydike in die Unterwelt zurückkehren muß.

Nach Eurydikes Tod wendet sich O. von den Frauen ab und führt in Thrakien die Knabenliebe ein. Evtl. deshalb wird er von zornigen Thrakerinnen zerrissen (Phanokles bei Stob. 4,20,47; Verg. georg. 4,520ff.; Paus. 9,30,5; bildl. Darstellung: [14]), oder auch von → Mänaden auf Befehl des Dionysos, da O. diesen weniger verehrt habe als Helios (Ps.-Eratosth. katasterismoi 24 p. 29 OLIVIERI). Nach anderer Überl. wird O. wegen seiner in den → Mysterien verbreiteten Lehren durch einen Zeusblitz getötet (Paus. 9,30,5). Als Bestattungsort werden Pieria (Apollod. 1,14f.), Thrakien, Dion [II 2] oder Libethra in Boiotien (Anth. Pal. 7,9; Paus. 9,30,9) genannt. Der Kopf des O. gelangt ins Meer und wird in Lesbos angespült (Phanokles bei Stob. 4,20,47; Ov. met. 11,50ff.), daher gilt dieser Ort als seine Tempel- und Orakelstätte (Philostr. Ap. 4,14) und auch als Hauptstadt der Musik (Proklos in Plat. rep. 1,174,21; 2,314,24 KROLL). Nach einer anderen Variante entsteht im Pangaiongebirge aus dem Kopf des O. eine Schlange und aus seinem Blut das Kitharagras, das später den Lyren der Dionysosfeiern als Saiten dient (Ps.-Plut. de fluviis 3,4). Nach O.' Tod wird seine Lyra als Sternbild an den Himmel versetzt (Ps.-Eratosth. katasterismoi 24 p. 30 OLIVIERI; Ps.-Plut. de fluviis 3,4; → Sternsagen), seine Seele soll sich das Leben eines Schwans gewählt haben (Plat. rep. 10,620a).

In der lat. Dichtung steht O. symbolhaft für die übermenschliche Macht des Gesangs (Verg. georg. 4,471ff.; Hor. carm. 3,11,13ff.; Ov. met. 10,40ff.; Sen. Herc. f. 569ff.). Sein Scheitern bei der Rettung Eurydikes macht ihn zur Identifikationsfigur für den unglücklich verliebten Dichter, dient aber auch zur Demonstration, wie machtlos letztendlich bloße Gesangskunst allein bleiben muß (Ov. trist. 4,1,17f.; Herc. O. 1031ff.; Boeth. consolatio philosophiae 3,12) [2; 3; 4].

B. KULT

O.' Rolle als Seher, Arzt und Zauberer und der Inhalt der frühesten orphischen Texte (→ Orphik) legen die Existenz eines realen histor. Vorbildes, vielleicht eines thrakischen »Schamanen«, nahe. Zeitlich lassen sich auch diese Texte über inhaltliche Bezüge zu → Pythagoras und seinen Anhängern ins 6. Jh. v. Chr. datieren. u. a. mit Hilfe des Papyrus von Derveni (PDerveni) läßt sich für diese Zeit die Existenz von Schriften belegen, die O. zum Kultstifter und Begründer von → Mysterien machen, deren Glaubensinhalte auffällige Parallelen zu denen der Pythagoreer (→ Pythagoreische Schule) aufweisen (laut Ion von Chios stammen sogar verschiedene orphische Texte von Pythagoras: Ion, Triagmoi 36 B 2 DK). Daneben spielt O. in bakchischen → Dionysia eine wichtige Rolle als Prophet und Gründer des Kultes (vgl. etwa die Funde aus Olbia). In diesem Zusammenhang finden sich auch frühe Hinweise auf die Verwendung von »Heiligen Schriften« und Schriftlichkeit im kult. Alltag. Die orph. Kulte erfuhren rasche Ausdehnung über Athen (4. Jh. v. Chr.), Tarent und Makedonien, zuletzt waren sie über weite Teile der ant. Welt verbreitet [5; 6].

C. ANTIKE IKONOGRAPHIE

Den frühesten Hinweis auf den griech. O.-Mythos findet man in einer Metope aus Delphi (570/60 v. Chr.: Delphi, Mus. 1323.1323a.1210). Hier wird, singulär in der Kunst, O.' Teilnahme am Argonautenzug dargestellt. In der sf. Vasenmalerei taucht er nur selten auf. Dies ändert sich in der rf. Malerei: Beliebte Motive hier sind der singende O., umgeben von thrakisch gekleideten Männern, und O.' Tod durch die Thrakerinnen. Im Vordergrund steht der Konflikt zwischen Zivilisation und Barbarei, verdeutlicht durch O.' Darstellung als griech. Heros (nicht in thrak. Kleidung). Einzig auf dem klassischen Dreifigurenrelief (Neapel, NM) wird sein Abschied von seiner Gattin abgebildet. In der unterital. Malerei hingegen ist O. nur Nebenfigur. Zuletzt steht in Rom die Zähmung der Natur durch seinen Gesang im Vordergrund (Palermo, NM 2287) und wird damit ein Hauptthema der röm. → Mosaiken im gesamten Imperium bis in die Spätantike. Durch seine Attribute (Himation und Instrument) ähnelt O. der Ikonographie Apollons und zeigt so auch seine Zugehörigkeit zu diesem Kreis [7; 8].

D. WIRKUNGSGESCHICHTE

Das hell. Judentum usurpierte O. als Erfinder des Monotheismus [9. 171, 299f., 368, 449, 483], ein entsprechendes »Testament« ist unter seinem Namen verfaßt [10] (→ Orphik II. A.). Das Christentum stilisierte ihn als »guten Hirten« (vgl. z. B. Sarkophag des Quiriacus, Mus. Ostia, Ende 3. Jh. [11. 168f.]), sogar als Christus (z. B. Katakombe SS. Marcellino e Pietro, Rom, Ende 4. Jh. [11. 170]). Ausgehend von Boethius (consolatio philosophiae 3,12), der die O.-Eurydike-Gesch. platonisierend als Allegorie des im platonischen Höhlengleichnis thematisierten Rückfalls in die Sinnenwelt interpretiert, deutet das MA sie häufig als Sieg der irdischen Sinnenlust über das Streben nach dem Göttlichen (Remigius von Auxerre, Komm. zu Boeth. l.c.; vgl. [15. 10,2494–3008, 3305–3329]). Neuplatonische Kreise des 15. Jh. feierten

O. als musischen Philosophen und Religionsstifter: Marsilio FICINO, Cristoforo LANDINO und Angelo POLIZIANO [11. 176f.]. Letzterer schrieb mit seiner *Favola d'Orfeo* (1480) schließlich die Vorlage zum Libretto der gleichnamigen Oper von C. MONTEVERDI (1607). Hier war die O.-Sage erstmals in pastorales Milieu versetzt, ein Ambiente, das für die Hauptstränge der folgenden Rezeption konstitutiv wurde: Oper (Liste der O.-Opern in [12. 517–521]) und Malerei (z. B. N. POUSSIN (1650), weitere in [11. 179–183; 12. 515 f.]).

Im 19. und 20. Jh. nahm wiederum vorrangig die Lit. die Figur des O. auf. An ihm wurden Künstlertum schlechthin, aber auch das Mysterium von Musik und Liebe, Dichtung und Tod immer wieder neu durchgespielt: u.a. P. VALÉRY, ›Orphée‹ (1891); W. H. AUDEN, ›O.‹ (1937); R. M. RILKE, ›Sonette an Orpheus‹ (1922). In der Musik ist O. entweder als Burleske (J. OFFENBACH, ›O. in der Unterwelt‹: 1858) oder als psychologische Problematisierung des Künstlertums thematisiert (E. KŘENEK, ›O. und Eurydike‹, Libretto O. KOKOSCHKA: 1915). In jüngerer Vergangenheit ist das O.-Bild düster, pessimistisch, bisweilen surrealistisch-verfremdet: z. B. J. COCTEAU, ›Orphée‹ (1926 als Bühnenstück, 1949 als Film); J. ANOUILH (1942); T. WILLIAMS, ›Orpheus Descending‹ (1955, als ›The Fugitive Kind‹ 1960 verfilmt); A. SCHMIDT, ›Caliban über Setebos‹ (1964) [11. 182–193, weitere Werke in 12. 516 f.].

1 OF 2 C. SEGAL, The Myth of the Poet, 1989 3 M. O. LEE, Virgil as O., 1996 4 W.-S. ANDERSON, The O. of Virgil and Ovid, in: J. WARDEN (Hrsg.), O.: The Metamorphosis of a Myth, 1982, 25–50 5 M. WEST, The Orphic Poems, 1983 (Ndr. 1998) 6 W. BURKERT, 440–447 7 M.-X. GAREZOU, s. v. O., LIMC 7.1, 81–105; 7.2, 57–77 8 F. M. SCHOELLER, Darstellungen des O. in der Ant., Diss. Freiburg, 1969 9 M. HENGEL, Judentum und Hell., ³1988 10 CHR. RIEDWEG, Jüd.-hell. Imitation eines orphischen Hieros Logos. Beobachtungen zum OF 245 und 247 (sog. Testament des O.) (Classica Monacensia 7), 1993 11 H. HOFMANN, O., in: Ders. (Hrsg.), Ant. Mythen in der europäischen Trad., 1999 12 E. M. MOORMANN, W. UITTERHOEVE, s. v. O., Lex. der ant. Gestalten, 1995 13 TRENDALL/CAMBITOGLOU, Bd. 2, 733, 46 14 BEAZLEY, ARV² 1014,2 15 C. DE BOER (ed.), Ovide moralisé en prose, 1954.

J. BREMMER, O. From Guru to Gay, in: PH. BORGEAUD (Hrsg.), Orphisme et Orpheé. FS J. Rudhardt, 1991, 13–30 · J. B. FRIEDMANN, O. in the Middle Ages, 1970 · F. GRAF, O.: A Poet Among Men, in: J. BREMMER (Hrsg.), Interpretations of Greek Mythology, 1988, 80–106 · C. RIEDWEG, Orfeo, in: S. SETTIS (Hrsg.), I Greci: Storia, Cultura, Arte, Società, Bd. 2.1, 1996, 1251–1280 · D. SANSONE, O. and Eurydice in the Fifth Century, in: CeM 36, 1985, 53–64 · K. ZIEGLER, s. v. O., RE 18, 1200–1316, 1321–1417.   DNP-G.K.

Orphicae Lamellae (orphische Goldblättchen). Eine Reihe von griech. Texten auf dünner Goldfolie aus Gräberfunden; der lat. Ausdruck hat sich seit [1] eingebürgert. Eine kritische Ed. der meisten bis 1997 bekannten Texte (18 Stück) findet sich in [2]. Die Texte geben Anweisungen und Informationen, welche die Seele des Toten auf ihrem Weg durch die Unterwelt leiten und sicherstellen sollen, daß sie von den Unterweltsgöttern bevorzugt behandelt wird. »Orphisch« heißen sie, weil die frühere Forsch. auf der Grundlage einer bedeutend geringeren Zahl von Texten sie mit der → Orphik zusammenbrachte. Neuere Funde zeigten aber, etwa durch die Nennung von Bakchoi (→ Bakchos), daß sie mit den Dionysos-Mysterien zusammengehören, in denen → Dionysos und → Persephone zentral sind ([2. 392; 8; 12], vgl. [9]). Die Mehrzahl der Blättchen stammt aus Südit., Nordgriechenland und Kreta, eines aus Sizilien, ein anderes aus Rom; die meisten Texte gehören ins 4. Jh. v. Chr., dasjenige von Hipponion jedoch wohl noch ins 5. Jh. v. Chr., der Text aus Rom ins 2. oder 3. Jh. n. Chr. Mehrere wurden bei einem Leichnam gefunden, in der Nähe einer Hand oder, in einem Fall, im Mund (vgl. [6]); eines war in einem Amulettbehälter [7. 107–112].

Der rituelle Kontext, in dem diese Texte aufgeschrieben und in Gräber gelegt wurden, ist unbekannt — bis auf die Tatsache, daß wohl die Einweihung in einen bakchischen Mysterienverband vorauszusetzen ist ([3; 4], vgl. [5]). Einzelheiten werden in der Forsch. kontrovers diskutiert [5; 8; 10; 11].

→ Mysterien; Orphik; Orphikoi

1 A. OLIVIERI, Lamellae Aureae Orphicae, 1915 2 C. RIEDWEG, Initiation – Tod – Unterwelt, in: F. GRAF (Hrsg.), Ansichten griech. Rituale, 1998, 389–398 3 F. GRAF, Dionysian and Orphic Eschatology. New Texts and Old Questions, in: T. CARPENTER, C. FARAONE (Hrsg.), The Masks of Dionysus, 1993, 239–258 4 Ders., Textes orphiques et rituel bacchique, in: P. BORGEAUD (Hrsg.), Orphisme et Orphée. FS J. Rudhardt, 1991, 31–42 5 W. BURKERT, Orphism and Bacchic Mysteries. New Evidence and Old Problems of Interpretation, in: Protocol for the Center of Hermeneutical Studies in Hell. and Modern Cultures. Colloquy 28, 1977, 1–10 6 M. DICKIE, The Dionysiac Mysteries in Pella, in: ZPE 109, 1995, 81–86 7 R. KOTANSKY, Greek Magical Amulets, 1994 8 G. ZUNTZ, Persephone, 1971 9 S. I. JOHNSTON, T. J. MCNIVEN, Dionysos and the Underworld in Toledo, in: MH 53, 1996, 25–36 10 H. LLOYD-JONES, Pindar and the After-Life, in: Pindare (Entretiens sur l'Antiquité Classique 31), 1984, 245–283 = Ders., Greek Epic, Lyric and Tragedy, 1990, 80–109 11 P. KINGSLEY, Ancient Philosophy, Mystery and Magic, 1995 12 P. CHRYSOSTOMOU, He Thessaliké Thea Ennodia Pheraia Thea (Diss. Thessalonike), 1991, 372.
                    S.I.J.

Orphik, Orphische Dichtung

I. ÄLTESTE ZEUGNISSE
II. ORPHISCHE DICHTUNG
III. ORPHISCHE RITEN
IV. »ORPHISCHE« GOLDBLÄTTCHEN UND ORPHIK

I. ÄLTESTE ZEUGNISSE

Die ältesten Zeugnisse, die uns zur O. überl. sind, beziehen sich auf Schriften oder rituelle Handlungen.

A. Schriften

(s. u. II.): Älteste Belege für »orph. Schriften« sind:
Eur. Hipp. 952–954 = Orphica Fragmenta (= OF) T 213
Kern ›(Hippolytos), der den Rauch vieler Schriften
(*grámmata*) ehrt‹, unter → Orpheus als seinem Meister;
Plat. rep. 364e = OF 3: ›ein Haufen von Büchern
(*bíbloi*)‹, die → Musaios [1] und → Orpheus zugeschrie-
ben und vermögenden Bürgern von Scharlatanen und
Weissagern angeboten werden.

B. Rituelle Handlungen

(s. u. III.): Hdt. 2,81 = OF T 216 nennt *Orphiká* (»orph.
Riten« anläßlich des Verbots bei den Ägyptern, Leichen
in Wollkleidern zu bestatten; eine unsichere Textstelle,
an der Orphisches und Pythagoreisches nebeneinander
steht [30. 163–65]. Zu ergänzen ist Plat. rep. 364b–365a
(s. o.): Auf Opferhandlungen und Beschwörungen spezialisierte Priester (vgl. Eur. Cycl. 646–648 = OF T 83)
bieten Privatpersonen und Städten die Befreiung und
Reinigung von Unrecht an, das von den Betroffenen
oder deren Vorfahren begangen worden sei. Das rituelle
Versprechen von Reinigung und Erlösung bezieht sich
sowohl auf das diesseitige Leben als auch auf das Jenseits,
wo man durch Initiationspraktiken (*teletaí*: vgl. Aristoph. Ran. 1032 f. = OF T 90; Plat. Prot. 316d = OF T
92) von schrecklichen Strafen entbunden wird [7]. Der
t. t. ὀρφεοτελεστής (*orpheotelestḗs*, »der in die Mysterien
des Orpheus eingeweiht ist«) erscheint erst E. des 4. Jh.
v. Chr. und ist mit divinatorischen Handlungen verbunden, die Eingeweihten vorbehalten sind (Theophr.
char. 16,11 f. = OF T 207). Die ant. Texte siedeln orph.
Schriften und Lebenspraktiken, wenn sie sie nicht explizit kritisieren, räumlich (Vergleich mit Ägypten) wie
zeitlich (Analogie zum »früheren Leben«) in sicherer
Distanz an.

Die Versuchung mod. Gelehrter, die Goldblättchen
(Lamellen), welche in verschiedenen Begräbnisstätten
Großgriechenlands und Thessaliens gefunden wurden,
mit der O. in Verbindung zu bringen, war groß (s. u.
IV.).

II. Orphische Dichtung

Unter dem Namen des Orpheus nennt die Suda s. v.
(= OF T 223d) nicht weniger als 22 (bzw. 23) Titel. Von
den Orpheus zugeschriebenen Schriften (vgl. Eur. Alk.
967 = OF T 82: Θρήισσαι σανίδες, »thrakische Tafeln«),
ist eine in unterschiedlichen Fassungen fragmentarisch
belegt (Heilige Reden in 24 Rhapsodien, s. u. II. B. 2),
entspricht eine zweite einem späten Corpus von Hymnen (s. u. II. C.), findet sich eine dritte nicht in der Liste
der Suda (Orphische Argonautika, s. u. II. D.) und basiert der größte Teil auf hypothetischer Zuweisung (s. u.
II. A.). Die Zuschreibung an Orpheus dient nur dazu,
den orph. Charakter dieser Werke auf einen heroischen
Archegeten der Dichtung (wie Musaios oder Homer)
zurückzuführen.

A. Orpheus zugeschriebene Werke
B. Die Kosmo-Theogonie
C. Die orphischen Hymnen
D. Die orphischen Argonautika

A. Orpheus zugeschriebene Werke

Die Liste der unter dem Namen des Orpheus überl.
Gedichte geht wahrscheinlich auf die Abh. des Epigenes
›Über die Dichtung des Orpheus‹ zurück (OF T 222;
[28. 9–15]). Neben dem Buch der ›Orakel‹ (*Chrēsmoí*;
OF 332–333) und dem der ›Weihen‹ (*Teletaí*) – wahrscheinlich Slgg. ritueller Texte, die auch dem → Onomakritos (2. H. 6./Anf. 5. Jh. v. Chr.) zugewiesen werden – sind die ›Mischkrüge‹ (*Kratḗres*; OF 297–98), der
›Mantel‹ (*Péplos*) und das ›Netz‹ (*Díktyon*; OF 289) zu
nennen. Die Entstehung und Ordnung des Kosmos, die
Formung der Erdoberfläche durch die Fruchtbarkeit des
Bodens und die Fortpflanzung der Lebewesen wurden
in diesen Gedichten vielleicht mit den Metaphern der
rechten Mischung und des Webens erklärt. Den *Physiká*
(kosmologischen Inhalts; OF 318), den *Astrologiká* (über
verschiedene mit den Sternzyklen zusammenhängende
Naturphänomene; OF 249–287) und vielleicht den
→ *Lithiká*/›Steinbüchern‹ vgl. [29. 1338–1341]) sind die
apologetischen Schriften hinzuzufügen, hexametrische
Gedichte, die dazu neigen, Orpheus zu einem Mono-
theisten zu machen, der an den einen Gott der Juden
glaubt: Im sog. ›Testament‹ (*Diathḗkai*; OF 245–48), der
stoisch inspirierten Nachahmung eines orph. *hierós lógos*
(»heilige Rede«) aus dem 2. Jh. n. Chr., belehrt Orpheus
seinen Schüler Musaios [1] über die kosmologischen
Geheimnisse einer monotheistischen Schöpfung [25];
das Gedicht ›Eide‹ (*Hórkoi*; OF 299–300) nimmt auf die
chiffrierte Lehre von der Ordnung des Kosmos durch
den Schöpfer Bezug. Unter diesen späten und meist
apokryphen Gedichten ist uns auch die ›káthodos‹ (→ *katábasis*) der Kore‹ (OF 48–53), die auch Musaios zugewiesen wird (Paus. 1,14,3 = OF 51) und vom Abstieg
nicht des Orpheus (vgl. OF 293–96), sondern der → Persephone in den Hades erzählt, durch einen Papyrus aus
dem 1. Jh. v. Chr. bekannt; sie könnte an die attischen Gedicht abhängen, welches laut Marmor Parium
FGrH 239 A 14 (= OF T 221) auf die Herrschaft des
mythischen Königs von Athen, Erechtheus, zurückgeht
und das man im Zusammenhang der athenischen Aneignung der eleusinischen → Mysteria ins 5. Jh. v. Chr.
setzen wollte [14. 151–186].

B. Die Kosmo-Theogonie

Das bestbezeugte orph. Gedicht ist ohne Zweifel die
›Theogonie‹, wenn wir auch nur mittelbar von ihr
Kenntnis haben. Ihr Gedankengang folgt dem genealogischen Prozeß der Schöpfung des Kosmos, der Götter und schließlich der Menschen, der auch die Darstellung der ›Theogonie‹ des → Hesiodos strukturiert. Der
Neuplatoniker → Damaskios (De primis principiis 123–
24; [9]), das letzte Oberhaupt der Athener Akademie im
5. Jh. n. Chr., kannte drei Fassungen der »orph. Theologie«.

1. DIE ÄLTESTE FASSUNG DER THEOGONIE
2. DIE HEILIGEN REDEN IN 24 RHAPSODIEN
3. DAMASKIOS UND WEITERE QUELLEN ZUR
THEOGONIE

1. DIE ÄLTESTE FASSUNG DER THEOGONIE

Die älteste Fassung der ›Theogonie‹ wird dem Peripatetiker und Aristotelesschüler → Eudemos [3] (fr. 150 WEHRLI; 4. Jh. v. Chr.) zugeschrieben. Sie macht anstelle des hesiodeischen → Chaos die Nacht zum Anfang aller Dinge (OF 28). Dies veranlaßte mod. Interpreten, die berühmte ornithologische Theogonie in den ›Vögeln‹ des Aristophanes (Aristoph. Av. 676–702 = OF 1) als Parodie einer orph. Kosmo-Theogonie zu verstehen (vgl. [22; 24]): Zu Beginn herrschen Chaos und Nacht, begleitet von Erebos und Tartaros; die Nacht gebiert ein Ei, aus dem ein geflügelter Eros hervorgeht, der die Verbindungen dieser anfänglichen Elemente beseelen soll; daraus entstehen Himmel, Okeanos, Erde, dann das Geschlecht der Götter.

Nach Platon (Plat. Phil. 66c = OF 14) erstreckte sich der in diesem Gedicht dargestellte Prozeß der kosmotheogonischen Schöpfung über sechs Generationen. Vier oder fünf davon lassen sich anhand der in Derveni (Makedonien) gefundenen Papyrusrolle aus dem 4. Jh. v. Chr. (PDerveni) rekonstruieren. Diese enthielt einen kosmologischen Komm., der wahrscheinlich in die orph. Theogonie einführen sollte. Der Komm. konzentriert sich auf das Handeln des Zeus, der durch Figuren sexueller Aktivität einen Kosmos wiedererschafft, der zusammen mit den Göttern aus der Sonne (dem Ur-Ei?) und aus seinem Geschlechtsteil (→ Eros?) entstanden ist; die Aufteilung dieser Welt zw. Differenzierung und harmonischer Einheit wird von Nus (Verstand) organisiert, unter der Kontrolle des mit → Metis (Klugheit) assoziierten Zeus (vgl. die Beiträge in [17], bes. [10]). Diese einheitstiftende Rolle des orph. Zeus, der Gegensätze in sich vereint, wird in einem Hymnos besungen, der von Platon erwähnt (Plat. leg. 715e = OF 21), in einer Aristoteles zugeschriebenen Abh. des 1. Jh. v. Chr. zitiert (Aristot. mund. 401a 25–b 7 = OF 21a) und in einer stoischen Interpretation von Chrysippos neu gelesen wird (SVF II 1078, 1081 = OF T 233, OF 30); zu den Exegesen dieser ersten Fassung [8. 2883–2884].

2. DIE HEILIGEN REDEN
IN 24 RHAPSODIEN

Die von den neuplatonischen Philosophen ausgiebig benutzte (OF 60–235; [28. 227–258]) und von Damaskios als »geläufig« bezeichnete Fassung der ›Theogonie‹ ist diejenige der ›Heiligen Reden in 24 Rhapsodien‹ aus dem 2. Jh. n. Chr. Die ersten Wesen, → Aither und Chasma, werden von Chronos (Zeit) hervorgebracht, der im Aither ein silbernes Ei entstehen läßt; daraus wird das orph. Wesen *par excellence* geboren: Phanes, der Strahlende, der Erstgeborene (Protogonos), der mit seinen Flügeln und seinen beiden Geschlechtern Eros, aber auch Metis angeglichen ist. Um diese zweite Herrschaftsgeneration zu bestätigen, übergibt Phanes das

Szepter an Nyx (Nacht), die zugleich seine Mutter, seine Frau und seine Tochter ist und → Uranos gebiert (die dritte Herrschaft). Dieser wird (wie bei Hesiod) von seinem Sohn → Kronos kastriert, der die vierte Herrschaft errichtet.

Doch Zeus verschluckt Phanes und stellt damit die fünfte Herrschaft her, die sich zu einer neuen Kosmo-Theogonie entwickelt. Von Zeus, dem neuen, intelligenten Ordner des Universums, empfängt Demeter (zugleich seine Mutter und seine Frau) Persephone; sie gebiert ihrerseits aus der Verbindung mit ihrem Vater Zeus den → Dionysos. Dieser hat die Königsmacht geerbt (sechste Herrschaft), wird aber von den → Titanen getötet und zerstückelt, die in Umkehrung des Ablaufs des klass. Opfers Stücke des jungen Gottes essen. Durch den rächenden Blitz des Zeus werden die Mörder zu Asche verbrannt, aus der die Menschen hervorgehen (mit ihrer zweifachen – titanischen und dionysischen – Natur), während Apollon die Glieder des Dionysos einsammelt, damit Zeus sie mit Athenes Unterstützung wiederbelebt. Daß Dionysos durch sukzessive Assimilationen zusammen mit Metis, Eros, Phanes und Zeus ein einziges göttliches Wesen bildete, zeigt → Proklos (in Plat. Tim. 29ab: I, 336, 6–16 DIEHL = OF 170).

Einige schwache Anhaltspunkte scheinen darauf hinzudeuten, daß die erste Fassung des Eudemos (vgl. Philod. de pietate 44 = OF 36; [8. 2882]) eventuell schon den Mord an Dionysos und die Anthropogonie kannte; beides ist in den Rhapsodien belegt. Ein Hymnos an Zeus, den → Porphyrios (fr. 3 BIDEZ = OF 168) zitiert, faßt die Macht, die diesem einzigartigen Gott zugeschrieben wird, welcher in seiner Person alle Aspekte der Kosmo-Theogonie vereint, zusammen (v. 5–10): ›Zeus ist König, Zeus selbst ist der Urheber aller Dinge; einziger königlicher Körper ... Feuer, Wasser, Erde, Aither, Nacht und Tag; denn alles in dieser Welt ist in dem großen Körper des Zeus enthalten.‹

3. DAMASKIOS UND WEITERE QUELLEN
ZUR THEOGONIE

→ Damaskios weist die dritte der von ihm angeführten Fassungen der Theogonie zwei nicht weiter bekannten Autoren bzw. Theologen, Hieronymos und Hellanikos, zu [28. 176–226]. Damaskios' Zusammenfassung (de principiis 123bis = OF 54) ist vom neuplatonischen Willen geprägt, den theogonischen Prozeß in Triaden zu gliedern, die aus väterlichem Prinzip, Potentialität und spirituellem Prinzip zusammengesetzt sind; er stellt eine geflügelte Schlange mit Stier- und Löwenkopf und mit der Bezeichnung ›nicht alternder‹ Chronos (Zeit) ins Zentrum der Schöpfung. »Zeit«, dem Herakles angeglichen, vereinigt sich mit Ananke (Notwendigkeit), um von einem ersten Konglomerat von Erde und Wasser ausgehend die Gesamtheit des Kosmos zu umfassen.

Andere Eigenschaften dieser Version scheinen auch in der Zusammenfassung der griech. Theogonie auf, die der christliche Apologet → Athenagoras Ende des 2. Jh. n. Chr. in seiner an Kaiser Marcus Aurelius gerichteten

Bittschrift vorlegte (Pro Christianis 18,20,32 = OF 57–59). Heranzuziehen ist auch das 6. Buch der Homilien des Clemens Romanus aus dem 4. Jh. n. Chr. (6,3–12 = OF 55–56). Darin setzen sich der Christ Appion und ein als Jude präsentierter → Clemens [3] von Alexandreia über den griech. Polytheismus und seine myth. Erzählungen auseinander [8. 2897–2914]. Appion trägt nach stoischer Manier allegorische Interpretationen vor (das orph. Ei, d. h. der Himmel, der Phanes, d. h. das strahlende Element der Natur gebiert), Clemens übt aus euhemeristischer Position Kritik (→ Euhemeros). Dieser Anspielung auf christl. und jüd. Interpretationen der verschiedenen – oft mit anderen ant. Erzählungen vermengten – späten Fassungen einer orph. Theogonie sind verm. oriental., bes. phöniz. Einflüsse hinzuzufügen, die sich auf ihre Gestalt ausgewirkt haben könnten [28. 101–107, 177–178, 187–190, 198–202; 12. 299–310].

C. Die orphischen Hymnen

Über die oben (II. B. 1.) erwähnten Hymnen an Zeus hinaus gab es andere von den Neuplatonikern erwähnte hymnische Gesänge in Hexametern, wie etwa den Hymnos an Dionysos, den → Macrobius [1] (Macr. Sat. 1,23,21; 18,12,17 und 22 = OF 236–239; vgl. 307) mehrfach anführt; darin wird Dionysos mit Zeus, dem ›Vater der Erde und des Meeres‹, mit Helios, Phanes, Eubuleus (»dem gut Ratenden«) und Antauges (»dem Leuchtenden«), wenn nicht gar mit Hades gleichgesetzt. Weiterhin teilt Pausanias mit (Paus. 9,27,2 und 30,12 = OF 304–305), daß Priester aus dem Geschlecht der → Lykomidai während der Feier der Mysterien von Phlya in Attika kurze hymnische Kompositionen sangen, die Orpheus als Autor zugeschrieben wurden und, wie Pausanias meint, dem Vergleich mit den homer. Hymnen standhielten.

Von diesen Kompositionen für die Kultpraxis ist das Corpus der 87 ›Orph. Hymnen‹ zu unterscheiden, die in den Hss. zusammen mit den Homer. Hymnen und den Hymnen des → Kallimachos [3] und/oder des → Proklos überliefert sind. Diese dem → Musaios [1] gewidmeten hexametrischen Gedichte (Länge 6 bis 30 V.) feiern die Gottheiten des orph. Pantheon; unter ihnen nimmt Dionysos einen herausragenden Platz ein, daneben Kronos, Rhea, Eros, Sonne, Mond, Tyche, Themis, Dike, Thanatos (Tod) und sogar Physis (Natur). Diese Hymnen assimilieren die von den Anhängern des Orpheus verehrten Gottheiten oft miteinander und häufen Epiklesen an; hinzu tritt der Aspekt der Beschwörung, der sie als rituelle Gesänge kennzeichnet. Möglicherweise wurden sie im 2. Jh. n. Chr. von einem einzigen Verf. für eine kleinasiatische Kultgemeinde komponiert [16. 257–261; 19. 179–189; 28. 1321–1333]; die Anhänger werden als *mýstai* beschrieben, die an *teletaí* (Mysterien von klar erkennbar dionysischem Charakter) teilnehmen.

D. Die orphischen Argonautika

Die ›Orph. Argonautika‹ (Ὀρφέως Ἀργωναυτικά) sind ein Gedicht von 1376 Hexametern (verm. Beginn des 5. Jh. n. Chr.). Orpheus, der Archeget der Dichtung, erzählt von seiner Teilnahme an der Expedition der Helden, die an Bord der Argo (→ Argonautai) gehen, um das Goldene Vlies heimzuholen [5. 45–47]. Von den orph. und den homer. Hymnen beeinflußt, macht der späte Autor dieser Fassung der Argonautensage aus dem Dichter einen Seher, der von Mopsos und Idmon die Führung der Expedition übernimmt. Durch ein magisches Lied gelingt es Orpheus nicht nur, die Argo zu Wasser zu bringen, sondern als Dichter-Seher führt er auch die Opfer und Danksagungen am Beginn eines → Periplus durch, der die Erzählung des → Apollonios [2] von Rhodos mit mehreren anderen Trad. zusammenbringt (vgl. z. B. Timaios FGrH 566 F 85 = Diod. 4,56,3–7). Die Argonauten des Orpheus gelangen über den Phasis zur → Maiotis (Asowsches Meer), bevor sie über den Tanaïs (Don) den Fluß → Okeanos im Osten erreichen. Im Verlauf ihrer Reise durch den Norden treffen sie auf die Hyperboreer, die Makrobioi, die Kimmerier und ›die gerechtesten Menschen‹ in Hermioneia; daran schließt sich eine Fahrt über den Atlantik an, die sie über die Insel Ierne (im Okeanos; Irland?), die Insel der Demeter (vor der bretonischen Küste) und die Insel der Kirke zu den Säulen des Herakles (Gibraltar) zurückführt. Die eigentliche Erzählung von der Eroberung des Goldenen Vlieses dient als Anlaß, um aus dem Einzug in den Palast des Aietes, der von Hekate-Artemis bewacht wird, einen Initiationsweg zu machen, den zahlreiche kathartische Handlungen begleiten (mit Hilfe der Zaubermittel der Magierin → Medeia). Zuvor erhält Orpheus durch einen musikalischen Wettstreit mit → Cheiron Gelegenheit, eine Theogonie vorzutragen, welche zu Beginn des Gedichts angekündigt ist (v. 12–32) und die wesentlichen Etappen der Kosmo-Theogonie der Rhapsodien aufruft (v. 419–431, [28. 1333–38]).

III. Orphische Riten

Von den Reinigungsritualen magischer Natur, die den Orphikern zugeschrieben werden, können die ›Orph. Argonautika‹ eine Vorstellung geben. Auch Platon erwähnt Bücher, denen Orpheus' Anhänger Anweisungen für Beschwörungen und Opfergaben entnahmen, welche auf eine Befreiung abzielten (s. o.); PDerveni (col. VI) vergleicht anscheinend die Voropfer der Mysten für die Eumeniden (→ Erinys) mit den Beschwörungshandlungen und vegetarischen Opfern, die »Magier« einsetzten, um Seelen und chthonische »Dämonen« zu besänftigen; sie sind den heiligen Riten entgegengesetzt (col. XX), die »in den Städten« vollzogen werden. Letztere sind Initiationen, an denen Eingeweihte teilnehmen, um »zu erkennen«, ohne jedoch zu verstehen [10; 21].

A. Der Bios Orphikos
B. Hoffnungen für das Jenseits

A. Der Bios Orphikos

Bei der Besprechung des Ursprungs menschlicher Gemeinschaften und ihrer Kulturen vergleicht Platon (leg. 782c-d = OF T 212) die orph. Lebensweise (*bíos Orphikós*) mit der primitiven Lebensweise, bei der die Menschen, jenseits von Blutopfer und Fleischverzehr, den Göttern Kuchen und mit Honig besprenkelte Früchte darbieten und sich auf vegetarische Ernährung beschränken. Die Enthaltung von allem Belebten (*émpsycha*) ist eine Reinheitsregel (bes. der rituellen → Reinheit; Bestätigung bei Plut. septem sapientes 159c = OF T 215): Der Körper (*sóma*) ist nicht nur das Grab (*séma*) der Seele, sondern auch, nach einem anderen Wortspiel der »Anhänger des Orpheus«, ein Gefängnis, in dem die Seele ihre Verfehlungen büßt (Plat. Krat. 400c = OF 8; möglicherweise Berührungen mit → Empedokles, [23. 498–500]). So kann man die Regel, Kleider aus Wolle, einem Tierprodukt (Hdt. 2,81: s.o.), zu tragen, und sich jeden »Mordes« zu enthalten (wozu die Praxis des Blutopfers zählt, Aristoph. Ran. 1032f. = OF T 90), auf diese orph. Lebensweise beziehen, die von klass. Zeit an bezeugt ist. Wenn sie auch – anders als der Pythagoreismus – ein Leben am Rand der Institutionen der Polis vorsieht, stimmen die Orphiker mit der → Pythagoreischen Schule überein, wenn es um die Diätetik geht: Aus Sorge um Reinheit sind alle Produkte untersagt, die sich von Fleisch oder Sterblichkeit ableiten bzw. damit assoziieren lassen, wie etwa Seebarbe, Eier oder Bohnen (Diog. Laert. 8,33 = OF T 214; Paus. 1,37,4 = OF T 219; vgl. auch die zu OF 29 zusammengestellten Texte; [13. 170–98]).

Die zweifellos späte (s.o. II.B.1.) orph. Anthropogonie, die letzte Phase der Kosmo-Theogonie, liefert die Aitiologie einer Lebensweise, welche die Vermeidung jeglicher Befleckung zum Ziel hat; die alte »titanische Natur« des Menschen (Plat. leg. 701b-c = OF 9) ist auf seinen physischen Ursprung zurückzuführen: das Fleisch der Titanen (der Mörder des Dionysos), die zu Asche reduziert wurden, und die Fleischstücke des Gottes, die von denen, die ihn opferten, verzehrt wurden (vgl. OF 34–36 und 214–216). Die rel. Praxis der »Sekte« schreibt daher vor, daß der Mensch seiner eigenen sterblichen Natur durch Vermeidung jeglichen Mordes von homo- und anthropophager Art entrinnen solle.

B. Hoffnungen für das Jenseits

Die Wiederbelebung des Dionysos durch Zeus und die Reduktion (durch theologische Assimilation) beider Gottheiten zu einer Einheit können die orph. Hoffnung aitiologisch erklären, durch ein reines Leben und Initiationshandlungen eine Form der Unsterblichkeit zu erreichen. Ebenso zeigt die Erzählung von der → *katábasis* (Unterweltsreise) des → Orpheus (die bei Orph. Arg. 40–42 als Initiations-Reiseweg verstanden wird, der visuelles und intellektuelles Wissen verleiht) eine Möglichkeit des Kontakts mit der Welt der Toten an. Das dichterische Interesse der Orphiker an der Erzählung vom Abstieg der Persephone in die Unterwelt und ihrer partiellen Aufnahme in den Olymp (OF 48–53) geht in dieselbe Richtung. Abgesehen von ihrer Lebensweise, die von rituellen Reinigungshandlungen begleitet war, welche vielleicht auf *teletaí* (Initiationsriten) mit einem

vagen Versprechen für das Jenseits hinausliefen, bildeten die Anhänger des Orpheus gewiß keine okkulte oder mystische Sekte [19. 276–289; 23. 501–504].

IV. Orphische Goldblättchen und Orphik
A. Einordnung B. Kategorien

A. Einordnung

In Grabanlagen von Großgriechenland bis zum Schwarzen Meer wurden Knochen- oder Goldblättchen (die sog. → Orphicae lamellae) aus dem Zeitraum vom 4. Jh. v. Chr. bis zum 3. Jh. n. Chr. gefunden. Diese ungefähr hexametrisch abgefaßten Texte, die man dem Verstorbenen oft in den Mund oder auf die Brust legte, beziehen sich auf seinen Übergang in den von Persephone beherrschten Bereich und hatten wahrscheinlich die Funktion eines Totenpasses für das Jenseits. Man hat gemeint, der Unkenntnis von Riten und von genauer Bed. des Ablaufs der orph. Initiation durch diese Blättchen abhelfen zu können. Deren Beziehung zur O., in vagen Formulierungen der mod. Forschung als »eleusinisch-dionysisch« oder »dionysisch-orphisch« beschrieben und zu Recht bestritten, wird allein durch einen Graffito aus Olbia [1] gestützt, der die Begriffe Διό[νυσος/ωι] (»der/dem Dionysos«) und Ὀρφικοί/ *Orphikoí* (oder: -ῶι/-όí; »die/dem Orphiker«) unter die Wortfolge »Leben-Tod-Leben/Wahrheit« setzt (vgl. dazu [28. 17–19]; Bibliogr. in [30]). Ein zweiter Graffito enthält vielleicht die zweifache Opposition [ψεῦδος]- ἀλήθεια ([*pseúdos*]-*alétheia*, »[Lüge]-Wahrheit«) und σῶμα-ψυχή (*sóma-psyché*, Körper-Seele) und beglaubigt damit die Zuweisung einer Theorie der Metempsychose (→ Seelenwanderung) an die Orphiker, die man aus dem Wortspiel σῶμα/σῆμα (*sóma/séma*, Körper/Seele) bei Plat. Krat. 400c (= OF 8: s.o. III.A.) abgeleitet hat [27. 77–86].

B. Kategorien

Ohne Berücksichtigung einiger noch nicht offiziell veröffentlichter Dokumente [4. 390–92] lassen sich die sog. »orph.« Blättchen ihrer Aussageform nach in drei Kategorien einteilen (Text bei [4. 392–98]):

1. Ansprache des Verstorbenen an die Götter 2. Ansprache an den Verstorbenen 3. Makarismos in der zweiten Person

1. Ansprache des Verstorbenen an die Götter

In der ersten Gruppe (A1 + A2–3 Zuntz, aus Thurioi, Mitte 4. Jh. v. Chr.) formuliert der Verstorbene selbst am Ende seiner → *moíra* (seines »Anteils«) und in direkter Ansprache an die betreffenden Götter den Wunsch, nunmehr zu dem »Geschlecht« gehören zu wollen, dem auch Persephone, die »Herrin der Unterwelt«, Eukles (Hesych. s. v. εὐκλῆς: ὁ Ἅιδης), Eubuleus (Dionysos? vgl. jedoch [31. 309–11] sowie Orph. h. 30,6–7 und 42,2) und die übrigen unsterblichen Götter angehören. Die Reinheit soll dem Verstorbenen eine

Art Unsterblichkeit und glückliches (ólbios) Leben garantieren. Die Buße für ungerechte Handlungen kann jedoch weder auf eine orph. Lebensweise bezogen werden (die frei von solchen sein sollte) noch auf die Legende (wie man unter Anführung von Pindars Threnos fr. 133 MAEHLER angenommen hat) vom Unrecht, das die Titanen dem orph. Dionysos, dem Sohn der Persephone, angetan haben [18]. Die rituelle → Reinheit, Bedingung für den Zugang zum Reich der Glückseligen, wird vielmehr durch allg. (und nicht spezifisch orph.) Initiationsriten erworben, auf die z.B. Platon (z.B. Phaid. 69c und Phaidr. 244e) anspielt.

2. ANSPRACHE AN DEN VERSTORBENEN

Ein zweiter Typ von Texten hat die Form einer Ansprache an den Verstorbenen (B1 ZUNTZ, aus Petelia bei Kroton; B2 ZUNTZ, aus Pharsalos in Thessalien; B10 GRAF, aus Hipponion in Kalabrien, zw. 400 und 320 v. Chr.; dazu jetzt B11 RIEDWEG, aus Westsizilien). Diese Ansprache gibt ihm Hinweise zum Weg, der ihn vom Haus des → Hades zu einer ersten, zu vermeidenden Quelle, dann zu dem kalten Wasser führen soll, das aus dem See der → Mnemosyne abfließt. Ein Paßwort, welches, in der ersten Person gesprochen, aus dem Verstorbenen einen himmlischen oder gestirnten Sohn der Gē und des Uranos macht und das man mit der Losung (sýnthēma) der Eleusinischen → Mysteria verglichen hat, wird ihm erlauben, seinen Durst an dieser göttlichen Quelle zu löschen. Eine Gruppe von Lamellen, die aus Eleutherna auf Kreta (B3–8 ZUNTZ; E. 3. Jh. v. Chr.), sowie aus Thessalien (B9 GRAF; E. 4. Jh. v. Chr.) stammen, übernimmt nur den Text der Ansprache des Verstorbenen an die Wächter der Quelle [31. 355–393], trägt also die Worte des Durstigen selbst.

Die engste Parallele zu diesem Weg des Verstorbenen bietet die Strecke, die der Befrager des → Trophonios-Orakels in Lebadeia zurücklegte, der nach Reinigungsriten in einen unterirdischen Raum hinabstieg, um von der Quelle des Vergessens zu trinken, bevor er das Wasser der Erinnerung kostete (Paus. 9,39,6–8), doch ist ein Einfluß von pythagoreischen Kreisen nicht ausgeschlossen.

3. MAKARISMOS IN DER ZWEITEN PERSON

Eine heterogenere Gruppe von Texten, die sich in der zweiten Person an den Verstorbenen bzw. die Verstorbene richten, nimmt die Form einer Seligpreisung (makarismós) an (A4 ZUNTZ, aus Thurioi, um 350 v. Chr.; P1–2 TSANTSANOGLOU-PARASSOGLOU, aus Pelinna in Thessalien, E. 4. Jh. v. Chr.; vgl. B9 ZUNTZ [31. 384], aus Eleutherna auf Kreta, 3. Jh. v. Chr.). Das Glück (oder die Freude), das in diesen Lamellen gefeiert wird, macht aus dem Tag des Todes explizit eine (Wieder-)Geburt (θεὸς ἐγένου) als göttliches Wesen (diese Metamorphose wird der Verstorbenen als eine Gabe der Mnemosyne dargeboten – eine Gabe, die dem Text der in Rom gefundenen Lamelle A5 aus dem 3. Jh. n. Chr. entspricht [16. 174–180; 31. 334–335]). In Pelinna wird der Zugang zu Persephone (bei den Wiesen und heiligen Hainen der Göttin in Thurioi) durch einen Bak-

cheios Lysios garantiert, in dem man mühelos → Dionysos erkennen kann. Der vom »befreiten« Verstorbenen zurückgelegte Weg, der sich initiatorisch verstehen läßt, führt über eine symbolische Metamorphose in einen jungen Ziegenbock (Thurioi) oder Stier und Widder (Pelinna) und durch ein Eintauchen in Milch. Diese Stationen erklärt der Sprecher des Textes (der Priester?) performativ (in rhythmischer Prosa) als vom Adressaten absolviert [15. 88–95; 4. 368–389].

Die Rolle, die Dionysos Lysios in P1–2 spielt (vor dessen Gleichsetzung mit dem orph. Sohn der Persephone man sich hüten sollte; vgl. Paus. 2,2,6–7 und 7,5–6 [11. 16–27]), sowie auch die Form des makarismós, die an die zweifache Formel am Ende des homer. Demeterhymnos erinnert (Hom. h. 2,480–495), verweisen auf eine dem Todesinitiationsweg vorangehende rituelle Initiation, die eher eleusinischer als orph. Natur ist; dies umso mehr, als die Lamellen P1–2 in Form eines Efeublatts, die sie zum Bereich des Dionysos in Bezug setzt, auf dem Körper einer Frau in einem Grab gefunden wurden. Die apulische Ikonographie jener Zeit weist jedenfalls nicht die geringste orph. Anspielung auf [11. 28–29]. Dennoch ist zu erwähnen, daß Lamelle A4 aus Thurioi nahe beim Kopf des im Timpone Grande bestatteten Skeletts gefunden wurde; diese war in Lamelle C (= OF 47) eingerollt, welche möglicherweise eine orph. Fassung (Erwähnung des Protogonos und des Phanes) der Erzählung vom Raub der Persephone enthält [31. 290, 344–54].

→ Initiation; Katharsis; Musaios [1]; Mysterien; Onomakritos; Orakel; Orpheus; Orphikoi; Reinheit; OKKULTISMUS; ORPHISCHE DICHTUNG

ED.: 1 A. BERNABÉ (ed.), Orphicorum Graecorum testimonia et fragmenta (im Erscheinen) 2 O. KERN (ed.), Orphicorum Fragmenta, 1922 3 G. QUANDT (ed.), Orphei hymni, ²1955 (¹1941) 4 CH. RIEDWEG, Initiation-Tod-Unterwelt, in: F. GRAF (Hrsg.), Ansichten griech. Rituale, 1998, 359–398 (Ed. der »Orphicae« lamellae) 5 F. VIAN (ed.), Les Argonautiques orphiques, 1987.
LIT.: 6 A. BERNABÉ, Platone e l'orfismo, in: G. SFAMENI GASPARRO (Hrsg.), Destino e salvezza, 1998, 37–97 7 PH. BORGEAUD (Hrsg.), Orphisme et Orphée, 1991 8 L. BRISSON, Orphée et l'Orphisme à l'époque impériale, in: ANRW II 36.4, 1990, 2867–2931 9 Ders., Damascius et l'Orphisme, in: [7], 157–209 10 C. CALAME, Figures of Sexuality and Initiatory Transition in the Derveni Theogony and Its Commentary, in: [17], 65–80 11 Ders., Invocations et commentaire orphiques, in: M. M. MACTOUX, E. GENY (Hrsg.), Discours religieux dans l'Antiquité, 1995, 11–30 12 G. CASADIO, Adversaria orphica et orientalia, in: SMSR, 1986, 291–322 13 M. DETIENNE, Dionysos mis à mort, 1977 14 F. GRAF, Eleusis und die orph. Dichtung Athens in vorhell. Zeit, 1974 15 Ders., Textes orphiques et rituel bacchique. A propos des lamelles de Pélinna, in: [7], 87–102 (Texte: 88–95) 16 W. K. C. GUTHRIE, Orpheus and Greek Rel., ²1952, Ndr. 1993 (¹1935) 17 A. LAKS, G. W. MOST (Hrsg.), Studies on the Derveni Papyrus, 1997 (mit erschöpfender Bibliogr. und Teil-Ed. des Pap.) 18 H. LLOYD-JONES, Pindar and the Afterlife, in: D. E. GERBER (Hrsg.), Pindare (Entretiens 31),

1985, 245–279 **19** I. M. LINFORTH, The Arts of Orpheus, 1941 **20** A. MASARACCHIA (Hrsg.), Orfeo e l'orfismo, 1993 **21** D. OBBINK, Cosmology as Initiation vs. the Critique of Orphic Mysteries, in: [17], 39–54 **22** A. PARDINI, L'Ornitogonia (Ar. Av. 693 sgg.) tra serio e faceto: premessa letteraria al suo studio storico-religioso, in: [20], 53–65 **23** R. PARKER, Early Orphism, in: A. POWELL (Hrsg.), The Greek World, 1995, 483–510 **24** G. RICCIARDELLI APICELLA, Le teogonie orfiche nell'ambito delle teogonie greche, in: [20], 27–51 **25** CH. RIEDWEG, Jüdisch-hell. Imitation eines orph. Hieros Logos, 1993 **26** K. TSANTSANOGLOU, G. PARASSOGLOU, Two Gold Lamellae from Thessaly, in: Hellenica 38, 1987, 3–16 **27** J. G. VINOGRADOV, Zur sachlichen und geschichtlichen Deutung der Orphiker-Plättchen von Olbia, in: [7], 77–86 **28** M. L. WEST, The Orphic Poems, 1983 **29** K. ZIEGLER, s. v. Orph. Dichtung, in: RE 18, 1321–1417 **30** L. ZHMUD', Orphism and Graffiti from Olbia, in: Hermes 120, 1992, 159–168 **31** G. ZUNTZ, Persephone, 1971.   C. CA./Ü: T. H.

Orphikoi (Ὀρφικοί). In den überl. Zeugnissen sind O. ausschließlich »Verf. orph. Schriften« (schol. Eur. Alc. 1 = OF 40; vgl. Plat. Krat. 400c = OF 8: οἱ ἀμφὶ Ὀρφέα) oder »Priester, die orph. Initiationen durchführen« (Ach. Tat. isagoge in Arati phaenomena 4, p. 33,17; 6, p. 37,8 MAASS = OF 70) und sonst auch *Orpheotelestaí* heißen (Theophr. char. 16,11 = OF T 207; Philod. *perí poiēmátōn* II fr. 41 HAUSRATH = OF T 208; Plut. mor. 224e). Erst ein 1978 veröffentlichtes Knochentäfelchen aus → Olbia [1] (5. Jh. v. Chr.) scheint mit der von ZHMUD' erneut vertretenen Lesung des Graffito als Διό(νυσος) bzw. –(νύσωι) Ὀρφικοί die allg. Bed. »Orphiker« zu belegen und der Frage nach Existenz und Charakter orph. Kultgruppen neue Brisanz zu verleihen. Angesichts der unbefriedigenden Quellenlage scheint es jedoch am plausibelsten, im Unterschied zum Pythagoreismus von einer losen Organisation der frühen Orphik nach dem Muster archa. Reinigungs- und Bettelpriester mit hoher lokaler Mobilität und relativ instabiler Anhängerschaft auszugehen [3], wie Platon sie skizziert (Plat. rep. 2,364b–365a; vgl. PDerveni col. XVI ZPE = XX LAKS/MOST). Ob spätere Kultgruppen, die man schon immer hinter PGourôb 1 (= OF 31; E. 3. Jh. v. Chr.) und v. a. den Orphischen Hymnen (wohl 2. Jh. n. Chr., Kleinasien) sowie einem wohl aus Rom stammenden Relief (2. Jh. n. Chr.; [2. 2929 f.]) vermutet hat, eine deutlichere Selbstdefinition pflegten, muß im unklaren bleiben.
→ Orphicae Lamellae; Orphik

1 A. BERNABÉ, Platone e l'orfismo, in: G. SFAMENI GASPARRO (Hrsg.), Destino e salvezza, 1998, 37–97 **2** L. BRISSON, Orphée et l'Orphisme à l'époque impériale, in: ANRW II 36.4, 1990, 2867–2931 (Ndr.: Ders., Orphée et l'Orphisme dans l'Antiquité gréco-romaine, 1995, Nr. IV) **3** W. BURKERT, Craft Versus Sect: The Problem of Orphics and Pythagoreans, in: B. F. MEYER, E. P. SANDERS (Hrsg.), Jewish and Christian Self-Definition, Bd. 3, 1982, 1–22, 183–189 **4** A. MASARACCHIA, Orfeo e gli »Orfici« in Platone, in: Ders. (Hrsg.), Orfeo e l'orfismo, 1993, 173–197 **5** R. PARKER, Early Orphism, in: A. POWELL (Hrsg.), The

Greek World, 1995, 483–510 **6** L. ZHMUD', Orphism and Graffiti from Olbia, in: Hermes 120, 1992, 159–168.   T. H.

Orsilochos (Ὀρσίλοχος).
[1] Myth. König von → Pherai, Sohn des Flußgottes → Alpheios und der Telegone, Vater des → Diokles [2].
[2] Sohn des → Diokles [2], Troia-Kämpfer, von → Aineias [1] getötet (Hom. Il. 5,541 ff.).
[3] Troer, von → Teukros getötet (Hom. Il. 8,274).
[4] Troer im Gefolge des → Aineias [1], von → Camilla getötet (Verg. Aen. 11,636, 690, 694).   L. K.

Ortha, Orthe (Ὄρθα, Ὄρθη). Es gab in Thessalia möglicherweise zwei Orte dieses Namens.
[1] Nach dem homer. Schiffskat. (Hom. Il. 2,739) gehörte ein O. mit Elone und → Olosson zum Gebiet des → Polypoites, lag also in Perrhaibia (→ Perrhaiboi). O. wird mit verschiedenen Ruinen bei Elasson gleichgesetzt.
[2] Es gibt hell. Mz. mit der Legende ΟΡΘ(Ι)ΕΩΝ (HN 303), außerdem eine Theorodokenliste in Delphoi vom Anf. des 2. Jh. v. Chr., wo O. zu den Städten in der südl. Thessalia (→ Thessaloi) zählt. Neue Münzfunde lassen jetzt O. im h. Dorf Kedros (ehemals Chalambresi), d. h. in Süd-Thessalia, vermuten.

B. HELLY, Incursions chez les Dolopes, in: I. BLUM (Hrsg.), Top. antique et géogr. historique en pays grec, 1992, 78 f. • B. LENK, s. v. O., RE 18, 1434 f. • A. PLASSART, La liste des théorodoques, in: BCH 45, 1921, 1–85, bes. 16 • E. VISCHER, Homers Kat. der Schiffe, 1997 (vgl. Index).   HE. KR.

Orthagoras (Ὀρθαγόρας).
[1] O. aus → Sikyon, soll dort um 650 v. Chr. die → *tyrannís* errichtet haben. Die damit etablierte Herrscherfamilie wird nach ihm Orthagoriden genannt. Eine auf Papyrus erh. anonyme ›Tyrannengeschichte‹ (FGrH 105 F 2), die wahrscheinlich auf → Ephoros zurückgeht, berichtet, daß O. sich zunächst als Wachposten an der Grenze zur Nachbarstadt ausgezeichnet habe und später zum Wachkommandanten und → *polémarchos* aufgestiegen sei. Ob er bei seiner Machtergreifung die Unterstützung der → *hoplítai* genoß, muß Spekulation bleiben. Auch die These, daß O. sich als Führer der rechtlich und sozial minderberechtigten vordorischen Urbevölkerung zum Tyrannen aufgeschwungen habe, ist wenig plausibel, da zu seiner Zeit bereits mit einer Vermischung indigener und zugewanderter Bevölkerungsteile zu rechnen ist. Wenn die Staatstheorie des 4. Jh. v. Chr. die Herrschaftspraxis des O. und seiner Familie als gesetzestreu und milde charakterisiert, reflektiert sie damit nur die übliche späte Tyrannentopik (Aristot. pol. 1315 b 12–18 und [1. 599–601]).

1 H. FLASHAR (ed.), Aristoteles' Werke in dt. Übers., Bd. 9, Politik, Teil 3, 1996.

H. BERVE, Die Tyrannis bei den Griechen, Bd. 1, 1967, 27 ff. • K. KINZL, Betrachtungen zur älteren griech. Tyrannis, in: AJAH 4, 1979, 26–31 • L. DE LIBERO, Die archa. Tyrannis, 1996, 181 ff.   E. S.-H.

[2] Griech. Seefahrer und Schriftsteller. Während man über O. so gut wie nichts weiß (frühestes Zitat von Strabon: Strab. 16,3,5 = FGrH 713 F 5), geben die fünf Fr. seines Werkes *Id(ik)oí lógoi* (in FGrH 713, F 1–2 = Philostr. Ap. 2,17; 3,53; F 3–4 = Ail. nat. 16,35; 17,6; F 5 = Strab. 16,3,5) wenigstens an, daß er ein Teilnehmer der Küstenexpedition des → Nearchos [2] von der Indus-Mündung nach Mesopotamien 325/4 v. Chr. gewesen sein muß. Demnach war sein B. wohl ein → Periplus, der auch die Flußniederfahrt behandelte (FGrH 713 F 1: die Flußschlangen des Akesines [2]). Die übrigen Fr. beschreiben die Indus-Mündung (F 2) und die gedrosische (F 3 und 4) und karmanische (F 5) Küste. Zuweilen ist O. mit Nearchos (FGrH 133) genannt (FGrH 713 F 1 = FGrH 133 F 12; FGrH 713 F 5 = FGrH 133 F 27), zuweilen mit → Onesikritos (FGrH 134) zusammen zitiert (FGrH 713 F 4 = FGrH 134 F 31; vgl. FGrH 133 F 30–31). FGrH 713 F 2 mit der Nennung von Patala an der Indusmündung und den astronomischen Angaben entspricht Onesikritos FGrH 134 F 10 und 26, FGrH 713 F 3 über Ziegen, die Fische fressen, Nearchos bei Arr. Ind. 26,7 und 29,13 (dort aber Schafe).

FGrH 713 · K. KARTTUNEN, India and the Hellenistic World, 1997, 45 f.   K. K.

Orth(e)ia (Ὀρθ(ε)ία, auch Ὀρθωσία, Ϝορθασία, Βωρθεία u. a.).

Griech., insbes. peloponnesische Göttin, wahrscheinlich schon früh mit → Artemis identifiziert, so sie überhaupt jemals deutlich von ihr geschieden war. Bed. und Etym. des Namens waren bereits in der Ant. unklar.

Ihren prominentesten Kult hatte O. in → Sparta (Limnai), wo sie seit dem 10./9. Jh. v. Chr. bis in die Spätant. verehrt wurde [1; 2]. O. spielte dort eine zentrale Rolle bei der Initiation und in der → *agōgḗ* [3]. Meistbeachteter Teil ihres Rituals war ein »Ausdauertest« der Epheben (*kareterḗseis*: Plat. leg. 633b 5–9; [3. App. 1]), in dem Käsediebstahl vom Altar der O. durch eine angreifende Gruppe von Epheben mit Peitschenschlägen von seiten einer verteidigenden Gruppe erwidert wurde (Xen. Lak. pol. 2,9; Plat. leg. 633b 5–9; [1. Inschr. Nr. 1, 4. Jh. v. Chr.]). Spätere Texte sprechen nur noch von Geißelung (*diamastígōsis*) am Altar in einem bei den jungen Männern beliebten Agon, aus dem Einzelsieger hervorgingen (*bōmoníkai*: z. B. Hyg. fab. 261; Plut. mor. 239d; [1. Inschr. Nr. 142–144]). Der *karterías agṓn* (Philostr. Ap. 6,20; [1. Inschr. Nr. 37]) war vielleicht bereits Teil der reformierten hell. *agōgḗ* [3. 111]. In röm. Zeit wurde dieser Kampf zum blutigen, gelegentlich sogar tödlichen Spektakel [vgl. 3. App. 1].

Der Legende nach (Paus. 3,16,7–11) war das → *xóanon* der O.-Lygodesma, bei den Geißelungen von der Priesterin der O. getragen, bes. blutdürstig: Iphigeneia und Orestes sollen es aus dem Land der Taurier gestohlen, → Lykurgos [4] den *agṓn* am Altar der O. als Ersatz für ein urspr. → Menschenopfer eingeführt haben. Daß der Kampf am Altar aus dem Konflikt der vier spartan.

ōbaí, auf die die spartan. Bevölkerung aufgeteilt war, während des Opfers an O. entstanden sei (Paus. 3,16,9 f.), scheint die Rolle O.s innerhalb der polit. und sozialen Struktur Spartas zu markieren.

Zahlreiche Inschr. v. a. aus hell. und röm. Zeit (2. Jh. v. Chr.–3. Jh. n. Chr.) dokumentieren außerdem ein vielfältiges agonistisches Programm mit Siegern in musischen und athletischen Agonen [1. 185–377]; den Siegespreis stellte eine Sichel dar, die der O. geweiht wurde. Die vieldiskutierten, größtenteils archa., groteske wie idealisierte Charaktere darstellenden Terrakottamasken lassen Verkleidungsrituale und Rollentausch als Teil der hier durchgeführten Initiationsriten vermuten [4; 5]. Aspekte der O. und ihres Rituals sind möglicherweise auch in den über 100 000 Bleifigürchen aus dem Votivkomplex der O. angesprochen (O., Darstellungen von Kriegern und Musikanten) [1]; ähnliche Typen sind aber auch in anderen peloponnes. Heiligtümern (Arkadien; Menelaion) gefunden worden. Die Art der Teilnahme von Mädchen oder Frauen an Kult und Festen der spartan. O. ist unklar, die Aufführung der → Partheneia Alkmans an Festen der O. (bes. Alkm. fr. 1 PMGF mit schol.: u. a. Darbringung eines Gewandes) ist umstritten; ein lit. Zeugnis für Mädchenchöre ist vielleicht Theseus' Entführung der Helene [1] von der Tanzfläche der O. (Plut. Theseus 31). Unter den Votivgaben befindet sich eine große Anzahl von Schmuckstücken, zum Teil mit Weihungen an O., auch an → Eileithyia [6]. O. ist zumeist stehend als → Potnia Theron oder in der Art eines → *xóanon* mit eng an den Körper angelegten Armen, z. T. auch bewaffnet dargestellt [7].

Nur wenig Beachtung haben bislang die zahlreichen weiteren Kulte O.s gefunden: Ein klass. Kultbau (u. a. Keramik aus dem 8./7. Jh. v. Chr.) der O. in → Messene [2] (vgl. 8); Kulte oder Weihungen in Epidauros (IG IV² 1,381: Orthosia; 495; 502: O.); Lykone/Argolis (Paus. 2,24,5); Elis (schol. Pind. O. 3,54a); Athen (IG I³ 1,1083: Artemis Orthosia); Peiraieus (IG II 2²,5012; 1623); Kerameikos (Pind. O. 3,54a); in Delphi (FdD 3,1 Nr. 512); Megara (SEG 13, 304; IG VII 113); Byzantion (Hdt. 4,87); Koroneia (SEG 26, 555); Phigalia/Kotilon (IG V 2,429); Taygetos in Arkadien (schol. Pind. O. 3,54b); Tenos (IG XII 5,894; 913) und Teuthras in Mysien ([Plut.] de fluviis 21,4; MDAI(A) 24, 1899, 202 Nr. 3). → Artemis; Ephebeia; Initiation

1 R. M. DAWKINS, The Sanctuary of Artemis O. at Sparta, 1929 2 J. BOARDMAN, Artemis O. and Chronology, in: ABSA 58, 1963, 1–7 3 N. M. KENNEL, The Gymnasium of Virtue, 1995 4 H. JEANMAIRE, Couroi et courètes, 1939, 519–522 5 R. PARKER, Spartan Rel., in: A. POWELL (Hrsg.), Classical Sparta. Techniques Behind Her Success, 1989, 151 f., 169 Anm. 49 6 I. KILIAN, Weihungen an Artemis und Eileithyia, in: ZPE 31, 1978, 219–222 7 L. KAHIL, s. v. Artemis, LIMC 2.1, 631 f. und Nr. 86–98 8 P. G. THEMELIS, Artemis O. at Messene. The Archaeological and Geographical Evidence, in: R. HÄGG (Hrsg.), Ancient Greek Cult Practice from the Epigraphical Evidence, 1994, 101–122.

P. Bonnechère, O. et la flagellation des éphèbes spartiates, in: Kernos 6, 1993, 11–22 • A. Brelich, Paides and Parthenoi, 1969, 129–139, 156–162, 173–176 • C. Calame, Choruses of Young Women in Ancient Greece, 1997, 156–169 • J. Carter, The Masks of O., in: AJA 91, 1987, 355–383. B. K.

Orthographie

A. Grundsätzliches
B. Griechisch C. Latein

A. Grundsätzliches

O. (griech. ὀρθογραφία ist bereits als Titel von antiken Werken z. B. des Grammatikers → Herodianos [1] überl., vgl. auch Flavius Caper, *De orthographia*), die »richtige«, d. h. normkonforme Schreibung, war urspr. kein Thema der histor. Sprachwiss., da ihr die geschriebene Sprache lange Zeit lediglich als mehr oder weniger defizientes Abbild der gesprochenen »echten« Sprache, nicht als wiss. Gegenstand eigenen Rechts galt; insofern konnte sie eine histor. O., d. h. ein Festhalten an einer Wortschreibung (die frühere Lautstände, nicht die aktuellen, wiedergab) nur als Hindernis auf dem Wege zur Erkenntnis der wahren Lautstruktur einer Sprache sehen. In diesem Zusammenhang gewinnen Schreibungen von Fremdwörtern an Bed.; da für Wörter aus anderen Sprachen histor. gewachsene Schreibtrad. nicht greifen, hier also geschrieben werden kann, wie man es eben hört, sind sie oft das einzige Mittel, den tatsächlichen Lautwert von Buchstaben zu erschließen oder Erkenntnisse über die Lautung des entsprechenden Wortes in der Sprache, aus der entlehnt wurde, zu gewinnen.

Zweitens wird Sprachnormierung eher als Phänomen der Neuzeit, verbunden mit dem Aufkommen des stummen Lesens, des Buchdrucks und der Entstehung der Nationalstaaten, gesehen und dabei vernachlässigt, daß bewußte Sprachnormierung und Schaffung sprachlicher Standards bereits in der Ant. begegnen: Ein röm. Beamter konnte entlassen werden, weil er *ixi* statt *ipsi* schrieb (Suet. Aug. 88), was auf den roman. Zusammenfall von /ps/ und /ks/ zu /ss/ weist. Gleichzeitig sind bis heute v. a. im dt. Sprachraum Vorstellungen, daß geschriebene Sprache die gesprochene möglichst in einem Eins-Zu-Eins-Verhältnis abbilden solle, geläufig; dabei wird der Funktionalität der O. nicht Rechnung getragen (z. B. Homonymendisambiguierung: »mahlen« vs. »malen« – beide sind lautlich identisch – oder Durchführung des phonematischen Prinzips: »Rad« wie »des Rades«, obwohl »Rad« und »Rat« gleich lauten).

Die Leistung der O. im Rahmen einer normierten Schriftsprache, die in der Lage ist, eine größere, von dialektalen Unterschieden geprägte Sprachlandschaft unter ein gemeinsames sprachliches Dach zu versammeln – was für das Funktionieren einer Schriftkultur unerläßlich ist – wird dabei kaum gesehen. Solange die Schriftlichkeit in einer bestimmten Kultur nur Sache von speziell ausgebildeten Experten ist oder eine marginale Rolle spielt (wie etwa im → Mykenischen, wo die Schrift zu administrativen Zwecken eingesetzt wurde, so daß von einer Schriftkultur im eigentlichen Sinne nicht gesprochen werden kann), kann man kaum von O., bestenfalls von Schreibkonventionen reden. O. gehört in den Kontext der Schriftkultur, als extensive Partizipation der Bevölkerung an der Errungenschaft der Schrift und als eine Ausweitung ihrer Einsatzmöglichkeiten, die die Schaffung einer Norm wünschenswert machte. Zu dieser Norm gehört neben der Festschreibung eines bestimmten Wortschatzes, bestimmter gramm. Formen und synt. Regeln (unter Stigmatisierung sprachlicher Alternativen) auch die Schaffung einer einheitlichen Wortschreibung (Interpunktions- sowie Groß- und Kleinschreibungsregeln kommen für die Ant. nicht in Betracht).

B. Griechisch

Bekanntlich ist es die Übernahme des phöniz. → Alphabets ins Griech., die in der Schriftgeschichte den Übergang von einer Kons.- zu einer Lautschrift markierte. 403 v. Chr. wurde das altattische Alphabet offiziell durch das ionische ersetzt, was man durchaus als O.-Reform bezeichnen darf – eine Folge des Prestiges der ion. Prosasprache. Dies bedeutete einerseits eine Differenzierung: Wurde vorher <ε> unterschiedslos verwendet für kurzes /e/, /ẹ/ und /ẹ̄/ (letzteres mit zwei Ursprüngen: 1. entstanden aus der Monophthongierung des alten Diphthongs /ei/, 2. als Ersatzdehnungs- und Kontraktionsprodukt; <ει> für letzteres daher »umgekehrte Schreibung«, d. h. »falsche« histor. Schreibung), so traten hierfür drei Zeichen bzw. Zeichenkombinationen ein: <ε>, <η> und <ει>; entsprechend wurde auch <o> durch <o>, <ω> und <ου> ersetzt. »Fehler« bei dieser Umsetzung zeichnen für manche Eigentümlichkeiten des Homertextes verantwortlich (s. → Homerische Sprache). Andererseits stand nun mit der Verwendung von <η> für /ẹ̄/ kein Zeichen für /h/ mehr zur Verfügung (das Ion. als psilotischer Dial. hatte dafür ohnehin keine Verwendung), und dieses Phonem wurde nun bis zur Einführung des Spiritus asper nicht mehr geschrieben. Auf eine gesonderte Kennzeichnung der Vokallänge bei /a/, /i/, /u/ wurde, obgleich Vokalquantität phonologisch relevant war, nach wie vor verzichtet. Dies zeigt, daß eine O.-Reform keineswegs immer als »Verbesserung« im Sinne einer immer phonemtreueren Sprachwiedergabe wirkt (daß im Gegenteil sogar aus h. Sicht naheliegende Optimierungen unterbleiben), sondern außersprachliche Gesichtspunkte (z. B. Prestigegründe) viel entscheidender sind.

Wie das att. Griech. zum ›klass.‹ Griech. wurde (→ Attisch), so auch seine O. zur klass.; allerdings stammen einige Konventionen der h. Schreibung des ant. Griech. (konsequente Durchführung der Worttrennung, Setzung der → Akzente und Spiritus) erst aus byz. Zeit (alexandrinische Setzung von Spiritus v. a. zur Disambiguierung, etwa Schreibung παρεστινóς, um die durch die Gewohnheit der *scriptio continua* – d. h. »fortlaufende Schreibung« – gleichfalls mögliche Lesung πάρες τινός zu verhindern).

Ein weiteres Konfliktfeld der O. ist die Frage, ob satzphonetische Erscheinungen ausgeschrieben werden oder nicht: In griech. Prosatexten wird die Elision (Abfall von Auslautvok. im Hiat etwa in ἀπ' ἐμοῦ) üblicherweise graphisch nachvollzogen. Der Innerwortsandhi (→ Sandhi) wird geschrieben, der Satzsandhi hingegen nicht (ἐμβαίνω vs. τὸν πατέρα; die Assimilation des Nasals hat mit Sicherheit in beiden Fällen stattgefunden, also unterschiedliche Repräsentation des jeweils identischen Lauts!). In Pap. und Inschr. wird dies oft anders gehandhabt.

Die griech. O. überdauerte massiven lautlichen Wandel und schreibt bis h. längst obsolete phonologische Distinktionen fort: Der Quantitätenkollaps machte z.B. die graphische Unterscheidung von <o> und <ω> überflüssig, dennoch wurden die Zeichen in der alten Verteilung beibehalten. Der Itazismus ließ die mit <η>, <ει>, <ι>, <υ>, <οι> bezeichneten Vok. einheitlich in /i/ zusammenfallen; trotzdem wird die unterschiedliche Schreibung bis h. auch in der Demotike (im h. Neugriech.) perpetuiert. Offenbar besteht ein ges. Konsens, die sozialen Kosten einer so dezidiert histor. O. (enormer Lernaufwand!) in Kauf zu nehmen zugunsten des ideellen Vorteils, durch Beibehaltung der im wesentlichen altgriech. Schreibung die Kontinuität zw. ant. und mod. Griechenland zu unterstreichen. Schon behutsame Reformen wie etwa die Abschaffung der h. gänzlich unnötigen Spiritus oder der drei Akzentzeichen stießen in jüngerer Vergangenheit auf erbitterten Widerstand und haben sich bis h. nicht in allen Kreisen durchgesetzt. Umgekehrt wurde in der Stalin-Ära für den pontischen Dial. des Griech. eine konsequent neugriech. O. für den Schulgebrauch entwickelt; man darf annehmen, daß hier weniger das Wohl der geplagten Schüler im Vordergrund stand als vielmehr der Versuch, das Pontische als eigene Sprache zu etablieren und so die Integration sprachlicher Minderheiten in das Sowjetsystem zu befördern sowie mögliche Ansatzpunkte eines Irredentismus von vornherein aus der Welt zu schaffen.

Dementsprechend problematisch sind Datier. des ant. Itazismus und des Quantitätenkollapses; die Sprachwiss. ist v.a. auf Schreibfehler, also Verletzungen der Norm, angewiesen, und nur akribische Analysen können bloße Versehen wie Auslassung von Buchstaben von aussagekräftigen Fehlern unterscheiden. Insgesamt kann gesagt werden, daß sich erste Spuren dieses Lautwandels schon im 4. Jh. v. Chr. nachweisen lassen; es gilt die Regel, daß die O. häufig den Entwicklungen der gesprochenen Sprache nachhinkt. Doch sei nicht verschwiegen, daß auch das gegenteilige Phänomen vorkommt; wenn eine O. sich wandelt, heißt das noch nicht, daß der Lautwandel, der sich darin spiegelt, sich zu diesem Zeitpunkt in allen Schichten der Bevölkerung durchgesetzt hat.

C. Latein

In Rom wurde eine Variante des griech. Alphabets zur Basis der Verschriftung – vermittelt allerdings durch die Etrusker, die ein westgriech. Alphabet auf die Bedürfnisse ihrer Sprache zugeschnitten hatten (das wiederum für die lat. Sprache nicht optimal geeignet war). Auch für die lat. Sprache sind die O. betreffende Normierungsvorgänge überl.; so soll etwa Appius Claudius [1 2] Caecus (um 300 v. Chr.) erstmals *Valerius* (statt *Valesius*) geschrieben und damit die histor. O., die intervokalisches /s/, durch den Rhotazismus mit /r/ zusammengefallen, nach wie vor mit <s> schrieb, abgeschafft haben. Weitere Lautwandelphänomene, die sich direkt in der Schreibung nachvollziehen lassen, sind z.B. der Wandel /oi/ > /u/ oder von auslautendem /os/, /om/ zu /us/, /um/ (*oino* für *unum* in den → Scipioneninschriften). Allerdings schreibt die lat. O. in vieler Hinsicht einen schon damals konservativen Sprachzustand fest (*consul* mit Erhalt des /n/ vor /s/, obwohl bereits die Scipioneninschr. *cosol* schreiben).

Im 3. Jh. v.Chr. wurde das Zeichen <g> für den stimmhaften Guttural durch Modifikation des Zeichens <c> neu geschaffen, die Verwendung des Zeichens <q> auf den → Labiovelar eingeschränkt (vorher auch für /k/ vor dunklen Vok.), und die Geminatenschreibung soll → Ennius [1] zu verdanken sein. Versuchen, die im Lat. ebenfalls distinktive Vokallänge graphisch zu bezeichnen (etwa durch Doppelsetzung des Vokalzeichens wie in *paastores* oder durch Apex), war kein dauerhafter Erfolg beschieden; deshalb muß h., um die Vokalquantität in lat. Wörtern zu rekonstruieren, auf Sprachvergleichung, metrische Texte und nicht zuletzt auch auf romanische Vertretungen lat. Wörter rekurriert werden.

Ein im Griech. nur vereinzelt nachweisbares Phänomen ist das der exoglossischen Schreibung, d.h. der Schreibung von Fremdwörtern nach den Konventionen der Sprache, aus der entlehnt wurde (z.B. Schreibung von lat. *suggestio* als σουγγεστίων, obwohl Doppelgamma im Griech. eine ganz unangemessene Aussprache nahelegt) – im Griech. am ehesten zu finden in der Schreibung lat. juristischer und administrativer Termini in der späten Kaiserzeit und in frühbyz. Zeit, und dann nur als begrenzt gültige Konvention, nicht als umfassende Norm. Das betraf im Lat. naturgemäß griech. Wörter: Im 2. Jh. v.Chr. begann man, griech. <f> mit <ph> wiederzugeben und <z> <y> für griech. <ζ> und <υ> zu verwenden (diese »neuen« Zeichen wurden am Schluß des Alphabets plaziert, und dort befinden sie sich noch h.). Hier verabschiedet sich die O. deutlich von purer Lautwiedergabe, und es sind keine sprachökonomischen Überlegungen, sondern das Prestige des Griech. als Sprache höherer Bildung, die zu einer Modifikation der lat. Schreibnorm führten. Wie diese Fremdwörter im Lat. ausgesprochen wurden, darüber kann man nur spekulieren; sowohl korrekte griech. Wiedergabe als auch Anpassung an das lat. Lautsystem sind je nach Bildungsstand denkbar.

Wie im Griech. sind es orthograph. Fehler (neben der Wiedergabe lat. Wörter in anderen Sprachen), die für die Sprachgesch. aufschlußreich sind; die O. der

Inschr. befindet sich dabei allerdings oft auf erstaunlich hohem Niveau und läßt v. a. kaum regionale Differenzierungen des gesprochenen Lat. erkennen. Anders als im Griech. wurde(n) die gesprochene(n) Sprache(n) in den unterschiedlichen Gegenden der Romania zu unterschiedlicher Zeit einer Neuverschriftung unterzogen, und das geschriebene Lat. verlor immer mehr Domänen.

1 V. BINDER, Sprachkontakt und Diglossie, 2000
2 G. BERNARDI PERRINI, Le »riforme« ortografiche di età repubblicana, in: AION 5, 1983, 141 ff. 3 E. FELDBUSCH, Geschriebene Sprache, 1985 4 H. GLÜCK (Hrsg.), s. v. O., Metzler Lex. Sprache, 1993 5 J. KRAMER, Ant. Sprachform und mod. Normsprache. Teil 2: Griech., in: Balkanarchiv N. F. 11, 1986, 117 ff.   V. BI.

Orthokorybantioi (Ὀρθοκορυβάντιοι). Altgriech. Bezeichnung der *Saka tigraχaudā* (persisch für »Spitzmützen-Saken«, Massageten) bei Hdt. 3,92. Sie nomadisierten im Gebiet sö des Aralsees zwischen Oxos (Amu Darjā; → Araxes [2]) und → Iaxartes (Syr Darjā) [2]. Westl. von ihnen siedelten die *Saka haumavarkā* (»rauschschwelgende Saken«). Kyros [2] II. fiel 530 v. Chr. im Kampf gegen die Spitzmützen-Saken, die dann Dareios [1] I. 519 v. Chr. botmäßig machte; ihr König Skunxa beschließt den Zug der gefangenen Könige am → Bisutun-Relief [1. Abb. 283; 3. 217]. Darstellungen der O. in langen ledernen Hosen und Obergewand mit Gürtel, an dem der *akinákēs* (Kurzschwert) hängt, und mit hoher spitzer Mütze finden sich auch auf den Reliefs von Persepolis [1. Abb. 210, 228] und am Grab Dareios' I. in → Naqš-e-Rostam [1. Abb. 279].

1 R. GHIRSHMAN, Iran. Protoiraner, Meder, Achämeniden, 1964 2 B. JACOBS, Die Satrapienverwaltung im Perserreich, 1994, 224, 257–260 3 P. LECOQ, Les inscriptions de la Perse achémènide, 1997, 217.   A. P.-L.

Orthopolis (Ὀρθόπολις). Sohn des myth. Königs von Sikyon → Plemnaios (Paus. 2,5,8); → Demeter rettet incognito als Amme sein Leben (vgl. → Demophon [1], → Triptolemos); nach Eus. chronikon 394 war er der zwölfte König von → Sikyon; Augustinus (civ. 18,8) datiert seine Regierungszeit auf die Geburt des Moses.
L. K.

Orthos (Ὄρθος oder Ὄρθρος, zum Namen: [1]). Zweiköpfiger Hund (bei Tzetz. in Lykophr. 653: zwei Hunde- und sieben Drachenköpfe), Sohn des Typhon (→ Typhoeus) und der → Echidna; Bruder des → Kerberos, der → Hydra [1] und der → Chimaira (?, vgl. [2. 254 f.]; Hes. theog. 304–320); von Echidna (oder Chimaira: [2. 256]) Vater der Phix (→ Sphinx) und des Nemeischen Löwen (Hes. theog. 326 f.). Wächter der Rinderherde des → Geryoneus (bei Pind. I. 1,13: Pl. κύνες/ *kýnes*, »Hunde«), wird zusammen mit dem Hirten → Eurytion [3] von → Herakles [1] erschlagen, als er versucht, diesen am Raub der Rinder zu hindern (Hes. theog. 293; Palaephatus, De incredibilibus 39 FESTA;

Apollod. 2,106 und 108; Poll. 5,46; Pediasimus, Tractatus de duodecim Herculis laboribus 10; Sil. 13,844–847; Serv. Aen. 7,662). Zu den bildlichen Darstellungen: [1; 3].

1 E. MÜLLER-GRAUPA, K. SCHERLING, s. v. Orthros (1), RE 18, 1495–1503 2 M. L. WEST (ed.), Hesiod, Theogony, 1966 (mit Komm.) 3 S. WOODFORD, s. v. Orthros (1), LIMC 7.1, 105–107 (mit Bibliogr.).   SI. A.

Orthosia (Ὀρθωσία).
[1] Eine der kleineren karischen Gemeinden im Binnenland mit eigener Mz.-Prägung in hell. Zeit; bei Strab. 14,1,47 *katoikía* (Siedlung) bei Nysa nördl. des Maiandros [2] (Büyük Menderes). O. erhielt im 2. Jh. n. Chr. röm. Munizipalstatus, im 5./6. Jh. war es Bischofssitz zur Eparchie Karia mit der Metropolis Aphrodisias [1]. Die bei Donduran in Ortas in den Bergen südl. oberhalb des Menderes gelegenen Ruinen von O. (Stadtmauer aus grob behauenen Steinen, Stadion, große Agora, wohl auch Buleuterion, große Nekropole mit tonnengewölbten Gräbern) sind wenig untersucht.

R. T. MARCHESE, The Historical Archaeology of Northern Caria, 1989, 71; 98; 132; fig. 27; Taf. 48–54.

[2] (Strab. 14,5,3; 16,2,12; 16,2,21; Plin. nat. 5,78; Ptol. geographia 5,14,3). Stadt in Phönizien, deren Ruinen und Höhlen bei Arḍ Artūz nördl. von Ṭarābulus (Tripolis)/Libanon liegen; vielleicht das Ullaza der Amarnabriefe [1. 79 f., 117]. Der griech. Name leitet sich wohl von der dort verehrten Artemis Orthosia ab [2. 1494] und ist spätestens unter → Seleukos II. belegt. Eigene Mz.-Prägung; die Mz. zeigen Astarte [3. Taf. 16.1, 41, 17 f.]. Als freie Stadt mit eigener Ära [2. 83] blieb O. vom Ende der Seleukiden- bis in die Kreuzfahrerzeit ein wichtiges Zentrum an der syr. Küste.

1 R. DUSSAUD, Top. historique de la Syrie antique et médiévale, 1927 2 E. HONIGMANN, s. v. O. (3), RE 18, 1494 f. 3 BMC Phoenicia, 198 4 F. G. MILLAR, The Phoenician Cities. A Case Study in Hellenisation, in: PCPhS, 1983, 55–71 5 J. D. GRAINGER, Hellenistic Phoenicia, 1991, 121, 125, 148, 174.   A. P.-L.

Orthostat   I. ALTER ORIENT UND ÄGYPTEN
II. KLASSISCHE ANTIKE

I. ALTER ORIENT UND ÄGYPTEN
In der Vorderasiatischen Archäologie werden als O. die aufrecht stehenden Steinplatten bezeichnet, mit denen urspr. im anatolischen Bereich die Füße der Mauern vor Spritzwasser geschützt wurden. Vom 9. Jh. an dienten sie bes. in den neuassyrischen → Palästen der Anbringung statischer und erzählender → Reliefs. Berühmt sind die Reliefzyklen in den Palästen der Herrscher Assurnaṣirpal II. in → Kalḫu, → Sanherib und → Assurbanipal in Ninive (→ Ninos [2]). Aus dem gleichzeitigen syrisch-anatolischen Bereich sind vor allem die Reliefzyklen aus → Karatepe, → Karkemiš, Zincirli/Samʾal (→ Kleinasien III. C) und Tall Ḥalaf bekannt.
H. J. N.

II. Klassische Antike

In der Klass. Arch. bezeichnet der antike t.t. O. (ὀρθοστάτης/orthostátēs [1. 14f.], lat. orthostata, Vitr. 2,8,4, u.ö.) die unterste Schicht des Wandaufbaus, bes. der → Cella [1] im → Tempel. Die Orthostaten-Schicht, bautechnisch den oriental.-ägypt. Vorläufern eng verwandt, besteht meist aus einer niedrigen, zumindest in der ionischen Bauordnung oftmals dekorativ profilierten Schwelle und einer darauf hochkant erstellten Quaderlage, die von einer flachen Deckschicht abgeschlossen wird; diese dient dann als Auflager für die Norm-Quader der Wandfläche. Die Orthostaten vermitteln darüber hinaus im griech. Tempelbau zw. den unterschiedlichen Bodenniveaus von Ringhalle und Cella.
→ Tempel

1 Ebert

W. Müller-Wiener, Griech. Bauwesen in der Ant., 1988, 88.　　　　C. Hö.

Orthura (Ὄρθουρα). Stadt im Binnenland der Soringoi in Südindien, Residenz von König Sornas (Ptol. 7,1,91); wohl griech. Form für Uraiyūr, Hauptstadt des Cholā–Reiches am Fluß Kāveri, mit der Hafenstadt → Chaberis an der Flußmündung.

K. Karttunen, Early Roman Trade with South India, in: Arctos 29, 1995, 81–91 • O. Stein, s. v. Ὄρθουρα, RE 18, 1503–1505.　　　　K. K.

Ortiagon (Ὀρτιάγων). 189 v. Chr. Fürst der galatischen → Tolistobogioi, Gatte der → Chiomara (vgl. [1. 151]). O. wurde zusammen mit → Comboiomarus und Gaudatos von Cn. Manlius [I 24] Vulso auf den Bergen Magaba und Olympos [10] geschlagen, konnte sich jedoch retten und strebte dann offenbar in hell. Manier die Herrschaft über ganz → Galatia an. Polybios (22,21) lobt O. als freigebig, hochherzig, klug und tapfer. 184/3 v. Chr. scheint sich → Eumenes [3] II. von Pergamon gegen ihn gerichtet zu haben, da O. Verbündeter des → Prusias von Bithynia war. In der Folge wurde das tetrarchische System unter pergamenischer Oberhoheit wiederhergestellt, O. gefangen genommen oder hingerichtet (Pol. 21,38; Liv. 38,19,2; 38, 24,9; Pomp. Trog. pr. 32).
→ Bithynia; Galatia; Kelten III. (mit Karte); Pergamon

1 L. Weisgerber, Galatische Sprachreste, in: R. Helm (Hrsg.), Natalicium. FS J. Geffcken, 1931.

H. Rankin, Celts and the Classical World, 1987, 198 • F. Stähelin, Gesch. der kleinasiat. Galater, ²1973, 55–56; 61–62 • F. W. Walbank, A Historical Commentary on Polybius, Bd. 3, 1979, 212–213.　　　　W. Sp.

Ortsnamen s. Geographische Namen

Ortygia (Ὀρτυγία, »Wachtelinsel«). Myth. Geburtsort der → Artemis, urspr. von der ihres Zwillingsbruders → Apollon getrennt (Hom. h. 3,16). Der in den ältesten Zeugnissen (Hom. Od. 5,123; 15,404) geogr. nicht lo-

kalisierbare Ortsname wird später mit verschiedenen Kultstätten der Artemis identifiziert (schol. Apoll. Rhod. 1,419), insbes. mit → Delos (Pind. Paian 7b fr. 52h,48 Maehler; Kall. h. 2,59, epigr. 62,2 und fr. 18,7; Apoll. Rhod. 1,419 und 537), der Insel bei Syrakusai (Hes. fr. 150,26 M.-W.; Diod. 5,3,5) oder dem hl. Hain bei Ephesos (Strab. 14,1,20; Tac. ann. 3,61). Der Name wurde mit der Verwandlung der → Asteria [2] (Apollod. 1,21; Hyg. fab. 53) oder der → Leto (schol. Kall. h. 2,59) in eine Wachtel erklärt. O. erscheint ferner als Beiname der Artemis (Soph. Trach. 213) und als Amme der Kinder Letos in einer Statuengruppe des Skopas in Ephesos (Strab. 14,1,20).　　　　A. A.

Orxines (Ὀρξίνης, Curtius: Orsines). Reicher Perser, Nachfahre → Kyros [2] II., kämpfte bei → Gaugamela, machte sich 326 v. Chr. in Abwesenheit → Alexandros' [4] d.Gr. zum Satrapen der → Persis. Er wurde bei seinem Versuch einer nachträglichen Bestätigung in seinem Amt unter dem Vorwurf, zahlreiche Menschen getötet, Tempel geschändet und die königlichen Gräber beraubt zu haben, durch Alexandros hingerichtet (Arr. an. 3,8,5; 6,29,2; 30,1 f.; Curt. 4,12,8; 10,1,24.37).

J. Wiesehöfer, Die »dunklen Jahrhunderte« der Persis, 1994, s. v. O.　　　　J. W.

Os resectum (der »abgeschnittene Knochen«). Gegenstand eines röm. Rituals, das nach dem Wechsel von der Erd- zur Brandbestattung ausgeübt wurde. Nach dem auf → Numa Pompilius zurückgeführten röm. ius pontificum, das die Brandbestattung eigentlich untersagte (Plut. Numa 22), galt ein Toter erst dann als ordnungsgemäß bestattet, wenn wenigstens ein vollständiges Körperteil gänzlich beigesetzt worden war (Cic. leg. 2,55; Varro ling. 5,23; Paul. Fest. 135 L.). Hintergrund ist die Idee, daß die Bestattung als Rückgabe des Leichnams an die Erde verstanden wurde. Der zu verbrennenden Leiche wurde ein Finger abgetrennt und beigesetzt. In der Grabkammer bei S. Caesareo an der Via Appia wurden Urnen mit abgetrennt bestatteten Körperteilen aus republikan. Zeit gefunden (CIL I 2², 1015ff.).
→ Bestattung; Sakralrecht; Totenkult

G. Rohde, s. v. O.r., RE 18, 1534–1536 • Latte, 100f., 211.　　　　A. V. S.

Osca. Stadt der → Ilergetes (Itin. Anton. 391,5; 451,5; Ptol. 2,6,68: im Gebiet der Ilergetes, Plin. nat. 3,24: der Suessetani; [1]) am Südhang der Pyrenaei, h. Huesca. Erstmals erwähnt bei der → ovatio, die Helvius [I 2] nach seinem Sieg über die → Celtiberi bei Illiturgis am Baetis 195 v. Chr. feierte; dabei lieferte er u. a. 119 439 Mz. aus argentum Oscense (»Silber aus O.«) im Aerarium ab (Liv. 34,10,4). Auch Fulvius [I 12] triumphierte 180 v. Chr. über die Celtiberi und brachte mit seinem Triumph u. a. 173 200 Münzen aus O. heim (Liv. 44,43,6; iberische Drachmen nach dem Vorbild von Emporion) – Zahlen, die den enormen Silberreichtum der Gegend um O.

bezeugen. 77 bis 72 zeichnete → Sertorius O. als sein Hauptquartier aus; hier ist er im J. 72 umgekommen (Plut. Sert. 14; 25; Strab. 3,4,10; Flor. 2,10,9; [2]). O. war *municipium* (Plin. nat. 3,24). In westgot. Zeit (6./7. Jh.n.Chr.) wird O. oft als Bischofsstadt in den Konzilsakten genannt [3. 451]. Zahlreiche Einzelfunde, Inschr., Mz.

1 HOLDER 2, 882 2 A. SCHULTEN, Sertorius, 1926, 80
3 R. GROSSE (Hrsg.), Fontes Hispaniae Antiquae 9, 1947.

TOVAR 2, 134; 3, 408 f. · A. BELTRÁN, s. v. O, PE, 657 f. ·
TIR K 30 Madrid, 1993, 168.   P.B.

Oschophoria (ὠσχοφόρια, ὀσχοφόρια, inschr. auch *ὠσκοφόρια). Athenisches Fest, dessen Ablauf sich aus Plut. Theseus 22 f. und Prokl. chresthomateia 87–92 SEVERYNS [1] rekonstruieren läßt: Ein Festzug mit zwei als Mädchen verkleideten Jungen (ὠσχοφόροι/ōschophóroi, »Weinrebenträger«), die Zweige mit Weintrauben trugen, und einem Chor führte von einem Dionysostempel zu jenem der → Athena Skiras in Phaleron, wo Opfer dargebracht wurden. Frauen nahmen als δειπνοφόροι/deipnophóroi (»Speisenträgerinnen«) am Fest teil und erzählten Mythen. Es fand ein Wettlauf unter Epheben (→ ephébeia) statt; der Siegespreis war ein »fünffacher Becher« (phiálē pentaplḗ) mit den Zutaten Öl, Wein, Honig, Käse, Mehl. Die genannten und weitere lit. Quellen sind z. T. unvollständig und widersprüchlich (Diskussion aller Zeugnisse: [3; 5]): Nach einer Inschr. des 4. Jh. v. Chr. wurden ōschophóroi und deipnophóroi aus dem Genos der Salaminoi, das auch die Priesterin der Athena Skiras stellte, gewählt (SEG 21, 527; [2]).

Während in der Forsch. des 19. Jh. die O. wegen der Rebzweige und des Festdatums im Monat Pyanepsion als agrarisches Fest aufgefaßt wurden, gelten sie im 20. Jh. wegen ihrer aitiologischen Verbindung mit der Kretafahrt des → Theseus bei Plutarch und ethnologischen Parallelen als *survival* einer → Initiation [3]. Neuere Deutungen untersuchen die symbol. Dimension der Nahrungsmittel und die räumliche Komponente der O. in Verbindung mit der polit. Verwendung der Theseusmythologie [4]. Davon ausgehend läßt sich die Deutung als Initiation modifizieren [5]: Die Altersstufen der jüngeren ōschophóroi und der Epheben wurden einander rituell gegenübergestellt. Die Teilnahme der Frauen machte deren für ihre heranwachsenden Söhne zu Hause geleistete Arbeit – das Nähren, Kleiden und Geschichtenerzählen – öffentlich sichtbar. Die rituelle Ausführung dieser Tätigkeiten begleitete den Übergang der durch das Frauenkleid als ihren Müttern zugehörig gekennzeichneten jüngeren Teilnehmer zur Altersstufe der Epheben. Rebzweige, Siegespreis und die rituelle Begehung des Landes zw. Athen und Phaleron verwiesen auf die Bed. der agrarischen Produktion und damit des Landbesitzes auf athen. Territorium für diesen Vorgang. Athena Skiras als Frauen- und Grenzgöttin [1. 339–374; 5] gehört ebenso in diesen Zusammenhang

wie → Dionysos, in dessen Myth. u. a. das Verhältnis von Söhnen zu Müttern thematisiert war, der aber in Athen auch als Gott der heranwachsenden Epheben und des Symposions erscheint [5].
→ Athena; Eiresione; Geschlechterrollen

1 A. SEVERYNS, Recherches sur la Chresthomatie de Proclos, 1939 2 W. S. FERGUSON, The Salaminioi of Heptaphyloi and Sounion, in: Hesperia 7, 1938, 1–74 3 H. JEANMAIRE, Couroi et Courètes, 1939 4 C. CALAME, Thésée et l'imaginaire Athénien, 1990 5 K. WALDNER, Geburt und Hochzeit des Kriegers, 2000.   K. WA.

Osci A. ETYMOLOGISCH
B. ETHNISCH C. SPRACHLICH

A. ETYMOLOGISCH

Mit O. (»Osker«) werden verschiedene durch ihre Sprache geeinte ital. Völker bezeichnet. Der auf sie bezogene Begriff *Obscum* wird verschieden gedeutet: als *sacrum* (Fest. 204,24; 205,1) oder in Verbindung mit *obscenum* (Tac. ann. 4,14; Fest. 204,31; 218,14 f.). Die O. wurden zuvor *Opsci* (erste Erwähnung: Enn. ann. 296; Fest. 218,12) oder wegen des bes. in der Gegend von Capua (Serv. Aen. 7,730; Steph. Byz. s. v. Ὀπικοί) häufigen Vorkommens von Schlangen (griech. óphis) *Ophici* genannt. Ihr Name kann allerdings auch auf eine Region in Campania zurückgehen (Fest. 121,4) oder auf einen Ort des *ager Veiens* (Fest. 204,32).

B. ETHNISCH

Die O. (Verg. Aen. 7,730) siedelten zw. Campania (Strab. 5,3,6; 4,3; Sil. 8,526; Fest. 121,4; Plin. nat. 3,60: *Tenuere Osci, Graeci, Umbri, Tusci, Campani*; Prop. 4,2,62) und Latium (Plin. nat. 3,56: O. und Ausones jenseits des Mons Circeius, in *Latium adiectum*). Die ant. Autoren sind hinsichtlich der Identifikation und Abgrenzung von Nachbarvölkern verschiedener Meinung. Strabon (5,4,3) faßt die Problematik zusammen: Antiochos (FGrH 555 F 7; vgl. auch Aristot. Ath. pol. 1329b 19) spreche von *Opikoí*, die seiner Ansicht nach mit den → Ausones zu identifizieren seien; Polybios (34,11,7) unterscheide dagegen zwei im selben Gebiet ansässige Stämme; andere unterschieden zw. einer ersten Phase, in der Campania von *Opici* und Ausones bewohnt gewesen sei, und einer zweiten, in der ein oskisches *éthnos* von dem Land Besitz ergriffen habe (vgl. Strab. 5,3,6). Es ist denkbar, daß die ant. Autoren *Opici* (*Opikoí*) für die alte Bezeichnung (oder die frühe histor. Phase) der nachmals O. genannten Bewohner Italiens hielten (zur Entsprechung der Begriffe *Opici* und O. vgl. Fest. 204,28). Nach Antiochos (FGrH 555 F 5) und Thukydides (6,2,4) flohen die Siculi unter dem Druck der Opici aus It. Unter den Opici/O. ist jedenfalls eine Vielzahl von *éthnē* (»Völkern«) zu verstehen, so z. B. die Sidicini (Strab. 5,3,9), die bereits z. Z. Strabons (ebd. 5,3,6) verschwunden waren und die als Protagonisten des wechselnden ethnischen Erscheinungsbildes Zentral- und Süditaliens angesehen wurden: Einer Überl. nach waren sie diejenigen, die sich in der später gewaltsam von den

→ Sabini besetzten Region in Dörfern niedergelassen hatten (Strab. 5,4,12); an anderer Stelle wird berichtet, daß die O. vor den → Volsci in → Fregellae lebten (Steph. Byz. s. v. Φρέγελλα). Die ant. Quellen rechnen sie unter die vielen ital. Völkerschaften, die von den Römern unterworfen wurden (Dion. Hal. 1,89,3; Cass. Dio 38,37,5); O. konnte Synonym für »barbarisch« oder »roh« (vgl. Gell. 2,21,4; 13,9,4) sein, ὀπικίζειν/*opikízein* für βαρβαρίζειν/*barbarízein* (»sich wie ein Barbar ausdrücken«).

Auf dem campanischen Territorium der Opici/O. befanden sich die Städte → Capua (Serv. Aen. 7,730), Parthenope/→ Neapolis [2] (Strab. 14,2,10; Steph. Byz. s. v. Φάληρον), das zw. beiden gelegene Atella (Strab. 5,3,6; Steph. Byz. s. v. Ἄτελλα) und → Kyme [2] (Thuk. 6,4,5: ἐν Ὀπικίαι; Paus. 7,22,8; 8,24,5; 10,12,8; Ps.-Skymn. 236–238); die O. sollen von den Kymaioi, diese von den Tyrrhenoi besiegt worden sein (Strab. 5,4,3). An der Tyrrhenischen Küste war auch ein Latinion bekannt (Aristot. FGrH 840 F 13a). Ein Teil der O. ließen sich auch auf Sicilia nieder: Platon (epist. 8,353e) fürchtete um die von Phoinikes und Opikoí verdorbene griech. Sprache auf der Insel. 410 v. Chr. handelte es sich bei den von Karthago zur Unterstützung von → Segesta geschickten Kampanoi wohl um O. (Diod. 13,44,1); unter → Mamertini versteht man die oskisch sprechenden Söldner, die → Messana besetzten.

→ Meddix ist die Bezeichnung eines osk. Magistrates (Fest. 110,19), *maesius* bezeichnet in der osk. Sprache den lat. *mensis Maius* (den Monat Mai, Fest. 121,4). Der Begriff *oscillum* (»kleine Maske«) könnte sich von den O. herleiten, bei denen diese in Gebrauch waren (Serv. georg. 2,389). Letzten Endes ist es die Sprache, über der der Begriff O. mit seiner Vielzahl von Regionen und Ethnien in Südit. definiert und identifiziert wird: Die Lucani, die zweisprachigen Bruttii (Enn. ann. 477: *Bruttaces bilingui*; Fest. 31,25: *et Osce et Graece*; vgl. auch Steph. Byz. s. v. Ὀπικοί) und ein Teil der Samnites (Liv. 10,20,8; Skyl. 15) sprachen oskisch (vgl. auch Fest. 150,34: *Mamers ... qui lingua Oscorum Mars significatur*; Steph. Byz. s. v. Γέλα: ἡ Ὀπικῶν φωνή; Titinnus bei Fest. 204,29: *obsce*; Varro ling. 5,131: *osce*). Weil er *Graece et Osce et Latine* sprechen konnte, hatte → Ennius [1] »drei Herzen in seiner Brust« (Gell. 17,17,1).

C. SPRACHLICH

Beim Oskischen handelt es sich um eine ital. Sprache, die zum kleineren Teil durch indirekte Überl. in lat. Quellen, hauptsächlich aber durch Inschr. auf uns gekommen ist; sie decken geogr. ein sehr weites Gebiet ab und sind in die Zeit zw. dem 5. Jh. v. Chr. und der frühen Kaiserzeit zu datieren. In diesen Inschr. sind drei verschiedene Schriftarten bezeugt, die aus dem Etr. (Nord-Osk.), Griech. (von der Magna Graecia beeinflußte Gebiete im Süd-Osk.) und Lat. abgeleitet sind; die Inschr. umfassen Grab- und Weihinschr., Münzlegenden, Inschr. magischen Inhalts und Verwaltungsinschr. (vgl. die *tabula Bantina*, 2./1. Jh. v. Chr.). Auffallend ist das Weiterleben der osk. Sprache (ἡ Ὄσκων

διάλεκτος) in den von den O. übernommenen Schauspielen, die nach der Stadt Atella → *Atellanae fabulae* genannt wurden (Strab. 5,3,6; Liv. 7,2,12; Tac. ann. 4,14; Varro ling. 7,29; Cic. fam. 7,1,3: *ludi Osci*).

→ Etrusci (mit Karten); Italien, Sprachen (mit Karte); Oskisch-Umbrisch

G. DEVOTO, Gli antichi Italici, 1951 · VETTER, 1–201 · A. L. PROSDOCIMI, L'osco, in: PROSDOCIMI 6,1, 825–911 (mit ausführlicher Bibliogr., fortlaufend auf den neuesten Stand gebracht von A. MARINETTI) · P. POCCETTI, Nuovi documenti italici, 1979, Nr. 13–203 · E. CAMPANILE, C. LETTA, Studi sulle magistrature indigene e municipali in area italica, 1979 · M. LEJEUNE, D. BRIQUEL, Lingue e scritture, in: G. PUGLIESE CARRATELLI (Hrsg.), Italia omnium terrarum parens, 1989, 433–474. S. d. V./Ü: H. D.

Oscillum. Gruppe von runden oder peltaförmigen, d. h. nach der Form des Amazonenschilds gebildeten und reliefierten Schmuckscheiben aus der Zeit vom 1. Jh. v. bis zur Mitte des 2. Jh. n. Chr. aus Marmor. Die Oscilla stammen zum größten Teil aus den Vesuvstädten und wurden in Villen und Stadthäusern mit Gartenanlagen gefunden, in denen sie, an Ketten in den Interkolumnien des Gartenperistyls aufgehängt, zur Dekoration dienten. Andere fanden sich als Schmuckelemente in Theatern und in Tempelanlagen. Die O. sind meist zweiseitig bearbeitet, wobei die Rückseite nachlässiger gestaltet – z. B. lediglich bemalt – wurde oder unbearbeitet blieb. An Themen überwiegen solche des dionysischen Bereichs (Satyrn, Mänaden, Pan, Silene, Theatermasken), daneben wurden, wenn auch seltener, Göttergestalten (Hermes, Artemis, Aphrodite, Apollon, Eros) und myth. Bilder dargestellt (Diomedes, Herakles, Achilleus und Chiron, Kentauren, Seethiasos), während Szenen des Alltags (Schmied, Landmann) zur Ausnahme zählen.

I. CORSWANDT, Oscilla. Unt. zu einer röm. Reliefgattung, 1982 · I.-M. PAILLER, Les oscilla retrouvés, in: MEFRA 94, 1982, 743–820. R. H.

Osi. Illyrischer (?) Volksstamm (Tac. Germ. 28,3; 43,1; *Osones*: Itin. Anton. 263,7), der mit den Aravisci verbunden war und östl. der → Marcomanni, aber westl. der → Hercynia silva siedelte. Die O. waren den → Sarmates bzw. den → Quadi tributpflichtig. Sie siedelten urspr. etwas nordöstl. des Donaukniebogens bei Vác in der Umgebung des mittelslowakischen Flusses Ipel' (Eipel). 10/9 v. Chr. gerieten sie in den röm. Machtbereich (ILS 8965). Wohl noch vor E. der Markomannenkriege 180 n. Chr. zogen sie nach Pannonia in den Raum zw. → Savaria und → Aquincum (Itin. Anton. 263,7). Aus dieser Zeit ist ein *praepos(itus) gentis Onsorum* belegt [1].

1 R. CAGNAT, A. M-L. CHATELAIN (Hrsg.), Inscriptions Latines d'Afrique, 1923, Nr. 455.

TIR L 34 Budapest, 1968, 86. J. BU.

Osiris (Ὄσιρις, äg. *Wsjr*). Der Jenseitsherrscher, eine der zentralen Gestalten der äg. Mythologie seit dem AR; gilt als Sohn von Geb und → Nut, Brudergemahl der → Isis und postumer Vater des → Horus; weitere Geschwister sind → Seth und → Nephthys. Erst Plutarch (*De Iside et Osiride*, [7]) überliefert eine zusammenhängende Fassung des O.-Mythos, doch in Anspielungen und Auszügen ist er bereits in den ältesten Texten faßbar. O. galt als myth. König zu einer Zeit, als die Götter auf Erden herrschten und das Böse noch nicht existierte. Plutarch schildert O. als Kulturbringer, Diodor 1,19 berichtet sogar von einem Indienzug. Der neidische Seth ermordet ihn jedoch und bringt dadurch das Böse in die Welt. Er zerstückelt den Körper des O. und verstreut ihn in Äg.; auch soll sein Sarg in Byblos angeschwemmt worden sein. Isis sucht O. und setzt ihn wieder zusammen; dies gilt als Aition für die Erfindung der Mumifizierung (→ Mumie). Postum wird Horus gezeugt, der später den Mord rächen und die Nachfolge antreten wird, während O. die Herrschaft im Jenseits übernimmt. Diese führt dazu, daß jeder Verstorbene als O.-NN bezeichnet werden kann.—

O. wird gern mit → Orion gleichgesetzt, der zusammen mit Isis-Sothis (Sirius) die Dekansterne anführt; Widersacher ist der große Wagen (Seth). Ferner identifiziert sein Schicksal ihn mit dem Mond und seinen Phasen sowie mit der Nilüberschwemmung und dem Vegetationszyklus (Korn-O.). O. erscheint in der Ikonographie mumiengestalig, mit Atefkrone, Götterbart, Krummstab und Geißel, als Orion dagegen lebendig und weit ausschreitend. Ein wichtiges Symbol ist auch der Djedpfeiler, der als sein Rückgrat gilt. Hauptkultorte sind → Abydos [2] und → Busiris, doch daneben beanspruchte jeder äg. Gau, ein O.-Grab mit einer Reliquie zu besitzen; bes. bekannt ist Philai. Im Rahmen von → Festen, deren wichtigstes das Choiakfest war, wurde das Schicksal des Gottes nachgespielt (»Mysterien«) [3; 5].

Im Rahmen der Religionspolitik Ptolemaios' I. wurde aus dem einheimischen Gott O.-Apis der hellenisierte Gott → Sarapis kreiert. In röm. Zeit ist zusätzlich der sog. *Canopus* (→ Kanope) prominent, eine Vase mit O.-Kopf, die mit Nilwasser gefüllt wurde. Diese Form geht auf die Reliquiengefäße in äg. Gauprozessionen zurück.

1 J. BERGMAN, Isis-Seele und O.-Ei, 1970 2 H. BONNET, s. v. O., RÄRG, 568–76 3 G. BURKARD, Spätzeitliche O.-Liturgien, 1995 4 S. CAUVILLE, La théologie d'O. à Edfou, 1983 5 Dies., Le temple de Dendara. Les chapelles osiriennes, 1997 6 J. GWYN GRIFFITHS, s. v. O., LÄ 4, 623–33 7 Ders., Plutarch's De Iside et Osiride, 1970 8 Ders., The Origins of O. and his Cult, 1980.
A. v. L.

Oskisch-Umbrisch   A. DIALEKTGLIEDERUNG   B. ÜBERLIEFERUNG   C. POSITION DES OSKISCH-UMBRISCHEN   D. KONTAKT ZUM LATEINISCHEN; ROMANISIERUNG

A. DIALEKTGLIEDERUNG

Als O.-U. (auch: »Sabellisch«) wird eine Gruppe von Sprachen bezeichnet, die im östl. Mittelitalien sowie in Süditalien vor der → Romanisierung (s. u. D.) gesprochen wurden. Derzeit sind 14 Idiome in epigraphischer Bezeugung faßbar, die nach inneren Kriterien zu zwei Dial.-Gruppen geordnet werden können [1. 108]: Der nördl., »umbrosabinischen« gehören an als wichtigster Vertreter das Umbrische (Hauptorte → Iguvium, → Tuder), das Südpikenische (am östl. Appennin-Abhang zw. Ancona und Chieti) sowie die Idiome der → Sabini (L'Aquila), → Aequi (Alba Fucens), → Marsi (Fucinersee), → Volsci (Velletri) und das vor dem Einfall der → Samnites nach Campanien dort gesprochene »Präsamnitische« [2. 15]. Der osk. Gruppe sind zuzurechnen das Oskisch-Samnitische (Samnium, Campanien, Südit.), das Pälignische (→ Paeligni → Sulmo, → Corfinium), Vestinisch (→ Vestini) und Marrukinisch (→ Marrucini; mittleres bzw. unteres Aternotal). Aus geogr. und histor. Gründen dürfte auch die Sprache der → Hernici (Anagni) dem Osk. zuzuordnen sein, wenngleich die dürftige Überl. [3. 320–327] bislang noch keinen sprachlichen Anhaltspunkt hierfür bietet. In der Zuschreibung einstweilen unsicher ist das vor der Samnitisierung des südl. It. in Lukanien gesprochene »Prälukanische« (umbrosabinisch?) [4. 258] (z. B. VETTER 186). Der durch die Inschr. von Mendolito (→ Italien, Sprachen E.) bezeugte Dial. ist, wenn der o.-u. Gruppe zugehörig, sicher früh von dieser isoliert worden. Weite Teile Etruriens dürften urspr. umbrosabinisches Sprachgebiet gewesen sein, wie eine bei → Tolfa (Gebiet von Caere) gefundene altumbr. Inschr. [5. 245–252] sowie der hohe Anteil sabellischer Namen an der etr. Onomastik zeigen [6. 190–202].

B. ÜBERLIEFERUNG

Die o.-u. Sprachen sind uns ausschließlich durch Glossen [7. 362–378], die etr. Nebenüberl. (s. o.), v. a. aber durch Inschr. bekannt (osk. ca. 400; umbr. ca. 30, darunter der rel.-wiss. und sprachlich hochbedeutsame Ritualtext der sieben → Tabulae Iguvinae; südpikenisch ca. 20; pälignisch ca. 50; alle übrigen Sprachen jeweils weniger als 10). Für das Südpikenische, Präsamnitische und Altumbr. setzt die Überl. im 6. Jh. v. Chr. ein, das Gros der Inschr. entstammt indessen dem 3.–1. Jh. v. Chr. Inhaltlich sind die Texte von großer Vielfalt: neben Grab-, Weih- und Bauinschr. finden sich *leges sacrae*, juristische Texte, mil. Anweisungen, Fluchtafeln u. a. Bemerkenswert sind einige südpikenische Elogien (6./5. Jh.), deren fast durchgängig alliterierende Texte [8. 85–88] (vgl. *postin viam videtas tetis tokam alies esmen vepses vepeten*, TE.2 [8], ›Am Wege seht ihr die (Grab-)Bedeckung des Tetios Alios, des im Grabe bestatteten (?)‹ eine kunstsprachliche Trad. bezeugen, die noch in den jüngsten pälignischen Inschr. (VETTER 213 f., Mitte des 1. Jh. v. Chr.) fortlebt. Das Umbr., Südpikenische, Präsamnitische und Osk. gebrauchen jeweils eigene Alphabete, die auf Varianten des etr. basieren [9. 418–420], die übrigen Sprachen verwenden das lat., das seit dem 2. Jh. v. Chr. auch in Umbrien vordringt. Die osk. Inschr. Lukaniens sind bis auf die lat. geschriebene *Tabula Bantina* (VETTER 2) in griech. Alphabet abgefaßt.

C. POSITION DES OSKISCH-UMBRISCHEN

Die o.-u. Sprachen bilden eine eigenständige Gruppe innerhalb des ital. Zweiges der idg. Sprachfamilie (→ Italien, Sprachen D.). Charakteristische Merkmale des O.-U. sind in lautlicher Hinsicht die Labialisierung der → Labiovelare ($k^w > p, g^w > b$, vgl. osk. *pís*, umbr. *pis* ~ lat. *quis* < *k^wís*; osk. *bivus* Nom. Pl. M. ~ lat. *vīvus* < *g^wih_3-uo-), der Zusammenfall der uridg. Mediae aspiratae auch im Inlaut (außer hinter Nasal) zu *f* (osk. *mefiaí*, südpiken. *mefiín* Lok. Sg. F./M. ~ lat. *medius* < *med^hio-), sowie die »Vokalverschiebung«, d. h. die Senkung der Kurzvok. *i e o* > *i̯ ẹ ọ* bei gleichzeitiger Hebung der ererbten Langvokale *ī ē ō* > *ị̄ ẹ̄ ọ̄* (z. T. > *ū*) [10. 39–45]. In der Nominalflexion ist aus den *i*-Stämmen die Endung des Gen. Sg. *-eís* auf die Kons.- und *o*-Stämme übertragen, Nom. und Akk. Pl. aller Stammklassen in ihrem Vokalismus einander angeglichen worden (etwa umbr. *-as -af*, *-us -uf*, *-is -if*, *-s -f*). Eigentümlich ist die Bildung des Futur I und II mittels der Suffixe *-s-*, *-us-* vom Präs.- bzw. Perfektstamm: vestinisch *didet* »dat«, osk. *didest* »dabit«, umbr. *teřust / deř-/* < *dedust »dederit« [11. 169, 173].

D. KONTAKT ZUM LATEINISCHEN; ROMANISIERUNG

Die geogr. Nähe der o.-u. Sprachen führte zu einer Reihe von Entlehnungen ins Lat. (vielfach aus der Sphäre der Viehwirtschaft, vgl. *bōs* für echtlat. †*vōs*; *rūfus*, *helvus* – wohl zunächst als Fellfarben – für †*rūbus*, †*hulvus*). Umgekehrt ist schon seit dem E. des 4. Jh. v. Chr. lat. Einfluß auf die o.-u. Idiome in Lexik, Phraseologie, Gramm. und Alphabetgebrauch immer stärker spürbar. Nach der Verleihung des Bürgerrechtes an die *socii* 90 v. Chr. wurden sie ausweislich der epigraphischen Überl. innerhalb von zwei bis drei Generationen zugunsten des Lat. aufgegeben. Über die Zeitenwende hinaus hat sich nur das Osk. noch ca. 70 J. halten können; seinem Substrateinfluß wird die in den südit. Dial. beobachtbare Assimilation *nd*, *mb* > *nn*, *mm* zugeschrieben [12. 65–67].

→ Italien, Sprachen (mit Karte); Osci

1 G. MEISER, Pälignisch, Latein und Südpikenisch, in: Glotta 65, 1987, 104–125 2 CIE 2,2 3 A. PROSDOCIMI, Rivista di epigrafica italica, in: SE 58, 1992, 315–378 4 H. RIX, Variazioni locali in Osco, in: L. DEL TUTTO PALMA (Hrsg.), La Tavola di Agnone, 1996, 243–261 5 Ders., Una firma paleo-umbra, in: Archivio Glottologico Italiano 77, 1992, 243–252 6 G. MEISER, Accessi alla protostoria delle lingue sabelliche, in: L. DEL TUTTO PALMA (Hrsg.), s. [4], 1996, 187–209 7 VETTER 8 A. MARINETTI, Le iscrizioni sudpicene, 1985 9 M. CRISTOFANI, L'alfabeto etrusco, in: PROSDOCIMI,

401–428 10 G. MEISER, Lautgesch. der umbr. Sprache, 1996 11 C. D. BUCK, A Grammar of Oscan and Umbrian, 1928 12 C. TAGLIAVINI, Le origini delle lingue neolatine, 1964.

POCCETTI · PROSDOCIMI, s. Index · H. RIX (Hrsg.), O.-U. Texte und Gramm., 1993 · G. ROCCA, Iscrizioni umbre minori, 1996 · J. UNTERMANN, Wb. des O.-U., 2000.

GE. ME.

Osroene (Ὀσροηνή). Nordmesopotamische Landschaft, vielleicht auch parthischer Verwaltungsbezirk, auch Osdroene, Orrhoene (Ὀσδροηνή, Ὀρροηνή) u.a; evtl. abgeleitet vom iran. PN Osroes. Zur O. wurden neben der Region um → Edessa [2] auch zeitweise östl. Territorien bis zum Euphrat gerechnet, angrenzend an die → Adiabene. Plin. nat. 6,9,25; 31,129 beschreibt ihre Bewohner als Araber. Inschr. belegen für 195 und 212 n. Chr. den *procurator Augusti* einer röm. Prov. Osrhoena, die an das noch selbständige Territorium der Vasallenkönige von Edessa grenzte, die auch als »Herrscher der O.« bezeichnet wurden (CIL 6,1797). Osroener dienten als Bogenschützen (Cass. Dio 78,14,1; Not. dign. or. 35,23; ILS 2765) oder *cataphractarii* (→ katáphraktoi; *numerus Hosroruorum*, ILS 2540) im röm. Heer. Einen *dux Osrhoenae* (→ Nikephorion) nennt Amm. 24,1,2. Nach Not. dign. or. 35 unterstanden ihm Einheiten am Baliḫ und Ḫabur; vgl. einen *praefectus Mesopotamiae et Hosroenae*, AE 1969/70, 109.

J. WAGNER, Provincia Osrhoenae, in: S. MITCHELL (Hrsg.), Armies and Frontiers in Roman and Byzantine Anatolia, 1983, 106–114. K. KE.

Osroes

[1] Sohn → Vologaises' I., kämpfte seit 89/90 n. Chr. mit → Pakoros um die parthische Krone, konnte sich aber erst seit 108/9 durchsetzen. Durch seinen Eingriff in Armenien (vgl. → Axidares; → Parthamasiris) provozierte O. Traians → Partherkrieg, den er trotz schwerer Rückschläge überstand. 117 vertrieb er seinen Sohn Parthamaspates, den Traian auf die röm. Seite gezogen und zum Partherkönig gemacht hatte. Bei einem Zusammentreffen mit Hadrian 123 wurde Frieden geschlossen, 129 erhielt O. seine 116 von den Römern gefangengenommene Tochter zurück. Bald darauf erlag er seinem Rivalen → Vologaises III.

P. OLBRYCHT, Das Arsakidenreich zwischen der mediterranen Welt und Innerasien, in: E. DABROWA (Hrsg.), Ancient Iran and the Mediterranean World (Electrum 2), 1998, 123–159, bes. 138–150 · PIR² O 156.

[2] Parth. Feldherr, eroberte 161 n. Chr. Armenien. PIR² O 158.

M. KARRAS-KLAPPROTH, Prosopographische Stud. zur Gesch. des Partherreiches, 1988. M. SCH.

Ossa (Ὄσσα).

[1] Gebirge (1978 m), das – aus Kalk und Schiefern aufgebaut – im Norden durch die Erosionsfurche des Tempetales vom → Olympos [1] und im Süden durch die Senke von Agia vom → Pelion getrennt ist, h. Kissavos. Es gehörte polit. zu Magnesia [1]. Der steile Ostabfall zur Ägäis war trotz eines Küstenweges von → Homole im Norden nach → Meliboia [2] unbesiedelt. Am Westabhang lagen thessal. Orte (Elate, Lakeria, Mopsion, Sykurion). Arch.: Votivgaben für die Nymphen, 4./3. Jh. v. Chr., beim h. Spilia im NW von O. in einer Tropfsteinhöhle. Belegstellen: Eur. El. 446f.; Hdt. 7,129; Strab. 7a,1,14f.; 58; 9,5,1ff.; 11,14,13; Plin. nat. 4,30f.; 43; Ptol. 3,13,18.

> J. SCHMIDT, s. v. O. (1), RE 18, 1591–1595 • A. J. B. WACE, M. S. THOMPSON, A Cave of the Nymphs on Mount Ossa, in: ABSA 15, 1908/9, 243–247 • C. LIENAU, Griechenland, 1989, 92, 129–131.   HE. KR.

[2] (ἡ Ὄσσα). Ein Bergpaar Olympos/O. soll es nicht nur in Thessalia, sondern auch beiderseits von Pisa auf der westl. Peloponnesos gegeben haben (Strab. 8,3,31; Eust. zu Dion. Per. 409). Die Stadt ist nicht lokalisiert, O. infolgedessen auch nicht.

> J. E. HOLMBERG, J. SCHMIDT, O. (2), RE 18, 1595f.
>   C. L. u. E. O.

Os(s)ismi(i). Keltischer Volksstamm (Strab. 4,4,1; Plin. nat. 4,107; Mela 3,23; Ptol. 2,8,5; Tab. Peut 2,2) in der → Aremorica (in der h. Bretagne; vgl. Caes. Gall. 7,75,4: O. unter den *civitates quae . . . Aremoricae appellantur*), westl. der Veneti und Coriosolites, Hauptort Vorgium (h. Carhaix, Dépt. Finistère). Durch Caesars *praefectus equitum* Licinius [I 16] Crassus 58 v. Chr. unterworfen (Caes. Gall. 2,34,1), beteiligten sie sich 56 v. Chr. an einer Erhebung gallischer Stämme gegen Rom (Caes. Gall. 3,9,10). Nach der Provinzialreform des → Diocletianus gelten die O. als eine *civitas libera* der *prov. Lugdunensis III* (Notitia Galliarum 3,9).

> L. PAPE, La »Civitas« des Osismes à l'époque gallo-romaine, 1978 • Ders., La Bretagne romaine, 1995.   Y. L.

Ossius (Hosius, Osius). Bischof von Corduba (etwa seit 295 n. Chr.), geb. um 256, gest. Winter 357/8 n. Chr. [3. 43ff.; 525ff.]. Teilnahme am Konzil von Elvira (306/9). *Confessor* unter Maximianus [3. 128–133]. Zu Beginn des Donatistenstreits (313) von → Constantinus [1] I. zu → Caecilianus [1] gesandt. 324 suchte O. erfolglos zw. Alexander, dem Bischof von Alexandreia, und → Areios [3] zu vermitteln [2. 16f.]. In Übereinstimmung mit den von ihm beratenen Kaisern Constantinus und → Constans [1], aber gegen → Constantius [2] II. betrieb er antiarianische Kirchenpolitik. Er hatte die Synode in Antiocheia (325) [4. 146ff.], vielleicht das Konzil von Nikaia (325) (canon 5), sicher das in Serdica (343) [1] geleitet. Constantius zwang im J. 357 den auch für → Athanasios eintretenden Greis, die Zweite Sirmische Formel zu unterzeichnen (Synode von Sirmium, 357) [2. 138f.; 4. 334ff.].
→ Arianismus; Donatus [1]; Nicaenum

> 1 L. W. BARNARD, The Council of Serdica 343 A. D., 1983 2 T. D. BARNES, Athanasius and Constantius, 1993 3 V. DE CLERQUE, O. of Cordova, 1954 4 R. P. C. HANSON, The

Search for the Christian Doctrine of God, 1988 5 K. M. GIRARDET, Der Vorsitzende des Konzils von Nicaea, in: K. DIETZ (Hrsg.), Klass. Alt., Spätant. und frühes Christentum. FS A. Lippold, 1993, 331–360.   U. HE.

Ostanes (Ὀστάνης).
[1] Akkadisch *Uštani*. Persischer Statthalter von Babylonien und der Transeuphratene unter Dareios I. (bezeugt von 521–516 v. Chr.) [1].

> 1 M. W. STOLPER, Entrepreneurs and Empire, 1985, 8, 66.
>   J. W.

[2] (Hostanes: Apul. apol. 90). Die griech.-röm. biographische Trad. weist O. als persischen Magier aus, der den Zug des → Xerxes gegen Griechenland (479 v. Chr.) begleitet haben soll (Plin. nat. 30,8 = [1. fr. 1]). Er soll mit griech. Intellektuellen in Kontakt getreten sein (u. a. → Demokritos [1]: Diog. Laert. 9,34; vgl. Philostr. soph. 1,10 für Pythagoras) und den Okkultismus (→ Magie, → Alchemie) nach Griechenland gebracht haben. Diese Nachricht und seine Nähe zu → Zoroastres weisen ihn als einen Vertreter persischer Rel. aus. Mag die biographische Trad. auch einen histor. Kern haben, so ist doch die weitere Ausgestaltung der Wirkungsgesch. des O. als Lehrer des Demokritos und deren gemeinsame okkultistische Aktivität Produkt hell. Erfindung [2. 554f.]. Was seine sog. »Schriften« betrifft, so ist O. eine schwer zu fassende Gestalt. Einerseits ist er ein quasi-fiktiver Weiser, der als pers. Fremder im Rahmen der Fiktion der »Demokritos« griech. geheime Weisheit bestätigt, indem er als Figur in den Werken des Ps.-Demokritos auftritt und Weisheitslehren verkündet.

Diese (fiktiven) Werke sind zu unterscheiden von den Schriften eines (Ps.-)O.: Die einzige, von der ein Titel erh. ist, heißt ›Oktateuch‹ (Philon von Byblos bei Eus. Pr. Ev. 1,10,52 = [1. fr. 7]) [2. 555f.], eine Slg. rel. Schriften (u. a. über die Vorstellung eines höchsten Gottes [1. fr. 7], Dämonen [1. fr. 9–16]). Auch Traktate über Astronomie [1. fr. 4a, 8b, 11], okkulte Kräfte in Tieren, Pflanzen und Steinen [1. Bd. 2, 309–356] sowie Rezepte für Sympathie- und Antipathiemittel [1. fr. 17–20] sind unter dem Namen des O. überl. [2. 555–564]. Ein wichtiger Übermittler scheint Bolos von Mendes zu sein, der sich als Schüler des Demokritos ausgab [2. 560–562]. Das Umfeld der Entstehung der Schriften des O. ist schwer auszumachen (hellenisierte Perser oder orientalisch beeinflußte Griechen der hell. Zeit?). In jedem Fall dokumentieren sie das Bestreben der hell. → Magie, sich an orientalischen Figuren alten theologischen Denkens von hoher Autorität anzulehnen.

> 1 J. BIDEZ, F. CUMONT, Les mages hellénisés, 2 Bde., 1938 (Ndr. 1973) 2 R. BECK, Excursus: Thus Spake Not Zarathustra: Zoroastrian Pseudepigrapha of the Greco-Roman World, in: M. BOYCE, F. GRENET (Hrsg.), A History of Zoroastrianism, Bd. 3 (HbdOr 8), 1991, 491–565.   L. K.

Ostentum s. Prodigium

Osterchronik s. Chronicon paschale

Osterfestrechnung s. Kalender

Ostgoten. Gotisches Volk im 5. und 6. Jh. n. Chr., entstand aus den → Greuthungi, die nach 375 n. Chr. unter hunnische Herrschaft gerieten; bereits diese wurden als Ostrogothi oder Austrogothi (SHA Claud. 6,2) bezeichnet. Iord. Get. 98 f. nennt als mythischen Namensgeber den König Ostrogotha, der im 3. Jh. n. Chr. noch alle → Goti beherrscht haben soll. Tatsächlich sammelten sich die O. nach einer langen königslosen Zeit unter der Oberhoheit → Attilas um die amalischen Brüder Valamir, Thiudimir und Vidimir (→ Amaler). Valamir hatte das Kommando über seine Brüder. In der Schlacht am Nedao unterlagen die O. 454 noch auf Seiten der Söhne Attilas. Danach wurden sie als → *foederati* des Kaisers Marcianus [6] in Pannonia zw. den Flüssen Scarniunga (h. Jarcina) östl. von → Sirmium und Aqua Nigra (h. Karasica) westl. von → Mursa, rund um den Plattensee und südöstl. von diesem beiderseits des → Dravus (h. Drau) stationiert (Iord. Get. 268). Valamir dürfte in Sirmium residiert haben. 459 wurde nach einem Kriegszug Valamirs bis nach Epeiros das → *foedus* erneuert. Valamirs Neffe → Theoderich erhielt als Geisel in Konstantinopolis die Ausbildung, die ihn befähigte, später Römer zu regieren (Cassiod. var. 1,1,2). 469 fiel Valamir im Kampf gegen die Sciri. Der Sieg seines Bruders Thiudimir an der Bolia (in Pannonia) über eine von Kaiser → Leo(n) [4] I. unterstützte Allianz von Sciri, Suebi, Sarmatae, Gepidae und Rugi führte Anf. 470 zur Heimkehr Theoderichs, der im gleichen J. mit der Eroberung von Singidunum (h. Belgrad) eine eigenständige Herrschaft unter der Oberhoheit seines Vaters begründete. Als Leon 473 den Anführer der Goti in Thrakia, → Theoderich Strabo, als alleinigen König der Goti anerkannte, wurden die Zahlungen an die pannonischen *foederati* eingestellt.

Die Ostgoten teilten sich im Spätsommer 473. Vidimir, der jüngere Bruder Thiudimirs, zog mit einem Teil des Heeres nach It., wo er starb. Sein gleichnamiger Sohn zog nach Gallia weiter zu den → Westgoten. Die Mehrheit folgte aber Thiudimir und Theoderich das Moravatal entlang nach Süden, wo sie 474 nach einem Angriff auf Thessalonike auf der Basis eines neuen *foedus* in Makedonia stationiert wurden. Im gleichen Jahr übernahm Theoderich nach dem Tod seines Vaters die alleinige Herrschaft.

Die nächsten Jahre waren von inneren Wirren in Konstantinopolis und der Konkurrenz mit dem Anführer der thrakischen Goti, Theoderich Strabo, um ein röm. Heermeisteramt, polit. Einfluß am Hof in Konstantinopolis und Versorgung durch Soldzahlungen gekennzeichnet. Der jüngere Theoderich aus Pannonia mußte dabei immer wieder die Überlegenheit des älteren anerkennen. In diesen Zeiten verlagerte sich auch das Stationierungsgebiet seiner Goti nach Novae [1] (h. Svištov). Erst der Tod des Theoderich Strabo 481, nach

dem sich offenbar auch der Großteil der thrak. Goti mit den Ostgoten vereinte, öffnete dem → Amaler die Bahn zum *magister militum praesentalis* 483 und zum Konsulat für 484. Das Verhältnis zu Kaiser → Zenon blieb prekär und führte im Sommer 488 zum Angriff im Auftrag des Kaisers auf das Reich → Odoacers in It.

Die Kämpfe 489–493 mündeten in die Ermordung Odoacers und die Errichtung des ital. Gotenreiches, das Theoderich durch ein System dynastischer Verbindungen und geschickte Diplomatie nach außen absicherte. Die Aufrechterhaltung der röm. Ordnung und die Vertretung der Interessen der röm. Kirche im Akakianischen Schisma (→ Akakios [4]) gegenüber Konstantinopolis und Kaiser → Anastasios [1] verschafften ihm über den Großteil seiner Regentschaft den Rückhalt des Senats und des ital. Klerus. Als der Ostgotenkönig nach dem Tod Alarichs II. (→ Alaricus [3]) ab 508 an der Seite der Westgoten in den Krieg mit den → Franci und → Burgundiones eingriff, selbst 510 zum Westgotenkönig proklamiert wurde und die gallische *praefectura* wiedererrichtete, war er tatsächlich Herrscher über das *regnum Hesperiae*. Bei seinem Tod am 30.8.526 war das Herrschaftssystem allerdings bereits brüchig. Der designierte Nachfolger, sein Schwiegersohn Flavius Eutharicus Cilliga, war schon vor ihm gestorben, für den unmündigen Enkel Athalarich führte die Mutter → Amalasuntha die Regentschaft. Als dieser am 2.10.534 starb, ließ der im November 534 zum Mitregenten erhobene Theodahad die Gotenkönigin auf einer Insel des Bolsena-Sees festsetzen und schließlich ermorden.

Der Legitimitätsbruch diente → Iustinianus [1] im J. 535 zum Anlaß für seinen Gotenkrieg. Die Erfolge seines Feldherrn → Belisarios führten zwar im November 536 zur Absetzung und Ermordung des Theodahad und schließlich 540 zur Kapitulation von dessen Nachfolger → Vitigis, doch flammte der Krieg E. desselben J. mit der Erhebung des Hildebad zum Gotenkönig neu auf. Als dieser E. 541 ermordet wurde, folgte ihm der Rugier Erarich und diesem 542 → Totila. Erst 552 besiegte und tötete → Narses sowohl Totila bei Busta Gallorum als auch dessen Nachfolger Teja am Mons Lactarius. 555 endete der letzte Widerstand, doch lassen sich got. Spuren auch noch im Reich der → Langobardi in It. nachweisen.

→ Goti; Völkerwanderung

P. HEATHER, The Goths, 1996, 95–321 • L. SCHMIDT, Die Ostgermanen, ²1941, 249–398 • A. SCHWARCZ, Die Goten in Pannonien und auf dem Balkan . . . , in: Mitt. des Inst. für Österreichische Gesch. 100, 1992, 50–83 • H. WOLFRAM, Die Goten, ³1990, 249–360.   A. SCH.

Ostgriechische Vasenmalerei   A. EINLEITUNG
B. GEOMETRISCHE ZEIT (9.–8. JH. V. CHR.)
C. ARCHAISCHE ZEIT (7.–6. JH. V. CHR.)

A. EINLEITUNG

Das Gebiet Ostgriechenlands, d. h. die Westküste Kleinasiens und die vorgelagerten Inseln, wurde zu Teilen in der späten Brz., umfassend dann in der frühen Eisenzeit von Griechen besiedelt. Kulturell und polit. war die Region gegliedert in den äolischen Norden, die ionische Mitte und den dorischen Süden; künstlerisch besaßen die wohlhabenden Städte Ioniens – Miletos, Samos, Ephesos und Smyrna – in der Region die Führung. Lokale Keramikwerkstätten, die von dem jeweils in Athen entwickelten Stil beeinflußt waren, wurden bereits in protogeom. Zeit erkennbar.

B. GEOMETRISCHE ZEIT (9.–8. JH. V. CHR.)

Der geom. Stil faßte nach Ausweis der Funde von Kos und Rhodos ab ca. 850 v. Chr. in der O. V. Fuß, wobei er wiederum den att. Vorbildern folgte, aber lokale Varianten entwickelte. Zu letzteren gehören die Schraffur in einer Richtung, mit schraffierten Rauten gefüllte Dreiecke, quadratische Haken und gelegentlich kyprische Formen und Motive. In spätgeom. Zeit (ca. 740–680 v. Chr.) tendierten die ostgriech. Vasenmaler zu einem Konservativismus in Motiven und der Anordnung des Ornaments. Einzig Wasservögel waren als Figurendarstellung häufiger, z. B. in der Henkelzone der Näpfe (Kotylai). Aus diesen Vogel-Kotylai entstanden die überaus verbreiteten Vogelschalen des 7. Jh., nahezu halbkugelförmige Trinkgefäße. Sie waren niedriger und weiter als die Kotylen und trugen einen Dekor mit kreuzschraffierten Wasservögeln zw. Rauten in der Henkelzone. Eine einfache Punktrosette ersetzte den Vogel im späten 7. und 6. Jh.

C. ARCHAISCHE ZEIT (7.–6. JH. V. CHR.)
1. ORIENTALISIERENDE PHASE UND
WILDZIEGEN-STIL 2. FIKELLURA-VASEN
3. SCHWARZFIGURIGE VASEN
4. SONDERGRUPPEN 5. OSTGRIECHISCHE
VASENMALEREI IN ETRURIEN

1. ORIENTALISIERENDE PHASE UND
WILDZIEGEN-STIL

Orientalisierende Versuche (vgl. → Orientalisierende Vasenmalerei) tauchten bereits im späten 8. Jh. in der O. V. auf und wurden ab ca. 675 v. Chr. üblicher, aber die O. V. verhielt sich zögerlich, den subgeom. Habitus aufzugeben. In Milet und Chios behielt er bis zur Mitte des 7. Jh. Bestand. Zu dieser Zeit setzte sich auch hier ein gefälliger, aber wenig anspruchsvoller Tierstil durch, oft auch »Wildziegen-Stil« genannt: Ziegen, Rotwild, Hunde, Löwen, Gänse, Hasen und Sphingen waren verbreitet, in der frühen und mittleren Phase in Aussparungstechnik und Umrißzeichnung wiedergegeben, in der Spätphase nach 600 v. Chr. in Aussparungs- und sf. Technik. Die sf. Arbeitsweise (→ Schwarzfigurige Vasenmalerei) war von Korinth übernommen und wurde auf Vasen mit beiden Techniken stärker in den Vordergrund gestellt. Füllornamente wurden dicht und variantenreich. Aufgesetztes Rot wurde reichlich verwendet, Weiß war nach ca. 600 allg. üblich. Tonanalysen haben gezeigt, daß in der mittleren Phase die meiste exportierte Wildziegen-Keramik aus Südionien, v. a.

aus → Miletos kam, in der Spätphase aber aus Nordionien. Oinochoen, Platten und Teller sind übliche Formen, während unter den sehr feinen, weiß grundierten Vasen aus Chios bes. die Kelche mit hoher Lippe und die Schalen (Phialai) auffallen. Auf Chios experimentierte man im 6. Jh. sowohl mit polychromen figürlichen Szenen (»Großer Stil« – einiges davon ist myth.) als auch mit einer wenig sorgfältigen sf. Technik (»Sphinx-und-Löwe«-Gruppe, »Komasten«-Gruppe). Andere Zentren – hervorzuheben sind Ephesos und Sardeis – produzierten Varianten des »Wildziegen-Stils«. Äolische Städte bevorzugten ihre »Graue Ware«, aber auch dort ist ein provinzieller Wildziegen-Stil zu Hause, namentlich bekannt aus Larisa und Pitane. Im dorischen Süden ist der Wildziegen-Stil bes. auf den flachen Tellern der »Nisyros«-Gruppe üblich. Der Bildgrund ist oft geteilt in ein unteres Segment, das mit einem strahlenförmigen Zungenmuster verziert ist, und ein Hauptfeld mit Tierfiguren oder menschlichen Gestalten.

2. FIKELLURA-VASEN

Während der späte Wildziegen-Stil sich in Nordionien in der 1. H. des 6. Jh. fortsetzte, schwand die Vasenproduktion in Milet dramatisch, vielleicht durch lokale polit. Unruhen verursacht. Kurz vor der Mitte des 6. Jh. kam die »Fikellura«-Keramik auf, die sich deutlich an den mittleren Wildziegen-Stil anlehnte. Ihr Zentrum war wiederum Milet. Aus einer karische Nekropole bei Mylasa stammen lokal hergestellte Gefäße, auf denen Wildziegen- und Fikellura-Motive vereint erscheinen – vielleicht ein Reflex der geringen Produktion von Vasen in Milet selbst in der 1. H. des 6. Jh. Die Fikellura-Ware trägt ihren Namen nach einem Ort in der Nähe des ant. → Kamiros auf Rhodos, wo diese Vasen zuerst gefunden wurden. Tiere, Pflanzen und Menschen werden in Umrißzeichnung mit Aussparung von Details gemalt, wobei Einflüsse des att. sf. Stils deutlich werden. Die typische Gefäßform ist eine gedrungene Amphora von mittlerer Größe. Der Dekor besteht oft aus komplexen Flechtbändern oder Mäandermustern auf dem Hals sowie Reihen von Halbmonden und Voluten auf dem Gefäßkörper. Figürlicher Dekor kann auf der Schulter, dem Gefäßkörper oder auf beiden auftreten. Der Altenburg-Maler begann mit einfachen Tierkampfszenen und mit Hunde-Hasen-Jagden und führte dann um 540 v. Chr. Szenen mit tanzenden Trinkern (Komasten, s. → Komos) ein. Im letzten Viertel des Jh. fügte der »Maler der laufenden Satyrn« (*Painter of the Running Satyrs*) einige myth. Figuren hinzu (Kentauren, Satyrn, geflügelte »Dämonen«), und der *Running Man Painter* machte lebhaften Gebrauch vom Dekor ohne Bildfeldbegrenzung. Das E. der Fikellura-Vasen fällt mit dem → Ionischen Aufstand 499–493 v. Chr. zusammen.

3. SCHWARZFIGURIGE VASEN

Die ionischen → Kleinmeisterschalen sind gering an Zahl, gehören aber zu den besten Werken der O. V. Sie imitieren att. Trinkschalen auf hohem Fuß in Struktur, Form und teilweise im Dekor. Einige bevorzugten Aussparungstechniken für die Angabe von Details vor der sf. Malweise. Die »Weinberg-Schale« (Paris, LV F 68) ist die bekannteste, einige Frg. in Samos mit Löwe und Hund stehen dem Fikellura-Werk des Altenburg-Malers nahe. Sie gehören in die Mitte des 3. Jh.-Viertels.

Einige Gruppen von sf. Vasen wurden in der 2. H. des 6. Jh. im Gebiet von → Klazomenai produziert. Sie benutzten aufgesetztes Rot und Weiß in reichem Maß und verwendeten Zonen mit Tier- und Menschendarstellungen. Die »Tübingen«-Gruppe ist die älteste: Sie ist gekennzeichnet durch einen sorgfältig ausgearbeiteten Dekor, der die gesamte Oberfläche der großformatigen Gefäße überzieht; das Hauptfeld weist häufig einen Reigen tanzender Frauen auf. In der »Petrie«-Gruppe, deren Gefäße verm. alle von einem Maler stammen, wurden schlanke Amphoren ebenfalls gerne mit Reihen tanzender Frauen verziert. Die »Urla«-Gruppe hat wiederum tanzende Frauen zum Thema, aber auch Komos-Szenen, reitende Jünglinge und mythische Bilder. Mit dem Petrie-Maler ist der Borelli-Maler verwandt, der Erfinder der figürlichen Malerei auf den Klazomenischen (Ton-)Sarkophagen. Die Sarkophagränder wurden erweitert und mit einem weißen Überzug (slip) versehen, bevor der Dekor im Wildziegen-Stil mit Aussparungstechnik (→ Orientalisierende Vasenmalerei) aufgetragen wurde. Attischer Einfluß führte dazu, die Nachahmung von sf. Malweise zu versuchen, speziell mit Szenen von Hoplitenkämpfen und Pferderennen, aber für die Details wurde die Wiedergabe in weißer Malerei vor den Ritzlinien bevorzugt. Der Albertinum-Maler im frühen 5. Jh. v. Chr. war der beste dieser Künstler, aber seine Verbindung zu älterem Ostgriech. ist bereits locker.

4. SONDERGRUPPEN

Zwei Gruppen von Vasen, die Ritzzeichnung und aufgesetztes Purpur für den Dekor verwenden, sind wahrscheinlich auf Rhodos angefertigt. Die »Vroulia«-Gruppe (nach dem Ort im Süden von Rhodos) ist v. a. durch qualitätvolle Trinkschalen auf niederem, konischem Fuß charakterisiert. Kühne pflanzliche Ornamente schmücken die Hauptfelder außen und innen. Die Gruppe gehört in das späte 7. und die 1. H. des 6. Jh. Die »Situla«-Gruppe ist im Ornament« verwandt, bietet aber unter der Mündung einfache figürliche Szenen. Die charakteristische Form ist die → Situla, das hohe zylindrische Gefäß mit flachem Mündungsrand, kleinen, runden Henkeln unmittelbar unter diesem und niedrigem Standring als Fuß. Schwarzer und purpurfarbener Pflanzendekor verziert oft die beiden unteren Felder. Zumeist gehören sie in das letzte Drittel des 6. Jh., aber ein Exemplar aus Samos trägt Dekor im mittleren Wildziegen-Stil.

5. OSTGRIECHISCHE VASENMALEREI IN ETRURIEN

Die O. V. hat einige ungewöhnliche Ausläufer guter Qualität in Etrurien, vielleicht von Einwanderern aus Nordionien, wo die persische Eroberung nach der Jh.-Mitte bes. starke Auswirkungen hatte, hergestellt. Die »Northampton«-Gruppe besteht aus vier Amphoren, die qualitativ an att. Arbeiten herankommen. Die »Campana«-Gruppe, zumeist Dinoi, weist ähnlich farbenreiche sf. Werke auf, die aber weniger sorgfältig gearbeitet sind. Die → Caeretaner Hydrien gehören dem letzten Drittel des 6. Jh. an und zeichnen sich durch einige auffällige Szenen des Mythos aus.

→ Gefäße, Gefäßformen; Orientalisierende Vasenmalerei; Ornament

R. M. COOK, P. DUPONT, East Greek Pottery, 1998 (mit Einzelnachweisen) · R. M. COOK, Greek Painted Pottery, ³1997, 109–134 · R. M. COOK, Clazomenian Sarcophagi, 1981 · J. M. COOK, A List of Clazomenian Pottery, in: ABSA 60, 1952, 123–152 · A. A. LEMOS, Archaic Pottery of Chios, 1991 · G. P. SCHAUS, Two Fikellura Vase Painters, in: ABSA 81, 1986, 251–295 · W. SCHIERING, Werkstätten orientalisierender Keramik auf Rhodos, 1957.

G. P. S.

Ostia (vgl. Plan Sp. 99–102). Stadt an der Mündung des → Tiberis, 16 Meilen von Rom entfernt, tribus Voturia (tribus Palatina für die Freigelassenen), später regio I (→ Italia), mit Rom über die Via Ostiensis verbunden. Liv. 1,33,9 zufolge wurde die Kolonie von Ancus Marcius [I 3] gegr., als dieser, nachdem er → Veii der silva Mesia beraubt hatte, seine Herrschaft bis zum Meer ausdehnte und dort Salinen anlegte (vgl. CIL XIV 4338 aus dem 2. Jh. n. Chr.). Die starken Tuffquadermauern, die ein Rechteck von 125 × 194 m umschließen, reichen dagegen nur bis in die Mitte des 4. Jh. v. Chr. zurück. Dieses sog. castrum ist durch zwei Straßenachsen regelmäßig geteilt, lag direkt an der Tibermündung (h. 4 km nach Westen verschoben), um dort die Zufahrt zu kontrollieren, und betont – auch mit seinem nur kleinen landwirtschaftlich nutzbaren Territorium – den mil. Charakter der Anlage. 267 v. Chr. wurde die provincia quaestoria Ostiensis eingerichtet (Cic. Sest. 39; Cic. Mur. 18), O. wurde Sitz eines quaestor classicus; seit den → Punischen Kriegen war O. Stützpunkt einer kleinen Flotte und sicherte bes. die Getreideversorgung von Rom. 87 v. Chr. wurde O. von → Marius [I 1] geplündert. Im Zusammenhang mit diesem Konflikt wird auch die »Sullanische Mauer« datiert, die in Form eines Sechsecks mit wenigstens fünf Toren und zahlreichen Rundtürmen das Dreißigfache der urspr. Fläche umfaßte. War O. bisher direkt von Rom aus durch einen quaestor verwaltet, wurde nach Sulla die normale Hierarchie einer colonia mit decuriones und duoviri eingeführt (Fasti Ostienses ab 46 v. Chr.), wobei stets ein gewichtiger Einfluß Roms durch den quaestor und später den praefectus annonae (→ cura annonae) gewahrt blieb.

Bis in die frühe Kaiserzeit wurde O. durch Speicherbauten nahe dem Fluß und durch große domus mit Atrium und Peristyl geprägt. Monumentale öffentliche Plätze und Architektur kennen wir erst ab dieser Zeit (Theater, südl. Forum, Roma-Augustus-Tempel), während zahlreiche Heiligtümer bereits lange bestanden (Hercules-Heiligtum, Gruppe der vier Tempel, Bona

Dea, Hauptgott Vulcanus). Ein großer Bereich im NO der Stadt war Lande- und Stapelplatz und so als stadtröm. Territorium ausgegrenzt (sog. Cippen des Canninus aus dem 2. Jh. v. Chr.). Der Bau der Hafenanlagen unter Claudius und Traianus in → Portus, mit dem es durch eine Küstenstraße über die sog. Isola Sacra (Nekropole) verbunden war, verstärkte die Bed. von O. als Umschlag- und Verwaltungsplatz für Rom und führte zu einem großen Bedarf an Wohn- und Speicherraum. Auf dem als Schutz vor Hochwasser ständig erhöhten Gelände entstand die h. in Ruinen sichtbare Stadt aus Ziegelmauerwerk, die über die Stadtmauern und auch auf das andere Tiberufer ausgriff. Die Monumentalisierung von Forum und Straßen mit Portiken und Nymphäen, die Errichtung von drei großen öffentlichen Thermen und von Speichern (*horrea*) wurden von öffentlicher Hand besorgt; die großen Wohnblocks (*insulae*, z. B. »Casa di Diana«; »Insula degli Aurighi e di Serapide«) mit Werkstätten und Mietwohnungen für jeden Bedarf, zahlreiche Stadtteilthermen, weitere *horrea* und eine Vielzahl sich ständig verändernder Heiligtümer wurden dagegen privat finanziert. → Nekropolen flankierten seit republikanischer Zeit die Straßen nach Osten und Süden. O. gilt damit für das 2. und 3. Jh. n. Chr. zu Recht als arch. Spiegelbild der in Rom nur lit. faßbaren großstädtischen Wohn- und Lebensverhältnisse der Kaiserzeit. Sehr gut sind in O. auch die *collegia* (»Gilden«; → *collegium*) und ihre wirtschaftliche wie polit. Bed. durch Inschr. und Vereinshäuser belegt. Die kosmopolit. Zusammensetzung der Bevölkerung läßt sich an den zahlreichen fremden Kulten und den *stationes* der Handelshäuser auf dem sog. »Piazzale delle corporazioni« zw. Theater und Tiberis ablesen.

Mit dem 3. Jh. n. Chr. begann der Abstieg der Stadt zugunsten von → Portus. Die bisherige Vorstellung von einer langsam verfallenden Stadt mit einigen reich ausgestatteten Privathäusern hat sich jedoch nur als bedingt richtig erwiesen. Die jüngste Entdeckung der großen konstantinischen Bischofskirche im Süden der Stadt dokumentiert ihre anhaltende Vitalität. Erst im 6. Jh. n. Chr. nahm die Bevölkerung deutlich ab, bis die letzten Bewohner um 800 n. Chr. in Gregoriopolis um die Märtyrerkirche von S. Aurea angesiedelt wurden.
→ OSTIA

G. BECATTI (Hrsg.), Scavi di O., 1954 ff. · A. GALLINA ZEVI, A. CLARIDGE (Hrsg.), Roman O. Revisited, 1996 · R. MEIGGS, Roman O., ²1973 · J. E. PACKER, The Insulae of Imperial O., 1971 · L. PASCHETTO, O. colonia romana, 1912 · C. PAVOLINI, O., 1983 · L. R. TAYLOR, The Cults of O., 1912 · L. VIDMAN, Fasti Ostienses, 1982.
           G. U. u. V. K./Ü: J. W. MA.

Ostorius

[1] **O. Sabinus.** Röm. Ritter, der Marcius [II 2] Barea Soranus im J. 66 anklagte und dafür 1,2 Mill. Sesterzen sowie die → *ornamenta quaestoria* erhielt. PIR² O 161.

[2] **M. O. Scapula.** Senator, der in Britannia unter seinem Vater O. [4] im Heer diente und wegen der Rettung von Bürgern die *corona civica* erhielt (Tac. ann. 12,31,4). Im J. 59 *cos. suff.* Obwohl er den Praetor → Antistius [II 5] Sosianus vor einer Anklage gerettet hatte, klagte ihn dieser später seinerseits bei Nero an. Als ein *centurio* ihm seinen Tod ankündigte, tötete er sich selbst. Sohn von O. [4]. PIR² O 162.

[3] **M. (O.) Scapula.** Nachkomme von O. [2]. *Cos. suff.* zusammen mit Q. Bittius Proculus im Sept. wohl des J. 99 ([1. 445–450] = RMD 3, 141). Proconsul von Asia wohl 114/115. PIR² O 163.

1 W. ECK, Ein Militärdiplom traianischer Zeit aus dem pannonischen Raum, in: Kölner Jbb. 26, 1993.

[4] **P. O. Scapula.** *Cos. suff.* vor dem J. 47; in diesem J. Nachfolger des A. Plautius als Statthalter von Britannia. Seine erfolgreichen Kämpfe, v. a. gegen → Caratacus, beschreibt Tacitus (ann. 12,31–39). Verleihung der → *ornamenta triumphalia* für seine Erfolge in der Prov., wo er kurze Zeit später starb. Sein Sohn ist O. [2]. PIR² O 164.

[5] **P. O. Scapula.** *Praefectus Aegypti* unter → Augustus, wohl um 5 n. Chr. Er heiratete Sallustia Calvina, die Tochter des → Sallustius Crispus. Evtl. Bruder von O. [6]. PIR² O 165.

DEMOUGIN, 123 f.

[6] **Q. O. Scapula.** Ritter, von Augustus als erster → *praefectus praetorio* zusammen mit P. → Salvius Aper bestellt (Cass. Dio 55,10,10). Wohl Bruder von O. [5]. PIR² O 167.

[7] **Q. O. Scapula.** *Cos. suff.* zusammen mit P. Suillius Rufus im J. 41 oder 43/5 (AE 1980, 907 und [1. 693 ff.; 2. 54 f. Nr. 1bis]). Wohl Sohn von O. [6]. PIR² O 166.

1 G. CAMODECA, Nuovi documenti dell'archivio Puteolano dei Sulpicii, in: SDHI 61, 1995 2 Ders., Tabulae Pompeianae Sulpiciorum, Bd. 1, 1999.

K. WACHTEL, Ostorii Scapulae, in: Acta Antiqua Academiae Scientiarum Hungariae 41, 1989, 241–246.   W. E.

Ostrakinda (ὀστρακίνδα). Das »Scherben-« oder »Tag-Nacht-Spiel«, ein → Lauf- und Fangspiel der griech. Knaben: Von zwei zahlenmäßig gleich starken Gruppen steht die eine nach Osten (Tag), die andere nach Westen (Nacht) gewandt an einer Linie, über die ein Spieler eine Scherbe (ὄστρακον, *óstrakon*) wirft, die auf der einen Seite weiß = Tag (ἡμέρα, *hēméra*) und auf der anderen Seite schwarz = Nacht (νύξ, *nýx*) bemalt ist; dabei ruft der Werfer ›Tag oder Nacht‹. Fällt die Scheibe auf die schwarze Seite, so versuchen die Westlichen die davonlaufenden Östlichen zu fangen (im anderen Fall umgekehrt). Wer sich fangen läßt, muß den Sieger auf seinem Rücken tragen (→ Ephedrismos) und wird »Esel« genannt [1].

1 C. A. FORBES, s. v. O., RE 18, 1673.

M. FITTÀ, Spiele und Spielzeug in der Ant. Unterhaltung und Vergnügen im Alt., 1998, 27.   R. H.

Ostia: Lageplan der ergrabenen Flächen (4. Jh. v. Chr. – 4. Jh. n. Chr.)

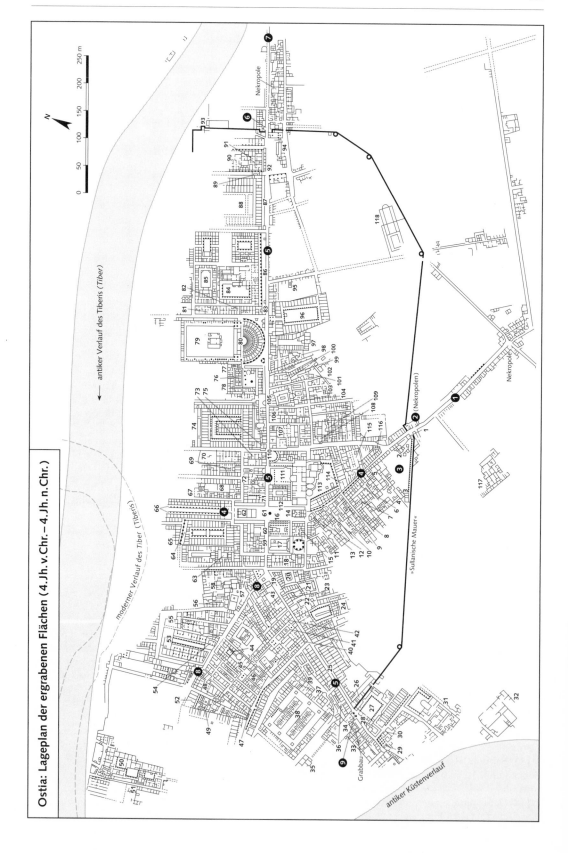

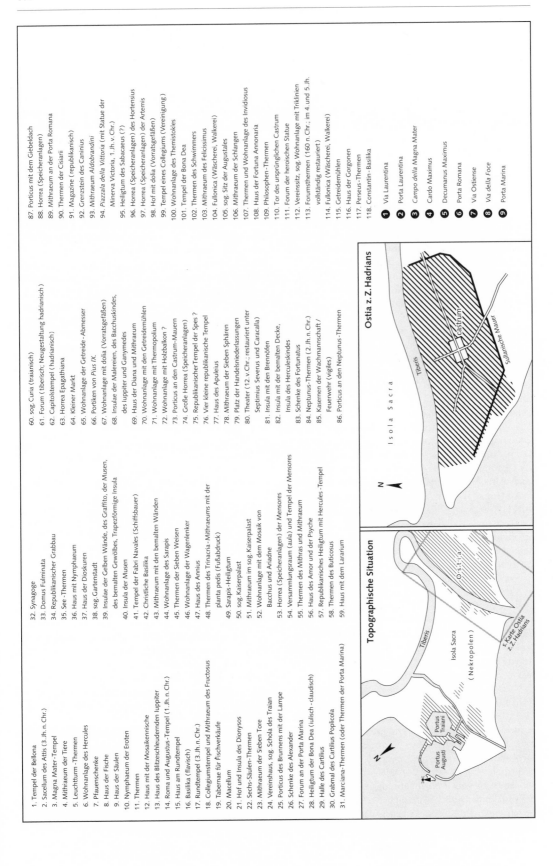

Topographische Situation

Ostia z. Z. Hadrians

Tiberis
Isola Sacra (Nekropolen)
Portus Traiani
Portus Augusti
s. Karte Ostia z. Z. Hadrians
Isola Sacra
Ostia
Tiberis
Castrum
Sullanische Mauer

1. Tempel der Bellona
2. Sacellum des Attis (3. Jh. n. Chr.)
3. Magna Mater-Tempel
4. Mithraeum der Tiere
5. Leuchtturm-Thermen
6. Wohnanlage des Hercules
7. Pfauenschenke
8. Haus der Fische
9. Haus der Säulen
10. Nymphaeum der Eroten
11. Thermen
12. Haus mit der Mosaikennische
13. Haus des Blitzeschleudernden Iuppiter
14. Roma und Augustus-Tempel (1. Jh. n. Chr.)
15. Haus am Rundtempel
16. Basilika (flavisch)
17. Rundtempel (3. Jh. n. Chr.)
18. Collegiumstempel und Mithraeum des Fructosus
19. Tabernae für Fischverkäufe
20. Macellum
21. Hof und Insula des Dionysos
22. Sechs-Säulen-Thermen
23. Mithraeum der Sieben Tore
24. Vereinshaus, sog. Schola des Traian
25. Porticus des Brunnens mit der Lampe
26. Schenke des Alexander
27. Forum an der Porta Marina
28. Heiligtum der Bona Dea (iulisch-claudisch)
29. Halle des Cartilius
30. Grabmal des Cartilius Poplicola
31. Marciana-Thermen (oder Thermen der Porta Marina)

32. Synagoge
33. Domus Fulminata
34. Republikanischer Grabbau
35. See-Thermen
36. Haus mit Nymphaeum
37. Haus der Dioskuren
38. sog. Gartenstadt
39. Insulae der Gelben Wände, des Graffito, der Musen, des bemalten Gewölbes, Trapezförmige Insula
40. Insula der Musen
41. Tempel der Fabri Navales (Schiffsbauer)
42. Christliche Basilika
43. Mithraeum mit den bemalten Wänden
44. Wohnanlage des Sarapis
45. Thermen der Sieben Weisen
46. Wohnanlage der Wagenlenker
47. Haus des Annius
48. Thermen des Trinacria-Mithraeums mit der planta pedis (Fußabdruck)
49. Sarapis-Heiligtum
50. sog. Kaiserpalast
51. Mithraeum im sog. Kaiserpalast
52. Wohnanlage mit dem Mosaik von Bacchus und Ariadne
53. Horrea (Speicheranlagen) der Mensores
54. Versammlungsraum (aula) und Tempel der Mensores
55. Thermen des Mithras und Mithraeum
56. Haus des Amor und der Psyche
57. Republikanisches Heiligtum mit Hercules-Tempel
58. Thermen des Buticosus
59. Haus mit dem Lararium

60. sog. Curia (traianisch)
61. Forum (tiberisch; Neugestaltung hadrianisch)
62. Capitolstempel (hadrianisch)
63. Horrea Epagathiana
64. Kleiner Markt
65. Wohnanlage der Getreide-Abmesser
66. Portiken von Pius IX.
67. Wohnanlage mit dolia (Vorratsgefäßen)
68. Insulae der Malereien, des Bacchuskindes, des Iuppiter und Ganymedes
69. Haus der Diana und Mithraeum
70. Wohnanlage mit den Getreidemühlen
71. Wohnanlage mit Thermopolium
72. Wohnanlage mit Holzbalkon?
73. Porticus an den Castrum-Mauern
74. Große Horrea (Speicheranlagen)
75. Republikanischer Tempel der Spes?
76. Vier kleine republikanische Tempel
77. Haus des Apuleius
78. Mithraeum der Sieben Sphären
79. Platz der Handelsniederlassungen
80. Theater (12. v. Chr.; restauriert unter Septimius Severus und Caracalla)
81. Insula mit den Brennöfen
82. Insula mit der bemalten Decke, Insula des Herculeskindes
83. Schenke des Fortunatus
84. Neptunus-Thermen (2. Jh. n. Chr.)
85. Kasernen der Wachmannschaft / Feuerwehr (vigiles)
86. Porticus an den Neptunus-Thermen

87. Porticus mit dem Giebeldach
88. Horrea (Speicheranlagen)
89. Mithraeum an der Porta Romana
90. Thermen der Cisiarii
91. Magazine (republikanisch)
92. Grenzstein des Caninius
93. Mithraeum Aldobrandini
94. Piazzala della Vittoria (mit Statue der Minerva Victoria, 1. Jh. v. Chr.)
95. Heiligtum des Sabacaeus (?)
96. Horrea (Speicheranlagen) des Hortensius
97. Horrea (Speicheranlagen) der Artemis
98. Hof mit dolia (Vorratsgefäßen)
99. Tempel eines Collegiums (Vereinigung)
100. Wohnanlage des Themistokles
101. Tempel der Bona Dea
102. Thermen des Schwimmers
103. Mithraeum des Felicissimus
104. Fullonica (Wäscherei; Walkerei)
105. sog. Sitz der Augustales
106. Mithraeum der Schlangen
107. Thermen und Wohnanlage des Invidiosus
108. Haus der Fortuna Annonaria
109. Philosophen-Thermen
110. Tor des ursprünglichen Castrum
111. Forum der heroischen Statue
112. Vereinssitz, sog. Wohnanlage mit Triklinien
113. Forumsthermen (160 n. Chr.; im 4. und 5. Jh. vollständig restauriert)
114. Fullonica (Wäscherei; Walkerei)
115. Getreidemühlen
116. Haus der Gorgonen
117. Perseus-Thermen
118. Constantin-Basilika

1. Via Laurentina
2. Porta Laurentina
3. *Campo della Magna Mater*
4. Cardo Maximus
5. Decumanus Maximus
6. Porta Romana
7. Via Ostiense
8. *Via della Foce*
9. Porta Marina

Ostrakismos (ὀστρακισμός, »Scherbengericht«, von → *óstrakon*, Pl. *óstraka*, »Tonscherbe«). Ein Verfahren in Athen, das es erlaubte, jemanden ohne Einziehung seines Vermögens für zehn Jahre des Landes zu verweisen, und zwar ohne ihn eines Vergehens schuldig zu gesprochen zu haben. Nach der (ps.-)aristotel. *Athēnaíōn Politeía* (22,1; 22,3) wurde der *o.* von → Kleisthenes [2] (508/7 v. Chr.) eingeführt, aber bis 488/7 nicht angewendet. Ein Fr. des Androtion (FGrH 324 F 6) berichtet, der *o.* sei unmittelbar vor seiner ersten Anwendung eingerichtet worden, doch wurde diese Aussage verm. bei der Weitergabe verfälscht; der urspr. Text bei Androtion bot wohl den gleichen Inhalt wie die *Athenaion Politeia* ([3. 256f.], [5. 79–86]; anders [1. 332f.]).

Die Volksversammlung (→ *ekklēsía*) entschied jedes Jahr in der sechsten Prytanie (→ *prytaneía*) über die Durchführung eines *o.* ([Aristot.] Ath. Pol. 43,5), der dann in der achten Prytanie stattfand, falls die Mehrheit dies wünschte (Philochoros FGrH 328 F 30). Es gab keine Liste möglicher Kandidaten, vielmehr schrieb jeder Stimmberechtigte den Namen des Mannes auf eine Tonscherbe, den er verbannt wissen wollte. Wurden mindestens 6000 Stimmen insgesamt abgegeben (so Plut. Aristeides 7,5; diese Version ist wahrscheinlicher als die des Philochoros, 6000 Stimmen müßten gegen einen einzigen Mann gerichtet gewesen sein), wurde der Kandidat mit der höchsten Stimmenzahl verbannt. Nach 480 v. Chr. wurde das Gebiet, in dem sich die Ostrakisierten aufhalten konnten, beschränkt ([Aristot.] Ath. Pol. 22,8; die Interpretation dieser Stelle ist umstritten). Zwischen 487 und 415 v. Chr. wurden etwa 13 Männer ostrakisiert, unter ihnen Hipparchos, der Sohn des Charmos (487), Megakles [4] (486 und evtl. später nochmals), → Xanthippos, der Vater des Perikles (484), → Aristeides [1] (482), → Themistokles (ca. 470), → Kimon [2] (ca. 460), → Thukydides, der Sohn des Melesias (ca. 443), und → Hyperbolos (verm. 415).

Nach Aussage der Quellen diente der *o.* der Verhinderung einer → *tyrannís*, doch dürfte er tatsächlich ungeeignet dazu gewesen sein. Die ersten Opfer des *o.* hatten Verbindungen zu den → Peisistratidai und den → Alkmaionidai, die beide z.Z. des Persereinfalls von 490 im Verdacht polit. Illoyalität standen. Danach scheint der *o.* zum Austrag von Rivalitäten zw. polit. Führern gedient zu haben, so daß jeweils der weniger populäre aus Athen entfernt wurde, während der beliebtere im Lande blieb. 415 beantragte Hyperbolos einen *o.*, der nach allg. Erwartung → Alkibiades [3] oder → Nikias [1] treffen sollte; die beiden schlossen sich jedoch zusammen, und Hyperbolos wurde selbst ostrakisiert (Plut. Nikias 11; Plut. Alkibiades 13; vgl. Plut. Aristeides 7,3–4). Nach diesem Ereignis stand der *o.* zwar theoretisch weiter zur Verfügung, wurde aber nicht mehr angewandt, und zwar nicht deshalb, weil Hyperbolos ein unwürdiges Opfer war (so Plutarch), sondern weil seine Verbannung die Unzuverlässigkeit des Verfahrens deutlich gemacht hatte. Es schien deshalb besser, einen Prozeß direkt gegen den Gegner anzustrengen.

Bisher wurden mehr als 10000 *óstraka* gefunden, zumeist von den frühen Verfahren, die mehr als 130 Namen aufweisen (vgl. bes. [4; 6; 8]). Die Abstimmenden gaben den Namen und manchmal auch den Vatersnamen und/oder den → *démos* [2] an, aus dem der Kandidat stammte; manche fügten kurze Bemerkungen hinzu. Verm. stimmten einige Leute gegen ihre persönl. Feinde, doch ein Kandidat, der eine große Anzahl von Stimmen auf sich vereinigte, war wohl eine Person des öffentlichen Lebens, gegen die man aus polit. Gründen votierte. Es war möglich, gegen eine Person, auf die man zielte, eine Kampagne zu organisieren: Ein Hortfund von 190 *óstraka* gegen Themistokles zeigt nur 14 verschiedene Handschriften [2; 4. 142–161]; die Gesch. des *o.* des Hyperbolos (s.o.) spricht ebenfalls für sich. Die Institution des *o.* setzt verbreitete Grundkenntnisse im Lesen und Schreiben voraus, Analphabeten konnten jedoch vorbereitete *óstraka* verwenden oder Freunde bitten, einen Namen auf die Scherbe zu schreiben, wie eine Anekdote um Aristeides zeigt (Plut. Aristeides 7,5f.).

Außer Athen nutzten angeblich Argos, Megara und Miletos ein *o.*-Verfahren (Aristoph. Equ. 855), ebenso Syrakusai in der Mitte des 5. Jh. v. Chr., wo es → *petalismós* genannt wurde (Diod. 11,87); in Kyrene sind die kürzlich gefundenen *óstraka* vielleicht einem vereinzelten Ereignis im späten 5. Jh. v. Chr. zuzuweisen (vgl. Diod. 14,34,3–6; Aristot. pol. 6, 1319 b 11–23; [9]).

ATHEN: 1 BELOCH, GG 2,1 2 O. BRONEER, Excavations on the North Slope of the Acropolis, 1937: Ostraka, in: Hesperia 7, 1938, 228–243 3 K. J. DOVER, Androtion on Ostracism, in: CR 13, 1963, 256f. (= Ders., The Greeks and Their Legacy, 1988, 83–85) 4 M. L. LANG, Ostraka (Agora 25), 1990 5 G. V. SUMNER, Androtion F 6 and Ath. Pol. 22, in: BICS 11, 1964, 79–86 6 R. THOMSEN, The Origin of Ostracism, 1972 7 E. VANDERPOOL, Ostracism at Athens (Lectures in Memory of L. Taft Semple 2), 1966–1970, 215–270 8 F. WILLEMSEN, S. BRENNE, Verzeichnis der Kerameikos-Ostraka, in: MDAI(A) 106, 1991, 147–161. KYRENE: 9 L. BACCHIELLI, L'ostracismo a Cirene, in: RFIC 122, 1994, 257–270.   P. J. R.

Ostrakon (ὄστρακον). Scherbe aus Ton, mitunter aus Kalkstein, die bereits im vorptolem. Äg. und dann bis zum Ausgang der griech.-röm. Ant. dazu diente, Kurzmitteilungen des Alltags, kleinere Urkunden, Quittungen usw. schriftlich zu fixieren; seltener verwandte man sie für lit. Texte (Sappho fr. 2 LOBEL-PAGE). Die jeweiligen Texte wurden mit Tinte geschrieben oder in das *o.* eingeritzt; es sind solche in hieratischer, demotischer, griech., koptischer und arabischer Sprache erhalten. Im Gegensatz zum teueren → Papyrus standen *óstraka* als Abfallprodukte des Haushaltes kostenlos und sofort zur Verfügung; → Kleanthes [2] z.B. soll aus Sparsamkeit nur *o.* als Beschreibstoff verwendet haben (Diog. Laert. 7,174). Neben den mit textlichen Mitteilungen versehenen *o.* sind aus Äg. auch Bild-*o.* mit figürlichen Szenen (Tierbildern oder -märchen, Alltags- und Kult- oder Götterszenen) erhalten. Aus Athen sind *o.*, ähnlich den äg. Exemplaren, mit Kurzmitteilungen seit dem

7. Jh. v. Chr. bekannt; von bes. Bed. waren hier die *o.* als Stimmzettel bei der jährlichen Abstimmung im athenischen »Scherbengericht« (→ Ostrakismos).

M. L. LANG, Ostraka (Agora 25), 1990 · H. CUVIGNY, G. WAGNER, Les ostraca grecs de Douch, Fasc. 1–3, 1986–1992 · J. H. JOHNSON (Hrsg.), Life in a Multi-Cultural Society: Egypt from Cambyses to Constantine and Beyond (Studies in Ancient Oriental Civilization 51), 1992 · U. KAPLONY-HECKEL, Die Oasen von Khaufe und Dakhle im Spiegel der demotischen Ostraka, in: B. KRAMER (Hrsg.), Akten des 21. Internationalen Papyrologenkongresses, Bd. 1, 1995, 525–532 · K. TH. ZAUZICH, Demotische Ostraka aus Soknopaio Nesos, in: B. KRAMER (Hrsg.), Akten des 21. Internationalen Papyrologenkongresses, Bd. 2, 1997, 1056–1060.   R. H.

Ostsee s. Mare Suebicum

Osymandyas s. Ramses II.

Otacilius. Urspr. oskischer Gentilname. Die Familie gehörte zum Stadtadel von Beneventum und gelangte nach der Überl. durch die Heirat einer Tochter Otacilia mit einem Angehörigen der *gens Fabia* (→ Fabius) wohl um 300 v. Chr. in verwandtschaftliche Beziehung zu einer der führenden röm. Familien der Nobilität (liber de praenominibus 6; Fest. 174 L). Dies förderte sicherlich auch den raschen Aufstieg der Familienmitglieder O. [I 2] und O. [I 3] zum Consulat.

SCHULZE, 131.   K.-L. E.

I. REPUBLIKANISCHE ZEIT

[I 1] O. Crassus. Praefekt des Cn. → Pompeius in Lissos 48 v. Chr., exekutierte gegen sein Wort vom Sturm dort angetriebene Caesarianer und wurde von deren Kameraden verjagt (Caes. civ. 3,28,1–29,1).   JÖ. F.

[I 2] O. Crassus, M'. Ihm gelang als Consul 263 v. Chr. zusammen mit seinem Collegen M. Valerius Maximus Messalla ein beeindruckender Feldzug von Messana nach Syrakusai, der viele Städte zum Übertritt auf die röm. Seite veranlaßte und Hieron [2] II. zur Beendigung des Krieges zwang (Pol. 1,16f.). O. hatte an den Verhandlungen über Frieden und Bündnis wesentlichen Anteil; seitdem verband ihn mit dem Tyrannen von Syrakus ein Nahverhältnis. Die damals geschaffene Ordnung hatte teilweise weit über den 2. → Punischen Krieg hinaus Bestand. Im zweiten Konsulat 246 führte er einen Stellungskrieg gegen Hamilkar [3] Barkas (MRR 1, 216).

1 A. M. ECKSTEIN, Senate and General, 1987, 102–134
2 B. D. HOYOS, Unplanned Wars, 1998, 104–115.

[I 3] O. Crassus, T. Führte 261 v. Chr. als Consul zusammen mit L. Valerius Flaccus auf Sizilien Krieg. Einzelheiten können auch Anekdoten kaum erhellen (Frontin. strat. 3,16,3). Wahrscheinlich haben er und sein Bruder O. [I 2] außerdem die schließlich kriegs-

entscheidende Wende zur Flottenrüstung ab 260 mit durchgesetzt (Pol. 1,20,3–7). MRR 1, 204.
→ Punische Kriege

[I 4] O. Crassus, T. Augur und Pontifex, 217 v. Chr. in Sicilia und 214 Praetor; weihte 215 als → *duovir* den Tempel der → Mens. Die Einzelheiten der jeweiligen Amtsführung, der angeblichen Kommanden über eine Flotte auf Sizilien 216–211 und der Rolle bei den Consulwahlen für 214 und 210 sind nicht zuverlässig überl. (MRR 1, 250; 259; 274f.), denn die Berichte widersprechen regelmäßig besseren Quellen und sind sogar untereinander unvereinbar. Offensichtlich konnte die später bedeutungslose Familie die Erinnerung nicht schützen, so daß sich an O. beliebige Erfindungen anlagerten, deren histor. Kern ein Nahverhältnis zu Hieron [2] II. von Syrakus gewesen sein dürfte (vgl. O. [I 2]).
→ Annalistik; Punische Kriege

1 MÜNZER, 73–78 2 M. GELZER, KS 3, 1964, 238–241
3 R. RILINGER, Der Einfluß des Wahlleiters bei den röm. Konsulwahlen 366–50 v. Chr., 1976, 80–81.   TA. S.

II. KAISERZEIT

[II 1] M. O. Catulus. Suffektconsul im J. 88 n. Chr.; über sein Testament wurde während einer gerichtlichen Klärung vor dem Consul des J. 95, P. Ducenius [3] Verus, verhandelt (Dig. 31, 29); damit muß O. spätestens im J. 95 gest. sein. Zuvor hatte er mit einer *concubina* zusammengelebt, der er 200 000 Sesterzen hinterließ. PIR² O 171.

[II 2] M'. O. [Crassus?]. Proconsul von Pontus-Bithynia; wohl spätestens in augusteische Zeit zu datieren. PIR² O 172.   W. E.

Otanes (Ὀτάνης, altpersisch *Utāna*).

[1] Sohn des Θυχra [2. DB IV 83], einer der Helfer → Dareios' [1] I. bei der Ermordung des → Gaumāta (Smerdis). Nach Hdt. 3,68–70, der als O.' Vater Pharnaspes nennt, war O. gar der Anstifter des Komplotts. Durch seine Schwester Kassandane (Hdt. 2,1; 3,2) war O. Schwager des → Kyros [2] (II.), durch seine Tochter Phaidyme Schwiegervater von → Kambyses II., Smerdis und Dareios (Hdt. 3,68). Seine bed. Stellung mag auch in den von Dareios gewährten Privilegien für ihn und sein Haus (Hdt. 3,83 f.) zum Ausdruck kommen. O. war später an der Rückführung des → Syloson nach Samos beteiligt (Hdt. 3,139 ff.).

1 BRIANT, Index s. v. 2 R. KENT, Old Persian, 1953.

[2] Sohn des Sisamnes, nach Hdt. 5,25 zunächst Richter, dann nach dem Skythenzug von → Dareios [1] I. als Nachfolger des → Megabazos [1] zum Feldherrn der Streitkräfte an der Küste (στρατηγὸς τῶν παραθαλασσίων) ernannt und mit der Bestrafung der Städte an der Meerenge betraut. Er eroberte auch Lemnos und Imbros (Hdt. 5,25–27).

[3] Möglicherweise identisch mit O. [2]; Schwiegersohn → Dareios' [1] I. und pers. Befehlshaber im → Ionischen Aufstand 500–494 (Hdt. 5,116; 123).

[4] Nach Herodot (7,61; 82) Vater der Amestris, der Gattin → Xerxes' I.   J. W.

Othman s. Uṯman

Otho. Röm. Kaiser 69 n. Chr. M. Salvius Otho, geb. am 28.4.32 n. Chr. Die Familie stammte aus Ferentum in Etrurien. O.' Großvater gelangte als erster der Familie in den Senat. Sein Vater war L. Salvius Otho, *cos. suff.* 33; seine Mutter, Albia Terentia, stammte aus ritterl. Familie. Seit → Augustus war die Familie der Salvii mit der *domus Augusta* eng verbunden. Der Vater wurde von Claudius [III 1] in den Patriziat aufgenommen, gleichzeitig auch der junge O. Von seiner senator. Laufbahn ist nur die Quaestur bekannt, die in den Beginn der neronischen Zeit gefallen sein muß. Außerdem wurde O. neben seinem Bruder L. Salvius Otho Titianus unter die → *Arvales fratres* aufgenommen.

Nach der Überl. war O. schon in jungen J. einem leichten, vergnügungssüchtigen Leben zugetan (Tac. hist. 1,13,3). Er wurde schnell zu einem der engen Vertrauten → Neros, wodurch er über großen Einfluß im Senat verfügte, obwohl er nicht einmal bis zur Praetur gekommen war. Er verführte → Poppaea Sabina, die Frau des Rufrius Crispinus, und heiratete sie. Angeblich tat er dies, um Nero den Verkehr mit ihr zu ermöglichen, was jedoch wenig wahrscheinlich ist (Plut. Galba 19; Tac. hist. 1,13,3; anders Tac. ann. 13, 45,4). Wenig später verfiel jedoch Nero der Poppaea, worauf er O. als Statthalter nach Lusitania sandte. Wohl erst danach ließ sich O. von ihr scheiden. Nach Tacitus (ann. 13,46,3) müßte O. im J. 58 nach Lusitania gegangen sein. Die dortige Statthalterschaft soll er, entgegen den Erwartungen der Mitwelt, tatkräftig und zur Zufriedenheit der Provinzialen ausgeübt haben.

68 trat er sogleich auf die Seite → Galbas [2], als dieser sich gegen Nero erhob, und unterstützte ihn auf jede Weise (Plut. Galba 20). Schon auf dem Marsch nach Rom machte O. sich den Truppen bekannt und gewann ihre Sympathie, weil er sich charakterlich und in seinem Umgang mit Geld von dem sparsamen Galba abhob. Er hoffte, daß Galba, der kinderlos war, ihn adoptieren und als seinen Nachfolger vorstellen würde.

Als Galba überraschend Piso Licinianus am 10.1.69 als seinen Sohn annahm, entschloß sich O., das Kaisertum zu usurpieren. Durch Bestechungen brachte er die → Praetorianer dazu, ihn am 15.1.69 als *imperator* zu akklamieren. Unmittelbar darauf wurde Galba auf dem Forum Romanum ermordet. Noch am selben Tag wurde O. vom Senat zum → *princeps* bestimmt. Die formalen Wahlen fanden im Laufe des Februar und März statt, wie die Arvalakten zeigen (CIL VI 2051, dazu vgl. [1. 100ff.]). Sein Name lautete jetzt: Imp. M. O. Caesar Augustus. Für kurze Zeit nahm er auch den Namen Neros an, um das Volk in Rom und die Praetorianer enger an sich zu binden, doch nahm er schnell davon Abstand (Tac. hist. 1,78,2). Dem Senat gegenüber zeigte O. Respekt, indem er die schon bestimmten Konsulate

beibehielt, aber auch Verginius Rufus zum Consul designierte (Tac. hist. 1,72,2).

Obwohl die Akklamation des → Vitellius bereits bekannt war, wurde O. – außer in Gallien, Germanien und Britannien – überall als Kaiser anerkannt; die spanischen Prov. aber gingen ihm bald verloren, obwohl er dort bes. Privilegien vergeben hatte (Tac. hist. 1,78,1). Um sich die Donaulegionen zu verpflichten, zeichnete O. nach einem Sieg über die Roxolanen mehrere Heerführer mit hohen Orden aus (Tac. hist. 1,79,5). Den Kampf gegen Vitellius bereitete er umsichtig vor; er übertrug das Oberkommando in der Poebene Suetonius Paulinus und Marius [II 4] Celsus. Doch rückten die vitellianischen Truppen schneller an als erwartet, so daß die Donaulegionen das Heer O.s noch nicht verstärken konnten. Er begab sich in Begleitung fast des gesamten Senats nach Brixellum, von wo aus er auf schnelle Entscheidung drängte. Am 14.4.69 wurden seine Truppen zwischen Cremona und Bedriacum geschlagen. Am übernächsten Tag tötete O. sich selbst, um der *res publica* weiteres Blutvergießen zu ersparen. O. wurde in einem bescheidenen Grabmal bei Brixellum beigesetzt (Plut. Otho 18,1). Durch den Senat wurde notwendigerweise das Andenken an ihn sofort gelöscht (s. → *damnatio memoriae*).

→ Vierkaiserjahr

1 J. SCHEID, Commentarii Fratrum Arvalium, 1998.
A. GARZETTI, From Tiberius to the Antonines, 1974, 203 ff. · CH. L. MURISON, Galba, O. and Vitellius, 1993, 75 ff. · E. P. NICOLAS, De Néron à Vespasian, 1979, 641–672.   W. E.

Othryadas (Ὀθρυάδας, Ὀθρυάδης). Als sich Argiver und Spartaner um 550 v. Chr. im Konflikt um die Landschaft Thyreatis auf eine Entscheidungsschlacht zw. je 300 ausgewählten Kriegern geeinigt hatten, überlebte O. als einziger Spartiat. Während die beiden argivischen Überlebenden den Ausgang in der Heimat meldeten, raubte O. den gefallenen Feinden die Rüstungen. Beide Seiten beanspruchten den Sieg, so daß es doch zu einem großen Kampf kam, den Sparta für sich entschied. O. aber soll aus Scham darüber, zuvor allein überlebt zu haben, sich selbst getötet haben (Hdt. 1,82). Seine Tat wurde bald Gegenstand heroischer Legendenbildung, O. selbst zum Vorläufer des → Leonidas [1] (Anth. Gr. 7,430; vgl. [1. 390⁶; 2. 57f., 113; 3. 95f.]). Nach argivischer Version fiel er allerdings durch die Hand eines Feindes (Paus. 2,20,7).

1 G. BUSOLT, Griech. Gesch., 2, ²1895 2 L. THOMMEN, Lakedaimonion Politeia, 1996 3 N. M. KENNELL, The Gymnasium of Virtue, 1995.   M. MEI.

Othryoneus (Ὀθρυονεύς).
[1] Krieger aus Kabesos, kämpft vor Troia auf der Seite des → Priamos, wofür ihm dieser die Hand seiner Tochter → Kassandra verspricht. O. wird von → Idomeneus [1] getötet (Hom. Il. 13,363ff., 772; Steph. Byz. s. v. Ἀγάθυρσοι und Καβασσός; Macr. Sat. 5,5,8).

[2] Lehrer aus Opus, bei dem → Patroklos den Sohn des → Amphidamas [2] beim Spielen erschlägt (Alexandros Aitolos in schol. Hom. Il. 23,86a¹ = CollAlex fr. 10, p. 127f. und TrGF 1, 101 F 1).   SI. A.

Othrys (Ὄθρυς). Ca. 85 km langer und 45 km breiter Gebirgszug zw. dem Malischen Golf und der Spercheios-Senke einerseits und Thessalia andererseits. Die O. besteht aus mehreren Gebirgsketten (Schiefer, Kalken) und hat überwiegend Mittelgebirgscharakter. Sie fällt nach Süden in einem geradlinigen Steilrand ab, ist aber nach Norden stärker aufgegliedert. Höchste Erhebung ist der Jerakovouni (1726 m). Polit. gehörte das Gebiet zur Achaia Phthiotis (→ Achaioi). Die großen Straßen aus dem Norden liefen von NW (Thaumakoi) bzw. NO (Halos) über die O. nach → Lamia [2] am Südhang. Als Orte in der O. sind bekannt: Chalai, Melitaia, Narthakion, Phylake, Phyladion.

> B. J. HAAGSMA u. a., Between Karatsadagli and Baklali, in: Pharos 1, 1993, 147–167 · PHILIPPSON/KIRSTEN 1, 181–211 · J. SCHMIDT, s. v. O., RE 18, 1873–1876 · G. WIEBERDINK, A Hellenistic Fortification System in the O. Mountains, in: Newsletters of the Netherlands' Institute at Athens 3, 1990, 47–76.   HE. KR.

Otos s. Aloaden

Otrantinische Schrift s. Süditalienische Schrift

Otreus (Ὀτρεύς).
[1] Sohn des → Dymas [1], Bruder der → Hekabe, Schwager des → Priamos. König von Phrygien (Hesych. s. v. O.), Eponym der bithynischen Stadt Otroia (Strab. 12,4,7). Kämpft zusammen mit → Mygdon [2] und mit Priamos gegen die in Phrygien einfallenden → Amazones (Hom. Il. 3,184–189; schol. Hom. Il. 3,189; Eust. ad Hom. Il. 3,186 p. 402). Aphrodite bezeichnet sich Anchises gegenüber als Tochter des O. (Hom. h. 5,111 f.).
[2] Mariandyner, Bruder des Lykos [5], Freund des Dymas [1] (?), wird von Amykos [1] im Faustkampf erschlagen (Val. Fl. 4,161–173). Vielleicht identisch mit O. [1].

> P. WEISS, s. v. O., LIMC 7.1, 131 (mit Bibliogr.).   SI. A.

Otryne (Ὀτρύνη). Att. Asty-Demos der Phyle Aigeis; mit einem *buleutēs*. Lage ungewiß, die Verbindung mit Fischen bei Athen. 7,309e ist top. wertlos [1]. Zu einem Fall von Bürgerrechtserschleichung in O. vgl. Demosth. or. 44,37 [2. 297].

> 1 D. SCHAPS, Antiphanes Frg. 206 and the Location of the Deme O., in: CPh 77, 1982, 327f. 2 WHITEHEAD, Index s. v. O.
>
> W. E. THOMPSON, Kleisthenes and Aigeis, in: Mnemosyne 22, 1969, 137–152 · TRAILL, Attica, 16f., 40, 69, 111 Nr. 97, Tab. 2 · J. S. TRAILL, Demos and Trittys, 1986, 127.   H. LO.

Otys (Ὄτυς). König der Paphlagonier (→ Paphlagonia) und Vasall des Perserkönigs. Er trägt sehr wahrscheinlich einen iran. Namen (vgl. → Otanes, altpers. *Utāna*-), dessen Etym., wie oft bei Kurznamen, nicht zu bestimmen ist. O. schloß 395 v.Chr. ein Bündnis mit Agesilaos [2] von Sparta gegen den Großkönig.   PE. HÖ.

Ovatio (von lat. *ovare*, entspricht griech. *euázein*, »jubeln«). Im weiteren Sinn sowohl der röm. → Triumph als auch kleinere staatl. Feiern zu Ehren verdienter Feldherren, im engeren Sinn vom 5. Jh. v. Chr. bis etwa zum 1. Jh. n. Chr. aber die »kleine« Jubelfeier für Feldherren, die nicht die Voraussetzungen der »großen« Siegesfeier, des Triumphs, voll erfüllten (Cic. Phil. 14,12: *ovantem ac prope triumphantem*). Letzterer war nicht möglich bei rechtl. zweifelhaftem Kriegsgrund, unblutig errungenem Sieg oder eher strafverfolgender Bekämpfung von Sklaven oder Seeräubern (Gell. 5,6,21–23; Florus 3,19,8). Verdiente der mil. Erfolg dennoch eine »mittlere« Ehrung (Liv. 39,29,5: *medius honos*; Serv. Aen. 4,543: *ovatio est minor triumphus*; Plin. nat. 15,125), so wurde diese dem Feldherrn als *o.* zuteil. Er zog dann nicht mit dem Triumphalwagen, sondern zu Fuß oder zu Pferde, nicht im Triumphalgewand mit Szepter, sondern in der *toga praetexta*, nicht mit dem Lorbeer bekränzt, sondern mit der Myrte, nicht zum Klang der Trompete, sondern zu dem der Flöten zum Capitolium (Val. Max. 2,8,7; Gell. 5,6,21; Dion. Hal. ant. 5,47,2f.), wo er ein Opfer vollzog.

> H. S. VERSNEL, Triumphus, 165–171 · E. KÜNZL, Der röm. Triumph, 1988, 100f.; 149f. · MOMMSEN, Staatsrecht, Bd. 1³, 126–135 · E. PAIS (ed.), Fasti triumphales populi Romani, 1920.   C. G.

Ovidius Naso, Publius (der röm. Dichter Ovid).
I. LEBEN   II. WERK
III. CHARAKTERISTIK UND NACHWIRKUNG

I. LEBEN
Hauptquelle für Ovidius' Leben sind seine Gedichte (v. a. Ov. trist. 4,10) O., aus alter equestrischer Familie, wurde in → Sulmo am 20. März 43 v.Chr. geb.; ausgebildet in Rom unter Arellius → Fuscus und → Porcius Latro (Sen. contr. 2,2,8; 9,5,17). Nach Reisen in Griechenland (Ov. trist. 1,2,77–78; Ov. Pont. 2,10,21–28) bekleidete er niedrigere juristische Ämter, ehe er eine offizielle Karriere zugunsten der Dichtung aufgab. Er war bekannt mit Horaz (→ Horatius [7]) und ein Freund des Properz (→ Propertius; trist. 4,10,45f.; 49f.), doch lagen seine poetischen Sympathien dennoch bei Tibull (→ Tibullus; Ov. am. 3,9), der wie er selbst ein Protégé des M. → Valerius Messala Corvinus war (trist. 4,4; Pont. 1,7,27–30; s. auch → Zirkel, literarische). Daher, wie auch aus Altergründen, war er vom Kreis um → Maecenas [2] distanziert [39. 114–134]. Durch seine Neuentwicklung der röm. erotischen → Elegie schuf er sich schnell eine Reputation, die er in den »großen« Gattungen von Trag., Epik und aitiologischen Elegie

(am. 3,15,18) weiter konsolidierte. Er hatte sein Epos, die ›Metamorphosen‹ (›Verwandlungen‹), größtenteils vollendet und sein Kalendergedicht, die ›Fasten‹ zur Hälfte abgeschlossen, als er im Jahr 8 n. Chr. von → Augustus nach → Tomi am Schwarzen Meer verbannt wurde. O. ist unser einziger Zeuge für die zwei als Gründe genannten Vergehen, seine *Ars amatoria* (›Liebeskunst‹) und eine unbestimmte Indiskretion (*error*; kein Verbrechen, *scelus*: Ov. trist. 3,11,33 f.; 4,1,23 f.). Die Umstände legen eher die Beteiligung an einem Skandal, der die kaiserliche Familie betraf, denn eine polit. Verschwörung nahe [39. 215–229; 16]. O.' gesamte im Exil verfaßte Dichtung hatte direkt oder indirekt die Aufhebung oder Abmilderung des Urteilsspruchs zum Ziel – freilich ohne Wirkung: O. starb in Tomi im Jahr 17 n. Chr. (Hier. chron. a. Abr. 2033).

Belege für O.' Familienleben sind spärlich. Er heiratete dreimal und hatte, verm. von seiner zweiten Frau, eine Tochter, die ihm Enkelkinder bescherte. Seine dritte Frau, die Verbindungen zu der einflußreichen *gens Fabia* (→ Fabius) hatte, blieb in Rom zurück, um für seine Rückkehr zu wirken [39. 145, 148, 183].

II. Werk
A. Liebeselegie B. Epos und aitiologische Elegie C. Exildichtung: Tristia, Epistulae ex Ponto, Ibis D. Verlorene und unechte Werke

A. Liebeselegie
1. Amores 2. Heroides
3. Lehrgedichte: Ars amatoria, Remedia amoris, Medicamina

1. Amores
Die Chronologie von O.' Werken vor dem Exil ist umstritten [39. 1–20; 21. 300–318; 29. Bd. 1, 74–89; 19. 41–48]. O. datiert sein poetisches Debut auf etwa 26–25 v. Chr. (trist. 4,10,57 f.). Die ursprünglich 5 B. der *Amores* (Titel: Ov. ars 3,343) wurden getrennt herausgegeben; die überl. Ausgabe in 3 B. wird als Auswahl daraus beschrieben (*am. epigramma ipsius*), aber es wurden verm. neue Gedichte hinzugefügt. In der uns vorliegenden Form ist die Slg. eine Übung in Dekonstruktion. Die Geliebte »Corinna« ist – offensichtlicher noch als Properz' Cynthia oder Tibulls Delia – eine lit. Erfindung, wie O. selbst praktisch zugibt (trist. 2,340; 4,10,60). Programmatischen Gedichte, die die episodische Erzählung von der Affäre mit der elegischen *domina* (»Herrin«) unterbrechen, liefern einen zunehmend ironischen Komm. sowohl zu der Liebesbeziehung als auch zu der von ihr inspirierten Dichtung; die letzten drei Gedichte der *Amores* drücken endgültige Desillusion hinsichtlich der Liebe und der Liebeselegie aus und verkünden eine neue Hingabe an höhere Themen und Gattungen (am. 3,13–15 mit Ausblick auf die *Fasti*).

2. Heroides
Tatsächlich entwickelte O. die Elegie in unerwartete Richtungen weiter. Die *Heroides* oder *Heroidum Epistulae* (›Briefe von Heldenfrauen‹; Titel: [23. 1, Anm. 1]) fallen in zwei Gruppen: In Brief 1–14 schreiben berühmte myth. Frauen an ihre abwesenden Männer oder Geliebten; der Stoff ist hauptsächlich der griech. Epik oder Trag., aber auch Catull (Ov. epist. 10: Ariadne) und Vergil (epist. 7: Dido) entnommen (epist. 15, Sappho an Phaon, stammt nicht von Ovid, s. u. B.4.). In den Briefpaaren 16–21 schreibt ein Mann, und eine Frau antwortet; hier sind die Quellen Homer und Euripides (epist. 16–17: Paris und Helena), hell. → Epyllion (epist. 18–19: Leander und Hero) und Kallimachos' *Aitia* (epist. 20–21: Acontius und Cydippe). O.' Anspruch, mit den *Heroides* eine zuvor unbekannte Gattung »erneuert« zu haben (ars 3,346), verdunkelt, ohne ausdrücklich zu leugnen, daß er Properz (4,3) die ursprüngliche Idee verdankt. Ihre Weiterführung in epist. 16–21 wurde höchstwahrscheinlich durch die (verlorenen) Antworten auf einige der Briefe der ersten Gruppe angeregt, die der Elegiker → Sabinus verfaßt hatte (am. 2,18,27–34). Der deklamatorische und (in 16–21) streitbare Ton der *Heroides* verrät den Einfluß von O.' früher rhetor. Schulung. Bei allem Pathos ihrer Geschichten kann man sehen, wie die Heldinnen in selbstbewußter Kenntnis der poetischen Trad., die sie mitschaffen, ihre mißliche Lagen kommentieren [25. 18–25]. Daß die Briefe 1–14 als Einzelausgabe zu O.' Lebenszeit erschienen, ist zweifelhaft [25. 11 f.]; epist. 16–21 wurden offenbar einige Jahre später verfaßt, als die *Metamorphoses* und *Fasti* schon vorlagen; sie dürften postum und unrevidiert als eine getrennte Slg. herausgegeben worden sein [23. 25 f.]. Ihre Verfasserschaft ist nach wie vor umstritten [23. 25 f.; 6].

3. Lehrgedichte: Ars amatoria, Remedia amoris, Medicamina
O. nutzte auch die traditionelle Rolle des Dichter-Geliebten als Lehrer (Prop. 1,1,35–38; am. 2,1,7–10). Von seinem geistreichen-spielerischen Werk über Kosmetika, dem Lehrgedicht *Medicamina faciei femineae* (›Heilmittel für das weibliche Antlitz‹; Titel: ars 3, 205 f.), blieben lediglich die ersten 100 V. erhalten.

Die Idee zur *Ars amatoria* (Titel: Sen. contr. 3,7; Eutyches grammaticus 5,473,5 KEIL) wurde von Tibulls Gedicht über die Kunst, Knaben zu verführen (1,4), angeregt. Hier systematisiert O. die »Regeln« der elegischen Liebesbeziehung in einem Stil, der die ernsthafte Didaktik von Lukrez und Vergil leicht parodiert und ein urban-satirisches Bild der röm. Halbwelt zeichnet. Die Datier. der B. 1–2, die an männliche Leser gerichtet sind, hängt davon ab, ob V. 1,171 f. (Ereignisse von 2–1 v. Chr.) erst später hinzugefügt wurden [39. 18–20]. B. 3, das sich auf Wunsch des Publikums (2,745 f.) an Frauen wendet, ist sicherlich späteren Datums als die *Medicamina* (Ov. ars 3,205 f.) und verm. auch als die dreibändige *Amores*-Ausgabe (ebd. 3,343; jedoch sind Text und Interpretation umstritten). Nicht später als 2 n. Chr. (Ov. rem. 155–158) vermittelte O. der Gattung eine letzte Variation in einem spöttischen Widerruf, den *Remedia amoris* (›Heilmittel gegen die Liebe‹), die davon handeln, wie man eine gescheiterte Beziehung schmerzlos beendet. Darin findet sich eine bemerkenswert freimütige Erwiderung auf die Kritik an seiner kecken Muse, *Musa proterva* (rem. 361–396).

B. Epos und aitiologische Elegie
1. Metamorphoses 2. Fasti

1. Metamorphoses

Die *Metamorphoses* und *Fasti*, zusammen O.' Hauptwerk, entstanden gleichzeitig in den J. 1–8 n. Chr. [8. Bd. 1,15–17; 32. 63, Anm. 10].

Die ›Metamorphosen‹ (Titel: Sen. apocol. 9,5; Quint. inst. 4,1,77) sind eine Slg. myth. und sagenhafter Erzählungen von Verwandlungen. Sie sind nach den Prinzipien von Ähnlichkeit, Kontrast oder Assoziation in einem lose chronologischen Rahmen geordnet, der sich von der ersten Metamorphose (des Chaos zum Kosmos) bis hin zur Restauration einer Weltordnung unter Augustus, welche die im Himmel widerspiegelt (15,858–860), erstreckt. Dieser heterogene Stoff ist mit erstaunlicher Geschicklichkeit organisiert, doch die Suche nach einer einigenden Struktur ist weitgehend erfolglos geblieben. Was das Gedicht wirklich zusammenhält, ist die Allgegenwart des Dichters. Das kurze Proömium (Ov. met. 1,1–4) bekräftigt die Originalität von O.' Unternehmung innerhalb der Gattung Epos, hinsichtlich seiner Haltung gegenüber → Kallimachos [3] ([24. 10; 32. 4f.; 10. 359–361]). Das Format – ursprünglich getrennte Episoden mit einem durchgehend aitiologischen Schwerpunkt – ist kallimacheisch; auf die elegischen Affinitäten des Werks [41] wird vielleicht schon durch die Einteilung in 15 B. hingewiesen (das Epos scheint ein Vielfaches von 6 einem Vielfachen von 5 vorgezogen zu haben). Aber die große chronologische Reichweite vermittelt eine unkallimacheische zeitliche Kontinuität (*perpetuitas*), und die kosmologischen Schwerpunkte der B. 1 und 15 erinnern an Homer und Hesiod. Tatsächlich ist in den ›Metamorphosen‹ jede lit. Gattung in irgendeiner Form vertreten. O. hat den traditionell inklusiven Charakter des röm. Epos bis zum Äußersten (und darüber hinaus) getrieben.

Der Gegenstand ist durch den Titel definiert und im Proömium festgesetzt: → Metamorphose. Die ant. Mythen sind reich an Verwandlungen, und das Thema war von Dichtern wie → Nikandros [4] von Kolophon, → Boio(s), → Parthenios und ihren röm. Nachfolgern behandelt worden. O. machte ausgiebig Gebrauch von den Möglichkeiten, die es seiner virtuosen deskriptiven Rhet. bot, aber seine grundsätzliche Rolle ist funktional: als ein Symbol der *conditio humana*. Die dargestellte Welt ist ein Universum in ewigem Fluß, in dem keine Identität jemals vollkommen sicher ist. Dieser Eindruck wird verstärkt durch die ständigen thematischen wie verbalen überraschenden Wendungen der Erzählung [40], und auch durch den oft scheinbar beliebigen Charakter der Übergänge zw. Episoden (Quint. inst. 4, 1,77). Im Gedicht wie im Leben weiß der Leser nie

genau, wo er sich befindet, er ist Teil des lit. Spiels geworden.

Dies hat Auswirkungen auf die Interpretation von O.' polit. Haltung, wie sie in seinen Gedichten angedeutet ist. Der in den *Amores* zelebrierte »elegische« Lebensstil war eine gattungsbezogene Pose. Die Nadelstiche in der *Ars amatoria* gegen die offiziellen »augusteischen« Wertvorstellungen mögen Augustus verärgert haben [36. 1–31], jedoch schwerlich eine polit. Stellungnahme bedeuten. In den ›Metamorphosen‹ stellt O. seine Weltsicht der von → Vergilius' *Aeneis* entgegen [12. 41; 40. 177–191]. Am deutlichsten zeigt sich dies am Schluß der beiden Epen: Am Ende der *Aeneis* ist eine Lösung erreicht, trotz des ambivalenten Nachgeschmacks, den Turnus' Tod hinterlassen hat; die von Iuppiter versprochene Zukunft des Imperiums (Verg. Aen. 1,278 f.) ist gewiß. In den ›Metamorphosen‹ hingegen klingt die augusteische Gewißheit der letzten Episode (15,852–860) nach Pythagoras' Klagelied auf Troia, Sparta, Mykene und Theben (met. 15,422–433) hohl. Das abschließende Bild von Augustus als irdischem Pendant Iuppiters (met. 15,858–860) kehrt das anfängliche *concetto* vom Olymp als himmlischem Palatin (1,175 f.) um, doch kann es dessen Frivolität nicht vergessen machen. Und es fällt schwer, den Spott in der Szene, die Iuppiter im himmlischen *tabularium* zeigt, zu übersehen (15,807–815) [40. 189 f.].

O.' Aussage, daß zu Beginn seines Exils die ›Metamorphosen‹ noch nicht abschließend bearbeitet waren (Ov. trist. 1,7), muß nicht ganz wörtlich genommen werden [43. 80–83]. Daß Varianten des Autors in unseren Mss. überlebten, ist zweifelhaft [31]; daß O. leichte Nachbesserungen daran in Tomi (z. B. 3,141 f. über Actaeon) vornahm, ist möglich, aber unbewiesen [9. 488 f.].

2. Fasti

Die *Fasti* waren nicht so weit gediehen. Von den geplanten 12 B. sind lediglich B. 1–6 (Januar–Juni) erhalten. Falls die übrigen jemals existiert haben, so – trotz Ov. trist. 2,549 – nur im Entwurf. Die *Fasti* waren, selbst für O., ein einmalig originelles Projekt. Bei der Behandlung von röm. Gesch. und ant. Rel. nach Art des Kallimachos (1,1 *tempora cum causis*, ›Daten mit Aitien‹) nahm O. seinen Ausgang von Properz' Versuchen zur aitiologischen Elegie (Prop. 4,2; 4,4; 4,9; 4,10), aber wie bei den *Heroides* verwandelte er ein Experiment in eine neue hybride Gattung. Wenn die ›Metamorphosen‹ elegische Epik sind, sind die ›Fasten‹, sowohl im Ausmaß als auch in der 12–Buch-Struktur (vgl. oben B.1.), epische Elegie: Beide Gedichte sind eine vereinte Herausforderung an die *Aeneis*.

Die *Fasti* sind vielleicht das am wenigsten faßbare Werk des O. Der röm. → Kalender und die Einfügung des Augustus und seiner Familie darin war ein polit. aufgeladenes Thema [34. 11 f.]. Einige Forscher sehen eine unterschwellige subversive Haltung in dem Witz, der O.' Behandlung des Stoffs lenkt. Andere sind bereit, sie als bare Münze und als Lobpreis der augusteischen

Errungenschaften aufzufassen, wie sie sich ja auf den ersten Blick so darstellt [5; 13; 14. 40–42]. In letzterem Fall mag man darüber streiten, ob das Vorhaben gelungen ist. Die Geschichten, mit denen O. seinen Gegenstand ausschmückt, sind mit seiner gewohnten Brillanz erzählt, und die ›Fasten‹ können wie die ›Metamorphosen‹ rein zum Vergnügen gelesen werden. Sie werden immer eine wertvolle (jedoch mit Vorsicht zu gebrauchende) Quelle für die röm. Rel. sein. In Tomi begann O. eine offensichtlich als vollständige Revision intendierte Bearbeitung des Werks, die dann aber nur B. 1 abdeckte [8, Bd. 1,18 f.; 39. 21]. Als Augustus starb, verschob O. die ursprüngliche Widmung an diesen an eine weniger zentrale Stelle (fast. 2,3–18) und ersetzte sie durch eine Widmung an Germanicus (fast. 1,3–26) mit einem etwas anderen Schwerpunkt. Wann und warum die B. 7–12 (Juli – Dezember) letztlich aufgegeben wurden, darüber kann nur spekuliert werden [39. 34 f.; 5. 259–272; 18. 204–212].

C. EXILDICHTUNG: TRISTIA, EPISTULAE EX PONTO, IBIS

Das 1. B. der Tristia (›Leiden‹) sandte O. bei der Ankunft in Tomi im Jahr 9 n.Chr. nach Rom, das 2. B. kurze Zeit später, die B. 3–5 in jährlichen Abständen 10–12 n.Chr. B. 1–3 der Epistulae ex Ponto (›Briefe vom Schwarzen Meer‹) verfaßte er 12–13 n.Chr.; das 4. B. ist eine Slg. von Gedichten der J. 13–16 n.Chr. [39. 37–47; 2. 46, Anm. 5]. O.' Absicht bei der Fortsetzung der dichterischen Arbeit im Exil ist von Anf. an klar: seinen Fall dem Augustus und über dessen Kopf hinweg dem unparteiischen Leser (candidus lector, Ov. trist. 1,11,35; 4,10,132) sowie schließlich auch der Nachwelt vorzutragen. Die beiden Werke sind für die Öffentlichkeit bestimmt; Privatkorrespondenz schrieb O. in Prosa (Pont. 4,2,5–6). Daß er sich als Opfer von Ungerechtigkeit fühlte, geht z.B. aus der Erwähnung des Schicksals des Rhipeus (Ov. trist. 4,8,15–16; vgl. Verg. Aen. 2,426–8) und der wiederholten Gleichsetzung der absoluten Macht des Augustus mit Iuppiters Blitz klar hervor. Das elegische Metrum (Distichon) war traditionell das der Wehklage (Hor. carm. 1,33,2 f.), etym. mit Trauer assoziiert, und O. verwendete den Topos vom Exil als Tod mehrfach [33. 23–32; 43. 12 f.]. Es war auch das Metrum der Ars amatoria, des Anklagegrundes, den er öffentlich anfechten konnte, während der zweite Grund, der nicht näher bestimmte error, gefährliches Territorium darstellte [39. 221 f.]. Daher ist seine an Augustus adressierte Verteidigung der Ars in trist. 2 erstaunlich freimütig, mit Schattierungen von Ironie bis zur offenen Satire [43. 154–209].

Es gibt eine gattungsbezogene Affinität der Exildichtung zu den Heroides. Indem O. die Thematik von Abwesenheit und Verlassensein in seine gegenwärtige Realität versetzt, kehrt er zum Ursprung der Gattung bei Properz (4,3) zurück. Der Dichter-Geliebte hatte eine praktische Absicht: die Eroberung seiner »Herrin« (Ov. am. 2,1,29–34; [38], »Nützlichkeitstopik«). Der Dichter-Verteidiger wendet sich nun ernsthaften Erzählbil-

dern und -ideen zu, die zuvor einem frivolen Ziel dienten (z.B. trist. 3,8,1–10; vgl. am. 3,6,13–16) [33. 71–82]. Die Exilgedichte müssen im Licht dieser lit. Strategie gelesen werden. Weder O.' Bilder des Lebens in → Tomi noch seine Klagen über das Nachlassen seiner poetischen Kräfte dürfen als objektiver Bericht genommen werden. Die Monotonie ihrer Thematik – Klage und Bitte – ist beabsichtigt. Die lit. Möglichkeiten seines Exilortes interessierten ihn nur, insofern sie deren Hauptziel dienten (trist. 3,9; 3,10,41 f.; 3,10,73 f.). In der Vielfalt, die er diesem begrenzten Themenspektrum verleiht, und in der künstlerischen Anordnung der Gedichte ist er so erfinderisch wie je zuvor. Seine Handhabe des Metrums ist nicht weniger vielseitig; der gelegentliche polysyllabische Schluß des Pentameters (auch in den Fasti und Heroides 16–21) ist kein Symptom technischer Schwäche [7; 23. 21–23].

Ebensowenig ist seine Strategie, lit. die Heimkehr zu betreiben, statisch. Die B. 1–3 der Epistulae ex Ponto, eine in einem einzigen Jahr verfaßte lit. Einheit [15], zeugen von wachsender dichterischer Produktivität. In den Tristia wird nur eine Handvoll von Adressaten namentlich genannt oder identifizierbar gemacht. In den Epistulae ex Ponto werden alle identifiziert [39. 76–93], was auf einen Schwerpunktwechsel hindeutet: auf Forderung von persönlicher versus polit. Loyalität. Gleichwohl hatten weder diese Initiative noch O.' Herantreten an Tiberius über Germanicus Erfolg. Das 4. B. wurde wahrscheinlich postum veröffentlicht [15; 17] – in diesem Fall hat O.' eigene anrührend bescheidene Einschätzung seiner Stellung unter den Dichtern seiner Zeit einen bes. eindringlichen Platz durch seinen unbekannten Herausgeber gefunden (Pont. 4,16,45 f.).

Ibis, 11 n.Chr. veröffentlicht [44. 132, Anm. 52], ist – obwohl formal kein Brief – wie trist. 3,11; 4,9; 5,8 an einen unbenannten Feind adressiert: eine lange Verfluchung (644 Verse), die auf diesen eine Reihe schauerlicher und widersprüchlicher Schicksalsschläge herabbeschwört, herausgesucht aus den obskursten Mythenkreisen. Daß eine Person namens »Ibis« tatsächlich existierte, ist unwahrscheinlich [20. 1040–1042; 10. 228]. Es handelt sich um eine lit. Übung, als solche ausgewiesen durch ihre Ableitung von Kallimachos und durch die pure Absurdität der Polemik. Sie zeigt, daß O.' dichterische Kraft nicht erschöpft ist (aber s. [44], eine radikale Neubeurteilung).

D. VERLORENE UND UNECHTE WERKE

Verloren sind die Tragödie Medea (am. 2,18,13–18; 3,1; trist. 2,553; Quint. inst. 10,1,98; Tac. dial. 12,5) sowie eine lat. Übers. der Phainómena des → Aratos (Prob. ad Verg. georg. 1,138; Lact. inst. 2,5,24; Fragmente in [27]). Nicht von O. sind am. 3,5 (Somnium) [22]; Heroides 15 (Epistula Sapphus) [25. 12–14]; Halieutica (oder → Halieuticon) [20. 698–701; 4. 204–212]; → Nux ([26]; dagegen [35. 29–39]); → Consolatio ad Liviam (Epicedion Drusi) [37].

III. CHARAKTERISTIK UND NACHWIRKUNG

O. identifizierte sich mit seiner Dichtung, seiner *maior imago* (trist. 1,7,11 f.: ›größeres Spiegelbild‹). Er war der Architekt eines lit. Kosmos; sein Anspruch, für die Elegie das geleistet zu haben, was Vergil für das Epos getan hatte (Ov. rem. 395 f.), bewertet die eigene Leistung sogar zu gering. In O.' Händen wurde das Territorium der Gattung über alle Erwartungen hinaus erweitert bis zu dem des Epos und mit diesem verschmolzen [19]. Im MA und danach sollte das noch fortgesetzt werden [11]. Wie der von ihm bewunderte Lukrez glaubte O. daran, Dinge zu ihrem logischen Schluß bringen zu müssen; die Halbtöne und Zweideutigkeiten des vergilischen Weltbildes waren seiner scharfen ironischen Intelligenz fremd. Seine scheinbar düstere Sicht des Lebens wird durch seine sympathetische Einsicht in die menschliche Natur sowie durch Esprit und Humor seines Komm. zur universellen Tragikomödie vor bloßem Pessimismus bewahrt. Dieser geistreiche Witz formt auch seine Sprache, z. B. in seiner beliebtesten rhet. Figur, der Syllepsis [40. 219–222]. In der Ansicht Senecas (contr. 2,2,12) und Quintilians (inst. 10,1,88; 10,1,98), daß O.' Mutwille zu weit ging, können wir den Beginn der lange gespaltenen Reaktion von Künstlern einerseits und Philologen andererseits auf seine überreiche Virtuosität [30. 1–2] erkennen.

In Gegensatz dazu steht die vollendete unauffällige Effizienz von O.' sprachlicher und metrischer Disziplin, mit der er den Hexameter und das elegische Distichon gestaltete und eine Art lat. poetischer *koinḗ* als Vermächtnis für seine Nachfolger vervollkommnete. Seine weitreichende Popularität in der klass. Ant. ist durch epigraphische Zeugnisse dokumentiert [28. 16 f., 156]. Seneca, Lucan, Statius, Iuvenal, Apuleius, Claudian und Ausonius legen Zeugnis für seinen Einfluß ab; für sie war es primär seine poetische Technik, die ihn empfahl.

Im MA war es der Inhalt seiner Dichtung, der Gefallen fand. Daß Werke des O. in der Hofbibliothek Karls des Großen präsent waren, wird indirekt belegt durch zwei Mss. aus dem 9. Jh., die unsere primäre Quelle für den Text der Liebesgedichte und der *Heroides* sind, und durch seinen Einfluß auf karolingische Dichter wie Modoin und Theodulf von Orleans. Das 12. und das 13. Jh. sind als *aetas Ovidiana* bezeichnet worden: O.' Liebeselegie war Haupttriebfeder des Phänomens der höfischen Liebe und ihres lit. Ausdrucks. Moralisierende und allegorisierende Interpretation seines Werkes wurde sogar auf die *Ars amatoria* angewandt. Sie und die *Remedia* wurden in das schulische Curriculum aufgenommen, letztere zusammen mit offensichtlich erbaulicheren Texten wie den → *Dicta Catonis*. Die ›Metamorphosen‹ und die *Heroides* waren unter lat. Texten, die von Maximus Planudes (ca. 1255–ca. 1305) ins Griech. übers. wurden.

Von BOCCACCIO und PETRARCA bis zur Gegenwart war O.' Wirkung auf Schriftsteller, Künstler und Komponisten fortdauernd und universell [42. 366–438; 30; 3. 1,816–819]. Obwohl Vergil sozusagen offiziell den höchsten Rang belegte, war O. der Lieblingsdichter der Renaissance: SHAKESPEARE rezipiert O. etwa viermal häufiger als Vergil. Vor allem aber bereitete und bereitet O. Vergnügen: Der junge Edward GIBBON ›empfand mehr Freude‹ bei der Lektüre der ›Metamorphosen‹ als bei der der ›Aeneis‹. Doch unter der brillanten Oberfläche der Schilderungen des O. liegen mächtige Herausforderungen, welche viele Künstler empfunden und aufgegriffen haben [30. 4 f., 151–166 und Tafeln]. Die Gesch. der europäischen Oper beginnt mit PERIS *Dafne* (1594); O. inspirierte auch HÄNDELS *Apollo e Dafne*, ebenso dessen *Acis e Galatea* und *Semele* sowie Richard STRAUSS' *Daphne*. In jüngerer Zeit ist die Thematik von Exil und Entfremdung erneut in den Vordergrund getreten und hat Ausdruck etwa in Christoph RANSMAYRS beunruhigendem Roman ›Die letzte Welt‹ (1988) gefunden. Seit dem Zweiten Weltkrieg ist es auch in akademischen Kreisen zu einer erfreulichen Wiederbelebung des Interesses an O. gekommen. Nach den zahlreichen jüngsten Arbeiten zu urteilen, scheint der langdauernde oben erwähnte Bruch zw. Künstlern und Philologen zu heilen.

→ VERWANDLUNGEN

1 ANRW II 31.4, 1981 2 J. BARSBY, O., ²1991 3 M. VON ALBRECHT, A History of Roman Literature, 1997, Bd. 1, 819–23 (Ed., Bibliogr.) 4 B. AXELSON, KS zur lat. Philol., 1987 5 A. BARCHIESI, The Poet and the Prince, 1997 (it. 1994) 6 M. BECK, Die Epistulae Heroidum XVIII und XIX des Corpus Ovidianum, 1996 7 J. BENEDUM, Stud. zur Dichtkunst des späten O., 1967 8 F. BÖMER (ed.), P. O. Naso. Die Fasten, 2 Bd., 1957–1958 (mit Komm.) 9 Ders., P. O. Naso. Metamorphosen Buch I–III, 1969 (Komm.) 10 A. CAMERON, Callimachus and His Critics, 1995 11 H. DÖRRIE, Der heroische Brief, 1968 12 O. S. DUE, Changing Forms, 1974 13 E. FANTHAM, Recent Readings of O.'s Fasti, in: CPh 90, 1995, 367–378 14 Dies. (ed.), O., Fasti Book IV, 1998 15 H. H. FROESCH, Ovids Epistulae ex Ponto I–III als Gedicht-Slg., 1968 16 G. P. GOOLD, The Cause of Ovid's Exile, in: Illinois Classical Studies 8, 1983, 94–107 17 M. HELZLE, Publii Ovidii Nasonis Epistularum ex Ponto liber IV, 1989 (Komm.) 18 G. HERBERT-BROWN, O. and the »Fasti«, 1994 19 N. HOLZBERG, O. Dichter und Werk, ²1998 20 A. E. HOUSMAN, The Classical Papers, 1972 21 H. JACOBSON, O.'s Heroides, 1974 22 E. J. KENNEY, On the Somnium attributed to O., in: AΓΩΝ 3, 1969, 1–14 23 Ders. (ed.), O., Heroides XVI–XXI, 1996 (Komm.) 24 P. E. KNOX, O.'s Metamorphoses and the Traditions of Augustan Poetry, 1986 25 Ders. (ed.), O., Heroides. Select Epistles, 1995 (mit Komm.) 26 A. G. LEE, Ovidiana (ed. N. I. HERESCU), 1958, 457–471 27 F. W. LENZ (ed.), P. Ovidii Nasonis Halieutica etc., ²1956 28 E. LISSBERGER, Das Fortleben der Röm. Elegiker in den Carmina Epigraphica, 1934 29 J. C. MCKEOWN (ed.), O., Amores, Bd. 1–3, 1987–1998 (mit Komm.) 30 C. MARTINDALE, O. Renewed, 1988 31 C. E. MURGIA, O. Met. 1.544–547 and the Theory of Double Recension, in: Classical Antiquity 3, 1984, 205–235. K. S. MYERS, O.'s Causes, 1994 33 B. R. NAGLE, The Poetics of Exile, 1980 34 C. E. NEWLANDS, Playing with Time. O. and the Fasti, 1995 35 M. PULBROOK (ed.), Publii Ovidi Nasonis Nux elegia, 1985 (mit Komm.) 36 N. RUDD, Lines of Enquiry, 1976 37 H. SCHOONHOVEN

(ed.), The Pseudo-Ovidian »Ad Liviam de morte Drusi«, 1992 (mit Komm.) **38** W. STROH, Die röm. Liebeselegie als werbende Dichtung, 1971 **39** R. SYME, History in O., 1978 **40** G. TISSOL, The Face of Nature, 1997 **41** H. TRÄNKLE, Elegisches in Ovids Metamorphosen, in: Hermes 91, 1963, 459–476 **42** L. P. WILKINSON, O. Recalled, 1955 **43** G. D. WILLIAMS, Banished Voices, 1994 **44** Ders., The Curse of Exile, 1996.   E. KE./Ü: TH. G.

Ovilavis. Schon kelt. besiedelter Straßenknotenpunkt mit Traunübergang, h. Wels. Nach Eingliederung von → Noricum ins röm. Reich besetzt; unter Hadrianus *municipium* (CIL III 11785b; IX 2593), unter Caracalla *colonia Aurelia Antoniniana* (CIL III 5630; CSIR III 3, 1981 [1]). Bestritten wird, daß O. zivile Hauptstadt von Noricum Ripense war [2]. In den Mauern von O. bildeten sich im 7./8. Jh. mehrere Siedlungskerne (im J. 776 befestigtes *castrum Ueles*).

1 R. MIGLBAUER, Zur Top. von Ovilava ..., in: Mitt. des Museumsvereines Lauriacum 32, 1994, 16–26
2 M. HAINZMANN, Fragen der Militär- und Zivilverwaltung (Ufer-)Norikums, in: Specimina nova Universitatis Quinqueecclesiensis 11, 1995, 59–70.

TIR M 33,66 f. · R. MIGLBAUER, Neue Forsch. im röm. Wels, in: Ostbairische Grenzmarken 38, 1996, 9–17.   K. DI.

Ovinius. Lat. Familienname, abgeleitet vom oskischen Praenomen *Ovius*.

SCHULZE, 202; 234; 481.

I. REPUBLIKANISCHE ZEIT

[I 1] Volkstribun vor 312 v. Chr. und Urheber der *lex Ovinia*, die den Censoren das Führen der Senatorenliste übertrug (Fest. 290 L.). MRR 1,158.   K.-L. E.

II. KAISERZEIT

[II 1] L. O. Curius Proculus Modianus Africanus. *Cos. suff.* wohl in der 1. H. des 3. Jh. n. Chr. (CIL VI 1479 = ILS 8093 = CIL VI Suppl. VIII ad 1479). PIR² O 185.

[II 2] L. O. Pudens Capella. Statthalter von → Numidia, wo er auch als *consul designatus* erscheint; ins 3. Jh. zu datieren. PIR² O 189.

THOMASSON, Fasti Africani, 195.

[II 3] L. O Rusticus Cornelianus. Senator, dessen Laufbahn bis zum Konsulat bekannt ist; verm. ins frühe 3. Jh. n. Chr. gehörig. PIR² O 190.

[II 4] C. O Tertullus. *Cos. suff.* wohl zu Anf. der Regierungszeit des → Septimius Severus; consularer Statthalter von Moesia inferior, 198–202 n. Chr. bezeugt [1. 331]. Mehrere kaiserl. Schreiben, in denen O. erscheint, sind inschr. ([2. 437 ff.] sowie CIL III 781 = ILS 423) und in den Digesten (38,17,1.3; 49,15,9) erh. PIR² O 191.

1 D. BOTEVA, Lower Moesia and Thrace in the Roman Imperial System, 1997 2 J. H. OLIVER, Greek Constitutions of Early Roman Emperors, 1989.   W. E.

Ovius. Oskisches Praenomen und auch seltener röm. Familienname.

1 SALOMIES, 82 2 J. REICHMUTH, Die lat. Gentilicia, 1956, 35 3 SCHULZE, 37; 202; 431 f. 4 WALDE/HOFMANN 2, 229.
                                                                           K.-L. E.

Owl-Pillar-Gruppe. Nach einem ihrer Motive (stehende Eule auf Säule bzw. Pfeiler) benannte rf. → kampanische Vasengruppe aus dem 2. und 3. Viertel des 5. Jh. v. Chr. Keramische Leitform ist die attische (»nolanische«) Amphora (→ Gefäßformen, Abb. A 5), ungleich seltener sind Kalpis (→ Gefäßformen, Abb. B 12), Krater und Kanne. In der Übernahme der besonderen Amphoren- und Kalpisform wie auch im Stil versuchen die Maler der O., die zeitgleichen att. Vasenmaler zu imitieren; hinzu kommt die auf den »nolanischen« Amphoren geübte Praxis, eine oder zwei Personen auf ein Ornamentband zu plazieren. An Themen sind bei der O. myth. Darstellungen (Herakles, Nike, Athena u. a.) und Alltagsbilder (Spendeszenen, Kriegersabschied) anzuführen. Die O. ist ein kurzlebiger Versuch lokaler kampanischer Künstler, die rf. Vasenmalerei in Anlehnung an att. Vorbilder in Kampanien einzuführen.

→ Unteritalische Vasenmalerei

TRENDALL, Lucania, 667–673 (und Supplement-Bände) · M. E. MAYO, K. HAMMA (Hrsg.), The Art of South Italy. Vases from Magna Graecia, Ausst. Richmond 1982, 201–203, Nr. 86.   R. H.

Oxathres (Ὀξάθρης).
[1] Jüngster Sohn → Dareios' [2] II. und der → Parysatis (Plut. Artoxerxes 1,5).
[2] Sohn des → Abulites, Befehlshaber der Truppen seines Vaters bei → Gaugamela; er unterwarf sich Alexandros [4] d. Gr., wurde aber als Verwalter der → Paraitakene u. a. wegen unterlassener Hilfeleistung für das durch die gedrosische Wüste ziehende Heer 324 in Susa hingerichtet (Arr. an. 3,8,5; 16,6; 19,2; 7,4,1; Curt. 5,2,8; Plut. Alexander 68 [Oxyartes]).
[3] Sohn des → Dionysios [5] von Herakleia [7] und der → Amastris [3], Enkel des Oxyathres; mit seinem Bruder → Klearchos [4] unter Vormundschaft der Mutter seit 306 v. Chr. Herr über Herakleia. Beide brachten 292 ihre Mutter um und wurden von → Lysimachos [2] hingerichtet (Memnon FGrH 434 F 4,8; 5,2 ff.; Diod. 20,77,1).

A. BITTNER, Ges. und Wirtschaft in Herakleia Pontike. Eine Polis zwischen Tyrannis und Selbstverwaltung, 1998, s. v. O.
                                                                           J. W.

Oxia palus s. Aralsee

Oxos s. Araxes [2]

Oxos-Schatz oder Amu-Darjā-Schatz; vom Gebiet dieses Flusses (→ Araxes [2]) nach Indien gebrachter Hort, der seit 1897 in London ausgestellt wird. Er umfaßt ca. 1500 Mz., Gold- und Silberarbeiten, einige Rollsiegel und Gemmen. Mz.: achämenidenzeitliche griech. Importe und ihre Nachprägungen, sowie ca. 100 Tetradrachmen und 100 Drachmen Alexandros' III., Seleukos' I., Antiochios' I. und II. und Diodotos' I. Die Goldarbeiten bilden mehrere Gruppen: Statuetten, prunkvolle Armreifen unterschiedlicher Stilformen, Agraffen, Gefäßhenkel in Form einer Bezoarziege, ein Quadriga-Modell, eine frg. erhaltene Scheide eines *akinákēs* (pers. Kurzschwerts) mit der Darstellung eines Reiters in der Tracht eines assyr. Königs auf Löwenjagd, eine Reihe Goldplatten mit der Darstellung Opfernder(?) in Nomadentracht in wechselnder Qualität, Tierfiguren, Schmuckteile, runde Schmuckplatten, Siegelringe u. a. Die Goldarbeiten sind zumeist im sakischen Stil (→ Sakai), eine kleinere Gruppe ist nach griech. Korenfiguren gearbeitet. Den Angaben der Händler nach stammt der Schatz aus dem Gebiet des Oxos; LITVINSKIJ und PICIKJAN möchten ihn auf den Tempel von Taḫt-e Sangin am Nord-Ufer des Pjandž zurückführen.

O. M. DALTON, The Treasure of the Oxus, 1905, ²1926, ³1964 · I. R. PICIKJAN, Oxos-Schatz und Oxos-Tempel. Achäm. Kunst in Mittelasien, 1992.   B. B.

Oxyartes (Ὀξυάρτης). Sogdischer Adliger; Freund des → Bessos und Gegner → Alexandros [4] d.Gr., Vater der → Roxane. Nach seiner Versöhnung mit den Makedonen (seine Söhne traten in Alexanders Heer ein) war er an der Unterwerfung Sogdiens beteiligt und erhielt 326/5 v. Chr. die Paropamisaden-Satrapie (bestätigt 323 und 321). 317 kämpfte O. mit → Eumenes [1] gegen → Antigonos [1] (Arr. an. 3,28,10; 4,18,4–7; 20,4; 26,6 f.; 6,15,3 f.; 7,6,4; Diod. 18,3,3; 39,6; 19,14,6; 48,2). → Parapamisos; Sogdiana   J.W.

Oxyathres. Bruder von → Dareios [3] III.

Oxybaphon (ὀξύβαφον, lat. → *acetabulum*, wörtlich: »Essignapf zum Eintunken«); bezeichnet speziell ein → Hohlmaß für Flüssiges im Betrag von ¼ → Kotyle oder 1½ → Kyathos [2]. Das attische *o.* maß 0,068 l [1. 2], das der Mediziner (seit Nero) 0,051 l [3].

1 F. HULTSCH, Griech. und röm. Metrologie, ²1882, 102 ff. 2 H. NISSEN, Griech. und röm. Metrologie, in: Hdb. der klass. Altertumswiss. 1, ²1892, 843 f., 867 3 H. CHANTRAINE, s. v. ξέστης, RE 9A, 2116 ff. 4 M. LANG, M. CROSBY, Weights, Measures and Tokens (The Athenian Agora 10), 1964.   HE. C.

Oxydrakai (Ὀξυδράκαι). Indische Ethnie im → Pandschab, organisiert als »aristokratische Republik«; zusammen mit den → Malloi von Alexandros [4] d.Gr. in heftigen Kämpfen unterworfen. Der Name ist nicht einheitlich überl.: Neben *Oxydrákai* bei Arr. an. 5,22; 6,11 u.ö. heißen sie bei Strab. 15,1,8, Diod. 17,98 und Arr. Ind. 4 *Sydrákai*; *Sudracae* bei Curt. 9,4,15, *Sydraci* bei Plin. nat. 6,25,92, *Sugambri* bei Iust. 12,9,3, *Oxidragae* in der Epitome Mettensis 78. In altindischen Listen von Pandschab-Völkern entsprechen den Malloi und O. die Mālava und Kṣudraka, beide auch numismatisch belegt. Das Gebiet der O. lag östl. der Malloi zw. → Hydraotes und → Hyphasis. Urspr. im Kriegszustand mit diesen, waren sie aber gegen Alexandros verbündet; als er das Gebiet der Malloi unterworfen hatte, ergaben sie sich kampflos (Arr. an. 6,14). Die Gesch. des Krieges ist ausführlich bei Arr. an. 6,4–11, kürzer bei Diod. 98 f. und Curt. 9,4 f. beschrieben.

1 P. H. L. EGGERMONT, Alexander's Campaign in Southern Punjab, 1993 2 D. HANDA, Numismatic Evidence of the Kṣudrakas, in: Journ. of the Numismatic Soc. of India 37, 1975, 13–19 3 O. STEIN, s. v. Ὀξυδράκαι, RE 18, 2024–32.   K. K.

Oxylos (Ὄξυλος).
[1] Sohn des Ares und der Protogeneia (Apollod. 1,59).
[2] Aitoler, König von → Elis. Die → Herakleidai, die auf einen Orakelspruch hin auf der Suche nach einem dreiäugigen (*trióphthalmos*) Führer sind, erkennen diesen in O., der ihnen auf einem Pferd (Maultier) begegnet und, weil er durch einen Pfeilschuß im Auge verloren hat, in der Tat (zusammen mit dem Tier) dreiäugig ist. Er ist auf dem Rückweg von einem Sühnejahr in der Verbannung, da er seinen Bruder beim Diskos-Werfen aus Versehen tötete und fliehen mußte. O. ist der Sohn des Haimon (Andraimon, Apollod. 2,175) und Nachkomme des → Aitolos, des Gründers und Herrschers über Elis bei der dor. Wanderung. Die siegreichen Herakliden überlassen O. die Stadt Elis, wo er als König herrscht und die Besiegten weiterhin wohnen läßt, und gewährleisten vertraglich die Unverletzlichkeit des Landes. Mit einem Synoikismos bringt O. die Stadt zum Blühen und übernimmt die Agonothesie (→ Agonothetes) des Heiligtums von Olympia (Paus. 5,3,6 f.; 4,1–4; Apollod. l.c.; Strab. 10,3,3; 7,3,3; 3,30). Gemahlin von O. ist Pieria, seine Kinder sind Aitolos und → Laias [2].   AL. FR.

Oxyrhynchos   A. DIE STADT
                  B. DIE OXYRHYNCHOS-PAPYRI
                  C. HELLENICA OXYRHYNCHI

A. DIE STADT

Stadt in Mittelägypten, h. Al-Bahnasā; in pharaonischer Zeit Hauptort des 19. oberäg. Gaus, äg. *pr-mḏd*, »Haus des Treffens(?)«. Urspr. war O. einer der Hauptkultorte des → Seth sowie der → Thoeris, und wurde, weil Seth den Osiris getötet hatte, in traditionellen Gaulisten als verfemter Ort genannt. Kaum arch. Funde aus vorptolem. Zeit; das ältere Gauzentrum lag verm. in *spr-mrw*. In griech.-röm. Zeit existierte in O. ein Kult des → Sarapis und der Thoeris, ebenfalls wurde der O.-Fisch verehrt [1], der mit Thoeris (synkretistisch auch → Neith bzw. → Isis) verbunden war. Die Stadt profitierte von ihrer Lage als Verkehrsknotenpunkt auf Wegen zu den Oasen. Unter Augustus war O. Teil einer Einheit von 7 Gauen in Mitteläg. (→ Heptanomia) [2]. In byz. Zeit stand die Stadt wirtschaftlich in Blüte; sie war zunächst Teil der Prov. Aegyptus, später Hauptstadt der neuen Prov. Arkadia; der Gau wurde dann in Iustinupolis umbenannt. O. war Sitz eines christl. Bischofs und besaß einen bedeutenden Friedhof mit Zeugnissen koptischer Kunst. Niedergang der Stadt in der Mamlukenzeit (ab dem 12. Jh. n. Chr.).

1 I. GAMER-WALLERT, Fische und Fischkulte im Alten Äg., 1970 2 J. KRÜGER, O. in der Kaiserzeit, 1990 3 W. M. F. PETRIE, Tombs of the Courtiers and O., 1925 4 A. JONES (ed.), Astronomical Papyri from O., 1999. JO. QU.

B. DIE OXYRHYNCHOS-PAPYRI

O. und Umgebung sind der bedeutendste Fundort von Papyri (→ Papyrus). Diese enthalten lit. Texte und amtliche Dokumente, meist in griech., aber auch in lat., koptischer und arabischer Sprache; dazu alt- und neutestamentliche (samt Apokryphen, u. a. Thomas-Evangelium) sowie christl. Texte; aber auch aus dem Äg. ins Griech. übersetzte Texte (→ Isis-Hymnos, → Asklepios-Aretalogie, Töpferorakel, Priestereid) und magische Texte in demotischer und altkoptischer Schrift. Der Zeithorizont erstreckt sich von den ersten Ptolemäern bis in die Zeit nach der arab. Eroberung (E. 4. Jh. v. Chr. bis 7. Jh. n. Chr.). Die Ausgrabungen begannen 1896/97 durch B. P. GRENFELL und A. S. HUNT auf Rechnung der Egypt Exploration Society; die Ergebnisse wurden 1898 im ersten Band der neuen Reihe ›The Oxyrhynchos Papyri‹ (POxy) veröffentlicht (bis 2000: 67 Bde.). Im J. 1910 nahm auch die ›Società italiana per la ricerca dei papiri greci e latini in Egitto‹ unter Leitung von E. PISTELLI ihre Arbeit in O. auf (Papiri greci e latini = PSI: Bd. 1, 1912, letzter Bd. 15, 1979). Die O.-Papyri werden h. an verschiedenen Orten verwahrt: zu den wichtigsten zählen das Ashmolean Museum in Oxford, die British Library in London, das Ägypt. Museum in Kairo und das Istituto Papirologico G. Vitelli in Florenz.

→ PAPYRI; PAPYROLOGIE; PAPYRUSSAMMLUNGEN

R. A. COLES, Location-List of the O. Papyri and of Other Greek Papyri Published by the Egypt Exploration Society, 1974 · J. KRÜGER, O. in der Kaiserzeit. Studien zur Topographie und Lit.-Rezeption, 1990 · E. G. TURNER, Greek Papyri. An Introduction, 1968, 27–33.
P. E./Ü: J. DE.

C. HELLENICA OXYRHYNCHI

Zu den 1942 in O. entdeckten Fr. eines griech. Gesch.-Werkes s. → Hellenika Oxyrhynchia.

Oxyrhynchos charakter s. Schriftstile

Oxythemis (Ὀξύθεμις) aus Larisa. Enger Vertrauter des → Demetrios [2] Poliorketes (Phylarchos FGrH 81 F 12), wurde nach der Befreiung Athens im Jahre 307 v. Chr. von maked. Besatzung mit dem Bürgerrecht und mit kult. Ehren ausgezeichnet (IG II² 558; vgl. Demochares FGrH 75 F 1). Im Jahre 289 führte er für Demetrios Verhandlungen mit → Agathokles [2] (Diod. 21,15 f.). → Antigonos [2] ließ ihn hinrichten (Athen. 578b).

CH. HABICHT, Gottmenschentum und griech. Städte, 1956, 55–58 · Ders., Athen, 1995, 87. HA. BE.

Ozene (Ὀζήνη). Indische Stadt im Binnenland östl. von → Barygaza, eine ehemalige Hauptstadt (peripl. m. E. 48); gräzisierte Form des mittelindischen Ojjenī (für altindisch Ujjayinī), der berühmten Metropolis des westl. Indien. Bei Ptol. 7,1,63 ist̂ O. die Hauptstadt des Tiastanes, identisch mit dem epigraphisch belegten Kṣatrapa-Fürsten Caṣṭana.

O. STEIN, s. v. Ὀζήνη, RE 18, 2048 f. K. K.

P

P (sprachwissenschaftlich). Der Buchstabe bezeichnet im Griech. und Lat. einen stimmlosen labialen Verschlußlaut. In Erbwörtern ist er im Griech. und Lat. häufig auf uridg. *p* zurückführbar (griech. πόσις, lat. *potis* < **pótis*) [1. 291; 2. 82; 3. 156]. Im Griech. kommt in allen Dial. mit Ausnahme des Myk. uridg. k^w bzw. $\hat{k}u$ / ku als weitere Quelle in Betracht. Dabei erscheint *p* stets vor dunklem Vok. (*a*, *o*), vgl. ποινή »Buße« < **k^woịnaₐ-* (ins Lat. als *poena* entlehnt) zu awest. kaēnā- »Buße«, aksl. *cěna* »Preis«, im Äol. auch vor *e* (att. τεῖσαι ~ äol. πεῖσαι) [1. 294, 300; 2. 86–88]. Im Myk. war der → Labiovelar noch als eigenes Phonem erh. (*a-to-ro-qo* ~ ἄνθρωπος) [4. 46]. Während *p* im Griech. weitgehend bewahrt bleibt, erfährt es im Lat. verschiedene assimilatorische Veränderungen (*coquo* < **quequō* < uridg. **pek^w-e/o-*; *summus* < **supmo-*; *somnus* < **suepno-*) [3. 156, 201].

Die Geminate findet sich in Lallwörtern (griech. πάππος »Großvater«, lat. *pappāre* »essen«), in der Kompositionsfuge (ἀππέμψει, Hom. Od. 15,83; lat. *appello*), außerdem im Griech. als Reflex der biphonematischen Gruppe -*ku*- (ἵππος aus **ₐ̣ekuos*), im Lat. aufgrund der »littera-Regel«, vgl. *Iuppiter* < *Iūpiter* [1. 315 f.; 3. 182; 5. 77]. In Lw. aus dem Griech. wird *p* im Lat. durch *p* wiedergegeben (s. o. *poena*), in altlat. Zeit auch griech. *ph*, vgl. *Pilipus* für Φίλιππος (CIL I² 552); *ampulla* (Deminutiv zu *amphora*) vgl. griech. ἀμφορεύς; vgl. jedoch *Numphis* (CIL X 6798).

→ Phi (sprachwiss.); Psi (sprachwiss.)

1 SCHWYZER, Gramm. 2 RIX, HGG 3 LEUMANN 4 M. LEJEUNE, Phonétique historique du mycénien et du grec ancien, 1972 5 G. MEISER, Histor. Laut- und Formenlehre der lat. Sprache, 1998. GE. ME.

P. wird als Abkürzung für den röm. Vornamen → Publius gebraucht und auf Mz. und Inschr. sehr häufig als Kürzel für Funktionen und Titel verwendet (z. B. *PM* = *pontifex maximus*; *PP* = *pater patriae*). Zu den zahlreichen Bed. von P in Numismatik und Epigraphik siehe [1. 310–319] und [2. XLIV-XLIX].

1 A. CALDERINI, Epigrafia, 1974 2 H. COHEN, J. C. EGBERT, R. CAGNAT, Coin-Inscriptions and Epigraphical Abbreviations of Imperial Rome, 1978. W. ED.

Pabulatores s. Heeresversorgung

Pacatianus s. Claudius [II 46]

Pacatus. Latinus P. Drepanius, ein aus dem Gebiet um Bordeaux stammender Rhetor, lebte im 4./5. Jh. n. Chr. und erreichte im Jahre 390 das Prokonsulat von Africa. Er war ein Freund des → Ausonius und des → Symmachus, verm. auch des → Paulinus [5] von Nola. Im Jahr 389 hielt P. einen Panegyricus auf Kaiser → Theodosius I. In diesem fällt bes. die Häufung von Exempla der röm. Trad. auf, mit der P. wohl der Würde der *res publica* gerecht werden wollte [8. 57–61]: P. sieht in der Person des Theodosius den röm. Begriff der → *humanitas* realisiert. Trotz der starken Integration der Zeit der röm. Republik in Form von Exempla in seiner Rede sollte dies nicht als einseitige Glorifizierung gedeutet werden. P. spricht immer wieder positiv von der Kaiserzeit, die für ihn von Theodosius quasi vollendet wird.

→ Panegyrik

ED.: 1 R. MYNORS, 1964 2 C. E. V. NIXON, B. SAYLOR RODGERS, In Praise of Roman Emperors, 1994, 437–531 (Panegyricus Latini Pacati Drepani dictus Theodosio) 3 Dies., P.: Panegyric to the Emperor Theodosius, 1987 (engl. Übers.).
LIT.: 4 U. ASCHE, Roms Weltherrschaftsidee und Außenpolitik in der Spätant. im Spiegel der Panegyrici Latini, Diss. 1983 5 A. LIPPOLD, Herrscherideal und Trad.-Verbundenheit im Panegyricus des P., in: Historia 17, 1968, 228–250 6 J. F. MATTHEWS, Gallic Supporters of Theodosius, in: Latomus 30, 1971, 1073–1099 7 C. E. V. NIXON (s. [2]), 6–7 8 W. PORTMANN, Gesch. der spätant. Panegyrik, Diss. 1988. M. GÜ.

Paccia. P. Marciana stammte aus Africa (Leptis Magna?); sie war seit ca. 175 n. Chr. die erste Frau des → Septimius Severus (SHA Sept. Sev. 3,2) und starb um 185 n. Chr. ([1. Nr. 410, 411]; CIL VIII 19494 = ILS 440).

1 J. M. REYNOLDS (ed.), The Inscriptions of Roman Tripolitana, 1952.

A. R. BIRLEY, Septimius Severus, ²1988, 52; 75; 225 · PIR² P 20 · RAEPSAET-CHARLIER, 590. T. F.

Paccius
[1] C. P. Africanus. Senator. Wohl im J. 67 kam er zu einem Suffektkonsulat. Im J. 70 wurde er aus dem Senat gestoßen, da er beschuldigt wurde, unter Nero [1] gegen die Brüder Scribonii Anzeige erstattet zu haben (Tac. hist. 4,41,3). Doch muß er bald wieder Zugang zum Senat erlangt haben, da er im J. 77/8 als Proconsul von Africa amtierte; für seine dortige Tätigkeit gibt es zahlreiche Zeugnisse. PIR² P 14.

THOMASSON, Fasti Africani, 44. W. E.

[2] P. Antiochus. In Rom tätiger Pharmakologe, der bes. mit einer von ihm zusammengesetzten ἱερά/*hierá* (»göttliches Heilmittel«) große therapeutische Erfolge hatte und große Gewinne erzielte (Scribonius 97). Der als »Antiochier« bezeichnete P. (Scribonius Largus 97, 156, 220; Gal. 13,284) war Schüler des Philonides Catinensis (Scribonius 97), verfaßte eine Slg. von Formeln zusammengesetzter Medikamente und starb in der Regierungszeit des Tiberius (14–37 n. Chr.; l.c.); mehr ist nicht bekannt. Bei Gal. 12,772 begegnet ein »asklepiadeischer P.« (→ Asklepiades [6]), doch weiß man nicht, ob es sich um denselben handelt.

Nach Scribonius 97 stellte seine *hierá* die Weiterentwicklung einer früheren Formel dar; zu seinen Lebzeiten von ihm geheimgehalten, wurde sie erst nach seinem Tod bekannt. Zu anderen, unter seinem Namen überl. Medikamenten vgl. Scribonius 156 und 220; Gal. 12,751; 760; 782; 13,284; 984.

H. DILLER, s. v. P. (4), RE 18.2, 2063 · C. FABRICIUS, Galens Exzerpte aus älteren Pharmakologen, 1972, 226 Anm. 41 · M. H. MARGANNE, Les médicaments estampillés dans le corpus galénique, in: A. DEBRU (Hrsg.), Galen on Pharmacology, 1997, 165 mit Anm. 56. A. TO./Ü: T. H.

Paches (Πάχης). Athener, Sohn des Epikuros, als *stratēgós* im Spätherbst 428 v. Chr. mit 1000 Hopliten gegen das abtrünnige → Mytilene gesandt, das er nach mehrmonatiger Belagerung einnahm (Thuk. 3,18,3–3,28; Diod. 12,55,5–10). Nach Operationen vor der ionischen Küste unterwarf er auf Lesbos ferner Antissa, Pyrrha und Eresos (Thuk. 3,28,3; 35,1–2) [1. 171 f.]. Nach seiner Rückkehr wurde P. in Athen (auf Betreiben Kleons [1]) angeklagt (der Anth. Pal. 7,614 geäußerte Vorwurf der Vergewaltigung zweier Lesbierinnen dürfte nicht der Anklagepunkt gewesen sein: [2]) und brachte sich vor den Augen seiner Richter um (Plut. Aristeides 26,5; Plut. Nikias 6,1).

1 K. W. WELWEI, Das klass. Athen, 1999 2 H. D. WESTLAKE, P., in: Phoenix 29, 1975, 107–116.

PA 11746. HA. BE.

Pachom (auch *Hierax* genannt). Sohn des Pachom (PP VIII 300b), Vater des → Pamenches, ca. 50/30 v. Chr. als *syngenḗs* und *stratēgós* in verschiedenen äg. Gauen belegt. P. bekleidete neben seinen staatl. Ämtern eine Reihe von indigenen Priesterämtern, die später auch von seinem Sohn im Titel geführt wurden. PP I/VIII 265; 301.

L. MOOREN, The Aulic Titulature in Ptolemaic Egypt, 1975, 119 f. Nr. 0127. W. A.

Pachomios (Παχώμιος), der 292 n. Chr. wohl in Latopolis/→ Esna geb. wurde und 346 an der Pest starb, gilt als Begründer des koinobitischen → Mönchtums in Äg. und als Verf. der ersten Mönchsregel; *koinóbion* (im Sinne von *koinōnía*, »Gemeinschaft«) heißt die von ihm gegr. pachomianische Mönchsgemeinschaft durchgängig in der *Vita prima* [2. 24]. P. wurde in einer paganen ägypt. Familie geb. und konvertierte anläßlich seiner Einschreibung in die Armee mit etwa zwanzig J. zum Christentum. Nach seiner Rückkehr in das unterägypt. Chenoboskion (»Gänseweide«) wurde er im J. 313 getauft; einige J. später begann er unter Leitung seines geistlichen Vaters, Apa Palamon, als Eremit zu leben. 323 empfing er nach dem Bericht der Vita (bohairische Version § 17) durch eine Vision den Befehl, in Tabennisi ein Kloster zu bauen. Nach anfänglichen Schwierigkeiten wuchs die Gemeinschaft schnell, nach sechs J. mußte ein weiteres Kloster in Pboou eingerichtet werden. Weitere bereits existierende Gemeinschaften wünschten dem Verband beizutreten; dieser umfaßte beim Tode des P. bereits neun Klöster und zwei assoziierte Frauengemeinschaften. Nach einer deutlich späteren Angabe lebten zu Lebzeiten des P. etwa 3000 Mönche im Verband (Pall. Laus. 26,18–20). Neben wichtigen Fürsprechern wie → Athanasios hatte P. auch energische Gegner: Kurz vor seinem Lebensende wurde er 345 auf einer Bischofssynode in Latopolis angeklagt, aber nicht verurteilt. P. verstand sein Reformwerk als »Dienst am Menschen« und als Rückbesinnung auf die Anf. der Kirche.

Ed.: **1** CPG 2, 2353–2356 (mit Suppl. 1998).
Lit.: **2** D. J. Chitty, The Desert a City, 1966
3 P. Rousseau, Pachomius, 1985.   C. M.

Pachrates (Παχράτης). Zauberer und Prophet aus Heliopolis [1], beweist Kaiser Hadrian seine Kunst mit Hilfe eines Rauchopfers an → Selene, wofür er als Anerkennung das doppelte Honorar erhält (PGM 1, P 4,2446ff.). P. diente eventuell als Inspiration für die Gestalt des Magiers Pankrates bei Lukian. Philopseudes 34–36 [1] und ist vielleicht identisch [2. 618f.] mit dem Dichter → Pankrates [3].

1 K. Preisendanz, s. v. P., RE 18, 2071–2074 **2** F. Stoessl, s. v. Pankrates (5), RE 18, 615–619.   Sl. A.

Pacht I. Mesopotamien, Ägypten
II. Griechisch-römische Antike

I. Mesopotamien, Ägypten

P. im Sinne der befristeten Übernahme landwirtschaftlicher oder gärtnerisch genutzter Grundstücke zur Bearbeitung bzw. Nutzung gegen Zahlung eines P.-Zinses ist in Mesopotamien seit der Mitte des 3. Jt. v. Chr. bezeugt. Als Verpächter konnten dabei sowohl die institutionellen Haushalte (→ Palast; → Tempel) als auch Privatpersonen fungieren. Der zu zahlende P.-Zins wurde entweder absolut in Naturalien bzw. Silber oder als Anteil am Ernteertrag festgesetzt. Die v. a. für die altbabylonische Zeit (20.–16. Jh. v. Chr.) im Rahmen der privaten Feld-P. typische Teilpachtform der Drittel-P., nach der ⅓ des Ertrages der Verpächter erhielt, während ⅔ beim Pächter verblieben, läßt sich bereits für die altakkadische (24.–22. Jh. v. Chr.) [1] und Ur III-Zeit (21. Jh. v. Chr.) nachweisen. Altbabylon. sind darüber hinaus die Halb- und Viertel-P. bezeugt. Bei der P. von Dattelpalmengärten erhielt ⅓ des Ertrages der Pächter, während ⅔ dem Verpächter zustanden (Codex → Ḫammurapi § 64 (TUAT 1, 52); → Keilschriftrechte), wohl in Abhängigkeit von der zu leistenden Arbeit des Pächters, die geringer als bei der Feld-P. war. Im Normalfall betrug die Zeit des P.-Verhältnisses bei der Feld-P. ein J., bei der (seit der Ur III-Zeit bezeugten) Neubruch-P. drei J. Bei der Neuanlage von Dattelpalmengärten betrug der P.-Zeitraum vier J., im fünften J. erfolgte die Ertragsteilung (hier zu gleichen Teilen) zw. Verpächter und Pächter (Codex Ḫammurapi § 60 (TUAT 1, 52)).

Sowohl für die Ur III-Zeit als auch altbabylon. ist die Kombination von Feld-P. und Darlehen im Sinne einer indirekten Pfandbestellung (→ Pfandrecht) nachweisbar, d. h. der Gläubiger pachtete vom Schuldner, um ein Besitzpfand zu erhalten [2. 89f.; 3]. Ähnliches läßt sich für die neuassyrischen P.-Verträge (1. H. 1. Jt. v. Chr.) zeigen, bei denen es sich im Grunde um antichretische Pfandbestellungen gehandelt haben dürfte [4. 29–32]. Die altbabylon. bezeugte Verpachtung landwirtschaftlicher Parzellen »auf Gemeinschaft« begründete eine Gesellschaft zw. den Vertragsparteien. Gesetzliche Bestimmungen regelten die Schadensersatzleistung des Pächters gegenüber dem Verpächter für den Fall der Nichteinhaltung der Bearbeitungspflicht (Codex Ur-Namma § 32 (TUAT 1, 23); Codex Ḫammurapi §§ 42–44 (TUAT 1, 49f.)) [5. 191–193] sowie von nicht näher bezeichneten Feldbewirtschaftern gegenüber Dritten für den Fall der Schädigung an fremden Grundstücken durch Fahrlässigkeit (Codex Ur-Namma § 31 (TUAT 1, 23); Codex Ḫammurapi §§ 55f. (TUAT 1,51)) [6. 10f.]. Bei Ernteverlusten durch höhere Gewalt, etwa durch Sturm oder Regen, war die Haftung des Feldnutzers für Ertragsschäden eingeschränkt [5. 186–189]. Die neu-/spätbabylon. Überl. zur P. stammt v. a. aus der chaldäischen und achäm. Epoche (7.–4. Jh. v. Chr.), während aus hell. Zeit bislang nur ein Textbeleg aus dem 3. Jh. v. Chr. vorliegt [7. 180–182]. Neben P.-Verträgen mit Zinsabreden sind P.-Verhältnisse gegen eine P.-Auflage (*imittu*) in Naturalien bezeugt, deren Höhe nicht im P.-Vertrag festgesetzt, sondern jährlich auf der Basis einer Ertragsschätzung vom Verpächter bzw. seinen Beauftragten oder von einer speziellen Kommission bestimmt wurde. Die Schätzung des Ertrages erfolgte unmittelbar vor der Ernte, also noch auf dem Baum (bei Datteln) oder auf dem Halm bzw. nach dem Schnitt (bei Getreide) [8].

In Ägypt. z. Z. des NR (2. H. 2. Jt. v. Chr.) fungierten die großen Heiligtümer als Verpächter von Feldern. Private Feld-P. ist v. a. durch demotische Urkunden der Ptolemäer-Zeit dokumentiert. Der P.-Zeitraum betrug in der Regel ein Jahr. Vor der P.-Zinszahlung nach der Ernte war eine Steuer an den König zu entrichten.

1 K. Volk, Zum Alter der Drittelpacht, in: Nouvelles assyriologiques brèves et utilitaires 1994, Nr. 25 2 B. Kienast, Die altbabylon. Briefe und Urkunden aus Kisurra, I. Teil, 1978 3 H. Neumann, Grundpfand-bestellung und Feldabgabe unter rechts- und sozialvergleichendem Aspekt, in: H. Klengel, J. Renger (Hrsg.), Landwirtschaft im Alten Orient, 1999, 137–148 4 J. N. Postgate, Fifty Neo-Assyrian Legal Documents, 1976 5 H. Petschow, Die §§ 45 und 46 des Codex Ḫammurapi. Ein Beitrag zum altbabylon. Bodenpachtrecht und zum Problem: Was ist der Codex Ḫammurapi, in: ZA 74, 1984, 181–212 6 H. Petschow, Neufunde zu keilschriftlichen Rechtssammlungen, in: ZRG 85, 1968, 1–29 7 R. J. van der Spek, Land Ownership in Babylonian Cuneiform Documents, in: M. J. Geller, H. Maehler (Hrsg.), Legal Documents of the Hell. World, 1995, 173–245 8 H. Petschow, s. v. imittu, RLA 5, 68–73.

W. Chechire, s. v. Verpachtung, LÄ 6, 1012–1014 · H. Felber, Demotische Ackerpachtverträge der Ptolemäerzeit, 1997 · K. Maekawa, The Rent of the Tenant Field (gán-APIN.LAL) in Lagash, in: Zinbun 14, 1977, 1–54 · G. Mauer, Das Formular der altbabylon. Bodenpachtverträge, 1980 · H. Neumann, Zum Problem der privaten Feld-P. in neusumerischer Zeit, in: J. Zablocka, S. Zawadzki (Hrsg.), Everyday Life in Ancient Near East (Šulmu 4), 1993, 223–233 · G. Ries, Die neubabylon. Bodenpachtformulare, 1976.   H. N.

II. Griechisch-römische Antike

Ein rechtliches Profil, das die private P. von anderen vertraglichen Rechtsverhältnissen deutlich unterschieden hätte, haben das griech. und das röm. Recht noch nicht entwickelt. Vielmehr fiel die Überlassung einer Sache zum Gebrauch (heute: Miete) oder zusätzlich zur Ziehung von Früchten, z. B. der Ernte von einem Acker (heute: P.), gegen Entgelt gleichermaßen unter den umfassenderen Typus der griech. → *místhōsis* und der röm. → *locatio conductio* (zu diesen Stichworten auch alle Einzelheiten).   G. S.

Pachtverträge. Die vertraglich geregelte Verpachtung von landwirtschaftlich genutzten Anbauflächen war in den griech. Poleis wahrscheinlich weit verbreitet; die Bezeichnung ἐκτήμοροι (→ *hektémoroi*) deutet darauf hin, daß Bauern bereits in der archa. Zeit Land bewirtschafteten, das ihnen nicht gehörte. Den → *klērúchoi* auf Salamis wurde die Verpachtung durch einen Volksbeschluß 510/500 v. Chr. verboten (IG I³ 1 = Syll.³ 13; vgl. zu Lesbos Thuk. 3,50) – ein Indiz dafür, daß Verpachtung von Land zu dieser Zeit durchaus üblich war. Außerhalb der Landwirtschaft existierten P. im → Bergbau; ferner kannte man die Verpachtung von Hausbesitz.

Der älteste überl. P. stammt aus Olympia (5. Jh. v. Chr.): Es handelte sich um eine unbefristete Verpachtung von etwa 1,8 ha Getreideland; die Pacht wurde einmal im J. in Naturalien bezahlt (IvOl 18). Zahlreiche P. des 4. Jh. v. Chr. sind inschr. erhalten; sie stammen aus Attika oder von den Inseln der Ägäis und enthalten oft genaue Vorschriften über Anbaumethoden und Bodennutzung. In den meisten Fällen wurde das Land von einer → Polis, einer → Phratrie, einer Deme (→ *dẽmos*) oder einer Kultgemeinschaft verpachtet. Die P. wurden für einen Zeitraum zw. 10 und 50 J., teilweise sogar für alle Zeiten geschlossen. Auf den verpachteten Ländereien befanden sich normalerweise Gebäude, und aus einigen P. geht hervor, daß auf dem Land sowohl Baumfrüchte (Feigen und Oliven) als auch Wein und Getreide geerntet wurden; eher selten gehörte Weideland zu den verpachteten Ländereien. Häufig wurde vom Pächter verlangt, daß er den Boden jedes zweite J. brachliegen ließ, und in einigen P. wurde der Wechsel von Getreideanbau und Anbau von Hülsenfrüchten gefordert. Es finden sich zudem Bestimmungen über das Fällen von Holz, die Entfernung der Ackerkrume und über die Düngung; selbst die Pflanzung von Bäumen oder die Bewässerung konnte geregelt werden.

Für das hell. → Delos sind die Pachtbedingungen relativ gut bekannt (IDélos 503). Das gesamte Tempelland wurde hier gleichzeitig für einen Zeitraum von jeweils 10 J. verpachtet; bei einer Neuverpachtung konnte ein Pächter seinen P. verlängern, er hatte nun allerdings 110 % seiner früheren Pacht zu zahlen. Kam ein Pächter seinen Zahlungsverpflichtungen nicht nach, wurde das betreffende Land an einen anderen verpachtet. In den Inventaren der verpachteten Höfe ist die Zahl der Bäume wie auch der Gebäude aufgeführt. Auf Delos wurden auch Gebäude – offenbar für einen Zeitraum von jeweils 5 J. – verpachtet.

Die P. aus → Thespiai, die ebenfalls aus der Zeit des Hell. stammen, weisen eine größere Vielfalt auf als die auf Delos. Es war eine unterschiedliche Pachtdauer vorgesehen (zw. 6 und 40 J.); das verpachtete Land war im Besitz verschiedener rel. oder polit. Körperschaften. Anders als im 4. Jh. v. Chr. finden sich in diesen P. keine Bestimmungen über Anbaumethoden und Bodennutzung, und das meiste Pachtland scheint einfacher Akkerboden gewesen zu sein; es fehlten jegliche Gebäude, allenfalls existierten primitive Unterstände für das Vieh. Eine der Inschr. macht es möglich, das Verhältnis zw. der Pacht und dem Wert des gepachteten Objektes zu berechnen: Ein Unterstand für Tiere wurde für 12,25 %, ein Stück Land für 9,2 % seines Wertes verpachtet.

Die griech. P. hatten den Zweck, ohne größeren Aufwand Geldeinkünfte aus Landbesitz zu erwirtschaften. Es ist nicht verwunderlich, daß einige Vereinigungen dazu neigten, Land eher an die eigenen Mitglieder zu verpachten. Das epigraphische Material zeigt erhebliche Unterschiede: So wurden in Thespiai wesentlich öfter dieselben Landstücke nacheinander an Angehörige einer einzigen Familie verpachtet als auf Delos. Private Grundbesitzer verpachteten ihr Land wahrscheinlich häufiger nur kurzfristig (Lys. 7,4; 7,9–11).

Die einzigen überl. griech. P. der röm. Zeit stammen aus Ägypten; allerdings war es wahrscheinlich nicht immer üblich, die Vertragsbedingungen detailliert festzulegen. Normalerweise wurde in solchen P. aufgeführt, welche Pflanzen angebaut werden sollten; galt der Vertrag länger als ein J., war Fruchtwechsel vorgeschrieben. Die Pacht wurde zumeist in Naturalien bezahlt, normalerweise in zuvor festgesetzer Höhe, manchmal aber auch in Form eines bestimmten Ernteanteils. P. aus dem 1. Jh. v. Chr. sowie dem späten 3. Jh. n. Chr. hatten gewöhnlich eine Geltungsdauer von nur einem J., die Verträge aus dem 2. Jh. von bis zu sechs J. → Colonatus; Locatio conductio; Misthosis

1 D. BEHREND, Attische Pachturkunden, 1970
2 A. BURFORD, Land and Labor in the Greek World, 1993
3 L. FOXHALL, The Dependent Tenant: Land Leasing and Labour in Italy and Greece, in: JRS 80, 1990, 97–114
4 D. HENNIG, Unt. zur Bodenpacht im ptolem.-röm. Ägypten, 1967 5 OSBORNE (Übersicht über die Pachtverträge: 42 f.) 6 R. OSBORNE, Social and Economic Implications of the Leasing of Land and Property in Classical and Hellenistic Greece, in: Chiron 18, 1988, 279–323
7 J. ROWLANDSON, Landowners and Tenants in Roman Egypt, 1996.   R. O./Ü: A. H.

Pachymeres, Georgios (Γεώργιος ὁ Παχυμέρης). Byz. Universalgelehrter und Humanist, geb. 1242 in Nikaia [5], gest. ca. 1310. P. bekleidete hohe kirchliche und staatliche Ämter (*prōtékdikos* und *dikaiophýlax*). Er studierte bei Georgios Akropolites Philos., Rhet., Mathematik und Physik. Sein bedeutendes Gesch.-Werk in 13 B. [1] behandelt die Geschehnisse der Zeit zw. 1255 und 1308 und ist das einzige ausführliche Gesch.-Werk in der Zeit der Palaiologen-Dynastie. Neben rhet. und philos. Werken verfaßte P. um 1300 eine Quadrivialschrift ([5]; vgl. → Artes liberales), welche Zeugnis von dem hohen Wissenschaftsniveau im Byzanz seiner Zeit ablegt. Das 2. B. umfaßt die Harmonik. Neben neupythagoreischen Quellen (→ Archytas [1], → Nikomachos [9]) verwendete P. auch Texte von → Aristoxenos [1] sowie von denen, die aritoxenische Lehre referierten. Er nahm als erster Musiktheoretiker Bezug auf die Terminologie der Kirchenmusik, besonders auf die byz. Kirchentöne (*échoi*), ohne jedoch deren Verhältnis zu den ant. *tónoi* (Tonschritten; → Tontheorie) näher zu erläutern. Die Vertrautheit des Verf. mit den ant. Autoren manifestierte sich auch in seinem Stil.

1 I. BEKKER (ed.), 2 Bde. (Corpus Scriptorum Historiae Byzantinae 12.1–2), 1835 2 HUNGER, Literatur, Bd. 1, 447–453 3 PG 143, 443–996; PG 144, 15–716 4 L. RICHTER, Ant. Überlieferungen in der byz. Musiktheorie, in: Acta Musicologica 70, 1998, 167–171 5 P. TANNERY (ed.), Quadrivium de Georges Pachymère (Studi e testi 94), 1940.
GE. WO.

Pachynos (Πάχυνος). Vorgebirge im äußersten SO von Sicilia (genauer: 8 km nordöstl. davon), h. Capo Pássero, 5 km südöstl. vom h. Pachino. P. war als Landmarke und Meßpunkt für die Schiffahrt von großer Bed. (vgl. Strab. 2,4,3: Entfernung von Kreta; 6,2,11:

von Malta; Plin. nat. 3,87: von der Peloponnesos). Aufgrund der ant. Vorstellung von der Orientierung der Insel wird der P. meist als Ostkap bezeichnet (Strab. 6,2,1; Plin. nat. 3,87; Dion. Per. 467 f.; anders Pol. 1,42,4). P. galt als Orientierungspunkt im Sizilischen Meer (Pol. 1,42,4; Strab. l. c.) und gehörte zum Gebiet von → Syrakusai (Diod. 5,2,2). In den Ber. über die Flottenoperationen des 1. und 2. → Punischen Krieges wird P. mehrfach erwähnt (Pol. 1,25,8; 1,54,1 ff.; Diod. 23,18,1; 24,1,8 f.; Liv. 24,27; 24,35; 25,27). Das Kap selbst war unbewohnt; wenn P. für Thunfisch-Fang und -verarbeitung bekannt war (Athen. 1,4c; Solin. 5,6), so dürfte hier wohl auf den kleinen Hafen *portus Pachyni* (*Apollineum*, vgl. Macrob. 1,17,24; h. Portopalo) westl. im Schutz des P. Bezug genommen sein (Cic. Verr. 2,5,87).

K. ZIEGLER, s. v. P., RE 18, 2074 • G. M. BACCI, Scavi e ricerche ad Avola, Grammichele, Portopalo, Taormina, in: Kokalos 30/31, 1984/1985, 716–721 • E. MANNI, Geografia fisica e politica della Sicilia antica (Kokalos Suppl. 4), 1981, 144 f.   GI. F. u. E. O.

Pacianus. Nach 343 Bischof von Barcinona (h. Barcelona), starb vor 393; aus seinem Leben ist praktisch nichts bekannt. Von ihm sind drei Briefe an den Novatianer Sympronianus erh., in denen er gegen den Novatianismus (→ Novatianus) Stellung nimmt (CPL 561), ferner ein Büchlein *Paraenesis sive exhortatorius libellus ad paenitentiam* (›Aufforderung zur Buße‹, CPL 562) und ein *Sermo de baptismo* (›Predigt über die Taufe‹, CPL 563). Ein *Cerv(ul)us* (›Hirsch‹) gegen das pagane Neujahrsfest, den → Hieronymus erwähnt (vir. ill. 106), ist verloren. Der Autor verfügt über eine gute Bildung und orientiert sich theologisch an → Tertullianus und → Cyprianus [2].

ED.: C. GRANADO, Pacien de Barcelone, Écrits (SChr 410), 1995.
LIT.: A. GRUBER, Stud. zu P. von Barcelona, 1901 • R. KAUER, Stud. zu P. (Programm K. K. Staatsgymnasium im XIII. Bezirke), Wien 1902.   C. M.

Paconius. Ital. Gentilname, bezeugt in Setia (demnach oskisch? ILS 6130) und mehreren Handelsstädten.

I. REPUBLIKANISCHE ZEIT

[I 1] (P.) Lepta, Q. Freund Ciceros und sein → *praefectus* [7] *fabrum* in Cilicia 51–50 v. Chr. (Cic. fam. 3,7,4; 5,20,4 u. ö.). Cic. fam. 9,13,1–3 deutet auf → Cales in Campania als seine Heimat, wo ILS 5779 ihn selbst oder einen Sohn bezeugen muß (zur Identität [1. 6]). P. erscheint häufig in Ciceros Briefen (u. a. als Adressat von fam. 6,18–19), zuletzt im November 44 (Att. 16,15,3).

1 E. BADIAN, Notes on a Recent List of Praefecti Fabrum under the Republic, in: Chiron 27, 1997, 1–19.   JÖ. F.

II. KAISERZEIT

[II 1] M. P. Senator. Legat des C. Iunius [II 32] Silanus, der 22 n. Chr. nach seinem Prokonsulat in Asia angeklagt wurde; P. trat gegen ihn als Ankläger auf. Später selbst des Majestätsverbrechens angeklagt (→ *maiestas*) und auf Betreiben des → Tiberius (so Suet. Tib. 61,6) verurteilt und hingerichtet. Sein Sohn ist P. [II 2]. PIR² P 26.

[II 2] Q. P. Agrippinus. Sohn von P. [II 1]. Quaestor in der Prov. Creta-Cyrenae für zwei Jahre unter Claudius [III 1]. 66 n. Chr. im Senat als Anhänger des → Stoizismus angeklagt und aus It. verbannt. Unter → Vespasianus wieder in den Senat aufgenommen; erneut, aber diesmal als kaiserlicher Legat nach Cyrenae gesandt, mit dem Auftrag, Staatsland aus Privatbesitz zurückzugewinnen. Er amtierte dort von 71–74. PIR² P 27.

[II 3] A. P. Sabinus. Suffektconsul im J. 58 n. Chr. PIR² P 29. W.E.

Pactio. Im röm. Völkerrecht bezeichnet *p.* (bzw. *pactum* < *pacisci*; syn. *conventio*: [1. 136f.]) allg. und ohne Rücksicht auf die jeweilige Rechtsform zwischenstaatliche Abkommen (Gell. 1,25,15; Gai. inst. 3,94; Dig. 49,15,12, vgl. 2,14,5; Liv. 34,57,7), im Pl. auch deren Inhalte. Da in ihnen *fides* [II.] *publica* wirkt, deren Beachtung die Einhaltung von *ius gentium* (s. → *ius* A. 2.) als Völkerrechtsnorm bedeutet ([2. 6; 11f.]; vgl. [1. 36]; [4. 75]), gilt auch für sie die Maxime: *pacta servanda sunt* (»Verträge sind einzuhalten«, vgl. Cic. off. 3,92; 107 und 1,23; Dig. 2,14,1; 2,14,7,7).

Als *t.t.* ist *p.* der eventuell durch Geiseln oder Eide gesicherte Kapitulationsvertrag, der nicht zugleich die rechtliche Selbstvernichtung des gegnerischen Staates bewirkt (→ *deditio*), dieser aber vorausgehen konnte. *Pactiones* fallen wie → *indutiae* und andere ebensowenig Frieden herstellende Kriegsverträge [3; 4] unter das *ius bellicum* (vgl. → Kriegsrecht); ihr für Friedensverträge (→ *pax*) ggf. präliminarer Abschluß obliegt dem Feldherrn (→ *sponsio*). Spektakuläre Fälle waren die Kapitulation im Krieg gegen Numantia 137 v. Chr. und die von → Caesennius [3] Paetus 62 n. Chr.

→ Kriegsrecht; Staatsvertrag; Völkerrecht

1 M. KASER, Ius gentium, 1993 2 D. NÖRR, Die *fides* im röm. Völkerrecht, 1991 3 K.-H. ZIEGLER, Kriegsverträge im ant. röm. Recht, in: ZRG 102, 1985, 40–90 4 Ders., Völkerrechtsgesch., 1994, 52; 59; 73ff. P.KE.

Pactum A. BEGRIFF B. PACTA NUDA C. PACTA ADIECTA D. PACTA VESTITA

A. BEGRIFF

P. ist eine formlose Abrede, eine Vereinbarung verschiedenen Inhalts (Dig. 2,14; Cod. Iust. 2,3); vgl. Dig. 2,14,1, 1–2: *P. autem a pactione dicitur (inde etiam pacis nomen appellatum est) et est pactio duorum pluriumve in idem placitum et consensus* – ›*P.*, formlose Vereinbarung, wird aber von *pactio* her so bezeichnet (von daher ist auch der Ausdruck *pax*, Frieden, geprägt worden), und *pactio* ist die Vereinbarung und der Konsens zweier oder mehrerer Menschen über denselben Gegenstand.‹

Im Bereich der unerlaubten Handlungen verstand man urspr. unter *p.* den Sühnevergleich durch Zahlung einer vereinbarten Geldbuße (vgl. Lex XII tab. 8,2), der zw. Täter und Opfer abgeschlossen wird, um der → *talio* zu entgehen [2]. Im klass. röm. Recht des 1.–3. Jh. n. Chr. wirkt dies bei der *actio furti* (→ *furtum*) und der *actio iniuriarum* (→ *iniuria*) insofern weiter, als durch ein formloses *p.* die Verbindlichkeit nach *ius civile* (→ *ius* A.1.) aufgehoben werden kann (vgl. Dig. 2,14,17,1).

B. PACTA NUDA

Im Gegensatz zu den Verbindlichkeiten aus einem der vom *ius civile* anerkannten Verträge ist ein *p.* grundsätzlich nicht selbständig einklagbar (sog. *p. nudum*, »nacktes« *p.*); eine entsprechende → *actio* [2] existiert nicht, vgl. Paul. sent. 2,14,1: *ex nudo enim pacto inter cives Romanos actio non nascitur* – ›aus einer bloßen Abrede erwächst unter röm. Bürgern keine Klage‹. Das Konzept der allg. Klagbarkeit von Verträgen im Sinne des Satzes *pacta servanda sunt* (»Verträge sind einzuhalten«) gilt somit für das röm. Recht nicht [6]. Allerdings verleiht der Praetor im Edikt (→ *edictum* [1–2]) den *pacta nuda* rechtliche Relevanz durch die Möglichkeit des Beklagten, dem Kläger ein von diesem nicht beachtetes *p.* einredeweise mittels *exceptio pacti* entgegenzuhalten (→ *exceptio*; vgl. Dig. 2,14,7,7: *Ait praetor: pacta conventa ... servabo* – ›Der Praetor sagt: Formlose Vereinbarungen ... werde ich anerkennen.‹, sowie Dig. 2,14,7,4: *Igitur nuda pactio obligationem non parit, sed parit exceptionem* – ›Eine bloße formlose Abrede bringt also kein Schuldverhältnis hervor, aber sie bringt eine Einrede hervor‹).

Nach heute herrschender Lehre nahm der praetorische Schutz der *pacta nuda* seinen Ausgang beim *p. de non petendo* (der Stundungs- oder Schulderlaßabrede). Die → *exceptio* (Einrede) hat entweder dilatorischen (bloß aufschiebenden) oder peremptorischen (aufhebenden) Charakter. Geltendmachung des *p.* mittels *exceptio* ist freilich im Rahmen der *bonae fidei iudicia* (Streitigkeiten nach Treu und Glauben, → *iudicium*) nicht notwendig, da bei diesen – im Gegensatz zu den *stricti iuris iudicia* (Streitigkeiten nach strengem Recht) – die Berücksichtigung des *p.* aufgrund der *bona fides* erfolgt und es der Einschaltung einer *exceptio* in die Prozeßformel (→ *formula*) nicht bedarf (Dig. 18,5,3) [3].

C. PACTA ADIECTA

Unter diesem (nicht ant.) Begriff faßt man ant. formlose Nebenabreden zu anerkannten Kontrakten zusammen; vgl. etwa bei der → *emptio venditio*: *p. displicentiae* (»Kauf auf Probe«), *in diem addictio* (Bessergebotsklausel), *p. de retroemendo* (Wiederkaufsklausel), *lex commissoria* (Rücktrittsvorbehalt für den Fall, daß der Kaufpreis nicht termingerecht bezahlt wird [5]). Ulp. Dig. 2,14,5 unterscheidet *pacta ex continenti* (unmittelbar bei Vertragsschluß) und *pacta ex intervallo* (nach einer Zwischenzeit). *Pacta ex continenti adiecta* werden bei den *bonae fidei iudicia* insofern Vertragsbestandteil, als sie mit der *actio* aus dem jeweiligen Kontrakt eingeklagt und somit auch – anders als *pacta nuda* – vom Kläger geltend gemacht werden können [8. 508–511].

D. Pacta vestita

Bestimmte formlose Vereinbarungen können weder den Konsensualkontrakten zugeordnet werden, noch stellen sie Nebenabreden dar, sind im Laufe der Entwicklung aber klagbar gemacht worden; sei es durch den Praetor (sog. *pacta praetoria*; nicht ant.) oder durch den Kaiser (sog. *pacta legitima*). Mittels praetorischer Klagen durchsetzbar ist das *constitutum debiti* (*actio de pecunia constituta*), das Versprechen, eine eigene oder fremde Schuld zu einem bestimmten Termin zu erfüllen oder für sie eine Sicherheit zu bestellen, sowie das → *receptum* (Garantieübernahme). Das *constitutum debiti* bot die Möglichkeit der Neu- oder Umbildung einer Obligation (Novation), allerdings ohne Untergang der zugrundeliegenden Obligation. Das *receptum* kommt in drei Formen vor: als *receptum arbitri* (→ *arbiter*; Verpflichtung des Schiedsrichters zur Einhaltung des Schiedsvertrages, → *compromissum*), als *receptum argentarii* (Zahlungsgarantie eines »Bankiers«) und als *receptum nautarum cauponum stabulariorum* (Haftung der Schiffer, Herbergs- und Stallwirte für eingebrachte Sachen).

Das spätant. Kaiserrecht macht das formlose Schenkungsversprechen (→ *donatio*) und das formlose Dotalversprechen (→ *dos*) als sog. *pacta legitima* klagbar [2. Bd. 2, 363]. Allg. wird in der Nachklassik durch die zunehmende Klagbarkeit von *pacta* der Gegensatz zum *contractus* (voll wirksamen Vertrag) bedeutungslos [2. Bd. 2].
→ Contractus; Exceptio; Obligatio; Transactio; Vertrag

1 G. Archi, Ait praetor: »Pacta conventa servabo«, in: De iustitia et iure, FS U. von Lübtow, 1980, 373–403 **2** Kaser, RPR Bd. 1, ²1971, 171 f., 527; Bd. 2, ²1975, 362–365 **3** R. Knütel, Die Inhärenz der exceptio pacti im bonae fidei iudicium, in: ZRG 84, 1967, 133–161 **4** G. Melillo, Contrahere, pacisci, transigere. Contributi allo studio del negozio bilaterale romano, 1994, 143–152, 223–255 **5** F. Peters, Die Rücktrittsvorbehalte des röm. Kaufrechts, 1973 **6** B. Schmidlin, Zum Gegensatz zw. röm. und mod. Vertragsauffassung: Typengebundenheit und Gestaltungsfreiheit, in: J. E. Spruit (Hrsg.), Maior viginti quinque annis, 1979, 111–131 **7** Z. Végh, Ex pacto ius. Studien zum Vertrag als Rechtsquelle bei den Rhetoren, in: ZRG 110, 1993, 184–295 (mit ausführlicher Lit.-Übersicht) **8** R. Zimmermann, The Law of Obligations, 1990, 508–530. V. T. H.

Pactumeius

[1] Q. Aurelius P. Clemens. Von Vespasianus und Titus mit praetorischem Rang in den Senat aufgenommen. Einer der ersten Senatoren aus Africa. Sein Bruder ist P. [3]. PIR² P 36. W. E.

[2] P. P. Clemens. Röm. Senator und Jurist; Nachkomme von P. [1]. Sein → *cursus honorum* bietet ILS 1067 aus → Cirta, seiner Heimatstadt; er führte ihn über die Praetur, eine → *cura* zur Steuereinschätzung syrischer Gemeinden (*ad rationes civitatium Syriae putandas*) zur praetorischen Statthalterschaft von Cilicia, während der er 138 n. Chr. auch den Konsulat erhielt. Verm. war er Consiliar (→ *consilium*) des Kaisers → Antoninus [1] Pius

(Dig. 40,7,21,1), doch sind keine jurist. Schriften von ihm erh. Um 140/1 begleitete er seinen Schwiegervater Prifernius Paetus Rosianus Geminus als Legat nach Africa. PIR² P 37.

D. Liebs, Nichtliterarische röm. Juristen der Kaiserzeit, in: K. Luig, D. Liebs (Hrsg.), Das Profil des Juristen in der europ. Trad. Symposion F. Wieacker, 1980, 123–198, bes. 153–155 · R. A. Bauman, Lawyers and Politics in the Early Roman Empire, 1989, 248 f. T. G. u. W. E.

[3] Q. Aurelius P. Fronto. Aus → Cirta in Africa. Wie sein Bruder P. [1]) durch Vespasianus und Titus mit praetorischem Rang in den Senat aufgenommen. *Praefectus aerarii Saturni* 76–78 n. Chr.; 80 erster Suffektconsul aus Africa (ILS 1001). PIR² P 38.

[4] T. P. Magnus. *Praefectus Aegypti* von 176–179 n. Chr. Verm. ist er mit dem gleichnamigen *cos. suff.* des J. 183 identisch, den Commodus später töten ließ. PIR² P 39.

[5] P. Rufus. Senator der traianischen Zeit; Nachkomme von P. [1] oder [2]. Seine Tochter P. Rufina heiratete Cuspius [1], *cos. suff.* 126 n. Chr. PIR² P 40; 43.

W. Eck, M. Roxan, Two New Military Diplomas, in: R. Frei Stolba (Hrsg.), Röm. Inschriften, FS H. Lieb, 1995, 55–99, bes. 77 ff. W. E.

Pacuvius. Röm. Tragödiendichter der republikanischen Zeit, oskisch-messapischer Herkunft, Neffe des → Ennius (Plin. nat. 35,19).
A. Biographie B. Werk

A. Biographie

Geb. 220 v. Chr. (vgl. Cic. Brut. 229) in → Brundisium (Hier. chron. p. 142 H.), gest. kurz vor 130 in Tarent. Neben dieser Chronologie, die aus → Accius' *Didascalica* und → Varros *De poetis* stammt [18. 48 f., 53, 62] und sich über Suetons *De poetis* [17. 36] bis zu Hieronymus erh. hat, finden sich Spuren einer anderen, vielleicht von Cornelius → Nepos' [2] *Chronica* geprägten Trad. [2. 8, 5], die P. eine Generation später ansetzt (Hier. l.c.: Ennius' Enkel, Blüte erst um 154, vgl. auch Gell. 17,21,49 – P. nach Terenz – und Vell. 2,9,3). P. dürfte gegen 200 nach Rom gekommen sein und sich seinem Onkel angeschlossen haben, als dessen Schüler er später galt (vgl. das Epigramm des Pompilius, FPL 75); er war dort als Maler und Dichter tätig (Hier. l.c. und Plin. l.c.). P.' Praetexta *Paulus* (nach 168) bezeugt gute Kontakte zu L. → Aemilius [I 32] Paullus, während die Relevanz von Cic. Lael. 24 (wo Beziehungen eines M. P. zum Scipionenkreis vorausgesetzt werden) umstritten ist. Kollegiale Beziehungen zu dem 50 J. jüngeren Zunftgenossen → Accius sind wahrscheinlich, vgl. die in den Details suspekte Nachfolgenotiz (Gell. 13,2,2) von Accius' Besuch in Tarent, wohin sich P. wohl bald nach 140 aus Alters- und Gesundheitsgründen zurückgezogen hatte. Ein angeblich von P. selbst stammendes Epitaph (vgl. aber [18. 65–100]) zitiert Gell. 1,24,4.

B. Werk

Die Produktion einer → *praetexta* und von → Satiren (Porph. in Hor. sat. 1,10,46; Diom. 1,485) verbindet P. mit dem Vorbild Ennius, von dem ihn die Konzentration auf das tragische Genus wiederum trennt. Dabei fällt im Unterschied zu Ennius (etwa 20 Trag.) und Accius (etwa 50 Trag.) die relativ niedrige Zahl von 13 gesicherten Titeln auf, von denen acht auf Themen um den troianischen Krieg entfallen, zwei Aias (*Armorum iudicium*; *Teucer*), vier Orestes gewidmet sind (*Chryses*, Hyg. fab. 120f.; *Hermiona*; *Dulorestes*; *Orestes*, vgl. [2. 161f.]); hinzu kommen Mythen von der Heimkehr des Odysseus (*Niptra*) und der Priamostochter *Iliona* (Hyg. fab. 109). Zwei Themen entstammen dem thebanischen Sagenkreis (*Antiopa*, vgl. Hyg. fab. 8; *Pentheus*), anderen Bereichen *Atalanta*, *Medus* (Hyg. fab. 27) und *Periboea*. Im Unterschied zu Ennius, der vorwiegend auf Euripides zurückgegriffen hat, folgt P. einer größeren Anzahl von Vorbildern (Aischylos: *Armorum iudicium*; Sophokles: *Hermiona*; *Niptra*; Euripides: *Antiopa*). Soweit die Handlung im Detail rekonstruiert werden kann, ist im Vergleich zu den Klassikern Kontamination der Stoffe (*Chryses*, *Niptra*) oder Umformung des Mythos (*Dulorestes*) festzustellen; völlig ohne Parallele sind *Iliona* und *Medus*. Auch bei vergleichbaren Stücken lassen sich kaum Einzelparallelen nachweisen. Der Verlust der nacheuripideischen Trag. erlaubt jedoch keine Antwort auf die Frage, ob P. in all diesen Punkten unbekannten Vorbildern folgt oder bekannte umgestaltet. Aber auch die Entscheidung für seltenere Vorlagen würde P. als bewußten Neuerer gegenüber den Vorgängern ausweisen, zu denen er bei manchen Sujets offenbar bewußt in Konkurrenz getreten ist (Livius Andronicus: *Hermiona*, *Teucer*, *Antiopa* (?), Stoff von *Armorum iudicium*; Ennius: *Aias*, Stoff von *Orestes* und *Teucer*). Der Sorgfalt bei der Stoffwahl dürfte die Ausführung entsprochen haben; damit kann auch der geringe Umfang der Produktion erklärt werden. Der Folgezeit galt P. mit (Cic. de orat. 3,27; Hor. epist. 2,1,56; Quint. inst. 10,1,97) oder vor Accius (Cic. opt. gen. 2) als Klassiker der Trag. und Muster des hohen Stils (Varro bei Gell. 6,14,6, vgl. auch 1,24,4), wobei er oft gegenüber Accius als *doctus* bezeichnet wird (vgl. auch Cic. orat. 36). Berühmt waren zumal *Antiopa*, *Dulorestes* und *Chryses* (Cic. Lael. 24; fin. 5,63). Die Polemik eines → Lucilius [I 6] (Gell. 17,21,49) oder → Martialis [1] (Mart. 11,90,6) ist genusbedingt, während sie in Tac. dial. 20,5; 21,7 die Haltung des Modernisten → Aper [1] charakterisiert. Dem Interesse zumal der Grammatiker verdanken wir Fragmente von etwa 450 Versen.

Fr.: 1 TRF ²1871, 75–136 (³1897, 86–157; ⁴1953, ed. A. Klotz, 111–189) 2 G. d'Anna, 1967. Mit Übers.: 3 E. H. Warmington, Remains of Old Latin 2, 1936, 157–323 4 P. Magno, 1977. Lex.: 5 L. Castagna, 1996. Lit.: 6 I. Lana, Pacuvio e i modelli greci, in: Atti della Accademia delle Scienze di Torino 81/83, 1947/49, 26–62 7 I. Mariotti, Introduzione a Pacuvio, 1960 8 H. J. Mette, P., in: Lustrum 9, 1964, 16f., 78–107 · 9. C. Mandolfo, Tradizionalismo e anticonformismo in Pacuvio, in: Orpheus 22, 1975, 27–48 10 G. d'Anna, Problemi di letteratura latina arcaica, 1976, 173–197 (Kap. »doctrina«) 11 A. Traglia, M. P., in: Cultura e Scuola 21, 1982, 226–234 (Forsch.-Ber.) 12 V. Tandoi, Il dramma storico di P., in: Ders. (Hrsg.), Disiecti membra poetae, Bd. 2, 1985, 11–38 13 A. de Rosalia, M. P., in: Bollettino di Studi latini 19, 1989, 119–132 (Forsch.-Ber.) 14 E. Artigas, Pacuviana, 1990 15 L. Castagna, Il verecondo Pacuvio e il suo teatro, in: Aevum antiquum 4, 1991, 223–225 (reiche Bibl.) 16 M. De Nonno u. a., Bibliografia, in: G. Cavallo et al. (Hrsg.), Lo spazio letterario, Bd. 5, 1991, 243f. (Bibl.) 17 P. L. Schmidt, Sueton, in: HLL, Bd. 4, § 404 18 H. Dahlmann, Stud. zu Varros »De Poetis«, 1962. P. L. S.

Paduaner. Im 16. Jh. n. Chr. geprägte Nachahmungen röm. Großbronze-Mz. (Sesterze und Medaillone). Eines der Herstellungszentren war Padua, das ihnen den Namen gab. Sie sind z. T. genaue Imitationen, z. T. variieren sie ihre Vorbilder, und z. T. sind es ganz erfundene Stücke (z. B. Sesterze von Otho). Die bekanntesten P. sind diejenigen des Paduaner Goldschmieds und Medailleurs Giovanni Cavino (1500–1570). 54 seiner Stempel sind im Cabinet des Médailles der Bibliothèque Nationale in Paris erh. [4. 111–124]. Inwieweit Cavino mit seinen hervorragenden Produkten betrügen wollte, wurde schon seit seiner Zeit diskutiert [1. 394–398; 2. 10–18; 3; 4. 12]. Auf jeden Fall fanden eine Reihe seiner Stücke als »antik« Aufnahme in die Slgg. Häufiger als die geprägten P. sind die allg. auch »P.« genannten Nachgüsse.

→ Medaillon; Sestertius

1 P. A. M. Belien, De »vervalser« Cavino, in: Beeldenaar 1995, 389–398 2 C. Johnson, R. Martini, Milano, Civiche Raccolte Numismatiche, Catalogo delle medaglie, Bd. 2,2: Secolo XVI, Cavino, 1989 3 G. Kirsch, Numismatisches »Kunstfälschertum« im Urteil der Zeitgenossen, in: SNR 1954, 31–36 4 Z. H. Klawans, Imitations and Inventions of Roman Coins, 1977. DI. K.

Padus. Der größte Fluß in It., h. Po, der mit dem mythischen Eridanos gleichgesetzt wurde (*fluminum rex Eridanus*, Verg. Georg. 1,482; *sacer Eridanus*, Sil. 12,696; *pater Eridanus*, Sil. 4,691); lokal wurde er P. und Bodincus genannt (Metrodoros FGrH 184 F 8). Er durchfließt mit einer Länge von 570 km von Westen nach Osten die ganze → Gallia Cisalpina (Pianura Padana), die er in Cispadana im Süden und Transpadana im Norden teilt (durch die Gebietsreform des Augustus in Liguria und Aemilia im Süden und Transpadana und Venetia im Norden unterschieden). Die Gallia Cisalpina wurde urspr. (von West nach Ost) von → Ligures, → Etrusci und → Veneti bewohnt.

Der P. entspringt am Mons Vesulus (Monte Viso; Mela 2,4,62) in den → Alpes Cottiae im Gebiet der Ligures Bagienni (Plin. nat. 3,117). Er wurde von Pappeln, Kiefern, Erlen und mächtigen Eichen gesäumt (Verg. Aen. 9,680); auf ihm flößte man hochstämmiges Holz bis nach Ravenna (Vitr. 2,9,16). Er war von → Augusta [5] Taurinorum (Turin) an schiffbar, wo von links der Duria einmündete; weitere Anlegestellen mit Handelsumschlagsplätzen befanden sich in Industria, Rigomagus, Ticinum an der linksseitigen Mündung des Ticinus, Placentia an der rechtsseitigen Einmündung des Trebia (auch Straßenknotenpunkt), Cremona an der linksseitigen Einmündung des Addua, Brixellum an der rechtsseitigen Einmündung des Incia (h. Enza), Mantua an der linksseitigen Einmündung des Mincius, Hostilia (dem Ausgangspunkt der Via Claudia Augusta nach Raetia) und in Vicus Aventia (h. Voghierra, Prov. Ferrara) an der rechtsseitigen Einmündung des Rhenus (h. Reno). Das Flußbett verlagerte sich seit der Ant. bes. in der Tiefebene. Das Delta teilte sich in frühgesch. Zeit in zwei Flußarme, die sich nach Hadria und Ravenna (später Padusa) stark spreizten. In histor. Zeit teilte sich der P. bei Trigaboloi in die Flußläufe Olane und Padoa (Pol. 2,16,6-12, die früheste Beschreibung des P.). → Spina lag am Flußarm des Eridanos (h. Padoa), der im Hoch-MA austrocknete, als die nach Ferrara abzweigenden Flüsse Volano (Olane) und Primaro das meiste Wasser führten. Der Durchbruch des Ficarolo (etwa 1150 n. Chr.) verwischte die ant. Hydrographie, wobei er den h. Po di Venezia schuf.

H. Lehmann, Standortverlagerung und Funktionswandel der städtischen Zentren an der Küste der Po-Ebene, 1964 · G. Uggeri, La romanizzazione dell'antico Delta Padano, 1975 · Ders., La navigazione interna della Cisalpina, in: Antichità Altoadriatiche 29, 1987, 305-354; 36, 1990, 175-196.   G. U./Ü: J. W. MA.

Padusa. Sumpfgebiet am Eridanos, aus einem südl. Arm des → Padus (Po) in frühgesch. Zeit entstanden, in röm. Zeit ausgetrocknet. Das fossile Flußbett wurde für den Bau der → *fossa Augusta* genutzt, den schiffbaren Kanal zw. Padus und Classis, dem Hafen von Ravenna (vgl. Plin. nat. 3,119). Mit dem Mythos von Phaëthon und Kyknos [3] verbunden (Diod. 5,23,3).

L. Gambi, Cosa era la Padusa, 1950 · G. Uggeri, La Romanizzazione dell'antico Delta Padano, 1975, 49 · Ders., Insediamenti, viabilità e commerci, in: N. Alfieri (Hrsg.), Storia di Ferrara, 1989, 136f.   G. U./Ü: J. W. MA.

Päderastie (παιδεραστία).

A. Definition   B. Geschichte

A. Definition

Die P. (Knabenliebe) ist eine in Griechenland gepflegte Spielart der → Homosexualität unter Männern bestimmter Altersstufen. Einem 12–18jährigen »Knaben« (παῖς/»pais«), dem ἐρώμενος/erṓmenos (»Geliebten«) gegenüber nahm ein Mann, der älter als 30 Jahre war, die Rolle eines Liebhabers (ἐραστής/erastḗs) und Erziehers ein. In der Forsch. wird der Stellenwert des sexuellen und des pädagogischen Aspektes der P. verschieden gewichtet, indem diese teils als pädagogisch verbrämte sexuelle Beziehung, teils als erotisch gefärbte

Erziehung gedeutet wird, bei der die Ausbildung zu kriegerischer Tüchtigkeit und zur ἀρετή (aretḗ; → Tugend) des Polisbürgers im Vordergrund stand.

B. Geschichte

Homer spricht nicht explizit von der P., schildert jedoch die emotionale Verbundenheit unter Männern, etwa zw. Achilleus und Patroklos (Hom. Il. 18,22-34; 18,79-126; 23,43-98), die in der späteren Trad. als päderastisches Paar angesehen wurden (Aischylos fr. 135; 136; vgl. Plat. symp. 180a). Nach Bethe [1] war die P. urspr. von Sparta, Kreta und anderen dorischen Siedlungen ausgegangen (vgl. Plat. leg. 636a-d; 836b-c); auf Kreta stellte die rituelle Entführung eines Knaben durch einen älteren Liebhaber nach Ephoros einen entscheidenden Schritt auf dem Weg zur Integration in die Erwachsenenwelt dar (vgl. Strab. 10,4,21). In Sparta galt die P. als strukturell mit der Erziehung der Jungen verbunden (Xen. Lak. pol. 2,12ff.; Plut. Lycurgus 17f.). Bereits im 7. Jh. v. Chr. war aber die P. nach Dover [2] wahrscheinlich nicht mehr auf die dorischen Siedlungsgebiete beschränkt.

Besondere Bed. gewann die P. als Bestandteil der Erziehung der Knaben in der aristokratischen Ges. der archa. Zeit. Die P. ist ein gängiges Sujet der griech. Lyrik (→ Stesichoros, → Ibykos, → Simonides, → Pindaros). Bes. die für den Vortrag auf dem Symposion bestimmten Elegien des → Theognis enthalten Reflexionen über die P. (Thgn. 1235-1238; 1295-1298 IEG). Das Liebeswerben eines Mannes um einen Knaben und der Verkehr werden seit archa. Zeit auf Vasenbildern dargestellt, die nach Dover [2] die idealisierte passive Hingabe des *erṓmenos* beim Schenkelverkehr illustrieren, der wohl gegenüber dem Analverkehr bevorzugt wurde.

Idealerweise waren im Athen der klass. Zeit Liebhaber und Geliebter freie Bürger. Wie im Verhältnis zu → Hetairai spielten Geschenke als Zeichen der Gunst in der päderastischen Beziehung eine wichtige Rolle. Sie kennzeichneten längerfristige, persönliche Liebesbeziehungen; die Bezahlung mit Geld hingegen war für die anonyme Promiskuität der → Prostitution charakteristisch. Vasenbilder zeigen, wie dem umworbenen Jungen Tiere wie Hasen oder Hähne, aber auch Geldbeutel als Geschenk überreicht werden. → Aristophanes [3] macht sich über die Ethik des Schenkens lustig, nach der Luxusgüter beliebt, Geldgeschenke jedoch verpönt waren (Aristoph. Plut. 149ff.). In der Alten Komödie haftet der Knabenliebe stets ein Beigeschmack aristokratischer Arroganz an. Wer Männer begehrte, die dem Alter eines *erṓmenos* bereits entwachsen waren, wurde als »weibisch« verspottet (Aristoph. Thesm. 49f; 97f.). Platon charakterisiert Sokrates als Liebhaber der Knaben (Plat. Charm. 153d-155d) und rechtfertigt die P. unter dem Aspekt des Strebens nach dem Schönen (Plat. symp. 178c-179b), lehnt die P. für die ideale Polis jedoch als widernatürlich ab (Plat. leg. 835d-842a).

Gewaltsame sexuelle Übergriffe auf Jungen waren in Athen strafbar; in solchen Fällen war es möglich, den

Täter anzuklagen (γραφὴ ὕβρεως/*graphḗ hýbreōs*; Demosth. or. 21,47; → *hýbris*).

Zw. griech. P. und röm. Homosexualität bestanden strukturelle Unterschiede; von einigen Ausnahmen abgesehen (Hadrianus, SHA Hadr. 14,5–7) wurden sexuelle Beziehungen zu Knaben in Rom nur im Bereich der Prostitution oder mit Sklaven gepflegt; daraus ergibt sich auch das Fehlen jeglicher pädagogischer Motive für derartige Verbindungen.

→ Erotik; Homosexualität; Pornographie; Sexualität; GENDER STUDIES

1 E. BETHE, Die dorische Knabenliebe, in: RhM 62, 1907, 438–475 2 K. J. DOVER, Greek Homosexuality, 1978 3 G. KOCH-HARNACK, Knabenliebe und Tiergeschenke, 1983 4 H. PATZER, Die griech. Knabenliebe, 1982 5 C. REINSBERG, Ehe, Hetärentum und Knabenliebe im ant. Griechenland, 1989 6 J. J. WINKLER, The Constraints of Desire, 1992.   E. HA.

Paelex. Vom röm. Juristen Paulus (Dig. 50,16,144) wird als Bed. von *p.* (auch *pelex, pellex*, ähnlich der griech. → *pallakḗ*) die Lebensgefährtin, die nicht verheiratet ist (also nicht *uxor*, → Ehe III. C.), angegeben. Die Rechtsstellung der *p.* wird im röm. Recht meist beim Konkubinat (→ *concubinatus*) behandelt.   G. S.

Paeligni. Italisches Volk im Appenninus am mittleren → Aternus in der Nachbarschaft der → Vestini, → Marrucini, → Marsi [1] und → Frentani (Strab. 5,2,1; 5,3,4; 5,3,11; Liv. 9,19,4; 26,11,11). Sie bewohnten eine kalte (Hor. carm. 3,19,8; Ov. trist. 4,10,3) und wasserreiche (Ov. am. 2,1,1) Bergregion. Zusammen mit den Vestini hatten sie im → Aternus einen Zugang zum Meer (Strab. 5,4,2); darüber hinaus galten auch die Küste um Hortona und die Mündung des → Sarus (Ptol. 3,1,19) als paelignisches Gebiet. Ihre bedeutendsten Städte waren → Corfinium, → Sulmo (Ptol. 3,1,64) und Superaequum (Plin. nat. 3,106). Unterschiedlich wird über ihre sabinische (Ov. fasti 3,95) bzw. illyrische (Fest. 248,13 ff.) Herkunft berichtet. Die P. sprachen einen mittelital., dem Oskischen (→ Oskisch-Umbrisch) verwandten Dial., der durch zahlreiche Inschr. (öffentliche Inschr., Weihinschr., Grabinschr. in Prosa und Versform, Mitte 2./E. 1. Jh. v. Chr.) bezeugt ist. Beteiligt waren P. am 1. → Samnitenkrieg (343–341 v. Chr.; Liv. 7,38,1; 8,4,8), am Latinerkrieg (340–338; Liv. 8,6,8), am 2. Samnitenkrieg (326–304; Liv. 8,29,4; 9,19,4; 9,41,4: mit den Marsi 308 v. Chr. gegen Rom; Liv. 9,45,18 und Diod. 20,101,5: *foedus* mit Rom 304 v. Chr.; vgl. zum J. 303 v. Chr. Liv. 10,30,3; 31,12), am 2. → Punischen Krieg (Liv. 22,9,5; 22,18,6 f.; 25,14,4–6; 28,45,19; Val. Max. 3,2,20) und am Krieg gegen → Iugurtha (Sall. Iug. 105,2). Eine führende Rolle spielten sie im → Bundesgenossenkrieg [3] (90–87 v. Chr.; App. civ. 1,39); unter Vettius Scato (Macrob. 1,11,24: *Paelignus Italicensis*) fungierte Corfinium als Zentrum des *bellum Italicum* mit dem Namen *Italica*; die Stadt wurde 88 v. Chr. vom Proconsul Pompeius Strabo erobert (Strab. 5,4,2; Liv. per.

76; Diod. 37,2,9), die P. wurden nach ihrer Kapitulation (*deditio*) in die *tribus Sergia* eingegliedert (Cic. Vatin. 36).

G. DEVOTO, Gli antichi Italici, 1951, s. Index • VETTER, Nr. 202–217 • A. J. TOYNBEE Hannibal's Legacy, 1965, s. Index • M. DURANTE, I dialetti medio-italici, in: PROSDOCIMI 6.1, 789–823, bes. 793–804 • PROSDOCIMI 6.2 • POCCETTI, Nr. 208–217.   S. d. V./Ü: J. W. MA.

Paenula. Halbkreisförmig zugeschnittener röm. Umhang von unterschiedlicher Länge, der vorne zusammengenäht wurde, mit einem Kopfloch zum Hineinschlüpfen und angenähter Kapuze. Die vordere Naht konnte u. U. von unten her aufgetrennt werden, um den Armen mehr Bewegungsfreiheit zu geben. Die P. war aus Leder, Leinen oder (Schaf-)Wolle und wurde von Männern und Frauen aller Stände, Sklaven und Soldaten bes. als Reise- und Wettermantel zum Schutz gegen Kälte und Regen getragen; sie war weiß oder grau bzw. in verschiedenen Rottönen gefärbt und mit Fransen versehen. Zu der P. gehörte ein dicker Schal (*focale*), den man um den Hals schlang. In Rom war die P. seit dem 2. Jh. v. Chr. in Mode und wurde mit dem 2. Jh. n. Chr. zum Alltagsgewand auch der höchsten Klassen. Im 4. Jh. verdrängte sie die → Toga und wurde zum liturgischen Gewand der christl. Priester.

Im übertragenen Sinne war die P. auch die Hülle, Bedeckung für Buchrollen u. a. m. (Mart. 14,84; vgl. auch Mart. 13,1 und Vitr. 10,7,2–3).

F. KOLB, Röm. Mäntel: p., lacerna, μανδύη, in: MDAI(R) 80, 1973, 73–116 • Ders., Die P. in der Historia Augusta (Bonner Historia-Augusta-Colloquium 1971), 1974, 81–101 • U. SCHARF, Straßenkleidung der röm. Frau, 1994, 83–90.   R. H.

Paestanische Vasen. Die P. V. entstanden erst in den Jahren um 360 v. Chr.; einige aus Sizilien eingewanderte Künstler gründeten im unterital. Paestum (→ Poseidonia) eine neue Werkstatt, die bes. in den Vasenmalern → Asteas und → Python ihre führenden Meister hatte; beide sind zudem die einzigen Vasenmaler Unteritaliens, von denen Signaturen auf Vasen bekannt sind. Die P. V.-Maler bevorzugten als Bildträger Glockenkratere, Halsamphoren, Hydrien, Lebetes Gamikoi, Lekaniden, Lekythoi und Kannen (→ Gefäße, Gefäßformen). Andere Formen, z. B. Peliken oder Kelch- und Volutenkratere, sind dagegen selten. Zu den Charakteristika der P. V. zählen Seitenpalmetten, die sog. Asteas-Blüte (eine Ranke mit Blütenkelch und Dolde), Zinnenmuster auf den Gewändern der Frauen und Männer sowie lockig angelegtes Haupthaar, das bis weit in den Rücken hängen kann, außerdem sich auf Steine, Pflanzen u. a. stützende und vorbeugende Gestalten. An Zusatzfarben sind Weiß, Gold, Schwarz, Purpur und Rottöne anzuführen. Dionysische Themen sind auf den P. V. vorherrschend; dazu gehören Thiasos- und Symposienbilder, die Kombination von → Dionysos und → Satyr bzw. → Mänade, aber ebenso solche Szenen mit Papposilenen, Phlyaken (→ Phlyakenvasen) u. a. An myth.

Szenen herrscht große Vielfalt, aus der Heraklesbilder, das Parisurteil, Orestes und Elektra am Grab des Agamemnon, Götterdarstellungen (Aphrodite mit Eroten, Apollon, Athena, Hermes) herausragen. Alltagsbilder sind die Ausnahme, doch sind Tierdarstellungen, v. a. Vogelbilder, erwähnenswert (Eule, Wasservögel, Wiedehopf u. a.).

Asteas und Python hatten großen Einfluß auf die in ihrer Nachfolge arbeitenden Maler; aus deren Werkstatt ist bes. der Aphrodite-Maler erwähnenswert, der aus Apulien eingewandert zu sein scheint. Nach 330 v. Chr. entstand eine zweite Werkstatt, die sich anfänglich an die Asteas-Python-Werkstatt anlehnte, dann aber in Bezug auf Qualität der Darstellungen und Motivreichtum schnell verfiel. Zugleich ist eine Beeinflussung durch den campanischen Caivano-Maler spürbar, die sich in den linearen Gewandstrukturen, konturlosen Frauenfiguren oder einer vom Boden aufsteigenden schwertförmigen Blüte äußert. Die P. V.-Malerei scheint um 300 v. Chr. zum Erliegen gekommen zu sein.

→ Asteas; Python; Unteritalische Vasenmalerei

TRENDALL, Paestum • A. D. TRENDALL, Red Figure Vases of South Italy and Sicily, 1989, 196–232 (dt.: Rf. Vasen aus Unteritalien und Sizilien, 1991, 223–264). R. H.

Paestum s. Poseidonia

Paetus

[1] Röm. Cognomen mit der Bed. »leicht schielend«, etwa einen »Silberblick« kennzeichnend (Cic. nat. deor. 1,80; Hor. sat. 1,3, 44 f. u. a.). Erblich in den Familien der Aelii seit dem 4. Jh. v. Chr. (→ Aelius [I 7–11]) und den Autronii im 1. Jh. (→ Autronius [I 8]); auch Beiname von Ciceros Freund L. Papirius [I 22] P. In der Kaiserzeit weiterverbreitet.

1 DEGRASSI, FCIR, 261 2 KAJANTO, Cognomina, 239.

K.-L. E.

[2] s. P. Clodius [II 15] Thrasea Paetus

Pagai (Παγαί, Ethnikon Παγαῖος; att. und lit. Πηγαί bzw. Πηγαῖος). Hafenort in der Megaris am Korinth. Golf, mit den Überresten einer befestigten Hafensiedlung beim h. Alepochori identifiziert. 461 v. Chr. wurde P. von Athenern besetzt (Thuk. 1,103,4), die von dort aus Flottenaktionen unternahmen (Thuk. 1,111,2). Im 30jährigen Frieden mußten die Athener P. an → Megara [2] zurückgeben (Thuk. 1,115; vgl. IG I³ 1353). Anschließend teilte P. das Schicksal von Megara: Gemeinsam traten Megara und das nun autonome P. 244/3 v. Chr. dem Achaiischen Bund bei (→ Achaioi, mit Karte). Seit 224/3 v. Chr. gehörte P. dem Boiot. Bund an, erst nach 193/2 v. Chr. war P. wieder Mitglied des Achaiischen Bundes (Pol. 2,43,5; 20,6,8; SEG 13, 327). Vgl. auch Skyl. 39; Strab. 8,1,3; 8,6,22; 9,1,2; 9,2,25; Paus. 1,41,8; 1,44,4; 9,19,2; Mela 2,53; Plin. nat. 4,23.

R. P. LEGON, Megara, 1981, 32 f. • E. MEYER, s. v. P., RE 18, 2283–2293 • M. SAKELLARIOU, N. FARAKLAS, Μεγαρίς, Αἰγόσθενα, Ἐρένεια, 1972, 63–66. K. F.

Paganus. Das von pagus (»Dorf«, »Gau«) abgeleitete lat. Adj. p. (Nebenform paganicus) bedeutet »bäuerlich«, »ländlich«, substantiviert der »Bauer«, »Dorfbewohner«; nur selten wird es übertragen (»bäurisch«, »ungebildet«) verwendet (Sidon. epist. 8,16,3). Seit dem 1. Jh. n. Chr. entwickelte sich aus der Militärsprache die Bed. »nicht zur Truppe gehörend«, »ausgesondert«, »außenstehend«, »Nichtsoldat«, »Zivilist«, »Bürger«. Diese Bed. findet sich in der christl. lat. Lit. nur bei → Tertullianus (De pallio 4); in De corona 11 verbindet er p. mit der Vorstellung der Christen als »Soldaten des Christus« und formuliert angesichts der Unvereinbarkeit von Soldatenstand und Christentum: Bei Christus ›gilt der gläubige Nichtsoldat ebenso sehr als Soldat, wie der treue Soldat als Nichtsoldat gilt‹ (tam miles est p. fidelis quam p. est miles fidelis) [2. 386–388; 3. 112 f.]; anders [1. 585 f.].

In der Form παγανός (paganós) gelangte p. auch ins Griech., wo sich die Bed. ausweitete (»gewöhnlich«, »nichtoffiziell«, »zivil«), so daß p. auch den »Laien«, »einfachen Bürger« im Gegensatz zum Mönch und zum Beamten bezeichnete (davon abgeleitet auch das gleichbedeutende Adj. paganikós und das Verb paganeúein, »einfacher Bürger sein«) [2. 367–375].

Im 4. Jh. n. Chr. entwickelte p. aus der Volkssprache die spezifisch christl.-lat. Bed. »heidnisch«, »Heiden« zur abwertenden Bezeichnung von Nichtchristen mit Ausnahme der Juden (dazu die Substantive paganitas und paganismus, »Heidentum«). Diese Bed., vorerst von manchen Autoren bewußt gemieden [1. 588], wurde erst durch → Augustinus definitiv lit.-fähig, verdrängte dann aber allmählich im lat. Sprachraum die Äquivalente gentilis und ethnicus; sie ist dem Griech. fast völlig fremd; bei den äußerst seltenen Ausnahmen wird anders betont: παγάνος (pagános) [2. 374 f.].

Über die Herkunft dieser christl. Begriffsausprägung sind sich die frühen christl. Autoren unsicher: Die pagani werden verstanden als die (von der Gottesstadt → Augustinus) Fremden, deren Kult auf dem Lande stattfindet (Oros. historiae, praef.), wobei nach → Beda Venerabilis pagos das griech. Äquivalent zu villa sei (In Marcum 4,15 zu Mk 15,21). Laut → Isidorus [9] von Sevilla kommt p. von einer Örtlichkeit (→ Areios pagos!) in Athen (Isid. orig. 8,10). → Philastrius favorisiert unter verschiedenen Erklärungen die Herleitung von einem König Paganus, Sohn von Deukalion und Pyrrha (Diversarum hereseon liber 11,2). Ebenso vielfältig sind die mod. Forschungspositionen (zur älteren Lit. [1. 582 f.]; Bibliogr. [4. 355]): Die pagani heißen so, weil sie auf dem Land wohnen (seit BARONIUS 1586), weil sie »Nichtsoldaten des Christus« sind (seit ALCIATI 1536; ZAHN; ALTANER [1]) bzw. – so die überzeugendste Position – weil sie außerhalb der christl. Gemeinschaft stehen ([2. 389; 3. 118]).

→ PAGANISMUS

1 B. ALTANER, P. Eine bedeutungsgesch. Unt., in: ZKG 58, 1939, 130–141 = G. GLOCKMANN (Hrsg.), B. Altaner, Kleine patristische Schriften (TU 83), 1967, 582–596 2 H. GRÉGOIRE, P. Étude de sémantique et d'histoire, in:

Mél. G. Smets, 1952, 363–400 **3** C. MOHRMANN, Encore
une fois: p., in: Vigiliae Christianae 6, 1952, 109–121
4 H. J. SIEBEN, Voces, 1980, 355.   M. HE.

Pagasai (Παγασαί). Stadt in Thessalia an der Nordküste
des nach P. benannten Golfs, h. Neai P. Vor Gründung
von P. soll dort eine hl. Stätte des Apollon Pagasaios
gewesen sein, die Werft, Abfahrts- und Ankunftsort der
→ Argonautai war. P. wurde um 600 v. Chr. von den
→ Thessaloi gegr., die einen 5,3 km breiten Küstenstreifen in Besitz nahmen (Strab. 9,5,15; Skyl. 64). Von
→ Pherai abhängig, war P. der bedeutendste Ort am
»Pagasitisch« genannten Golf (Παγασιτικὸς κόλπος,
Strab. 9,5,18) und blieb der einzige Hafen in Thessalia.
Zu Anf. des 4. Jh. v. Chr. erlebte P. seine Blüte zusammen mit Pherai. 353 zwang → Philippos II., von Larisa
[3] herbeigerufen, P. nach längerer Belagerung zur
Übergabe (Diod. 16,31,6). P. gehörte wohl seither als
maked. Besitzung zur Magnesia [1]. Um 290 v. Chr.
wurde → Demetrias [1] in unmittelbarer Nähe angelegt,
P. eingemeindet (Strab. l.c.); die Kulte von P. bestanden
in Demetrias weiter fort.

Für die Lokalisierung von P. gibt es drei Ansätze: 1)
Am südwestl. Vorwerk der Stadtmauer von Demetrias
rechts und links des Ligarorevma (ant. Anauros) – die
Bebauung von Demetrias hätte so die übrige Siedlung
überdeckt. Diese These [1] ist angesichts neuer arch.
Befunde jedoch hinfällig [2; 3; 4]. 2) An der Küste des
inneren Golfes von Volos zw. Bubulithra und Pevkakia
Magula (→ Neleia), wo Besiedlung vom Spätneolithi-
kum bis zur Gründung von Demetrias belegt ist. Es fehlt
dort aber jede Spur einer Stadtbefestigung. Diese These
wird in Griechenland favorisiert (bislang ohne wiss.
Veröffentlichung). 3) In der Siedlung ca. 2 km südl. von
Demetrias auf dem Kegelberg Soros über der Bucht, wo
man früher die im 4. Jh. v. Chr. aufgelassene Siedlung
→ Amphanai vermutete. Außer bei Grabungen Anf. des
20. Jh. konnte der Platz, seit geraumer Zeit im Besitz
eines Steinbruchunternehmens, kaum untersucht werden. Bisher ergibt sich das Bild einer durchweg befestigten Stadt mit Ober- und Unterburg, mindestens einem Heiligtum, zahlreichen Gräbern am Fuß des Berges
(die derzeit expandierenden Feriensiedlungen zum Opfer fallen). Zu beiden Seiten des Stadtbergs finden sich
zwei für einen griech. Hafen typische und hier für Hafen-
zwecke bes. geeignete Buchten. Der Platz war spätestens seit myk. bis in hell. Zeit bewohnt. Diese These
erhärtet sich durch neuere Unt. in und um Demetrias
[3; 4].

 1 F. STÄHLIN, E. MEYER, A. HEIDNER, P. und Demetrias,
1934 **2** P. MARZOLFF, Eine Flußverlegung und ihre Folgen,
in: R. HANAUER (Hrsg.), FS W. Böser, 1986, 381–401
3 Ders., Developpement urbanistique de Demetrias, in:
La Thessalie, Actes du colloque international (Lyon 1990),
Bd. 2, 1994, 57–70 **4** Ders., Ant. Städtebau und Architektur
in Thessalien, in: s. [3], 255–276.

 E. MEYER, s. v. P. (1), RE 18, 2297–2309 (Quellen) ·
V. MILOJČIĆ, Ber. über die dt. arch. Ausgrabungen in
Thessalien, in: AAA 7, 1974, 44–75.   HE. KR.

Pagen s. Basilikoi paides

Pagrai (Πάγραι). Hafensiedlung an der kaukasischen
Küste des → Pontos Euxeinos, 180 Stadien von Hieros
Limen (Arr. per. p.E. 28; Anon. peripl. m. Eux. 10r 9;
evtl. identisch mit Torikos bei Skyl. peripl. m. Eux. 74),
beim h. Gelenğik, 43 km südöstl. des h. Novorossijsk.
Gehörte wohl zum → Regnum Bosporanum.

 V. F. GAJDUKEVIČ, Das Bosporanische Reich, 1971, 237f. ·
D. D. und G. T. KACHARAVA, Goroda i poseleniya
Pričernomor'ya antičnoy epochi, 1991, 207, 280f. I. v. B.

Pagus (Pl. *pagi*, etym. verwandt mit *pangere* und *pax*;
»Gebiet mit festen Grenzen«). Lat. *p.* heißt der nichtur-
banisierte »Gau«, dessen Bevölkerung in Einzelhöfen
und Dörfern (*vici*; s. → *vicus*) wohnt, evtl. mit einem
oder mehreren *oppida* (→ *oppidum*) als Fluchtburg; der *p.*
war übliche Siedlungsform bei vielen Stämmen It.s, v. a.
bei der oskischen Bevölkerung in den Bergregionen
Mittelitaliens [4] und bei den Kelten Oberitaliens [2].
Von den Römern wurde *p.* als Bezeichnung für die
Unterteilung eines städt. Territoriums verwendet.

Zumindest die *p.* im röm. Staatsverband besaßen keine Rechtsprechung, wohl aber waren sie vermögensfähig und konnten Abgaben von den Einwohnern (*pagani*) erheben. Ihre Organe waren neben Aedilen und
Quaestoren auch *magistri pagi* (CIL IX 3521: Furfo; X
6490: Ulubrae). Die Versammlung der *pagani* konnte
Gesetze beschließen (*lex paganica*, CIL X 3772). Ihre Feste waren die *Paganalia* und die jährl. *lustratio pagi*, der
Flurumgang. In den spätrepublikan. Städtegesetzen
werden die *p.* nicht erwähnt [1].

In Rom bestanden die außerhalb der ältesten Stadt-
grenze gelegenen *p. Aventinus, Sucusanus und Ianiculensis*
zumindest bis zur Einrichtung der augusteischen Regionen (vgl. das sog. *SC de pago Montano* über die Nutzung
eines von diesem *p.* gepachteten Landstückes, ILS 6082
= FIRA I² 39).

Im gall. Raum bis nach Oberit. waren die *p.* relativ
selbständige Unterstämme der *civitates* (→ *civitas* A.), die
immer wieder von einem Stamm abfielen, um sich einem anderen anzuschließen oder selbständig zu werden,
wie z. B. die Tigurini, einer der vier »Gaue« der Helvetii, die sich nach Livius vom Stamm trennten (Liv.
per. 65: *a civitate secesserant*), um sich dem Zug der
→ Cimbri und Teutoni anzuschließen. In Oberit., der
Gallia Cisalpina, waren die *p.* der *Arusnates* im Gebiet
von Verona und der *Laebactes* in dem von Bellunum
weitgehend unabhängige Distrikte [2].

In Nordafrika findet sich die Bezeichnung *p.* als rein
röm. Unterteilung des → *ager publicus*, auf dem nach 146
v. Chr., nach dem Untergang Karthagos, eingezogenen
Land; daneben allerdings ist sie auch in einheimischem
Gebiet in völlig anderer Bed. belegt, wie z. B. bei dem
*senatus populusque civitatium stipendiariarum pago Gurzen-
ses* (CIL VIII 68 = ILS 6095) oder in Doppelgemeinden
von röm. *p.* und einheimischer *civitas* [5. 153–156].

1 M. Frederiksen, Changes in the Pattern of Settlement, in: P. Zanker (Hrsg.), Hell. in Mittelit., 1976, 341–355 **2** H. Galsterer, Il p. Arusnatium e i suoi culti, in: A. Mastrocinque (Hrsg.), Culti pagani nell'Italia settentrionale, 1994, 53–62 **3** E. Kornemann s. v. P., RE 18, 2318–2339 **4** U. Laffi, L'organizzazione paganico-vicana, 1974 **5** L. Teutsch, Das röm. Städtewesen in Nordafrika, 1962. H.GA.

Pahlawa. Indischer Name der Könige der v. a. durch ihre Mz. bekannten sog. indoparthischen Dyn., als deren Begründer Gondophares gilt, der die Herrschaft der Shaka in Arachosien (→ Arachosia) und schließlich wohl auch in Gandhara (→ Gandaritis) beendete. Die Inschr. von Taḫt-i Bahī aus dem 26. Jahr dieses Königs fixiert seine Herrschaft recht genau auf 20 bis nach 46 n. Chr. Dazu paßt die Nachricht, daß der Apostel Thomas auf seiner Reise nach Indien mit Gondophares zusammengetroffen sein soll (Thomasakten 1–6; [2]). Vom schließlich von Sīstān bis tief nach Indien (Jammu) reichenden Territorium der P. ging NW-Indien erst nach 100 n. Chr. an die Kušana (→ Kuschan(a)), Ost-Iran wohl erst an die → Sāsāniden verloren.

1 M. Alram, Indo-Parthian and Early Kushan Chronology: The Numismatic Evidence, in: Ders., D. E. Klimburg-Salter (Hrsg.), Coins, Art and Chronology, 1999, 19–48 **2** A. F. J. Klijn, The Acts of Thomas, 1962. J.W.

Paian (dor., später allg. verbreitet Παιάν; episch Παιήων; ion.-att. Παιών; aiol. Πάων; lat. *paean*). Bezeichnung einer griech. Liedgattung, aber auch eines Gottes, später Beiname verschiedener Götter. Die Etym. des Wortes ist dunkel [1; 2; 3]. Moderne Abh. über die Liedgattung P. pflegen die Identität der Bezeichnung von Lied und Gott zum Ausgangspunkt ihrer Überlegungen zu nehmen. Entweder sei der Gott eine aus dem unpersönlichen Ausruf ἰὴ παιάν (*iē paián*) gezogene Personifizierung des Rufes [4; 5], oder aber es habe urspr. einen Gott P. gegeben, an den der Ruf ἰὴ Παιάν (*iē Paián*) erging [6; 7; 8; 9]. Die Zeugnislage kann das Problem nicht lösen. Zwar bezeichnet der älteste Beleg des Wortes auf einem Linear-B-Täfelchen (KN V 52) den Namen des Gottes *Pa-ja-wo-ne*, doch könnte im 2. Jt. v. Chr. auch das Lied bereits existiert haben. Bei Homer ist P. ein individueller Gott, und zwar der Arzt der Götter (Hom. Il. 5,401 f.; 5,899 ff.; Hom. Od. 4,231 f.). Er ist eindeutig von → Apollon unterschieden, und noch bei Hesiodos wird seine göttliche Individualität und Personalität betont (Hes. fr. 307 M.-W.; vgl. Sol. fr. 13,57 W.). Doch schon bei Homer taucht das Wort auch als Bez. für das Lied auf, einmal als Gesang an Apollon zur Linderung der Pest (Hom. Il. 1,472–474), einmal als Siegeslied (Hom. Il. 22,391–394). Später erscheint der Name P., nachdem der homer. Götterarzt P. völlig verschwunden ist, als Beiname des Apollon, und zwar in Kontexten, in denen er als Abwehrer von Übel und Krankheit angesprochen ist (Eur. Herc. 820; Eur. Alc. 91 f.; 220; IG I³ 383,164 etc.). Das Wort tritt zudem in der Bed. »Heiler, Arzt« auf (Aischyl. fr. 255 Radt:

Eur. Hipp. 1370–1373; Tragica adespota fr. 369a Snell-Kannicht).

Die Pointe dieses Nebeneinanders von Gott und Lied liegt offenbar darin, daß das Lied den Gott urspr. als P., d. h. als »Helfer, Heiler« anruft [10. 1–86]. Dies kann in verschiedenen lebensweltlichen oder rituellen Situationen geschehen: bei Krankheit (Hom. Il. 1,472–474; Soph. Oid. T. 4 f.; vgl. auch Iambl. v. P. 110–112), im Krieg als Gesang vor dem Kampf (Eur. Tro. 122–128; Bakchyl. Dithyrambos 25,1–3; Aischyl. Sept. 262–271; Thuk. 6,32,1 f.; 7,75,7; Xen. an. 3,2,9; 4,3,19; 4,8,16) oder nach dem (siegreichen) Kampf (Hom. Il. 22,391–394; Xen. historia 7,2,15; 7,2,23; 7,4,36; Timotheos, Persae PMG 791,196–201; Vita Soph. 3 = TrGF 4 p. 31 Radt) oder als Schlachtruf (Aischyl. Pers. 386–395; Eur. Phoen. 1102 f.; Thuk. 1,50,5; 4,43,2 f.; 7,44,6; Xen. hell. 2,4,17 etc.), auch als bloßer Jubelschrei (Aischyl. Sept. 631–638; Eur. Erechtheus fr. 65,5–8 Austin; Aristoph. Pax 551–555; Hdt. 5,1,3; Thuk. 2,91,2; Xen. an. 6,1,11). Aber auch andere Gefahrensituationen sind Anlaß, einen P. anzustimmen (Eur. Iph. T. 1398–1405; Iph. A. 1468; Soph. Trach. 211 ff.; Xen. hell. 4,7,4). Daneben sind als »Sitz im Leben« folgende rituelle Situationen nachweisbar: Hochzeit (Sappho fr. 44,21–34 Voigt; Aristoph. Thesm. 1034–1038; Aischyl. fr. 350, 1–4 R. etc.), Symposion (Archil. fr. 121 West; Alkm. PMGF fr. 98; Aischyl. Ag. 243–247; Dikaiarchos fr. 88 Wehrli² etc.) sowie Götterfeste, vornehmlich im Apollonkult, und zwar bes. in Delphi (überlieferte Paiane: Simonides PMG fr. 519; Pind. Paian 8; Aristonoos Coll-Alex. 162–164 = Paian 42 Käppel; Pind. Paian 6; → Philodamos, Paian 39 Käppel; Paean Delphicus I/II = Paian 45/46 Käppel; vgl. Hom. h. 3,269–274 etc.; Bakchyl. Dithyrambos 16,1–13; Apoll. Rhod. 1,536–541; Plut. De E apud Delphos 9 p. 388e–389c; Syll.³ 450 etc.), in Delos (überl. P.: Pind. Paian 4; 5; 7b; 12; Bakchyl. c.17; vgl. Hom. h. 3,146–164; Eur. Herc. 687–696). Auch in Sparta bei den Gymnopaidia und → Hyakinthia wurden P. aufgeführt (Athen. 15,678b-c; Xen. Ag. 2,17; hell. 4,5,11; Polykrates FGrH 588 F 1); weitere Aufführungsorte s. bei [10. 322–341].

Wenngleich sich die Liedgattung des P. nicht durch einen festen Kanon an formalen Merkmalen definieren läßt, so treten doch folgende Elemente häufig(er) auf: Das sog. Epiphthegma *iē paián* als Refrain, ein Adressat als potentieller oder realisierter göttlicher Helfer/Heiler, und ein »Ich« als hilfebedürftiges Subjekt [10. 65–74]. Diese Struktur macht den P. zu einem »Heilsgedicht« im weitesten Sinne. Apollon und → Asklepios, auch → Hygieia waren daher als »Heil«-Götter bevorzugte Adressaten (Alkaios fr. 307 Voigt; Pind. Paian 1; 5; 6; 7; 8; 9; Paean Delphicus I/II = Paian 45/46 Käppel; Soph. PMG fr. 737; → Erythräische Paiane, Paian 37 Käppel; → Isyllos Paian 40 K.; Makedonios Paian 41 K.; → Ariphron Paian 34 K.), doch auch andere Götter kommen in Frage [10. 344–346]. Die Gattung scheint sich von einer eng an die o.g. »Heils«-Kontexte gebundenen zu einer mehr durch die o.g. formalen Elemente

charakterisierten Gattung entwickelt zu haben ([10]; dagegen [11]). Daher konnten schließlich auch Götter wie Dionysos (→ Philodamos) oder – vom Hell. an – Herrscher zu Adressaten von P. werden [10. 346–349; 12. 147 f.]. Als Autoren von P. sind (in ungefähr chronologischer Reihenfolge) folgende Dichter bezeugt: → Alkaios [4], → Thaletas, → Xenodamos, → Xenokritos, → Dionysodotos, → Tynnichos, → Simonides, → Pindaros, → Bakchylides, → Aischylos, → Sophokles, → Ion [2] von Chios, → Timotheos, → Telestes, → Kleochares, → Demetrios [4] von Phaleron, → Alexinos, → Hermokles [1] von Kyzikos, → Ariphron, → Philodamos, → Isyllos, → Makedonios [1], → Aristonoos, → Limenios, Ailios → Aristeides [3].
→ Lyrik; Metrik

1 FRISK, s. v. παιάν, 460 f. 2 CHANTRAINE, s. v. παιάν, 847 3 R. D. CROMEY, Attic Παιανία and Παιονίδαι, in: Glotta 56, 1978, 62 f. 4 L. DEUBNER, P., 1919 5 Ders., Ololyge und Verwandtes, 1941 6 C. F. H. SCHWALBE, Ueber die Bedeutung des Päan, als Gesang im Apollinischen Kultus, in: Jb. des Pädagogiums zum Closter Unser Lieben Frauen in Magdeburg, N. F. 11, 1847, 1–40 7 A. FAIRBANKS, A Study of the Greek Paean (Cornell Studies in Classical Philology 12), 1900 8 A. v. BLUMENTHAL, s. v. P., RE 18.2, 2340–2362 9 G. A. PRIVITERA, Il peana sacro ad Apollo, in: Cultura e Scuola 41, 1972, 41–49 10 L. KÄPPEL, P., 1992 11 S. SCHRÖDER, Gesch. und Theorie der Gattung P., 1999 12 C. HABICHT, Gottmenschentum und griech. Städte (Zetemata 14), ²1970.

G. BONA, Pindaro, I peani, 1988 • G. B. D.'ALESSIO, Pindar's Prosodia and the Classification of Pindaric Papyrus Fragments, in: ZPE 118, 1997, 23–60 • A. E. HARVEY, The Classification of Greek Lyric Poetry, in: CQ 5, 1955, 157–175 • I. RUTHERFORD, For the Aeginetans to Aiakos a Prosodion: An Unnoticed Title at Pindar, Paean 6,123 and its Significance for the Poem, in: ZPE 118, 1997, 1–21 • Ders., Pindar's Hymns to Apollo (2000?)   L. K.

Paiania (Παιανία). Großer att. Mesogeia-Demos der Phyle → Pandionis bei Liopesi (h. wieder P.), geteilt in Ober-P. (Π. καθύπερθεν) mit einem *buleutḗs* und Unter-P. (Π. ὑπένερθεν) mit elf *buleutaí* (Harpokr. s. v. Παιανιεῖς). Ober-P. wechselte 307/6 v. Chr. in die Antigonis. Das Demendekret IG I³ 250 (450/430 v. Chr.; FO: Liopesi) [2. 385 Nr. 83] von Unter-P., das ein Quorum von 100 *dēmótai* vorsieht [2. 95], bezeugt das Pflugfest der *Pr(o)ērosía* [2. 196 f.] und *hieropoioí* (»kult. Aufsichtsbeamte«) [2. 142, 183]. Zum Panskult vgl. [1; 3]. Das Ehrendekret IG II² 3097 [2. 216 f.] für einen siegreichen Choregen an den ländl. → Dionysia läßt ein Theater vermuten [2. 220]. → Demosthenes [2] war in P. eingebürgert (Demosth. or. 30,15; [2. 103]).

1 E. VANDERPOOL, Pan in P., in: AJA 71, 1967, 309–311 2 WHITEHEAD, Index s. v. P. 3 J. M. WICKENS, The Archaeology and History of Cave Use in Attica, Bd. 2, 1986, 175 ff. Nr. 33.

C. W. HEDRICK JR., The Phratry from P., in: CQ 39, 1989, 126–135 • TRAILL, Attica, 7, 8, 17, 43, 59, 62, 67, 69, 111 Nr. 98 f., 127 Nr. 11, Taf. 3 und 11.   H. LO.

Paidagogos (παιδαγωγός, lat. *paedagogus*). Dem Schulkind als Begleiter beigegebener Hausssklave, erstmals für das J. 480 v. Chr. bezeugt (Hdt. 8,75), von geringem Ansehen (Plat. Alk. 1,122b; Plat. Lys. 223a-b). Vasenbilder und Terrakotten zeigen ihn als Ausländer mit Glatze, struppigem Bart und Stock [1. 28 ff.]. Ständig an der Seite des Kindes, beschützte er es vor Gefahren und brachte ihm rechtes Benehmen und gesittetes Verhalten bei; mancher *p.* beaufsichtigte auch die Schulaufgaben [2. 276, 282; 3. 75]. In Rom wählte man im Zuge der Aneignung griech. → Bildung (C. 2.) einen Sklaven als *p.* aus (auch *custos* genannt: Petron. 94,2; Sen. epist. 11,9), von dem das Kind griech. sprechen lernte (Warnung vor Übertreibungen: Quint. inst. 1,1,12–14) [2. 484; 3. 74 f.]. Auch Mädchen wurde, in Rom öfter als in Griechenland, ein *p.* (Eur. Phoen.: *p.* der Antigone; inschr. Belege für Rom [4. 2383, Z. 27–44]) oder eine *paedagoga* (CIL VI 6331; 9758; VIII 1506) beigegeben. Schon in hell. Zeit bedeutet *p.* nicht mehr von »Knabenbegleiter«, sondern »Erzieher«. In der Kaiserzeit begegnen auch Freie als *paidagōgoí* (Dion Chrys. 7,114; Plut. mor. 830a-b). Zu allen Zeiten wurde auch Kritik laut, vor allem an der Praxis, für andere Tätigkeiten unnütze Sklaven als *p.* einzusetzen (Plat. Alk. 1,121c–122b; Hier. bei Stob. 2 p. 233 WACHSMUTH; Plut. mor. 4a-b; 12a; Tac. dial. 29,1). Der *p.* blieb während der ganzen Kindheit, im allg. bis zum 16. Lebensjahr, an der Seite des Kindes. Mitunter als tyrannisch empfunden (Plaut. Bacch. 405–499; Ter. Andr. 51–54; Hor. ars 161), wurde er meist auch noch vom Erwachsenen als intimer Vertrauter seiner Kindheit in Ehren gehalten [3. 76 f.]. Die Leistung des ant. *p.* spiegelt sich in der positiven Konnotation des metaphorisch gebrauchten Begriffs (Sen. epist. 25,6; 89,13; Gal 3,24) [3. 77 f.] und legte den Grund für dessen h. übliche Verwendung.
→ Erziehung

1 H. SCHULZE, Ammen und Pädagogen. Sklavinnen und Sklaven als Erzieher in der ant. Kunst und Ges., 1998 2 MARROU 3 J. VOGT, Sklaverei und Humanität (Historia ES 8), ²1972, 74–78 4 E. SCHUPPE, s. v. P., RE 18, 2375–2385.

R. BOULOGNE, De plaats van de Paedagogus in de romeinse cultuur, 1951.   J. C.

Paideia (παιδεία). Sieht man von Sparta ab (→ *agōgḗ*), so ist *p.*, daneben *paídeusis* (παίδευσις), der zentrale griech. Begriff für die → Erziehung und → Bildung des Kindes (*pais*, παῖς), dann vor allem des jungen Menschen, weshalb *p.* auch »Kindheit«, »Jugend« bedeutet. Dabei bezeichnet sie sowohl den Prozeß des Erziehens und Bildens als auch das Ergebnis, die Bildung, und als solche den unverlierbaren Besitz des erwachsenen Menschen.

Bei Aischyl. Sept. 18 ist *p.* nicht von *trophé* (»Aufzucht«) unterschieden, im allg. wird sie aber als etwas begriffen, was zu dieser Aufzucht hinzukommen muß, um ein Kind in seine künftige Rolle einzuüben (Plat. Krit. 110c; Plat. rep. 424a; Plat. Phaid. 107d; Plat. Phil. 55d). Voraussetzung einer über unbewußte Sozialisation hinausgehenden *p.* ist die Vorstellung, daß bei vorhandener *phýsis* (»Begabung«) die *areté* (»Gutsein«) mittels Anschauung und praktischer Nachahmung von Vorbildern eingeübt werden kann, wofür die *téchnai* (»Künste und Handwerke«) das Modell abgeben [1]. Aus gymnastischen und musischen Elementen bestehend, dient die *p.* dazu, das Kind nach dem (urspr. adligen) Ideal der → *kalokagathía* (»äußere und innere Vortrefflichkeit«) zu formen (programmatisch für »demokratische« *p.*: Thuk. 2,39–41). Als Anhänger einer solchen nach spartanischem und persischem Vorbild mil. Tüchtigkeit intendierenden *p.* kann noch → Xenophon gelten [1. 100–207]. → Aristophanes [3] (Nub. 961) verteidigt das auf Eingliederung des Individuums in die Ordnung der Polis zielende Konzept als *archaía p.* (ἀρχαία παιδεία, »alte Erziehung«) gegen die Neuerungen der Sophisten (→ Sophistik). Auch sie verfolgen das praktische Ziel der Erziehung tonangebender Bürger (Plat. Prot. 318e–319a), aber sie intellektualisieren sie, v. a. durch gramm. (d. h. sprachliche und lit.) sowie rhet. Bildungsinhalte (→ Enkyklios Paideia). Mit den Sophisten setzt sich → Platon auseinander, der ›das erste systematisch konstruierte Bildungsprogramm der europäischen Kultur‹ [2. 37] entwickelt. In bildungsgesch. Wirkung muß aber → Isokrates den Vortritt lassen, der die Ansätze der Sophisten in ein *p.*-Programm überführt, welches, abgestellt auf die Kultivierung der menschlichen Kommunikationsfähigkeit und zugleich, so die Überzeugung, auf sittliche Formung, in seiner humanistischen Ausrichtung dazu taugt, auch dem individualistisch geprägten Ideal personaler Entfaltung in hell. Zeit dienstbar zu sein [3. 160–197; 1. 208–315].

›Die Bildung ist den Glücklichen Schmuck, den Unglücklichen Zuflucht‹, befand Demokrit (68 B 180 DK). Für den thukydideischen Perikles ist Athen *paídeusis* ganz Griechenlands (Thuk. 2,41,1) und tut sich der einzelne athenische Bürger dank seiner ihm anerzogenen Eigenschaften vor allen anderen Griechen hervor (ebd. 2,40–41). Den Griechen der hell. Zeit gilt *p.* nach einem von Platon (leg. 644b) aufgenommenen Wort des Menandros [4] als ›das kostbarste Gut, das den Sterblichen gegeben ist‹ (monosticha 384 JAEKEL); in ihr sehen sie ihre kulturelle Identität definiert [3. 192–194; 2. 38]. Röm. Aneignung bezeichnet *p.* als → *humanitas* (Gell. 13,17). Noch in der Spätant. ermöglicht sie als gemeinsamer Besitz auch kritische Kommunikation zwischen Kaiser, Beamten, städtischen Honorationen und Bischöfen [4]. Im frühen Christentum versöhnt als erster → Clemens [3] griech. *p.* mit christl.-jüd. Offenbarung. Zur Haltung der frühen Christen s. → Bildung (D.).

Das Ideengut der *p.* lebte fort in ihrer Aneignung durch die Römer, die man als einen ersten Humanismus

auffassen kann, sowie in den ma. und neuzeitl. Humanismusbewegungen [5] bis hin zu W. JAEGERS sog. → DRITTEN HUMANISMUS [6; 7], der allerdings – auch wegen zu geringer Distanz mancher seiner Vertreter zum Nationalsozialismus – mißbraucht und diskreditiert wurde.

→ Artes liberales; Bildung; Enkyklios paideia; Erziehung

1 H. WILMS, Techne und P. bei Xenophon und Isokrates, 1995 2 D. BREMER, s. v. P., HWdPh 7, 35–39 3 MARROU 4 P. BROWN, Macht und Rhet. in der Spätant., 1995 5 Humanismus in Europa, hrsg. von der Stiftung »Humanismus heute« des Landes Baden-Württemberg (Bibl. der klass. Alt.wiss., Reihe 2, N. F., Bd. 103), 1998 6 W. JAEGER, P., Bd. 1 (1933), ⁵1973; Bd. 2 (1944), ⁴1973; Bd. 3 (1947), ⁴1973 7 B. SNELL, Rezension zu W. Jaeger, P., in: Ders., Gesammelte Schriften, 1966, 32–54.

Weitere Lit. s. Bildung; Erziehung. J.C.

Paides s. Kind, Kindheit

Paidonomoi (παιδονόμοι, wörtl. »Knabenhüter«). Das griech. Amt der *p.* ist für Aristoteles (pol. 1300a 4–6) spezifisch aristokratisch. Es setzt staatliche Erziehung voraus. In Sparta (Xen. Lak. pol. 2,2; Plut. Lykurgos 17,2,50d) und auf Kreta (Ephoros FGrH 70 F 149) überwachten *p.* als Kommissare die Erziehung (→ *agōgé*) der 7–20Jährigen [1. 2387; 2. 60–63, 201 Anm. 8]. Aristoteles fordert (pol. 1336a 30–41) ihre Zuständigkeit auch für »Vorschulkinder«. In hell. Zeit nahm sich die Kommune der Erziehung an (→ Gymnasion). Vor allem für Kleinasien sind vom 3. Jh. v. Chr. an *p.* inschr. bezeugt [1. 2388, Z. 25–33]. Als »Aufseher über die Elementar- und höheren Schulen« [2. 219] – ausführlicher über ihre Aufgaben: Syll.³ 577 [3. 1–29] – leiteten sie, wie etwa in Milet (Syll.³ ebd.) und Teos (Syll.³ 578,9), die Wahl der Lehrer und schlichteten Streit im Kollegium. In Teos (ebd.) waren sie auch für die Ausbildung der Mädchen zuständig (zu eigenen Ämtern [2. 219]; s. auch → Gynaikonomoi; eine Frau als *paidonómos* [4]).

1 O. SCHULTHESS, s. v. P., RE 18, 2387–2389 2 MARROU 3 E. ZIEBARTH, Aus dem griech. Schulwesen, ²1914 4 LSJ s. v. παιδονόμος, 1288.

N. M. KENNELL, The Gymnasium of Virtue, 1995, 120f. • S. LINK, Der Kosmos Sparta, 1994, 30–32. J.C.

Paidotribes (παιδοτρίβης, »Knabentrainer«). Der *p.* war urspr. (zeitl. Ansatz unsicher [1. 96]; erstmals Aristoph. Nub. 973f.; ein »solonisches« Gesetz bei Aischin. 1,12) für die sportliche Ertüchtigung der Knaben in der → Palaistra (Ringschule, Sportplatz) zuständig. Seit Platon sind Palaistren bezeugt, die nach ihrem *p.* benannt wurden. Im Gymnasion angestellt [1. 247; 2. 2389f.], trainierte er vielleicht auch Berufsathleten [2. 2390]. Zur Unterscheidung vom *gymnastés*, Lehrer in den gymnischen Übungen, und dem *aleíptēs* (»Einsalber«), Lehrer der Athleten, s. [2. 2393f.; 3. 161–197; 4. 143–147]. In hell. und röm. Zeit avancierte er zur wichtigsten, bald mehrjährigen, seit dem 2. Jh. n. Chr. auf Lebenszeit eingestellten [2. 2391] Lehrkraft der Ephebenausbildung (→ ephēbeía). Zu seiner Trainertätigkeit s. vor allem Philostr. Perí gymnastikés [1. 240–247]. Vasenbilder zeigen ihn – nur schwer von Kampfrichtern zu unterscheiden – mit himátion (Überwurf), meist auf einen Stock gestützt und mit einer langen, gegabelten Rute zu oft derber Züchtigung [1. 247; 2. 2394] ausgerüstet.

→ Erziehung; Gymnasion; Sport

1 MARROU 2 J. JÜTHNER, s. v. P., RE 18, 2389–2396
3 Ders., Die athletischen Leibesübungen der Griechen, in: F. BREIN (Hrsg.), Gesch. der Leibesübungen (SAWW 249,1), Bd. 1, 1965 4 W. DECKER, Sport in der griech. Ant., 1995, 143–150, 176 f.   J.C.

Paikuli. Dorf in Iraqisch-Kurdistan mit Ruinenfeld um einen Stufenaltar in Turmform, der in Trümmern liegt. Erh. sind Steinblöcke mit parthischen und mittelpersischen Inschr. und Büsten mit der Darstellung des sāsānidischen Šahānšāhs Narseh (293–302; → Narses [1]). Die Reste wurden von E. HERZFELD als Siegesdenkmal des Narseh interpretiert.

E. HERZFELD, P. Monuments and Inscriptions of the Early Sasinian Empire Bd. 1, 1924.   B.B.

Paion (Παῖον). Kleiner Ort mit gut erh. Akropolismauer in der westl. Arkadia in dem quellen- und vegetationsreichen Quertal zw. Ladon- und Erymanthos-Tal, h. Paleokastro, 400 m östl. vom h. Neon Paos. P. war in der Frühzeit eine selbständige Polis (Hdt. 6,127), gehörte später zu → Kleitor und lag zu Pausanias' Zeit (2. Jh. n. Chr.) wüst (8,23,9).

F. CARINCI, s. v. Arcadia, EAA 2. Suppl. Bd. 1, 1994, 332 · M. JOST, Villages de l'Arcadie antique, in: Ktema 11 (1986), 1990, 148 f. · JOST, 45 · PRITCHETT 6, 20 f. · MÜLLER, 818 f.   Y.L.

Paiones, Paionia (Παίονες, Παιονία). Großer Stamm unter eigenem König, der im Norden der nachmals Makedonia gen. Landschaft siedelte, insbes. im Tal des → Axios und den umliegenden Bergregionen bis zum Strymon hin (Thuk. 2,98,2; Strab. 7,5,1). Hom. Il. 848–50 kennt P. als Freunde der Troianer; um 500 v. Chr. wurden die P. um den Prasias-See vom Perser → Megabazos kurzzeitig nach Phrygia verschleppt (Hdt. 5,16) [1]. 359 v. Chr. griffen P. die Makedones an, doch wurden sie von → Philippos [4] II. geschlagen und unterworfen (Diod. 16,1,5; 2,6; 3,4; 4,2). Unter Alexandros [4] d.Gr. dienten P. als Reitertruppe. Erst unter Antigonos [3] Doson (ca. 227 v. Chr.) wurde das Gebiet der P. oder südl. Teile davon unter dem Druck der → Dardani Makedonia einverleibt. Bei der Auflösung des maked. Königreichs 167 v. Chr. wurde Paionia in drei der vier neu konstituierten Teile (merídes) aufgeteilt. Die bedeutendsten Städte der Paionia waren → Bylazora und → Stoboi.

→ Makedonia (mit Karten)

1 E. OLSHAUSEN, Deportation zu Anf. der Auseinandersetzungen zw. Griechen und Persern, in: Orbis Terrarum 3, 1997, 101–107.

F. PAPAZOGLOU, Les villes de Macédoine, 1988, 308 f.   MA.ER.

Paionia (παιωνία, lat. paeonia oder glycyside, vgl. Isid. orig. 17,9,48, Paeonia officinalis Rtz.). Die rot oder weiß blühende Pfingstrose wurde nicht wegen ihrer schönen Blüte angepflanzt, sondern wegen ihrer angeblichen Heilwirkung. Nach Dioskurides (3,140 WELLMANN = 3,147 BERENDES) hieß die Pflanze u. a. γλυκυσίδη (glykysídē), die Wurzel aber p., vielleicht nach dem Heilgott Apollon Paionios (vgl. [1. 100]). Die Wurzel wird zur Beförderung der Menstruation und Reinigung nach der Geburt gegessen, sie hilft angeblich, in Wein getrunken, u. a. gegen Magenschmerzen. Theophr. h. plant. 9,8,6 glaubt ebenso wenig wie der ihm folgende Plinius (nat. 27,85 und 25,29) daran, daß die Pflanze nachts ausgegraben werden müsse, da bei einer Beobachtung durch einen Specht (picus Martius) Erblindung und Darmvorfall drohe.

1 H. BAUMANN, Die griech. Pflanzenwelt, 1982.

H. GOSSEN, s. v. P. (3), RE 18, 2409 f.   C.HÜ.

Paionidai (Παιονίδαι). Att. Mesogeia-Demos der Phyle Leontis am → Parnes, mit drei buleutaí. Das bisher nicht lokalisierte Kastell → Leipsydrion lag nach Hdt. 5,62 oberhalb von P.

TRAILL, Attica, 47, 62, 68, Taf. 4 · J. S. TRAILL, Demos and Trittys, 1986, 55, 63, 130 · WHITEHEAD, Index s. v. P.   H.LO.

Paionios (Παιώνιος).
[1] Bildhauer aus Mende. Das einzige bekannte original erh. Werk des P. ist eine Statue der → Nike auf dreieckigem Pfeiler vor dem Zeustempel in → Olympia, die nach der Inschr. und nach Aussage des Pausanias (5,26,1) von den Messeniern geweiht wurde. Als Anlaß der Weihung vermutet Pausanias einen Sieg 455 v. Chr., während die Inschr. auf den Sieg von Sphakteria (425 v. Chr.) verweist, was aus stilistischen Gründen vorzuziehen ist. Pausanias schreibt P. auch den Ostgiebel des Zeustempels in Olympia zu, wohl aufgrund einer falschen Deutung der Inschr., die sich auf die Akrotere bezieht. Weitere Zuschreibungen wie der Fries am Apollontempel in Phigalia und Teile des Nikefrieses der Akropolis von Athen sind umstritten.

OVERBECK, Nr. 825, 851, 852 · LOEWY, Nr. 49 · LIPPOLD, 205 · C. HOFKES-BRUKKER, s. v. P., EAA 5, 1963, 844–848 · Dies., Vermutete Werke des P., in: BABesch 42, 1967, 10–71 · T. HÖLSCHER, Die Nike der Messenier und der Naupaktier in Olympia, in: JDAI 89, 1974, 70–111 · B. RIDGWAY, Fifth Century Styles in Greek Sculpture, 1981, 94, 108–111.   R.N.

[2] Architekt aus Ephesos; lebte im 4. Jh. v. Chr.; vollendete laut Vitruv (7, praef. 16) das jüngere Artemision von → Ephesos und soll nach gleicher Angabe, zusammen mit → Daphnis [2], den Neubau des Apollontempels von → Didyma begonnen haben.

H. SVENSON-EVERS, Die griech. Architekten archa. und klass. Zeit, 1996, 523 s. v. P.   C. HÖ.

Pairisades (Παιρισάδης, Παρισάδης, Βηρισάδης). Königsname iran. Herkunft bei den bosporan. Spartokiden (→ Spartokos) und thrak. → Odrysai.

[1] P. I. Herrscher des → Regnum Bosporanum, Sohn des → Leukon [3] I., »*árchōn* der Sindoi, aller Maiotai, Thateer und Doskoi« [1. Nr. 8], Gatte der Kamasarye. P. regierte von 349/8–344 v. Chr. zusammen mit seinen Brüdern → Spartokos II. und Apollonios, wobei sie sich das Territorium des Reiches teilten. Im J. 347/6 wurde von ihnen der Handelsvertrag mit Athen erneuert (Syll.³ 206; 212; 217; CIRB 2–5). Kurz darauf starb Apollonios. Nach dem Tod des Spartokos regierte P. allein. Obwohl seine Beziehungen zu den → Skythai meist friedlich waren, mußte er um 330 skyth. Angriffe abwehren (Demosth. or. 34,8). Auf Antrag des Demosthenes stellte man P. und seiner Familie Br.-Statuen auf der Athener Agora auf, worauf Demosthenes Bestechung vorgeworfen wurde (Deinarch. 1,43). In seinen letzten Regierungsjahren beteiligte P. seine Söhne → Satyros, Eumelos [4] und Prytanis an den Staatsgeschäften ([1. Nr. 1 und 2]; Syll.³ 216). Er starb um 311/310. Er sei gottähnlich verehrt worden (Strab. 7,4,4). Wahrscheinlich ist er im Kuppelgrab des Carskij Kurgan, 4 km nö von Kerč bestattet worden. Er ist mehrmals als Stifter und Patron der Künste erwähnt (Athen. 8,349d; [1. Nr. 344] u. a.).

1 B. LATYSCHEV, Inscriptiones antiquae orae septentrionalis Ponti Euxini Graecae et Latinae, Bd. 2, 1890.

V. F. GAJDUKEVIČ, Das Bosporan. Reich, 1971, 72 f.; 75 ff.; 271 f.

[2] Sohn des → Satyros II. Als dieser 310 v. Chr. von seinem Bruder Eumelos [4] ermordet wurde, floh P. zum Skythenkönig Agaros (Diod. 20,24,3).

[3] P. II. König des → Regnum Bosporanum, Sohn des Spartokos III., Vater von Spartokos IV. und Leukon [4] II., 284/3–ca. 245 v. Chr. In CIRB 20f. und 23,1036 auch als *árchōn* bezeichnet. Für 254/3 ist eine Gesandtschaft des P. nach Äg. bezeugt, die evtl. eine neue Verteilung der Getreidemärkte zum Gegenstand hatte [1. 260].

1 B. N. GRAKOV, Materialy po istorii Skifii v grečeskich nadpisjach Balkanskogo poluostrova i Maloj Azii, in: VDI 3, 1939.

V. F. GAJDUKEVIČ, Das Bosporan. Reich, 1971, 89 ff.

[4] P. III. Bosporan. König, Nachfolger des Spartokos V., dessen Tochter → Kamasarye Philoteknos er heiratete; regierte ca. 180–150 v. Chr. Im J. 154/3 stiftete er in Didyma eine Goldphiale (Syll.³ 709,35).

B. N. GRAKOV, Materialy po istorii Skifiv v grečeskich nadpisjach Balkanskogo poluostrova i Maloj Azii, in: VDI 3, 1939, 250; 266 ff. • V. F. GAJDUKEVIČ, Das Bosporan. Reich, 1971, 95.

[5] P. IV. Philometor. Sohn des P. [4] III., bosporan. König etwa 150–125 v. Chr. In einer Inschr. zusammen mit seiner Mutter → Kamasarye Philoteknos und ihrem zweiten Gatten Argotas genannt [1. Nr. 19].

1 B. LATYSCHEV, Inscriptiones antiquae orae septentrionalis Ponti Euxini Graecae et Latinae, Bd. 2, 1890.

V. F. GAJDUKEVIČ, Das Bosporan. Reich, 1971, 95.

[6] P. V. Letzter König des → Regnum Bosporanum, ca. 125–109 v. Chr. Da P. das Reich nicht mehr gegen die → Skythai verteidigen konnte, trat er Mithradates [6] VI. Eupator seine Herrschaft ab (Strab. 7,4,3). Während des Aufstandes des → Saumakos wurde er ermordet [1. Nr. 352 Z. 35].

1 B. LATYSCHEV, Inscriptiones antiquae orae septentrionalis Ponti Euxini Graecae et Latinae, Bd. 1², 1916.

S. A. ŽEBELEV, L'abdication de P. et la révolution scythe dans le royaume du Bosphore, in: REG 49, 1936, 17–37 • A. K. GAVRILOV, Skify Savmaka-vosstanie ili vtorženie?, in: Etjudy po antičnoj istorii i kul'ture Severnogo Pričernomor'ja, 1992, 53–73.   I. v. B.

Paisos (Παισός). Ortschaft in der → Troas (Hom. Il. 2,822; 5,612), wohl milesische Gründung (Strab. 13,1,19). P. war über den gleichnamigen Fluß mit dem Meer verbunden. Die Lage von P. wird bei Fanar, nordöstl. vom h. Çardak vermutet [1. 99]. Nachbarstädte waren → Lampsakos und → Parion, die wie P. 497 v. Chr. von Daurises, dem Schwiegersohn des Dareios [1] I. erobert wurden (Hdt. 5,117). Im → Attisch-Delischen Seebund zahlte P. 1000 Drachmen (ATL 3,26, Nr. 135). Zur Zeit Strabons (um die Zeitenwende) war P. verlassen, die Bewohner waren nach Lampsakos umgesiedelt (Strab. 13,1,19).

1 W. LEAF, Strabo on the Troad, 1923, 98–101   2 W. RUGE, s. v. P., RE 18, 2435 f.   E. SCH.

Pakoros

[1] P. (nicht P. I.!), ein Sohn → Orodes' [2] II.; er steht im Mittelpunkt der auf die Schlacht bei Karrhai folgenden ersten Phase der → Partherkriege. P. wurde 53 v. Chr. mit einer Schwester des armen. Königs → Artavasdes [2] II. verlobt, womit dessen Übergang auf die parth. Seite besiegelt wurde. Der parth. Einfall nach Syrien (51–50) stand nur nominell unter der Führung des noch jungen P. Eine größere Rolle spielte er bei dem seit 41 unter seiner Leitung durchgeführten Großangriff

gegen Syrien, er fiel aber nach Anfangserfolgen 38 v. Chr. bei Gindaros.
→ Parthia

> J. WOLSKI, L'Empire des Arsacides, 1993, 128–140.

[2] Der ältere eheliche Sohn → Vonones' II. wurde 51 n. Chr. von seinem Halbbruder → Vologaises I. zum Unterkönig von Atropatene ernannt. Von hier aus unterstützte P. den Kampf seines jüngeren Bruders → Tiridates I. um die armen. Krone. Beim Einfall der Alanen (um 72) floh P. und mußte seinen in Gefangenschaft geratenen Harem loskaufen. Er war der letzte bekannte König von Atropatene.
[3] P. (nicht P. II.!), ein Neffe von P. [2], wurde 77/8 n. Chr. von seinem Vater → Vologaises I. zum Mitregenten ernannt. Als Großkönig überstand er die Usurpation → Artabanos' [7] III. und war Gegenstand des röm. Stadtgesprächs (Mart. 9,35). Seine Beziehungen zu Kaiser Traian waren eher schlecht (Arr. Parthika fr. 32 ROOS), zumal parth. Kontakte zu → Decebalus bestanden (Plin. epist. 10,74). Seit 89/90 hatte P. gegen den Thronanspruch seines Bruders → Osroes [1] zu kämpfen, der sich 108/9 gegen ihn durchsetzte.

> M. I. OLBRYCHT, Das Arsakidenreich zw. der mediterranen Welt und Innerasien, in: E. DĄBROWA (Hrsg.), Ancient Iran and the Mediterranean World (Electrum 2), 1998, 123–159, bes. 125–138 · M. SCHOTTKY, Parther, Meder und Hyrkanier, in: AMI 24, 1991, 61–134, bes. 113–133, Stammtafel VII · Ders., Quellen zur Gesch. von Media Atropatene und Hyrkanien in parth. Zeit, in: J. WIESEHÖFER (Hrsg.), Das Partherreich und seine Zeugnisse, 1998, 435–472, bes. 446–453. M. SCH.

[4] (Pacorus) s. Aurelius [II 28]

Paktolos (Πακτωλός). Fluß in → Lydia, entspringt am → Tmolos (Boz Dağları), durchfließt → Sardeis und mündet in den → Hermos [2]; h. Sart Çayı. Er war berühmt durch den im Quellgebiet ausgewaschenen Elektron- und Goldstaub (Hdt. 1,93,1; 5,101,2; Plin. nat. 5,110), dem die Mermnadenkönige (→ Mermnadai) ihren sprichwörtlichen Reichtum verdankten (Archil. fr. 22 D.; Hdt. 6,125). Am P. in Sardeis befanden sich Metallschmelzen. Der Goldgehalt des P. war im 1. Jh. v. Chr. angeblich erschöpft (Strab. 13,1,23; 4,5). Auch Nachbarbäche führten goldhaltige Quarzsände.

> J. KEIL, s. v. P., RE 18, 2439f. · G. M. A. HANFMANN, Sardis und Lydien, in: AAWM 1960/6, 502 · Ders., Letters from Sardis, 1972, 20 (Karte 2), 141f., 230–232. H. KA.

Paktye (Πακτύη). Festung an der propontischen Küste der Chersonesos [1], südl. vom h. Bolayır Iskelesi (Ps.-Skyl. 67; Strab. 7a,1,52; 54; 56). Hier befand sich das Ostende der von Miltiades [1] über die Chersonesos [1] nach Kardia gezogenen Mauer (Hdt. 6,36; Skymn. 711). Alkibiades [3] zog sich nach Verlust seines Strategenamtes 407 v. Chr. hierher zurück (Nep. Alkibiades 7,4; Diod. 13,74,2).

> MÜLLER 2, 895 f. · B. ISAAK, The Greek Settlements in Thrace until the Macedonian Conquest, 1988. I. v. B.

Paläologische Renaissance. Die P. R. ist eine der kulturgesch. bedeutendsten Phasen der Gesch. des byz. Reiches, in der die Beschäftigung mit ant. Texten einen Höhepunkt erreicht.
A. GESAMTÜBERBLICK B. LITERATUR

A. GESAMTÜBERBLICK

Das J. 1261 markiert das E. der Lateinerherrschaft (1204–1261) über → Konstantinopolis (s. auch → BYZANZ). Kaiser Michael VIII. Palaiologos (1259–1282) versuchte, das Byzantinische Reich erneut zu einer einflußreichen polit. Position zu führen; die mil. und finanziellen Ressourcen waren jedoch weitgehend erschöpft (ein Grund für den späteren Untergang des byz. Reiches). Sein Nachfolger Andronikos II. Palaiologos (1282–1328) agierte daher gezwungenermaßen in einer polit. und ökonomisch prekären Lage, doch erlebte Konstantinopel paradoxerweise gerade während der gesamten Regierungszeit der Dynastie der Palaiologen eine große kulturelle Blütezeit, die Konstantinopel wieder zu einem überaus bed. intellektuellen Zentrum werden ließ. Die Periode des größten kulturellen Glanzes läßt sich eingrenzen auf die Zeit zw. dem Herrschaftsbeginn des Kaisers Andronikos II. (1282) bis ca. in die M. des 14. Jh.; der Begriff P. R. bezieht sich bes. auf diesen Zeitabschnitt. Wenn auch in dieser Zeit (relativ) wenige Hss. von hoher Qualität kopiert wurden, bezeugt die (absolut gesehen) immer noch große Anzahl von Hss., die während der Lateinerherrschaft entstanden, eine gewisse Kontinuität gerade auch in der Peripherie des Reiches; dies war letztendlich die Voraussetzung für die P. R., ihrerseits charakterisiert durch intensive philol. Beschäftigung und reiche Kopistentätigkeit.

B. LITERATUR

Während der Lateinerherrschaft über Konstantinopel hatte die Stadt ihre Bed. als wichtigstes intellektuelles Zentrum des Reiches verloren, die künstlerischen und kulturellen Aktivitäten hatten sich in die Peripherie des Imperiums verlagert (bes. nach → Nikaia [5] und → Trapezus). Unter den Gelehrten der P. R. ragte Maximos → Planudes (ca. 1255–ca. 1305) hervor. Seine Tätigkeit umfaßte Textausgaben und Komm. zu ant. Autoren. Neben → Aratos [4] und Pindaros edierte er auch Sophokles und Euripides, Aristophanes [3] und Prosaschriftsteller. Berühmt ist seine revidierte Ed. der *Anthologia Palatina*, die sog. *Anthologia Planudea* (→ Anthologie I. B.), deren Autographon im Cod. Marcianus Graecus 481 vorliegt. Seine wiss. und lit. Interessen bezogen sich auch auf die lat. Autoren, deren Studium er in seiner Schule neu eingeführt hatte. Das Interesse für die lat. Sprache in der Palaiologenzeit ist auch in polit., theologischen und kulturellen Motiven begründet: Es stellt einen letzten Versuch der Ostkirche dar, neue Beziehungen zum röm. Papsttum einzuleiten, von dem man sich im 11. Jh. getrennt hatte (1054 Exkommunikation des Patriarchen von Konstantinopel durch den päpstlichen Legaten) – in der Hoffnung, im Westen Unterstützung für den immer schwächer werdenden und bereits von allen Seiten bedrohten byz. Staat zu finden. Planudes las viel auf Lat. und fertigte etliche Übers. vom Lat. ins Griech. an, u. a. Augustinus' *De trinitate*, Ciceros *Somnium Scipionis* mit dem Komm. des Macrobius, Ovids ›Metamorphosen‹, Iuvenalis, die *Dicta Catonis* und die Schrift *De consolatione philosophiae* des Boëthius, dessen *De dialectica* und *De hypotheticis syllogismis* der Philosoph Manuel Holobolos (1240–1296/1310) ins Griech. übersetzt hatte.

Schüler, Freund und Mitarbeiter des Planudes war Manuel → Moschopulos (ca. 1265–ca. 1316). Als Philologe benutzte er zahlreiche hervorragende Kopien der Dichter und Tragiker, auf die sich seine Hauptaktivitäten konzentrierten. Erh. sind ein Komm. der ›Werke und Tage‹ des Hesiodos; zugeschrieben wird Moschopulos auch eine erläuternde Paraphrase von B. 1 und 2 der Ilias (ohne Schiffskatalog), eine Ed. der *Olýmpia* des Pindaros und eine Auswahl der ersten acht *Eidýllia* des Theokritos, außerdem eine kritische Textausgabe der byz. Stückauswahl (die sog. Trias) des → Sophokles und des → Euripides [1] (D.1.).

Das Werk des Moschopulos wurde auch von → Demetrios [43] Triklinios (1280–1340) herangezogen, einem der berühmtesten Gelehrten der P. R. und in mancher Hinsicht Vorgänger der mod. Textkritik. Dank seiner Kenntnis des → Hephaistion [4] war er der erste unter den Byzantinern, der sich gründlich mit Fragen der → Metrik beschäftigte und deren Bed. für das Studium und das Verständnis der klass. griech. Autoren erkannte. Auf Triklinios geht die Entdeckung der metr. Responsion in den chorlyrischen Partien der Trag. und Komödien zurück. Er besorgte viele Textausgaben, u. a. von Hesiodos (Cod. Marcianus Graecus 464, von ihm selbst kopiert), Aristophanes – mit acht Komödien anstelle der üblichen drei –, Aischylos mit fünf Trag. (Cod. Neapolitanus II F 31, ebenfalls von ihm kopiert) und Sophokles. Von größter Bed. dürfte die Ed. der Tragödien des Euripides sein: Triklinios hatte eine Hs. mit neun Stücken zur Verfügung; die triklinianische Hss.-Gruppe ist noch h. unsere einzige Quelle für die Überlieferung dieser Stücke. Der Gelehrte bewegte sich im Kreis des Planudes, auch wenn er allg. als Schüler des → Thomas Magistros (gest. nach 1346) bezeichnet wird. Über die Aktivität des Magistros ist wenig bekannt; die ältesten Belege seiner Tätigkeit liegen wohl in einigen eigenhändig geschriebenen Notizen in einer Hs. des Aischylos, datiert ins J. 1301 (Cod. Parisinus Graecus 2884). Bedeutend sind seine Scholien zu den Tragikern, zur sog. byz. Trias des Aristophanes und zu den Briefen des Synesios.

Unter den zahlreichen anderen Gelehrten der P. R. ist schließlich noch Theodoros Metochites (1270–1332), Premierminister des Kaisers Andronikos II., zu erwähnen. Er war kein Hrsg. von Texten; sein Hauptwerk, die sog. *Miscellanea philosophica et historica*, besteht aus 120 griech. Abh. zu Themen aus Philos., Ethik, Rel., Politik, Astronomie, Mathematik und Physik. Seine Kommentatorentätigkeit konzentrierte sich auf die Schriften zur Physik und die *Parva naturalia* des → Aristoteles [6], von denen er eine Paraphrase anfertigte. In sein Umfeld gehört der Kopist des sog. *Cod. Crippsianus* (Cod. Lond. Burney 95, abgeschrieben im sog. → Metochites-Stil), einer der Hauptquellen für unsere Kenntnis der sog. »Kleinen att. Redner« (*Oratores attici minores*).

→ Byzantion; Konstantinopolis; Philologie; Textgeschichte; BYZANZ; KOMMENTAR; ÜBERLIEFERUNGSGESCHICHTE

K. KRUMBACHER, Gesch. der byz. Lit., ²1897, Bd. 1, 541–561 • G. PRATO, I manoscritti greci dei secoli XIII e XIV: note paleografiche, in: D. HARLFINGER, G. PRATO (Hrsg.), Paleografia e codicologia greca. Atti del II Colloquio internazionale, 1991, Bd. 1, 131–149 • E. TRAPP, Prosopographisches Lex. der Palaiologenzeit, 1976–1996 • I. ŠEVČENKO, The Palaeologan Renaissance, in: W. TREADGOLD (Hrsg.), Renaissances before the Renaissance, 1984, 144–176 • N. G. WILSON, Scholars of Byzantium, ²1996, 229–264. L.D.F./Ü: CH.SCH.

Palaestina

I. NAME, GEOGRAPHIE, FRÜHGESCHICHTE
II. GESCHICHTE VON ISRAEL UND JUDA
III. RÖMISCHE UND BYZANTINISCHE ZEIT

I. NAME, GEOGRAPHIE, FRÜHGESCHICHTE

Der lat. Name P. geht auf griech. Παλαιστίνη (*Palaistínē*) zurück; dieses auf das aram. *p'lišta'īn* und hebräische *p'lištīm*, das urspr. zur Bezeichnung des Siedlungsgebietes der → Philister im Süden der vorderasiatischen Mittelmeerküste zw. → Gaza und → Karmel diente (ähnlich auch äg. *prst/pw-rš-s³-t*, »Fremdland Philistäa«, und *Palaistínē* bei Hdt. 1,105; 3,5; 91; 7,89). Seit Adad-nirārī III. (811–783 v. Chr.) ist P. auch in neuassyrischen Quellen als ᴷᵁᴿ*pa-la-as-tú* erwähnt. Teilweise überschneidet sich die Bez. P. mit Kanaan (hebr. *k'na'an*, akk. *Ki-na-a³-num/Ki-in-a-nim*), das auf einen Wortstamm **kinaḫḫu* in der Bed. »Edelleute«, »Händler« (äg. *kn'n*, syllabisch *kin'anu*) oder »rote Purpurfarbe« (Nuzi) hindeutet. Beides hat aufgrund der phöniz. Städte im Norden der palaestin. Küste seine Berechtigung. Kanaan bezeichnet somit nur die nördl. Küstengebiete P.s und den SW Syriens.

Geogr. weist P. eine kleinkammerige Landschaftsstruktur auf, die durch den zum syrischen Grabenbruch gehörigen Jordangraben mit Totem Meer (→ *Asphaltítis límnē*) und See von → Tiberias, die Mittelmeerküste, die → Sinai-Halbinsel und zu Syrien hin durch den Leontes begrenzt wird. Von Norden nach Süden lassen sich → Galilaea, die Ebene von → Megiddo, samarisches (→ Samaria) und judäisches Bergland, der Negev und die Bucht von B'ēr Šæba' klar unterscheiden. Nach Westen gehen die Bergregionen in ein Hügelland (Š'fēlā) über, das sanft zur fruchtbaren Küstenebene abfällt. Die Klimazonen der Wüste (< 200 mm/m² Nie-

derschlag), Steppe (200–400 mm/m²) und des Kultur-
landes (> 400 mm/m²) schränken landwirtschaftl. Nutzung (nur Regenfeldbau) stark ein.

Geologisch-geogr. und klimatische Eigenschaften
des Landes bilden so die wesentlichen Faktoren der Geschichte P.s als Landbrücke und Durchgangszone in mil.
Auseinandersetzungen, v. a. aber in ökonomischen und
kulturellen Zusammenhängen. Seit der Früh-Brz. II-III
(2850–2350 v. Chr.) in → Ai, → Arad, Tall Dalit sind
urban geprägte Siedlungsstrukturen (Mittel-Brz. II/E I–
III) in P. bekannt, die mit weniger intensiven Siedlungs-
phasen (Früh-Brz. IV/Spät-Brz.) abwechseln und zeigen, daß schon früh Techniken der Wasserbewirtschaf-
tung (Zisterne, Staubecken) entwickelt wurden. Im
2. Jt. v. Chr. stand P. unter äg. Vorherrschaft (→ Amarna), bis um 1200 v. Chr. die Stadtkultur aufgrund ökonomischer und mil. Einflüsse von verschiedener Seite
plötzlich zerfiel. Äg. und ugaritische Quellen (→ Ugarit) dieser Zeit berichten über Auseinandersetzungen
mit den sog. Seevölkern (→ Seevölkerwanderung) an
der östl. Mittelmeerküste. In den frühen Phasen der Eisenzeit entstanden zunehmend kleinere Siedlungen im
zentralpalaestin. Bergland, die kulturgeschichtlich die
Trad. der Spät-Brz. fortsetzen.   TH. PO.

II. Geschichte von Israel und Juda
s. → Juda und Israel

III. Römische und byzantinische Zeit

Nachdem sich in der Zeit der Nationalstaaten von
Aram, Damaskos, Israel, Iuda, Ammon, Moab und
Edom die palaestin. Kleinstaatenwelt formiert hatte, die
ab dem 8. Jh. v. Chr. zunächst unter assyr. Oberherrschaft gelangt war, stand P. seit 586 v. Chr. erst unter
babylon., dann pers. (539), ptolem. (3. Jh. v. Chr.) und
seleukidischer (2. Jh. v. Chr.) Verwaltung. Erst den
→ Hasmonäern gelang es, Mitte des 2. Jh. v. Chr. unter
dem Namen *Iudaía/Iudaea* erneut eine unabhängige
Herrschaft in P. zu errichten. Diese Bezeichnung wurde
nach der Unterwerfung unter röm. Oberhoheit 63
v. Chr. und der Regierung der röm. Klientelkönige
→ Herodes [1] (37–4 v. Chr.) und seiner Nachkommen
für die 6 n. Chr. neu geschaffene röm. *prov. Iudaea* übernommen. Nach der Niederschlagung des Aufstandes
des → Bar Kochba (132–135), der u. a. auf die von
→ Hadrianus betriebene Neugründung → Jerusalems
als röm. Kolonie Aelia Capitolina zurückging, verfolgte
dieser eine antijüd. Politik, verbot den Juden, in Jerusalem und Umgebung zu siedeln, und benannte die
Prov. in *Syria P.* um. Hadrians Nachfolger → Antoninus
[1] Pius (138–161) gestattete dagegen wieder die freie
Ausübung der jüd. Religion. Die Leitung der jüd. Gemeinde in P., aber auch weit darüber hinaus, oblag in
der Folge den von Rom anerkannten Patriarchen, die ab
Mitte des 3. Jh. n. Chr. in → Tiberias residierten. Die
unter Herodes mit der Neugründung von Städten wie
→ Caesarea [2] begonnene Urbanisierungs- und damit
auch Hellenisierungspolitik (→ Hellenisierung) ver-

stärkte sich unter direkter röm. Herrschaft im 2. Jh.
n. Chr., so daß P. zu weiten Teilen von griech.-röm.
geprägten Städten beherrscht wurde. Deren Bevölkerung war in der Regel mehrheitlich pagan, während sich
die jüd. Bevölkerung nach der Zerstörung des Tempels
in Jerusalem 70 n. Chr. auf die ländlichen Gegenden
→ Galilaeas konzentrierte.

Verm. → Diocletianus (284–305) gliederte den südl.
Teil der *prov. Arabia* mit dem Negev und dem Sinai an
Syria P. an und verlegte als Reaktion auf den zunehmenden Druck arab. Stämme die zehnte Legion von
Jerusalem nach Aila an den Golf von ʿAqaba. Im J. 358
wurden die ehemals der *prov. Arabia* zugehörigen Gebiete als eigene *prov. P. salutaris* eingerichtet und um 400
schließlich eine Dreiteilung in *P. prima* (das palaestin.
Kernland um Iudaea mit der Hauptstadt Caesarea), *P.
secunda* (Galilaea, der Golan, das Ostjordanland mit der
Hauptstadt Skythopolis/→ Beisan) und *P. tertia* (vor-
mals *P. salutaris*) vorgenommen.

Nach der sich auch in P. auswirkenden Krise des
röm. Reiches im 3. Jh. erlebte die Region ab dem 4. Jh.
– nicht zuletzt durch die Kirchenstiftungen des → Constantinus [1] und den anwachsenden Pilgerverkehr
(→ Pilgerschaft) – einen wirtschaftlichen Aufschwung.
Darüber hinaus entwickelte sich P. zu einem der wichtigsten Zentren des neu entstehenden → Mönchtums
sowie durch die Tätigkeit christl. Gelehrter wie → Origenes und → Hieronymus zu einem geistigen Mittelpunkt des röm. Reiches. P. selbst wurde dabei zum Hl.
Land der Christenheit stilisiert. Dennoch kann im 4. Jh.
von einer friedlichen Koexistenz von Juden und Christen in weitgehend getrennten Lebenswelten in Galilaea
bzw. in Jerusalem und Umgebung ausgegangen werden. Im 5. und 6. Jh. breitete sich dagegen das Christentum, unterstützt von der antijüd. kaiserlichen Gesetzgebung, auch im nördl. P. aus, was zu mehreren jüd.
und samaritanischen Aufständen führte. Nach der kurz-
zeitigen Besetzung durch die Perser von 614 bis zur
Rückgewinnung durch → Herakleios [7] im J. 628 eroberten die Araber P. zw. 634 und 640 n. Chr.

B. H. Isaac, The Near East under Roman Rule, 1998 ·
H.-P. Kuhnen, P. in griech.-röm. Zeit, 1990 · F. Millar,
The Roman Near East, ²1994 · J. Patrich, Sabas, Leader of
Palestinian Monasticism, 1995 · Z. Safrai, The Economy
of Roman Palestine, 1994 · G. Stemberger, Juden und
Christen im Heiligen Land, 1987 · H. Weippert, P. in
vorhell. Zeit, 1988 · R. L. Wilken, The Land Called Holy,
1992.   J. P.

Palästinisch-Aramäisch. Das P.-A. (oder Syropalä-
stinische) ist die Lit.-Sprache der christl.-melkitischen
Bevölkerung in → Palaestina (deshalb meist christl.-pa-
lästin(ens)isches Aramäisch genannt). Es gehört mit dem
samaritanischen Aram. und dem jüdisch-palästin. Aram.
zu den westl. Dialekten des Mittelaram. (ab 3. Jh.
n. Chr.). Es liegen zwei Überlieferungsperioden vor:
Aus der Periode des noch gesprochenen west-aram.
Dialektes (5.–8. Jh. n. Chr.) sind lit. Zeugnisse (Teile der

Bibel, Erzählung über die 40 Sinai-Märtyrer [3. Bd. 3])
und nur wenige Inschr. (wie auf einem Mosaik in einer
byz. Kirche aus Evron, 5. Jh.) bekannt. Im 9.–13. Jh.
war der Dialekt nur noch Kirchensprache. Die Texte
dieser Periode (Evangeliare und Hymnen) sind durch
das Arabische und das ost-aram. Syrisch beeinflußt. Das
christl.-palästin. Aram. wird mit dem leicht modifizierten syrischen Alphabet geschrieben. Merkmale sind das
P inversivum zur Wiedergabe des griech. π und die Übernahme von Diakritika aus der Karschuni-Schrift, der
syr. Schrift, die der Wiedergabe arab. Texte diente.
→ Aramäisch; Semitische Sprachen

> 1 Fr. Schulthess, Lex. Syro-Palaestinum, 1903 2 Chr.
> Müller-Kessler, Grammatik des Christl.-P.-A., 1991
> 3 Dies., M. Sokoloff, A Corpus of Christian Palestinian
> Aramaic, Bd. 1, 1997, Bd. 2A, 1998, Bd. 3, 1996, Bd. 5,
> 1999.   R. V.

Palaimon s. Melikertes

Palaiphatos (Παλαίφατος, »der, der alte Gesch. erzählt«). Unter diesem Pseudonym ist die Slg. Περὶ
ἀπίστων (›Über unglaubliche Dinge‹) überl., die 52 kurze Kapitel über ebensoviele Mythen enthält. Die Suda
verzeichnet unter P. vier Personen dieses Namens. Der
erste ist ein epischer Dichter aus Athen, Verf. einer Kosmogonie; der zweite stammt laut Suda aus Paros oder
Priene (Πριηνεύς verm. falsch statt Παριανεύς, d. h. »aus
Parion«: das Lex. schwankt also vielleicht zw. der Insel
Paros und der Stadt Parion am Hellespont), der dritte aus
Abydos, der vierte (als *grammatikós* bezeichnet) aus
Athen. Hinter den letzten drei (allesamt Verf. von histor.
und mythograph. Werken) könnte sich in Wirklichkeit
eine einzige Person verbergen; P. ist daher wahrscheinlich in die 2. H. des 4. Jh. v. Chr. zu datieren, damit
Zeitgenosse des Aristoteles [6] (vgl. Theon, Progymnasmata II 96,4f. Spengel), den er in seiner Heimat,
vielleicht in Atarna, kennenlernte und dem er nach
Athen folgte. Der Rufname P. wurde ihm möglicherweise von Aristoteles selbst verliehen (wie dem Theophrast: Diog. Laert. 5,38).
  Die urspr. Zahl der Bücher von *Perí apístōn* ist in der
Suda widersprüchlich (fünf bzw. nur eines). → Theon
und Probus (in Verg. georg. 3,113) kennen eines (eine
Epitome?), Eusebios [7] (Pr. Ev. 1,9) zitiert ›aus dem
ersten Buch‹. Doch müssen bis in byz. Zeit verschiedene
Werke derselben Gattung umgelaufen sein, die man P.
zuwies: Auf das 12. Jh. geht verm. die Kompilation der
erh. Slg. zurück (Kap. 46–52 sicher hinzugefügt), die
wohl im Sprachunterricht auf Elementarniveau und als
myth. »Handbuch« benutzt wurde. Das Werk schloß
sich der v. a. peripatetischen Tendenz der Mythenrationalisierung an. Auf dieses Verfahren spielt Sokrates in
Plat. Phaidr. 229c-e an: Myth. Figuren werden an »die
Wahrscheinlichkeit« (*to eikós*) angepaßt, indem man
»Lösungen« (*lýseis*) zur Behebung der Unglaubwürdig-
keit der Erzählungen findet.

Ein kurzes Proömium verdeutlicht die theoretischen
Prämissen des Autors: Man muß die rechte Mitte zw.
der Leichtgläubigkeit derjenigen, die noch keine Begegnung mit Weisheit und Wiss. hatten, und der Skepsis
der kritischeren Geister halten. Jeder Mythos müsse eine
Grundlage in der Wirklichkeit haben. Dichter und Lo-
gographen hätten reale Tatsachen unwahrscheinlich gemacht, um Verblüffung im Publikum zu erzeugen. Das
Werk des P. gibt sich als Befragung, wenn die »Alten« an
verschiedenen Orten erzählen. Die Methode des P.
kommt derjenigen der *historía* des → Herodotos [1] nahe: Persönlich in Erfahrung gebrachte Dinge werden
unter Betonung ihrer »wahren« Elemente berichtet. Die
Mythen werden also in ihrer Entwicklung aus einem
realen Kern zum Unwahrscheinlichen hin dargestellt; in
diesem Prozeß spielen Wirkung und pädagogische Rolle der Dichtung eine zentrale Rolle (der Mythos des
→ Aktaion wurde z. B. von den Dichtern erfunden,
›damit die Zuhörer dem Gott gegenüber nicht hoch-
mütig würden‹, p. 14,9–10 Festa). Darüber hinaus sind
die »Lösungen« nicht präskriptiv, sondern jeder Mythos
enthält davon verschiedene. Nach dem im Vorwort genannten Kriterium, wonach das, ›was einmal geschehen
ist, auch heute wieder geschehen kann‹, werden solche
Sagen-Elemente (z. B. Eigennamen und Redensarten)
gesucht, die mißverstanden oder falsch interpretiert
wurden. Der Rationalismus des P. scheint daher nicht
zu philos. oder theologischen Erklärungen zu neigen
(Göttermythen, die sich für die allegorische Interpretation besser eignen, erscheinen jedenfalls nicht in der
Slg.), sondern zu histor. Deutungen, die mit geogr. und
ethnographischen Interessen verbunden sind. Weitere
Titel werden von der Suda unter den einzelnen Stichwörtern P. erwähnt (Κυπριακά/ *Kypriaká*, Δηλιακά/
Dēliaká, Ἀττικά/ *Attiká*, Ἀραβικά/ *Arabiká*, dazu *hypo-
théseis* zu Simonides, verm. ein Werk ähnlich dem
→ Dikaiarchos zu den Tragikern). Erh. sind zwei Fr.
(über Toponyme) der Τρωικά (*Trōiká*, mindestens 7 B.).
→ Mythographie; Zetemata

> Ed.: MythGr 3, 1902 · FGrH 44 · J. Stern (ed.),
> Palaephatus: On Unbelievable Tales, 1996 (mit engl. Übers.,
> Komm., Lit.).   S. FO./Ü: T. H.

Palaipolis (Παλαίπολις). Wohl ein Fort von → Kyme
[2] (Liv. 8,22,5), evtl. der urspr. Name von → Neapolis
[2]. P. ist insbes. Beiname von Parthenope, des urspr.
Zentrums von Neapolis auf dem Pizzofalcone. 327
v. Chr. (Liv. 8,22,8) wurde P. vom röm. Consul Q.
→ Publilius Philo besetzt, der im J. darauf deshalb einen
Triumph feierte (CIL I² p. 171; Liv. 8,22,8; 23,1–8;
25,10; 26,7). 1949 wurde in der Via Nicotera in Neapel
eine Nekropole ergraben, deren erste Phase durch
griech. Keramik von der Mitte des 7. Jh. v. Chr. bis in
die erste H. des 6. Jh. v. Chr. gekennzeichnet ist.
→ Neapolis [2]

> E. Gabrici, Partenope e Palepoli, in: Accademia Nazionale
> dei Lincei, Rendiconti 8,3, 1948, 167–176 · S. De Caro, La
> necropoli di Pizzofalcone a Napoli, in: Rendiconti

Accademia di Archeologia Napoli 49, 1974, 37–67 · Ders., Parthenope – P.: la necropoli di Via Pizzofalcone, in: M. Boriello (Hrsg.), Napoli antica. Ausstellungskat., 1985, 99–102 · A. Mele, Napoli: Storia di una città, in: F. Zevi (Hrsg.), Neapolis, 1994, bes. 11 f., 114 (Taf.) · G. Pugliese Carratelli (Hrsg.), Storia e Civiltà della Campania. L'Evo Antico, 1991, 156 (Taf. 1, Plan). U. PA./Ü: H. D.

Palairos (Πάλαιρος). Stadt in West-Akarnania, östl. von → Leukas (Strab. 10,2,21) auf einem Bergsporn der großenteils unwegsamen Halbinsel Plagia, die zur Blütezeit von P. überwiegend zu dessen Territorium gehörte; Name illyr. Der Stadtberg in der h. Gemarkung Kechropoula (inschr. Identifizierung: [2]) beherrscht die östl. und südl. anschließende Fruchtebene von Zaverda (h. P.). 431 v. Chr. wurde der korinth. Platz (πόλισμα) Sollion mit Hafen von Athen dauerhaft an P. übergeben (Thuk. 2,30,1; 5,30,2). Ein starker Aufschwung von P. ist ab spätklass. Zeit zu verzeichnen (ca. 330 v. Chr. große Kornspende aus Kyrene: SEG 9,2,35; in mehreren Theorodokenlisten geführt: IG IV² 1,95,21; SEG 23,289,5; 36,331 A 16–19; zahlreiche Grabinschr. v. a. hell. Zeit).

Monumentale Überreste stammen vorwiegend aus hell. Zeit; Heiligtümer der Athena, Artemis, des Zeus [1. 393 f.]. Auf den Höhen der Plagia-Halbinsel befinden sich mehrere befestigte Plätze hell. Zeit: ein Kontroll- und Wachsystem gegen Leukas, wobei der Grenzverlauf unklar ist; im Osten dürfte das steil ansteigende Bergland Grenze gewesen sein. Mit der Gründung von Nikopolis [3] war die Blüte von P. beendet, wahrscheinlich wurde ein Großteil der Bevölkerung dorthin umgesiedelt.

1 G. W. Faisst, L. Kolonas, Ein monumentaler Stufenaltar bei P. in Akarnanien, in: AA 1990, 379–395 2 J. McK. Camp, Inscriptions from P., in: Hesperia 46, 1977, 277–281.

E. Kirsten, s. v. P., RE 18,2, 2455–2467; 18,4, 2484–2486 · D. Strauch, Röm. Politik und griech. Trad., 1993, 303 f., 345 · Ch. Wacker, P., 1999. M. FE.

Palaisch. Die zu den → anatolischen Sprachen gehörende, aus dem 16.–15. Jh. v. Chr. durch die Hethiter (→ Ḫattusa II., → Hethitisch) überl. Sprache des nordwestl. des Halys in → Paphlagonia gelegenen Landes Plā (keilschriftlich Pa-la-a-), das zusammen mit dem benachbarten Tum(m)anna (→ Ḫattusa II., Karte) in den griech. Landschaftsnamen Blaënḗ und Domanítis fortlebt; die Sprachbenennung, nach hethit. Plaumnili- (Ableitung vom Ethnikon Plaumen-*), sollte also besser »Plaisch« lauten.

Über die Ausdehnung des p. Sprachgebietes besteht keine Klarheit, da die betreffende, polit. zu Ḫattusa gehörige Region bereits E. des 16. Jh. an die → Kaškäer verlorenging und erst in der 2. H. des 14. Jh., als das P. wohl schon erloschen war, wieder zurückerobert wurde. Die wenigen, frg. erh. p. Texte (in babylon. → Keilschrift) stammen aus der hethit. Hauptstadt (→ Ḫattusa I.). Sie enthalten zumeist Opferlieder aus dem Kult der p. Götter. In drei Ritualtexten kommen neben p.

auch keilschrift-luw. Sprüche vor, was auf eine bis ins 16. Jh. bestehende Nachbarschaft zw. P. und → Luwisch westl. des Halys weist.

Das P. gehört zum westanatol. Zweig, steht hier aber (wie das → Karische und → Sidetische) dem Luw. näher als dem → Lydischen. Spezifisch p.-luw. Gemeinsamkeiten sind etwa der Lautwandel ls > lz, die Bildung von Ptz. auf -mma(/i)- und Inf. auf -una sowie die Produktivität des Adj.-Suffixes p. -ga(/i)- (z. B. ginuga(/i)-, pannuga(/i)- »zum Knie, zur Leber gehörig«) = luw. -zza(/i)-, insbes. auch in der sonst im Anatol. nicht begegnenden Verbindung mit -i- (< -ja- < uridg. *-jo-): p. u̯asun-i-ga(/i)- »wertvoll« : luw. mu-i-zza(/i)- »mutig«.

O. Carruba, Das P. (Texte, Gramm., Lex.), 1970 · Ders., Beitr. zum P., 1972 · H. C. Melchert, Notes on Palaic, in: ZVS 97, 1984, 22–43 · C. Watkins, A Palaic Carmen, in: M. A. Jazayery, E. C. Polomé, W. Winter (Hrsg.), FS A. A. Hill, Bd. 3, 1978, 305–314. F. S.

Palaiste

[1] (παλαιστή). Griech. Längenmaß (»Handbreite«, vgl. lat. → palmus) zu 4 δάκτυλοι (dáktyloi), entsprechend ¼ Fuß. Je nach dem zugrunde liegenden Fußmaß (πούς/→ pus) ergibt sich eine Länge von ca. 6,8 bis 8,7 cm. Zusammen mit dem → dáktylos (»Fingerbreite«), der σπιθαμή (→ spithamḗ/»Spanne«) und dem πῆχυς (→ pḗchys/»Elle«) ist die Maßeinheit den Proportionen des menschlichen Körpers entnommen. Nach Herodot entsprach 1 Fuß 4 Handbreiten und eine Elle 6 Handbreiten (Hdt. 2,149,3).

1 F. Hultsch, Griech. und röm. Metrologie, ²1882, 27–34 2 H. Nissen, Griech. und röm. Metrologie (Hdb. der klass. Altertumswiss. 1), ²1892, 842 f. H.-J. S.

[2] (Παλαίστη). Ort in den → Akrokeraunia an der Küste von Epeiros, h. Palasë in Albanien, wo Caesar auf dem Feldzug von → Dyrrhachion am 4. Januar 48 v. Chr. mit seinen Truppen landete (Caes. civ. 3,6,3; Lucan. 5,460).

N. G. L. Hammond, Epirus, 1967, 125 f. D. S.

Palaistra (παλαίστρα, lat. palaestra). Die P. bildet sich im 6. Jh. v. Chr. als ein Kernelement des → Gymnasions (mit Abb.) aus und formt, zusammen mit einem Dromos (einer langgestreckten Laufbahn) und verschiedenen langen Säulenhallen und Wandelgängen, diesen Architekturtyp konstitutiv. Die P. besteht dabei aus einem annähernd quadratischen Hof, umzogen von einem Peristyl, und verschiedenen daran angrenzenden Raumfluchten. Die P. diente als Ort für Ringkämpfe; die angegliederten Räume wurden für Übungen, zum Umkleiden und für die Verwahrung von Gerätschaften benutzt. Die griech. P. war öffentlicher Raum, seit dem 5. Jh. v. Chr. meist an zentraler Stelle der Stadt gelegen und damit ein wesentlicher Repräsentationsort der Bürger.

Vitruvius' detaillierte Bauanleitung für eine P. (Vitr. 5,11) zeigt, in welchem Ausmaß sich die Architekturform in hell.-röm. Zeit aus dem ursprünglichen Kontext des Gymnasions herausgelöst und verselbständigt hat (Korinth; Pompeii). Die röm. P. wird im 2. Jh. n. Chr. zunehmend in die Anlage großer → Thermen integriert.

S. L. Glass, P. and Gymnasion in Greek Architecture, 1981 · W. Müller-Wiener, Griech. Bauwesen in der Ant., 1988, 166f. · W. Zschietzschmann, Wettkampf- und Übungsstätten in Griechenland, Bd. 2: Palästra-Gymnasion, 1961. C. HÖ.

Palakion (Παλάκιον). Skythische Festung im Steppengebiet der Krim (Strab. 7,4,7), zusammen mit den befestigten Siedlungen Chabon und Neapolis von → Skiluros und seinen Söhnen gegr. (Strab. 7,4,3). Die → Skythai benutzten P. als Stützpunkt gegen Mithradates [5] V.

V. F. Gajdukevič, Das Bosporanische Reich, 1971, 309. I. v. B.

Palamedes (Παλαμήδης).

[1] (Π., auch Ταλαμήδης/ Talamedes, etr. Palmithe oder Talmithe). Sohn des → Nauplios [1] und der → Klymene [5] oder der → Hesione [2], Bruder des → Oiax (Apollod. 2,23; 3,15). Die naheliegende etym. Bed. des Namens (»mit der Hand geschickt«) wird durch die etr. Form talmithe (von griech. pálmys = basileús »König«) zweifelhaft. Im Griech. ist P. jedenfalls der geschickte Erfinder (→ prôtos heuretēs) schlechthin [1] (vgl. Plat. Phaidr. 261d). Man schreibt ihm u. a. die Erfindung (oder Vermehrung) der Buchstaben (Hyg. fab. 277; Tac. ann. 11,14), des Würfelspiels (Paus. 10,3,1), des Brettspiels, der Maße und Gewichte, der Feuersignale zu.

P. ist unter den Freiern der → Helene [1] und nimmt am Troianischen Krieg teil. In den Kýpria sorgt er für die Teilnahme des → Odysseus: Dieser hatte sich wahnsinnig gestellt, um sich dem Feldzug zu entziehen, doch P. legt dem vermeintlich Wahnsinnigen, der mit einem Ochsen und einem Pferd den Acker pflügt, den Sohn → Telemachos in die Furche und entlarvt Odysseus, als dieser das Kind verschont (Kypria, EpGF p. 31, 41–43; PEG I p. 40, 30–33; Hyg. fab. 95; Plin. nat. 35,129; Serv. Aen. 2,81). Aus Rache dafür wird P. von Odysseus und Diomedes [1] beim Fischfang überfallen und ertränkt (EpGF fr. 20; PEG I fr. 30). Die Tragiker entwarfen dagegen ein Szenario, in dem Odysseus mit einem gefälschten Brief und Gold, das er im Zelt des P. versteckt, die Griechen davon überzeugt, daß P. sie an die Troianer verraten wolle. Dafür wird P. gesteinigt (Eur. Palamedes, TGF fr. 578–590; vgl. Aristoph. Thesm. 769–784; Apollod. epit. 3,8; Hyg. fab. 105; Plat. apol. 41b; Xen. apol. 26; Cic. Tusc. 1,98) [2]. Zur Rache des Vaters Nauplios vgl. Soph. Nauplios, TrGF 4 F 425–438; eine ›Apologie des P.‹ des → Gorgias [2] ist erh. (82 B 11a DK).

1 A. Kleingünther, Πρῶτος εὑρετής, in: Philologus Suppl. 26,1, 1933, 78–84 2 C. W. Müller, Der P.-Mythos im Philoktet des Euripides, in: RhM 133, 1990, 193–209.

S. Woodford, I. Krauskopf, s. v. P., LIMC 7.1, 145–149. L. K.

[2] Griech. Grammatiker und Lexikograph des 2. Jh. n. Chr., eleatischer Herkunft (Ἐλεατικός: Athen. 9,397a und Suda π 43 s. v. Παλαμήδης). Gegenstand seiner lexikographischen Studien war in den Schriften Κωμικὴ λέξις (Kōmikḗ léxis) und Τραγικὴ λέξις (Tragikḗ léxis) die Sprache der Komödie und der Tragödie. Analog zum → Onomastikon des → Iulius [IV 17] Pollux stellte der Ὀνοματολόγος (Onomatológos) des P. ein sachlich geordnetes Verzeichnis verschiedener Wörter dar. Aus P.' Werken sind nur einige Glossen v. a. in den Scholiencorpora erhalten. Von seinem ›Komm. zum Dichter Pindar‹ (Ὑπόμνημα εἰς Πίνδαρον ποιητήν) hingegen sind keine Fr. überliefert; offenbar ist er für die Redaktion der Pindarscholien wirkungslos geblieben.

1 R. Förster, Ἐλεατικὸς Παλαμήδης, in: RhM 30, 1875, 331–339 2 C. Wendel, s. v. P. (3), RE 18.2, 2512–2513. ST. MA.

Palantia. Hauptort der → Vaccaei (ILS 6096; Plin. nat. 3,26; Mela 2,88; Itin. Anton. 449; Παλλαντία: Strab. 3,4,13; App. Ill. 231 u. ö.; Ptol. 2,6,50; Oros. 7,40,8), h. Palencia am Carrión in Castilla la Vieja. P. wurde in den keltiberischen Kriegen (153–134 v. Chr.) von den Römern wiederholt vergeblich belagert. Unterworfen, gehörte P. zu den peregrinen Gemeinden des conventus Cluniensis (Plin. l. c.). 409 n. Chr. zogen → Vandali, → Suebi und → Westgoten plündernd über das Territorium von P. (Oros. l. c.): Die Stadt wurde 457 von Westgoten zerstört (Hydatius Lemicus 186 = Chronica minora 2,30).

Tovar 2,3, 1989, 341 · TIR K 30 Madrid, 1993, 170. P. B.

Palas. Gegend, in der Grenzsteine die Gebiete der → Burgundiones und Römer schieden, auch Capellatium genannt; hierher unternahm Iulianus [11] 359 n. Chr. einen rechtsrheinischen Feldzug gegen die → Alamanni (Amm. 18,2,15). P. ist verm. bei Öhringen im NO von Heilbronn zu suchen.

P. Goessler s. v. P., RE 18.2, 2516–2528 · W. Dahlheim, Capellatium, in: RGA 4, 1980, 338f. · L. Jacob, I. Ulmann, Komm. zu Amm., in: J. Herrmann (Hrsg.), Griech. und lat. Quellen zur Frühgesch. Mitteleuropas, 4. Teil, 1992, 455f. R. A. WI.

Palast I. Terminologie und Definition II. Alter Orient III. Ägypten IV. Griechenland und Rom

I. Terminologie und Definition

Der mod. Begriff »Palast« leitet sich ab vom Palatin (→ Mons Palatinus), dem Hügel Roms, auf dem die Residenzen der röm. Kaiser standen. Als P. werden Bauanlagen bezeichnet, die einem Herrscher als Wohn- und Repräsentationssitz dienten. Je nach weiteren, dazukommenden Funktionen konnte er im Alt. verschiedene, von der jeweiligen Funktion abhängige Bezeichnungen haben. I. N. /Ü: R. S.-H.

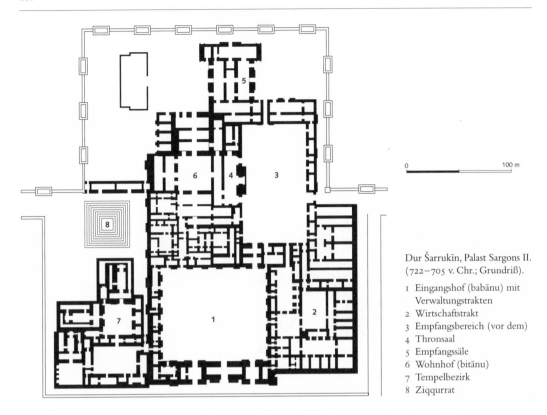

Dur Šarrukīn, Palast Sargons II.
(722–705 v. Chr.; Grundriß).

1 Eingangshof (babānu) mit
  Verwaltungstrakten
2 Wirtschaftstrakt
3 Empfangsbereich (vor dem)
4 Thronsaal
5 Empfangssäle
6 Wohnhof (bitānu)
7 Tempelbezirk
8 Ziqqurrat

II. ALTER ORIENT
A. BAUGESCHICHTE B. FUNKTION

A. BAUGESCHICHTE

Im Alten Orient und Äg. war ein P. von den Ursprüngen her ein Wohnhaus mit z. T. erheblich vergrößerten Repräsentations- und Wirtschaftsteilen, das dem jeweiligen Herrscher als Wohn-, Repräsentations- und Verwaltungssitz diente (sumerisch: é-gal, wörtl. »großes Haus« > akkadisch: *ekallu* > hebr. *hēkāl*, mit Bedeutungsverschiebung zu »Tempel«). Die Vergrößerung geschah in der Regel durch Zusammenfügung mehrerer Hofsysteme. Nur zögerlich kam es zur Ausbildung bestimmter Architekturformen, die der Integration der verschiedenen Teile dienen und als typisch für einen P. gelten können. Das Auftauchen entsprechender Bauten im frühdyn. Babylonien (Eridu, Kiš) wird meist als Anzeichen für die Emanzipation herrscherlicher Funktionen aus der kultischen Bindung angesehen.

Während im altbabylonischen P. des Sinkāšid in Uruk (19. Jh. v. Chr.) der öffentlich zugängliche und der private Bereich additiv aneinandergereiht sind, findet sich im gleichzeitigen P. in Ešnunna eine Verknüpfung beider Teile. Daneben bleibt das additive Schema erhalten (P. von Dūr-Kurigalzu (14. Jh.); P. von Kār-Tukultī-Ninurta (13. Jh.); »Südburg« → Nebukadnezars [2] II. in Babylon (6. Jh.)). Lediglich die neuassyri-

schen P. ab Assurnaṣirpal II. (883–859; P. in → Kalḫu), bes. deutlich im P. → Sargons II. in Dūr Šarrukīn (vgl. Abb.), bildeten als konstitutiven Teil einen Verbindungstrakt zw. »äußerem« und »innerem« Hof aus, der aus Thronraum, anschließendem Treppenhaus (Rituale auf dem Dach?) und dahinterliegendem Bankettsaal bestand. Bekannt sind die neuassyr. P. vor allem durch ihre Ausschmückung mit steinernen Wand-→ Reliefs.

Aus dem syrisch-anatolischen Bereich kennen wir v. a. die P. von → Mari (P. des Zimrilim, 1775–1751, der wegen seiner Größe und Ausstattung mit reichen Wandmalereien, z. T. mit Verbindungen zur kretischen P.-Malerei (→ Minoische Kultur und Archäologie), zu seiner Zeit als Sehenswürdigkeit galt), → Ḫattusa (13. Jh., auf dem Felsplateau von Büyükkale, s. Abb.) und → Ugarit (14./13. Jh., mit ineinander verflochtenen Hofsystemen und integriertem Garten).

Aus dem iranischen Gebiet bekannt ist das mittelelamische P.-Fragment aus Haft Tepe (14. Jh.) sowie v. a. die achäm. P.-Anlagen von → Pasargadai und → Persepolis mit der speziellen Bauform der vierseitigen Säulenhalle (*Apadana*; vgl. Abb.).

MESOPOT. P.-ANLAGEN EINSCHLIESSLICH MARI:
E. HEINRICH, Die P. im Alten Mesopot., 1984 ·
H. SCHMID, Zur inneren Organisation früher mesopot. P.-Bauten, in: B. HROUDA et al. (Hrsg.), Von Uruk nach Tuttul, 1992, 185–192.

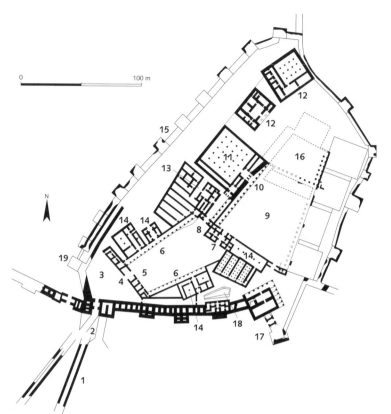

Büyükkale,
Palastanlage von Ḫattusa
(13. Jh. v. Chr.; Grundriß).

1 Viadukt
2 Südtor
3 Burgtorhof
4 Eingang zum
  Unteren Burghof
5 Unterer Burghof
6 Pfeilerhalle
7 Torbau, Eingang zum
  Mittleren Burghof
8 Seitentor
9 Mittlerer Burghof
10 Eingang zur »Audienzhalle«
11 »Audienzhalle«
12 Privatgemächer der Könige
13 Kultanlage
14 Residenzen hochgestellter
   Palastbeamter
15 Nordwestliche Burgmauer
16 Oberer Burghof
17 Osttor
18 Wasserbecken
19 Südwesttor

ANDERE GEBIETE: CH. VIROLLEAUD, Le palais royal
d'Ougarit, 1957–1965 · E. NEGAHBAN, Excavations at Haft
Tepe, Iran, 1991 · D. STRONACH, Pasargadae, 1978 ·
L. TRÜMPELMANN, Persepolis, 1988 · P. NEVE, Ḫattuša,
Stadt der Götter und Tempel, ²1996.   H. J. N.

B. FUNKTION

→ Tempel und P. waren in Mesopotamien, mit gewissen Modifikationen auch im Hethiterreich, in den Staaten Syriens, der Levante und Äg.s die beiden zentralen Institutionen der Gesellschaft. Im P., repräsentiert durch den → Herrscher, waren die entscheidenden Funktionen des Regierungshandelns konzentriert, die u. a. in der regional und zeitlich unterschiedlichen Zusammensetzung des Hofstaates sichtbar werden. Insofern bezeichnet der Begriff P. nicht nur das Gebäude, sondern auch die Institution. Zum Hofstaat gehörte ein zahlreiches, hierarchisch gegliedertes Personal, das für die persönlichen Bedürfnisse des Herrschers zuständig war.

Der P. war der Ort, in dem der Reichtum eines Landes gesammelt, verwaltet und gehortet wurde. Die P. des Alten Orients und Äg.s hatten Prestigefunktion: Sie dienten dem Zurschaustellen herrscherlicher Macht. Bildnerischer Schmuck – etwa die Reliefzyklen neuassyrischer P. oder der P. von → Persepolis und → Susa – vermittelten die jeweilige Herrschaftsideologie. Die P.

waren Orte von Ritualen bzw. Zeremonien, die aus Anlaß der Königskrönung stattfanden, und gewannen damit auch Aspekte eines Heiligtums. Assyr. P. galten als Orte, in die die Götter vom Herrscher geladen wurden. Auch im P. von → Ḫattusa sowie in den königlichen Residenzen der hethitischen Provinzstädte fand Götterverehrung statt.

Die Rolle des P. als zentrale ökonomische Institution hing vom jeweiligen Regime der Bodenbesitzverhältnisse ab. Unter einem Regime der → Oikos-Wirtschaft (z. B. in Mesopot. im 3. Jt. v. Chr.) kontrollierte der P. fast das gesamte Ackerland. In dem Maße, in dem tributäre Wirtschaftsformen bestimmend wurden, reduzierte sich die ökonomische Rolle des P. Dabei spielten die vorherrschenden agronomischen Grundbedingungen (Bewässerungs- versus Regenfeldbau) eine große Rolle: In den Regenfeldbauregionen des Hethiterreiches, Assyriens, Syriens, der Levante und Palaestinas war die ökonomische Rolle des P. im wesentlichen auf die Eigenversorgung des Hofstaates reduziert. Gesamtstaatliche Aufgaben wurden durch Abgaben an den P. finanziert. In den Gebieten mit Bewässerungsfeldbau (Mesopot.) behielt der P., von dem der Ausbau und die Unterhaltung des Bewässerungssystems organisiert wurde, zwar die Kontrolle über das Ackerland, übte sie aber nur mittelbar aus, indem das Ackerland zu großen Teilen in Form von Versorgungsfeldern an die dienstbare Bevölkerung verteilt wurde.

Achaimenidische Palastanlage
von Persepolis. Begonnen unter
Dareios [1] 1. (Grundriß).

1   Befestigungsmauer
2   »Tor aller Völker«
3   Apadana
4   Tripylon
5   Kleiner Palast
    des Dareios
6   Schatzhaus
7   Palast des Xerxes
8   »Hundertsäulensaal«

H. Klengel, Ḫattuša: Residence and Cult-Centre, in:
A. Aerts, H. Klengel (Hrsg.), The Town as Regional
Economic Centre in the Ancient Near East, 1990, 45–50 ·
J. Renger, s. v. Hofstaat, RLA 4, 435–446 · Ders., Das
P.-Geschäft in der altbabylonischen Zeit, in: A. Bongenaar
(Hrsg.), Interdependency of Institutions and Private
Entrepreneurs, 2000.   J. RE.

III. Ägypten

In Ägypten waren P. profane, aus Ziegeln errichtete
Bauten; nur bestimmte Teile (Fenster, Treppen, Portale
etc.) waren aus Stein. P. bestanden aus Empfangshalle(n)
und Thronsaal, dahinter befanden sich die Privaträume,
je nach Typ auch Zimmer für Königin oder → Harem;
dazu kamen Räume für Diener sowie Magazine. Charakteristisch ist das »Erscheinungsfenster«, an dem sich
der König außen Stehenden zeigte. Es befand sich verm.
in der P.-Front, ist aber nur in den Kult-P. thebanischer

Tempel nachzuweisen. Häufig waren P. mit Darstellungen unterworfener Nachbarvölker, Landschaftsbildern
mit Tieren, v. a. Vögeln, und geometrischen Mustern
dekoriert. Verschiedene Typen von P. sind: Regie-
rungs-P., Wohn-P., Wehr-P. (Burg), Harems-P. und
Jagdschloß. Als Kult-P. werden Teile von Tempeln bezeichnet, die wie profane Bauten aus Ziegeln errichtet
sind.

Arch. Reste äg. P. sind fast ausschließlich aus dem
NR erhalten; aus der Zeit der frühen 18. Dyn. gibt es die
Fundamente eines Wehr-P. in Dair al-Ballāṣ und des auf
den Relikten der Hyksosresidenz errichteten P. in Au-
aris, mit minoischen Fresken geschmückt, ebenso Reste
eines Harems-P. in Ġurāb. Besser erhalten sind der
Wohn-P. Amenophis' [3] III. (1392–1355 v. Chr.) in
Malqata (→ Thebai) (s. Abb.) und die P. von → Amarna;
von ihnen hat man nicht nur die Grundrisse, sondern

Palast Amenophis' III. in Malqata (Grundriß).

auch bedeutende Überreste der Dekoration. Aus der 19. und 20. Dyn. werden die P. Ramses' II. und seiner Nachfolger im Ostdelta (Qantīr) derzeit ausgegraben. Kult-P. dieser Zeit sind aus → Memphis bekannt (P. des Merenptah beim Ptah-Tempel), ebenso aus dem äg. Thebai (in den Totentempeln verschiedener Könige, v. a. → Ramses' II. und III.). Aus der Zeit nach dem NR ist nur der P. des → Apries (589–70 v. Chr.) im Norden von Memphis erh., ein massiver Bau innerhalb einer Befestigungsanlage. Die P. des Königsviertels von → Alexandreia [1] sind zerstört und liegen h. unter Wasser. Über die Verwaltung der P. ist kaum etwas bekannt, da keine Archive erhalten sind und die Titel der P.-Beamten nicht immer ihre Funktion erschließen lassen. Quittungen über Brotlieferungen in den P. aus der Zeit Sethos' I. (1306–1290 v. Chr.) zeigen aber, daß ein P. sehr viel Personal hatte. Der König hatte meist mehrere P. und nicht nur eine Residenz. Verwaltungszentrale und Residenzstadt waren nicht notwendig identisch. P. ist daher in Äg. kein Begriff für staatliche Verwaltung.

D. ARNOLD, s. v. P., LÄ 4, 644–646 · P. LACOVARA, The New Kingdom Royal City, 1997 (mit Bibliogr.). K. J.-W.

IV. GRIECHENLAND UND ROM
A. TERMINOLOGIE UND DEFINITION
B. MINOISCHE UND MYKENISCHE PALÄSTE
C. MAKEDONISCHE PALÄSTE
D. HELLENISTISCHE PALÄSTE
E. RÖMISCHE PALÄSTE

A. TERMINOLOGIE UND DEFINITION
Im Griech. war βασίλεια, basíleia (Pl.)/βασίλειον, basíleion, wie schon das Wort ausdrückt, ein »königlicher« P., vielleicht entsprechend dem Begriff regia im Lat. Der Begriff palatium wurde zum ersten Mal für den P.-Komplex der Flavier auf dem Palatin (→ Domitianus [1] D.) verwendet. Paläste von subordinierten Statthaltern oder Prov.-Gouverneuren wurden αὐλαί/aulaí genannt,

manchmal auch die Königs- bzw. Kaiser-P. selbst; entsprechendes gilt für die lat. Bezeichnungen domus und villa.

Gemäß der mod. Definition muß ein P. zwei Funktionen erfüllen: eine offizielle, durch die Audienz- und Banketthalle repräsentiert, und eine private, baulich repräsentiert u. a. durch Schlaf-, Eß- und Badezimmer. P. erfüllten oft auch einen mil.-defensiven sowie administrativen Zweck, wie dies etwa angegliederte Kasernengebäude für die Wachen sowie Archiv- und Schreibräume zeigen. Zudem boten die P. reichlich Platz für Versorgungs- und Dienstbotentrakte. Auch beinhaltete der königliche P. Räume für Kultausübung, z. B. kleine Tempel und Altäre, ferner Orte für die Bestattung, z. B. Mausoleen. Gärten, Theater, Hippodrome und Gymnasien boten Gelegenheit zu Entspannung und Unterhaltung, aber auch für herrscherliche Repräsentation.

B. MINOISCHE UND MYKENISCHE PALÄSTE
Die in → Knosos, → Phaistos [4], in Kato Zakros, → Mallia und Archanes erh. minoischen P. der Brz. hatten einen labyrinthischen Grundriß und waren von säulenumstandenen Räumen und Fassaden beherrscht. Sie waren um einen großflächigen, rechteckigen Innenhof gruppiert und umfaßten zwei oder mehr Stockwerke; der P. war von Westen her über einen Hof zugänglich. Die Anlagen waren multifunktional angelegt; neben Thronräumen und Höfen für offizielle Empfänge finden sich luxuriöse Hallen und Baderäume für die private Nutzung durch die Herrscherfamilie. Zusätzlich waren kleine Kultschreine vorhanden, wie auch der gesamte P. für rel. Zeremonien genutzt werden konnte. So zeigen die Fresken (→ Wandmalerei), daß bei großen Festen die beiden großen Höfe einer stattlichen Anzahl von Teilnehmern und Zuschauern Platz boten. Als Mittelpunkt einer zentralistisch angelegten Wirtschaft schloß der minoische P. auch Stau- und Vorratsräume, Archive und Waffenkammern mit ein (→ Minoische Kultur).

Die mykenischen P. auf dem griech. Festland lagen erhöht inmitten fruchtbarer Ebenen, wie → Mykenai, → Tiryns, → Sparta und → Pylos auf der Peloponnes, Athen (→ Athenai) in Attika, Theben (→ Thebai), → Orchomenos [1] und Gla in Mittelgriechenland. Sie waren nach einem einfachen Plan angelegt und meist massiv befestigt. Der öffentliche Teil des P. konnte über einen Vorhof erreicht werden. Von dort aus hatte man durch ein säulenbestandenes Vestibül Zutritt zum Hauptraum, dem → Megaron, mit Herd und Thron. Es waren ferner Wohnräume, z. T. mit Baderäumen, kleine Kultschreine und Vorratsräume vorhanden. Die P. dienten auch als Fluchtburgen für die in der Umgebung wohnende Bevölkerung. Die meisten dieser bronzezeitlichen P. sind in den Wirren der Zeit um 1000 v. Chr. zerstört worden; über das Aussehen der vereinzelt lit. überl. P. der Tyrannen im archa. Griechenland herrscht Unklarheit (→ Mykenische Kultur).

C. MAKEDONISCHE PALÄSTE
Die erh. P. der maked. Könige entstammen der Spätklassik und der hell. Zeit; Schriftquellen bezeugen je-

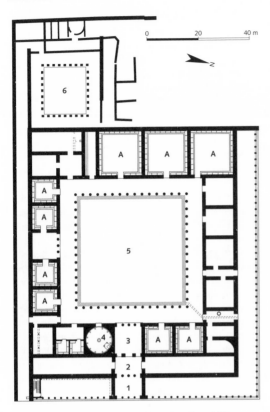

Aigai (Vergina), Palast (Ende 4. Jh. v. Chr.; Grundriß).

1-3	»Propyläen«	6	Wirtschaftshof
4	»Tholos«	A	Andron (gesicherte
	(Heiligtum des Herakles)		Gelageräume)
5	Peristyl		

doch, daß auch frühere maked. Herrscher schon P. erbaut hatten. Demgegenüber war der griech. Poliswelt des 5.–4. Jh. v. Chr. der P. als architektonischer Funktionsbereich genuin fremd. Ab dem späten 4. Jh. v. Chr. entstand ein Haupt-P. in der neuen Residenz der Makedonen, → Pella [1], die → Aigai [1] (beim mod. Dorf Vergina) als Hauptsitz ersetzte. Der erh. P. in Aigai (s. Abb.) geht wohl auf Philippos [4] II. zurück und bestand aus einem großen Peristylhof (→ Peristylium), umgeben an allen Seiten von Räumen mit meist offizieller Funktion, einschließlich zahlreicher Speiseräume (→ Andron [4]). Ein runder Raum diente als Heiligtum des Herakles, der Schutzgottheit der maked. Könige. Die Wohnräume waren wahrscheinlich im Obergeschoß angesiedelt. Dieser P. hatte eine monumentale Fassade mit einem zweistöckigen Portal im Zentrum. Im frühen 2. Jh. v. Chr. wurde ein kleineres Peristyl, verm. eine Art Wirtschaftshof, hinzugefügt.

Der auf einer Anhöhe nahe der Wohnstadt gelegene P. von Pella war demgegenüber sehr viel größer, seine Fassade, die auf den darunterliegenden Ort ausgerichtet war (und die über eine riesige, zum Portal führende Rampe erreicht werden konnte), bei weitem monumentaler, repräsentativer gefaßt. Der Bau gruppierte sich um mehrere Höfe, von denen einige von Peristylen umfaßt waren; zwei dieser Peristyle dienten offiziellen Zwecken und lagen im Süden, auf die Stadt hin orientiert. Der sö Hof war mit einem axial ausgerichteten Empfangs- und Speiseraum im Nordflügel verbunden. An beiden Enden des Nordflügels gab es jeweils einen Apsidenraum, der verm. Kultzwecken diente. Nördlich dieser öffentlichen Höfe lagen andere, von denen mindestens einer über ein Peristyl verfügte; da er mit einem Badetrakt versehen war, diente er wahrscheinlich der königlichen Familie als Wohnung. Westlich davon lagen weitere Höfe und Peristyle, die verschiedene Funktionen hatten (Wirtschaftshöfe, Verwaltungs- und Wachräume). Teile des P. in Pella gehen verm., wie die Anlage in Aigai, auf Philippos II. zurück; der Komplex wurde bis zu seiner Zerstörung durch die Römer nach der Schlacht bei Pydna (168 v. Chr.) schrittweise erweitert.

Der dritte erh. maked. P., inmitten der Stadt → Demetrias [1] in Thessalien gelegen und verm. vom Gründer der Stadt (Demetrios [2] Poliorketes) zu Beginn des 3. Jh. v. Chr. errichtet, diente hauptsächlich als mil. Schanzung (worauf die massiven Bastionen hinweisen); der Komplex verfügte aber ebenso über luxuriös ausgestattete Peristylhöfe. Grundsätzlich sind die maked. P. durch ihre experimentelle und eklektische Architektur charakterisiert. Sie führten verschiedene Bauelemente und Elementkombinationen ein, welche später als typisch hell. oder röm. bezeichnet wurden, einschließlich der Wandmalerei und Mosaikfußböden; vom Grundriß-Typus her variieren sie, in allerdings stark vergrößerter Form, das spätklass. Peristyl-Haus (→ Haus II. B. 4.).

D. HELLENISTISCHE PALÄSTE

Nach dem Tode Alexandros' [4] d.Gr. wurde sein riesiges Reich von seinen Generälen, den → Diadochen, geteilt. So entstanden, neben dem maked. Kernreich, um ca. 300 v. Chr. u. a. das Ptolemaierreich in Ägypten, das Seleukidenreich in Syrien und den östlich angrenzenden Gebieten und schließlich das pergamenische Königreich im westlichen Anatolien. Die neuen Dynasten bauten allesamt P., und zwar zunächst in ihren jeweiligen Hauptstädten (Alexandreia [1], Antiocheia [1], Seleukeia am Tigris, Pergamon). Während die → Ptolemaier erst später einen weiteren P., gewissermaßen eine herrscherliche Dependance, in → Memphis erbauten, errichteten die Seleukiden, die über ein sehr viel größeres Gebiet herrschten, sehr bald ein dieses gänzlich überspannendes Netz von P., teils neu erbaut, teils von den Vorgängern, den persischen Königen, übernommen und erweitert (u. a. → Susa, → Babylon). Zusätzlich bauten Statthalter und Vasallenkönige sowohl der Ptolemaier als auch der Seleukiden eigene Paläste. Die der ersteren sind in Ptolemais (Kyrene) und ʿIrāq al-Amīr/griech. Tyros (s. Abb.) in Transjordanien erh., die der seleukidischen Statthalter in → Aï Khanum

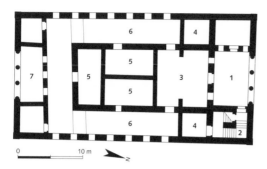

'Irāq al-Amīr (Jordanien), Palast des Hyrkanos [1]
(187 v. Chr.; Grundriß).

1 Eingangshalle mit Säulen 5 Kammern
2 Treppe zum Obergeschoß 6 Umlaufender Gang
3 Prunksaal 7 Südl. Vorhalle mit Säulen
4 Innere Wasserbecken

(Baktrien), → Dura-Europos und Ǧabal Ḫālid (Syrien).
Schließlich sind noch P. in kleineren, unabhängigen
Reichen zu erwähnen; z. B. erbauten die südrussischen
Könige in → Pantikapaion (h. Kerč), die thrakischen
Herrscher in → Seuthopolis, die kaukasisch-iberischen
Herrscher in Mcʿḫetʿa (Georgien) Paläste. In Palaestina
haben die hasmonäischen Könige (→ Hasmonäer) und
Herodes [1] d. Gr. eine Reihe von eindrucksvollen und
gut erh. P. hinterlassen.

Die von hell. Herrschern oder Statthaltern erbauten
P. sind vom Typus her sehr verschiedenartig. Von den P.
in Hauptstädten ist nur der in → Pergamon (mit Lageplan) einigermaßen gut erh. Mit Gebäuden für offizielle
und private Nutzung sowie dem Tempel für die Schutz-
göttin Athena nahm er die Fläche der gesamten Akropolis ein. Angegliedert war hier die berühmte → Bibliothek, ein Archiv, ein Theater und Kasernen für die
Wachen. Beeinflußt war der pergamenische P. hauptsächlich von maked. Anlagen, es sind aber auch alex-
andrinisch-ptolemäische und seleukidische Einflüsse
auffindbar.

Obwohl die meisten hell. königlichen P. nur zu einem geringen Teil ausgegraben sind, wissen wir aus lit.
Schilderungen genug, um eine gute Vorstellung von ihnen zu gewinnen; die P. waren eingebettet in riesige,
umzäunte, parkähnliche Anlagen, dominierten das
Stadtbild mit ihren repräsentativen Gebäuden und
Trakten, die allen für eine Monarchie notwendigen
Funktionen gerecht wurden. Die Komplexe integrier-
ten nicht nur alle Funktionen der »alten« Pharaonen, der
persischen, neu-babylonischen und assyrischen Könige,
die von den neuen Herrschern adaptiert worden waren;
die Bauten erfüllten darüber hinaus auch die kulturellen
Funktionen einer traditionellen griech. Stadtanlage
(→ Städtebau).

Die bisweilen gut erh. P. der Statthalter oder der Vasallenkönige präsentieren jeweils nur mehr oder minder
große Ausschnitte aus der Ganzheit königlicher hell.
P.-Anlagen; sie helfen jedoch, sich in Teilen eine ge-

nauere Vorstellung von den h. verschwundenen
Prunk-P. in Alexandreia [1] und Antiocheia [1] zu machen. Diese Statthalter-P. variierten in Typus und Ausstattung erheblich; sie reflektieren somit die verschiedenen Vorbilder, die den hell. Königen als Baumuster
zur Verfügung standen.

E. RÖMISCHE PALÄSTE
Bereits in der späten Republik benutzten röm.
Prov.-Statthalter und Generäle die hell. P. in den zuge-
wonnen Gebieten des Ostens weiter. Diese waren dann
aber wohl nicht die unmittelbaren Vorbilder für den
ersten röm. Kaiser, → Augustus, als er sein Wohnhaus
auf dem Palatin (→ Mons Palatinus) in Rom erbaute (s.
Abb.); die vornehme Wohngegend war bereits damals
schon fast gänzlich im Privatbesitz des Augustus. Dieser
»Palast« enthielt einen Tempel für Augustus' Schutzgott
Apollo und war flankiert von zwei Peristylhöfen, die
weitere repräsentative Funktionen erfüllten. Bei aller
Verwandtschaft zu hell. P. blieb der Komplex dennoch
ein Resultat augusteischer modestia (»Mäßigung«), war
im Kern immer noch als alt-aristokratisches röm. Stadt-
haus erkennbar und deshalb »unverdächtig«. Die Nachfolger des Augustus benutzten den Palatin weiterhin als
Wohn- und Regierungssitz. Gaius → Caligula ergänzte
den immer weiter zusammenwachsenden Baukomplex
bis zum Forum Romanum hin und gliederte den Tempel des Castor und Pollux als Vestibül in die Anlage ein
(Suet. Cal. 22). Nero baute zunächst den nw Teil des
Palatin zu einem großen offiziellen P. (zur sogenannten
Domus Tiberiana) um, der die Gestalt eines auf einem
Sockel stehenden, von Räumen umgebenen Peristyl-
hofes hatte. Für private Zwecke errichtete Nero auf den
Arealen, die durch den Großbrand 64 n. Chr. zerstört
worden waren, noch im selben Jahr die → Domus Aurea, eine riesige Villa innerhalb der Stadt, bestehend aus
einer Parkanlage und mehreren Baukomplexen. Schon
vorher hatten die Kaiser die horti (→ Garten, Gartenanlagen) in der Umgebung Roms in Besitz genommen,
die früher der senatorischen Elite gehört hatten. Es war
jedoch erst der Flavier → Domitianus [1], der auf dem
Palatin den P. erbaute, der von nun an die zentrale Residenz der röm. Kaiser werden sollte. Der P. bestand aus
der Domus Flavia, dem öffentlichen, und der Domus
Augustana, dem privaten Bereich. Beide waren um jeweils ein Garten-Peristyl gruppiert, in der Nähe befand
sich ein großer, ornamental angelegter Garten, hip-
podromus genannt. Hohe Fassaden mit Säulen, die zu
riesigen Vestibülen und monumentalen Audienz- und
Speisehallen führten, charakterisierten den P., der seine
Umgebung weit überragte. Der P. wurde nach Domitians Tod weiter bewohnt, mit vielen kleineren Veränderungen versehen, in severischer Zeit um eine weitere
große Bauphase im SO ergänzt und erst aufgegeben, als
Rom 410 n. Chr. den Rang als Hauptstadt des Reiches
verlor (→ Roma).

Die röm. Kaiser benötigten weitere P. außerhalb
Roms – als Residenzen auf Reisen und für ihre Statthalter. Viele ältere P. der hell. Herrscher wurden dafür

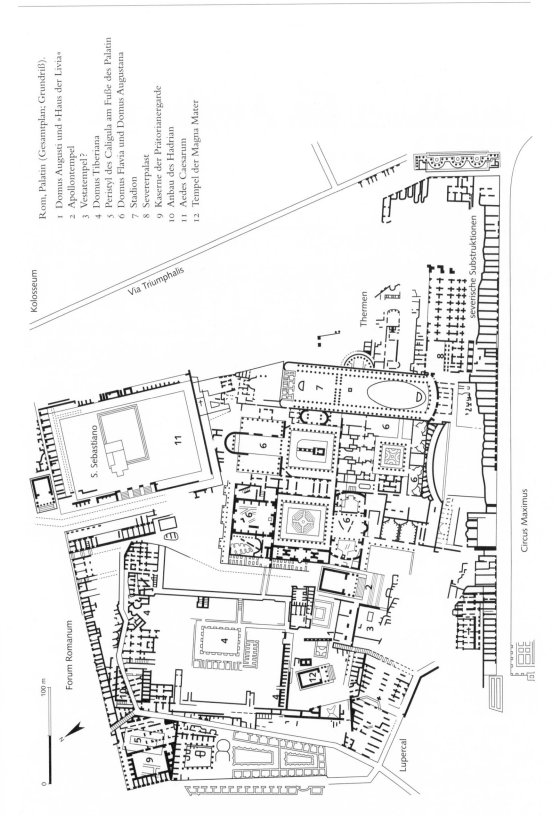

Rom, Palatin (Gesamtplan; Grundriß).

1 Domus Augusti und »Haus der Livia«
2 Apollontempel
3 Vestatempel?
4 Domus Tiberiana
5 Peristyl des Caligula am Fuße des Palatin
6 Domus Flavia und Domus Augustana
7 Stadion
8 Severerpalast
9 Kaserne der Prätorianergarde
10 Anbau des Hadrian
11 Aedes Caesarum
12 Tempel der Magna Mater

Kolosseum

Via Triumphalis

Forum Romanum

S. Sebastiano

Thermen

severische Substruktionen

Circus Maximus

Lupercal

100 m

N

0

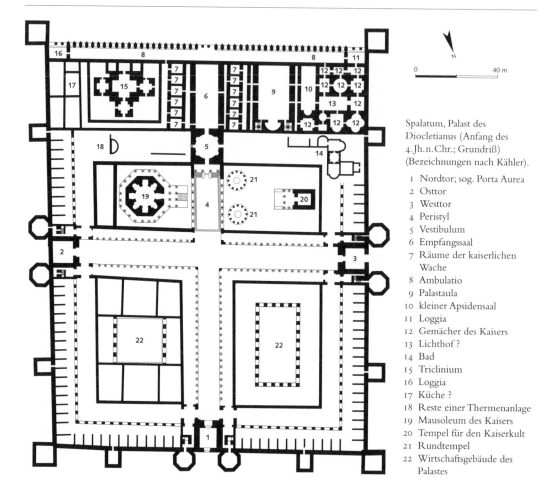

Spalatum, Palast des
Diocletianus (Anfang des
4. Jh. n. Chr.; Grundriß)
(Bezeichnungen nach Kähler).

 1 Nordtor; sog. Porta Aurea
 2 Osttor
 3 Westtor
 4 Peristyl
 5 Vestibulum
 6 Empfangssaal
 7 Räume der kaiserlichen
    Wache
 8 Ambulatio
 9 Palastaula
10 kleiner Apsidensaal
11 Loggia
12 Gemächer des Kaisers
13 Lichthof?
14 Bad
15 Triclinium
16 Loggia
17 Küche?
18 Reste einer Thermenanlage
19 Mausoleum des Kaisers
20 Tempel für den Kaiserkult
21 Rundtempel
22 Wirtschaftsgebäude des
    Palastes

übernommen, wie z. B. der P. in Alexandreia [1], der schon von Caesar und Marcus Antonius [I 9] benutzt wurde. Das gleiche gilt für den seleukidischen P. in Antiocheia [1], der den röm. Statthalter nach der Eroberung des Rests des Seleukidenreichs beherbergte. Beide P. wurden erweitert und umgebaut. Während der alexandrinische P. in den 270er Jahren n. Chr. zerstört wurde, war der P. in Antiocheia bis in die Spätant. in Benutzung. Aus dem NT wissen wir, daß röm. Statthalter auch den h. verschwundenen P. in → Jerusalem (mit Karte B) und den noch erh. in Caesarea [2] Maritima, beide von Herodes [1] d. Gr. erbaut, bewohnten.

Falls es nötig war, bauten röm. Kaiser wie auch die Statthalter neue P. Einer der wenigen erh. Statthalter-P. ist der des *dux* [1] *ripae* in → Dura-Europos (mit Plan) aus severischer Zeit; sehr reich dekoriert ist die Anlage von Nea → Paphos auf Zypern. Von den röm. Kaisern waren hauptsächlich die Tetrarchen (→ Tetrarchie) aktive P.-Bauer, da die neue dezentrale Regierungsform weitere Repräsentationsbauten entlang der Hauptstraßen und in den neuen Hauptstädten erforderlich machte. Ein Teil eines P., der zu diesem Zweck im Westreich von Constantinus [1] I. erbaut wurde, ist in → Augusta

[6] Treverorum (h. Trier; mit Plan) erh.; die riesige → Basilika (Audienzhalle) wurde später in eine Kirche umgewandelt. Ebenso sind Teile des gigantischen Galerius-P. in Thessaloniki erh. (u. a. Galerius-Bogen, Rotunde/Mausoleum), ferner der P. von → Spalatum (bei → Salona), der als Alterssitz für Diocletianus errichtet wurde (s. Abb.).

Nicht immer sind in dieser Zeit Villenbauten (→ Villa) von P.-Anlagen trennbar; die Vergnügungs-Villa in → Piazza Armerina auf Sizilien, die P.-Villa des Maxentius an der Via Appia vor den Toren Roms, aber auch die Galerius-Villa von Gamzigrad (Serbien) folgten der Trad. der Tiberius-Villen auf Capri, der Domitians-Villa in Albano/Castel Gandolfo und der Hadrians-Villa in Tivoli (→ Tibur).

Diese späten Bauten folgten im wesentlichen dem Typus der P. in Rom; d. h. teils dem »Kompakt-Typus«, der sich um einen Peristylhof herumgruppierte, teils demjenigen Typus, bei dem die Gebäude weit gestreut in einem großen Park-Areal verteilt sind. Typisch für spätant. P. sind die Hallen mit den zahlreichen Apsiden, wovon die Drei-Apsis-Halle der am weitesten verbreitete Typ war. Diese Räume dienten verschiedenen offiziellen Zwecken, wurden darüber hinaus meist für feierliche Bankette (mit dem neuen Speisebett, dem halbkreisförmigen *stibadium*) oder aber als Thron- und Zeremonialsaal für Audienzen oder die Verkündung von Dekreten benutzt.

Als Constantinus [1] d.Gr. seine neue Hauptstadt Konstantinopolis gründete, entstand dort ein neuer, riesiger und höchst luxuriös ausgestatteter P. Diese Anlage bestand byz.-spätant. Schriftquellen zufolge aus einem Konglomerat vieler verschiedener Gebäudetrakte. Sie überdauerte alle anderen Kaiser-P., bestand als Residenz der byz. Kaiser fort und wurde erst bei der osmanischen Eroberung Konstantinopels im Jahr 1453 zerstört.

C. F. Giuliani, Note sull'architettura delle residenze imperiali dal I al III secolo, in: ANRW II 12.1, 1982, 233–257 · W. Hoepfner, G. Brands (Hrsg.), Basileia. Die P. der hell. Könige, 1996 · H. P. Isler, Die Residenz der röm. Kaiser auf dem Palatin. Zur Entstehung eines Bautyps, in: Antike Welt 9, 1978, 3–19 · A. G. McKay, Houses, Villas and Palaces in the Roman World, 1975 · C. Krause, Domus Tiberiana I, 1994 · E. Lévy (Hrsg.), Le système palatial en Orient, en Grèce et à Rome (actes du Colloque de Strasbourg, 1985), 1987 · I. Nielsen, Hellenistic Palaces, ²1999 · K. M. Swoboda, Röm. und romanische P., ³1969 · B. Tamm, Auditorium und Palatium, 1960 · G. Tosi, Il palazzo principesco dall'archaismo greco alla Domus Flavia, in: ArtAntMod 7, 1959, 241–260.

I. N./Ü: R. S.-H.

Palaststil s. Tongefäße

Palatini.

Der Begriff *p.* diente seit dem 4. Jh. n. Chr. als Bezeichnung für am Hof (*palatium*) oder doch in enger Beziehung zu diesem in mil. oder ziviler Stellung Dienende.

Zu den *p.* der *militia armata* gehörten die Soldaten der → *scholae palatinae*, außerdem die der erstmals 365 bezeugten, aber wohl schon um 320 von den → *comitatenses* geschiedenen Elitetruppen. Aus der → *Notitia dignitatum* kennen wir 157 Einheiten der *p.*, von denen die meisten den *magistri militum praesentales* (→ *magister militum*) unterstanden; allerdings gab es im Laufe der Zeit mehrfach Neuverteilungen und Umbenennungen der einzelnen Einheiten. Die *p.* rangierten vor den übrigen *comitatenses*, besaßen jedoch keine bes. Rechte; sie sind noch für das 6. Jh. belegt.

Im zivilen Bereich bezeichnete *p.* seit etwa 300 allg. die Beamten am Hof. Seit etwa 375 gebrauchte man *p.* meist für die Beamten des *comes sacrarum largitionum* und des *comes rerum privatarum* (→ *comes*), allerdings findet sich auch immer noch die generelle Bed. Begehrt war die Stellung nicht zuletzt wegen der umfangreichen Privilegien, so der Befreiung von fast allen Steuern sowie von *munera sordida et personalia* (→ *munus, munera* II.). Allerdings mußten diese Vorrechte immer wieder bestätigt und Verstöße dagegen geahndet werden. Sie führten andererseits dazu, daß immer wieder *curiales* (→ *curialis, curiales* [3]) auf eine solche Stelle zu gelangen versuchten, wogegen die Kaiser mehrfach durch Gesetze einschritten, zumal *p.* in den Senat aufsteigen konnten. Unter Umständen wurden *p.* in die Provinzen entsandt, um die Statthalter in Steuersachen zu kontrollieren, doch war es ihnen untersagt, direkt in die Steuererhebung einzugreifen; auch durften sie kein zweites Mal in dieselbe Prov. entsandt werden. Da der Mißbrauch bei der Steueraufsicht durch die *p.* kein Ende nahm, entfiel Mitte des 5. Jh. diese Aufgabe. Die *p.* des *comes rerum privatarum* wirkten bes. bei Einziehung, Verwaltung und Sicherung konfiszierter Güter mit, auch durften sie Pachten kassieren. Ehrenprädikate für *p.* waren *devotus, devotissimus, perfectissimus* und *clarissimus*.

Die Bezeichnung *p.* wirkte fort als Bezeichnung für hohe Verwaltungsbeamte (*iudices p.*) am päpstlichen Hof.

R. Delmaire, Largesses sacrées et Res Privata, 1989, 125–170 · Delmaire, 19–27.   K. G.-A.

Palatium s. Mons Palatinus; Palast

Pale

(Πάλη). Ort im Westen von → Kephallenia auf der Halbinsel Paliki nördl. vom h. Lixuri. Hdt. 9,28,5 verwechselt Παλέες/*Palées* mit Ϝαλεῖοι (*Faleíoi*, »Bürger von Elis«), wo er die Beteiligung der Truppen von P. an der Schlacht bei → Plataiai 479 v. Chr. erwähnt. Ant. Reste sind kaum vorhanden. Inschr.: IG IX 1, 645f.; Mz.: BMC, Gr (Peloponnes) 84–88.   D. S.

Pales.

Gottheit der Hirten und Herden. In der bukolischen lat. Lit. (z. B. Verg. ecl. 5,36; Calp. ecl. 4,106) und in ant. Texten zur röm. Rel. (Varro bei Gell. 13,23,4; Ov. fast. 4,723 ff.) ist P. weiblich. Ein männlicher P. ist jedoch ebenfalls bezeugt (Varro bei Serv. georg. 3,1). Der Eintrag zum 7. Juli in den spätrepublikan. Fasti Antiates maiores: *Palibus II* (InscrIt 13,2 p. 14) und Varro rust. 2,5,1: *Palibus* deuten auf die Existenz von zwei P. hin [1] und könnten ein weiteres Indiz für einen männlichen P. sein [2. 101f.]. Um die Annahme zu vermeiden, daß hier ein Paar zweier gleichnamiger Gottheiten verehrt wurde, hat man die Paredros des Gottes P. mit der *diva Palatua*, der Schutzgottheit des Palatin, identifiziert [3. 1278]: Diese ist insofern bekannt, als ihr Kult dem *flamen* (Varro ling. 7,45) oder dem *pontifex Palatualis* (CIL VIII 10500) anvertraut war, der auf dem Palatin ein Opfer (*Palatuar*) darbrachte (Paul. Fest. 284; 476) [4. 122–124]. Der Interpretation als einem männlich-weiblichen göttlichen Paar hat Dumézil widersprochen: Der männl. P. scheine eher der etr. als der röm. Rel. anzugehören (vgl. Caesius bei Arnob. 3,40; Mart. Cap. 1,50f.). Unter den zwei P. sind seiner Meinung nach zwei weibl. Gottheiten zu erkennen, die verschiedene Funktionen im Kult besaßen [5].

Der 7. Juli kann als *dies natalis* des Tempels (→ *natalis templi*) betrachtet werden, der von M. Atilius [I 21] Regulus 267 v. Chr. gestiftet wurde (Flor. epit. 1,15). Seine Lokalisierung ist noch unklar [6; 7]: Die Tatsache, daß die Kalender der augusteischen Zeit die zwei P. nicht erwähnen, legt die Annahme nahe, daß der Tempel in dieser Zeit nicht mehr existierte [2. 101f.].

Teile der antiquarischen Lit. (Varro ling. 6,15; Ov. fast. 4,721–746, 775 f.; Paul. Fest. 248,17–19) – nicht aber die Kalender – verbanden P. mit dem Fest der → Parilia am 21. April, in dessen Verlauf Reinigungsriten für die Herde stattfanden, deshalb auch die Bezeichnung Palilia. Andere (z. B. Mar. Victorin. 6,25 GL) bestritten diese Verbindung.

1 J. HEURGON, Au dossier de P., in: Latomus 10, 1951, 277 f. 2 G. MANCINI, Notizie degli scavi. Latium, in: Atti dell'Accademia dei Lincei, 1921, 73–141 3 G. WISSOWA, s. v. P., ROSCHER 3.1, 1276–1280 4 D. FASCIANO, P. SEGUIN, Les flamines et leurs dieux, 1993 5 G. DUMÉZIL, Idées romaines, 1969, 273–287 6 RICHARDSON, 282 f. 7 J. ARONEN, s. v. P., Templum, LTUR 4, 1998, 50 f.

A. BRELICH, Die geheime Schutzgottheit von Rom, 1949, 18 ff. · G. ROHDE, s. v. P., RE 18.3, 89–97.   FR. P.

Palike (Παλική). Stadt auf Sizilien, von → Duketios 453 v. Chr. beim Heiligtum der → Palikoi als Zentrum des Reichs der Siculi durch Verpflanzung von Menainon in die Ebene gegr. (Diod. 11,88,6). Wo Diod. 12,29,2–4 von der Zerstörung der Stadt Thrinakie 440 v. Chr. durch → Syrakusai berichtet, ist möglicherweise von P. die Rede (vgl. Diod. 11,90,2; [1]). Nach ihrem Wiederaufbau war P. bis in frühhell. Zeit eine blühende Stadt. Sie wurde im 2. Jh. v. Chr. von ihren Einwohnern verlassen (vgl. Polemon bei Macr. Sat. 5,19,29). Am Südrand der Ebene des Caltagirone wurden auf der vulkanischen Höhe von La Rocca, die im NO die Ebene von Mineo begrenzt und an der sich das Heiligtum der Palikoi erhob, Reste der Stadt ergraben [2; 3; 4].

1 H. WENTKER, Sizilien und Athen, 1957, 77 2 G. V. GENTILI, Cinturone eneo con dedica da P., in: MDAI(R) 69, 1962, 14–22 3 P. PELAGATTI, Palica, near Mineo, in: Fasti Archaeologici 17, 1962, Nr. 2767 4 L. BERNABÒ BREA, P., in: Bullettino di Paleontologia Italiana 74, 1965, 23–46.

E. MANNI, Geografia fisica e politica della Sicilia antica, 1981, 213.   AL. MES./Ü: H. D.

Palikoi (Παλικοί, lat. *Palici*). Die P. sind aus den indigenen Sizilien stammende, auf sikulischem Territorium beheimatete Zwillingsgottheiten, deren Gesch. uns jedoch nur aus lit. Quellen bekannt ist. Nach Aischylos' ›Aitnaiai‹ sind sie Söhne des Zeus und der → Thaleia, der Tochter des Hephaistos. Um sich vor Heras Eifersucht zu schützen, versteckt Thaleia sich in der Erde; bei ihrer Geburt kommen die Kinder wie Wiederauferstandene (ihr Name bedeutet »Rückkehrer«) aus dem Boden hervor. Das Heiligtum der P. ist im J. 1962 in der Nähe des Sees von Naftia in der Gegend von Palagonia in einer Grotte identifiziert worden, die am Fuß eines h. Rochitella genannten Hügels liegt. Der Ort wurde vom 6. Jh. v. Chr. bis in die Kaiserzeit hinein frequentiert. → Duketios machte das Heiligtum zum Bundesheiligtum seiner nationalistischen, antihellenischen Bewegung (übrigens nach griech. Muster), und die Hauptstadt, die er ganz in der Nähe gründete, erhielt den Namen der Gottheiten (→ Palike: Diod. 11,88,6; Steph.

Byz. s. v. Παλική). Das Schwefelgas im Wasser des Sees machte die Gegend unwirtlich, und die Götter galten als furchtbar: Die Einheimischen kamen zum Heiligtum, um hier ihre feierlichen Eide zu leisten (Diod. 11,89,5), und Lügner wurden von den Zwillingen, die auch als Orakelgottheiten (→ Orakel) und Beschützer flüchtiger Sklaven (Diod. 11,89,6–8, 36,3,3 und 7,1; → Asylon) in Erscheinung traten, mit Blindheit geschlagen.

Lit. Quellen: Diod. 11,88 f.; Strab. 6,2,9; Macr. Sat. 5,19,15–31; Serv. Aen. 9,584; weiteres bei [1]. → Sicilia (Religion); Siculi

1 K. ZIEGLER, s. v. P., RE 18.3, 100–123.

P. PELAGATTI, Palikè (Mineo-Catania). Santuario dei Palici, in: BA 51, 1966, 106 · G. MANGANARO, Iscrizioni rupestri di Sicilia, in: L. GASPERINI (Hrsg.), Rupes loquentes. Atti del Convegno internazionale sulle iscrizioni rupestri in età romana, 1992, 486 · N. CUSUMANO, Ordalia e soteria nella Sicilia antica. I Palici (Mythos 2), 1990, 83 · G. DE STEFANO, Palice, in: BTCGI 13, 1994, 280–282.   J.-L. L./Ü: T. H.

Palilia s. Pales; Parilia

Palimbothra (Παλίμβοθρα, auch Παλίβοθρα; Name von einer frühmittelindischen Form des altindischen Pāṭaliputra abgeleitet [1. 34]). Verkehrsgünstig gelegene Stadt der → Prasioi im dichtbevölkerten Land von Magadha am Zusammenfluß von Son und Ganges im h. Patna in Bihar. Von → Sandrakottos zur Hauptstadt des Maurya-Reiches (→ Mauryas) gemacht, oft in der griech. und röm. Lit. erwähnt; die meisten Informationen scheinen auf → Megasthenes zurückzugehen. Seine Beschreibung der Stadt (fr. 18) mit ihren Palästen und Holzmauern wurde z. T. durch Ausgrabungen bestätigt [3; 1. 88]. In der indischen Lit. wird P. auch Kusumapura oder Puṣpapura (»Blumenstadt«) genannt und oft als Symbol des gebildeten Großstadtlebens beschrieben. Nach dem Geschichtswerk Yuga Purāṇa war P. (im 2. Jh. v. Chr.) für kurze Zeit unter indogriech. Herrschaft [2].

1 K. KARTTUNEN, India and the Hellenistic World, 1997 2 J. E. MITCHINER, The Yuga Purāṇa, 1986 3 J. PH. VOGEL, The Wooden Walls of Pāṭaliputra, in: Annual Bibliography for Indian Archaeology 3 (for the year 1928), 1930, 16–19.   K. K.

Palimpsest (παλίμψηστος [βίβλος/*bíblos* oder χάρτης/ *chártēs*], lat. *codex rescriptus*). Das »wieder abgeschabte«, d. h. nach der Tilgung der ersten Beschriftung wieder zum Schreiben präparierte, Buch, Papyrus- oder Pergamentblatt. Den ersten Text wischte man mit einem Schwamm oder schabte ihn mit Bimsstein ab. Dieses Verfahren wurde schon in Äg. (z. B. PBerlin 3024, 12. Dyn., ab ca. 2000 v. Chr.) angewandt und war auch später normal, sei es aus Sparsamkeit (Cic. fam. 7,18,2), sei es aus Mangel an unbeschriebenem Pap. bzw. Pergament (vgl. Catull. 22,5). Plutarch (mor. 779c, vgl. 504d) teilt mit, Platon habe den Tyrannen Dionysios von Syrakus mit einem P. verglichen, da seine »schwer abwaschbare« Natur immer wieder durchscheine.

Im Gegensatz zum Pergament-P. sind gänzlich abgeschabte und dann neu beschriebene Papyri sehr ungewöhnlich. Während die Pap.-P. etwa bis zum 4. Jh.
n. Chr. vorwiegend Briefe und Urkunden enthalten,
tragen die zahlreichen Pergament-P. des MA, von denen
viele aus Süditalien stammen, meist lit. Texte. Oft über-
schrieb man einen nichtchristl. Text mit einem biblischen oder kirchlichen Traktat. Zur Tilgung der Texte
verwendete man im MA eine Mischung aus Milch, Käse
und ungebranntem Kalk. Auch dreifache Beschriftung
ist bekannt (*codex bis rescriptus*). Das Überschreiben paganer Texte durch christl. im MA sicherte zugleich die
Existenz der ersteren; so sind z. B. der Großteil von Ciceros *De re publica*, die Briefe des Redners Fronto, die
Schriften des Grammatikers Herodianos nur in P. erhalten. Mitunter wurden auch Texte früherer christl.
Autoren, z. B. Gregors von Nazianz, durch die beliebten Heiligenviten überschrieben. Die getilgten Schriften versuchte man seit Beginn des 19. Jh. wieder sichtbar zu machen, zunächst durch chemische Mittel (Gall-
äpfeltinktur und bleisaures Eisenkali), die das Pergament
stark angriffen, in jüngerer Zeit durch Photographie bei
Ultraviolett- bzw. Infrarotlicht.
→ Papyrus; Pergament

E. G. TURNER, Greek Papyri. An Introduction, 1980 ·
H. HUNGER, O. STEGMÜLLER u. a., Die Textüberl. der ant.
Lit. und der Bibel, ²1988 · O. MAZAL, Griech.-röm. Ant.
(Gesch. der Buchkultur 1), 1999, 94 f. · W. SCHUBART, s. v.
Palimpsestus, RE 18.3, 123 f.   R. H.

Palindikia (παλινδικία). »Wiederholtes Prozessieren in
derselben Sache«, vgl. → *anadikía* und die zugrundeliegenden Verba (ἀνά und πάλιν δικάζειν). Der Vorwurf
gegen Advokaten (→ *logográphos*), durch Tricks eine *p.*
erreicht zu haben (Plut. Demosthenes 61; Poll. 8,26),
muß nicht immer auf Durchbrechung der »materiellen
Rechtskraft« (→ *paragraphé*) abstellen, sondern kann sich
auch darauf beziehen, daß ein Anspruch mit unterschiedlichen Klagen verfolgt wurde, was in Athen zulässig war. Echte Wiederaufnahme eines Prozesses war
in Ausnahmefällen in Athen, im ptolem. Ägypten
(→ *anadikía*) und im röm. Provinzialprozeß zulässig.
Doch bezeichnet *p.* in Athen auch das erneute Einbringen einer Klage, wenn ein Erbschaftsprätendent wegen
öffentlicher Pflichten an einer bereits entschiedenen
→ *diadikasía* nicht hatte teilnehmen können (Demosth.
or. 48,5). In Herakleia [10] am Siris durfte der Bürge
eines verurteilten Erbpächters der Polis keine »Schwierigkeiten machen«, worunter auch »Abstreiten« und die
p. (gerichtliche Feststellung seiner Zahlungsverpflich-
tung?) fiel (IG XIV 645 I 157). Im röm. Ägypten (BGU
613 = MITTEIS/WILCKEN 89, 17 f., Mitte 2. Jh. v. Chr.)
werden mit *p.* Klagen bezeichnet, die trotz eines Ge-
richtsurteils eingereicht werden; in der Provinz Africa
bezeichnet *p.* eine → *restitutio in integrum* (Wiedereinsetzung in den vorigen Stand) in polit. Strafprozessen
(Herodian. 6,6,4; um 240 n. Chr.).

E. BERNEKER, s. v. P., RE 18.3, 124–132 · H. J. WOLFF, Die
att. Paragraphe, 1966, 90 f. · D. BEHREND, in: H. J. WOLFF
(Hrsg.), Symposion 1971, 1975, 131–156.   G. T.

Palindrom. Man bezeichnet in der Lit.-wiss. mit P.
nach griech. παλίνδρομος (*palíndromos*, »rückläufig«)
eine Buchstabenfolge – ein Wort, einen Satz bzw. Vers
(*versus supinus, recurrens*; [2. 278 f.] zu Mart. 2,86,1–2;
vgl. Sidon. epist. 9,14,4–6) –, die auch rückwärts gelesen
denselben oder einen anderen Sinn, u. U. auch denselben oder einen anderen Vers ergibt.

Ein P. in strengem Sinne entspricht sich von seiner
jeweiligen Mitte an spiegelbildlich. So kannte man in
der Spätant. den »Krebsvers« (καρκίνος oder καρκι-
νωτόν) [4. 133]. Überl. sind solche P. in der *Anthologia
Planudea* 13,387c AUBRETON-BUFFIÈRE, darunter die
jambische Wortfolge νῖψον ἀνομήματα μὴ μόναν ὄψιν
(»Wasch' die Verstöße wider das Gesetz ab, nicht nur das
Gesicht!«), die man auf den kreisrunden (ein dem P. bes.
zukommendes Arrangement [1. 216 f.]) Rändern kirch-
licher Weihegefäße las [4. 133]. Palindromisch nennt
man auch die Verse, die Wort für Wort rückläufig angeordnet denselben oder einen anderen Sinn und auch
Vers ergeben. Auch das → Sator-Quadrat hat palindromische Aspekte [3. 541–543]; anders [1. 429–459]. Eine
ganz bes. Rolle spielen P. in magischen Texten [4. 134–
139], wohl weil das palindromische Zauberwort auch
beim Rückwärtslesen dieselbe Kraft behielt [1. 44;
4. 136]. Das P. wurde schon im Alt. mit anderen Formen des Wortspiels, so dem Figurengedicht, kombiniert
[1. 54–142].

In rel. und magischen Texten des MA war das P. stark
vertreten; als geistreiche Spielerei besteht es bis heute
[1. 168–737].
→ Magie; Publilius Porfyrius; Sotades; Technopaignion

1 U. ERNST, Carmen figuratum, 1991 (reiche Material-Slg.)
2 L. FRIEDLÄNDER (ed.), M. Valerii Martialis epigrammaton
libri, 1886/1967 3 H. HOFMANN, s. v. Satorquadrat, RE
Suppl. 15, 477–565 4 K. PREISENDANZ, s. v. P., RE 18.3,
133–139.   H. A. G.

Palinodia (παλινῳδία). Gedicht des → Stesichoros, in
dem er die Schmähung der → Helene [1] widerrief, de-
rentwegen er angeblich sein Augenlicht verloren hatte
(192 PMGF). Dieser »Widerruf« soll ihm die Sehkraft
zurückgegeben haben. Stesichoros nahm seinen Bericht, daß Helena nach Troia gefahren war, zurück und
scheint stattdessen die Gesch. eingeführt zu haben, daß
sie die Kriegsjahre in Ägypten verbracht habe. Offenbar
gab es zwei P. (193 PMGF). Später wird der Begriff P. für
jede Art von Widerruf verwendet (vgl. etwa Cic. Att.
4,5,1).

Auch chiastisch arrangierte Lieder (a b : b a) heißen
»palinodisch« (Heph. poem. 4,4 p. 67 CONSBRUCH); die
Form wurde von → Kratinos [1] (PCG IV 166) verwendet.   E. R./Ü: T. H.

Palinurus (Παλίνουρος). Das h. Capo Palinuro an der Tyrrhenischen Küste Italiens (Strab. 6,1,1; Cass. Dio 49,1: Παλίνουρον; Plin. nat. 3,71: *promunturium Palinurum*). Seinen Namen bringt die ant. Lit. meist mit dem gleichnamigen Steuermann des Aeneas (→ Aineias [1]) in Verbindung, der hier Schiffbruch erlitt (Dion. Hal. ant. 1,53,2; Verg. Aen. 6,337ff.; Mela 2,69; Sol. 2,13). Dafür, daß es eine Stadt P. gab, sprechen Silberstatere mit der Aufschrift *PAL-MOL*, die vermuten lassen, daß P. und Molpe hellenisierte ital. Siedlungen im Einflußbereich von → Sybaris waren.

Arch. Fundlage: Nekropole des 4.–3. Jh. v. Chr., daraus eine Grabstele mit ion. Kapitell; Keramik, darunter ein Becher mit der Einritzung *Neossos*, Statuetten (Demeterkult), Urnengräber; Festungsmauerwerk.

R. NAUMANN, B. NEUTSCH, Palinuro. Ergebnisse der Ausgrabungen. Bd. 2: Nekropole, Terrassenzone und Einzelfunde (MDAI(R), Suppl. 4), 1960 · E. GRECO, Velia e Palinuro. Problemi di topografia antica, in: MEFRA 87, 1975, 81–142 · Ders., Archeologia della Magna Grecia, 1992, 88–90 · BTCGI 13, 282–295.   A. BO./Ü: C. EI.

Palla s. Pallium

Palladas (Παλλαδᾶς). Wichtiger Vertreter der vorbyz. Epigrammatik und verm. Verf. einer Slg. von v. a. satirischen Epigrammen (vgl. → Anthologie E.), lebte in der 2. H. des 4. Jh. n. Chr. in Alexandreia (zahlreiche Anspielungen des P., dessen Name mehrfach mit dem Ethnikon Ἀλεξανδρεύς erscheint, auf ägypt. Kontext). Die Datierung ermöglichen Anth. Pal. 11,292 (Angriff auf → Themistios, 384 *praefectus urbi* von Konstantinopolis); 10,90 (verm. verfaßt nach der Zerstörung des Serapeums im J. 391, vgl. 9,378); 10,89 (evtl. nach der Niederlage des → Eugenios [1] 394); 9,400 (ob hier die 415 von Christen ermordete Neuplatonikerin → Hypatia genannt wird, ist unsicher). P. wurde über 72 Jahre alt (Anth. Pal. 10,97) und war Schulmeister (*grammatikós*; vgl. Anth. Pal. 9,174), doch verlor er sein Lehramt, verm. wegen seiner Ablehnung des christl. Glaubens (Anth. Pal. 9,528, vgl. [1]), durch eine Anzeige (Anth. Pal. 9,175), die sich auf das Edikt des Theodosius (391) bezieht. Die ca. 160 Gedichte sind metrisch-formal nicht immer tadellos, verleihen aber der Spottdichtung (belebt durch hipponakteischen Sarkasmus) und der → Gnome (von pessimistischer Grundstimmung, aber reich an originellen Ideen) neuen Schwung. Zorn über die Willkür der → Tyche und die Arroganz der Reichen nährt sich aus persönlichen Erfahrungen, welche Anlaß zu Angriffen auf zeitgenössische Persönlichkeiten gaben (vgl. das programmatische Gedicht Anth. Pal. 11,341). P. hatte auch im Westen eine bemerkenswerte, direkte Nachwirkung: Vielleicht schöpften schon → Ausonius und die → Epigrammata Bobiensia aus einer Epigramm-Slg., in der P. neben Lukianos [1] und anderen Dichtern stand.

1 A. CAMERON, P. and Christian Polemic, in: JRS 55, 1965, 17–30.

A. FRANKE, De Pallada epigrammatographo, 1899 · E. DEGANI, Studi su Ipponatte, 1984, 79f. · A. CAMERON, The Greek Anthology from Meleager to Planudes, 1993, 16, 80f., 90–96, 263f., 322–324 · M. D. LANXTERMANN, The P. Sylloge, in: Mnemosyne 50, 1997, 329–337.

                M. G. A./Ü: T. H.

Palladion (Παλλάδιον, lat. *Palladium*). Eine Statue, die den Schutz einer Stadt garantierte [1]. Am berühmtesten ist das schon in der Ant. etym. mit → Pallas [3] verbundene (Apollod. 3,12,3) P. von Troia, das vom Himmel gefallen (Pherekydes FGrH 3 F 179; Dion. Hal. ant. 2,66,5; Ov. fast. 6,421f.), von → Dardanos [1] als → Athenas Gabe nach Troia gebracht (Dion. Hal. ant. 1,68f.) oder diesem von Zeus geschenkt worden sein soll (Iliupersis PEG I fr. 1). Es hatte die Form einer Statuette der stehenden, bewaffneten Athena [2]. Es ist Homer wahrscheinlich nicht bekannt, der von einer sitzenden Statue der Göttin spricht (Hom. Il. 6,92; 273; 303). Die anderen Epen über die Eroberung Troias durch die Griechen (vgl. auch die bildlichen Darstellungen [3]) erwähnen das P. in zwei sich widersprechenden Versionen. Die → Iliás mikrá (PEG I fr. 25; vgl. Verg. Aen. 2,162–170) erzählt, daß → Odysseus und → Diomedes [1] das P. vor dem Eindringen der griech. Armee in Troia raubten [4]. Nach der → Ilíu pérsis des Arktinos (PEG I p. 88f. und fr. 1) befand sich das P. noch in der Stadt, als die Griechen bereits eingedrungen waren: Von → Aias [2] verfolgt, versucht → Kassandra, sich unter den Schutz der Statuette zu retten. Arktinos bietet eine Lösung für diesen Widerspruch: Die von Odysseus und Diomedes geraubte Statuette ist lediglich eine Kopie des echten P.

Viele Städte in Griechenland und It. [5. 174ff.] und später auch Konstantinopolis [6. 291ff.] rühmten sich, das echte P. von Troia zu besitzen. Gleiche Ansprüche erhob auch Rom: Das P. sei von Diomedes (Cassius Hemina fr. 7 PETER; Serv. Aen. 2,166; Sil. 13,51–78) oder von → Aineias [1] (Paus. 2,23,5) bei dessen Flucht aus Troia nach → Lavinium und von dort später nach Rom gebracht worden (Dion. Hal. ant. 1,68f.). Durch das Postulat, Zielpunkt des troian. Schicksals zu sein, reklamierte Rom so den Vorrang vor anderen Städten Latiums [7; 8].

In Rom wurde das P. zusammen mit weiteren sechs Talismanen, die den Erhalt röm. Herrschaft garantieren sollten (*pignora imperii*), im → *delubrum* der → Vesta auf dem Forum aufbewahrt (Serv. Aen. 7,188). Während eines Feuers im J. 241 v. Chr. wurde es vom *pontifex maximus* L. Caecilius [I 11] Metellus unter Verlust seines Augenlichtes gerettet (Ov. fast. 6,437ff.). Augustus brachte das P. oder eine Kopie davon in die von ihm eingeweihte Vesta-Kapelle auf den → Mons Palatinus (CIL X 6441: *Palladium Palatinum*). Ein Stück eines Athenakopfes, das möglicherweise vom P. stammt, ist auf dem Palatin gefunden worden [9]. Nach Herodian. 1,14,4 befand sich das P. im J. 191 n. Chr. in dem Heiligtum auf dem Forum: Dies kann bedeuten, daß das echte P. fortwährend dort geblieben war, oder daß es in nachaugusteischer Zeit dorthin zurückgebracht wurde.

1 C. A. FARAONE, Talismans and Trojan Horses, 1992
2 P. DEMARGNE, s. v. Athena, LIMC 2.1, 1019, 1029, 1040
3 J.-M. MORET, L'Ilioupersis dans la céramique italiote, 1975 4 F. CHAVANNES, De Palladi raptu, 1891 5 L. ZIEHEN, G. LIPPOLD, s. v. P., RE 18.3, 171–201 6 J.-M. MORET, Les pierres gravées antiques représentant le rapt du P., 1997 7 M. SORDI, Lavinio, Roma e il Palladio, in: Dies. (Hrsg.), Politica e religione nel primo scontro tra Roma e l'Oriente, 1982, 65–78 8 A. DUBOURDIEU, Les origines et le développement du culte des Penates à Rome, 1989 9 E. PARIBENI, Una testa di Athena arcaica dal Palatino, in: Bollettino d'Arte 49, 1964, 193–198.

R. G. AUSTIN (ed.), Vergili Aeneidos liber secundus, 1964, 83–86 · F. CANCIANI, s. v. P., EV 3, 939–941 · N. ROBERTSON, Athena and Early Greek Society: P. Shrines and Promontory Shrines, in: M. DILLON (Hrsg.), Rel. in the Ancient World, 1996, 383–475.   FR. P.

Palladios (Παλλάδιος).

[1] Griech. Rhetor der 1. H. des 4. Jh. n. Chr. (Suda s. v. P. setzt die Blüte unter Constantinus [1] I. an) aus Methone (wahrscheinlich dem messenischen). Nach der Suda verfaßte er neben Deklamationen aller drei rhet. Genera (→ *genera dicendi*) auch eine antiquarische Schrift über die Feste der Römer (FGrH F 837). Ob P. mit einem der zahlreichen in den Briefen des Libanios erwähnten P. identisch ist und wenn ja mit welchem, läßt sich nicht klären; außer in der Suda wird P. nur noch von Photios (bibl. 97a 24–28) erwähnt und für seinen Stil sehr gelobt.   M. W.

[2] (Rhetor aus Athen) s. Palladius [2]

[3] Geb. um 363 n. Chr. in Galatia, gest. vor 431. Nach gründlicher Ausbildung wurde er etwa 384 n. Chr. Mönch in Palaestina. Er hielt sich lange in der nitrischen Wüste (auch bei → Euagrios [1] Pontikos) auf. Um 400 zum Bischof von Helenopolis geweiht, ergriff er im Zuge des Origenistenstreits (→ Origenes [2]) in der Auseinandersetzung um → Iohannes [4] Chrysostomos für diesen Partei vor Papst → Innocentius I. (PG 60, 36–42). In → Konstantinopolis wurde er verhaftet und nach → Ägypten verbannt. Sein bedeutendstes Werk ist die (griech.) Beschreibung des monastischen Lebens (sog. *Historia Lausiaca*).

ED. (*Historia Lausiaca*): PG 34,995–1262 · J. LAAGER, 1987 (mit dt. Übers.) · R. T. MEYER, 1965 (engl. Übers.). LIT.: N. MOLINIER, Ascèse, contemplation et ministère d'après l'Histoire Lausiaque de Pallade d'Helenopolis, 1995.   K. SA.

[4] Lat. Grammatiker, wahrscheinlich afrikanischer Herkunft und christl. Glaubens, der im 4. Jh. n. Chr. wirkte. Sein Werk, vielleicht in zwei B. (der Präsentation der Wortarten läßt er einen Abschnitt *De ratione metrorum vel structurarum* folgen), ist nicht geschlossen überl.; vielmehr sind Teile davon unter dem Namen des Ps.-Probus (*Instituta artium*, [1]) und als *excerpta* in dialogischer Form unter dem Namen des Audax überl. [2]; dem Audax (und damit P. [4. 118]) fügt man das Werk *De soloecismo* hinzu [3]).

ED.: **1** GL 4, 47–192 **2** GL 7, 349, 9–362 **3** M. NIEDERMANN (ed.), Consentius, 1937, 32–37.
LIT.: **4** P. L. SCHMIDT, in: HLL, Bd. 5, § 522.4
                P. G./Ü: TH. G.

[5] In Alexandreia [1] praktizierender und lehrender griech. Arzt, der Komm. zu hippokratischen Schriften (→ Hippokrates [6]) und die Abh. *De sectis* des Galen verfaßte. Aufgrund seiner Darstellungsmethode, die der der alexandrinischen medizinischen Autoren jener Zeit entspricht, wurde er in die 2. H. des 6. Jh. n. Chr. datiert [2], doch muß er, wie eine ältere Darstellungsmethode in einem seiner Komm. nahelegt, schon in der 1. H. des 6. Jh. gewirkt haben. Somit könnte das Auftreten der »neueren« Technik aus einer »modernisierenden« Bearbeitung einiger seiner Komm. hervorgehen [1. 221–227]. Den arabischen Autoren zufolge soll er an der Erstellung des Kanons für den medizinischen Unterricht in Alexandreia [1] mitgewirkt haben. In den Hss. als σοφιστής/*sophistēs* und im Text als ἰατροσοφιστής/ → *iatrosophistēs* bezeichnet, scheint er einen stärker philos. geprägten Unterricht erteilt zu haben, als es in der Folgezeit der Fall war.

Seine Komm. betrafen die hippokratischen Schriften *De fracturis*, *Epidemiae VI* und *Aphorismi* (letztere ist verloren und nur noch an Fr. ihrer arab. Übers. bekannt) und die galenische Abh. *De sectis*. Eine Schrift über Fieberarten wird P. zugeschrieben, aber auch → Stephanos von Athen und → Theophilos Protospatharios, vielleicht weil das Werk von beiden Autoren bearbeitet wurde (wie auch der Komm. des P. zur Schrift *De fracturis* von Stephanos bearbeitet wurde). Vielleicht gilt das auch für andere hippokratische Komm. des P. (*Aphorismi*, *Prognosticum*, *De natura pueri*), von denen wir einen griech. Text besitzen, der verschiedentlich Theophilos und Damaskios, Stephanos von Athen oder einem nicht genauer identifizierten Iohannes (verm. Iohannes [24] von Alexandreia) zugewiesen wird.

1 D. MANETTI, P. Berol. 11739A e i commenti tardoantichi a Galeno, in: A. GARZYA (Hrsg.), Tradizione e ecdotica, 1992, 221 f., 226 f. 2 D. IRMER, Welcher Hippokrateskommentar des Palladius stammt (nicht) von Palladius?, in: Medizinisches Journ. 22, 1987, 164–173.

G. BAFFIONI, Scoli inediti di Palladio al De sectis di Galeno, in: Boll. dei Classici Greci e Latini NS 6, 1958, 61–78 · H. DILLER, s. v. P. (8), RE 18,3, 1949, 211–214 · D. IRMER (ed.), Palladius Alexandrinus. Komm. zu Hippokrates »De fracturis« und seine Parallelversion unter dem Namen des Stephanus von Alexandria, 1977 (mit dt. Übers.) · M. ULLMANN, Die Medizin im Islam, 1970, 83.
                A. TO./Ü: T. H.

Palladius

[1] P. Rutilius Taurus Aemilianus. Über das Leben des → Agrarschriftstellers P. ist wenig bekannt. Da er in den Hss. als *vir illustris* bezeichnet wird, war P. wahrscheinlich höherer Beamter gewesen; nach eigener Aussage besaß er in Italien und auf Sardinien Ländereien (Pall. agric. 3,10,24; 3,25,20; 4,10,16). Seine Lebens-

und Schaffenszeit wird allgemein in das E. des 4. oder in das 5. Jh. n. Chr. gesetzt.

Sein Werk besteht aus dem *Opus agriculturae*, das 13 B. umfaßt, einem B. über → Veterinärmedizin, das jetzt als das 14. B. des ersteren gilt, und einer in elegischen Distichen abgefaßten Abhandlung über die Veredelung von Bäumen. P. wählte für die Behandlung der → Landwirtschaft eine andere Gliederung als seine Vorgänger. Im 1. B. werden allgemeine Voraussetzungen der Landwirtschaft (*aer, aqua, terra, industria*/»Luft, Wasser, Boden, Fleiß«) sowie die Lage und v. a. – in Anlehnung an → Vitruvius – die Gebäude eines Gutes behandelt; die B. 2–13 sind nach Monaten geordnet und bieten so einen übersichtlichen Kalender der landwirtschaftlichen Arbeiten. Für jeden Monat werden Vorschriften für die einzelnen Zweige der Landwirtschaft gegeben. Die Quellen des P. sind hauptsächlich (vielleicht mittelbar) → Columella und Q. → Gargilius [4] Martialis. Bewußt verzichtete P. auf jeden rhet. Schmuck (Pall. agric. 1,1,1). Dadurch wie auch durch die chronologische Gliederung gestaltete P. sein Werk äußerst praxisnah. Wohl auch deswegen empfahl → Cassiodorus den Mönchen des Klosters Vivarium P. als Lektüre (Cassiod. inst. 1,28,6). Aufgrund seiner Praxisnähe wurde P.' Werk im MA im großen Umfang rezipiert: Ca. 100 Hss. sind aus dem 9.–16. Jh. überl. Darüber hinaus wurde P. in das Mittelenglische, Italienische, Katalanische und Deutsche übersetzt.

P. wurde in der älteren Forsch. meist negativ beurteilt und als Plagiator dargestellt, der wenig Eigenes zu berichten habe; demgegenüber wird in der neueren Forsch. v. a. sein didaktisches Geschick und die Einfachheit seiner Sprache positiv hervorgehoben. P. schrieb offensichtlich als Landwirt für Landwirte. Allerdings bietet er nur wenige Informationen über Betriebsformen, Arbeitsorganisation und den Rechtsstatus der Arbeitskräfte.

ED.: 1 R. MARTIN, P. Traité d'agriculture, Bd. 1 (B. 1–2), 1976 2 R. H. RODGERS, Palladii Rutilii Tauri Aemiliani viri illustris opus agriculturae, de veterinaria medicina, de insitione, 1975.
LIT.: 1 D. FLACH, Röm. Agrargesch., 1990, 204–215
2 E. FRÉZOULS, La vie rurale au Bas-Empire d'après l'œuvre de P., in: Ktema 5, 1980, 193–210 3 P. HAMBLENNE, Réflexions sur le livre 1er de l'opus agriculturae de P., in: Latomus 39, 1980, 165–172 4 W. KALTENSTADLER, Betriebsorganisation und betriebswirtschaftliche Fragen im Opus Agriculturae von P., in: H. KALCYK, B. GULLATH, A. GRAEBER (Hrsg.), Stud. zur Alten Gesch. FS S. Lauffer zum 70. Geburtstag, Bd. 2, 1986, 503–557
5 F. MORGENSTERN, Die Auswertung des Opus agriculturae des P. zu einigen Fragen der spätant. Wirtschaftsgesch., in: Klio 71, 1989, 179–192 6 R. H. RODGERS, An Introduction to P. (BICS Suppl. 35), 1975 7 D. VERA, Dalla »villa perfecta« alla villa di Palladio: Sulle trasformazioni del sistema agrario in Italia fra principato e dominato, in: Athenaeum 83, 1995, 189–211 8 WHITE, Farming, 30f.   K. RU.

[2] Ein aus Athen gebürtiger, aber auch in Rom tätiger und in lat. Sprache deklamierender und schreibender Rhet.-Lehrer (gepriesen von Symm. epist. 1,15; vgl. auch Sidon. epist. 5,10,3). Offensichtlich von Kaiser → Theodosius geschätzt, war er im Osten 381 n. Chr. → *comes sacrarum largitionum* und 382–384 → *magister officiorum* (Cod. Theod. 4,13,8; 6,27,4; wahrscheinlich sind auch Greg. Naz. epist. 103 und 170 an ihn gerichtet).

PLRE 1, Palladius 12.   K. P.

[3] P. nennt sich einer der wohl dem 4. oder 5. Jh. angehörenden *duodecim sapientes*, die nach eigener Angabe (Anth. Lat. 638) einen lat. Gedichtzyklus zu diversen epigrammatischen Schulthemen wie »Regenbogen«, »Sonnenaufgang« oder »Lob Vergils« anläßlich des Geburtstags eines der ihren, Asmenius, verfaßten (Anth. Lat. 495–638). Zusätzlich wählte jeder ein »Spezialthema«: P. behandelte in archilochischen Versen (wie Hor. carm. 1,4) das Mythologem von Orpheus, der mit seinen Liedern die gesamte belebte und unbelebte Natur begeisterte – übrigens ein beliebtes Thema der bildenden Kunst der späteren Ant. Der Autor deutet den Mythos rationalistisch auf die Kultivierung der Menschheit durch die ordnende Macht der Musik. Dieses philos. Epigramm hat seine nächste Parallele in den lyrischen Reflexionen über die → Katabasis des Orpheus bei → Boëthius (philosophiae consolatio 3, metrum 12). Es ist nicht auszuschließen, daß der Zyklus die Fiktion eines einzigen Dichters darstellt. Die reich überl. Slg. (auch in der → *Appendix Vergiliana*) erfreute sich bes. im Humanismus größter Beliebtheit.

M. ROSELLINI, Sulla tradizione dei *Carmina duodecim sapientum* (Anth. Lat. 495–638), in: RFIC 122, 1994, 59–104 • Dies., Vicende umanistiche dei *Carmina XII sapientum*, in: RFIC 123, 1995, 320–346.   K. SM.

Pallake (παλλακή). Das Wort *p.* (im Epos παλλακίς/ *pallakís*) hat die Grundbedeutung »Mädchen«. Bei Homer wird eine Frau, die bei einem bereits verheirateten Mann lebt und als Kriegsgefangene oder Sklavin in das Haus gekommen ist, *pallakís* genannt (Hom. Il. 9,449; 9,452; Hom. Od. 14,199ff.; vgl. 4,10ff.). Noch im 5. Jh. v. Chr. verwendet Herodot den Terminus *p.* im Sinne von »Nebenfrau« (vgl. etwa Hdt. 1,84,3; 1,136,1). Im 5. und 4. Jh. v. Chr. war die *p.* eine Frau, die ohne förmliche Eheschließung mit einem verheirateten oder unverheirateten Mann dauerhaft zusammenlebte; die monogame → Ehe blieb aber die Norm, und es war in Athen verpönt, Nebenfrauen zu haben (And. 4,14; vgl. Soph. Trach.). Platon trat für ein Verbot von sexuellen Beziehungen ohne Heirat ein (Plat. leg. 841d).

Gerade ältere Männer, die bereits legitime Nachkommen hatten, gingen nach dem Tod ihrer Ehefrau eine Beziehung mit einer *p.* ein (vgl. auch Demosth. or. 59,122). Zumeist war diese eine freigelassene Sklavin (Aristoph. Vesp. 1351ff.); der Akt der Freilassung band die *p.* an ihren Herrn. Oft war die *p.* früher eine *hetaíra* gewesen (Demosth. or. 36,45; 48,53). Seltener hatten freie Frauen diesen Status, etwa dann, wenn ihnen keine Mitgift gestellt werden konnte (Isaios 3,39). Kinder, die aus dieser Verbindung hervorgingen, waren zwar frei, aber nicht erbberechtigt und besaßen nicht das Bürgerrecht; sie waren von der Pflicht entbunden, die Eltern im Alter zu versorgen (Plut. Solon 22,4). In einem → Drakon zugeschriebenen Gesetz war die *p.* einer Ehefrau insofern gleichgestellt, als es erlaubt war, denjenigen, der Beischlaf mit einer fremden *p.* hatte, wie einen ertappten Ehebrecher zu töten (Lys. 1,31f; Demosth. or. 23,53; 23,55).

→ Ehe; Frau; Hetairai

1 E. BOISACQ, s. v. *p.*, Dictionnaire étymologique de la langue grecque, ³1938 2 J. N. DAVIDSON, Courtesans and Fishcakes, The Consuming Passions of Classical Athens, 1997 3 W. K. LACEY, Die Familie im ant. Griechenland, 1983, 114f. 4 MACDOWELL, 89ff.   E. HA.

Pallantion (Παλλάντειον, lit. Παλλάντιον). Stadt am Westrand der ostarkad. Ebene, 7 km südl. von Tripolis, mit geringen Resten auf einem vom Kravarigebirge (früher Boreion) vorspringenden Hügel, h. wieder P. (ehemals Berbati). Reste der Akropolismauer sowie von vier Tempeln der archa. und klass. Zeit [1] sind erh. P. war im 4. und 2. Jh. v. Chr. trotz Einbeziehung in den → synoikismós von → Megale Polis 368/7 v. Chr. selbständige Stadt. Die Namensähnlichkeit mit dem Palatium führte zur Sage von der Auswanderung des → Euandros [1] nach Rom: das kleine Dorf wurde deshalb unter Antoninus Pius (138–161 n. Chr.) *civitas libera et immunis* (vgl. Mz.: HN² 418; 451). Vgl. auch Hes. fr. 45; Paus. 8,43; 44,1–6.

1 E. ØSTBY, I templi di P., in: ASAA 68/9, 1995, 53–118.

JOST, 197–199 • E. ØSTBY, s. v. P., EAA, 2. Suppl. Bd. 4, 1996, 237f.   Y. L.

Pallas

[1] (Πάλλας). Att. Heros, Eponym von → Pallene [3], Sohn des → Pandion [1], Bruder des → Aigeus, → Lykos [8] und → Nisos [1]. Nach dem Tod des Pandion teilen die Brüder Attika, wobei Aigeus König wird. P. und seine 50 Söhne wollen die Macht an sich reißen, werden aber vom Aigeus-Sohn → Theseus getötet (vgl. Soph. TrGF 4 F 24; Philochoros FGrH 328 F 107; schol. Lys. 58; schol. Aristoph. Vesp. 1223; Apollod. epit. 1,11; Apollod. 3,206; vom Kampf und der Niederlage des P. berichten Diod. 4,60; Apollod. epit. 1,11; Paus. 1,22,2; 1,28,10; Hyg. fab. 244; Plut. Theseus 13).

[2] Arkad. Heros, Sohn des → Lykaon, Großvater des → Euandros [1], Gründer und Eponym der Stadt → Pallantion bei Tegea (von Apollod. 3,97; Paus. 8,31,1; 8,44,5–6 und Serv. Aen. 8,51 und 54 fälschlich mit P. [1] identifiziert). Paus. l.c. und Steph. Byz. s. v. Παλλάντιον bezeugen P. als Gründer von Pallantion (vgl. Hes. cat. fr. 162 M.-W., Stesich. PMGF S 85, fr.

182). Nach röm. Überl. ist P. oder sein gleichnamiger Nachfahre (der Sohn des Euandros [1]) der von Turnus getötete Bundesgenosse des → Aineias [1] (Verg. Aen. 8,51–54; 104–125; 10,439–509, bes. 479–485), der Eponym des Palatin (→ *mons Palatinus*; Serv. Aen. 8,51).

O. SEEL, s. v. P., RE 18.3, 234–239 • U. KRON, s. v. P., LIMC 7.1, 153–156.   L. K.

[3] (Παλλάς). Beiname der → Athena; Bed. und Ursprung sind unbekannt. Von P. abgeleitet ist der als → Palladion bekannte Typus eines Athenabildnisses. P. erscheint 47 Mal bei Homer, stets in Verbindung mit Athenas Namen [1], später oft allein (so mit großer Häufigkeit in den Versweihungen von der athen. Akropolis), aber mit deutlichem Bezug auf Athena; die scheinbar adj. Form *Athēnáa/Athēnaía*, in der der Name der Göttin regelmäßig in frühen Inschr. erscheint, hat zu der Deutung von P. *Athēnáa/Athēnaía* als ›athen. P.‹, ›die P. von Athen‹ geführt [2]; allerdings gibt es keine Spuren für P. als unabhängige Göttin. Ebensowenig existieren Kulte speziell für Athena P.; das Epitheton ist dichterisch bzw. ehrend und isoliert nicht eine bestimmte Funktion oder ein spezielles Attribut der Athena. Etym. Erklärungen basieren zumeist auf den verschiedenen Bed. des Verbs *pállō/pállomai*, »schwingen«, oder beziehen sich auf einen Giganten (s. P. [1]) – bzw. ein Mädchen – gleichen Namens, der/die von der Göttin getötet wird. Diese Erklärungen beginnen schon früh (Ibykos fr. 17 PAGE; Epicharmos fr. 85a AUSTIN in PKöln 3,126; Plat. Krat. 406d) und setzen sich auch später fort (z. B. Apollod. (?) in POxy 2260 col. ii; Apollonios Sophistes p. 126,29–33 BEKKER; schol. D Hom. Il. 1,200; [3]). In der Moderne hat man P. verschiedentlich mit *pállax*, »junge Person« (beiderlei Geschlechts) [4], mit semit. *ba‘alat*, »Herrin«, oder mit einer *qa-ra₂*, die in einer theban. Linear B-Tafel attestiert ist [1], in Verbindung gebracht. Die Verwendung von *pallás* für »unverheiratete Priesterin« in Strab. 17,1,46 ist wahrscheinlich Korruptel für *pallakís* (Xylander, vgl. Diod. 1,47,1).

1 J. B. HAINSWORTH, The Iliad: A Commentary, Bd. 3, 1993, 171 2 BURKERT, 220 mit Anm. 2 3 A. HENRICHS, Philodems »De pietate« als mythographische Quelle, in: CE 5, 1975, 20–38 4 CHANTRAINE, s. v. παλλακή.   R. PA.

[4] s. Antonius [II 10]

Pallene (Παλλήνη).

[1] (auch Palene/Παλήνη: Suda s. v. Ἀλκυονίδες ἡμέραι). Nach Hegesandros (oder Agesandros: FHG 4, 422, fr. 46) Tochter des Giganten → Alkyoneus [1], die sich zusammen mit ihren Schwestern (→ Alkyonides [2]) nach dessen Tod vom → Kanastraion ins Meer stürzt und, wie diese, von → Amphitrite in einen Eisvogel (*alkyṓn*, nach ihrem Vater) verwandelt wird (Suda l.c.; Eust. ad Hom. Il. 1,563, p. 776,33–39 (nach Pausanias); Apostolius Paroemiographus 2,20).

P. M. C. FORBES IRVING, Metamorphosis in Greek Myths, 1990, 241.

[2] Nach Theagenes und Hegesippos (FHG 4, 423, fr. 1) Tochter des Odomantenkönigs (→ Odomantoi) → Sithon und der Nymphe Mendeis (Konon FGrH 26 F 1,10) oder der Anchinoe (Tzetz. zu Lykophr. 583 und 1161), Schwester der Rhoiteia und Eponymin u. a. der gleichnamigen Halbinsel P. [4] in Thrakien. P. wird aufgrund ihrer Schönheit von vielen Freiern umworben, aber heiraten darf sie nur, wer ihren Vater im Kampf besiegt. Nachdem Sithon viele Freier getötet hat, läßt er → Dryas [4] und → Kleitos [4] (oder Klitos: Konon l.c.) gegeneinander antreten. P. verliebt sich in Kleitos, woraufhin ihr alter Erzieher den Wagenlenker des Dryas besticht, damit er dessen Wagen sabotiere. Als Kleitos gesiegt und Sithon den Betrug entdeckt hat, will dieser P. zur Strafe auf dem Scheiterhaufen verbrennen, woran er durch eine göttliche Erscheinung (→ Aphrodite bei Konon l.c.) und einen Wolkenbruch gehindert wird und in die Ehe einwilligt. Nach Sithons Tod übernehmen P. und Kleitos die Herrschaft (Parthenios 6; Konon l.c.; Steph. Byz. s.v. Π.). Nach anderer Version (Nonn. Dion. 48,90–237; vgl. Philostr. epist. 47) hält → Dionysos um die Hand von P. an mit der Absicht, Sithon für die vielen Freiermorde zu bestrafen. Dieser läßt ihn im Ringkampf gegen P. selbst antreten. Dionysos gewinnt, tötet Sithon mit dem → thýrsos und nimmt P. zur Frau. SI. A.

[3] Att. Mesogeia-Demos der Phyle Antiochis am nördl. Hymettos-Defilée beim h. Stavro mit sechs (sieben), nach 307/6 v.Chr. neun buleutaí. P. spielt eine wichtige Rolle in der att. Myth. [6]. Beim Heiligtum der Athena Pallenis [1; 2; 3. 24ff.; 4] überwand Peisistratos [4] ca. 546 v.Chr. das Aufgebot von Athen (Hdt. 1,62) [5. 228f.]. Zum Heiratsverbot mit Hagnus s. → Hagnus.

1 H. R. GOETTE, Ο δῆμος τῆς Παλλήνης, in: Horos 10–12, 1992/1998, 105–118 Taf. 21–24 **2** Ders., Athena Pallenis und ihre Beziehungen zur Akropolis von Athen, in: W. HOEPFNER (Hrsg.), Kult und Kultbauten auf der Akropolis, 1997, 116–131 **3** W. PEEK, Att. Inschr., in: MDAI(A) 67, 1942, 1–217 **4** R. SCHLAIFER, The Cult of Athena Pallenis, in: HSPh 54, 1943, 35–67 **5** K.-W. WELWEI, Athen, 1992, Index s.v. P. **6** J. WIESNER, s.v. P. (4), RE 18.3, 247.

TRAILL, Attica, 22f., 54, 59, 67, 75 Anm. 10, 111 Nr. 101, Tab. 10 · WHITEHEAD, Index s.v. P. H. LO.

[4] Ant. Name des westlichsten der drei Finger der Chalkidischen Halbinsel (h. Kassandra) mit den Städten Poteidaia, Aphytis, Neapolis, Aige, Therambos, Skione, Mende und Sane, die außer Sane von Anf. an Mitglieder des → Attisch-Delischen Seebundes waren und außer Poteidaia 432 v.Chr. auf Athens Seite blieben. Mende und Skione fielen 423 ab, konnten aber bald zurückgewonnen werden. Im 4. Jh. gehörte der Norden der Halbinsel zeitweilig zum Chalkidischen Bund; 349/8 gerieten alle Städte der Halbinsel in die Hand Philippos' [4] II., doch scheint er sie nicht zerstört zu haben. Erst die Gründung der Stadt Kassandreia (→ Poteidaia), zu

deren Besiedlung die Bevölkerung der Halbinsel herangezogen wurde, ließ die übrigen Siedlungen verarmen und bis zum Ende der Ant. zu Dörfern auf dem Territorium der Neugründung werden.
→ Chalkidike

F. PAPAZOGLOU, Les villes de Macédoine à l'époque romaine, 1988, 424–429 · M. ZAHRNT, Olynth und die Chalkidier, 1971, 211. M. Z.

Pallia (h. Paglia). Rechter Nebenfluß des → Tiberis, der bei → Volsinii (h. Orvieto) den von → Clusium kommenden → Clanis aufnimmt und dann unter Bildung eines Hafens (Pagliano) in den Tiberis mündet. An der Via Cassia zw. Volsinii und Clusium lag eine Station P. (Tab. Peut. 4,5). G. U./Ü: J. W. MA.

Palliata. Von Varro gebraucht, aber – durch ein Zit. bei Diom. 1,489,18 K – erst spätant. bezeugte Bezeichnung der röm. → Komödie nach griech. Vorbildern (von lat. pallium für himátion, den für die griech. Tracht typischen mantelartigen Überwurf, vgl. Plaut. Curc. 288; im Gegensatz zur Togata, der Komödie in der röm. Toga); bis zum E. der Republik sprach man nur von comoedia oder allg. von fabula. Die spätant. Lit.-Theorie (Diomedes [4], Donatus [3], Euanthius) liefert wertvolle Ansätze zur Gattungsbeschreibung. Die erste P. verfaßte → Livius [III 1] Andronicus im Auftrag des Senats im J. 240 v.Chr. Erh. sind die Corpora der 21 Komödien des → Plautus und der 6 des → Terentius Afer; nur Fr. und Nachrichten sind überl. (u. a.) von Livius Andronicus, Cn. → Naevius, Q. → Ennius [1], → Caecilius [III 6] Statius, → Trabea und → Turpilius. Das Erlahmen der Komödienproduktion wird an Wiederaufführungen ab der Mitte des 2. Jh. erkennbar; sie hörte ganz auf mit dem Tode des Turpilius 103 v.Chr. [1; 3]. Wiederaufführungen des Plautus und Terenz lassen sich bis in die frühe Kaiserzeit verfolgen. Die frei übers. griech. Vorbilder sind → Menandros [4], → Diphilos [5], → Philemon, → Apollodoros [6] von Gela und andere Dichter der sog. Neuen Komödie (Nea); unsicher sind solche der Mittleren Komödie. Das griech. Kolorit wurde nur wenig romanisiert, dabei aktuelle Anspielungen nur vorsichtig eingefügt – die P. ist unpolit. [2].

Anlaß der Komödien ist fast immer die Liebe eines jungen Mannes zu einer Hetäre (meretrix) oder einem jungen Mädchen, das schließlich als att. Bürgerin wiedererkannt wird. Beim Kampf gegen seine Widersacher – den Vater, den Kuppler, den Soldaten – wird der junge Mann von seinem Sklaven unterstützt. Die Situations- und Typenkomödie entwickelt sich bes. bei Terenz zur Charakterkomödie und nimmt als Themen die Entlarvung des Scheins, den Generationenkonflikt und die Erziehungsproblematik auf [3; 4; 5]. Die P. kennt keine Akteinteilung und keine Chöre; Dialoge und Monologe sind in Sprech- und in von der Flöte begleiteten Rezitativ- und Singversen (→ Canticum) gehalten [1].
→ Komödie

1 G. E. Duckworth, The Nature of Roman Comedy, 1952 2 K. Gaiser, Zur Eigenart der röm. Komödie, in: ANRW I.2, 1972, 1027–1113 3 E. Lefèvre, Die röm. Komödie, in: NHL, Bd. 3, 33–62 4 Ders. (Hrsg.), Das röm. Drama, 1978 5 D. Konstan, Roman Comedy, 1983.

JÜ. BL.

Pallium. Ein dem griech. Himation entsprechender röm. Mantel aus einer rechteckigen Stoffbahn; als Materialien dienten Wolle, Leinen oder Seide. Das P. konnte unterschiedlich gefärbt (weiß, diverse Rottöne, gelblich, schwarz), golddurchwirkt und mit Purpurstreifen versehen sein. Es ist seit dem 3. Jh. v. Chr. bekannt, und anfänglich trugen es nur Freunde der griech. Kultur, Philosophen u. a. (Liv. 29,10); doch es erfreute sich recht bald aufgrund seiner Bequemlichkeit und einfachen Tragweise größter Beliebtheit (vgl. Suet. Aug. 40) und diente als Alltagstracht auf der Straße zusammen mit den ebenfalls bequemen *crepidae* (Liv. 29,19,12; Suet. Tib. 13; → Schuhe). Man trug das P. über der → Tunica, indem man es von der linken Schulter quer über den Rücken zur rechten Schulter führte und über diese legte; oder es wurde zuerst von hinten über die linke Schulter gelegt, darauf quer über den Rücken geführt, unter dem rechten Arm durchgezogen und endlich über den linken Arm oder die linke Schulter gelegt. Das Gegenstück zum P. war die Palla der Frauen (vgl. Apul. met. 11,3), doch ist nach Ausweis der lit. Quellen ebenso das P. als Mantel bei Frauen belegt (z. B. Varro ling. 8,28; 9,48), auch bei Göttinnen (z. B. Venus), myth. Königinnen und Heroinen. Das P. stand bis in das 7. Jh. in Verwendung.

→ Kleidung (mit Abb.)

F. Kolb, Kleidungsstücke in der Historia Augusta (Bonner Historia-Augusta-Colloquium 1972/74), 1976, 153–171 · B. J. Scholz, Unt. zur Tracht der röm. matrona, 1992, 100–107 · U. Scharf, Straßenkleidung der röm. Frau, 1994, 90–114.

R. H.

Palma. Stadt auf Maiorica (h. Mallorca), der größeren Insel der → Baliares, nach einem Sieg über die dortigen Bewohner vom Consul Caecilius [I 19], nachmals Baliaricus, 122 v. Chr. gegr., benannt nach der Siegespalme (Strab. 3,5,1; Mela 2,124; Plin. nat. 3,77 f.; Ptol. 2,6,78). Sie hat ihren Namen bis h. behalten.

Tovar 2,3, 1989, 277 · TIR K/J 31 Tarraco, 1997, 117.

P. B.

Palmaria. Vulkaninsel im → Mare Tyrrhenum, h. Palmarola (Prov. Latina). Nord-Süd-Ausdehnung 3,5 km, H 253 m. P. ist die westlichste der Insulae Pontiae (→ Pontia [2]; Varro rust. 3,5,7; Plin. nat. 3,81).

G. M. De Rossi (Hrsg.), Le isole pontine attraverso i tempi, 1986.

G. U./Ü: J. W. MA.

Palme s. Phoinix [6]

Palmette s. Ornament

Palmus. Röm. Längenmaß (»Handbreite«; vgl. die griech. → *palaistḗ*) zu 4 *digiti*, entsprechend ¼ Fuß und einer Länge von ca. 7,4 cm (vgl. Vitr. 3,1,8: *relinquitur pes quattuor palmorum, palmus autem habet quattuor digitos*). Die Maßeinheit ist wie *digitus* (»Fingerbreite«) oder → *pes* (»Fuß«) den Proportionen des menschlichen Körpers entnommen.

1 F. Hultsch, Griech. und röm. Metrologie, ²1882, 74 f. 2 H. Nissen, Griech. und röm. Metrologie (Hdb. der klass. Altertumswiss. I), ²1892, 842 f.

H.-J. S.

Palmyra (Πάλμυρα, semit. Tadmor).
I. GESCHICHTE II. RELIGION

I. GESCHICHTE

Oase in Mittelsyrien, ca. 240 km nö von → Damaskos und ca. 200 km westl. des Euphrat. P., von dem aus Routen nach → Emesa (Ḥimṣ), Ḥamāh und → Aleppo führen, stellte eine wichtige Karawanenstation auf dem Wege von Mesopotamien nach Mittelsyrien, dem Libanon und Arabien dar. Dies machte P. vom 1. bis zum 3. Jh. n. Chr. zu einer der reichsten und einflußreichsten Städte Syriens.

P. begegnet inschr. zum ersten Mal unter dem Namen Tadmor in den Texten aus Kültepe (→ Kaneš) zu Beginn des 2. Jt. v. Chr. [9. 111], dann in Briefen aus → Mari (18. Jh. v. Chr.; [2. 135]) und in einem Dokument aus Emar (13. Jh. v. Chr.; [1. 23, Nr. 21]); weitere Erwähnungen in der Zeit → Tiglatpilesars I. (11. Jh. v. Chr.; [6. 38]). Die älteste Inschr. aus P. stammt aus dem Jahr 44 v. Chr. Man rechnet damit, daß sich die Besiedlung P.s in den Anfängen zum einen auf den Bereich um die Efqa-Quelle und zum andern auf den heute vom Temenos des Bel-Tempels (s.u. II.) umgebenen Raum konzentrierte. Seit der Eroberung durch Marcus Antonius [I 9] im J. 41 v. Chr. war P. zunächst eine den Römern tributpflichtige Stadt. Palmyrener dienten als Soldaten im röm. Heer, bes. bekannt waren die palmyren. Bogenschützen und Kamelreiter. Unter Kaiser Traian erhielt P. 106 n. Chr. den Vasallenstatus und anläßlich des Besuches Hadrians in P. (129 n. Chr.) wurde es zu einer freien Stadt. Seit der Mitte des 2. Jh. befand sich hier eine röm. Garnison. Der große Steuertarif, der die städtischen Abgaben und Zölle regelt, datiert auf 137 n. Chr. Im einzelnen geht diese griech.-palmyren. Bilingue auf die Besteuerung unterschiedlicher Güter und Personen ein: So werden Sklaven, Textilien, Öl, Fett, Häute, Käse, Wein, Salz u. a. m. genannt. Aus dieser Nennung wird ersichtlich, daß es sich hier nur um Güter der Stadt und des Umlandes handelt, nicht aber um Güter des internationalen Karawanenhandels. Die großen Tempelbauten (Vollendung des Bel-Heiligtums; Bau des Baʿalšamīn-Tempels sowie der Tempel der Allāt und des Nebo (→ Nabû), s.u. II.) fallen ebenfalls in die Mitte des 2. Jh. n. Chr. Des weiteren wurde mit dem Bau der großen Kolonnaden und der Agora begonnen. Unter Caracalla erhielt P. das *ius Italicum* (→ *ius* D.3.)

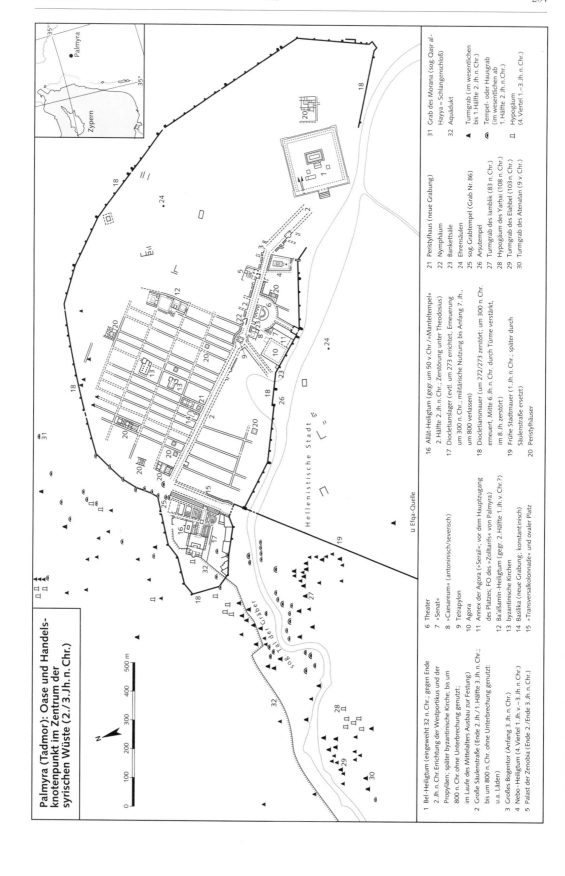

Palmyra (Tadmor): Oase und Handelsknotenpunkt im Zentrum der
syrischen Wüste (2./3. Jh. n. Chr.)

1 Bel-Heiligtum (eingeweiht 32 n. Chr.; gegen Ende
  2. Jh. n. Chr. Errichtung der Westportikus und der
  Propyläen; später byzantinische Kirche; bis um
  800 n. Chr. ohne Unterbrechung genutzt;
  im Laufe des Mittelalters Ausbau zur Festung)
2 Große Säulenstraße (Ende 2. Jh./1. Hälfte 3. Jh. n. Chr.;
  bis um 800 n. Chr. ohne Unterbrechung genutzt:
  u. a. Läden)
3 Großes Bogentor (Anfang 3. Jh. n. Chr.)
4 Nebo-Heiligtum (4. Viertel 1. Jh. v. –3. Jh. n. Chr.)
5 Palast der Zenobia (Ende 2./Ende 3. Jh. n. Chr.)

6 Theater
7 »Senat«
8 »Caesareum« (antoninisch/severisch)
9 Tetrapylon
10 Agora
11 Annex der Agora (»Seraíl«; vor dem Hauptzugang
   des Platzes; FO des »Zolltarifs« von Palmyra)
12 Ba'alšamin-Heiligtum (gegr. 2. Hälfte 1. Jh. v. Chr.?)
13 byzantinische Kirchen
14 Basilika (neue Grabung; konstantinisch)
15 »Transversalkolonnade« und ovaler Platz

16 Allat-Heiligtum (gegr. um 50 v. Chr.; »Manteltempel«
   2. Hälfte 2. Jh. n. Chr.; Zerstörung unter Theodosius)
17 Diocletianslager (evtl. um 273 errichtet, Erneuerung
   um 300 n. Chr.; militärische Nutzung bis Anfang 7. Jh.,
   um 800 verlassen)
18 Diocletiansmauer (um 272/273 zerstört; um 300 n. Chr.
   erneuert, Mitte 6. Jh. n. Chr. durch Türme verstärkt,
   im 8. Jh. zerstört)
19 Frühe Stadtmauer (1. Jh. n. Chr.; später durch
   Säulenstraße ersetzt)
20 Peristylhäuser

21 Peristylhaus (neue Grabung)
22 Nymphäum
23 Bankettsäle
24 Ehrensäulen
25 sog. Grabtempel (Grab Nr. 86)
26 Arsutempel
27 Turmgrab des Iamblik (83 n. Chr.)
28 Hypogäum des Yarhai (108 n. Chr.)
29 Turmgrab des Elahbel (103 n. Chr.)
30 Turmgrab des Atenatan (9 v. Chr.)

31 Grab des Morana (sog. Qasr al-
   Hayya = Schlangenschloß)
32 Aquädukt

▲ Turmgrab (im wesentlichen
   bis 1. Hälfte 2. Jh. n. Chr.)
ⓒ Tempel- oder Hausgrab
   (im wesentlichen ab
   1. Hälfte 2. Jh. n. Chr.)
◻ Hypogäum
   (4. Viertel 1. –3. Jh. n. Chr.)

und war ab 212 n. Chr. röm. Kolonie. Aus der Zeit der Severer (193–235 n. Chr.) stammen das Theater und die Verlängerung der Kolonnadenstraße zum Bel-Tempel hin.

Den Höhepunkt seiner Macht erreichte P. unter der Herrschaft der »Prinzen aus P.« (235–273 n. Chr.). Dank seiner Siege über die → Sāsāniden und seiner Hilfestellung für das röm. Heer konnte sich der palmyren. Prinz Odainat (→ Odaenathus) zum Herrscher über P. und sogar über Syrien aufschwingen. Damit nahm P. ab dem Jahr 251/252 n. Chr. den Charakter eines arab. Fürstentums an. Nach der Ermordung des Odainat (267/268 n. Chr.) übernahm seine Witwe → Zenobia die Herrschaft für ihren Sohn Wahballat (→ Vaballathus). Zenobia gelang die Eroberung Ägyptens (268 n. Chr.) und Kleinasiens (270 n. Chr.). Ihrem Sohn verlieh sie die Titel *Dux Romanorum* und *Imperator*, womit sie einen Anspruch auf eine kaiserliche Herrschaft über den oström. Teil des Imperiums geltend machte. Kaiser Aurelian reagierte hierauf mit einem Feldzug gegen P., den die Palmyrener zunächst zurückschlagen konnten. Im Anschluß hieran beanspruchte Zenobia für sich und ihren Sohn den Titel *Augusta* bzw. *Augustus*. Im Jahre 272 n. Chr. fiel P. und wurde nach einem Aufstand 273 n. Chr. ausgeplündert und verbrannt. Trotzdem behielt P. eine wichtige Stellung aufgrund seiner Lage am syrischen → Limes (VI. D.). Hiervon legt auch der um 300 n. Chr. erfolgte Bau des Diocletianslagers im sw Teil der Stadt Zeugnis ab. P. war eine Militärstation an der *Strata Diocletiana*.

Ab dieser Zeit setzte sich das Christentum immer mehr durch, was zum Bau einiger Kirchen bzw. zum Umbau des Bel-Tempels zu einer Kirche führte – ein Prozeß, der durch das Verbot der nichtchristl. Kulte durch Kaiser Theodosius (380 n. Chr.) noch intensiviert wurde. Es kam zu weiteren Kirchenbauten in P. Ein bes. Interesse an P. zeigte Kaiser Iustinian (527–565 n. Chr.), der die Stadt mit einer Mauer umgeben ließ. Im Jahre 634 kam P. unter die Herrschaft der → Omajjaden.

→ Palmyrenisch

1 D. ARNAUD, Emar VI – Recherches au pays d'Astata, 1986
2 J. BOTTÉRO, A. FINET, Archives royales de Mari 15, 1954
3 G. W. BOWERSOCK, Roman Arabia, 1983 4 H. J. W. DRIJVERS, Hatra, P. und Edessa: in: ANRW II 8, 799–906
5 D. R. HILLERS, E. CUSSINI, Palmyrene Aramaic Texts, 1996 6 A. K. GRAYSON, Assyrian Rulers of the Early First Millennium BC (Royal Inscriptions of Mesopotamia – Assyria 2), 1991 7 J. CANTINEAU et al. (Hrsg.), Inventaire des inscriptions de Palmyre, Bd. 1–12, 1930–1970 8 F. MILLAR, The Roman Near East, 1993, 319–336 9 KH. NASHEF, Die Orts- und Gewässernamen der altassyrischen Zeit, 1991
10 E. RUPRECHTSBERGER (Hrsg.), P., 1987
11 A. SCHMIDT-COLINET (Hrsg.), P., ²1997
12 R. STONEMAN, P. and Its Empire, 1992 13 J. STARCKY, s. v. P., DB 6, 1060–1103 14 Ders., M. GAWLIKOWSKI, P., 1985 15 J. TEIXIDOR, Un port romain du désert: Palmyre, 1984.

II. RELIGION

A. HEILIGTÜMER UND IHRE LAGE
B. GÖTTERBILDER UND KULTPRAXIS
C. BESTATTUNG D. HETEROGENITÄT UND KONSISTENZ DER GOTTHEITEN IN HELLENISTISCHER UND RÖMISCHER ZEIT

A. HEILIGTÜMER UND IHRE LAGE

Insgesamt geht man von einer Anzahl von 60 in P. verehrten Gottheiten aus. Von den verschiedenen ausgegrabenen bzw. in Inschr. genannten Tempeln und Heiligtümern ist ein Hauptkultzentrum der Tempel des Bel (→ Baal) [8; 14]. Dies zeigen seine Ausmaße und die Inschr. Der Gott ist ein nw-semitischer → Wettergott (urspr. Bol), der unter Einfluß des babylonischen Gottes → Marduk seinen Namen in Bel änderte. In seinem Heiligtum wurden weitere Gottheiten verehrt, so etwa Manawat, Hertâ, Nanai (→ Nanaja), Rešef (→ Rešep) und Ba'altak. Die Cella des Bel-Tempels (32 n. Chr.) war der Triade Bel, Yarḥibol und Aglibol geweiht. In dieser Triade nimmt Bel die Position des Kosmokrators, Yarḥibol die des → Sonnengottes und Aglibol die der → Mondgottheit ein.

Ein weiterer wichtiger Tempel P.s ist der des Gottes Ba'alšamīn bei einer älteren Grabanlage des Stammes der Bani Ma'azin aus der 1. H. des 2. Jh. v. Chr.; dieser Stamm dürfte den Tempel als sein Stammesheiligtum erbaut haben. Eine Dreiergruppe mit Aglibol und Malakbel (→ Malachbelos) um Ba'alšamīn ist nicht inschr., sondern nur ikonographisch belegt. Ob man deshalb von einer Triade des Ba'alšamīn sprechen darf, bleibt unklar. Der Tempel des Nebo (→ Nabû), der in Mesopot. als Sohn des Gottes Marduk verehrt wurde und im Zuge der Marduk-Rezeption auch von Babylon nach P. gelangte, liegt dem Bel-Tempel am nächsten, womit auch top. die engen Verbindungen zw. beiden Göttern verdeutlicht werden. Die wichtigste der sog. »arabischen Gottheiten« P.s ist Allāt. Nach dem arch. Befund das älteste nachweisbare Heiligtum P.s, war ihr Tempel im Westen der Stadt neben dem des Ba'alšamīn ein bed. Heiligtum der arab. Stämme. Als ein Heiligtum ohne Tempel ist die Efqa-Quelle anzusprechen, bei der Yarḥibol, der alte Ortsgott P.s, verehrt wurde. In den palmyren. Inschr. werden weitere Tempel und Heiligtümer genannt, die allerdings arch. noch nicht verifiziert sind, so der »Hain der heiligen Brüder« (Aglibol und Malakbel) und der Tempel der Atargatis (→ Syria Dea).

B. GÖTTERBILDER UND KULTPRAXIS

Bei der arch. Rekonstruktion der Tempelcellae (→ cella; bes. bei den Tempeln des Bel und des Ba'alšamīn) geht man davon aus, daß die Götterbilder als Reliefs realisiert waren. Es hat sich somit in der palmyren. Rel. (=p.R.) ein Wandel vom vollplastischen Götterbild zum Relief vollzogen. Eine Ausnahme dazu bildet der Tempel der Allāt, deren vollplast. Kultbild wieder rekonstruiert werden konnte: Es stellte eine Göttin nach griech. Vorbild dar.

Es sind aus P. keine Rituale bekannt, die über die Opferpraxis in der Stadt berichten. Unter arch. Aspekt ist auf die Funde von Altären im → Temenos der Tempel zu verweisen, das für die Darbringung der Brandopfer konzipiert war. Mit dem Wandel der Götterbilder zur Ikone wurde auch der Aspekt der Versorgung der Götterbilder sekundär. Das → Opfer als Götterspeisung wird zur Dedikation von Gegenständen zu Ehren der Götter transformiert. Somit kam es zur Ausbildung einer Votivreligion, wobei als Objekte der Dedikation Tempel(-teile), Portiken, Säulen, Altäre, Statuen und Reliefs auftreten. In diesen Kontext gehört auch die Dedikation von Naiskoi (Votivnischen) in den Tempeln, die Götterreliefs enthalten und Zeugnis von der Frömmigkeit der Dedikanten ablegen.

Die unter der Bezeichnung *mrzḥ* bekannten Kultmähler sind nirgends so extensiv belegt wie in der p.R. Die Kultmahlvereine waren Zusammenschlüsse der Oberschicht, vielfach auf der Ebene der Stämme bzw. Berufsgruppen. Man nimmt an, daß ein solcher Verein ca. 12 Mitglieder umfaßte, dazu Personal (Köche, Diener, Schlachter, Sänger). Arch. Indizien für die Abhaltung von Kultmählern in P. sind mit den Kultmahlräumen im Temenos der wichtigen Tempel P.s (Bel-, Baʿalšamīn-Tempel) und der nw Palmyrene gegeben: Banketträume mit Bi- oder Triklinien (→ *triclinium*), des weiteren Tesserae (Ausweismarken aus Ton, seltener aus Metall, die als Eintrittskarten für die Bankette galten). Sie bilden eine Quelle ersten Ranges für Einsichten in Struktur und Funktionieren der Kultmahlvereine, da sie die Schutzgottheiten, die Vereine und auch die Speisen und Getränke, die hier verzehrt wurden, nennen. Es sind ca. 1100 Tesserae-Typen bekannt.

C. Bestattung

In den Metropolen von P. lassen sich drei Typen von Bestattungsstätten unterscheiden: → Hypogäen, Grabtürme und Haus- bzw. Tempelgräber. In der Forsch. wird eine Sukzession dieser Bestattungsarten erwogen, die ab dem 2. Jh. v. Chr. ihren Ausgang von den Erdgräbern mit Loculi nimmt, zu den Hypogäen in der 2. H. des 1. Jh. n. Chr. bis 232 n. Chr. weitergeführt und dann über die Turmgräber (ab 9 v. Chr. bis 128 n. Chr.; im Gebrauch bis ins 3. Jh. n. Chr.) zu den Tempelgräbern (zw. 143 und 253 n. Chr.) verläuft. Die Grabtürme stellen dabei palmyren. Spezifika dar (s. → Grabbauten mit Abb.), während die beiden anderen Bestattungsarten aus anderen Kulturen vorgegeben sind. Die Grabreliefs in den Hypogäen und Tempelgräbern zeigen Mahlszenen, in denen Lebende und Verstorbene gemeinsam auftreten. Die → Loculi der Turmgräber und der Hypogäen waren mit Reliefplatten verschlossen, die die Toten porträtierten. H. NI.

D. Heterogenität und Koexistenz der Gottheiten in hellenistischer und römischer Zeit

Die p.R. in röm. Zeit zeichnet sich durch eine Vielzahl an Göttergestalten aus, die aus unterschiedlichen kulturellen Einflußsphären stammen und in verschiedenen Konstellationen sowie in variierender Gestalt verehrt wurden. Sie sind von griech. und aram. Inschr. [1; 2; 12], Skulpturen [5; 20] und Tesserae [14] bekannt. Die durch diese Zeugnisse überl. Sakralgesetze, Opferhandlungen und Rituale (z. B. Kultmähler und Prozessionen) illustrieren die Heterogenität der p.R. [9. 2647–2652]. Myth. und liturgische Texte sind nicht überliefert.

In P. wurden die Gottheiten in vom klass. Stil beeinflußten neuerbauten oder in umgebauten und hellenisierten einheimischen Heiligtümern verehrt [6; 8]. Obwohl die palmyren. Götternamen mesopot., kanaanä., arab., nordsyr. [9; 21] und vielleicht auch phöniz. [7] Ursprung indizieren, ist eine kulturelle und rel. Kontinuität, die weiter zurückgeht als auf die hell. Zeit, nicht nachweisbar. Möglicherweise vorhandene »ursprüngliche«, »einheimische« Substrate der Rel. P.s sind für uns jeweils nur in einem späteren als dem »ursprünglichen« Kontext faßbar [15].

Onomastik und rel. Top. verweisen hinsichtlich Bevölkerung und Götterwelt P.s auf einen großen Unterschied zw. einem sog. arab. Stratum, das P. via Süd-Syrien erreicht hat, und einer von syr. und mesopot. Kultur beeinflußten Schicht. Beide Strata waren im Verlauf der Zeit Entwicklungen unterworfen, die ihre Zusammensetzung weiter komplizierten. Im großen Tempel des Bel (s. o. A.; urspr. »das Haus der Götter« genannt) wurden u. a. auch Yarḥibol und Aglibol verehrt. Der Mondgott Aglibol wurde auch mit Malakbel (→ Malachbelos) im sog. »heiligen Garten« verehrt, während Yarḥibol seinem Namen nach von alters her der Herr der Efqa-Quelle war. Auch Nebo, Arṣu und Bel-Hammon wurden in ihrem Tempel zusammen mit anderen Götter verehrt [8]. Der Tempel der Allāt und der übrigen sog. arab. Götter wurde nach ca. 300 n. Chr. in das Diocletianslager inkorporiert. Zw. den Kulten, in welchen die verschiedenen Bevölkerungsgruppen ihre »höchsten Gottheiten« verehrten, bestand eine problemlose Koexistenz (→ Polytheismus) [15]. Neben den Hauptgöttern P.s läßt sich Kult weiterer Gottheiten phöniz. (z. B. → Astarte, Bel-Hammon; Šadrapa), mesopot. (z. B. Apladad, Duanat, Nergal) und arab. (z. B. Abgal, Arzu, Raḥim; Šamš) Provenienz festhalten.

Griech. Ikonographie und griech. Götternamen in P. sollten nicht lediglich als dekorativ oder oberflächlich charakterisiert werden: Mit ihnen betraten neue rel. Erfahrungen der graeco-röm. Welt, oft neu interpretiert, die Götterwelt des Nahen Ostens [10; 15] (→ Hellenisierung). Rein röm. Einfluß auf die Rel. P.s äußert sich nur in der Existenz eines Caesareum [12. Nr. 2769]. Seit dem 2. Jh. n. Chr. kam der Kult des sog. Anonymen Gottes auf, der mit verschiedenen Umschreibungen bezeichnet wurde. Hunderte von Altäre sind ›dem, dessen Name für immer gesegnet ist‹, ›dem Guten und Barmherzigen‹, ›dem Herrn der Welt‹ geweiht. Man nimmt an, daß er einen Aspekt Baʿalšamīns (→ Baal) repräsentiere [9. 2631 ff.], oder identifiziert ihn mit Yarḥibol [21. 115 ff.].

Auch im übrigen röm. Reich (z. B. Rom, Dakien, Nordafrika, Dura-Europos) verehrten die Palmyrener die Götter ihrer Vorväter [3; 4] (vgl. hierzu → Patrii Di); Tempel finden sich z. B. in → Dura-Europos und in der nw Palmyrene.

1 K. al-Asʿad, M. Gawlikowski, The Inscriptions in the Museum of P., 1997 **2** K. Dijkstra, Life and Loyalty, 1995, 81–170 **3** L. Dirven, The Palmyrene Diaspora in East and West, in: G. ter Haar (Hrsg.), Strangers and Sojourners, 1998, 77–94 **4** Dies., The Palmyrenes of Dura-Europos, 1999 **5** H. Drijvers, The Rel. of P., 1976 **6** K. S. Freyberger, Die frühkaiserzeitl. Heiligtümer der Karawanenstationen im hellenisierten Osten, 1998, 74–88 **7** G. Garbini, Gli dei fenici di Palmira, in: Atti dell'Accademia Nazionale dei Lincei, Rendiconti (Classe di Scienze Monali, Storiche e Filologiche) 9, 1998, 23–37 **8** M. Gawlikowski, Le temple palmyrénien, 1973 **9** Ders., Les dieux de Palmyre, in: ANRW II 18.4, 1990, 2605–2658 **10** Ders., L'Hellénisme et les dieux de Palmyre, in: O ΕΛΛΗΝΙΣΜΟΣ ΣΤΗΝ ΑΝΑΤΟΛΗ, 1991, 245–256 **11** Ders., Le premier temple d'Allat, in: P. Matthiae u. a. (Hrsg.), Resurrecting the Past, 1990, 101–108 **12** D. Hillers, E. Cussini, Palmyrene Aramaic Texts, 1996 **13** J. Hoftijzer, Religio Aramaica, 1968, 25–50 **14** H. Ingholt u. a., Recueil des tessères de Palmyre, 1955 **15** T. Kaizer, The »Heracles Figure« at Hatra and P.: Problems of Interpretation, in: Iraq 62, 2000, 1–14 **16** R. du Mesnil du Buisson, Les tessères et les monnaies de P., 1962 **17** J. T. Milik, Dédicaces faites par des dieux … et des thiases sémitiques à l'époque romaine, 1972 **18** H. Niehr, Religionen in Israels Umwelt, 1998, 170–186 **19** M. Pietrzykowski, Adyta świątyń palmyreńskich, 1997 **20** K. Tanabe (Hrsg.), Sculptures of P. I (Memoirs of the Ancient Orient Museum 1), 1986 **21** J. Teixidor, The Pantheon of P., 1979.   T. KAI.

Palmyrenisch. Sprache der über 2000 Inschr. aus → Palmyra (palmyren. *Tdm(w)r*) und → Dura-Europos vom 1. vorchristl. Jh. bis 273 n. Chr. (Ende des palmyren. Reiches), die in einem aram. Dialekt verfaßt sind. Das P. setzt mit eng verwandten ostaram. Dialekten (wie dem edessenischen → Syrisch und dem Ḥatrenischen) das überregionale Reichsaram. fort. Das bedeutendste Dokument ist der griech.-palmyren. Zoll- und Steuertarif (137 n. Chr.), mit 162 palmyren. Zeilen das längste nw-semitische epigraphische Denkmal. Es gibt zahlreiche griech.-palmyren. und einige lat.-palmyren. → Bilinguen sowie wenige griech.-lat.-palmyren. → Trilinguen. Aus Dura-Europos stammt die älteste datierte palmyren. Inschr. (33 v. Chr.). Die palmyren. Schrift hat sich aus der aram. Schrift des → Achaimeniden-Reiches entwickelt. Sie zeichnet sich durch ihren stark ornamentalen Charakter aus. Es gibt einige Belege für eine palmyren. Kursive, die dem syrischen Estrangela ähnelt.
→ Aramäisch

J. Cantineau, Grammaire du palmyrénien épigraphique, 1935 · W. Goldmann, Die palmyren. PN, 1936 · F. Rosenthal, Die Sprache der palmyren. Inschr., 1936 · D. R. Hillers, E. Cussini, Palmyrene Aramaic Texts, 1996.
R. V.

Paludamentum. Rechteckig geschnittener, meist purpurner, aber auch roter oder weißer röm. Umhang aus Leinen oder Wolle, der der griech. → Chlamys entsprach; ungewöhnlich dagegen das golddurchwirkte P. der Agrippina (Plin. nat. 33,63). Das P. wurde zunächst nur von röm. Feldherren und höheren Offizieren getragen; es avancierte in der Kaiserzeit zu einem Insigne kaiserlicher Herrschaftsgewalt. Das P. gehörte zur Kriegstracht des Feldherren bzw. Kaisers (vgl. Varro ling. 7,37) und durfte nicht innerhalb der Stadtgrenzen Roms getragen werden (Tac. hist. 2,98); so wird z. B. Kaiser Hadrian gelobt, als er das P. beim Betreten ital. Bodens mit der → Toga vertauschte (SHA Hadr. 22,3), während Gallienus getadelt wird, als er mit P. in Rom auftrat (SHA Gall. 16,4). Weitere Träger des P. sind die Gottheiten → Roma, → Minerva und → Mars. Das P. wurde in der Regel über der rechten Schulter von einer Fibel (→ Nadel) gehalten; es bedeckte bogenförmig den Oberkörper, fiel über die linke Schulter auf den Rükken und wurde dann um den linken Unterarm gelegt (vgl. Liv. 25,16.21). Seit der 2. H. des 1. Jh. n. Chr. wurde eine zweite Tragweise angewandt, bei der das P. in einem Bausch, der von einer Fibel gehalten wurde, auf der rechten (oder linken) Schulter lag, von dort in den Rücken fiel und dann um den linken Unterarm gelegt wurde.
→ Kleidung; Sagum

A. Alföldi, Insignien und Tracht der röm. Kaiser, in: MDAI(R) 50, 1935, 49–54 · C. Maderna, Iuppiter Diomedes und Merkur als Vorbilder für röm. Bildnisstatuen, 1988 · F. Ciliberto, I busti loricati degli imperatori romani. Storia di una forma (Diss. Bern 1997), 2001.
R. H.

Pambotadai (Παμβοτάδαι). Att. Paralia(?)-Demos der Phyle Erechtheis, seit 127/8 n. Chr. der Hadrianis. Vor 307/6 v. Chr. stellte P. abwechselnd mit Sybridai einen *buleutḗs*, nach 224/3 v. Chr. zwei *buleutaí*. Lage unbekannt. Felsinschr. im oberen Vari-Tal bei Thiti sind nicht als ὅρ(ος) Π(α)μ(βοτάδων)/*hór(os) P(a)m(botádōn)* aufzulösen [1; 2. 118].

1 H. Lohmann, Atene, 1993, 58 **2** J. S. Traill, Demos and Trittys, 1986, 118, 126.

Traill, Attica, 6, 14 f., 38, 59, 62, 69, 100 f., 111 Nr. 102, Tab. 1, 15.   H. LO.

Pamenches. Sohn des → Pachom; ca. 50/30 v. Chr. *syngenḗs* und → *stratēgós* (→ Hoftitel B. 2.) in verschiedenen äg. Gauen. P. bekleidete neben seinen staatl. Ämtern eine Reihe von indigenen Priesterämtern, die schon von seinem Vater im Titel geführt wurden. PP III 5688; VIII 292 b.

L. Mooren, The Aulic Titulature in Ptolemaic Egypt, 1975, 121 f. Nr. 0128.   W. A.

Pamisos (Παμισός).
[1] Hauptfluß der Landschaft → Messana [2], der in der obermessenischen Ebene aus drei Quellflüssen gespeist wird. In der Ant. galten die starken Quellen von Hagios Floros in der untermessenischen Ebene als Ausgangspunkt des P., weshalb der Fluß erst von hier ab P. hieß. Er ist der perennierend wasserreichste Fluß der Peloponnesos, kurz vor der Mündung mit Booten schiffbar. An den Quellen von Hagios Floros lag ein Heiligtum des P. mit einem kleinem dor. Antentempel des 6. Jh. v. Chr. Belegstellen: Strab. 8,4,6; Paus. 4,3,10; 31,4; 34,1–4.

> A. PHILIPPSON, Der Peloponnes, 1892, 202, 378 f., 496 ·
> PHILIPPSON/KIRSTEN 3, 400–403 · M. N. VALMIN, The
> Swedish Messenia Expedition, 1938, 417–421 · F. BÖLTE,
> s. v. P. (1), RE 18.3, 290–293.   C. L. u. E. O.

[2] Wasserlauf, der etwa 4 km südl. von Leuktron in den Golf von Messana [2] mündet (Strab. 8,4,6), h. Revma Mileas.

> F. BÖLTE, s. v. P. (2), RE 18.3, 293–295.   C. L.

[3] Westthessalischer Fluß, der an → Gomphoi vorbei beim h. Keramidi in den → Enipeus [2] mündet (Hdt. 7,129,2), wohl der h. Bliouris bzw. Paliouris.

> F. STÄHLIN, s. v. P. (3), RE 18.3, 296 · KODER/HILD, 244 ·
> MÜLLER, 356.   HE. KR.

Pammenes (Παμμένης).
[1] Thebaner, enger Vertrauter des → Epameinondas. Auf seinem zweiten Peloponneszug betraute dieser den noch jungen P. mit der Besatzung Sikyons (Polyain. 5,16,3) und im J. 368 v. Chr. mit einer Mission zum Schutz von → Megale Polis (Paus. 8,27,2). Von 368 bis 365 hielt sich der etwa gleichaltrige → Philippos [4] II. als Geisel in P.' Elternhaus auf ([1. 118] mit Lit.). Nach dem Tod des Epameinondas bei Mantineia wurde P. zum führenden Politiker und Feldherrn des Boiotischen Bundes (→ Boiotia, Boiotoi mit Karte). Noch 362/1 verhinderte er die Auflösung von Megale Polis (Diod. 15,94,1–3). Im J. 355 schlug er → Philomelos vernichtend bei Neon (Diod. 16,31,3 f.), versäumte es aber, den 3. → Heiligen Krieg unter Ausnutzung dieses Sieges durch einen Marsch auf Delphoi vorzeitig zu beenden [2. 42–45]. Stattdessen folgte P. einem Hilfegesuch des Satrapen → Artabazos [4] und zog im Herbst 355 mit 5000 Hopliten über Makedonien und Thrakien, wo er in Maroneia erneut mit Philippos zusammentraf (Demosth. or. 23,183), nach Kleinasien (Diod. 16,34,1 f.). Trotz erster Erfolge überwarf er sich mit Artabazos, der P. offenbar ermorden ließ [3. 158–161].

> 1 J. BUCKLER, The Theban Hegemony, 1980 2 Ders.,
> Philipp II and the Sacred War, 1989 3 Ders., P., die Perser
> und der Hl. Krieg, in: H. BEISTER (Hrsg.), Boiotika:
> Vorträge vom 5. Internationalen Böotien-Kolloquium,
> 1986, 1989.   HA. BE.

[2] Sohn des Zenon aus Marathon, Mitglied einer berühmten Familie, die im 1. Jh. v. und n. Chr. zum Höhepunkt ihres Einflusses gelangte. In Athen war P. *agoranómos* (→ *agoranómoi*; IG II² 3493) und nach 27 v. Chr. Hoplitenstratege (IG II² 3173; gleichzeitig Priester der Roma und des Augustus; vgl. auch IG II² 5477). Auf Delos hatte er das Priesteramt für Apollon, Artemis und Leto inne, das in der Familie weitervererbt wurde (IDélos 1592; 1593; 1594 (?); 1605; 1625; 1626; 2515– 2519); außerdem war er *gymnasíarchos* (→ Gymnasiarchie; IDélos 1956; als Weihender in SEG 21,756; s. auch IG II² 2464). Für das *génos* der Gephyraioi nahm P. eine Gesandtschaft nach Delos wahr (SEG 30,85 = IG II² 1096); zweimal ist ein P. als zweiter Münzmagistrat in Athen für 66/5 und 62/1 v. Chr. überl. Gegen [1] identifiziert [2. 15d] nicht P., sondern dessen Großvater; denkbar wäre auch der Onkel von P. (ebenso evtl. in IG II² 1339); P.' Vater Zenon ist in IDélos 1624bis und SEG 23,494a erwähnt, sein gleichnamiger Sohn in IG II² 3123 und [4. 152] (vgl. [3]).

> 1 P. TREVES, s. v. P. (2), RE 18.3, 299–303 2 CHR. HABICHT,
> Zu den Münzmagistraten der Silberprägung des Neuen
> Stils, in: Chiron 21, 1991, 1–23 3 LGPN 2, 357 (P. 12)
> 4 J. H. OLIVER, The Athenian Expounders of the Sacred and
> Ancestral Law, 1950.   BO. D.

Pammon (Πάμμων). Sohn des → Priamos und der → Hekabe (Hom. Il. 24,250; Apollod. 3,151; Q. Smyrn. 6,317; 562; 568; bei Hyg. fab. 90 Pammon (SCHMIDT) oder Palaemon), fällt durch → Neoptolemos [1] (Q. Smyrn. 13,213 f.).   SI. A.

Pamphila (Παμφίλη) aus Epidauros. Bedeutende Philologin und Schriftstellerin zur Zeit Kaiser Neros (Mitte 1. Jh. n. Chr.); verm. Tochter des Grammatikers Soteridas [1. 58–61; 2. 310–312]. Von ihren Schriften sind nur aus dem Hauptwerk, den 33 B. umfassenden Ἱστορικὰ ὑπομνήματα (*Historiká hypomnémata*, ›Histor. Denkwürdigkeiten‹, 10 Fr. erhalten (FHG 3, 520–522). Aus den übrigen Werken, unter denen sich mehrere *Epitomaí* befanden, nennt die Suda Περὶ ἀμφισβητήσεων (›Über Meinungsverschiedenheiten‹), Περὶ ἀφροδισίων (›Über Liebesfreuden‹) und eine Epitome von → Ktesias in drei Bd. (Suda s. v. Π.).

Inhalt und Charakter der ›Histor. Denkwürdigkeiten‹ lassen sich aus den acht bei Diogenes Laertios und zwei durch Gellius überlieferten Fr. sowie einer ausführlichen Bemerkung bei Photios (cod. 175; bibl. 119b 16–120a 4) rekonstruieren. Neben Anekdoten über Philosophen und histor. bedeutsame Gestalten (Gell. 15,17 überl. P.s Version der folgenschweren Unterrichtung des Alkibiades [3] im Flötenspiel [3. 234]) enthielt das Werk Erinnerungen an P.s Gespräche mit ihrem Ehemann und seinem gebildeten Freundeskreis. Bei biographischen Angaben scheint P. auf die Schriften des → Herakleides [19] sowie des → Sotion und → Hermippos [2] zurückgegriffen zu haben.

Der Buntheit der Themen entsprach die Darstellungsform. Diese *variatio* sollte dem inhaltlichen Anspruch der Wissensvermehrung (εἰς πολυμαθίαν; Phot. bibl. 119b 34) eine abwechslungsreiche Form geben (χαριέστατον τὸ ἀναμεμιγμένον). Damit sind die ›Histor. Denkwürdigkeiten‹ als lit. Produkt der sog. → Buntschriftstellerei zuzurechnen. Hierfür typisch war auch der schlichte Stil des Werkes (ebd. 120a 1 f.). Es wurde u. a. von → Favorinus, der eine Epitome in vier Bd. verfaßt haben soll (Steph. Byz. s. v. Ῥοπεῖς), und → Sopatros in seinen *eklogaí diáphoroi* rezipiert.

1 A. DAUB, Kleine Beiträge zur griech. Litteraturgesch., in: RhM 35, 1880, 56–68 2 O. REGENBOGEN, s. v. P., RE 18.3, 309–328 3 L. HOLFORD-STREVENS, Aulus Gellius, 1988.

                                             M. B.

Pamphilidas (Παμφιλίδας).

Aus Rhodos, besonnener und friedensbereiter Admiral im Krieg gegen → Antiochos [5] III. (Pol. 21,7,6–7; 21,10,5; vgl. Liv. 37,2,9; 37,19,1), der 190 v. Chr. mit → Eudamos [2] an der karischen Küste agierte und maßgeblich am Seesieg über → Hannibal [4] bei Side beteiligt war (Liv. 37,22,3; 37,24,9).

                                             L.-M. G.

Pamphilos (Πάμφιλος).

[1] Athenischer *hípparchos* und *stratēgós*, errichtete 389 v. Chr. auf Aigina eine feste Stellung und belagerte die Insel, mußte aber nach fünf Monaten, selbst durch den Spartaner → Gorgopas belagert, entsetzt werden. In Athen wegen Unterschlagung zu einer hohen Geldstrafe verurteilt, schuldete P. nach Verkauf seiner Güter bei seinem Tod dem Staat noch fünf Talente (Lys. 15,5; Xen. hell. 5,1,2; Aristoph. Plut. 174; 385; Plat. fr. 14 PCG; Demosth. or. 39,2; 40,20 und 22).

    DAVIES, 365 · D. HAMEL, Athenian Generals, 1998, 135; 149.   W. S. u. H. V.

[2] Aus Amphipolis in Makedonien stammender Maler der 1. H. des 4. Jh. v. Chr., gilt als Begründer der sogenannten Schule oder Malerakademie von Sikyon (Plin. nat. 35,75 f.). Die langwierige Lehre bei ihm war teuer, zu seinen Schülern zählten u. a. der berühmte → Apelles [4], → Melanthios [5] und → Pausias. Der als universal gebildet beschriebene Theoretiker P., selbst als Kunstschriftsteller wirkend (Suda s. v. P.), initiierte seine Methodik der Malereiausbildung auf rational nachvollziehbaren, wiss. Grundlagen, z. B. Geometrie und Arithmetik, aber auch einer umfassenden Allgemeinbildung. Die daraus folgenden verbindlichen Regeln sollten eine bes. gewissenhafte Darstellungsweise (Chrestographie) gewährleisten. Vielleicht handelte es sich um eine Art Kanon zur Lösung malerischer Probleme wie beispielsweise → Perspektive und Komposition. Als Folge dieser Neuerungen des P. wurde die Mal- und Zeichenkunst aufgewertet und als Unterrichtsfach in den Erziehungsplan der freien Bürgerknaben aufgenommen. Sie galt danach lange als hervorragendste unter den »Freien Künsten«, eine Entwicklung, die sich ähnlich in der Renaissance wiederholte. P. malte auch enkaustisch (→ Enkaustik) und mit der Vierfarbenpalette, sein Themenspektrum war breit, z. B. Familien-, Schlachten- und Mythenbilder. Über seinen Stil wissen wir trotz der geschilderten Intentionen nichts weiter, seine Werke sind verloren.

    A. GRIFFIN, Sikyon, 1982, 148 f. · E. KEULS, Plato and Greek Painting, 1978, 139–150 · P. MORENO, Pittura Greca, 1987 · I. SCHEIBLER, Griech. Malerei der Ant., 1994 · M. SCHMIDT, s. v. Herakleidei, LIMC 4.1, 725, Nr. 1 · R. ROBERT, Apelle et Protogène: pour une histoire linéaire de la peinture grecque, in: M.-CH. VILLANUEVA-PUIG (Hrsg.), Céramique et peinture grecques, 1999, 233–243, bes. 235 f. · A. ROUVERET, Profilo della pittura parietale greca, in: G. PUGLIESE CARRATELLI (Hrsg.), I Greci in Occidente, 1996, 99–108.   N. H.

[3] Schon die Scholien zu Aristoph. Plut. 385 sind sich nicht einig, ob man einen Tragiker P. (Anfang 4. Jh. v. Chr.), Verf. eines Heraklidendramas, von dem Maler P. [2] unterscheiden müsse (TrGF I 51).   B. Z.

[4] P. (ca. 240–310) stammte aus einer vornehmen Familie in → Berytos, studierte unter Pierius am Didaskaleion von → Alexandreia [1] (Phot. bibliotheke 118 f.). In → Caesarea [2] Maritima belebte er offenbar die darniederliegende Schule des → Origenes [2] wieder und wurde durch den dortigen Bischof Agapius ordiniert. Die große wiss. Forschungsbibl. dort geht auf ihn zurück. Von seinen Werken ist in lat. Fassung der Rest einer sechsbändigen Apologie für Origenes erh., dessen Orthodoxie er gegen Anklagen zu verteidigen suchte. Sein Schüler → Eusebios [7] schrieb eine (verlorene) Vita des P. und folgte ihm in der Bibliotheksleitung nach. Während der Christenverfolgung des → Maximinus [1] Daia war P. zwei J. inhaftiert, bevor er hingerichtet wurde.

    ED.: CPG 1, 1715 f. · R. WILLIAMS, Damnosa hereditas, in: H. CH. BRENNECKE (Hrsg.), Logos. FS L. Abramowski (ZNTW Beih. 67), 1993, 151–169.   C. M.

[5] Griech. Rhetor, über den Quintilian (inst. 3,6,31–34) berichtet, er habe in der Stasislehre insofern eine eigenwillige Lehrmeinung vertreten, als er nur zwei Staseis (→ Status) unterschied (den στοχασμός/*stochasmós*, lat. *status coniecturalis*, und die ποιότης/*poiótēs*, lat. *status qualitatis*), den zweiten aber in mehrere Unterarten aufgliederte. Eine solche Sondermeinung setzt einerseits die Stasislehre des → Hermagoras [1] voraus; andererseits läßt Cic. (de orat. 3,81) den 91 v. Chr. gestorbenen → Licinius [I 10] Crassus Kritik an einer Lehrmethode des P. üben, so daß dieser vielleicht als jüngerer Zeitgenosse des Hermagoras in die 2. H. des 2. Jh. v. Chr. zu setzen sein dürfte.   M. W.

[6] Alexandrinischer Grammatiker aus der 2. H. des 1. Jh. n. Chr., Verf. eines sehr umfangreichen lexikographischen Werkes in 95 B., das nach Athen. 14,650d-e Περὶ γλωσσῶν καὶ ὀνομάτων (›Über Glossen und Namen‹), nach der Suda (π 142) Περὶ γλωσσῶν ἤτοι λέξεων (›Über Glossen und Wörter‹) hieß. Darin sammelte er exegetisches, grammatikalisches und lexikographisches Material; seine vielfältigen Quellen umfassen Aristophanes [4] von Byzanz über Theodoros bis zu Apion, Apollodoros [13] von Kyrene, Artemidoros [4], Didymos [1] Chalkenteros, Diodoros [14], Herakleon, Iatrokles und Timachidas von Rhodos. Ein bisher ungelöstes Problem stellt die Struktur seines Werkes dar; den wenigen erh. Fr. nach scheint sie onomastisch gewesen zu sein. Die Suda (π 142) berichtet von alphabetischer Anordnung: P. habe nur die Einträge ε-ω verfaßt, die vorhergehenden ein gewisser Zopyrion. Aufgrund des großen Umfangs des Werkes und der somit schwierigen Handhabung erstellte nur kurze Zeit später Iulius → Vestinus eine einfacher zu benutzende Epitome, Ἑλληνικὰ ὀνόματα (*Hellēniká onómata*, ›Griech. Namen‹, 30 B.), die wiederum von Diogenianos [2] von Herakleia zur Παντοδαπὴ λέξις (*Pantodapḗ léxis*, ›Mannigfaltige Wörter‹) verkürzt wurde und die einen Meilenstein in der Gesch. der Lexikographie darstellte.

Die Suda (π 142) berichtet weiterhin von einem Λειμών (*Leimṓn*/›Wiese‹; die genaue Bedeutung des Titels ist problematisch) betitelten Florilegium des P., von einem anderen Werk, das nicht erklärte Stellen bei Nikandros [4] behandelte, einer Τέχνη κριτική (›Die Kunst der Kritik‹) und nicht weiter bezeichneten gramm. Schriften. Vielleicht stammt von ihm auch ein Traktat über Pflanzen, das in der Spätant. weit bekannt war (vgl. die Beschreibung bei Gal. 11, 792–798 KÜHN) und als Modell für den sog. »alphabetischen Dioskurides« (→ Pedanios) diente. Die von der Suda π 141 einem *P. philosophus* zugewiesenen Γεωργικά (›Über die Landwirtschaft‹) und Περὶ φυσικῶν (›Über die Natur‹) hat vielleicht auch P. verfaßt, ebenso zwei weitere dort genannte Werke (Εἰκόνες κατὰ στοιχεῖον/›Gemälde in alphabetischer Reihenfolge‹ und Περὶ γραφικῆς καὶ ζωγράφων ἐνδόξων/›Über Malerei und berühmte Maler‹).

→ Lexikographie

ED.: M. SCHMIDT, Quaestiones Hesychianae = Hesychii Alexandrini Lexicon, Bd. 4, 1864, LXI–LXIX. LIT.: J. SCHOENEMANN, De lexicographis antiquis qui rerum ordinem secuti sunt quaestiones praecursoriae, Diss. Hannover 1886, 78–116 • C. WENDEL, s.v. P. (25), RE 18.3, 336–349 • E. DEGANI, La lessicografia, in: G. CAMBIANO u.a. (Hrsg.), Lo spazio letterario della Grecia antica, Bd. 2, 1995, 514–515. R.T./Ü: R.SO.

[7] P. aus Sizilien, Datier. unsicher; Athen. 4d (Epitome) behauptet unter Heranziehung von → Klearchos [6], wahrscheinlich von dessen Schrift ›Über Rätsel‹ (Περὶ γρίφων), daß P. auf Symposien nur in Versen gesprochen habe: Bei den zwei von Athenaios zitierten Versen handelt es sich um iambische Trimeter, von denen der eine um Trank und einen Rebhuhnschenkel bittet, der zweite um einen Nachttopf oder einen Kuchen. E.BO./Ü: T.H.

[8] Epigrammatiker des »Kranzes« des Meleagros [8] (Anth. Pal. 4,1,17). Erh. sind ein Grabgedicht auf eine Zikade (7,201, vgl. 7,200 von → Nikias [4]) und ein epideiktisches über die Klage der in eine Schwalbe verwandelten Philomela (9,57; vgl. 9,70 von → Mnasalkes). Nikias und Mnasalkes, zw. welche Meleagros in seinem Proömium (s.o.) P. stellt, sind wahrscheinlich beide Vorbilder für P.

GA I.1, 154; 2, 443f. M.G.A./Ü: T.H.

Pamphos (Πάμφως). Früher griech. Dichter verschiedener Götterhymnen, vielleicht myth., der bei Pausanias genannt wird: P. sei älter als Homer (Paus. 8,37,9) und → Narkissos (ebd. 9,31,9), aber jünger als → Olen (ebd. 9,27,2). Pausanias verbindet P. mit Attika (ebd. 7,21,9; 9,29,8) sowie Eleusis, wofür er einen Hymnos des P. an → Demeter zitiert (ebd. 1,39,1; 9,29,8; [4. 74f.]). Auch die Trad., daß P. die Lampe erfunden habe, könnte eleusinisch sein (Plut. fr. 61 SANDBACH; [6. 53; 1. 178]). P.’ Hymnos an → Eros [1], der mit dem att. Genos der → Lykomidai in Verbindung steht (Paus. 9,27,2), scheint orphisch [6. 53]. Nach Hesych. s.v. Παμφίδες ist P. der Eponym des athen. Genos der Pamphides [vgl. 3. 307].

Aufgrund stilistischer und lit. Kriterien hielt P. MAAS P. für hell. [2], da in dem bei Paus. 7,21,9 zitierten Vers τε vor Muta lang gemessen wird (vgl. [5. 156]) und ein bei Philostr. heroicus 29,3f. zitierter Vers möglicherweise Kleanthes fr. 1 POWELL parodiert. Aber selbst wenn Elemente der Trad. hell. sind, ist ein Grundstock der Überl. wahrscheinlich früher zu datieren.

→ Eleusis [1]; Hymnos; Orphik, Orphische Dichtung

1 F. GRAF, Eleusis und die orph. Dichtung Athens in vorhell. Zeit, 1974 2 P. MAAS, s.v. P., RE 18.3, 352f. 3 R. PARKER, Athenian Rel., 1996 4 N.J. RICHARDSON, The Homeric Hymn to Demeter, 1974 5 M.L. WEST, Greek Metre, 1982 6 Ders., Orphic Poems, 1983. I.RU.

Pamphylia (Παμφυλία).
I. GEOGRAPHIE
II. FRÜHZEIT BIS ALEXANDER D. GR.
III. HELLENISTISCHE ZEIT
IV. RÖMISCHE ZEIT

I. GEOGRAPHIE
Der Name wird allg. von einem der drei traditionellen dorischen Stämme (Dymanes, Mylleis, Pamphyloi) oder aus dem griech. Adjektiv *pám-phylos*, »aus allen Stämmen«, seltener von einer gleichnamigen Tochter (Theop. FGrH 115 F 103,15), Schwester (Steph. Byz. s.v. Π.) oder Frau (schol. Dion. Per. 850) des Sehers → Mopsos abgeleitet; angesichts hethit. Erwähnung von P. (s.u.) könnte aber auch eine gräzisierende Verballhornung vorliegen. In der Ant. bezeichnete P. die fruchtbare Schwemmlandschaft an der kleinasiat. Südküste östl. von Lykia, südl. von Pisidia, westl. von Ki-

likia. Aufgrund histor. Wandels können die Land-
schaftsgrenzen weder politisch noch ethnographisch
grundsätzlich definiert werden, zumal die pamphyl.
Sprachzeugnisse in vorröm. Zeit zu spärlich sind [1]
(→ Pamphylisch). Die lyk.-pamphyl. Grenze ist westl.
von → Attaleia [1] ([2. 8], anders Hekat. FGrH 1 F 258;
Ps.-Skyl. 100 = GGM 1,75), die kilik.-pamphyl. östl. von
→ Side (Mela 1,78; Plin. nat. 5,96; anders Ptol. 5,5,2;
[2]; anders [14]) anzunehmen, während nördl. die Tau-
ros-Ausläufer, darunter im Westen der Klimax mit einem Felssteig, die pisidisch-pamphyl. Grenze bilden
(Strab. 14,3,9; Plut. Alexandros 17,8).

Im wesentlichen bezeichnet P. also die maximal
25 × 80 km große alluviale Schwemmlandebene mit ihren flachen Travertinterrassen im Westen, mit den bis zu
280 m hohen, teilweise besiedelten Tafelbergen (→ Aspendos, → Perge, → Sillyon) und mit der zum hohen
→ Tauros im Osten, Norden und Westen vermittelnden
sanften Hügellandschaft; diese wird von drei großen, im
Tauros entspringenden und in das Mittelmeer münden-
den Flüssen, dem Kestros (h. Aksu Çayı, → Perge), Eurymedon (h. Köprü Çayı) und dem Melas (h. Manavgat
Çayı, → Side) durchquert, von denen die ersten beiden
als einst schiffbar bezeugt sind (Kestros: Strab. 14,4,2;
anon. stadiasmus maris magni 219; Mela 1,79; Eurymedon: Strab. l.c.; Diod. 14,99,4; anon. ebd. 217). Mit
den Flüssen, dem feuchtheißen Klima und den fetten
alluvialen Böden bot P. bereits in der Ant. beste agrarische Voraussetzungen. Die für das Paläolithikum bis
ins Chalkolithikum bezeugte Besiedlung in den Höhlen
von Belbaşı, Karain und Beldibi [3; 4] beschränkt sich
auf den gebirgigen pamphyl.-lyk. Grenzbereich westl.
und südwestl. von Antalya. Neue chalkolithische und
brz. Funde in Perge dokumentieren mindestens seit
dem 4. Jt. v. Chr. auch eine Besiedlung in der pamphyl.
Ebene, wie sie aufgrund sprachgesch. Forsch. bereits
postuliert worden war [5; 6. 557–569].

II. Frühzeit bis Alexander d. Gr.

Im 13. Jh. v. Chr. scheint P. nach Ausweis eines hethit. Staatsvertrags als das von Kurunta beherrschte Tar-
ḫuntassa mit seiner Westgrenze am Kastaraja (= Kestros)
zum hethit. Herrschaftsgebiet gehört zu haben [7]; mindestens auf eine späthethit. Trad. verweisen der urspr.
Name von Aspendos, »Estwediiys«, die für Side und Se-
leukeia/Lyrbe überl. sidetische Sprache ([8]; → Side-
tisch), der indigene Name von Sillyon sowie ein späthethit. Basaltkessel in Side. Ob die Griechen gemäß ant.
Mythentrad. bereits nach dem »Troianischen Krieg«
nach P. einwanderten [9; 10], bleibt mangels arch.
Zeugnisse eher fraglich. Dagegen dokumentieren neue
Erkenntnisse in Perge [11] die Ankunft rhodischer Kolonisten im frühen 7. Jh. v. Chr. und ergänzen die entsprechende ant. schriftliche Überl. zu Side. Das Aufblühen von Perge, Side und verm. auch von Sillyon in
der Folgezeit unter griech. Einfluß und mit starken indigenen Komponenten läßt den Beginn der pamphyl.
Kultur im 7. Jh. vermuten. Trotz lyd. (Hdt. 1,28) und
seit 547 pers. Herrschaft (Hdt. 3,90; 7,91) dominierte

griech. kultureller Einfluß, der sich durch die verm.
Zugehörigkeit zum → Attisch-Delischen Seebund zw.
465 und 415 (→ Perge; [2. 30f.]) verstärkte. Die folgen-
de pers. Herrschaft (Thuk. 8,81; 87f.), die v. a. durch Mz. im pers. Münzfuß manifest ist,
endete mit Alexandros [4] d. Gr. 334 v. Chr.

III. Hellenistische Zeit

Unter ptolem. und seleukidischer Herrschaft pros-
perierten gemäß arch., inschr. und numismatischen
Zeugnissen die befestigten urbanen Zentren Aspendos,
Perge, Side und Sillyon; 150 v. Chr. folgte die Gründung des Hafens Attaleia [1]. Kleinere, ältere Hafen-
städte wie Magydos (östl. von Antalya) oder in Ost-P.
→ Korakesion und Kibyra (minor) sind bereits für das
4. Jh. überl. (Ps.-Skyl. 100 f.); weitere kleine urbane ost-
pamphyl. Zentren (im Grenzbereich zu Kilikien gelegen) hell. Zeit waren → Hamaxia, Laertes, → Kolybras-
sos und → Seleukeia/Lyrbe. Die kleinen Hafenorte Idy-
ros am gleichnamigen Fluß (h. Kemer Çayı) bei Kap
Awowa und → Olbia [2] am Katarrhaktes (h. Düden
Çayı) mit ebenso unsicherer Lokalisierung westl. von
Antalya [12] wie das dem Namen nach vorgriech.
→ Lyrnessos (Strab. 14,4,1; 5,21; Plin. nat. 5,96) gehörten zeitweilig zu Lykia (Ps.-Skyl. 100) oder P. (Hekat.
FGrH 1 F 260). Die ptolem. und seleukidischen Neugründungen Ptolemais (Strab. 14,4,2), Arsinoë (Strab.
14,5,3) und Seleukeia sind bisher nicht lokalisiert. Zu
den *póleis* gehörten die landwirtschaftlichen Produktionszentren (*kômai*), wie z. B. Elaibaris nordwestl. von
Perge bzw. Lyrboton Kome (wichtig für Produktion
von Olivenöl).

IV. Römische Zeit

Kontinuierliche röm. Präsenz begann bald nach 100
v. Chr. im Kampf gegen die südwestanatolischen Seeräuber (→ Seeraub). P. wurde Teil der Prov. → Cilicia,
ab 43 v. Chr. der Prov. → Asia [2] (Cic. fam. 12,15,5), ab
31 v. Chr. der Prov. → Galatia (Strab. 12,5,3; 12,7; anders Cass. Dio 49,32,3), ab Vespasianus (69–79 n. Chr.)
der Doppelprov. → Lycia et Pamphylia; ab 314 oder 325
n. Chr. war P. eigenständige Prov. Ihre Einbindung in
die Diözese Asiana spiegelt die Etablierung des Christentums in P. (Laterculus Veronensis 3,2; Not. dign. or.
24,11). Neben den bedeutendsten *póleis* Aspendos, Side
und Perge, die während der langen Phase der → *pax
Romana* (ca. 27 v. Chr. – 284 n. Chr.) zum Teil aufgrund
von privatem → Euergetismus eine glänzende urbani-
stische Entwicklung erlebten und den Rang einer
metrópolis erlangten (Perge ab ca. 275, Side etwas später),
partizipierten auch die übrigen *póleis* außer den bedeutungslosen ptolem. Gründungen an der allg. Prosperität
in P. Hinzu traten vier kleinere Siedlungen, Erymna
und → Kotenna im nordpamphyl. Hochland sowie Lyr-
be (→ Seleukeia) und Sennea in Ost-P. [2. 106f.]. Das
E. der *pax Romana*, Einfälle der Isauroi (→ Isauria) und
schwere Erdbeben v. a. im 4. Jh. n. Chr. bewirkten eine
kulturelle Zäsur, von der sich P. angesichts der Vielzahl
monumentaler christl. Bauten in den erneut befestigten
Städten im 5. und 6. Jh. offenbar erholt hatte, bevor im

7. Jh. wiederholte Einfälle der Araber den raschen Niedergang herbeiführten.

→ Kleinasien; Pamphylisch

1 C. Brixhe, Le dialecte grec de Pampylie, 1976
2 H. Brandt, Ges. und Wirtschaft Pamphyliens und Pisidiens im Alt., 1990 **3** E. Y. Bostanci, Upper Palaeolithic and Mesolithic Facies at Belbaşı Rock Shelter on the Mediterranean Coast of Anatolia, in: Belleten 26, 1962, 233–292 **4** M. J. Mellink, Archeology in Anatolia, in: AJA 89, 1985, 547–567 **5** A. Erzen, Das Besiedlungsproblem Pamphyliens im Alt., in: AA 88, 1973, 388–401 **6** A. Pekman, A History of Perge, 1973 **7** H. Otten, Die Bronzetafel aus Boğazköy. Ein Staatsvertrag Tuthalijas IV., 1988, 19 **8** G. Neumann, Die sidetische Schrift, in: ASNP 8, 1978, 869–886 **9** P. Weiss, Lebendiger Mythos, in: WJA N. F. 10, 1984, 179–195 **10** J. H. M. Strubbe, Gründer kleinasiat. Städte, in: AncSoc 15/17, 1984/6, 253–304 **11** H. Abbasoğlu, W. Martini, Perge Akropolisi'nde 1996 Yılında Yarılan Çalişmalar, in: K. Olsen (Hrsg.), 19. Kazı Sonuçları Toplantısı 2, 1998, 93–105 **12** N. Cevik, The Localization of Olbia on the Gulf of P., in: Lykia 1, 1994, 89–102 **13** S. Şahin, Stud. zu den Inschr. von Perge II, in: EA 25, 1995, 1–24, bes. 20ff. **14** J. Nollé, Pamphyl. Studien 6–10, in: Chiron 17, 1987, 236–276.

J. Nollé, Pamphyl. Studien 1–5, in: Chiron 16, 1986, 199–212 · Ders., Side im Alt., 1993.   W. MA.

Pamphylisch.

Pamphylisch. Das P. (griech. Dial. von → Pamphylia) ist bislang äußerst spärlich bezeugt: durch die Inschr. von → Sillyon (1. H. 4. Jh. v. Chr.: nur Satzteile verständlich), seit hell. Zeit durch kurze Grabinschr. vorwiegend mit PN (wichtigster FO: → Aspendos) und Münzlegenden; auch sind 27 Glossen mit Herkunftsangabe überliefert [1. 141–143].

Das in einem von verschiedenen griech. und nichtgriech. Stämmen bewohnten Randgebiet (Πάμφυλοι: »Alle-mannen« oder dor. Phyle?) belegte P. zeigt (a) eine starke kleinasiatische Komponente, die v. a. dem Einfluß anatolischer Substrat- bzw. Adstratsprachen (z. B. dem → Sidetischen) zuzuschreiben ist und die den p. Formen eine eigentümliche Gestalt gibt, (b) Sonderentwicklungen, die mit denen der → Koine z. T. gemeinsam sind, dazu auch Übereinstimmungen (c) mit dem → Arkadischen und → Kyprischen, (d) mit den dor. Dial. (→ Dorisch-Nordwestgriechisch), bes. mit dem Kretischen, und (e) mit dem Aiolisch-Lesbischen (→ Aiolisch).

Zu (a): Abfall von *a-, Hebung von *o im Auslaut vor -s und -m (Θαναδωρυς, Gen. Πελλωνιου = Ἀθανάδωρος, Ἀπολλωνίου) sowie von *e (Ϝεχιδαμυς = [Ϝ]εχεδαμος), Schwächung von Nasalen (εξαγōδι, ι πολιι [-oᶰdi], [iᵐboliyi] = ἐξάγωντι, ἐν πόλει).

Zu (a) bzw. (b): Änderungen im Vokalsystem (*ej > ē̜: κε͞σθαι = κεῖσθαι); Verlust von Quantitätsoppositionen seit dem 3. Jh. v. Chr. (<o> ~ <ω> ~ <ου>, <ε> ~ <η> ~ <ι>), *-io(s/n) > -i(s/n) (<ι>, <ει>: ΔιϜονυσεις = Διονύσιος); Spirantisierung von *g, *d zw. Vok. (notiert <ι>, <ρ>, vgl. Μειαλειτυς neben Μεγαλειτυς, Λυκομιτιρας = Λυκομητίδας).

Zu (c): Hebung von *e vor Nasal (ι < *en, Ἀθιμε/ιϝυς = Ἀνθεμεύς) und von -o (3. Sg. -τυ < *-to), Gen. M. der -a-Stämme auf -αυ (Gen. Φιραραυ für *Φηραδαυ = Θειράδου), athemat. Inf. auf -(ε)ναι, ἐξ mit Dat. statt Gen.

Zu (d): -ti erh., κα, ἱαρός, <φικατι> »20« (<φ> [w]); wie im Kret. oft Metathese (Φορδισις, Φορδισιυς = Ἀφροδίσιος), ις < *en-s.

Zu (e): Dat. Pl. auf -αισι, -οισι, -εσσι (ατρōποισι, δικαστε͞ρεσσι = ἀνθρώποις, δικαστῆρσι); Iptv. 3. Pl. -δυ, Med. -σδυ [-ᶰdu], [-zdu] aus *-nton, *-(n)stʰon (εφιελοδυ, [ζ]αμιεσδυ = ἐφελόντων, ζημιούσθων).

Einige bemerkenswerte Formen: αγΗαγλεσθō, εβολασε͞τυ, υ βολε͞μενυς, περτ(ι) = ἀναιρείσθω, ἐβουλήθη, ὁ βουλόμενος (als Amtsformel [8]; sonst kein Artikel), πρός.

Das P., dessen Sprecher wegen (a) schon in der Ant. als »barbarisch« empfunden wurden (Ephoros bei Strab. 14,5,23), läßt sich kaum als zum West- oder Ostgriech. gehörig erklären. Eher war es schon seit E. des 2. Jt. von den anderen Dial. isoliert: abgesehen von Archaismen wie *-ti, weisen (c)–(d) eher auf Dialektmischung bzw. parallele Entwicklungen, v. a. mit dem Kyprischen und dem Kretischen, (e) auf Ansiedler aus der Aiolis. Oft werden nicht-griech. EN sekundär hellenisiert [6; 7].

Probe (Aspendos, 2. Jh. v. Chr.): Κουρασιω Λιμναου Κουρασιωνυς δαμιοργισωσα περτεδωκε ις πυργο αργυρυ μνας φικατι; entsprechend att.: Κορασιὼ Λυμναίου Κορασιῶνος δημιουργήσουσα προσέδωκε εἰς πύργον ἀργύρου μνᾶς εἴκοσι.

→ Griechische Dialekte

QUELLEN: **1** C. Brixhe, Le dialecte grec de la Pamphylie. Documents et grammaire, 1976, 150–319 (Taf. I–XLVIII) **2** Ders., Ét. d'Archéologie Classique 5, 1976, 9–16; 6, 1988, 167–234; 7, 1991, 15–27 **3** Ders., Corpus des inscriptions dialectales de Pamphylie, supplément 4, in: Kadmos 35, 1996, 72–86.
LIT.: **4** C. Brixhe, s. [1], 1976 (Standardwerk; Rez.: M. García Teijeiro, in: Minos 17, 1981, 211–218; G. Neumann, in: Gnomon 52, 1978, 225–227) **5** Ders. u. a., Le pamphylien, in: REG 98, 1985, 311–313 (Forsch.-Ber.) **6** Ders., Étym. populaire et onomastique en pays bilingue, in: RPh 65, 1991, 67–81 **7** Ders., Réflexion sur l'onomastique d'une vieille terre coloniale: la Pamphylie, in: C. Dobias-Lalou (Hrsg.), Des dialectes aux Lois de Gortyne, 1999, 33–45 **8** M. García Teijeiro, Panfilio υ βολεμενυς, in: Actas del V Congreso Español de Estudios Clásicos, 1978, 497–501 **9** Thumb/Scherer, 175–193.

J. G.-R.

Pamprepios

Pamprepios (Παμπρέπιος) aus Panopolis in Ägypten. Die Quellen zur Biographie [1. 7–9] sind detailliert, aber häufig tendenziös: Suda s. v. Π. = Bd. 4, 13,28–15,28 Adler, mit Exzerpten aus Malchos (auch in Phot. cod. 242); Hesychios = Suda Bd. 4,13,25–27 Adler; das bei Rhetorios erh. Horoskop des P.; Damaskios, Vita Isidori (bes. abgeneigt). Im J. 440 n. Chr. geb., studierte P. in Alexandreia, wo er → Hermias kennenlernte und in Kontakt mit neuplatonischen Kreisen trat, und kam im Alter von etwa 30 J. nach Athen, wo er bei → Proklos studierte und zu einem geschätzten *grammatikós* wurde. Nachdem er die Gunst seines Mäzens, des Athener Archonten Patrikios Theagenes, verloren hatte, ging er im J. 476 nach Konstantinopolis, wo er in den Kreis des isaurischen »Kaisermachers« → Illos eintrat: An der Kapitolschule erhielt er einen Lehrstuhl für Grammatik; er wurde Quaestor, vielleicht Consul. Da er sich an Illos' Projekt, Kaiser Zenon abzusetzen und eine altgläubige Restauration auf den Weg zu bringen, maßgeblich beteiligt hatte, mußte er sich nach Pergamon zurückziehen und begleitete Illos später nach Isaurien, Antiocheia und Ägypten. P. starb 484 n. Chr., vielleicht wegen Verrats hingerichtet.

Der Pap. Graecus Vindobonensis 29788 A–C (6. Jh. n. Chr.) enthält ein nach rhet. Theorie (vgl. Aphthonios 37,17 f. RABE) »ekphrastisches« Epyllion des P., das die Stunden des Tages mit Tätigkeiten verbindet: Das stilistisch in der Nachfolge des → Nonnos stehende, kompliziert gebaute Epyllion weist einen preziösen und an raffinierten musikalischen Effekten reichen Stil auf und zeigt sowohl mit der zentralen Stellung der eleusinischen Kulte als auch mit dem typischen Motiv des Lichts, das siegreich gegen die Finsternis kämpft, die neuplatonische Bildung des P. [5]. Im Pap. geht dem Epyllion ein verstümmeltes Enkomion auf Patrikios Theagenes voran, das im Stil und in der poetischen Machart bescheiden, daher vielleicht ein Jugendwerk ist. Weitere epische Fr. des Pap. (ein kaiserzeitliches Enkomion) sind P. dagegen nicht zuzuweisen [2]. Von den Ἰσαυρικά (*Isauriká*, vgl. FGrH 749) und einem Werk über Etymologien (Ἐτυμολογιῶν ἀπόδοσις) ist nichts erhalten.

ED.: **1** E. LIVREA, Pamprepii Panopolitani Carmina, 1979. LIT.: **2** R. C. MCCAIL, P. Gr. Vindob. 29788C: Hexameter Encomium on an Un-Named Emperor, in: JHS 98, 1978, 38–63 **3** E. CALDERÓN DORDA, El hexámetro de Pamprepio, in: Byzantion 65, 1995, 349–361 **4** A. D. CAMERON, Wandering Poets: A Literary Movement in Byzantine Egypt, in: Historia 14, 1965, 470–509 **5** E. LIVREA, Pamprepio ed il P.Vindob. 29788 A–C, in: ZPE 25, 1977, 121–134 (Ndr. in: Ders., Studia Hellenistica, Bd. 2, 1991, 493–504).   S. FO./Ü: T. H.

Pan (Πάν). Dorische Form zu arkad. Πάων, etym. wohl über Αἰγίπαν von myk. *aiki-pata* abzuleiten, das wahrscheinlich mit lat. *pastor* (»Hirt«), *pasci* (»weiden«) zu verbinden ist [1]; vgl. auch den altind. Gott Pusan [15]. Als Hirtengott der Schaf- und Ziegenherden ist P. in → Arkadia [12] beheimatet (Pind. fr. 95; kaum Zeugnisse vor 500 v. Chr.); als Zwillingsbruder des → Arkas ist er Sohn des Zeus Lykaios und der → Kallisto (Epimenides fr. 16 DK); er hat theriomorphe Züge (Füße und Kopf eines Bockes), aber stets einen aufrechten Gang (wichtig die Br.-Statuette aus Lusoi um 450 [4. 612 Nr. 8]). Im → Lykaion-Gebirge [11] hatte P. ein Heiligtum (Paus. 8,38,5) und eine Orakelstätte (schol. Theokr. 1,123); mit P. Lykaios identifizierten die Rö-

mer → Faunus Lupercus. Im Kyllene-Gebirge wird P. als Sohn des → Hermes und einer Tochter des Dryops verehrt (Hom. h. 19,30 ff.; Soph. Ai. 694 ff.). Neben Zeus und Hermes werden als Väter → Apollon (Pind. fr. 100 SCHROEDER) und → Kronos (Aischyl. fr. 25b) genannt, als Mütter verschiedene Nymphen, darunter → Penelope (Pind. fr. 100 SCHROEDER), die auch mit Odysseus' Gattin identifiziert wird (Hdt. 2,145,4; Paus. 8,12,6; in etym. Deutung von Penelope und allen – *pási* – Freiern, vgl. Lykophr. 769 ff. nach Duris). Von Arkadien aus gelangt der Gott um 500 v. Chr. nach Boiotien (Hesiod und das homer. Epos kennen ihn nicht); Pindar [13] verbindet ihn mit der »Großen Mutter« (Pind. P. 3,77 f.; Pind. fr. 95 und 96: ›die Olympier nennen P. vielgestaltigen Hund – *kýna pantodapón* – der Großen Göttin‹). In Delphi ist P. und den Nymphen [9] die Korykische Grotte (→ Korykion Antron) geweiht (Paus. 10,32,7; andere in Kilikien und Caesarea [2]); P. ist Urheber des »panischen Schreckens« (*Panikón deíma*, eine Erfahrung aus dem Hirtenleben, wenn die Herden plötzlich in heftigste Unruhe geraten), der u. a. die Galater bei ihrem Angriff auf Delphi 279 v. Chr. befiel (Paus. 10,23,7 ff.; Ain. Takt. 27; Ps.-Eur. Rhes. 36 f.); bei einem einzelnen bewirkt er Panolepsie, d. h. eine vollständige Ergriffenheit durch den Gott P. (Eur. Med. 1167–1175; Eur. Hipp. 141 f.).

Entscheidend ist P.s Weg von Arkadien nach Athen (Aischyl. Ag. 56 nennt ihn neben Apollon und Zeus); Herodot (6,105) berichtet, daß dem Boten, der angesichts der Perser-Invasion nach Sparta lief, der Gott erschienen sei und einen athen. Kult gefordert habe; so wird ihm nach dem Sieg bei Marathon (490 v. Chr.) am Nordabhang der Akropolis eine Grotte geweiht (vgl. Sim. in Anth. Plan. 232; Eur. Ion 492 ff.) mit jährlichen Opfern und einem Fackellauf. Die athen. Fischer scheinen P. als ihren Patron auf der Insel → Psyttaleia verehrt zu haben (vgl. Aischyl. Pers. 447 ff.; Pind. fr. 97; Paus. 1,36,2). Plat. Phaidr. 263d und 279b bezeugt an den Ufern des Ilissos ein Heiligtum der → Nymphen und des P., Men. Dysk. 1–4 einen Kult im att. → Phyle. In Athen ist möglicherweise auch das Skolion carm. conviviale 4 PAGE und der homerische Hymnos (19) auf P. entstanden [17], in dem er auch als Jäger erscheint (12 f.); die Mutter flieht vor ihrem Kind, aber Hermes bringt es auf den Olympos zur Freude aller Götter (47): ›P. aber nannten sie ihn, weil er alle – *pásin* – vergnügte‹.

Seine größte Bed. erlebt P. im Hell. [14]. In der Verherrlichung des Hirtenlebens findet der arkadische Gott seinen hervorgehobenen Platz (Theokr. 1,5 und 7, vgl. Longos). P. bläst die → Syrinx (das Instrument bildet er aus einer zu Schilf verwandelten Nymphe, Ov. met. 1,689 ff.; Wettstreit mit Apollon), singt und tanzt zusammen mit den Nymphen (vgl. Hom. h. 19,14 ff.); oft taucht er in → Dionysos' Gefolge auf (bezeugt zuerst um 490 auf einer Kraterscherbe [4. 612 Nr. 4]); man glich ihn an → Satyrn an (auch gibt es eine Mehrheit von Panen, vgl. Aristoph. Eccl. 1069, und weibl. P.). Er wird ithyphallisch dargestellt; stets auf der Jagd nach erotischen Abenteuern (vgl. Bostoner Krater des → Pan-Malers [1]), u. a. mit Echo (Theokr. Syrinx 5 f.) und Selene (Verg. georg. 3,391 ff.), ist er auch der Erfinder der Onanie (Dion Chrys. 6,20).

P. spielt in der stoischen Philos. eine Rolle, weil sein Name etym. falsch mit *to pan* (»das All«) verbunden wird (Apollod. FGrH 244 F 134c; Cornutus, Theologiae Graecae compendium 27; vgl. Plat. Krat. 408b-c: P. als *lógos … pan mēnýōn*, »der alles Anzeigende«); vgl. orphische Traditionen, in denen die Vorstellung von P. als Allgott belegt ist (Orph. h. 11,1 ff.; Orph. fr. 13,12–17 DK); Einfluß auf die ma. Teufelsvorstellung.

In Äg. wurden bocks- oder widdergestaltige Götter (z. B. Chnum) mit P. identifiziert (Hdt. 2,46). Dies kann vielleicht die erstaunliche Legende erklären helfen, die Plut. de def. or. 419a-d überliefert: Zur Zeit des Kaisers Tiberius sei ein äg. Steuermann von einer Stimme aufgefordert worden, auf der Höhe von Buthroton (im h. Albanien) zu rufen: ›Der Große P. ist tot‹ (*P. ho mégas téthnēke*), worauf sich vom Land her ein lautes Wehklagen erhoben habe (vgl. die Trauer über den Tod des dem Gott von Mendes geweihten Bockes bei Hdt. 2,46). Der Synchronismus mit Christi Tod hat zu einer breiten Nachwirkung geführt (vgl. Eus. Pr. Ev. 5,17 [10. 70 ff.]).

1 J. D. BEAZLEY, The P. Painter, 1974 (dt. 1931) 2 A. M. BERLIN, The Archaeology of Ritual. The Sanctuary of P. at Banias/Caesarea Philippi, in: BASO 315, 1999, 27–45 3 A. BERNARD, P. du désert, 1977 4 J. BOARDMAN, s. v. P., LIMC 8.1 Suppl.; LIMC 8.2 Suppl., 612–635 5 Ders., The Great God P. The Survival of an Image, 1997 6 P. BORGEAUD, The Cult of P. in Ancient Greece, 1988 (frz. 1979) 7 F. BROMMER, P. im 5. und 4. Jh. v. Chr., in: Marburger Jb. für Kunstwiss. 15, 1949/50, 5–42 8 Ders., s. v. P., RE Suppl. 8, 949–1008 9 C. EDWARDS, Greek Votive Reliefs to P. and the Nymphs, 1985 10 R. HERBIG, P., der griech. Bocksgott, 1949 11 U. HÜBINGER, On P.'s Iconography and the Cult … on Mount Lykaion, in: R. HÄGG (Hrsg.), The Iconography of Greek Cult (Kernos Suppl. 1), 1992, 189–212 12 M. JOST, Sanctuaires et cultes d'Arcadie, 1985, 456–476 13 L. LEHNUS, L'inno a P. di Pindaro, 1978 14 N. MARQUARDT, P. in der hell. und kaiserzeitl. Plastik, 1995 15 N. OETTINGER, Semantisches zu P., Pusan und Hermes, in: Mír curad (Innsbrucker Beitr. zur Sprachwiss. 92), 1998, 539–548 16 K. SCHAUENBURG, P. in Unterit., in: MDAI(R) 69, 1962, 27–42 17 H. SCHWABL, Der homer. Hymnus auf P., in: WS 3, 1969, 5–14 18 H. SICHTERMANN, s. v. P., EAA 6, 1963, 920–922. J. HO.

Pan-Ku, Pan-Tschao. Geschwister (1. Jh. n. Chr.), Verf. des Hanshu (Qian Hanshu), der offiziellen chinesischen Dynastiegesch. der Früheren oder Westlichen Han, u. a. mit Informationen über das Partherreich (→ Parther; → Parthia).

D. D. LESLIE, K. H. J. GARDINER, The Roman Empire in Chinese Sources, 1996, s. v. Pan Ku/Pan Ch'ao. J. W.

Pan-Maler. Att. rf. Vasenmaler am Übergang von der griech. Spätarchaik zur Frühklassik (490/480–460/450 v. Chr.), der »spätarcha. Zierlichkeit und frühklass. Grö-ße« (BEAZLEY) verband. Benannt nach einem Glockenkrater (Boston, MFA 10.185) mit dem Bild eines → Pan, der einen Hirten verfolgt. Sehr produktiv und vielseitig, bemalte der P.-M. ein breites Spektrum an Formen von Krateren und Amphoren bis zu Schalen und Lekythen (→ Gefäße, Gefäßformen), darunter auch einige wgr. (Lekythos mit Artemis und Schwan, St. Petersburg, ER 2363). Er beherrschte die Relieflinientechnik virtuos und verstand es meisterlich, Bild und Gefäßform harmonisch zu verbinden, hierin dem → Berliner-Maler ähnlich, dessen Einfluß sich auch in der einfigurigen Bemalung von Lekythen und nolanischen Amphoren erkennen läßt.

Kontrastreiche, originelle Darstellungsweise sowie spannungsreich aufgebaute, oft dramatisch bewegte Kompositionen, verbunden mit einer tänzerischen Beschwingtheit der Figuren, kennzeichnen seine besten Bilder, für die er gern ungewöhnliche Themen wählte. Der P.-M. hatte eine Vorliebe für ausgefallene Mythen, für Hermen (Bild dreier Hermen: Pelike, Paris, LV C 10793) und genrehafte Alltagsszenen (Pelike mit Anglerszene und Bild eines Jünglings mit Fischkörben, Wien, KM 3727). Seine anmutig-graziösen Figuren zeigen schlanke Proportionen, kleine, rundliche Köpfe und einen dicken Hals, seine Gesichter ein rundes, kräftiges Kinn, kleine Nasen, einen leichten Schmollmund und lebhafte Augen. Ein Zug von Heiterkeit und Unbeschwertheit liegt über vielen seiner Bilder und kennzeichnet auch viele seiner jugendlichen Göttergestalten (etwa die mädchenhaft hüpfende Athena auf der Kalpis mit Perseus und Medusa, London, BM E181). Charakteristisch sind S- oder schneckenförmig gezeichnete Ohren, die ebenso wie wirbelförmige Gewandbäusche seinen Hang zu ornamentalisierten Formen belegen. Zu seinen Meisterwerken gehören neben der namengebenden Vase in Boston eine Pelike in Athen mit dem Busiris-Abenteuer des Herakles (NM 9683) und eine Lekythos in Boston (MFA 13.198) mit der Einzelfigur eines sich umblickenden Jägers (Kephalos?). Unter den Frühwerken ist der Psykter in München (SA 2417) mit dem seltenen Marpessa-Mythos hervorzuheben, dessen leicht manierierte und preziös wirkende Figuren noch nicht die Lebendigkeit haben wie in späteren Bildern.

Der P.-M. wird mit einer Gruppe von Vasenmalern in Beziehung gesetzt, die von J. D. BEAZLEY die Manieristen genannt wurden, da sie bis weit in die Klassik hinein an archa. Formeln festhielten. Als ihr Lehrer gilt der spätarcha. Maler Myson. Daß auch der P.-M. zu seinen Schülern zählte, wie BEAZLEY glaubte, wird in der Forsch. h. bestritten, nicht jedoch sein Einfluß auf die Gruppe der Manieristen.

BEAZLEY, ARV², 550–561, 1659, 1706 · BEAZLEY, Addenda², 256–259 · A. B. FOLLMANN, Der P.-M., 1968 · C. SOURVINOU-INWOOD, Who Was the Teacher of the Pan Painter?, in: JHS 95, 1975, 107–121 · E. SIMON, Die griech. Vasen, ²1981, Abb. 170–173 · M. ROBERTSON, The Art of Vase-Painting in Classical Athens, 1992, 143–147 · J. BOARDMAN, Rf. Vasen aus Athen. Die archa. Zeit, ⁴1994, 197–210. I. W.

Pan-Tschao s. Pan-Ku

Panainos (Πάναινος). Maler und Bildhauer aus Athen, Bruder oder eher Neffe (Strab. 8,3,30) des Bildhauers → Pheidias, mit dem er, möglicherweise in Ateliergemeinschaft, zusammenarbeitete. Seine Wirkungszeit lag im zweiten Drittel des 5. Jh. v. Chr. Paus. 5,11,4–6 berichtet, daß er die Umschrankung im Zeustempel zu → Olympia mit einem programmatischen Mythenzyklus bemalte. Die Begrenzung, aus Resten und Dübellöchern zu erschließen, bestand aus einzelnen Steinplatten, die in den vorderen Interkolumnien der Cellasäulen vor dem von Pheidias geschaffenen Gold-Elfenbein-Kultbild des thronenden Zeus angebracht waren. Dessen Gewand soll er malerisch gestaltet haben. Die Platten trugen Gemälde mit Heraklestaten, → Personifikationen und Bilder aus dem troianischen Sagenkreis, die auf menschliche Denk- und Verhaltensmuster, gerade im Umkreis der Olympischen Wettkämpfe, vorbildhaft wirken sollten. Über das genaue Aussehen der Szenen kann nur spekuliert werden. P. wird auch mit Historienbildern (→ Historienmalerei), so der Marathonschlacht in der Stoa Poikile in Athen, und einem Schildinnenbild für die Statue der Athena von Elis in Zusammenhang gebracht (Plin. nat. 35,54; 57). Er entwickelte außerdem einen speziellen Putz als Malgrund für → Wandmalerei.

> B. E. MCCONNELL, The Paintings of P. at Olympia, in: HSPh 88, 1984, 159–164 · R. KRUMEICH, Namensbeischrift oder Weihinschr.?, in: AA 1996, 43–51 · Ders., Bildnisse griech. Herrscher und Staatsmänner im 5. Jh. v. Chr., 1997, 11–31 · I. SCHEIBLER, Griech. Malerei der Ant., 1994 · W. VÖLCKER-JANSSEN, Klass. Paradeigmata. Die Gemälde des P. im Zeus-Tempel zu Olympia, in: Boreas 10, 1987, 11–31.   N. H.

Panaitios (Παναίτιος).

[1] P. von Leontinoi, errichtete um 700 v. Chr. die erste bekannte → Tyrannis auf Sizilien. P. stürzte die herrschende Oligarchie wahrscheinlich durch Motivierung des Volkes (Aristot. pol. 5,10,1310b 29; 5,12,1316a 37; Polyain. 5,47).

> H. BERVE, Die Tyrannis bei den Griechen, 1967, 129; 593 · T. J. DUNBABIN, The Western Greeks, 1948, 66–68 · N. LURAGHI, Tirannidi archaiche in Sicilia e Magna Grecia, 1994, 11–20.   B. P.

[2] Befehligte 480 v. Chr. bei der Schlacht von Salamis eine Triere seiner Heimatstadt Tenos, die zu der Zeit unter persischer Oberhoheit stand. Er lief mit seinem Schiff bereits vor der Schlacht zu den Griechen über und übermittelte ihnen dabei die Information, daß ihre gesamte Flotte von den Persern umzingelt sei (Hdt. 8,82; Plut. Themistokles 12).
→ Perserkriege [1]

[3] P. aus Athen wurde 415 v. Chr. wegen seiner Teilnahme am Mysterien- und → Hermokopidenfrevel verurteilt und verbrachte die Zeit bis 399 im Exil (And.

1,13; 52; 67 f.). Aristophanes verspottet ihn in einer seiner Komödien als »Affen « (fr. 409 PCG).   E. S.-H.

[4] P. von Rhodos. Stoischer Philosoph, ca. 185–109 v. Chr.
A. LEBEN B. SCHRIFTEN C. LEHRE

A. LEBEN
Sohn des Nikagoras. Stoischer Philosoph, Schüler des Krates [5] von Mallos, des Diogenes [15] von Babylon und des Antipatros [10] von Tarsos; nach dessen Tod (129 v. Chr.) wurde P. Schulhaupt der → Stoa und blieb es bis zu seinem Lebensende (→ Stoizismus). Unter seinen zahlreichen Schülern waren → Poseidonios von Rhodos, Sosos von Askalon (der Adressat des nach ihm benannten Buches des Antiochos [20]) und Hekaton von Rhodos (Autor eines einflußreichen Werkes über Ethik).

Als ältester Sohn einer der vornehmsten Familien von Rhodos war P. viele Jahre Priester des Poseidon Hippios in → Lindos; dies läßt auf häufige Abwesenheit von Athen, wo er forschte und lehrte, schließen. Mitte der 140er Jahre wurde er Mitglied des → Scipionenkreises um P. Cornelius [I 70] Scipio Aemilianus, den er im Jahr 141 nach Kleinasien begleitete. P. lebte danach teils in Rom, teils in Athen, verm. verbrachte er nach Übernahme der Schulleitung die meiste Zeit in Athen. Nach Philod. col. 50 DORANDI beschränkte sich P., ungeachtet seines großen persönlichen Reichtums, lange Zeit darauf, einführenden Unterricht für Antipatros zu geben. P.' Bedeutung liegt in seiner großen Wirkung auf die Entwicklung der Philos. in Rom, bes. auf ihren wachsenden Einfluß in der Aristokratie.

B. SCHRIFTEN
P. war bekannt dafür, daß er Platon und Aristoteles [6] bewunderte; unter akademischem und peripatetischem Einfluß (Philod. col. 51) modifizierte er die traditionelle stoische Lehre, wobei er oft → Xenokrates, → Theophrastos und → Dikaiarchos (ebenso wie Platon und Aristoteles) zitierte (Cic. fin. 4,79). Dieses breitgefächerte Interesse zeigt sich auch in den Themen seiner Vorlesungen: Gesch., mathematische Disziplinen und Politik (Philod. col. 66). Neben seinem einflußreichsten Werk ›Über das richtige Handeln‹ (Περὶ τοῦ καθήκοντος/ Perí tu kathḗkontos) schrieb P. ›Über die Vorsehung‹ (Περὶ προνοίας/ Perí pronoías) und ›Über Ausgeglichenheit‹ (Περὶ εὐθυμίας/ Perí euthymías), einen Trostbrief an Q. Aelius [I 16] Tubero, ein Werk ›Über die Schulen‹ (Περὶ αἱρέσεων/ Perí hairéseōn), Schriften über Sokrates, Politik, Musik und die mathemathischen Wiss. sowie über Geographie. Kein Werk ist gänzlich erh.; mit Ausnahme von ›Über das richtige Handeln‹ liegen nur wenige Fr. vor.

In den meisten Punkten zeigt sich P. als orthodoxer Stoiker (wenn er auch die Strenge der stoischen Lehre, Cic. fin. 4,79, milderte und einen verständlichen Stil pflegte). In der Physik äußerte er Zweifel an den Lehren zu Weltenbrand und ewiger Wiederkehr sowie an der

Verläßlichkeit von Weissagung und Astrologie. In bezug auf die menschliche → Natur und Psychologie verteidigte er die stoische Sichtweise, daß die → Seele stofflich und sterblich sei, wobei er sogar die Authentizität von Platons ›Phaidon‹ in Frage stellte (fr. 84 van Straaten). Bei der Darstellung der Seelenteile war er innovativer: Er wies die Fortpflanzungsfähigkeit eher der Natur (φύσις/*phýsis*) als der Seele zu und postulierte eine Art Dualismus zwischen ihrem begehrenden Teil (ὁρμή/*hormḗ*), der auch vom Willen bestimmte Fähigkeiten wie Bewegung, Stimme und Sprache umfasse, und der Vernunft, deren Funktion die Kontrolle der Begierden sei.

Die größte Wirkung erzielte P. im Bereich der → Ethik, hauptsächlich durch den Einfluß seiner Abh. ›Über das richtige Handeln‹ auf seinen Nachfolger Hekaton und auf → Cicero (v. a. auf dessen Schrift *De Officiis* 1–2). Durch diese (bes. Cicero) erlangte er eine beachtliche Wirkung auf Seneca und die lat. Kirchenväter. P. legte das Schwergewicht auf die Praxis derjenigen, die im täglichen Leben moralisch verantwortlich handeln, und weniger auf den sittlich vollkommenen Weisen. Nach Cic. off. 3,7 thematisierte P. drei Themen der Praxis moralischen Handelns (Ist die betreffende Handlung ehrenhaft oder schmachvoll? Ist sie nützlich oder schädlich? Wie soll man sich bei einem Konflikt zw. dem Ehrenhaften und dem Nützlichen entscheiden?), behandelte dann aber nur die ersten zwei. Cic. off. 1–2 basiert auf P.' Abh.; das Ausmaß der Abhängigkeit ist jedoch umstritten, ebenso wie der Grund, warum P. das dritte Thema nicht zu Ende führte (Cic. off. 3,8–10).

C. Lehre

P. ist insofern orthodox, als seine Darstellung der → Tugenden und des Lebensziels (→ *télos*) auf einer Form der → *oikeíōsis*, der natürlichen Liebe zu sich selbst und anderen Mitgliedern der eigenen Spezies, gründet, die durch die Vorsehung der Natur im Wesen des Menschen verwurzelt ist. Ebenfalls orthodox ist P.' Formulierung des stoischen *télos* (›Leben gemäß den Ausgangspunkten, die uns von der Natur gegeben wurden‹, fr. 96 van Straaten): Er betont die Harmonie nicht nur mit der universellen, sondern auch der individuellen menschlichen Natur. Daher gründet er seine Ethik auf die Vorstellung des Schicklichen (πρέπον/*prépon*) mit der Unterscheidung von vier Rollen (πρόσωπα/*prósōpa*, lat. *personae*; → Person), die bei der Bestimmung des sittlich Angemessenen im Einzelfall in Betracht zu ziehen sind (Cic. off. 1,107–116): 1) die allg. menschliche Natur als vernunftbegabtes Lebewesen; 2) die individuelle menschliche Natur und Veranlagung; 3) Rollen, die dem einzelnen von Umständen, die sich seiner Kontrolle entziehen, zugewiesen werden (z.B. Reichtum, ererbte soziale Stellung); 4) Rollen, die der einzelne freiwillig nach der Wahl eines Berufes oder anderer Betätigungen übernommen hat. P.' Bereitschaft, bei der Bestimmung der angemessenen Handlungen die veränderlichen Größen jeder Situation zu berücksichtigen,

mag zu der Nachricht (Diog. Laert. 7,128) geführt haben, er (und Poseidonios) räumten ein, daß → Tugend für das → Glück nicht ausreiche, daß man auch Gesundheit, Reichtum und körperliche Stärke brauche; hier scheint eine Verwechslung der stoischen bevorzugten *indifferentia* mit den peripatetischen äußerlichen Gütern zugrunde zu liegen. Zuverlässiger sind Berichte von seinen Ansichten über die Einheit der Tugenden (fr. 109 van Straaten) – sie werden mit Bogenschützen verglichen, die ihre Pfeile alle auf dieselbe Zielscheibe richten, sie aber an verschiedenfarbigen Stellen treffen – und über die Einteilung der Tugenden in zwei Kategorien (theoretische und praktische, θεωρητική, πρακτική, Diog. Laert. 7,92).

P.' Bewunderung für Platon und Aristoteles, seine unabhängigen Ideen auf dem Gebiet der Physik und seine Innovationen der ethischen Theorie haben ihn als einen radikaleren Neuerer erscheinen lassen, als er es vielleicht war. Seine Darstellungsweise war ohne Zweifel weniger schroff und polemisch und so für nichtstoische Leser leichter zugänglich, doch im Kern seiner Philos. stand er immer noch der älteren Stoa nahe.

F. Alesse, Panezio di Rodi e la tradizione stoica, 1994 · Dies. (ed.), Panezio di Rodi. Testimonianze, 1997 (mit it. Übers. und Komm.) · T. Dorandi (ed.), Filodemo, Storia dei filosofi: la stoà da Zenone a Panezio, 1994 (mit it. Übers. und Komm.) · H. A. Gärtner, Cicero und P., 1974 · Ch. Gill, Personhood and Personality: The Four-personae-Theory in Cicero, de Officiis I, in: Oxford Studies in Ancient Philosophy 6, 1988, 169–199 · M. Pohlenz, To Prepon, in: Nachr. der Göttinger Wiss. Ges., 1933, 53–92 · A. Puhle, Persona – zur Ethik des P., 1987 · K. Schindler, Die stoische Lehre von den Seelenteilen …, 1934 · M. van Straaten, Panétius, sa vie, ses écrits et sa doctrine, avec une édition des fragments, 1946. B. I./Ü: E. D.

Panaitios-Maler s. Onesimos [2]

Panakton (Πάνακτον, Πάνακτος). Att. Grenzfestung am Südrand der Ebene von Skurta beim h. Prasino (ehemals Kavasala) [2; 3; 4; 5. 224 f.; 6], bisweilen fälschlich mit dem Gyphtokastro (→ Eleutherai) im Kaza-Paß identifiziert. Schon vor dem → Peloponnesischen Krieg erbaut, fiel P. 422 v. Chr. durch Verrat an die Boiotoi (Thuk. 5,3,5), die es vor der Rückgabe vertragswidrig schleiften (Thuk. 5,18,7; 39,2 f.; 40,1; Plut. Alkibiades 14,4; Plut. Nikias 10,3). In der 1. H. des 4. Jh. v. Chr. erneuert (Demosth. or. 19,326; 54,3–5), wurde P. 304 v. Chr. von → Kassandros, dann von → Demetrios [2] erobert, der es Athen zurückgab (Plut. Demetrios 23,2; Paus. 1,25,6). Ehrendekrete des späten 3. Jh. v. Chr. (IG II² 1299; 1303–1305) erwähnen letztmalig P. Grabungen seit 1991 erbrachten wichtige Inschr. [4] sowie Hinweise auf einen MH/frühmyk. Fürstensitz. Die klass. Festung des 5./4. Jh. v. Chr. war aus Lehmziegeln auf einem Steinsockel errichtet. Nach längerem Hiat entstand in P. im 14./15. Jh. eine dörfliche Siedlung mit Wachturm und orthodoxer Kirche [1].

1 S. E. J. GERSTEL, An Introduction to Medieval P., in: J. M. FOSSEY (Hrsg.), Boeotia Antiqua 6 (Proc. of the 8th Internat. Conference on Boiotian Antiquities, 1995), 1996, 143–151 2 M. H. MUNN, Ἐν μεθορίοις τῆς Ἀττικῆς καὶ τῆς Βοιωτίας, in: Ἐπετηρὶς τῆς Ἑταιρείας Βοιωτικῶν Μελετῶν, Α' Διεθνὲς Συνέδριο Βοιωτικῶν Μελετῶν, Θήβα 10–14 Sept. 1986, 1988, 363–371 3 Ders., New Light on P. and the Attic-Boiotian Frontier, in: H. BEISTER, J. BUCKLER (Hrsg.), Boiotika. Vorträge vom 5. Internat. Böotien-Kolloquium (13.–17.6.1986), 1989, 231–244 4 Ders., The First Excavations at P. on the Attic-Boiotian Frontier, in: J. M. FOSSEY (Hrsg.), Boeotia Antiqua 6, 1996, 47–58 5 J. OBER, Fortress Attica, 1985, 152–154, 224f. 6 E. VANDERPOOL, Roads and Forts in Northwestern Attica, in: CPh 11, 1978, 227–245. H. LO.

Panamaros s. Zeus

Panarkes (Πανάρκης). Datier. und Herkunft unsicher; Athen. 452c (der → Klearchos' [6] ›Über Rätsel‹/Περὶ γρίφων heranzieht) schreibt ihm Rätsel zu, zitiert aber nur eines, welches auch aus Plat. rep. 479b bekannt ist (dort zitiert der Scholiast zwei Versionen von jeweils vier iambischen Trimetern und weist sie Klearchos zu = fr. 95 WEHRLI). Es ist unsicher, ob jener P. schon in Platons Zeit lebte oder das Rätsel ihm zugeschrieben wurde. E. BO./Ü: T. H.

Panas (auch Pen-Nout). Sohn des Psenobastis (PP I 344), Vater des Ptolemaios (PP I 322); syngenḗs und stratēgós (s. → Hoftitel B. 2.) des äg. Gaus Tentyritis unter → Kleopatra [II 12] VII., Priester verschiedener einheimischer Götter, »Verwalter« des → Augustus und damit einer der einheimischen Größen, die den Übergang von ptolem. zu röm. Diensten geschaffen hatten. PP I/VIII 293.

L. MOOREN, The Aulic Titulature in Ptolemaic Egypt, 1975, 125 f. Nr. 0137. W. A.

Panathenäen s. Panathenaia

Panathenäische Preisamphoren. Sf. bemalte Tongefäße für das attische Olivenöl, das als Siegespreis bei den gymnischen und hippischen Agonen der »Großen Panathenäen« (→ Sportfeste) vergeben wurde. Der Beginn der Serie wird mit der Neugestaltung des Panathenäenfestes (→ Panathenaia) 566/5 v. Chr. in Zusammenhang gebracht und reicht bis ins 2. Jh. v. Chr.; dabei wurde die sf. Technik immer beibehalten. Die P. P. kombinieren die Form der Halsamphoren ihrer Entstehungszeit (Echinusfuß und -mündung, Halsring, Rundstabhenkel) mit den besonderen Proportionen von Transportamphoren (sehr bauchigen, nach unten spitz zulaufenden Gefäßkörpern mit kurzem, engem Hals).

Die Vs. trägt das Bild der Stadtgöttin Athena im Promachostypus (→ Athena E.) nach links schreitend, seit ca. 540/530 in einem festen Schema zw. zwei Säulen mit Hähnen, die wohl den Kampfgeist symbolisieren, und mit der obligatorischen Preisinschr.: τῶν Ἀθήνηθεν ἄθλων (»[einer] von den Preisen aus Athen«) senkrecht an der linken Säule entlang. Auf der Rs. ist der Wettkampf dargestellt, in dem der Sieg errungen wurde. Seit ca. 510 v. Chr. kennzeichnet das Schildzeichen der Athena die Keramikwerkstatt.

Für ein Fest wurden durchschnittlich 1500 P. P. benötigt, und der staatliche Auftrag hierfür wurde wahrscheinlich über einen Wettbewerb an jeweils eine Werkstatt vergeben. Das Fassungsvermögen der P. P. war genormt, liegt aber effektiv ca. 3 Liter unter dem angenommenen → Metretes (39,4 Liter), wofür verschiedene Erklärungen möglich sind. Nach Kriegen wurden auch P. P. mit der Hälfte oder einem Drittel des regulären Fassungsvermögens hergestellt. Die Anzahl der P. P., die für die unterschiedlichen Disziplinen vergeben wurden, ist aus einer Preisinschr. des 4. Jh. v. Chr. (IG II² 2311) weitgehend bekannt; sie reicht von 140 P. P. für den ersten Sieger im Wagenrennen bis zu einer P. P. für den zweiten Sieger beim Schildstechen. Mit den ca. 1000 z. T. frg. P. P. sind etwa 1% der urspr. Gesamtmenge erh.

Für die Gefäßform wie für das Bild der Athena wurde die archa. Prägung der Entstehungszeit lange demonstrativ beibehalten. Erst im 4. Jh. erfuhr das Schema einige Veränderungen: Die Hähne auf den Säulen werden durch jährlich wechselnde Figuren ersetzt, die Schildzeichen verlieren ihre Bed., und von 392/1 bis 312/1 v. Chr. wird der Name des Archonten, der für die Herstellung und Abfüllung der P. P. verantwortlich war, inschr. genannt; dadurch sind die P. P. in dieser Zeit genau datierbar. Seit 363/2 wendet sich Athena nach rechts, die Gestaltung wird archaistisch, gegen Ende der Serie mit hybriden Entartungen. Die Wettkämpfe der Rs. sind dagegen im wechselnden Zeitstil wiedergegeben. Seit der Mitte des 5. Jh. v. Chr. werden außer den Sportarten auch Siegerehrungen dargestellt, seit der Mitte des 4. Jh. v. Chr. kommen → Niken und andere → Personifikationen hinzu.

→ Amphora [1]; Archontes [1]; Athena; Athleten; Gefäßformen A. 9–10; Sport

M. BENTZ, P. P. Eine athenische Vasengattung und ihre Funktion vom 6.–4. Jh. v. Chr. (AK, 18. Beih.), 1998. H. M.

Panathenaia (Παναθήναια, die Panathenäen). Attisches Fest, das zum Ende des Hekatombaion, des ersten Monats des attischen Jahres, über mehrere Tage hin gefeiert wurde. Nach der Mehrzahl der ant. Quellen sollen die P. zuerst von dem myth. König → Erichthonios [1] abgehalten worden sein (Harpokr. s. v. π., Z. 14 f.; Marmor Parium 10), doch wird ihre Begründung (Plut. Theseus 24,3) oder Erweiterung (Paus. 8,2,1) gelegentlich auch → Theseus zugeschrieben. Nach schol. Aristeid. Panathenaicus p. 323 DINDORF (= Aristot. fr. 637 ROSE) erinnern sie an ›die Tötung des Riesen Asterios‹ (→ Asterion [2]). Über ihre frühe Form können nur Vermutungen angestellt werden [1]. In der uns bekannten Form sind die P. eine Schöpfung des 6. Jh. v. Chr.

[2]; ihre Reform wird auf 566/5 (Hier. chron. p. 102b 4 f.) datiert oder mit → Peisistratos [4] (schol. Aristeid. l.c.) in Verbindung gebracht.

Die wesentliche Veränderung war die Einrichtung der »Großen P.«, die alle vier Jahre als athletisches Fest von panhellenischer Reichweite abgehalten wurden; in dieser Zeit setzen die berühmten Panathenäenvasen (→ Panathenäische Preisamphoren) ein, die mit attischem Olivenöl gefüllt den Siegern als Preis übergeben wurden [3]. Musikalische Wettbewerbe fanden, wie die Vasenbilder zeigen, ebenfalls schon im 6. Jh. statt, während rhapsodische Homerrezitationen in Verbindung mit → Hipparchos [1] bezeugt sind [4; 5]. Die Inschr. geben ein ausführliches Bild vom Spektrum der Ereignisse, die sowohl individuelle, für Athleten aus ganz Griechenland offene Wettbewerbe als auch solche für Mannschaften, wie etwa ein Fackelrennen zwischen athen. → Phylen, umfaßten [6]. Bestimmte Mannschaftswettbewerbe fanden auch an den »Kleinen P.« statt, die in den drei Jahren zw. zwei »Großen P.« abgehalten wurden.

Weitere, den »Kleinen« und den »Großen P.« gemeinsame rituelle Elemente waren: eine → Prozession, die vom → Kerameikos über die Athener Agora zum Tempel der → Athena Polias auf der Akropolis führte (→ Athenai [1] mit Karten); ein großes Opfer mit anschließender Fleischverteilung; ein die ganze Nacht in Anspruch nehmendes Ritual (das wahrscheinlich auf Prozession und Opfer folgte) mit Tanz von Mädchenchören [7]. In der Prozession wurden den verschiedenen Gruppen innerhalb der athen. Ges. wie der Reiterei, den Hopliten, Metoiken, Freigelassenen und den ›stattlichen alten Männern‹ (Xen. symp. 4,17) wie auch den jungen Mädchen, die sakrale Funktionen, etwa die der → kanēphóroi, ausübten, bes. Plätze zugewiesen. Im 5. Jh. v. Chr. nahmen unter der euphemistischen Bezeichnung »Kolonisten« auch unterworfene Staaten an den P. teil, die so zu einem imperialen Fest wurden.

Ziel der Prozession an den »Großen P.« war es, Athena ein Gewand (péplos) darzubringen, das zumindest vom Ende des 5. Jh. v. Chr. an groß genug war, um wie ein Segel auf einem Schiff auf Rädern hochgezogen und ausgestellt zu werden. Es war mit Szenen dekoriert, die die Götter, bes. Athena, im Kampf mit den → Giganten zeigten. Einer neueren Theorie zufolge wurde ein kleineres, vielleicht undekoriertes Gewand auch in den Jahren der »Kleinen P.« dargebracht [8; 9]. Die Prozession, die auf dem Parthenonfries (→ Parthenon) zu sehen ist, soll nach allg. Auffassung diejenige der P. evozieren, doch sind die Details des Bezugs sehr umstritten. → Sportfeste; Wettbewerbe, künstlerische

1 A. BRELICH, Paides e Parthenoi, 1969, 312–348
2 R. PARKER, Athenian Rel., 1996, 89–92 · 3 M. BENTZ, Panathenäische Preisamphoren. Eine athen. Vasengattung und ihre Funktion vom 6.–4. Jh. v. Chr., 1998
4 H. KOTSIDU, Die musischen Agone der P. in archa. und klass. Zeit, 1991 5 H. A. SHAPIRO, Mousikoi agones: Music and Poetry at the P., in: J. NEILS (Hrsg.), Goddess and Polis,

1992, 53–75 6 S. TRACY, The Panathenaic Festival and Games: an Epigraphic Enquiry, in: Nikephoros 4, 1991, 133–153 7 W. K. PRITCHETT, The Pannychis of the P., in: Φίλια ἔπη εἰς Γεωργιον Ε. Μυλωναν, Bd. 2, 1987, 179–187 8 J. M. MANSFIELD, The Robe of Athena and the Panathenaic »Peplos«, 1985 9 E. J. W. BARBER, The Peplos of Athena, in: s. [5], 103–118.

L. ZIEHEN, s. v. P., RE 18.3, 457–489 · J. NEILS (Hrsg.), Worshipping Athena: P. and Parthenon, 1996.

R. PA./Ü: T. H.

Panchaia (παγχαία sc. χώρα, »ganz vortreffliches Land«). P. ist die wichtigste Insel der von → Euhemeros erdichteten Inselgruppe. Diese liegt im Indischen Ozean: ›Wenn man vom glücklichen Arabien auf den Ozean hinausfährt‹, gelangte man ›in ein noch gesegneteres Land‹, in das ›ganz vortreffliche Land‹ (Diod. 5,41,3; 6,1,4). P. gilt sowohl wegen seiner Naturbeschaffenheit wie auch wegen seiner polit. und ökonomischen Verhältnisse als Idealland (Euhemeros FGrH 63 F 2).
→ Utopie AL. FR.

Panda

[1] Nicht identifizierbarer Fluß östl. der → Maiotis, drei Tagemärsche von → Tanais entfernt (Tac. ann. 12,16,2).
I. v. B.

[2] s. Sondergötter

Pandaites (Πανδαίτης). Nur inschr. auf der Lenäensiegerliste bezeugter att. Komödiendichter des 3. Jh. v. Chr.

PCG VII, 1989, 100. H.-G. NE.

Pandareos (Πανδάρεος, -εως). Sohn des → Merops [5], aus einer Stadt Milet (schol. V Hom. Od. 19,518), nach Paus. 10,30,2 dem kretischen Miletos [3]. Seine Abkunft von → Hermes und Merope (schol. B Hom. Od. 19,518) gründet wohl auf dem Diebstahlmotiv: P. stiehlt den von Zeus als Wächter über seinen Kultbezirk in Kreta eingesetzten goldenen Hund und bringt ihn → Tantalos zur Verwahrung; Zeus fordert durch Hermes den Hund zurück und läßt Tantalos, der dessen Besitz leugnet, vom Sipylosgebirge erschlagen. Den über Athen nach Sizilien fliehenden P. vernichtet er mit dessen Frau Harmothoe (Eust. Hom. Od. 19,518 p. 1875). Antoninus Liberalis 36 schließt diesen Mythos mit der Verwandlung des P. in einen Felsen. Seine Tochter → Aëdon heiratet → Zethos, den Bruder des Amphion, und tötet versehentlich ihren Sohn Itylos, nach schol. Hom. Od. 19,518 aus Neid auf den Kinderreichtum der → Niobe bei dem Versuch, deren Sohn Amaleus zu töten, und klagt von da an als Nachtigall ihr Leid (Hom. Od. 19,518–523). Antoninus Liberalis 11 gibt eine kleinasiatische Version des att. Mythos um Tereus, Philomela und Prokne mit Aëdon, ihrer Schwester Chelidon und dem Gatten Polytechnos. Die beiden anderen Töchter des P. werden von Aphrodite umsorgt und erhalten auch von Hera, Artemis und Athena reiche Gaben. Bevor aber Aphrodite für sie bei Zeus die Hochzeit erwirken kann, werden sie von den → Harpyien geraubt und daraufhin den Erinyen (→ Erinys) als Dienerinnen übergeben (Hom. Od. 20,66–78). Die Scholien zur Stelle bieten als ihre Namen Merope und Kleothera; Paus. 10,30,1 f., der ihre Darstellung im Hadesbild des Polygnotos in der delphischen → Lesche der Knidier erwähnt, kennt sie als Kameiro und Klytië.

M. C. van der Kolf, s. v. P., RE 18, 499–504.   JO. S.

Pandaros (Πάνδαρος, lat. *Pandarus*).
[1] Truppenführer der Troer, Sohn des → Lykaon (vgl. aber auch → Karkabos); als Bruder nennt Verg. Aen. 5,495–497 → Eurythion [5]. Nach Hom. Il. 4,103 und 121 ist P. in Zeleia (Troas) beheimatet, dessen Kontingent ihm untersteht (Hom. Il. 2,824–827), während Hom. Il. 5,105 und (implizit) 173 Lykien (→ Lykioi) als sein Herkunftsland ausweist, wenngleich das lyk. Truppenkontingent von → Sarpedon und → Glaukos [4] geführt wird (Hom. Il. 2,876 f.), die ihrerseits in keinerlei Beziehung zu P. stehen. Der widersprüchliche (und bis h. nicht befriedigend erklärte) Befund hat in der Ant. (Strab. 12,4,6) wie in der mod. Forsch. den Ansatz von Lykiern in der Troas evoziert und gar an eine Einwanderung urspr. in NW-Kleinasien ansässiger Lykier E. 2./Anf. 1. Jt. v. Chr. nach Lykien denken lassen (s. zuletzt [1. 13 f., 23–37]). Histor. fehlt dafür jeder Anhalt; insbes. entfällt der Ansatz eines nördlichen → Lukkā nach Ausweis der »Ᾱssuwa-Liste« (s. → Wilusa) der hethit. Annalen Tudḫalijas I. (ca. 1420–1400 v. Chr.), wo vielmehr »[Land Artu]kka« zu lesen ist [2. 456⁹¹]. Irreführend erscheint auch die (schon durch die Griechen vorgegebene) Vorstellung eines Ethnos »Lykier«, da das Lykische ein Dialekt des → Luwischen ist und sich im 2. Jt. der gesamte Westen Kleinasiens als luw.-sprachig darstellt, mithin die Sprache als einzig tragfähiges Kriterium zugunsten eines eigenständigen »lyk. Volkes« ausscheidet.

In der ›Ilias‹ läßt sich P. von → Athena dazu verleiten, mit dem selbstgefertigten Bogen auf → Menelaos [1] zu schießen und dadurch den Vertrag zw. Griechen und Troern zu brechen (Hom. Il. 4,86–147; [3. 82–84]). Er stirbt in der von ihm ausgelösten Schlacht (Hom. Il. 5,275–296) von der Hand des → Diomedes [1] (mit Hilfe Athenas), dessen Speer die Wurzel seiner Zunge abschneidet; Spätere sahen darin die passende Strafe für einen (nach ihrer Deutung) Meineidigen (Demetrios von Skepsis fr. 74 Gaede).

Von allen Helden der ›Ilias‹ entspricht P. wohl am ehesten dem mit Kompositbogen bewaffneten Streitwagenkämpfer des 2. Jt. (s. bes. Hom. Il. 5,217–238, 245; dazu [4. 127²⁶⁵, 138²⁹⁶, 147³²²]; bildliche Darstellungen des 10./9. Jh. v. Chr. aus → Karkemiš, Zincirli: [5. Taf. 24, 37, 57]), auch wenn Homer ihn am Ende dem taktischen Einsatz des → Streitwagens als Fernkampfwaffe völlig widersprechend mit dem Speer kämpfen läßt. Mit der Gestalt des P. verbindet sich daher sicherlich nicht zufällig auch die Beschreibung der Herstellung des Kompositbogens (Hom. Il. 4,105–111; zum

Technischen, insbes. zum mißverständlichen V. 110, s. [6. 230 f.]), die eine – sachlich genauere – Parallele im ugaritischen *Aqhat*-Epos hat (Text: [6. 373]).

In den Kontext Bogenschießen-Streitwagenfahren (bzw. später: Reiten) – vgl. dazu, auch mit Blick auf Lykien, [4. 135²⁹⁰] sowie etwa die »lyk. Bogen« (*tóxa Lýkia*: Hdt. 7,77) – dürfte die auch wohl auf Homer-Rezeption beruhende Verehrung des P. im lyk. Pinara (Strab. 14,3,5) zu stellen sein. Problematisch erscheint hingegen die Deutung des lyk. Adjektivs *pñtrẽñn(i)*- als »zum P. gehöriger (Demos)« [7. 111 f.], da die ganz unanatolische städtische Gliederung nach Demen oder Phylen kaum schon für die Dynasten-Zeit (bis ca. 360 v. Chr.) vorausgesetzt werden kann, im übrigen *pñtr-** h. wahrscheinlicher mit dem (semantisch noch unklaren) keilschrift-/hieroglyphen-luw. Nomen *pantar-** n. (zum Bildungstyp vgl. [8. 370–384]) im hethitisierten ON *Pantaruanta*- [8. 16, Z. 9] (»mit *pantar-** versehen«) zu verbinden ist. Wieweit dieses *pantar-** auch dem PN P. zugrunde liegt, bleibt vorerst offen.

1 T. R. Bryce, The Lycians, Bd. 1, 1986 2 F. Starke, Troia im Kontext des histor.-polit. und sprachlichen Umfeldes Kleinasiens in 2. Jt., in: Studia Troica 7, 1997, 447–487 3 A. Schmitt, Selbständigkeit und Abhängigkeit menschlichen Handelns bei Homer, 1990 4 F. Starke, Ausbildung und Training von Streitwagenpferden, 1995 5 W. Orthmann, Unt. zur späthethit. Kunst, 1971 6 F. von Luschan, Zusammengesetzte und verstärkte Bogen, in: Zschr. für Ethnologie 31, 1899, 221–239 6 J. Sanmartín, Zu ug. *adr* in KTU 1.17 VI 20–23, in: Ugarit-Forschungen 9, 1977, 371–373 7 G. Neumann, Beitr. zum Lyk. V, in: Die Sprache 20, 1974, 110–114 8 F. Starke, Unt. zur Stammbildung des keilschrift-luw. Nomens, 1990 9 H. Otten, Die Bronzetafel aus Boğazköy, 1988.

P. Wathelet, Dictionnaire des Troyens de l'Iliade, Bd. 2, 1988, 799–809.   F. S. u. RE. N.

[2] Troianer, Begleiter des → Aineias [1]/Aeneas, Bruder des → Bitias [1] (Verg. Aen. 9,672–690; 9,722–755; 11,396).   RE. N.

Pandateria. (Πανδατερία). Insel im → *mare Tyrrhenum* (Strab. 2,5,19; 5,3,6), h. Ventotene/Prov. Latina, westl. von → Kyme [2], südl. von Caieta zw. den *insulae Pontiae* (→ Pontia) und → Pithekussai. Dorthin wurden Iulia [6], Agrippina [2], Octavia [3], die Frau des Kaisers Nero, und Flavia [3] verbannt. Reste einer *villa*, eines Aquädukts, einer Zisterne, eines Fischteichs sowie von Hafenanlagen sind erh.

C. M. Amici, F. Cifarelli u. a., Ventotene: documentazione archeologica, in: G. M. De Rossi (Hrsg.), Le isole Pontine attraverso i tempi, 1986, 129–205.
G. U./Ü: J. W. MA.

Pandekten s. Digesta

Pandemos (Πάνδημος). Epiklese der → Aphrodite (B. 2). Der Kult der Aphrodite P. soll von Theseus in Athen gegründet worden sein (Paus. 1,14,7; 1,23,3). Platon deutet Aphrodite P. im Gegensatz zu Aphrodite Urania (»die Himmlische«) als Bezeichnung für die ›gemeine‹ im Gegensatz zur ›höheren‹ Liebe (Plat. symp. 180d). Doch daß dies histor. falsch ist, zeigt Paus. 1,22,3, der P. richtig als ›die dem ganzen geeinigten (attischen) Volk gemeinsame‹ Aphrodite auffaßt. Aphrodite symbolisierte also unter dem Namen P. das polit. geeinigte Attika (vgl. [1]).

1 SIMON, GG, 150–153. L.K.

Pandia (Πανδία, auch: Πανδεία, Πανδείη). Tochter des → Zeus und der → Selene (Hom. h. 32,14–16; Hyg. fab. praef. 28; in diesem Sinne wohl auch Phot. s.v. Πάνδια und Etym. m. s.v. Πάνδεια). Nach anderen Quellen (Orph. fr. 280,8; Maximos, Perí katarchôn 123, 146, 326; schol. Demosth. or. 21,9,39a-d) Beiname (Πάνδια, Πάντια) der Selene (vgl. [3. 62]). Das gleichnamige att. Fest geht wahrscheinlich, entgegen der verbreiteten (spät-?)ant. Auffassung (vgl. schol. Demosth. or. 21,9, 39a; Phot. l.c.; Etym. m. l.c.), weder auf die Göttin P. noch auf den Heros → Pandion [1] zurück, sondern war dem Zeus Pándios gewidmet ([2]; vgl. [1. 176f.]).

1 DEUBNER 2 H. TREIDLER, s.v. P., RE 18.3, 510f.
3 H. USENER, Götternamen, 1896. SI.A.

Pandion (Πανδίων).
[1] Mythischer attischer König und eponymer Heros der Phyle → Pandionis [2] (mit 11 Demen [2. 370]), an 6. Stelle der auf Hellanikos [1] zurückgehenden Königsliste (FGrH 4, Komm. Bd. 1, p. 449), die später durch die Doppelungen des P. und des → Kekrops, zuerst faßbar im Marmor Parium (FGrH 239 A 1–17), erweitert wurde. Hier nimmt P. I nun die 5., P. II die 8. Stelle ein. Urspr. dürfte die Liste wohl nur die Könige Kekrops, P., → Erechtheus und → Aigeus geboten haben, da nur sie als Könige auch gleichzeitig Phylenheroen waren. Es handelt sich also um *eine*, später aus synchronistischen Zwecken in zwei Personen gespaltene Sagengestalt [1. 106]. Nach den späteren Konstrukten ist P. I Sohn des → Erichthonios [1] und der → Praxithea (Apollod. 3,190); seiner Ehe mit Zeuxippe entstammen die Töchter → Philomele und → Prokne sowie die Söhne → Erechtheus und → Butes [1] (ebd. 3,193). Nach seinem Tod übernimmt Erechtheus die Königswürde, Butes seine Priesterämter (ebd. 3,196). P. II, Sohn des → Kekrops II und der Metiadusa, wird von den Metioniden aus Athen vertrieben und flieht nach Megara (Paus. 1,5,3). Im Exil wird er Vater von → Aigeus, → Pallas [1], → Nisos [1] und → Lykos [8], die sich nach der Vertreibung der Metioniden die Herrschaft über Attika teilen. Nach den einen Quellen erlebt dies P. nicht mehr, da er im Exil stirbt (Paus. 1,5,3; Apollod. 3,206), nach anderen nimmt er selbst die Teilung vor (Strab. 9,1,6 = Soph. Aigeus fr. 24 RADT; schol. Aristoph. Vesp. 1223). Sein Grabmal lag an der sog. Klippe der Athena Aithyia in Megara (Paus. 1,5,3). Kultisch verehrt wurde P. in Megara (Paus. 1,41,6) und in Athen, wo aber die Lage seines Heiligtums und auch seine Zugehörigkeit zum Pandienfest strittig sind [1. 109–113].

[2] Waffenträger des → Teukros bei Hom. Il. 12,372.
[3] Bei Antoninus Liberalis 17 Vater des Lampros, dessen mit → Galateia [2] gezeugte Tochter von dieser als Sohn → Leukippos [1] ausgegeben und erzogen wird und sich kurz vor der Hochzeit tatsächlich in einen Mann verwandelt. Ov. met. 9,666–797 bietet mit anderen Namen denselben Mythos.

1 U. KRON, Die zehn att. Phylenheroen, 1976, 104–119
2 WHITEHEAD. JO.S.

Pandionis (Πανδιονίς).
[1] s. Prokne
[2] Seit der Phylenreform des → Kleisthenes [2] 508/7 v. Chr. dritte der zehn Phylen von Attika (IG II² 1138–1140; 1144; 1148; 1152; 1157; 1160; 1167; → Attika, mit Karte); eponymer Heros → Pandion [1] (Πανδίων, Paus. 1,5,3). Im 4. Jh. v. Chr. umfaßte die P. elf *dêmoi*, davon eine (zwei?) in der Asty-Trittys Kydathenaion, vier in der Mesogeia-Trittys Paiania und fünf in der Paralia-Trittys Myrrhinus. Drei *dêmoi* (Kydathenaion, Kytheros, Ober-Paiania) wechselten von 307/6 bis 201/200 v. Chr. in die maked. Phyle Antigonis. Konthyle kam 224/3 v. Chr. zur Ptolemaïs, Probalinthos 201/200 v. Chr. zur Attalis und Oa 127/8 n. Chr. zur Hadrianis. Trittyen: IG I³ 1127; II² 1748,14; Syll.³ 920.

TRAILL, Attica, 5, 7f., 17f., 23, 26, 28, 42f., 57, 71, 102, 105, 133, Tab. 3 • J.S. TRAILL, Demos and Trittys, 1986, 31ff., 45, 66f., 69f., 85ff., 110, 129f. H.LO.

Pandokos (Πάνδοκος).
[1] Troer, vom Telamonier → Aias [1] verwundet (Hom. Il. 11,490).
[2] Vater der Palaistra, einer Geliebten des Hermes. P. bringt, an einem Dreiweg wohnend, die bei ihm einkehrenden Wanderer um, und wird dafür von Hermes auf Bitten Palaistras getötet. Nach ihm heißen die Gasthäuser *pandokeía* (»alle aufnehmend«; Serv. Aen. 8,138; Etym. m. 647,56). L.K.

Pandora (Πανδώρα). Ihr Name (»die alles Gebende«) wird als Epiklese chthonischer Gottheiten wie → Gaia und → Hekate verwendet (Orph. Arg. 974ff.; schol. Aristoph. Av. 971), ohne daß sich aus den überl. Mythenversionen eine klare Entwicklungslinie der Figur der P. ablesen läßt, die die Verbindung mit diesen Gottheiten klären würde.

P. als Urfrau bzw. erste Frau findet sich erstmals bei Hesiod (theog. 570–591; Hes. erg. 57–105). P. wird auf Geheiß des Zeus von → Hephaistos aus Erde und Wasser geformt, von → Athena, den → Charites, → Hermes, → Aphrodite, den → Horai und → Peitho geschmückt und mit Fertigkeiten ausgestattet, so daß sie auf der Erde den Raub des göttlichen Feuers durch → Prometheus rächen kann. Epimetheus nimmt sie trotz der Warnung seines Bruders Prometheus zur Frau und erkennt zu spät, daß sein Bruder recht hatte: P. hat einen *píthos* (Krug) mitgebracht, aus dem nach dem Heben des Deckels alle Übel sich über die Welt verbreiten, nur die *elpís* (»Hoffnung«) bleibt nach dem Schließen des Deckels im Gefäß. Mit Epimetheus hat P. die Tochter → Pyrrha, mit Prometheus den → Deukalion (Hes. fr. 2; 4 M.-W.; Hyg. fab. 142; Apollod. 1,46). An Hesiods Darstellung fallen verschiedene Ungereimtheiten auf: P. wird an sich schon als das Übel für die Menschheit bezeichnet, der Krug mit den Übeln wirkt wie eine Doppelung. Merkwürdig ist auch die Rolle der Hoffnung; Aischylos (Prom. 248–252) setzt sich später explizit davon ab und stellt sie positiv dar.

P. war in der griech. dramatischen Dichtung beliebt, ohne daß die mageren Fr. genaue Aussagen über die Mythengestaltung zulassen (Aischyl. fr. 369 TrGF; Soph. *Pandōra* oder *Sphyrokópoi*, fr. 482–486 TrGF, wo der Titel allenfalls auf die Verarbeitung einer alten Aufstiegssage hinweisen könnte, in der die Erdgöttin mit wuchtigen Schlägen aus der Erde heraufgerufen wird, Nikophon fr. 13–19 PCG, Euphorion 24c 45 VAN GRONINGEN). Die späteren griech. und lat. Darstellungen basieren vorwiegend auf Hesiod (Hyg. astr. 2,15; Plin. nat. 36,19; Iren. adv. haereses 2,14,5; 2,21,2; Tert. de corona 7,3; Tert. adv. Valentinianos 12,4; Paus. 1,24,7; Eus. Pr. Ev. 14, 26,13; Nonn. Dion. 7,56–58; Fulg. mythologiae 82; Niketas Eugeneianos 2,308). Babrios (58) bewahrt vielleicht eine ältere Version als die hesiodeische, in der Zeus alle Güter in einen Krug (Hom. Il. 24,527f.: zwei Krüge) einschließen läßt, diesen dem Menschen oder Epimetheus übergibt, der ihn entgegen den Anweisungen öffnet, worauf alle Güter entweichen bis auf die *elpís*, die der niederfallende Deckel einschließt. Zu bildlichen Darstellungen der P. s. [1], zum Nachleben s. [2].

1 M. OPPERMANN, s. v. P., LIMC 7.2, 100 f. 2 HUNGER, Mythologie, 304 f.

G. ARRIGHETTI, Il misoginismo di Esiodo, in: Misoginia e maschilismo in Grecia e in Roma, 1981, 27–48 · A.M. KOMORNICKA, L'Elpis hésiodique dans la jarre de Pandore, in: Eos 78, 1990, 63–77 · O. LENDLE, Die »P.sage« bei Hesiod, 1957 · K. OLSTEIN, P. and Dike in Hesiod's Works and Days, in: Emerita 48, 1980, 295–312 · M. OPPERMANN, s. v. P., LIMC 7.1, 163 f. · P. LEVÊQUE, Pandore ou la terrifiante féminité, in: Kernos 1, 1988, 49–62 · G. VOGEL, Der Mythos von P. Die Rezeption eines griech. Sinnbildes in der dt. Lit., 1972 · W. A. OLDFATHER, s. v. P. (1) und (3), RE 18.3, 529–547.   R. HA.

Pandosia (Πανδοσία).

[1] Stadt der Thesprotia im Süden von → Epeiros. Angeblich eine der vier elischen Kolonien im Gebiet der Kassopaioi am → Acheron [1] (Demosth. or. 7,32; Theopompos FGrH 115 F 382). Die Gründung wird im 8./7. Jh. v. Chr. [1; 3. 427] oder erst im 5. Jh. vermutet [2. 52]. P. wird bei Trikastron etwa 17 km landeinwärts lokalisiert [1. 52 f.; 2. 477 f.]. Mz.: [2. 107–110].

1 S. I. DAKARIS, Cassopaia and the Elean Colonies, 1971 2 P. R. FRANKE, Die ant. Mz. von Epiros, 1961 3 N. G. L. HAMMOND, Epirus, 1967.

N. G. L. HAMMOND, The Colonies of Elis in Cassopaea, in: Ders., Collected Stud., Bd. 2, 1993, 57–67.   D. S.

[2] Stadt in Bruttium nahe (verm. südl.) von → Consentia am Acheron [2. 37–40]; alter Königssitz der → Oenotri (Strab. 6,1,5), den Alexandros [6] 331 v. Chr. besetzte und gegen die → Lucani und → Bruttii befestigte (Liv. 8,24,5). Von diesen geschlagen, fand er bei P. den Tod (Liv. 8,24,5; Iust. 12,2,3; Strab. 6,1,5; Plut. mor. 326ab; Steph. Byz. s. v. Π.; Suda s. v. Τόvον). Nach Skymn. 326–329 Kolonie der Achaioi, nach Skyl. 12 Kolonie von → Thurioi, gleichzeitig mit Metapontion gegr. (Eus. chronikoi kanones 2,78 SCHÖNE). 204 v. Chr. wurde P. von den Römern erobert (Liv. 29,38,1) [1. 933 f.]. Mz.: Silbermz. der 1. H. des 5. Jh. mit Typen und Legende von P. und Kroton, später von P. allein (HN 105 f.).

1 NISSEN 2 2 E. GRECO, Archeologia della Magna Grecia, 1992.

BTCGI 13, 330–340.   M. L.

Pandrosos (Πάνδροσος, »ganz Tau«). Attische, eng mit der Akropolis und → Athena verbundene Heroine. Ihre Bed. belegt der Eid der Frauen »bei P.« (Aristoph. Lys. 439). In der Myth. ist P. üblicherweise eine Tochter des ersten attischen Königs → Kekrops und wie ihre Schwestern → Aglauros [2] und → Herse mit der Pflege des Säuglings → Erichthonios [1] beauftragt; nach einer verbreiteten Version befolgt sie im Gegensatz zu ihren Schwestern die Anweisung, nicht in den Korb zu sehen, in dem sich das Kind befindet (Paus. 1,18,2; Apollod. 3,189). Der Mythos von den Kekropiden diente, wie man allg. annimmt, als Aition für die Arrhephoria, ein Fest für Athena, welches wie der Mythos das Tragen geheimer Gegenstände durch junge Mädchen (→ *arrhēphóroi*) beinhaltete; Statuen der *arrhēphóroi* sind Athena und P. geweiht (IG II² 3472, 3515; die beiden anderen Schwestern erhalten keine derartigen Weihungen). Die Überl., nach der Aglauros und P. als erste Wolle verarbeiteten (Suda und Phot. s. v. προτόνιον), reflektiert vielleicht die Rolle der *arrhēphóroi* beim Weben des *péplos* für Athena an den → Panathenaia.

Im Kult erscheinen die Kekropiden als voneinander trennbare, wenn auch manchmal miteinander verbundene Figuren; Aglauros und P. besaßen individuelle Heiligtümer (dasjenige der P., das Pandroseion [IG I³ 474,45], befand sich auf der Akropolis: Paus. 1,27,2; [1. 40–42, 221²]) und zumindest im 3. Jh. v. Chr. getrennte Priesterinnen (IG II² 3459; SEG 33,115, 39,218; vgl. dagegen LSCG, Suppl. 19,11 f. [2. 311]). P. erhielt bei Opfern für Athena (verm. nicht bei allen) Voropfergaben (Philochoros FGrH 328 F 10) und war ihr angeblich gar als Athena P. assimiliert (schol. Aristoph. Lys. 439). Kultverbindungen mit → Kurotrophos (vgl. LSCG, Suppl. 19,11 f.; IG II² 1039,58) und → Thallo (Paus. 9,35,2) implizieren zusammen mit dem Kekropidenmythos, daß vor allem das Aufziehen von Kindern ihr Bereich war. P. wurde vielleicht auch in einigen attischen Demen verehrt [3. 26, 192].

1 U. KRON, Die zehn attischen Phylenheroen, 1976
2 R. PARKER, Athenian Rel., 1996 3 E. KEARNS, The Heroes
of Attica, 1989.

U. KRON, s. v. Aglauros, Herse, P., LIMC 1.1, 283–298.

R. PA./Ü: T. H.

Pandschab

Pandschab (neupersisch *pan͖ğāb*). Das Land der fünf
Ströme → Indos [1], Jhelum (→ Hydaspes), Chenāb
(→ Akesines [2]), Rāvī (→ Hydraotes) und Sūtlaj-Beas
(Zadadros, Ptol. 7,1,27, Sydrus, Plin. nat. 6,21,63 und
→ Hyphasis). Obwohl schon den → Achaimenidai bekannt, gelangte der P. erst durch die Alexanderzüge in
das griech. geogr. Bewußtsein. 326 v. Chr. eroberte
Alexandros [4] den P. bis zum Hyphasis, doch kam es
kaum zur Gründung griech. Siedlungen; der P. wurde
vielmehr von als → Satrapen eingesetzten indischen
Fürsten verwaltet. Bald nach dem Tode Alexanders
wurde der P. Zentrum der Erhebung von → Sandrakottos und damit ein Teil des neuen Maurya-Reiches
(→ Mauryas). Nach dessen Untergang, im 2. und 1. Jh.
v. Chr., war der P. Teil der indogriech. Königreiche
(→ Indogriechen). Seine Hellenisierung blieb weiterhin
gering und ist arch. kaum belegbar. In der griech.-röm.
Lit. ist der P. entweder ein fernes, unbekanntes Land
(Philostr. Ap., Ptol.) oder ein Schauplatz der Alex-
andergesch. (Strab. 15,1; Diod. 17; Arr. an. 6).

K. KARTTUNEN, India and the Hellenistic World, 1997.

K. K.

Panegyrici Latini

Panegyrici Latini. Elf gemeinsam überl. lat. Reden
auf Kaiser bilden zusammen mit Plinius' [2] Dankrede
an Traianus (die als klass. Muster vorangestellt und als
einzige auch unabhängig überl. ist) die sogenannten
P. L. Die elf Reden sind in Gallien in den J. 289 bis 389
n. Chr. gehalten worden, aus unterschiedlichen Anlässen, die meisten in Gegenwart eines Augustus oder Caesar (→ Tetrarchie; Paneg. 7 vor Maximianus [1] und
Constantinus [1] I.). Einige Redner sind mit Namen
bekannt: Eumenius (erst Redelehrer, dann kaiserlicher
Minister, zuletzt – um 300 – Schulleiter in Augustodunum, h. Autun: Paneg. 9), → Nazarius (Paneg. 4), Claudius Mamertinus (Inhaber hoher Ämter unter Iulianus
[11], Valentinianus und Valens: Paneg. 3), Latin(i)us
→ Pacatus Drepanius (Redelehrer und Dichter – seine
Gedichte sind nicht erh. –, befreundet mit → Ausonius,
der ihm mehrere Werke widmete: Paneg. 2). Die erh.
Hss. gehen auf einen – jetzt verlorenen – Codex zurück,
der 1433 von Johannes AURISPA in Mainz entdeckt wurde.

→ Panegyrik; PANEGYRIK

ED.: R. A. B. MYNORS, 1964 · D. LASSANDRO, 1992.
KOMM.: C. E. V. NIXON, B. S. RODGERS, In Praise of Later
Roman Emperors, 1994.
LIT.: T. D. BARNES, Emperors, Panegyrics, Prefects,
Provinces and Palaces (284–317), in: Journal of Roman
Archaeology 9, 1996, 532–552 · M. MAUSE, Die
Darstellung des Kaisers in der lat. Panegyrik, 1994 ·
B. MÜLLER-RETTIG, Der Panegyricus des Jahres 310 auf
Konstantin den Großen, 1990.   J. D.

Panegyricus Messallae

Panegyricus Messallae. Im Corpus Tibullianum
(Tib. 3,7 = 4,1; vgl. → Tibullus) überl. Lobgedicht eines
unbekannten Verf. auf M. → Valerius Messalla Corvinus
in 212 Hexametern, das diesen als idealen Redner und
Feldherrn zeichnet. Da der Text auf Messallas Konsulat
anzuspielen scheint (V. 118–134), dürfte er nach seinem
Konsulatsantritt 31 v. Chr. entstanden sein; daß sein
Triumph 27 v. Chr. nicht erwähnt wird, sollte als *terminus ante quem* gewertet werden. Dann besäße der
P. M. zeitliche Priorität gegenüber sprachlich vergleichbaren Passagen augusteischer Dichter (V. 2–8: Prop.
2,10,5f.; V. 209: Hor. carm. 2,20,1–3; V. 123–126:
Verg. Aen. 1,126f.), was allgemein für unmöglich gehalten wird. In diesem Fall bleibt nur die Annahme einer Entstehungszeit nach 20 v. Chr.
→ Panegyrik II.

ED.: H. TRÄNKLE, Appendix Tibulliana, 1990 (mit Komm.);
→ Tibullus.
LIT.: ALBRECHT, 606 (Lit.) · L. DURET, Dans l'ombre des
plus grands: I. . . . époque augustéenne, in: ANRW II 30.3,
1983, 1453–1461 · R. PAPKE, P. M. und Catalepton 9, in:
P. KRAFFT, H. J. TSCHIEDEL (Hrsg.), Concentus hexacordus,
1986, 123–167.   A. GL.

Panegyrik

Panegyrik I. GRIECHISCH
II. RÖMISCH III. BYZANTINISCH

I. GRIECHISCH

Der Begriff P. ist eine moderne Weiterbildung zu
πανηγυρικός (*panēgyrikós* sc. λόγος/*lógos*); der griech.
Begriff bezeichnet eine Rede, die während einer
πανήγυρις (*panḗgyris*), »Festversammlung«, gehalten
wurde, z. B. bei den Olympischen Spielen – wirklich
oder in der Fiktion. In diesem Sinne bezeichnete zuerst
→ Isokrates seine vierte Rede (389 v. Chr.) als *Panēgyrikós* (Isokr. or. 59 und 84, 12,172; Brief 3,6; vgl. Aristot.
rhet. 1408b 15–17).

Im weiteren Sinne gehören zur panegyr. Beredsamkeit die Formen der epideiktischen Gattung (»Schau-
rede«, *epídeixis*; → genera causarum); in den rhet. Traktaten der Spätant. bezeichnet *panēgyrikós* (= *p.*) das dritte
der Genera (εἴδη, *eídē*) der → Rhetorik und ersetzt damit
den Ausdruck »epideiktisch« (vgl. Sopatros 4,63,10–12
WALZ; Syrianos 10,56 RABE; Nikolaos von Mira, Progymnasmata 3,16–17 FELTEN). In der *Ars rhetorica* des
(Ps.-)Dionysios [18] von Halikarnassos findet sich die
einzige erh. Abh. zur »panegyr. Rede«, in der diese ausdrücklich so bezeichnet wird (3. Jh. n. Chr.; [1]). Dagegen wird in den Traktaten des → Genethlios und des
→ Menandros [12] Rhetor unter den epideiktischen
Redearten die panegyr. Rede nicht behandelt, auch
wenn Menandros Beispiele für während einer Festversammlung zu haltende Reden bringt (für Apollon
Sminthiakos; *klētikós*, die Einladungsrede: Menandros
Rhetor 437–446 SPENGEL).

Obwohl spätere *panēgyrikoí* seinen Namen übernehmen, bleibt der isokratische *Panēgyrikós* also ein Uni-
cum: Er distanziert sich ebenso von der Prunk- wie von

der beratenden Rede und beansprucht durch sein »Erteilen von Ratschlägen« (συμβουλεύειν, *symbuleúein*) zum Krieg gegen die Perser höchste polit. und didaktische Bed. (der Redner als Lehrer der besten Bürger). Bei den spätant. Rhetoren wurde dieser P. deshalb – wie auch Demosthenes' [2] ›Kranzrede‹ (or. 18, Περὶ στεφάνου, lat. *De corona*) – als ein *genus mixtum* (gemischte Gattung) verstanden. Diese gehört zur Gattung der Gerichtsrede, flicht aber einen Vorwurf des Aischines mit ein; der P. des Isokrates ist formal beratend, behandelt aber auch enkomiastische Aspekte.

Der erste Beleg für P. im technischen Sinne steht im zweiten Buch der ›Rhetorik‹ des → Philodemos (1,102, Z. 21–26 SUDHAUS), das wohl aus dem ›Symposion‹ des Epikuros (21,4 p. 185 ARRIGHETTI) zitiert (vgl. Bd. 3, p. 49, Z. 18 ff. SUDHAUS): Die »polit.« und die »panegyrische« (ἡ πολιτική, ἡ πανηγυρική) sind zwei kontrastierende Typen der sophistischen → Bildung, d. h. P. (Syn. zu »epideiktisch«) ist Gegenbegriff zur Beredsamkeit der »echten Kämpfe« (ἀληθινοὶ ἀγῶνες), d. h. zur polit. und gerichtlichen Beredsamkeit (vgl. Philod. 2,263, Z. 15 SUDHAUS [2]; vgl. [3]). Diese Einteilungen gehören in den Umkreis der Diskussion um den Kunst- (*téchnē*-) Charakter der Rhet. (vgl. [4]). Nur der panegyr. (im Gegensatz zur gerichtlichen und beratenden) Beredsamkeit gesteht Epikuros wohl eine Reihe von fixen Elementen oder Prinzipien zu, die als Regeln gelernt werden können und aufgrund von deren Logik und Systematik man die Rhet. als Kunst bezeichnen könne (allerdings als eine der unbedeutenderen Künste, die den Philosophen nicht interessieren).

Die Gegenüberstellung von panegyr. Rhet. und »echten Wettkämpfen« findet sich auch bei → Dionysios [18] von Halikarnassos, der das Adjektiv *p.* als Syn. zu »epideiktisch« verwendet (Dion. Hal. Lysias 16; [1]), um eine effektvolle Rede für gemeinsame Festlichkeiten zu bezeichnen wie etwa den *Olympiakós* des Lysias (Lys. 29,1), dessen Stil demjenigen der Gerichts-Rhet. entgegengesetzt ist (Dion. Hal. de Demosthene 4,5). Die künstliche und von den »echten Wettkämpfen« (Dion. Hal. ebd. 8,2) losgelöste panegyr. Rhet. paßt sich der großen Masse an (Dion. Hal. ebd. 44,2) und setzt alle Mittel ein, um die Hörerschaft zu beeindrucken: Antithesen, Assonanzen und Parallelismen; vgl. Dion. Hal. comp. 23,23; vgl. auch Ps.-Hermogenes, *Perí heuréseōs* 3,13; 4,1: »panegyr.« ist das, was dazu beiträgt, den Eindruck eines Höhepunktes (*akmḗ*) hervorzurufen [5. 46]. Das Adj. *p.* wird von Dionysios v. a. auf Isokrates, aber auch auf Demosthenes und dessen stilistische Vielfalt angewendet (Dion. Hal. ebd. 8,19) – nicht immer im positiven Sinne: Der Terminus erscheint in Verbindung mit θεατρικός (*theatrikós*, »theatralisch, gekünstelt«; Dion. Hal. comp. 22,35) und μειρακιώδης (*meirakiódēs*, »kindisch«), um einen an Klangfiguren reichen, auf die ἀπάτη (*apátē*, »Täuschung«) und ψυχαγωγία (*psychagōgía*, »Verführung«) des Publikums berechneten Stil zu kennzeichnen, der dem der Tragödie ähnelt (vgl. Plut. praecepta gerendae rei publicae 6,802e; Plut. de liberis educandis 9,7a).

Ein einzigartiger Gebrauch des Ausdrucks *p. lógos* findet sich im Traktat *Perí idéōn* des → Hermogenes [7] von Tarsos (vgl. [5]): Dort wird die Rede in zwei Hauptkategorien unterteilt: den πολιτικὸς λόγος (*politikós lógos*, die beratende, gerichtliche und epideiktische Beredsamkeit) und den π. λόγος (*p. lógos*, eine allg. Bezeichnung für die übrige Lit.). Die erste findet ihre vollkommene Verwirklichung in Demosthenes und ist höherwertig als die zweite, deren stilistische Idealform von Platon erreicht wird (Hermog. 2,10; 387,5 ff.). Vertreter dieses zweiten Genus sind aber auch → Xenophon, der Sokratiker Aischines [1], der Sophist Nikostratos [10], die Geschichtsschreiber und Dichter (v. a. Homeros): So umfaßt der *p. lógos* am Ende die gesamte Lit. im modernen Sinne. Vielleicht steht am Ursprung der Entwicklung des Konzepts durch Hermogenes der Umstand, daß er unter »panegyr.« zunächst diejenige Lit. subsumieren wollte, welche (wie die homer. Dichtung) vor einem großen Publikum rezitiert wurde [5. 47³⁴].

→ Epideiktische Dichtung; Epideixis; Genera causarum; PANEGYRIK

1 H. USENER, L. RADERMACHER (ed.), Dionysius Halicarnassensis, Bd. 6 (Opuscula), 1929 (Ndr. 1965 u. ö.), 254–260 2 S. SUDHAUS (ed.), Philodemus, Volumina rhetorica, 2 Bde., 1892 und 1896, Bd. 3 (Suppl.), 1895 (Ndr. 1964) 3 J. HAMMERSTAEDT, Der Schlußteil von Philodems drittem Buch über Rhetorik, in: CE 22, 1992, 9–117 4 M. FERRARIO, La concezione della retorica da Epicuro a Filodemo, in: R. S. BAGNALL (Hrsg.), Proceedings of the XVI Int. Congr. of Papyrology, 1981, 145–152 5 I. RUTHERFORD, Canons of Style in the Antonine Age. Idea-Theory in Its Literary Context, 1998, 43–47. S. FO.

II. RÖMISCH

A. BEGRIFF UND RHETORISCHE EINORDNUNG
B. SITZ IM LEBEN   C. TOPIK

A. BEGRIFF UND RHETORISCHE EINORDNUNG

Röm. Autoren folgen zunächst dem unter I. genannten Sprachgebrauch von *panēgyrikós* (Cic. orat. 37; Quint. inst. 3,4,14). Doch weist Quintilian darauf hin – ohne diesen Reden den Wahrheitsgehalt abzusprechen (inst. 2,10,11) –, daß der besondere rednerische Aufwand dem Genuß eines breiten Publikums diene. In der Spätant. wird mit lat. *panegyricus* speziell eine Lobrede auf den Herrscher bezeichnet (auch der überl. Titel *Panegyricus* von Plinius' [2] Dankrede an Traianus – s. auch → *Panegyrici latini* – stammt wahrscheinlich erst aus der Spätant.; vgl. Lact. inst. 1,15,13: ›So machen es die, die selbst bei schlechten Königen mit verlogenen *panegyrici* schmeicheln‹); dies bleibt auf das Lat. beschränkt. Bei den Griechen sagt man → *enkómion* auch für Reden auf den Kaiser. Für die Gattungsgesch. ist es zweckmäßig, unter P. auch Texte einzubeziehen, die in größerem Umfang panegyr. Topoi enthalten, ohne als ganze *Panegyrici* zu sein. Dabei sollte man unter dem Begriff P. aber nicht jeden beliebigen Text lobenden Inhalts subsumieren, sondern ihn, im Einklang mit seiner ant. Verwendung, auf das Lob gesellschaftlicher Instanzen (z. B. von Städten) festlegen. Lobreden sind im übrigen oft zugleich Tadelreden, da sie zum Ideal das Gegenbild entwerfen können. Isokrates z. B. verbindet mit der Verherrlichung Athens die Herabsetzung der Perser, Plinius mit dem Lob des Traianus die Verurteilung des Domitianus; Libanios preist Iulianus und schmäht Constantius II.

Von der ant. systematischen Rhet. werden die lobenden und tadelnden Prosagattungen zum *génos epideiktikón*, lat. *genus demonstrativum*, zusammengefaßt (→ *genera causarum*). Gerade der klass. *Panēgyrikós* des → Isokrates gehört freilich weniger zu diesem als zum *génos symbuleutikón* (Beratungsrede), denn er formuliert ein polit. Ziel: den gemeinsamen Krieg aller Griechen gegen die Perser. Das in der Rede breit entfaltete Lob Athens soll den athenischen Führungsanspruch begründen. Selbst kaiserzeitliche Herrscher-Enkomien können symbuleutische Elemente enthalten. V. a. können sie, insofern sie dem Lob vorbildlicher Herrschaft dienen, als mögliche Mahnung an schlechte Kaiser aufgefaßt werden (Plin. paneg. 1,4,1; 20,5 u. ö.), also → »Fürstenspiegel« sein. Sie können aber z. B. auch um materielle Hilfe für ein Gemeinwesen oder für einzelne Personen bitten, so bes. paneg. 9 der → *Panegyrici Latini*, aber auch paneg. 6, beide für die Stadt Augustodunum (h. Autun), paneg. 6 zugleich für die Söhne und Schüler des Redners.

B. SITZ IM LEBEN

Elemente des Herrscherlobs finden sich schon im frühgriech. Epos (Hom. Od. 19,109–114: ›Die Gerechtigkeit des gottesfürchtigen Königs läßt das Land gedeihen‹), dann v. a. in Epinikien (→ *epiníkion*). Im → *epitáphios* werden die Leistungen der Polis zum Gegenstand der Lobrede, wenn der Redner aufzeigt, wofür die im Krieg Gefallenen ihr Leben hingegeben haben. Hier kann der *Panēgyrikós* des Isokrates ansetzen. Auch sein *Euagóras* wird zum Modell als die erste Schrift, die einen verstorbenen zeitgenössischen Fürsten idealisiert, mit erzieherischer Absicht bes. im Hinblick auf dessen Sohn.

Im republikanischen Rom bietet die → *Laudatio funebris* die Gelegenheit, verstorbene Persönlichkeiten und ihre Vorfahren zu preisen. Wenn ein Politiker einen Bürger in den Mittelpunkt seines Plädoyers stellt, wie Cicero in *De imperio Cn. Pompei*, kann er streckenweise (27–48) zum Panegyristen werden. Ähnlich Redner vor Gericht, wenn sie z. B. – wie wiederum Cicero – an die *clementia* (»Milde«) eines mächtigen Richters (Caesar) appellieren müssen (*Pro Ligario*, *Pro rege Deiotaro*; panegyrisch auch *Pro Marcello*). Um für diese monarchische Tugend bei Kaiser Nero zu werben, läßt dann Seneca in *De clementia* alle Mittel des Herrscherlobes spielen.

Möglichkeiten des Rühmens bietet traditionell das → Epos, aber auch kleinere Gedichte. Die P. dieser Gattungen entfaltet sich voll in der Kaiserzeit (z. B. Verg. Aen. 6,791–805; Hor. carm. 1,2; 4,2; 4,5; Lucan. 1,33–66; Stat. silv. 1,1), namentlich in der Spätant. (→ Claudianus [2], → Corippus, → Venantius Fortunatus u. a.).

Aus dieser Epoche sind zahlreiche Lobreden auf Kaiser erhalten, darunter die 11 Reden der → *Panegyrici Latini*. Weitere lat. *panegyrici* dieser Epoche stammen von → Symmachus. In späterer Zeit ist → Ennodius hervorzuheben. Unter den Griechen sind als Panegyristen hervorgetreten Ailios → Aristeides [3], → Eusebios [5], → Libanios, Themistios, → Prokopios.

C. TOPIK

Die panegyrische Topik folgt den Wert- und Glücksvorstellungen der jeweiligen Ges. Im Zentrum stehen die Tugenden, wobei die kriegerischen (Mut, Strenge, strategisches Geschick) mehr bewundert, die friedlichen (wie Frömmigkeit, Gerechtigkeit, Milde, Freigebigkeit, rednerische, auch musische Begabung) mehr geliebt werden. Auf die Zusammenstellung dieses »Tugendkatalogs« ist seit Platon der Einfluß der Philos. am größten. Zu den Topoi gehören ferner, bezogen auf Gemeinwesen wie auf Monarchen, die Liebe der Götter (bzw. Gottes), die gesegnete Natur der Heimat, das Alter der Stadt oder der Familie, Verdienste der Vorfahren, Voraussagen (Siege, Ausdehnung des Reiches, glückliches Zeitalter), das meiste davon in der gesamten Ant., wenngleich bestimmte Züge in bestimmten Epochen oder Einzelfällen stärker betont werden (z. B. Abstammung von den Göttern in vorchristl. Zeit, Adel im archa. Griechenland, Freiheit im Athen des 5./4. Jh. v. Chr., Weltherrschaft unter Augustus, Sicherung des Reiches in der Spätant.). Gern beteuert der Lobredner, er schmeichle nicht, bleibe mit seinen Worten weit hinter der Wirklichkeit zurück usw. Zur Topik speziell des Herrscherlobs gehören Hinweise auf körperliche Schönheit und Vergleiche mit Gestirnen, vorzugsweise der Sonne. Die Topoi sind auch in die rhet. Vorschriften eingegangen; vgl. bes. die des → Menandros zum *basilikós lógos*, zur Rede vor dem Herrscher. Die röm. P. wurde im MA und in der frühen Neuzeit hochgeschätzt und nachgeahmt.

→ Enkomion; Fürstenspiegel; Invektive; Laudatio funebris; Panegyrici Latini; FÜRSTENSPIEGEL; PANEGYRIK

K. ZIEGLER, s. v. Panegyrikos, RE 18.3, 559–581 · T. PAYR, s. v. Enkomion, RAC 5, 332–343 · L. PERNOT, La rhétorique de l'éloge dans le monde gréco-romain, 1993 · M. WHITBY (Hrsg.), The Propaganda of Power. The Role of Panegyric in Late Antiquity, 1998 · F. BITTNER, Stud. zum Herrscherlob in der mlat. Dichtung, 1962 · S. FÜSSEL, Riccardus Bartholinus Perusinus. Humanistische P. am Hofe Kaiser Maximilians I., 1987.   J. D.

III. BYZANTINISCH

Im Sprachgebrauch der byz. Zeit wird der Begriff P. (ἐγκώμιον/*enkómion*) auf Lobreden zu Ehren von → Heiligen oder Würdenträgern beschränkt und klar von der → *ékphrasis* unterschieden. Hagiographische P. auf Heilige und ihre Feste spielten eine bed. Rolle. P. in Prosa oder Versform wurde am Kaiserhof zu Anlässen wie Hochzeiten, Begräbnissen oder Siegesfeiern vorgetragen, P. auf Kaiser und Patriarch war Bestandteil der

Feiern an bestimmten kirchlichen Festtagen. Seit dem
späten 11. Jh. wurde P. auch zunehmend auf Privatpersonen verfaßt.

HUNGER, Literatur 1, 120–132.   AL.B.

Panes aedium (»Haus-Brot«) heißt eine bes., im allg.
Rahmen der Getreide- und Brotverteilung an die Zi-
vilbevölkerung der beiden Hauptstädte Rom und Konstantinopel (*annona civica*) gewährte Brotration an Personen, die ein Haus in Konstantinopel errichteten. Das
von Constantinus [1] eingerichtete und von Constantius [2] II. bestätigte Privileg diente dazu, ein rasches
Wachstum Konstantinopels zu gewährleisten. Ob das
Privileg an Erben oder Käufer weitergegeben werden
konnte, ist in der Gesetzgebung (Cod. Theod. 14,17,1
und 12) widersprüchlich geregelt.

G. DAGRON, Naissance d'une capitale, ²1984, 504.   B.BL.

Pangaion (Πάγγαιον, Παγγαῖον ὄρος). In der Ant. be-
waldeter Gebirgszug (bis 1956 m H), der sich isoliert
von anderen Bergrücken parallel zur nordägäischen Küste zw. dem unteren → Strymon und Kavalla hinzieht
(25 km lang, 16 km breit); auch h. noch P. genannt.
Mit seinen reichen Gold- und Silbervorkommen stand
er im Zentrum ständiger Auseinandersetzungen (Strab.
7a,1,34). Die Erzförderung begann wohl im 7. Jh.
v. Chr. durch die Pieres, → Odomantoi und → Satrai
(Hdt. 7,112), aber auch durch → Thasos und die Städte
seiner → *peraía*.

Sehr früh zeigte Athen Interesse am P.: Der Tyrann
→ Peisistratos [4] soll vom P. die Mittel für sein Söldnerheer bezogen haben (Aristot. Ath. pol. 15). Das P.
war Ziel des Histiaios [1], als er → Myrkinos gründete
(Hdt. 5,11; 124). Nach dem Rückzug der Perser versuchten die Athener erneut, das P. zu gewinnen (Expeditionen des Miltiades [2] 489, Hdt. 6,132, und des
Kimon [2] 462 v. Chr.). Damals besetzten die Athener
→ Thasos, aber erst 438 verschafften sie sich Zugang
zum P. und gründeten → Amphipolis. Nach dem
→ Peloponnesischen Krieg stellte Thasos seine Kontrolle über das P. wieder her und gründete Krenides. 359
v. Chr. wurde das P. von Philippos II. erobert. Die Edel-
metallvorkommen des P. waren auch in hell. und röm.
Zeit noch nicht erschöpft. Als im 2. Jh. v. Chr. der
Thraker → Abrupolis bei dem Versuch, das P. zu besetzen, von dem Makedonenkönig Perseus [2] vertrieben
wurde, nahm Rom dies zum Anlaß, diesem den Krieg
zu erklären (Pol. 22,18,2).

H. J. UNGER, E. SCHÜTZ, P. Lagerstättenkundliche,
bergbauliche und top.-arch. Unt., 1980.   I.v.B.

Panhellenes, Panhellenismus. Die Idee des Panhellenismus beruht auf der Neigung, den Gemeinsamkeiten, die alle Griechen als Griechen verbinden, größere
Bed. zuzumessen als dem Bewußtsein von Unterschieden. »Panhellenismus« ist kein in der Ant. gebrauchter
Begriff, obgleich in der ›Ilias‹ (2, 530) und anderswo in
der frühgriech. Dichtung *Panhéllenes* zur Bezeichnung

der Griechen verwendet wird (Hes. erg. 528; Archil. fr.
102 WEST). Der Troianische Krieg (s. → Troia) wurde als
Unternehmen dargestellt, zu dem sich die Griechen zusammenschlossen, um Helene [1] von den Troianern
wiederzugewinnen – doch werden letztere von Homer
nicht als ausgeprägt ungriech. gezeichnet.

In der archa. Zeit wird die Entwicklung panhellen.
Heiligtümer, etwa in → Delphoi und → Olympia, ein
Gemeinschaftsgefühl der Griechen gefördert haben:
Nicht-Griechen konnten zwar das Orakel befragen und
Weihgeschenke aufstellen (z.B. Kroisos: Hdt. 1,46–51),
aber nur Griechen durften sich in den Spielen messen
(Hdt. 5,22 zu Alexandros [2] von Makedonien) [6. 18–
44]. Griechen, die außerhalb Griechenlands in enger
Nachbarschaft zu Nicht-Griechen lebten, werden sich
ihres Griechentums bes. bewußt geworden sein: Nach
dem Untergang des → Kroisos wandten sich die Griechen Kleinasiens an Sparta, das Kyros [2] verbot, den
Griechen Schaden zuzufügen (Hdt. 1,152f.), ohne jedoch wirklich Taten folgen zu lassen. Anf. des 5. Jh.
v. Chr. vereinigten sich die Griechen in Asien gegen die
Perser im → Ionischen Aufstand.

Das Selbstbewußtsein der im Mutterland lebenden
Griechen erhielt durch ihren Widerstand gegen den
Angriff der Perser in den J. 490 und 480–479 v. Chr. und
durch die Gründung des → Attisch-Delischen Seebundes (477) als Bündnis zur Fortsetzung des Krieges gegen
Persien eine neue Richtung: Griechen und (persische)
»Barbaren« wurden schließlich als gegensätzliche Pole
dargestellt [5], → *mēdismós* galt als Hochverrat. Im
→ Peloponnesischen Krieg (431–404) jedoch suchten
Athener wie Spartaner, die Hilfe der Perser im Kampf
gegeneinander zu gewinnen; seit 412 war Sparta erfolgreich und erhielt Unterstützung gegen Athen. Nichts-
destoweniger gibt es bei → Aristophanes [3] Anzeichen
für die Befürchtung, die Perser könnten die Griechen
angreifen, solange diese uneins seien und um pers. Unterstützung nachsuchten (Aristoph. Pax 105–108; Aristoph. Lys. 1128–1135). Auch in Sparta waren → Lichas
[3] und bes. Kallikratidas [1] darüber besorgt (bes. Xen.
hell. 1,6,7), daß man im Kampf gegen Mit-Griechen
pers. Hilfe in Anspruch nahm. Der → Königsfrieden
von 386 v. Chr., der die Griechen Kleinasiens wieder
unter pers. Herrschaft brachte, wurde als Verrat großen
Ausmaßes gesehen. Das Argument, die große Zeit der
Griechen sei damals gewesen, als sie sich gegen die Perser zusammenschlossen, anstatt gegeneinander zu käm-
fen, sie sollten daher wiederum einen Krieg gegen Persien führen, um ihre Einheit und Größe zurückzugewinnen, hatte schon → Gorgias [2] gebraucht (Philostr.
soph. 1,9,2 = DIELS/KRANZ 82 A 1,4); es wurde von
→ Lysias [1] (Lys. 33) wiederaufgenommen und zum
ständigen Thema in den Schriften des → Isokrates
[1. 144–167; 3; 7. 306–317]. Der Zug gegen das Perserreich, geplant von Philippos II. von Makedonien und
durchgeführt von → Alexandros [4] d.Gr., war teilweise
von dieser Vorstellung beeinflußt. Zur Bezeichnung
Panhéllenes für die Gesandten des von Kaiser Hadrian
gegründeten Bundes griech. Staaten s. → *Panhellénion*.

1 N. H. Baynes, Byzantine Stud. and Other Essays, 1955
2 J. Dillery, Xenophon and the History of His Times,
1995, 41–119 3 G. Dobesch, Der Panhellenische Gedanke
im 4. Jh. v. Chr. und der »Philippos« des Isokrates, 1968
4 P. Green, The Metamorphosis of the Barbarian: Athenian
Panhellenism in a Changing World, in: R. W. Wallace,
E. M. Harris (Hrsg.), Transitions to Empire, 1996, 5–36
5 E. Hall, Inventing the Barbarian, 1989 6 C. A. Morgan,
The Origins of Pan-Hellenism, in: N. Marinatos, R.
Hägg (Hrsg.), Greek Sanctuaries: New Approaches, 1993
7 S. Perlman, Isocrates' »Philippus«: A Reinterpretation, in:
Historia 6, 1957, 306–317. P. J. R.

Panhellenion (Πανελλήνιον). Das *P.* war eine Organisation griech. *koiná* (→ *koinón*) und *póleis*, die von Kaiser → Hadrianus 131/2 n. Chr. gegründet wurde. Die Aktivitäten des *P.* waren hauptsächlich rel. und zeremoniell. Nach Ausweis des vornehmlich inschr. Befundes war die Mitgliedschaft auf das begrenzte Gebiet der ägäischen Provinzen (→ Aigaion Pelagos) beschränkt. Die Aufnahmekriterien betonten Loyalität zu Rom und, im Fall der überseeischen Städte, Verwandtschaft (*syngéneia*) mit den Griechen Europas. Die Mitgliedsstädte entsandten Vertreter mit dem Namen *Panhéllēnes* zu einem → *synhédrion*, das unter der Leitung eines *árchōn* (→ *árchontes* [1]) in Athen tagte. Die *Panhéllēnes* pflegten enge Beziehungen zu → Eleusis [1], wo sie Weihungen vornahmen. Als Priester im → Kaiserkult standen die *Panhéllēnes* dem Kult des Hadrianus *Panhellénios* (und später auch dessen Nachfolger) sowie dem damit verbundenen und seit 137 n. Chr. alle vier Jahre stattfindenden Fest der *Panhellénia* vor. Die Schaffung des *P.* spiegelt die röm., v. a. hadrianische, Idealisierung des alten Griechenland sowie das zeitgenössische Prestige der eleusinischen Mysterien wider. Die Griechen in den Provinzen reagierten offenbar höchst unterschiedlich auf die Gründung des *P.*

S. Follet, D. Peppas-Delmousou, Le décret de Thyatire
sur les bienfaits d'Hadrien et le »Panthéon« d'Hadrien à
Athènes, in: BCH 121, 1997, 291–309 • C. P. Jones, The P.,
in: Chiron 26, 1996, 29–56 (mit abweichender Deutung) •
J. H. Oliver, Marcus Aurelius: Aspects of Civic and
Cultural Policy in the East, 1970 • A. J. S. Spawforth, The
P. Again, in: Chiron 29, 1999, 339–252. A. SPA.

Panhellenismus s. Panhellenes, Panhellenismus

Panionia s. Panionion

Panionion (Πανιόνιον). Zentralheiligtum der ionischen → *amphiktyonía* auf der Mykale (Hdt. 1,142 f.; 148; h. Dilek Yarımadası), die hier das Fest der *Paniónia* mit einer *panégyris* (»Festversammlung«) und mit Stieropfer für Poseidon Helikonios (d. h. von Helike: Strab. 8,7,2) beging (Hom. Il. 403 f.). Dem → Marmor Parium (IG XII 5, 444) zufolge 1086/5 v. Chr. gegr. (vgl. Paus. 7,4,10), nach Kleiner [1. 9] erst anläßlich der Zerstörung von → Melia (auf dessen Gebiet das *P.* lag) zw. 663 und 657 v. Chr., gehörte das *P.* seitdem zu → Priene

(IPriene Nr. 37; Vitr. 4,1,4) und wurde mit dessen Neugründung Mitte des 4. Jh. an den Nordfuß des Gebirges beim h. Güzelçamlı verlegt (der Altar auf dem Otomatik Tepe ebenda ist nicht archa., das Buleuterion mit halbrundem Koilon nicht vor Mitte des 4. Jh. möglich). Auf dieses jüngere *P.* bezieht sich Strab. 8,7,2.

In histor. Zeit waren 12 Städte im *P.* vereinigt (Hdt. 1,142) mit Miletos [2] und Ephesos an der Spitze. In den J. 546, 497 und letztmalig 494 v. Chr. faßten die *próbuloi* (»Ratsmitglieder«) des Bundes im *P.* wichtige polit. Beschlüsse (Hdt. 1,141; 170; 5,109; 6,7). Mit der Niederlage der Iones gegen die Perser bei → Lade 494 v. Chr. endet die Gesch. des bis h. nicht sicher lokalisierten archa. *P.* Nach der Erneuerung des Bundes und der *Paniónia* (IPriene Nr. 490) – ihre Verlegung nach Ephesos (Diod. 15,49,1) bezweifelt von [2] – besetzte Priene das Priesteramt (IPriene Nr. 201 ff.; Strab. 8,72; 14,1,20), die Abgeordneten hießen nun *basileís* [1. 60]. Der Herrscherkult bildete die vornehmste Funktion des nun polit. bedeutungslosen *koinón*, das bis ins 3. Jh. n. Chr. existierte. Die *Paniónia* der Kaiserzeit fanden in den großen Städten des Bundes (Phokaia, Smyrna) statt.

1 G. Kleiner u. a., P. und Melie, 1967 2 P. J. Stylianou,
Thucydides, the Panionian Festival, and the Ephesia (III
104) Again, in: Historia 32, 1983, 245–249.

L. Prandi, La rifondazione del P. e la catastrofe di Elice, 373
a. C, in: M. Sordi (Hrsg.), Fenomeni naturali e avvenimenti
storici nell'antichità, 1989, 43–59 • G. Ragone, La guerra
meliaca e la struttura originaria della lega ionica in Vitruvio
4,1,3–6, in: RFIC 114, 1986, 173–205 • F. Sokolowski,
Règlement relatif à la célébration des Panionia, in: BCH 94,
1970, 109–112. H. LO.

Panis

[1] Laut Serv. auct. georg. 1,7 der sabinische Name für → Ceres. Verm. nahm P. im Pantheon der → Sabini den Platz einer Gottheit mit agrarischem Charakter ein, deren genaue Funktion sich jedoch nicht näher bestimmen läßt. Als Erklärungsversuch für die Übersetzbarkeit von Ceres mit P. scheidet das Verdrängen bzw. Absorbieren einer sabin. Gottheit durch die ital. bzw. röm. Göttin Ceres aus. Wahrscheinlich handelt es sich bei der Gleichsetzung um spätere gelehrte Interpretation. Die attraktive Hypothese einer Verwandtschaft der beiden Gottheiten durch gemeinsame unterital. Einflüsse können heutige Etym. nur unzureichend stützen: So ist direkte Herleitung von P. aus messap. *panós* (»Brot«, Athen. 3,111c; vgl. lat. *pānis*) bzw. *Pámpanon*, dem Namen der Demeter in Herakleia [10]? (Hesych. s. v. Πάμπανον), auch wenn in allen Fällen von einem Wortstamm *pān*- auszugehen ist, unsicher. HE. K.

[2] **P. civilis** s. Panes aedium

Pankrates (Παγκράτης).
[1] Musiker, gemäß Aristoxenos [1] Nacheiferer des archa. Stils (*trópos*) von Pindar und Simonides (Plut. de musica 1137f). RO. HA.

[2] Hell. Dichter (3./2. Jh. v. Chr.), Verf. des Lehrgedichts Θαλάσσια ἔργα (›Meereswerke‹), von dem drei Fr. über den Lotsenfisch, den Lippfisch und die Salpe und ihre »volkstümlichen« Namen durch Athenaios überliefert sind (der sie immer als *Arkás* bezeichnet). Sehr unsicher ist die Gleichsetzung mit dem gleichnamigen Verf. einer *Bokchorēís* (über den ägypt. König → Bokchoris) in elegischen Distichen und mehrerer Bücher (von dem ein Distichon über das seltene Wort κόνδυ von Athen. 478a zitiert wird, von [3] und FGrH 625 F 1 → P. [2] zugewiesen) und dreier Epigramme [2]; ebenso die Identität mit dem Dichter, der nach Servius das *pancratium*, einen hyperkatalektischen trochäischen Monometer, erfunden hat (SH 603).

1 SH 598–604, p. 286–288 2 GA I.1, 155; 2, 444–446 3 E. HEITSCH (ed.), Die griech. Dichterfr. der röm. Kaiserzeit, 1961, 54 4 F. STOESSL, s. v. P. (3), RE 18.3, 612–614.

[3] P. aus Alexandreia, 2. Jh. n. Chr., Epiker, Verf. eines höfischen → Epyllion über Kaiser → Hadrianus und → Antinoos [2] auf der Löwenjagd, das sehr gelehrt und im Stil pathetisch ist; Athen. 15,677d-f (= FGrH 625), der vier Hexameter über die sog. »Blume des Antinoos« überl., erzählt, wie P. sich dem Kaiser zu nähern wußte, der ihm daraufhin Unterhalt im Museion gewährte. Erh. sind zwei Pap.-Fr. (PLond. 1109b: 20 stark beschädigte Verse, und POxy. 1085: 40 erh. Verse; vgl. PACK² 1335). Zur *Bokchorēís* → P. [2]. Unsicher ist die Gleichsetzung mit dem ägypt. Magier → Pachrates, der Hadrianus mit seinen Künsten gewinnen konnte (PGM 4, 2440a–55).

1 E. HEITSCH, Die griech. Dichterfragmente der röm. Kaiserzeit, 1961, 51–54 2 F. STOESSL, s. v. P. (5), RE 18.3, 615–619. S. FO./Ü: T. H.

[4] *Ho pros syntáxei* (sc. *tōn katoíkōn hippéōn*), *archisōmatophýlax*, nach 142 v. Chr. befördert zum *tōn isotímōn tois prṓtois phílois* (s. → Hoftitel B. 2.), tätig in der *merís* Polemon. Von ihm ist ein kleines Archiv erh.

O. MONTEVECCHI u. a., Papiri documentari dell'Università Cattolica di Milano, in: Aegyptus 63, 1983, 3–102, hier: 3–27 · Ders. u. a., Papiri documentari dell'Università Cattolica di Milano, in: Aegyptus 66, 1986, 3–70, hier: 3–38 (Lit.) · S. DARIS, L'archivio di P. e i papiri di Tebtynis, in: B. G. MANDELARAS (Hrsg.), Proc. of the 18th International Congr. of Papyrology (Athens 1986), Bd. 2, 1988, 171–178. W. A.

[5] Epigrammatiker des »Kranzes« des Meleagros [8] (Anth. Pal. 4,1,18): Erh. sind zwei Weihgedichte nach Art des → Leonidas [3] von Tarent (ebd. 6,117; 356) und ein Grabgedicht (7,653: evtl. inschr.; vgl. GVI 841). Die extreme Häufigkeit seines Namens macht seine Gleichsetzung (vgl. [2], anders [3]) mit dem homonymen Verf. der *Thalássia érga* in Hexametern, einer elegischen *Bokchorēís* sowie von lyrischen Versen in einem eben nach dem Verf. *pancratium* benannten Versmaß (vgl. SH 598–603), unsicher.

1 GA I.1, 155; 2, 444–446 2 K. VON FRITZ, s. v. P. (3), RE 18, 612 3 W. PEEK, s. v. P. (2), RE 18, 612.

M. G. A./Ü: T. H.

Pankration (παγκράτιον). Neben dem → Ringen und → Faustkampf die dritte Kampfsportart im Programm griech. Agone (→ Sportfeste). Sein Ziel war es, den Gegner »völlig zu beherrschen«, wozu außer Beißen und Krallen alle Mittel erlaubt waren (Philostr. imag. 2,6,3). In der Ikonographie durch Fehlen von Faustriemen vom Boxkampf, vom Ringkampf durch die Wiedergabe des Bodenkampfes unterscheidbar (Philostr. de gymnastica 11). Die berühmte Marmorplastik in Florenz (Uffizien, Inv.Nr. 216 = [1. Abb. 37] zeigt eindeutig ein Paar Pankratiasten. Eine lebendige Schilderung des P. findet sich bei Lukianos (Anacharsis 1–4). In → Olympia angeblich 648 v. Chr. für die Männer und 200 v. Chr. (als letzte Programmerweiterung überhaupt) für die Jugendlichen eingeführt.

Bekannte → Olympionikai im P. waren z. B. Theogenes aus Thasos [2. Nr. 215; 3. Nr. 37]; der riesige Polydamas aus Skotussa [2. Nr. 348], der am persischen Königshof gegen die Leibwache des Dareios II. kämpfte (Paus. 6,5); der zweifache Periodonike (→ Periodos) Sostratos aus Sikyon [2. Nr. 420, 425, 433], der wegen seiner unangenehmen Kampfesweise den Beinamen Akrochersites (»Fingerspitzler«) erhielt (Paus. 6,4,1–2).

1 W. DECKER, Sport in der griech. Ant., 1995 2 L. MORETTI, Olympionikai, 1957 3 J. EBERT, Griech. Epigramme auf Sieger an gymnischen und hippischen Agonen, 1972.

G. DOBLHOFER, P. MAURITSCH, U. SCHACHINGER, P. (Quellendokumentation zur Gymnastik und Agonistik im Alt. 5), 1996 · M. B. POLIAKOFF, Combat Sports in the Ancient World, 1987, 54–63 · W. DECKER, Sport in der griech. Ant., 1995, 90–93. W. D.

Pannonia I. BIS ZUR UNTERWERFUNG DURCH ROM II. NACH DER TEILUNG DER PROVINZ UNTER DOMITIANUS III. NACH DER NEUORDNUNG UNTER DIOCLETIANUS

I. BIS ZUR UNTERWERFUNG DURCH ROM

Landschaft und röm. Prov., im Norden und Osten von der Donau (Istros [2]), im Süden von dem Bereich südl. des → Savus begrenzt; die Westgrenze verlief westl. der Linie Vindobona – Poetovio – Emona, h. der westl. Teil Ungarns, das slowakische Gebiet um → Gerulata, das österreichische um das Wiener Becken und das Burgenland sowie der nördl. Streifen von Slowenien, Kroatien und Serbien. Das Land wurde nach seinen urspr. Bewohnern (Παννόνιοι/*Pannónioi*, vgl. Strab. 7,5,2; Παίονες/*Paíones*, vgl. 1,1,10) benannt. Zu diesem illyrischen, einem starken keltischen Einfluß ausgesetzten Stammesverband mit Zentrum in Nord-Dalmatia und nördl. des Savus zählten u. a. die Breukoi/→ Breuci, Andizetoi, Ditiones und Periustai (Strab. 7,5,3, vgl. 7,5,10). Sein Name wurde auch auf andere

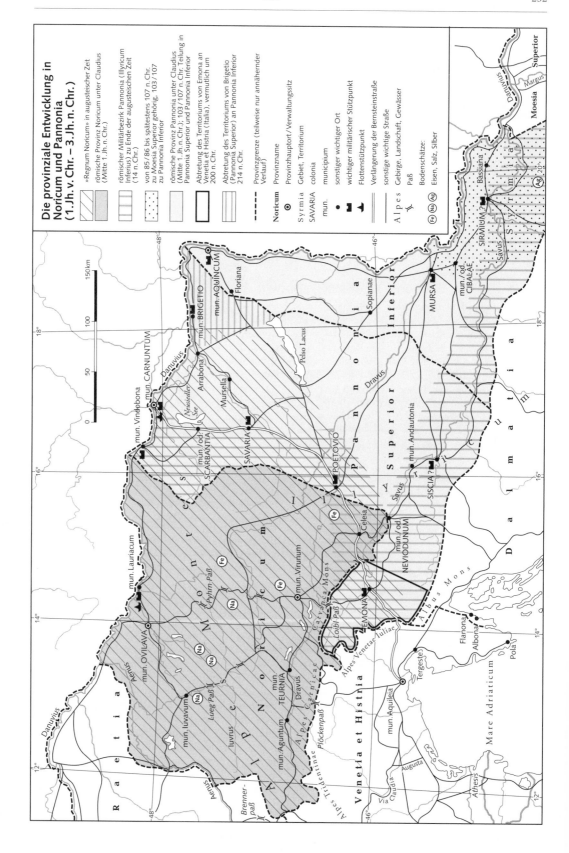

Die provinziale Entwicklung in
Noricum und Pannonia
(1.Jh. v. Chr. – 3.Jh. n. Chr.)

»Regnum Noricum« in augusteischer Zeit

römische Provinz Noricum unter Claudius
(Mitte 1.Jh. n.Chr.)

römischer Militärbezirk Pannonia (Illyricum
Inferius) zu Ende der augusteischen Zeit
(14 n.Chr.)

von 85 / 86 bis spätestens 107 n. Chr.
zu Moesia Superior gehörig, 103 / 107
zu Pannonia Inferior

römische Provinz Pannonia unter Claudius
(Mitte 1.Jh. n.Chr.); 103/107 n.Chr. Teilung in
Pannonia Superior und Pannonia Inferior

Abtretung des Territoriums von Emona an
Venetia et Histria (Italia), vermutlich um
200 n.Chr.

Abtretung des Territoriums von Brigetio
(Pannonia Superior) an Pannonia Inferior
214 n.Chr.

Provinzgrenze (teilweise nur annähernder
Verlauf)

Noricum   Provinzname

⊙   Provinzhauptort / Verwaltungssitz

S y r m i a   Gebiet, Territorium

SAVARIA   colonia

mun.   municipium

● ●   sonstiger wichtiger Ort

▪ ▪   wichtiger militärischer Stützpunkt

⚓   Flottenstützpunkt

              Verlängerung der Bernsteinstraße

              sonstige wichtige Straße

A l p e s   Gebirge, Landschaft, Gewässer

✕   Paß

              Bodenschätze:

(Fe) (Na) (Ag) Eisen, Salz, Silber

nichtkelt. Stämme übertragen und bezog sich später auf den gesamten norddalmatischen Raum bis zur Donau. Reste der h. wenig bekannten, der indeur. Gruppe zugerechneten Sprache der Pannonii finden sich u. a. in der Ortsnamengebung.

Aus röm. Sicht bildete P. urspr. den nördl. Teil des → Illyricum. Ein röm. Vorstoß in diesen Raum um 119 v. Chr. führte zur vorübergehenden Besetzung der Stadt → Siscia (Segesta), die aber erst 35 v. Chr. endgültig unter röm. Macht geriet. Auch später stießen die Römer oft auf den Widerstand der einheimischen Stämme. 9 v. Chr. schlug → Tiberius die revoltierenden Pannonii und → Dalmatae nieder (R. Gest. div. Aug. 30; Vell. 2,96). Eine neue Erhebung 6 n. Chr. konnte er erst nach harten Kämpfen niederwerfen. Um 9/10 n. Chr. war P. befriedet, wurde vom Illyricum getrennt und einem consularischen *legatus pro praetore* unterstellt. Mitte des 1. Jh. erhielt P. den Status einer eigenständigen röm. Provinz.

Bereits in Friedenszeiten wurden unter Tiberius die ersten Maßnahmen zur Sicherung der Donaugrenze unternommen, Mitte des 1. Jh. dann die bedeutendsten Lagerstädte am rechten Donauufer errichtet (→ Carnuntum, → Vindobona: Auxiliarlager? → Brigetio und → Aquincum). Die entscheidende Phase der Errichtung des pannon. Donaulimes (→ Limes V.) fällt in die Zeit der Kaiser Domitianus (81–96 n. Chr.) und Traianus (98–117 n. Chr.); in der Folgezeit wurden die Befestigungen ausgebaut. Die Legionslager waren mit einer Limesstraße untereinander verbunden, der dazwischenliegende Raum durch ein Kontrollsystem von *castella* (→ *castellum* [1 1]), *burgi* (→ *burgus*) und *turres* gesichert. Gegen E. der Regierungszeit des Traianus oblag die Grenzverteidigung den Legionen (→ *legio*) *XIV Gemina* (Carnuntum), *X Gemina* (Vindobona), *I Adiutrix* (Brigetio) und *II Adiutrix* (Aquincum). An strategisch bed. Punkten waren Hilfstruppeneinheiten, bes. Reiterabteilungen stationiert, so z. B. in Ala Nova, Aequinoctium, Gerulata, Ad Flexum, Quadrata, → Arrabona, Ad Mures, Solva, Cirpi, → Matrica, → Vetus Salina, → Intercisa [1] und → Lugio (= Florentia). Um das Vorfeld zu schützen, wurden im Barbaricum vorgeschobene Posten errichtet (z. B. Bratislava – Devín, Celemantia, Contra Aquincum, → Transaquincum, Contra Florentiam). Die Donau selbst hatte große mil. Bed. als schwer zu überwindender Fluß, aber auch als natürliche Wasserstraße. In größeren Ortschaften an der Donau, bes. im Mündungsgebiet der Nebenflüsse, sind Hafenanlagen bezeugt oder anzunehmen. Seit dem 1. Jh. n. Chr. bestand eine eigene Donauflotte (*classis Pannonica*).

In der Zeit nach dem pannon. Aufstand konsolidierte sich die röm. Herrschaft. Die urspr. in peregrinen Gaugemeinden organisierte einheimische Bevölkerung (neben anderen die → Boii, → Aravisci, Arabiates, Andizetes, → Latobici, → Varciani, Sisciani, → Breuci, Cornacates und Amantini) wurde einheimischen Offizieren (*praefecti gentis*), später einheimischen *principes* unterstellt. Die fortschreitende Urbanisierung führte schließlich

zur Auflösung der Stammesgebiete. Einen wichtigen Faktor in der → Romanisierung von P. bildete die Ansiedlung der überwiegend aus It. stammenden → Veteranen und die Erhebung einzelner Gemeinden in den Rang einer → *colonia* bzw. eines → *municipium*. Als erste *colonia* in P. wurde unter Tiberius → Emona, danach unter Claudius [III 1] → Savaria gegr.; es folgten → Sirmium und → Siscia in flavischer Zeit, → Poetovio unter Traianus und → Mursa unter Hadrianus. Parallel dazu entfaltete sich die Munizipalisierung, die nach der flavischen Zeit (→ Andautonia, → Neviodunum, Scarbantia) unter Hadrianus ihren Höhepunkt erreichte (neben anderen → Carnuntum, → Aquincum, → Mursella [1], → Cibalae).

II. Nach der Teilung der Provinz unter Domitianus

Infolge wachsender Prosperität und der röm. Expansion in Dacia (→ Dakoi) wuchs unter Domitianus (81–96 n. Chr.) und Traianus (98–117 n. Chr.) die Bed. des pannon. Raumes. Um 103/106 wurde P. in die Prov. P. superior mit drei Legionen (in Carnuntum, Vindobona und Brigetio) und P. inferior mit einer Legion in Aquincum geteilt. P. Superior wurde seit 106 von einem consularischen *legatus pro praetore* von Carnuntum aus, P. Inferior von einem praetorischen Statthalter mit Sitz in Aquincum verwaltet. Die Grenze zw. den Prov. zog sich vom Donaubogen im Norden in südwestl. Richtung am Ostufer des Lacus Pelso (h. Balaton/Plattensee) entlang weiter nach Süden. Die Eroberung von Dacia schuf günstige Bedingungen für die Weiterentwicklung der Prov. an der mittleren und unteren Donau. Im 2. Jh. n. Chr. intensivierte sich in den pannon. Städten die Herstellung von teilweise für den Export bestimmten Ton- und Metallwaren. Ein verhältnismäßig dichtes Straßennetz ermöglichte gute Verbindungen innerhalb von P. sowie mit den benachbarten Gebieten. Von bes. Bed. war die Straße Aquileia – Emona, die der Zufuhr von Gütern aus It. nach Norden diente und in ihrer Verlängerung bis nach Carnuntum führte, wo sie an die Bernsteinstraße (→ Bernstein) anknüpfte. Neben den Lagerstädten, die auch Kontakte zum Barbaricum ermöglichten, konzentrierte sich der Verkehr in wichtigen Knotenpunkten, zu welchen Scarbantia, Arrabona, Floriana, Savaria, Poetovio, Siscia und Mursa gehörten. Als frequentierte Verkehrswege dienten auch die Flüsse (z. B. Savus/Save und Dravus/Drau). Die Blüte von Handel und Verkehr führte zur Entstehung eines gut organisierten Zollsystems (*publicum portorium Illyrici*), zu dem P. – zusammen mit den benachbarten Prov. – gehörte; dessen Posten sind in Emona, Celeia, Poetovio, Savaria, Siscia, Brigetio und Carnuntum bezeugt oder zumindest anzunehmen. Im wirtschaftlichen Leben des röm. Reiches spielte P. jedoch eine eher untergeordnete Rolle; von überregionaler Bed. waren allerdings die in Nordbosnien liegenden Silber- und Eisenbergwerke.

Durch die Markomannenkriege (166–180) wurde der wirtschaftliche Aufschwung von P. unterbrochen.

Aus dem Barbaricum anstürmende berittene Stämme (→ Marcomanni, → Quadi, → Sarmatae u. a.) durchbrachen offensichtlich an mehreren Stellen den Limes, stießen bis nach It. vor, eroberten → Opitergium und bedrohten Aquileia [1] (Amm. 29,6,1). Außerdem litt die Bevölkerung an der sich im ganzen Reich ausbreitenden Pest. Auch als Marcus [2] Aurelius (161–180 n. Chr.) die Barbaren vom röm. Gebiet zurückgedrängt hatte und seit 172 jenseits der Donau Krieg führte, war die Prov. in ihrer friedlichen Entwicklung beeinträchtigt, da der Kaiser gezwungen war, ganze Gruppen von Barbaren, darunter Marcomanni, in röm. Gebiet aufzunehmen. In der Severerzeit (193–235 n. Chr.) konsolidierte sich die Lage (Wiederaufbau und Weiterentwicklung der Städte, Instandsetzung der Landstraßen, mil. Anlagen etc.). Brigetio und Vindobona wurden zu *municipia* erhoben. Um die röm. Streitmacht auf die beiden pannon. Prov. mit jeweils zwei Legionen gleichmäßig zu verteilen, wurde 214 das Gebiet von Brigetio mit P. Inferior verbunden. Unter Valerianus (253–260) und Gallienus (260–268) wurde P. wiederum durch die Angriffe der Quadi und Sarmatae bedroht, die die beiden Prov. verheerten (Eutr. 9,8,2; Oros. 7,22,8). In seiner Not sah sich Gallienus gezwungen, einen Teil der Marcomanni in P. Superior anzusiedeln (Aur. Vict. epit. Caes. 33,1). Zugleich mußte er sich der beiden »pannon.« Usurpatoren Ingenuus [1] und Regalianus erwehren. Obwohl beide geschlagen wurden, blieb die Bedrohung durch weitere Angriffe von außen bestehen (vgl. den Vorstoß german. Stämme nach Nordit. unter Aurelianus [3]). Die Räumung von Dacia erhöhte die Kriegsgefahr in P. Die am linken Donauufer siedelnden Barbaren waren eine Bedrohung und zwangen die Römer auch unter den Nachfolgern des Aurelianus zu verstärkten Verteidigungsmaßnahmen.

Die fortschreitende Romanisierung von P. in der Prinzipatszeit spiegelt sich in der Verbreitung der lat. Sprache und der trad. röm. Kulte (Iuppiter, Venus, Apollo, Diana, Neptunus, Ceres, Fortuna, Vulcanus, Hercules) wider. Daneben kommen (romanisierte) oriental. und lokale Gottheiten vor (Iuppiter → Dolichenus und → Heliopolitanus, → Mithras, Beltis → Isis, Sedatus, → Matres). Seit dem 3. Jh. fand das Christentum in P. Verbreitung. Frühe Bischofssitze gab es in Aquileia, Cibalae, Mursa, Poetovio, Singidunum, Sirmium und Siscia.

III. NACH DER NEUORDNUNG
UNTER DIOCLETIANUS

Als gegen E. des 3. Jh. die Verwaltung von P. nicht mehr den Erfordernissen der Zeit entsprach, entstanden infolge der von Diocletianus (284–305 n. Chr.) durchgeführten Neuordnung des Reiches in P. vier Prov. (→ Diocletianus, mit Karte). P. Superior wurde in P. Prima/Ripariensis mit dem Hauptort Savaria und in Savia mit dem Hauptort Siscia aufgeteilt; P. Inferior in P. Secunda und Valeria mit den Zentralorten Sirmium und Sopianae. Im 4. Jh. blieb die Donaugrenze umkämpft. Zu mil. Auseinandersetzungen mit Sarmatae und Quadi

kam es in den J. 322, 332/3 und 356/8. Unter Valentinianus I. (364–375) wurde ein Konflikt mit den Quadi ausgelöst, weil der Kaiser versuchte, das Vorfeld des Limes unter röm. Kontrolle zu bekommen. Während der mit den Quadi in Brigetio geführten Verhandlungen erlag er einem Herzschlag (Amm. 30,6,1 f.). Nach der röm. Niederlage gegen die → Goti bei → Hadrianopolis [3] (378) verlor die Donau ihre Rolle als mil. Bollwerk und gesicherte Staatsgrenze. Zu E. des 4. und im 5. Jh. wurde P. von → Germani, → Sarmatae und → Hunni überrannt, verheert und danach z. T. besiedelt (vgl. Hier. epist. 6,16,2). Im 5. Jh. brach die röm. Herrschaft in P. vollends zusammen. 510 kam P. Secunda unter die Herrschaft → Theoderichs. Iordanes bezeichnet jedoch P. weiterhin als ein Land reich an Städten, von denen er ausdrücklich Vindobona und Sirmium erwähnt (Iord. Get. 264).

→ Dalmatae; Illyricum; Istros [2]; Limes V.; Moesi (mit Karte); Noricum; Raetia (mit Karte)

G. ALFÖLDY, A. MÓCSY, Bevölkerung und Ges. der röm. Prov. Dalmatien, 1965 · L. BARKÓCZI u. a. (Hrsg.), Die röm. Inschr. Ungarns (=RIU), Bde. 1–4 und Register, 1972–1991 · A. DOBÓ, Die Verwaltung der röm. Prov. Pannonien …, 1968 · Ders. (ed.), Inscriptiones extra fines Pannoniae Daciaeque repertae, [4]1975 · J. FITZ, Der röm. Limes in Ungarn, 1976 · Ders., Die Verwaltung Pannoniens in der Römerzeit, Bde. 1–4, 1993–1995 · A. LENGYEL, G. T. B. RADON (Hrsg.), The Archaeology of Roman P., 1980 · A. MÓCSY, s. v. P., RE Suppl. 9, 516–776 · Ders., Die Bevölkerung von Pannonien bis zu den Markomannenkriegen, 1959 · Ders., P. and Upper Moesia, 1974 · P. OLIVA, P. and the Onset of Crisis in the Roman Empire, 1962 · M. PAVAN, La provincia romana della P. Superior, 1955 · S. SOPRONI, Die letzten Jahrzehnte des pannon. Limes, 1985 · TIR L 34 Budapest, 1968 · TIR L 33 Tergeste, 1961 · TIR M 33 Praha, 1986 · L. VÁRADY, Das letzte Jh. Pannoniens, 1969 · Sz. VISY, Der pannon. Limes in Ungarn, 1988.   J. BU.

KARTEN-LIT. (ZUSÄTZLICH): G. ALFÖLDY, Noricum, 1974, Kartenbeilage · T. BECHERT, Orbis Provinciarum – Die Prov. des Röm. Reiches, 1999 · A. MÓCSY, P. and Upper Moesia, 1974, Abb. 59 · G. MOTTA (Hrsg.), Atlante Storico, 1979, 20, 27,3.   F. SCH. u. A. W.

Panodoros. Mönch aus Alexandreia, lebte um 400 n. Chr. Verfaßte im Anschluß an → Sextus Iulius Africanus und → Eusebios [7], die er auch verbesserte, eine Weltchronik, deren Spuren bei Georgios → Synkellos erkennbar sind, deren genaues Gewicht aber strittig ist. Er besaß ein ausgeprägtes Interesse an Datierungsfragen.

W. ADLER, Time Immemorial, 1989, 72 ff.   H. L.

Panope (Πανόπη).

[1] (Πανόπεια bei Nonnos, *Panopea* bei Vergil; die »Allsorgende« [1], anders Eust. ad Hom. Il. 18,41, p. 1131, 4 und 6 f.). Tochter des → Nereus und der → Doris [I 1], eine der → Nereiden (Hom. Il. 18,45; Hes. theog. 250; Apollod. 1,12; Lukian. dialogi marini 7; Nonn. Dion. 39,255; 43,100 und 264; Verg. Aen. 5,240 und 825; Verg. georg. 1,437; Hyg. fab. praef. 8).

1 W. ALY, s. v. P. (1), RE 18.3, 636   2 J. CH. BALTY, s. v. P.,
LIMC 7.1, 172.

[2] Eine der Töchter des Thespios, gebiert → Herakles
[1] den Threpsippas (Apollod. 2,161).   SI. A.

Panopeus (Πανοπεύς). Stadt in der östl. Phokis im
Nordteil des Kephisos-Tals auf 335 m H nahe dem h.
Hagios Vlasios an der Grenze zu Boiotia, an der von
Athen nach Delphoi führenden »Heiligen Straße«, etwa
4 km von → Chaironeia entfernt. P. wird im homer.
Kat. der phokaiischen Städte genannt (Hom. Il. 2,519–
523) und war Sitz des phokaiischen Königtums (Hom.
Il. 17,306–309; Paus. 10,4,2). Die Gründung wird den
aus Orchomenos [1] vertriebenen Phlegyai zugeschrieben (Paus. 10,4,1 f., vgl. 9,36,3; Pherekydes FGrH 3 F
102a; schol. Hom. Il. 13,302; schol. Hom. Od. 11,262–
264; Serv. Aen. 6,618; Apoll. Rhod. 1,375). Etym. abzuleiten ist der ON von P., dem Vater des Epeios [1],
dem Erbauer des Troianischen Pferdes (Hom. Il. 23,
665; Od. 8,493–495); Name und Ethnikon wechseln
(Φανοτεύς, Thuk. 4,76,3; 89,1; Hell. Oxyrh. 18(13),5;
Suda s. v. Φανοτεῦσι; SEG 42, 472; aber auch Φανότεια,
Pol. 29,12,7). Es gibt Hinweise auf Beziehungen zur
delph. → Phratrie der Labyadai (CID 1,9D,29–31).

P. wurde im J. 480 v. Chr. von den Persern verwüstet
(Hdt. 8,34), 395 v. Chr. vorübergehend durch die Boiotoi besetzt (Hell. Oxyrh. 18(13),5) und 346 v. Chr. zerstört (Paus. 10,3,1). Bei P. wurde → Lysandros [1] bestattet (Plut. Lysandros 29,3). Ins 3. Jh. v. Chr. läßt sich
der Schiedsspruch zugunsten von P. in einem Grenz-
streit mit Stiris datieren (SEG 42, 479). P. wurde von
Philippos [7] V. besetzt (Pol. 5,96,4–8), 198 v. Chr. von
T. Quinctius Flamininus erobert (Liv. 32,18,6) und 86
v. Chr. von Truppen → Sullas zerstört (Plut. Sulla 16,4).
Zu Pausanias' Zeiten (2. Jh. n. Chr.) war P. eine elende
Hüttensiedlung (Paus. 10,4,1–7), hatte aber die
Verfassung einer *pólis* und die Befugnis bewahrt, Abge-
sandte zur Versammlung des Phokischen Bundes zu
schicken (10,5,1–3; vgl. Skyl. 61; Strab. 9,2,42; 3,14).
Auf der Akropolis finden sich Reste aus myk. Zeit und
ein Mauerring aus dem späten 4. Jh. v. Chr. mit zahlrei-
chen Türmen und drei Toren. Inschr.: IG IX 1, 74–77;
SEG 3, 345, 42, 479.

F. SCHOBER, Phokis, 1924, 39 · PHILIPPSON/KIRSTEN I,
431 · N. D. PAPACHATZIS, Παυσανίου Ἑλλάδος Περιήγησις
5, ²1981, 278–281 · S. L. AGER, Interstate Arbitrations in the
Greek World, 1995, 74 f. · A. MAGNETTO, Gli arbitrati
inerstatali greci, 1997, 401–404 · J. McINERNEY, The Folds
of Parnassos, 1999, 61 f., 295 f.   G. D. R./Ü: J. W. MA.

Panopolis (Πανῶν πόλις). Stadt in Oberäg., auf dem
östl. Nilufer, ca. 200 km nördl. von Luxor, äg. *Jpw* oder
H̱nt-Mnw, danach griech. Χέμμις (Hdt. 2,91) und der
heutige Name Aḥmīm. Die Bezeichnung Πανῶν πόλις
oder Πανὸς πόλις (»Stadt des Pan«) beruht auf der
Gleichsetzung der Hauptgottheit von P., dem ithyphallisch dargestellten Fruchtbarkeitsgott → Min, mit dem
griech. Pan. Auch → Isis und (Min-)→ Horus wurden

in P. verehrt, letzterer ist verm. von Hdt. 2,91 mit
→ Perseus identifiziert worden. Die dort erwähnten
Wettkämpfe zu Ehren des Perseus waren vielleicht eine
griech. Einrichtung. P. war eine wichtige Stadt, ein
Zentrum der Textilherstellung (Strab. 17,813), mit ausgedehnten Nekropolen. Die Tempel von P. gehörten zu
den größten des griech.-röm. Äg., ihre Ruinen galten
noch im MA bei den arab. Schriftstellern als Weltwunder. Heute sind sie fast vollständig verschwunden.

1 J. KARIG, s. v. Achmim, LÄ 1, 54–55   2 Ders., s. v. P., LÄ 7,
45   3 A. B. LLOYD, Herodotus, Book II. Komm. zu 1–98,
1976, 367–370.   K. J.-W.

Panormos (Πάνορμος).

[1] Hafen an der Küste von Karia (Stadiasmus maris
magni 285; 287; 294 mit widersprüchlichen Angaben)
zw. → Miletos [2] und → Myndos, von diesem 80 Stadien (14,8 km) entfernt, demnach bei (Aşağı) Gölköy,
dem auch für → Karyanda vermuteten Platz, nahe dem
Naturhafen der Türkbükü-Bucht oder weiter westl. an
der Ağaçbaşı-Limanı-Bucht (Paşa Limanı).

W. RUGE, s. v. P. (1), RE 18,3, 654 · G. E. BEAN, J. M.
COOK, The Halicarnassus Peninsula, in: ABSA 50, 1955, 160
(mit Karten fig. 1 und 14).   H. KA.

[2] Hafen von → Didyma (Hdt. 1,157), über den das
Baumaterial für den Apollon-Tempel von Didyma
transportiert wurde [2]; h. Mavişehir. Die Hl. Straße
von Miletos [2] nach Didyma führte über P. ([1; 3];
→ Miletos [2], dort Nebenkarte zu Millawa(n)da). Von
den Resten, die WILSKI [4] verzeichnet hat, ist nichts
erh., von einer Akropolis [1] nichts bekannt (Thuk.
8,24; Paus. 5,7,5; Quintus von Smyrna 1,283; GGM I,
501 Nr. 292 und 293).

1 K. GÖDECKEN, Beobachtungen und Funde an der Hl.
Straße zw. Milet und Didyma, in: ZPE 66, 1986, 249
2 A. REHM, R. HARDER, Didyma. 2: Die Inschr., 1958,
Index s. v. P.   3 P. SCHNEIDER, Zur Top. der Hl. Straße von
Milet nach Didyma, in: AA 1987, 101–129   4 P. WILSKI,
Karte der Miles. Halbinsel (Milet I,1), 1906, Beilage.

W. RUGE, s. v. P. (2), RE 18,3, 654 f.   H. LO.

[3] (lat. *Pan(h)ormus*). Stadt an der Nordküste von
→ Sicilia (Thuk. 6,2,6; Pol. 1,38; Ptol. 3,4,3; Steph. Byz.
s. v. Π.; Plin. nat. 3,90; Sil. 14,261), h. Palermo.

I. UNTER PHÖNIZISCHER UND KARTHAGISCHER
HERRSCHAFT   II. RÖMISCHE ZEIT
III. SPÄTANTIKE, BYZANTINISCHE UND
ARABISCHE ZEIT   IV. TOPOGRAPHIE

I. UNTER PHÖNIZISCHER UND
KARTHAGISCHER HERRSCHAFT

Neben → Motya und → Solus einer der urspr. Sied-
lungsplätze der Phoinikes (→ Phönizier) auf Sicilia
(Thuk. l. c.), nach dem arch. Befund im ausgehenden
7. Jh. v. Chr. gegr. Die Stadt diente → Karthago im
Kampf gegen Griechen und Römer häufig als Flotten-

stützpunkt und Operationsbasis. Erstmals wird dies für das J. 480 v. Chr. berichtet, als Hamilkar [1] dort vor Anker ging, ehe er gegen → Himera zog (Diod. 11,20,2). 397 v. Chr. verwüstete Dionysios [1] I. von Syrakusai während der Belagerung von Motya auch das Gebiet von Solus und P. (Diod. 14,48,5). 396 landete Himilkon [1] mit einem karthagischen Heer in P. und zwang Dionysios, den ganzen Westen der Insel wieder aufzugeben (Diod. 14,55). Auch im Krieg gegen → Pyrrhos (383–374 v. Chr.) diente P. den Karthagern als Hauptstützpunkt (Diod. 15,17,4). 278 v. Chr. von Pyrrhos eingenommen (Diod. 22,10,4), fiel die Stadt nach dessen Abzug von der Insel 276 v. Chr. an die Karthager zurück.

Im 1. → Punischen Krieg war P. die Hauptfestung der Karthager an der Nordküste (Pol. 1,38,7). 260 v. Chr. operierte Hannibal [2] von hier aus mit der Flotte gegen → Lipara und die ital. Westküste (Pol. 1,21,6–11); das karthagische Landheer unter Hamilkar [3] war bei P. konzentriert (Pol. 1,24,3). Dort befand sich auch das Winterlager für die karthagischen Streitkräfte (Pol. 1,24,9). 258 v. Chr. versuchten die Römer vergeblich, P. zu erobern (Pol. 1,24,9 f.), was ihnen erst 254 v. Chr. durch kombinierten Land- und Seeangriff gelang (Pol. 1,38,7–9; Diod. 23,18,4 f.; Zon. 8,14). Der Versuch Hasdrubals [1] im J. 251 v. Chr., P. wiederzugewinnen, scheiterte (Pol. 1,40; Diod. 23,21). Der Rückeroberung von P. galten auch die Besetzung der nahegelegen → Heirkte durch Hamilkar [3] 246 v. Chr. und der jahrelange Stellungskrieg, den dieser vergeblich von hier aus führte (Pol. 1,56 f.).

II. RÖMISCHE ZEIT

In der röm. Prov. Sicilia (seit 238 v. Chr.) war P. eine der fünf *civitates sine foedere immunes ac liberae* (Cic. Verr. 2,3,13; → *civitas*) und zählte v. a. auf Grund des blühenden Seehandels zu den bedeutendsten Städten der Insel. Von → Augustus wurde 20 v. Chr. eine röm. Kolonie (*colonia Augusta Panhormus* bzw. *Panhormitana*) in P. angelegt (CIL X 7279; 7288; Mz.: [1. 742–744]; Strab. 6,2,5). V. a. die zahlreichen Mz. bezeugen den Wohlstand von P. bis in die Spätantike.

1 A. HOLM, Gesch. Siziliens, Bd. 3, 1898.   K. MEI. u. GI. F.

III. SPÄTANTIKE, BYZANTINISCHE UND ARABISCHE ZEIT

Zunächst teilte P. das Schicksal des übrigen → Sicilia und seines Hauptortes → Syrakusai: 440 n. Chr. fiel P. an die → Vandali unter Geiserich (→ Geisericus), 491 an die → Ostgoten. → Belisarios eroberte es im Rahmen der iustinianischen Italienkriege 536 n. Chr. zurück. Eine entscheidende Veränderung für P. wie für die ganze Insel brachte erst die arab. Eroberung. Wie einst die Phoiniker, so schufen auch die Araber durch die Eroberung von P. (831) ihren ersten wichtigen Brückenkopf im NW der Insel. Von hier aus gelang es ihnen, in den folgenden Jahrzehnten ganz Sicilia zu erobern. Die Araber machten P. zum Hauptort der Insel; die folgenden Jh. waren für P. durch die Kämpfe zw. Arabern und

Berbern, zunehmende, schließlich erfolgreiche Unabhängigkeitsbestrebungen gegenüber der Zentrale in Kairuwan (im h. Tunesien) und dann durch die normannische Eroberung (1072) gekennzeichnet. Der Reisebericht des Ibn Ḥauqal [1] von 973 ist für die Stadtgesch. und -top. von *Balarm* (arab. für P.) sehr wertvoll.

1 J. M. KRAMERS (ed.), Ibn Ḥauqal, Configuration de la terre, 1964.   J. N.

IV. TOPOGRAPHIE

Das fruchtbare Gebiet von P. (vgl. Kallias FGrH 564 F 2), h. Conca d'oro genannt, ist eine ausgedehnte Strandebene, die sich vom Capo Zafferano im Osten bis zum Capo Gallo im Westen erstreckt und im Süden von der Montagna di Palermo umschlossen wird. P. liegt im westl. Teil dieser Ebene, von der modernen Stadt völlig überbaut. Die ant. Stadt befand sich zu beiden Seiten des Corso Vittorio Emmanuele im h. Palermo und bestand aus Alt- und Neustadt, die durch eine Mauer voneinander getrennt waren (Pol. 1,38,9). Die Altstadt erstreckte sich vom Palazzo dei Normanni bis zur Kathedrale, die Neustadt schloß sich an die Altstadt bis zum Hafen hin an, der in der Ant. bis etwa zur h. Via Roma reichte. Im Süden und Norden begrenzten zwei Wasserläufe, Kemonia und Papireto, das Stadtgebiet. Im SW der Altstadt beiderseits des Corso Calatafimi lag die große punischröm. Nekropole. Erh. sind außer Gräbern (mit Terrakotten und Keramik) Spuren der ant. Ummauerung sowie Häuserreste mit Mosaiken aus röm. Zeit, Häuser und Nekropole der arab. und ma. Zeit. Inschr.: IG XIV 295–310; CIL X 7265–7335; Mz.: [1. 110–113, 468 f., 612–625, 737–746].

1 A. HOLM, Gesch. Siziliens, Bd. 3, 1898.

BTCGI 13, 205–241 • R. M. BONACASA CARRA, s. v. Palermo, EAA 2. Suppl. 4, 1996, 215–218 • S. FODALE, s. v. Palermo, LMA 6, 1637–1640 • V. GIUSTOLISI, Panormus Bde. 1–3, 1988–1991 • A. KAZHDAN, D. KINNEY, s. v. Palermo, ODB, 1562 f. • C. A. DI STEFANO, G. MANNINO, Carta archeologica della Sicilia, 1983 • I. TAMBURELLO, Studi archeologici negli anni 1991–1994 su Palermo punica e su materiali punici del Museo archeologico »A. Salinas« di Palermo, in: Kokalos 41, 1995, 123–137.   K. MEI. u. GI. F.

[4] Hafen an der Ostküste von Attika zw. → Laureion und → Sunion (Ptol. 7,15,8; Isaios 1,31; [1. Index s. v. Π.]), wohl im Demos Sunion, Lage strittig [2].

1 M. CROSBY, The Leases of the Laurion Mines, in: Hesperia 19, 1950, 189–312 2 H. R. GOETTE, Ὁ ἀξιόλογος δῆμος Σούνιον. Landeskundliche Stud. in Südost-Attika, 2000, 73 f.   H. LO.

Pansa. Röm. Cognomen, nach ant. Überl. »Plattfuß« bedeutend (Plaut. Merc. 640; Plin. nat. 11,254; Quint. inst. 1,4,25); in der Kaiserzeit weitverbreitet. Berühmtester Träger war C. → Vibius Pansa (*cos.* 43 v. Chr.); unbekannt ist die Person, gegen die → Cato [1] die Rede *In Pansam* hielt (ORF I⁴, fr. 205).

DEGRASSI, FCIR, 261 · DEGRASSI, FCap 147 · KAJANTO, Cognomina, 105; 241 · H. RIX, Das etr. Cogn., 1963, 249 f. · SCHULZE, 242; 365.   K.-L. E.

Panspermia s. Speiseopfer

Pantainos (Πάνταινος). Christl. Lehrer in → Alexandreia [1], E. 2. Jh. n. Chr. Biographische Details erst bei Eus. HE 5,10 u. a. (urspr. Stoiker; Indienreise; Vorsteher der alexandrinischen »Katechetenschule«). → Clemens [3] von Alexandreia, der wohl gleichzeitig mit P. als Lehrer wirkte, überliefert nur ein Zitat von ›unserem P.‹ (Clem. Al. eclogae propheticae 56,2). Zudem habe Clemens in den verlorenen ›Hypotyposen‹ P. als Lehrer erwähnt (Eus. HE 5,11,2; 6,13,1). Daraus schlossen Spätere, P. sei dessen Lehrer gewesen; Identifikationen mit einem der in Clem. Al. strom. 1,11,1 verschlüsselt genannten (etwa der ›sizilischen Biene‹, vgl. Eus. HE 5,11) sind hypothetisch.   M. HE.

Pantakyas (Πανταχύας, Πανταχίας). Fluß, der an der Ostküste von → Sicilia im Süden der Bucht von → Katane bei Brucoli mündet, h. Porcaria. Am P. legte → Lamis aus Megara 729 v. Chr. die Siedlung → Trotilon an, die aber nach kurzer Zeit aufgegeben wurde. Weitere Belege: Thuk. 6,4,1; vgl. Plin. nat. 3,89: *Pantagies*; Ptol. 3,4,9: Παντάχου ποταμοῦ ἐσβολαί.

K. ZIEGLER, s. v. P., RE 18, 686.   GI. F.

Pantaleon (Πανταλέων).

[1] Sohn des Omphalion, König der Pisaten (Mitte 7. Jh. v. Chr.); P.s Herrschaft wurde möglicherweise schon zu seinen Lebzeiten als Tyrannis empfunden (vgl. Paus. 6,21,1). Er entriß den Eleern kurzfristig die Leitung der Olympischen Spiele (→ Olympia IV.; Paus. 6,22,2) [1. 220 f.]. Seine Unterstützung der Messenier im 2. → Messenischen Krieg (Strab. 8,4,10) ist spätere Erfindung [2. 153 f.].

1 L. DE LIBERO, Die archa. Tyrannis, 1996 2 K. TAUSEND, Amphiktyonie und Symmachie, 1992.   M. MEI.

[2] Sohn des Petalos aus → Pleuron; Politiker und Stratege des aitolischen Bundes (→ Aitoloi, Aitolia mit Karte) von ca. 240 bis 210 v. Chr.; Verfechter der achaiisch-aitolischen Einigung in den 230er J. (Plut. Aratos 33; Pol. 2,43,9 f.) [1. 242²; 2. 630; 3. 447; 4. 322, 324] und der Beziehungen des Bundes im ägäischen Raum (Syll.³ 522 I–III: Keos; IG XII 5, 526/527; IG IX 1² 169, Z. 8 (ergänzt); IG XII 2, 15: Mytilene; in IG IX 1² 177 ist P. als Stratege im Schiedsspruch der Aitoloi zwischen Melite und Xynia und in IG IX 1² 188 als Zeuge für denjenigen zw. Melite und Perea erwähnt; vgl. IG IX 1² 31B, Z. 144–153: Indiz sind Inselgriechen als *próxenoi*). P. war fünfmal Stratege (IG IX 1² 31B, Z. 145 und IG IX 1² 177); wohl dieser P. wurde in Delphoi geehrt (Syll.³ 621; [1. 274 ff.]; vgl. KLAFFENBACH in IG IX 1²,1, p. XX–XXI); P.s Sohn, gest. 219 (Pol. 4,57,7; 4,58,9), wurde in Thermon (IG IX 1² 57) geehrt; P. ist Großvater von P. [3].

[3] Enkel von P. [2] aus Pleuron; mindestens dreimal Stratege des aitolischen Bundes (SGDI 1844; 1949; 1856: 1. und 3. Strategie; 2. Stategie (vgl. KLAFFENBACH in IG IX 1²,1, p. LI); 191 v. Chr. war P. Partner des röm. Consuls Acilius [I 10] Glabrio bei Friedensverhandlungen (Pol. 20,9,2–12; Liv. 36,27,2–8); nach 188 trat er erfolgreich für die Entlassung des → Thoas aus der Gefangenschaft in It. ein (Pol. 28,4,10; Diod. 29,31); beim Attentat auf → Eumenes [3] II. 172 v. Chr. war er in dessen Umgebung (Liv. 42,15,8–10). Im Gegensatz zur Entwicklung des Thoas distanzierte sich P. zunehmend von den Römern; 170 verteidigte er sich erfolgreich gegen Angriffe des → Lykiskos [3] (Pol. 28,4,5–13; Liv. 43,17, 4–6; → Makedonische Kriege).

1 R. FLACELIÈRE, Les Aitoliens à Delphes – Contribution à l'histoire de la Grèce central au IIIe siècle av. J.-C., 1937 2 BELOCH, GG Bd. 4,1 3 CAH VII 1² 4 HM 3 · 5 J. DEININGER, Der polit. Widerstand gegen Rom in Griechenland 217–86 v. Chr., 1971, 99; 108; 132; 151; 171 f.   BO. D.

[4] (mittelind. *Paṃtaleva*). Indogriechischer König in → Arachosia Anf. 2. Jh. v. Chr., nur durch seine Mz. belegt.

BOPEARACHCHI, 56–59; 181 f.   K. K.

Pantalica. Die ant. Siedlung von P. liegt im Hinterland von → Syrakusai (Sizilien). Das Plateau von ca. 8 ha Größe wird durch tief eingeschnittene Täler auf natürliche Weise geschützt und ist nur durch einen schmalen Sattel mit dem Umland verbunden. Vielleicht handelt es sich um das vorgriech. → Hybla [2]. Von der ant. Siedlung sind nur die Reste des sog. *anáktoron* erhalten, das als Sitz des Herrschers von P. angesehen wird. In diesem Gebäude befand sich neben Wohnräumen auch eine Werkstatt zur Br.-Verarbeitung. Die Bed. des FO liegt in den zahlreichen Grabbeigaben, die aus den mehr als 5000 Kammergräbern in den Bergflanken geborgen wurden. Sie weisen P. als Hauptort der indigenen Bevölkerung SO-Siziliens aus und belegen eine Siedlungskontinuität vom 13. Jh. bis in die 2. H. des 8. Jh. v. Chr. Kontakte zur → Mykenischen (u. a. Keramik) und → Ausonischen Kultur gegen E. der Brz. und in die Eisenzeit unterstreichen die Bed. des Ortes, der nach der Gründung von Syrakusai langsam aufgegeben und erst in byz. Zeit wieder genutzt wurde.
→ Sicilia

L. BERNABÒ BREA, La Sicilia prima dei greci, 1958 · V. LA ROSA, Le popolazioni della Sicilia. Sicani, Siculi, Elimi, in: G. PUGLIESE CARRATELLI (Hrsg.), Italia omnium terrarum parens, 1989, 3–110.   C. KO.

Pantauchos (Πάνταυχος).

[1] Makedone (aus Beroia?) [1. 423], Feldherr und wohl »Königsfreund« (*phílos*) des → Demetrios [2] Poliorketes; P. unterlag 289 v. Chr. in Aitolia dem → Pyrrhos in einer Schlacht in mutigem Zweikampf (Plut. Pyrrhos 7,4–9; Plut. Demetrios 41,3) [2. 224 f.].

[2] Sohn des Balakros aus Beroia, wohl Enkel von P. [1] [1. 423], hochrangiger Königsfreund des → Perseus [2] [3. 115]; P. war 172 v. Chr. im 3. → Makedonischen Krieg als Geisel bei der Unterredung des Königs mit Q. Marcius [I 17] Philippus (Liv. 42,39,7) und 171 mit Medon [7] Unterhändler bei P. Licinius [I 8] Crassus (Pol. 27,8,5–7; 27,8,11). 169/8 bewog er → Genthios, dem er u. a. seinen Sohn Balakros als Geisel stellte, zum Kriegseintritt (Pol. 29,4,1–4; 29,4,6; Liv. 44,23,2–4; 44,27,9–11; vgl. 44,30,14). Nach der Schlacht von Pydna (168) zurückgekehrt, handelte er die Kapitulation der Stadt aus, bevor er mit Medon und → Hippias [3] nach Beroia floh (Liv. 44,35,2; 44,45,2; 44,45,7).

1 A. B. TATAKI, Ancient Beroea. Prosopography and Society, 1988 **2** HM 3 **3** S. LE BOHEC, Les »philoi« des rois Antigonides, in: REG 98, 1985, 93–124.   L.-M. G.

Pant(e)ichion (Παντ(ε)ίχιον). Hafenort und Festung südöstl. von → Kalchedon im Grenzgebiet zu Nikomedeia, h. Pendik; bereits frühgesch. besiedelt. Nach Prok. BG 3,35,4 besaß Belisarios dort ein Landgut.

F. K. DÖRNER, s. v. P., RE 18, 779 f. · R. JANIN, Constantinople Byzantine, ²1964, 502 · Ders., Les églises et les monastères des grands centres byzantins, 1975, 8, 52 ff., 62.   K. ST.

Panteleios (Παντέλειος). Epiker, vor dem 5. Jh. n. Chr. anzusetzen; erh. sind neun Hexameter (vgl. Stob. 3,7,63): eine rhet. Lobpreisung des Athener Polemarchen Kallimachos [1], der auf dem Schlachtfeld von Marathon von denselben Pfeilen, die ihn tödlich durchbohrt hatten, gestützt wurde; sie ist einem Perser in den Mund gelegt. Das kurze Fr., das im 16. Jh. in der Appendix zu WECHELS Ed. von Epigrammen veröffentlicht wurde (vgl. [1]), wird manchmal zu Unrecht in die *Anthologia Planudea* ([2], auch [3]) aufgenommen.

1 C. F. W. JACOBS, Animadversiones in epigrammata Anthologiae Graecae, Bd. 2.3, 1801, 193 f. **2** W. R. PATON, The Greek Anthology, Bd. 5, 1918, 160–163 **3** W. PEEK, s. v. Panteleos, RE 18.3, 696.

E. HEITSCH, Die griech. Dichterfr. der röm. Kaiserzeit, Bd. 1, ²1963, 81–82 · A. WIFSTRAND, Von Kallimachos zu Nonnos, 1933, 150.   M. G. A./Ü: T. H.

Pantes theoi s. Theoi pantes

Panteus (Παντεύς). Spartaner, führte 223 v. Chr. unter → Kleomenes [6] III. zwei spartan. Einheiten mit Erfolg beim Sturm auf Megalopolis (Plut. Kleomenes 23,5–6), floh nach der Schlacht bei Sellasia mit Kleomenes nach Ägypten, wo er nach dessen mißglücktem Versuch, sich aus der Internierung zu befreien, Selbstmord beging (ebd. 37,13–16; 38,5; Pol. 5,37,8).   K.-W. WEL.

Pantheios, Pantheia, Pantheion
s. Pantheos, Pantheios; Theoi Pantes

Pantheon

[1] Als Begriff der mod. religionsgesch. Systematisierung der Vielzahl der ant. Götterwelt (→ Polytheismus) bezeichnet P. im folgenden die Gesamtheit einer in einem bestimmten geogr. Raum und sozio-histor. Kontext verehrten Mehrzahl von Gottheiten.

I. MESOPOTAMIEN   II. ÄGYPTEN
III. KLASSISCHE ANTIKE

I. MESOPOTAMIEN

Im Sumerischen findet sich kein eigener Terminus für eine Göttergesamtheit, der dem des P. entspräche. Der dafür in Anspruch genommene, vorwiegend in lit. Kontext begegnende sumer. Begriff A-nun-na, »Samen des Fürsten (d. h. des Enki, des Gottes der Stadt Eridu, der ältesten städtischen Siedlung des südl. Mesopotamien)«, bezeichnet das gesamte sumer. P. oder dessen Hauptgestalten, d. h. die Gottheiten der ersten vier Göttergenerationen, bzw. – in Verbindung mit einem top. Begriff – die Gesamtheit eines lokalen P. [1; 2. 38]. Im Zusammenhang mit dem Anspruch der 3. Dyn. von Ur (21. Jh. v. Chr.), über das gesamte → Mesopotamien zu herrschen, entwickelte sich ein – in der Forsch. so bezeichnetes – Reichs-P., das seine rituelle Manifestation in → Nippur fand. Es vereinigte unter der Führung des → Enlil, des Stadtgottes von Nippur, die Gesamtheit der mesopot. Götterwelt, die bis dahin weitgehend in den Panthea der einzelnen Territorialstaaten Mesopot.s repräsentiert war. Auch diese lokalen Panthea reflektieren gewachsene Herrschaftsstrukturen insofern, als die Gottheiten eroberter oder inkorporierter Gebiete genealogisch und hierarchisch in das P. des herrschenden (Territorial-)Staates integriert wurden [2. 40].

In der akkadischen lit. Überl. steht neben dem Begriff der *Anunnakū* (<Anunna(k)) der diesem weitgehend synonyme Begriff *Igigū*. Beide scheinen die Gesamtheit aller Götter zu beschreiben [2. 42–43], wenngleich zu berücksichtigen ist, daß die zuweilen genannten Zahlen von *Igigū*- und *Anunnakū*-Göttern (bis zu 600) nicht mit den weit mehr als 1000 Namen enthaltenden Götterlisten in Einklang zu bringen sind. Im Gegensatz zu den stark von polit. Gegebenheiten bestimmten Vorstellungen von Göttergesamtheiten im 3. Jt. spiegeln die Vorstellungen des 1. Jt. v. Chr., wie sie v. a. in umfangreichen Götterlisten ihren Niederschlag finden, ein eminent theologisches Bemühen wider, die Gesamtheit der göttlichen Welt bzw. des Kosmos (in Form einer → Liste) zu erfassen. Am Sitz des babylonischen P.s in → Babylon hat dies in der Anlage der Heiligtümer architektonische Manifestation gefunden.
→ Esagil; Herrscher; Marduk; Mesopotamien

1 A. FALKENSTEIN, Die Anunna in der sumer. Überl., in: H. G. GÜTERBOCK, TH. JACOBSEN (Hrsg.), FS B. Landsberger, 1965, 127–140 **2** D. O. EDZARD, B. KIENAST, s. v. Igigu, RLA 5, 37–44 **3** G. KOMORÓCZY, Das P. im Kult, in den Götterlisten und in der Mythologie, in: Orientalia 45, 1976, 80–86.   TH. RI.

II. Ägypten

In Ägypten gab es keine feste zahlenmäßige Obergrenze bekannter Götter. Neben dem Hauptgott eines Tempels fanden sich stets noch weitere Kultempfänger, die oft als »Neunheit« bezeichnet wurden. Am bekanntesten ist die Neunheit von → Heliopolis [1], die tatsächlich neun Götter umfaßte und in ganz Äg. von Bed. war. Die »thebanische Neunheit« bestand dagegen aus fünfzehn Göttern. An Kultorten wurden die Hauptgötter oft als Triaden organisiert, meist als Vater, Mutter und Kindgott [2].

Die beste Auflistung der in einem idealen Tempel zu verehrenden Götter bietet das noch unveröffentlichte äg. ›Buch vom Tempel‹. Als wichtige Grundkategorien werden dort die himmlischen und die unterirdischen Götter unterschieden. Neben gautypischen Gottheiten stehen solche, die in keinem Gau fehlen sollen; recht zahlreich sind Ressort- und Funktionsgötter. Umfangreiche Aufstellungen von verschiedenen Göttergruppierungen wie den Neunheiten, den »Seelen« bestimmter Orte, Genien im Zusammenhang mit Sonne und Mond, die etwa die Barke des Sonnengottes ankündigen, enthält die onomastische Liste des Pap. Berlin 7809. Das große Onomastikon aus Tebtynis enthält u.a. Definitionen der wichtigsten Götter nach den Begriffen von Hof- und Funktionstiteln sowie Auflistungen verschiedener Gestalten einzelner Götter [4]. Verschiedene Erscheinungen bzw. ortstypische Formen eines Gottes werden besonders bei Opfern in Form langer Götterlitaneien aufgezählt. In Götteranrufungen werden oft neben den Göttern des Himmels und der Erde auch diejenigen der Himmelsrichtungen angesprochen.

1 B.L. Begelsbacher-Fischer, Unt. zur Götterwelt des AR, 1981 2 J.G. Griffiths, Triads and Trinity, 1996 3 H. Kees, Der Götterglaube im Alten Äg., 1941 4 J. Osing, Hieratische Papyri aus Tebtunis Bd. 1, 1998.   JO.QU.

III. Klassische Antike

Wohl zuerst bei Aristot. mir. 834a 12 (vgl. fr. 18 Ross) bezeichnet Πάνθειον/*Pántheion*, seit hell. Zeit auch Πάνθεον/*Pántheon*, lat. *Pantheum* ([1. 96f.; 2. 240–243]; vgl. AE 1968, 227) den sakralen Ort, an dem »alle Götter«, → *theoí pántes*, verehrt wurden. Anstelle der Bezeichnung P. finden sich aber auch *hierón koinón*, »das (allen Göttern) gemeinsame Heiligtum« (z.B. Paus. 1,5,5; 1,18,9) oder schlicht *naós*, »Tempel«, und *hierothýsion*, »Opferplatz« (Paus. 4,32,1), während das sog. »P.« in Rom (s. P. [2]) mit großer Wahrscheinlichkeit nicht dem Kult aller Götter geweiht war. Weihungen für *to pántheion*, das »Allgöttliche«, sind ebenso mit den *theoí pántes* zu verbinden wie die → theophoren Namen *Pánthe(i)os*, *Pánthe(i)a* und die Monatsnamen *Pántheios*, *Panthḗios* und *Pantheṓn*.

In der mod. Forsch. bezeichnet P. das (in der rel. Praxis zahlenmäßig begrenzte) Ensemble der in einem bestimmten geogr. und sozialen Raum als wirkend vorgestellten und verehrten Gottheiten. In strukturalistischer Perspektive läßt sich formulieren, daß das P.

keine zufällige Akkumulation individueller Götter ist, sondern ein strukturiertes Sinnsystem darstellt, welches Grundmuster gesellschaftlicher Organisation und menschlichen Sozialverhaltens auf die Ebene göttlicher Funktionsträger projiziert [3. 148–175; 4. 103–120; 5; 6. 185–208]. Gängige soziomorphe Strukturprinzipien – Personalisierung des Göttlichen sowie Hierarchisierung und Arbeitsteiligkeit [7. 324f.] – sind dabei miteinander kombinierbar und beinhalten: die unterschiedlich großen Göttergruppen vom Götterpaar über die Triade [8] bis hin zu den seit dem späten 6. Jh. v. Chr. belegten → Zwölfgöttern; die nach Genealogien hierarchisierten und häufig patriarchalisch organisierten Götterfamilien; die nach Funktion und Ort ausdifferenzierte Götterwelt (paradigmatisch: Hom. Il. 15,187–193; [13. 88–93]): die Götter im Himmel (*epuránioi*), auf der Erde (*epígeioi*), im Wasser (*enálioi*), unter der Erde (*katachthónioi*, → Chthonische Götter) und die Heroen (→ Heroenkult) (so z.B. [9. Nr. 40]).

Modifiziert werden muß der strukturalistische Ansatz in zwei wesentlichen Punkten: Das P. ist in der rel. Praxis kein kohärentes Beziehungssystem, das eine eindeutige Korrelation zw. bestimmten Funktionen und Aufgaben und einzelnen Göttern zuließe; vielmehr sprengt die Vorstellung personalisierter, in ihrer Komplexität persönlich erfahrbarer Gottheiten dieses Beziehungs- und Klassifikationsraster. Und: Die nach logischen Gesichtspunkten organisierte Systematik eines idealtypischen (etwa »panhellenischen« oder »reichsröm.«) P. vermag weder die Unterschiede zw. den einzelnen lokalen Panthea noch deren histor. Entwicklung zu erklären. Eine eher forschungspragmatisch orientierte Perspektive stellt deshalb die konkrete Verortung regionaler oder lokaler Ensembles von Göttern, Tempeln, Kulten, Mythen und Theologemen sowie deren nach Ort und Zeit jeweils unterschiedliche Verfügbarkeit in den Mittelpunkt (z.B. [10; 11; 12. 11–46]). So repräsentieren die Götter-P. der philos.-theologischen Spekulation, des → Mythos oder des Theaters zwar keine fiktiven Lebenswelten, sondern sind durchaus handlungsleitende universalistische Aspekte lokaler rel. Erfahrung; gleichzeitig konditionieren jedoch v.a. die lokale Umwelt und individuelle rel. Erwartungen die jeweilige Konkretisierung, Ausdifferenzierung und Veränderung eines vorgegebenen Götter-P. (→ Epiklese) und illustrieren so den dynamischen Charakter polytheistischer P.-Bildungen.

P.-Bildung lassen schon die schriftlichen Zeugnisse myk. Zeit (→ Religion, mykenische) erkennen. Bezugssysteme für die griech. »Randkultur« sind die ausdifferenzierten Panthea der mesopotamischen, ägypt. und phoinikischen Hochkulturen; für die in der Lit. der griech. Archaik zuerst faßbaren Theogonien und Kosmogonien (→ Weltschöpfung) ist Beeinflussung durch den westasiatischen Kulturkreis deutlich [13. 88–106; 14. 107–167, 177–181; 15. 54–80]. Daß die Griechen Konzepte und Namen eines anthropomorphen P. zur Deutung des Göttlichen als strukturierter Götterwelt

von »Ägyptern, Pelasgern und Libyern« übernommen und durch Homer und Hesiod lediglich in eine griech. Form gebracht hätten, formuliert so schon Herodot (2,49–53; [16]). Bereits im 6. Jh. v. Chr. galten Homer und Hesiod als die Gestalter des anthropomorph und soziomorph ausdifferenzierten griech. Götter-P.; die gleichzeitige philos. Kritik an der materiellen Gottesvorstellung der Dichter führte zur Postulierung eines immateriellen göttlichen Wesens (seit Xenophanes 21 B 11 und B 23–26 DK; vgl. Hdt. 2,53; → Pantheos) und der dann v. a. im → Stoizismus populären allegorisierenden Deutung (→ Allegorese) der griech.-röm. Götterwelt (→ Personifikation I.).
→ Anthropomorphismus; Pantheos; Polytheismus; Religion; Theoi Pantes

1 F. Jacobi, ΠΑΝΤΕΣ ΘΕΟΙ, 1930 2 E. Will, Dodékathéon et panthéon, in: BCH 75, 1951, 233–246 3 G. Dumézil, Archaic Roman Rel., 1970 4 J.-P. Vernant, Mythe et société en Grèce ancienne, 1974 5 M. Detienne, Expérimenter dans le champ des polythéismes, in: Kernos 10, 1997, 57–72 6 L. Bruit Zaidman, P. Schmitt Pantel, Die Rel. der Griechen, 1994 7 B. Gladigow, s. v. Polytheismus, HrwG 4, 1998, 321–330 8 H. Beck, Triadische Götterordnungen, in: Theologie und Philos. 67, 1992, 230–245 9 J. Strubbe (Hrsg.), ΑΡΑΙ ΕΠΙΤΥΜΒΙΟΙ (IK 52), 1997 10 Jost 11 V. Pirenne-Delforge (Hrsg.), Les panthéons des cités des origines à la Périégèse de Pausanias, 1998 12 S. R. F. Price, Religions of the Ancient Greeks, 1999 13 W. Burkert, The Orientalizing Revolution, 1992 14 M. L. West, The East Face of Helicon, 1997 15 J. P. Brown, Israel and Hellas, Bd. 2, 2000 16 W. Burkert, Herodot über die Namen der Götter: Polytheismus als histor. Problem, in: MH 42, 1985, 121–132. A. Ben.

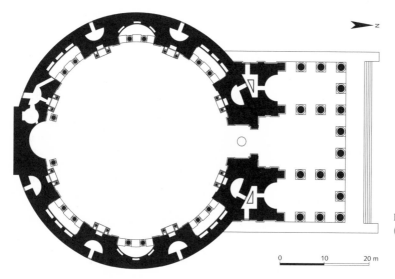

Rom, Pantheon. Grundriß
(3. Bau-Phase; 118–125 n. Chr.).

0   10   20 m

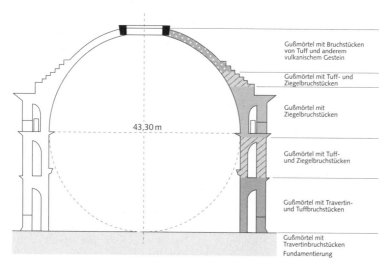

Gußmörtel mit Bruchstücken
von Tuff und anderem
vulkanischem Gestein

Gußmörtel mit Tuff- und
Ziegelbruchstücken

Gußmörtel mit
Ziegelbruchstücken

43,30 m

Gußmörtel mit Tuff-
und Ziegelbruchstücken

Gußmörtel mit Travertin-
und Tuffbruchstücken

Gußmörtel mit
Travertinbruchstücken
Fundamentierung

Pantheon, Querschnitt.

[2] Allg. Bezeichnung für seit dem Hell. geläufige Heiligtümer, in denen die Gesamtheit der Götter verehrt wurde; hiervon ist die spezielle Bezeichnung eines Baukomplexes auf dem Marsfeld (→ Campus Martius) in Rom abgeleitet (Plin. nat. 36,4,38; Cass. Dio 53,27,2–3; 54,1,1), dessen tatsächliche Kultzuordnung aber ungewiß bleibt. Dieses stadtröm. P., in seiner überl. Form ein Rundbau mit offener → Kuppel (mit Abb.) aus hadrianischer Zeit (117–138; SHA Hadr. 19,10), geht gemäß der Architrav-Inschr. (CIL 6,896) sowie einer Schilderung bei Cass. Dio (53,27,2–3) auf Agrippa [1] zurück. Die durch Blitzschlag und Feuer mehrfach zerstörte und wiederaufgebaute Anlage (bezeugt sind u. a. Brände um 80 bzw. 110 n. Chr.) entstand verm. um 25 v. Chr. als ein offenes → *templum* (und nicht als geschlossener Baukörper). Das in seiner baulichen Form kontrovers diskutierte Agrippa-P. war dabei ein Bestandteil der augusteischen Gesamtplanung des Marsfeldes mit im Detail unklarer Funktion bzw. Bestimmung (wohl aber nicht, wie vereinzelt vermutet, ein Tempel für Mars *in campo*).

Der h. gut erh. hadrianische Bau besteht zur Gänze aus Gußmauerwerk (→ Mauerwerk C.; → *opus caementicium*). An eine rechteckige, dreischiffig ausgebaute, repräsentative Giebel-Vorhalle mit achtsäuliger korinthischer Front (monolithe Säulen) schließt sich ein Rundbau an, dessen Zylinder (äußerer Dm ca. 65 m; innerer Dm 43,30 m) mit einer halbkugelförmigen Kuppel aus *opus caementicium* überdacht ist, deren Scheitelhöhe dem Dm des Zylinders exakt entspricht. Versuche, für dieses Baukonzept den unter Traianus tätigen → Apollodoros [14] von Damaskos als Architekt namhaft zu machen, überzeugen nicht. Die Kuppel ist mit Kassetten ausgekleidet (→ Lacunar); das → Opaion mißt im Dm ca. 8,90 m. Die Innenwände mit ihren sieben Nischen sind aufwendig mit → Inkrustation versehen; inwieweit dieser Buntmarmor-Dekor jedoch insgesamt ant. Ursprungs ist oder mit einer barocken Umgestaltung im Jahr 1747 zusammenhängt, bleibt in Einzelheiten umstritten.

Das hadrianische P. ist in severischer Zeit restauriert (Architrav-Inschr. aus dem Jahr 202), im Jahr 608 dann unter Kaiser Phokas durch Papst Bonifatius IV. in eine christl. Kirche umgewandelt worden (Paul. Fest. 4,36). Das P. war seit dem 16. Jh. als eines der am besten erh. Gebäude der Ant. vielfach Gegenstand architektonischer Studien; die Zeichnungen bei Antoine Desgodetz (*Les édifices antiques de Rome*, Erstausgabe 1682) gelten als früheste, auch nach heutigen Kriterien noch wiss. zu nennende Bauaufnahmen und sind in diesem Sinne eine Pioniertat der Klass. Arch.

Zur weiteren nachant. Gesch. des Baukomplexes s. → Pantheon.

K. de Fine Licht, The Rotunda in Rome, 1966 · P. Godfrey, D. Hemsoll, The P.: Temple or Rotunda? in: M. Henning, A. King (Hrsg.), Pagan Gods and Shrines of the Roman Empire, 1986, 195–209 · D. und G. Gruben, Die Türe des P., in: MDAI(R) 104, 1997, 3–74 · W. D. Heilmeyer, Apollodorus von Damaskus, der Architekt des

P.? in: JDAI 90, 1975, 316–347 · W. L. MacDonald, The P., 1976 · Ders., s. v. P., in: N. Thomson de Grummond (Hrsg.), An Encyclopedia of the History of Classical Archaeology, 1996, 847–851 · E. Thomas, The Architectural History of the P. in Rome from Agrippa to Septimius Severus via Hadrian, in: Hephaistos 15, 1997, 163–186 · A. Ziolkowski, Was Agrippa's P. the Temple of Mars 'in campo'?, in: PBSR 62, 1994, 261–277.   C. Hö.

Pantheos, Pantheios
(Πάνθεος, Πάνθειος, lat. *Pantheus*).

I. Antike Allgott-Vorstellungen
II. Göttername und Epitheton

Als P. (»Allgott«) bezeichnete man in der Ant. (Auson. epigrammata 32 Green; CGL V 318,38) eine Gottheit, die innerhalb eines ausdifferenzierten polytheistischen Systems die Attribute, Eigenschaften und Identitäten mehrerer oder aller Götter auf sich vereint (→ Synkretismus).

I. Antike Allgott-Vorstellungen

Die in Mesopotamien, Griechenland und Rom übliche Strukturierung der Götterwelt in einem hierarchisierten → Pantheon [1. 107–113; 177–181] analog zu hierarchischen menschlichen Sozialstrukturen (vgl. → Herrscher) postuliert mächtigere und machtlosere Götter, konstituiert aber noch keine Allgott-Konzeption. Doch schon die ägypt. Rel. der Ramessidenzeit (1294–1070 v. Chr.) formuliert eine radikale Antinomie zw. den untergeordneten Göttern des ägypt. Pantheons und einem (ansatzweise in die Transzendenz gerückten) Allgott → Amun-Re [2. 258–285].

Ähnliche, wenn auch weniger radikale Antinomien sind sowohl formal (→ Hymnos) als auch inhaltlich (z. B. Xenophan. fr. 23–26 DK; Aischyl. fr. 70 Radt; OF fr. 21a; 165) seit archa. Zeit Diskurselemente der griech. Rel. Diese Diskurse werden seit dem späten 4. Jh. v. Chr. mit gesteigerter Intensität geführt; und bis in die Spätant. begegnen in heidnischen lit. Texten, Weihinschr., Hymnen und Aretalogien, Orakeln (Macr. Sat. 1,20,16 f.; [3; 4. 81–92]) oder den → Zauberpapyri [5. 135–222; 6. 34–120] die Vorstellung einer omnipotenten, als »Einziger« (*heís theós* seit Xenophan. fr. 23 DK: [7]), »Allherrscher« (*pantokrátōr, kosmokrátōr, pampótnia*), »Retter« (→ *sōtér, pansōteíra*) oder »Höchster« (*hýpsistos*) apostrophierten, mit den Elementen bzw. dem Kosmos gleichgesetzten Gottheit. Sprachlich äußert sich diese Vorstellung in der Kumulierung von Epitheta und Funktionen sowie der Identifizierung mit mehreren anderen Gottheiten bis hin zu einer inklusionistischen Gottesvorstellung (*unus et omnes*: Valerius Soranus fr. 2 Courtney; [18. Nr. 502]), in der bildlichen Darstellung durch die Anhäufung mehrerer verschiedener Götterattribute und -symbole (Auson. l.c.; [8; 9. 150 ff.; 10. 27–29]). Eine derartige Darstellung bezeichnet vielleicht die Inschr. *Fortunae signum pantheum* (CIL X 1557). Die v. a. in der Kaiserzeit faßbare theologische Zuspitzung dieses Prozesses sieht die Götter des

traditionellen Pantheons lediglich als die Namen, Erscheinungsformen und Aspekte, Begleiter oder »Boten«
(*ángeloi*: [3. 617–639]) eines transzendenten Allgottes.

Diese Zuspitzung ist nicht auf wenige Gottheiten
beschränkt; sie findet sich v. a. in der philos.-theologi-
schen und kosmisch-astrologischen Spekulation sowie
in soteriologischen und → Mysterien-Kontexten. Prominente Allgötter sind schon früh → Zeus/→ Iuppiter
(Aischyl. fr. 70 RADT; OF fr. 167–168; Kleanthes, SVF I
537) und der Sonnengott Helios (→ Sol; [6]), seit hell.
Zeit → Sarapis (Macr. Sat. 1,20,16 f.: 321–311 v. Chr.)
und → Isis [11. 39–52] (in beiden Fällen unter produktiver Adaption ägypt. Theologeme [5. 127–133; 11. 41–
44]), daneben auch Aion, → Dionysos, → Hermes,
→ Mithras, → Pan, → Phanes oder der Theos Hypsistos
[4; 12]. Auffällig ist der dynastisch-polit. Entstehungs-
kontext zahlreicher Allgott-Theologien: Amun in der
Ramessidenzeit; der Allgott → Sarapis unter den Ptolemaiern im späten 4. Jh. v. Chr. [5. 133 f.]; Zeus
→ Hypsistos als Gott des maked. Königtums; die Gottheit mit Tiara, Füllhorn, Kerykeion und Weinzweig auf
Mz. des Pharnakes [1] I. von Pontos [10. Taf. 3,3]; der
die Attribute und Eigenschaften zahlreicher Götter auf
sich vereinende P. auf einer Mz. des Marcus Antonius
[I 9] (42 v. Chr., RRC Nr. 494/5); die als *Dea Panthea*
nach ihrem Tod im J. 38 n. Chr. vergöttlichte Schwester
Caligulas, Livia Drusilla (Cass. Dio 59,11,2 f.).

Weder ist die Verehrung eines Allgottes die quasi-
monotheistische Überhöhung des Kultes für die Gesamtheit »aller Götter« (→ *theoí pántes*) und das »Allgöttliche« (*pántheion*) [13. 123–125]: sie stellt deren univer-
salistischer vielmehr eine henotheistische Perspektive
gegenüber. Noch ist die Tendenz zur Zurücknahme der
für den Polytheismus typischen Göttervielfalt in einem
hypostasierten All-, Welt- oder Hochgott die Vorbereitung des christl. → Monotheismus; eine solche *ex eventu*
formulierte evolutionistische Perspektive verdeckt den
Blick auf die Systemeigenschaften des ant. Polytheismus, zu dessen integralen Bestandteilen gerade auch
situativ und kontextbezogen formulierte henotheistische Optionen und sogar »insuläre Monotheismen«
[14. 326 f.] gehören, der monotheistische Universalisie-
rungen in der Regel aber aufzufangen vermag.

II. GÖTTERNAME UND EPITHETON

Vor dem Hintergrund dieser Allgott-Vorstellungen
existierte in der Kaiserzeit der Kult eines männlichen
Gottes namens P. in vielen Teilen des röm. Reiches; die
Belege in [13. 121 f.; 15. 744 f.] sind durch die folgenden
Inschr. zu ergänzen: [16. Nr. 294] mit SEG 42,1247 (Lyka-
onien); IEph II Nr. 504 f. mit SEG 31,961 (gegen [17]);
CIL II² 5,1164 (Baetica); möglicherweise auch IG IV²
1,549 f. (Epidauros). In den Weihungen für den *Pantheus
Augustus* aus der Westhälfte des Reiches ([15. 744 Anm.
1]; AE 1937,73; 1968,593; 1972,254) sind Allgott-Vorstellungen eingebettet in den → Kaiserkult. Daneben
erscheint P. seit hell. Zeit (SEG 20,719: *pántheios*) als
Epitheton für mehrere männliche und weibliche Gottheiten (Belege, hier ergänzt, in [9. 151 f.; 15. 743 f.]):

neben den oben erwähnten Allgöttern Zeus/Iuppiter
(CIL II 2008), Sarapis [18. Nr. 753; 777], Pan/Silvanus
und Dionysos/Liber auch Aphrodite (SEG 26,891;
38,1336); Athena (neben Zeus: SEG 20,719); Concordia
(CIL VIII 22693); Fortuna; Priapus; Victoria (AE
1985,735). Häufig verbergen sich hinter der inschr.
→ Epiklese *deus p.* bzw. *dea panthea* andere Gottheiten,
z. B. Virgo Caelestis (CIL VIII 9018) oder Mater Magna
[19. 175 Nr. 386]. Die → theophoren griech. Personennamen *Pánthe(i)os, Pánthe(i)a, Panthýs* sind ebenso wie
die Monatsnamen *Pántheios* und *Panthḗios* mit den *theoí
pántes* zu verbinden (s. → *theoí pántes*).

→ Monotheismus; Pantheon; Polytheismus;
PANTHEISMUS

1 M. L. WEST, The East Face of Helicon, 1997
2 J. ASSMANN, Ägypten. Theologie und Frömmigkeit einer
frühen Hochkultur, ²1991 3 ROBERT, OMS, Bd. 5, 584–639
(vgl. OMS, Bd. 1, 411–419) 4 S. MITCHELL, The Cult of
Theos Hypsistos between Pagans, Jews, and Christians, in:
P. ATHANASSIADI, M. FREDE (Hrsg.), Pagan Monotheism in
Late Antiquity, 1999, 81–148 5 R. MERKELBACH, M. TOTTI,
Abrasax. Bd. 1: Gebete, 1990 6 W. FAUTH, Helios Megistos,
1995 7 E. PETERSON, ΕΙΣ ΘΕΟΣ, 1926 8 R. WEISSHÄUPL,
Pantheistische Denkmäler, in: JÖAI 13, 1910, 176–199
9 G. GRIMM, Die Zeugnisse äg. Rel. und Kunstelemente im
röm. Deutschland (EPRO 12), 1969 10 M. BERGMANN, Die
Strahlen der Herrscher, 1998 11 H. S. VERSNEL, Ter Unus,
1990 12 N. BELAYCHE, Contribution à l'étude du sentiment
religieux dans les provinces orientales de l'empire romain.
Les divinités »hypsistos« (Diss. Paris, Sorbonne), 1984
13 F. JACOBI, ΠΑΝΤΕΣ ΘΕΟΙ, 1930 14 B. GLADIGOW, s. v.
Polytheismus, HrwG 4, 321–330 15 K. ZIEGLER, s. v.
Pantheion, RE 18.3, 697–747 16 G. LAMINGER-PASCHER
(ed.), Die kaiserzeitl. Inschr. Lykaoniens, Fasc. 1, 1992
17 CHR. BÖRKER, Eine pantheistische Weihung in Ephesos,
in: ZPE 41, 1981, 181–188 18 L. VIDMAN, Sylloge
inscriptionum religionis Isiacae et Sarapiacae, 1969 19 G. L.
IRBY-MASSIE, Military Rel. in Roman Britain, 1999.
A. BEN.

Panther s. Leopard

Panthoidas (Πανθοίδας). Spartaner, wurde 403/2
v. Chr. nach Byzantion entsandt mit dem Auftrag, die
usurpierte Herrschaft des Spartiaten → Klearchos [2] zu
beseitigen (Diod. 14,12,4–7); wahrscheinlich identisch
mit dem Harmosten P., der 377 v. Chr. bei Tanagra im
Kampf gegen die Thebaner unter Pelopidas fiel (Plut.
Pelopidas 15,6). K.-W. WEL.

Panthoides (Πανθοίδης). Dialektiker, um 280 v. Chr.,
Lehrer des Peripatetikers → Lykon [4], Verf. einer
Schrift ›Über Amphibolien‹ (Diog. Laert. 5,68; 7,193).
P. bestritt die Beweiskraft des »Meisterschlusses« des
→ Diodoros [4] (Epikt. dissertationes 2,19,5). K. D.

Panthus (Πάνθοος, Πάνθους). Angehöriger des troianischen Ältestenrates (Hom. Il. 3,146); Sohn des Othrys
(Verg. Aen. 2,319), Ehemann der Phrontis (Hom. Il.
17,40), Vater der Söhne → Polydamas [1], → Euphorbos
und Hyperenor (Hom. Il. 13,756; 16,808; 17,23 f.). Bei

Vergil Apollon-Priester, der → Aineias [1] Troias Penaten übergibt und wenig später umkommt (Verg. Aen.
2,318 ff. und 429 f.). Nach schol. T zu Hom. Il. 12,211 f.
und Serv. auct. Aen. 2,319 ist er ein Apollon-Priester in
Delphi, der von einer troianischen Gesandtschaft nach
Troia mitgenommen bzw. entführt worden ist.

B. KREUZER, s. v. P., LIMC 7.1, 173 f. • P. WATHELET,
Dictionnaire des Troyens de l'Iliade, 1988, Nr. 262.

MA. ST.

Pantikapaion (Παντικάπαιον). Milesische Kolonie auf
der europ. Seite des Bosporos [2], gegr. 7./6. Jh. v. Chr.,
h. Kerč (Ps.-Skyl. 68; Skymn. 836). Mit seiner strategisch
und handelspolit. beherrschenden Lage und dem fruchtbaren Hinterland übernahm P. früh eine führende Rolle
unter den griech. Poleis am Bosporos (Strab. 7,4,4; Plin.
nat. 4,87). So bildete sich um 480 v. Chr. das → *Regnum
Bosporanum* mit P. als Residenz der bosporanischen Könige (Diod. 12,31). Die zunächst guten Beziehungen
von P. zu den → Skythai und → Sindoi verschlechterten
sich im 4. Jh. v. Chr., als P. auf deren Kosten im Hinterland zu expandieren versuchte. Seine Blüte erlebte P. im
4. bis 2. Jh. v. Chr. als größter Umschlaghafen an der
nördl. Pontosküste (→ Pontos) mit seiner Landwirt-
schafts- und Handwerksproduktion. Die Könige förderten griech. Kunst, Kultur und Bildung. Hauptgott
war Apollon Ietros; auf der Akropolis und der Agora
befanden sich u. a. Tempel der Demeter, der Kybele, des
Dionysos. E. des 2. Jh. v. Chr. setzte ein wirtschaftlicher
Niedergang ein. Eine leichte Erholung machte sich in
der 2. H. des 1. Jh. n. Chr. bemerkbar; sogar Waren aus
dem fernen Osten wurden hier umgeschlagen. P. wurde
mit größeren städteplanerischen Veränderungen weiter
ausgebaut. Auch sarmatische (→ Sarmatae) Kulturele-
mente fanden Eingang. In den 50er J. des 3. Jh. hatte P.
schwer unter den Einfällen der → Goti und → Heruli zu
leiden (Zos. 1,31). Aus dem J. 332 n. Chr. stammen die
letzten Kupferstatere der 900jährigen Mz.-Prägung von
P. Das Christentum begann sich zu Anf. des 4. Jh. aus-
zubreiten. 370 wurde P. von → Hunni zerstört (Prok. BP
1,12,7). Unter byz. Herrschaft erholte sich das Gebiet
um P. zu Anf. des 6. Jh., die Stadt selbst wurde aber nicht
wieder aufgebaut. Unter Kaiser → Iustinianus (527–565
n. Chr.) entstand an der Küste von Kerč ein Fort.

V. F. GAJDUKEVIČ, Das Bosporanische Reich, 1971,
170–179, 512 f. • G. ŠURGALE, Pantikapy, in: B. A.
RYBAKOV (Hrsg.), Antičnye gosudarstva Severnogo
Pričernomor'ya, 1984, 59–63 • M. L. BERNHARD,
Z. SZTETYLLO, s. v. P., PE 672 f.

I. v. B.

Pantikapes (Παντικάπης). Iranischer Name des Bosporos [2] (Ps.-Skymn. 850; Eust. ad Dion. Per. 311;
Steph. Byz. s. v. Παντικάπαιον), der → Pantikapaion
den Namen gab; er bedeutet wohl »Fischstraße«. Mit
dem Fluß P. bei Hdt. 4,18 ist die Meerenge selbst gemeint; hier spiegelt sich die Vorstellung wider, daß der
→ Tanais südl. der Maiotis in den → Pontos Euxeinos
mündet (Arr. per. p. E. 29).

E. DIEHL, s. v. P., PE, 825 f. • V. I. ABAEV, Osetinskij jazyk i
folklor, 1949, 170, 175.

I. v. B.

Pantolabus s. Mallius [2]

Pantomimos (παντόμιμος, lat. *pantomimus*).
I. GESCHICHTE
II. AUFFÜHRUNG UND CHARAKTER

I. GESCHICHTE

P. hieß zunächst der Darsteller eines tänzerischen So-
lovortrages, dann auch der Vortrag selbst (Athen. 1,20d),
in dem sich der Ausführende als einzigem Mittel der
Darstellung der Bewegungen des Körpers oder einzelner Körperteile, bes. der Arme und Hände, bediente,
während er ansonsten – im Gegensatz zum → Mimos –
weder sprach noch sang. Ausdrücklich bezeugt wird ein
P. zuerst in einer Inschr. aus Priene aus den 80er Jahren
v. Chr. [9. 114 ff.]. Die Anf. der Gattung gehen im
griech. Bereich bis in das 4. Jh. v. Chr. zurück [7. 34¹].
Einen frühen Beleg für mimetischen Tanz (von zwei
Personen mit Flötenbegleitung) zur Darstellung eines
myth. Themas (Dionysos-Ariadne) liefert Xen. symp. 9.
Vorsicht ist daher geboten, wenn verschiedene Zeugnisse (Athen. 1,20d; Hier. chron. zum J. 22 v. Chr.; Zos.
1,6,1) Bathyllus aus Alexandreia, einen Freigelassenen und Liebling des Maecenas [2] (Tac. ann. 1,54;
[6. 217 f.]), und Pylades aus Kilikien, einen Freigelassenen des Augustus [6. 284 f.], zu den ersten Vertretern
bzw. Erfindern des P. machen und die Begründung der
Gattung auf das Jahr 22 v. Chr. datieren [4; 7]. Zurückzuführen ist die Spätdatier. darauf, daß Bathyllus und
Pylades etwa seit der Mitte der 20er Jahre v. Chr. den P.
zu seiner eigentlichen Vollendung führten (Lukian. de
saltatione 34), indem sie wichtige Neuerungen vornahmen, die ihn einem breiten Publikum zugänglich machten [7. 39 f.]; insofern konnten sie als seine Schöpfer
gelten. Bathyllus als der eigentliche Vater des kaiserzeitlichen P. (Athen. 1,20d; [7. 39 f.]) entwickelte den
komischen P. zur selbständigen Kunstgattung; sein
Konkurrent Pylades, der ein Buch über den P. verfaßte
(Athen. 1,20d-e, Suda s. v. Pylades) und wichtige Reformen (Macr. Sat. 2,7,18) durchführte (Verstärkung
des musikalischen Apparats, d. h. von Orchester und
Chor: [7. 39]) – weswegen er in der ant. Trad. wiederholt fälschlich als Archeget des P. erscheint –, bevorzugte den tragischen P. (Athen. 1,20e).

War der komische P., den Plut. symp. 7,8,3 im Unterschied zum tragischen zur Gelageunterhaltung empfahl, bereits am E. des 1. Jh. n. Chr. wieder in Vergessenheit geraten, stieg der populärere tragische P. in der
Kaiserzeit (seit Augustus) neben dem Mimus zur führenden Bühnengattung auf. Der P. war die zeitgemäße
Fortführung der Trag., die nun in ihre Elemente zerlegt
wurde, indem man den Text bzw. Gesang von der Darstellung mit Gebärden trennte – eine Darbietungsform,
die auch die Trag. Senecas beeinflußt hat [16]. Der P.,
der sich in allen Schichten großer Beliebtheit erfreute

(Phaedr. 5,7,33ff.; Lukian. ebd. 83), wobei man durchaus kritisch war (ebd. 76; Macr. Sat. 2,7,13ff.), gefiel so gut, daß man auch Dichtungen, die urspr. nicht für die Bühne gedacht waren, zum Gegenstand pantomim. Darbietungen machte (Ov. trist. 2,519f.; 5,7,25ff.). Als Förderer des P. taten sich neben Privatleuten gerade auch die Kaiser immer wieder hervor (nach Augustus bes. etwa Caligula, Nero, Traianus [14. 864ff.]).

Im 2. Jh. n. Chr. formulierte Ailios → Aristeides [3] in einer h. verlorenen Rede die Vorwürfe der Kritiker des P., die sich v. a. gegen die beliebten erotischen Sujets und den als unmännlich-weichlich kritisierten Tanz wandten. Eine Verteidigungsschrift des P. verfaßte kurz darauf Lukianos (*Perí orchéseōs / De saltatione*, ›Über den Tanz‹), ebenso im 4. Jh. Libanios (or. 64) [5; 8]. Der P. bestand bis in das 6. Jh. fort und wurde 691 auf dem Concilium Trullianum noch einmal erwähnt.

II. Aufführung und Charakter

Ein Einzelsänger bzw. (seit Pylades wohl regelmäßig) ein Chor trug zur Musik- bzw. Orchesterbegleitung (meist Flöten, selten Kithara, auch Scabillum etc.: [14. 854ff.]) eine Episode aus dem griech., seltener aus dem röm. Mythos (z. B. Turnus: Suet. Nero 54; Dido: Macr. Sat. 5,17,5) oder der Gesch. (Lukian. ebd. 37; 54; 58; die reichste Slg. von P.-Titeln bei Lukian. sat. 37ff.) in meist griech. Sprache vor (die Mehrheit der P. stammte aus der Osthälfte des Reichs [1. 55f., 77ff.]), während ein stummer Tänzer bzw. später auch eine Tänzerin (Sen. dial. 12,12,6; Apul. met. 10,29) durch entsprechende Gestik und Körperbewegungen die Erzählung in Handlung umsetzte. Eine ausführliche Beschreibung einer P.-Aufführung findet sich bei Apul. met. 10,29ff. [2; 15]. Der Aufführung zugrunde lagen Libretti, die entweder Originale waren oder, weitaus häufiger, griech. und röm. Trag.-Vorlagen umarbeiteten; dabei wurden die wirksamsten Momente in einer Reihe von Szenen zusammengestellt, die der P. hintereinander tänzerisch zu gestalten hatte, während dem Chor der jeweils gesanglich darzubietende Text vorgegeben war. Die Zuhilfenahme von Masken erlaubte dem P., gleich mehrere Rollen – darunter auch Frauen – zu übernehmen.

Das Verfassen solcher – wenigstens von der lit. Elite der Kaiserzeit – dichterisch für wertlos erachteter (h. verlorener) P.-Libretti galt als schmählich (Sen. suas. 2,19), doch wurden diese gut bezahlt, so daß etwa auch die Epiker Papinius Statius (Iuv. 7,87 mit Schol.) und Lucanus (Vacca 336 Hosius) solche schrieben. Im Mittelpunkt der Aufführung stand stets der P., der ganz bestimmte geistige Fähigkeiten und körperliche Voraussetzungen mitbringen (Lukian. ebd. 36f., 74f.; Lib. or. 64,103) und zudem eine harte, langjährige Ausbildung auf sich nehmen mußte (Lukian. ebd. 69, 71, 73; Tert. de spectaculis 17,2), um jene hohe tänzerische Ausdruckskraft zu erreichen, wie sie wiederholt gelobt wird (Lukian. ebd. 64, 66). Zwar sollte die ausdrucksstarke Darbietung des P. jede zusätzliche Erklärung der Handlung überflüssig machen (Lukian. ebd. 63; Lib. or.

64,113), doch bedurfte die bis ins einzelne ausgefeilte Gebärdensprache, die sich allmählich entwickelte, wohl nicht selten (zumal bei unerfahreneren Zuschauern) einer Erläuterung durch einen Ansager (*praeco*; Aug. doctr. christ. 2,25,38). Zu dem Lob für den P. und seine Kunst [12. 140ff.; 14. 860] gesellte sich v. a. seit dem 2. Jh. n. Chr. der Tadel aufgrund seiner »verweichlichenden« Wirkung und Unsittlichkeit, an der nicht nur die Kirchenväter, sondern auch Literaten wie → Apuleius [III] Anstoß nahmen [14. 860ff.; 13. 75f.].

→ Mimos; Tanz

1 H. Bier, De saltatione pantomimorum (Diss. Bonn 1917), 1920 2 N. Fick, Die Pantomime des Apuleius (Met. X,30–34,3), in: J. Blänsdorf (Hrsg.), Theater und Ges. im Imperium Romanum, 1990, 223–232 3 Friedländer, Bd. 2, 125–138 4 E. J. Jory, The Literary Evidence for the Beginnings of Imperial Pantomime, in: BICS 28, 1981, 147–161 5 M. Kokolakis, P. and the Treatise Peri orcheseos, in: Platon 10, 1959, 3–56 6 H. Leppin, Histrionen, 1992 7 Ders., Tacitus und die Anf. des kaiserzeitlichen P., in: RhM 139, 1996, 33–40 8 M. E. Molloy, Libanius and the Dancers, 1996 9 L. Robert, Pantomimen im griech. Orient, in: Hermes 65, 1930, 106–122 10 V. Rotolo, Il pantomimo, 1957 (bes. 87–123) 11 G. J. Theocharidis, Beitr. zur Gesch. des byz. Profantheaters im IV. und V. Jh., 1940 12 O. Weinreich, Epigrammstudien. I. Epigramm und P., 1948 13 W. Weismann, Kirche und Schauspiele, 1972 14 E. Wüst, s. v., RE 18.3, 833–869 15 M. Zimmermann-de Graaf, Narrative Judgement and Reader Response in Apuleius' Metamorphoses 10,29–34. The Pantomime of the Judgement of Paris, in: H. Hofmann (Hrsg.), Groningen Colloquia on the Novel 5, 1993, 143–161 16 B. Zimmermann, Seneca und der P., in: G. Vogt-Spira (Hrsg.), Strukturen der Mündlichkeit in der röm. Lit., 1990, 161–167.

M. Bonaria, Romani Mimi, 1965, 169–274 (mit Quellen).
                                                    I.O. BE.

Pantuleius

[1] Reicher röm. Ritter, der bei seinem Tod im J. 7 n. Chr. → Tiberius als Teilerben anstelle von M. Servilius, *cos.* 3 n. Chr., einsetzte (Tac. ann. 2,48,1). PIR² P 95.

[2] C. P. Graptiacus. Stammte möglicherweise aus Fundi, wenn er tatsächlich in CIL X 6265 genannt ist. Praetorischer Statthalter der Prov. Thracia 172 n. Chr. Wenn in AE 1969/1970, 579 tatsächlich sein Name zu ergänzen ist, war er auch Suffectconsul und consularer Legat von Moesia Inferior unter → Commodus. PIR² P 96.

Leunissen, Konsuln, 250.   W. E.

Panyas(s)is (Πανύασις, selten Πανύασσις, inschr. auch belegt in der Form Πανύατις [Syll³ 45, I.52–54, aus Halikarnassos]: urspr. karischer Name mit für griech. Ohren fremdem /s/-Phonem [1. 5f.]). Einer der vier (oder fünf) kanonischen griech. Epiker (Homeros [1], Hesiodos [1], [Peisandros], Panyassis, Antimachos [3]).

A. Leben   B. Werke   C. Nachwirkung

A. Leben

Geb. 505/500 v. Chr. in Halikarnassos, gest. 455/50 daselbst, älterer Cousin [1. 6] des Herodotos [1], aus vornehmer Adelsfamilie stammend, die in Opposition zum Tyrannen Lygdamis [3] (Machtantritt ca. 460) stand; P. ging mit anderen Halikarnassiern (darunter Herodot) ins Exil nach Samos, kehrte (möglicherweise zwecks Teilnahme an einer Erhebung gegen Lygdamis nach 453: [1. 17f.]) zurück und wurde von Lygdamis umgebracht (T 1). Im 2./1. Jh. errichtete Halikarnassos ihm und Herodot ein Ehrendenkmal, von dessen Aufschrift noch 7 Verse erh. sind (T 5: ›dank ihren Schöpfungen genießt Halikarnassos in Griechenlands Städten namhaften Ruhm‹).

B. Werke

(1) *Iōniká* (Ἰωνικά), (2) *Hērákleia* (Ἡράκλεια, auch Ἡρακλειάς und Ἡρακληΐς).

(1) *Ioniká*: Laut Suda (T 1) ein Gedicht in 7000 Versen (»Pentametern«, d.h. in 3500 Distichen [1. 26f.; 7. 32f.]) über die Gesch. Ioniens von → Kodros und → Neileos von Athen bis zur Gründung der ion. Kolonien in Kleinasien (mit Skizze von deren Gesch.?). Wahrscheinlich angeregt durch den → Ionischen Aufstand (500/499 v.Chr.) und die → Perserkriege, entstanden wohl als Jugendwerk vor der Herakleia [1. 28]; erh. nur zwei, vielleicht drei Fr. (13; 27/28; 30? bei [2], danach hier die Fr.- und Testimonienzählung).

(2) *Hērákleia*: Laut Suda (T 1) ein Epos über → Herakles in 14 Büchern und 9000 Hexametern. Erh. sind nur 30 Fr. mit rund 60 Versen; die beiden längsten Fr. umfassen 19 (F 16) bzw. 15 (F 17) Hexameter. Maximal acht Fr. sind Zitationen mit Buchangabe (Bücher 1, 3, 4?, 5, 11). Die Grundstruktur scheint eine Zweiteilung gewesen zu sein: A. Jugendzeit und die 12 kanonischen Arbeiten im Auftrag des → Eurystheus (bis Buch 6/7); B. Sonstige Taten innerhalb und (vor allem) außerhalb des griech. Kerngebiets (Ägypten: Busiris; Lydien: Omphale, u.a.). Kenntlich sind aus den Fr. noch folgende Episoden: (1) Geburt in Theben und Jugendzeit bis zur Tötung seiner Kinder (vgl. Euripides' ›Herakles‹): F 1. (2) Gang nach Delphi: F 2; 3. (3) Erhalt des Orakels (›Dienst bei Eurystheus!‹): F 3. (4) Erlegung des Nemeischen Löwen: F 4; 5. (5) Tötung der Lernäischen Hydra: F 6. (6) Fang des Erymanthischen Ebers (mit Pholos-Episode): F 7; 8. (7) Erbeutung der Rinder des Geryoneus auf der Insel Erytheia (Überfahrt im Becher des Helios): F 9; °31. (8) Die Helios-Rinder auf Sizilien: F 10. (9) Pflücken der goldenen Äpfel der Hesperiden: F 11; °33? (10) Busiris: F 12. (11) Hades-Fahrt (mit Kerberos und Befreiung des Theseus): F 14; 21?; 25? (12) Bankett in Oichalia bei König Eurytos: F 16; 17; 18/19. (13) Sühnedienst bei Omphale wegen Tötung des Iphitos: F 20. (14) Abenteuer bei den Tremilen: F 22; 23. (15) Verwundung Heras in Pylos: F 24; 25. (16) Inthronisation des → Tyndareos in Sparta: F 26. (17) Einnahme von → Oichalia: T 7 (→ *Oichalías Hálōsis*).

C. Nachwirkung

Die *Iōniká* (›Ion. Geschichte‹) wurden wegen der damaligen Konjunktur themengleicher Schriften in Prosa, insbes. aber durch das Geschichtswerk Herodots, rasch obsolet. Die *Hērákleia* mit ihrer Rühmung des dorischen Stammesheros konnte zu P.' Lebzeiten im ion.-att. Publikum kaum großen Anklang finden. Die Literaten hingegen schätzten das Werk wegen seiner Stofffülle und poetischen Qualität (verständige Homer-Nachfolge gepaart mit eigenen Innovationen [5. 103–109]) hoch ein (Benutzung u.a. durch Pindar, Bakchylides, Pherekydes, Sophokles, Euripides: [4. 895–919]; Aufnahme in den alexandrinischen Epiker-Kanon, s.o.), was noch bei Dionysios von Halikarnassos (T 13), Quintilianus (T 14) und sogar Tzetzes (T 9; 11) nachklingt. Gelesen (d.h. nicht nur von Mythographen und Lexikographen für antiquarische Zwecke ausgebeutet) wurde P. aber wohl schon um 150 n.Chr. kaum mehr [1. 34]. Der letzte ant. Literat, der P. erwähnt, Macrobius (F 9 II), dürfte ihn nur noch als großen Namen kennen [1. 35].

ED.: 1 V. J. Matthews, Panyassis of Halikarnassos. Text and Commentary, 1974 2 PEG I, 171–187 3 EpGr.
Lit.: 4 F. Stoessl, s.v. P., RE 18, 871–923, 1279f. 5 W. McLeod, Studies on Panyassis..., in: Phoenix 20, 1966, 95–110 6 G.L. Huxley, Greek Epic Poetry from Eumelos to Panyassis, 1969 7 E. Bowie, Early Greek Elegy, Symposium and Public Festival, in: JHS 106, 1986, 13–35.
                                                 J.L.

Panzer. Bereits die Helden der homerischen Epen schützten sich mit P. aus Br. oder Leinen (Hom. Il. 3,830; 11,15–28). Der Brust-P. (θώραξ/→ *thórax*) gehörte in archa. Zeit zur Ausrüstung griech. → *hoplítai*; allerdings wurde der Metall-P. in der klass. Zeit zunehmend durch P. aus leichterem Material ersetzt. Im röm. Heer gehörte der P. (*lorica*) zur Ausrüstung der *prima classis* (nach Liv. 1,43,2 in der röm. Frühzeit die Klasse der reichsten Bürger mit einem Vermögen von 100000 As oder mehr). Es wurden verschiedene Typen des Brust-P. verwendet, wobei einerseits Preis und mil. Rang seines Trägers, andererseits die technischen Möglichkeiten für die Wahl des Typs ausschlaggebend waren. Aus taktischer Sicht bestand ein Nachteil des Brust-P. darin, daß er den Soldaten im Kampf durch sein Gewicht behinderte (Tac. ann. 1,64,2; vgl. Veg. mil. 1,20: *sed gravis pediti lorica videtur*). Der P. hat sich zweifellos in vielen Gebieten unabhängig voneinander durchgesetzt. Die ältesten P. der etr.-röm. Welt sind auf das 6. bis 5. Jh. v.Chr. zu datieren. Etr. Reliefs und Statuen dieser Zeit zeigen klar unterscheidbare P. (Kämpfende vom Tempel in Falerii Veteres, Rom, VG; Mars von Todi, Rom, VM). Die einfachste Form des P. bestand wohl aus Leder. Eine kleine Metallplatte auf der Brust verstärkte später den Schutz bes. für das Herz (daher die griech. Bezeichnung καρδιοφύλαξ/*kardiophýlax* Pol. 6,23,14).

Im röm. Heer wurden gleichzeitig verschiedene Typen des P. getragen; während der einfache Soldat einen

P. aus Leder hatte, war der → *centurio* durch einen Metall-P. geschützt. Hohe Offiziere und der → Princeps trugen oft einen Muskel-P. aus Metall, der die Form der zu schützenden Körperteile nachahmte. Sicherlich war der Ketten-P., der aus einzelnen Eisenringen zusammengefügt war, am weitesten verbreitet. Urspr. ohne Ärmel und am Hals offen, wurde er seit dem 2. Jh. v. Chr. mit kurzen Ärmeln versehen und bes. in der Reiterei getragen; man schrieb ihm keltische Herkunft zu (Varro ling. 5,116). In der Prinzipatszeit wurde der Begriff *lorica* weiterhin verwendet; so erwähnt Hadrianus in einer Ansprache an in Africa stationierte röm. Einheiten im Jahr 128 *loricati* (»Gepanzerte«, CIL VIII 18042 = ILS 2487; vgl. für die Spätant. Veg. mil. 1,20; *loricatus* in der Reiterei: Veg. mil. 2,14).

In der Arch. werden vier Typen von P. unterschieden, wobei die verwendeten Bezeichnungen mod. Ursprungs sind: Die *lorica segmentata* (Schienen-P.) erscheint unter Claudius (41–54 n. Chr.); die vielleicht aus dem Orient stammende *lorica squamata* (Schuppen-P.) ist vom 1. bis zum 4. Jh. n. Chr. belegt. Beide Typen finden sich in bildlicher Darstellung auf der Säule des Traianus und der des Marcus Aurelius (→ Säulenmonumente); auf letzterer tragen die einfachen Soldaten der Legionen die *lorica segmentata* und die → Praetorianer die *lorica squamata*. Zwei andere Typen sind weniger verbreitet: die *lorica hamata* (Ketten-P.) und die *lorica reticulata* (Netz-P.). Entgegen den Behauptungen der älteren Forsch. wurde die *lorica* auch in der Spätant. oft verwendet; in dieser Zeit wurden die P. wie auch andere Waffen in den großen Werkstattkomplexen des Imperium Romanum, den *fabricae* (→ *fabrica*), hergestellt.

Zum Schutz der Kopfes diente die *galea*, die urspr. nur eine Kappe aus Leder oder Fell war. Bald wurde die Bezeichnung auch für Metallhelme gebraucht. Die Unterscheidung Caesars zw. *galea*, Infanteriehelm, und *cassis*, Reiterhelm (Caes. Gall. 2,21,5; 7,45,2; vgl. Tac. Germ. 6), wird von späteren Autoren oft nicht beachtet (Veg. mil. 2,13; 2,16).

→ Bewaffnung; Helm

1 M. C. BISHOP, J. C. N. COULSTON, Roman Military Equipment from the Punic Wars to the Fall of Rome, 1993 2 M. FEUGÈRE, Les armes des Romains, 1993 3 H. KÜHNL, Bild-WB der Kleidung und Rüstung, 1992 4 M. REDDÉ, S. VON SCHNURBEIN, Fouilles et recherches nouvelles sur les travaux du siège d'Alésia, in: CRAI 1993, 281–312 5 H. R. ROBINSON, The Armour of Imperial Rome, 1975 6 C. SAUNIER, L'armée et la guerre dans le monde étrusco-romain, 1980, 108 7 Ders., L'armée et la guerre chez les peuples sannites, 1983 8 W. A. B. VAN DER SANDEN, Fragments of the lorica hamata from a Barrow at Fluitenberg, Netherlands, in: Journ. of Roman Military Equipment Studies 4, 1993, 1–8. Y. L. B./Ü: C. P.

Paos (Πάως). Ägypter, der Karriere in den Diensten Ptolemaios' VIII. machte. P.' Laufbahn ist Ausdruck des Versuches, in der Auseinandersetzung mit → Kleopatra [II 5] II. die äg. Bevölkerung zu mobilisieren. 137/6

v. Chr. war P. *tōn prṓtōn phílōn*, 133/2 (ziviler) *stratēgós* einiger Gaue in der Thebais, verm. 132/1, im Zuge der Kämpfe, wurde er *syngenḗs kai stratēgós tēs Thēbaḯdos*, war schließlich im Sommer 129 als Nachfolger des Boethos [1] *syngenḗs kai epistratēgós kai stratēgós tēs Thebaḯdos*, wurde aber spätestens 127/6 durch Lochos [2] ersetzt. PP I/VIII 197; 302.

→ Hoftitel (B. 2.)

L. MOOREN, The Aulic Titulature in Ptolemaic Egypt, 1975, 91 f. Nr. 054; 116 Nr. 0120 • J. D. THOMAS, The Epistrategos in Ptolemaic and Roman Egypt, Bd. 1, 1975, 94 ff. Nr. III. W. A.

Pap(a) (Pahlevi *pāp*, *bāb*, »Vater«). Sohn des armenischen Königs → Arsakes' [4] II. und der Pharanjem von Siwnik'. Nach der Gefangennahme seines Vaters floh P. zu → Valens, der ihn noch 369 n. Chr. durch den *dux* Terentius wieder als Herrscher in Armenien einsetzen ließ (Amm. 27,12,9–10). In der Folgezeit gelang es → Sapor II., ihn zu antiröm. Maßnahmen zu bewegen: P. sandte dem Perserkönig die Köpfe seiner Minister → Kylakes und → Artabannes [1] zu (Amm. 27,12,14). Die in den armen. Quellen behauptete Vergiftung des *katholikós* Nersēh durch den König (z. B. Moses Chorenaci 3,38) dürfte aber unhistorisch sein. 372 wurde P. von Valens nach Tarsos gerufen und dort festgehalten, entkam jedoch mit 300 Gefolgsleuten nach Armenien. Im Herbst 374 ließ ihn Traianus, der röm. Kommandeur in Armenien, in kaiserlichem Auftrag bei einem Gastmahl ermorden, wohl wegen seiner arianisierenden Religionspolitik (→ Arianismus) (Amm. 30,1,1–2,1). PLRE 1, 665 f.

J. MARKWART, Südarmenien und die Tigrisquellen, 1930, 133–141; 148–159 • M. SCHOTTKY, s. v. Pap, LThK³ 7, 1322 • N. G. GARSOÏAN (Hrsg.), The Epic Histories Attributed to P'awstos Buzand (Buzandaran Patmut'iwnk') 1989, 397 f. (engl. Übers. und Komm.). M. SCH. u. A. P.-L.

Papagei (ψιττακός/*psittakós* oder -η/*ē* bzw. σιττακός/ *sittakós* oder -η/*ē*, lat. *psittacus* oder *sittacus*, *siptace*, Plin. nat. 10,117, davon abgeleitet »Sittich«), der aus Indien eingeführte, prächtig bunte Vogel. Als Insasse königlicher Vogelgärten, aber auch als Schaustück und Geschenk wurde er in seiner Heimat hoch geschätzt (Ps. Kallisthenes 3,18; Kleitarchos bei Strab. 15,1,69; Kallixeinos bei Athen. 5,201b; Megasthenes bei Arr. Ind. 1,15,8). Erste Kenntnis vermittelte Ktesias (Indika 3 = fr. 57,3 βιττακός/*bittakós*; ähnlich Nearchos FGrH 113 F 9). Aristoteles (hist. an. 7(8),12,597b 27–29) erwähnt außer der Heimat nur, daß der P. eine Menschenzunge habe (d. h. zum Sprechen abgerichtet werden könne) und daß er, vom Wein berauscht, Unsinn anstelle (ἀκολάστερον γίνεται). Röm. Autoren beschreiben ihn genauer (Ov. am. 2,6; Plin. nat. 10,117: grün mit rotem Halsring; er klettert sogar mit seinem großen, starken Schnabel; Stat. silv. 2,4; Apul. flor. 12; Krinagoras bei Anth. Pal. 9,562; Ail. nat. 16,2, vgl. 13,18), so daß man ihn als Halsband-Sittich Palaeornis torquata bestimmen kann.

Weniger seines bunten Gefieders wegen als vielmehr aufgrund seiner durch Training (Schilderung bei Plin. l.c.; Solin. 52,43–45; Apul. l.c.; Greg. Naz. carmen morale 620; Diod. bei Phot. bibl. 216a) erreichten Imitationsfähigkeit der menschlichen Stimme war der P. in Rom ein teurer und beliebter Ziervogel. Es gab berufsmäßige Abrichter (Manil. 5,378–380; Firm. 8,14,3; Philostr. Ap. 6,36). Der Wortschatz des P. umfaßte außer Redensarten Grußformeln (Ov. am. 2,6,48; Isid. orig. 12, 7,24 mit Zitat von Mart. 14,73 f.) und Schimpfwörter (Pers. praef. 8 f.; PLM 61,31 und Apul. l.c.). Wegen seines kräftigen Schnabels war seine Haltung in Käfigen aus Holz nicht sicher (Dionysios, Ixeutikon 1,19: [1. 13]); er mußte daher in solchen aus Metall gehalten werden. In den Gedichten von Ovid (l.c.) und Statius (l.c.; dazu CIG III p. 1076, vgl. [2. 31 ff. und 81 ff.]) war er Liebling der Frauen. Daß Elagabal ihn aß und den Löwen vorwarf, soll u.a. dessen Wahnsinn bewiesen haben (SHA Heliog. 20,4 und 21,1). Mit der Turteltaube (Ov. am. 2,6,16–19; Ov. epist. 15,37; Plin. nat. 10,207) und dem Wolf (z.B. Opp. kyn. 2,408; Timotheus von Gaza, Kap. 7) soll er in Freundschaft leben. Bei Aisop. 261 HAUSRATH ist er Nahrungsmittelkonkurrent des Wiesels. Kallimachos benutzt ihn als verspottetes Symbol des Redners (fr. 192,11 PFEIFFER). Den Brahmanen in Indien war der Vogel wegen seiner Imitationskunst hl. und als Speise verboten (Ail. nat. 13,18). Viele Darstellungen [3. 933 f.] aus hell. und röm. Zeit sind auf Wandgemälden und Mosaiken [4. 2, Fig. 46], aber auch in der Kleinkunst auf Bronzen, Gemmen [5. Taf. 21,1–5, 21,51, 23,46] und Kameen erhalten.

1 A. GARZYA (ed.), Dionysii ixeuticon, 1963
2 G. HERRLINGER, Totenklage für Tiere, 1930 3 H. JEREB, s.v. P. (Bildliche Überl.), RE 18.3, 932–934 4 KELLER 2, 45–49 5 F. IMHOOF-BLUMER, O. KELLER, Tier- und Pflanzenbilder auf Mz. und Gemmen des klass. Alt., 1889 (Ndr. 1972).

D'ARCY W. THOMPSON, A Glossary of Greek Birds, 1936 (Ndr. 1966), 335–338.   C.HÜ.

Papageifisch (σκάρος/*skáros*, lat. *scarus*).

Der bis zu 49 cm lange farbige Scarus cretensis (= Sparisoma cretense) war nach Plin. nat. 9,62 f. im 1. Jh. n. Chr. der von den Römern geschmacklich meistgeschätzte Seefisch, auch von griech. Dichtern (Athen. 7,319f–320c) beachtet. Als zoologische Besonderheit erwähnt Plinius seine ausschließlich pflanzliche Nahrung (φυκίον/*phykíon*, Tang, bei Aristot. hist. an. 7(8),2,591a 14 f.; *herbae* bei Plin. nat. 9,62) und – damit zusammenhängend – das angebliche Wiederkäuen (Aristot. hist. an. 7(8),2,591b 22: μηρυκάζειν/*mērykázein* = *ruminare*; vgl. Ail. nat. 2,54). Dies wurde von seinen zu einer Kauplatte verwachsenen Zähnen (vgl. Aristot. part. an. 3,1,662a 7 und 3,14,675a 4; Plin. nat. 11,162; [1]) abgeleitet. Am häufigsten komme er (so Plin. nat. 9,62) im Karpathischen Meer (d. h. im östlichen Mittelmeer zw. Rhodos, Kreta und Kleinasien; vgl. Colum. 8,16,9) vor, doch habe der Flottenbefehlshaber Tiberius Iulius [II 101] Optatus

Pontianus 52 n. Chr. Exemplare von dort an der it. Westküste zw. Ostia und Campanien ausgesetzt. Nach fünfjähriger Schonzeit sei der Fisch dort inzwischen häufig. Aristot. hist. an. 2,13,505a 15 erwähnt seine doppelten Kiemen.

1 LEITNER, 217f.

H. GOSSEN, A. STEIER, s. v. Scarus, RE 2 A, 363–365.
                                 C.HÜ.

Paphlagonia (Παφλαγονία). I. LANDSCHAFT UND BEVÖLKERUNG II. VORRÖMISCHE ZEIT III. RÖMISCHE UND BYZANTINISCHE ZEIT

I. LANDSCHAFT UND BEVÖLKERUNG

Landschaft im mittleren Abschnitt des nördl. Anatolien, Siedlungsgebiet des Volkes der *Paphlagónes*. Der älteste überl. Landesname dieses Teils Kleinasiens ist hethit. *Pala* (palaisch *ᵘⁿ*Palaumnili). Analog zu dem PN *Pylaiménēs* gab es nach Plin. nat. 6,5 einen Landesnamen *Pylaemenia*, der vielleicht auf den palaischen Landes- bzw. Volksnamen zurückgeht. Die jüngere Sprache der Paphlagones läßt sich aus wenigen ON und PN (bes. Strab. 12,3,25) nicht näher bestimmen. Zeugen für die weiteste Verbreitung des paphlagon. Volkes in Anatolien sind auch die arch. Relikte, insbes. ein bestimmter Typ von Felsgräbern. Die ant. Lit. befaßt sich mit der Landeskunde wenig. Eine Schrift des Milesiers Alexandros [23] Polyhistor über P. ist verloren, die reichste Darstellung bietet Strab. 12,3,1–9.

Die Grenzen von P. wurden zu verschiedenen Zeiten unterschiedlich gezogen. Im N. erstreckte sich P. bis ans Meer. Die Flüsse Billaios oder Parthenios [3] trennten es im Westen von → Bithynia, der Halys im Osten von → Pontos (jedoch mit Einschluß der Phazemonitis auf dem rechten Ufer). Im Süden war das Becken von → Gangra paphlagonisch, wohingegen der Raum von Ankara zum phrygischen bzw. galatischen Gebiet gehörte. In sich ist P. durch die hohen, parallel zur Küste streichenden Gebirgsketten dreigeteilt. Auf den Küstenstreifen folgt jenseits der Küre Dağları die grüne Zone des Amnias-Tals, von ihr scheidet der hohe → Olgassys im Süden den mittelanatolischen arideren Landschaftstyp. Die meisten Regionen, die Strabon benennt, können nicht genau lokalisiert werden.

Das Volk der Paphlagones hat in der ant. Lit. keinen guten Ruf: kriegerisch, aber uneins, ungeschlacht, dumm und abergläubisch, nach Knoblauch stinkend (vgl. etwa die Charakterzüge des Paphlagonen in den *Equites* des Aristophanes). In den Heeren landfremder Herrscher dienten sie als Reiter, oft von ihren eigenen Häuptlingen angeführt. Zeugnisse über paphlagon. Dynasten der vorröm. Zeit (→ Pylaimenes, Korylas, Thys, → Morzios) lassen ungewiß, wie weit sich ihre Herrschaft jeweils erstreckte.

II. VORRÖMISCHE ZEIT

Durch alle ant. Epochen hindurch haben Großmächte ihre Hand auf P. gelegt, aber nur wenige vermochten es lange im Griff zu behalten. Im 2. Jt. v. Chr. konkurrierten die → Kaškäer mit den Herren von → Ḫattusa um P. Nach 700 wurde P. von den → Kimmerioi heimgesucht, im 6. Jh. dehnte → Kroisos sein Reichsgebiet bis an den Halys aus, und unter den Persern regierten Satrapen von Daskyleion [2] am Marmarameer P. Damals bestanden an der Küste schon blühende Tochterstädte von Miletos [2], deren Bewohner mit dem Innern von P. Kontakt pflegten, was z. B. die Felsreliefs von Donalar zeigen. Stelen und Steinreliefs sowie das Namensgut in den Inschr. zeugen von der iranischen Diaspora. Iraner, Griechen und Einheimische konkurrierten nach dem Tod Alexandros' [4] d. Gr. als Vasallen der → Diadochen um die Gebietsherrschaft. Die Mithradatiden (→ Mithradates) strebten seit der 1. H. des 3. Jh. den Besitz der paphlagon. Küstenstädte an, lange bevor sie (183 v. Chr.) ihre Residenz nach → Sinope verlegten. Die sich über 35 J. hinziehenden → Mithradatischen Kriege beendeten die Balance der hell. Hegemonien und riefen Rom auf den Plan. Nichts Geringeres als röm. Aufsicht über nahezu das gesamte Nordanatolien, wie sie zuvor nur die Achaimenidai [2] und, für kurze Zeit, Mithradates [6] VI. verwirklicht hatten, suchte Pompeius [I 3] in der Prov. → Bithynia et Pontus mit Statthaltersitz am Marmarameer zu verankern. Einem Dynasten Attalos blieb Gangra, während P. von der Küste bis an den Olgassys den neu konstituierten Prov.-Städten (darunter Pompeiopolis) zugeteilt wurde. Episode blieb das Wirken des Antonius [I 9], der den Binnen-P. aus der Prov. wieder herausbrach und den Galater Kastor damit belehnte, dessen Sohn »König Deiotaros Philadelphos« (Mz.) von Strabon als letzter Herrscher von P. bezeichnet wird.

III. RÖMISCHE UND BYZANTINISCHE ZEIT

Die Pax Augusta (→ Augustus) setzte jene tiefgreifende Neuordnung in Gang, deren Evolution bis weit in das byz. Zeitalter hineinreicht. Die Städte des Landesinnern bildeten ab 5 v. Chr. die vom Legaten in Ancyra regierte *provincia* P. Die nachfolgenden, zahlreichen Statusveränderungen und Arrondierungen der Prov. bis hin zur byz. Themenverfassung (→ *théma*) erwuchsen vornehmlich aus mil. Motiven im Sog der großen Grenzkriege im Orient. Als jahrhundertelang stabil indessen erwies sich das städtische Ordnungsprinzip. Von dynamischer Anpassung an die gräko-röm. Zivilisation und beachtlichem Reichtum zeugen Mz., Inschr. und Architektur. Früh drang das Christentum ein (Plin. epist. 10,96).

Auch nach Plünderungen durch die → Goti (3. Jh.) blühte die Prov. in der Spätant., doch seit dem 7. Jh. brachen Invasionen über P. herein, zuerst der → Sāsāniden, dann der Araber und Russen, im 11. Jh. drangen die ersten Türken in P. ein. Samastra (Amastris) als Bastion der Genuesen ergab sich Mehmet II. 7 J. nach der Eroberung von Konstantinopolis (1453).

In den zwei Jt. ant. und christl. Kultur hat das Land bekannte Personen hervorgebracht wie z. B. den Kyniker → Diogenes [14] aus Sinope, → Philetairos, den Begründer der Herrschaft → Pergamons, den Propheten → Alexandros [27] von Abonuteichos, den christl. Häretiker → Markion von Sinope, den Redner und Philosophen → Themistios, den Hagiographen Niketas (9.–10. Jh.) oder die kaiserliche Familie der Komnenen.

CH. MAREK, Stadt, Ära und Territorium in Pontus-Bithynia und Nord-Galatia, 1993 · K. BELKE, Paphlagonien und Honorias, TIB 9, 1996.   C. MA.

Paphnutios (Παφνούτιος), gest. um 360 n. Chr. P. war nach → Sokrates (hist. eccl. 1,11) als Bischof der oberen Thebaïs am ersten Konzil von → Nikaia [5] (325 n. Chr.) beteiligt. Während der Christenverfolgung, vielleicht unter → Maximinus [1] Daia, verlor er ein Auge. Er genoß hohes Ansehen bei Kaiser → Constantinus [1] und galt wegen seiner strengen monastischen Lebensführung als kirchliche Autorität. Unsicher ist, ob die ihm von Sokrates (l.c.) zugewiesenen Aussagen zum Zölibat der Priester (Beibehaltung der vor der Weihe geschlossenen Klerikerehen) auf ihn zurückgehen.

F. WINKELMANN, P., der Bekenner und Bischof, in: P. NAGEL (Hrsg.), Probleme der kopt. Lit., 1968, 145–153 · S. HEID, Zölibat in der frühen Kirche, 1997.   K. SA.

Paphos (Πάφος).
I. ALT-PAPHOS II. NEU-PAPHOS
III. BYZANTINISCHE ZEIT

I. ALT-PAPHOS

In der Ant. trugen zwei Städte an der Südküste von → Kypros (Zypern) den Namen P.; sie werden seit der röm. Kaiserzeit als Neu-P. (Νέα Π.) beim h. Kato P. und Alt-P. (Παλαίπαφος) beim h. Kouklia unterschieden. (Alt-)P. wird erstmals als Hauptstadt eines lokalen Fürstentums des Königs Ituander (Eteandros) auf dem Prisma → Asarhaddons (673/2 v. Chr.) erwähnt. Die Stadt lag ca. 1,5 km vom Meer entfernt, wo → Aphrodite an Land gestiegen sein soll. Hier befand sich das berühmteste Aphrodite-Heiligtum der Ant.

Älteste Siedlungsspuren reichen bis ins Chalkolithikum zurück, eine größere städtische Siedlung hat kontinuierlich von der späten Brz. bis ans E. der röm. Kaiserzeit bestanden. Dies zeigen auch die umfangreichen → Nekropolen, die reiche brz. Bestattungen, z. T. mit Waffen, aufweisen. Um 1200 v. Chr. ließen sich verm. griech. Siedler im nahegelegenen Palaiokastro-Maa nieder. Zu Anf. des 11. Jh. sind in Alt-P. erste Siedlungsspuren nachweisbar, die mit der bei Paus. 8,5,2 überl. Gründung durch → Agapenor von Tegea auf der Rückfahrt von → Troia in Verbindung gebracht werden. Im späten 8. Jh. v. Chr. erweiterte sich die Stadt nach Osten und wurde mit einem ausgedehnten Befestigungsring umgeben. Teile davon sind am NO-Tor auf dem Marcello-Hügel zusammen mit einer Belagerungsrampe ausgegraben, mit deren Hilfe die Perser im → Ionischen Aufstand die Stadt eroberten. In der Füllung der Rampe fanden sich neben vielen Waffenresten Votiv-Frg. aus einem außerstädtischen Heiligtum [1; 2]. Die Rampe wurde später in die wiederaufgebaute Befestigung miteinbezogen. Aus der Zeit nach der pers. Eroberung stammt ein palastartiger Großbau, dessen Grundriß pers. Einflüsse erkennen läßt, vielleicht die Residenz des paphischen Königs [3]. Mz. belegen auch im 5. und 4. Jh. eine einheimische Dyn. [4], deren wichtigster Vertreter Nikokles [2] II. sich ab 321 v. Chr. mit → Ptolemaios I. verbündete und die Stadt Neu-P. als neue Residenz gründete [5]. Danach verfielen die Befestigungen, ein Teil der Siedlungsfläche im Osten wurde aufgegeben.

Das Aphroditeheiligtum blieb als Pilgerstätte bis in die röm. Kaiserzeit berühmt; → Titus (79–81 n. Chr.) befragte hier auf seinem Weg nach Iudaea 69 n. Chr. das Orakel. Nach Strab. 14,6,3 fanden jährlich Prozessionen von Neu-P. zum Heiligtum statt. Reste einer Pfeilerhalle und der Temenos-Mauer aus großen monolithen Kalksteinblöcken im Süden der Anlage stammen noch aus der späten Brz. Nach einer tiefgreifenden Umgestaltung infolge von Erdbebenzerstörungen in der frühen Kaiserzeit umschlossen dann Hallen und Banketträume einen Hof im Norden. Röm. Mz. zeigen ein konisches Objekt unter einem Dach in der Mitte einer dreistufigen Anlage. Es scheint sich um das anikonische Kultmal zu handeln, das nach Tac. hist. 2,3 in einem Hof unter offenem Himmel stand, ohne vom Regen naß zu werden. Eigentümlichkeiten im Kult und älteste Architektur-Frg. sprechen für Verbindungen mit der min. Rel. (→ Religion, minoische). Auf einen vorgriech. Bestand deutet auch die Version der Gründung durch → Kinyras, von der sich das bis ins 4. Jh. v. Chr. bestehende Priestergeschlecht der Kinyraden ableitete [6].

II. Neu-Paphos

Neu-P. wurde zu E. des 4. Jh. v. Chr. von dem letzten einheimischen König Nikokles II. ca. 16 km südöstl. von Alt-P. gegr. Erstmalig auf Kypros liegt dem Stadtplan ein orthogonales Rastersystem zugrunde. Die starken Befestigungsmauern und Hafenanlagen sind z. T. erh. [7], das hell. Theater und ein Tempel noch unausgegraben. Nach dem Übergang der Herrschaft auf die Ptolemaier war Neu-P. ein wichtiger Flottenstützpunkt. Mit den natürlichen Ressourcen der Insel ließ Ptolemaios II. in der Werft zwei große Schiffe bauen. Zu E. des 3. Jh. wurde der Sitz des Strategen, gleichzeitig Oberpriesters der Aphrodite, von → Salamis nach Neu-P. verlegt, wo bis in die röm. Kaiserzeit die Hauptstadt der Insel blieb. Ein Komplex von ca. 11 000 tönernen ptolem. Siegelabdrücken ist aus einem Verwaltungsarchiv geborgen worden; in der ptolem. Zeit war Neu-P. Münzstätte. Nur geringe Reste hell. Gebäude sind erh., da die Stadt nach einem starken Erdbeben 15 v. Chr. grundlegend neu gebaut wurde. Zuwendungen von → Augustus beim Wiederaufbau führten zur Änderung des Namens in *Sebasté Néa Páphos*. Aus Schriftquellen sind Heiligtümer für Aphrodite, Zeus Polieus, Leto, Artemis Agrotera und ein Ptolemaion bekannt, durch Inschr. konnte die z. T. unterirdische Kultanlage

für Apollon Hylates identifiziert werden. In der großen Nekropole nordwestl. vor der Stadt sind nach alexandrinischem Muster unterirdische Grabkammern um Peristylhöfe herum angelegt. Zum Verwaltungssitz der röm. Zeit gehören große Villenanlagen mit reichen Fußbodenmosaiken des 2. Jh. n. Chr. [8]. Nördl. der Stadt befindet sich ein Garnisonslager [9].

Auch in frühchristl. Zeit blieb die Bed. von Neu-P. erh., die Kirche Chrysopolitissa ist das größte Kirchengebäude auf Kypros; der Bischof nahm am 1. oikumenischen Konzil in Nikaia [5] (325 n. Chr.) teil.

→ Phönizien, Punier; Zypern, Archäologie und Kultur

1 E. Erdmann, Waffen und Kleinfunde (Ausgrabungen in Alt-P. auf Cypern 1,1: Nordosttor und pers. Belagerungsrampe in Alt-P.), 1977 2 F. G. Maier, Ausgrabungen in Alt-P.: Stadtmauer und Belagerungsrampe, in: AA 1967, 303–330 3 J. Schäfer, Ein Perserbau in Alt-P.?, in: OpAth 3, 1960, 155–175 4 BMC, Gr Cyprus LXII–LXXXI, 35–45 5 H. Gesche, Nikokles von P. und Nikokreon von Salamis, in: Chiron 4, 1974, 103–125 6 F. G. Maier, Kinyras und Agapenor, in: V. Karageorghis (Hrsg.), Cyprus between the Orient und Occident, 1986, 311–320 7 R. L. Hohlfelder, The P. Ancient Harbour Explorations, in: RDAC 1992, 255f. 8 G. S. Eliades, Die Villa mit den Mosaiken von Nea P., 1982 9 F. Giudice u. a., P.: Garrison's Camp. Campagna 1996, in: RDAC 1996, 171–267.

W. A. Daszewski, D. Michaelides, Guide to the Paphian Mosaics, 1988 · W. A. Daszewski, Nea P. à l'époque hellénistique et romaine, in: Dossiers d'Archéologie 205, 1995, 116–123 · J. W. Hayes, L. L. Neuru, P., Bd. 3: The Hellenistic and Roman Pottery, 1991 · F. G. Maier, Alt-P. auf Zypern, in: Antike Welt 2,3, 1971, 2–14 · Ders., Alt-P. auf Cypern (Trierer Winckelmannsprogramm 6), 1984, 1–75 · Ders., Arch. und Gesch., Ausgrabungen in Alt-P., 1973 · Ders., V. Karageorghis, P., 1984 · F. G. Maier, Le sanctuaire d'Aphrodite à P., Chypre, in: Dossiers d'Archéologie 205, 1995, 84–87 · Masson, 93–134 · O. Masson, T. B. Mitford, Les inscriptions syllabiques de Kouklia-P. (Ausgrabungen in Alt-P. auf Cypern 4) 1986 · T. B. Mitford, The Hellenistic Inscriptions of Old P., in: ABSA 56, 1961, 1–41 · J. Mlynarcyk, Nea P. in the Hellenistic Period (Nea-P. 3), 1990 · Dies., Palaces of Strategoi and the Ptolemies in Nea P., in: W. Hoepfner, G. Brands (Hrsg.), Basileia. Die hell. Paläste, 1996, 193–202 · K. Nicolaou, Nea P. An Archaeological Guide, 1970 · E. Oberhummer, J. Schmidt, s. v. P. (1), RE 18,3, 937–964.   R. Se.

III. Byzantinische Zeit

Entscheidend für die Entwicklung von P. in byz. Zeit waren die zahlreichen Erdbeben, die Zypern und damit P. im 4. Jh. heimsuchten (→ Hieronymus bezeichnet es als zerstört, PL 23,52). Unter → Constantius [2] II. verlor es daher seinen Rang als Metropolis, und Salamis im O. der Insel wurde unter dem Namen Constantia der Hauptort der Insel. Siedlungskontinuität ist jedoch gesichert. P. teilte nun das weitere Schicksal der Insel, v. a. die arab. Überfälle (seit 649) und die eigentümliche Zwischenstellung zw. Byzanz und dem Kalifat. Inschr.-Funde erweisen jedoch, daß um P. auch dauerhafte arab. Siedlungen bestanden, so daß es kaum verwundert, wenn P. auf dem 2. Konzil von → Nikaia [5] (787) nicht durch einen Bischof vertreten war. Erst 965 geriet Zypern und mit ihm P. endgültig wieder unter byz. Herrschaft.

A. Berger, s. v. Zypern, LMA 9, 738–740 · T. E. Gregory, ODB s. v. Cyprus, 567–570. J.N.

Papianilla. Tochter des weström. Kaisers → Avitus [1], Schwester des → Ecdicius, heiratete vor 455 n. Chr. den Dichter → Sidonius Apollinaris. Sie brachte reiches Vermögen in die Ehe ein und soll sich der Mildtätigkeit ihres Mannes widersetzt haben (Sidon. epist. 2,2,3; 2,12,1 f.; 5,16; Greg. Tur. Franc. 2,21 f.). PLRE 2, 830 (P. 2) mit Stemma 14. M.MEI.

Papias (Παπίας). Bischof oder Gemeindeleiter in seiner Heimatstadt → Hierapolis [1], schrieb um 125/130 n.Chr. eine ›auslegende Darstellung der Herrenüberlieferung in fünf Büchern‹ (Λογίων κυριακῶν ἐξηγήσεως συγγράμματα πέντε), von der nur Fr. erh. sind. Wichtig, aber umstritten sind die histor. Informationen über die Autoren des NT aus dem Vorwort (Eus. HE 3,39,15 f.). Allerdings bevorzugte P. die mündliche Jesus-Überl.; nach → Eirenaios [2] (anders → Eusebios [7]) war er ein Hörer des → Iohannes [1] und ein ›Gefährte‹ (ἑταῖρος) des → Polykarpos (Iren. adversus haereses 5,33,4; Eus. HE 3,39,1). Das negative Urteil des Eusebios, das auf theologische Bedenken gegen den Chiliasmus des P. zurückgeht (Eus. HE 3,39,13), hat sein Ansehen verdunkelt.

Ed.: CPG 1, 1047 · U.H.J. Körtner, P. von Hierapolis (FRLANT 133), 1983 · Ders., P.-Fragmente, 1998, 1–103 · J. Kürzinger, P. von Hierapolis (Eichstätter Materialien 4), 1983 · W.R. Schoedel, P., in: ANRW II 27.1, 1993, 235–270. C.M.

Papinianus, Aemilius. Der um die Mitte des 2. Jh. n. Chr. wohl im Osten der Prov. Africa geborene (vgl. [7. 118]) Jurist war vermutlich Schüler des → Cervidius Scaevola (SHA Carac. 8,2). Unter Septimius → Severus, mit dem er eng befreundet war, wurde er Assessor der Praetorianerpraefekten (Dig. 22,1,3,3), von 194 bis 202 n. Chr. zunächst Mitarbeiter und später Leiter der Kanzlei *a libellis* (Dig. 20,5,12 pr.; dazu [7. 118, 121]), dann von 205 bis 211 Praetorianerpraefekt (ILS 2187); seine Assessoren waren → Iulius [IV 16] Paulus (Dig. 12,1,40) und → Ulpianus (SHA Alex. 26,6). Unter Caracalla wurde P. im Jahre 212 n.Chr. hingerichtet, nach der spätant. Trad. (SHA Carac. 8,5 ff.; SHA Sept. Sev. 21,8) infolge seiner Weigerung, die Ermordung des → Geta [2] zu rechtfertigen [4].

P. schrieb *Quaestiones* (›Rechtsanfragen‹, 37 B.) und *Responsa* (›Gutachten‹, 19 B.) sowie die kleineren Werke *Definitiones* (›Begriffsbestimmungen‹) und *De adulteriis* (›Über Ehebruch‹, jeweils 2 B.). Die »Einzelbücher« *Astynomikós* (›Der Beamte für die Straßenaufsicht‹,

griech.) und *De adulteriis* sind seine Frühschriften [7. 118 f.]. In seinen Hauptwerken *Quaestiones* und *Responsa* [1. 296 ff.; 3. 217 ff.] betreibt P. eine abstrakte Kasuistik im Stil des Salvius → Iulianus [1]: Seine Tatbestandsangaben sind auf das Wesentliche konzentriert [6], die Argumente weder polemisch noch autoritätsgläubig, sondern eigenständig und ausgewogen, wenn auch oft moralisierend-rhetorisch. Die *Quaestiones* wurden von Paulus, die *Responsa* von Paulus und Ulpianus annotiert [2. 49 ff.], *De adulteriis* von → Aelius [II 17] Marcianus aktualisiert [5. 454 ff.].

Die Spätant. erhob P. zur Hauptautorität [7. 122 f.]. Die seine Werke »depravierenden« *Notae* des Ulpianus und Paulus setzte schon 321 → Constantinus [1] d.Gr. (Cod. Theod. 1,4,1) außer Kraft [1. 277 ff.]. Das → Zitiergesetz von 426 (ebd. 1,4,3) erklärte P. zur entscheidenden Instanz bei »Stimmengleichheit« anderer zitierfähiger Juristen und bestätigte die Ungültigkeit der *Notae* [2. 142 ff.; 5. 466 ff.]. Im Verzeichnis der in den iustinianischen → Digesta exzerpierten Werke (*Index Florentinus*) steht nur noch Iulianus vor ihm. Iustinianus bestimmte seine *Responsa* zum Basismaterial (sog. »Papiniansmasse«) einer Unterkommission für die Kompilation der Digesten [1. 405], setzte alle *Notae* zu P. als Auslegungshilfe wieder in Kraft (Const. Deo auctore § 6) und ließ die Rechtsstudenten des dritten Jahres (*Papinianistae*) dessen sämtliche Werke lernen sowie ein »Papiniansfest« feiern (Const. Omnem § 4).

1 Schulz 2 B. Santalucia, Le note pauline ed ulpianee alle »Quaestiones« ed ai »Responsa« di Papiniano, in: Bollettino dell'Ist. di Diritto Romano 68, 1965, 49–146 3 P. Frezza, »Responsa« e »Quaestiones«, in: SDHI 43, 1977, 203–264 4 D. Liebs, Die Jurisprudenz im spätant. It., 1987, 90 f., 110, 113 f. 5 A. Guareschi, Le note di Marciano ai ›de adulteriis libri duo‹ di Papiniano, in: Index 21, 1993, 453–488 6 H. Ankum, Le laconisme extrême de Papinien, in: Estudios de historia del derecho europeo. Homenaje G. Martinez Diez, Bd. 1, 1994, 43–61 7 D. Liebs, Jurisprudenz, in: HLL 4, 1997, 117–123. T.G.

Papinius

[1] Sex. P. Sohn von P. [3], der sich selbst am Ende der Regierungszeit des → Tiberius tötete, weil seine Mutter ihn verführt hatte. Sie wurde im Senat angeklagt und für zehn J. aus Rom verbannt. PIR² P 100.

[2] Sex. P. Sohn von P. [3]; er verschwor sich gegen → Caligula, der ihn mit anderen Personen zu Tode foltern ließ. PIR³ P 101.

[3] Sex. P. Allienus. Senator aus Patavium, wohl *homo novus*. Sein Militärtribunat leistete er in den letzten Regierungsjahren des → Augustus wohl in Africa und Syria ab. Nach der Quaestur erhielt er wahrscheinlich das Kommando über eine Legion, dann war er Volkstribun, Praetor, praetorischer Statthalter, schließlich *cos. ord.* im J. 36 n. Chr. Seine Söhne sind P. [1] und [2]. PIR² P 102.

G. Alföldy, in: EOS 2, 336 · Syme, RP 4, 373 f. W.E.

[4] s. Statius

Papiria. Tochter des C. Papirius [I 17] Maso, Consul 231 v. Chr., erste Frau des L. Aemilius [I 32] Paullus. Aus der Ehe gingen die Söhne Q. Fabius [I 23] Maximus (Aemilianus) und P. Cornelius [I 70] Scipio Aemilianus hervor (Plut. Aemilius Paulus 5,1–4). ME.STR.

Papirius. Römischer Gentilname, in älterer Form *Papisius* (Cic. fam. 9,21,3), nach dem eine der 16 alten Landtribus (→ *tribus*) benannt war. Die patrizische *gens* bildete schon früh mehrere Zweige (5./4. Jh. v. Chr.: Crassi, Cursores, Mugillani, 3. Jh.: Masones), die maßgeblich an den mil. Erfolgen der Republik beteiligt waren, jedoch spätestens im 2. Jh. v. Chr. ausstarben bzw. polit. unbedeutend wurden. Der jüngere plebeiische Zweig der Carbones stieg in der 2. H. des 2. Jh. auf und erlangte notorische Bekanntheit durch die gracchenfreundlichen (C. und Ti. → Sempronius Gracchus) bzw. popularen Neigungen ihrer Angehörigen P. [I 5] und [I 9]. Eine knappe Familiengeschichte mit gutem antiquarischen Material gibt Cicero (fam. 9,21, an P. [I 22] gerichtet).

SCHULZE, 86. K.-L.E.

I. REPUBLIKANISCHE ZEIT II. KAISERZEIT

I. REPUBLIKANISCHE ZEIT

[I 1] P., L. Consulartribun 382 v. Chr. (Liv. 6,22,1). Der für 384 und 376 bei Diodor (15,36,1; 71,1) genannte Consulartribun L. P. könnte mit ihm identisch sein (zur verworrenen Überl. von Papirii im Oberamt zu dieser Zeit vgl. MRR 1, 103 f. mit Anm. 1).

[I 2] P., L. Als Praetor brachte P. 332 v. Chr. ein Gesetz durch, das → Acerrae [1] die *civitas sine suffragio* (→ *civitas* B.) verlieh (Liv. 8,17,12; vgl. Vell. 1,14,4), der erste bekannte Fall der Leitung von → *comitia* durch einen Praetor. Vielleicht ist er identisch mit P. [I 15].

[I 3] P., L. In der schwerlich histor. ant. Überl. zur Entstehung der *lex Poetelia* (→ *lex* D. 3.) figuriert P. als Gläubiger, der durch sein hartherziges Vorgehen den Anlaß zur Abschaffung der Schuldknechtschaft (→ *nexum*) gab (Liv. 8,28,2; Dion. Hal. ant. 16,5,1; anders Val. Max. 6,1,9). C.MÜ.

[I 4] P., Q. Volkstribun wahrscheinlich zwischen 174 und 154 v. Chr., brachte ein Gesetz durch, das die Weihung von Gebäuden, Grundstücken und Altären ohne Auftrag der Plebs verbot (Cic. dom. 127; vgl. 130). MRR 2, 471. K.-L.E.

[I 5] P. Carbo, C. Anhänger der Gracchen und bed. Redner (Cic. Brut. 102–106; 159); setzte als Volkstribun 131 v. Chr. durch seine *lex tabellaria* die geheime Abstimmung für Gesetzgebungsverfahren durch, scheiterte jedoch mit dem Versuch, die Möglichkeit der Iteration des Volkstribunats durchzusetzen [1. 302]. 130–119 war er Mitglied der gracchischen Ackerkommission [2. 113–116]. In der eskalierenden Auseinandersetzung um die Reformen des C. → Sempronius Gracchus wechselte er wie C. Fannius [I 1] die Fronten, wurde 120 Consul und verteidigte erfolgreich L. → Opimi-

us [1] gegen die Anklage wegen Tötung von Bürgern ohne Gerichtsurteil (Cic. de orat. 2, 106; 165). 119 wurde er von L. Licinius [I 10] Crassus (*cos.* 95), der in seiner Jugend mit den Gracchen sympathisiert zu haben scheint, als charakterloser Opportunist (Cic. de orat. 2,170) angeklagt – der eigentliche Rechtsgrund der Anklage ist nicht überl.; vielleicht ein Repetundenverfahren (→ *repetundarum crimen*) – und entzog sich der Verurteilung durch Selbstmord (Cic. Brut. 103; Cic. fam. 9,21,3; [3. 16]).

1 ROTONDI 2 C. CICHORIUS, Röm. Stud., 1922 3 ALEXANDER, 16. K.BR.

[I 6] P. Carbo, C. Jüngerer Bruder von P. [I 9], Volkstribun 89 v. Chr., 81 Praetor, 80 als Legat des Cornelius [I 90] Sulla bei der Belagerung von Volaterrae von den eigenen Soldaten gesteinigt (Granius Licinianus p. 25 CRINITI). K.-L.E.

[I 7] P. Carbo, C. Vokstribun ca. 67 v. Chr., verklagte bald darauf M. Aurelius [I 11] Cotta erfolgreich wegen Erpressung und Beuteunterschlagung und bekam zum Lohn die *ornamenta consularia* (Cass. Dio 36,40,3 f.; FGrH 434 F 1,32–39). P., Praetor ca. 62 und Propraetor von Bithynia 61–59 (MRR 2, 181), wurde später seinerseits von Cottas Sohn wegen Erpressung angeklagt und verurteilt (Val. Max. 5,4,4). JÖ.F.

[I 8] P. Carbo, Cn. Bruder von P. [I 5]. War wohl Praetor 116 v. Chr. und darauf Statthalter in Asien (MRR 1, 530; IDélos 1550). Als *cos.* 113 bewirkte P. durch Verrat den ersten mil. Zusammenstoß zwischen den Römern und den → Cimbri, wobei er eine vernichtende Niederlage bei Noreia erlitt (MRR 1, 535). Daraufhin wurde P. von M. Antonius [I 7] angeklagt (Apul. apol. 66). Umstritten ist, ob er freigesprochen wurde oder wegen einer drohenden Verurteilung Selbstmord beging (Cic. fam. 9,21,3).

ALEXANDER, 23 f. P.N.

[I 9] P. Carbo, Cn. Sohn von P. [I 8]; er führte als Volkstribun 92 v. Chr. (Cic. leg. 3,42) eine Münzreform durch (Plin. nat. 33,24; [1]); evtl. 89 Praetor, kämpfte im → Bundesgenossenkrieg [3] (MRR 2, 33). Als Anhänger des C. Marius [I 1] von L. Cornelius [I 90] Sulla verfolgt, beteiligte er sich 87 auf seiten des Marius an der Rückeroberung Roms. Von L. Cornelius [I 18] Cinna für 85 und 84 zum Kollegen im Konsulat bestimmt, bereitete er den Kampf gegen den aus dem Osten zurückkehrenden Sulla vor. 82 zum dritten Mal Consul mit dem Sohn des Marius, C. Marius [I 2], operierte er zunächst erfolglos in Picenum, Etrurien und der Gallia Cisalpina gegen Q. Caecilius [I 31] Metellus Pius, Sulla und Cn. Pompeius. Die Befreiung des in Praeneste eingeschlossenen Marius scheiterte. P. floh darauf nach Africa, wurde proskribiert, von Pompeius gefangenengenommen und in Lilybaeum hingerichtet (App. civ. 1,286–449; Liv. per. 80; 87 f.; MRR 2, 65 f.).

1 M. H. CRAWFORD, Coinage and Money under the Roman Republic, 1985, 183–185.

[I 10] P. Carbo, M. Bruder von P. [I 5] und P. [I 8]. Münzmeister 122 v.Chr. (RRC 276). Vielleicht 114 v.Chr. Praetor auf Sicilia, danach wegen Erpressung verurteilt (Cic. fam. 6,21,3; MRR 2, 534).

[I 11] P. Carbo Arvina, C. Sohn von P. [I 5]. Gegner des Reformprogramms des M. Livius [I 7] Drusus und dessen Unterstützers L. Licinius [I 10] Crassus. Volkstribun 90 v.Chr. (Cic. orat. 213; Cic. Brut. 305), Praetor 83 als Gefolgsmann des L. Cornelius [I 18] Cinna, aber dennoch 82 von den radikalen Marianern durch L. Iunius [I 15] Damasippus hingerichtet (Cic. de orat. 3,10; Cic. fam. 9,21,3). K.-L.E.

[I 12] P. Crassus, L. Als *cos.* 436 v.Chr. (MRR 1, 60) unternahm P. nach Livius (4,21,1) Beutezüge ins Gebiet von Veii und Falerii. Der für 430 genannte *cos.* P. Crassus trägt bei Livius das Praen. L., nach Diodor aber das Praen. C., so daß beider Identität – zumal bei fehlender Iterationszahl – unsicher ist.

[I 13] P. Crassus, L. Nach Livius (8,12,2 f.) wurde P. als Praetor 340 v.Chr. nach dem Ausfall beider Consuln gegen einen Einfall der Antiaten (→ Antium) zum → *dictator* ernannt (Historizität der Diktatur bezweifelt u.a. bei [1. 68]) und wählte zum → *magister equitum* L.P. [I 15] Cursor, der als *dictator* 325 in seinem Streit mit Q. Fabius [I 28] Rullianus umgekehrt P. zu seinem Stellvertreter in Rom ernannt haben soll (Liv. 8,36,1). Als *cos. I* im J. 336 (MRR 1, 139) kämpfte er gegen Cales, als *cos. II* 330 (MRR 1, 143 f.) gegen Privernum. Nach Cicero (fam. 9,21,2) änderte er seinen Namen von *Papisius* in *P.*, ein sehr frühes Zeugnis für → Rhotazismus im Lat. (vgl. [2. 178]).

1 BELOCH, RG 2 LEUMANN.

[I 14] P. Cursor, L. Als Censor 393 v.Chr. wählte P. nach dem Tode seines Kollegen C. Iulius [I 14] Iullus den M. Cornelius Maluginensis zum Kollegen (MRR 1, 91 f.), ein Vorgehen, das nach Livius (5,31,6; vgl. 9,34,20 f.) später als rel. bedenklich galt, da in P.' Amtszeit die Gallier Rom eroberten, und das daher zu der Bestimmung führte, daß beim Tod eines Censors der zweite sein Amt niederlegen mußte. In P.' Zeit selbst beanstandete man sein Vorgehen offenbar nicht; jedenfalls bekleidete er in den J. 387 und 385 das Konsulartribunat (MRR 1, 99–102).

[I 15] P. Cursor, L. Der bedeutendste Vertreter seiner *gens* mit fünf Konsulaten in den J. 326, 320, 319, 315 und 313 v.Chr. (MRR 1, 146 f.; 152–154; 156–158; vgl. P. [I 2] und [I 13]) und neben Q. → Publilius Philo, P.' Kollegen im zweiten und vierten Konsulat, dem P. polit. nahestand, die bedeutendste Gestalt des 2. → Samnitenkriegs. Während P.' erster Diktatur im J. 325 soll er heftig mit seinem *magister equitum* → Fabius [I 28] Rullianus in Streit geraten sein, der zwar siegreich, aber gegen P.' Befehl den → Samnites eine Schlacht lieferte und angeblich nur auf Bitten von Senat und Volk der Hinrichtung wegen Ungehorsams entging (Liv. 8,30,1–35,9; unterschiedlich zur Historizität dieses Streites [1. 1042; 1047; 2. 341 f.]). Für 320 nennen die Fasti Ca-

pitolini P. als *cos. II* und zweimaligen → *magister equitum* (InscrIt 13,1,109; 416 f.), eine Häufung von Ämtern, die Bedenken erregt, doch kann wenigstens ein Reiteroberstenamt durchaus histor. sein (zur Unsicherheit der Quellenlage s. auch Liv. 9,15,9–11; vgl. [1. 1043–1045]). Kaum histor. sind aber verm. die Erfolge, die P. nach Livius als *cos. II* bzw. *III* errungen haben soll (320 Eroberung von Luceria, Liv. 9,12,9; 13,6–9; 15,3–8; 319 Eroberung des abgefallenen Satricum, Liv. 9,16,2–10) und damit auch sein für 319 in den *acta triumphalia* bezeugter Triumph (InscrIt 13,1,70 f.; vgl. Liv. 9,16,11). Sie gelangten wohl in die annalistische Trad. (→ Annalistik) zur Verschleierung des Ausmaßes der röm. Niederlage bei → Caudium gegen die Samnites (321), der tatsächlich aber eine Friedensphase folgte, die erst 316 durch neue Kämpfe abgelöst wurde ([3. 226–229]; weniger skeptisch gegenüber der Quellenlage [4. 370 f.]), während derer P. 315 *cos. IV* und 313 *cos. V* war. Beide Konsulate bleiben bei Livius völlig konturlos, so daß für beide J. dem Bericht Diodors der Vorzug zu geben ist, der – jedoch ohne P. zu nennen – von Aktivitäten der Consuln berichtet, v.a. vom Sieg über die Samnites bei Saticula und von der Eroberung der Stadt 315 (Diod. 19,72,3–9; 101,2). 310 bekleidete P. seine zweite Diktatur, in der er einen großen Sieg (und Triumph) über die Samnites errungen haben soll (Liv. 9,40,1–14), evtl. eine Dublette des Sieges seines Sohnes P. [I 16] bei Aquilonia (293) (u.a. [3. 245 f.]; [5. 412]).

Die Überl. kennt P. als einen der größten röm. Feldherrn, mit dem sich Alexandros [4] d.Gr. bei einem Einfall in It. hätte messen müssen (Liv. 9,16,19; 17,8; Oros. 3,15,10; Amm. 30,8,5), rühmt P.' köperliche Leistungsfähigkeit, u.a. seine Schnelligkeit (verm. gesponnen aus dem Cogn. *Cursor/* »Läufer«) und weiß zudem weitere Anekdoten über ihn zu berichten (Liv. 9,16,11–18; Cass. Dio fr. 36,23 f.; Vir. ill. 31,5).
→ Samnitenkriege

1 F. MÜNZER, s.v. P. (52), RE 18.3, 1039–1051 2 E. J. PHILLIPS, Roman Politics during the Second Samnite War, in: Athenaeum, n.s. 50, 1972, 337–356 3 E. T. SALMON, Samnium and the Samnites, 1967 4 T. J. CORNELL, in: CAH², Index s.v. 5 BELOCH, RG.

[I 16] P. Cursor, L. Sohn von P. [I 15]. Consul 293 und 272 v.Chr., jeweils mit Sp. Carvilius [I 3] Maximus als Mitconsul (MRR 1, 180; 197). Als *cos. I* errang er bei Aquilonia einen glänzenden Sieg über die Samnites, als *cos. II* kämpfte er erfolgreich gegen die Lucani, Samnites und Bruttii, erreichte die kampflose Übergabe Tarents (Zon. 8,6; Frontin. strat. 3,3,1; Iust. 25,3,6) und triumphierte (Einzelheiten in den Quellen unklar). Nach Plinius d.Ä. (nat. 7,213 f.) ließ P. die erste Sonnenuhr in Rom aufstellen, nach Festus (p. 209) weihte er anläßlich seines 2. Triumphes dem → Consus einen Tempel, dessen Seite ein Bild schmückte, das P. als Triumphator zeigt. Dies illustriert die in der 1. H. des 3. Jh. v.Chr. verstärkt sich entfaltende Selbstdarstellung der Nobilität [1. 341].

1 T. HÖLSCHER, Die Anfänge röm. Repräsentationskunst, in: MDAI(R) 85, 1978, 315–357.　　　C. MÜ.

[I 17] P. Maso, C. War wie sein Vetter P. [I 18] *pontifex.* Als einziger Consul dieses Familienzweiges (231 v. Chr.) feierte er als erster einen vom Senat verweigerten Triumph auf dem Mons Albanus, wobei er einen Myrtenkranz trug, weil er in einem Myrtenfeld die Korsen besiegt hatte (Fest. 131).

MÜNZER, 111.　　　P. N.

[I 18] P. Maso, C. Starb 213 v. Chr. als → *decemvir sacris faciundis* (Liv. 25,2,1). Der Name erscheint außerdem in einer der vier verschiedenen Listen der Triumvirn zur Gründung von Placentia und Cremona (Liv. 21,25,3–4; Ascon. 3 C.), zusammen mit Pol. 3,40,9 ein schwaches Indiz für eine Praetur vor 218 v. Chr.
→ Punische Kriege

1 MÜNZER, 111–114 2 U. HÄNDL-SAGAWE, Der Beginn des 2. Punischen Krieges, 1995, 156–158.　　　TA. S.

[I 19] P. Maso, L. Wohl Sohn von P. [I 18]. Entschied offenbar als *praetor urbanus* im J. 176 v. Chr., daß auch ein im 13. Monat der Schwangerschaft geborenes Kind einen Erbschaftsanspruch habe (Plin. nat. 7,40).　　　P. N.

[I 20] P. Mugillanus, L. *Cos. suff.* 444 v. Chr. nach der Abdizierung der zuvor erstmals gewählten Consulartribunen (so Liv. 4,7,1–3; 7–12; vgl. InscrIt 13,1,368f.). 443 bekleidete er das neu geschaffene Amt des Censors (→ *censores*; MRR 1, 53f.). Bei einem weiteren für die folgenden J. bezeugten L. P. Mugillanus (*cos.* 427; Consulartribun 422; *interrex* 420; MRR 1, 66; 69; 71) handelt es sich aufgrund des zeitl. Abstandes viell. um P.' Sohn.

[I 21] P. Mugillanus, M. Consulartribun 418 und 416 v. Chr., *cos.* 411–411 und 416 jeweils mit Sp. Nautius [4] Rutilus als seinem Kollegen (MRR 1, 72f; 76f.). In seinem ersten Consulartribunat soll P. mit P. Sergius, einem seiner Kollegen, ohne eigenes Verschulden eine Niederlage gegen die → Aequi und gegen → Labici erlitten haben (Liv. 4,45,5–46,6). Livius (5,41,1–3; 9; vgl. Plut. Camillus 22,6) nennt ihn namentlich unter den Greisen bzw. ehemaligen Magistraten, die 390 den Einzug der Gallier in Rom erwarteten und von diesen – P. als erster – erschlagen wurden.　　　C. MÜ.

[I 22] P. Paetus, L. Langjähriger enger Freund und Briefpartner → Ciceros (Cic. fam. 9,15–26). Als reicher Epikureer lebte P. mit einer Vorliebe für gutes Essen – für Cicero (der die Lehre Epikurs ablehnte) ein dankbares Thema –, politikfern in Neapel, pflegte Kontakte zu Angehörigen aller Lager und verbuchte ungerührt zeitbedingte Vermögensverluste, etwa aus → Caesars Schuldgesetzen und Landschätzungen (Cic. fam. 9,16,7; 18,4; 20,1). P. schenkte Cicero die Bibliothek seines Halbbruders oder Vetters Ser. Clodius (Cic. Att. 1,20,7; 2,1,12); die Briefe an ihn überraschen durch ihre inhaltliche Spannweite, den spöttisch-herzlichen Tonfall und ungewohnt offene Worte Ciceros über sich selbst.

M. DEMMEL, Cicero und Paetus (ad fam. IX 15–26), Diss. Köln 1962.　　　JÖ. F.

[I 23] P. Praetextatus, L. Verstarb als Censor 272 v. Chr. während der Ausübung des Amtes (InscrIt 13,1, 114; 430). Mit P. verbindet sich die bekannte Anekdote (Gell. 1,23,1–3; Macr. Sat. 1,6,19ff.) über sein schlagfertiges Verhalten, das er als Junge, d. h. noch bekleidet mit der *toga praetexta,* zeigte, und das ihm sein Cogn. *Praetextatus* eintrug.　　　C. MÜ.

[I 24] P. Turdus. Plebeiischer Zweig dieses Geschlechts, von denen einige Vertreter im 2. Jh. v. Chr. polit. Ansehen erlangten. C. P. Turdus z. B. wollte als Volkstribun 178 v. Chr. mit seinem Collegen Licinius [I 36] Nerva den *procos.* A. Manlius [I 23] Vulso wegen seiner Kriegsführung in Istrien (→ Histria) anklagen (Liv. 41,6,1–3; 7,4–10).　　　P. N.

II. KAISERZEIT

[II 1] Cn. P. Aelianus. Senator, aus Iliberris in der Hispania Baetica stammend. *Cos. ord.* 184 n. Chr. PIR² P 107.

[II 2] Cn. P. Aelianus Aem[ilius] Tuscillus. Wohl Großvater von P. [II 1]. Vielleicht *homo novus. Quaestor* in Achaia, *tribunus plebis, praetor.* Legat der *legio XIV Gemina* in Pannonia superior, praetorischer Statthalter von Dacia superior von 131/2 bis ca. 134/5 n. Chr. *Cos. suff.* ca. 136. Unter Antoninus [1] Pius im J. 146 als consularer Legat von Britannia bezeugt. PIR² P 108.　　　W. E.

[II 3] P. Fabianus. Um 30 v. Chr. – um 30 n. Chr. Redner, der zum stoischen Philosophen und Anhänger des Sextius wurde (Sen. contr. 2 praef.), Lehrer des C. → Albucius [3] Silus (ebd. 7, praef. 4f.). Bewundert von Seneca d. J. (Sen. de brevitate vitae 10,1; Sen. epist. 40,12; 58,6). P. schrieb in lat. Sprache über polit. Philos. (*libri civilium*) und Naturgesch. (mindestens 3 B. *causarum naturalium*).

PIR² P 112 · G. MAURACH, Gesch. der röm. Philos., 1989, 80–81.　　　B. I./Ü: J. DE.

[II 4] P. Fronto, ein röm. Jurist aus der 2. H. des 2. Jh. n. Chr., schrieb *Responsa* (mindestens 3 B.), aus denen Iustinianus' → *Digesta* vier indirekte Zitate enthalten.

O. LENEL (Hrsg.), Palingenesia Iuris Civilis, Bd. 1, 1889, 947f. · KUNKEL, 235 · D. LIEBS, Jurisprudenz, in: HLL 4, 1997, 123.

[II 5] P. Iustus war entweder röm. Archivbeamter [2] oder Provinzialjurist [3], der um 170 n. Chr. die erste Slg. von Kaisergesetzen (*De constitutionibus*) verfaßte. Das umfangreiche (20 B.) und nach Sachkriterien geordnete Werk beschränkte sich auf die kommentarlose Inhaltsangabe von oft zusammengezogenen Reskripten der *Divi fratres* (L. Verus und Marcus [2] Aurelius) und des letzteren allein (20 erh. Fr.: [1]).

1 O. LENEL (Hrsg.), Palingenesia Iuris Civilis, Bd. 1, 1889, 947–952 2 SCHULZ, 179f. 3 D. LIEBS, Jurisprudenz, in: HLL 4, 1997, 112f.　　　T. G.

[II 6] P. Paullinus. Procurator des Kaisers Hadrian, verm. in der Prov. Asia (AE 1993, 1511).

[II 7] P. Socrates. *Vir egregius*, der procuratorische Dienststellungen bekleidet hatte, wohl unter → Caracalla. Evtl. Vater von M. Aurelius P. Socrates, dessen Sohn in den Senat aufgenommen wurde. PIR² P 120; vgl. PIR² A 1568.   W.E.

Papius. Italischer Familienname, am weitesten verbreitet bei den Samniten; auch als osk. Praen. bezeugt. Der Urheber der *lex Papia Poppaea* 9 n. Chr. war P. [II 1].

SALOMIES, 83f.

I. REPUBLIKANISCHE ZEIT

[I 1] P. Volkstribun, wohl vor 80 v. Chr. und daher nicht identisch mit P. [I 2]; Urheber einer *lex Papia*, die die Ergänzung der Zahl der Vestalinnen durch → Los vorschrieb (Gell. 1,12,10–12).

[I 2] P., C. Volkstribun 65 v. Chr., Urheber einer *lex Papia* gegen die unberechtigte Anmaßung des röm. Bürgerrechts, durch die alle Fremden mit Wohnsitz außerhalb Italiens aus Rom ausgewiesen wurden (Cic. Arch. 10; Cic. Balb. 52; Cic. Att. 4,18,4; Cic. off. 3,47; Cass. Dio 37,9,5).

[I 3] P. Brutulus. 322 einer der Führer der → Samnites und verantwortlich für den Bruch der röm.-samnit. Verträge (→ Samnitenkriege). Seiner Auslieferung an Rom entzog er sich durch Selbstmord (Liv. 8,39,10–15; Cass. Dio fr. 36,8).

[I 4] P. Mutilus, C. Aus angesehener samnitischer Familie; Führer (*embratur = imperator*) der Samniten im → Bundesgenossenkrieg [3] 90–88 v. Chr. (vgl. Diod. 37,2,6f.; App. civ. 1,181; Mz.-Prägung mit osk. Legende: [1; 2]). 90 eroberte er Nola und weitere Städte in Campanien, griff den Consul L. Iulius [I 5] Caesar an, wurde aber von diesem geschlagen (App. civ. 1,185–200; Liv. per. 78). 89 wurde er von L. Cornelius [I 90] Sulla in Samnium entscheidend besiegt und rettete sich nach Aesernia. Er fand dann mit den Samniten Anschluß an C. Marius [I 2], behauptete sich nach der Rückkehr Sullas noch bis 80 in Nola und endete durch Selbstmord (Liv. per. 89; Granius Licininus p. 25 CRINITI). Sein Nachkomme ist P. [II 1].

1 E. S. SYDENHAM, The Coinage of the Roman Republic, 1952, Nr. 635–641 2 A. CAMPANA, La monetazione degli insorti italici durante la guerra sociale, 1987.   K.-L. E.

II. KAISERZEIT

[II 1] M. P. Mutilus. Suffektconsul im J. 9 n. Chr.; er ließ zusammen mit Q. Poppaeus [2] Secundus die *lex Papia Poppaea* (s. → *lex Iulia et Papia*) verabschieden, mit der die Junggesellen und Kinderlose im zivilen Leben und bei der Bewerbung um Ämter rechtlich schlechter gestellt wurden. Er selbst war Junggeselle; das Gesetz wurde also von ihm nur formal eingebracht, war jedoch von → Augustus initiiert. Nach dem Prozeß gegen Libo Drusus 16 n. Chr. beantragte er, der Todestag des Ver-

urteilten solle als Festtag begangen werden (Tac. ann. 2,32,2). P. war Nachkomme des Samniten C. Papius [I 4] Mutilus, der im → Bundesgenossenkrieg [3] gegen die Römer gekämpft hatte (vgl. [1. 249]). PIR² P 123.

1 P. WISEMAN, New Men in the Roman Senate, 1971.
W. E.

Pappel. Sowohl die Schwarz-P. (αἴγειρος/*aígeiros*, Hom. Il. 4,482–87; Od. 7,106; 10,510 und 17,208, lat. *populus nigra*) als auch die Silber-P. (ἀχερωΐς/*acherōís* bei Hom. Il. 13,389 und 16,482, dann λευκή/*leukḗ*, lat. *populus alba*) begegnen in der ant. Lit. sehr häufig. Theophrast (h. plant. 3,14,2) und Plinius (nat. 16,85 f.) bieten gute Beschreibungen, letzterer sogar einschließlich der wolligen Samen. Medizinische Verwendung begegnet bei der Rinde, dem Harz und den Blättern. Dioskurides (1,83 WELLMANN = 1,110 BERENDES) erwähnt die Blätter der Schwarz-P. mit Essig als Auflage gegen Podagra, das Trinken der Frucht mit Essig gegen Epilepsie sowie das Harz (aus dem angeblich Bernstein wird), zerrieben getrunken, gegen Dysenterie und Durchfall. Die Rinde der Weiß-P. diente nach Dioskurides (1,81 WELLMANN = 1,109 BERENDES; vgl. Plin. nat. 24,47) in einem Trunk als Mittel gegen Ischias und Harnzwang. Der Saft der Blätter soll, lauwarm in den Gehörgang geträufelt, gegen Ohrenschmerzen helfen (Plin. l.c.). Den fein zerstoßenen Blattknospen als Salbe mit Honig wird Hilfe gegen schwaches Sehen zugeschrieben. Aus der gemulchten Rinde beider P.-Arten sollen auf Gartenbeeten eßbare Pilze entstehen. Nach Plinius (nat. 12,3) war die P. dem Hercules geweiht. Außerdem behauptet er (nat. 17,242) ebenso wie Theophrast (c. plant. 2,16,2 und 4,5,7) den gelegentlichen Übergang einer Weiß-P. in eine Schwarz-P. Die klein- und dunkelblättrige Art Populus Euphratita Oliv. (κερκίς/*kerkís*, Theophr. h. plant. 3,14,2, angeblich die Zitter-P. Populus tremula; *populus Libyca*: Plin. nat. 16,85) sowie Populus Libyca L. (αἴγειρος κρητική/*aígeiros krētikḗ* mit einer Frucht: Theophr. h. plant. 2,2, 10; vgl. 3,3,4) spielen in der Ant. eine geringere Rolle.

H. GOSSEN, s. v. P., RE 18.3, 1081–1083.   C. HÜ.

Pappos von Alexandreia (Πάππος Ἀλεξανδρεύς).
I. LEBEN II. WERKE
III. WIRKUNGSGESCHICHTE

I. LEBEN
Bedeutender griech. Mathematiker. Da er eine partielle Sonnenfinsternis für das Jahr 320 n. Chr. berechnet hat, fällt seine Lebenszeit in die erste H. des 4. Jh. (hierzu und zur fehlerhaften Datier. in der Suda s. [2. 2–4]).
II. WERKE
Das wichtigste erh. Werk ist die Συναγωγή/*Synagōgḗ*, gewöhnlich als *Collectio* zit. (Ed. [1], frz. Übers. [3], Teiled. und engl. Teilübers. [2]). Von den 8 B. ist das erste ganz, das zweite z. T. verloren; B. 7 und 8 sind wohl unfertig. P. gibt in der *Collectio* den Inhalt wich-

tiger griech. mathematischer Schriften an und fügt Erklärungen, aber auch Erweiterungen hinzu, die praktisch alle Gebiete der griech. Geom. betreffen. Da er auch aus Werken zit., die h. verloren sind, ist seine Slg. für die Gesch. der griech. → Mathematik von höchstem Wert. P. bringt wichtige Nachrichten über Mathematiker vom 4. Jh. v. Chr. bis zum 3. Jh. n. Chr., u. a. über → Autolykos [3] von Pitane, → Eukleides [3], → Konon [3] von Samos, → Archimedes [1], → Aristarchos [3] von Samos, → Eratosthenes [2], → Apollonios [13] von Perge, → Nikomedes [3], → Hipparchos [6] von Nikaia, → Geminos [1], → Heron von Alexandreia, → Menelaos [6], → Ptolemaios und → Sporos von Nikaia. Eine arab. überl. ›Einführung in die Mechanik‹ ist großenteils mit B. 8 der *Collectio* identisch, enthält aber Zusätze (s. [10]).

P. verfaßte auch mehrere Komm. Vom Komm. zum ›Almagest‹ des → Ptolemaios ist nur der Teil zu B. 5 und 6 griech. erh. (Ed. [6]). Er ist recht wortreich, aber nicht originell und histor. wenig bedeutend. Nur in arab. Sprache erh. ist der Komm. von P. zum 10. B. der ›Elemente‹ des → Eukleides [3] (in 2 B.; Ed. [4]). Er enthält eine kurze Inhaltsangabe dieses Buchs, einige histor. Bemerkungen (u. a. Bezüge zu → Platon [1]) und eine geom. Herleitung der verschiedenen Irrationalitäten, die in B. 10 vorkommen. Verloren ist sein Komm. zum *Planisphaerium* des Ptolemaios. Nur bruchstückhaft (in einer armenischen Geogr. aus dem 7. Jh.) erh. ist die Χωρογραφία οἰκουμενική/ *Chōrographía oikumenikḗ* (›Beschreibung der bewohnten Erde‹; engl. Übers. der Fr.: [7]).

III. WIRKUNGSGESCHICHTE

Die griech. Überl. der *Collectio* geht auf eine Hs. aus dem 10. Jh. zurück (Vatic. gr. 218; zu den Humanistencodices s. [2. 56–62]). Im arab. Bereich waren seine Komm. zum 10. B. des Eukleides (übers. von Abū ʿUtmān ad-Dimašqī) und zum *Planisphaerium* des Ptolemaios (übers. von Tābit ibn Qurra) sowie die ›Einführung in die Mechanik‹ bekannt [11]. Der Komm. zum 10. B. der Euklid'schen ›Elemente‹ wurde im 12. Jh. wohl von Gerhard von Cremona aus dem Arab. ins Lat. übers.; nur der Anf. ist erh. (Ed. [5]). Eine lat. Übers. der *Collectio* veröffentlichte COMMANDINO 1589 in Venedig (s. [2. 63]). Vom griech. Text gab es zunächst nur Teilausg. (s. [1. Bd. 1, XV–XXII]). Die erste (und bisher einzige) Ed. des vollständigen griech. Textes stammt von HULTSCH [1]. Seine Ausg. enthält auch eine lat. Übers. und einen griech. Index (in Bd. 3, Teil 2).
→ Mathematik

TEXT-ED., ÜBERS.: 1 F. HULTSCH, Pappi Alexandrini Collectionis quae supersunt e libris manu scriptis (mit lat. Übers. und Komm.), 3 Bde., 1876–1878 2 A. JONES, Pappus of Alexandria. Book 7 of the Collection, 2 Bde., 1986 3 P. VER EECKE, Pappus d'Alexandrie. La Collection Mathématique (frz. Übers. und Komm.), 2 Bde., 1933 4 W. THOMSON, The Commentary of Pappus on Book X of Euclid's Elements (arab. Text mit engl. Übers. und Komm.), 1930 5 G. JUNGE, Das Fr. der lat. Übers. des Pappus-Komm.

zum 10. B. Euklids, in: Quellen und Stud. zur Gesch. der Mathematik, Astronomie und Physik, Abt. B, Bd. 3, 1934, 1–17 6 A. ROME, Commentaires de Pappus et de Théon d'Alexandrie sur l'Almageste. Bd. 1 (B. 5–6 des Almagest), 1931 7 R. H. HEWSEN, The Geography of Pappus of Alexandria: A Translation of the Armenian Fragments, in: Isis 62, 1971, 186–207.

LIT.: 8 I. BULMER-THOMAS, s. v. Pappus of Alexandria, Dictionary of Scientific Biography 10, 1974, 293–304 9 T. L. HEATH, A History of Greek Mathematics, Bd. 2, 1921, 353–439 10 D. E. P. JACKSON, The Arabic Translation of a Greek Manual of Mechanics, in: Islamic Quarterly 16, 1972, 96–103 11 F. SEZGIN, Gesch. des arab. Schrifttums, Bd. 5, 1974, 174–176 12 K. ZIEGLER, s. v. P. (2), RE 18.3, 1084–1106.   M. F.

Papposilen s. Silen

Papremis (Πάπρεμις). Hauptstadt eines Gaues im westl. Nildelta, nach Hdt. (2,59; 63) mit Kult des Ares (= → Horus?), bei dessen Fest rituelle Massenkämpfe stattfanden. Im Gau von P. siedelten Hermotybier (Hdt. 2,165), und das Nilpferd wurde hier verehrt (Hdt. 2,71). Bei P. siegte 460(?) v. Chr. der Libyerfürst → Inaros über die Perser. Weder die Etym. von P. noch seine genaue Lokalisierung sind abschließend geklärt.

H. DE MEULENAERE, s. v. P., LÄ 4, 666–667.   K. J.-W.

Papst, Papsttum s. Petrus [1]

Papyri Graecae magicae s. Zauberpapyri

Papyrus I. MATERIAL II. GESCHICHTE

I. MATERIAL
A. BEGRIFF UND HERSTELLUNG
B. BESCHRIFTUNG UND VERWENDUNG

A. BEGRIFF UND HERSTELLUNG

Das Wort P. wurde über das griech. πάπυρος (*pápyros*), lat. *papyrus*, in die europäischen Sprachen übernommen, letztlich stammt daher das mod. Wort für Papier, paper, papier usw. Man leitet P. hypothetisch von einem (nicht belegten) äg. **pa-prro* (»das des Königs«) ab. P., eine Wasserpflanze mit langem Stengel und dreieckigem Querschnitt (cyperus papyrus L.), war in verarbeiteter Form ein in den alten Kulturen des Mittelmeerraums verbreiteter Beschreibstoff (»Papier«). Zur Herstellung schälte man die Rinde der Pflanze ab, um die Fasern des Marks (βύβλος, *býblos*) zu gewinnen. Diese wurden in Streifen parallel aneinander gelegt, darüber eine zweite Schicht im rechten Winkel zur ersten. Durch Bearbeitung mit einem Holzhammer verbanden sich die beiden Schichten ohne zusätzlichen Klebstoff: Nach Trocknung und durch Glättung mit Bimsstein entstand ein geschmeidiges, widerstandsfähiges und helles Blatt (Plin. nat. 13,74–82; [2. 34–69]).

Die Blätter (κόλλημα, *kóllēma*, lat. *plagula, scheda, pagina*) wurden sofort zu einer P.-Rolle (κύλινδρος, lat.

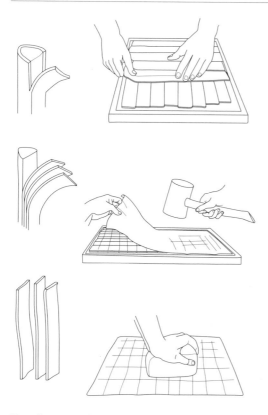

Herstellung von Schreibpapyrus.

rotulus; → Rolle) zusammengeklebt (χάρτης, *chártēs,* lat. *charta*). Die normale Blatthöhe schwankte im Verlauf der Zeit und kann daher für Datierungen relevant sein. Die größten Höhen liegen bei ca. 40–50 cm. Die P.-Rollen konnten in Extremfällen bis zu 40 m lang sein (PHarris I [3]). Eine Normaleinheit scheint aus 20 Einzelblättern bestanden zu haben. Solche Ausmaße wurden vorrangig für Verwaltungsakten genutzt, während für lit. Texte gern die Hälfte oder ein Viertel der Originalhöhe gebraucht wurde. Von einer Rolle konnten Stücke abgeschnitten werden, um kürzere Texte aufzunehmen, bei Bedarf aber auch ergänzende Blätter oder eine zweite Rolle angeklebt werden.

B. Beschriftung und Verwendung

Beschrieben wurde die P.-Rolle auf der inneren Seite, die man als *recto* zu bezeichnen pflegt; auf ihr verlaufen die Fasern horizontal, senkrecht zu ihnen befinden sich die nach rechts abfallenden Stoßstellen (κόλλησις, *kóllēsis*) der Blätter; auf der Vorderseite (*verso*) verlaufen die Fasern vertikal. Nur das erste Blatt (πρωτόκολλον, *prōtókollon*) zeigte vertikale Fasern; manchmal wurde am Ende ein Blatt nicht beschrieben (ἄγραφον, *ágraphon,* lat. *nondum perscripta*).

Manchmal benutzte man aus Sparsamkeit zusätzlich auch die äußere Seite der P.-Rolle (*verso*), unabhängig davon, ob es sich um einen lit. Text oder eine Urkunde handelte. Mitunter finden sich sogar → Palimpseste, de-

ren urspr. Beschriftung (meist Akten) ausgewaschen wurde, um einen neuen (meist lit.) Text aufzunehmen.

Wenn eine Rolle mit einem lit. Text beschrieben war, konnte sie um einen Stock gerollt werden (ὄμφαλος, *ómphalos;* lat. *umbilicus*), der an der rechten Seite des letzten Blattes angeklebt war. Der Titel des Werkes wurde in der Regel an das Ende der Rolle geschrieben; es gibt jedoch auch Beispiele für Titel, die am Anfang oder auf der Rückseite der P.-Rolle stehen; häufig wurde der Titel auf einem Pergament- oder P.-Schildchen (σίλλυβος, *síllybos,* lat. *titulus*) notiert, das an der Rolle selbst befestigt war.

Für die große Zahl von P.-Rollen, die öffentliche oder private Urkunden enthalten, sind die sog. »geklebten Bände« (τόμος συγκολλήσιμος, *tómos synkollḗsimos*) typisch: Sie bestehen aus einem Dossier von Originalen, das durch sukzessives Ankleben von Dokumenten entstanden ist.

→ Codex; Rolle

1 E. G. Turner, Greek Papyri, 1968 (it. Ausgabe ed. M. Manfredi, 1984) 2 N. Lewis, Papyrus in Classical Antiquity, 1974 3 J. E. Powell (ed.), The Rendel Harris Papyri of Woodbrooke College, Birmingham, 1936.

T. D. u. JO. QU.

II. Geschichte

A. Alter Orient   B. Ägypten
C. Griechisch-römische Antike

A. Alter Orient

In den → Keilschrift-Kulturen Mesopotamiens, Syriens und Kleinasiens war die Tontafel der vorherrschende Schriftträger; daneben wurden im Hethiterreich auch Holztafeln verwendet. In Assyrien und Babylonien sind im 1. Jt. v. Chr. Wachstafeln (*lēʾu*) als Träger keilschriftlicher Texte arch. und inschr. bezeugt. Mit der Ausbreitung alphabetischer Schriftsysteme im 1. Jt. bürgerte sich im Vorderen Orient Leder als vorherrschendes → Schreibmaterial ein; in geringerem Umfang wurden Ostraka (→ Ostrakon) als Schriftträger verwendet. P. als Schreibmaterial ist außerhalb Äg. erst spät belegt. Aus Assyrien (Ninive/→ Ninos [2], → Kalḫu, 8./7. Jh. v. Chr. [4]) sind Siegelungen auf Tonklumpen bezeugt, die auf der Rückseite deutlich Abdrücke von P. erkennen lassen. Bei dem in assyrischen Texten genannten Schreibstoff *niāru* ist nicht immer klar, ob P. oder Leder gemeint ist.

Aus der jüdischen Kolonie von → Elephantine in Äg. stammen eine Reihe von Rechts- und Verwaltungsurkunden sowie Briefe auf P. in aram. Sprache aus dem 5. Jh. v. Chr. [5; 7]. Weitere P. stammen aus der Zeit der sāsānidischen Herrschaft über Äg. (Anf. 7. Jh. v. Chr.).

Aus dem Vorderen Orient (4. Jh. v. Chr. – 7. Jh. n. Chr.) sind Rechts- und Verwaltungsurkunden, Briefe sowie lit. Texte in lat. (aus der röm. Militärverwaltung) und (der im offiziellen Bereich hauptsächlich verwendeten) griech. Sprache erhalten. Ferner fanden sich Texte in verschiedenen aram. Sprachformen (→ Palästinisch-Aramäisch, → Nabatäisch, → Palmyrenisch,

→ Syrisch; s. auch → Aramäisch), in → Hebräisch, in geringem Umfang in → Arabisch (Fundort Nessana, 7. Jh. n. Chr.), Parthisch und Mittelpersisch (→ Iranische Sprachen). Die Herkunftsorte der P. liegen in den Prov. Syria Phoenice, Syria Coele (→ Koile Syria; einschließlich → Dura-Europos), Mesopotamia, Arabia (Bostra), Iudaea/Syria Palaestina (u. a. → Qumran, darunter zahlreiche rel. Texte [1]), Palaestina prima und Palaestina tertia.

1 M. BAILLET, Qumrân Grotte 4 III (DJD 7), 1982
2 Chicago Assyrian Dictionary, Bd. N/2, s. v. niāru, 200 f.
3 H. M. COTTON et al., The Papyrology of the Roman Near East: A Survey, in: JRS 85, 1995, 214–235　4 S. HERBORDT, Neuassyr. Glyptik des 8.–7. Jh., 1992, 68　5 E. G. KRAELING (Hrsg.), The Brooklyn Museum Aramaic Papyri: New Documents of the 5th Century BC from the Jewish Colony of Elephantine, 1953　6 F. G. MARTÍNEZ, The Dead Sea Scrolls Translated, 1994　7 B. PORTEN, A. YARDENI, A Textbook of Aramaic Documents from Ancient Egypt, Bd. 1–4, 1986–1999.　　　　　　　　　　　J. RE.

B. ÄGYPTEN

Der Beschreibstoff P. wurde in Äg. schon früh erfunden: Bereits ein Grab der 1. Dyn. (ca. 3000 v. Chr.) enthielt einen (leider unbeschrieben) P. Ab ca. 2600 v. Chr. (Gebelein-Papyri [5. 705]) finden sich in zunehmender Zahl beschriftete P.

Für die Beschriftung von P. (und → Ostraka) wurde die hieratische (→ Hieratisch), seit dem 7. Jh. v. Chr. auch die demotische Schrift (→ Demotisch) verwendet, daneben auch Kursiv-→ Hieroglyphen. Der Basistext wurde mit schwarzer (Ruß-)Tinte geschrieben, Abschnittsanfänge oder sonst wichtige Elemente konnten mit roter Tinte hervorgehoben werden (zur Beschriftung allg. s. o. I.). Normal war die Aufbewahrung in Rollenform; manche Dokumente, vor allem Briefe, wurden auch zusammengefaltet. Über Verfügbarkeit und Preis von P. gehen die Meinungen der Forsch. auseinander. Ein vereinzelter belegter Kaufpreis (für ein Totenbuch) ist kaum verwertbar, da der Umfang des Buches nicht bekannt ist.

Die Erhaltungsbedingungen in Äg. führen dazu, daß die meisten der frühen P. aus Grabfunden stammen, also entweder funerären Inhalts sind oder sekundär als Grabbeigaben verwendet wurden. Funde in Siedlungen sind zunächst nur dort möglich, wo die Orte bes. hoch über der Höhe der Nilflut bzw. im Wüstengebiet gelegen waren (z. B. Abū Ṣīr, al-Lahūn, Dair al-Madīna). In jüngerer Zeit sind Siedlungsfunde häufiger (z. B. → Oxyrhynchos als FO griech. P.), wobei teilweise auch Reste von Tempelarchiven ans Licht kamen (→ Elephantine, Tebtynis, Soknopaiu Nesos, → Tanis).

In griech.-röm. Zeit wurde nicht mehr gebrauchter P. oft zur Herstellung von → Kartonnage für Mumienhüllen (→ Mumie) und Särge verwendet. Löst man die Kartonnage auf, so lassen sich durch Auseinanderziehen der einzelnen P.-Reste v. a. griech. und demot. Verwaltungstexte (s. u. C.) wiedergewinnen.

→ PAPYROLOGIE

1 J. ČERNÝ, Paper and Books in Ancient Egypt, 1950
2 M. L. BIERBRIER (Hrsg.), P.: Structure and Usage, 1986
3 W. HELCK, Altäg. Aktenkunde des 3. und 2. Jt., 1974
4 R. PARKINSON, ST. QUIRKE, P., 1995　5 W. HELCK, s. v. P.-Verzeichnis, LÄ 4, 1982, 672–899 (Liste äg. Papyri)
6 K.-TH. ZAUZICH (ed.), Papyri von der Insel Elephantine (Staatliche Museen Belin: Demotische Papyri 1), 1978
7 B. PORTEN, The Elephantine Papyri in English, 1996.
　　　　　　　　　　　JO. QU.

C. GRIECHISCH-RÖMISCHE ANTIKE

1. VERWENDUNG
2. BEZEUGUNG UND FUNDORTE
3. LITERARISCHE TEXTE
4. AUFBEWAHRUNG

1. VERWENDUNG

P. diente in der griech.-röm. Welt zur schriftlichen Fixierung lit., juristischer oder medizinischer Texte, für offizielle und private Briefe, Pacht- und Kaufverträge, an Behörden gerichtete Eingaben und Beschwerden, Sitzungsprotokolle staatlicher Gremien, Bank- und Steuerabrechnungen, Grundbucheintragungen, Testamente, Geburts- und Todesanzeigen, Heiratsverträge und polizeiliche Schriftstücke (z. B. Fahndungs- und Haftbefehle).

2. BEZEUGUNG UND FUNDORTE

Wann P. in Griechenland als Beschreibstoff heimisch wurde, ist nicht sicher zu bestimmen. Allerdings setzt die feste Vortragsform der homer. Epen, die → Peisistratos [4] (6. Jh. v. Chr.) zugeschrieben wird, sowie die bezeugte Einrichtung von → Bibliotheken durch → Polykrates [1] (6. Jh. v. Chr.) und Peisistratos (Athen. 1,3a) die Bekanntheit des P. als Beschreibstoff voraus, sofern man nicht für diese Zeit an Leder, Bast o. ä. denken will. Um 500 v. Chr. werden zunächst in der att. Vasenmalerei, dann auch in der Grabkunst lesende Menschen oder solche mit Schriftrolle dargestellt. Der bislang älteste P.-Fund in Griechenland stammt aus einem att. Grab der 2. H. des 5. Jh. v. Chr., zu dem noch eine brn. Schreibfeder (κάλαμος/kálamos, lat. calamus) gehört (→ Feder). Der älteste erh. beschriebene P. ist das Fragment aus dem maked. Derveni (4. Jh.) [2]. Eine P.-Rolle wird genannt in den Abrechnungsurkunden des Erechtheion (IG I³ 476, Z. 289). Auch nach dem Aufkommen des Pergaments war P. als Beschreibstoff noch lange nach dem Ausgang der Ant. in Verwendung, wie Exemplare aus dem arabischen Ägypten, dem merowingischen Frankreich (8. Jh.) oder auch ein päpstliches Dokument von 1057 zeigen.

Aufgrund der günstigen klimatischen Bedingungen stammen die meisten P.-Funde aus Äg., wichtige FO außerhalb Äg. sind bes. Palaestina, Dura-Europos und Herculaneum (s. unten).

3. LITERARISCHE TEXTE

Auf P.-Rollen wurden die Texte grundsätzlich in Kolumnen (σελίς, selís, lat. pagina) unterschiedlicher Breite geschrieben. Die Breite für Prosaschriften variierte entsprechend dem lit. Genre. Bei poetischen Werken wurde der Text in einer frühen Phase ungeachtet seiner metrischen Struktur in hexameterlange Zeilen (στίχοι, *stíchoi*) aufgeteilt; später setzte sich die Tendenz durch, das Metrum zu berücksichtigen.

Mit Ausnahme der P. von → Herculaneum (→ Herculanensische Papyri; s. [1]) fehlt bisher eine systematische Erforschung der Typologie der lit. P.; es gibt keine sicheren Standardmaße für Höhe und Länge der P.-Rollen. Für die P. von Herculaneum ist erwiesen, daß die Standardlänge etwa 10 m betrug. Bei Prosatexten enthielt eine P.-Rolle wohl nur ein Werk; wenn Bücher zu umfangreich waren, mußte eine Unterteilung in zwei »Bände« vorgenommen werden.

Die Mehrzahl der lit. Texte wurde in kalligraphischer Schrift kopiert; die oberen und unteren Ränder sowie die Abstände zwischen den Kolumnen waren breit. Es gibt allerdings auch Beispiele für von der Kursive beeinflußte Schriftarten. In diesen Fällen handelt es sich möglicherweise meist um private oder halboffizielle Kopien, die nicht für den Handel oder nur für interne Zwecke bestimmt waren.

4. Aufbewahrung

In Bibliotheken verwahrte man Schriftrollen in Wandschränken; falls eine zweite Schrankreihe in größerer Höhe angebracht war, konnte diese über eine hölzerne Galerie erreicht werden. In privaten Häusern dienten neben solchen Wandschränken (zwei- oder viertürige κιβωτοί, *kibōtoí*, lat. *armarium*) wohl auch kleinere Behältnisse (κάψα, *kápsa*; θήκη, *thḗkē*; lat. *capsa* bzw. *cista*, *theca*) zur Verwahrung der Rollen.

Zur Verbreitung des P., zu Buchhandel und Buchpreisen s. → Buch (C.); zur bildlichen Ausgestaltung der Texte s. → Buchmalerei.

→ Codex; Handschriften; Herculanensische Papyri; Ostrakon; Palimpsest; Pergament; Rolle; Schreibmaterial; Zauberpapyri; Papyri; Papyrologie

1 G. Cavallo, Libri scritture scribi a Ercolano, 1983
2 A. Laks (Hrsg.), Studies in the Derveni P., 1997.

H. Blanck, Das Buch in der Ant., 1992, 56–62 · R. S. Bagnall, Reading Papyri, Writing Ancient History, 1996 · R. Pintaudi, s. v. Papiro, EAA 2. Suppl., Bd. 4, 1996, 252–254 · S. Breton-Gravereau, D. Thibault (Hrsg.), L'Aventure des écritures. Matière et formes (Ausstellungs-Kat. Paris, Bibl. Nat. 1998/9), 1998, 84–93 · O. Mazal, Griech.-röm. Ant. (Gesch. der Buchkultur, Bd. 1), 1999. R.H.u.T.D.

Paquius. Italischer Gentilname, Variante von *Pacuvius* [1. 476].

1 Schulze.

[1] P. Rufus, Q. Legat des M. Antonius [I 9] 42 v. Chr., deduzierte eine Veteranenkolonie nach Philippi (MRR 2, 366). Verm. stammte P. aus Verulae (vgl. NSA 1922, 253 f.). Jö. F.

[2] P. P. Scaeva. Aus → Histonium stammend. Er kam verm. durch Octavian (→ Augustus) in den Senat. P.' Laufbahn, die in vielen Details geschildert wird und die

noch bestehende Flexibilität bei der Vergabe der Ämter in der frühen augusteischen Zeit widerspiegelt, führte ihn bis zum Prokonsulat auf der Insel Kypros und zur *cura viarum*, die er auf Senatsbeschluß für fünf J. übernahm [1. 42 f.; 66]. Anschließend (wohl um 12 v. Chr.) war er nochmals *extra sortem* (»unter Verzicht auf ein Losverfahren«) auf Antrag von Augustus durch den Senat als Proconsul nach Kypros abgesandt. Er wurde zusammen mit seiner Frau Flavia in Histonium bestattet; in Rom wurde von seiner *familia* ein Altar für den Totenkult errichtet [2]. PIR² P 126.

1 W. Eck, L'Italia nell' impero Romano, 1999 2 LTUR, s. v. sepulcrum: P. Paquius Scaeva, Bd. 5, 289. W. E.

Parabase (παράβασις). Charakteristisch-eigentümlicher Bestandteil der att. Alten Komödie, erkennbar in den Stücken des → Aristophanes [3] und in Fr. anderer Komödiendichter (keine sicheren Belege vor → Kratinos [4. 24]). Die Bezeichnung leitet sich vom *parabaínein* (παραβαίνειν πρὸς τὸ θέατρον, »Hintreten zum Publikum«) her, mit dem der aristophanische Chor wiederholt die P. beginnt (Aristoph. Ach. 629; Equ. 508; Pax 735): Er entledigt sich dazu eines Teils seiner Verkleidung (Ach. 627) oder anderer Accessoires (Pax 729), während die Handlung zu einem Stillstand kommt.

In ihrer vollständigen Form umfaßt die P. sieben Teile (vgl. Heph. p. 72 f. Consbruch; Poll. 4,112; schol. vet. Aristoph. Nub. 510; 518), von denen die ersten drei astrophisch sind: In einem kurzen κομμάτιον (*kommátion*, »kleiner Abschnitt«), dessen metrische Form recht verschieden sein kann, fordert der Chorführer den Chor auf, sich zur P. bereit zu machen, und das Publikum, jetzt aufmerksam zu sein. Es folgt die *parábasis* im engeren Sinne (auch οἱ ἀνάπαιστοι, »Anapäste« genannt), in der der Chorführer (jedenfalls in den früheren Stücken des Aristophanes) sich zum Sprachrohr des Dichters macht, seinen Wert herausstellt und das Publikum gelegentlich tadelt, weil es diesen und nicht mehr erkannt habe. Sie besteht sehr oft aus anapästischen Tetrametern, aber auch aus Eupolideen und verwandten Metren. Dieser Teil geht dann über in das μακρόν (*makrón*, »das Lange«) oder πνῖγος (*pnígos*, »Ersticker«), meistens Anapäste, die ohne Atemholen zu sprechen sind und vor allem deshalb lang wirken. Die zweite Hälfte der P. besteht aus vier strophisch aufeinander bezogenen Teilen: Einer vom Chor gesungenen ᾠδή (*ōidḗ*, »Lied«) – meist Götteranrufung oder Selbstverherrlichung des Chors – folgt ein gesprochenes ἐπίρρημα (*epírrhēma*, »anschließende Rede«) des Chorführers, meist in Trochäen und mit sehr unterschiedlichem Inhalt (u. a. polit. Klagen und Ratschläge); eine formal der Ode entsprechende ἀντῳδή (*antōidḗ*, »Gegenlied«) und ein dem *epírrhēma* entsprechendes ἀντεπίρρημα (*antepírrhēma*, »anschließende Gegenrede«) schließen die P. ab. Zusätzliche Chorpartien, die der zweiten Hälfte der P. formal entsprechen, finden sich in der zweiten Hälfte der Stücke und werden oft als »Neben-P.« bezeichnet [5], was sich jedoch nicht auf Aristophanes' eigenen Wortgebrauch stützen kann [1. 1246].

In dieser vollständigen Form tritt die P. nur in vier Aristophanes-Stücken auf (Ach., Equ., Vesp., Av.); in Nub. fehlt das *makrón*, in Pax fehlen *epírrhēma* und *antepírrhēma*, in Lys. und Ran. sämtliche drei astrophischen Teile, in Thesm. ist von der zweiten Hälfte nur noch das *epírrhēma* übrig; in Eccl. und Plut. findet sich von der P. nichts mehr. Neben dieser Schrumpfung läßt sich auch eine Tendenz zu stärkerer inhaltlicher Integration der P. beobachten: In Av. und Thesm. (den letzten Stücken, in denen astroph. Teile vorkommen) treten Chorführer und Chor nicht mehr aus ihrer Maske heraus. Über die Ursprünge der P. und ihrer Rolle bei der Genese der → Komödie sind viele Vermutungen aufgestellt worden, die aufgrund fehlender Zeugnisse offen bleiben müssen. In ihrer beim frühen Aristophanes charakteristischen Form ist die P. vielleicht erst im 5. Jh. v. Chr. entstanden [3. 4] und verschwand, als ihre Funktion sich überlebt hatte.

→ Chor; Komödie

1 A. KÖRTE, s. v. Komödie, RE 11, 1242–1248 2 W. KRANZ, s. v. Parabasis, RE 18.3, 1124–1126 3 G. M. SIFAKIS, Parabasis and Animal Choruses, 1971 4 T. HUBBARD, The Mask of Comedy: Aristophanes and the Intertextual Parabasis, 1991 5 P. TOTARO, Le seconde parabasi di Aristofane, 1999. H.-G. NE.

Parabatai (παραβάται). Krieger, die neben dem Wagenlenker (*hēníochos*, ἡνίοχος) stehend vom Streitwagen aus kämpften, wurden als *p.* bezeichnet (Hom. Il. 23,132; Eur. Suppl. 677; Xen. Kyr. 7,1,29; Strab. 15,1,52: Inder; Diod. 5,29,1: Gallier; Diod. 20,41,1; Dion. Hal. ant. 7,73,3). Die bei Delion 424 v. Chr. in der ersten Reihe kämpfenden 300 Boioter wurden *hēníochoi kai p.* genannt (Diod. 12,70,1); sie waren wohl Vorläufer der thebanischen »Heiligen Schar«. Im Aufgebot der Bastarner (2. Jh. v. Chr.) waren *p.* Soldaten, die an der Seite von Reitern kämpften (Plut. Aemilius 12,4). LE. BU.

Parabolon (παράβολον). Wörtlich »Zahlung«, ein Geldbetrag, der in Athen nach Poll. 8,63 als Sicherheitsleistung bei Erheben der → *éphesis* zu hinterlegen sei, verm. aber mit der → *parakatabolḗ* identisch ist (vgl. auch Aristot. oec. 1348b 13). Ähnliche Ausdrücke für Zahlungen in einem Prozeß: ἀπάρβολος (*apárbolos*, »ohne *p.*«: IG IV 175, 8f. und 197, 21–27; SGDI 3206,117); παρβάλλειν (*parbállein*, zahlen: IPArk 17,65f.) In den Papyri sind παραβολή (*parabolḗ*; so auch OGIS 41) und παραβόλιον (*parabólion*) gleichbedeutend mit *p.*

E. BERNEKER, s. v. P., RE 18.3, 1127–1129 · IPArk, 228–230 · A. CHANIOTIS, Verträge zw. kret. Poleis, 1996, 140. G. T.

Parabyston (παράβυστον, wörtl. »beiseite geschoben«) bezeichnet einen athenischen Gerichtshof an einem beengten Platz, offenbar auf der Agora (vielleicht neben der Panathenäen-Straße; s. → Athenai mit Plan). Hier wurden Fälle verhandelt, die in der Zuständigkeit der Elfmänner (→ *héndeka*) lagen (Paus. 1,28,8; Harpokration, s. v.).

A. L. BOEGEHOLD, The Lawcourts at Athens (Agora 28), 1995, 6–8; 11–15; 111–113; 178f. P. J. R.

Paradeisos. Eine der vorrangigsten Aufgaben der assyrischen Könige war die Sicherung von Fruchtbarkeit und Wohlstand im Land. Sie wird immer wieder in königlichen Epitheta und Herrschaftslegitimationen angesprochen. Die Palastgärten assyr. Residenzen, in denen seit dem 11. Jh. v. Chr. fremdartige Baum- und Straucharten angepflanzt, aber auch Tiere eroberter Gebiete gehalten wurden und die ihren Ursprung ganz sicher einem Interesse an → Hortikultur und Exotik verdanken, können – neben ihrer Funktion als königlicher Naherholungsraum – auch als sichtbarer Ausdruck dieser Herrscherpflicht verstanden werden. Ihre Ausstattung mit Pflanzen und Tieren ganz Vorderasiens ließ sie zu Abbildern des assyr. Reiches werden und ihre Pracht und Fülle wurde zum Symbol für Fruchtbarkeit und Wohlstand des Landes. Von → Sanherib wissen wir, daß er seine Hauptstadt Ninive (→ Ninos [2]) mit mehreren Gartenanlagen umgeben ließ. Außer dem Palastgarten ließ er einen unberührten Naturpark am Tigris anlegen und unter ihm taucht auch erstmals der (abgeschlossene?) Wildpark inschr. auf. In diesem fanden wahrscheinl. die auf Orthostaten-Reliefs abgebildeten Zeremonialjagden → Assurbanipals statt (→ Relief).

Unter den Achämeniden (→ Achaimenidai) entwikkelten sich die königlichen Gärten weiter, einerseits zu regelmäßigen Zierparks, die u. a. ebenfalls Abbilder der geordneten Welt waren, und andererseits – bis in frühislam. Zeit hinein – zu umzäunten und ummauerten Jagdgehegen.

→ Garten, Gartenanlagen; Jagd

W. FAUTH, Der königliche Gärtner und Jäger im P. Beobachtungen zur Rolle des Herrschers in der vorderasiatischen Hortikultur, in: Persica 8, 1979, 1–53 · H. D. GALTER, Paradies und Palmentod. Ökologische Aspekte im Weltbild der assyr. Könige, in: W. SCHOLZ (Hrsg.), Der orientalische Mensch und seine Beziehungen zur Umwelt, 1989, 237–253. HA. G.

Im Griech. existiert *p.* (παράδεισος) ausschließlich als persisches Fremdwort und bezeichnet zunächst den orientalischen, insbes. persischen, mit einem Wall umgebenen Park (Xen. an. 1,2,7; 2,4,14; Xen. Kyr. 1,3,14 etc.), seit dem 3. Jh. v. Chr. den Baumgarten/Park allg. (Papyri [1. 1308,2]), schließlich den Gottesgarten (im Unterschied zu profanen Gartenanlagen; LXX Gn 2,8–10.16; 13,10; Ez 28,13; 31,8 etc.). Die LXX hat das Wort aus der profanen in die rel. Sprache erhoben (erstmalig in den Testimonien der 12 Patriarchen, Levi 18,10 CHARLES in der Bed. → Paradies); im NT ist es selten (Lk 23,43; 2 Kor 12,4; Apk 2,7) [2. 763–771].

→ Garten, Gartenanlagen; Paradies

1 LSJ, s. v. π. 2 J. JEREMIAS, s. v. π., ThWB 5, 763–771. L. K.

Paradies   I. Begriff
II. Altes Testament und Judentum
III. Christentum   IV. Islam

I. Begriff

Das griech. Wort → *parádeisos* (παράδεισος, lat. *paradisus*) bzw. hebr. *pardēs* geht auf das altiran. *pairidaeza* in der Bed. von »Umwallung, runde Umzäunung, das Umzäunte« zurück und meint urspr. einen umfriedeten Park. Im Alten Orient sind → Gärten, v. a. in Verbindung mit Palast- und Tempelanlagen, ›verdichtete Darstellungen des heilvollen Lebensraumes schlechthin‹ sowie (v. a. wenn dort Wildtiere gehalten werden) die ›sichtbare Domestikation »chaotischer« Mächte‹ [4. 705], so daß Gärten einen Ort der Vitalität und Regeneration der Lebenskräfte symbolisieren (vgl. auch die äg. Königsgärten); vor diesem Hintergrund wird auch die vielfach belegte Entsprechung von P. und Tempel verständlich. Der Begriff erscheint im Griech. durch die Vermittlung des Historikers → Xenophon (5./4. Jh. v. Chr.), der mit *p.* die tier- und pflanzenreichen pers. Gärten bezeichnet. Im Sinne von »Baumgarten«, »Park« ist *p.* auch als *pardēs* in die Sprache des AT eingegangen (Neh 2,8; HL 4,13 und Prd 2,5).

II. Altes Testament und Judentum

Die rel. Konnotation von P. geht auf die LXX zurück, die hebr. *gan* mit *parádeisos* wiedergibt (vgl. Gn 2–3). Danach ist das P. der urzeitliche Garten, in dem die ersten Menschen in der Fülle und fürsorgenden Geborgenheit Gottes lebten und den sie durch ihren Ungehorsam gegen das göttliche Gebot verlassen mußten, um fortan in einem Zustand der Daseinsminderung zu leben (vgl. auch die Variante der P.-Erzählung in Ez 28 sowie das Motiv des Gottesgartens in Ez 31). Eine Erinnerung an einen solchen einstigen Idealzustand der Schöpfung kennt man auch in Mesopot. (vgl. Dilmun-Mythos).

Das P. ist in der biblischen und frühjüd. Überl. aber nicht nur eine vergangene Größe, sondern bezeichnet auch ein kollektiv-eschatologisches Hoffnungsgut, einen künftigen idealen Lebensraum, in dem die gegenwärtige Not aller menschlichen Existenz an ihr Ende kommen und eine segensvolle Fülle herrschen wird (so ansatzweise bereits Jes 51,3; Ez 36,35: »Garten Eden«; ohne explizite Verwendung der entsprechenden Begrifflichkeit vgl. auch Am 9,13; Joel 4,18; Ez 47,1–12; Sach 14,8: künftige Fruchtbarkeit; Jes 2,4; 11,6–9: Friede; 65,20 und 22; 25,8: hohes Alter bzw. Überwindung des Todes; sowie zahlreiche Belege in außer- und nachbiblischer Lit.).

Einerseits verbinden sich solche Erwartungen mit dem irdischen → Jerusalem (aethHenoch 25,4; 4 Esra 7,36); andererseits kann das P. auch als bereits in der Gegenwart existent am Rand der Erde (Jubiläenbuch 8,16) oder in der himmlischen Welt (aethHenoch 32,2 f.; 77,3; 2 Kor 12,4) gedacht werden. Über die Partizipation am P. entscheidet das Verhalten in der gegenwärtigen Weltzeit (4 Esra 8,52).

Mit der Entstehung der Vorstellung von einem Leben nach dem Tode wird das P. in einem individuell-eschatologischen Horizont – als Gegenwelt zur Hölle – auch zum Aufenthaltsort der verstorbenen Gerechten (aethHenoch 61,12; 70,4; Apk Moses 37,5; Testament Abrahams u. ö.; Lk 23,43; Apk 2,7).

1 H. Bietenhard, Die himmlische Welt im Urchristentum und Spätjudentum (WUNT 2), 1951 2 M. Görg, s. v. P., Neues Bibel Lexikon 3, 1997, 65 3 B. Lang, C. McDanell, Der Himmel, 1990 4 F. Stolz, s. v. P. I. Religionswiss. II. Biblisch, TRE 25, 1995, 705–711 (Lit.) 5 E. Rosenkranz, s. v. P. III. Jüdisch, TRE 25, 1995, 711–714 (Lit.).   B. E.

III. Christentum

Die P.-Vorstellungen im NT (*parádeisos* nur an drei Stellen: Lk 23,43; 2 Kor 12,4; Apk 2,7) und bei den frühchristl. Autoren sind uneinheitlich (urzeitliches, unsichtbares gegenwärtiges und endzeitliches P.). a) eschatologische Bed.: In Lk 23,43 ist P. Ort des Zusammenseins mit Christus nach dem Tod. Insbes. bei Martyrien werden deren Leiden mit der Schönheit des himmlischen P. kontrastiert (Passio Perpetuae 11 und 13: *viridarium*, »Garten«; Tert. de resurrectione 43,4; Tert. de anima 55,4). Das P. wurde mit dem im NT geläufigen »Reich Gottes« entweder gleichgesetzt oder als eine Art Vorraum zu diesem verstanden, wo die leiblich entrückten → Elias [1], → Henoch und → Maria [II 1] auf die Vollendung warten. (In der Architektur heißen Vorhallen von Kirchen P., vgl. auch den »Parvis« genannten Platz vor Notre-Dame in Paris). b) geistige Bed.: In 2 Kor 12,4 empfängt der Ekstatiker im P. Offenbarungen. So ist P. eine bereits während des irdischen Lebens mystisch, intellektuell-noetisch, v. a. aber liturgisch im Gottesdienst erfahrbare geistige Wirklichkeit. Die Wirkung dieses bes. in Hymnen geläufigen Sprachgebrauchs reicht bis zum Weihnachtslied: ›Heut schleußt er wieder auf die Tür zum schönen Paradeis‹. c) allegorische Bed.: Die P.-Gesch. (Gn 2 f.) und ihre Details werden als Metaphern für den endgültigen Heilszustand verstanden. So deutet Aug. civ. 13,21 das P. als die Kirche, die Flüsse als die vier Evangelien, den Baum des Lebens als Christus. Andere interpretieren das P. als Glauben, Maria oder Christus. d) wörtliche Bed.: Da zwei Arme des P.-Stromes Euphrat und Tigris heißen (Gn 2,10–14), muß P. auch ein Ort dieser Erde sein.

Diese Vielzahl von P.-Vorstellungen bestand problemlos nebeneinander und entsprach dem in der Alten Kirche geläufigen mehrfachen Schriftsinn. Schwierig waren Extrempositionen: Die origenistischen (→ Origenes [2]) Theologen verstanden das P. rein geistig. Gott habe Adam und Eva im P. nur als Seelen erschaffen und erst bei der Vertreibung aus dem P. mit ›Fellkleidern‹ (Gn 3,21), d. h. dem irdischen Leib, umkleidet (vgl. dazu → Prokopios von Gaza, Oktateuch-Epitome ad Gn 3,21). Die mit dieser Auslegung gestützte Lehre von der Präexistenz der Seele wurde auf dem 2. Konzil von Konstantinopolis (553) verurteilt. Dabei bezog man sich auf Kirchenväter, die die irdische Realität des P. betonten: Die P.-Flüsse etwa flössen aus dem P. nicht ›herab‹, sondern ›heraus‹ (→ Severianos von Gabala, De mundi creatione 6,7).

→ Bibel; Elysion; Evangelium; Garten, Gartenanlagen; Hades; Jenseitsvorstellungen; Kirchenväter; Makaron Nesoi; Unterwelt; Weltschöpfung

J. Delumeau, Une histoire du paradis. Le jardin des délices, 1992 · F. Stolz u. a., s. v. P., TRE 25, 1995, 705–726 (Lit.) · J. Jeremias, s. v. παράδεισος, ThWB 5, 1954, 763–771.

                                M. HE.

IV. ISLAM

Das P. erscheint im → Koran und in der islamischen Lit. zumeist als *ǧanna* (arab., »Garten«), gelegentlich auch als *ǧannāt ʿAdn* (»Gärten Eden«) bzw. *firdaws* (retrograder Sg. zu *farādis*, vgl. aram. *paradīsā*) und bezeichnet diejenigen Regionen des Jenseits, die für die Auserwählten bestimmt sind. Die detaillierte Beschreibung der sinnlichen Freuden des P. (himmlische Jungfrauen, prächtige Paläste, köstl. Speisen) und der Schrecken der Hölle nehmen einen großen Raum in der koranischen Offenbarung ein und haben eine Vielzahl von Deutungen in der koranischen Exegese gefunden. Sie beruhen größtenteils auf pers. und jüd.-christl. eschatologischen Traditionen.

→ Eschatologie; Garten [2]; Jenseitsvorstellungen; Paradeisos; Makaron Nesoi; Weltschöpfung

T. Andrae, Les origines de l'Islam et le Christianisme, 1955, 151 ff. · L. Gardet, s. v. Djanna, EI² 2, 447a, Teil A.

                                I. T.-N.

Paradoxographoi   I. ANTIKE   II. NEUZEIT

I. ANTIKE
A. TERMINOLOGIE   B. PARADOXOGRAPHISCHE SCHRIFTEN   C. WIRKUNGSGESCHICHTE

A. TERMINOLOGIE
1. BEGRIFFSGESCHICHTE UND ANTIKE BETITELUNG   2. DEFINITION

1. BEGRIFFSGESCHICHTE UND ANTIKE BETITELUNG

Die Bezeichnungen P. und Paradoxographie sind nicht antik. Παραδοξογράφοι ist bei Tzetz. chil. 2,35,151 belegt, der den Ausdruck jedoch nicht konsequent verwendet [11]. Kanonisch geworden sind sie durch Westermann [4]. In der griech. Ant. werden für die Titel entsprechender Werke (evtl. auch einzelner Bücher oder Abschnitte) die Adjektiva ἄπιστος, θαυμάσιος und παράδοξος verwendet; die lat. Übers. von θαυμάσιος/*thaumásios* scheint *admirandus* gewesen zu sein. Diese Ausdrücke begegnen auch in den Texten häufig, und zwar sowohl in den im engeren Sinne paradoxographischen als auch in anderen Texten, welche die Mikrotextsorte »Mirabilie« enthalten. Daneben gab es auch andere Bezeichnungen; welche jeweils gewählt werden, hängt eng mit dem Naturverständnis des Verf. zusammen. Der Begriff »Mirabilie« hat sich zur Bezeichnung

kurzer Berichte über erstaunliche bzw. vermeintliche Tatsachen durchgesetzt sowie zur Bezeichnung dieser Tatsachen selbst.

2. DEFINITION

Paradoxograph. Schriften im engeren Sinne sind Listen einzelner Mirabilien, also von meist kurzen Berichten über Tatsachen (oder vermeintliche Tatsachen) welche in den Augen der Verf. erstaunlich sind, jedoch nicht immer in den Augen des mod. Lesers (in einer Ges., in der Hauskatzen noch unbekannt oder unüblich sind, gilt die Tatsache, daß Katzen und Katzenartige ihre Krallen beim Laufen einziehen, als Mirabilie; s. Plin. nat. 8,41). Darüber, daß die Klassifizierung einer Tatsache als Mirabilie subjektiv ist, wird oft reflektiert; so bei Strab. 1,3,16 (Grundgedanke: Was ungewohnt ist, wirkt erstaunlich); Mirabilien werden mit *ídion* o. ä. (»es ist eigentümlich«) eingeleitet. Vitr. 3,10 (betont das Naturgemäße auch des Wunderbaren) und Plin. nat. 2,239; 7,6 (Topos: Die gesamte Natur ist wunderbar). In der modernen Forsch. findet sich gelegentlich Verwechslung mit mythographischen Schriften, für die ähnliche Titel überl. sind (z. B. von Herakleitos).

Die Frage nach Niveau, Intention und Adressatenorientierung von nur fragmentarisch erh. ant. paradoxograph. Schriften ist oft nicht zu beantworten; teils wird es sich um (evtl. nur für den eigenen Gebrauch bestimmte) Material-Slgg. gehandelt haben, teils um Unterhaltungs-Lit. Aber auch innerhalb der paradoxograph. Unterhaltungs-Lit. dürfte es Qualitätsunterschiede gegeben haben. Im Einzelfall ebenso problematisch ist die Frage, ob als Fr. erh. Einzelmirabilien aus einer paradoxograph. Schrift, dem paradoxograph. Anhang einer ansonsten »seriösen« Schrift oder überhaupt aus einer »seriösen« Schrift stammen, auch wenn diese Mirabilien einem bestimmten Autor zugewiesen werden. Zu den von P. wie auch von den sog. *auctores seriores* häufig exzerpierten Autoren gehören Aristoteles und seine Schüler; viele *auctores seriores* wie z. B. → Ailianos [2] scheinen zwar kaum aus der eigentlich paradoxograph. Lit. geschöpft zu haben, aber durch die Quellengemeinschaft mit Werken dieser Art ergeben sich Materialüberschneidungen, zumal auch die P. oft lieber aus *auctores seriores* exzerpieren als aus anderen P. Die erh. paradoxograph. Schriften sind in der Regel entweder anon. oder pseudepigraphisch; letzteres ist im Falle der Aristoteles zugeschriebenen Schrift *Perí thaumásiōn akusmátōn* (*De mirabilibus auscultationibus*, ›Über Dinge, die seltsam zu hören sind‹) evident, weniger sicher im Falle der Antigonos [7] aus Karystos zugeschriebenen *Historiarum mirabilium collectio*, die erst [8] in byz. Zeit datiert hat.

Besonders häufig sind Tier- und Wassermirabilien, aber auch Ethnographisches. Obwohl die P. auf rationale Begründung weitgehend verzichten, wird Mythographisches (→ Mythographie) offenbar schon in der Ant. nicht zur Paradoxographie gerechnet; die beiden lit. Genera werden nur selten vermischt, wie bei Ps.-Plut. *De fluviis* und der *Parádoxos historía* des Ptolemaios Chennos, welche im Gegensatz zu den P. die

Namen ihrer Gewährsmänner zum Teil erfunden zu haben scheinen.

B. PARADOXOGRAPHISCHE SCHRIFTEN
1. GRIECHENLAND 2. ROM

1. GRIECHENLAND

Während Einzelmirabilien in fast allen lit. Genera schon immer vorkamen [6], gilt die Paradoxographie im eigentlichen Sinne als Schöpfung des Kallimachos [3] (vgl. [7]). Der Titel seiner verlorenen Schrift ist nicht zu ermitteln; gerade in ihrem Fall liegt die Annahme nahe, daß es sich um eine Materialsammlung des Dichters handelte. Typisch für Kallimachos ist die systematische Angabe der Quellen; sein Grundsatz »ich singe nichts Unbezeugtes« (fr. 612: ἀμάρτυρον οὐδὲν ἀείδω) gilt also auch in diesem Bereich. Spätere Autoren haben die Einzelmirabilien wohl teils aus der Slg., teils (wie Ail. nat. 9, 27 = F *dubium* 49 GIANNINI) aus den mit Hilfe der Slg. verfaßten Gedichten zitiert. Ähnlich verhielt es sich wohl mit Kallimachos' Landsmann (vielleicht auch Schüler) Philostephanos von Kyrene und seiner Schrift *Perí paradóxōn potamōn* (›Über sonderbare Flüsse‹; Tzetz. chil. 7,670 ff. überl. ein Distichon, das eine Wassermirabilie beschreibt) sowie mit Archelaos dem Ägypter. Dieser ist vor Varro zu datieren, der ihn mehrfach zitiert. Die Zitate in den Mirabilien des »Antigonos« helfen bei der Datierung hingegen nicht weiter, da die Ansetzung dieser Schrift in hell. Zeit zumindest als unsicher gelten muß (s.o.). Daß Aristoteles nicht der Verf. der unter seinem Namen überlieferten Schrift *De mirabilibus auscultationibus* sein kann, ist seit dem 16. Jh. unumstritten: *terminus post quem* sind Agathokles (erwähnt 110 v. Chr. als König der Sikelioten) und der Spartaner Kleonymos (78 v. Chr.). [1] plädiert vorsichtig für das 3. Jh. v. Chr. als Datum für den Hauptteil dieser nicht nur inhaltlich heterogenen Listenschrift, welche er für ein Werk der Trivial-Lit. hält.

Die *Historíai thaumásiai* (›Wundersame Berichte‹) eines Apollonios bestehen aus sechs längeren Kapiteln über Wundermänner (das erste berichtet über den 57jährigen Schlaf des Kreters Epimenides) sowie 45 kurzen, meist mit Quellenangaben versehenen Exzerpten. Die jüngste datierbare Quelle ist Skymnos von Chios (2. Jh. v. Chr.). Isigonos von Nikaia verfaßte mindestens zwei Bücher *Ápista* (›Unglaubliches‹). Fr. 1–13 aus Isigonos verdanken wir dem Paradoxographus Florentinus, der ausschließlich Wassermirabilien enthält. Terminus ante quem ist Plinius [1] d. Ä. (*Naturalis historia*), der sechs ethnographische Mirabilien überliefert. Aristokles ist wohl zu Recht von [11] aus der Reihe der P. gestrichen worden. Die anon. Exzerpten-Slgg. Paradoxographus Florentinus, Vaticanus und Palatinus sind kaum datierbar; auch Entstehung in byz. Zeit dürfte nicht auszuschließen sein.

2. ROM

Die Römer haben zwar Paradoxographisches rezipiert und gelegentlich selbst referiert (wie Caesar in den ethnographischen Exkursen des *Bellum Gallicum* oder der von Plin. nat. elfmal zitierte M. Licinius Crassus Mucianus [5. 10]); doch sind für keinen röm. Schriftsteller Werke bezeugt, die mit Sicherheit im engeren Sinne als paradoxograph. Schriften bezeichnet werden können.

C. WIRKUNGSGESCHICHTE

Obwohl paradoxograph. Schriften zumindest bis in die byz. Zeit als Material-Slg. (z. B. für die Verf. von Romanen, bes. Achilleus Tatios und Heliodoros; s. [9]) und Nachschlagewerke (wie ihre Benutzung durch Scholiasten und Etymologen zeigt) gedient haben, ist ihre Bed. für die nachant. christl. Lit. und bildende Kunst im Vergleich zu der des → Physiologus, der gelegentlich Berührungen mit der uns bekannten ant. Paradoxographie aufweist, eher gering. Die Philologen des 19. und 20. Jh. sehen im Interesse an Mirabilien meist ein Dekadenzphänomen (dagegen [5. 10f]).
→ Buntschriftstellerei; Mythographie; Unterhaltungsliteratur

ED. UND ÜBERS. 1 H. FLASHAR, Aristoteles, Mirabilia, 1972 (Übers. mit Komm.) 2 A. GIANNINI, Paradoxographorum Graecorum Reliquiae, 1965 3 H. OEHLER, Paradoxographi Florentini anonymi opusculum De aquis mirabilibus, Diss. Tübingen 1913 (Ed. mit Komm.) 4 A. WESTERMANN, Paradoxographi Graeci, 1839 (Ndr. 1963).
LIT.: 5 M. BEAGON, Roman Nature. The Thought of Pliny the Elder, 1992 6 A. GIANNINI, Da Omero a Callimaco: motivi e forme del meraviglioso, in: RIL 97, 1963, 247–266 7 Ders., Studi sulla paradossografia greca II: Da Callimaco all'età imperiale, in: Acme 17, 1964, 99–138 8 O. MUSSO, Sulla struttura del cod. Pal.gr. 398 e deduzioni storico-letterarie, in: Prometheus 2, 1976, 1–10 9 H. ROMMEL, Die naturwiss.-paradoxographischen Exkurse bei Philostratos, Heliodoros und Achilleus Tatios, 1923 10 G. SCHEPENS, K. DELCROIX, Ancient Paradoxography: Origin, Evolution, Production and Reception, in: O. PECERE (Hrsg.), La letteratura di consumo nel mondo greco-latino, 1996, 373–460 11 K. ZIEGLER, s. v. P., RE 18.3, 1137–1166.   O. WE.

II. NEUZEIT

Im Gegensatz zur relativen Indifferenz akademischer Naturphilosophen des MA gegenüber der Slg. und Erklärung von Wundern hatten die Naturwissenschaftler des 16. und 17. Jh. ein starkes Interesse an Phänomenen *praeter naturam*: Phänomenen, die Thomas von Aquin als selten und ungewöhnlich, doch immer noch in den Bereich des Natürlichen fallend definierte, im Gegensatz zu Wundern, für die göttliche Intervention notwendig wäre (*supra naturam*) [3. 99.9–101.2].

Die *Historia naturalis* des älteren Plinius gehörte zu den ersten Texten überhaupt, die im Druck erschienen, und wurde in der frühen Neuzeit in zahlreichen Ausgaben aufgelegt [6]. Im 16. und 17. Jh. gab es auch mehrere Ed. der ant. P. [9], einschließlich der ps.-aristotelischen Schrift Περὶ θαυμασίων ἀκουσμάτων (*De mirabilibus auscultationibus*, s. o. I. A.) durch STEPHANUS (Henri ÉTIENNE) von 1557, MEURSIUS' Ausgabe des Antigonos von

1619 und der 1622 bei ELZEVIR erschienenen *Historiarum mirabilium auctores graeci* (›Wundergeschichten von griech. Autoren‹) [7]. Zahlreiche neue Wunder-Slgg., für die man sowohl ant. als auch moderne Quellen heranzog (insbes. Berichte über Reisen von Europäern in den Fernen Osten und den Fernen Westen), wurden sowohl in lat. Sprache als auch in den verschiedenen Nationalsprachen veröffentlicht (u. a. DONATI, CARDANO, LEMNIUS, BOAISTUAU, PARÉ, ALDROVANDI, CHILDREY) [5. 135–172]. Diese modernen Wunder-Slgg. behielten oft die top. Anordnung der ant. Werke bei, insbes. wenn sie die heilenden Eigenschaften von Thermalquellen und -brunnen betrafen [8].

Darüber hinaus begannen Naturwissenschaftler in dieser Zeit, sowohl wundersame Dinge als auch wundersame Berichte zu sammeln, und publizierten häufig Kataloge der Gegenstände in ihrer Wunderkammer oder ihrem Kuriositätenkabinett (z. B. IMPERATO, BOREL, WORM, GREW). Dieses erneut aufblühende Interesse an Naturwundern regte zu ambitionierteren Projekten naturphilos. Erklärung an, die Ausnahmen ebenso berücksichtigen sollten wie Regelmäßigkeiten. Frühneuzeitliche Naturwissenschaftler wie POMPANAZZI, CARDANO, DELLA PORTA, LICETI, DUPLEIX, KIRCHNER u. a. versuchten, Kausalerklärungen für Wunder wie figürliche Steine, monströse Geburten und petrifizierende Quellen vorzulegen. Obwohl sie sich zuweilen auf Gründe beriefen, die ebenso wundersam waren wie das zu Erklärende, ihre *explananda* (Einfluß von Gestirnen, Einbildungskraft, Sympathien und Antipathien), blieben sie im Ausschluß unnatürlicher Verursacher, bes. von Dämonen, unnachgiebig [4]. In seiner Schrift ›The Advancement of Learning‹ (1605) machte F. BACON die Erstellung einer Naturgesch. der Wunder zu einem zentralen Teil seines Programms einer Reform der Naturgesch. und -philos. [2. Bd. 3, 328–331]; im ›Novum organum‹ (1620) hob er einen Komplex von fünf »prärogativen Instanzen«, welche allesamt künstliche und natürliche Wunder betreffen, als bes. nützliche Instrumente für die Entdeckung allg. Gesetze und Formen heraus, die Anomalien ebenso wie den gewöhnlichen Lauf der Natur erfassen sollten. BACON zitierte die Schrift ›De mirabilibus auscultationibus‹ als einen Präzedenzfall für eine solche Unt. der Merkwürdigkeiten der Natur, wie auch R. BOYLE es in seinen unabgeschlossenen ›Strange Reports‹ tat, einem Versuch, eine Gesch. der Wunder nach BACONS Vorgaben zu erstellen [3. Bd. 5, 604–609]. Frühe naturwiss. Gesellschaften wie die *Royal Society* in London (gegr. 1660) und die *Académie Royale des Sciences* in Paris (gegr. 1666) waren diesem Aspekt von BACONS Programm, das Wissen von der Natur zu erneuern, sehr verpflichtet. Ihre veröffentlichten Annalen waren in den ersten Jahrzehnten voll von Berichten über merkwürdige Ereignisse wie Regenfälle von Fröschen, Riesen und Zwergen, Gänsen, die aus Rankenfußkrebsen schlüpften, und über exotische Pflanzen- und Tierarten [5. 215–254]. Obwohl die Berichte sich von der paradoxograph. Lit. dadurch unterscheiden, daß sie sich nicht auf lit. Quellen, sondern auf Augenzeugen berufen, erinnern ihr Gegenstand und ihre (oft geogr.) Anlage sehr stark an die ant. Gattung.

1 K. ALLGAIER (ed.), Thomas von Aquin, Summa gegen die Heiden, Bd. 3.2, 1996 **2** J. SPEDDING, R. L. ELLIS, D. D. HEATH (ed.), The Works of Francis Bacon, 14 Bde., 1857–1874 **3** TH. BIRCH (ed.), The Works of the Honourable Robert Boyle, 6 Bde., 1772 **4** L. DASTON, Preternatural Philosophy, in: Dies. (Hrsg.), Biographies of Scientific Objects, 2000 **5** Dies., K. PARK, Wonders and the Order of Nature, 1150–1750, 1998 **6** CH. G. NAUERT JR., Humanists, Scientists, and Pliny: Changing Approaches to a Classical Author, in: American Historical Review 84, 1979, 72–85 **7** H. OEHLER, Paradoxographoi Florentini Anonymi, 1913 **8** K. PARK, Natural Particulars: Epistemology, Practice, and the Literature of Healing Springs, in: A. GRAFTON, N. G. SIRAISI (Hrsg.), Natural Particulars: Renaissance Natural Philosophy and the Disciplines, 1999, 347–367 **9** A. WESTERMANN, Παραδοξογράφοι. Scriptores rerum mirabilium Graeci [1839], 1963.

ED. UND ÜBERS.: ULISSE ALDROVANDI, Musaeum metallicum, Bologna 1648 · PIERRE BOAISTUAU et al., Histoires prodigieuses, 6 Bde., Lyon 1598 · PIERRE BOREL, Les antiquitéz, raretez, plantes, mineraux et autre choses considerables de la Ville, Castres 1649 (Ndr. 1973) · GERONIMO CARDANO, Opera omnia, 10 Bde., Lyon 1663 · JOSHUA CHILDREY, Britannica Baconica, London 1661 · GIOVANNI BATTISTA DELLA PORTA, Magiae naturalis, sive de miraculis rerum naturalium libri IIII, Neapel 1558 · MARCELLO DONATI, De medica historia mirabili libri sex, Venedig 1597 · SCIPION DUPLEIX, La Physique, ou Science des choses naturelles [1640] (ed. ROGER ARIEW, 1990) · NEHEMIAH GREW, Musaeum Regalis Societatis, London 1681 · FERRANTE IMPERATO, Dell'historia naturale libri XXVIII, Neapel 1599 · ATHANASIUS KIRCHER, Mundus subterraneus, 2 Bde., Amsterdam 1678 · LEVINUS LEMNIUS, De miraculis occultis naturae libri IV, Antwerpen 1574 · FORTUNIO LICETI, De monstrorum natura, caussis et differentiis libri duo [1616], Padua ²1634 · AMBROISE PARÉ, Des monstres et prodiges, 1573 (ed. JEAN CÉARD, 1971) · PIETRO POMPONAZZI, De naturalium effectuum causis sive de incantationibus, Basel 1567 (Ndr. 1970) · OLAUS WORM, Musaeum Wormianum seu Historia rerum rariorum, Leiden 1655.
LIT.: J. CÉARD, La Nature et les prodiges, 1977 · P. FINDLEN, Possessing Nature, 1994 · O. IMPEY, A. MACGREGOR (Hrsg.), The Origins of Museums, 1985 · A. LUGLI, Naturalia e mirabilia, 1983 · R. SCHENDA, Die deutschen Prodigiensammlungen des 16. und 17. Jh., in: Archiv für Gesch. des Buchwesens 4, 1963, 637–710.
L. DA./Ü: T. H.

Paragauda (παραγαύδης). Eine erst im 3. Jh. n. Chr. belegte Bezeichnung für eine goldene oder purpurne Borte in Form eines griech. Gammas (Γ), die in ein Gewand eingewebt war (SHA Claud. 17,6); dann auch übertragen auf ein dem Ärmelchiton (→ Chiton) ähnliches Gewand (*paragaúdion*) aus feinem Seidenstoff, das der röm. Kaiser je nach Verdienst mit einer bis fünf Borten als Auszeichnung vergab (SHA Aurelian. 15,4,46; SHA Probus 4,5). Von daher war das Tragen des Gewandes Privatpersonen verboten (Cod. Theod.

10,21,1 und 2). Aufgrund der Beschreibung bei Lyd. Mag. 1,17; 2,4 hat man es früher auf einigen Denkmälern zu erkennen versucht, z.B. auf dem Mosaik aus Karthago in London, BM [1].
→ Clavus

1 D. PARRISH, s.v. Mensae, LIMC 6, 84, Nr. 13, Taf. 263,13.
R.H.

Paragraphe (παραγραφή, abgeleitet von παραγράφειν (paragráphein, »etwas danebenschreiben«) bezeichnet in der griech. Rechtssprache unterschiedliche Einrichtungen. Speziell im Recht Athens hatte ein Beklagter, der vorbrachte, entgegen der Amnestie von 403/02 v.Chr. (s. → triákonta) verklagt zu werden, aufgrund eines von → Archinos eingebrachten Gesetzes die Möglichkeit, der Klageschrift »beizuschreiben«, die → díkē [2] ›sei nicht einführbar‹ (μὴ εἰσαγώγιμον εἶναι, mē eisagógimon eínai; Isokr. 18,2f.). In der Folge hatte das → dikastḗrion [2] in einem getrennten Verfahren über die Zulässigkeit der Klage zu entscheiden, wobei der angeblich zu Unrecht Beklagte unter dem Risiko der → epōbelía das erste Wort hatte. Vergleichbar mit der röm. → exceptio entwickelten sich eine Reihe von p.-Gründen, die schließlich in einem eigenen Gesetz über die p. zusammengefaßt waren: Erledigung der Sache durch rechtskräftiges Urteil oder Vergleich, Verjährung, Unzuständigkeit des angerufenen Gerichtsmagistrats. Wer die p. erhob, anstatt sich im »Hauptprozeß« (εὐθυδικία, euthydikía) zu verteidigen, stand oft im Verdacht, den Prozeß verschleppen zu wollen (Demosth. or. 36,2). Als Vorstufe ist die → diamartyría anzusehen, die im 4. Jh. v.Chr. von der p. verdrängt wurde.

Im »Getreidegesetz« aus Samos (Syll.³ 976,9; 260 v.Chr.) bezeichnet p. lediglich einen Protest gegen einen behördlichen Strafausspruch, der eine Klage des Amtsträgers provoziert. Erst E. 2. Jh. n.Chr. wird p. in den Papyri mit der röm. exceptio/praescriptio gleichgestellt.

P. hat (wie → diagráphein, diagraphḗ [3]) eine feste Bedeutung im hell. Bankwesen als »Belastung eines Kontos«.

H. J. WOLFF, Die att. P., 1966 · G. THÜR, CH. KOCH, Prozeßrechtlicher Komm. zum Getreidegesetz aus Samos, in: Anz. der Öst. Akad. der Wiss., philol.-histor. Klasse 118, 1981, 61–88 (bes. 82) · ST. TRACY, The Date of the Grain Decree from Samos: The Prosopographical Indicators, in: Chiron 20, 1990, 97–100.
G.T.

Paragraphos s. Lesezeichen

Paraibates (Παραιβάτης). → Kyrenaïker, gegen Ende des 4. Jh. v.Chr. Lehrer des → Annikeris, des → Hegesias [1] und des → Menedemos [5] aus Eretria, der ihn später verachtet haben soll (Diog. Laert. 2,86; 2,134).
K.D.

Paraibios (Παραίβιος). Myth. Sklave oder Besitzer eines Bauerngutes; → Phineus erzählt den → Argonautai dessen Gesch. und beweist ihnen damit seine Seherkraft (Apoll. Rhod. 2,456ff. mit schol.): P.' Vater hatte trotz der Bitten der darin wohnenden → Hamadryade einen Baum gefällt, worauf er und seine Nachkommen in Not gerieten. Phineus erkennt die Ursache; P. versöhnt die Nymphe durch einen Altar und wird Phineus' Freund und Versorger [1. 222f. Anm. 3]. Zu P. in der Kunst s. [2].

1 U. VON WILAMOWITZ-MOELLENDORFF, Hell. Dichtung, Bd. 2, ²1962 2 L. KAHIL, s.v. P., LIMC 7.1, 174.
P.D.

Paraitakene (Παραιτακηνή; Bewohner: Παρητακηνοί, u.a. Hdt. 1,101 bzw. Παραιτάκαι, Arr. an. 3,19,2). Gebirgslandschaft in Westiran, im Norden und Osten von → Media, → Areia [1] und → Karmania, im SW von → Susiana umschlossen. Von Strab. werden die Paraitakēnoí als räuberisches Bergvolk beschrieben (15,3,12).
J.W.

Paraitonion (Παραιτόνιον). Hafenstadt ca. 300 km westl. von Alexandreia [1], h. Marsā Maṭrūḥ, als Ausgangspunkt der Straße zur Oase Siwa (→ Ammoneion) auch ἡ Ἀμμωνία genannt (Strab. 17,799); in ptolem. und röm. Zeit wichtig als Hafen und Grenzsicherung; schon im NR befand sich in der Nähe des h. Umm ar-Raḥam eine Festung.
K.J.-W.

Parakatabole (παρακαταβολή). Wörtlich »Zahlung einer Geldsumme« (→ parábolon), wird im Recht Athens für verschiedene Zahlungen gebraucht, welche die Parteien zu Prozeßbeginn zu tätigen hatten (→ prytaneía). Speziell in Erbschaftsprozessen und im Streit um konfisziertes Vermögen hatte der Kläger ein Zehntel bzw. Fünftel des Streitwerts zu hinterlegen, das bei Prozeßverlust dem Staat verfiel bzw. dem Gegner zufiel (strittig). Dies sollte ähnlich der nach Prozeßverlust zu zahlenden → epōbelía mutwilliges Prozessieren vorbeugen. Das Verbum παρακαταβάλλειν (parakatabállein, »zahlen«) bezeichnet auch außerhalb Athens das Zahlen von Gerichtsgebühren.

A. R. W. HARRISON, The Law of Athens II, 1971, 179–183 · G. THÜR, H. TAEUBER, Prozeßrechtliche Inschr. der griech. Poleis. Arkadien, 1994, 228–232.
G.T.

Parakatatheke (παρακαταθήκη). Abgeleitet vom Verbum παρακατατίθεσθαι (para-kata-títhesthai, hinterlegen) wird im gesamten griech. Bereich das Subst. p., auch parathḗkē, für eine Reihe von Rechtsverhältnissen gebraucht, in welchen Sachen oder Personen jemandem unter Treuepflicht zur Obhut anvertraut werden.

Obwohl der Ausdruck in der byz. Rechtslit. als Übers. des röm. → depositum verwendet wird, umfaßt die griech. p. einen weiteren Bereich. So waren dem Empfänger Gebrauch oder Verbrauch des Verwahrgutes gestattet, ohne daß deshalb – entsprechend dem depositum irregulare – von einer »quasi-p.« gesprochen werden müßte. Zweck des Geschäfts war vielfach das Sicherungsbedürfnis des Hinterlegers, dem bes. bei Geld und Gegenständen aus Edelmetall Banken nachkamen. Der Verwahrer hatte die Sachen dem Hinterleger auf Verlangen jederzeit herauszugeben. Die Papyrusurkunden zeigen, daß das Rechtsverhältnis durch Vertragsklauseln individuell ausgestaltet wurde. So konnte der Verwahrer durch die ἀκίνδυνος-Klausel (*akíndynos*, »ohne Gefahr« für den Hinterleger) jegliches Risiko für Verlust und Untergang der Sache übernehmen. Die Rückgabepflicht war durch Strafklauseln gesichert, die dem Verwahrer bei Vertragsverletzung häufig eine Geldbuße in der Höhe des doppelten Wertes des übernommenen Gutes auferlegten. Ob der in röm. Zeit damit im Zusammenhang genannte νόμος τῶν παραθήκων (*nómos tōn parathḗkōn*, »Gesetz« der *p.*) eine gesetzliche Vorschrift oder bloße Vertragspraxis bezeichnet, ist strittig. Generell sieht ein Rechtsgewährungsvertrag aus Stymphalos für »Betrug an Fremden« im Rahmen einer *p.* die Geldbuße des *duplum* (Doppelten) vor (IPArk Nr. 17, Z. 109–111; 303–300 v. Chr.). Mit Übernahme des Verwahrgutes haftete der Nehmer der *p.* aufgrund des »Habens« (ἔχειν, *échein*) fremden Vermögens. Sachenrechtlich waren die Befugnisse gespalten: Der Empfänger vertretbarer Sachen war befugt zur Verfügung und Nutzung (→ *kýrios* II., *kyrieía*), der Hinterleger hatte → *krátēsis*.

Neben der darlehensähnlichen *p.*, in der im Gegensatz zum → *dáneion* das Sicherungsinteresse des Gebers im Vordergrund stand, wurde das Element des »Übergebens auf Treue« in der *p.* für weitere Rechtsverhältnisse benützt, wie für Sequestrierung (→ *mesengýēma*), Trödelvertrag, Werkvertrag, testamentarische Freilassung, *fideicommissum*. Fingiert wurde die *p.* bisweilen, um unter Berufung auf das Treueelement ein verbotenes Geschäft wie die Bestellung einer Mitgift für eine unerlaubte Ehe zu verschleiern.

W. HELLEBRAND, s. v. P., RE 18, 1186–1202 · D. SIMON, Quasi-π., in: ZRG 82, 1965, 39–66 · IPArk · H.-A. RUPPRECHT, Kleine Einführung in die Papyruskunde, 1994, 121.   G. T.

Paraklausithyron (παρακλαυσίθυρον, »Die Klage vor der Tür <der/s Geliebten>«). Das griech. Wort ist in Plutarchs *Erōtikós* (Plut. mor. 753a/b) überliefert; dort wird das P. in einer Reihe mit einem → Komos (→ Komasten-Gruppe) zur Tür der Geliebten, dem Schmücken ihrer Bildchen und dem sportlichen Kampf gegen Nebenbuhler erwähnt (vgl. Plat. symp. 183a). Paraklausithyra, in deren Zentrum die Situation des verschmähten als eines ausgesperrten Liebenden (*exclusus amator*) steht, auf die hin sich die anderen Aussagen ordnen, sind in der griech. Lit. erst in hell. Zeit eindeutig nachweisbar [4]. Bestandteile sind freilich älter: Alkaios (Alk. fr. 374 L.-P.) bittet als Komast um Öffnung der Tür; bei Aristophanes (Eccl. 952–975) fleht ein Jüngling – er droht, niedergestürzt dazuliegen – um Aufnahme bei einem Mädchen, das ihn aber selbst heiß herbeisehnt. Doch bei Theokrit (3,12 f.; 24; 52) bittet der Hirt vergeblich als Komast und Sänger mit Geschenken die unerweichliche Amaryllis um Einlaß, er wird vor ihrer Höhle liegen. Der Liebhaber liegt auch bei Kallimachos (Kall. epigr. 63 Pf.) in der Kälte vor der verschlossenen Tür der erbarmungslosen Konopion – zur Strafe droht er ihr mit dem Alter; Asklepiades (Anth. Pal. 5,145) hängt an die verschlossene Tür seines geliebten Knaben mit seinen Tränen benetzte Kränze (vgl. u. a. ebd. 5,189; 191: Meleagros) [3].

In der röm. Dichtung vereinigt Horaz (Hor. carm. 3,10) erwähnte zentrale Elemente des P. [5]. Sie kehren mit Variationen in der röm. Elegie wieder [2] (→ Elegie). So wird bei Tib. 1,2, bes. aber Prop. 1,16 (nach dem Vorgang von Plaut. Curc. 16; 88 f.; 147–154 und Catull. 67) die Tür, der in Rom bes. rel. Bedeutung zukam, zum Gesprächspartner; bei Ov. am. 16 dagegen ist es der Türhüter [1; 6].

1 E. BURCK, Das P., in: Humanistisches Gymnasium 43, 1932, 186–200 (auch in: Ders., Vom Menschenbild in der röm. Lit., 1966, 244–256 2 F. O. COPLEY, Exclusus amator. A Study in Latin Love Poetry, 1956 3 M. S. CUMMINGS, Observations on the Development and Code of the Pre-Elegiac Paraklausithuron, Ottawa, 1997 (Microfilm) 4 P. HÄNDEL, s. v. P., LAW 2, 2220 5 H. P. SYNDIKUS, Die Lyrik des Horaz, Bd. 2, 1973, 117–122 6 J. C. YARDLEY, The Elegiac P., in: Eranos 76, 1978, 19–34.   H. A. G.

Parakletos (παράκλητος, wörtl. »Herbeigerufener«). In Athen hatten die Prozeßparteien ihre Sache grundsätzlich selbst zu vertreten, allenfalls unterstützt von nahestehenden Personen, die vor den Gerichtshöfen zusätzlich das Wort ergriffen (→ *sýndikos*, → *synḗgoros*). Als Unsitte (Xen. mem. 4,4; Plat. apol. 34c; Plat. leg. 934e) hatte sich eingebürgert, daß die Angeklagten, die sich im Epilog ihrer Verteidigungsrede mit der Bitte um Freispruch an die Geschworenen wandten, ihre Frau, Eltern, Kinder, Verwandten oder einflußreichen Freunde »herbeiriefen«, um durch deren Anwesenheit Mitleid oder Wohlwollen zu erregen. (Aristoph. Vesp. 568 ff. 976 f.) Ein *p.* ergriff wie der Zeuge (s. → *martyría*) nicht das Wort, es traf ihn aber keinerlei Haftung für sein Auftreten. Als *p.* für einen Staatsschuldner aufzutreten war verboten (Demosth. or. 24,50.52).

O. SCHULTHESS, s. v. Parakletoi, RE 18, 1202 f. · A. R. W. HARRISON, The Law of Athens, Bd. 2, 1971, 165 f.   G. T.

Parakoimomenos (παρακοιμώμενος, »der in der Nähe schläft«). Kaiserlicher Oberkämmerer, höchstrangiger Hofeunuch in Konstantinopel, wohl anstelle des früheren *praepositus sacri cubiculi*; sicher belegt erst seit 780 n. Chr., im 9.–11. Jh. sehr einflußreiches Amt.

ODB 3, 1584.   F. T.

Paralia (Παραλία). Urspr. die Küstenregion von Attika, auch allg. die Region östl. des → Hymettos. Seit der Phylenreform des → Kleisthenes [2] ([5. 157 ff.]; → Attika, mit Karte) bestand jede der 10 att. Phylai aus je einer Asty-, Mesogeia- und P.-Trittys (»Drittel«) von Demoi (Aristot. Ath. pol. 21,4) [1; 3. 251 ff.; 5. 159]. In klass. Zeit umfaßten die 10 P.-Trittyes ca. 40 Demoi [4. 125 ff.]. Eine Grenzmarkierung zw. P. und Mesogeia im oberen Vari-Tal ist unsicher [2. 158 f.].

→ Asty; Demos [2]; Mesogeia; Phyle; Trittyes

1 M. H. HANSEN, Asty, Mesogeios and P., in: CeM 41, 1990, 51–54 2 H. LOHMANN, Atene, 1993 3 P. J. RHODES, A Commentary on the Aristotelian Athenaion Politeia, 1981 4 J. S. TRAILL, Demos and Trittys, 1986 5 K.-W. WELWEI, Die griech. Polis, ²1998. H. LO.

Parallelismus (von griech. παράλληλοι, »nebeneinanderstehend«/«-liegend«). Der P. gehört als Wortfigur der Umstellung (→ Figuren) wie das Hyperbaton, die Antithese und der Chiasmus zum Redeschmuck (*ornatus*). Er bezeichnet (mindestens zwei) koordinierte gleichrangige Satzeinheiten, die sich in einigem und zudem in Abweichung von der normalen Wortstellung aufeinander beziehen (Quint. inst. 9,3,80 f.). Sind Silbenzahl der Wörter und Satzlänge identisch, nennt man dies Isokolon, sind sie annähernd gleich, Parison. Zur Unterstützung und Markierung der Parallelität wird der P. oft mit anderen rhet. Mitteln, z. B. der Anapher und dem Homoioteleuton, verbunden (Quint. l.c.). Ein Beispiel bietet Sen. epist. 1,1: *quaedam tempora eripiuntur nobis, quaedam subducuntur, quaedam effluunt.*

→ Figuren C. W.

Paralos (Πάραλος).

[1] Sohn des → Perikles [1] aus erster Ehe. Er starb 430/429 v. Chr. an der Pest (Plut. Perikles 36,8). W. W.

[2] (athenisches Staatsschiff) s. Salaminia

Paramone (παραμονή). Vom Verbum παραμένειν (*paraménein*, »bei jemandem bleiben«) gebildetes Nomen, das gemeingriech. für verschiedene Rechtsverhältnisse gebraucht wurde. In den Papyri Ägyptens und Mesopotamiens ist die *p.* als personenrechtliche Bindung überl., wobei der Schuldner sich oder eine von ihm abhängige Person der Gewalt des Gläubigers unterstellt, um das geschuldete Kapital oder nur die Zinsen abzuarbeiten (*antíchrēsis* [6. 127]). Auch Dienst- und Werkverträge (→ *místhōsis*) enthalten oft die *p.*-Klausel, was jedoch keine personenrechtliche Gewalt begründet [1; 6. 125]. Ebensowenig ist dies bei der *p.* als Gestellungsbürgschaft der Fall (prozessual: für das Erscheinen des Beklagten vor Gericht; verwaltungsrechtlich: für das Leisten liturgischer oder ähnlicher Dienste) [5. 1213 f.].

Hell. Inschr. des griech. Mutterlandes belegen die *p.* als Pflicht des → Freigelassenen dem Freilasser gegenüber, ihm lebenslänglich oder bis zur Abarbeitung der zum Freikauf vereinbarten Summe Dienste zu leisten. Üblicherweise gilt das Lösegeld als vorgestrecktes Darlehen, dessen Rückzahlung duch die *p.* gesichert ist ([2. 200], vgl. [4. 72–83]; zur *p.* kraft Gesetzes s. [3. 76–85]).

1 B. ADAMS, Paramone und verwandte Texte, 1964 2 K.-D. ALBRECHT, Rechtsprobleme in den Freilassungen der Böotier, Phoker, Dorier, Ost- und Westlokrer, 1978 3 A. M. BABAKOS, Actes d'aliénation en comun d'après le droit de la Thessalie antique, 1966 4 Ders., Familienrechtliche Verhältnisse auf der Insel Kalymnos, 1973 5 E. BERNEKER, s. v. P., RE 18.2, 1212–1214 6 H.-A. RUPPRECHT, Kleine Einführung in die Papyruskunde, 1994. G. T.

Paramonos (Παράμονος). Att. Komödiendichter, der an den Dionysien von 183 v. Chr. dritter, an denen von 169 sechster und an denen von 167 postum erster wurde [1. test. 1–3]. Erh. sind lediglich zwei Stücktitel, Ναυαγός (›Der Schiffbrüchige‹) und Χορηγῶν (›Der Sponsor‹).

1 PCG VII, 1989, 101. H.-G. NE.

Paranatellonta (παρανατέλλοντα), »daneben aufgehende« (oder συνανατέλλοντα/*synanatéllonta*, »gleichzeitig aufgehende«) Sterne, sind → Sternbilder, Teile von solchen (auch der → Tierkreiszeichen selbst) oder bes. helle Einzelsterne, die zugleich mit bestimmten Graden oder Dekanen (10°-Abschnitten) der → Ekliptik (un-)sichtbar werden, zuerst beschrieben von → Aratos [4] (den Hipparchos [6] kritisiert). Sie dienten in der Ant. zur Bestimmung der → Jahreszeiten sowie den Astrologen zur Differenzierung zodiakaler Prognosen. Zu den vier Grundformen (akronychischer und heliakischer = kosmischer Auf- oder Untergang: d. h. Abenderst, Abendletzt, Morgenerst, Morgenletzt) kommen im weiteren Sinne die breitenabhängig konstanten ekliptikalen Längen und bes. bei den Zirkumpolarsternbildern auch die beiden Kulminationen. → Teukros von Babylon stellt spekulativ assoziative Verknüpfungen zw. den Tierkreiszeichen und den P. her, wobei die Jahrpunkte eine besondere Rolle spielen [1; 2]. Ihm folgen → Manilius [III 1], → Firmicus Maternus, → Rhetorios und Spätere, welche die P. auch personifizieren (z. B. als Gestirngötter). Daraus entwickelt sich eine reiche Ikonographie (Illuminationen in Hss. sowie Beschreibungen als Text), die bis ins 16. Jh. reicht.

1 W. HÜBNER, Die Eigenschaften der Tierkreiszeichen, 1982, 515–634 2 Ders., Manilius als Astrologe und Dichter, in: ANRW II 32.1, 1984, 126–320, bes. 175–213.

F. BOLL, Sphaera, 1903 · W. GUNDEL s. v. P., RE 18.3, 1214–1275 · W. HÜBNER, Die P. im Liber Hermetis, in: Sudhoffs Archiv 59, 1975, 387–414 · Ders., Grade und Gradbezirke der Tierkreiszeichen: Der anon. Traktat De stellis fixis ..., 1995. W. H.

Paranoias graphe (παρανοίας γραφή). »Klage wegen Geisteskrankheit«. Wie in Rom wurde Verschwendung des ererbten (nicht des sonst erworbenen) Vermögens auch in Athen auf Geisteskrankheit zurückgeführt und zog ein Verfahren der Entmündigung nach sich. Plat. leg. 929d verlangt dafür zusätzlich zur Verschwendung noch Krankheit, Greisenalter oder ungewöhnliche Heftigkeit des Charakters. Das Recht Athens sieht eine Popularklage (→ *graphḗ* [1]) gegen den Verschwender vor (Aristot. Ath. pol. 56,6), die in der Regel von einem erbberechtigten Verwandten erhoben wurde; eine Klage des Sohnes gegen den Vater verstieß nicht gegen die Pietät. Zuständig war der *árchōn* (→ *árchontes* I.); er führte die *p.g.* nach einer → *anákrisis* in ein → *dikastḗrion* ein. Man muß davon ausgehen, daß der Verschwender sich vor Gericht selbst verteidigte. Mit der Verurteilung wurde ihm die Verfügung über das ererbte Vermögen und die Testier- sowie Adoptionsfreiheit entzogen. Zum Erfordernis der geistigen Gesundheit im Testiergesetz Solons (→ *diathḗkē* B.) s. Demosth. or. 46,14. Eine der *p.g.* entsprechende Einrichtung soll auch Korinth unter Periandros (um 600 v. Chr.) gekannt haben (Herakl. Pont. FHG 2,213).

E. BERNEKER, s. v. p.g., RE 18.2, 1275–1278 ·
A. R. W. HARRISON, The Law of Athens Bd. 1, 1968, 78–81.
G. T.

Paranomon graphe (παρανόμων γραφή). »Klage wegen mißbräuchlicher Gesetzgebung«. Vermutlich erst nach Perikles wurde in Athen eine Popularklage (→ *graphḗ* [1]) eingeführt, die jeder unbescholtene Bürger binnen Jahresfrist gegen denjenigen erheben konnte, der in der Volksversammlung (→ *ekklēsía*) einen Beschluß beantragt hatte, der gegen Verfahrensvorschriften oder ein bestehendes Gesetz verstieß. Zuständig waren die → Thesmotheten (→ *árchontes* I.), das → *dikastḗrion* (einmal sogar besetzt mit 6000 Geschworenen, Andok. 1,17; 415 v. Chr.) konnte Geldstrafen oder die Todesstrafe verhängen. War ein entgegenstehendes Gesetz vorher ausdrücklich aufgehoben worden, konnte der Antragsteller mit der vielfach parallelen γραφὴ νόμον μὴ ἐπιτήδειον θεῖναι (*graphḗ nómon mē epitḗdeion theínai*, »Setzung eines unzweckmäßigen Gesetzes«) belangt werden. Mit Verurteilung des Antragstellers trat das angegriffene Gesetz außer Kraft; nach Jahresfrist beseitigte die Klage nur noch das rechtswidrig beschlossene Gesetz. Die *p.g.* war zwar primär zum Schutz der Demokratie gegen ihre möglichen demagogischen Exzesse eingeführt worden, stand aber auch der oligarchischen Verfassung im Wege, so daß sie 411 und 404 v. Chr. jeweils abgeschafft wurde. Mit Ausbau des Gesetzgebungsverfahrens (*nomothesía*) im 4. Jh. v. Chr. erreichte die *p.g.* etwa den technischen Stand einer Normenkontrolle, da sie einfache Volksbeschlüsse (ψηφίσματα, *psēphísmata*) an den höherrangigen Gesetzen (νόμοι, *nómoi*) maß. Hinzu trat, daß im Rat (→ *bulḗ*) oder in der Volksversammlung (→ *ekklēsía*) gegen jeden Antrag unter Ankündigung einer *p.g.* eine → *hypōmosía* eingelegt werden konnte, welche die Wirksamkeit des beantragten Beschlusses bis zur Entscheidung der *p.g.* aussetzte. Ob die *p.g.* der athenischen Demokratie letztlich förderlich war oder nicht, ist strittig.

E. GERNER, s. v. p.g., RE 18.2, 1281–1293 · H. J. WOLFF, Normenkontrolle und Gesetzesbegriff in der att. Demokratie, 1970 · M. H. HANSEN, Die Athenische Demokratie im Zeitalter des Demosthenes, 1995, 213–220.
G. T.

Parapegma (παράπηγμα) bezeichnet im ant. Sprachgebrauch Steckkalender, die durch das (zumeist tägliche) Umstecken von Nägeln das Verfolgen von Kalenderdaten ermöglichten (z. B. bei den sog. Fasti Guidizzolenses für das ganze Jahr, InscrIt 13,2,234, aber wohl auch bei Wochentagskalendern). Diese Form der kalendarischen Orientierung durch eigenes Weiterstecken war bes. dort interessant, wo es ermöglichte, kalendarische Systeme mitzuverfolgen, die vom jeweiligen »bürgerlichen« Kalender abwichen, d. h. im Bereich des Julianischen → Kalenders etwa für Mondphasen, im Bereich griechischer Lunisolarkalender das Sonnen- oder Zodiakal-(Stern-)jahr. Kalender-Fr. zeigen, daß solche Kalender mit Angaben über Sternauf- und -untergänge sowie über meteorologische Vorgänge verbunden waren, denen eine jährliche Rhythmik unterstellt wurde ([1]; bes. die Parapegmata aus Milet). Dieses Interesse für Wetterzeichen (ἐπισημασίαι, *episēmasíai*), Indizien für Wetterumschwünge, schlägt sich u. a. lit. bei → Hesiodos und → Aratos [4] nieder und kann bis auf babylonische Wetteromina zurückverfolgt werden. Das Interesse scheint sich mit der Entwicklung präziser Schaltzyklen, in Athen durch → Meton [2] im 5. Jh. v. Chr., parallel im mesopot. Raum (→ Kalender B.), die die Errechnung von Äquivalenzen lunisolarer und solarer Kalenderdaten vereinfachten, verdichtet zu haben.

In unterschiedlichen, oft einfach addierten Parallel-Trad. wurden entsprechende Daten gesammelt; empirische Datenerhebung, Beobachtung, wird in griech. Texten spätestens seit dem 4. Jh. v. Chr. durch lit. Traditionen ergänzt und kompliziert. Die Kumulation von Daten ohne Rücksicht auf ihre geogr. Herkunft, systematisch fehlerhafte Umrechnung unterschiedlicher Systeme von Sternenmonaten (Zodiakaldaten) und die Kombination verschiedenster Informationstypen in den lit. Zusammenstellungen legen nahe, daß die Produktivität dieser »Listenwissenschaft« nicht allein durch einen praktischen (d. h. bes. bäuerlichen) Bedarf kontrolliert wurde, sondern eine Form spekulativer Orientierung darstellte, die in Nähe zur → Tagewählerei (Astrologie) stand oder auch theologischen Interessen genügte.

Die erh. Texte, oft innerhalb anderer Gattungen überl. (Geminos, *Calendarium* WÜNSCH; Ov. fast.; Colum. 9,14; bes. 11,2; Plin. nat. 18,207ff.; Ptolemaios, Phaseis 2; umfangreiche Zit. älterer Autoren bei Iohannes Lydos), liefen nach der Rekonstruktion von REHM (dessen bahnbrechende Arbeiten von einem Verfallsparadigma dominiert werden [1; 2]) bes. über → Euktemon und → Eudoxos [1] (mit wenig Resonanz → Kallippos [5] im 4. Jh. v. Chr.), im lat. Bereich bilden M. Terentius → Varro und die im Zusammenhang der Kalenderreform veröffentlichte Caesarianische Datenliste par. Quellen für spätere Zusammenstellungen.
→ Feriale; Kalender; Meteorologie

1 A. REHM, P.-Stud., 1941 2 Ders., s. v. P., RE 18,4, 1949, 1295–1366 3 J. RÜPKE, Kalender und Öffentlichkeit, 1995 4 K. VON STUCKRAD, Das Ringen um die Astrologie, 2000.
J. R.

Parapherna (παράφερνα), wörtlich ›neben der Mitgift (→ *phernḗ*) gegebene Vermögensstücke‹, bezeichnen in der griech.-röm. Welt unterschiedliche Rechtseinrichtungen, jeweils Sondervermögen der verheirateten Frau. In den Rechten der griech. Poleis war die Frau grundsätzlich vermögensfähig, oft jedoch nur beschränkt geschäftsfähig. Ihre Güter gingen andere Wege als die des Mannes ([8. 26–130; 5. 64–70], zu IPArk Nr. 5, Z. 4 f.: πατρῷα/ματρῷα, *patrṓia/matrṓia*, väterliches/mütterliches Vermögen) s. [4]), doch gibt es keinen Terminus für das »neben einer Mitgift« (→ *proíx*) vorhandene besondere Frauengut.

In den gräko-ägyptischen Papyri des 1.–3. Jh. n. Chr. tritt der Ausdruck *p.* für Gegenstände auf, die während der Ehe den persönlichen Bedürfnissen der Frau dienen sollten (Kleider, Schmuck, Kosmetika, Hausrat, Aphroditestatuetten) und – im Unterschied zur *phernḗ* (ebenfalls Kleider, Schmuck, Hausrat) – nicht in das Vermögen des Mannes fielen [1; 2; 6. 109 f.]. Bei Ausscheiden der Frau aus dem ehelichen Haushalt mußte ihr der Mann die sofortige Mitnahme des eingebrachten, im Ehevertrag neben der *phernḗ* aufgelisteten Paraphernalgutes gestatten. Da sich die *p.* gewöhnlicherweise im Gewahrsam der Frau befanden, erstreckten sich die für die *phernḗ* vereinbarten Sicherungsrechte und auch die Praxis-Klausel (→ *práxis*) nicht auf die *p.* [2. 406 f.]. Die Einrichtung der *p.* wurde aus der einheimischen ägypt. Praxis übernommen und, durch die Notariate begünstigt, von der griech. Bevölkerung rezipiert. Grundstücke und Sklaven waren weder Gegenstände der *phernḗ* noch der *p.*, sondern wurden – ebenfalls neben der *phernḗ* – von der Frau als προσφορά (*prosphorá*, Zusatzgüter) in die Ehe eingebracht. Sie fielen aber wie die *p.* nicht in das Vermögen des Mannes.

In den lat. Rechtstexten scheint das Fremdwort *parapherna* in zwei Bed. auf: einmal für das gesamte Frauenvermögen *extra dotem* (*res quas extra dotem mulier habet, quas Graeci p. dicunt*, Cod. Iust. 5,14,8; 450 n. Chr.) und dann für Gegenstände, die dem Mann *extra dotem* zur Verwaltung übertragen werden (*si res dentur in ea, quae Graeci* παράφερνα *dicunt*, Ulp. Dig. 23,3,9,3); → *dos*. In beiden Fällen sind Grundstücke mit eingeschlossen; ihre Bed. geht auch sonst über die in den Papyri belegte Gestaltung der *p.* hinaus [2. 419–423]. Das von Ulpian genannte Verzeichnis der als *p.* übertragenen Gegenstände findet sich auch im Syr.-Röm. Rechtsbuch (L 13, dazu [7. 151]).

1 E. Gerner, Beiträge zum Recht der P., 1954 2 Ders., s. v. p., RE Suppl 8, 401–431 3 G. Häge, Ehegüterrechtliche Verhältnisse in den griech. Papyri Ägyptens, 1968 4 A. Maffi, Regole matrimoniali e successorie, in: H.-J. Gehrke (Hrsg.), Rechtskodifizierung und soziale Normen, 1994, 113–133 5 Ders., Il diritto di famiglia nel Codice di Gortina, 1997 6 H.-A. Rupprecht, Kleine Einführung in die Papyruskunde, 1994 7 W. Selb, Zur Bed. des Syr.-Röm. Rechtsbuches, 1964 8 G. Thür, Ehegüterrecht und Familienvermögen in der griech. Polis, in: D. Simon (Hrsg.), Eherecht und Familiengut, 1992, 121–132

9 G. Thür, H. Taeuber, Prozeßrechtliche Inschr. der griech. Poleis. Arkadien (IPArk), 1994. G. T.

Parapotamioi (Παραποτάμιοι). Urspr. eine Bauernsiedlung am Ostufer des Kephisos [1] in → Phokis ca. 7 km nördl. von → Chaironeia beim h. Belési, später zum Schutz des Passes zw. → Parnassos und → Hadylion befestigt, der das obere Kephisos-Tal mit der Kopais verbindet (Hom. Il. 2,522; Paus. 10,33,7; Theop. FGrH 115 F 385). Die von Theop. l.c. vorgeschlagene Deutung als Kolonie (*katoikía*) kann mit der Besiedlung des Flußtals durch die Minyer aus Orchomenos [1] in der Frühzeit (Pind. O. 14,1–5) und dem Namen der Akropolis von P. (Φιλοβοιωτός/*Philoboiōtós*, Plut. Sulla 16,7) zusammenhängen. Da bedeutsam für die Verteidigung der Phokis, wurde P. 480 v. Chr. von den Persern niedergebrannt (Hdt. 8,33; → Perserkriege), 395 v. Chr. von den Boiotoi geplündert (Hell. Oxyrh. 18(13),5), 346 v. Chr. zerstört und nicht wieder aufgebaut (Paus. 10,3,1; vgl. außerdem Demosth. or. 19,148; Diod. 16,58,2; Plut. Sulla 16,7; Paus. 10,33,8). Reste von Stadtmauer und Gebäuden innerhalb des Mauerrings sind erh.

F. Schober, Phokis, 1924, 38 • E. Kirsten, s. v. P., RE 18.2, 1369–1374 • J. M. Fossey, The Ancient Topography of Eastern Phokis, 1986, 69–71 • G. Daverio Rocchi, Insediamento coloniale e presidio militare alla frontiera focese-beotica, in: Tyche 8, 1993, 1–8 • J. McInerney, The Folds of Parnassos, 1999, 293 f. G. D. R./Ü: H. D.

Parapresbeias graphe (παραπρεσβείας γραφή). Popularklage (→ *graphḗ*) gegen Gesandte (s. → *presbeía*), die ihre Pflichten verletzten. Aus Athen sind zahlreiche Fälle bekannt; berühmt ist die *p.g.* des Demosthenes [2] (Demosth. or. 19) gegen Aischines [2] (Aischin. or. 2). Strafbare Tatbestände waren z. B. Überschreiten der Befugnisse, falsche Berichterstattung, eigenmächtiges Auftreten, Empfang fremder Gesandter gegen den Willen von Rat und Volk oder Geschenkannahme (→ *dṓrōn graphḗ*). Der Ankläger konnte auch eine → *eisangelía* erheben. Zuständig für die *p.g.* waren die *eúthynoi* (→ *eúthynai*); die Sanktionen gingen bis zur Todesstrafe.

E. Berneker, s. v. p.g., RE 18.2, 1374 f. • Th. Paulsen, Die P.-Reden des Demosthenes und Aischines, 1999. G. T.

Parasanges (παρασάγγης). Babylonisch-assyrisches und persisches Längenmaß (»Stundenweg«) zu 30 Stadien (vgl. Hdt. 2,6,3; Xen. an. 5,5,4) bzw. 10800 königlichen Ellen, entsprechend ca. 5,7 km. Nach Herodot wurden in den altorientalischen Reichen die Straßen sowie die in Steuerkataster erfaßten Landflächen in Parasangen vermessen (Hdt. 6,42,2).
→ Stadion

F. Hultsch, Griech. und röm. Metrologie, ²1882, 476 ff. H.-J. S.

Parasit (παράσιτος/*parásitos*; lat. *parasitus*). Das griech. Wort *parásitos* war zunächst eine Bezeichnung für Tempelbedienstete, die an Festmählern zu Ehren der betreffenden Gottheit teilnahmen (vgl. Athen. 6,234c–235e), aber auch für andere, die in den Genuß staatlicher Speisung kamen (Plut. Sol. 24,5; vgl. [7. 12]). Seit athenische Komödiendichter (es ist umstritten, ob dabei → Araros [2. 102f.; 4. 309] oder → Alexis [1; 6. 544] der erste war) den Begriff vielleicht noch vor der Mitte des 4. Jh. v. Chr. auf Bühnenfiguren übertrugen, die Mahlzeiten an anderer Leute Tisch auf alle mögliche Weise (durch witzige Unterhaltung, Schmeichelei, Boten- und andere Dienste) zu ergattern versuchten, wurde der »Parasit« in der ausgehenden Mittleren und in der Neuen → Komödie (= Kom.) eine feste Rolle mit typischen Zügen (Gefräßigkeit, Witz, Liebedienerei), die in gleicher Weise komisch wirken konnte, wenn ihr beständiges Streben nach Verköstigung von Erfolg oder Mißerfolg gekrönt war. Die Figur hatte eine Reihe lit. Vorgänger: Als ihr Prototyp darf der Bettler Iros in Hom. Od. 18 gelten; vergleichbare Züge trägt der κνισοκόλαξ (*knisokólax*, »Opferdampfschmeichler«) des → Asios (IEG II p. 46) und der Sprecher von → Epicharmos fr. 34f. KAIBEL. Laut Theopompos FGrH 115 F 89 wurden viele Athener durch → Kimon [2] »parasitenartig« ernährt; in Xen. mem. 2,9 wird uns ebenfalls eine reale p.-ähnliche Figur vorgeführt [7. 5–7].

Ein sehr farbiges Porträt von gierigen Schmarotzern (darunter auch Sophisten) des reichen Kallias [5] zeichneten die *Kólakes* (»Schmeichler«) des → Eupolis (vor allem fr. 172). *Kólax* war die Hauptbezeichnung solcher Gestalten, bis eben *parásitos* aufkam, blieb aber auch danach noch in Gebrauch; ein Versuch, zw. beiden Begriffen in der Kom. der 2. H. des 4. Jh. zu differenzieren [2. 88–111], ist auf Kritik gestoßen [5]. In der Mittleren und Neuen Kom. hatte der P. als Träger der Komik ähnliche Bed. wie der Koch; er war häufig Adlatus des bramarbasierenden Soldaten und konnte ebensogut als winselnder Speichellecker wie als souveräner Intrigant vorgeführt werden. Wo spätere griech. Lit. auf die Kom. zurückgreift, taucht recht oft auch der P. wieder auf: → Lukianos macht ihn zum Thema eines Platon parodierenden Dialogs und stilisiert ihn dabei zum paradoxen Menschheitsideal [2]; → Alkiphron führt uns seine wechselhaften Fährnisse in einem ganzen Buch mit Parasitenbriefen vor; sogar im Roman des → Chariton hat ein P. einen kurzen (1,4,1) und in dem des → Longos einen etwas längeren Auftritt (4,10,1–12,4; 16,1–20,1), und noch → Libanios widmet ihm zwei Deklamationen (28f., vgl. [2. 120³⁹⁸]).

Über die röm. Kom. als Nachgestalterin der griech. gelangte der P. auch in die lat. Lit.: Kürzere oder längere P.-Rollen gibt es in acht Stücken des → Plautus (*Asinaria, Bacchides, Captivi, Curculio, Menaechmi, Miles Gloriosus, Persa, Stichus*) und in zwei des → Terentius (*Eunuchus, Phormio*). Im frühen 2. Jh. v. Chr. drang der P. bereits in die röm. → Satire ein: Man findet ihn bei → Ennius [1] (sat. 14–19 VAHLEN), → Lucilius [7. 107f.,

111f.], in recht beachtlicher Variationsbreite (wenn auch nicht direkt als P. bezeichnet) bei → Horatius [7], → Martialis und → Iuvenalis [7. 105–191]. In der röm. Kom. wird vor allem seine Gefräßigkeit betont [3]; die Satire verwendet ihn, um das röm. Klientelwesen kritisch zu beleuchten [7].

1 W. G. ARNOTT, Alexis and the Parasite's Name, in: GRBS 9, 1968, 161–168 2 H.-G. NESSELRATH, Lukians P.-Dialog, 1985 3 J. C. B. LOWE, Plautus' Parasites and the Atellana, in: G. VOGT-SPIRA (Hrsg.), Studien zur vorlit. Periode im frühen Rom, 1989, 161–169 4 H.-G. NESSELRATH, Die att. Mittlere Kom., 1990 5 P. G. McC. BROWN, Menander, Frgs. 745 and 746 K-T, Menander's »Kolax« and Parasites and Flatterers in Greek Comedy, in: ZPE 92, 1992, 91–107 6 W. G. ARNOTT, Alexis: The Fragments, 1996 7 C. DAMON, The Mask of the Parasite, 1997.   H.-G. NE.

Paratilmos (παρατιλμός, wörtlich »Enthaarung«), eine Maßnahme gegen den auf frischer Tat ertappten Ehebrecher (→ *moicheía*), wobei ihm unter Einreibung mit heißer Asche die Haare um den After ausgerissen wurden, in der Regel verbunden mit Eintreiben eines Rettichs in den After (ῥαφανίδωσις, *raphanídōsis*; Aristoph. Plut. 168 mit Schol.; Aristoph. Nub. 1083). Diese entehrende Selbsthilfe-Maßnahme konnte im att. Recht statt der gesetzlich erlaubten Tötung vorgenommen, aber durch Zahlung eines Lösegelds abgewehrt werden. Vermutlich verbirgt sich der *p.* hinter der gesetzlichen Vorschrift, daß der Ehemann, dem das Gericht bestätigt hatte, einen Mann zu Recht als Ehebrecher festgehalten zu haben, mit diesem vor Gericht ohne Messer als Ehebrecher verfahren könne, wie er wolle (Demosth. or. 59,66); andere Formen der sexuellen Erniedrigung vermutet in diesem Zusammenhang [2. 115f.]. Mit dem *p.* versuchte der betrogene Ehemann seine Ehre wiederherzustellen; dazu [2. 168].
→ Ehebruch; Moicheia

1 E. GERNER, s. v. P., RE 18.2, 1407–1410, 2 D. COHEN, Law, Sexuality, and Society, 1991 3 K. KAPPARIS, Humiliating the Adulterer: The Law and the Practice in Classical Athens, in: RIDA 43, 1996, 63–77.   G. T.

Parauaioi (Παραυαῖοι). Epeirotischer Stamm im oberen Tal des → Aoos, im 5. Jh. v. Chr. noch von Königen regiert (Thuk. 2,80,6; zur Lokalisierung Arr. an. 1,7,5). Unter Philippos [4] II. zu Makedonia gehörig, wurden die P. (möglicherweise gleichzusetzen mit den Παρῶροι/*Parôroi*, SGDI 1350,2; 1355,4; SEG 23, 471; oder den Παρωραῖοι/*Parōraíoi*, Strab. 7,7,6; 7,7,8; 8,3,18) wohl 294 v. Chr. an → Pyrrhos I. von Epeiros abgetreten. Weitere Belege: Plut. Pyrrhos 6,2; Ptol. 3,12,38; Steph. Byz. s. v. Π. und s. v. Χαονία.

P. CABANES, L'Épire de la mort de Pyrrhos à la conquête romaine, 1976, 129f.   K. F.

Paraveredus s. Pferd; Post

Parcae, die Parzen, sind das röm. Gegenstück zu den griech. Moiren (→ Moira). Wie die Moiren galten sie als Trias prophetischer Schicksalsgöttinnen (*tres P., tres sorores, tria Fata* [8. 527 f.]), die sowohl kollektiv als auch einzeln fungieren konnten. Ihre lat. Individualnamen Nona (»Neunte«), Decima (»Zehnte«) und Parca (»Geburtshelferin«, < *parere* »gebären«) zeigen, daß die P. von Hause aus Geburtsgöttinnen waren (Varro bei Gell. 3,16,9 ff.; Tert. de anima 37,1). Nona und Decima beziehen sich auf Neun- bzw. Zehnmonatskinder, also Normalgeburten [6. 103, 232]. Auf das → Schicksal weist dagegen der Parzenname → Morta, den → Caesellius Vindex neben Nona und Decuma stellt (bei Gell. l.c.) und den schon Livius Andronicus als lat. Äquivalent für Moira verwendet (Odusia fr. 11). Morta bedeutet »Zuteilung« und ist mit Moira (»Anteil«) stammverwandt [6. 224]. Bereits um 300 v. Chr. sind Neuna Fata und Parca Maurtia in Lavinium votivinschr. bezeugt [6. 223 f., 232; 7. 67 ff., 93 ff.]. Im Kult blieben die P. jedoch Randfiguren. So opferte Augustus bei den Säkularspielen des J. 17 v. Chr. den Moerae [5. 299 f., 330 f.], die Horaz in seinem Säkularlied als P. anruft (Hor. carm. saec. 25 ff.). Im keltischen Raum wurden lokale → Muttergottheiten unter dem Namen der P. kultisch verehrt [3]. Die eigentliche Domäne der P. war jedoch die Kunst und Lit. Seit Catull (64,305 ff.) und den augusteischen Dichtern spinnen die P. die Schicksalsfäden (*fatalia stamina*), rezitieren (*dicere*) bzw. singen (*canere*) bei Götterhochzeiten und Heroengeburten ihr Schicksalslied (*carmen*), zeichnen die Einzelschicksale auf ehernen Tafeln auf und bestimmen den Todes- bzw. »Parzentag« eines jeden Menschen (Verg. ecl. 4,46 f.; Verg. Aen. 12,150 [4]; Tib. 1,7,1 f.; Hor. carm. 2,3,15 f.; Ov. met. 8,451 ff. und 15,807 ff.; Sen. apocol. 4,1 ff.; Grabgedichte [2. 2478 ff.]). In der Kunst werden die P. mit Spindel und Buchrolle dargestellt [1].
→ Geburt (II. A.)

1 S. DE ANGELI, Problemi di iconografia romana: dalle Moire alle Parche, in: L. KAHIL, P. LINANT DE BELLEFONDS (Hrsg.), Rel., myth., iconographie, in: MEFRA 103, 1991, 105–128 2 S. EITREM, s. v. Moira, RE 15, 2449–2497 3 F. HEICHELHEIM, s. v. Parcae (keltisch), RE 18, 1417 ff. 4 C. MONTELEONE, s. v. Parche (Parcae), EV 3, 968–970 5 G. B. PIGHI, De ludis saecularibus populi Romani Quiritium, ²1965 6 RADKE 7 L. L. TELS-DE JONG, Sur quelques divinités romaines de la naissance et de la prophétie, 1959 8 H. O. SCHRÖDER, s. v. Fatum (Heimarmene), RAC 7, 524–636. AL.H.

Paredros, Paredroi (πάρεδρος, Pl. πάρεδροι, »Beisitzer« von polit. Funktionsträgern oder Gottheiten).
A. POLITIK B. MAGIE C. KULT

A. POLITIK

1. ATHEN
(a) Je zwei *p.* wurden im 5. und 4. Jh. v. Chr. vom eponymen → *árchōn*, vom → *polémarchos* und vom *basi-*

leús (s. → *árchōn basileús*) als Assistenten und Stellvertreter benannt ([Aristot.] Ath. pol. 56,1). Ihre Position hatte Amtscharakter, da sie der → *dokimasía* unterlagen und rechenschaftspflichtig waren. (b) Je zwei *p.* wurden im 4. Jh. v. Chr. für jeden der zehn *eúthynoi* des Rates (s. → *eúthynai*) der 500 aus den *buleutaí* (»Ratsmitgliedern«) ausgelost ([Aristot.] Ath. pol. 48,4). Sie übten ihre Aufgaben erst aus, wenn nach dem Rechenschaftsbericht der Beamten Klagen vorgebracht werden konnten. (c) Seit 418/7 sind zehn *p.* als »Assistenten« der → *hellēnotamíai* als Empfänger von Zahlungen zur Bestreitung öffentl. Ausgaben aus dem Schatz der Athena belegt (ML 77,4 = IG I³ 370,4). (d) Die ebenfalls in IG I³ 370 Z. 50 erwähnten *p.* waren offenbar als Gehilfen der → *stratēgoí* in gleicher Funktion tätig.

2. SPARTA
In Sparta galten die → *éphoroi* bei Beratungen in der Rechtsfindung als *p.* der Könige (Hdt. 6,65), denen offenbar auch ein Weissager als *p.* zur Verfügung stand (Cic. div. 1,43,95).

3. ÄGYPTEN
In Äg. fungierten *p.* als Beiräte von Einzelrichtern und als Mitglieder von Gerichtshöfen. Als *t. t.* sind *p.* im 1. Jh. v. Chr. (SB 5, 8399) und im 3. Jh. n. Chr. (POxy. 10,1286) belegt.

4. ROM
In Rom diente *p.* als griech. Äquivalent für → *adsessor* (Nov. 60,2; 82,1; 82,2). Cassius Dio (53,14,5–7; 55,27,6; 57,14,4) bezeichnet entgegen der üblichen Terminologie den ranghöchsten Funktionsträger (*legatus*) unter einem Provinzstatthalter als *p.*

BUSOLT/SWOBODA 2, 1059 f. • M. H. HANSEN, Die athenische Demokratie im Zeitalter des Demosthenes, 1991, 231, 253. K.-W. WEL.

B. MAGIE
P. ist ein Fachausdruck, der – seiner älteren, nichtmagischen Verwendung für Personen, die neben anderen sitzen bzw. anderen beistehen (Pind. P. 4,4; Hdt. 7,147), entlehnt – an zehn Stellen im griech. → Zauberpapyri für verschiedene Typen von nicht-menschlichen Helfern verwendet wird, die den Magier (→ Magie) bei der Verrichtung seiner Aufgaben unterstützen. Es handelt sich bei diesen um göttliche Wesen, einschließlich bekannter Gottheiten wie z. B. → Eros [1] (PGM IV 1716–1870), um Himmelserscheinungen (PGM I 42–195), → Dämonen oder Geister, v. a. von Personen, die einen gewaltsamen oder verfrühten Tod gestorben sind (PGM IV 2145–2240; → Ahoros, → Nekydaimon), aber auch um unbelebte Gegenstände (PGM IV 1716–1870). Häufig verkörpern sich in einem *p.* zwei oder drei dieser Typen (PGM I 1–42; I 42–195; IV 2145–2240; [1. 294]). In einem Fall (PGM XIa 1–40) erscheint der *p.* selbst als menschliches Wesen.

Anders als Geister oder Dämonen, die man sich für eine einzige Aufgabe (z. B. durch → *defixiones*) zunutze machte, treten *páredroi* in den Zauberpapyri in eine langfristige Beziehung zu den Magiern, die ihnen befehlen.

Diese beherrschen die *p.* u. a. mit Hilfe von Amuletten (PGM XIa 1–40; → *phylaktḗrion*), gesprochenen oder geschriebenen magischen Wörtern und Namen (PGM IV 2006–2125) sowie rituellen Handlungen (Verbrennen von Weihrauch: PGM IV 1928–2005; Opfer: PGM XII 14–95). In einigen Fällen dienen diese Handlungen, v. a. die Opfer, dazu, einen unbelebten Gegenstand, der den *p.* repräsentiert oder zu einem solchen werden soll, zu aktivieren bzw. zu beleben.

Über die o. g. Zaubertexte hinaus werden *p.* in PGM IV 1331–89 und VII 862–918 erwähnt. Weitere Wesen, die man unter der ständigen Herrschaft eines Magiers findet, die jedoch nicht *p.* genannt werden, finden sich in anderen Texten aus den ersten Jh. n. Chr. Bes. bemerkenswert ist hierbei das apokryphe ›Testament des Salomon‹, in dem dieser seine Macht über Dämonen zum Bau des Tempels nutzt [2. 1453]. Die Vorstellung des *p.*, wie sie sowohl in den Zauberpapyri als auch im *testamentum Salomonis* zum Ausdruck kommt, liegt der Idee des »witch's familiar« (eines dämonischen Hexenhelfers, oft in Form einer Katze) zugrunde, die sich in England im MA entwickelte.
→ Magie

C. Kult

Zu den göttlichen »Beisitzer(inne)n« (Begleitern und Helfern) anderer männlicher und weiblicher Gottheiten s. → *sýnnaoi theoí*.

1 L. J. Ciraola, Supernatural Assistants in the Greek Magical Papyri, in: M. Meyer, P. Mirecki (Hrsg.), Ancient Magic and Ritual Power, 1995, 279–295
2 K. Preisendanz, s. v. P., RE 18.4, 1434–1453.

S. I. J./Ü: PE. R.

Parens. In der Gesch. der röm. Politik und des Herrscherkults ist *p.* (wörtlich: leiblicher Elternteil, sachlich aber: der Vater) in der Verbindung *p. patriae* (Vater des Vaterlandes) ein sprachlicher Vorläufer für den Ehrennamen des Kaisers als → *pater patriae*. Am bekanntesten ist die Verleihung des Titels *p. patriae* durch Q. → Lutatius [4] Catulus an Cicero im Senat nach der Niederschlagung der catilinarischen Verschwörung 63 v. Chr. (Cic. Sest. 121; Cic. Pis. 6). Gemeint war damit, daß Cicero die Republik gerettet habe. Dies war die Übertragung einer alten Sitte, nach welcher der Retter eines röm. Bürgers aus Lebensgefahr in einem Kriege als *p.* bezeichnet wurde (Liv. 22,30,2–4), auf den Staat.

In der röm. Rechtssprache ist *p.* *manumissor* der t.t. für den Vater, der ein Kind durch → *emancipatio* aus seiner Gewalt (→ *patria potestas*) entlassen hat. Schon dieser t.t. verweist auf die Ähnlichkeit der *emancipatio* zur → Freilassung (*manumissio*) von Sklaven. Wie dort der ehemalige Sklavenhalter den Patronat (→ *patronus*) behielt, verblieben auch dem *p. manumissor* gewisse Rechte, die weitgehend dem Patronat über → Freigelassene entsprachen: War das emanzipierte Kind wegen seiner Jugend noch unmündig, hatte der *p.* die Vormundschaft (→ *tutela impuberum*). Wurde eine Tochter aus der väterlichen Gewalt entlassen, blieb dem *p.* die »Geschlechtsvormundschaft« (*tutela mulierum*) mit der Befugnis, Geschäfte der Tochter durch Erteilung der → *auctoritas* (III.) in Wirkung zu setzen. Starb der emanzipierte Abkömmling ohne eine Testament, und ohne seinerseits Abkömmlinge als Erben (→ *sui heredes*, vgl. auch → Erbrecht [III. C]) zu hinterlassen, war der *p.* »gesetzlicher« Erbe. Hatte der Abkömmling testamentarisch Erben eingesetzt und wurden nicht Kinder von ihm Erben, konnte der *p.* einen »Pflichtteil« (*debita portio*) beim Praetor in Höhe der halben Erbschaft beantragen (Gai. inst. 3,41). In der Spätant. wurde dieser Pflichtteil auf ein Drittel herabgesetzt. Anders als der *patronus* eines Freigelassenen konnte der *p. manumissor* gegen Geschäfte des emanzipierten Kindes unter Lebenden zur Umgehung der Erbberechtigung (*in fraudem parentis*) nichts unternehmen (Gai. Dig. 37,12,2).

Kaser, RPR I, 356, 368, 697, 701.   G. S.

Parentalia. Die im Februar gefeierte Festperiode der *P.* (Menologium Colotianum InscrIt 13,2 p. 287; Menologium Vallense InscrIt 13,2 p. 293, vgl. p. 408 f.) gab allen Römern Gelegenheit, gemeinsam der verstorbenen Eltern und Verwandten zu gedenken, wie es sonst privat am Jahrestag des → Todes geschah (Verg. Aen. 5,46 ff.; Ov. fast. 2,533 ff.). Ein Opfer der *Vestalis maxima* (→ Vestalin) leitete die Periode am 13. Februar offiziell ein (Philocalus, InscrIt 13,2 p. 241: *Virgo Vesta(lis) parentat*). Das in den Kalendern verzeichnete Staatsfest der *Feralia* beschloß sie am 21. Februar (vgl. InscrIt 13,2 p. 412–414). Lyd. mens. 4,29 rechnete auch den 22. Februar noch zu den *P.*; an diesem Tag fand die Feier der *Caristia* oder *Cara cognatio* statt (Ov. fast. 2,617 ff. u. a.).

Zum Zeichen der öffentlichen Trauer wurden die Tempel geschlossen, die Altäre blieben ohne Weihrauch, die Herde ohne Feuer (Ov. fast. 2,563 f.), die Magistrate legten ihre Amtstracht ab (Lyd. mens. 4,29). Ob diese Angaben für die ganze Dauer der *P.* zutrafen, ist unklar [2; 3]. Denkbar ist auch, daß sie sich nur auf den abschließenden Festtag der *Feralia* beziehen. Privat brachte man während der *P.* Opfergaben wie Kränze, Früchte oder Salz am Ort der Verbrennung oder Bestattung dar und betete am häuslichen Herd (Ov. fast. 2,533 ff.). Hochzeiten galten als unvereinbar mit den Totengedenktagen (ebd. 2,557 ff.). An den nachfolgenden *Caristia* schlug die Stimmung um; Verwandte und enge Freunde versicherten einander ihre Verbundenheit (Ov. fast. 2,533 ff.) durch kleine Gaben (Vögel nach Mart. 9,54 und 9,55).

Als myth. Modell galt die Jahrtagsfeier, die → Aineias [1], der »Stammvater« der Römer, für seinen verstorbenen Vater → Anchises abgehalten haben soll (Verg. Aen. 5,46 ff.; Ov. fast. 2,543 ff.). Sowohl Vergil als auch Ovid stellen eine Beziehung zum Kult der → Laren her. Mitten auf die Straße gestellte Speisen (Ov. fast. 2,539 f.) könnten der Verköstigung von Armen gedient haben, um diese in die Serie sozialer Bindungsriten (die vom Totengedenken über die Verwandtschaftsfeier bis zum Nachbarschaftsfest der → *Terminalia* am 23. Februar reichte) einzubeziehen. Entsprechend ließe sich die Schilderung umherschweifender Totenseelen (Ov. fast. 2,547ff.) als Aition eines Heischebrauchs, bei dem Maskenträger die Rolle der Ahnen spielten, interpretieren. Dazu paßt auch der »Extralohn«, den die Lehrer an den *Caristia* erhielten (Tert. de idololatria 10).

→ Kalender

1 F. Bömer, Ahnenkult und Ahnenglaube, 1943
2 G. Radke, Anm. zu den ersten fünf feriae publicae der röm. Fasten, in: J. Dalfen (Hrsg.), Religio Graeco-Romana. FS W. Pötscher (Grazer Beiträge, Suppl. 5), 1993, 177–193 3 J. Rüpke, Kalender und Öffentlichkeit, 1995, 297–304 4 J. Scheid, Die P. für die verstorbenen Caesaren als Modell für den röm. Totenkult, in: Klio 75, 1993, 188–201. D. B.

Parenthese. Seit der Ant. üblicher t.t. (griech. παρένθεσις, παρέμπτωσις, lat. *interpositio, interclusio,* »Einschub«, vgl. Quint. inst. 9,3,23) für eine in einen Satz eingefügte Einheit, die von der gesamten synt. Umgebung strukturell unabhängig bleibt. Die P. kann aus einem einzigen Wort, einer Wortgruppe, einem ganzen Satz oder einem Satzgefüge bestehen und wird im Unterschied zur Ant. in den mod. Textausgaben durch Satzzeichen (Gedankenstriche, Kommata) kenntlich gemacht. Die P. begegnet unabhängig von der Stilhöhe in Prosa und Poesie; durch sie wird der Informationsfluß des Lesers oder Hörers mit einem Komm. des Autors in eine bestimmte Richtung gelenkt. Die P. besitzt zumeist hervorhebende, begründende oder adversative Funktion, die zusätzlich durch entsprechende Konjunktionen unterstützt werden kann.

Bsp.: νοστήσαντας δὲ αὐτοὺς κεινῆσι χερσὶ ὁ Κυαξάρης – ἦν γὰρ, ὡς ἔδεξε, ὀργὴν ἄκρος – τρηχέως κάρτα περίεσπε ἀεικείῃ (Hdt. 1,73,4 Rosén); *Ac iam illa omitto – neque enim sunt aut obscura aut non multa commissa postea – quotiens tu me designatum, quotiens vero consulem interficere conatus es* (Cic. Cat. 1,15).

Die P. des Originals wird oft in ant. Übersetzungen beibehalten, vgl. Lk 13,24: ὅτι πολλοί – λέγω ὑμῖν – ζητήσουσιν εἰσελθεῖν καὶ οὐκ ἰσχύσουσιν bzw. *quia multi – dico vobis – quaerent intrare et non poterunt* (auch in neuzeitlichen Übers., vgl. Luther: ›denn viele werden – das sage ich euch – darnach trachten, wie sie hineinkommen werden, und werdens nicht thun können‹.

→ Stil, Stilfiguren; Syntax

Lausberg, 427f. · Schwyzer/Debrunner, 705f. (und Sachregister) · Hofmann/Szantyr, 728f. (und Sachregister) · E. Schwyzer, Die P. im engeren und weiteren Sinne (Abh. der Preußischen Akad. der Wiss., Philos.-histor. Kl. 6), 1939 (= KS 80ff.). R. P.

Parentium. Stadt an der Westküste von Histria, h. Poreč. Illyrische Besiedlung ist bereits für die späte Brz. nachgewiesen. Im Zuge der röm. Okkupation im 2. Jh. v. Chr. kam es zur Errichtung eines *castrum* an der Küstenstraße. Später gehörte P. zu den *oppida Histriae civium*

Romanorum (Plin. nat. 3,129). Vom nachmaligen Augustus in den Status eines *municipium* erhoben, wurde P. unter Tiberius (14–37 n. Chr.) *colonia Iulia Parentium, tribus Lemonia.* P. entwickelte sich zu einem wichtigen Handelsplatz, verfügte ferner über fruchtbare Anbauflächen.

Von der reichen und weitdimensionierten Stadt sind beträchtliche Reste erh. Die für röm. Koloniegründungen typische orthogonale Anlage (*centuriatio* zw. dem Fluß Mirna und dem Limski-Kanal) läßt sich noch im h. Stadtbild erkennen (der ant. *decumanus* entspricht der h. Hauptstraße *Dekuman*). Das Forum (46 × 45 m), im Westen abgeschlossen durch einen Mars- und einen (die maritime Ausrichtung von P. anzeigenden) Neptun-Tempel (dieser in der 2. H. des 1. Jh. n. Chr. renoviert), bot einen attraktiven Blick aufs Meer. Partiell erh. ist auch das Pflaster des Forums mit einem Kanal an drei Seiten. Die Bed. von P. für die frühe christl. Kirche dokumentiert die um 540 von Bischof Euphrasios errichtete Basilika, unter der Mosaiken und Mauerreste eines Oratoriums liegen, das seinerseits auf einem röm. Wohnhaus erbaut worden war. In der Umgebung von P. zahlreiche Funde von *villae* mit Mosaiken.

A. Degrassi, P., 1934 · M. Donderer, Die Chronologie der röm. Mosaiken in Venetien und Istrien, 1986 · S. Mlakar, Die Römer in Istrien, 1966. H. SO.

Parepigraphe s. Regieanweisung

Parfüm s. Kosmetik

Parikanioi (Παρικάνιοι).
[1] Bei Hdt. 3,92 gemeinsam mit den → Orthokorybantioi in der Liste der → Artaxerxes [1] I. tributpflichtigen Völker genannt, ihr Siedlungsgebiet wird im Fergana-Gebiet im h. Afghanistan vermutet.
[2] Bei Hekat. FGrH 1 F 282 Volk mit Hauptort Parikane in der Persis; diese P. meint offenbar Hdt. 3,94, wo er sie zusammen mit den asiatischen Aithiopen einem *nomós* zuordnet, und 7,68, wo sie unter den Teilnehmern des Griechenlandfeldzugs des Xerxes erscheinen.

H. P. Francfort, Central Asia on the Eve of the Achaemenid Conquest, in: CAH 4, 1985, 174, 175, 178. A. P.-L.

Parilia. Ein der Göttin → Pales (daher auch der Name *Palilia*: Varro ling. 6,15; Fest. 248 L.) geweihtes Hirtenfest, das am 21. April sowohl auf dem Land als auch in der Stadt Rom begangen wurde (InscrIt 13,2 p. 443–445; Hauptquelle: Ov. fast. 4,721–862).

Einige charakteristische Elemente der *P.* schildert Ovid (fast. 4,725ff.), wobei er den städtischen mit dem ländlichen Festbrauch eng verbindet: Die Römer holten sich bei den → Vestalinnen Räucherwerk (*suffimen*), nämlich die an den → *Fordicidia* produzierte Kälberasche, Bohnenstroh und Blut vom → Oktoberpferd. Die Teilnehmer des Fests sprangen dreimal durch ein Strohfeuer (vgl. Prop. 4,1,19); mit Lorbeerzweigen sprengte man Wasser auf sie. Vor allem die Jugend (Fest. 272 L. mit Paul. Fest. 273) feierte ausgelassen unter grünenden Bäumen und errichtete improvisierte Zelte sowie Tische und Lager aus Rasenstücken (Tib. 2,5,95 ff.).

Auf dem Land reinigten die Hirten die Schafställe und schmückten sie anschließend (Ov. fast. 4,736 ff.). Ein wichtiger Bestandteil des Vorgangs war das Ausräuchern mit desinfizierendem Schwefel und wohlriechenden Pflanzen. Dieser Prozedur wurden auch die Schafe unterzogen. Mit einbrechender Dämmerung erfolgte eine → *lustratio* der Schafe und Hirten (Ov. fast. 4,735; vgl. die Menologia rustica, InscrIt 13,2 p. 288 und 293, sowie Tib. 1,1,35). Das Opfertier – ein Lamm – hatte vor seiner Schlachtung am Rasenaltar (Calp. ecl. 2,62 f.; vgl. Tib. 2,5,100) einen Gang um die Schafställe zu machen (Calp. ecl. 5,27 f.). Für den städtischen Kult kann ein entsprechendes Opfer angenommen werden [4]. Hinzu kamen unblutige Bestandteile des Festmahls und der Gaben für Pales (Ov. fast. 4,743 ff.; Plutarch behauptet, die unblutigen Opfer seien die ursprünglichen gewesen: Plut. qu.R. 12).

Das ländliche Fest markierte die saisonal bedingte Änderung der Lebensformen. Der Viehaustrieb (Calp. ecl. 5,16 ff.), zugleich der wichtigste Sprungtermin für Schafe (ebd. 5,122 f.; Colum. 7,3,11), erforderte nicht nur hygienische Maßnahmen, sondern auch die Neuregelung bestimmter sozialer Beziehungen. Bauern und Städter waren auf die Loyalität der Hirten angewiesen, diese wiederum mußten kooperieren, was der gemeinschaftsstiftende Charakter des Mahls ebenso wie das Gebet beim Opfer betonte (Prop. 4,4,75; Ov. fast. 4,745 ff.; vgl. Tib. 1,1,35). Möglicherweise hatte der Beginn des neuen Arbeitsabschnitts zugleich die Bed. eines »Hirtenneujahrs« (Fast. Antiates maiores; vgl. Calp. ecl. 5,21).

Den Römern galt der Tag der P. als Geburtstag bzw. Gründungstag ihrer Stadt (*Roma cond(ita)* in den Kalendern: InscrIt 13,2 p. 443; vgl. Cic. div. 2,98; Plut. qu.R. 12). Dem aitiologischen Mythos nach soll → Romulus an den P. mit einem Pflug einen Gang um das zu besiedelnde Gebiet gemacht und damit die Stadtmauer (→ *pomerium*) vorgezeichnet haben (ausführlich Ov. fast. 4,807 ff.; vgl. Dion. Hal. ant. 1,88; Tib. 2,5,19 ff.).

Wenn sich die Römer daher bei diesem Fest demonstrativ als »Hirten« gaben, evozierten sie damit ihren Kulturentstehungsmythos (→ Kulturentstehungstheorien): Sie versetzten sich in eine myth. Frühzeit zurück, denn angeblich waren es Hirten, die Rom gegründet hatten (Varro rust. 2,1,9 f.; vgl. Prob. Verg. georg. 3,1). Wenn sie dann am Ende des Fests durch das Feuer sprangen, ließen sie die Hirtenzeit wieder hinter sich (Ov. fast. 4,801 ff.). Zugleich »wiederholten« sie damit symbolisch das Entkommen ihrer Vorfahren aus dem brennenden Troia (ebd. 4,799 f).

Seit Kaiser → Hadrianus hießen die P. *Romaea* (→ Romaia; vielleicht seit 121 n. Chr., Athen. 8,361e-f; [5. 257–259]).

→ Ritual

1 M. BEARD, A Complex of Times: No More Sheep on Romulus' Birthday, in: PCPhS 213, 1987, 1–15
2 G. BINDER, Compitalia und P.: Properz 4,1,17–20, in: MH 24, 1967, 104–115 3 F. GRAF, Röm. Aitia und ihre Riten. Das Beispiel von Saturnalia und P., in: MH 49, 1992, 13–25
4 J. H. VANGGAARD, On P., in: Temenos 7, 1971, 90–103
5 M. BEARD, J. NORTH, S. PRICE, Religions of Rome, Bd. 1, 1998.   D.B.

Parion (Πάριον). Stadt in der → Troas zw. Lampsakos und Priapos, h. Kemer; gegr. wohl von Pariern (daher der Name) [1. 59–61]. Der Wohlstand (Hafen am Seeweg zum Schwarzen Meer, Thrakienhandel) ist bezeugt z. B. durch das »Weltwunder« des Altars von P. P. war Mitglied des → Attisch-Delischen Seebundes (1 Talent 454 v. Chr.) [1. 82–87]. Nach wechselhaftem Geschick unter den → Diadochen kam P. vielleicht erst spät zum Reich der → Attaliden, Förderung auf Kosten von Priapos [1. 67–70]. P. wurde röm. Kolonie wohl unter Augustus, mit *ius Italicum* [1. 73–77]. P. erscheint als Zollstation im Zollgesetz von Ephesos [2. § 9]. In christl. Zeit war die Stadt Bischofssitz [1. 77–79].

1 P. FRISCH, Die Inschr. von P. (IK 25), 1983
2 H. ENGELMANN, D. KNIBBE (Hrsg.), Das Zollgesetz der Prov. Asia (EA 14, 1989).

E. OLSHAUSEN, s. v. P., RE Suppl. 12, 982–986.   PE.FR.

Paris (Πάρις). Sohn des troianischen Herrscherpaars → Priamos und → Hekabe, Entführer der → Helene [1]. Auch *Aléxandros* genannt; wie es zum Nebeneinander der beiden Namen kam, ist ebenso unsicher wie das Verhältnis von *Aléxandros* zu dem in einem hethit. Vertragstext des 13. Jh. genannten Vasallenkönig *Alaksandu* von → Wilusa. Da die Gleichsetzung von Wilusa mit (W)ilios/Troia gesichert scheint [7. 448–456], könnte hinter P./Alexandros allenfalls eine histor. Persönlichkeit stehen, die neben dem einheimischen Namen P. den griech. Namen Alexandros trug (zum internationalen Gebrauch oder halbgriech. Herkunft [9. 207 f.]).

P.' Jugendgeschichte war vielleicht schon in den → ›Kypria‹ erzählt [8. 819], ist aber erst seit dem 5. Jh. v. Chr. bezeugt (Pind. fr. 52i(A); fr. erh. Alexandros-Tragödien von Sophokles, TrGF 4, fr. 91a–100a, Euripides [6. 20–42] und Ennius: Enn. scaen. 35–78; Varianten bei Apollod. 3,148–150 und Hyg. fab. 91): Die mit P. schwangere Hekabe träumt, sie bringe eine feuertragende → Erinys (Pindar) bzw. eine Fackel (Apollodor) zur Welt, die ganz Troia in Brand setze. Daraufhin wird das Kind auf dem Ida-Gebirge ausgesetzt, aber von Hirten gerettet und großgezogen. Als junger Mann nimmt P. in Troia an – zu seinem eigenen Gedenken veranstalteten – Wettkampfspielen teil, gewinnt in den meisten Disziplinen und wird von den Seinen wiedererkannt, die ihn trotz → Kassandras Unheils-Prophezeiungen in den Palast aufnehmen. Ein Nebenzweig der Sage handelt von P.' Liebe zu der Nymphe → Oinone [2] und ihrem gemeinsamen Sohn → Korythos [4] (Parthenios 4 und 34, basierend auf Hellanikos FGrH 4 F 29; Ov. epist. 5).

Von zentraler Bed. ist P.' Rolle in der Vorgesch. des Troianischen Krieges (Kypria, PEG I, 38f. und fr. 1–14; zu späteren Quellen [4. 176f.; 8. 822–828]): Auf Anweisung des Zeus, der die überbevölkerte Erde durch einen Krieg entlasten will, stiftet → Eris zwischen den Göttinnen Hera, Athene und Aphrodite Streit darüber, wer die Schönste sei. Er bestimmt P. zum Schiedsrichter und läßt Hermes die Göttinnen zu ihm auf den Ida führen. → Aphrodite gewinnt P. für sich, indem sie ihm die Ehe mit → Helene [1] verspricht. Daraufhin entführt er diese ihrem rechtmäßigen Gatten → Menelaos [1], wobei er dessen Gastfreundschaft mißbraucht. Nach Eur. Hel. 22ff. (vgl. Stesich. 192 PMG und Hdt. 2,113–120) bringt er allerdings nur ein Trugbild der Helene heim nach Troia, während sie selbst in Ägypten zurückbleibt. In der ›Ilias‹ wird auf das P.-Urteil nur angespielt; es erklärt den Haß Heras und Athenes gegen die Troianer (Hom. Il. 24,28ff.; dazu [5]). Seit dem 5. Jh. wird der Stoff gern parodiert (z. B. in Kratinos' Komödie ›Dionysalexandros‹: PCG IV fr. 39–51) oder allegorisch gedeutet (Aphrodite und Athene als Verkörperungen der Lust bzw. Vernunft in Sophokles' Satyrspiel ›Krisis‹: TrGF 4, fr. 360f.). In späterer rationalisierender Mythenkritik wird das Motiv umgeformt oder eliminiert: Bei Dares 4ff. Meister – wo P. nur vom Schönheitswettstreit der Göttinnen träumt – und Serv. Aen. 10,91 ist der Raub Helenes ein Racheakt für die Gefangennahme von Priamos' Schwester → Hesione [4] durch Herakles; bei Dion Chrys. 11,48ff. ist P. Helenes rechtmäßiger Ehemann, gegen den sich die Griechen aus machtpolit. Gründen wenden.

In der ›Ilias‹ erscheint P. als ambivalente Figur. In Hom. Il. 3,15ff. fordert er die besten Griechen zum Kampf heraus, weicht aber alsbald aus Angst vor Menelaos zurück; von seinem Bruder → Hektor zurechtgewiesen, erklärt er sich zu einem Zweikampf bereit, der über den Ausgang des Krieges entscheiden soll. Als er zu unterliegen droht, entrückt ihn Aphrodite in sein Schlafgemach und nötigt Helene, sich zum Beilager zu ihm zu begeben. Später holt Hektor ihn in den Kampf zurück (ebd. 6,312ff.). Die Gespräche mit seinem Bruder (ebd. 3,37ff.; 6,325ff. und 515ff.) zeigen P.' Leiden an dem Konflikt zwischen seiner von Aphrodite bestimmten Lebenshaltung und dem Ehrenkodex der heroischen Ges., dem er sich dennoch verpflichtet weiß (vgl. [1. 30–42, 173–183; 2. 27–39]). In der Troianerversammlung (Hom. Il. 7,345ff.) widersetzt sich P. erfolgreich → Antenors [1] Antrag, dem Krieg durch die Herausgabe Helenes ein Ende zu machen (bei den Verhandlungen vor Kriegsbeginn hatte er einflußreiche Troianer durch Bestechung auf seine Seite gebracht: ebd. 11,122ff.). Im Kampf tut sich P. v. a. als Bogenschütze hervor (Verwundung von Diomedes, Machaon und Eurypylos: ebd. 11,369ff. 505ff. 581ff.). Die → ›Aithiopis‹ erzählte von Achilleus' Tod durch P. und Apollon am Skaiischen Tor (PEG I, 69; vgl. Hektors Prophezeiung Hom. Il. 22,359f.); nach späteren Quellen tötete P. ihn hinterlistig bei seinem Treffen mit → Po-

lyxene im Heiligtum des Apollon Thymbraios (Hyg. fab. 110 u. a.). P. selbst fällt in einem Bogen-Zweikampf mit → Philoktetes (Ilias parva, PEG I, 74; Soph. Phil. 1425f.).

Bildliche Darstellungen aller Stationen von P.' Leben sind zahlreich [3; 8. 831–853]; am häufigsten ist das P.-Urteil [4].

→ Troia

1 W. Bergold, Der Zweikampf des P. und Menelaos, 1977 2 L. Collins, Studies in Characterization in the Iliad, 1988 3 R. Hampe, s. v. Alexandros, LIMC 1.1, 494–529 4 A. Kossatz-Deissmann, s. v. Paridis Iudicium, LIMC 7.1, 176–188 5 K. Reinhardt, Das P.urteil, 1938 6 R. Scodel, The Trojan Trilogy of Euripides, 1980 7 F. Starke, Troia im Kontext des histor.-polit. und sprachl. Umfeldes Kleinasiens im 2. Jt., in: Studia Troica 7, 1997, 447–487 8 P. Wathelet, Dictionnaire des Troyens de l'Iliade, 1988, Nr. 263 9 C. Watkins, Homer and Hittite Revisited, in: P. Knox (Hrsg.), Style and Tradition. Studies in Honor of Wendell Clausen, 1998, 201–211.   MA. ST.

Paris-Maler. Bedeutender Meister der → Pontischen Vasenmalerei Etruriens, der im 3. Viertel des 6. Jh. v. Chr. v. a. Halsamphoren, aber auch Hydrien, Oinochoen und Teller bemalte. Die namengebende Halsamphora mit ihrem farbenprächtigen Parisurteil (vgl. → Paris) gehört zu den wichtigsten Werken der etr. → schwarzfigurigen Vasenmalerei (München, SA 837). Neben weiteren bedeutenden Mythenbildern (v. a. Kampf des Herakles gegen Iuno Sospita: Amphora London, BM 57) bevorzugt der P. Züge von Kentauren, Komasten oder Reitern und Tierfriese. Seine präzis und zugleich lebendig gestalteten Bilder zeigen Einflüsse der att., aber auch der → ostgriechischen Vasenmalerei.

L. Hannestad, The Paris Painter, 1974 · M. A. Rizzo, La ceramica a figure nere, in: M. Martelli (Hrsg.), La ceramica degli etruschi, 1987, 300f., Nr. 102–104.   M. ST.

Parisii. Volksstamm der Gallia Celtica, später → Lugdunensis, am mittleren Sequana (h. Seine), Hauptort → Lutecia Parisiorum (h. Paris). Mitte des 3. Jh. v. Chr. lebten P. in Britannia. Am Sequana waren die P. den → Senones benachbart. Um die Wende des 2./1. Jh. v. Chr. waren sie mit diesen verbündet, dann von diesen abhängig; sie prägten Gold-Mz. [1]. 53 v. Chr. verlegte Caesar das concilium Galliae nach Lutecia (Caes. Gall. 6,3,4). Im J. 52 schlossen sich die P. → Vercingetorix an (Caes. Gall. 7,4,6; 34,2; 57,1; 75,3). Aus röm. Zeit ist das collegium der nautae Parisiaci bezeugt ([2. 197]; weitere Belege: Strab. 4,3,5; Plin. nat. 4,107; Ptol. 2,8,13). Das Christentum ist bei den P. seit der 2. Hälfte des 3. Jh. n. Chr. nachgewiesen.

1 J.-B. Colbert de Beaulieu, Les monnaies gauloises des P., 1970 2 P.-M. Duval, Paris antique, 1961.

D. Busson, Paris (Carte archéologique de la Gaule 75), 1998 · TIB M 31 Paris, 1975, 142f.   Y. L.

Parkanlagen s. Garten [2], Gartenanlagen; PARK

Parma

[1] Als *colonia* 183 v. Chr. zusammen mit → Mutina in dem den → Boii (zuvor den Tusci) benachbarten Gebiet (Liv. 39,55,6–8) am P., einem rechten Nebenfluß des Padus angelegt von 2000 röm. Bürgern mit je acht *iugera* Land; *tribus Pollia*, seit Augustus in der *regio VIII Augustea (Aemilia)*, noch h. P. Die Stadt lag an der nachmaligen Via Aemilia zw. Bononia [1] und Placentia, wo Straßen nach Brixellum am Padus und zum Appenninus kreuzen. P. war Stützpunkt des Claudius [I 27] im Kampf gegen die → Ligures 176 v. Chr. (Liv. 41,17,9). Wirtschaft: reiche Landwirtschaft mit an der Via Aemilia orientierter Centuriation, Schafzucht, Wollproduktion. M. Aemilius [I 37] Scaurus verband P. mit dem Padus durch einen Kanal (Strab. 5,1,11). Die unter Augustus erneuerte rechtwinkelige Stadtanlage mit der Via Aemilia als *decumanus maximus* und zentralem Forum ist erh.; Theater und Amphitheater lagen außerhalb der Stadt.

M. Marini Calvani, P. nell'antichità, 1978 · M. G. Arrigoni Bertini, Parmenses, 1986 · P. L. Dall'Aglio, P. e il suo territorio in età romana, 1990.   G. U./Ü: J. W. Ma.

[2] s. Schild

Parmenianus. Nichtafrikan. Ursprungs (Optatus 1,5); aufgrund eines Erlasses von Kaiser → Iulianus [11] zugunsten der Donatisten (→ Donatus [1]) kann er um 362 als Primas der donatist. Kirche von Karthago auftreten (Optatus 2,7) und die donatist. Kirche nach einer Zeit der Unterdrückung unter Constans [1] neu organisieren und als Redner und Schriftsteller theologisch stärken (Aug. contra Cresconium 1,3). Seine Schriften (zu Tauftheologie, Ekklesiologie, Ursprung des Schismas, Verfolgung) sind greifbar in der Widerlegung des → Optatus [5], ein Brief an → Tyconius vor dessen Exkommunikation (mit der Ermahnung, sich nicht von der donatist. Kirche zu trennen) fragmentar. bei Aug. contra epistulam Parmeniani. † vor dem 24. Juni 393 (Aug. epist. 93,44).

→ Optatus [4] von Thamugadi

A. Keller, s. v. P., LThK 7, 1998, 1391 · G. Finaert et al. (ed.), Bibliothèque augustinienne 28: Traités antidonatistes 1, 1963, 718–746 · A. Mandouze, Prosopographie de l'Afrique chrétienne (303–533), 1982, s. v. P., 816–821.
O. Wer.

Parmenides (Παρμενίδης).

A. Leben   B. Das Lehrgedicht   C. Wirkung

A. Leben

P. aus Elea, Philosoph des späten 6. und frühen 5. Jh. v. Chr., *akmḗ* um 500 v. Chr. (28 A 1 DK), Schlüsselfigur der → Eleatischen Schule. Platons Dialog ›P.‹ (127a = 28 A 11 DK) fingiert eine Zusammenkunft des ca. 65 Jahre alten P., des ca. 40jährigen → Zenon von Elea und des sehr jungen Sokrates in Athen um 455 v. Chr. Das Geburtsjahr des P. wäre demnach auf 520 oder noch

später herabzusetzen. Speusippos (28 A 1 DK), Strabon und Plutarch (28 A 12 DK) berichten auch über gesetzgeberische Tätigkeit des P.

B. Das Lehrgedicht

P. verfaßte ein einziges Gedicht in epischen Hexametern, dessen drei Teile unterschiedlich erh. sind: das einleitende Proömium ist vollständig, der zweite Teil überwiegend, aus dem letzten Teil sind nur Bruchstücke in Zitaten erhalten.

1. Proömium   2. Alētheíē: Der erste Weg
3. Dóxa: Der zweite Weg

1. Proömium

Das Proömium beschreibt eine phantastische Wagenfahrt, die P. jenseits der Pforten von Nacht und Tag führt. Dort empfängt ihn eine Göttin, die ihn als κοῦρε (*kúre*, »junger Mann«) anredet und ihm die Enthüllung sowohl der Wahrheit (ἀληθείη/*alētheíē*) als auch der irrigen Meinungen der Sterblichen verspricht (δόξαι/*dóxai*). Die Enthüllung der Wahrheit beginnt mit der Darlegung der beiden einzig möglichen Wege des Denkens. Der erste, der das »Sein« behauptet und das Nicht-Sein verwirft, wird sich als der Weg der Wahrheit erweisen; der andere, der sich zum »Nicht-Sein« bekennt, wird als falsch zurückgewiesen werden, weil das Nicht-Seiende nicht gesagt oder gedacht werden kann (28 B 2 DK).

»Sein« (εἶναι/*eínai*) kann hier in mindestens drei fundamental verschiedenen Bedeutungen verstanden werden: (1) existentiell (es behauptet, daß etwas existiert), (2) kopulativ (es verknüpft ein – vielleicht wesentliches – Attribut mit dem Subjekt), oder (3) als den Wahrheitsanspruch ausdrückend (es behauptet von einem Sachverhalt, daß er zutreffe, oder von einem Satz, der diesen Sachverhalt ausdrückt, daß er wahr sei). Die Wahl zw. diesen wird dadurch erleichtert, daß Behauptungen über jede von ihnen umwandelbar und in den beiden anderen Formulierungen ausdrückbar sind. Als Konsequenz können P.' Einwürfe gegen das Nicht-Seiende nicht syntaktisch gemeint sein: P. kann nicht alle verneinten prädikativen Aussagen von Typ (2) oder (3) als falsch ausschließen (beim Tadel des menschlichen Irrens wird er auf sie zurückkommen müssen), und er behauptet sicherlich nicht, daß alle menschlichen Phantasievorstellungen objektive Geltung hätten (was aus der Zurückweisung aller Behauptungen, die Negationen von (1) enthalten, folgen würde). P.' Feststellung ist eher semantisch: Alle gültigen Aussagen über mögliche Gegenstände des Denkens müssen sich auf etwas beziehen, das »ist«: ›Denn daß man es denkt, ist dasselbe, wie daß es ist‹ (28 B 3 DK). »Sein« muß sich auf einen Aspekt der Objekte des Denkens beziehen, der eine wahre Aussage über sie begründet. Das schließt notwendigerweise die Behauptung ein, daß sie existieren; daher lassen sich Beweisführungen des P. mit einer Interpretation des Verbs »Sein« als Existenz formulieren.

2. Alētheíē: Der Erste Weg

Nach dem Beweis der unauflösbaren Verbindung zw. Denken und Existenz (B 2 und B 3 DK) geht die Göttin dazu über, die Konsequenzen dieser grundlegenden Einsicht darzustellen. Einleitend werden die Ablenkungen der Menschen entlarvt, und der junge Mann wird ermahnt, sich des Zusammenhaltes, der Ganzheit dessen, was ist, und was durch das Denken wahrgenommen werden kann, bewußt zu werden (B 4; B 6 DK). Dieser Prozeß hat eine unvermeidliche Dynamik: Von wo auch immer, von welchem Objekt des Denkens auch immer man ausgeht, man wird immer zum gleichen Ergebnis kommen: zu der Betrachtung (der Gesamtheit) des Seienden (B 5). Die einleitenden Überlegungen enden mit der Ermahnung der Göttin, sich nicht von den Sinneswahrnehmungen täuschen zu lassen und die kämpferische Widerlegung, die sie im Vorangehenden bot, überlegt zu beurteilen (B 7). Göttliche Intervention und Offenbarung an sich reichen nicht aus, um zu der richtigen Überzeugung zu kommen. Alles Offenbarte muß zusätzlich argumentativem, diskursivem Nachdenken unterworfen werden, was nicht nur dem jungen Eingeweihten, sondern auch der Zuhörerschaft des P. zugänglich ist.

Die Widerlegung von Untersuchungsweisen, die jegliche Form von Nicht-Sein implizieren, führt (B 8) zu der Erläuterung der verschiedenen σήματα/*sémata* (»Zeichen«) entlang des Weges der Wahrheit, die das Seiende charakterisieren. Der Beweis für das allererste Paar von »Zeichen«, daß das Seiende ungeworden und unvergänglich sei, stützt sich auf die Behauptung, daß das Nicht-Seiende unvorstellbar und unbeschreibbar sei. P.' Philos. ist somit sicherlich monistisch: Würde man eine Vielfalt parmenideischer Seienden zulassen, dann wäre diese Beweisführung offensichtlich fehlerhaft, da jedes Seiende aus einem oder mehreren anderen Seienden entstehen (und später in sie vergehen) könnte.

Weitere »Zeichen« des Seins umfassen Ganzheit, Gleichförmigkeit, Unbeweglichkeit, Ewigkeit, Einheit oder Zusammenhalt und (vorausgesetzt, man akzeptiert die Konjektur ἀτάλαντον in B 8,4) vollkommene Ausgewogenheit (vgl. Z. 42–49, wo das Seiende mit der Gestalt einer Kugel verglichen wird). Die Argumentationsreihe, die diese Merkmale unter Beweis stellt, wird von einer Passage (Z. 34–41) unterbrochen, die die Verbindung zw. Denken und dem Seienden betont. Das Band zw. Denken und Sein könnte zweifach sein: die traditionelle neuplatonische Interpretation hält das parmenideische Seiende für den alleinigen Ort des Denkens als einem → Intellekt (vgl. z.B. Plot. 5,1,8; 5,9,5; Prokl. in Plat. Parm. 1152f.; Simpl. in Aristot. phys. 87,143). Moderne Interpreten betonen, daß die entscheidenden Passagen entweder ohne den Kontext überliefert sind (B 3), oder daß der Kontext, wie hier, beweist, daß das Seiende das einzige Objekt des Denkens ist.

3. Dóxa: Der zweite Weg

Am Ende von B 8 warnt die Göttin, daß ›die verläßliche Darstellung oder das Denken bezüglich der Wahrheit‹ hier beendet ist und daß der junge Mann jetzt ›die trügerische Anordnung ihrer Worte‹ hören wird (Z. 50–52). Die Schilderung des menschlichen Irrens beginnt mit der Anwendung (κατέθεντο/*katéthento*) zweier gleichzeitig existierender Gestalten (μορφαί/*morphai*) durch die Menschen: Licht (oder ätherisches Feuer der Flamme) und Nacht. Diese Gestalten erhalten dann die entsprechenden Zeichen (σήματ' ἔθεντο/*sémat' éthento*, Z. 55), die nur eines von ihnen im Gegensatz zum anderen charakterisieren: Licht ist leicht, hell und leicht beweglich, Nacht dagegen dicht und schwer. Die Zuschreibung von Gestalten durch die Menschen ist eine Zuschreibung von Namen, und alles was einen ›charakteristischen Namen empfängt‹ (ὄνομ'... ἐπίσημον ἑκάστῳ/*ónom'... epísēmon hekástōi*, B 19, 3), ist der Entstehung, dem Wachstum und dem Verfall unterworfen. Die beiden einander ergänzenden Gestalten → Feuer und Nacht füllen alles aus (B 9,1), wie das Sein sich nahtlos in seinem eigenen Bereich ausdehnt, und sie sind von gleichem Rang, da keines von ihnen am Nicht-Sein teilhat (B 9,4). Die trügerische *dóxa* wird also nicht nur eine genaue Beschreibung der Erscheinungswelt der vergänglichen Wesenheiten enthalten, sondern sich auch manchen Beschränkungen anpassen, wie sie in der Beschreibung des Seins (in dem Abschnitt über die *alētheíē*) dargelegt wurden (vgl. auch B 10,6 über die Unbewegtheit des äußersten Himmels, sowie B 8,13ff. und B 8,37f. über die des Seienden).

In diesem Rahmen entwickelt P. eine vollständige dualistische Kosmogonie und → Kosmologie (B 10–B 12; B 14; B 15), eine Zeugungslehre (B 17, B 18) und eine physikalische → Erkenntnistheorie (B 16). Der Schlüsselbegriff dieser Erklärungen ist Mischen und Mischung: Da die grundlegenden Prinzipien von Licht und Nacht die Ausprägungen ihrer jeweiligen Merkmale unveränderlich zum Ausdruck bringen, können komplexe Wesenheiten nur durch ihre Kombination entstehen. Der Vorgang des Mischens wird von einer Göttin initiiert und überwacht, und die erste Gottheit, die sie sich ersann, ist Eros (B 13). Lebewesen können sich nur dann richtig entwickeln, wenn der männliche und der weibliche Beitrag in der richtigen Art miteinander verschmelzen (B 18). Die menschliche Erkenntnis entspricht der Mischung der Bestandteile des menschlichen Körpers (B 16).

Dieses Erklärungsmuster unterscheidet sich grundlegend von denen, der Naturphilos. der → Milesischen Schule; P. legte darüber hinaus neuartige Lehren zu speziellen Fragen vor, unter anderem zur Kugelgestalt der Erde (28 A 44 DK), zu den Klimazonen der Erde als Folge dieser Kugelgestalt (28 A 44a DK), zum Mondlicht als Widerschein des Sonnenlichts (s. 28 B 14 und 15 DK) und zur Identität von Abend- und Morgenstern (28 A 1 DK).

C. Wirkung

P.' Einfluß auf die spätere Entwicklung der griech. Philos. ist kaum zu überschätzen. Die nachparmenideischen unter den → Vorsokratikern setzten sich mit der Herausforderung der Lehre der → Eleatischen Schule auseinander. → Platon [1] räumte in seinem Spätwerk P. einen herausragenden Platz ein (Dialog ›P.‹) und läßt seine Philos. als durch parmenideische Fragestellungen inspiriert hervortreten. → Aristoteles [6] (metaph. 1,5) schrieb P. die prinzipielle Einführung des Begriffes der Einheit zu. Die hell. Skeptiker (→ Skeptizismus) feierten P. als großen Kritiker des menschlichen Erkenntnisvermögens. Die Epikureer (→ Epikuros) wandten seine Argumente für die Ungewordenheit und Unvergänglichkeit des Seins stillschweigend auf ihre atomistischen Bauelemente der Wirklichkeit an. Die neuplatonische (→ Neuplatonismus) Rezeption von P. (von dort die meisten Zitate aus seinem Lehrgedicht) stützte sich weitgehend auf Platons Auseinandersetzung mit P. und deutete seine Aussagen als eine systematisch noch nicht untermauerte Schau des höchsten platonischen Wesensprinzips.

→ Kosmologie; Lehrgedicht II. C.;
Natur, Naturphilosophie; Ontologie; Weltschöpfung;
Vorsokratiker

Fr.: Diels/Kranz, Bd 1, 217–246 • A. Coxon, The Fragments of P., 1986 (griech.-engl. mit Komm.).
Lit.: P. Curd, The Legacy of P., 1998 • H. Diels, P.' Lehrgedicht, 1897 • E. Heitsch, P. Die Anfänge der Ontologie, Logik und Naturwiss., 1974, ²1991 (griech.-dt. mit Erläuterungen) • U. Hölscher, P. Vom Werden des Seienden, 1969 (griech.-dt. mit Erläuterungen).
Lit.: J. Bollack, La Cosmologie parménidéenne de P., in: R. Brague, J.-F. Courtine (Hrsg.), Herméneutique et ontologie, 1990, 17–53 K. Reinhardt, P. und die Gesch. der griech. Philos., 1916 (⁴1985) • K. Steiger, Die Kosmologie des P. und Empedokles, in: Oikoumene 5, 1986, 173–286 • L. Tarán, P., 1965 • W. J. Verdenius, P. Some Comments on His Poem, 1942.   I. B./Ü: E. D.

Parmenion (Παρμενίων).

[1] Sohn des Philotas aus Ober-Makedonia, geb. 400 v. Chr., unter → Philippos [4] II. erfolgreicher General (vgl. Plut. mor. 177c); 346 am Friedensschluß mit Athen beteiligt (Demosth. or. 19,69; → Philokrates [2]). Nach Philippos' Vermählung mit Kleopatra [II 2], der Nichte des → Attalos [1], gab P. seine Tochter an ihn, befehligte mit ihm 336 die Truppen in Asien und ließ ihn dann auf → Alexandros' [4] d. Gr. Befehl ermorden (Curt. 7,1,3). So verankerte er seine Hausmacht. Unter Alexandros führte er die gesamte Infanterie; sein Bruder → Asandros [1], seine Söhne → Philotas [1] und → Nikanor [1], sein Schwiegersohn → Koinos [1] und sein Anhänger → Amyntas [6] hatten hohe Kommandostellen inne. In den Schlachten (Granikos: Arr. an. 1,14,1; Issos: Arr. an. 2,8,4; Gaugamela: Arr. an. 3,11,10) unterstand ihm der linke Flügel mit den Kerntruppen der thessalischen Kavallerie. Er führte wichtige Aufträge aus (Arr. an. 1,17,2; 18,1; 24,3; 2,5,1; Curt. 3,4,15; 3,7,6–7) und in-

szenierte die Verhaftung von → Alexandros [7]. In Damaskos nahm er reiche Beute (Curt. 3,12,27–13,16). Er befriedete → Koile Syria und folgte Alexandros nach Ägypten und auf dem Marsch zum Tigris. Bei Gaugamela ermöglichte seine hartnäckige Defensive Alexandros' Sieg (Arr. an. 3, 14,4–15,3). In Susa belohnte ihn der König mit dem Palast des → Bagoas [1] (Plut. Alexandros 39,10). Er führte das Gros der Armee nach Persepolis, dann von dort die Schätze nach Ekbatana (Arr. an. 3,19,7), wo er zu ihrer Bewachung zurückblieb. Dort ließ ihn Alexandros 330 nach dem Justizmord an Philotas, dem Sohn des P., durch seinen höchsten Offizier → Kleandros [3] ebenfalls ermorden (Arr. an. 3,26,3–4), wohl um sich dieser selbstbewußten maked. Adelsfamilie zu entledigen (zu den Gründen vgl. [1]). Philotas' unter Folter herausgepreßte Aussage über eine Verschwörung P.s mit → Hegelochos [1] (bei Curt. 6,11,23 ff.) wird bei Arrian nicht erwähnt. Der Mord verursachte unter den Truppen Verbitterung (Diod. 17,80,4).

Eine Reihe von Ratschlägen des P., manche handgreiflich schlecht, die Alexandros verworfen haben soll, gehen wahrscheinlich auf → Kallisthenes [1] zurück, der ihn auch bei Gaugamela aus Neid die Gefangennahme von → Dareios [3] vereiteln läßt (Plut. Alexandros 33,9–10). Das wurde an Alexandros' Hof gern gehört.

1 E. Badian, The Death of Parmenio, in: TAPhA 91, 1960, 324–338 2 Berve 2, Nr. 606 3 Heckel, 13–23.   E. B.

[2] Griech. Grammatiker aus Byzantion, lebte im Zeitraum zw. dem pergamenischen Philologen → Krates [5] von Mallos (2. Jh. v. Chr.), den er korrigiert, und Seleukos, einem Philologen der tiberianischen Zeit (14–37 n. Chr.), der ihn zitiert. Erh. haben sich nur wenige Testimonien, wohl aus einer Schrift Περὶ διαλέκτων (›Über Dialekte‹), die Einblicke in die glossograph. Aktivitäten des P. erlauben. Demnach stellte er zu gemeingriech. Wörtern Glossen (= Dialektvarianten) zusammen.

K. Latte, Glossographica, in: Philologus 80, 1925, 171 f. • C. Wendel, s. v. P. (4), RE 18.4, 1566 f.   W. AX.

[3] P. aus Makedonien. Epigrammdichter des »Kranzes« des Philippos [32] (Anth. Pal. 4,2,10). Erh. sind 15 Gedichte: Fünf davon sind Einzeldisticha; keines umfaßt mehr als vier Verse: P. befolgt darin einen von ihm selbst empfohlenen Kanon der Kürze (ebd. 9,342). Die Themen sind unterschiedlich (aber keine Weihepigramme; eine Inschr. vielleicht das Grabepigramm Anth. Pal. 7,184, vgl. GVI 115), der Stil ist einfach. Abzulehnen ist die Gleichsetzung mit Parmenon, dem Anth. Pal. 13,18 zugewiesen wird (vielleicht ist diese Autorschaft durch den Namen des Widmenden in V. 4 entstanden, vgl. FGE 74).

GA II 1, 290–297; 2, 322–327 • M. Lausberg, Das Einzeldistichon. Studien zum ant. Epigramm, 1982, 448–449.   M. G. A./Ü: T. H.

Parmeniskos (Παρμενίσκος). Griech. Grammatiker der alexandrinischen Trad., 2./1. Jh. v. Chr., jedenfalls vor Varro (ling. 10,10) und Didymos [1] Chalkenteros, die ihn erstmals erwähnen. Von seinem Werk sind 22 Fr. (gesammelt von [3]) und ein Schrifttitel erh.: Πρὸς Κράτητα (›Gegen Krates‹), eine Schrift in mindestens 2 B. gegen den pergamenischen Philologen → Krates [5] von Mallos (2. Jh. v. Chr.). Inhaltlich werden Studien zu Homerproblemen, zu Euripides, über Fragen der Astronomie und der gramm. Analogie (mit möglicher Wirkung auf → Caesar II. und → Herodianos [1]) kenntlich.

> 1 A. BLAU, De Aristarchi discipulis, 1883, 48 f.
> 2 F. SUSEMIHL, Gesch. der griech. Litt. in der Alexandrinerzeit, 2 Bde., 1891–1892, Bd. 2, 162–164
> 3 M. BREITHAUPT, De Parmenisco grammatico, 1915
> 4 C. WENDEL, s. v. P. (3), RE 18.4, 1570–1572.   W. AX.

Parmenon (Παρμένων) aus Byzantion, hell. Dichter. Von seinem Werk in Choliamben sind vier Fr. erh. (1,2,4 CollAlex 237; SH 604 A). Bes. aussagekräftig scheinen die humoristische Beschreibung eines Betrunkenen (fr. 1 P.) und das *Incipit* eines Hymnos auf den Nil mit einem Katalog der Einwohner versch. Städte Nordägyptens (SH 604 A). Es wurde kynischer Einfluß auf seine Dichtung angenommen [1].

> 1 G. A. GERHARD, Phoinix von Kolophon, 1909, 211–213.
>   M. D. MA./Ü: T. H.

Parnassos (Παρνασσός, Παρνησ(σ)ός, lat. *Parnassus*; zum Namen [1]). Weitläufiges, vielgipfliges Zentralmassiv in Mittelgriechenland. Der höchste Gipfel, h. Lykeri, erreicht 2457 m H. Im NO und Norden fällt das Massiv steil zur Ebene des → Kephissos hin ab. Im Westen trennt ein Paß zw. Graviá Amphissa den P. vom Korax-Gebirge. Im SO erstreckt sich zw. Helikon und P. eine Senke, ansonsten reichen im Süden Ausläufer bis an den Golf von Korinthos. Der P. prägt die ant. Landschaft → Phokis [2]. Durch den Berg wurde die obere Kephissos-Ebene im Norden von den Küstenregionen am Golf von Korinthos zw. → Helikon [1] und der Küstenebene von Krisa im Süden und Osten abgetrennt. Außer dem legendären Ort → Lykoreia befand sich keine phokische Stadt direkt im Bergmassiv. Phokeis fanden in Kriegszeiten im P. Zuflucht, dem in der Weideviehhaltung ökonomische Bed. zukam. Zwei an den Ausläufern des P. verlaufende, auch strategisch bedeutsame Wege verbanden den Golf von Korinthos mit Mittelgriechenland. Ein Weg führte über den Paß Graviá von Kirrha über Amphissa nach Kytenion [3]. Von Kirrha aus führte durch das Pleistos-Tal nach Daulis [4] ein weiterer wichtiger Weg in das Kephissos-Tal und über Chaironeia nach Boiotia [5].

Als höchster Berg Mittelgriechenlands wird der P. in der ant. Lit. vielfach erwähnt und mit entsprechenden Epitheta belegt. Die Bezeichnung »zweigipflig« bezieht sich auf die Phaidriades oberhalb von → Delphoi. Der P. fand als »heiliger Berg« in der ant. Überl. wegen der Nähe zum Heiligtum des → Apollon große Beachtung.

Bes. in der röm. Dichtung steht der Name P. für Delphoi selbst; in seiner metaphorischen Deutung als Berg der → Musen ist er Ort der Dichterweihe und des dichterischen Schaffens. Oberhalb von Delphoi befindet sich die Korykische Grotte (→ Korykion Antron). Neben Apollon wurde im P. Dionysos als Gott des Berges verehrt, in dessen Diensten die Thyiades (→ Thyia) standen, die alle zwei J. auf die winterlichen Höhen des P. zogen [6]. Basen von Weihgeschenken sind 3 km westl. der Korykischen Grotte bei Marmara gefunden worden [7]. Nach der großen Flut soll → Deukalion am P. angelandet sein [8]. Frühe Bewohner des P. waren der Trad. nach Lykoreitai und von Doriern aus der Doris [II 1] vertriebene Dryopes [9]. Einige ant. Hauptbelege: Hom. Od. 19,430–433; Eur. Ion 85–87; Theophr. h. plant. 3,2,5; Strab. 4,6,12; 9,2,25; 9,3,1; Paus. 10,32,2–7. Eine grundlegende Beschreibung des P. und seiner ant. Bed. mit ausführlichen Quellenangaben in [10].
→ PARNASS

> 1 F. BADER, Mont Parnasse, in: Hediston logodeipnon. Mél. J. Taillardat, 1988, 1–23 2 J. M. FOSSEY, The Ancient Topography of Eastern Phokis, 1986 3 E. W. KASE, The Isthmus Corridor Road System from the Valley of the Spercheios to Kirrha on the Krisaian Gulf, in: Ders. (Hrsg.), The Great Isthmus Corridor Route, Bd. 1, 1991, 21–45 4 J. MCINERNEY, Parnassus, Delphi, and the Thyiades, in: GRBS 38, 1997, 263–283 5 D. SKORDA, Recherches dans la vallée du Pléistos, in: J. F BOMMELAER (Hrsg.), Delphes, 1992, 39–66 6 J. MCINERNEY, The Phokion and Hero Archegetes, in: Hesperia 66, 1997, 193–207 7 J.-P. MICHAUD, Parnasse, in: BCH 98, 1974, 788 8 J. KNAUSS, Deukalion, Lykoreia, die große Flut am Parnass und der Vulkanausbruch von Thera, in: Antike Welt 18, 1987, 23–40 9 P. ELLINGER, La légende nationale phocidienne, 1993, 316–318 10 J. SCHMIDT, s. v. P., RE 18.2, 1573–1663 11 J. MCINERNEY, The Folds of P., 1999.   K. F.

Parner (Ἄπαρνοι/Πάρνοι, Variante Πάρνοι/Σπαρνοι; Strab. 11,7,1; lat. *Aparni/Parni*: etym. ungeklärt). Teil-»Stamm« der → Daher [1] – neben den → *Xánthioi/ Xantheioi* und *Píssuroi* (Strab. 11,8,2; vgl. 11,9,3) –, der im 3. Jh. v. Chr. die Steppe des sw Turkmenistan besetzte (Strab. 11,8,2 f.; Iust. 41,1,10) und von dort unter seinem Anführer → Arsakes [1] I. nach 250 v. Chr. in → Parthia einfiel. Die P. sprachen urspr. einen ostmitteliranischen Dialekt (Parnisch), der nur aus indirekter Überl. erschlossen werden kann; diese Sprache gaben sie allerdings bald zugunsten des Parthischen, einer nordwestiran. Sprache auf, in der sich aber noch einiges typisch ostiran. Sprachgut nachweisen läßt.

> 1 M. J. OLBRYCHT, Parthia et ulteriores gentes, 1998, 51 ff.
> 2 R. SCHMITT, Mitteliranische Sprachen im Überblick, in: Ders. (Hrsg.), Compendium Linguarum Iranicarum, 1989, 95–105, bes. 101.   J. W.

Parnes (ἡ oder ὁ Πάρνης). Wald- und quellenreiches Grenzgebirge zw. → Attika und → Boiotia, das sich westl. des → Aigaleos als Pastra bis zum → Kithairon erstreckt, h. Parnitha (H 1413 m). Am P. lagen u. a. die

Demen Acharnai, Aphidna, Dekeleia, Paionidai, Pelekes und Phyle. Im Gebiet des P. sicherten mehrere Festungen die Pässe nach Boiotia: Dekeleia mit dem Katsimidi-Paßkastell, Phyle sowie das weiter westl. am Südrand der Skurta-Ebene gelegene Panakton. Paus. 1,32,2 bezeugt im P. Zeus-Kulte (Statue des Zeus Παρνήθιος/ *Parnḗthios*, Altar des Semaleos und des Ombrios oder Apemios). Ferner: Apollon Παρνήσσιος/ *Parnḗssios* (IG II² 1258,24 f.); Pan- und Nymphengrotte in der Guraschlucht (IG II² 4646) mit Funden ab MH-Zeit [1]. Quellen: Thuk. 2,23,1; 4,96,7; Plat. Kritias 110d; Aristoph. Ach. 348 mit schol.; Aristoph. Nub. 323 mit schol.; Strab. 9,1,23; Steph. Byz. s. v. Π.
→ Leipsydrion

1 J. M. WICKENS, The Archaeology and History of Cave Use in Attica, Bd. 2, 1986, 245–269 Nr. 47.

H. R. GOETTE, Athen – Attika – Megaris, 1993, 217–223 ·
J. E. JONES u. a., To Dema. A Survey of the Aigaleos-P. Wall, in: ABSA 52, 1957, 152–189 · E. MASTROKOSTAS, Ἀλάβαστρα τοῦ 700 π. Χ. ἐκ τῆς ἀνασκαφῆς τοῦ βωμοῦ τοῦ Διός ἐπι τῆς κορυφῆς τῆς Πάρνηθος, in: ASAA 61, 1983, 339–344 · A. MILCHHOEFER, in: E. CURTIUS, J. A. KAUPERT, Karten von Attika 7/8, 1895,· 1–18; 9, 1900, 29 f. · PHILIPPSON/KIRSTEN I, 534–547 · U. KAHRSTEDT, Die Landgrenzen Athens, in: MDAI(A) 57, 1932, 8–28 · TRAVLOS, Attika, 319–328 Abb. 402–412.   H. LO.

Parnisch s. Parner

Parnon (ὁ Πάρνων), h. Bezeichnung für die gesamte Gebirgskette östl. der Lakonike, die von der Hochebene von → Tegea in der P.-Halbinsel weit nach Süden bis Kap Malea [1] ausläuft. Aus der Ant. ist P. nur einmal überl., und zwar nur für den nördlichsten Teil, h. Malevo (1935 m H) und seine nördl. Fortsetzung, über die der Weg von Argos nach Tegea führte, mit dem Grenzbereich zw. Arkadia, Argos und Sparta (Paus. 2,38,7). Die ganze südl. Fortsetzung hieß in der Ant. wohl → Malea [1] (Anth. Pal. 7,544; Plut. Agesilaos 8,1). Der P. im h. Sinn ist ein breiter Gebirgsrücken von 90 km L, im nördl. Teil aus Schiefer, sonst hauptsächlich aus Kalk und Marmor gebildet, der nur im mittleren Teil mit seinem Hauptkamm eine Höhe von über 1000 m erreicht.

PHILIPPSON/KIRSTEN 3, 468–480.   C. L.

Parodie

A. ALLGEMEINES   B. GRIECHISCH   C. LATEINISCH

A. ALLGEMEINES

P. bezeichnete urspr. eine nach dem Zeugnis des Aristoteles (Aristot. poet. 2,1448a 12 f.) durch → Hegemon [1] von Thasos (2. H. 5. Jh. v. Chr.) eingeführte lit. Gattung, die das homer. Epos durch Stilbrüche und thematische Banalisierung ins Lächerliche zog [9]. Der Begriff παρ-ῳδία (*par-ōidía*) ist demnach als verkürzte Form von παρα-ραψ-ῳδία (*para-rhaps-ōidía*, »Gegenepos«) auf-

zufassen und hat mit musikalischen Vortragsweisen (»Gegengesang« o. ä.), wie die frühere Forsch. meinte [12; 15], nichts zu tun. Bald nach dem Aufkommen der ersten P. wurden der Begriff bzw. seine Ableitungen verallgemeinert und somit auf verwandte lit. und außerlit. Phänomene übertragbar: Schon beim späten Euripides (E. 5. Jh. v. Chr.) taucht das Adj. παρῳδός/*parōidós* in einem unspezifischen Sinn (»spöttisch« o. ä.) auf (Eur. Iph. A. 1147).

Der Begriff P. kann somit definitorisch kaum erfaßt werden [14. 13–24]; Versuche der modernen Lit.-Wiss., den P.-Begriff formal oder funktional einzugrenzen, besitzen keine Evidenz und haben sich nicht durchsetzen können. Um der großen Variationsbreite parodistischer Phänomene gerecht zu werden, empfiehlt sich vielmehr ein relativ allg. P.-Begriff [4. 75–100; 7. 14–17]; danach kann die (lit.) P. durch drei konstitutive Merkmale beschrieben werden: 1. Die P. ist eine Form »expliziter Intertextualität« [8. 16], d. h. sie bezieht sich stets deutlich auf eine Vorlage (meist einen konkreten Text, evtl. auch ein lit. Motiv oder eine Gattung); 2. die Vorlage wird formal (z. B. durch Substitution, Transposition, Augmentierung oder Reduktion) verändert, wobei sie aber als Vorlage erkennbar bleiben muß; 3. die Intention dieser Transformation ist komisch und/oder satirisch, wobei das Objekt komischer Ridikülisierung bzw. satirischer Kritik die Vorlage selbst oder etwas außerhalb Befindliches sein kann. Eine begriffliche Differenzierung aufgrund dieser funktionalen Kriterien, etwa im Sinne von VERWEYEN/WITTING [21] (gegen die Vorlage: P.; gegen etwas anderes: Kontrafaktur) erscheint nicht sinnvoll, da beide Aspekte nicht zu trennen sind: So umfaßt z. B. eine parodistische Satire gegen zeitgenössische Mißstände immer auch eine komische Verfremdung der Vorlage. Ähnliche Bedenken gelten für die ältere, formale Unterscheidung zwischen P. und Travestie [10]: Weder kann die P. (»gleiche Form, verschiedener Inhalt«) als frei von formalen Änderungen, noch die Travestie (»gleicher Inhalt, verschiedene Form«) als thematisch völlig invariant angesehen werden. Schließlich ist die P. zwar zweifellos eine gleichsam programmatisch intertextuelle Lit.-Form, als die sie die moderne Lit.-Wiss. im Anschluß an die russischen Formalisten betrachtet [11; 17; 18], doch erschöpft sich die Funktion der P. nicht in dieser »Meta-Literarizität«, da sie sehr häufig auch die außer-lit. Wirklichkeit betrifft. Die P. als »Schreibweise« ist natürlich in allen Gattungen denkbar (eine Lit.-Gesch. der P. wäre erst noch zu schreiben); die P. als eigene ant. Gattung ist auf die Epos-P. beschränkt, und nur diese ist deshalb Gegenstand des folgenden Abrisses. Auch auf den Sonderfall der sog. »P. in der Trag.« (παρατραγῳδεῖν/*para-trag-ōideín*) [16] wird hier nicht eingegangen, da die P. der Tragödie in der Komödie zwar ein häufiges, jedoch kein gattungskonstitutives Merkmal darstellt.

B. GRIECHISCH

Die Begründung der P. als eigener lit. Gattung durch Hegemon von Thasos stellt einen Höhepunkt in der

Entwicklung parodistischer Techniken dar, die schon in homer. Zeit beginnt. Das früheste Zeugnis einer Homer-P. ist die Inschr. auf dem sog. Nestorbecher von Ischia, die eine Passage der ›Ilias‹ (Hom. Il. 11,632 ff.) formal durch Mischung von Iambus und Daktylus, inhaltlich durch Trivialisierung parodiert. Auch das metrisch ebenfalls gemischte, zuerst von Aristoteles dem Homer zugeschriebene Scherzgedicht → ›Margites‹ (6. Jh. v. Chr.) ist eine Homer-P., da der tölpelhafte Titelheld als Karikatur des Odysseus erscheint. Ein entsprechendes Pendant zur ›Ilias‹ war vielleicht die ›Deilias‹ (›Epos von der Feigheit‹) des Nikochares (Aristot. poet. 2,1448a 12 f.). Als Archeget zahlreicher gastronomischer Homer-P. kann der Iambendichter → Hipponax (6. Jh. v. Chr.) gelten, von dem das Proömium eines Gedichts auf einen Fresser erhalten ist; die bedeutendsten Vertreter dieser Subgattung sind → Archestratos [2] von Gela und → Matron von Pitane (4. Jh. v. Chr.) [6]; vgl. auch → Gastronomische Dichtung. All diese P. scheinen in erster Linie eine Entlastungsfunktion gegenüber dem lit. Übervater Homer gehabt zu haben und sich in dessen harmloser Verulkung zu erschöpfen; zeitbezogene satirische Spitzen (etwa gegen Gelagesitten) sind freilich nicht ausgeschlossen, wenn auch wegen des fr. Zustands der Werke nicht nachweisbar. Kann die kulinarische P. daher wohl weitgehend als spielerisch gelten, zeigt die Homer-P. der Sillographen (»Spottschreiber«, s. [2. 180]) eine durchaus ernsthafte Kritik philos.-theologischer Lehren: → Xenophanes (6. Jh. v. Chr.) wendet sich polemisch gegen die Götterdarstellung Homers und Hesiods [4. 13–25], der prominenteste spätere Vertreter, der Skeptiker → Timon von Phleius (3. Jh. v. Chr.), gegen die dogmatischen Philosophen [2]. Die Kritik kann also (bei formal identischer P.-Technik) funktional völlig verschieden sein: Bei Xenophanes ist sie gegen den Autor der Vorlage gerichtet, bei Timon dagegen davon unabhängig.

Die einzige vollständig erhaltene und zugleich bedeutendste Homer-P. ist die paradoxerweise als Jugendwerk Homers überl., jedoch erst aus späthell. Zeit stammende → ›Batrachomyomachie‹ [22], die den Krieg der Frösche und Mäuse im Stil der ›Ilias‹ beschreibt [4. 27–40]. Parodiert werden dabei nicht nur Kampfszenen, sondern auch andere typisch epische Elemente wie Heeresversammlungen, Rüstungsszenen, Reden und sogar eine Götterversammlung; daneben treten Elemente der Tierfabel, aber auch Kulinarisches, das in der griech. P. so beliebt ist, fehlt nicht.

Die Kaiserzeit weist mit → Lukianos [1] einen herausragenden parodistischen Autor auf, der jedoch die Grenzen der Gattung vollkommen sprengt [4. 41–56]. Die Epos-P. kommt damit weitgehend zum Erliegen, und auch die spätant. Homercentonen (→ Cento) der Kaiserin → Eudokia [1] können trotz mancher parodistischer Elemente nicht mehr eigentlich als P. angesehen werden.

C. Lateinisch

Eine der Homer-P. vergleichbare Gattung existiert im Lat. nicht; daher können hier nur summarisch einige Hinweise auf parodistische Elemente in Werken der röm. Lit. gegeben werden [5]. Abgesehen von der natürlich auch in der röm. Komödie zu beobachtenden Paratragodie (vgl. → Atellana fabula) finden sich parodist. Züge v. a. in der röm. → Satire. Über → Ennius [1] als Urheber dieser Gattung läßt sich allerdings nicht viel sagen; bei → Lucilius [1] sind die parodistischen Elemente schon deutlicher, aber erst mit Horaz (→ Horatius [7]) gewinnt die Satire klaren parodist. Charakter [19], wenn es auch vielleicht zu weit ginge, die P. als für die Satire gattungskonstitutiv zu betrachten. Epos-P. im griech. Sinn gibt es anscheinend vor → Vergilius nicht; nachdem aber die Aeneis eine mit den homer. Epen vergleichbare dominante Position gewonnen hatte, konnten auch P. nicht ausbleiben (Ansätze schon in Ovids Metamorphoses und Fasti). Die einzige erh. vollständige Aeneis-P. ist der sich als Jugendwerk Vergils ausgebende → Culex [1] (verm. unter Tiberius entstanden), der ähnlich wie die ›Batrachomyomachie‹ seine komische Wirkung aus der Transposition epischer Inhalte ins (niedere) Tierreich bezieht. Neben der Verulkung der Aeneis scheint jedoch die eigentliche Intention des Culex der polit. motivierte Spott über die »Mücke« Claudius [II 42] Marcellus und dessen Bestattung im pompösen Augustus-Mausoleum gewesen zu sein [3]. Neben dem Culex finden sich in der → Appendix Vergiliana auch noch weitere parodistische Gedichte, darunter das Kräutergedicht → Moretum [4. 101–118] mit Zügen einer Georgica-P. sowie Catalepton 10, eine sehr eng an Catulls Phaselus-Gedicht (Catull. 4) angelehnte parodist. Satire auf den Emporkömmling Sabinus [4. 75–100]. Auch unter den (vermutlich zahlreichen) Werken der obtrectatores Vergilii (den gehässigen Kritikern Vergils) waren P., z. B. die Antibucolica eines Numitorius (zu Verg. ecl. 3,1 f.: Dic mihi, Damoeta, »cuium pecus«, anne Latinum? Non, verum Aegonis nostri: sic rure loquuntur).

Auch andere Gattungen wurden parodiert: P. des Lehrgedichts z. B. liegt in der Ars amatoria des → Ovidius vor [20], der satirische Roman des → Petronius parodiert offensichtlich den Typus des (verlorenen) sentimentalen Liebesromans, und in → Senecas Apocolocyntosis sind mehrere Gattungen gleichzeitig Gegenstand der P. (Epos, Geschichtsschreibung, Komödie). Auf eine Art Meta-P. schließlich läuft die parodistische Technik in den Metamorphoses des Apuleius (→ Appuleius [III]) hinaus, indem sie den Erzählvorgang selbst parodiert [4. 119–151].

In der Spätant. finden wir eine gattungstheoretisch nicht mehr festzulegende Fülle parodist. Formen und Inhalte, vom Vergil-Cento des → Ausonius über das an gastronomische P. anknüpfende Streitgespräch zwischen Koch und Bäcker (Vespas Iudicium coci et pistoris) bis hin zum → Testamentum porcelli, in dem ein Schwein seine Fleischstücke in juristisch korrekter Terminologie an die Erben verteilt. Mit dem Siegeszug des Christentums treten dann vielfach biblische und liturgische Texte an die Stelle des Epos und anderer Prätexte [13]; das wohl früheste Beispiel einer Bibel- bzw. Homilien-P. ist die sog. → *Cena Cypriani* [4. 153–170], die wiederum das kulinarische Motiv in den Mittelpunkt stellt.

→ ADAPTATION; SATIRE

1 W. AX, Die pseudovergilische ›Mücke‹ – ein Beispiel röm. Lit.p.?, in: Philologus 128, 1984, 230–249 2 Ders., Timons Gang in die Unterwelt. Ein Beitrag zur Gesch. der ant. Lit.p., in: Hermes 119, 1991, 177–193 3 Ders., Marcellus, die Mücke. Polit. Allegorien im Culex?, in: Philologus 136, 1992, 89–129 4 Ders., R. F. GLEI (Hrsg.), Lit.p. in Ant. und MA, 1993 5 J.-P. CÈBE, La caricature et la p. dans le monde romain antique, 1966 6 E. DEGANI (Hrsg.), Poesia parodica greca, 1982 7 W. FREUND, Die lit. P., 1981 8 G. GENETTE, Palimpsestes. La littérature au second degré, 1982 (dt. 1993) 9 R. GLEI, Aristoteles über Linsenbrei. Intertextualität und Gattungsgenese am Beispiel der ant. P., in: Philologus 136, 1992, 42–59 10 W. HEMPEL, P., Travestie und Pastiche, in: German.-Roman. Monatsschrift 15, 1965, 150–176 11 L. HUTCHEON, A Theory of Parody, 1985 12 H. KOLLER, Die P., in: Glotta 35, 1956, 17–32 13 P. LEHMANN, Die P. im MA, 1922, ²1963 14 B. MÜLLER, Komische Intertextualität: Die lit. P., 1994 15 E. PÖHLMANN, ΠΑΡΩΙΔΙΑ, in: Glotta 50, 1972, 144–156 16 P. RAU, Paratragodia. Unt. zu einer komischen Form des Aristophanes, 1967 17 M. A. ROSE, Parody/Meta-Fiction, 1979 18 Dies., Parody: Ancient, Modern, and Post-modern, 1993 19 R. SCHRÖTER, Horazens Satire 1,7 und die ant. Eposp., in: Poetica 1, 1967, 8–23 20 M. STEUDEL, Die Lit.p. in Ovids Ars Amatoria, 1992 21 T. VERWEYEN, G. WITTING, Die P. in der neueren dt. Lit., 1979 22 H. WÖLKE, Unt. zur Batrachomyomachie, 1978. R. GL.

Parodos (ἡ πάροδος, wörtl. »Einzug, Einzugslied des Chors«). In seiner Aufzählung der allen → Tragödien gemeinsamen Bauteile definiert Aristoteles [6] in der ›Poetik‹ (12, 1452 b22 f.) die p. als erste Chorpartie, wobei die Bedeutung »Einzugslied« bzw. »-vortrag« (vgl. Aristot. eth. Nic. 1123 a23 f.) mitklingt. Bei der Strukturanalyse sollte man sich jedoch nicht an starre, schematische Abgrenzungen halten, sondern die Konstruktion und Entwicklung der dramatischen Handlung (σύστασις τῶν πραγμάτων, ebd.) beachten.

In der att. Tragödie kann die p. das Stück eröffnen (Aischyl. Pers. und Suppl.) oder nach einem → Prolog erfolgen. Formal kann man drei Typen unterscheiden:
1. Auf ein Rezitativ des Chores bzw. Chorführers in (Marsch-)Anapästen folgt ein strophisches Chorlied (z. B. Aischyl. Pers. 1 ff.; Aischyl. Suppl. 1 ff.; Aischyl. Ag. 40 ff.).
2. Die p. besteht nur aus einem strophischen Chorlied.
3. Die p. ist als → Amoibaion gestaltet, häufig in → epirrhematischer Komposition (z. B. Eur. Med. 131 ff.; Soph. Oid. K. 117 ff.). Eine Sonderform liegt in den ›Sieben gegen Theben‹ (78 ff.) des Aischylos vor, wo die Choreuten als Ausdruck ihrer Panik ungeordnet (σποράδην) einziehen und die Einzelstimmen sich erst allmählich vereinen. Die p. dient in erster Linie der Charakterisierung des → Chors und, wenn sie das Stück

eröffnet, der Exposition. Ist sie als Amoibaion gestaltet, kann in ihr der Chor über die Ereignisse des Prologs informiert werden (Eur. Med; Soph. Oid. K.) und sie kann der Handlung neue Impulse verleihen.

In den → Komödien des Aristophanes erfolgt die p. nie vor V. 200; der Chor trifft bei seinem Einzug also auf eine bereits entwickelte Handlung. Man kann bei Aristophanes drei Typen unterscheiden:
1. Der Chor will den Plan des Protagonisten verhindern (Aristoph. Ach., Aristoph. Lys.).
2. Er wird vom Protagonisten zu seiner Unterstützung gerufen (Aristoph. Equ., Nub., Pax, Av., Plut.).
3. Er ist eine unbeteiligte Gruppe und wird erst allmählich in die Handlung einbezogen (Aristoph. Vesp., Thesm., Ran.). Häufig ist in der Komödie mit der p. eine Streitszene verbunden, die zum epirrhematischen Agon überleitet. Die Schwundform der p. ist in der Neuen Komödie erreicht, wo am Ende des 1. Akts darauf hingewiesen wird, daß sich eine Gruppe bezechter Männer (der Chor) nähere, der man besser aus dem Weg gehe. Der Chor singt ein bloßes Intermezzo ohne Handlungsbezug.

→ Komödie; Tragödie

W. NESTLE, Die Struktur des Eingangs in der att. Trag., 1930 · B. ZIMMERMANN, Unt. zur Form und dramatischen Technik der Aristophanischen Komödien, Bd. 1, ²1985, 6–149 · Ders., The Parodoi of the Aristophanic Comedies, in: E. SEGAL (Hrsg.), Oxford Readings in Aristophanes, 1996, 182–193. B. Z.

Paroikoi (πάροικοι).

[1] Überwiegend p. hießen in den hell. Staaten Klein- und Vorderasiens und daraus entstandenen röm. Prov. die auf dem Territorium einer → *pólis* in *kỗmai* (→ *kỗmē*) lebenden zumeist einheimischen Freien, die kein Bürgerrecht der betreffenden *pólis* besaßen. In Notsituationen konnten Freigelassene und Unfreie, bes. den (königlichen) Bauern (*láoi*) Angehörende, zu p. und p. über einen → *synoikismós* mit der betreffenden *pólis* zu deren Bürgern gemacht werden. In der Rechtsstellung zur jeweiligen *pólis* gibt es Ähnlichkeiten mit → *kátoikoi* und → *métoikoi* (WELLES 4,16; 4,18; 8 A 6; 16 B 4, vgl. 51; OGIS 219,32; 229,14; 338,20–38; Syll.³ 742,44–49; IGR III 69,19 f.; 69,26).

1 MAGIE, 149; 225; 1037; 1503 2 J. POUILLOUX, Antigone Gonatas et Athènes après la guerre de Chrémonides, in: BCH 70, 1946, 488–492 3 ROSTOVTZEFF, Hellenistic World, Index s. v. A. ME.

[2] (»Beisassen«). Begriff zur Bezeichnung abhängiger Bauern im byz. Reich, deren Status wegen ihrer größeren Mobilität und der Freiheit, privates Eigentum zu erwerben, nicht identisch mit dem der Hörigkeit (vgl. [1]) im ma. Westen war. Doch durften sie das Land, das ihnen zur Bebauung übergeben war, nicht veräußern. Der vorher eher selten belegte Begriff wird seit Ausbreitung des Großgrundbesitzes im 10. Jh. häufiger und präziser verwendet.

1 ODB 3, 1877, s. v. serfdom 2 ODB 3, 1589 f. s. v. p. F. T.

Paroimia (παροιμία). Der griech. Terminus für das ant.
→ Sprichwort. Zuerst bei Aischyl. Ag. 264 belegt, bedeutet *p.*, das etym. mit οἶμος (*oímos*, »Weg«; seit Hom.
h. 4,451 im übertragenen Sinne auch »Gang des Liedes«)
verbunden ist (vgl. *prooímion*), wohl ›etwas, das neben
dem Gang der Erzählung steht‹ ([2], unentschieden
[1. 476]). Die *p.* ist gewöhnlich ein volkstümlicher und
altüberlieferter, festgeprägter Satz, der – strikt anon., oft
rhythmisiert bzw. metrisch gebunden und mit charakteristischen stilistischen Merkmalen versehen – mittels
eines konkreten Einzelfalles bild- oder gleichnishaft auf
eine allg., in der Regel praktische menschliche Erkenntnis verweist. Im Gegensatz zur → *gnṓmē* oder dem
→ *apóphthegma* ohne Verf.-Angabe überliefert, gilt die *p.*
– der Sache nach wohl zu unrecht [5. 1710] – als Ausdruck eines im Volk entstandenen, kollektiven Wissens
und ist deshalb bei den einfachen Leuten (Bauern, Soldaten, Sklaven) beliebt. Um die im Sprichwort inkor-
porierte, über Generationen tradierte → Weisheit zu sichern, begann man von Aristoteles an (Diog. Laert.
5,26), Sprichwort-Slgg. anzulegen (→ *paroimiográphoi*).
Der Gehalt der *p.* – eine allg. Wahrheit, Warnung oder
Ermahnung [5. 1717–1729] – wird in der Regel nur indirekt, in einem konkreten Gleichnis (vgl. Aristot. rhet.
1413a 15–17), angedeutet. Die Bilderwelt der *p.* schöpft
aus dem alltäglichen Leben oder allg. Bekanntem. Dazu
gehören histor. Ereignisse, Personen und Orte, Flora
und Fauna (vgl. [4]), die vier Elemente und Gestalten
der griech. Myth. Die *p.* zeichnet sich stilistisch nicht
selten durch Kürze, Assonanz, Parallelismus und Reim
aus. Häufig liegen feste, der griech. Sprache naheliegende Versrhythmen vor: bes. Paroimiakos, Lekythion,
Prosodiakos, Hemiepes.
→ Sprichwort; Paroimiographoi

1 Frisk, Bd. 2, s. v. π., 476 2 A. M. Ieraci Bio, Il concetto di
π. Testimonianze antiche e tardo-antiche, in: Rendiconti
dell' Accademia di Archeologia, Lettere e Belle Arti di
Napoli 54, 1979, 185–214 3 R. Häussler (Hrsg.),
Nachträge zu A. Otto..., 1968 4 S. Köhler, Das Tierleben
im Sprichwort der Griech. und Römer, 1881 (Ndr. 1967)
5 K. Rupprecht, s. v. P., RE 18.4, 1707–1735 6 A. Otto,
Die Sprichwörter und sprichwörtlichen Redensarten der
Römer, 1890 (Ndr. 1962 u.ö.) 7 R. Strömberg, Greek
Proverbs, 1954 8 Ders., Griech. Sprichwörter, 1961
9 R. Tosi, Dizionario delle sentenze latine e greche, ⁸1993
10 D. A. Tsirimbas, Sprichwörter und sprichwörtliche
Redensarten bei den Epistolographen der zweiten
Sophistik, Diss. München 1936.
Zu den griech. Quellen vgl. Bibliogr. zu
→ Paroimiographoi; allg. vgl. Bibliogr. zu → Sprichwort.
                                                    GR. DA.

Paroimiographoi (Παροιμιογράφοι). Für die Ant.
nicht belegte Bezeichnung für Autoren von Sprich-
wort-Sammlungen oder theoretischen Werken über
→ Sprichwörter (= Sp.; → *paroimía*); wohl zuerst von
byz. Gelehrten verwendet. Als erster Grieche beschäftigte sich Aristoteles in einem B. Παροιμίαι (*Paroimíai*,
»Sp.«) wiss. damit (Diog. Laert. 5,26). Er hielt diese

für uralte Reste menschlicher Weisheit, eine Vorform
philos. Aussagen, die sich durch Knappheit und Ein-
prägsamkeit auszeichnen (fr. 13 Rose). Sein Schüler
→ Theophrastos verfaßte ein B. *Perí paroimiṓn* (Diog.
Laert. 5,45), der Peripatetiker → Klearchos [6] von Soloi
zwei B. des gleichen Titels (fr. 63–83 Wehrli). Vor allem Klearchos scheint eine histor. angemessene Sprich-
wort-Exegese betrieben zu haben, während der Stoiker
→ Chrysippos [2] (2 B. *Perí paroimíōn*; SVF 3, 202) den
Textbestand wohl nach seinen philos. Intentionen veränderte und histor. ungenau interpretierte [9. 1737–
1740]. In alexandrinischer Zeit überwiegen bei den P.
dann nicht mehr philos., sondern lit. Absichten. Der
Historiker → Demon [3] von Athen verfaßte um 300
v. Chr. mindestens 2 B. Sp.-Exegese, der hell. Grammatiker → Aristophanes [4] von Byzanz schrieb in 2 B.
über metrische und in 4 B. über unmetrische Sp.,
→ Didymos [1] Chalkenteros schließlich sammelte in 13
B. Sp. (folgt man dem Buchtitel Πρὸς τοὺς περὶ παροι-
μιῶν συντεταχότας ›Gegen die Verf. von Sprichwörter-
Slg.‹, verbindet Didymos dies mit einer Kritik der älteren P.).

Aus den drei im 1. Jh. n. Chr. entstandenen B. des
→ Lukillos von Tarrha (der z. T. aus Didymos exzerpierte) und aus Didymos fertigte der zur Zeit Hadrians in
Rom arbeitende griech. Sophist → Zenobios (vgl. Suda
s. v. Ζηνόβιος) einen nach lit. Gattungen geordneten
Auszug in 3 B. an, der nur in einer veränderten Fassung
in der von Miller entdeckten Athos-Rezension (Zenobios M; zu Miller und den Mss.: [2]; zu B. 2,1–108:
[1]; zu B. 5,1 [10]) erh. ist. Um 900 [9. 1768] wurde (1.)
ein Exzerpt aus Zenobios (3 B.) zusammen mit (2.) einem → Plutarchos zugeschriebenen, aber wohl auf Seleukos zurückgehenden Werk ›Über die Sp. der Bewohner von Alexandria‹ und (3.) einer fälschlich unter
dem Namen des → Diogenianos laufenden Sp.-Slg. zu
einem alphabetisch geordneten Corpus vereinigt (drei
ma. Rezensionen: Zenobius Parisinus; Zenobius Bod-
leianus; Zenobius Diogenianus) [7; 5], auf das die späteren, durch byz. Texte (u. a. → Suda) ergänzten Slg. des
Gregorios von Zypern (13 Jh.), Makarios (14 Jh.) und
Apostolios (15. Jh.) zurückgehen.

In der röm. Lit. ist kein eigenständiger Spezialtitel zur
Sp.-Exegese erhalten. Dennoch finden sich bei → Varro
und den lat. Grammatikern → Sinnius Capito (1. Jh.
v. Chr.; mehrere Fr. bei Festus: GRF 457–466) und M.
→ Verrius Flaccus (frühe Kaiserzeit; Auszug bei Festus:
GRF 509–523; [4]) ebenso wie bei den späteren Schrift-
stellern Sex. Pompeius → Festus [6], → Gellius [6],
→ Macrobius [1] und → Servius Erklärungen von lat.
Sp. [8; 6].
→ Paroimia; Sprichwort

1 W. Bühler (ed.), Zenobii Athoi proverbia, Bd. 4 (B. 2,
1–40), 1982; Bd. 5 (B. 2, 41–108), 1999 2 Ders., Zenobii
Athoi proverbia, Bd. 1, Prolegomena, 1987 3 Corpus
Paroemiographorum Graecorum Suppl., 1961 (enthält die
text- und quellenkrit. Arbeiten von O. Crusius, L. Cohn,
H. Jungblut) 4 A. Dihle, s. v. Verrius (2), RE 8 A,

1636–1645 **5** T. Gaisford (ed.), Paroemiographi Graeci, 1836 (Ndr. 1972) **6** R. Häussler (Hrsg.), Nachträge zu A. Otto…, 1968 (zu [8]) **7** E. L. v. Leutsch, F. G. Schneidewin (Hrsg.), Corpus Paroemiographorum Graecorum, 2 Bde., 1839/1851 (Ndr. 1958) **8** A. Otto, Die Sp. und sprichwörtl. Redensarten der Römer, 1890 **9** K. Rupprecht, s. v. P., RE 18.4, 1735–1778 **10** S. M. Spyridonidou-Skarsouli, Der erste Teil der fünften Athos-Slg. griech. Sp., 1995.
Vgl. auch die Bibliogr. zu → Paroimia und → Sprichwort.

GR. DA.

Paronomasie s. Figuren

Paropamisos (Παροπάμισος, Strab. 15,1,11; 2,9). Gebirge mit der Landschaft Paropamisadai (Παροπαμισάδαι, Strab. 15,2,8 ff.). Für beide Namen gibt es viele Varianten, die die Identifizierung erschweren [1]. Altiranisch (Avesta) *Parupairisaena* (vgl. *upairisaena* in Yasna 10); in der akkadischen Version der → Bisutun-Inschr. steht *Paruparaesanna* an der Stelle von Gandara (→ Gandaritis) in der altpersischen Version [2. DB 1,18].

Das Gebirge wurde mit Tauros, Kaukasos, Elburs und Himalaya als Teil der großen west-östl. Scheidelinie Asiens verstanden (Strab. 11,1,2 f.; 15,1,1) und darum auch Kaukasos (von Makedonen, Arr. an. 3,28,5; 5,5,3 u. a.) oder Tauros (Strab. 11,1,2 u. a.) genannt. Die Landschaft wurde kurz nach dem Tod Alexandros' [4] d. Gr. von den → Mauryas annektiert. Zu Beginn des 2. Jh. v. Chr. wurde sie von baktrischen Griechen erobert und danach Teil des indogriech. Reiches (→ Indogriechen). Der letzte indogriech. König → Hermaios [1] herrschte hier im 1. Jh. v. Chr.; danach wurde das Land von → Kuschan erobert. Ein wichtiges Zentrum war → Kapisa (h. Bagrām), wo schon in den 1930er Jahren wichtige Ausgrabungen stattfanden.

1 K. Karttunen, India and the Hellenistic World, 1997, 47 f., 106 ff., 281 **2** R. Kent, Old Persian, 1953.   K. K.

Paros (Πάρος). Insel der → Kykladen (195 km², 22 km lang, 16 km breit), westl. von Naxos [1], südwestl. davon die Insel Antiparos.

I. Geographie und frühe Siedlungsgeschichte
II. Archaische und klassische Zeit
III. Hellenistische und römische Zeit
IV. Wirtschaft und Kultur   V. Archäologie
VI. Spätantike

I. Geographie und frühe Siedlungsgeschichte

Das Landschaftsbild wird geprägt von der in der Ant. dicht bewaldeten, h. weitgehend kahlen Marpessa [2] (h. Prophitis Ilias) mit einer Höhe von bis zu 771 m. Die Ausläufer des Gebirges reichen bis in die fruchtbaren Küstenstreifen. Bereits in neolithischer Zeit besiedelt, entwickelte sich P. zu einer bed. Stätte der Kykladen-Kultur. Wichtige Fundplätze sind Nausa an der Nordküste mit einem frühkykladischen Gräberfeld (3000–2700 v. Chr.), Marpissa (vorgriech. Name) an der Ost-

küste mit der ältesten bekannten Nekropole von P. (3200–2700 v. Chr.) sowie Kampos an der SW-Küste. Auf der Akropolis der Inselhauptstadt P. im Westen der Insel (in MA und Neuzeit Paroikia genannt) sind Spuren einer in die Zeit zw. 2400 und 2000 v. Chr. zu datierenden Siedlung nachweisbar. Danach scheint die Siedlungsintensität zurückgegangen zu sein, bis in spätmyk. Zeit (nach Ausweis der Funde auf der Akropolis von P.-Stadt um 1300 v. Chr.) eine neue Besiedlungsphase begann. Auf etwa 1000 v. Chr. ist die Zuwanderung von ion. Festlandsgriechen anzusetzen, die seitdem das prägende Bevölkerungselement auf P. bildeten. In archa. Zeit (7. Jh. v. Chr.) vollzog sich eine Siedlungskonzentration in der Stadt P., in deren Gefolge viele (und auch blühende) Orte wie das arch. gut erforschte h. Kukunaries an der Nausa-Bucht aufgegeben wurden.

II. Archaische und klassische Zeit

Polit. spielte P. immer eine aktive Rolle. Um 680 v. Chr. entsandte P. Kolonisten nach → Thasos (Thuk. 4,104,4; Strab. 10,5,7; Paus. 10,28,3), unter ihnen den Dichter → Archilochos, den P. später mit einem Heroon ehrte (IG XII 5, 445). Mit → Naxos befand sich P. zu dieser Zeit in einer permanenten, sich häufig in mil. Auseinandersetzungen artikulierenden Konkurrenzsituation. Zu Anf. des 6. Jh. v. Chr. fungierte P. als Vermittler in einem Streit zw. Naxos und Miletos [2] (Hdt. 5,28–30). In den → Perserkriegen nahm P. wechselhafte Positionen ein. Vor Marathon befand sich, wohl gezwungenermaßen, ein Kontingent aus P. in der Flotte des pers. Kommandanten Datis (Hdt. 6,133). Dies nahm 489 v. Chr. der Athener Miltiades [2] zum Anlaß für eine Expedition gegen P. Nach vergeblicher Belagerung der Stadt hinterließ Miltiades die Insel verwüstet (Hdt. 6,133–136). Obwohl P. sich aus dem Zug des → Xerxes heraushielt (Hdt. 8,67,1), erzwang → Themistokles 479 v. Chr. die Zahlung einer hohen Geldsumme (Hdt. 8,112). Nach den Perserkriegen wurde P. zu einem der prominentesten Mitglieder des → Attisch-Delischen Seebundes. Entsprechend seiner wirtschaftlichen Leistungsfähigkeit zahlte P. eine außerordentlich hohe Tributsumme (16–30 Talente: ATL 1, 368 f.). Wie die meisten Kykladen blieb P. vom → Peloponnesischen Krieg verschont. Doch gab es in dieser Zeit innenpolit. Turbulenzen mit dem Wechsel von oligarchischen und demokratischen Verfassungen (vgl. Diod. 13,47,6 für 411 v. Chr.). 411 v. Chr. brachte P. einen Schiedsspruch in einem Streit zw. Thasos und Neapolis in Thrakia zustande (StV II² 204).

III. Hellenistische und römische Zeit

Nach dem Peloponnesischen Krieg stand P. zunächst überwiegend auf seiten der Spartaner. Zu Anf. des 4. Jh. v. Chr. orientierte sich die par. Politik stärker in den westmediterranen Raum. So nahm man Kontakt zu Dionysios [1], dem Tyrannen von Syrakus, auf und gründete 385/4 v. Chr. auf der Adria-Insel Pharos [2] vor der dalmatischen Küste eine Kolonie (Diod. 15,13,4; Strab. 7,5,5; Steph. Byz. s. v. Φάρος). Kurz darauf wurde P. Mitglied des 2. → Attischen Seebundes. Im

3. Jh. v. Chr. gehörte P. wie die meisten Kykladen zum Nesiotenbund (→ Nesiotai [2]) und stand daher unter der Ägide von dessen jeweiligen Führungsmächten (Antigoniden, Ptolemaiern, Rhodos). In dieser Zeit (264/3 v. Chr.) entstand das berühmte → Marmor Parium, eine inschr. erh. Chronik vornehmlich kulturhistor. Ereignisse in Griechenland (ein Teil der Chronik befindet sich h. im Mus. von P.). 201/0 v. Chr. stand P., wie → Andros und → Kythnos, unter maked. Kontrolle (Liv. 31,15,8). Für die Zeit der röm. Herrschaft existieren nur wenige Zeugnisse. Das Christentum breitete sich relativ rasch aus, Bischöfe sind bereits für das 4. Jh. n. Chr. belegt.

IV. WIRTSCHAFT UND KULTUR

Über die ganze Ant. hinweg galt P. als eine reiche Insel. Diese Prosperität verdankte P. neben einer nicht unerheblichen landwirtschaftlichen (Wein, Feigen) und gewerblichen (Keramik, Schiffbau) Produktion v. a. seinem → Marmor. Schon in frühkykladischer Zeit (1. H. 3. Jt. v. Chr.) fand er Verwendung bei der Herstellung von Idolfiguren. Abgebaut wurde der Marmor im Marpessa-Gebirge im Untertagebau (beim h. Marathi nahe dem verlassenen Kloster Hagios Minas). Der als *Lychnítēs* bekannte weiße, an der Oberfläche durchscheinende par. Marmor hatte in der ant. Welt einen ausgezeichneten Ruf und wurde ein wichtiger Exportartikel (Hdt. 3,57; 5,62; Verg. georg. 3,34–36; Strab. 10,5,7; Vitr. 10,2,15; Plin. nat. 36,14; Prok. BG 5,22,13). Auch die par. Bildhauerschule mit ihrem bedeutendsten Vertreter → Skopas (2. H. 4. Jh. v. Chr.) war berühmt. Während der röm. Kaiserzeit standen die Marmorbrüche unter kaiserlicher Verwaltung (IG XII 5,229). Der Elegiker Euenos [1], der aus P. stammte, wird ins 5. Jh. v. Chr., meist in dessen 2. H., datiert.

V. ARCHÄOLOGIE

Neben den Zeugnissen der frühen Kykladenkultur finden sich auf P. noch zahlreiche, z. T. gut erforschte ant. Reste. Von den Bauten der flachen Akropolis der Hauptstadt P. sind diverse Spolien in das fränkische Kastell eingearbeitet (vom wahrscheinlich der Athena geweihten Tempel und der Stoa). Noch sichtbar sind auch Teile der weitdimensionierten Stadtmauer, hell. Gebäude sowie Reste der Hafenanlagen (Molen, Kai). Funde außerhalb der Stadt geben Anhaltspunkte für die Rekonstruktion der ant. Sakrallandschaft von P.: Im Norden liegt das relativ gut erh. Delion von P. aus der Mitte des 6. Jh. v. Chr., eine Filiale des Heiligtums des delischen → Apollon, in der zugleich auch Artemis und Leto verehrt wurden. Südl. der Stadt befindet sich auf einem kleinen Hügel eine Kultstätte des → Asklepios (4. Jh. v. Chr.). Bisher nicht lokalisiert ist der lit. und inschr. (Hom. h. 5,491; Archil. fr. 119; IG XII 5, 226–229) bezeugte Tempel der → Demeter Thesmophoros, in den Miltiades 489 v. Chr. gewaltsam eingedrungen sein soll (Hdt. 6,134). Charakteristisch für die Kultarchitektur und -topographie von P. ist die Anlage von Heiligtümern mit Felsaltären ohne dazugehörige Tempelbauten.

VI. SPÄTANTIKE

Von der Ausbreitung des Christentums zeugen einige frühchristl. Basiliken, so etwa bei Nausa sowie in der Stadt P. die frühbyz. Kirche Panagia Katapoliani. Sie liegt über einem mit Mosaiken (Herakles-Motive) ausgestatteten röm. Profangebäude von ca. 300 n. Chr. Die Kirche wurde seit dem 4. Jh. in mehreren Phasen ausgebaut. Unter Iustinianus [1] I. wurde sie zur Kreuzkuppelbasilika umgestaltet.

→ Marmor (mit Karte)

T. ATKINSON u. a., Excavations at P. in Melos, 1904 • D. BERRANGER, Recherches sur l'histoire et la prosopographie de P. à l'époque archaïque, 1992 • Dies., Archiloque et la rencontre des Muses à P., in: REA 94, 1992, 175–185 • J. CARSON, J. CLARK, P., 1977 • I. D. EVANS, C. RENFREW, Excavations at Saliagos near P. (5. Suppl. ABSA), 1968 • H. KALETSCH, s. v. P., in: LAUFFER, Griechenland, 512–515 • K. MÜLLER, Hell. Architektur auf P., 1988 • C. RENFREW, The Archaeology of Cult. The Sanctuary of P. (ABSA Suppl. 18), 1985 • O. RUBENSOHN, Das Delion von P., 1962 • D. U. SCHILARDI, P. and the Cyclades after the Fall of the Mycenaean Palaces, 1993, 621–639 • M. SCHULLER, Der Artemistempel im Delion auf P., 1991.   H. SO.

Parparos (Πάρπαρος). Ort des legendären Kampfes zw. Spartanern und Argeioi um die → Thyreatis Mitte 6. Jh. v. Chr. in der → Kynuria [1] südl. des Kamms der h. Zavitsa [1; 2. 183–185; 6. Bd. 3, 111–114; 6. Bd. 7, 171], zu dessen Gedenken man in Sparta das Fest der Parparonia feierte [3; 4. 194–199; 5. 260–262]. Belege: Anecd. Bekk. 1408; Hesych. s. v. Π.; Athen. 15,678bc; Plin. nat. 4,17. Inschr.: IG V 1, 213; SEG 35, 302; 38, 333.

1 L. MORETTI, Sparta alla metà del VI secolo. II. La guerra contro Argo per la Tireatide, in: RFIC 26, 1948, 204–213 2 P. B. FAKLARIS, Ἀρχαία Κυνουρία, 1990 3 F. BÖLTE, Zu lakonischen Festen, in: RhM 78, 1929, 130–132 4 N. ROBERTSON, Festivals and Legends, 1992, 179–207 5 W. K. PRITCHETT, Thucydides' Pentekontaetia and Other Essays, 1995 6 PRITCHETT.   Y. L.

Parrhasia, Parrhasioi (Παρρασία, Παρράσιοι). Siedlungsgebiet des größten arkadischen Teilstamms in West-Arkadia (Hom. Il. 2,608; Strab. 8,8,1; Diod. 15,72,4). In P. lag das gesamtarkadische Heiligtum des Zeus auf dem → Lykaion (Pind. O. 9,143). Im 2. Jh. n. Chr. (Paus. 8,27,4; 38,3) bezog man P. nur noch auf den Westen der Ebene von → Megale Polis mit dem westl. anschließenden Bergland. Urspr. reichte die P. jedoch weiter nach Süden und Westen (Thuk. 5,33,1; Xen. hell. 7,1,28). Mit der Einbeziehung in die Neugründung Megale Polis 368/7 v. Chr. endete die Selbständigkeit der P. Mz. des 5. Jh. v. Chr.: HN 451.

JOST, 168–189.   Y. L.

Parrhasios (Παρράσιος). Einer der bedeutendsten ant. griech. Maler, aus Ephesos, Sohn des Bildhauers(?) → Euenor [1], um 440 bis 380 v. Chr. wirkend. Der vielseitige und produktive (allein Plin. nat. 35,69–72 überl. 16 Gemälde) Zeitgenosse des ebenso berühmten → Zeuxis lebte in Athen, die spektakulären und teuren Werke kamen an viele Orte der griech. und später, als Beutekunst, der röm. Welt. P. gehörte zur zweiten Künstlergeneration des 5. Jh. v. Chr., deren technische Fortschritte die Monumentalmalerei zur Blüte brachten. Heftiges künstlerisches Konkurrenzdenken spiegelte sich in seiner Teilnahme an Wettbewerben zu einem bestimmten, vorgegebenen Thema. Kunsttheoretische Probleme wurden Thema zeitgenössischer »Werkstattgespräche« (Xen. mem. 3,10ff.).

P. wird für die *symmetría* (was zunächst wohl die ausgewogene Komposition der Gemälde meint) gelobt. Dieses Ordnungsprinzip galt aber nicht nur für die Anordnung der Bildelemente im Rahmen der Gesamtdarstellung, sondern auch für das Verhältnis der Einzelteile eines Gegenstandes untereinander. P. muß die zeichnerische Anlage und den plastischen Aufbau einer Gestalt aus der Umrißlinie heraus perfekt beherrscht haben, und diese subtile Linienführung – nicht nur in der Kontur – prägte auch die detailreiche Gestaltung von Frisuren und Gesichtern der Figuren, die zu deren realistischem und »sprechendem« Ausdruck führte (»Seelenmaler«). Lineares Vorgehen erforderte auch die Vorzeichnung für die Kentauromachie auf dem Schild der → Athena Promachos, einem toreutischen Werk des → Mys [2]. Götter- und Heroenbildnisse des P. galten bald als ideal und vorbildhaft (Quint. inst. 12,10,4), seine Entwurfsskizzen dienten anderen als Modell, und auch die Mythenbilder, Porträts, Personifikationen und andere Bildthemen dürften von der Qualität der Linie profitiert haben.

Man hat diese Betonung der Linie mit P.' ionischer Herkunft in Verbindung gebracht. Darauf beziehen sich auch viele anekdotisch gefärbte Nachrichten über sein künstlerisches Selbstbewußtsein (→ Künstler), den luxuriös-aufwendigen Lebensstil und das arrogante Auftreten. Mag diese Selbstinszenierung als »Gesamtkunstwerk« auch überzogen geschildert sein, belegt sie doch den Status, den ein Maler dieser Zeit bereits erreichen konnte (Ail. var. 9,11; Athen. 12,543c-f; 15,687b).

I. BALDASSARE, A. ROUVERET, Une histoire plurielle de la peinture grecque, in: M.-CH. VILLANUEVA PUIG (Hrsg.), Céramique et peinture grecques, 1999, 219–231, bes. 225ff. · J. BOARDMAN, s.v. Heracles, LIMC 5, 177, Nr. 3459 · M. CAGIANO DI AZEVEDO, s.v. P., EAA 5, 1963, 963–965 · N. HOESCH, Bilder apulischer Vasen und ihr Zeugniswert für die Entwicklung der griech. Malerei, 1992, 44f.; 192–197 · S. MARSCHKE, Künstlerbildnisse und Selbstporträts, 1996, 60f. · D. METZLER, Porträt und Ges., 1971, 59f. · P. MORENO, Pittura greca, 1987 · F. PREISSHOFEN, Sokrates im Gespräch mit P. und Kleiton, in: K. DÖRING (Hrsg.), Studia Platonica, FS F. Gundert, 1974, 21ff. · R. ROBERT, Apelle et Protogène: pour une histoire linéaire de la peinture grecque, in: M.-CH. VILLANUEVA PUIG (Hrsg.), Céramique et peinture grecques, 1999, 233–43, bes. 237f. · A. ROUVERET, Profilo della pittura parietale greca, in: G. PUGLIESE CARATELLI (Hrsg.), I Greci in Occidente, 1996, 99–108 · I. SCHEIBLER, Griech. Malerei der Ant., 1994.   N.H.

Parricidium, auch *par(r)icidas* bezeichnet spätestens seit der ausgehenden röm. Republik den Verwandtenmord, der seit ca. 50 v. Chr. durch eine *l. Pompeia de parricidiis* (Dig. 48,9) aus den übrigen Tötungsfällen herausgegriffen wurde. Die auf die *mores maiorum* (Altvätersitte; → *mos maiorum*) zurückgeführte Strafe bestand zumindest für den Mord an Vorfahren im Einnähen des gegeißelten Täters mit diversen Tieren in einen Sack (→ *culleus*), der dann ins Wasser geworfen wurde (eindringliche Schilderung Cic. S. Rosc. 70). In der frühen lat. Rechtssprache ist *p.* ein Schlüsselausdruck nicht nur für die Erkenntnis der inneren Einstellung bei der Tötung, sondern auch des Kapitalverfahrens. So ist uns mehrfach überliefert, daß die → *quaestores parricidii* für Kapitalsachen zuständig waren; bei Fest. 221 darüber hinaus noch ein angebliches Gesetz des Numa Pompilius: *Si dolo sciens morti duit, parricidas esto* (›Wer vorsätzlich den Tod zufügt, soll als Mörder behandelt werden‹). Über die Bedeutung von *p. esto* in dieser Regel, die durch die Abstraktion *dolo sciens* ihren wesentlich jüngeren Ursprung verrät, gibt es eine kaum mehr überblickbare Lit., deren Hauptgruppe ausgehend von etym. Argumenten die verschiedensten Sanktionen hineindeutet [3]. Mehr Wahrscheinlichkeit hat die Lesung entsprechend der obigen Übers. [2]. Danach wollte der Satz nicht einen Hinweis auf die ohnehin bekannte Sanktion geben, sondern sie auf den Fall der vorsätzlichen Tötung begrenzen.

1 E. NARDI, L'otre dei parricidi e le bestie incluse, 1980
2 W. KUNKEL, Unt. zur Entwicklung des Kriminalverfahrens in vorsullanischer Zeit, 1962, 39f.
3 B. SANTALUCIA, Diritto e processo penale nell'antica Roma, 1989, 8f.   A.VÖ.

Pars antica, postica. T.t. röm. → Divination (VII.) (Vogelschau: z. B. Serv. Aen. 2,453; Blitz- und Donnerdeutung: schol. Veronensia Verg. Aen. 2,693). Vom Ausführenden aus bezeichnet *p.a.* die beiden vorderen, *p.p.* die beiden hinteren räumlich-semiotischen Einheiten (*partes, spatia*: Serv. ecl. 9,15) des mit Hilfe eines rechtwinkligen Achsenkreuzes konstruierten Beobachtungsfeldes (→ *templum*). Dieses auch der röm. Feldmessung zugrundeliegende räumliche Orientierungssystem mit den Grenzziehungsregeln (*constitutio limitum*: Hyginus p. 166f. LACHMANN) wird von Varro bei Frontinus (De agri mensura p. 27f. LACHMANN) auf die *Etrusca disciplina* zurückgeführt (→ Limitation). Die Zuordnung der *partes* zu den Himmelsrichtungen in der ant. Trad. variiert (z. B. Varro ling. 7,7; Paul. Fest. 244 L.; Isid. orig. 15,4,7); dies beruht wohl nicht auf Schwächen der Überl., sondern darauf, daß sich ein von Nord nach Süd und ein von West nach Ost ausgerichtetes System überlagern (vgl. auch [2. 2284]).

Im Vogelschau-Ritual der → *Tabulae Iguvinae* hat nach [1. 611, 644f., 743] umbr. *pernaies, pusnaes* (Tabula Ia 2) die Bed. von lat. *antici, postici* und gibt die räumlich-semiotische Einordnung der beobachteten Vögel (umbr. *aves*) an.

→ Augures; Etrusci, Etruria (III. Religion); Feldmesser

1 Prosdocimi 2 J. Linderski, The Augural Law, in: ANRW
II 16.3, 1986, 2146–2312.   M. HAA.

Partei(en). Der mod. Begriff ist auf die Ant. nicht
übertragbar. Doch gab es auch in ant. Gemeinwesen
Gruppierungen, die sich kurzfristig zur Durchsetzung
polit. Ziele zusammenfanden (→ hetairía [2]; → factiones), ohne jedoch eine feste Mitgliederschaft und längerfristige polit. Programme zu entwickeln. Es findet
sich auch die Aufteilung einer Bürgerschaft in einzelne
»Parteiungen«, die ihre unterschiedlichen Vorstellungen über Inhalte und Methoden der Politik quasi-pro-
grammatisch untermauerten (→ oligarchía/→ dēmokratía;
→ optimates/→ populares), den Streit um die Gestaltung
der Staatsverfassung z. T. gewalttätig austrugen (→ stá-
sis), z. T. auch versuchten, innerhalb der bestehenden
Verfassung ihre polit. Ziele durch Manipulation der
→ Wahlen (→ ambitus) oder gerichtl. Verfolgung ihrer
Gegner zu erreichen. Doch dienten diese Mittel nur der
kurzfristigen, meist an Personen gebundenen Veränderung der Machtstruktur und verbanden sich nie mit
einer Politik, Wirtschaft und Ges. umgreifenden Pro-
grammatik auf weltanschaulicher Grundlage oder einer
straffen organisatorischen Absicherung. Dies gilt auch
für die sog. Zirkusparteien (→ circus II.F.; → factiones II.)
der röm. Kaiserzeit und in Byzantion, die eher als »Fan-
Clubs« zu verstehen sind, auch wenn ihre Aktivitäten
bedeutende polit. Wirkungen hervorrufen konnten
(→ Nika-Aufstand). Als Versuche, die Ausbildung von
Parteiungen zu verhindern, können → ostrakismós oder
→ petalismós, aber auch Einschränkungen der Vereins-
bildung (→ collegium [1]) gelten.
→ Vereine   W. ED.

Partes orationis. Den Ursprung der Lehre von den
»Redeteilen« vermutete man in der Ant., mit schwan-
kender Zahl der Teile, bereits zu Beginn der griech.
rhet. Theorie (→ Korax [3]). Unabhängig von der Zahl
der Teile bilden die einschlägigen Vorschriften den
Grundbestand der ant. Rhet.-Lehrbücher (vgl. Aristot.
rhet. 1354b 16ff.). Schon Platon nennt im Phaídros
(266d–267d) nach dem Prooimion und der »Erzählung« (diḗgēsis) eine Reihe von Argumentationsteilen
(tekmḗria, eikóta, pístōsis, epipístōsis, élenchos, epexélenchos:
Beweise, Wahrscheinlichkeiten, Unterstützung, weitere Plausibilisierung, Widerlegung, zusätzliche Widerlegung) und eine schließende Zusammenfassung (epán-
odos). Theodektes, der hier wahrscheinlich seinem Lehrer Isokrates folgt (vgl. Dion. Hal. Lysias 16 or. 27,10
Usener/Radermacher), unterscheidet stärker sche-
matisierend nur noch vier Teile der Rede: prooímion,
diḗgēsis, pístis, epílogos (vgl. Anon., Rabe, Bd. 14. 32,6
und 216,1); jedem teilt er eine präzise Funktion zu (Lollianos, Walz, Bd. 7. 33,4ff.). Aristoteles, der anderen
Einteilungen sehr kritisch gegenübersteht, hält nur die
próthesis und die Argumentation (pístis, Aristot. rhet.
1414a 31ff.) für notwendig, also die Vorstellung des
Sachverhaltes und die Beweisführung – auch wenn er

einräumt, daß zumeist auch ein Prooimion und ein Epilog Verwendung finden (ebd. 1414b 7–9). Die diḗgēsis,
zunächst nur dem génos dikanikón/genus iudiciale (Gerichtsrede) zugeordnet (ebd. 1414a 37ff.), verdrängt in
der Darstellung dann allmählich die próthesis. In der
→ Rhetorica ad Alexandrum werden, wenn auch nicht
sehr systematisch, nach der Ankündigung in 1436a 28ff.
prooímion, apangelía, bebaíōsis, prokatálēpsis und palillogía
(»Einleitung, Darlegung, Beweis, Widerlegung und
Zusammenfassung«) untersucht. An das viergeteilte
Schema hielten sich nach Diog. Laert. 7,43 die Stoiker,
die prooímion, diḗgēsis, ta pros tus antidíkus (die »gegen die
Gegner gerichtete Argumentation«) und den Epilog unterschieden.

Einheitlichkeit wurde, bei allem Vorherrschen der
Vierteilung (vgl. Cic. part. 4; Mart. Cap. 191,24ff.),
auch bei den röm. Rhetoren nicht erzielt. Hinzutreten
konnte eine Vorankündigung der Argumente (divisio,
partitio: Rhet. Her. 1,4; Cic. inv. 1,19; Cic. de orat. 2,80;
Victorinus p. 194,28 Halm; Grillius 81,6ff. Martin;
Sulpicius Victor 322,4 Halm; Fortunatianus 118,7ff.
Calboli Montefusco; Mart. Cap 195,12ff. Willis;
Cassiod. inst. 2,2,9; Alcuin 534,26 Halm) oder auch
eine propositio (Kurzvorstellung des Falles; Cic. de orat.
2,80; Fortunatianus 118,11; Mart. Cap. 194,11). Weitere Redeteile weisen ihre griech. Herkunft im Namen
aus (proékthesis, proparaskeuḗ usw.).

Wie Aristot. rhet. 1414a 30ff. zeigt, hat die Lehre
von den Redeteilen ihren Sitz im Bereich der τάξις
(táxis, »Ordnung«). Die → Rhetorica ad Herennium unterscheidet 3,16f. in dieser Hinsicht zw. einer kunstge-
mäßen und einer situationsbezogenen, somit wirkungs-
volleren Anordnung der Teile. Auch → Hermagoras [I]
scheint die Lehre der p.o. im Bereich der dispositio, der
Anordnung der Argumente, behandelt zu haben, während nachhermagoreisch ihre Darstellung wahrscheinlich innerhalb der inventio, der Auffindung der Argumente, erfolgte (so in Cic. inv. und Rhet. Her.).

Im einzelnen hat der »Beginn«, das exordium (in seinen Varianten des principium und der insinuatio), die dreifache Funktion, den Zuhörer attentus, benivolus, docilis
(»aufmerksam, geneigt und gelehrig«) zu machen, ggf.
durch eine geeignete → captatio benevolentiae (z. B. Cic.
inv. 1,20ff.). Die Darstellung (propositio) dient der kurzen Schilderung der Fakten mit den Zielen der Klarheit
und Wahrscheinlichkeit (ebd. 1,28). Die häufig dreigeteilte (Rhet. Her. 1,17, vgl. aber Quint. inst. 4,5,3)
»Gliederung« (partitio) kündigt die Hauptpunkte der
Argumentation an, so daß der Zuhörer später weiß,
wann das Ende gekommen ist (Cic. inv. 1,31). Entsprechend bildete die Beweisführung (argumentatio) den
wichtigsten Teil: Sie mußte rational überzeugen und die
gegnerische Position widerlegen; dabei konnte sie auf
induktive und deduktive Verfahren sowie eine für jeden
→ Status einschlägige Topik zurückgreifen (Cic. inv.
2,11ff.). Der Epilog schließlich, aus drei Teilen bestehend (enumeratio, indignatio, conquestio, Cic. inv. 1,98ff.),
hatte die doppelte Funktion, die in der Argumentation

behandelten Punkte noch einmal in Erinnerung zu rufen (*enumeratio*) und durch das Herausstellen der eigenen emotionalen Betroffenheit (*indignatio, conquestio*) jenes → Pathos beim Zuhörer zu wecken, das Haß auf den Gegner und Mitleid für die eigene Seite schuf.
→ Rhetorik; Rhetoriklehrbücher

L. CALBOLI MONTEFUSCO, Exordium Narratio Epilogus, 1988 • Dies., La funzione della partitio nel discorso oratorio, in: A. PENNACINI (Hrsg.), Studi di retorica oggi in Italia, 1987, 69–85 • P. HAMBERGER, Die rednerische Disposition in der alten Techne rhetorike, Diss. Erlangen, 1914 • MARTIN, Ant. Rhet., 1974 • R. VOLKMANN, Die Rhet. der Griechen und Römer, 1985 (¹1963) • S. WILCOX, Corax and the Prolegomena, in: AJPh 64, 1943, 1–23.   L. C. M./Ü: U. R.

Parthamasiris (Παρθαμάσιρις).
Bruder des → Axidares, von → Osroes [1] als dessen Nachfolger zum armenischen König bestimmt. Traian, mit dem P. 114 n. Chr. in Elegeia zusammentraf, erkannte ihn nicht an und ließ ihn völkerrechtswidrig töten (Fronto, Principia historiae p. 212 VAN DEN HOUT 1988).

M. KARRAS-KLAPPROTH, Prosopogr. Stud. zur Gesch. des Partherreiches, 1988 • PIR² P 131.   M. SCH.

Parthava s. Parthia

Partheneion.
Griech. Lieder, die von jungen Frauen (*parthénoi*) bzw. für sie vorgetragen wurden: So lautet die zweifache Definition des im Pl. angegebenen Begriffs παρθένεια (bzw. παρθενεῖα im zweiten Fall) durch den Scholiasten zu Aristoph. Av. 919 (vgl. auch Suda s. v.); für Chöre junger Frauen, präzisiert Proklos (Phot. bibl. 321a 33–b 32: παρθένια). Adjektivisch verwendet den Begriff Aristophanes (Av. 917–19) als einziger Autor der klass. Zeit: *mélē parthéneia* (μέλη παρθένεια); diese Gedichte sind (zusammen mit kyklischen Gesängen, den → Dithyramben und Gedichten nach Art des Simonides) für die Bürger der utopischen Stadt der Vögel bestimmt. Proklos ordnet weiterhin (Phot. bibl. 321a 33–322a 40; vgl. auch Poll. 4,53) die P. – zusammen mit den *daphnēphoriká*, den *tripodēphoriká*, den *ōschophoriká* und den Weihegesängen – in die Kategorie jener Lieder der melischen Dichtung ein (→ Melos [2]), welche an Götter und Menschen zugleich gerichtet sind. Es handelt sich also um »lyrische« Gedichte kultischen Charakters, deren Gattungskonturen zweifellos von alexandrinischer Zeit an, offenkundig aus editorischen Gründen, definiert wurden [1. 147–176].

Die hell. Ausgabe der Gedichte des → Alkman umfaßte mindestens 2 B., d. h. 2 Papyrusrollen mit Liedern (ᾄσματα) in der Art der P. (vgl. fr. 16 DAVIES); der Verf. eines Komm. (TA 1a DAVIES) stellt Alkman als ›Verfertiger gekonnter P.‹ vor. Die Vita Ambrosiana (I, p. 3 DRACHMANN; vgl. auch POxy. 2438 und Vita metrica I, p. 9 DRACHMANN [2. 41–69]) schreibt Pindaros unter den 17 B. seines Werks nicht weniger als 2 Rollen P. zu, zu denen ein B. ›von den P. getrennter Gedichte‹ hin-

zukommt. Dieses letzte B. enthielt zweifellos rituelle Gedichte, die für die → *daphnēphoría* (das Lorbeertragen) von Theben komponiert und tatsächlich von einem Chor junger Frauen gesungen worden waren (fr. 94a–104d MAEHLER). Die Plutarchos zugeschriebene Schrift *De Musica* (17 = Aristoxenos fr. 82 WEHRLI) nennt auch → Bakchylides als Verf. von P., und man hat P. aus inhaltlichen Kriterien auch → Anakreon [1] (vgl. fr. 501 PAGE), → Korinna, → Praxilla und → Telesilla zugeschrieben.

1 C. CALAME, Les chœurs de jeunes filles en Grèce archaïque, Bd. 2: Alcman, 1977 2 I. GALLO, Studi sulla biografia greca, 1997.   C. CA./Ü: T. H.

Partheniai (παρθενίαι).
Das Wort *p.* ist von griech. παρθένος (*parthénos*, »Jungfrau«) abgeleitet und bezeichnet eine Gruppe von Spartanern, die Griechenland verließen und gegen Ende des 8. Jh. v. Chr. Tarent (→ Taras) gründeten. Schon unseren ältesten Quellen (Antiochos FGrH 555 F 13; Ephoros FGrH 70 F 216; Aristot. pol. 5,7,1306 b 29–31) war wohl außer dem Namen und dem Faktum selbst nichts Näheres mehr bekannt. Deshalb finden sich Erklärungen, die vom Wort her abgeleitet sind; danach habe es sich um illegitime bzw. als nicht gleichberechtigt eingestufte Spartiaten gehandelt, die auf Grund ihrer Kränkung nach dem 1. → Messenischen Krieg unter Führung eines Phalanthos ausgewandert seien. Diodoros identifiziert die *p.* mit den → Epeunakten, d. h. Heloten, die mit dem Bürgerrecht ausgestattet waren (Diod. 8,21; Theop. FGrH 115 F 171).
→ Heloten

1 E. LIPPOLIS, S. GARAFFO, M. NAFISSI, Taranto (Culti Greci in Occidente I), 1995, 263 ff. 2 M. MEIER, Aristokraten und Damoden, 1998, 121 ff.; 137 ff. 3 M. NAFISSI, La nascita del Kosmos, 1991.   H.-J. G.

Parthenias (Παρθενίας).
Rechter Nebenfluß des → Alpheios [1], entspringt an den Ausläufern der Foloi, mündet östl. von Olympia; h. Bakireïko. Belege: Strab. 8,3,32; Paus. 6,21,7.

E. MEYER, s. v. P., RE 18.4, 1886.   C. L.

Parthenion (Παρθένιον).
Niedrigster Teil der argivisch-arkadischen Grenzgebirge (bis 1215 m H, Hagios Elias) mit wichtigen Verbindungswegen zw. der → Argolis und Arkadia (→ Arkades) in 753 bis 900 m H, h. noch Partheni. Belege: Hdt. 6,105,1 ff. [1. 472 f.]; Paus. 8,6,4; 54,6 f.

1 JOST.

PRITCHETT 3, 1980, 81–95; 4, 1982, 80–87; 6, 1989, 107–111 • MÜLLER, 820.   Y. L. u. C. L.

Parthenios (Παρθένιος).
[1] 1. Jh. v. Chr.; aus Nikaia oder Myrlea stammend; nach der Suda (π 664 = T 1 LIGHTFOOT), unserer einzigen biographischen Quelle (abhängig von Hermippos

von Berytos), evtl. in Myrlea geboren und dann nach Nikaia gezogen (vgl. [5. 9] mit Lit.). Polygraph, Verf. von Gedichten in unterschiedlichen Metren. Durch einen Cinna im Feldzug gegen Mithradates [6] im J. 73 v. Chr. gefangengenommen, aber ›aufgrund seiner Bildung‹ freigelassen, soll P. bis in die Zeit des Kaisers Tiberius gelebt haben (Lebenslänge sicherlich übertrieben, vielleicht wegen der Vorliebe des Kaisers für P.: vgl. Suet. Tib. 70,2 = T 3 L.). Lukianos (De conscribenda historia 57) verbindet ihn wegen seiner Weitschweifigkeit mit → Euphorion [3] und → Kallimachos [3]. Artemidoros (Oneirokritika 4,63) stellt ihn als Verf. von »merkwürdigen und ungewöhnlichen Gesch.« neben Euphorion und → Herakleides [21] Pontikos (= T 6–7 L.). Seine Dichtung hatte großen Einfluß auf die lat. → Neoteriker und erlebte daher in der »neoterischen« Zeit unter Kaiser → Hadrianus eine Renaissance: Pollianos (Anth. Pal. 11,130 = T 5 L.) und Erykios (Anth. Pal. 7,377 = T 2 L.) polemisieren gegen die neumodische Begeisterung für den stets mit Kallimachos assoziierten P. und verteidigen die Autorität Homers, gegen die Mode. Die stark lückenhafte Inschrift IG XIV 1089 (= T 4 L.) bezeugt eine Würdigung des Dichters – vielleicht den Wiederaufbau seines Grabs? – durch Hadrian. P. gehörte zu den *auctores* (»Vorbildern«) des Vergil (für Macr. Sat. 5,17,18 = T 9(a) L. war P. dessen »Lehrer«, *grammaticus*).

Die Fr., häufig nicht mehr als einzelne Wörter, stammen zum größten Teil aus byz. Lexikographen (v. a. Stephanos von Byzantion), die aus seiner geogr. und mythograph. Gelehrsamkeit schöpften. Das → Epikedeion scheint eine Spezialität des P. gewesen zu sein: Zwei Pap.-Fr. (SH 609–614 = fr. 2–5 L. und 626 = fr. 27 L.) enthalten Reste seines berühmtesten Werks, eines Epikedeion in elegischen Distichen auf seine Geliebte Arete (3 B. [5. 32–34]; fr. 2–3 L., in sehr persönlichem Ton); daneben sind Fr. eines Epikedeions auf Archelais (fr. 6 L.), auf den jüngeren Bruder Timandros (fr. 27 L.; vgl. Catull. 68,97–100 [6. 47–48]), auf Auxithemis (fr. 17 L.), vielleicht auf Bias (fr. 8–9 L.) erh. Bezeugt sind ferner die Elegien *Aphrodítē* und *Délos*, vielleicht Hymnen (detaillierte Erörterung von Gattungszugehörigkeit und Themen s. [5]); die Verwendung des Mythos erinnert eher an die erotischen Sujets des Euphorion als an die des Kallimachos. Doch als hell. Autor experimentierte P. mit allen Metren: Vielleicht verfaßte er *Metamorphóseis* in Hexametern (Diskussion und Lit. in: [5. 39–40]) und ein Propemptikon [5. 40–41]). Er versuchte sich auch in der Gattung des Epithalamion (fr. 37; 53 L.). Einige Fr. (54–57 L.) lassen sich immer noch nicht sicher zuweisen.

Dem → Cornelius [II 18] Gallus sind die Ἐρωτικὰ παθήματα (*Erōtiká pathḗmata*, ›Liebesleiden‹) des P. gewidmet, 36 Erzählungen erotischen Inhalts – das einzige Prosawerk eines hell. Dichters, das vollständig überl. ist, in der kürzest möglichen Form ohne περιττόν (*perittón*, »Gesuchtheit«) verfaßt, damit ihr Adressat sie in Epos oder Elegie umsetzen könne. Kürze ist der fundamen-

tale Zug dieser Slg. von *hypomnḗmata*, Zusammenfassungen von Gesch., die Büchern entnommen sind (bei der hell. → Mythographie handelt es sich um Bibliotheks-Lit.): Inhaltsangaben, welche die Mythen unter Angabe der verschiedenen Varianten ohne Beschreibung von Umgebung und Figuren und ohne Reflexion in meist parataktischem Stil präsentieren. Das Werk ist in einer einzigen Hs. (Cod. Palatinus Graecus Heidelberg. 398; 9.–10. Jh. v. Chr.) nebst Scholien überliefert. Ed. princeps: Basel 1531. Zum Nachleben des P. [5; 7]. → Hellenistische Dichtung; Mythographie

Ed.: **1** MythGr 2.1.1, 1902 **2** S. Gaselee, 1916 **3** G. Spatafora, 1995 (mit it. Übers. und Komm.) **4** SH 605–666 (poetische Fr.) **5** J. L. Lightfoot, Parthenius of Nicaea. The Poetical Fragments and the Ἐρωτικὰ παθήματα, 1999 (mit Einf. und Komm.).
Lit.: **6** I. Cazzaniga, I frammenti poetici di Partenio da Nicea, valutazioni critico-stilistiche, in: Studi classici e orientali 10, 1961, 44–53 **7** J. L. Lightfoot, Partheniana minora, in: CQ 50, 2000, 303–305 **8** R. Scarcia, s. v. Partenio, EV 3, 987–988 **9** W. Clausen, Callimachus and Latin Poetry, in: GRBS 5, 1964, 181–196.
S. FO./Ü: T. H.

[2] Griech. Grammatiker der alexandrinischen Trad., der Wende vom 1. zum 2. Jh. n. Chr. angehörend. In Suda δ 1173 s. v. Διονύσιος wird P. als Schüler eines Grammatikers namens Dionysios erwähnt, der in der Zeit zwischen Nero und Traian gelebt haben soll. Nach Athenaios (11,467c; 501a; 15,680d-e) ist P. Sohn eines Dionysios, vermutlich des Grammatikers → Dionysios [19] Tryphonos. P. ist als Verf. eines alphabetisch geordneten, aus mindestens zwei Büchern bestehenden lexikographischen Werkes mit Erläuterungen zu Historikerglossen bekannt; seinen Titel Περὶ τῶν παρὰ τοῖς ἱστορικοῖς λέξεων ζητουμένων (›Über die fraglichen Ausdrücke bei den Historikern‹) bezeugt Athen. 11,467c. Glossen des P. finden sich, indirekt durch Athenaios vermittelt, bei → Eustathios [4] (1299,59 zu Hom. Il. 23,270; 1776,39 zu Hom. Od., 15,120) wieder.

A. von Blumenthal, s. v. P. (16), RE 18.4, 1899–1900.
ST. MA.

[3] Fluß in → Paphlagonia mit Mündung unmittelbar westl. von Amastris [4], h. Bartın Çayı. Der Name der türkischen Kleinstadt Bartın dürfte auf den ant. Landschaftsnamen Parthenia zurückgehen. Der P. floß durch das Territorium von Amastris, die Mz. der Stadt bilden den Flußgott P. ab (HN 506). Wie der nur ca. 20 km westl. mündende Billaios wurde der P. in der ant. Lit. auch als Grenzfluß zu → Bithynia angesehen (vgl. peripl. m. Eux. 13), doch ist eine Verwechslung nicht ausgeschlossen.

L. Robert, À travers l'Asie Mineure, 1980, 165–176 · O. Lendle, Komm. zu Xenophons Anabasis, 1995, 342f.
C. MA.

Parthenius

[1] s. Claudius [II 51]

[2] Gallorömischer Aristokrat, Neffe des → Ennodius, der ihn zw. 506 und 509 n.Chr. in Rom studieren ließ und dort vornehmen Persönlichkeiten, u.a. Papst Symmachus, empfahl (Ennod. epist. 5,9–12; 6,23; 7,30f.; Ennod. dictio 10). PLRE 2, 832f.

[3] Gallorömischer hochgebildeter Aristokrat, Enkel des Kaisers Avitus [1], kam um 505 n.Chr. zu Caesarius [4] nach Arelate, war später Gesandter am Ostgotenhof in Ravenna, 544 *magister officiorum et patricius* in Gallien (Ruricius, Epist. 2,36f. MGH AA 8,339; Vita Caesarii 1,49 MGH Scriptorum rerum Merovingicarum 3,476; Arator, Epist. ad Parthenium CSEL 72,150–153). Im Dienste des Frankenkönigs → Theodebert machte P. sich durch seine Steuerpolitik verhaßt und wurde nach dessen Tod 548 in Trier ermordet (Greg. Tur. Franc. 3,36 MGH Scriptorum rerum Merovingicarum 1,1,138f.). PLRE 2, 833f.   K.P.J.

Parthenon (Παρθενών). I. Funktion
II. Architektur III. Baugeschichte
IV. Plastik

I. Funktion

Tempelförmiges Bauwerk auf der Akropolis von Athen (→ Athenai II.1. mit Plan; → Tempel); benannt nach dem u.a. von Pausanias (1,23,5–7) bezeugten 12 m hohen, chryselephantinen Standbild der → Athena Parthenos des → Pheidias im Innern des Bauwerks (→ Goldelfenbeintechnik mit Abb.). Die Kultfunktion des P. wird in der arch. Forsch. kontrovers diskutiert. Bis h. ist es indessen weder gelungen, einen Kult der Athena Parthenos noch einen dem Bau zugehörigen Altar nachzuweisen; es ist deshalb mit hoher Wahrscheinlichkeit davon auszugehen, daß der P. ein kultloser Repräsentationsbau der Polis Athen, nicht jedoch ein Tempel in sakralrechtlichem bzw. kultpraktischem Sinne war.

II. Architektur

Der h. vorhandene P. gilt als Höhepunkt des klass.-dorischen Säulenbaus; die ausgewogenen, miteinander vielfach in Beziehung stehenden und kommensurablen → Proportionen bilden den Kulminationspunkt der Entwicklung von Maßen und Maßverhältnissen im griech. Tempelbau. Als Architekten sind → Iktinos und → Kallikrates [3] überl. Der P. entstammt der perikleischen Ära Athens (→ Perikles [1]); er wurde zw. 447 und 432 v.Chr. als dorischer → Peripteros mit 8 × 17 Säulen (→ Stylobat-Maß: ca. 30,88 m × 69,50 m) zur Gänze aus pentelischem → Marmor (s. auch → Pentelikon) erbaut und war zu seiner Zeit der größte und aufwendigste Steinbau des griech. Festlandes.

Das gesamte architektonische Konzept des P. ist auf die → Cella mit dem von Beginn an mitgeplanten Prunkbild der Athena hin ausgerichtet; markante architektonische Besonderheiten (die überaus engen Sei-tenptera; die über das notwendige Maß weit hinausgehende Kontraktion der Eckjoche, vgl. → dorischer Eckkonflikt; die im dorischen Tempelbau seltene Achtzahl der Frontsäulen) erklären sich aus der überbreiten, ganz auf diese Skulptur hin orientierten Cella mit ihrer umlaufenden, zweigeschossigen Galerie und dem quergelagerten Postament für das Götterbild. An der Front der Cella befanden sich, rechts und links des Zugangs, verm. zwei große → Fenster, die den Innenraum in ein günstiges Licht setzen konnten. Der Vor- und der Rückseite der insgesamt aus zwei getrennten Räumen bestehenden Cella war je eine sechssäulige Halle vorgelagert; der rückwärtige Raum mit vier ionischen Innensäulen (erstmals wurde hier die dorische und die ionische Bauordnung miteinander kombiniert) barg den athenischen Staatsschatz und war mittels eines massiven Scherengitters verschließbar.

III. Baugeschichte

Sicher bezeugt ist für den perikleischen P. ein Vorgängerbau, der – offenbar unvollendet – während der → Perserkriege zerstört und dann in die Substruktionen des Neubaus integriert wurde; für den Neubau mußte das Terrain der Akropolis nach Süden hin erweitert, neu terrassiert und mit einer massiven Stützmauer gesichert werden. Der »Vorparthenon« war ebenfalls als dorischer Peripteros geplant, jedoch mit stark gelängtem, noch in archa. Trad. stehendem Grundriß (6 × 16 Säulen). Die exakte zeitliche Einordnung dieses Vorgängerbaus ist umstritten und wegen der besonderen Umstände der Akropolis-Ausgrabungen im 19. Jh., die zu einer fast vollständigen Vernichtung der Befunde geführt haben, h. arch. auch kaum mehr klärbar; die größte Wahrscheinlichkeit hat die Annahme für sich, derzufolge der Bau in den 490er-Jahren begonnen wurde. Ein von der älteren Forsch. vielfach *ex nihilo* gefolgerter »Ur-Parthenon«, ein Vorgänger des »Vorparthenon«, bleibt weiterhin arch. Fiktion; keinerlei lit. oder arch. Evidenz kann diese Annahme plausibel und widerspruchsfrei begründen.

IV. Plastik

Der P. war in einmalig prächtiger Form mit → Bauplastik geschmückt: Um die Cella herum wand sich ein gut 160 m langer, 1,02 m hoher Fries in Flachrelief, alle 92 Metopenfelder der Ringhalle waren in Hochrelief dekoriert, die beiden Giebel (lichte H 3,46 m) zierten freiplastische Gruppen (insgesamt über 20 Figuren und je zwei Pferdegespanne). Die Bildthemen (Fries: Panathenäischer Festzug im Beisein der Olympier, vgl. → Panathenaia; Metopen: myth. Kämpfe; Giebel: Athena-Geburt und Streit zw. Athena und Poseidon um Attika) bildeten ein sublim miteinander verwobenes Netz von Aussagen, die die Ansprüche und Selbstsichten der Großmacht Athen visualisieren. Kulminationspunkt dieses »Skulpturenprogramms« war das h. nur noch in röm. Kopien überl. Standbild der Athena Parthenos mit seinen zahlreichen weiteren Reliefbildern an Schuhsohlen, Sockel, Helm und Schild. Nach Thukydides (2,13,5) waren die reliefierten Goldplatten im Ge-

Fries: Götter bei den Panathenäen
Metopen: Gigantomachie
Giebel: Geburt der Athena

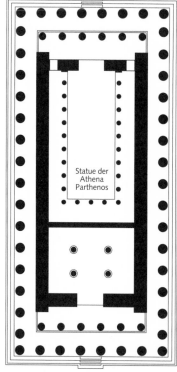

Metopen: Iliupersis
Fries: Panathenäenzug

Statue der
Athena
Parthenos

Metopen: Kentauromachie;
weitere kontrovers
diskutierte
Bildthemen

Fries: Panathenäenzug

Fries: Panathenäenzug
Metopen: Amazonomachie
Giebel: Kampf Athena – Poseidon

Athen, Parthenon.
Grundriß und Verteilung
der Bauplastik (447–432 v. Chr.).

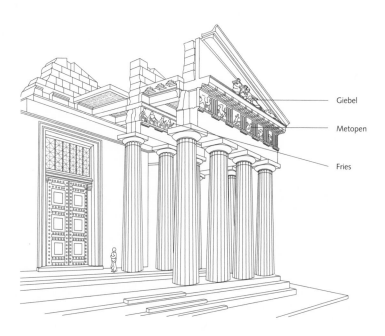

Giebel

Metopen

Fries

Parthenon. Positionen
der Skulpturen.

samtwert von 44 → Talenten (1152,62 kg) Teil des Staatsschatzes; sie konnten jederzeit demontiert, nachgewogen und im Ernstfalle auch eingeschmolzen werden (was einen beredten Einblick in das Kunst- und Kultverständnis des klass. Griechenland gibt; vgl. auch → Künstler; → Kunstinteresse; → Kunsttheorie). Zur nachant. Gesch. des P. s. → ATHEN (III. B.-C.).
→ Athenai; Tempel

E. BERGER (Hrsg.), P.-Kongreß Basel 1982, 1984 (dazu B. FEHR, in: Gnomon 60, 1988, 624–631) · J. BOARDMAN, The P. and its Sculptures, 1985 · F. BROMMER, Die P.-Skulpturen, 1979 · J. BRUNO (Hrsg.), The P., 1974 · D. CASTRIOTA, Myth, Ethos and Actuality. Official Art in Fifth-Century B. C. Athens, 1992 · H. DRERUP, P. und Vorparthenon: Zum Stand der Kontroverse, in: AK 24, 1981, 21–37 · B. FEHR, Zur rel.-polit. Funktion der Athena Parthenos im Rahmen des delisch-attischen Seebundes. Teil 1, in: Hephaistos 1, 1979, 71–91; Teil 2, in: Hephaistos 2, 1980, 113–125; Teil 3, in: Hephaistos 3, 1981, 55–93 · CH. HÖCKER, L. SCHNEIDER, Pericle e la costruzione dell'Acropoli, in: S. SETTIS (Hrsg.), I Greci, Bd. 2,2, 1997, 1239–1274 · Dies., Phidias, 1993, 61–130 · W. HOEPFNER (Hrsg.), Kult und Kultbauten auf der Akropolis, 1997 · O. PALAGIA, The Pediments of the P., 1993 · R. F. RHODES, Architecture and Meaning on the Athenian Acropolis, 1995, 89–113 (dazu: CH. HÖCKER, in: Gnomon 71, 1999, 629–635) · L. SCHNEIDER, CH. HÖCKER, Die Akropolis von Athen, 1990, 124–186 · S. WOODFORD, The P., 1981.   C. HÖ.

Parthenopaios (Παρθενοπαῖος, lat. *Parthenopaeus*). Einer der → Sieben gegen Theben, Bruder des Argiverkönigs → Adrastos [1] oder Sohn der arkadischen Jägerin → Atalante (Soph. Oid. K. 1320–1322 mit schol.; Eur. Phoen. 150 mit schol.; Apollod. 1,9,13; 3,6,3; 9,2; Hyg. fab. 70; 99; Paus. 9,18,6; schol. Verg. Aen. 6,480; schol. Stat. Theb. 4,309), in Argos aufgewachsen (Aischyl. Sept. 547 f.; Eur. Suppl. 888–900). Seine legendäre (Stat. silv. 2,6,42 f.; Mart. 9,56,7 f.; Hyg. fab. 270) jugendliche Schönheit kontrastiert mit seinem wilden Mut (Aischyl. Sept. 529–549; Eur. Phoen. 145–149; Stat. Theb. 4,246–264: sein Auszug; 6,569–582: sein Körper; 9,683–907: seine Aristie). Als Bogenschütze siegt er bei den ersten Nemeischen Spielen (Apollod. 3,6,4; nach Stat. Theb. 6,550–645 im Wettlauf) und tut sich in der Schlacht hervor (Stat. Theb. 7,642 f.; 8,659 f.; mit Dianas Hilfe 9,726–775). Er fällt durch Aktor (Aischyl. Sept. 555), von → Periklymenos mit einem Fels zerschmettert, durch Amphidikos oder Asphodikos (Eur. Phoen. 1153–1162; Apollod. 3,6,8; Paus. l.c.) oder aber vom Speer des überlegenen Dryas getroffen (Stat. Theb. 9,841–876).

H. LEWY, s. v. P., ROSCHER 3, 1651–1653 · K. ZIMMERMANN, s. v. P., LIMC 8.1, 942–944.   CL. K.

Parthenope (Παρθενόπη).
[1] Eine der drei → Sirenen in Süditalien (Aristot. mir. 103), als solche wohl Tochter des → Acheloos [2] (Sil. 12,34; Apollod. 1,18; 1,63). Nachdem P. sich ins Meer gestürzt hat (Dion. Per. 359), wird ihr Leichnam bei Neapel angespült, wo man ihr ein Grabmal errichtet. So entsteht eine Kultstätte der P., die hier mit jährlichen Opfergaben verehrt wurde (Lykophr. 717–721; Dion. Per. 357 f.). Zw. 440 und 430 v. Chr. wurden zusätzlich jährliche Fackelläufe eingeführt (Timaios FGrH 566 F 98).
[2] Poetischer Name für Neapel (Neapolis [2]), erstmals bei Verg. georg. 4,564, danach öfter, z. B. Ov. met. 14,101 f.; 15,712; Petron. 120,68; Stat. silv. 1,2,261; von P. [1] abgeleitet (Sil. 12,33 f.; Plin. nat. 3,62).   NI. JO.

Parthenope-Roman. Der auf Konvention beruhende Titel ›P.-R.‹ bzw. ›Roman des Metiochos und der Parthenope‹ wurde einem in Prosa erzählenden griech. Werk verliehen, das uns durch einige Papyrus-Fr. bekannt ist (PBerol. 21179 + 7927 + 9588, dessen Schrift in das 2. Jh. n. Chr. datiert worden ist; diesen Zeugen sind vielleicht PBodl. 2175 und POxy. 435 hinzuzufügen). Die Gesch. der Liebe des Metiochos und der Parthenope und der Irrfahrten der Parthenope (die auch einen Pantomimos inspirierten: Lukian. de saltatione 2; 54) läßt sich dank einiger später Bearbeitungen (der kopt. Gesch. vom Martyrium der Hl. Bartanuba und einem pers. Gedicht aus dem 11. Jh.) und zweier Fußbodenmosaike aus Antiocheia [1] am Orontes rekonstruieren.
→ Roman

S. A. STEPHENS, J. J. WINKLER (ed.), Ancient Greek Novels: The Fragments, 1995, 72–100.   M. FU. u. L. G./Ü: T. H.

Parthenos (Παρθένος).
[1] Die »Jungfrau« (im Sinne des unverheirateten Mädchens im heiratsfähigen Alter) ist Bezeichnung mehrerer griech. Göttinnen (Hom. h. ad Venerem 7–30 nennt → Athena, → Artemis, → Hestia), insbes. der Athena als Göttin von → Athenai [1]: Die Statue des → Pheidias ist die »sogenannte P.« (Paus. 5,11,10; 10,34,8); nach dem Mz.-Bild (Kopf der Athena) ist *parthénoi* (Pl.) auch der Spitzname der att. Münzen (Poll. 9,74). Die Bezeichnung P. weist oft auf die Rolle dieser Göttinnen im Frauenleben [1; 2]. Als kultische Epiklese ist P. selten; bezeugt ist sie bei → Hera, einer wichtigen Göttin der Frauen (neben Parthenia: Pind. O. 6,88), wohl nur dichterisch bei Artemis in Paros (IG XII 5,215; 217) und in metrischen Weihungen für Athena; im Loyalitätseid von Assos bei der Thronbesteigung des Caligula im J. 37 n. Chr. heißt Athena einfach P. [3. 51 Nr. 26]. Ob Athenas Epiklese → Pallas [3] sinnverwandt ist (»Mädchen« nach Strab. 17,1,46), ist umstritten [4]. In der Kaiserzeit wird auch die Dea Syria Atargatis (→ Syria Dea), christl. → Maria [II 1] als P. bezeichnet.

1 C. CALAME, Les chœurs de jeunes filles en Grèce archaique, Bd. 1, 1977 2 P. BRULE, La fille d'Athènes. La rel. des filles à Athènes à l'époque classique, 1987

3 R. Merkelbach, Die Inschr. von Assos, 1976 **4** Burkert, 220.

C. J. Herington, Athena P. and Athena Polias, 1955.

[2] P. ist auch die Bezeichnung einiger sonst namenloser Lokalgöttinnen bes. im nordgriech.-illyrischen Raum (Nordthessalien, Makedonien, Illyrien) [1]. Identifikationen mit bekannten griech. Göttinnen sind sekundär und problematisch. P. ist auch die Hauptgottheit von Chersonesos Taurike (→ Chersonesos [2]); ein Eid der Stadt nennt sie unmittelbar nach den typischen Eidgottheiten Zeus, Gaia, Helios (Syll.³ 360,1, 300/280 v. Chr.). Den Kult der P. in Bubastos auf der karischen Chersonesos begründet ein von Diod. 5,62 f. erzählter Mythos, der P. zur Tochter von Staphylos, Schwester von Rhoio, der Mutter des delischen Heros → Anios, und von → Hemithea, der im Bubastos benachbarten Kastabos verehrten Göttin, macht.

1 H. Koukouli-Chrysanthaki, s. v. P., LIMC 8.1, 945–948. F. G.

Parther (Πάρθοι, Hdt. 3,93 u. a.; Παρθναῖοι Pol. 10,31,15; App. Syr. 65 u. a.; lat. *Parthi*, Iust. 41,1,1 u. ö.); im engeren Sinne Bezeichnung der Bewohner der Prov. → Parthia und/oder der nach Parthia eingefallenen → Parner, im weiteren der Bewohner des Arsakidenreiches (→ Arsakes) bzw. deren polit. Elite.

I. Zeugnisse II. Politische Geschichte
III. Gesellschaft und Kultur

I. Zeugnisse
Innerhalb der schriftl. Überl. (Diskussion und Lit. zu den Zeugnissen in [21]; s.a. [19. 117–129, 276–278]) zu den P. gebührt der Vorrang den zeitgenössischen indigenen Quellen, vor allem: a) den mehr als 2000 parth. Ostraka aus → Nisā [2], namenkundlich wie verwaltungsgesch. bedeutsamen Notizen einer provisorischen Registrierung von Lieferungen an den Palast; b) den Pergamenturkunden aus Avromān (griech. und parth.; → Avroman-Pergamente) und → Dura-Europos (hier auch Papyri); c) den parth. Inschr. aus der → Elymaïs, aus Südkurdistan, → Susa und Ostiran; d) den aram. Inschr. aus der Elymaïs, aus → Ḥatra [1] und → Assur [1]; e) den griech. Inschr. aus → Bīsutūn und Susa und der parth.-griech. → Bilingue auf einer Herakles-Statuette aus → Seleukeia am Tigris (zur Rückeroberung der → Charakene 151 n. Chr.); f) den babylonischen Keilschrifturkunden [14] und g) den lit. Zeugnissen in griech. Sprache aus dem Gebiet des P.-Reiches (Apollodoros von Artemita, → Isidoros [2] von Charax). Den fremden (z. T. topischen und ideologischen; → Barbaren) Blick auf die P. verdanken wir Autoren des Westens wie → Pompeius Trogus, → Strabon, → Tacitus u. a. sowie den chinesischen Geschichtswerken der Han-Zeit (→ Fan Ye, → Pan-Ku/Pan-Tschao). In der sāsānidisch bestimmten iranischen Überl. sind Informationen über die P. nur noch in Ansätzen (P. als »Teilkönige«) enthalten.

Mindestens ebenso wichtig wie die lit. und epigraphische ist die arch. und numismatische Überl.: Unter den p.-zeitlichen Stätten in Iran ragen Nisā [2], Bīsutūn und Tang-e Sarvāk (Reliefs) sowie Šamī (Skulptur) heraus; die Mz. (der Reichs-, Provinzial- und Lokalprägungen) sind in Bildinhalt (etwa Porträt, Kronhaube) und griech., später parth. Legenden (Titulaturen, Herrscherepitheta) gleichermaßen bedeutsam. Röm. Staatsdenkmäler (etwa der augusteischen Zeit) bringen die – so verkündete – Unterlegenheit der P. ebenso zum Ausdruck wie die Inbesitznahme der »Gegenwelt« des Orients durch Rom.

II. Politische Geschichte
Wohl gegen Ende der Regierungszeit → Antiochos' [3] II. (die parth. Ära datiert ab 247 v. Chr.) drangen die → Parner unter ihrem Anführer → Arsakes [1] I. in die nördl. Regionen Parthiens ein, beseitigten wenig später den sich von → Seleukos II. emanzipierenden Satrapen der Prov., Andragoras, und setzen sich in den Besitz Parthiens (um 239 oder bald danach) [12]. Nach der Eroberung von → Hyrkania und der Behauptung gegenüber Seleukos II. mußten die Parner, die sich nach ihrer neuen Heimat nun P. nannten, für einige Jahre erneut die seleukidische Oberhoheit anerkennen (Ostfeldzug → Antiochos' [5] III.), dehnten dann aber (wohl nach 188) ihre Herrschaft weit nach Süden, Westen und Osten aus. Unter → Mithradates [12] I. (171–139/8) eroberten sie Westiran und Mesopotamien sowie Teile des graeco-baktrischen Reiches (→ Graeco-Baktrien), unter → Mithradates [13] II. (124/3–88/7) restaurierten sie die vorübergehend (durch → Antiochos [9] VII., → Hyspaosines aus Charakene und die Steppenvölker [15]) gefährdete Großmachtstellung. Durch ihre Auseinandersetzung mit → Armenia gelangten die P. in das Blickfeld Roms, mit dem sie sich durch Verträge (mit → Licinius [I 26] Lucullus 69 und → Pompeius [I 3] 66) auf die gemeinsame Grenze am Euphrat einigten (→ Euphratgrenze). Zu den Beziehungen zw. den P. und Rom s. → Parther- und Perserkriege. Lit. zur polit. Geschichte: [2; 5; 6; 8; 13; 22].

III. Gesellschaft und Kultur
Das parth. Königtum [19. 130–136, 278 f.; 20] weist eine interessante Mischung aus alten parnischen (bes. Beziehungen zu den parnischen Clanführern), adaptierten achäm.-iranischen (Erbcharisma, Titulatur »König der Könige«, Achämenidennachfolge, Reisekönigtum) und übernommenen hell.-seleukidischen Elementen – etwa Herrscherepitheta, *phíloi* bei Hofe (OGIS 430; → Hoftitel B.3.), Herrscher mit göttlichen Qualitäten – auf; in der Darstellung nach außen wurden sie je nach Adressaten unterschiedlich betont.

Königliches Verhalten und Auftreten sind nur schwer zu bestimmen; immerhin wissen wir, daß es einen bestimmten Königsornat und spezifische Herrscherinsignien (etwa Doppeldiadem und königlichen Thron, *sella*) gab, und daß Jagdgesellschaften, Bankette und Empfänge dem König Gelegenheit boten, seine Großzügigkeit, aber auch seine überlegene Position unter Beweis zu stellen. Konflikte zw. König und den nach Rangklassen (*megistánes* – *eleútheroi/liberi*; »Große« – »Freie«) gegliederten, sich z. T. auf große Besitzungen und zahlreiche »Hintersassen« (*pelátai/dúloi*) stützenden sowie mit Privilegien – Krönungsrecht des Führers des Sūrēn-Clans (Plut. Crassus 21; Tac. ann. 6,42), Teilnahme am »Königsrat« (*synhédrion/senatus*) – ausgestatteten Aristokraten (vgl. dazu Iust. 41,2,1–6; 3,4; Plut. Crassus 30; Sen. epist. 21,4; Tac. ann. 12,10; Amm. 23,6,1) wurden in ihrem Ausgang sowohl durch die Persönlichkeit des Herrschers und seine Machtmittel (Söldner, aristokratische oder auswärtige Unterstützung) als auch durch die jeweilige außen- und innenpolit. Situation bestimmt. Oft genug waren allerdings die Interessen beider Seiten deckungsgleich (das Königtum der Arsakiden stand nie zur Debatte), oft genug eröffneten auch Rivalitäten innerhalb des Hochadels dem König neue Handlungsmöglichkeiten [19. 136–141, 279 f.].

An den Königs- und Adelshöfen wurden von Sängern (ost)iranische, um parth. Anteile erweiterte heroische Stoffe vorgetragen und in Szene gesetzt, die wegen ihres thematischen Reizes und ihrer zoroastrischen Färbung die mündliche myth. Überl. Irans jahrhundertelang maßgeblich prägten [3].

Die nur schwer zu fassenden polit. Beziehungen zw. der parth. Zentral- und den regionalen Partikulargewalten (v. a. den abhängigen *regna* wie → Persis, → Charakene etc., weniger den reichsunmittelbaren, von Satrapen bzw. Strategen verwalteten Gebieten und den Grenzgebieten unter »Markgrafen« (parth. *mrzwpn*); vgl. Plin. nat. 6,112; Tac. ann. 6,42,5; 11,8), die durch fiskalische und polit.-mil. Aufsicht durch die Zentrale, aber auch durch ein z. T. erstaunliches Maß an Autonomie (Münzrecht, Privilegien: Ios. ant. Iud. 20,54 f.) bestimmt waren, dürfen – angesichts der Dauer parth. Herrschaft – nicht als Kennzeichen eines »schwachen Reiches« mißverstanden werden ([19. 144 f., 281]; s. nun auch [18]). Die geringe parth. Präsenz im materiellen wie schriftlichen Befund der Prov. (vgl. das Problem der Definition einer »parth. Kunst« [6]) sollte eher als Beweis für die Stärke der Reichsstruktur und den Erfolg großköniglicher Politik gewertet werden. Die für die soziale und wirtschaftl. Entwicklung des Reiches bes. bedeutsamen Städte – u. a. die Königsresidenz → Ktesiphon [2] am Tigris und die gegenüberliegende Großstadt Seleukeia, aber auch Nisā [2], → Ekbatana, → Susa (s. [11]), → Rhagai oder → Hekatompylos (als Prägeorte neben der wandernden Hofmünzstätte) – erlebten in aller Regel unter den Parthern eine Zeit ökonomischer und kultureller Blüte. Als Handels- und Zwischenhandelspartner vertrieben P. und parth. Untertanen (Charakener) zusammen mit anderen (z. B. Palmyrenern; → Palmyra) Waren zw. China, Indien und Syrien (etwa Seide, Stahl, Gewürze nach Westen, Früchte und Pferde nach Osten; s. [19. 146 f., 281 f.]; → Indienhandel; → Seidenstraße).

Das Zusammenwirken von gepanzerten → *katáphraktoi* und leichter Bogenschützenreiterei (→ Parthischer Schuß) war maßgeblich für die mil. Erfolge der P. (etwa gegen Rom) verantwortlich [17].

Das P.-Reich war ein polyethnisches und vielsprachiges [16; 19. 117–120, 276] Imperium mit einer Vielzahl unterschiedlicher kultureller und rel. Trad., die die P. aus polit. (und persönlichen) Gründen nicht nur tolerierten, sondern oft sogar förderten (so etwa die Juden im Zweistromland oder die griech. Künstler in Nisā; die P. waren selbst Zoroastrier [4]; → Zoroastrismus); Konflikte mit nichtiranischen Untertanen – etwa des → Artabanos [5] II. mit Seleukeia (Tac. ann. 6,42) – hatten ihre Ursachen in je spezifischen innen- und außenpolit. Zusammenhängen, nicht in einem prinzipiellen »Iranismus« oder gar einer grundsätzlichen Griechen- oder Fremdenfeindlichkeit, obgleich ab dem 1. Jh. n. Chr. ein stärkerer Rückbezug auf die iranischen kulturellen Wurzeln erkennbar ist [9].

→ Achaimenidai; Armenia; Iran; Parther- und Perserkriege; Parthia

1 K. BEYER, Die aram. Inschr. aus Assur, Hatra und dem übrigen Ostmesopot., 1998 2 A. D. H. BIVAR, The Political History of Iran under the Arsacids, in: I. GERSHEVITCH (Hrsg.), The Cambridge History of Iran, Bd. 3,1, ²1993, 21–99 3 M. BOYCE, The Parthian *gōsān* and the Iranian Minstrel Tradition, in: Journ. of the Royal Asiatic Soc., 1957, 10–45 4 Dies., s. v. Arsacid Rel., EncIr, Bd. 2, 1987, 540–541 5 B. CAMPBELL, War and Diplomacy: Rome and Parthia 31 BC – AD 235, in: J. RICH (Hrsg.), War and Society in the Roman World, 1993, 213–240 6 M. A. R. COLLEDGE, Parthian Art, 1977 7 E. DĄBROWA, La politique de l'état parthe à l'égard de Rome d'Artaban II à Vologèse I, 1983 8 N. C. DEBEVOISE, A Political History of Parthia, 1938 9 G. GNOLI, The Idea of Iran, 1989 10 M. HEIL, Die orientalische Außenpolitik des Kaisers Nero, 1997 11 G. LE RIDER, Suse sous les Séleucides et les Parthes, 1965 12 A. LUTHER, Überlegungen zur *defectio* der östl. Satrapien vom Seleukidenreich, in: Göttinger Forum für Altertumswiss. 2, 1999, 5–15 13 F. MILLAR, The Roman Near East 31 BC – AD 337, ²1994 14 J. OELSNER, Materialien zur babylon. Ges. und Kultur in hell. Zeit, 1986 15 M. J. OLBRYCHT, Parthia und Ulteriores Gentes, 1997 16 R. SCHMITT (Hrsg.), Compendium Linguarum Iranicarum, 1989 17 A. SH. SHAHBAZI, s. v. Army I, EncIr, Bd. 2, 1987, 494–496 18 M. SCHUOL, Die Charakene. Ein mesopot. Königreich in hell. und parth. Zeit, 2000 19 J. WIESEHÖFER, Ancient Persia, 1996 20 Ders., »King of Kings« and »Philhellên«: Kingship in Arsacid Iran, in: P. BILDE (Hrsg.), Aspects of Hellenistic Kingship, 1996, 55–66 21 Ders. (Hrsg.), Das P.-Reich und seine Zeugnisse – The Arsacid Empire: Sources and Documentation (Historia Einzelschriften 122), 1998 22 K.-H. ZIEGLER, Die Beziehungen zw. Rom und dem P.-Reich, ²1964.

M. KARRAS-KLAPPROTH, Prosopographische Stud. zur Gesch. des P.-Reiches auf der Grundlage ant. lit. Überl., 1988 · Parthica. Incontri di culture nel mondo antico, 1999 ff. (Zschr.).   J. W.

Parther- und Perserkriege. Unter Parther- und Perserkriegen sind die Kriege verstanden, welche die Römer zunächst gegen die Parther (s.u. A.-B.), dann gegen deren Nachfolger, die pers. Dyn. der → Sāsāniden (s.u. C.-D.), geführt haben.

A. Bis zum Ende der römischen Republik
B. Bis zum Ende des Partherreichs
(224 n. Chr.)   C. Die Anfänge der römisch-persischen Kriege im 3. Jh.
D. Die Kriege im 4. und 5. Jh.
E. Die Kriege im 6. und 7. Jh.

A. Bis zum Ende der römischen Republik

Die unter L. Cornelius [I 90] Sulla begonnenen diplomatischen Beziehungen zw. Römern und → Parthern hatten sich nach und nach verschlechtert. Dennoch erfolgte der Einfall des Triumvirn M. Licinius [I 11] Crassus ins Partherreich 54 v. Chr. ohne Anlaß und Kriegserklärung; 53 gingen Licinius Crassus und sein Heer bei Karrhai (→ Ḥarrān) unter. Eine parth. Gegenoffensive wurde 51 ohne großen Druck durchgeführt, doch ließ sich → Orodes [2] II. 41 durch den zu den Parthern übergegangenen Q. Labienus [2] zu einem erneuten Einfall ins röm. Gebiet drängen. Nach Anfangserfolgen erlag der parth. Kronprinz → Pakoros [1] 38 bei Gindaros in der → Kyrrhestike den Römern unter → Ventidius Bassus. Der Angriff des M. Antonius [I 9] scheiterte 36 an der Belagerung der atropatenischen Residenz → Phraaspa, und er brachte mit Mühe einen geordneten Rückzug zustande. 20 v. Chr. kam es zum Frieden mit Rom: → Phraates [4] IV. gab Feldzeichen und Gefangene aus den Kriegen mit Crassus und Antonius zurück (→ Augustus F.).

B. Bis zum Ende des Partherreichs (224 n. Chr.)

In den folgenden Jahrzehnten verlagerten sich die röm.-parth. Spannungen auf den armenischen Nebenkriegsschauplatz. Dabei kam es auch zu einer direkten Konfrontation zwischen röm. und parth. Streitkräften, als Truppen des → Vologaises I. das Besatzungsheer des L. Iunius Caesennius [3] Paetus 62 n. Chr. in Rhandeia zur Kapitulation zwangen. Die bald darauf (63/66) getroffene Einigung über → Armenia – Vergabe des dortigen Thrones an einen Arsakiden (→ Arsakes), der aber der röm. Bestätigung bedurfte – hatte lange Bestand. So führte gerade die willkürliche Absetzung des armen. Königs → Axidares durch → Osroes [1] zum Partherfeldzug des Kaisers → Traianus (114-117), in dessen Verlauf aus eroberten Gebieten die röm. Prov. Armenia, Assyria und Mesopotamia neu geschaffen wurden. Die noch zu Lebzeiten des Kaisers ausbrechenden Aufstände veranlaßten den Nachfolger → Hadrianus, auf die Neuerwerbungen zu verzichten und die Ostgrenze des Reiches an den Euphrat zurückzunehmen (→ Euphratgrenze).

Erst unter Antoninus [1] Pius verschlechterten sich die Beziehungen wieder, was 161 zu einer förmlichen Kriegserklärung der Parther führte, die Armenia eroberten und ein röm. Heer vernichteten. Die röm. Gegenoffensive (seit 162) führte 165 zur Eroberung von Seleukeia am Tigris und Ktesiphon; doch mußte 166 eiligst der Rückzug angetreten werden, da im Heer eine Seuche ausgebrochen war. Die von → Septimius Severus zunächst 195, dann 197/8 durchgeführten Unternehmen gipfelten erneut in der Eroberung Ktesiphons. Der Zug seines Sohnes → Caracalla dagegen (seit 216) hatte abenteuerlichen Charakter und führte 217 zu dessen Ermordung. Der neue Kaiser → Macrinus hatte sich einer ungünstig verlaufenden Schlacht zu stellen und mußte den Frieden mit einer Kriegsentschädigung erkaufen.

C. Die Anfänge der römisch-persischen Kriege im 3. Jh.

224 wurde → Artabanos [8] IV., der sich gegen die Römer behauptet hatte, von dem → Sāsāniden → Ardaschir [1] I. vernichtend geschlagen. Dieser begann in den 30er J. des 3. Jh. mit Eroberungen im Westen. Eine Gegenoffensive des → Severus Alexander, der die Perser durch drei getrennt marschierende Heersäulen im eigenen Land angreifen ließ (231-233), hatte wenig Auswirkungen. Erfolgreicher schien ein von Gordianus [3] III. und seinem Praetorianerpraefekten Timesitheus geleitetes Unternehmen zu verlaufen: 243 wurden die Sāsāniden bei Rhesaina geschlagen, doch starb Timesitheus kurz danach. Gordianus wurde 244 bei Misichê von → Sapor I. besiegt (zu Berichten über diesen Sieg s. → Naqš-e Rostam); bald darauf wurde er beseitigt, vielleicht durch einen Anschlag seines Nachfolgers → Philippus [2] Arabs. Philippus Arabs erkaufte sich den Frieden mit einer Kriegsentschädigung und einer Nichteinmischungserklärung bezüglich Armenias. Offenbar lieferten röm. Versuche, diese Bestimmung zu unterlaufen, Sapor den Anlaß für seine weiteren Feldzüge: 252 eroberten die Perser Armenia, im Frühjahr 253 begann ein Einfall nach Syrien, in dessen Verlauf ein röm. Heer bei Barbalissos geschlagen wurde. 260 besiegte Sapor die Römer bei Edessa und nahm Kaiser → Valerianus gefangen. In den folgenden J. löste sich die reguläre röm. Grenzverteidigung auf und wurde von lokalen Gewalten übernommen. Diese Verhältnisse beendete Aurelianus [3], der → Zenobia von Palmyra besiegte. Einen Perserkrieg führte erst wieder Carus [3], der 283 Ktesiphon einnahm, aber kurz darauf unter dubiosen Umständen verstarb. Um 296 erneuerte → Narses [1] den Konflikt mit Rom durch einen Einfall in Armenia. Galerius [5] erlitt 297 eine Niederlage bei Karrhai, konnte die Perser jedoch 298 besiegen; im selben Jahr wurde ein Friede geschlossen, der fast 40 J. anhielt.

D. Die Kriege im 4. und 5. Jh.

Erst die Epoche → Sapors II. ist wieder von pers.-röm. Konflikten bestimmt. Dabei blieben die Kämpfe gegen → Constantius [2] II. ohne Ergebnis: Die Perser wurden um 343 bei Singara geschlagen, das röm. → Nisibis mehrfach vergeblich belagert, doch konnten sie 359 Amida erobern. Auch die Offensive des Iulianus

[11] Apostata (363) vermochte Sapor abzuwehren. Nach der tödlichen Verwundung des Kaisers mußte sein Nachfolger → Iovianus harte Friedensbedingungen annehmen, die den Persern bedeutende Gebietsgewinne brachten. Der weiter schwelende Konflikt um Armenia wurde in den J. 384–389 durch Vereinbarungen beendet, die das oström.-pers. Verhältnis – abgesehen von den kurzen Offensiven → Wahrams V. (421) und → Yazdgirds II. (440) – für lange Zeit beruhigten.

E. Die Kriege im 6. und 7. Jh.

Erst der sāsānidische König Cavades [1] I. wurde 502 aus finanziellen Gründen zu einem Angriff auf Byzanz gedrängt, der 506 durch einen befristeten Frieden beendet wurde. 527 oder 528 begann der Krieg wieder und dauerte zunächst bis 532, als er, bereits unter Chosroes [5] I., durch einen »ewigen Frieden« beigelegt werden sollte. Tatsächlich aber erfüllte der oström.-pers. Konflikt die gesamte Regierungszeit des Chosroes: 540 brach der Krieg wieder aus und zog sich, mehrfach durch Waffenstillstände unterbrochen, bis 562 hin, als ein 50jähriger Friede vereinbart wurde. 10 J. später erneuerte Iustinus [4] II. mit einem Angriff auf Nisibis die Feindseligkeiten. Obwohl schon 573 ein oström. Heer in Dara kapitulieren mußte, dauerte der Konflikt auch während der Regierungszeit des Hormisdas [6] IV. an. Unter dessen Sohn Chosroes [6] II. fanden die röm.-pers. Kämpfe ihren abschließenden Höhepunkt: Nachdem Chosroes vor → Wahram VI. Tschobin nach Byzanz geflohen war, wurde er mit der Hilfe des → Mauricius 591 restituiert. Nach dessen Beseitigung begann Chosroes einen jahrelangen Krieg gegen Ostrom. Im Verlauf dieser Feldzüge wurde 614 Jerusalem, 619 Ägypten erobert, 626 Konstantinopolis im Verein mit den → Avares belagert. Schließlich gelang es jedoch dem oström. Kaiser Herakleios [7], die Perser 627 bei Ninive (→ Ninos [2]) zu schlagen und 628 Dastagird zu erobern. Nach der Ermordung des Chosroes im gleichen Jahr kam unter → Cavades [2] II. der letzte (ost)röm.-pers. Friede zustande.

→ Armenia; Parther; Parthia; Sāsāniden

E. Dabrowa (Hrsg.), The Roman and Byzantine Army in the East, 1994 • Ders. (Hrsg.), Ancient Iran and the Mediterranean World (Electrum 2), 1998 • M. H. Dodgeon, S. N. C. Lieu (Hrsg.), The Roman Eastern Frontier and the Persian Wars (AD 226–363), 1991 • D. H. French, C. S. Lightfoot (Hrsg.), The Eastern Frontier of the Roman Empire, 1989 • A. Günther, Beitr. zur Gesch. der Kriege zwischen Römern und Parthern, 1922 • D. L. Kennedy (Hrsg.), The Roman Army in the East (Journ. of Roman Archaeology, Suppl. 18), 1996 • M. Morony, s. v. Sâsânids, EI 9, 70–83 • M. J. Olbrycht, Parthian Military Strategy at Wars against Rome, in: Military Archaeology, 1998, 138–141.   M. Sch.

Partherreich s. Parther; Parthia

Parthia (Παρθία Plut. Antonius 55; Παρθυαία Pol. 5,44,4; Strab. 11,9,1; Παρθυηνή zum Unterschied vom parth. Großreich Pol. 10,28,7; Strab. 11,9,1; altpersisch *Parθava-*). Landschaft sö des Kaspischen Meeres, begrenzt im Westen von → Media, im NW von → Hyrkania, im Osten von → Margiana (durch die parth. Landschaft Apauarktikene/Apavortene) und → Areia [1].

Maßgeblich bestimmt wird die Geogr. P.s durch zwei Gebirgszüge, den Kopet Dag im Norden (entlang der h. Grenze zw. Iran und Turkmenistan) und den Bīnālūd im Süden (nördl. von → Nischapur). Sowohl die schmalen Täler zw. den Bergen (etwa das tiefe Tal des → Atrek, die Astauene) als auch ein schmaler Landstreifen nördl. des Kopet Dag, jeweils natürlich oder künstlich bewässert durch die Gebirgsbäche (bzw. den Atrek), sind als fruchtbar zu kennzeichnen; daneben war P. in der Ant. mit Wald und Dickicht bedeckt, rauh und gebirgig, z. T. arid sowie arm an Bodenschätzen.

Durch P. verlief die von Isidoros [2] von Charax 11–13 beschriebene nördl. Route der sog. → Seidenstraße; nicht zuletzt der über sie vollzogene Austausch mit Mesopotamien/Westiran einerseits, Zentralasien andererseits und die Rolle P.s als Kontaktzone zw. der seßhaften parth. Bevölkerung und den Nomaden bzw. Halbnomaden der nördl. Steppengebiete dürften dafür verantwortlich zu machen sein, daß die relativ kleine P. histor. so bedeutsam wurde. In achäm. Zeit (550–330 v. Chr.) bildete P. mit Hyrkanien eine gemeinsame Satrapie [1. DB II 92 ff.], unter → Dareios [3] III. fungierte → Phrataphernes als → Satrap von P. und Hyrkanien (Arr. an. 3,23,4) und befehligte als solcher 331 v. Chr. die Parther, Hyrkanier und Tapurer gegen Alexandros d. Gr. bei → Gaugamela (Arr. an. 3,8,4). Im Seleukidenreich bildete P. eine Satrapie (Arr. FGrH 156 F 30), deren Statthalter Andragoras kurz nach seinem Versuch, sich der Oberherrschaft zu entziehen, von den → Parnern unter → Arsakes [1] I. ausgeschaltet wurde. Dem Kernland des parth. Reiches entsprachen in sāsānidischer Zeit (224–651 n. Chr.) die Prov. Šahr-Rām-Pērōz (mit dem administrativen Zentrum Nisā; → Nisaia [2]) und Abāvard (?). Die wichtigsten Orte P.s waren in arsakidischer Zeit → Nisā [2], → Dara [1] (Iust. 41,5,2–4) und Asaak (Krönungsort Arsakes' I.: Isidoros von Charax 11), alle weit im Norden P.s gelegen.

→ Iran; Persis

1 R. Kent, Old Persian, 1953.   J. W.

Parthini (*Partini, Partheni,* Παρθῖνοι, Παρθεηνᾶται). Illyrischer Volksstamm (Strab. 7,7,8; App. Ill. 2) nahe → Dyrrhachion (App. civ. 5,320). Er siedelte wohl im Tal des Shkumbi (h. Albania) und kontrollierte den wichtigen, der späteren → Via Egnatia entsprechenden Verbindungsweg vom → Ionios Kolpos nach → Makedonia. Die östl. Nachbarn der P. waren die Dassaretai (→ Dassaretia) in der Gegend vom h. Ohrid, die westl. Nachbarn die → Taulantii (Thuk. 1,24; Diod. 12,30–40). Erstmals lit. erwähnt werden die P. im Zusammenhang mit dem 1. Illyrischen Krieg (229/8 v. Chr.) im Bunde mit Rom als Gegner der → Teuta im Vertrag Hannibals mit Philippos [7] V. (Pol. 2,11,1). Der illyr. Dynast Demetrios von Pharos weitete seinen Herrschaftsbereich 220/218 v. Chr. südwärts bis Dimale (h. Krotina) und somit über das Siedlungsgebiet der P. hinweg aus. Im 2. Illyrischen Krieg (219 v. Chr.) eroberten die Römer Dimale und stellten die P. erneut unter ihr Protektorat. Als röm. Klienten werden die P. zusammen mit den → Atintanes im Vertrag Hannibals mit Philippos [7] V. erwähnt (Pol. 7,9,13). Im sich anschließenden 1. → Makedonischen Krieg (215–205 v. Chr.) besetzte Philippos V. 213 → Lissos und brachte die P. auf seine Seite. Anders als die Atintanes wurden die P. im Frieden von Phoinike 205 wieder in das röm. Protektorat eingegliedert (Liv. 29,12,3; 13). Nach Pol. 18,47,12 überließ der röm. Senat zu Ende des 2. Maked. Krieges (200–197) dem illyr. Dynasten Pleuratos neben Lychnis auch *Párthos*, womit wohl das Gebiet der P. gemeint ist (so verstand jedenfalls Liv. 33,34,11 seine Quelle Pol. l.c.). Im 3. Maked. Krieg (171–168 v. Chr.) mußten die P. 169 v. Chr. angesichts der Bündnisverhandlungen zw. → Perseus [2] und → Genthios den Römern Geiseln stellen (Liv. 43,21,2 f.); außerdem ließ Ap. Claudius [I 4] Centho (MRR 1,425) seine Truppen in den Städten der P. überwintern (Liv. 43,23,6). Im J. 168 stellten die P. den Römern Hilfstruppen (Liv. 44,30,13).

Im röm. Bürgerkrieg (49–45 v. Chr.) wurde das Gebiet der P., die selbst an den Kämpfen beteiligt waren (Caes. civ. 3,11,3), 48 v. Chr. zunächst von den Truppen des Pompeius, dann von denen Caesars in Mitleidenschaft gezogen (vgl. Caes. civ. 3,41,1; 42,4 f.). Nach Caesars Ermordung verpflichtete M. Iunius [I 10] Brutus P. für seine Armee (App. civ. 4,88). Ein Aufstand der P. wurde 39 v. Chr. durch C. Asinius [I 4] Pollio niedergeschlagen (Cass. Dio 48,41); noch im selben Jahr sandte Antonius [I 9] seine Soldaten gegen die P. aus, da diese sich zuvor Brutus angeschlossen hatten (App. civ. 5,75). Zum Iuppiter-Kult bei den P. im 2. Jh. n. Chr.: CIL III 8353; 14613.

R. MACK, Grenzmarken und Nachbarn Makedoniens im Norden und Westen. Diss. Göttingen, 1951, 72–83 • E. SWOBODA, Das Parthiner-Problem, in: Klio 30, 1937, 290–305 • K. PATSCH, Der Jupiter Parthinus, in: Klio 31, 1938, 439–443.   PI. CA./Ü: S. F.

Parthischer Schuß.

Pfeilhagel, der von berittenen parthischen Bogenschützen rückwärts bei vorgetäuschter Flucht abgegeben wurde (vgl. Iust. 41,2,7: *saepe etiam fugam simulant, ut incautiores adversum vulnera insequentes habeant*, ›oft auch stellen sie sich wie Flüchtige, um die Verfolger gegen Verwundungen unvorsichtiger zu machen‹). Es sind auch Darstellungen des p.S. bekannt, etwa auf chinesischen Reliefs der Han-Zeit (206 v. – 220 n. Chr.).

1 H. VON GALL, Das Reiterkampfbild in der iranischen und iranisch beeinflußten Kunst parthischer und sasanidischer Zeit, 1990, bes. 86 2 M. ROSTOVTZEFF, The Parthian Shot, in: AJA 47, 1943, 174–187.   J. W.

Parthyene s. Parthia

Partunu. Etr. Gentilname aus Tarquinia, bezeugt für ein bes. reich ausgestattetes Familiengrab des 4./3. Jh. v. Chr. mit den namentlich gekennzeichneten Sarkophagen einzelner Familienmitglieder, deren Ämter genannt werden.

→ Tarquinii

H. RIX (Hrsg.), Etr. Texte, 1991, Ta 1.9, 1.13, 1.15 • S. STEINGRÄBER, Etrurien. Städte, Heiligtümer, Nekropolen, 1981, 398.   F. PR.

Partus ancillae, das Sklavenkind, wird nach röm. Recht – ähnlich wie das Junge eines Haustiers ins Eigentum des Halters des Muttertieres fällt – als Sklave des → *dominus* der Mutter geboren. Dies entspricht dem allg. Prinzip, daß ein Kind den Status seiner Mutter erwirbt (Gai. inst. 1,81 f.). Zum Vater entsteht keinerlei rechtliche Beziehung. Erst bei Iustinianus [1] (527–565 n. Chr.) gibt es Ansätze dafür, zw. (freigelassenem oder von Geburt an freiem) Vater und Kind wenigstens erbrechtlich die Rechtsfolgen nichtehelicher Abstammung eintreten zu lassen (→ *naturales liberi*). Iustinian (Inst. Iust. 1,4 pr.) billigt auch die Anwendung des grundsätzlichen Vorranges persönlicher Freiheit (*favor libertatis*) auf den *p.a.* durch den Juristen Marcianus im 3. Jh. n. Chr. (Dig. 1,5,5,3). Demnach war der *p.a.* schon dann frei geboren, wenn die Mutter zu irgendeinem Zeitpunkt während der Schwangerschaft frei war. Charakteristisch für die »sachenrechtliche« Behandlung des *p.a.* ist im übrigen die Diskussion der röm. Juristen, wem das Kind einer Nießbrauchssklavin gehöre: dem Eigentümer der Mutter oder ihrem Nießbraucher (vgl. Cic. fin. 1,4,12).

→ Sklaverei   G. S.

Partus suppositus. Der *p.s.*, das untergeschobene Kind, spielt in der Gesetzgebung und Rechtswiss. Roms eine erhebliche Rolle, was angesichts der Folgen legitimer Abstammung für Status, Bürgerrecht und Erbrecht leicht zu erklären ist. Bis in die frühe Kaiserzeit (1. Jh. n. Chr.) scheint das Problem der mangelhaften Abstammung freilich familienintern geregelt worden zu sein: Der Vater hatte als Teil seiner väterlichen Gewalt (→ *patria potestas*) das Recht, ein neugeborenes Kind auszusetzen (→ Kindesaussetzung). Ob darüber hinaus eine besondere väterliche Anerkennung durch »Aufheben des Kindes« (*tollere liberum*) üblich war, ist zweifelhaft (→ Geburt II. A. 2 und bes. [1]). Gewiß konnte aber der Vater und »Familienherrscher« einem Kind die Stellung als legitimer Abkömmling verweigern.

Erst durch praetorische und kaiserliche Rechtsbehelfe wurde der Mutter und dem Kind selbst später die Möglichkeit eröffnet, die Feststellung der Vaterschaft auch gegen den Willen des Erzeugers zu erzwingen [2]. In einem dieser Fälle, nämlich der Anzeige einer Schwangerschaft durch die Mutter innerhalb von 30 Tagen nach der Scheidung vom potentiellen Vater, wird die Furcht vor der Kindesunterschiebung besonders deutlich: Zu deren Vermeidung konnte der geschiedene

Ehemann nach einem *SC Plancianum* (wohl aus der Zeit Vespasians, 69–79 n. Chr.) der Frau »Aufpasser« (*custodes*) schicken (Dig. 25,3,1; 3). Ein solches Recht stand auch den daran Interessierten (z. B. den Großeltern) nach dem Tode des Ehemannes einer Schwangeren aufgrund eines praetorischen Edikts ›zur Überwachung der Schwangeren und Obhut für das Neugeborene‹ (*de inspiciendo ventre custodiendoque partu*, Dig. 25,4) zu. Zudem wurde die Kindesunterschiebung seit der Kaiserzeit als »Fälschungsdelikt« (→ *falsum*) strafrechtlich verfolgt und mit Todesstrafe oder Deportation geahndet.

1 Th. Köves-Zulauf, Röm. Geburtsriten, 1990 2 Kaser, RPR 1, 345 f.   G. S.

Paryadres (Παρυάδρης, lat. *Pariades, Parihedri montes*). Teil des alpidischen Faltengürtels im Bereich von Pontos und Armenia, etwa mit dem Ostteil des nordanatol. Randgebirges (Karadeniz Dağları, mit dem Kaçkar Dağı, 3937 m) und dem Elburs (mit dem Damāvand, 5604 m) gleichzusetzen; fällt im Norden über eine schmale Küstenebene zum → Pontos Euxeinos (Durchbruchstäler: → Halys, → Iris [3]), im Süden über die bebenreiche nordanatolische Lateralverschiebungsachse (»Paphlagonische Naht«) zur anatol. Hochebene ab (vgl. Strab. 11,2,15; 12,4; 14,1; 14,5; 12,3,18; 28; 30; Plin. nat. 5,98; 6,25; 6,29; Ptol. 5,13,5; 9).

H. Treidler, s. v. P., RE Suppl. 10, 484, 488 · W.-D. Hütteroth, Türkei, 1982, 30–34.   E. O.

Parysatis (Παρύσατις, babylonisch *Purušātu*).
[1] Tochter → Artaxerxes' [1] I. und der Babylonierin Andia; Gemahlin ihres Halbbruders → Dareios [2] II., Mutter von u. a. → Artaxerxes [2] II. und → Kyros [3] d. J. (Ktesias FGrH 688 F 15; Plut. Artoxerxes 2,4). Nach griech. Trad. soll sie großen Einfluß auf Dareios ausgeübt (Ktesias ebd.; Plut. Artoxerxes 2,2), den Kyros bevorzugt (Xen. an. 1,1,3; Ktesias FGrH 688 F 17), seinen Tod (u. a. an → Tissaphernes) gerächt (Plut. Artoxerxes 14,10; 16,1; 17,1; 23,1; Diod. 14,80,6; Polyain. 7,16,1), Stateira, die Gemahlin Artoxerxes' II., vergiftet (Deinon FGrH 690 F 15b; Ktesias FGrH 688 F 29; Plut. Artoxerxes 19,2–7 – zeitweise danach nach Babylon verbannt: Plut. Artoxerxes 19,10) und ihren Sohn zur Heirat mit zweien seiner eigenen Töchter bewogen haben (Plut. Artoxerxes 23,5; 27,8 f.; vgl. Herakl. FGrH 689 F 7). Untauglich für eine Charakterstudie oder gar ein Psychogramm der P., bieten die Zeugnisse doch Hinweise auf polit. Handlungsmöglichkeiten von Frauen des Königshauses, bes. einer Königinmutter (μήτηρ τοῦ βασιλέως). P. ist auch als Besitzerin großer Güter in Babylonien (Keilschriftzeugnisse), Syrien (Xen. an. 1,4,9) und Medien (Xen. an. 2,4,27) bekannt.
[2] Jüngste Tochter → Artaxerxes' [3] III., fiel nach der Schlacht bei → Issos in die Hände → Alexandros' [4] d. Gr. und wurde von ihm 324 in Susa geheiratet (Arr. an. 7,4,4; Curt. 3,13,12).

M. Brosius, Women in Ancient Persia, 1996, s. v. P.   J. W.

Parzen s. Parcae

Pasargadai (Πασαργάδαι, vgl. Curt. 5,6,10: *Pasargada*). In mask. Verwendung Bezeichnung des persischen Stammes, dem die → Achaimenidai angehört haben sollen (Hdt. 1,125), in fem. Form griech. Name der von → Kyros [2] II. (nach seinem Sieg über → Kroisos um 550 v. Chr. und am Ort des Sieges über → Astyages (Strab. 15,3,8)?) angelegten Residenz in der Murġāb–Ebene (1900 m/N. N.) 30 km nö von → Persepolis (elam. Namensform: *Batraqataš*). In achäm. Zeit lagen die Hauptmonumente verstreut in einer 3×2 km großen, (durch den Pulvār) bewässerten Parklandschaft: das Grab des Kyros in Hausform mit Satteldach auf einem getreppten Sockel (→ Grabbauten II.B mit Abb.), ein Torgebäude (R), zwei Audienzpaläste (P, S), ein der Kaʿba-i Zardušt in → Naqš-e Rostam verwandtes Turmgebäude (Zindān-e Sulaimān), zwei 2 m hohe Steinplinthen (Opferstätte?) und eine auf einer Anhöhe gelegene Zitadelle (Tall-e Taḫt: Schatzhaus?).

Durch die Ausgrabungen in P. wurden z. T. die Berichte der Alexanderhistoriker (Aristob. FGrH 139 F 51, vgl. Eust. Schol. Dion. Per. 1069 = GGM II 369; Onesikritos FGrH 134 F 34; Strab. 15,3,7 f.; Plut. Alexandros 69,3–5) bestätigt. Die in P. gefundenen Keilinschr. im Namen des Kyros wurden wohl von → Dareios [1] I. (aus Legitimitätsgründen) angebracht, die von den Griechen überliefert. Inschr. am von Magiern bewachten Kyrosgrab sind nicht historisch. P. blieb während der Achaimenidenzeit Platz der Königsinvestitur, die mit einer Art »Königsinitiation« begann (Plut. Artoxerxes 3,1 f.). P., wo frühachäm. Kunst und Architektur Gestalt annahmen, steht h. für den ersten Entwurf eines musterhaften Hofstils, der disparate Elemente unterschiedlichster Trad. und eigentümlich iranische Erfindungen miteinander verbindet und zum Programm erhebt.

1 P. Briant, Le roi est mort: vive le roi!, in: J. Kellens (Hrsg.), La rel. iranienne à l'époque achéménide, 1991, 1–11 2 A. Heinrichs, »Asiens König«: Die Inschr. des Kyrosgrabes und das achäm. Reichsverständnis, in: W. Will (Hrsg.), Zu Alexander d. Gr. FS G. Wirth zum 60. Geb., Bd. 1, 1987, 487–540 3 R. Schmitt, Achaimenideninschr. in griech. lit. Überl., in: Acta Iranica 28, 1988, 17–38 4 D. Stronach, P., 1978.   J. W.

Paseas (Πασέας). Tyrann von Sikyon, trat 253/2 v. Chr. an die Stelle seines ermordeten Sohnes → Abantidas (Tyrann seit 264). Er wurde seinerseits nach einem Jahr durch → Nikokles [4] ermordet (Plut. Aratos 2 f.; Paus. 2,8,2).

H. Berve, Die Tyrannis bei den Griechen, 1967, 394; 396.
            J. Co.

Pasidienus
[1] L. P. Firmus. *Cos. suff.* im J. 75 n. Chr.; verwandt mit P. [2], verm. sein Sohn. PIR² P 138.
[2] P. P. Firmus. Senator. Praetorischer Proconsul von Pontus-Bithynia unter Claudius [III 1]. 65 n. Chr. wur-

de er *cos. suff.* anstelle von Iulius Vestinus Atticus, der zurücktreten mußte; ohne diesen plötzlich frei gewordenen Platz hätte P. wohl nie den Konsulat erhalten. Er dürfte bereits in höherem Alter gewesen sein, zumindest über 50 J. alt. So ist der kurze Abstand zum Konsulat seines verm. Sohnes P. [1] erklärlich. PIR² P 139.   W.E.

Pasikles (Πασικλῆς).

[1] Athener aus dem Demos Acharnai, Sohn des Bankiers Pasion [2], geb. 380 v.Chr. Nach dem Tod seines Vaters im J. 370 wurde das Vermögen testamentarisch zwischen P. und seinem älteren Bruder Apollodoros [1] aufgeteilt, ein Phormion zum Vormund des P. bestellt (Demosth. or. 36,8–10). Mit Erreichen der Volljährigkeit im J. 362 übernahm P. das Bankhaus (ebd. 36,11; 37) und beteiligte sich 362–360 anscheinend an den aufwendigen → Trierarchien seines Bruders ([Demosth.] or. 50,40). Kurz darauf kam es zum Bruch zwischen beiden; im J. 349 trat P. im Gerichtsverfahren zw. Phormion und seinem Bruder für ersteren auf (Demosth. or. 45,37), woraufhin Apollodoros ihn öffentlich beleidigte (ebd. 45,83 f.). Als P. 340 die Trierarchie ablehnte, wurde er von → Hypereides verklagt (Hyp. fr. 134–137).

DAVIES, 11672, III, VI, XIII · PA 11654 · SCHÄFER, Bd. 4, 131–134.   HA.BE.

[2] P. aus Theben, Neffe des → Eudemos [3].

Pasikrates (Πασικράτης).

[1] Sohn des Aristokrates, Stadtkönig von → Kurion auf → Kypros, der auf einer nemeischen Thearodokenliste (→ *theōría, theōroí*) zusammen mit anderen kyprischen Königen genannt wird (SEG 36, 331). Der Text bestätigt C.H. DÖRNERS Emendation von Arr. an. 2,22,2: P. nahm mit einer Flotte auf der Seite Alexandros' [4] d.Gr. an der Belagerung von Tyros teil.

BERVE 2, Nr. 609.

[2] (P. laut lit. Quellen; Στασικράτης/ *Stasikrátēs*: SEG 36, 331 A10). König von → Soloi auf Kypros; Sohn des Stasias, evtl. Vater des → Eunostos, der ihn ablöste, und des Stasanor [1. Nr. 719], sicher Vater des Nikokles [3] [1. Nr. 566]. P. siegte 331 v.Chr. bei den von Alexandros [4] d.Gr. in Tyros gegebenen Spielen (Plut. Alexandros 29,3) und war Trierarch des Alexander auf dem → Hydaspes (Arr. Ind. 18,8). 321 schloß er sich mit anderen kyprischen Königen → Ptolemaios [1] an (Arr. succ. 24,6) und half diesem 315 gegen Antigonos [1]. Verm. war es P., der in der Nähe von Soloi, an der NW-Küste Zyperns, Alexandreia (vgl. Steph. Byz. s.v. Alexandreia) gründete. Auf einer nemeischen Thearodokenliste wird P. zusammen mit anderen kyprischen Königen genannt (SEG 36, 331). Mz.: HN 745; BMC Gr Cyprus p. CXVII).

1 BERVE 2.

BERVE 2, Nr. 610.   W.A.

Pasion (Πασίων).

[1] P. aus Megara führte eine Söldnereinheit zu Kyros [3] nach Sardeis (Xen. an. 1,2,3), setzte sich dann aber zusammen mit dem Söldnerführer → Xenias in Myriandos unter ungeklärten Umständen vom Heer des Kyros ab (ebd. 1,4,6–9).   HA.BE.

[2] In der Person des P. ist die geschäftliche Tätigkeit eines → *trapezítēs* in Athen gut faßbar; ursprünglich war P. Sklave von Antisthenes und Archestratos; nach seiner Freilassung übernahm er vielleicht zunächst als Pächter, dann als Besitzer die Bank seiner früheren Herren (Demosth. or. 36,43). 394/93 v.Chr. wurde P., zu dieser Zeit → *métoikos*, auf Herausgabe eines Depositums verklagt (Isokr. or. 17; vgl. außerdem Demosth. or. 52). Aufgrund zahlreicher Geschäfts- und Gastfreundschaftsbeziehungen, etwa mit dem *stratēgós* Timotheos und dem Vater des Demosthenes [2], wurde er zu einem der führenden Bankiers in Athen (Demosth. or. 50,56). Weil P. sich als Wohltäter Athens erwiesen hatte, wurde ihm um 390 oder um 376 v.Chr. das athen. Bürgerrecht verliehen (Demosth. or. 36,47). Er stiftete Athen 1000 Bronzeschilde aus seiner Schildwerkstatt und war *triḗrarchos* (→ Trierarchie; Demosth. or. 45,85); ca. 373/72 v.Chr. gewährte er dem *stratēgós* Timotheos mehrere Darlehen, u.a. für ein Flottenunternehmen nach Korkyra (Demosth. or. 49,6–32). Zw. 372 und 370 v.Chr. verpachtete P. wegen Krankheit Bank und Schildwerkstatt gegen eine jährliche Pacht von 2 Talenten 4000 Drachmen an seinen Freigelassenen → Phormion. P., der 370/69 v.Chr. starb, hinterließ ein Vermögen in Höhe von 20 Talenten und zusätzlich als Darlehen vergebene Geldbeträge in Höhe von mindestens 39 Talenten (Demosth. or. 36,4 f.). Aufgrund einer testamentarischen Verfügung heiratete Phormion Archippe, die Witwe des P., und wurde Vormund von dessen jüngerem Sohn Pasikles [1]; das Erbe P.s wurde auf Forderung von seinem älteren Sohn → Apollodoros [1] vorzeitig geteilt, der die Schildwerkstatt übernahm, während Pasikles die Bank erhielt (Demosth. or. 36,8 ff.). Prozesse um das Erbe der mütterlichen Mitgift und um angebliche Unterschlagungen durch Phormion, ein → *paragraphḗ*-Verfahren und eine Klage gegen einen Zeugen schlossen sich an (Demosth. or. 36; 45; 46).
→ Banken

1 DAVIES, 427–442 2 SCHÄFER, Bd. 3, 137–145; 164–166; 170–173 3 J. TREVETT, Apollodoros, the Son of Pasion, 1992.   W.S.

Pasiphaë (Πασιφάη).

Tochter des Helios und der → Perse(is) (Apoll. Rhod. 3,998–1001; Apollod. 3,1,2; Paus. 3,26,1; Ov. met. 9,736 u.a.; nach Plut. Agis 9 Tochter des → Atlas [2], nach Diod. 4,60 der Krete), Schwester des → Aietes, der → Kalypso, der → Kirke und des Perses [2], Gattin des kretischen Königs → Minos (Apollod. 3,1,2,; Diod. 4,77 u.a.), Mutter der → Ariadne und der → Phaidra.

Minos bittet Poseidon, ihm zur Legitimation seines Machtanspruchs auf Kreta einen Stier als Opfertier aus dem Meer erscheinen zu lassen. Da er den Stier dann aber nicht opfert, erregt der erzürnte → Poseidon in P. große Leidenschaft für den Stier. P. vereinigt sich mit ihm, indem sie sich in einer von → Daidalos [1] verfertigten künstlichen Kuh verbirgt; sie gebiert ein stierköpfiges Mischwesen mit Namen → Asterion [2], das → Minotauros genannt wird (Apollod. 3,12; vgl. Diod. 4,77; Philostr. imag. 1,16; Clem. Al. protreptikos 4,57,6; Verg. ecl. 6,45–60; Hyg. fab. 40). Nach Mythographi Vaticani 1,47 (vgl. schol. Stat. Theb. 5,431) schickt Zeus den Stier; nach anderer Version verursacht → Aphrodite die Leidenschaft der P., weil diese sie vernachlässigt (Hyg. fab. 40) oder weil Helios Aphrodites Liebe zu → Ares verraten hat (Mythographi Vaticani 1,43).

Älteste lit. Belege sind ein Fr. eines Dithyrambos des Bakchylides (fr. 26 MAEHLER) und Fr. der Trag. ›Die Kreter‹ (*Krétes*) des Euripides (fr. 26–29 TGF; [1. 55–58 fr. 82]). Im 5. und 4. Jh. v. Chr. war die Erzählung verm. Thema zahlreicher Komödien (z. B. Alkaios, P.: fr. 26–29 PCG II; Antiphanes, Minos: fr. 156 PCG II; Alexis, Minos fr. 156 PCG II). Die Leidenschaft der P. für den Stier ist ein beliebtes Motiv der hell. und röm. Dichtung (z. B. Kall. h. 4,310f.; Verg. ecl. 6,46–60; Ov. ars 1,289–326; Ov. met. 8,136–168; Prop. 2,32,57–58) sowie der röm. Wandmalerei [2]. Nach Apollod. 3,196 verfügt P. über Zauberkräfte. Paus. 3,26,1 erwähnt ein Standbild der P. in einem Heiligtum der Ino (zw. Oitylos und Thalamai in Lakonien), Plut. Agis 9 ein Heiligtum der P. in Thalamai. Aufgrund der Etym. des Namens (»die allen Leuchtende« oder »Allscheinende«) wurde P. in der älteren Forsch. als Licht- oder Mondgöttin gedeutet [3]. Auffällig ist die motivische Verwandtschaft mit → Europe [2] und → Phaidra (vgl. [4; 5]).

1 C. AUSTIN (ed.), Nova Fragmenta Euripidea, 1986 2 J. K. PAPADOPOULOS, s. v. P., LIMC 7.1, 192–201 (mit Bibliogr.) 3 W. FAUTH, s. v. P., KlP 4, 540f. 4 K. J. RECKFORD, Phaedra and P.: The Pull Backward, in: TAPhA 104, 1974, 307–328 5 W. BURKERT, Homo necans, 1972.

K. SCHERLING, s. v. P., RE 18.4, 2069–2082 · TÜRK, s. v. P., ROSCHER 3, 1666–1673.   K. WA.

Pasiphilos (Πασίφιλος). Feldherr des → Agathokles [2], für den er 312/1 v. Chr. → Messana gewann (Diod. 19,102,1–3). Als Deinokrates [1] und Philonides an der Spitze der Verbannten Galeria besetzten, eroberte P. das Kastell zurück (Diod. 19,104,1–2). Nach dem E. des afrikan. Feldzuges lief er 306/5 zu Deinokrates über (Diod. 20,77,1–2), wurde aber bereits ein Jahr später in → Gela ermordet (Diod. 20,90,2).

K. MEISTER, Agathokles, in: CAH 7,1, 1984, 384–405.
K. MEI.

Pasiphon (Πασιφῶν), Sohn des Lukianos, »Eretriker« (→ Elisch-eretrische Schule), Lebenszeit wohl die 1. H. des 3. Jh. v. Chr. Einer der Dialoge des P. enthielt Bemerkungen über → Nikias [1] (Plut. Nikias 4,2). Laut → Persaios [2] und → Favorinus war P. der wahre Verf. von Schriften, die gemeinhin anderen (Aischines [1],

Antisthenes [1], Diogenes [14] aus Sinope) zugeschrieben wurden (Diog. Laert. 2,61; 6,73).   K. D.

Pasippidas (Πασιππίδας). Spartiat, wahrscheinlich in der Funktion eines *naúarchos* 410/409 v. Chr. Flottenbefehlshaber in der östl. Ägäis; er wurde beschuldigt, in konspirativer Weise in Thasos einen Aufstand gegen eine lakonisch gesinnte Gruppe und den Harmosten → Eteonikos inszeniert zu haben. Er floh, wurde aber bereits 409 als Gesandter nach Persien geschickt (Xen. hell. 1,1,32; 1,3,13).   K.-W. WEL.

Pasiteilidas (Πασιτειλίδας). Spartiat, Sohn des Hegesandros, unter → Brasidas Harmost in Torone, wo er 422 v. Chr. bei der Einnahme der Stadt durch die Athener unter Kleon [1] gefangengenommen wurde. Von dort wurde er verm. nach Athen gebracht (Thuk. 4,132,3; 5,3,1–4).   K.-W. WEL.

Pasiteles (Πασιτέλης). Bildhauer, aus der Magna Graecia stammend, wohl 89 v. Chr. in Rom eingebürgert und laut den Quellen zur Zeit des Cn. Pompeius Magnus im mittleren 1. Jh. v. Chr. dort tätig. Vom Werk des P. ist bis auf eine Signatur an einer Statuenstütze nichts erh., doch scheint seine Bed. im Kunstschaffen des spätrepublikanischen Rom groß gewesen zu sein, nicht zuletzt durch seine (nicht erh.) Schrift über *Opera nobilia (mirabilia) totius orbis* (›Edle (wunderbare) Werke des ganzen Erdkreises‹). Da P. als Lehrer des → Stephanos genannt wird, wurde von der arch. Forsch. um ihn eine Schule konstruiert, die sich besonders durch die sogenannten Pasitelischen Gruppen (→ Pasticcio) auszeichne. P. galt v. a. als Toreut, berühmt für Silberspiegel (Plin. nat. 33,130) und durch einen Silberbecher, auf dem er eine Szene aus der Kindheit des Schauspielers Roscius darstellte. In der Porticus Metelli in Rom seien einige seiner Werke zu sehen gewesen, so ein Iuppiter in Elfenbein. Gerühmt wurden an P. das Streben nach Naturnähe, das sich im gefahrvollen Studium lebender Tiere zeigte, und ein bes. plastischer Stil, dem eine sorgfältige Anfertigung von Tonmodellen zugrunde lag.

OVERBECK, Nr. 845, 1210, 2167, 2202, 2207, 2262–2264 · LOEWY, Nr. 374 · G. LIPPOLD, Kopien und Umbildungen griech. Statuen, 1923, 34–44 · H. KOCH, Eine Vermutung über den Künstler P., in: Vjesnik za arheologiju i historiju dalmatinsku 56–59, 1954–57, Nr. 1, 168–172 · H. WEDEKING, s. v. P., EAA 5, 1963, 984–985 · M. DONDERER, Nicht Praxiteles, sondern P. Eine signierte Statuenstütze in Verona, in: ZPE 73, 1988, 63–68 · P. MORENO, Scultura ellenistica, 1994, 735–740 · M. FUCHS, In hoc etiam genere Graeciae nihil cedamus, 1999.   R. N.

Pasithea (Πασιθέα).
[1] Tochter des → Nereus und der → Doris [I 1] (Hes. theog. 246).
[2] Eine der → Charites, von Hera dem Hypnos (Schlaf) zur Ehe versprochen, damit dieser Zeus einschläfere

(Hom. Il. 14,267ff.; Paus. 9,35,4), bei Nonnos (Nonn. Dion. 15,91; 31,121; 31,186; 33,40; 47,278) Tochter des → Dionysos und der → Hera, Gattin des Hypnos (vgl. auch Catull. 63,43; Anth. Pal. 9,517).　　　　　L.K.

Paß. Über- oder Durchgang von einer Landschaft in eine andere an einer von der Natur vorgezeichneten Engstelle (Einsattelung an einem relativ niedrigen Punkt der Wasserscheide, Durchbruchstal eines quer zu einem Bergzug verlaufenden Flusses, zw. Meer und steil aus diesem aufsteigendem Gebirge). Der moderne Begriff P. leitet sich wie der spät-ma. Begriff *littera passus* (»Durchgangsschein«) vom lat. *passus* ab, der im mlat. Sprachgebrauch u.a. bereits die Bed. »Durch-, Übergang« hat. Lokal sind auch andere, häufig am Landschaftscharakter orientierte Bezeichnungen üblich, im dt.-sprachigen Bereich z.B. Joch, Scharte, Törl, Tauern. Ant. Bezeichnungen betonen oft ebenfalls den Durch- oder Übergangscharakter (διάβασις/*diábasis*, πύλαι/*pýlai*, lat. *portae, aditus, transitus*) oder das Aussehen der Landschaftsformation (τὰ στενά/*ta stená*, lat. *angustiae, fauces, furcae*). P. waren sowohl im Regional- als auch im Fernverkehr von Bed., etwa für Privatreisende, Hirten mit ihren Herden, Kaufleute, wandernde Stammesverbände, Armeen. Die Befestigung einzelner P.-Routen hatte speziell für den Fernverkehr kanalisierende Wirkung. So sind z.B. in den → Alpes über 750 P. nachgewiesen, die als Verbindungswege zw. benachbarten Tälern oder im Fernverkehr begangen wurden. Der Straßenbau der Römer konzentrierte bes. den Fernverkehr auf wenige, infolgedessen intensiv frequentierte P.-Übergänge. Im Zuge des Verfalls der röm. Straßenorganisation ab dem 4. Jh. n.Chr. stellte sich die urspr. Vielfalt wieder ein. Grundsätzlich gilt, daß man Gebirge möglichst schnell zu überwinden strebte, also kurze, wenn auch steile Strecken bevorzugte.

Die P.-Straßen stellten nicht nur einen Wirtschaftsfaktor für die Landschaften dar, die sie verbanden, sondern auch für die Gegenden, durch die sie führten (Zölle, Gasthäuser, Verleih von Zugtieren, Handelsanbindung). An P.-Höhen wurden nicht selten Berg- bzw. P.-Gottheiten verehrt, bes. gut belegt für den Großen St. Bernhard (→ Mons Poeninus, mit Lit.). P. konnten auch Ort der Herrschaftsdemonstration sein, vgl. das von Augustus anläßlich der Unterwerfung der Alpenvölker (15/4 v.Chr.) errichtete *tropaeum Alpium* (→ *tropaea Augusti*) auf der P.-Höhe der ligurischen Küstenstraße über die → Alpes Maritimae [1. 164]. Weiteres vgl. die Lemmata zu den einzelnen Gebirgen.
→ Straßen; Verkehr

1 E. OLSHAUSEN, Einführung in die Histor. Geogr. der Alten Welt, 1991, 164–168.　　　　　V.S.

Passaron (Πασσαρών). Rel. Zentrum und Siedlung der epeirotischen → Molossoi beim h. Rhopotopi 12 km nordwestl. von Jannina. Dort finden sich neben Resten einer befestigten Siedlung aus dem 5./4. Jh. v.Chr. Fundamente eines Tempels, der mit dem Heiligtum des Zeus Areios identifiziert wird. Quellen: SEG 26, 719; Plut. Pyrrhos 5,1–5; Liv. 45,36,4.

S.I. DAKARIS, Organisation politique et urbanistique de la ville dans l'Epire antique, in: P. CABANES (Hrsg.), L'Illyrie méridionale et l'Epire dans l'antiquité, 1987, 71–80.　　K.F.

Passennus Paulus Propertius Blaesus, C. (Namensform nach CIL 11,5405, aus Assisi). Röm. Elegiker und Lyriker des späten 1. Jh. n.Chr. Bekannt ist er nur aus den Briefen des jüngeren Plinius [2] (Plin. epist. 6,15,1; 9,22,1f.), der ihn als Elegiker und Lyriker sehr schätzt und ihn als Ritter und Nachkommen des Elegikers → Propertius bezeichnet. Die Freundschaft mit Plinius und mit dem Rechtsgelehrten und Consul des Jahres 86 L. Iavolenus Priscus weist auf seine Stellung in der röm. Ges. Gedichte sind nicht erh., sie sollen sich eng an Propertius bzw. → Horatius [7] angeschlossen haben (Plin. l.c.). PIR² P 141.　　　　　J.R.

Passienus. Einer der führenden Redner der augusteischen Zeit (Sen. contr. 2,5,17), † 9 v.Chr. (Hier. chron. p. 167 H.), Freund des älteren → Seneca (Sen. contr. 3, pr. 10). Von seinen Reden ist nichts erh., doch zit. Seneca aus den Deklamationen, die offenbar wegen ihrer Trockenheit weniger erfolgreich waren (Sen. contr. 3, pr. 10f.; 10, praef. 11), einige Glanzlichter.

J. FAIRWEATHER, Seneca the Elder, 1981 (Index 400).
　　　　　P.L.S.

Passio (Martyriumsbericht). Erstes überl. lat. Zeugnis der im Milieu der »hell. Kleinlit.« entstandenen [9; 10] und außergewöhnlich fruchtbaren christl. Lit.-Gattung [3; 5; 6; 7; 8; 11; 12] ist die *P. Sanctorum Scillitanorum*, in der 180 n.Chr. ein Christ aus Karthago die Hinrichtung einer Gruppe von Glaubensgefährten aus Scili in Numidien festhielt [4]. Während die älteste Form der griech. Märtyrerakten der Brief ist (→ Märtyrerliteratur, dort auch zur Theologie und Historizität der Texte), erscheint die P. im lat. Westen zunächst in der Protokollform (Aktenform, → Acta Sanctorum). Ein regelmäßig wiederkehrendes Element ist das gegenseitige Aufgreifen und Wenden der Stichworte (rhet.: *distinctio*), in dem sich z.T. semantische Verschiebungen des Christenlateins (z.B. → *sacramentum*) ausdrücken [2. Bd. 1, 41–46; Bd. 2, 85f.]. Eine zweite Form lat. Märtyrerlit. tritt mit der 202 (oder 203) in Karthago geschriebenen *P. Perpetuae et Felicitatis* (→ Perpetua) auf. Sie macht in ihrer Zusammensetzung aus Autobiographie und Zeugenbericht den Eindruck einer Gestaltung *ad hoc*, hat aber Nachfolge gefunden (»Commentarienform« [10]). Der Diakon → Pontius [II 9] von Karthago führte um 260 mit der *Vita Cypriani* den Panegyricus (→ Panegyrik) in die Märtyrerlit. ein. Die Märtyrererzählungen des 4. und 5. Jh. tendieren zum Narrativen. Bei vielen dieser Texte bleibt das Verhör im Zentrum der Darstellung (z.B. *P. Sanctorum IV Coronatorum*); dieser Typus ist u.U. als Verlängerung der protokollarisch stilisierten Akte entstanden. Die in Rom geschriebenen Märtyrergesch.

der Spätant. sind theatralisch-dramatisch akzentuiert (Agnes, Laurentius, Sebastian). Fließend ist der Übergang zum Apostelroman (→ Roman), z.B. bei der *P. Teclae* (→ Thekla).

Die soziokulturelle Bed. der P. besteht in der Ausweitung des Kreises der für eine Biographie in Frage kommenden Schichten auf Frauen (Perpetua), Sklaven (Felicitas), Handwerker (die 4 *Coronati* sind Steinmetze), untere mil. Ränge, Gerichtsschreiber. Die christl. Autoren, die solchen Personen eine P. widmeten, erhoben sie zur höchsten Würde; denn auch der Kern der vier Lebensbeschreibungen Jesu von Nazareth (→ Evangelium) ist jeweils die P. Der niedere Stil, den die meisten Autoren von Passiones schrieben, entsprach dem *sermo humilis* der lat. Bibel [1]. Die Gattung blieb das ganze MA hindurch lebendig, teils als Ber. über Martyrien in frühma. Zeiten [2. Bd. 2, 309–311, 315], teils als fiktive Vergegenwärtigung röm. Zustände [2. Bd. 2, 310; Bd. 3, 444]. In der liturgischen Lesung der P. (später auch der Vita) am *dies natalis* (= Todestag) des Heiligen lebt der Öffentlichkeitscharakter der ant. Lit. fort [2. Bd. 1, 265].

→ Acta Sanctorum; Biographie; Heilige; Heiligenverehrung; Literatur (VI., VII.); Märtyrer; Märtyrerliteratur

1 E. AUERBACH, Lit.-Sprache und Publikum in der lat. Spätant. und im MA, 1958 2 W. BERSCHIN, Biographie und Epochenstil im lat. MA, 3 Bde., 1986–91 3 H. DELEHAYE, Les passions des martyrs et les genres littéraires, ²1966 4 H. A. GÄRTNER, Die Acta Scillitanorum in lit. Interpretation, in: WS 102, 1989, 149–167 5 G. KRÜGER, G. RUHBACH (ed.), Ausgewählte Märtyrerakten, ⁴1965 6 G. LANATA, Gli atti dei martiri come documenti processuali, 1973 7 G. LAZZATI, Gli sviluppi della letteratura sui martiri nei primi quattro secoli, 1956 8 H. MUSURILLO (ed.), The Acts of the Christian Martyrs, 1972 (mit engl. Übers.) 9 Ders. (ed.), Acta Alexandrinorum, 1961 10 R. REITZENSTEIN, Ein Stück hell. Kleinlit., in: Nachrichten der Königlichen Ges. der Wiss. Göttingen, 1904, 332 11 T. RUINART (ed.), Acta primorum martyrum sincera et selecta, Paris 1689 (veränderter Ndr. 1731, 1859) 12 D. RUIZ BUENO (ed.), Actas de los mártires, ³1974.
W. B.

Passus. Röm. Längenmaß (Doppelschritt; griech. βῆμα διπλοῦν/*béma diplún*) zu 5 Fuß, entsprechend ca. 1,48 m. Der *p.* war Grundeinheit des Wegemaßes, nach dessen 1000fachem *mille passus* (Pl. *milia passuum*, abgekürzt MP, entsprechend 1,48 km) die röm. Straßen vermessen und mit Entfernungsangaben versehen wurden (vgl. etwa ILS 23: Meilenstein von Polla). Im mil. Bereich wurden die *milia passuum* auch zur Angabe von Marschleistungen verwandt (vgl. etwa Veg. mil. 1,27).

→ Meilensteine

1 F. HULTSCH, Griech. und röm. Metrologie, ²1882, 79–82 2 H. NISSEN, Griech. und röm. Metrologie (Hdb. der klass. Altertumswiss. 1), ²1892, 842f.
H.-J. S.

Pastas (παστάς). Querhalle, die beim griech. → Haus (mit Abb.) den Hof mit dem dahinterliegenden Wohntrakt verbindet; eine Erweiterung der vom Hof ausgehenden Vorhalle (Prostas) älterer Wohnhäuser, z. B. der Häuser von Priene, hin zu einer Art Korridor und deshalb typologisch bestimmendes Element modernerer, spätklass. Wohnhäuser wie derjenigen von → Olynthos. Das P.-Haus bildet die Keimzelle späterer großflächiger Peristylhäuser.

W. HOEPFNER, E. L. SCHWANDNER, Haus und Stadt im Klass. Griechenland, ²1994, 354 s. v. P. · W. MÜLLER-WIENER, Griech. Bauwesen in der Ant., 1988, 176–178.   C. HÖ.

Pasticcio (it. für »Pastete«, »Mischmasch«). Die im 17. Jh. aufgekommene übertragene Bed. galt Werken, in denen Stilelemente oder Motive verschiedener Künstler, als besonderer Reiz oder in betrügerischer Absicht, nachgeahmt waren. In der bildenden Kunst bezeichnete P. zunächst die Kombination ant. Friese mit Gipsen an röm. Palazzi des 17.–18. Jh. Als P. galten von da ab bes. die neuzeitlichen Zusammenfügungen unterschiedlicher ant. Frg. zu neuen Werken. In der Arch. wurden meist abwertend eklektische Werke der → Plastik als P. benannt. Mit der Neubewertung des Eklektizismus als eigenwertiger Stilform der ant. Kunst wurde P. als Terminus obsolet.

Die ant. Kunstkritik und Rhetoriklehre beschreibt eklektisches Vorgehen als die Zusammenstellung heterogener Vorbilder aus der Natur, etwa als Modelle für Aphrodite-Statuen, und als Fiktion vollkommener Schönheit – einem einzelnen Künstler unerreichbar – durch eklektische Bezugnahme auf Teile von Meisterwerken.

Abgesehen von der herstellungsbedingten Zusammenfügung disparater Einzelformen in der Terrakottaplastik ist das Aufgreifen vorliegender Motive und Stilelemente für die gesamte ant. Kunstproduktion kennzeichnend (in der Fachsprache häufig als »typologische Gebundenheit« bezeichnet); es findet sich bei archa. Kuroi und Korai (→ Statue) ebenso wie in der sogenannten Polykletschule (→ Polykleitos [1]) und in der spät-hell. Plastik. Mit absichtsvoll erkennbarer Wiederholung jedoch entstehen im Kunstbetrieb des 1. Jh. v. und n. Chr. die eigentlich eklektischen Werke, mit denen eine breite Rezeption der nobilitierenden Formen der Klassik einhergeht. Ab dem späten Hell. erfolgt die Zusammenstellung ganzer Figurentypen zu neuen Gruppen, womit myth. Umbenennungen der Vorbilder verbunden sind (sog. Orest-Elektra-Gruppe, sog. Ildefonsogruppe); nach → Pasiteles, dem Lehrer der wenigen namentlich bekannten Bildhauer solcher Werke in Rom, werden diese als Pasitelische Gruppen bezeichnet. Verbindungen stilistisch unterschiedlicher Körper- und Kopftypen (»Dornauszieher«) ergeben einen ästhetischen Reiz, dazu tritt als Sinnesreiz die Kombination von weiblichen und männlichen Körpern und Köpfen (sog. Venus vom Esquilin). Die Rezeption der klass. Formen spielt dabei eine hervorragende Rolle. In der Gattung der Lychnuchoi (Lampenträger) bietet der stilistische Eklektizismus darüber hinaus eine Vermischung verschiedener Rezeptionsformen, nämlich als wiedererkennbares Kunstwerk, als allgemeines ästhetisches Angebot und als Gebrauchsgegenstand – A. RUMPFS Entdeckung von 1939, die die Forsch. zum Eklektizismus recht eigentlich angestoßen hat. Eine besondere Spielart des P. mit nach wie vor negativer Bewertung sind ab dem späten Hell. röm. Porträtstatuen, bei denen klass. Körpertypen zeitgenössische Porträts tragen (sog. Pseudo-Athlet in Delos). Diese auf Nobilitierung und partielle Idealisierung zielenden P. sind auch in der weiteren Kaiserzeit anzutreffen, sowohl in Einzelfiguren als auch in Gruppen etwa von Ehepaaren in Statuentypen des Ares und der Aphrodite.

Der negativ konnotierte Begriff des P. steht somit für ein wichtiges kulturgesch. Phänomen, nämlich die breite Rezeption früherer Kunstwerke und deren Zusammenführung zu neuen Ensembles.

G. LIPPOLD, Kopien und Umbildungen griech. Statuen, 1923, 34–44 · A. RUMPF, Der Idolino, in: Critica d'Arte 4.1, 1939, 17–27 Taf. 4–15 · F. PREISSHOFEN, P. ZANKER, Reflex einer eklektischen Kunstanschauung beim Auctor ad Herennium, in: Dialoghi di archeologia 4–5, 1970–71, 100–119 · P. ZANKER, Klassizistische Statuen, 1974 · Grande dizionario della lingua italiana 12, 1984, 791–792 s. v. p. · M. FUCHS, In hoc etiam genere Graeciae nihil cedamus, 1999. R.N.

Pastophoroi

Pastophoroi (παστοφόροι, die »Träger des *pastós*«). Bezeichnung für eine Gruppe von Kultfunktionären in verschiedenen ägypt. Kulten sowohl innerhalb als auch außerhalb Ägyptens (z. B. CIL V 2,7468). Die ältere Forsch. verstand *pastós* in Analogie zu griech. *pastás* als »Brautgemach« und in erweiterter Bed. als Replik eines Tempelchens, das in einer → Prozession getragen wurde. Wahrscheinlicher ist die Deutung des *pastós* als ein über das Hochzeitsbett gespanntes Tuch; er bezeichnete dann wohl auch ein in der Kultpraxis verwendetes Tuch: So hatten die Priester des Apollon Kisalauddenos in Smyrna einen *pastós* aus Leinen, der in ein als Tempel geformtes Holzkästchen gelegt wurde (Syll.⁴ 996,23). Die p. trugen solche Kästchen wohl in Prozessionen, allerdings existiert kein eindeutiger Nachweis für eine spezifische kultische Funktion der p. Apuleius (Apul. met. 11,17) bezeichnet sie als *sacrosanctum collegium* im Kontext des → Isis-Kultes, Diodorus Siculus (1,29) identifiziert sie irrtümlich mit den *kérykes* (→ *kéryx* [2]) in → Eleusis [1].

E. N. LANE, ΠΑΣΤΟΣ, in: Glotta 66, 1988, 100–123 · F. SOLMSEN, Zur griech. Wortforsch., in: IF 31, 1912–13, 448–506, hier 485–492. C. E. CH.

Pataikoi

Pataikoi (Πάταικοι). Zwergfiguren, die nach Hdt. 3,37 auf dem Vorderteil phönizischer Dreiruderer angebracht waren. Die Mz. von Arados [1] und Sidon ab dem ausgehenden 4. Jh. v. Chr. zeigen Halbfiguren bzw. Kopfprotomen auf Schiffen [1. Taf. 2,1, Taf. 18,12–14]. Von diesen phöniz. Figuren ging die Bezeichnung über auf Zwerggestalten; *pátaikos* wurde so zum charakterisierenden Eigennamen kleinwüchsiger Menschen (Hdt. 7,154; vgl. auch das Fest auf Delos, *Pataíkeia*, benannt nach seinem Stifter *Pátaikos*); der Begriff wurde aber auch sprichwörtlich für Diebe. Herodot vergleicht das Kultbild des Hephaistos von Memphis (Ptah) und das seiner Kinder (→ *Kábeiroi*) mit den phöniz. P., was in der Forsch. dazu führte, kleine nackte Figuren in verkrüppelter Gestalt mit Bes, den Kabiren (*Kábeiroi*), Harpokrates oder mit dem Schöpfergott Ptah (→ *Phthas*) zu verbinden, in dessen Umfeld Zwerge erscheinen und der selbst zwergengestaltig auftritt.

1 G. F. HILL, BMC, Gr 26 (Phoenicia), 1965.

B. SCHEEL, Ptah und die Zwerge, in: H. ALTENMÜLLER (Hrsg.), Miscellanea aegyptologica, FS W. Helck, 1989, 159–164 · J. LECLANT, s. v. P., DCPP, 1992, 343 f. · A. HERMARY, s. v. Patakoi, P., LIMC 7, 1994, 201 f. R. H.

Patala

Patala (τὰ Πάταλα). Stadt und Stützpunkt Alexandros' [4] d. Gr. an der Indus-Mündung, wohl altindisch Pātāla (Arr. an. 5,4,1; Arr. Ind. 2,6; Strab. 15,1,33 u. a.). Der Name wurde auch für das gesamte Gebiet gebraucht, später auch für die Insel Patalene (Ptol. 7,1,55), aber die Stadt wird nie mehr erwähnt. Statt dessen war → Barabara Zentrum und Hafen des Gebiets, was vielleicht auf der unsteten Natur der Mündung beruht.

H. TREIDLER, s. v. Pat(t)ala, RE Suppl. 10, 489–493. K. K.

Pataliputra

Pataliputra s. Palimbothra

Patara

Patara (Πάταρα). Hafenstadt in West-Lykia (→ Lykioi) an einem alten, schon voreisenzeitlichen Siedlungsplatz. Den Stadtnamen, im Lykischen *pttara* (TAM I 44a 43), führt die griech. Legendentrad. teils auf einen Sohn des → Apollon (Hekat. FGrH 1 F 256), teils auf einen Bruder des → Xanthos, den Seeräuber Pataros, zurück (Eust. GGM 2,239, 30–37), teils wird er mit dem Wort für ein bestimmtes Kultgefäß verknüpft (Alexandros Polyhistor FGrH 273 F 131). Aus dem einheimischen Hauptkult am Ort entwickelte sich einer der bedeutendsten Apollon-Kulte der griech. Welt (→ Apollon *Patrõios*) mit Tempel, hl. Hain und Orakel, wo schon → Telephos um Heilung nachgesucht haben soll (Hdt. 1,182; Serv. Aen. 3,332; 4,377; schol. Lykophr. 920; Paus. 9,41,1; App. Mithr. 27; Mela 1,82; IGR III 739; XIII 45 f.; Menaichmos FGrH 131 F 11). Die Kultstätte ist noch nicht lokalisiert. Apollon halte sich, so die Dichter, die eine Hälfte des Jahres in P., die andere auf → Delos auf (Serv. Aen. 4,143; Hor. carm. 3,4,64).

Im späten 5. Jh. v. Chr. war P. an innerlykischen Konflikten beteiligt, 334/3 unterwarf sich P. Alexandros [4] d. Gr. (Arr. an. 1,24,4); nach dessen Tod rivalisierten die Antigoniden und Ptolemaios I. um die Kontrolle der Küste von Lykia. Frühestens 309 besetzte Ptolemaios die Stadt; sein Sohn Philadelphos benannte

P. in Arsinoë um (Diod. 20,27,1–3, dazu [1. 51 ff.]; Strab. 14,3,6; Steph. Byz. s. v. Ἀρσινόη). Seit 197 seleukidisch, kam P. nach der Niederlage des Antiochos [5] III. 188 unter rhodische Hegemonie, 168/7 entzog Rom P. den Rhodiern. In dem wohl seit Anf. des 2. Jh. v. Chr. bestehenden → Lykischen Bund gehörte P. mit einem Anteil von drei Stimmen zu den großen Städten und beherbergte möglicherweise das Bundesarchiv im Apollonion, scheint aber (noch) nicht alleiniger Versammlungsort der Delegierten gewesen zu sein (*caput gentis* nach Liv. 37,15,6, dagegen Strab. 14,3,3). Unter Führung eines bevollmächtigten Strategen aus P. focht die Bundesflotte an der Seite von Rhodos im 1. → Mithradatischen Krieg [2]; P. wurde daraufhin vom König angegriffen.

Die Romtreue sicherte Lykia anhaltende Autonomie bis in die frühe Kaiserzeit, als offenbar innerlykische Auseinandersetzungen Claudius [III 1] veranlaßten, das Land einem in P. residierenden Statthalter zu unterstellen (43 n. Chr.). Damals wurde ein komplettes Straßenverzeichnis der neuen Prov. in P. auf Stein veröffentlicht. Als Metropole florierte P. in der Kaiserzeit und wurde als Statthaltersitz auch der seit flavischer Zeit um Pamphylia erweiterten Großprov. → Lycia et Pamphylia mit Bauten und Inschr. reich geschmückt, darunter der noch h. erh. Ehrenbogen des traianischen Legaten C. Trebonius Proculus Mettius Modestus. Im 4. Jh. war P. Bischofsstadt. Arch.: Zahlreiche Überreste, Grabungen von F. Işık.

1 M. WÖRRLE, Epigraph. Forsch. zur Gesch. Lykiens 1, in: Chiron 7, 1977, 43–66 2 CH. MAREK, Der Lykische Bund, Rhodos, Kos und Mithradates (Lykia 2), 1995, 9–21.

F. Işık, P., in: Antike Welt 30,5, 1999, 477–493 • G. E. BEAN, s. v. P., PE, 679 f.   C. MA.

Patavium. Stadt der → Veneti in der Ebene zw. den *montes Euganei* und der Laguna Veneta in einer Windung des Meduacus, nordöstl. von → Ateste (Liv. 10,2,6), h. Padova (Padua). Nach Verg. Aen. 1,242–249 Gründung des Troianers → Antenor [1], der dort alle dreißig J. stattfindende Spiele stiftete; das Territorium von P. hieß *pagus Troianus* (Liv. 1,1,3). 49 v. Chr. wurde P. → *municipium* der *tribus Fabia* (CIL V 267), seit Augustus Teil der *regio X Augustea (Venetia)* (→ Italia). P. war *ager centuriatus* (→ Feldmesser).

Seit dem 4. Jh. v. Chr. hatte sich P. mit den Galliern auseinanderzusetzen. 302 v. Chr. wehrte P. einen Angriff des Kleonymos [3] ab; die im Tempel der Iuno ausgestellte Kriegsbeute und jährliche → Naumachien erinnerten an diesen Sieg (Liv. 10,2,14). Seit dem 3. Jh. v. Chr. unterhielt P. freundschaftliche Beziehungen zu Rom; so schlichtete der *pontifex maximus* M. Aemilius [I 10] Lepidus interne Auseinandersetzungen in der Stadt (Liv. 41,27,3).

In P. gab es einen betriebsamen Markt und einen Flußhafen, der nur 250 Stadien (ca. 46 km) vom Meer entfernt war (Strab. 5,1,7); P. war Knotenpunkt der Via Aemilia, Via Popilia-Annia und der Via Aurelia. Die Stadt war berühmt für ihre Woll- und Stoffproduktion und für ihren Weinanbau. Im SW von P. lag die Thermalquelle Aponus mit Orakel (*aquae Patavinae* bei Plin. nat. 2,227; 31,61). Aus P. stammten → Livius [III 2], → Asconius Pedianus, → Clodius [II 15] Thrasea Paetus, → Arruntius [II 12] und verschiedene Consuln; 14 n. Chr. gab es in P. 500 *equites* (Strab. 5,1,7). Anf. des 7. Jh. von den → Langobardi unter Agilulf zerstört.

Arch.: Protovenetische Reste aus dem 12. bis 7. Jh. v. Chr. Aus röm. Zeit stammen ein Amphitheater, das Theater, mehrere Brücken und der Kai des Flußhafens.

C. GASPAROTTO, Padova romana, 1951 • V. GALLIAZZO, I ponti di Padova romana, 1971 • G. FOGOLARI (Hrsg.), Padova preromana, 1976 • L. BOSIO (Hrsg.), Padova antica, 1981 • G. ZAMPIERI (Hrsg.), Padova per Antenore, 1990 • G. ROSADA, P., in: Journ. of Ancient Topography 3, 1993, 63–76.   G. U./Ü: J. W. MA.

Patella s. Patera, Patella

Pater familias. Der Familienvater ist in Rom rechtlich gesehen die wichtigste Person der → Familie (IV. B.), gleichsam ihr »König« [1. 75], als Inhaber von → *patria potestas* und → *manus* jedenfalls der Gewalthaber über Frau, Kinder (auch wenn sie erwachsen sind), Enkel und Sklaven. Als Autokrat der Familie ist er in ihr der einzige Träger von Rechten und Pflichten: Ihm allein gebührt alles Vermögen der Familie; nur er erwirbt Rechte aus Verträgen und anderen Geschäften, wird aber nur ausnahmsweise aus dem Handeln der Familienmitglieder (einschließlich ihrer Rechtsverstöße gegenüber Außenstehenden) verpflichtet (Gai. inst. 2,87; 3,163; 4,75). Selbst soweit Hauskinder und Sklaven ein Sondervermögen (→ *peculium*) als Grundlage scheinbar persönlicher Verpflichtungen anvertraut bekommen haben, handelt es sich rechtlich um Vermögen des *p.f.*, der freilich seine Haftung durch die Aussonderung für den Sohn oder Sklaven auf das Sondervermögen beschränkt (Gai. inst. 4,72a). Dementsprechend konnte auch im allg. nur der *p.f.* für die Familie und alle ihre Glieder klagen und verklagt werden.

Die Stellung als *p.f.* begann mit dem Tod des eigenen Vaters oder (wenn dieser schon vorher gestorben war) des Großvaters. Hatte der hierdurch rechtsfähig (*sui iuris*) gewordene Sohn oder Enkel seinerseits Frau und Kinder, rückte er für diese Familie in die Rechte und Pflichten des Verstorbenen ein und erbte (u. U. gemeinsam mit seinen Brüdern in einer ungeteilten Erbengemeinschaft, einem *consortium ercto non cito*, → *communio* A.) das Vermögen (Gai. inst. 2,157). Familie und Vermögen (*familia pecuniaque*, vgl. z. B. Cic. inv. 2,50,148) bilden eine Einheit. So ist die Verfügung des *p.f.* über das Vermögen in einem Testament (→ *testamentum*) zugleich eine vom Willen des Erblassers bestimmte Fortsetzung seiner Herrschaft über die Familie.

Neben der alleinigen Rechtsfähigkeit für die ganze Familie im privaten Rechtsverkehr hat der *p.f.* eine private Strafgewalt über seine Angehörigen, insbesondere die Söhne, Töchter und Sklaven, bei der Überantwortung der Ehefrau in die *manus* des Ehemannes und *p.f.* aber auch über diese. Die Befugnis zur Herrschaftsausübung reicht bis zum »Recht über Leben und Tod« (*ius vitae necisque*, Gell. 5,19,9). Erst unter Constantinus [1] d.Gr. (306–337 n.Chr.) ist diese Befugnis definitiv überwunden. Ihre Regelung in den 12 Tafeln (→ *tabulae duodecim*; wohl tab. 4,1) zeigt aber offenbar schon 800 J. früher eine rechtliche Einschränkung durch das Erfordernis eines berechtigten Grundes (*iusta causa*) zur Strafe. Bei Entdeckung auf frischer Tat oder einem Geständnis des Straffälligen lag er ohne weiteres vor, sonst bedurfte es zur Feststellung des Grundes für eine Kapitalstrafe (→ Todesstrafe, → *capitale*) höchstwahrscheinlich schon seit dem 5. Jh. v.Chr. der Einschaltung eines Hausgerichts unter dem Vorsitz des *p.f.* [2].

Der *p.f.* konnte seine Hausgewalt über einzelne Unterworfene schon zu seinen Lebzeiten durch Entlassung aus der *patria potestas* (→ *emancipatio*) beenden. Dann war das (ehemalige) Hauskind nicht mehr rechtsunfähig (*alieni iuris*) sondern Träger eigener Rechte (*sui iuris*). Umgekehrt konnte ein nicht zur engeren Familie Gehörender durch → Adoption in den Herrschaftsverband des *p.f.* eintreten.

Während die Befugnisse des *p.f.* diesen geradezu als Prototyp des Inhabers umfassender subjektiver Rechte erscheinen lassen, sind seine Pflichten aus den Quellen viel schwerer zu rekonstruieren und haben oft auch erst spät überhaupt rechtliche Verbindlichkeit erhalten. Freilich dürfte der *p.f.* vielfältigen sittlichen und religiösen Bindung unterworfen gewesen sein (→ *pietas*). Erfüllte er die sich hieraus ergebenden Pflichten nicht, war er in republikanischer Zeit den Sanktionen der Sittengerichtsbarkeit (*regimen morum*; → *mos maiorum*) der → *censores*, später der Bestrafung durch den Kaiser ausgesetzt. Erst die Kaiser haben auch eine rechtliche Unterhaltpflicht des *p.f.* für seine Kinder anerkannt (vgl. Ulp. Dig. 25,3,5), die im Verfahren der außerordentlichen Gerichtsbarkeit (→ *cognitio extra ordinem*) erzwungen werden konnte. Sie galt aber nicht nur in ab-, sondern auch in aufsteigender Linie und sogar in besonderen Fällen unter Geschwistern. Daher läßt sie sich nicht mehr als Ausdruck der Pflichten eines *p.f.* begreifen, sondern belegt vielmehr die Erosion dieses rechtlichen Leitbildes. Ein Hinweis auf den Pflichtbezug der Stellung eines *p.f.* ist auch der Begriff eines »guten« (*bonus*) oder »sorgfältigen« (*diligens*) *p.f.* (z.B. Dig. 19,1, 54 pr.). Er bildet den Maßstab für die rechtl. und ethischen Anforderungen des Rechtsverkehrs im allgemeinen.

→ Familie; Frau; Patriarchat; Patria potestas

1 M.Bretone, Gesch. des röm. Rechts, 1992 (Übers. der 3. it. Aufl. 1989) 2 W.Kunkel, Das Konsilium im Hausgericht, in: Ders., KS, 1974, 117–150.

Honsell/Mayer-Maly/Selb, 63ff., 410ff. · Kaser, RPR I, 62f., 341–350. G.S.

Pater patriae (»Vater des Vaterlandes«). Der Titel *p.p.* wurde den röm. Kaisern von → Augustus bis → Theodosius offiziell beigelegt; der entsprechende Titel *mater patriae* ist für Livia [2] (vgl. [1. 98]) und Iulia [12] Domna [2. 67–70; 3] belegt.

Die Benennungen *parens* und *pater* dienten urspr. dem Vergleich eines Wohltäters mit dem eigenen Vater; schon M. Furius [I 13] Camillus (Liv. 5,49,7: *parens patriae*) und Fabius [I 30] Cunctator wurden als *parentes* bezeichnet, weil sie die *patria* von Feinden befreiten. Auch Marius [I 1] (Cic. Rab. perd. 10,27), Sulla (Plut. Sulla 34,2) und Caesar (Liv. per. 116; Suet. Iul. 76: *pater patriae*; Cass. Dio 44,4,4; ILS 71) erhielten den Titel *parens* bzw. *pater ob cives servatos* (»*pater*-Titel wegen der Rettung der gesamten Bürgerschaft«). Auch Cicero wurde *parens patriae* genannt (Cic. Pis. 3).

Von Senat, Rittern und dem gesamten Volk wurde im J. 2 v.Chr. der Titel *p.p.* an → Augustus verliehen (Fast. Praenestini CIL I² 233; R. Gest. div. Aug. 35; Suet. Aug. 58, vgl. eine Inschr. schon von 8 v.Chr. aus Sion, ILS 6755); jetzt war erstmals die Rettung der gesamten *patria* (d.h. der gesamten Bevölkerung des Imperium Romanum; zum Begriff vgl. [4. 329, 331f.]) gemeint, die nun unter der → *tutela* des *pater* Augustus stand (vgl. hierzu den Gedanken des *pater urbium*, Hor. carm. 3,24,26f. und den *patḗr tēs póleōs*, SEG 37, 1987, 1856).

Seit Augustus ist unter der Verleihung des *p.p.* nicht mehr vornehmlich ein Ehrentitel zu verstehen, sondern ein Verpflichtungsverhältnis des *princeps* gegenüber den Bürgern, weshalb die Ablehnung des Titels durch → Tiberius umso schwerer wog (Tac. ann. 2,87; Suet. Tib. 26,2; Cass. Dio 57,8,1). Seit Augustus korrespondierte die Idee des *p.p.* mit der des → *pater familias*. Nur als guter *pater familias* konnte der *princeps* die Aufgabe des *p.p.* erfüllen, der mittels der → *patria potestas* die Schutzherrschaft über die *res publica* ausübte (Cass. Dio 53,18,3; Sen. clem. 1,14,2). Die *patria potestas* des *p.p.* war dabei kein jurist. Instrument zur Durchsetzung von Regeln, sondern eine Gewalt, die aus der → *auctoritas* und der *maiestas principis* (→ *maiestas*) entsprang [5. 235–245]. Erst nach einer gewissen Bewährung war der *princeps* zu dieser Aufgabe fähig, Claudius [III 1] z.B. lehnte den Namen zunächst ab, um ihn dann 42 n.Chr. anzunehmen. Erst 192 unter → Pertinax gehörte *p.p.* wieder zu den obligatorischen Ehrenbezeichnungen, die bei der Erhebung zum Kaiser verliehen wurden« (SHA Pert. 5,5). → Patriarchat

1 A. Alföldi, Der Vater des Vaterlandes im röm. Denken, 1971 2 H.W. Benario, Julia Domna – Mater senatus et patriae, in: Phoenix 12, 1958, 67–70 3 W.Kuhoff, Iulia Aug. mater Aug., in: ZPE 97, 1993, 259–271 4 U.Knoche, Die augusteische Ausprägung der Dea Roma, in: Gymnasium 59, 1952, 324–349 5 R. A. Bauman, The Crimen Maiestatis in the Roman Republic and Augustan Principate, 1967 6 D.Kienast, Augustus, ³1999, 132f. 7 M.Strothmann, Augustus – Vater der res publica, 2000, 66–72. ME.STR.

Patera, Patella. Die *p.* war eine flache, runde, grifflose und bisweilen verzierte Schale mit einem Buckel (*omphalós*) in der Mitte (gleich der griech. → *phiálē*: [1. 42–44]), die als Trinkgefäß (Plaut. Amph. 260; Prop. 4,6,85) und als Opferschale im röm. Kulturkreis Verwendung fand (Varro ling. 5,122; Abb. s. → Opfer IV.): Aus der *p.* goß der Opfernde die *libatio*, das → Trankopfer, bes. das Weinopfer (Trankopfer und Weingenuß: Verg. Aen. 1,728–740); mit ihr begoß man auch den Kopf des Opfertieres vor der Tötung und fing sein Blut auf [1. 40f.]. Das Trinken des Opferblutes aus der *p.* galt aber als außergewöhnlich (Cic. Brut. 43; Val. Max. 5,6,3) und als Indiz für rel. wie moralische Verworfenheit (Sall. Catil. 22,1). Spätestens in der 2. H. des 1. Jh. n. Chr. hieß auch die Schale für die Darreichung eines → Speiseopfers (*fruges*: [2. Nr. 48, Z. 8–10]) *p.* Prächtige *paterae* konnten den Göttern als Geschenk und Ausdruck der → *pietas* des Weihenden dediziert werden (Liv. 6,4,3).

Die *patella* war dagegen die Schale für das Servieren von Speisen (Hor. epist. 1,5,2) und für das Speiseopfer (Varro Men. 265; [1. 227f.]); die Identifizierung von Opferschalen in abstrakter Darstellung als *p.* oder *patella* ist oft problematisch. Auf Altären, Sepulkraldenkmälern und Mz. [1; 3] erscheinen Opferschalen in unterschiedlicher Funktion: stellvertretend für das konkrete Opfer im Götter- und → Totenkult; zur Darstellung der eigenen → *pietas* gegenüber Göttern und Familie; als Emblem des Priestercollegiums der → *septemviri epulonum* (seit augusteischer Zeit: BMCRE, Bd. 1, 20 Nr. 98, 16 v. Chr.); und in der Sakralkunst der röm. Kaiserzeit verstärkt als Ausdruck nicht nur des kaiserlichen Epulonats, sondern darüber hinaus eines generell erhöhten sakralen Status des Princeps.
→ Immolatio; Opfer

1 A. V. SIEBERT, Instrumenta sacra (RGVV 44), 1999 2 J. SCHEID (ed.), Commentarii fratrum Arvalium qui supersunt, 1998 3 E. SCHRAUDOLPH, Röm. Götterweihungen mit Reliefschmuck aus It., 1993.
A.BEN.

Pathissus. Der mächtigste sarmatische Nebenfluß der Donau, der linksseits durch die h. Ukraine, Rumänien, Slowakei, Ungarn und Serbien fließt und bei Acumincum (h. Stari Slankamen) in Pannonia Inferior mündet (Plin. nat. 4,80; *Parthiscus*: Amm. 17,13,4; vgl. auch Strab. 7,5,2), h. Tisa (Tisza, Theiß). Der lat. Name *Tisia* kommt erst in spätant. Quellen vor (vgl. Iord. Get. 33). Das breite Flußbett und seine sumpfige Umgebung bildeten ein schwer überwindbares Hindernis. Im Gebiet zw. P. und der Donau siedelten v. a. Reitervölker wie → Iazyges und bes. → Hunni.

TIR L 34 Budapest, 1968, 88 (Pathissus), 99. J.BU.

Pathos (πάθος, u. a. »Leidenschaft«, lat. u. a. *perturbatio animi*, *affectus*), die Affekterregung als Überzeugungsmittel, nimmt in allen großen ant. rhet. und literaturästhetischen Schriften (→ Katharsis) eine zentrale Position ein. Erster Referenztext ist die ›Rhetorik‹ des → Aristo-

teles [6], der die Überzeugung des Publikums durch drei Faktoren zuwege gebracht sieht: durch → Ethos (ethische Selbstrepräsentation des Redners), P. (auf die Affekterregung der Zuhörer gerichtete Darstellung des Sachverhalts) und Logos (sachlogische Überzeugungsarbeit), wobei Ethos und P. dem Logos deutlich untergeordnet sind (1,1,3) [4. 118f.]: Die Affekterregung im Zuhörer sei keine irrationale Gefühlsmanipulation, sondern ein sachorientierter, zielgerichteter Prozeß. Hieraus ergibt sich zwangsläufig die Möglichkeit einer fehlgehenden oder eigennützigen Affektmanipulation. Da das rhet. System an sich wertfrei ist und der verantwortungsvolle Gebrauch dieser Manipulationsmittel nur moralisch eingefordert werden kann, entwerfen Aristoteles und bes. die späteren röm. Theoretiker ein ethischmoralisch ausgerichtetes Idealbild des Redners. Der Verf. der → *Rhetorica ad Herennium* und Cicero (*De inventione*) deuten die drei aristotelischen Überzeugungsmittel zu drei Graden der Affekterregung um, die wiederum den drei *officia oratoris* (»Aufgaben des Redners«; → *officium* [7]) entsprechen: Logos, der übergeordneten Position beraubt [2. 108], wird hierbei als nicht-emotionalisierte Überzeugungsarbeit (*docere*), Ethos als milde (*delectare/conciliare*), P. als leidenschaftliche Affekterregung (*movere*) gefaßt. Die drei Kategorien werden zudem mit drei Stilkategorien bzw. Redetypen in Verbindung gebracht (→ *genera dicendi*), wobei das *genus grande* (*robustum, sublime*) dem P. zugeteilt ist.

Cicero (de orat. 2,72; 183f.) und in seiner Nachfolge Quintilian (inst. 6,2,4ff.) sprechen dem P. in der Überzeugungsarbeit eine wichtige, wenn nicht die wichtigste Position zu. Diese Neubewertung folgt der von Aristoteles abweichenden Einsicht, daß jede Form von Überzeugung mit Affekten verbunden ist: In einem Wechselspiel von Selbst- und Fremderregung sei der jeweilige Affektgrad Bestandteil der Rede, Gestus des Redners und Reaktion des Publikums. Entsprechend nennen die lat. Rhetoriker nicht nur präzise die sprachlichen und inhaltlichen Mittel zur Affekterregung im Publikum, sondern fordern auch, daß der Redner selbst die erwünschten Affekte empfinden muß, um sie glaubwürdig darstellen und vermitteln zu können. Zur »Einübung« der Affekte dienen verschiedene Techniken der Vergegenwärtigung (Quint. inst. 6,2,26). Diese Nähe der rednerischen Performanz zur Schauspielkunst wurde Gegenstand ant. (Tac. dial. 26) und mod. Kritik [3; 4]; sie trug zur Verurteilung des P. als hohl und unehrlich bei.

Eine für die neuzeitliche Rezeption entscheidende Bed.-Erweiterung erfuhr das P. in der Schrift ›Über das Erhabene‹ (1. Jh. n. Chr.; → Ps.-Longinos), wo es ohne Beschränkung auf einen bestimmten Redetypus oder Redeteil als eine der Quellen des Erhabenen, das im gesprochenen wie geschriebenen Wort wirke, definiert wird. Der Autor stellt P. über Logos und Ethos, da es als jederzeit einsetzbarer Glanzpunkt den Zuhörer überwältige und auf der emotionalen Ebene schnell und nachhaltig »überzeuge«. Er faßt P. nicht als (irrationale)

Leidenschaft, sondern als das verarbeitete, lit. stilisierte Gefühl, das mit erhabenen Gedanken, die ebenso Quellen des Erhabenen sind, verbunden sein müsse (8,1).

Das barocke Trauerspiel markiert in der Folgezeit die große Zeit des P.; mit dem Stilwandel vom Spätbarock zum Klassizismus wird der Begriff zunehmend pejorativ konnotiert bzw. etwa bei SCHILLER und HEGEL inhaltlich neu gefaßt [3. 196 ff.]. Die insgesamt sehr komplexen ant. Reflexionen über das P., die trotz ihrer Kontextgebundenheit bedeutende Vorarbeiten der mod. Psychologie sind, werden in der Rezeption vielfach zu Unrecht auf die Stillehre verkürzt.
→ Affekte; Rhetorik

1 CH. GILL, The ethos/p. Distinction in Rhetorical and Literary Criticism, in: CQ 34, 1984, 146–166 **2** K. GÖTTERT, Einführung in die Rhet., ²1994 **3** R. MEYER-KALKUS, s. v. P., in: HWdPh 7, 193–201 **4** C. OTTMERS, Rhet., 1996.
C. W.

Pathyris (Παθῦρις). Stadt in Oberäg. ca. 30 km südl. von Luxor beim h. Ġabalain, nach einem alten Hathorheiligtum äg. *Pr-Ḥwt-Ḥr* (»Haus der Hathor«), danach griech. auch Aphroditopolis (Strab. 17,1,47); gehörte in vorptolem. Zeit zum 4. oberäg. Gau, unter den Ptolemäern Hauptort eines neuen Gaues Pathyrites. Zahlreiche griech. und demotische Papyrusfunde einer Militärsiedlung aus dem 2. Jh. v. Chr.

A. CALDERINI, s. v. P., Dizionario dei nomi geografici e topografici dell' Egitto greco-romano, Bd. 4/1, 1983, 14–17.
K. J.-W.

Patiscus. Röm. Senator, der Panther in Cilicia fing und an Spielgeber in Rom weiterverkaufte (→ *munera*), z. B. 51/50 v. Chr. zehn Stück an C. Scribonius Curio (Cic. fam. 8,9,3), während M. Caelius [I 4] Rufus leer ausging (Cic. fam. 2,11,2). P. ist wohl der Q. Patisius, der 48/7 in Cilicia Truppen für den in Alexandreia [1] belagerten → Caesar sammeln sollte (Bell. Alex. 34,5). Im März 44 war P. unter den Mördern Caesars (App. civ. 2,300); er führte im Sommer 43 als Proquaestor eine Flotte vor der Südküste Kleinasiens (MRR 2,348) und fand später wohl – wie alle Caesarmörder – den Tod.
JÖ. F.

Patizeithes (Πατιζείθης Hdt. 3,61 ff.; Πανζούθης Dionysios von Milet, Schol. Hdt. 3,61 FGrH 687 F 2; identisch mit Παζάτης bei Xanthos dem Lyder; Πατζάτης Chr. pasch. 270?). Nach Hdt. 3,61 ein Magier, der 521 v. Chr. seinen Bruder Smerdis (→ Gaumāta) zur Revolte gegen → Kambyses [2] II. überredete und von → Dareios [1] I. getötet wurde. Iust. 1,9,9 f. gibt seinen Namen mit Oropastes an. P. ist als Titel zu deuten, allerdings etym. unklar (der gleiche wie das spätere πιτιάχης, mittelpersisch *bthšy*: »Vizekönig«?).
J. W.

Patmos (Πάτμος). Mit 34 km² kleinste und nördlichste Insel der → Sporaden (h. Dodekanes) vulkanischen Urspr., südwestl. von Samos. Äußere Gestalt: unregel-

mäßig, etwa halbkreisförmig, nach Osten offen (Rest eines Kraterrandes), maximale L 12 km, Br 300–5000 m, höchste Erhebung Prophetis Elias im SO (269 m); die Insel besteht aus vier durch niedrigere Isthmen verbundenen Hauptteilen, deren breitester im Norden zw. Leukas und dem Kap Geranos liegt, mehrere Kleinst-Inseln im Osten. Brz. Keramik wurde im Zentrum gefunden. Kastelli ist die Stelle der ant. Akropolis nordwestl. des h. Skala (ca. 100 m H) mit Mauerresten, teilweise aus dem 3. Jh. v. Chr. Inschr. nachgewiesen ist ein Artemiskult (Syll.³ 1152). In röm. Zeit war P. Verbannungsort: Unter Domitianus schrieb ein Christ Iohannes (der Apostel?) hier die nach ihm benannte → Apokalypse (und das gleichnamige → Evangelium?): vgl. dazu Apk 1,9; Iren. 5,30,3; Eus. HE 3,18,1; 23,6; Suda s. v. Δομετιανός, s. v. Ἰωάννης, s. v. Νέρβα. P. war seit der Spätant. ungeachtet seiner starken Veröfung Ziel christl. Pilger; Reste frühchristl. Basiliken (5./6. Jh.). Quellen: Thuk. 3,33,3; Strab. 10,5,13; Plin. nat. 4,69; Stadiasmus maris magni 280; 283; Eust. Comm. ad Dionysium Periegetem 530. Inschr.: [1]; Syll.³ 1068.

1 G. MANGANARO, Le iscrizioni delle isole milesie. Patmo, in: ASAA 41/2, 1963/4, 329–349.

G. JACOPI, Patmo, Coo e le minori isole italiane dell'Egeo, 1938 • J. SCHMIDT, s. v. P., RE 18, 2174–2191 • PHILIPPSON/KIRSTEN 4, 276–278 • KIRSTEN/KRAIKER, 556–560, 837, 892 (Lit.) • S. A. PAPADOPOULOS, P., 1962 • A. D. KOMINES, P. Die Schätze des Klosters, 1988 • H. KALETSCH, s. v. P., in: LAUFFER, Griechenland, 516–518 • E. KOLLIAS, P., 1990 • J. KODER, s. v. P., LMA 4, 1784 (Lit.).
A. KÜ.

Patrai (Πάτραι, Ethnikon meistens Πατρεύς, lat. *Patrae*, Ethnikon *Patrensis*).
I. TOPOGRAPHIE II. HISTORISCHE ENTWICKLUNG BIS ZUM 4. JH. N. CHR. III. BYZANTINISCHE ZEIT

I. TOPOGRAPHIE
Stadt im Westen von Achaia mit bed. Hafen, noch h. P. (zum Namen [1]), durch → *synoikismós* von sieben Dörfern (δῆμοι/*démoi*) entstanden (Strab. 8,3,2; [2. 89–95, 120 f.; 3; 4]). P. lag nicht wie die h. Stadt in der Küstenebene, sondern auf der ersten niedrigen Stufe darüber in der h. Oberstadt um das ma.-neuzeitliche Kastell. Wenige ant. Reste, so das Odeion aus der Kaiserzeit [5] und ein Stück der röm. Wasserleitung sind erh. In der Kaiserzeit gab es eine zum Hafen hinabreichende Vorstadt um die h. Kalavryta-Straße. Der Hafen bestand nur aus einer offenen, in der Kaiserzeit ausgebauten Reede. Der Hauptkult galt Artemis Laphria [6; 7. 113–117] mit einem aus → Kalydon [3] überführten Kultbild, daneben lag ein Demeter-Heiligtum mit Brunnenorakel bei der h. Kapelle des Hagios Andreas.

II. HISTORISCHE ENTWICKLUNG BIS ZUM 4. JH. N. CHR.
P. gehört zu den zwölf alten Städten von Achaia (Hdt. 1,145; Strab. 8,7,4; Pol. 2,41,8). Im → Pelopon-

nesischen Krieg war P. als Hafenstadt bedeutend. Von P. ging um 280 v. Chr. der Anstoß zur Gründung des neuen Achaiischen Bundes aus (Pol. 2,41,1 f.; Strab. 8,7,1; → Achaioi, Achaia, mit Karte). P. litt schwer unter einem Überfall der Gallier 279 v. Chr. (Paus. 7,18,6; 20,6; 10,22,6), desgleichen unter Übergriffen der Aitoloi im → Bundesgenossenkrieg [2] (220–217) und im 1. → Makedonischen Krieg (215–205). P. gewann in röm. Zeit größere Bed. als wichtigster griech. Hafen für die Überfahrt nach It. [8] – daher nun öfter in den Quellen erwähnt – und Sitz röm. Kaufleute. Antonius [I 9] überwinterte vor der Schlacht bei → Aktion 31 v. Chr. in P. Das einschneidendste Ereignis in der Gesch. der Stadt war die Gründung der röm. Bürgerkolonie *Colonia Augusta Aroe* (oder eher *Achaica* [9]) *Patrensis* durch Augustus 14 v. Chr. Dabei wurden die Nachbarstädte Pharai und Tritaia P. einverleibt, später wohl auch Dyme sowie größere Teile von Aitolia und Lokris [10]. P. wurde so neben Athen und Korinth die bedeutendste Stadt Griechenlands, war Amtssitz des röm. Statthalters von Achaea (→ Achaia, römische Provinz), wohl auch eines *conventus*. Nero landete auf seiner Griechenlandreise in P., die Stadt wurde vorübergehend *Colonia Neronia Patrensis* genannt. Nach der Legende erlitt der Apostel Andreas unter Nero den Märtyrertod in P. Bischöfe sind seit 347 n. Chr. bezeugt. 551 n. Chr. erschütterte P. ein schweres Erdbeben (Prok. BG 4,25,17). Vgl. Strab. 8,7,4 f.; Paus. 7,18,2–21,14.

1 A. G. KUTSILIERIS, Πάτρη – Πάτραι, in: Platon 25, 1973, 196–203 2 M. MOGGI, I sinecismi interstatali greci, Bd. 1, 1976 3 Ders., Sinecismi arcaici del Peloponneso, in: D. MUSTI (Hrsg.), La transizione dal miceneo all'alto arcaismo. Dal palazzo alla città, 1991, 159f. 4 F. TROTTA, Il sinecismo di Patrasso in Pausania e Strabone, in: PdP 48, 1993, 428–444 5 E. MASTROKOSTAS, PH. PETSAS, Ausgrabungsber., in: AD 16, 1960 (1962), 136–144; 26, 1971 (1974), 157–163 6 M. OSANNA, Artemis in P., in: P. BERKTOLD u. a. (Hrsg.), Akarnanien. Eine Landschaft im ant. Griechenland, 1996, 183–193 7 W. K. PRITCHETT, Greek Archives, Cults and Topography, 1996 8 A. D. RIZAKIS, Le port de P. et les communications avec l'Italie sous la République, in: Cahiers d'histoire 33, 1988, 453–472 9 P. AGALLOPOULOU, Two Unpublished Coins from P. and the Name of the Roman Colony, in: Hesperia 58, 1989, 445–447 10 U. KAHRSTEDT, Die Territorien von P. und Nikopolis in der Kaiserzeit, in: Historia 1, 1950, 549–561.

G. KAHL, Die geogr. Angaben des Andreasbios, Diss. Stuttgart 1989 · Y. LAFOND, Pausanias et le panthéon de P.: l'identité religieuse d'une cité grecque devenue colonie romaine, in: V. PIRENNE-DELFORGE (Hrsg.), Les Panthéons des cités (Kernos Suppl. 8), 1998, 195–208 · I. A. PAPAPOSTOLOU, Τοπογραφικὰ τῶν Πατρῶν, in: AAA 4, 1971, 305–317 · Ders., s. v. Patrasso, EAA 2. Suppl. Bd. 4, 1996, 277–281 · M. PETROPOULOS, Τοπογραφικά της χώρας των Πατρέων, in: A. D. RIZAKIS (Hrsg.), Achaia und Elis in der Ant. (Meletemata 13), 1991, 249–258 · Ders., Ἀγροικίες Πατραικῆς, in: P. N. DOUKELLIS, L. G. MENDONI (Hrsg.), Structures rurales et sociétés antiques, 1994, 405–424 · A. D. RIZAKIS, Achaïe, Bd. 2: La cité de Patras: épigraphie et histoire (Meletemata 25), 1998.   Y. L.

III. BYZANTINISCHE ZEIT

P. gehörte in spätröm.-frühbyz. Zeit wie die übrige → Peloponnesos zur Prov. → Achaia, seit dem E. des 7. Jh. zum → *théma* Hellas und dann vor 811 zum neugegr. *théma* Peloponnesos. Entscheidend für die spätere Gesch. war die Ansiedlung von → Slaven auf der Peloponnes, die aber P. nicht erobern konnten. Die Abwehr einer konzertierten Aktion von Slaven und Arabern (Piraten) vor P. im J. 805 (Andreaswunder) wurde von Kaiser Nikephoros [2] I. zum Anlaß genommen, die Slaven im Hinterland von P. der Kirche von P. zu unterstellen und diese gleichzeitig zur Metropolie neben → Korinthos zu erheben, was die außergewöhnliche Machtstellung des Bischofs in späterer Zeit begründete [3]. Benjamin von Tudela traf im 12. Jh. in P., dessen Hafen seit dem 11. Jh. an Wichtigkeit verlor, 50 jüd. Familien an.

1 T. E. GREGORY, s. v. Patras, ODB 3, 1597f. (mit Lit.) 2 J. KODER, s. v. Patras, LMA 6, 1785 (mit Lit.) 3 O. KRESTEN, Zur Echtheit des ΣΙΓΙΛΛΙΟΝ des Kaisers Nikephoros I. für Patras, in: Röm. Histor. Mitt. 19, 1977, 15–78.   J. N.

Patria potestas. Die *p. p.*, die als »väterliche Gewalt« noch lange unter der Geltung des dt. Bürgerlichen Gesetzbuches fortlebte und – nach einer Zwischenstufe der »elterlichen Gewalt« – in Deutschland erst mit Wirkung vom 1.1.1980 durch die elterliche Sorge ersetzt wurde, war in Rom das umfassende Herrschaftsrecht des → *pater familias* über die Familie. Urspr. unterlag die *p. p.* wohl wie die → *manus* über die Ehefrau (→ Ehe III. C.) keinen rechtlichen, sondern nur sittlichen und sakralen Grenzen, deren Überschreitung z. B. Friedlosigkeit oder Ausstoßung aus der Nobilität oder dem Ritterstand nach sich ziehen konnte. In der Kaiserzeit wurde die *p. p.* dann mehr und mehr rechtlich beschränkt. So wurde z. B. das Recht über das Leben der Kinder abgeschafft und daher eine dennoch erfolgte Tötung durch den Vater mit dem Tode bestraft (Cod. Theod. 9,15,1). Erhalten blieb aber das Recht zur → Kindesaussetzung und teilweise auch zur -veräußerung. Insbesondere konnte sich der *pater familias* durch Auslieferung des Kindes an den Geschädigten zur Bestrafung oder »Verwertung« (in Gestalt von Dienstleistungen oder Verkauf in die Sklaverei) von seiner eigenen Haftung für die der *p. p.* Unterworfenen befreien (→ *noxa*). An die Möglichkeit zur Veräußerung knüpft die Form der Entlassung aus der *p. p.* durch → *emancipatio* an.

Kern der *p. p.* ist die alleinige Befugnis zum Erwerb, zur Nutzung und zur Veräußerung des Familienvermögens (s. → *patrimonium*): Was z. B. ein Haussohn als Erfüllung eines Vertrages erhält, fällt ins Vermögen des Vaters. Die Söhne können sich freilich ihrerseits gegenüber Außenstehenden zu Leistungen verpflichten und deshalb auch im Formularprozeß (→ *formula*) und im kaiserlichen Zivilrechtsverfahren (→ *cognitio*) verklagt und verurteilt werden. Mangels eigenen Vermögens der Söhne scheiterte jedoch die Zwangsvollstreckung. Die Aufnahme von Darlehen war Haussöhnen seit der Zeit

Kaiser Vespasians (69–79 n.Chr.) durch einen *SC Macedonianum* allerdings untersagt.

Das Sondervermögen, das außerhalb des väterlichen Hauses lebenden und wirtschaftenden Söhnen überlassen wurde (→ *peculium*) blieb rechtlich gleichfalls Vermögen des Vaters, der mit einer bes. Klage (*actio de peculio*) auf das Sondergut oder mit einer anderen »adjektizischen« (an das Geschäft des Sohnes angelehnten) Klage (→ *actio* [2.B.]) in Anspruch genommen werden konnte. Entzog der Vater dem Sohne das *peculium* ohne triftigen Grund, verstieß er gegen die Gebote der Sitte (→ *mos maiorum*). Daraus entwickelte sich seit Augustus eine beschränkte Vermögensfähigkeit des Sohnes selbst: Zur Privilegierung des Militärdienstes wurde alles, was Soldaten in ihrem Dienst erwarben (bes. Sold und Beute) als *peculium castrense* freies Vermögen des Sohnes. Dies wurde in der Spätant. auf andere Angehörige des Staatsdienstes und auf Geistliche ausgedehnt. Außerdem wurde gleichfalls in der Spätant. dem *pater familias* die Verfügungsbefugnis über das Vermögen genommen, das Kinder von ihrer (selbst voll rechtsfähigen) Mutter (*bona materna*), später auch von anderen (*bona adventicia*) geerbt oder geschenkt bekommen hatten.

Die *p.p.* beginnt auf der Seite des Vaters mit dem Erwerb eigener Rechtsfähigkeit (typischerweise nach dem Tode seines Vaters), auf der Seite des Kindes regelmäßig mit der ehelichen Geburt. Möglich war auch die Unterwerfung unter die *p.p.* durch → Adoption, wobei die *arrogatio* (Adoption durch Beschluß der Curiatcomitien) sich auf die (bisherigen) Gewaltunterworfenen des Adoptierten erstreckte. Die *p.p.* ist ein Rechtsinstitut des *ius civile* (→ *ius* E.2.). Daher mußte der eheliche Vater oder der Adoptierende röm. Bürger sein; beim Eintritt in die *p.p.* durch eheliche Geburt mußte auch die Mutter das Bürgerrecht oder das → *conubium* mit dem röm. Ehemann haben.

Beendet wurde die *p.p.* im allg. erst mit dem Tod des *pater familias*, so daß selbst der höchste Staatsbeamte, der Consul, privatrechtlich der *p.p.* seines Vaters unterworfen sein konnte. Dem körperlichen steht der »bürgerliche« Tod gleich: Auch der Freiheits- oder Bürgerrechtsverlust der → *deminutio capitis* (A.) führt zum Erlöschen der *p.p.* Dasselbe gilt beim Ausscheiden aus dem Familienverband durch Adoption oder Emanzipation. Bei letzterer behielt der Emanzipierte sein *peculium* als nunmehr freies Eigenvermögen. Darin zeigt sich die wichtigste Funktion der Emanzipation: Durch sie konnte erreicht werden, daß unter mehreren Söhnen nur einer Rechtsnachfolger des Gewalthabers in Familie und (vor allem) Betrieb als Erbe (*suus heres*) wurde, während die anderen noch zu Lebzeiten des Erblassers abgefunden wurden. Nach der Anerkennung eines Neugeborenen als eheliches Kind (→ Geburt) und nach der Entscheidung gegen eine Kindesaussetzung konnte der *pater familias* einen Abkömmling hingegen nicht formlos, z.B. als Strafe, aus der *p.p.* entlassen. Wurde er aus dem Haus getrieben, blieb er rechtlich unter der *p.p.*

→ Bona; Familie; Pater Familias; Patriarchat; Patrimonium

HONSELL/MAYER-MALY/SELB, 63 f., 410 ff. • KASER, RPR Bd. 1, 60–65, 341–350; RPR Bd. 2, 202–206 • A. RABELLO, Effeti personali della p. p., 1979 • W. K. LACEY, P. P., in: B. RAWSON (Hrsg.), The Family in Ancient Rome: New Perspectives, 1986, 1992 • R. P. SALLER, P. P. and the Stereotype of the Roman Family, in: Continuity and Change 1, 1986, 7–22.   G.S.

Patriarchat (wörtl. »Herrschaft der Väter«). A. ALLGEMEIN B. FAMILIE C. GESELLSCHAFT

A. ALLGEMEIN

P. dient als mod. Wortbildung zur Bezeichnung der herrschaftlichen Stellung erwachsener Männer in der → Familie, bei der Herstellung von Beziehungen zw. Familie und Ges. und bei der Erfüllung polit. Aufgaben. Das Wort P. erhielt seine Bed. in der wiss. Diskussion durch BACHOFEN [1], der die Gestaltung der ant. Ges. nach einem »väterlichen Prinzip« entwicklungs- und institutionengesch. einer (histor. nicht belegbaren) Phase folgen ließ, die von einem »mütterlichen Prinzip« (→ MATRIARCHAT) geprägt gewesen sein soll. Die Bezeichnung P. ist insofern ungenau, als weder in der griech. noch in der röm. Ges. die physische Vaterschaft nötig war, um die Herrschaft des Mannes über die Frau und das Vermögen zu begründen und das »Haus« (→ *oíkos*; → *domus*) rechtlich und polit. nach außen zu vertreten. Anders als im Fall der real nie vorhandenen, aber zuweilen befürchteten »Herrschaft der Frauen« (→ Gynaikokratie) kannte die Ant. keine adäquate Bezeichnung für die als selbstverständlich empfundene allg. Dominanz der Männer (»Androkratie« o.ä.).

Die ant. Staatstheorie erklärt das P., indem sie von der Stellung des Mannes in der → Familie, die als Keimzelle des Staates gilt, ausgeht und sie auf den öffentlichen Bereich überträgt (Aristot. pol. 1252b 1–22: bereits unter Berufung auf Homer und Hesiod; 1253b 5–11; 1259a 37–b 4; Cic. off. 1,17,54). Die Gleichstellung von Mann und Frau in → Platons [1] *Politeía* setzt die Auflösung der Familie voraus, bleibt aber vereinzelte Spekulation, die vor und nach Platon auch von den Verfechtern sozialer Gleichheit (→ Phaleas von Kalchedon; → Menschenrechte) nicht vertreten, selbst von Platon in den *Nómoi* aufgegeben und von → Aristoteles [6] kritisiert wird. Den Anspruch des Mannes, über die Frau ›wie ein Staatsmann‹ (Aristot. pol. 1259a 41) und über die Kinder ›wie ein König‹ (ebd. 1259b 10) zu herrschen, leitet die griech. Staatstheorie direkt daraus ab, daß ›das Männliche von Natur aus (*phýsei*) zur Leitung mehr geeignet ist als das Weibliche‹ (ebd. 1259b 1–2). In Rom läßt sich, abgesehen von allg. Äußerungen über die Hoheit (*maiestas*) des Ehemannes (z. B. Cato [1] d. Ä. bei Liv. 34,2–4; Zon. 9,17), der Vorrang des Mannes eher indirekt über die häufig in den Rechtsquellen formulierten negativen Eigenschaften der Frau erschließen: Geschlechtsspezifische körperliche Schwäche (*infirmitas sexus*), geistige Kraftlosigkeit (*imbecillitas mentis*), charakterliche Unbeständigkeit (*levitas animi*) und fehlende Rechtskenntnis (*ignorantia iuris*) bilden jeweils den Gegensatz zu den nicht explizit formulierten männl. Fähigkeiten [2. 105, 157].

Das in ant. Ges. anerkannte, rechtlich (v. a. erbrechtlich) fixierte oder durch Konvention gefestigte allg. Gestaltungsmonopol der in der Regel verheirateten Männer (d. h. der Väter) schließt z. T. erhebliche Unterschiede sowohl zw. den einzelnen Staaten als auch innerhalb eines Staates zu verschiedenen Zeitstufen nicht aus. Sie zeigen sich zum einen in der Politik, die ein starkes Ost-West-Gefälle bei der direkten Teilhabe von Frauen an der Herrschaft im kleinasiatisch-hell. Raum erkennen läßt (vgl. → Ada; → Arsinoë [II 1–6]; → Kleopatra [II 4–12]), und zum andern in der faktisch wachsenden Möglichkeit der Frauen, einträgliche Berufe auszuüben und/oder unter lediglich formaler Beteiligung eines Vormunds (→ *kýrios* II.; → *patronus*; → *tutela*) über bedeutende Vermögen zu verfügen und damit etwa als Stifterinnen großes soziales Ansehen und partiell Einfluß zu gewinnen. Weiterhin bietet die in Rom ganz auf den Ehemann (*mas*) und auf die Sukzession der Familiengewalt vom Vater auf den Sohn ausgerichtete breite juristische Diskussion des Erbrechts erheblich bessere Voraussetzungen zur Erforschung der Stellung des Vaters (→ *pater familias*; → *patria potestas*), als dies im griech. Raum der Fall ist.

B. FAMILIE

In Griechenland und Rom traf der Ehemann als Vater wenige Tage nach der → Geburt eines Kindes die Entscheidung über dessen Aufnahme in die Familie und damit auch über die Aufnahme in den Bürgerverband. In Rom war diese Entscheidung über das Bürgerrecht (→ *civitas* B.) endgültig, in Griechenland bedurfte sie einer weiteren Bestätigung durch die → Phratrie, der das Kind vom Vater vorgestellt und dabei seine legitime Herkunft beeidet werden mußte. In Rom bezog sich das »Aufheben der Kinder« (*tollere liberos*) nur auf die Söhne; bei den Töchtern wurde lediglich die weitere Ernährung befohlen. Unterblieb dieser Befehl oder das »Aufheben«, wurde das Kind unblutig beseitigt (durch Ersticken, Verhungern, → Kindesaussetzung; Dig. 25, 3,4). Diese absolute Gewalt des Vaters über das Neugeborene setzte sich in Rom im Recht über Leben und Tod der Ehefrau und der erwachsenen Kinder fort (*ius vitae necisque*; → *patria potestas*), in Griechenland beschränkte sie sich auf den Zeitpunkt der Geburt. Anders als in Griechenland, wo die Frau auch nach dem athenischen Bürgerrechtsgesetz von 451 v. Chr., das für eine legitime Geburt auch ein Bürgerrecht der Mutter forderte, kein Recht der Mitwirkung bei der Vergabe des Bürgerrechts besaß (→ *politeia* I.), gab in Rom auch die unverheiratete freigeborene oder freigelassene Mutter das röm. Bürgerrecht an die »unbestimmt Empfangenen« (*vulgo quaesiti*) ohne Mitwirkung des Vaters weiter.

Völlig in der Hand des Vaters lag die Herstellung sozialer Beziehungen über die Familie hinaus durch die Organisation von Heiratsverbindungen: Die Töchter wechselten aus der Gewalt des Vaters (oder dessen Vertreters aus der Vaterslinie) in die Gewalt des Ehemannes, der in Rom meist noch selbst in der Gewalt seines Vaters stand (→ *manus*; → Ehe). Der rechtliche Status als Tochter änderte sich durch die Ehe nicht: In Griechenland konnte die Tochter vom Vater zurückgeholt werden, in Rom trat sie im Falle der *manus*-Ehe in ein Tochter-Verhältnis (*filiae loco*) zum Ehemann, der auch die Mitgift verwaltete, obwohl die Frau durch die Ehe (nicht durch die Geburt eines Kindes!) in den sozialen Rang einer → *mater familias* oder → *matrona* [1] aufstieg. Als sich seit dem 2. Jh. v. Chr. die Gewalt des Mannes lockerte und die *manus*-Ehe fast verschwand, blieb die verheiratete Tochter unter der Herrschaft ihres Vaters.

Bedeutende Unterschiede in der Stellung des Vaters in der Familie ergaben sich aus dem Zeitpunkt der Erbfolge, die in Rom erst nach dem Tod des Vaters (*post mortem*), in Griechenland aber schon zu seinen Lebzeiten (*inter vivos*) eintrat (Dion. Hal. ant. 2,26,2–4; [4. 109]). Während demnach die Gewalt des röm. Vaters über Ehefrau, Kinder und Vermögen ungeschmälert bis zum Tode anhielt und erst dann auf die Söhne (auch minderjährige oder ehelose) überging, geriet der griech. Vater in Abhängigkeit von seinen Söhnen und mußte gesetzlich vor Mißhandlungen geschützt werden, die ihn zur Vermögensübergabe oder zur Arbeit in dem nun vom Sohn beherrschten Besitz zwingen sollten, während der Sohn gesetzlich verpflichtet wurde, für seine Eltern zu sorgen (Lys. 10,8 = 11,4; Aischin. or. 1,28; Demosth. or. 24,102f.; [5. Test. Nr. 450]). Im übrigen war der röm. Vater vor gerichtlicher Verfolgung durch seine Gewaltabhängigen (Ehefrau, Kinder, Freigelassene) geschützt, im griech. Raum waren dagegen auch existenzbedrohende Klagen der Söhne gegen die Väter möglich (vgl. Platon, Euthyphron).

C. GESELLSCHAFT

Im gesellschaftlichen und polit. Bereich wird die Anwendung des Begriffs P. in seiner wörtl. Bed. auf die Ant. fraglich, zumal er sich in einigen Staaten (z. B. in Sparta und Rom) mit der »Herrschaft der Alten« (Gerontokratie) im Sinne einer institutionell gesicherten polit. Macht der Greise überschneidet (so leiten sich → *gerusía* bzw. → *senatus* von *gerontes* bzw. *senes*, »die Alten«, ab). Die Verwendung des Wortes *patres* (wörtl. »Väter«) für die Mitglieder des röm. Senats zeigt, daß *pater* (und → *patronus*) seit der archa. Zeit primär zur Betonung einer sozialen Stellung dienten (vgl. den *pater patratus* beim Ritus der → *fetiales*; → *pater patriae*; die Gottheit → Dis Pater), während zur Bezeichnung des leiblichen Vaters das Wort *atta* zur Verfügung stand – eine Differenzierung, die die griech. Sprache nicht kennt.

Obgleich in Griechenland wie in Rom stillschweigend vorausgesetzt wurde, daß man heiratet, um Kinder zu zeugen, und in Rom die Zeugung von Söhnen als »Bürgerpflicht« galt (Sen. benef. 3,33,4; Plin. epist. 6,15,3), verband sich die Berechtigung des Mannes, sofern er Bürger war, bei Gericht als Richter, Partei oder Zeuge zu agieren, Bürgschaften zu leisten, zu wählen sowie polit. und in der Regel sakrale Ämter (s. aber → *flamines*; → *árchōn* (*basileús*); → *pontifex maximus*) zu übernehmen, weder mit dem Erfordernis der Ehe, geschweige denn mit einer physischen Vaterschaft. Selbst die Ehegesetze des Augustus (s. → *lex Iulia et Papia*) benachteiligten nur den Ehelosen, nicht den verheirateten Kinderlosen.

Erst die erweiterte Bed. des Wortes P. im Sinne der »Herrschaft der Männer« macht deutlich, daß in ant. Ges. nur der physisch zur Vaterschaft befähigte Teil der Bürgerschaft ein Recht zur Gestaltung der öffentl. Angelegenheiten im Innern (Gesetzgebung, Verwaltung) wie nach außen (Diplomatie, Krieg) besaß. Dies gilt in Rom auch für die sakrale Sphäre; sofern Frauen mit kultischen Aufgaben betraut waren, befanden sie sich im Status einer *Tochter*, und zwar entweder als Ehefrau eines *flamen* (→ *confarreatio*) oder des *pontifex maximus*, der eine vatersgleiche Gewalt über die → *Vestalinnen* ausübte. Im griech. Raum unterlagen die Priesterinnen der häufig von weiblichen Hauptgottheiten (Hera, Athena) geschützten Städte keiner gleichartigen Bevormundung, waren jedoch ebenfalls polit. bedeutungslos und hatten keinen Einfluß auf die Weitergabe ihres Amtes.

→ Ehe; Erbrecht; Familie; Frau; Geschlechterrollen; Gynaikokratie; Mater familias; Pater familias; Patria potestas; MATRIARCHAT

1 J. J. BACHOFEN, Das Mutterrecht, 1861 2 Y. THOMAS, Die Teilung der Geschlechter im röm. Recht, in: G. DUBY, M. PERROT (Hrsg.), Gesch. der Frauen, Bd. 1: P. SCHMITT PANTEL (Hrsg.), Ant., 1993, 105–171 3 Ders., Rom: Väter als Bürger in einer Stadt der Väter, in: A. BURGUIÈRE, CH. KLAPISCH-ZUBER u.a. (Hrsg.), Gesch. der Familie, Bd. 1: Alt., 1996, 277–326 4 W. K. LACEY, Die Familie im ant. Griechenland, 1983 5 A. MARTINA (ed.), Solon. Testimonia veterum, 1968.

G. LERNER, The Creation of Patriarchy, 1986 · M. SKINNER, Classical Studies, Patriarchy and Feminism: The View from 1986, in: Women's Studies International Forum 10, 1987, 181–186 · R. P. SALLER, Patriarchy, Property and Death in the Roman Family, 1994. W. ED.

Patricii. Als *p.* wurden die Nachkommen der *patres*, der im → *senatus* repräsentierten Häupter der großen röm. Familien, bezeichnet; das Patriziat bildete dann den erblichen Adelsstand (→ *Adel*) in Rom. Die historiographische Trad. führt die Entstehung des Patriziats auf die Gründungszeit Roms zurück: → *Romulus* selbst soll den Senat gebildet haben (Cic. rep. 2,23), wobei es urspr. 100 Senatoren gegeben habe (Liv. 1,8,7; Dion. Hal. ant. 2,8,3; Plut. Romulus 13,2). Zuerst war das Volk an der Auswahl der Senatoren beteiligt (Dion. Hal. ant. 2,12); die übrigen Römer unterstanden als → *clientes* dem Patronat der *p.* (Cic. rep. 2,16; Dion. Hal. ant. 2,9–11; Plut. Romulus 13,7–9). Ancus → Marcius [I 3] (Liv. 1,35,6), → Tarquinius Priscus (Cic. rep. 2,35; Dion. Hal. ant. 3,67,1) oder auch erst L. Iunius [I 4] Brutus (Tac. ann. 11,25,2) soll die urspr. *gentes maiores* der *p.* um

die *gentes minores* ergänzt und damit den Senat auf 300 Mitglieder gebracht haben; dabei bleibt der Unterschied zw. *gentes maiores* und *minores* unklar, da nur für die → Papirii eine Zugehörigkeit zu den *gentes minores* bezeugt ist (Cic. fam. 9,21,2).

Arch. ist die soziale Differenzierung der Ges. in Latium (→ *Latini*) seit dem 8./7. Jh. v. Chr. v. a. an den reichen Grabausstattungen faßbar. Es gab demnach eine soziale Führungsschicht, die sich in *gentes* gliederte und durch Reichtum, Klientel, den Dienst in der Reiterei (→ *equites Romani*) und die Verwaltung von Priestertümern auszeichnete. Den von außen kommenden und oft wechselnden Königen trat sie organisiert in einem Adelsrat gegenüber. Belegt wird dies v. a. durch die Institution des *interregnum*, das urspr. wohl den fünftägigen Rückzug des (magischen) Königs beim Jahreswechsel, dann aber generell königslose Zwischenzeiten überbrückte (Cic. rep. 2,23; Liv. 1,17,5–6; Dion. Hal. ant. 2,57; Plut. Numa 2,9f.). Das Amt des → *interrex* blieb stets den patrizischen Senatoren vorbehalten, die sich damit auch im genuinen Besitz des Auspikationsrechts zeigen.

Das Ende des Königtums verschaffte den *p.* die alleinige Vormachtstellung in Rom, ein Vorgang, dessen Rekonstruktion allerdings strittig ist. Nach der Überl. wurde der Senat zunächst um plebeiische Mitglieder ergänzt und die Anrede *patres conscripti* eingeführt (Liv. 2,1,10–11), die allerdings auch schon der Königszeit zugeschrieben wurde; in den Consularfasten (→ *fasti*) der ersten Jahre der Republik erscheinen zahlreiche plebeiische Namen. Danach wäre die ›Abschließung des Patriziats‹ erst einige Jahrzehnte später erfolgt, zusammen mit einer Festlegung und eventuell auch einer Ausweitung der patrizischen Vorrechte. Sollten die frühen plebeiischen Consuln erst später in die *fasti* eingefügt worden sein, dann hätte der Reiteradel der röm. Königszeit sogleich mit Beginn der Republik die Macht übernommen, allerdings noch die mächtige *gens* der Claudii nach ihrem Zuzug aus dem Sabinerland nach Rom integriert (Liv. 2,16,4–5; Dion. Hal. ant. 5,40; Plut. Poplicola 21; Datier. in die Königszeit: Suet. Tib. 1,1; App. reg. 12). Ständisch abgeschlossen erscheinen die *p.* jedenfalls in der Mitte des 5. Jh. v. Chr. mit dem Eheverbot zw. *p.* und *plebeii* im Zwölftafelgesetz (→ *tabulae duodecim*), das wahrscheinlich nur bestehendes Recht kodifizierte. Es soll indes bereits 445 v. Chr. durch ein Plebiszit des Volkstribunen C. → Canuleius [1] aufgehoben worden sein (Cic. rep. 2,63; Liv. 4,1–6).

Im → *Ständekampf* zw. *p.* und *plebeii* ging es einerseits um soziale Forderungen (Frage der Schulden), andererseits um die Besetzung der Magistraturen (→ *magistratus*). Durch den Ausgleich von 367 (*leges Liciniae Sextiae*, Liv. 6,35,4f.) wurde das Consulat als oberste Magistratur konsolidiert und zugleich eine der beiden Stellen grundsätzlich und später generell den *plebeii* reserviert. Die neugeschaffene Praetur wurde bald darauf (336 v. Chr.) den *plebeii* zugänglich, zuvor waren ihnen schon das Amt des → *magister equitum* (368), die Dictatur

(356) und die Censur (351) geöffnet worden. Allerdings sollte es noch zwei Jh. dauern, bis die *p.* in einem Kollegium der Consuln (172) oder Censoren (131) überhaupt nicht mehr vertreten waren. Durch die Neuordnung der Priesterämter der → *augures* und *pontifices* (→ *pontifex*) verloren die *p.* auch in diesen wichtigen Gremien ihr Monopol (*lex Ogulnia:* Liv. 10,6–9). Ihr Kontrollrecht durch die erforderliche nachträgliche Bestätigung von Gesetzen und Wahlen (*patrum auctoritas*) wurde bei der Gesetzgebung durch die *lex Publilia* von 338 (Liv. 8,12,15), durch die *lex Maenia* zu Beginn des 3. Jh. bei den Wahlen (Cic. Brut. 55) zugunsten einer vorangehenden Zustimmung aufgehoben.

Wurden die *p.*, die auf diese Weise ihre Macht verloren hatten, auch als polit. Führungsschicht durch die sich seit dem 4. Jh. v. Chr. herausbildende Nobilität (→ *nobiles*) abgelöst, so blieb ihnen doch eine Reihe von Ehren- bzw. Reservatrechten. Dazu gehörte das *interregnum* ebenso wie die Fähigkeit, → *princeps senatus* zu werden, aber auch schon äußerlich der Patrizierschuh (*calceus patricius*). Ebenso wie der → *rex sacrorum* und die → *salii* blieben auch die → *flamines maiores* patrizisch; sie mußten aus einer nach dem speziellen Ritus der → *confarreatio* geschlossenen Ehe stammen.

Naturgemäß ging die Zahl der nicht mehr ergänzungsfähigen patrizischen Familien ständig zurück. Waren es im 5. Jh. v. Chr. etwa 50 gewesen (Dion. Hal. ant. 1,85,3), so waren es gegen Ende der Republik nurmehr 14. Durch eine *lex Cassia* wurde Caesar 45 oder 44 v. Chr., durch eine *lex Saenia* Caesar (C. Octavius), dem späteren Augustus, 30 v. Chr. das Recht verliehen, *p.* zu ernennen (Tac. ann. 11,25,2; Suet. Iul. 41,1). Augustus hat sich auch später um fast vergessene patrizische Familien bemüht. Diese Erneuerungs- und Wiederbelebungsversuche, denen sich auch spätere Kaiser anschlossen (Claudius: Tac. ann. 11,25,2), hatten jeweils nur kurzfristige Wirkung. Im 3. Jh. erlosch das erbliche Patriziat; der spätant. Titel eines *patricius* hat eine ganz andere Bedeutung (→ *patríkios* [1]).

1 A. ALFÖLDY, Der frühröm. Reiteradel und seine Ehrenabzeichen, 1952 2 E. J. BICKERMAN, Some Reflections on Early Roman History (1969), in: Ders., Religions and Politics in the Hellenistic and Roman Periods, 1985, 523–540 3 M.A. LEVI, Plebei e patrizi nella Roma arcaica, 1992 4 R. E. MITCHELL, Patricians and Plebeians. The Origin of the Roman State, 1990 5 A. MOMIGLIANO, Osservazioni sulla distinzione fra patrizi e plebei, in: E. GJERSTAD, F. E. BROWN (Hrsg.), Les Origines de la république romaine (Entretiens 13), 1967, 197–221 6 P.-CH. RANOUIL, Recherches sur le patriciat (509–366 avant J.-C.), 1975 7 J.-C. RICHARD, Patricians and Plebeians: The Origin of a Social Dichotomy, in: K. A. RAAFLAUB (Hrsg.), Social Struggles in Archaic Rome, 1986, 105–129.   J.v.U.-S.

Patricius (St. Patrick). Der Britannier P. wurde als 16jähriger nach Irland entführt, als Sklave verkauft und floh sechs Jahre später. Einer ›Stimme der Iren‹ (Confessio 23) folgend, kehrte er (432 n. Chr.?) nach Irland

als Bischof zurück. Er starb an einem 17. März (461? oder 491?). Sein Charisma ist belegt durch die *Confessio* betitelte Autobiographie [1. Bd. 1, 56–91; 2; 4] und die prophetisch-drohende *Epistola ad milites Corotici* [1. Bd. 1, 91–102; 2; 4].

P. ist ein »Grenzfall« [5. 228] der lat. Literatur. Sein schwieriges Latein [6] speist sich aus der Bibel, deren Pleonasmen und Solözismen emphatisch überboten werden [1. Bd. 2]. Da P. sagt, seine ›Rede und Kunde‹ sei in eine fremde Sprache übertragen‹ (Confessio 9), hat man seine Sprache als Übersetzerlatein aufgefaßt, deren Grundschicht das Keltische sei [7]. Die oft betonte Isolierung des Werks [8. 153] gilt nicht für die lit. Form: Die *Confessio* ordnet sich in die zeitgenössische Konfessionsliteratur ein (→ Autobiographie IV.).

P. sieht sich selbst als *den* Apostel der Iren (Confessio 34, 51 und 58). Gestützt auf Prosper (ad annum 431; MGH AA 9,473) wird dieser Anspruch aber bezweifelt. Im 7. Jh. entstand die *Vita S. Patricii* des Muirchu, die P. als Wundertäter im kelt. Milieu darstellt [3. 62–122; 5. 238–241], und die als Materialsammlung angelegte *Vita S. Patricii* des Tirechan, partienweise von märchenhaftem Reiz [3. 122–166; 5. 241–243].

ED.: 1 L. BIELER, Libri epistolarum S. Patricii episcopi, 2 Bde., 1950–1952 2 R. P. C. HANSON, Saint Patrick. Confession et lettre à Coroticus (SChr 249), 1978 3 L. BIELER, The Patrician Texts in the Book of Armagh, 1979 4 D. R. HOWLETT, The Book of Letters of Saint Patrick the Bishop, 1994.
LIT.: 5 W. BERSCHIN, Biographie und Epochenstil im lat. Mittelalter, Bd. 2, 1988 6 C. MOHRMANN, The Latin of Saint Patrick, 1961 7 K. MRAS, St. P. als Lateiner, in: AAWW 1953/6, 99–113 8 E. A. THOMPSON, Who was Saint Patrick?, 1985.   W.B.

Patrii di. Die *p. d.* (griech. θεοὶ πάτριοι/πατρῷοι, → *theoí pátrioi*) sind keine im röm. → Sakralrecht verankerte Kategorie, sondern repräsentieren den indigenen Versuch, rel. Pluralität in dem für die ant. Rel. typischen traditionalistischen Schema von *in-group* und *out-group* zu klassifizieren: Die »Götter der Väter« gewinnen einen Teil ihrer Legitimation dadurch, daß schon die Vorfahren sie in Einklang mit den tradierten Wertesystemen (lat. *patrii mores ritusque;* griech. *pátrioi nómoi*) verehrten. Als *p. d.* lassen sich deshalb alle Gottheiten begreifen, denen durch ihr Alter (Verg. georg. 1,498) und ihre gegenwärtige Schutzfunktion (Cic. Phil. 2,72; Tib. 2,1,17; AE 1929, 135: *salutaris;* AE 1928, 106 und 1978, 525: *conservator*) innerhalb des lokalen → Pantheon eine zentrale Position zukommt und an die sich eine lokale rel. Identität knüpft. Der Begriff der *p. d.* kann nicht weiter spezifizierte Gottheiten bezeichnen (Pl.: Hor. carm. 2,7,4; CIL V 4207; Sg.: CIL VIII 17627; AE 1953, 86) oder eine Gottheit durch den Zusatz »Gott der Väter« näher bestimmen (CIL VIII 2678a; AE 1957, 246b; 1966, 507; [1. 142; 2. 2243 f.]). So hießen in Rom *p. d.* u. a. die nach der Überl. von → Aineias [1] aus Troia geretteten und für den Bestand des Gemeinwesens zentralen *di* → *penates publici* und die *di penates* des individuellen Hausstandes (Hyg. bei Macr. Sat. 3,4,13; vgl. Cic. dom. 144; Verg. Aen. 2,717; Hor. sat. 2,5,4; Res Gest. div. Aug. app. 2) sowie die → Laren (Tib. 1,10,15; Iuv. 12,89; CIL V 4206).

Entscheidende Bed. kam den *p.d.* auch bei der Formulierung einer rel. Identität bei der Migration zu: Einerseits deutete die Verehrung der Gottheiten der neuen Umgebung als *p.d.* durch Händler, Verwaltungsbeamte oder das Militär (ILS 9266) Fremdes in den Kategorien eigener rel. Erfahrung mit dem Bemühen, auch die Götter der neuen Umgebung gnädig zu stimmen (vgl. [3. 161f.; 4]). Andererseits synthetisierte die Fortführung des Kultes der *p.d.* der Heimat in der Diaspora durch Individuen [5. 45–47], Berufsgruppen [6] und Ethnien [8–11] – mit Weihungen [1. 142f.] sowohl für die »väterlichen« Gottheiten allein (CIL VI 32550; AE 1910, 133; 1962, 229 und 241; 1957, 246b) als auch gemeinsam mit den »neuen« Göttern (CIL VI 32551; AE 1983, 795; ILS 8995 = IG IV 1², 417; [7]) – traditionelle und neue Lebenswelten im Rahmen eines grundsätzlich offenen → Polytheismus. Die Verehrung der aus der alten Heimat mitgeführten *p.d.* in neuer Umgebung war Ausdruck einer spezifischen rel. und sozialen Identitätsbildung (Dion. Hal. ant. 2,19,3; [8. 183–186]); der Grad der Institutionalisierung des Kultes in der Fremde reichte dabei von vereinzelten und im inschr. Befund oft singulären Dedikationen bis zur Einrichtung eines permanenten Kultbetriebes (z.B. AE 1944, 74; 1980, 755; [6]). Allein in Rom [8. 205–284] etablierten sich Kultzentren für zahlreiche durch Migration importierte *p.d.*: z.B. → Epona, → Isis, Iuppiter → Dolichenus und die Gottheiten im syrischen Kultbezirk [9] auf dem → Ianiculum, die palmyrenischen Gottheiten (→ Baal, → Malachbelos) in Trastevere [10; 11], → Sabazios, vielleicht auch → Mithras, sowie die Synagogen der jüd. und die Kirchen der christl. Gemeinden.

Min. Fel. 6,1 formuliert als Systemleistung der röm. Rel. die Eingliederung vieler partikularer *p.d.* in das röm. → Pantheon. Problematisch wird Integration allerdings, wenn die »Fremdheit« der neuen *p.d.* und der sie tragenden Migranten systemintern gegen die eigene rel. Trad. nicht abgeglichen werden kann: In Krisen- und Umbruchzeiten deuten v.a. die Eliten das Neue und Fremde als Untergrabung der auf die eigenen *p.d.* aufbauenden rel. und moralischen Werte (→ Bacchanalia: Liv. 39,16,10) und reagieren mit dem Rekurs auf den *patrius ritus* (Cic. leg. 2,19ff.; Cass. Dio 52,36) sowie dem (zeitweiligen) Ausschluß des Fremden im republikanischen und kaiserzeitlichen Rom (Bacchus-Anhänger: Liv. 39,17–19; Sabazios-Anhänger und Juden: Val. Max. 1,3,3; Juden: Tac. ann. 2,85; Suet. Claud. 25; Isis-Anhänger: Val. Max. 1,3,4; Tac. ann. 2,85; Cass. Dio 53,2,4; 54,6,6; [8. 41–47]). Sinnbildlich werden die Grenzen heidnischer rel. Integrationsfähigkeit in dem Vorwurf gegen die christl. → Monotheismus, alle *p.d.* und damit die rel. Trad. als solche rundheraus abzulehnen (Clem. Al. protreptikos 10,89; Arnob. 2,66f.; Eus. Pr. Ev. 1,2,1ff.).

→ Mos maiorum

1 R. MacMullen, Paganism in the Roman Empire, 1981 2 W. Aly, s.v. P. d., RE 18.4, 2242–2244 3 G.L. Irby-Massie, Military Rel. in Roman Britain, 1999 4 I. Haynes, Rel. in the Roman Army: Unifying Aspects and Regional Trends, in: H. Cancik, J. Rüpke (Hrsg.), Röm. Reichsrel. und Provinzialrel., 1997, 113–126 5 W. Eck, Rel. und Religiosität in der soziopolit. Führungsschicht der Hohen Kaiserzeit, in: Ders. (Hrsg.), Rel. und Ges. in der röm. Kaiserzeit, 1989, 15–51 6 M. Humphries, Trading Gods in Northern Italy, in: H. Parkins, Ch. Smith (Hrsg.), Trade, Traders and the Ancient City, 1998, 203–224 7 E. Fentress, Dii Mauri and d. p., in: Latomus 37, 1978, 507–516 8 D. Noy, Foreigners at Rome, 2000 9 J. Calzini Gysens, Dieux ancestraux et Baals syriens attestés à Rome, in: G.M. Bellelli, U. Bianchi (Hrsg.), Orientalia sacra urbis Romae. Dolichena et Heliopolitana, 1996, 261–276 10 E. Equini Schneider, Palmireni a Roma e nell'Africa del nord, in: E. Campanile u.a. (Hrsg.), Bilinguismo e biculturalismo nel mondo antico, 1988, 61–66 11 L. Dirven, The Palmyrene Diaspora in East and West, in: G. ter Haar (Hrsg.), Strangers and Sojourners, 1998, 77–94. A.BEN.

Patrikios (πατρίκιος, von lat. *patricius*).
[1] Seit Constantinus [1] I. → Hoftitel im röm.-byz. Reich für hohe Beamte und Offiziere, bis ca. 11. Jh.

LMA 6, 1789–1791 · ODB 3, 1600 · W. Heil, Der konstantinische Patriziat, 1966. F.T.

[2] Vater des iustinianischen Kompilators → Leontios [5] (Const. Dedoken § 9), war in der 2. H. des 5. Jh. n.Chr. der bedeutendste Rechtsprofessor in Berytos. Seine Komm. zu den Kaisergesetzen wurden im *Codex Iustinianus* berücksichtigt und in den Basilikenscholien (10. Jh.) exzerpiert.

PLRE II 839 · A. Berger, s.v. Patrikios, RE 18.4, 2244–2249 · D. Simon, Aus dem Kodexunterricht des Thalelaios, in: ZRG 87, 1970, 315–394, hier 393. T.G.

Patrimi s. Amphithaleis paides

Patrimonium A. Begriff
B. Privatrecht C. »Öffentliches Recht«
D. Patrimonium Caesaris

A. Begriff

Gegenüber dem urspr. bedeutungsähnlichen Begriff *familia* (→ Familie IV. B.) verengte sich die Bed. von *p.* (etym. rekonstruiert aus *patris munia*, »Angelegenheiten des → pater familias«) auf die reinen Vermögensangelegenheiten, erweiterte sich aber in der jurist. Terminologie auf alle Rechtsgesamtheiten mit Vermögenscharakter, die im privat- oder öffentlichrechtl. Verkehr Bed. hatten, d.h. allg. im Sinne von »Sachvermögen«.

B. Privatrecht

Der röm.-privatrechtl. Vermögensbegriff enthält nicht nur unbeschränkte und sichtbare Sachherrschaftsrechte wie das Eigentum an Land, Vieh oder Mobilien, sondern auch beschränkte Sachenrechte – wie Pfand, Servitut oder Hypothek – und die nur in Ansprüchen bestehenden Rechte (Obligationen); er erlaubt ferner die Inhaberschaft von Frauen und Mehrheiten von Eignern eines Vermögens (Dig. 27,1,21,2; 50,4,4,1). Ein »negatives«, nur in Schulden bestehendes Vermögen kennt die röm. Rechtstradition – anders als die heutige – nicht; dem röm.-rechtl. Vermögen werden generell nur die Aktiva zugerechnet (Dig. 5,1,50,1; 35,3,1,12).

C. »ÖFFENTLICHES RECHT«

In der öffentl. Sphäre kann *p.* die der → *res publica*, den *civitates* (→ *civitas* A.), *corporationes* und anderen *universitates* (»Gesamteigentümern«; → *collegium*; → Vereine) zugeordneten Vermögen bezeichnen; bei diesen handelt es sich dann jedoch niemals um Sachen, die sich im Allgemeingebrauch (*in usu publico*) befinden, sondern nur um solche, an denen die Rechtsbefugnis der Gesamtheit der eines privaten Einzelnen gleichgestellt werden kann, was ihre Veräußerlichkeit betrifft (*in patrimonio fisci* bzw. *populi*, Dig. 1,8,2 pr.; 18,1,72,1; 41,1,14 pr.).

D. PATRIMONIUM CAESARIS

Seit → Augustus wurde das *p. Caesaris* zur Bezeichnung für das Sondervermögen, das der Kaiser »als Privatmann« erworben hatte oder für sich und seine Familie in Anspruch nahm. Dieses Vermögen stand neben der republikan. Staatskasse (*aerarium populi Romani*; → *aerarium*) und den Finanzmitteln, die dem Kaiser als Amtsinhaber und Befehlshaber speziell zustanden oder zugefallen waren (*fiscus Caesaris*; → *fiscus*). Tatsächlich aber war das *p. Caesaris* nicht nur ein Vermögen des Herrschers als Person, sondern gehört überwiegend in die Systematik der »öffentl. Finanzen«, und zwar wegen der Dimension des Besitzes und seiner häufigen Nutzung für öffentl. und polit. Zwecke (R. Gest. div. Aug. 15; 17; 18). In der frühen Kaiserzeit verdankte das *p. Caesaris* seinen Umfang teilweise auch Schenkungen und letztwilligen Verfügungen Privater (Suet. Aug. 101,3), die öfters auf Druck zustande kamen (Suet. Cal. 38,2; Suet. Nero 32,2; Suet. Dom. 12,2). Der Begriff *p.* für das kaiserl. »Privatvermögen« hielt sich bis in die Zeit der spätant. Rechts-Codices (*sacrum p.*: Cod. Theod. 9,42,3; Cod. Iust. 10,17,1). Allerdings wurden im Laufe der Kaiserzeit kaiserl. »Privatvermögen« mehrfach einem – seit → Septimius Severus neu benannten – Finanzbereich der kaiserl. *res privatae (nostrae)* zugeordnet, später identisch mit den *sacrae largitiones* (Cod. Iust. 12,23,9). Sogar die Verwaltung des eher persönl. kaiserl. Privatvermögens (der *domus divina*) erfolgte längere Zeit bei den *res privatae* (Not. dign. or. 14,3), deren Spitzenbeamten, dem *comes rerum privatarum* bzw. *sacrarum largitionum* (→ *comes*), ein *procurator patrimonii* (→ *procurator*; Cod. Theod. 9,42,3) nachgeordnet war. Seit → Anastasios [1] wurde die Selbständigkeit des kaiserl. *p.* gegenüber anderen Finanzbereichen durch eine eigene Verwaltungsspitze, den *comes sacri patrimonii*, wieder deutlicher gemacht (Cod. Iust. 1,34). Fremdgenutzte Liegenschaften des kaiserl. *p.* wurden rechtl. anders gestellt (→ *emphýteusis*) als anderer fremdbewirtschafteter staatl. Grundbesitz (Cod. Iust. 11,62,1).

→ Aerarium; Familia; Fiscus; Private Vermögen

KASER, RPR I², 305, 377; II², 152f., 308 • HIRSCHFELD, 18–25; 40–46 • JONES, LRE, 425f.   C.G.

Patrios Politeia (πάτριος πολιτεία, »Väterverfassung«). Politisches Schlagwort, das in Athen (→ Athenai) während des → Peloponnesischen Krieges (431–404 v. Chr.) unter dem Eindruck scharfer Polarisierungen und angesichts mil. Rückschläge zu einer Abkehr von der »radikalen« Demokratie aufforderte. Die polit.-histor. Orientierungen für eine Rückkehr zur *p.p.* – Drakon [2] ([Aristot.] Ath. pol. 4,2f.), → Solons *eunomía*, Kleisthenes [2] bzw. die »Areopagherrschaft« während des großen → Perserkrieges ([Aristot.] Ath. pol. 23,1 und Aristot. pol. 5,1304a) – bleiben jedoch umstritten: so fordert das große Thrasykrates-Fr. (85 F 1 DK, vor 411 v. Chr.) zu einer Orientierung v. a. an den polit. Verhältnissen der jüngeren (d. h. vor-perikleischen) Vergangenheit auf, während das → Kleitophon-Amendement 411 v. Chr. (bei [Aristot.] Ath. pol. 29,3 mit Kap. 31; vgl. Thuk. 8,76,6) neben Solons *politeía* ausdrücklich die Berücksichtigung des Kleisthenes und seiner *pátrioi nómoi* verlangt. Die Angabe bei Aristoteles (Ath. pol. 34,3), wonach das Friedensdiktat von 404 v. Chr. explizit eine Rückkehr Athens zur *p.p.* enthalten habe, geht auf eine patriotisch-konservative Legendenbildung (4. Jh. v. Chr.) zurück.

Nach den blutigen Exzessen der Dreißig (→ *triákonta*) 404/3 v. Chr. blieb der Begriff *p.p.* als oligarchisch-antidemokratische Parole in der polit. Öffentlichkeit diskreditiert und wird in → Isokrates' Denkschriften (Isokr. or. 7,15 und 57; or. 12,114f.) sorgfältig vermieden. Unter den Oligarchien nach 322 v. Chr. wurde dagegen das Schlagwort von der »Rückkehr« zur *p.p.* neu belebt (vgl. Diod. 18,18,3–6); dies gilt bes. für das Regime des → Demetrios [4] von Phaleron, der sich als »Dritter Gesetzgeber« Athens (nach Theseus und Solon!) gerierte (vgl. Strab. 9,1,20).

→ Demokratia; Oligarchia; Nomos [1]; Politeia

S. A. CECCHIN, P. p., 1969 • M. I. FINLEY, The Ancestral Constitution, 1973 • G. A. LEHMANN, Oligarchische Herrschaft im klass. Athen, 1997.   G.A.L.

Patrobius. Reicher Freigelassener des → Nero, der dessen Vertrauen besaß. Im J. 66 n. Chr. veranstaltete P. zu Ehren des armenischen Königs → Tiridates in Puteoli Gladiatorenspiele, die durch ihren Luxus alles übertrafen, was man gewohnt war. Galba [2] ließ ihn hinrichten. PIR² P 161.   W.E.

Patrocinium   I. POLITISCH   II. CHRISTLICH

I. POLITISCH

A. DEFINITION   B. MASSNAHMEN GEGEN DAS PATROCINIUM   C. SYRIEN   D. GALLIEN

A. DEFINITION

Der Begriff *p.* bezeichnet für die Spätant. Schutz- und Abhängigkeitsverhältnisse vor allem im ländlichen

Raum, in dem *coloni* oder Kleinbauern sich dem Schutz mächtiger Amtsträger oder privater Großgrundbesitzer unterstellten. Das *p.* richtete sich in erster Linie gegen die kaiserliche Verwaltung, bes. gegen die Steuereintreiber; durch das *p.* versuchte die ländliche Bevölkerung, sich der Pflicht zur Steuerzahlung zu entziehen. In der mod. Forsch. gilt das *p.* vielfach als einer der Faktoren, die zur Auflösung des Imperium Romanum beitrugen. Man nimmt an, ein großer Teil der Reichsbevölkerung sei dadurch dem unmittelbaren Zugriff der Verwaltung entzogen worden und eine neue Schicht von *potentes* (»Mächtigen«) sei in der Lage gewesen, die Vertreter der Zentralgewalt von ihrem Schutzterritorium fernzuhalten; damit sei das *p.* ähnlich wie das Colonat (→ *colonatus*) als eine der Wurzeln der ma. Grundherrschaft anzusehen.

B. Massnahmen gegen das Patrocinium

Sämtliche kaiserliche Erlasse zum *p.* – aus einem Zeitraum von über 150 J., von 360 n. Chr. bis hin zu Iustinianus (527–565) – beziehen sich auf den Osten des Reiches (vgl. v. a. Cod. Theod. 11,24). Die *patroni* waren Militärangehörige, etwa die *duces* (→ *dux*) der Prov., oder zivile Amtsträger, Curiale, die Kirche, schließlich auch Privatleute. Es kann aber kein Zweifel daran bestehen, daß das *p.* den Bauern im Osten in erster Linie von zivilen oder mil. Amtsträgern gewährt wurde. Für die von ihnen erbrachten Dienste ließen sich die *patroni* zunächst mit Naturalien oder Geld bezahlen (Cod. Theod. 11,24,2; Cod. Iust. 11,54,2; Lib. or. 47,4; 47,11). Aber auch die Übertragung von Grund und Boden der *clientes* an den *patronus* war möglich (Cod. Theod. 11,24,6; Cod. Iust. 11,54,1; Nov. Iust. 17,13). Das ländliche *p.* existierte in einer individuellen und einer kollektiven Form, da sich sowohl einzelne Bauern wie auch ganze Dörfer unter das *p.* begaben (erster Beleg für die kollektive Form des *p.*: Cod. Theod. 11,24,3 aus dem J. 395).

Wie entschieden die kaiserliche Verwaltung den Kampf gegen das *p.* führte, zeigt die ständige Verschärfung der Strafen. War 360 noch ein einfacher Schadenersatz vorgesehen, so wurde den *patroni* 368/370 eine Strafe von 25 Pfund Gold, 399 von 40 Pfund Gold für jeden ins *p.* übernommenen *fundus* (Landstück) angedroht, schließlich – ebenfalls 399 – sogar die Konfiskation der eigenen Güter (Cod. Theod. 11,24,1 f.; 11,24,4 f.). Noch härter fielen die Strafen für die *clientes* aus; sie hatten Körperstrafen und seit 399 die doppelte Strafe ihres *patronus* (80 Pfund Gold) zu gewärtigen (Cod. Theod. 11,24,2; 11,24,4); ihre Güter konnten ebenfalls konfisziert werden (Cod. Theod. 11,24,5; Cod. Iust. 11,54,1). Eine im J. 415 offenbar speziell für Äg. erlassene Konstitution (Cod. Theod. 11,24,6) zeigt, daß selbst diese schweren Strafen nicht die gewünschte abschreckende Wirkung hatten. Es wurden nun alle bis 397 eingegangenen Patronatsverhältnisse legalisiert, allerdings unter der Voraussetzung, daß die *patroni*, die jetzt offiziell als Eigentümer des unter ihrem *p.* stehenden Bodens galten, ihren Pflichten gegenüber dem Fiskus nachkämen.

Offensichtlich im Zusammenhang mit dem Kampf gegen das *p.* sind die Bemühungen der Regierung zu sehen, die Dorfgemeinschaft im Osten zu stärken. Die Dorfbewohner bildeten ein *consortium* und hafteten wechselseitig für die Steuern. Zum Ausgleich wurde den *consortes* beim Verkauf eines zum Dorfterritorium gehörenden Grundstückes das Vorkaufsrecht gegenüber Dritten gewährt. Dieses Privileg diente ebenso wie das Verbot des *p.* der Erhaltung des Kleinbauerntums und sollte verhindern, daß Großgrundbesitzer sich in freien Dörfern einnisteten und sich diese Stück für Stück aneigneten bzw. unter ihre Kontrolle brachten (Cod. Theod. 11,24,6: 415; Cod. Iust. 11,56,1: 468).

C. Syrien

Wie Libanios (Lib. or. 47,11 ff.) zeigt, wurde das *p.* nicht nur gegen die staatlichen Steuereintreiber, sondern auch von abhängigen Bauern gegen die Großgrundbesitzer eingesetzt. Welche Ausmaße die Patrocinienbewegung in Syrien z.Z. des Libanios angenommen hatte, läßt sich nur schwer abschätzen. Das spätant. Syrien war durch eine prosperierende Landwirtschaft und ein starkes Kleinbauerntum gekennzeichnet. Da es keine Anzeichen für einen Konzentrationsprozeß in der Landwirtschaft Syriens im 4. Jh. gibt, kann das ländliche *p.* hier allenfalls in der Form verbreitet gewesen sein, daß bäuerliche *clientes* ihre *patroni* mit Geld und Naturalien entlohnten, ihnen aber nicht den eigenen Grund und Boden überließen.

D. Gallien

Grundsätzlich anders stellt sich die Situation in Gallien in der Mitte des 5. Jh. n. Chr. dar: Salvianus schildert, wie der Steuerdruck viele Kleinbauern dazu getrieben habe, sich dem *p.* von *potentes* zu unterstellen, um so einen wirksamen Schutz vor den Steuereintreibern zu erhalten (Salv. gub. 5,18 ff.). Als Gegenleistung für den Schutz mußten die *clientes* ihren Grundbesitz dem *patronus* übereignen. Es waren nach Salvianus allein die *patroni*, die Gewinn aus dem *p.* zogen. Behielten die *clientes* noch den Nießbrauch ihres Landes, so wurden ihre Kinder endgültig von dem väterlichen Besitz vertrieben (ebd. 5,40 ff.). Die Schrift des Salvianus wird als Quelle für die Sozialgesch. Galliens im 5. Jh. in der Forsch. allerdings vielfach überschätzt, denn die Schilderung gerade des *p.* enthält Widersprüche und erweist sich an vielen Stellen als unzuverlässig.

Das ländliche *p.* in der von Salvianus beschriebenen Form ist entgegen der lange Zeit in der Forsch. vorherrschenden Auffassung schwerlich ein prägendes Merkmal der spätant. Ges. gewesen. Bei dem von Salvianus geschilderten Zuständen handelte es sich lediglich um eine kurzfristige Agrarkrise, die auf die schwierige außenpolit. Lage in der Mitte des 5. Jh. und die hierdurch bedingte extreme wirtschaftliche Belastung der Regionen des Weström. Reiches, die noch der Zentralregierung unterstanden, zurückgeführt werden muß.

→ Cliens, clientes; Colonatus; Steuern

1 J.-M. Carrié, Patronage et propriété militaires au IVᵉ s., in: BCH 100, 1976, 159–176 **2** I. Hahn, Das bäuerliche P. in Ost und West, in: Klio 50, 1968, 179–199 **3** Jones, LRE, 775–778 **4** J.-U. Krause, Spätant. Patronatsformen im Westen des Röm. Reiches, 1987.   J. K.

II. Christlich

Die Gebetsräume der Christen waren in der Zeit der Verfolgungen reine Versammlungsorte ohne sakralen Charakter, ihre Weihe zu Kultstätten begann erst in der Zeit der Legalisierung des Christentums im 4. Jh. n. Chr. Aus der Sitte, Kirchen über Märtyrergräbern zu errichten, entstand die vom ant. Patronatswesen entlehnte Vorstellung, daß ein in einer Kirche beigesetzter oder dort durch Reliquienpartikel präsenter Heiliger dieser den Namen gibt und über sie das *p.* ausübt, das heißt sie bes. beschützt und dafür dort verehrt wird (vgl. z. B. Ambr. epist. 77,11). Der Besitz von Reliquien wurde noch im 4. Jh. für jede Kirche zur Notwendigkeit: Zuvor entstandene Gemeindekirchen der Frühzeit wie die Lateranbasilika in Rom erhielten Reliquien nachträglich durch Translation (Überführung) und wurden entsprechend umbenannt (vgl. z. B. Aug. conf. 9,7,16). Nur in Konstantinopel blieben die abstrakten, nicht an Reliquien gebundenen *p.* Christi der hl. Weisheit (→ Hagia Sophia) und des hl. Friedens (Hagia Eirene) erh. Beim Umbau alter Tempel zu Kirchen wurde häufig eine ant. Gottheit durch eine vom Charakter entsprechende christl. Gestalt verdrängt (Muttergotteskirche im Parthenon von Athen, Allerheiligenkirche im Pantheon von Rom), doch ist dieses Phänomen der Kultsubstitution nicht durchgehend und folgt keinen festen Regeln.

→ Heilige, Heiligenverehrung; Märtyrer

A. Angenendt, s. v. Patron, LMA 6, 1806–1808 (mit ausführlichen Lit.-Ang.) · Th. Baumeister, s. v. Heiligenverehrung I, RAC 14, 105–150.   AL. B.

Patroclus von Arles. P. wurde 412 Bischof von Arelate (Arles) dank seiner Freundschaft mit → Constantius [6], der Arles kirchlich zum Zentrum Galliens machen wollte. Aus demselben Grund verlieh Papst → Zosimos P. 417 Metropolitanrechte über die Prov. Viennensis sowie Narbonensis I und II (epist. 1 MGH Epp III,I,1). P.' eigenwillige Bischofsernennungen führten zu Spannungen mit den dortigen Bischöfen, insbes. → Proculus von Marseille. Papst → Bonifatius [2] versuchte, die Privilegien einzudämmen. Aufgrund eines im J. 425 (von → Galla [3] Placidia?) veranlaßten Gesetzes sollte P. die Pelagianer (→ Pelagius [4]) aus Gallien vertreiben. Wohl aus polit. Gründen wurde P. 426 ermordet – zur Freude des Proculus.

A. Lippold, s. v. P., RE Suppl. 10, 502–508 (Lit.) · S. I. Oost, Galla Placidia Augusta, 1968 (s. Reg.).   M. HE.

Patroios, Patroia s. Patrii di; Theoi patrioi

Patrokles (Πατροκλῆς).

[1] Athener, im J. (404/)403 v. Chr. *árchōn basileús*; Verwandter des → Isokrates und von ihm verteidigt (Isokr. or. 18,5).

Develin, 94 Nr. 1 · Traill, PAA 768600.

[2] Athener aus Phlya; seine Paranomieklage (→ *paranómōn graphḗ*) gegen → Demosthenes [2] (Demosth. or. 18,5) wurde einhellig zurückgewiesen und kostete ihn 500 Drachmen Bußgeld.

Traill, PAA 768710.   K. KI.

[3] Griech. Kommandant in Babylon seit 312 v. Chr. Von Seleukos I. und Antiochos [2] um 285 und 282 als Flottenführer auf eine → Forschungsreise ins Kaspische Meer geschickt, erkundete er den indischen Handel am Oxos (h. Amū Daryā). In seinem bis auf Fr. verlorenen Werk gab er offenbar an, der Oxos münde in das Kaspische Meer; dies galt der ant. → Geographie als Beleg dafür, daß India über jenes Meer auf dem Wasserweg erreichbar sei (FGrH 712 F 4f.).   K. BRO.

[4] Athenischer Tragiker des 4. Jh. v. Chr., von Aristoph. Plut. 83 und in den *Pelargoí* (Aristoph. fr. 455 PCG) als reich und habgierig verspottet. Er war vielleicht an den Lenäen 380 v. Chr. erfolgreich und ist eventuell mit P. [5] identisch (TrGF I 57/58).

[5] Tragiker aus Thurioi, vielleicht mit P. [4] identisch.   B. Z.

[6] Bronzebildner, Lehrer und Vater des → Daidalos [2] (?), des → Naukydes und des → Periklytos (einige Hss.: *Polykleitos*). Der von Plinius angegebenen Blütezeit von 400–397 v. Chr. entspricht als Hauptwerk seine Mitarbeit am vielfigurigen Siegesvotiv des Lysandros [1] nach 405 v. Chr. in Delphi. Die Einbindung des P. in die Familie und die Schule des → Polykleitos [1–2] ist nicht sicher zu rekonstruieren, zumal keine der Statuen des stilistischen Kreises mit Sicherheit P. zuzuweisen ist.

Overbeck, Nr. 979, 983, 986–988 · Loewy, Nr. 86, 88, 89 · G. Bendinelli, s. v. P. (1), EAA 5, 1963, 992 · A. Linfert, Die Schule des Polyklet, in: H. Beck (Hrsg.), Polyklet. Ausst. im Liebieghaus Frankfurt, 1990, 240–297 · L. Todisco, Scultura greca del IV secolo, 1993, 46–47.

[7] Bildhauer, Sohn des Katillos aus Kroton. Im Schatzhaus der Sikyonier in Olympia befand sich von P. ein hölzerner Apollon mit vergoldetem Kopf, verm. ein archa. Werk.

Overbeck, Nr. 1041 · EAA 5, 1963, 993 s. v. P. (2) · Fuchs/Floren, 428.   R. N.

Patroklos (Πάτροκλος, auch Πατροκλῆς; lat. *Patroclus*).

[1] Sohn des → Menoitios [1] aus Opus (Hom. Il. 11,814; der Name der Mutter bei Homer nicht genannt, Varianten bei Apollod. 3,176), bester Freund des → Achilleus [1]. In seiner Kindheit tötet P. aus Zorn beim Würfeln einen Spielkameraden, worauf er nach Phthia zu → Peleus flieht, der ihn dem Achilleus zum Gefährten gibt (Hom. Il. 23,85–90; Hellanikos FGrH 4 F

145; Apollod. 3,176). Nach Pind. O. 9,70–79 kämpft P. schon vor dem eigentlichen Troianischen Krieg beim teuthranischen Feldzug gegen → Telephos an der Seite des Achilleus. Menoitios hatte P. vor dem Aufbruch geraten, als der körperlich Schwächere, aber Ältere diesem ein Ratgeber zu sein (Hom. Il. 11,785–789). Vor Troia zieht sich P., der beste der → Myrmidones (ebd. 18,10), mit dem grollenden Achilleus aus dem Kampf zurück. Er bewirtet die Bittgesandtschaft an Achilleus (ebd. 9,201–220). Nachdem ihn in auswegloser Lage → Nestor [1] aufgefordert hat, er solle in Achilleus' Waffen kämpfen (ebd. 11,796–803), trifft P. auf den verwundeten → Eurypylos [1] und versorgt ihn (ebd. 11,805–848; in der Heilkunst ist er von Achilleus unterwiesen).

Im Mittelpunkt des Geschehens vor Troia steht P. dann in B. 16 der ›Ilias‹: Auf seine Bitte hin gibt Achilleus P. seine Rüstung, mahnt ihn aber, den Kampf nicht zu weit zu treiben (ebd. 16,64–100). P. zieht mit den Myrmidonen in die Schlacht, in der er viele Gegner, darunter auch den Zeus-Sohn → Sarpedon (ebd. 16,490), tötet. Entgegen Achilleus' Warnung stürmt P. nun gegen die Stadt (ebd. 16,684–704), worauf → Apollon die Warnung bekräftigt und → Hektor zum Kampf gegen P. auffordert (ebd. 16,705–726). Apollon ist es auch, der P. durch einen Schlag Besinnung und Rüstung nimmt, so daß → Euphorbos ihn verwunden und Hektor ihn töten kann (ebd. 16,806–821). Als Hektor den Sterbenden verhöhnt, prophezeit der ihm den Tod durch Achilleus (ebd. 16,830–854). Es folgen der lange Kampf um P.' Leichnam, seine Bergung und Aufbahrung (→ Thetis schützt ihn vor Verwesung: ebd. 19, 30–39). In B. 23 erscheint seine Seele dem Achilleus, verkündet ihm den nahen Tod und wünscht eine gemeinsame Bestattung mit ihm (ebd. 23,65–92). Dieser veranstaltet nun Leichenspiele zu P.' Ehren. Strab. 9,4,2 berichtet von einem Heroenkult für P. bei Sigeion.

Der ›Ilias‹-Dichter zeichnet P., den er auch direkt anredet (Hom. Il. 16,692f. u.ö.), mit Sympathie als großherzigen, mitfühlenden Helden, der sich selbstlos um andere kümmert [3. 138–140]. Während in der ›Ilias‹ trotz der engen Freundschaft zu Achilleus nirgends offen von Homosexualität die Rede ist (vgl. Aischin. Tim. 142), wurde die Beziehung später so interpretiert (Aischyl. Myrmidones TrGF 3 F 134a–137; Plat. symp. 179e–180a) [1. 196–199]. Die enge Verknüpfung des Zorns des Achilleus mit dem Schicksal des P. ist wohl eine Schöpfung des ›Ilias‹-Dichters [2].

1 K. DOVER, Greek Homosexuality, 1978 2 H. ERBSE, Ilias und »Patroklie«, in: Hermes 111, 1983, 1–15 3 G. ZANKER, The Heart of Achilles, 1994. J. STE.

[2] Sohn des Patron, Makedone, war lange in ptolem. Auftrag in der Ägäis aktiv (zeitlicher Rahmen: SEG 40, 730: 275 v. Chr.; IG XI 2,226 B 4: 257 v. Chr.). P.' verschiedene Aktivitäten müssen also nicht alle mit seinem Einsatz im → Chremonideischen Krieg zusammenhängen; kaum möglich auch eine Wende von Alexandreia

nach Athen, zumal P. 271/270 eponymer Alexanderpriester war. Die Inschr. bezeichnen ihn immer als stratēgós (so auch Phylarchos FGrH 81 F 1; Hegesandros FHG IV p. 415 f. Nr. 12), naúarchos (Paus. 1,1,1; 3,6,4 f.) deutet nur auf ein Flottenkommando.

P.' Tätigkeit auf Kreta gehört an den Beginn der Etablierung ptolem. Präsenz; P. wurde próxenos (→ proxenía) von Olus [1. Bd. 1, XXII 4 A, 35–56], próxenos und Bürger von Itanos [1. Bd. 3, IV 2/3], wo er als ptolem. stratēgós nach innen und außen hin ordnend eingegriffen hatte. Auf Kaudos fing P. den Dichter → Sotades und tötete ihn wegen seiner Schmähgedichte auf Ptolemaios II. Von Keos aus schickte er einen epistátēs und Richter nach Thera (IG XII 3,320).

Unter P. wurde wohl die Umbenennung des wichtigen Hafenortes Koresia auf Keos in Arsinoe vorgenommen, wo er ebenfalls einen epistátēs einsetzte (IG XII 5,1061; s. auch [2]); hier ist ein Zusammenhang mit dem Chremonideischen Krieg wahrscheinlich, wie auch bei der Umbenennung des strategisch wichtigen Methana zu Arsinoe [3. 135] und einem möglichen Eingreifen in Eretria [4. 340f.]. In diesem Krieg unterstützte P. ab 267 (zur Chronologie siehe [5. 228 ff.]) Athen zur See und zu Lande (anders Paus. 1,1,1), war aber durch die maked. Präsenz im Peiraieus und in Sunion behindert: Seine Truppen fanden sich in Rhamnus (SEG 24,154), Koroni, Vuliagmeni und Heliopolis, evtl. auch gegenüber von Gaidarunisi, wo sein wichtigster Flottenstützpunkt war: Patróklu nẽsos (›P.' Insel‹). Die Operationen mußten abgebrochen werden, als der Einfall des Areus [1] in Attika 265/4 scheiterte (Paus. 3,6,4 f.). PP III/IX 5225. → Chremonideischer Krieg

1 F. HALBHERR, M. GUARDUCCI, Inscriptiones Creticae, Bd. 1–4, 1935–1950 2 J. F. CHERRY, J. L. DAVIS, The Ptolemaic Base at Koressos on Keos, in: ABSA 86, 1991, 9–28 3 R. BAGNALL, The Administration of the Ptolemaic Possessions, 1976 4 D. KNOEPFLER, Les kryptoi du stratège Épicharès à Rhamnonte et le début de la guerre de Chrémonidès, in: BCH 117, 1993, 327–341 5 B. DREYER, Rez. zu HABICHT, in: GGA 250, 1998, 207–250.

HABICHT, 149 ff. • H. HEINEN, Unt. zur hell. Gesch., 1972, 142 ff. • M. LAUNEY, Étude d'histoire hellénistique, in: REA 47, 1945, 33–45 • H. LAUTER-BUFE, Die Festung auf Koroni und die Bucht von Porto Raphti, in: MarbWPr 1988, 67–128 • H. LOHMANN, Atene, 1993, Bd. 1, 248–251 • J. R. MCCREDIE, Fortified Military Camps in Attica (Hesperia Suppl. 11), 1966 • S. SPYRIDAKIS, Ptolemaic Itanos and Hellenistic Crete, 1970, 71 ff. W. A.

Patrologie

s. Kirchenväter; PATRISTISCHE THEOLOGIE/PATRISTIK

Patron (Πάτρων). Epikureer, im J. 70 v. Chr. Nachfolger des → Phaidros [4] von Athen in der Leitung des »Gartens« der → epikureischen Schule in Athen (Phlegon von Tralleis, FGrH 257 F 12 § 8). Zuvor war P. nach Rom gegangen, wo er Cicero, C. Memmius [I 3], Catullus, Atticus (Cic. fam. 13,1) und Saufeius (Cic. Att. 4,6,1) kennengelernt hatte. Eine erfolgreiche Intervention des Cicero auf Initiative des P. verhinderte, daß C. Memmius auf dem Platz des Hauses des Epikuros im Demos Melite ein Haus errichtete (Cic. Att. 5,11,6; fam. 13,1,5).

M. ERLER, s. v. Epikur – Die Schule Epikurs – Lukrez, in: GGPh², 4, 1994, 281.   T.D./Ü: J.DE.

Patronage s. Zirkel, literarische

Patronis (Πατρωνίς). Stadt in der Ost-Phokis (Plut. Sulla 15,4), identisch mit *Trṓnis* (Τρωνίς, Paus. 10,4,10; CID 2,208,1; 9) mit einem Heroon des Archegetes von Phokis. Reste des Mauerrings beim h. Hagia Marina.

J. M. FOSSEY, The Ancient Topography of Eastern Phokis, 1986, 50–53 · PH. NTASIOS, Συμβολή στην τοπογραφίαν της Άρχαίας Φωκίδος, in: Phokikon Chronikon 4, 1992, 25 f. · J. MCINERNEY, The Phokikon and the Hero Archegetes, in: Hesperia 66, 1997, 193–207 · Ders., The Folds of Parnassos, 1999, 284–286.   G.D.R./Ü: J.W.MA.

Patronomos (πατρονόμος, »Hüter der altererbten Ordnung«). Vorwiegend inschr. bezeugter Titel eines ca. 227 v. Chr. von → Kleomenes [6] III. geschaffenen spartan. Jahresbeamten, dessen Einsetzung wohl mit der temporären Abschaffung der → *éphoroi* und der Einschränkung des polit. Einflusses der → *gerusía* zusammenhängt (Paus. 2,9,1). In röm. Zeit unterstanden dem *p.*, der seit dem 1. Jh. v. Chr. als eponymer Beamter Spartas bezeugt ist, sechs *sýnarchoi* bzw. *synpatronómoi* (vgl. IG V 1,48; SEG XI 503 mit [2]). Die Aufgaben des *p.*, die mit hohen finanziellen Aufwendungen verbunden waren, beinhalteten die Organisation der → *agōgḗ*, bleiben aber sonst schemenhaft [3. 44 f.]. Der dem Amt von Kleomenes zugedachte polit. Einfluß blieb offenbar nicht lange erh.; in den Inschr., die bis in das 3. Jh. n. Chr. reichen [2. 131³], erscheinen u. a. der Kaiser → Hadrianus, der Gott Lykurgos (vgl. → Lykurgos [4]) und mehrere Nichtspartaner als *p.*

1 P. CARTLEDGE, A. SPAWFORTH, Hellenistic and Roman Sparta, 1989, 51 f.; 201 f. 2 N. M. KENNELL, The Size of the Spartan Patronomate, in: ZPE 85, 1991, 131–136 3 Ders., The Gymnasium of Virtue, 1995 4 B. SHIMRON, The Original Task of the Spartan Patronomoi, in: Eranos 63, 1965, 155–158.   M.MEI.

Patronus   A. DEFINITION   B. PRIVATRECHT
C. PATRONAT IM GERICHTSWESEN
D. PATRONAT ÜBER STÄDTE
E. DICHTERPATRONAT

A. DEFINITION
Der Begriff *p.* bezeichnet im röm. Abhängigkeitsverhältnis die höherrangige Person und korreliert so mit dem Begriff → *cliens*; der *p.* nahm den *cliens* in seine *fides* auf.   A.W.L./Ü: A.H.

B. PRIVATRECHT
Der *p.* war der Inhaber eines Herrschaftsrechts, zunächst wohl umfassend als Befugnis über Freunde (Gä-

ste) und Freigelassene, etwa seit dem 2. Jh. v. Chr. aber nur noch als ein Bündel von Rechten des ehemaligen Sklavenhalters gegenüber dem von ihm → Freigelassenen. In den 12 Tafeln (tab. 8,21; → Tabulae duodecim) erscheint *p.* Mitte des 5. Jh. v. Chr. noch als Gegenbegriff zum Klienten (→ *cliens*). Das Schutz- und Treueverhältnis zw. beiden wurde später zu einer rein polit., gesellschaftlichen und sittlichen Beziehung, erstreckte sich dafür aber auch auf die weiteren Nachkommen des Freigelassenen.

Die privaten Rechte des *p.* seit der späten Republik wirkten sich vor allem im Familien- und Erbrecht aus. Die meist bestehende Verpflichtung des Freigelassenen (*libertus*) zu Dienstleistungen (→ *operae libertorum*) beruhte hingegen nicht auf dem Patronatsverhältnis selbst, sondern auf einem bes., durch Eid und/oder → *stipulatio* begründeten Versprechen. Als *p.* war der Freilasser Vormund (*tutor*; → *tutela*) der weiblichen und der noch nicht volljährigen Freigelassenen sowie ihrer unmündigen Kinder (Gai. inst. 1,165). Nach dem Tod des *libertus* ohne Hinterlassung von Abkömmlingen als Erben (→ *sui heredes*) wurde der *p.* (und nach ihm seine Abkömmlinge) schon nach den 12 Tafeln (tab. 5,8) gesetzlicher Erbe. Hatte der Freigelassene ein Testament errichtet, erhielt der *p.* in derselben Weise wie ein leiblicher Vater nach der Emanzipation (→ *parens*) einen Pflichtteil (Gai. inst. 3,41). Hatte der Freigelassene den Pflichtteil oder die gesetzliche Erbfolge durch Schenkungen unter Lebenden oder auf seinen Tod zu Lasten des *p.* (*in fraudem patroni*) umgangen, erhielt dieser vom Praetor eine *actio Fabiana* (wegen des Pflichtteils) oder eine *actio Calvisiana* (wegen des Erbteils) auf Herausgabe der Schenkungen und, wenn die Herausgabe unterblieb, auf Verurteilung in deren Geldwert gegen den oder die Dritten (Dig. 38,5,1 und 3).

KASER, RPR Bd. 1, 118 f., 298–301.   G.S.

C. PATRONAT IM GERICHTSWESEN
Der *p.* hatte seinen *clientes* gegenüber die Pflicht, Rechtsauskünfte zu erteilen und sie, wenn nötig, als Anwalt vor Gericht zu vertreten. In der mittleren und späten Republik wurde derjenige als *p.* bezeichnet, der als Anwalt tätig war, auch wenn er sonst in keinem Patronatsverhältnis zu seinem *cliens* stand; im Gegensatz dazu war ein → *advocatus* ein Jurist, der Rechtsauskünfte gab, gewöhnlich aber nicht als Redner vor Gericht auftrat. Die Annahme von Geld oder Geschenken für die Führung eines Prozesses war durch die *lex Cincia* (204 v. Chr.) untersagt (Tac. ann. 11,5,3; Cic. Att. 1,20,7; Liv. 34,4,9; vgl. zur Problematik des Honorars auch Plin. epist. 5,9,3 f.; 5,13,6 ff.). Als 171 v. Chr. Gesandte aus den spanischen Prov. die röm. Statthalter der Provinzausplünderung beschuldigten, forderte der Senat sie auf, eigene *patroni* zu benennen (Liv. 43,2). Die gracchische *lex de repetundis* (CIL I², 583,9–12) sah vor, daß der den Vorsitz führende Praetor auf Forderung des Klägers hin für diesen einen *p.* ernennen sollte, wobei der Kläger das – allerdings eingeschränkte – Recht besaß,

einen ihm unpassend erscheinenden Vorschlag abzulehnen (vgl. Cic. de orat. 2,280). 4 v. Chr. wurde Klägern
aus den Prov. durch das *SC Calvisianum* erlaubt, *p.* im
Senat für sich sprechen zu lassen (SEG IX 8; FIRA I 68,
Nr. 5, 100ff.).

In der Zeit Ciceros wurde v. a. der Verteidiger als *p.*
bezeichnet; im Vergleich zu den Anklägern hatten die
Anwälte der Verteidigung gewöhnlich den höheren
Status, was sich durch die *invidia* (»Mißgunst«) erklären
läßt, die mit einer Anklage verbunden war. Eine erfolgreiche Verteidigung führte zur *amicitia* (Freundschaft)
zw. *p.* und *cliens*, wenn diese denselben sozialen Rang
besaßen, oder zum Patronatsverhältnis, wenn der *p.* einen höheren Rang hatte. Unter diesen Voraussetzungen konnte ein Senator durch die Übernahme der Verteidigung anderer Senatoren in Prozessen einen erheblichen Einfluß gewinnen; die polit. Position nicht
weniger Senatoren beruhte im wesentlichen auf ihrer
Tätigkeit als Gerichtsredner. Bei Cicero wurden diese
Gerichtsredner in der Gesch. der röm. Rhetorik als *p.*
bezeichnet (Cic. Brut. 106: C. Papirius Carbo; ebd. 233:
M. Crassus; ebd. 319: Cicero).

D. PATRONAT ÜBER STÄDTE

In der späten Republik und im Prinzipat hatte das
Patronat über Städte sowie Regionen und über einzelne
Personen aus den Prov. eine besondere polit. Bed.; dieses Patronatsverhältnis konnte sowohl aufgrund der
Ausübung eines Amtes in einer Prov. (Cic. div. in Caec.
2; vgl. auch Cic. off. 1,35) als auch durch Übernahme
einer Verteidigung vor Gericht entstehen. Das Patronat
schloß die Wahrnehmung der Interessen der *clientes* vor
Gericht, im Senat und vor dem *princeps* ein. Seit der
Diktatur Caesars ernannten viele Städte in Italien und
im übrigen Imperium Romanum einen *p.* (Plin. epist.
4,1,4; vgl. auch Tac. dial. 3,4); die Stadtgesetze enthielten dementsprechend genaue Bestimmungen für seine
Wahl (vgl. etwa die *lex Ursonensis*, CIL I² 594 = ILS
6087,130f.; *lex municipii Malacitani*, CIL II 1964 = ILS
6089,61). Während des Prinzipats wandten sich Städte
der Prov. zunehmend an enge Vertraute des Princeps
oder an Senatoren, die als gute Redner auf polit. Entscheidungen erheblichen Einfluß zu nehmen vermochten.

Protektion behielt im polit. System und in der Ges.
der Prinzipatszeit eine eminente Bed.; um ein Amt oder
irgendeine Vergünstigung zu erlangen, war normalerweise die Unterstützung (→ *suffragium*) durch ältere und
einflußreiche Senatoren notwendig.
→ Cliens, Clientes; Freigelassene;
Patrocinium; Prozeßrecht

1 BADIAN, Clientelae 2 J.-M. DAVID, Le patronat judiciaire
au dernier siècle de la république romaine, 1992
3 M. GELZER, Die Nobilität der röm. Republik, 1912, in:
Ders., KS 1, 1962, 17–135, bes. 75–102 4 JONES, LRE,
775–778 5 R. P. SALLER, Personal Patronage under the Early
Empire, 1982 6 A. WALLACE-HADRILL (Hrsg.), Patronage in
Ancient Society, 1989. A. W. L./Ü: A. H.

E. DICHTERPATRONAT
s. Zirkel, literarische

Patronymikon s. Personennamen; Wortbildung

Patrum auctoritas s. Senatus

Patulcius. Seltener römischer Familienname. Der bekannteste Vertreter Q. P. klagte 52 v. Chr. zusammen mit
L. Cornificius [1] erfolgreich den T. Annius [I 14] Milo
wegen Gewaltanwendung (*de vi*) an (Ascon. 54 C.).

SCHULZE, 142. K.-L. E.

Paula. Röm. christl. Aristokratin (347–404), ∞ Iulius
Toxotius; ihre Kinder: Blaesilla († 384/5), Eustochium
(†419), Rufina, Paulina (∞ mit dem Senator Pam-
machius), Toxotius (∞ Laeta). P. gehörte zum Kreis von
Frauen um → Marcella [1], verließ Rom mit → Hieronymus und Eustochium im August 385, ließ sich mit
ihnen in Bethlehem nieder und gründete klösterl. Gemeinschaften für Frauen und Männer. Hieronymus
schrieb an sie die Briefe 30, 33, 39, widmete ihr (und
Eustochium) zahlreiche Kommentare, nach ihrem Tod
(26.1.404) verfaßte er für sie Nekrolog (Hier. epist. 108)
und Grabinschrift.
→ Frau (IV.); Mönchtum

B. FEICHTINGER, Apostolae apostolorum. Frauenaskese als
Befreiung bei Hieronymus, 1995, 177–188. S. L.-B.

Paulikianer (Παυλικιανοί; armen. *Pawlikeank'*). Hä-
retische christl. Gruppe armen. Ursprungs im byz.
Reich, deren Lehre nur aus Sekundärquellen orthodoxer Polemik erh. ist. Bes. wichtig sind die Angaben des
armenischen *katholikós* Iohannes von Odzun (8. Jh.
n. Chr.) und des → Petros Sikeliotes (9. Jh. n. Chr.).
Demnach wurden die P. als Filiation der Manichäer
(→ Mani) bezeichnet, deren dualistische Lehre nur einen individualistischen Zugang zum Glauben postulierte, das AT (→ Bibel) sowie Sakramente (→ *sacramentum*)
und Ekklesiologie ablehnte. Entstanden im 7. Jh.
n. Chr. in → Armenia, verbreiteten sie sich über das byz.
Reich bis in die Nachbarländer. Sie beriefen sich auf
den Apostel → Paulus und legten Petros Sikeliotes zufolge ihre Anf. in die apostolische Zeit (1. Jh. n. Chr.).
Sie gaben sich Namen aus der Gefolgschaft des Paulus,
ihre geistigen Führer erhielten den Titel *didáskaloi*
(διδάσκαλοι, »Lehrer«). Ihre Bewegung erreichte ihren
Höhepunkt unter dem *didáskalos* Sergios (801–835);
zeitweilig hießen sie deshalb auch Sergioten. Während
dieser Zeit begann die polit. Verfolgung der P., die sich
nun auch mil. formierten, das byz. Reich verließen und
auf arab. Territorium siedelten. Von dort unternahmen
sie ihre Feldzüge gegen Byzanz. Nach mehreren Versuchen konnte Byzanz im J. 872 endgültig die P. mil.
zerschlagen. 975 wurden sie nach Thrakien umgesiedelt. Ihre Lehre konnte jedoch weiterhin Einfluß gewinnen; sie stand zw. der der → Bogomilen und Ka-
tharer.
→ Häresie; Theophylaktos (Patriarch)

ED.: CH. ASTRUC u. a., Les sources greques pour l'histoire des pauliciens d'Asie Mineure. Texte critique et traduction, in: Travaux et Mémoires 4, 1970, 1–227.
LIT.: J. M. GEORGE, The Dualistic-Gnostic Trad. in the Byzantine Commonwealth with Special Reference to the Paulician and Bogomil Movements, 1984 · I. COULIANO, Une branche populaire du Marcionisme: Le Paulianisme, in: Ders., Les gnoses dualistes d'Occident, 1990, 223–232.

K. SA.

Paulina. Vornehmer Herkunft, Isis-Anhängerin, Frau des Sentius Saturninus, wurde von Decius [II 3] Mundus begehrt, der sie 19 n. Chr. nur mit Hilfe der Isis-Priester als vermeintlicher Gott Anubis verführen konnte. Ihr Mann zeigte den Betrug bei Kaiser Tiberius an, der die Beteiligten hart bestrafen ließ (Ios. ant. Iud. 18,66–77). PIR² P 168.

ME. STR.

Paulinus

[1] Militärtribun im Heer des → Vespasianus in Iudaea. Er sollte im J. 67 n. Chr. nach der Eroberung von Iotapata → Iosephos [4], den Anführer des jüd. Heeres, überreden, sich Vespasianus zu ergeben, was jedoch nicht gelang (Ios. bell. Iud. 3, 344 f.).

[2] Senator. *Curator aedium sacrarum* im J. 214 n. Chr. (CIL VI 36899 = ILS 452). Sein *nomen gentile* dürfte Max[imius] gelautet haben. PIR² M 436.

W. E.

[3] P. von Mailand. Um 370 n. Chr. geboren; er war in Mailand Sekretär des → Ambrosius, dessen Vita er auf Anregung des Augustinus verfaßte. Sie stützt sich auf eigene Erinnerungen und Berichte von Zeitgenossen, bedient sich eines einfachen Stils und schließt sich formal an hagiographische Texte (→ Literatur VI.; → Acta Sanctorum) an. In Karthago begann P. 411 die Auseinandersetzung mit den Pelagianern (→ Pelagius [4]), indem er beim Bischof Aurelius → Augustinus eine Anklage gegen den Pelagianer Caelestius einreichte, der dann auch durch eine Synode verurteilt wurde. 417 erstrebte der Papst → Zosimos eine Revision dieses Urteils und beorderte P. nach Rom. Die Ablehnung hat P. in dem *Libellus adversus Coelestium Zosimo episcopo datus* formuliert.

ED.: Libellus: O. GUENTHER, CSEL 35,1, 1895, 108–111.
Vita: M. PELEGRINO, 1961 · A. A. R. BASTIAENSEN, Vite dei Santi, Bd. 3, 1975, 51–125.
LIT.: TH. BAUMEISTER, s. v. P. von Mailand, LMA 6, 1815 (mit Bibliogr.).

J. GR.

[4] P. von Pella. Geb. 376/7 n. Chr., Enkel des → Ausonius; Autor des *Eucharisticos* (616 Hexameter), eines autobiographischen Gedichtes, in dem er für Gottes Vorsehung dankt, die ihn sein ganzes Leben begleitet habe. Aus der Zurückgezogenheit eines asketischen *conversus* (in der Gegend um Marseille) blickt er zurück auf das der Konversion vorangehende Leben, auf Familie, Besitz und sein öffentl. Engagement in dem von Goten besetzten Gallien. Das Gedicht stammt in seiner überl. Form aus dem Jahr 459, dürfte aber um 455 im wesentlichen abgeschlossen worden sein. Es ist von Augusti-

nus' *Confessiones* und Vergil stark beeinflußt. P. ist auch der Verf. einer in der Form deutlich Ausonius verpflichteten *Oratio* (19 Hexameter).

ED.: C. MOUSSY, SChr 209.
LIT.: N. B. MCLYNN, P. the Impenitent, in: Journ. of Early Christian Stud. 3, 1995, 461–486.   M. RO./Ü: U. R.

[5] P. von Nola
A. LEBEN   B. WERK   C. WIRKUNG

A. LEBEN

Meropius Pontius Anicius P. wurde 353 n. Chr. in → Burdigala (h. Bordeaux) als Sohn vornehmer und begüterter Eltern geboren. P. erwarb eine ausgezeichnete Ausbildung in Lit. und Rhet. (Schüler des → Ausonius) und war einer der reichsten Männer Galliens. Dank Ausonius war er bereits 377/8 Consul und Gouverneur (wohl *consularis*) von Campanien. Durch seine Heirat mit der wohlhabenden Spanierin Therasia vergrößerten sich Vermögen und polit. Einfluß nochmals (Quellen: [17. 682]).

Mit der Taufe im J. 389 vollzog P. einen Lebenswandel, der auch die Freundschaft zu Ausonius beeinträchtigte [7; 14]: Für den zuvor ehrgeizigen P. bildete nun ein beschauliches christl. Leben das Ziel. 390 faßte er den Entschluß, nach Spanien zu gehen und die polit. Laufbahn aufzugeben. Bereits 393 wurde er Presbyter in Spanien. In Tours lernte er den Hl. Martin (→ Martinus [1]), später in → Nola den Hl. Felix kennen, den er sich zum persönlichen Schutzheiligen wählte. 394 siedelte er nach It. (Nola) um, um ganz in dessen Nähe leben zu können. Nach der Ermordung seines Bruders verkaufte P. seinen gesamten Besitz [14], um den Armen helfen zu können. Ausonius versuchte vergeblich, seinen Freund von seinem Wandel zum Asketentum abzubringen. Nach dem Tod des Ausonius im J. 395 entwickelte sich eine Freundschaft zw. P. und → Sulpicius Severus, dem Biographen Martins. 409 wurde P. Bischof von Nola. Seine poetische Tätigkeit konzentrierte sich schließlich ganz auf christl. Themen. Er starb 431.

B. WERK

Der Einfluß der klass. röm. Poesie auf P. ist unverkennbar. Sprachlich-formal steht er in der Trad. von Vergil, Horaz, Ovid und Martial (vgl. [6]). In jedem der erh. Werke zeigt sich – mit Ausnahme von carm. 1–3, in denen P. das Leben der Senatsaristokratie thematisiert – eine missionarische [8] Tendenz [10]. Als Epistolograph verkehrte P. mit den einflußreichsten Männern seiner Zeit. Es sind Briefe überl. zw. P. und Augustinus, Alypius, Romanianus, Licentius, Sebastianus, Hieronymus, dem Presbyter Amandus, mit Sulpicius Severus und Ausonius [14]. Auch wenn es sich meistens (v. a. bei den Briefen an Ausonius und Sulpicius Severus) um Freundschaftsbriefe handelt, in denen die klass. Topoi (Sehnsucht nach dem abwesenden Freund, Überwindung dieser Sehnsucht durch das Briefeschreiben) realisiert sind, zeigt sich die Absicht des Missionierens in der oft predigthaften Sprache, in expliziten Bekehrungsversuchen und in Gottespreisungen [8].

Die christl. Dichtung des P. im engeren Sinne beginnt mit drei Psalmenparaphrasen: mit 51 jambischen Trimetern über den ersten Psalm (carm. 7), 32 Hexametern über den zweiten Psalm (carm. 8) und einer Paraphrasierung des 136. Psalms in 71 (68) Hexametern (carm. 11); P. gilt als der erste, der → Psalmen poetisch wiedergab. Das Œuvre umfaßt darüber hinaus Hagiographie, Gebete und ein Epithalamium; ein Loblied auf Johannes den Täufer (330 Hexameter: *Laus Sancti Iohannis*), in dem dieser als Prophet und Vorläufer Christi gepriesen wird [11]; die *Carmina natalicia* (›Geburtstagsgesänge‹) auf den Hl. Felix, die P. jährlich am 14. Januar, dem Todestag des Heiligen, verfaßte (13 erh.). Ziel dieser *natalicia* ist es, die Allgegenwart Gottes in den Wundern des Heiligen sichtbar zu machen, um auf diese Weise den Leser zu Gott zu führen, wobei P. die Wunder des Heiligen vornehmlich in Lebenssituationen des Landvolkes beschreibt (vgl. carm. 23,106–266). Diese Anlage erklärt u. a. den geringen narrativen Anteil von P.' Panegyrik (im Gegensatz etwa zu → Claudianus [2]) sowie ihre ausgeprägte rhet. Ausrichtung (Ekphrasis, Synkrisis, *exclamationes*, *adlocutiones* etc.) [12]. Einige der *carmina* des P. sind konkreten theologischen Problemen gewidmet wie der Theodizee oder der Gottesmordfrage (vgl. carm. 31,347–632). Diese haben dann meist den Charakter eines Traktats, viele sind aber lediglich polemische Proklamationen an die Adresse von Nichtchristen (carm. 32 *Ad Antonium*, carm. 22 *Ad Iovium*). Oft bringt P. seine Ablehnung des Judentums zum Ausdruck, rechtfertigt diese aber nicht systematisch. Das Epithalamium schrieb P. anläßlich der Hochzeit des Iulianus, des Sohnes des Bischofs Memor, mit Titia.

C. WIRKUNG

P. hat in mehrfacher Hinsicht die Lit. des MA und der frühen Neuzeit beeinflußt: Er ist der erste, der Psalmen zum Ausgangspunkt christl. Dichtung machte (vgl. → Bibeldichtung). Diese Psalmenparaphrase fand v. a. im MA viele Nachahmer [16]. P. gilt zudem als Begründer der hagiographischen Poesie und damit als Initiator einer neuen Gattungs-Trad., die bis in die Neuzeit reicht [11]. Später wurde P. selbst Gegenstand hagiographischer Dichtung (für Gregorius [4] von Tours in der Schrift *In gloria confessorum*). Nicht zuletzt galt seine asketische Lebensform, sein Verzicht auf Reichtum und weltliche Macht sowie sein Einsatz für die Armen als beispielhaft für eine christl. Lebensführung. P. wird zit. von Augustinus, Ambrosius, Hieronymus, Sidonius Apollinaris und Venantius Fortunatus. Sein Werk ist nicht vollständig überl.; verloren sind der Panegyricus auf Theodosius sowie die Briefe an Hieronymus [16]. Die Echtheit einiger Schriften wird nach wie vor angezweifelt (epist. 46 und 47; carm. 4; 5; 32).

ED.: 1 W. HARTEL, CSEL 24–30, 1894.
Carm.: 2 A. RUGGIERO, 1990 3 Ders., 2 Bde., 1996
4 P. G. WALSH, Ancient Christian Writers 35/36, 1966/67 (engl. Übers./Komm.).
LIT.: 5 A. BASSON, Classical Literary Genres in P. of Nola, in: Scholia 8, 1999 (elektron. Ed.) 6 E. BITTER, Die Vergil-Interpretation der frühchristl. Dichter P. v. N. und Sedulius, 1948 7 H. VON CAMPENHAUSEN, Rez. P. Fabre: Saint Paulin de Nole et l'amitié chrétienne, in: Gnomon 22, 1950, 408f. 8 S. DÖPP, Die Blütezeit lat. Lit. in der Spätant. (350–430 n.Chr.), in: Philologus, 1988, 19–52 9 R. HERZOG, Probleme der heidnisch-christl. Gattungskontinuität am Beispiel des P. v. N., in: A. CAMERON u. a. (Hrsg.), Christianisme et formes littéraires de l'antiquité tardive en occident, 1977, 373–424 10 A. HUDSON-WILLIAMS, Notes on P. of N., Carmina, in: CQ 27, 1977, 453–465 11 W. KIRSCH, Die lat. Versepik des 4. Jh., 1989 12 L. KRAUS, Die poetische Sprache des P. Nolanus, Diss. Würzburg 1920 13 G. LUNGO, Lo specchio dell'agiografo (= Parva Hagiographica 3), 1992 14 D. E. TROUT, Amicitia, auctoritas, and Self-Fashioning Texts. P. of Nola and Sulpicius Severus, in: Studia Patristica 28, 1993, 123–129 15 Ders., P. of Nola, 1999 16 HLL, Bd. 6, § 627 17 PLRE 1 (P. 21). M. GÜ.

[6] Als Verf. eines lat. christl. Gedichts (*Epigramma*) nennt die einzige Hs. (Paris, BN lat. 7758) einen P., möglicherweise eine Fehlzuschreibung an → P. [5] von Nola oder ein verderbter Titel, denn ein Werk von ca. 110 Hexametern konnte selbst in der Spätant. nicht als Epigramm gelten. Damit ist auch die von SCHENKL versuchte Identifizierung des Autors mit einem Bischof P. von Béziers vom Anf. des 5. Jh. n. Chr. fragwürdig. → Epigramma Paulini

ED.: A. SCHULLER, Das sogenannte S. Paulini Epigramma, 1999.
LIT.: SCHULLER, ebd. · R. P. H. GREEN, Tityrus lugens, in: Studia patristica 15, 1984, 75–78. K. SM.

[7] P. von Petricordia (h. Périgueux, SW-Frankreich). Verf. einer hexametrischen Biographie des Hl. Martin (→ Martinus [1]) in 6 B. (Mitte des 5. Jh. n. Chr., wahrscheinlich in den 460er J.). Sie beruht auf → Sulpicius Severus' *Vita* und dessen *Dialogi* 2 und 3 sowie – in B. 6 – auf einer Slg. von postumen Wundern, die der Bischof von Tours, Perpetuus, lieferte. P. ist mit klass. lat. Autoren, bes. Vergil und Ovid, vertraut. Das zentrale christl. Muster für sein hagiographisches Epos bildet Sedulius' *Carmen paschale*. P. verfaßte ein Gedicht auf die Heilung seines Enkels und dessen Gattin durch das o. g. Wunderbuch des Perpetuus sowie ein Epigramm auf dessen neue Martinskirche in Tours.

ED.: M. PETSCHENIG, CSEL 16, 1–190. M. RO./Ü: U. R.

Paulos (Παῦλος).

[1] Bischof von → Antiocheia [1] († nach 272 n. Chr.). Der wohl in → Samosata geb., aus einfachen Verhältnissen stammende P., der 260/1 Demetrianos als Bischof nachfolgte, machte sich rasch durch Lehre und Amtsführung bei einflußreichen Teilen der Gemeinde Antiocheias mißliebig. Lokaler Exponent der gegen die Lehre des Bischofs, seine äußere Selbstdarstellung (Errichtung eines hohen Thrones; Bezeichnung als *ducenarius*) sowie liturgische und disziplinäre Vorstellungen aufbegehrenden Opposition war nach Eusebios [7]

(Referat über P.: Eus. HE 7,27–30) der in Antiocheia einer Rhetorenschule vorstehende Presbyter Malchion. Nachdem sich zwei größere Synoden (264; Winter 268/9) mit P. befaßt hatten, enthob ihn letzteres seines Amtes und bestimmte mit Domnus einen Nachfolger. Das von P. und seinem Anhang besetzte Versammlungsgebäude der antiochenischen Gemeinde wurde erst 272 nach einer Intervention Kaiser Aurelianus' [3] geräumt. Inhalt und Beurteilung der postum stark verzeichneten Lehre P.' ist wesentlich abhängig von der noch nicht abschließend geklärten Authentizität der sog. Prozeßakten von 268 (CPG 1706: [2. 135–158]) sowie des von der Synode an P. gerichteten sog. Hymenaeusbriefes (CPG 1705: [1. 13–19]). Nach den knappen Angaben bei Eusebios lehrte P., daß Christus seiner Natur nach ein gewöhnlicher Mensch gewesen sei (Eus. HE 7,27,2), der ›von unten‹, nicht vom Himmel, gekommen sei (Eus. HE 7,30,11). P. übte kein Amt in Verbindung mit dem palmyren. Reich der → Zenobia aus [4].

1 G. BARDY, Paul de Samosate, 1929 2 H. DE RIEDMATTEN, Les actes du procès de Paul de Samosate, 1952 3 L. PERRONE, L'enigma di Paolo di Samosata, in: Cristianesimo nella storia 13, 1992, 253–327 4 J. RIST, Paul von Samosata und Zenobia von Palmyra, in: RQA 92, 1997, 145–161 5 K.-H. UTHEMANN, s. v. Paulus von Samosata, Biographisch-Bibliogr. Kirchenlex. 7, 1994, 66–89.   J. RI.

[2] P. aus Alexandreia. Astrologischer Fachschriftsteller des 4. Jh. n. Chr. (ein Horoskopbeispiel stammt aus dem Jahr 378 n. Chr. [1. 40]). Seine Εἰσαγωγικά/ *Eisagōgiká* (›Einführung‹) beschreiben die Eigenschaften der → Tierkreiszeichen unter Einschluß der astrologischen Geogr. und der → Iatromathematik, ihre Beziehungen untereinander und zu den → Planeten (insbesondere zu deren Phasen), ihre Bed. für die Winde, die Planetengötter der Stunden und Wochentage nach den sieben Stufen (ἑπτάζωνος/*heptázōnos*), die Lehre von den Ekliptikzwölfteln (→ Ekliptik), von den sieben Schicksalslosen (κλῆροι/*klḗroi*), die auf die hermetische Schrift *Panáretos* zurückgeführt wird, die Dodekat(r)opos (Zwölf-Orte-Lehre), die Bestimmung der Sonnenbewegung, des Aszendenten und der oberen Kulmination sowie des menschlichen Lebens nach Jahr, Monat und Tag, die Lehre von den Stufenjahren (klimakterischen Jahren) und von der Herrschaft der Planeten in den Einzelgraden (*monomoiríai* auf trigonaler Basis, Abstand von 120°) sowie der menschlichen Tätigkeiten. Das Horoskop der Welt des letzten Kap. stammt in der überl. Form wohl nicht von P.

Das Werk verbindet ältere hell. Lehren mit astronomischen Angaben, ist unvollständig überl., mit Zusätzen versehen und wurde im 14. Jh. in Byzanz überarbeitet. Einen unter dem Namen »Heliodoros« überl. Komm. zu P. hat → Olympiodoros [4] geschrieben.

ED.: 1 E. BOER, 1958 (mit Scholien).

LIT.: W. GUNDEL, s. v. P. (21), RE 18.4, 2376–2386 · W. und H. G. GUNDEL, Astrologumena, 1966, 236–239 (dazu D. PINGREE, in: Gnomon 40, 1968, 277) · J. WARNON, Le commentaire attribué à Héliodore sur les Εἰσαγωγικά de Paul d'Alexandrie, in: Recherches de Philologie et de Linguistique, 1967, 197–217 · L. G. WESTERINK, Ein astrologisches Kolleg aus dem Jahre 564, in: ByzZ 64, 1971, 6–21.   W. H.

[3] P. von Konstantinopolis. Aus Thessalonike, ab ca. 335 Bischof von → Konstantinopolis. Da er sich als Antiarianer (→ Arianismus; unterschrieb dennoch 335 in Tyros ein Urteil gegen → Athanasios) der kaiserl. Religionspolitik nicht anpaßte, wurde er einmal von → Constantinus [1] I. und viermal vom arianisierenden → Constantius [2] II. exiliert; starb nach 351 im fünften Exil in Kukusos (Armenia secunda). Nahezu alle chronologischen Angaben sind unsicher. Schriften von P. sind nicht erhalten. P.' Gebeine wurden 381 nach Konstantinopolis überführt und P. zum Märtyrer der Rechtgläubigkeit hochstilisiert (laut Legende von Arianern erdrosselt).

→ Eusebios [8] von Nikomedeia

A. LIPPOLD, s. v. P. (29), RE Suppl. 10, 510–520 (Lit.).   M. HE.

[4] P. Silentiarios. Griech. Dichter und Hofbeamter in → Konstantinopolis im 6. Jh. n. Chr., Verf. einer ausführlichen Beschreibung (→ *ekphrasis*) der → Hagia Sophia, die am 24. Dezember 562 bei der Wiedereröffnung der nach dem Kuppeleinsturz von 558 restaurierten Kirche vorgetragen wurde und als einzige Quelle für die h. vollständig verlorene liturgische Ausstattung, für die Dekoration und die Beleuchtung der Kirche in dieser Zeit von großer Bed. ist. Der Text umfaßt 1023 Hexameter; am Anfang stehen zwei an Kaiser → Iustinianus [1] und den Patriarchen Euthymios gerichtete Prologe von 80 und 54 Iamben, ein kurzer Zwischentext von sechs Iamben wurde später eingeschoben.

Mit der Ekphrasis der Hagia Sophia zusammen überl. ist die wohl am 6. Januar 563 vorgetragene Beschreibung ihres Ambons, d. h. der frei im Kirchenraum stehenden, auf einer Säulenstellung ruhenden Kanzel. Dieses Gedicht aus 275 Hexametern mit einem Prolog von 29 Iamben ist so detailliert, daß es als Grundlage für mehrere Rekonstruktionen des Ambons gedient hat.

Von P. stammen auch etwa 80 Epigramme, die auf dem Weg über den *Kýklos* seines Freundes → Agathias in die ›Griech. → Anthologie‹ gekommen sind. Ihre überwiegend erotische Thematik zeigt, wie problematisch ein Rückschluß von den Werken eines Autors auf seine rel. Einstellung sein kann.

ED.: P. FRIEDLÄNDER, Johannes von Gaza und P. Silentiarios, 1912 (Ekphrasis) · O. VEH, Prokop, Bauten. Griech.-Dt., 1977, 306–377 (Anhang) · G. VIANSINO, Paulus Silentiarius, Epigrammi: testo, traduzione e commento, 1963 (Epigramme).
LIT.: P. MAGDALINO, The Architecture of Ekphrasis, in: Byzantine and Modern Greek Studies 12, 1988, 47–82.   AL. B.

[5] P. von Aigina
I. Leben II. Werk III. Überlieferung

I. Leben

Aus Aigina stammender griech. Arzt (Beiname Αἰγινήτης), vielleicht Christ, der laut Barhebraeus zumindest z.Z. der Eroberung Alexandreias [1] durch die Araber (642 n.Chr.) in dieser Stadt praktizierte, wahrscheinlich auch danach. Da er in einem Epigramm, das sich in manchen Hss. findet, als περιοδευτής/*periodeutés* bezeichnet wird, könnte er als Wanderarzt tätig gewesen sein, doch ist weiteres nicht bekannt.

II. Werk

Von P. ist eine medizinische Enzyklopädie erh., die als letzte große ihrer Gattung angesehen wird. Sie trägt keinen Titel, wird aber nach der von P. selbst im Vorwort benutzten Wendung allg. Συναγωγαὶ ἰατρικαί/ *Synagōgaí iatrikaí* (›Medizinische Sammlungen‹; lat. *Collectiones medicae*) genannt. Sie besteht aus sieben B. über Hygiene und Diätetik (1), Fieberarten (2), topographisch von Kopf bis Fuß klassifizierte Krankheiten (3), Krankheiten der Haut und der Eingeweide (4), Toxikologie (5), Chirurgie (6) und medikamentöse Therapeutik (7). Ihr Ziel ist, so P. selbst, eine allg. Darstellung der Medizin zu bieten, die leichter zu benutzen sei als die zu umfangreiche Enzyklopädie des → Oreibasios und vollständiger als dessen zu summarische *Sýnopsis pros Eustáthion* (*Synopsis ad Eustathium*), ohne jedoch über das Format einer *sýntomos didaskalía* (eines kurzgefaßten Lehrbuchs) hinauszugehen. Sie beruht auf dem Text des Oreibasios wie auch auf deren direkten Quellen (v.a. Hippokrates und *Corpus Hippocraticum*, Soranos, Pedanios Dioskorides, Galen und Aëtios).

Nach einer arabischen Quelle soll P. außerdem ein h. verlorenes Werk über gynäkologische Krankheiten verfaßt haben (vielleicht handelt es sich jedoch um den Teil von B. 6 seiner Enzyklopädie, der Gynäkologie und Geburtshilfe behandelt und vielleicht selbständig umlief) – ein Fachgebiet, das P. so brillant beherrscht haben soll, daß er von dieser Quelle als »Geburtshelfer« bezeichnet wird.

III. Überlieferung

Die Enzyklopädie des P. ist in reicher hsl. Trad. überliefert. Möglicherweise wurde der Text der griech. Überl. in der Spätant. neu eingeteilt (B. 6 und 7 wurden jeweils in zwei Hälften geteilt: allgemeine bzw. Knochenchirurgie; einfache bzw. zusammengesetzte Medikamente). Das Werk wurde vom 9. Jh. an ins Arabische übers. – zuerst von Ḥunain ibn Isḥāq (dessen Übers. nicht vollständig erh. ist) – und hat in der arab. medizinischen Lit. weithin Benutzung gefunden, bes. bei Rāzī (865–925).

In lat. Sprache scheint die Enzyklopädie dagegen kaum vor dem 11.Jh. bekannt gewesen zu sein und wurde auch dann nur auszugsweise übers. (B. 3), zweifellos in Süditalien um 1000, doch ohne weite Verbreitung zu erfahren. Vom 12. Jh. an war sie besser bekannt, doch nur in den Zitaten, die sich in den in lat. Übers. verfügbaren arab. Abh. fanden.

In der Renaissance war der vollständige griech. Text der Abh. vor der *editio princeps* (Francesco d'Asola, Venedig 1528) nicht bekannt, doch gibt es viele Ausgaben aus dem 16. Jh.

→ Enzyklopädie; Medizin

Ed.: F. Adams, The Medical Works of Paulus Aegineta, 1834 (engl., mit Komm.) · J. Berendes, P. von Aegina des besten Arztes Sieben Bücher, 1914 (dt., mit Komm.) · J. L. Heiberg, 2 Bde., 1921–1924 (CMG 9.1–2) · Ders., Pauli Aeginetae libri tertii interpretatio latina antiqua, 1912 (lat. Epitome).
Lit.: H. Diels, Die Hss. der griech. Ärzte, Bd. 2, 1906, 77–81 · P. Drennont Thomas, Paul of Aegina, in: Gillispie 10, 1974, 417–419 · H. Diller, Paulus (23), RE 18.2, 2386–2397 · J. L. Heiberg, De codicibus Pauli Aeginetae observationes, in: REG 32, 1919, 268–277 · A.M. Ieraci Bio, La trasmissione della letteratura medica greca, 1989, 211–213 · J. Noret, Trente-six grands folios onciaux palimpsestes, in: Byzantion 49, 1979, 307–313 · E.F. Rice, Paulus Aegineta, in: Catalogus translationum et commentariorum 4, 1980, 145–191 · C. Salazar, Getting the Point: Paul of Aegina on Arrow Wounds, in: Sudhoffs Archiv 82, 1998, 170–187 · M. Tabanelli, Studi sulla chirurgia bizantina. Paolo di Egina, 1964.   A.TO./Ü: T.H.

Paulus

[1] Senator praetorischen Ranges, der unter → Tiberius im Senat knapp einer Anklage wegen Majestätsverbrechen (→ *maiestas*) entging; einer seiner Sklaven verhinderte die Anklage (Sen. benef. 3,26,1 f.). Eine nähere Identifizierung ist nicht möglich. PIR² P 179.   W.E.

[2] P., der Apostel
I. Die urchristlichen Quellen und ihre Beurteilung II. Historische Rekonstruktion von Leben und Werk III. Theologie

Die Bed. des P. für das Christentum ist, wie die Rezeptionsgeschichte zeigt, enorm. Der große Anteil seiner Schriften und seine Rolle in der Historiographie des NT sichert ihm eine entsprechende Wirkung in der christl. Theologie bis heute. Bes. einflußreich wurde dabei die P.-Rezeption des → Augustinus, der insbes. den Paulinismus der (v.a. lutherischen) Reformation prägte. Durch diese kommt P. eine auch innerchristlich abgrenzende Funktion zu, indem seine Rechtfertigungs- und Gnadentheologie zum Kriterium erhoben wird. In der Aufklärungstheologie und im Historismus tritt die Vorstellung hinzu, daß P. im Unterschied zu Jesus den Bruch mit dem »Gesetz« bzw. dem Judentum überhaupt vollzogen habe und so der »zweite Stifter« bzw. der erste und entscheidende »Theologe« des Christentums geworden sei. Entgegen dieser »Lutherisierung« und teilweisen Antijudaisierung des P. relativiert die neuere Forsch. [7; 11] die vor allem an der Rechtfertigungstheologie orientierte Interpretation und verortet P. in jüd. Apokalyptik und deren universalgesch. Konzepten, nicht zuletzt mit sozialgesch. und kulturanthropologischen Methoden [3; 7; 9; 11; 12].

I. Die urchristlichen Quellen
und ihre Beurteilung
A. Grundsätzliches
B. Das historiographische Zeugnis
der Apostelgeschichte
C. Briefe des Paulus

A. Grundsätzliches

Anders als bei → Jesus und den meisten großen Gestalten des Urchristentums gibt es Schriftliches von P. selbst (›in einem gewissen Sinne die einzig deutliche Gestalt‹ des Urchristentums: W. Wrede). Doch wurden die unter dem Namen des P. kanonisierten Briefe zu einem nicht geringen Teil als pseudepigraphisch erkannt, und der Quellenwert der Apostelgeschichte hat hinter dem der echten Paulinen zurückzustehen. Nichtchristl. zeitgenössische Zeugnisse über P. fehlen zudem gänzlich.

B. Das historiographische Zeugnis der
Apostelgeschichte

Die Apg schildert vor 100 n. Chr. P. als einen durch Wunderkraft begabten, rhet. und sprachlich talentierten toratreuen Pharisäer mit jüd. und hell. Bildung, gewandt im Umgang mit griech. und röm. aristokratischer Elite und jüd. Autoritäten. Sie stellt die wunderbare »Konversion« des »Verfolgers« der Christusbekenner zum Christusanhänger durch den auferstandenen Christus dar und kennzeichnet P. als die dominierende Gestalt der missionarischen Ausbreitung des Christusglaubens (→ Mission). Trotz Konflikten mit jüd. und röm. Behörden (Strafmaßnahmen; Gefangenschaft) erscheint er als der vorbildliche Missionar und Zeuge Christi. Dieses zweifellos spätere, teils legendarische Bild dürfte gleichwohl manche zuverlässige Einzelnachricht implizieren. Die sog. »Wir-Berichte« in Apg 13-21 (sog. »Itinerar«) dürften sich jedoch der historiographischen Stilfiktion ihres Verf. verdanken. (Die legendarischen → Paulusakten sind ohne histor. Quellenwert.)

C. Briefe des Paulus
1. Die echten Briefe und die
Deuteropaulinen
2. Epistolographie und Rhetorik

1. Die echten Briefe und die
Deuteropaulinen

Der Konsens der kritischen Forsch. läßt allenfalls 7 der 13 (mit Hebr 14) kanon. P.-Briefe als authentisch gelten, nämlich Röm, 1 Kor, 2 Kor (eventuell redaktionelle Komposition), Gal, 1 Thess (nicht unbestritten), Phil, Phm. Umstritten ist die chronologische Abfolge (wohl 1 Thess ältester: ca. 51 n. Chr., Röm jüngster Brief: ca. 56). Sie dürften alle in den fünfziger Jahren des 1. Jh. n. Chr. während der missionarischen Tätigkeit des P. in Kleinasien und Griechenland verfaßt worden sein. Umstritten ist die Echtheit von Eph und Kol (Abweichungen in Stil, Sprache und theologischen Inhalten;

Eph von Kol lit. abhängig). Für Kol wird vermutet, daß er wegen der Gefangenschaft des P. (Kol 4,3 und 10) vom Mitabsender → Timotheos verfaßt, aber von P. mitautorisiert wurde. Dies könnte jedoch auch gezielte lit. Fiktion sein. In jedem Fall stehen beide Briefe in der direkten kirchlichen und theologischen Trad. paulinischen Wirkens.

Anerkannt ist heute weithin die Unechtheit der »Pastoralbriefe« (1 und 2 Tim, Tit) und des 2 Thess. Letzterer ist offenkundig eine lit. vom 1 Thess abhängige Reinterpretation von dessen Naherwartungseschatologie unter den veränderten Bedingungen für Christusgläubige im röm. Reich nach 70 n. Chr. (Zerstörung des Tempels). Noch später und wohl in großer Nähe zu → Polykarpos von Smyrna entstanden, greifen die Pastoralbriefe mit der Autorität des P. in Auseinandersetzungen über Irrlehren ein und versuchen (2 Tim), das Erbe des P. als vorbildlich zu bewahren. Fiktive Adressaten sind zwei der wichtigsten Mitarbeiter des P., → Timotheos und → Titos. Der Hebr wurde zwar früh Teil der paulinischen Briefsammlung [13], doch ist er weder von P. selbst noch in seiner Schule geschrieben worden (zu nichtkanon. Briefen unter dem Namen des P. s. → Neutestamentliche Apokryphen; → Paulusakten).

2. Epistolographie und Rhetorik

Alle Briefe des P. sind geprägt von Konventionen der ant. Epistolographie und Rhetorik. Zahlreiche Motive, Phrasen und Wendungen entstammen philophronetischer Briefkultur (Freundschaftsbrief) der Kaiserzeit. Dadurch stehen sie mit der ant. Rhet. in enger Beziehung, obwohl der Grad des Einflusses umstritten bleibt. Neuere Forsch. [1] weist jedoch Tendenzen auf, die P.-Briefe durch und durch von griech. Schulrhetorik geprägt zu sehen. Diese soll über Wortwahl, Stil- und Redefiguren der *elocutio* hinaus auch die *dispositio* und die *genera orationis* betreffen. Neben dieser noch umstrittenen schulrhet. Strukturierung werden einzelne rhet. Mittel wie der »Diatriben-Stil« (→ Diatribe) hervorgehoben. Die neuere Forsch. hat gezeigt, daß das, was man als Gattung »Diatribe« seit dem 19. Jh. bezeichnet, nicht identisch mit der ant. *diatribé* ist. Steht diese in Beziehung zur mündlichen Lehre (als Manuskript oder Nachschrift einer Rede), so umfaßt der sog. »Diatriben-Stil« des P. Tendenzen zu Alltagssprache, zu Dialogelementen, Anekdoten, Beispielen, Zitaten und lebhaftem Ton der *diatribé*. Analogien dazu finden sich in den Briefen vor allem dort, wo P. die rationale oder abstrakte Argumentation eindringlicher und subjektiver zum Zweck der Persuasion bzw. der Überwindung gestörter oder entfremdeter Kommunikation machen möchte [8]. Möglich ist, daß P. in seinen mündlichen Kommunikationen den »Diatriben-Stil« in missionarischer Absicht kultivierte.

Die Briefe folgen fast alle einem festen Schema: Briefpräskript, Proömium, Corpus, Briefschluß (Postskript, Eschatokoll). Von den Briefformalien lehnt sich insbes. das Präskript an hell.-oriental. Konventionen an, freilich mit Variationen, die frühjüd.-liturgische Traditionen aufnehmen [5]. Obwohl die Briefe des P. schon früh gesammelt [13] und spätestens durch die Kanonisierung lit. geworden sind, sind sie doch Gelegenheitsschreiben und nicht (lit.) Episteln, unterscheiden sich jedoch – auch der Phm – von Privatbriefen. Da sie alle Schreiben sind, in denen P. autoritativ als Apostel (s.u.) auftritt, sind sie »offiziellen Schreiben« und insbes. frühjüd., gemeindeleitenden Briefen typologisch verwandt, obschon die philophronetischen Motive nicht nur konventionell sind, sondern durchaus die Qualität des Verbundenheitsverhältnisses zw. Absender und Adressat reflektieren.

II. Historische Rekonstruktion von Leben und Werk
A. Herkunft, Bildung, sozialer Status
B. Berufung und Wirken als Apostel
C. Chronologie

A. Herkunft, Bildung, sozialer Status
P. stammte aus einer jüd. Familie der Diaspora. Er kennzeichnete sich selbst als ›Hebräer‹ (Ἑβραῖος) und ›Israelit‹ (Ἰσραηλίτης) ›aus dem Stamm Benjamin‹ (Phil 3,5f.; Röm 11,1; 2 Kor 11,22). Letzteres erklärt seinen (nur in der Apg überl.) jüd. Namen Saul(os) (Σαῦλος; vgl. Apg 7,58 u.ö.), welcher ihm wohl nach dem Benjaminiten und ersten König Israels gegeben wurde und dem der klangverwandte röm. Name P. nachgebildet sein wird. Die Selbstbezeichnung ›Hebräer von Hebräern‹ hebt kaum auf Hebräisch als Muttersprache oder direkte palästinische Herkunft ab, sondern ist wie ›Israelit‹ ein archaisierender Würdename.
Nach der Apg stammte P. aus dem kilikischen Tarsos (Apg 9,11 u.ö.). Daß er vom Vater röm. und tarsisches Bürgerrecht (Apg 16,37f.; 21,25f.39; 22,25ff.; 23,27) geerbt hätte, ist eher unwahrscheinlich, zumal P. in seinen Briefen davon schweigt (vgl. [10. 256f.]). P. kennzeichnete sich selbst als selbstbewußten, eifrigen Anhänger der ›väterlichen Überlieferungen‹ (Gal 1,14) und den Pharisäern (→ Pharisaioi) zugehörig (Phil 3,5). Ob er dabei auch eine Ausbildung in Jerusalem erhalten hat (Apg 22,3), ist fraglich. Sicher ist jedoch, daß er in der griech.-sprechenden Diaspora auch hell. Bildung genossen hat.
Mit seinem Eintreten für ein seiner väterlichen Trad. treues Judentum verband P. auch seine ›Verfolgung‹ der christusgläubigen ›Gemeinde Gottes‹ (Gal 1,13). Gemeint sein dürften damit Abwehrmaßnahmen gegen Propaganda von jüd. Christusgläubigen mittels Disziplinarstrafen, wie sie P. später selbst wohl aus denselben Gründen erfahren hat (vgl. nur 2 Kor 11,24; 1 Thess 2,14ff.). Die Dramatisierung dieser Vorgänge bis hin zu Tötungsmaßnahmen und ihre Verlagerung bis nach Jerusalem durch die Apostelgeschichte ist eher legendarisch (vgl. dazu [10. 289ff.]). Während P. nach der Apg eher der Elite zugehörte, deuten die Selbstzeugnisse eindeutig auf die Unterschicht (handwerkliche Schwerar-

beit: kópos, kopián 1 Kor 4,12; 2 Kor 6,5; 11,23; 1 Thess 2,9). Er fristete ›wie ein Sklave und an der Seite von Sklaven‹ als wandernder Handwerker (nach Apg 18,3 war er skēnopoiós, »Zeltmacher«) sein Leben. In den Werkstätten dürfte auch das Zentrum seiner missionarischen Überzeugungsarbeit liegen. P. listet (sog. Peristasenkataloge) neben der Verfolgung typische Negativerfahrungen antiker Handwerker auf: Hunger, Durst, mangelhafte Bekleidung, Erleiden von Gewalt, Gefängnis, Gefahren auf Reisen (vgl. 1 Kor 4,8ff.; 9,8ff.; 2 Kor 6,4ff.; 11,7ff.23ff.), Angewiesensein auf finanzielle Unterstützung (vgl. 2 Kor 11,8f.; Phil 4,10ff.). Auch die Leiden aufgrund seiner missionarischen Tätigkeit (synagogale Stockstrafen, röm. Geißelstrafen, Gefängnis) waren entehrende Züchtigungen, die zum Status eines Eliteangehörigen und röm. Bürgers nicht passen.

B. Berufung und Wirken als Apostel
P. versteht sich aufgrund einer Vision des auferstandenen Christus bei Damaskos als von Gott berufener Apostel des Evangeliums unter den Völkern (Gal 1,15f.; 1 Kor 9,1; 15,8; legendarisch Apg 9,1ff. u.ö.). Dieser Vorgang hat wegen der vorangegangenen Verfolgungstätigkeit Züge einer »Bekehrung«, doch interpretiert P. ihn selbst mit Motiven der Prophetenberufung [9; 11]. Als ›Apostel der Völker‹ (ἐθνῶν ἀπόστολος; Röm 11,13) ist er nicht nur missionierender Gemeindegründer in der Diaspora, sondern auch die unmittelbar von Gott eingesetzte Autorität für die Ausrichtung des Evangeliums unter den Völkern und damit das Pendant zur Rolle des → Petrus [1] als Apostel unter den Juden (vgl. Gal 2,8). Sein Apostolat verbindet sich mit charismatischen Wundertaten (vgl. Röm 15,18f.; 1 Kor 2,4; 2 Kor 12,12), ferner einer apokalyptischen Himmelsreise (2 Kor 12). Seine Mission führte P. von Damaskos in das Nabatäerreich (Arabia; vgl. Gal 1,17) und zurück. Nach der Flucht aus Damaskos (vgl. 2 Kor 11,32f.) machte er einen kurzen Besuch in Jerusalem (Gal 1,18), um dann v. a. in → Antiocheia [1] (hier auch mit Petrus) gemeindebildend zu wirken, und zwar erstmals erfolgreich auch unter Nichtjuden.
Zusammen mit → Barnabas und → Titos leitete P. eine Delegation aus Antiocheia [1] zum »Apostelkonvent« in Jerusalem (Gal 2,1ff.; vgl. Apg 15), wohl wegen Konflikten über gemeinsame Mahlzeiten von christusgläubigen Juden und Nichtjuden in Antiocheia (Gal 2,12ff.). Die Leitung der Jerusalemer Christusgemeinde, insbes. Iakobos, der Bruder Jesu, scheint aus Furcht vor oder Erfahrung von Negativmaßnahmen (vgl. 1 Thess 2,14ff.) vor einer solchen unbeschränkten sozialen Gemeinschaft gewarnt und Barnabas und Petrus zum »Rückzug« veranlaßt zu haben. Der »Apostelkonvent« erkannte den vom Geist gewirkten Völkerapostolat des P. an, teilte aber die Verantwortungsbereiche: Petrus für die Beschneidung, P. für die Völker.
P. gründete danach Christusgemeinden in Kleinasien und Griechenland, zw. denen er hin- und herreiste (laut

Apg drei Missionsreisen; → Mission) und zu denen er Verbindung durch Mitarbeiter und Mitarbeiterinnen sowie eine rege Korrespondenz hielt. Kleinasiatische paulinische Gemeinden entstanden insbes. in → Ephesos, → Kolossai und → Galatien (wohl Städte des Südteils der Provinz Galatia). Die erste Reise nach Europa (Gemeindegründungen in → Philippoi und → Thessalonike) sollte offenbar über die Via Egnatia direkt nach Rom führen (vgl. [2]). Doch wurde P. in den Süden abgedrängt. In → Korinthos gründete er eine Gemeinde und traf auf das Ehepaar → Priska und → Aquila [4] (zeitweilige Arbeits- und Missionsgemeinschaft; Apg 18,2). Nach einem durch ein Gerichtsverfahren vor dem Statthalter → Iunius [II 15] Gallio erzwungenen Abschied von Korinth wandte sich P. wieder nach Kleinasien, v. a. Ephesos (möglicherweise Gefangenschaft). Von hier aus besuchte er auch mindestens einmal noch Korinth. Jedenfalls brach er nach dem letzten Korinthaufenthalt und dem Abschluß einer Kollektensammlung für die Gemeinde Iudaeas nach Jerusalem auf, um von dort nach Rom zu gehen und danach in Spanien zu missionieren (Röm 15,22 ff.). Während der »Kollektenreise« kam es nach Apg 21 ff. zu seiner Festnahme in Jerusalem, zu Gefangenschaft und einem Prozeß in → Caesarea [2], dem Sitz des röm. Statthalters von Iudaea, und nach erfolgreicher Appellation zur Überstellung nach Rom, wo P. in leichter Haft festgehalten wurde. Hier dürfte er den (nur von späterer Legende mitgeteilten) Märtyrertod erlitten haben.

C. CHRONOLOGIE

Die chronologischen Ansetzungen sind bis heute umstritten (vgl. [4]; Frühdatier. dagegen [6]). Falls die Nachricht in Apg 18,12 ff. von einem Verfahren gegen P. vor Gallio (Prokonsulat in Achaia 51–52 n. Chr.) zuverlässig ist, ergibt sich ein ungefährer Fixpunkt. Dazu würde passen, daß er in Korinthos mit Aquila und Priska zusammentraf, die – neben anderen Juden – das wohl um 49 n. Chr. erlassene Edikt des Kaisers Claudius aus Rom vertrieben hatte. Aufgrund relativer chronologischer Angaben zumal in Gal 1 f. dürfte der »Apostelkonvent« in das J. 48/9, die Berufung um 35 n. Chr. zu datieren sein, die röm. Gefangenschaft und das Ende des P. verm. um 58–60 n. Chr.

III. THEOLOGIE

Die Theologie des P. ist entscheidend geprägt durch eine jüd.-apokalyptische Weltsicht, nach der die Gegenwart Endzeit ist. P. verkündigt die Botschaft von Jesus Christus als Rettung für jeden, der glaubt, vor dem drohenden eschatologischen Zorngericht. Aus diesem kann nur gerettet werden, wer ›Gottes Gerechtigkeit‹, den Unschuldserweis, vorweisen kann, den der sühnende Tod des Gottessohnes bedeutet (Röm 1,16–18). Alle sind jetzt schon als Sünder überführt; keiner ist gerecht. Der Zustand der Welt ist ethisch absolut empörend, weswegen sie auch vernichtet werden wird (Röm 1,19–3,20). Aber wer in dieser Krise der Welt an Gottes Heilsinitiative glaubt, der wird seiner zuvor begangenen

Sünden ledig (Röm 3,21 ff.), kann und muß mit Hilfe des Geistes ein Leben in Gerechtigkeit bis zum Ende führen (Röm 6,1 ff.; 8,1 ff.), wird dann entweder vom Tod auferweckt oder, sofern er noch lebt, verwandelt und in den Himmel entrückt (1 Thess 4,13 ff.; 1 Kor 15,12 ff.; 2 Kor 5,1 ff.). Diese Transformation ist aber entscheidend nötig, weil die von Adam her stammende Menschheit aus einem Stoff, der *sarx* (»Fleisch«), besteht, die für die Sünde, zumal die Sexualität mit ihren Begierden, anfällig ist (Röm 7,14 ff.; 8,12 ff.).

Die endzeitliche Heilsinitiative Gottes in Christus stellt also für P. den Beginn einer ›neuen Schöpfung‹ (καινὴ κτίσις/*kainḗ ktísis*; 2 Kor 5,17; Gal 6,15), einer neuen »Menschheit« (Röm 5,12 ff.) dar, die die gesch., sozialen und sexuellen Differenzen [3] der von Adam her stammenden Menschheit und damit deren Unterworfensein unter Vergänglichkeit, Nichtigkeit und die Macht der Sünde überwindet (Gal 3,28; Röm 8,19 ff.). Der Glaube an Jesus Christus als Gottes endzeitliche Initiative zur Rettung aus der Krise der Welt gibt schon im alten Weltzeitalter Anteil an den rettenden Kräften des neuen, was die Ausgießung des Geistes und dessen Wirken im Wandel und in charismatischen Gottesdiensten demonstriert (Röm 5,1 ff.; Gal 3,1 ff.; 1 Kor 8 ff.). Insofern wird der Glaubende mit dem Schicksal des Gottessohnes gleich gestaltet. Doch anders als dieser ist er noch nicht in den Himmel entrückt, weswegen das ›neue Leben‹ im Geist (Röm 6,4) unter Bewährung zu stellen ist, etwa auch durch sexualasketisches Verhalten (1 Kor 7).

Dieser apokalyptische Entwurf muß die programmatische Einbeziehung der Glaubenden aus den Völkern in die endzeitliche Rettung mit der Erwählung Israels und seiner Auszeichnung durch die Gabe der Tora und die messianischen Verheißungen (→ Messias) vermitteln. Dies geschieht einerseits so, daß P. die Erwählung des Volkes Israel (→ Juda und Israel) als entscheidende Vor- und Verheißungsgeschichte der endzeitlichen Erlösung aller deutet und dabei Abraham als Prototyp des rechtfertigenden Glaubens und Vater der Glaubenden aus Juden und Nichtjuden (Röm 4; Gal 3) versteht. Dies bezieht auch die in Christus eröffnete, die Differenz von Juden und Nichtjuden überschreitende Glaubensgerechtigkeit als *télos* (Ziel) der Tora (Röm 10,4) ein. Sogar die Beschneidung, das entscheidende jüd. Identitätsmerkmal, wird nur noch als ergänzendes Zeichen verstanden, das bestätigt, daß Abraham sich bereits als Unbeschnittener als gerecht erwies, weil er glaubte (Röm 4,11). Bei der Tora wiederum sind zwei Intentionen zu unterscheiden: Für den, der sie befolgt, ist sie eine Gabe zum Leben, für die Sünder ist sie ein Todesurteil (Röm 2,17 ff.; 7,1 ff.; 10,5 ff.; 2 Kor 3). Denn da die Tora zw. Adam und Christus in einer Situation der Menschheit offenbart wurde, als Sünde und Tod schon in ihr herrschten (Röm 5,12 ff.), war sie nicht nur ›wegen des Fleisches ohnmächtig‹ (Röm 8,3) zur Realisierung ihrer Lebensverheißung. Sie mußte vielmehr die Sünde als Sünde zur Erfahrung bringen und

damit feststellen, ›daß kein Fleisch aus Werken des Gesetzes gerechtfertigt wird‹ (Röm 3,20; Gal 2,16).

Mit dieser Theologie kommt P. in eine doppelte
Frontstellung. Einerseits wehrt er etwa in Galatien die
Tendenz ab, daß christusgläubige Nichtjuden ihren
Glauben durch Eintritt ins Judentum vollenden wollen.
Das ist für ihn eine Vollendung dessen im Fleisch, was
im Geist begonnen hat. Denn die Glaubensexistenz ist
für P. die eschatologisch legitime und durch den Geist
besiegelte Abrahamskindschaft. Auf der anderen Seite,
und das ist die Problemlage in der vor allem aus Nichtjuden sich rekrutierenden Gemeinde in Rom, wehrt er
die Schlußfolgerung ab, daß Israel, weil und sofern es in
der Mehrheit den Christusglauben nicht teilt, seine Erwählung verwirkt hat. Demgegenüber entwirft er in
Röm 9–11 eine »heilsgeschichtliche« Deutung, wonach
gegenwärtig nur ein ›Rest‹ aus Israel, dessen Erwählung
unwiderruflich ist, zum Christusglauben gekommen ist,
während die ›übrigen‹ von Gott zu Gunsten des Eintritts
der Glaubenden aus den Völkern ›verhärtet wurden‹.
Dieser Zustand wird nach der Vervollkommnung der
Anteilhabe der Völker an der Rettung beendet, und mit
der Rettung ›ganz Israels‹ wird das eschatologische Ziel
erreicht werden.

→ Apokalypse; Apostelbriefe; Apostelgeschichte; Bibel;
Brief; Christentum; Evangelium; Judentum; Mission;
Paulusakten

1 H.-D. Betz, Der Galaterbrief, 1988 2 G. Bornkamm, P.,
⁷1993 3 D. Boyarin, A Radical Jew. Paul and the Politics of
Identity, 1994 4 R. Jewett, P.-Chronologie, 1982 5 H.-J.
Klauck, Die ant. Brieflit. und das Neue Testament, 1998
6 G. Lüdemann, P. der Heidenapostel. 1. Studien zur
Chronologie, 1980 7 E. P. Sanders, P. Eine Einführung,
1995 8 T. Schmeller, P. und die »Diatribe«, 1987 9 A. F.
Segal, Paul the Convert. The Apostolate and Apostasy of
Saul the Pharisee, 1990 10 E. W. und W. Stegemann,
Urchristl. Sozialgesch. Die Anfänge im Judentum und die
Christusgemeinden in der mediterranen Welt, ²1997
11 K. Stendahl, Der Jude P. und wir Heiden. Anfragen an
das abendländische Christentum, 1978 12 Ch. Strecker,
Die liminale Theologie des P. Zugänge zur paulinischen
Theologie aus kulturanthropologischer Perspektive, 1999
13 D. Trobisch, Die Entstehung der P.briefsammlung.
Studien zu den Anfängen christl. Publizistik, 1989.

E. STE.

[3] P. aus → Arabissos in Kappadokia. Vater des Kaisers
→ Mauricius. Er erhielt 582 n. Chr. ein Vermögen und
die führende Stelle im Senat (Iohannes von Ephesos,
Historia ecclesiastica 3,5,18). Empfänger eines Schrei-
bens Childeberts II. (MGH Epp. 3, p. 144, epist. 37), der
die Familie des Kaisers zu beeinflussen suchte [2. Bd. 2,
153f.; 3. 15]. P. stammte möglicherweise aus dem
Westreich [2. Bd. 1, 41; 1. 855].

1 PLRE 3b, 980f. 2 P. Goubert, Byzance avant l'Islam, Bd.
1, 1951, Bd. 2, 1955 3 M. Whitby, The Emperor Maurice
and his Historian, 1988. WE.LÜ.

[4] P. Diaconus I. Leben
II. Historische Werke III. Sonstige Werke
IV. Grammatische Werke

I. Leben

Die Chronologie dieses produktiven lombardischen
Autors ist zum großen Teil umstritten [2. 259–262].
Geb. ca. 720/730 n. Chr. in Cividale (Friaul), war er ein
Sohn des Adligen Warnefrid. Ein sehr früh zu datieren-
des Werk ist ein Gedicht aus dem J. 763 (Nr. 2,8,3 Neff)
an Prinzessin Adelperga. Die *Historia Romana* wurde vor
774 veröffentlicht; etwas später wurde P. Mönch in
Monte Cassino. In den frühen 780er J. setzte sich P. bei
Karl dem Großen für seinen Bruder Archis ein, der ein
Gefangener aus der Revolte von Friaul war (ca. 776
n. Chr.), und verbrachte einige Jahre am Hof als ein
Gelehrter unter Alcuin; in dieser Zeit verfaßte P. die
Festus-Epitome (Fest. p. 1; vgl. Festus [6]). Um 785
kehrte P. nach Monte Cassino zurück und starb um 800.

II. Historische Werke

Die *Historia Romana* stellt eine Epitome des → Eutro-
pius [1] dar, dessen Werk durch die B. 11–16 bis ins J.
553 n. Chr. fortgeführt wurde (publiziert vor 774). Die
Historia Langobardorum in 6 B. reichte von der Urgesch.
bis ins J. 744 n. Chr.; sie war bei P.' Tod noch nicht
abgeschlossen. Sie wurde intensiv benutzt, wie die über
100 erh. Hss. zeigen. Der Zeit am Hof gehören die *Gesta
episcoporum Mettensium* an, die Gesch. der Metzer Bischöfe, die Karl d. Gr. zu seinen Vorfahren zählte (Paulus Hist. Lang. 6,16), sowie die Biographie Gregorius [3]
d. Gr. (ebd. 3,24). Im Rahmen karolingischer Gesch.-
Schreibung fällt P.' nüchterne, quellengesättigte Darstellung auf, die Vergangenes als Interessantes schildert,
aber an heilsgesch. Einordnung und unmittelbarem Ge-
genwartsbezug nicht interessiert ist.

III. Sonstige Werke

P.' Werk umfaßte des weiteren zwei gute Dutzend
Gedichte, hauptsächlich kurze (das längste umfaßt 154
Z.: Nr. 6 Neff), darunter Grabinschr., Briefe in metrischer Form an Petrus von Pisa (Nr. 20 Neff) und Karl
den Großen (Nr. 11; 18; 32 Neff). Zu den theologischen Schriften zählten eine Slg. von Predigten [2. 266]
sowie ein nicht erh. Komm. zur Benediktsregel [2. 263].

IV. Grammatische Werke

P.' Komm. zur *Ars Grammatica* des Donatus [3] ist
erh.; doch ist sein für die Alt.-Wiss. wichtigstes Werk
der Auszug aus Sex. Pompeius → Festus [6]. Da der Text
des Festus für die Buchstaben M-Z seines Lex. *De verborum significatu* nur noch in einem beschädigten Ms.
erh. ist, hilft P.' Auszug, die Schäden/Lücken von M-Z
zu kompensieren; außerdem liefert er zusätzliche Informationen für A-L: P. benutzte ein unserem Festus-Ms.
(F) verwandtes Ms., das vollständiger war. Sein Werk
erscheint in ma. Bibl. selten; erst die Ausgaben von
A. Augustín (1559) und J. Scaliger (1565) stellten P.
neben Festus. Seitdem ist er selten selbst Gegenstand des
Interesses geworden, er wurde lediglich für die Klärung
von Detailproblemen bei Festus herangezogen, die ih-

rerseits wiederum im Dienste der Rekonstruktion des → Verrius Flaccus standen. Die prätenziöse Haltung des Festus fehlt, P. ist ein sorgfältiger Epitomator, ohne deswegen auf Änderungen zu verzichten, etwa den Ersatz des Präsens durch Vergangenheitsformen in einigen rel. Abschnitten und drastische Kürzungen in den Zit. [1]; einige Auslassungen können unter Vorbehalt mit Hilfe ant. Quellen (z. B. Fest. 78,10–13: *Favisae* mit Gell. 2,10) oder späterer Glossen (z. B. Fest. 68,8–13: *Everriator* mit CGL 4, 192) rekonstruiert werden.

LIT.: 1 R. CERVANI, L'Epitome di Paolo del »De Verborum Significatu« di Pompeio Festo, 1978 2 MANITIUS, 1, 257–272 3 K. NEFF, De Paulo Diacono Festi epitomatore, 1891 · C. R. PHILLIPS, Festus on Roman Religion (erscheint demnächst).

ED.: Festus-Epitome: W. M. LINDSAY, 1913 (Ndr. 1930 = CGL 4, 71–467) · Vita Gregorii: H. GRISAR, in: Zschr. für katholische Theologie 9, 1887, 162–173 · Briefe: E. DÜMMLER, MGH Epp 4, 1895 (Ndr. 1974), 505–516 · Donat-Komm.: A. AMELLI, 1899 · Gedichte: K. NEFF, 1908 · Gesta episcoporum Mettensium: G. PERTZ, MGH SS 2, 1829 (Ndr. 1976), 260–268 · Historia Langobardorum: L. BETHMANN, G. WAITZ, MGH Scriptores Langobardicarum et Italicarum, 1878 (Ndr. 1988), 12–187 · Historia Romana: A. CRIVELLUCCI, 1913 · Homiliar: PL 95, 1159–1566. C. R. P./Ü: K. FL.

Paulusakten. Die um 190 entstandenen, nur fr. erh. P. (→ Neutestamentliche Apokryphen) schildern romanhaft das Wirken des → Paulus [2] und seiner Jüngerin → Thekla sowie erstmals das Martyrium des Paulus (Enthauptung). Hauptpunkte der Lehre der P. sind die Auferstehung und die Askese. Das selbständige Lehren und Wirken der Thekla (Selbsttaufe, Kap. 34) haben die P. in Verruf gebracht (die P. sind ›dezidiert feministisch‹: A. HARNACK [1]): Schon bei Tertullianus (de baptismo 17) sind die P. als Fälschung eines Presbyters in Kleinasien bekannt. Der sog. 3. Korintherbrief ist wohl sekundär in die P. eingefügt.

1 A. HARNACK, Die Mission und Ausbreitung des Christentums, [4]1924, 598.

W. SCHNEEMELCHER, Neutestamentliche Apokryphen. Bd. 2: Apostolisches, Apokalypsen und Verwandtes (dt. Übers.), [5]1989, 193–241 (Lit.). M. HE.

Pauperies. Mit *p.* (wohl von *pauper*, »arm«; der Zusammenhang ist strittig) wurde in den Zwölftafeln (→ *tabulae duodecim*) der von einem vierfüßigen Tier (*quadrupes*) verursachte Schaden bezeichnet (tab. 8,6; Ulp. Dig. 9,1,1 pr.). Obwohl als Verursacher urspr. der Tierdämon galt, fand kein Prozeß gegen das Tier, sondern gegen dessen Halter statt.

Im klass. röm. Recht traf den Eigentümer eine Gefährdungshaftung für vierfüßige (Nutz-)Tiere aus der *actio de pauperie* (bei anderen Haustieren aus einer analogen *actio utilis*), wenn der Schaden durch ein für Haustiere unübliches Verhalten (Ulp. Dig. 9,1,1,7 *contra naturam*) entstand (s. Servius/Ulp. Dig. 9,1,1,4 *commota feritate*, »durch Wildheit angetrieben«). Das Verfahren glich der → *noxalis actio*, mit dem Wahlrecht zwischen Schadenersatzleistung und Auslieferung des Tieres (*noxae deditio*). Durch → *interrogatio in iure* (magistratische Befragung) wurde das Eigentum des Beklagten festgestellt; verneinte dieser zu Unrecht, war eine *noxae deditio* unzulässig.

Bei Schäden durch wilde Tiere ordnete ein ädilizisches *edictum de feris* (Dig. 21,1,40–42) Geldbußen und Schadenersatz an; die *actio de pastu pecoris* betraf das Abweidenlassen fremder Weideflächen (Ulp. Dig. 19,5,14,3).

→ Actio [2]; Aedilis; Damnum

M. KASER, K. HACKL, Das röm. Zivilprozeßrecht, [2]1996, 256, 343 · M. V. GIANGRIECO PESSI, Ricerche sull'actio de pauperie. Dalle XII tavole ad Ulpiano, 1995 · R. ZIMMERMANN, The Law of Obligations, 1990, 1096–1108. R. GA.

Pausanias (Παυσανίας).

[1] Spartiat aus dem Haus der → Agiadai, Sohn des Kleombrotos [1], nach dessen Tod (480/479 v. Chr.) Vormund für seinen Vetter Pleistarchos [1] und »Regent« (Hdt. 9,10; Thuk. 1,132,1; Paus. 3,4,9), Vater des späteren Königs → Pleistoanax (Thuk. 1,107,2). P. führte 479 das Aufgebot der hellenischen Eidgenossenschaft von 481 zum Sieg über die Perser bei Plataiai (→ Perserkriege), wo es zunächst fast zu einer Katastrophe für die Griechen gekommen wäre, als P. wegen Versorgungsschwierigkeiten einen nächtlichen Rückzug antreten mußte (Hdt. 9,19–88; Plut. Aristeides 14–20; Diod. 11,29,4–32; [1. 217–247]). Nach dem Sieg ließ P. ein Weihgeschenk in Delphoi mit seinem Namen versehen, der aber auf Weisung der Spartaner durch die Namen der am Kampf beteiligten Griechen ersetzt wurde (ML 27; Thuk. 1,132,2–3; Anth. Pal. 6,197). Im Frühjahr 478 führte er griech. See- und Landstreitkräfte nach Kypros und zum Hellespont, um Hellas weiträumig gegen erwartete Angriffe der Perser abzuschirmen. In Byzantion soll er die ihm unterstellten Griechen arrogant behandelt und zudem Kontakte mit Persern angeknüpft haben. Es ist nicht auszuschließen, daß die Vorwürfe ein Komplott gegen ihn verschleiern sollten, an dem → Aristeides [1] maßgeblich beteiligt war. P. wurde nach Sparta zurückberufen, wo er vor ein Gericht gestellt, aber freigesprochen wurde (Thuk. 1,94–95; 1,128; 1,130; Diod. 11,44; Plut. Aristeides 23; Kimon 6).

Einige Zeit später befand er sich wieder in Byzantion, um dort auf eigene Faust einen Stützpunkt zu gewinnen. Er wurde indes durch Kimon [2] vertrieben und begab sich nach Kolonai (Kleinasien), wo er verm. 471/470 den Befehl zur Rückkehr nach Sparta erhielt, nachdem er erneut des → *mēdismós* beschuldigt worden war. Er stellte sich und wurde freigesprochen (Thuk. 1,128–132,1). Auch die Beschuldigung, daß er mit den → Heloten konspiriert habe, erschien den → *éphoroi* nicht stichhaltig (Thuk. 1,132,4–5), die aber gleichwohl Berichte über Kontakte des P. mit dem Perserkönig weiterverfolgten und durch Intrigen angebliches Beweismaterial vorlegten, so daß P. in den Tempel der Athena Chalkioikos flüchtete, wo er zum Hungertod gezwungen wurde (Thuk. 1,132,5–134; Diod. 11,45–46; Paus. 3,17,7–9).

P.' Ambitionen und sein Scheitern resultierten aus dem Konflikt zwischen Polisgemeinschaft und Einzelpersönlichkeit, als er nach der Abwehr der Perser die Chance einer bedeutenden Machterweiterung Spartas zu sehen glaubte, aber den Handlungsspielraum seiner durch die Helotengefahr und bald auch durch Probleme im eigenen Bündnissystem außenpolitisch stark gehemmten Polis überschätzte und in der Verfolgung eigener Interessen undurchsichtige Aktivitäten entfaltete. → Sparta

1 J. F. LAZENBY, The Defence of Greece, 490–479 B. C., 1993.

F. BOURRIOT, P., fils de Cléombrotos, vainqueur de Platées, in: L'information historique 44, 1982, 1–16 • L. SCHUMACHER, Themistokles und P.: Die Katastrophe der Sieger, in: Gymnasium 94, 1987, 218–246 • W. T. LOOMIS, P., Byzantion and the Formation of the Delian League, in: Historia 39, 1990, 487–492 • J. M. BALCER, The Liberation of Ionia: 478 B. C., in: Historia 46, 1997, 374–376.

[2] Spartanerkönig aus dem Hause der → Agiadai, Sohn des → Pleistoanax (Paus. 1,13,4; 3,5,1), Vater des Agesipolis [1] I. und des Kleombrotos [2] I.; war zuerst während der Verbannung seines Vaters (445/4–427/6 v. Chr.) unter der Vormundschaft seines Onkels → Kleomenes [4] König (Thuk. 3,26,2), dann erneut nach dem Tod des Vaters 408/7 (Diod. 13,75,1). Er stieß während der Blockade Athens 405 mit spartan. Truppen bis zur Akademeia vor (→ Athenai II. 8. mit Plan; Xen. hell. 2,2,7–8; Diod. 13,107,2; Plut. Lysandros 14,1) und führte 403 erneut Streitkräfte nach Athen, wo er eine Aussöhnung der dortigen Bürgerkriegsparteien erreichte und so entgegen der Absicht des → Lysandros [1] die Restituierung der Demokratie ermöglichte (Xen. hell. 2,4,29–39; Lys. 18,10–12; [Aristot.] Ath. pol. 38,4; Diod. 14,33,6; Plut. Lysandros 21). Nach der Rückkehr nach Sparta wurde er angeklagt, jedoch freigesprochen (Paus. 3,5,2). Offenbar suchte er die Position des Lysandros zu untergraben, weil er dessen dominierenden Einfluß nicht hinnehmen wollte.

Im Krieg gegen Theben konnte P. 395/4 v. Chr. die spartan. Niederlage und den Tod des Lysandros vor Haliartos nicht verhindern und wurde deswegen in Abwesenheit zum Tode verurteilt (Xen. hell. 3,5,17–25; Diod. 14,81,2–3; Plut. Lysandros 28,3–29,4; 30,1; [1. 55 f.]). Er floh nach Tegea, wo er bis zu seinem Tod in der Verbannung lebte und in einer Schrift *Katá tōn Lykúrgu nómōn* sich kritisch über die Gesetze des → Lykurgos [4] äußerte und hiermit wohl das Ephorat (→ *éphoroi*) treffen wollte (Strab. 8,5,5 p. 366 = Pausanias FGrH 582; [2. 110 f.; 3. 200 f.]).

1 R. URBAN, Der Königsfrieden von 387/86 v. Chr., 1991 2 E. N. TIGERSTEDT, The Legend of Sparta in Classical Antiquity, Bd. 1, 1965 3 ST. HODKINSON, »Blind Ploutos«?: Contemporary Images of the Role of Wealth in Classical Sparta, in: A. POWELL, ST. HODKINSON (Hrsg.), The Shadow of Sparta, 1994. K.-W. WEL.

[3] Der bei Thuk. 1,61,4 mit schol. genannte Makedone P. stammte aus dem Fürstenhaus von → Elimeia, befehligte im Sommer 432 v. Chr. die den Athenern gegen → Poteidaia zu Hilfe gesandten Reiter und ist vielleicht mit dem im Vertrag zwischen Athen und Perdikkas [2] II. genannten Schwurzeugen Παυσ]ανίας Μαχήτου (IG I³ 1, 89 Z. 76) identisch.

[4] Der Sohn des Königs Aëropos [3] wurde 393/2 v. Chr. nach einjähriger Regierung von Amyntas [3] III. beseitigt (Diod. 14,84,6; 89,2).

[5] Verwandter des maked. Königshauses (Aischin. 2,27 mit schol.), der 369 v. Chr. von Osten her in Makedonien einfiel und erst mit Hilfe des Atheners Iphikrates zurückgeschlagen werden konnte (Aischin. 2,27; 29). Er konnte sich in Kalindoia festsetzen (IG IV² 1, 94 b Z. 13), von wo aus er 359 nach dem Tode Perdikkas' [3] III. in die maked. Wirren einzugreifen versuchte (Diod. 16,2,6); doch konnte Philippos [4] II. den Thrakerkönig dazu bewegen, seinen Schützling fallen zu lassen (Diod. 16,3,4).

HM 2, 168; 170; 176; 184; 193 f.; 208; 210 • M. B. HATZOPOULOS, La Béotie et la Macédoine à l'époque de l'hégémonie thébaine …, in: La Béotie antique (Lyon 1983), 1985, 247–257. M. Z.

[6] Sohn des Kerastos aus Orestos (Ios. ant. Iud. 11,304), »Leibwächter« → Philippos' [4] II., trieb in dessen letztem Illyrerkrieg (Diod. 16,69,7: 344 v. Chr.) einen anderen P., der ihn als Liebling des Philippos verdrängt hatte, in den Opfertod. → Attalos [1], mit diesem befreundet, rächte ihn, indem er P. von Sklaven vergewaltigen ließ. Als Philippos 337 → Kleopatra [II 2] heiratete und ihren Onkel Attalos beförderte, wurde P.' alte Wunde wieder aufgerissen: Er erdolchte Philippos bei der Hochzeit von dessen Tochter → Kleopatra [II 3]; darauf wurde er von Freunden des → Alexandros [4] d. Gr. getötet, und dieser wurde vom Heer als König anerkannt. Der Hintergrund der Tat wird verschiedentlich berichtet (Hauptquelle: Diod. 16,93–4). Daß Alexandros mit der Ermordung des Philippos nichts zu tun hatte, ist kaum anzunehmen.

E. BADIAN, The Death of Philipp II, in: Phoenix 17, 1963, 244–250 • J. R. FEARS, P. the Assassin of Philipp II, in: Athenaeum 53, 1975, 111–135. E. B.

[7] Sohn des Demetrios, 201/200 v. Chr. eponymer Alexanderpriester; Vater des eponymen Offiziers Ptolemaios (PP II/VIII 1992)? PP III/IX 5226. W. A.

[8] P., der Perieget
I. Zu Person und Überlieferung   II. Werk

I. Zu Person und Überlieferung

Kein ant. Text hat stärker auf die Entwicklung der Klass. Arch. gewirkt als P.' ›Beschreibung Griechenlands‹ (Περιήγησις Ἑλλάδος/Periēgēsis Helládos [36.5²⁸]; drittes Viertel des 2. Jh. n. Chr.). Die weiterhin kontroverse Forsch., die sich bisher bes. auf P.' Verläßlichkeit als Zeuge und Informant konzentrierte, hat immer noch grundlegende Fragen über ihn und sein Werk zu klären.

Über P. selbst ist sehr wenig bekannt, was wesentlich an seinem Schweigen über sich selbst und am brüchigen Zustand der Textüberl. liegt. Mit einem der fünf Zeitgenossen gleichen Namens, die unterschiedlich bezeugt sind, kann er nicht identifiziert werden [9]. Das einzige ant. Zeugnis für P. (Ail. var. 12,61) ist möglicherweise Interpolation [10. 84; 88]. Das Werk verdankt sein Überleben offensichtlich dem Grammatiker → Stephanos von Byzantion (6. Jh. n. Chr.), aber die Beziehung zw. dem Text des Stephanos und dem zu erschließenden Archetypus für die 18 erh. Hss. bleibt unklar [10. 85 f.; 12]. Die Erhellung der direkten und indirekten Überl. des P. wird auch weiterhin dazu beitragen, den vorhandenen Text zu verbessern [9; 16; 22; 4. Bd. 1, XXXI-XLVI].

P.' Name ist einzig von Stephanos bezeugt, und alle Kenntnis der Person muß aus seinem Text erschlossen werden. Bezugnahme auf bestimmte Denkmäler und histor. Ereignisse legen nahe, daß er ca. 115 n. Chr. geb. ist. Zu schreiben hat er wohl um 155 n. Chr. begonnen (teilweise nahm und nimmt die Forsch. einen früheren Zeitpunkt an [35. 484–486]), und noch kurz vor 180 n. Chr. scheint er mit seinem Werk beschäftigt gewesen zu sein [18. 21–24 = 36. 9–12]. Wahrscheinlich stammt er aus Lydien, aus der Gegend des → Sipylos-Gebirges, vielleicht aus → Magnesia [3] selbst [18. 25–28; 36. 14; 5. Bd. 1, XIX]. Die Reichweite seiner Reisen, die It., Ägypten, Palästina, Syrien und Nordgriechenland miteinbezogen, weist darauf hin, daß er einigermaßen wohlhabend war [18. 28 f.; 5. Bd. 1, XX— XXII], aber mehr kann man über seine Lebensumstände nicht mit Bestimmtheit gesagt werden.

II. Werk
A. Aufbau   B. Inhalt
C. Logoi und Theoremata

A. Aufbau

Der Titel von P.' Werk ist nicht gesichert; die traditionelle Bezeichnung als Helládos Periēgēsis erscheint dreimal bei den fast 80 Referenzstellen des Stephanos [18. 17; 11. 1010]. Die gegenwärtige Gliederung des Textes in 10 B. geht offensichtlich auf den Autor zurück und scheint auch die Reihenfolge ihrer Entstehung widerzuspiegeln [4. Bd. 1, XVIII; 18. 19; 11. 1009], was seinerseits den Verlauf von P.' Reise durch Griechenland abbildet: B. 1: Attika und die Megaris; B. 2: Korinth und Umgebung, Argolis; B. 3: Lakonien; B. 4: Messenien; B. 5–6: Elis; B. 7: Achaia; B. 8: Arkadien; B. 9: Boiotien; Buch 10: Phokis. Das abrupte Ende des Textes, gepaart mit einer einzigen Bezugnahme bei Stephanos auf ein 11. Buch (Steph. Byz. Ethnica, s. v. Τάμυνα 600.9 Meinecke), hat Spekulationen hervorgerufen, daß das Werk unvollendet geblieben – womöglich also vom Autor Weiteres geplant gewesen sei – oder daß die letzte Überarbeitung unterblieben sei, d. h. ähnliche Fragen, wie sie zu → Herodotos' [1] Werk gestellt wurden [14. 241]. Andere vermuteten, daß das Ms. unvollständig erh. ist [9. 274 f.]. Während h. allg. gilt, daß der vorhandene Text in der Hauptsache so steht, wie P. ihn entworfen und geschrieben hat [18. 17–19; 11. 1011; 15. 85], bleiben wichtige Fragen zum Gattungsbereich und zur Eigenart des Werks noch offen.

B. Inhalt

Die kärgliche Dürre der erh. ant. periegetischen Lit. [8] (→ Periegetes) erschwert es, einen angemessenen Kontext für die Bewertung von P.' Werk zu etablieren. Der Umfang seines Werkes steht im Gegensatz zu den relativ begrenzten geogr. Gebieten oder Themen, die von der Mehrheit der periegetischen Werke behandelt wurden, soweit diese durch Titel und Fr. bezeugt sind [18. 15]. Seine erklärte Absicht ist es, ›alle griech. Angelegenheiten‹ (πάντα τὰ Ἑλληνικά, 1,26,4) zu untersuchen. Sein Verständnis von »Hellas« ist unterschiedlich erklärt worden als »das Mutterland auf der Balkanhalbinsel« [18. 16], als der Bund der Amphiktyonen (→ amphiktyonía) [19], als die röm. Prov. Achaia ([20]; vgl. [4. Bd. 1, XVII]) oder als »das griech. Kernland« innerhalb der röm. Prov. [35. 471].

Wie es auch immer mit den physischen Grenzen von P.' Griechenland bestellt ist, es ist hauptsächlich die Vergangenheit, die ihn interessiert – ein Interessenmittelpunkt, der mit den antiquarischen Interessen seiner Zeit übereinstimmt ([13. 221–224]; vgl. [32]). Er erwähnt immerhin einige Symptome der röm. Herrschaft, unter der er lebt, v. a. bezüglich der Herrscher seiner Zeit [35. 486 f.; 40]. Es ist oft angemerkt worden, daß P. Denkmäler und Gesch. aus jener Zeit, bevor Griechenland im 2. Jh. v. Chr. seine Freiheit verlor, bevorzugt [31; 18. 101–138]. Deshalb versuchte man im Kontext der früher vorherrschenden Mode der überzogenen Quellenforschung plausibel zu machen, daß P. das Werk früherer Periegeten schlicht abgeschrieben habe [18. 169–180]. Arch. und epigraphische Befunde, speziell solche aus den Grabungen an den wichtigen Stätten, haben P.' Angaben jedoch übereinstimmend bestätigt, und h. besteht kein Zweifel mehr, daß er die Ergebnisse seiner Autopsie von Denkmälern und Inschr. genauestens aufgezeichnet und dabei die daraus gewonnene Beweislage sorgfältig gegen das, was er aus Texten und von Informanten erfahren hatte, abgewägt hat, um zu eigenen Meinungen zu gelangen [18. 64–92; 5. Bd. 1, LXVI-LXVIII; 21; 36. XVf.].

P.' Vorliebe für das Alte hat verschiedene Ebenen. Am auffälligsten ist seine tief empfundene polit. und kulturelle Verbundenheit mit den Griechen und ihrer einstigen Unabhängigkeit. Das verbindet sich mit einer komplexen Haltung gegenüber den Römern, eine Haltung des Widerstands, die abgemildert ist durch die Bereitschaft, deren Griechenland erwiesene Wohltaten anzuerkennen [18. 118–141; 36. XVIf.; 24; 32. 216–237; 33. 330–356]. In diesem Umfeld trifft er seine Wahl unter ›allen griech. Angelegenheiten‹ (1,26,4; s.o.). Wohlbekannt ist sein Interesse an rel.-kultischen Dingen [5. Bd. 1, XXV–XXXVI; 37]. Bei Denkmälern und Historie bevorzugt er vergessene und undurchsichtige Mitteilungen [33. 332], auch wenn Berühmtheit ein Kriterium für den Einbezug unter die ›bemerkenswertesten Dinge‹ sein kann [35].

C. LOGOI UND THEOREMATA

Ein altes Problem der Forsch. ist die scheinbare Diskrepanz zw. den ausführlichen histor. Abschnitten im Text des P. und seinem periegetischen Auftrag, zw. den *lógoi* (»Wörtern«, d.h. der mündlichen und schriftlichen Überl.) und den *theōrḗmata* (den Sehenswürdigkeiten bzw. deren Anschauung; Paus. 1,39,3; [18. 32f.; 13. 221–223; 29. 200f.]). Doch das Problem ist im wesentlichen ein künstliches: P. wertet keines von beiden höher, und beide Elemente sind miteinander verbunden [18. 32f.; 14. 238f.; 35. 489; 31. 124; 30]. Das Auftreten von selbst ausgedehnten *lógoi* innerhalb des periegetischen Rahmens stellt weder das Eindringen einer anderen lit. Gattung dar, noch soll durch lit. Variation der Eindruck des Werks gesteigert werden. Vielmehr bilden die *lógoi* in schriftlicher Form den grundsätzlichen Vorgang nach, mit dem griech. Betrachter die Bed. von Denkmälern begreifen konnten: eine gemeinsame Anstrengung von wechselseitiger Erklärung und Diskussion, wie es der weite Spielraum der griech. → Ekphrasis-Lit. bezeugt.

Die sich ergebende Wertung der Verwandtschaft von *lógoi* und *theōrḗmata* bei P. rührt an die Frage nach Eigenart und intendiertem Publikum des Werks. Ein so langer und doch selektiver Text scheint geeigneter für Lehnstuhlreisen als für das reale Unterwegssein [29. 73f.]. Ebenfalls zur Debatte steht die Frage der periegetischen Gattung [25. 406–408] und verwandter Formen. Im Licht zeitgenössischer Interessen erfährt z.B. die ant. Ethnographie vermehrt Aufmerksamkeit; die Unt. des P. in dieser Hinsicht hat seiner immer anerkannten Abhängigkeit von Herodot neue Dimensionen hinzugefügt [29. 268–271; 17; 28]. Die jüngste Forsch. begegnet P. mit nicht geringer Sympathie und trägt dazu bei, seinem Umfeld und zugleich seiner Originalität größere Wertschätzung entgegenzubringen [30].

→ Periegetes

ED.: **1** M.H. ROCHA-PEREIRA, Pausaniae Graeciae Descriptio, 3 Bde., 1973–1981, ²1989–1990
2 N. PAPACHATZIS, Παυσανίου Ἑλλάδος Περιήγησις, ²1982–1995 (mit neugriech. Übers. und arch. Komm.; mit Ill.) **3** D. MUSTI, L. BESCHI, Pausania. Guida della Grecia, 1982ff. (mit it. Übers. und Komm.) **4** M. CASEVITZ, P., Description de la Grèce, 1992ff. (mit frz. Übers. und Komm.).
ÜBERS. MIT KOMM.: **5** J.G. FRAZER, P.' Description of Greece, 6 Bde., ²1913 **6** E. MEYER, F. ECKSTEIN, P.C. BOL, P., Reisen in Griechenland, 3 Bde., 1986–1989 (vollständige dt. Übers. mit Komm.).
INDEX: **7** V. PIRENNE-DELFORGE, G. PURNELLE, 1997.
LIT.: **8** H. BISCHOFF, s.v. Perieget, RE 19, 725–742
9 A. DILLER, The Authors Named P., in: TAPhA 86, 1955, 268–279 (Ndr. in: Ders., Stud. in Greek Manuscript Trad., 1983, 137–148) **10** Ders., P. in the Middle Ages, in: TAPhA 87, 1956, 84–97 (Ndr. in: s. [9], 149–162)
11 O. REGENBOGEN, s.v. P., RE Suppl. 8, 1956, 1008–1097 **12** A. DILLER, The Manuscripts of P., in: TAPhA 88, 1957, 169–188 (Ndr. in s. [9], 163–182) **13** B.P. REARDON, Courants littéraires grecs des IIᵉ et IIIᵉ siècles après J.-C., 1971, 221–224 **14** H.-W. NÖRENBERG, Unt. zum Schluß der Περιήγησις τῆς Ἑλλάδος des P., in: Hermes 101, 1973, 235–252 **15** F. CHAMOUX, P. géographe, in: R. CHEVALLIER (Hrsg.), Melanges R. Dion. Littérature gréco-romaine et géographie historique (Caesarodunum 9,2), 1974, 83–90 **16** H.-W. NÖRENBERG, Rezension zu [1], in: Gnomon 49, 1977, 132–136 **17** C. JACOB, Paysages hantés et jardins merveilleux. La Grèce imaginaire de P., in: L'ethnographie (Société d'Ethnographie de Paris) 76.1, 1980, 35–67 **18** C. HABICHT, P. und seine »Beschreibung Griechenlands«, 1985 (engl. Ausgabe: [36]) **19** C. BEARZOT, La Grecia di P. Geografia e cultura nella definizione del concetto di Hellas, in: M. SORDI (Hrsg.), Geografia e storiografia nel mondo classico, 1988, 90–112 **20** U. BULTRIGHINI, La Grecia descritta da P. Trattazione diretta e trattazione indiretta, in: RFIC 118, 1990, 282–305 **21** H. WHITTAKER, P. and His Use of Inscriptions, in: Symbolae Osloenses 66, 1991, 171–186 **22** H.-W. NÖRENBERG, Rezension zu [1], II-III, in: Gnomon 64, 1992, 102–113 **23** J. ELSNER, P.: A Greek Pilgrim in the Roman World, in: Past and Present 135, 1992, 3–29 **24** Y.Z. TZIFOPOULOS, Mummius' Dedications at Olympia and P.' Attitudes to the Romans, in: GRBS 34, 1993, 93–100 **25** M. MOGGI, Scrittura e riscrittura della storia in Pausania, in: RFIC 121, 1993, 396–418 **26** J. ELSNER, From the Pyramids to P. and Piglet: Monuments, Travel and Writing, in: S. GOLDHILL, R. OSBORNE (Hrsg.), Art and Text in Ancient Greek Culture, 1994, 224–254 **27** L. LACROIX, Traditions locales et legends étiologiques dans la Périégèse de P., in: Journ. des Savants 1994, 75–99 **28** C. CALAME, P. le Périégète en ethnographe ou comment décrire un culte grec, in: J.-M. ADAM et al., Le discours anthropologique. Description, narration, savoir, ²1995, 205–226 **29** J. BINGEN (Hrsg.), P. historien (Entretiens 41, 1994), 1996
30 F. CHAMOUX, La méthode historique de P. d'après le livre I de la Périégèse, in: [29], 45–47 **31** W. AMELING, P. und die hell. Gesch., in: [29], 117–166 **32** E.L. BOWIE, Past and Present in P. in: [29], 207–239 **33** S. SWAIN, Hellenism and Empire. Language, Classicism, and Power in the Greek World AD 50–250, 1996, 330–356 **34** K.W. ARAFAT, P.' Greece. Ancient Artists and Roman Rulers, 1996 **35** U. KREILINGER, Τὰ ἀξιολογώτατα τοῦ Παυσανίου. Die Kunstauswahlkriterien des P., in: Hermes 125, 1997, 470–491 **36** C. HABICHT, P.' Guide to Ancient Greece, ²1998 **37** W.K. PRITCHETT, P. Periegetes, 2 Bde., 1998–1999 **38** M. HEIL, s.v. P. periegeta, PIR 6, 1998, 64–65 Nr. 187 **39** D. KNOEPFLER, P. à Rome en l'an 148?, in: REG

112, 1999, 485–509 **40** C. P. PAPAÏOANNOU, P. et la politique antoninienne, in: R. F. DOCTER, E. M. MOORMANN (Hrsg.), Proc. of the XVth International Congr. of Classical Archaeology (Amsterdam 1998), 1999, 303–305.   A. A. D.

[9] Griech. Lexikograph, Zeitgenosse des Ailios → Dionysios [21] von Halikarnassos, aus der Zeit Hadrians (Anf. 2. Jh. n. Chr.). P. ist wie Dionysios als Verf. eines alphabetisch geordneten, fragmentarisch überl. attizistischen Lex. mit dem Titel Ἀττικῶν ὀνομάτων συναγωγή (›Sammlung att. Worte‹; schol. Thuk. 6,27,1) bekannt, welches nicht nur Anweisungen für guten att. Ausdruck geben, sondern auch durch Einbeziehung kulturhistor. Informationen das Verständnis der Attiker fördern sollte. Zu seinen Quellen gehören → Aristophanes [4] von Byzanz, → Didymos [1] aus Alexandreia und → Pamphilos, für paroimiographische Fragen → Lukillos. Das Lex. des P. zählt zu den Quellen von → Moiris und → Photios und blieb bis ins 12. Jh. erh., wie seine Benutzung durch → Eustathios [4] zeigt. Der Scholien-Lit., der → Suda und dem *Etymologicum Genuinum* (→ Etymologica) sind Erklärungen des P. durch die *Synagōgḗ chrēsímōn léxeōn* vermittelt.

ED.: **1** H. ERBSE, Unt. zu den attizistischen Lexika (Abh. der dt. Akad. der Wiss. zu Berlin, Philol.-histor. Klasse, 1949, Nr. 2), 1950, 152–221.
LIT.: **2** H. ERBSE (s. [1]) **3** M. VAN DER VALK, A Few Observations on the Atticistic Lexica, in: Mnemosyne Ser. 4,8, 1955, 207–218 **4** C. WENDEL, s. v. P. (22), RE 18.4, 2406–2416.   ST. MA.

Pausias (Παυσίας). Griech. Maler aus → Sikyon, zur dortigen »Schule« gehörend, Schüler des → Pamphilos [2], wirkte zw. 380 und 330 v. Chr. Vertreter einer gefälligen, dekorativen Genremalerei, die in dieser Zeit beliebt wurde und sich von den historisch-myth. Themen der Klassik absetzte. Mit dem Wandel der Sujets geht die Vorliebe für überwiegend kleinformatige Szenen in vortrefflicher → Enkaustik einher. Die Quellen (Plin. nat. 35,123 ff.) heben P.' anmutige Blumenstilleben hervor, von deren Wirkung Blüten- und Rankenornamente auf zeitgenössischen unterital. Vasen sowie Mosaikbilder aus Makedonien oder aus röm. Zeit Zeugnis ablegen. In diesem Rahmen ist auch seine berühmte »Kranzflechterin«, von der eine Kopie im 1. Jh. v. Chr. nach Rom kam, zu sehen. Außerdem malte P. beliebte Knabenbilder (Hor. sat. 2,7,95) sowie erotische Szenen. Auch betätigte er sich in der Architekturmalerei bei der Dekoration von Deckenkassetten. Den hohen Stand der malerischen Entwicklung hinsichtlich der Bewältigung perspektivischer Probleme (→ Perspektive) bezeugen lobende Quellen über sein Bild eines Stieropfers, später ebenfalls nach Rom gelangt, in dem die verkürzt gezeichnete Vorderansicht des Tiers durch farbliche Modellierung perfektioniert wurde. Solche koloristischen Feinheiten scheinen auch andere seiner Werke ausgezeichnet zu haben (Paus. 2,27,3). Weniger erfolgreich war er als Restaurator der Wandfresken des → Polygnotos [1] im Tempel von Thespiai (Plin. nat. 35,123), was nach der für P. geltenden Manier nicht verwundert.

F. CILIBERTO, Pittura su tavola e mosaico pavimentale, in: Hefte des arch. Seminars Bern 14, 1991, 11–26 • A. GRIFFIN, Sikyon, 1982, 148–151 • N. HOESCH, Bilder apulischer Vasen und ihr Zeugniswert für die Entwicklung der griech. Malerei, 1992, 94–105 • P. MORENO, Pittura Greca, 1987 • Orazio: Enciclopedia Oraziana 1, 1996, 842–843 s. v. P. • A. ROUVERET, Histoire et imaginaire de la peinture ancienne, 1989 • I. SCHEIBLER, Griech. Malerei der Ant., 1994 • F. SEILER, Die Tholos, 1986, 80, 153 • K. TANCKE, Figuralkassetten griech. und röm. Steindecken, 1989, 12–14.   N. H.

Pausilypum (Παυσίλυπον; wörtlich »schmerzstillend«). Villa des → Vedius Pollio zwischen → Neapolis [2] und → Puteoli (Plin. nat. 3,82; 9,167). Als Augustus einmal hier zu Gast weilte, wollte der Gastgeber einen Sklaven → Muränen in einem seiner Fischbecken vorwerfen, weil dieser ein Kristallgefäß zerbrochen hatte; Augustus begnadigte den Sklaven (Plin. nat. 9,77; Cass. Dio 54,23,1 ff.). Nach dem Tod des Eigentümers im J. 15 v. Chr. erbte Augustus die Villa und ließ sie von einem *procurator* verwalten (Cass. Dio 54,23). Von der Villa hat sich zusammen mit Überresten von Hafen- und Wasseranlagen einiges erh. Die in der Kaiserzeit öffentlich begehbare Straße nach Puteoli führte unter dem h. Posilippo gen. Bergrücken durch einen Tunnel (Grotta di Seiano, 780 m lang; vgl. [1]) hindurch (Strab. 5,4,5; vgl. auch CIL X, 6929 f.).

1 M. HASCHER, Die Crypta Neapolitana, in: Orbis Terrarum 5, 1999, 127–156.

R. T. GÜNTHER, P., the Imperial Villa near Naples, 1913 • J. H. D'ARMS, Romans on the Bay of Naples, 1970.   S. d. V./Ü: J. W. MA.

Pausippos (Παύσιππος). Spartaner, Mitglied einer Gesandtschaft an → Dareios [3], die von → Alexandros [4] d. Gr. entweder 333/2 v. Chr. bei Damaskos (so Curt. 3,13,15) oder 330 nach Dareios' Tod (so Arr. an. 3,24,4) gefangengenommen wurde.   E. B.

Pausistratos (Παυσίστρατος). P. aus Rhodos, tatkräftiger Admiral im 2. → Makedonischen Krieg und im → Syrischen Krieg an der Seite Roms, der 197 v. Chr. mit verbündeten Landtruppen in Karien gegen den maked. Feldherrn Deinokrates kämpfte (Liv. 33,18,1–21). 191/190 agierte er vor der ionischen Küste, wo er von → Polyxenidas 190 eine ruinöse Niederlage seiner Flotte beim samischen Panormos erlitt und selbst fiel (Liv. 36,45,5 f.; 37,9,5; 37,10,2–11,11; 37,12,8; App. Syr. 23,112–24,120: *Pausímachos*) [1. 153 f.; 2. 196]. Ein Strategem des P. bei einem Waffenappell ist unklar (Polyain. 5,27). Ob die für das E. des 2. Jh. v. Chr. auf Rhodos bezeugte Vereinigung (dionysischer → *technítai* ?) der *Pausistráteioi* mit P. in Verbindung zu bringen ist, muß offenbleiben [1. 155[18]]. P. galt als Erfinder des Feuerkorbschiffes (Pol. 21,7,1–5; vgl. Liv. 37,11,13) [3. 33].

1 R. M. Berthold, Rhodes in the Hellenistic Age, 1984
2 G. Shipley, A History of Samos 800–188 B. C., 1987
3 S. T. Teodorsson, P.' Fire Basket, in: Symbolae
Osloenses 65, 1990, 31–35.   L.-M. G.

Pauson (Παύσων). Griech. Maler aus Athen (?), Schaffenszeit gegen E. des 5. Jh. v. Chr. nur indirekt zu erschließen. Das konservativ anmutende, v. a. moralisch wertende, miserable Urteil der Schriftquellen des 4. Jh. v. Chr. über seine Bildinhalte – z. B. bei Aristoteles und Aristophanes – scheint durch eine ebensolche Einschätzung seiner Person geprägt worden zu sein (oder umgekehrt?). Man kann nur vermuten, daß neuartige Thematik oder Darstellungsweise radikal unzeitgemäß gegen die hehren Stoffe und die würdige Malweise der Klassik verstießen und die Kollegen irritierten. Angeblich stellte P. Dinge wie Armut und Häßlichkeit realistisch dar. Als Bildtitel konkret überl. ist nur ein sich im Staub wälzendes Pferd, das, auf den Kopf gestellt, zu galoppieren schien.

L. Guerrini, s. v. P., EAA 5, 1963, 998 • J. J. Pollitt, The Ancient View of Greek Art, 1974 • J. Reinach, Receuil Milliet, ²1985, Nr. 173–179 • I. Scheibler, Griech. Malerei der Ant., 1994.   N. H.

Pausulae. *Municipium* der *regio V* (CIL VI 2375a, 21; Plin. nat. 3,111) in der mittleren Talebene des Flusor (h. Potenza) nahe der Abtei S. Claudio al Chienti im Gebiet des h. Corridonia südöstl. von Macerata. Siedlungsspuren, Inschr.; städtische Magistrate sind nicht bekannt. Unweit davon, im Gebiet von S. Lucia di Morrovalle, lag ein Apollo-Heiligtum (vgl. ILS 3213; ILLRP 49).

L. Banti, s. v. P., RE 18.4, 2426–2429 • N. Alfieri, s. v. P., EAA 5, 998 • E. Percossi Serenelli, N. Frapiccini, Corridonia, in: Picus 19, 1999, 373–378.

G. PA./Ü: J. W. MA.

Pautalia (Παυταλία). Stadt in der fruchtbaren Ebene am oberen → Strymon (Ptol. 3,11,12) zw. dem Fluß Bantčica und dem Hügel Hizarlak, vom h. Kjustendil (Bulgarien) überbaut. Gegr. unter Traianus (98–117 n. Chr.) über einer Siedlung der thrak. → Danthaletai (Spuren seit der frühen Hallstatt-Zeit, E. 8. Jh. v. Chr.), war P. ein Verwaltungs-, Wirtschafts- und Kulturzentrum. Bergwerke (Eisen-, Kupfer-, Blei-, Silbergruben), Flußgold sowie Mineralquellen prägten das wirtschaftliche Profil. Ein Tempel für Asklepios befand sich auf dem Hizarlak; verehrt wurden auch Zeus, Hera, Apollon, Pan und Dionysos, außerdem gab es ein Mithräum (→ Mithras) in P. und außerhalb der Stadt ein Heiligtum des »Thrakischen Reiters«. P. war durch ein Straßennetz mit Serdica, Stoboi, Amphipolis, Philippopolis und Naissus verbunden. Seit dem 3. Jh. gab es christl. Gemeinden. Um die Mitte und E. des 3. Jh. litt P. unter Einfällen der → Goti. Im 4.–6. Jh. wurde P. erweitert, der Hizarlak mit einer unter Iustinianus (527–565 n. Chr.) ausgebesserten Mauer befestigt (Prok. aed.

4,1,31; 4,4,2). Auf dem Boden von P. entstand im MA die slav. Stadt Velbužd.
→ Moesi; Moesia (mit Karte)

B. Gerov, Proučvanija vărchu zapadnotrakijskite zemi prez rimsko vreme, in: Ann. de l'univ. de Sofia, fac. philol. 54,3, 1959, 226–338 • L. Ruseva-Slokoska, P., 1989.   I. v. B.

Pavimentum I. Allgemeines
II. Begriffe
III. Lokale Besonderheiten
IV. Pavimenta Poenica

I. Allgemeines

Obwohl nur ein kleiner Teil der Pavimenta (Bodenbeläge) in antiken Gebäuden dekoriert ist, widmet die Forsch. insbesondere dem mit → Mosaiken dekorierten P. sehr viel Aufmerksamkeit (während die übrigen Bodenbeläge in der Regel nur in Zusammenhang mit der Identifikation ihrer antiken Begriffe Eingang in die Forsch.-Lit. finden). In → Pompeii sind lediglich 2,5% der Böden mit Mosaiken geschmückt, weitere 7% machen die dekorierten Zementböden aus, der Rest der Gebäude ist mit undekorierten Stein- oder Zement-P. oder sogar Böden aus gestampfter Erde versehen.

Daß P. in jedem Fall mehr als nur Dekoration sind, zeigt sich einerseits in der Verteilung der dekorierten Beispiele innerhalb eines Gebäudekomplexes und in der Wahl etwaiger Motive, andererseits auch in offensichtlichen Wiederverwendungen einzelner – auch nicht schmückender – Bodenbeläge. Offensichtlich waren P. in der griech. und röm. Welt Bedeutungsträger, die immer den Raum und seine Verwendung und teilweise sogar den Hausbesitzer definierten. Das konnte so weit gehen, daß das P. entfernt und als Erinnerungsobjekt an den einstigen Besitzer in einem anderen Gebäude wiederverwendet wurde. Man hat dies z. B. für Teile der sog. Casa di Livia in Rom nachgewiesen [4]. Ein Seneca-Brief (86,5) zeugt von den Gedanken, die sich ein ant. Betrachter in Zusammenhang mit dem P. eines berühmten Hauses macht, wenn da steht: *Hoc illum pavimentum tam vile sustinuit* (›Dieser so armselige Fußboden hat jenen – Scipio nämlich – getragen‹.

II. Begriffe

Die ant. P.-Typen und die entsprechenden ant. t.t. anhand einiger Stellen aus Plinius' *Naturalis historia* sind in [3] zusammengestellt. Als Begriffe für undekorierte Böden lassen sich *pavimenta subdialia* (schmucklose Estrichböden im Freien) und *pavimentum Graecanicum* (Estrichböden im Freien mit Kohlebeimischung) festhalten. [3] vermutet auch im *opus signinum* einen undekorierten Boden, während dieses von [5] als die früheste Form des Mosaiks in It. verstanden wird: In Mörtel, der aus zerstampften Dachziegeln und Keramikscherben sowie weißem Kalk als Bindemittel hergestellt wird, werden Muster aus Reihen weißer *tesserae* (behauener Steinchen) zur Dekoration eingelassen.

V. a. in It. verbreitet war das *opus figlinum*, ein P. aus stäbchenförmigen *tesserae*, gewöhnlich aus Ton (daher

453

454

PAX

der Name) die paarweise oder im Fischgrätmuster (sog. *pavimenta spicata testacea*) verlegt wurden.

Weitere Formen (vgl. [3]): *pavimenta elaborata arte picturea ratione* (Bildmosaiken), *pavimenta barbarica atque subtegulanea* (Estrichböden mit Würfeleinlagen) sowie *pavimenta scutulata* (Estrichböden mit Rautenrapport), *pavimenta lithostrata* (Plattenböden) und *opus sectile* (Boden aus verschiedenfarbigen Marmorplatten in geom. oder figürlicher Anordnung).

III. LOKALE BESONDERHEITEN

Ein Vergleich der P. von → Delos und → Pompeii zeigt, welche Unterschiede zw. der westlichen röm. und der östlichen griech. Auffassung der P. bestehen [5]. Während die westliche Art der Dekoration eher die Fläche als Ganzes bis an den Rand bedecken will und somit repetitive Muster entwickelt, die an den Rändern oder an den Schwellenmosaiken abrupt enden, gliedert der Osten die Fläche in eine Mitte und einen Rand und hebt das Zentrum mit einem den Raum beherrschenden Motiv hervor, während die Ränder auch undekoriert bleiben können, in jedem Fall aber die Aufmerksamkeit nicht auf sich lenken. Diese Unterschiede werden auch in der Entwicklung der → Mosaiken in den verschiedenen Werkstätten sichtbar.
→ Mosaik

1 M. BLANCHARD-LEMÉE et al., Sols de l'Afrique Romaine, 1995 2 D. CORLAITA SCAGLIARINI, Spazio e decorazione nella pittura pompeiana, in: Palladio 23–25, 1974/76, 3–44 3 M. DONDERER, Die ant. P.-Typen und ihre Benennungen, in: JDAI 102, 1987, 365–377 4 Ders., P. als Bedeutungsträger herrschaftlicher Legitimation, in: Journ. of Roman Arch. 7, 1994, 257–262 5 H. JOYCE, Form, Function and Technique in the Pavements of Delos and Pompeji, in: AJA 83, 1979, 253–263 6 H. KIER, Der ma. Schmuckfußboden, 1970 7 M. MORRICONE MATINI, Scutulata Pavimenta, 1980 8 M. DE VOS, Pavimente e Mosaici, in: E. LA ROCCA et al., Pompei 79, 1979, 161–176 9 Dies., Paving Techniques at Pompeii, in: Arch. News 16, 1991, 36–60.   AL. PA.

IV. PAVIMENTA POENICA

Nach dem Zeugnis des Varro (Fest. 282) von Cato [1] maior um die Mitte des 2. Jh. v. Chr. in einer Rede gebrauchte Bezeichnung für »neumodische«, aus Karthago eingeführte luxuriöse Fußböden; sie bezieht sich sehr wahrscheinlich [1. 32²¹] auf den dort seit dem 5. Jh. v. Chr. entwickelten, qualitätvollen wasserdichten bzw. -abweisenden Mörtel-Ziegelschrot-Estrich von unterschiedlicher Farbgebung, der z. T. mit in lockeren Mustern versetzten und/oder mit zu ornamentalen Bändern, z. Z. des Cato bereits zu größeren Feldern und Emblemen, geordneten Marmortessellae dekoriert war (→ Mosaik).

1 K. M. D. DUNBABIN, Early Pavement Types in the West and the Invention of Tessellation, in: Journ. of Roman Archaeology, Suppl. 9, 1994, 26–40 2 S. LANCEL, Les pavimenta punica du quartier punique tardif de la colline de Byrsa, in: Cahiers d'Études Anciennes (Quebec) 17, 1985, 157–177 3 F. RAKOB, Karthago, Bd. 1. Die dt. Ausgrabungen in Karthago, 1991, 220–225.   H. G. N.

Pavor (»Angst«, »Schrecken«). Wie griech. → Phobos lat. Personifikation der Angst; sein Wirken (oft in Verbindung mit → Mars oder den Erinyen/→ Erinys) wird bes. von den Dichtern der Kaiserzeit plastisch ausgeschmückt (Ov. met. 4,485 f.; Stat. Theb. 3,424 f.; Val. Fl. 2,204 ff.). Seneca berichtet von der Vergöttlichung des P. durch Tullus → Hostilius [4] (fr. 33 HAASE; vgl. Liv. 1,27,7; Min. Fel. 25,8).   C. W.

Pax (»Frieden«).
[1] A. DEFINITION B. PAX AUGUSTA
C. PAX ROMANA D. FRIEDENSSCHLUSS

A. DEFINITION

Lat. *p.* (< idg. √*pac*, daher *pac-s, pacisci > pango*, vgl. griech. πήγνυμι/*pēgnymi*; zur Terminologie im Ant. [6. 17–29]) meint ›in erster Linie den Friedenszustand und nicht die Form, in der dieser gewährt wird‹ [7. 46]. Obwohl röm. Quellen schon die Abwesenheit von Krieg (*bellum*) *p.* nennen, ist *p.* erst das Resultat eines mittels Eroberung, → *deditio* oder vertraglicher Vereinbarung (s. u. D.) beendeten konkreten Krieges [7. 49 f.; 8. 51; 6. 155]. Attribute indizieren »Friedensstifter« oder verschiedene Geltungsbereiche (vgl. → *pax deorum*).

B. PAX AUGUSTA

P. Augusta (vgl. ILS 3786–3789) bezeichnet die mit dem → Prinzipat des → Augustus begonnene Ära internen Friedens, die das Zeitalter der Bürgerkriege ablöste und dem Röm. Reich innere Sicherheit brachte [6. 203 ff.]. Der Verehrung dieses auch als Göttin (P. [2]) personifizierten Friedens diente die am 4.7.13 v. Chr. durch Senatsbeschluß konstituierte und am 30.1.9 v. Chr. dedizierte → *Ara Pacis Augustae*. In Analogie dazu und zum *templum Pacis* des Flavius → Vespasianus wird h. eine (in den Quellen nicht belegte) *p. Flavia* konstruiert [6. 223 ff.].

C. PAX ROMANA

Die als röm. Friedensordnung für die griech.-röm. Welt propagierte *p. Romana* (in diesem Sinne erstmals Sen. dial. 1,4,14) hatte verschiedene Facetten: Die *p. Augusti*, die auch im 1. Jh. n. Chr. noch ein Bürgerkriegsende anzeigte (RIC I², Vitellius 117); den durch rituelle Schließung des → Ianus-Tempels demonstrierten »Frieden des röm. Volkes zu Lande und zur See« (*p. p(opuli) R(omani) terra mariq(ue)*; RIC I², Nero 263; Oros. 7,2,16; vgl. 3,8,5) sowie entsprechend die *p. orbis terrarum* (»Weltfrieden«: RIC I², Otho 3; vgl. Tac. ann. 16,28,3) und die *p. gentium* (»Völkerfrieden«: Tac. hist. 1,84,4; vgl. Flor. 2,34); schließlich die *p. provinciae* (ILS 986). Diese *p. Romana* verbürgte nun reichsintern Recht, Gesetz und Sicherheit [1. 192–197; 6. 12 ff.; 3; 4. 171 ff.] und trennte – entsprechend dem bei Cicero (Phil. 8,11) ersehnten Frieden der bürgerlichen Welt (*p. civilis*) – die Kulturwelt von der *barbaria* (Sen. dial. 1,4,14; Flor. 2,29; → Barbaren). Gemäß Roms Herrschaftsideologie war die *p. Romana* durch Waffenmacht zu schützen, was *tributa* der Untertanen erforderte – als Alternative galten ›Kriege aller gegen alle‹ (*bella omnium inter se gentium*, Tac. hist. 4,74,1; 4,74,3). Expansion des *Imperium Romanum* und auswärtige Kriege waren damit stets vereinbar [4. 150ff.]; erst in der spätant. *p. Christiana* überragten die »Eroberungen« eines im Kirchenfrieden (*p. ecclesiastica*) geeinten Christentums die des Imperiums [1. 220–223; 6. 15f.].

D. FRIEDENSSCHLUSS

In lat. Quellen meinen *p.* bzw. (im Pl.) *paces* oft die – im Gegensatz zu → *indutiae* – einen dauerhaften Frieden (t.t. *perpetua p.*) herstellende (internationale) Übereinkunft, die durch → *foedus (pacis)* oder → *sponsio* [7; 2. 184ff., 191ff.; 5. 21ff., 84ff.] zustande kam. Friedensschlußkompetenz besaßen → *fetiales* und Imperiumsträger; die Ratifizierung oblag den *comitia*, blieb aber bald dem Senat, später den Kaisern vorbehalten. Ein sog. *foedus pacis* konnte entweder durch Gesandte (s. → *legatio*) vermittelt originär zustande kommen oder aus einem präliminaren Waffenstillstand oder einer → *pactio* hervorgehen; es wurde bilateral beschworen, knüpfte den Frieden (anders als die mündliche *sponsio*) an in der Regel schriftlich fixierte Bedingungen (*condiciones*) [7. 54ff.; 2. 186, 212, 216ff.; 5. 29ff., 48ff., 65ff.; 8. 50, 58, 72] und mochte die Sicherung durch Geiseln (s. → *obses*) vorsehen. Der solcherart erwirkte Frieden konnte nach dem Vertragsschlußpartner benannt werden: z.B. *p. Punica* (Liv. 31,1,6). Jede völkerrechtliche → *amicitia* implizierte *p.*; das mit den → *socii* geschlossene *sociale foedus* sogar einen »heiligen und ewigen Frieden« (*pia et aeterna p.*; Cic. Balb. 35).

→ Bellum; Eirene [1]; Krieg; Pax [2]; Victoria; Völkerrecht

1 H. FUCHS, Augustin und der ant. Friedensgedanke, ²1965 2 P. KEHNE, Formen röm. Außenpolitik in der Kaiserzeit, Diss. Hannover 1989 3 P. PETIT, La paix romaine, 1967 4 J. RICH, G. SHIPLEY (Hrsg.), War and Society in the Roman World, 1993 5 R. SCHULZ, Die Entwicklung des röm. Völkerrechts im 4. und 5. Jh. n. Chr., 1993 6 M. SORDI (Hrsg.), La pace nel mondo antico, 1985 7 K.-H. ZIEGLER, Friedensverträge im röm. Alt., in: Archiv des Völkerrechts 27, 1989, 45–62 8 Ders., Völkerrechtsgesch., 1994.   P. KE.

[2] Röm. Personifikation des Friedens; erste Spuren rel. Verehrung auf einer Mz. Caesars aus dem J. 44 v. Chr. (RRC 480/24; RRC 262/1 von 128 v. Chr. zeigt wohl kaum P., sondern Iuno Regina). Augustus ließ der P. zusammen mit → Salus und → Concordia 10 v. Chr. Statuen und Altäre errichten (Cass. Dio 54,35,2; Ov. fast. 3,881: 30. März); die → *Ara pacis* auf dem → Campus Martius wurde am 4.7.13 v. Chr. gestiftet (CIL I² p. 244; R. Gest. div. Aug. 12) und am 30.1.9 v. Chr. geweiht (CIL I² p. 232). Der Verehrung der P. in augusteischer Zeit liegt wohl weniger die Angleichung an die griech. → Eirene zugrunde, sondern eher die lebendige Erfahrung des Friedens, die sich auch lit. widerspiegelt (Tib. 1,10,47–50; Hor. carm. saec. 57–60). Vespasian ließ 75 n. Chr. einen Tempel der P. in der röm. Regio IV errichten (Suet. Vesp. 9,1), und auch hier ist das direkte Erleben nach Zeiten der Unruhe faßbar (CIL VI 199–200).

→ Personifikation

G. WISSOWA, Rel. und Kultus der Römer, ²1912, 334f. •
E. SIMON, s. v. P., LIMC 7.1, 204–212; 7.2, 134–138.   JO.S.

Pax deorum (deum). Nach röm. Vorstellung bedeutete die *p.d.* den »Friedens«-Zustand zw. dem *populus Romanus* und den Göttern bzw. bezeichnete deren »gnädige Hilfsbereitschaft« [1. 20–22]. Im Bereich der Staatsreligion war es Aufgabe der *sacerdotes populi Romani* (→ Priester) und Magistrate, durch die korrekte Durchführung bzw. Beibehaltung der vorgeschriebenen Kulthandlungen und Gebote (wie des Keuschheitsgebotes für die → Vestalinnen) für die dauernde Erhaltung dieses Zustandes zu sorgen.

Die *p.d.* konnte durch rituelle Fehler, Nachlässigkeit oder die Übertretung göttlicher Rechtsnormen zu jeder Zeit gestört werden [2]. Bei einer solchen Störung gaben die Götter ihre Unzufriedenheit durch die verschiedensten Zeichen bekannt (→ Omen); dazu gehörten auch Niederlagen im Krieg [3]. Um die *p.d.* wiederherzustellen (*pacem* oder *veniam deum impetrare, exposcere*: Cic. Font. 30; Liv. 1,31,7), war es notwendig zu wissen, welche Fehler oder Vergehen begangen und welche Gottheiten beleidigt worden waren sowie auf welche Weise sie versöhnt werden konnten. Die gemeldeten Zeichen wurden von den Magistraten dem Senat vorgetragen, der sie verwerfen oder als Prodigien (→ *prodigium*) annehmen und ihre *procuratio* (→ Sühneriten) befehlen konnte. Dies geschah gewöhnlich auf Grund von Gutachten der *pontifices* (→ *pontifex*), → *quindecimviri sacris faciundis* und → *haruspices*. Die Entsühnungsriten wurden als rituelle Reinigung (→ *lustratio*) oder als → *piaculum* von den Priestern und/oder den Magistraten vollzogen, manchmal unter Beteiligung des Volkes (z.B. Liv. 24,10,6–11,1; 27,23,1–4; 42,2,3–7).

→ Ritual

1 V. ROSENBERGER, Gezähmte Götter, 1998 2 J. SCHEID, Le délit religieux dans la Rome tardo-républicaine, in: Le délit religieux dans la cité antique, 1981, 117–171 3 N. S. ROSENSTEIN, Imperatores Victi, 1990, 54–91.

J. LINDERSKI, Roman Questions, 1995, 608–625 •
G. WISSOWA, Rel. und Kultus der Römer, ²1912, 389–394.
                                                      J. LI.

Paxos (Παξός). P. und Antipaxos, zusammengefaßt als Paxoi-Inseln, 13 km südl. von → Korkyra, auch h. noch P., waren 229 v. Chr. Schauplatz einer Seeschlacht im 1. Illyrischen Krieg (Pol. 2,10,1–7). Wenige Reste frühchristl. Kirchen. Vgl. Plin. nat. 4,52; IG IX 1, 966.

PHILIPPSON/KIRSTEN 2, 456–459.   D. S.

Pech I. ALTER ORIENT UND ÄGYPTEN
II. KLASSISCHE ANTIKE

I. ALTER ORIENT UND ÄGYPTEN

P. (auch Bitumen; Asphalt) ist ein Naturprodukt fossiler Herkunft und unterschiedlicher Zusammensetzung, dessen Nutzung im Alten Orient weitgehend auf die Quellgebiete in Mesopot., Ḫūzistān und im Toten

Meer beschränkt blieb. Äg. verfügte über keine nennenswerten Vorkommen von P.; es spielte dort bis in ptolem. Zeit keine Rolle und wurde dann als Mittel bei der Mumifizierung (→ Mumie) aus Syrien und Palaestina importiert. Das zähflüssige P. wurde selten naturbelassen genutzt, sondern durch mineralische und vegetabilische Zuschläge verbessert. Es ist elastisch, wasserabweisend und dient als Klebemittel.

P. ist seit dem 5./4. Jt. v. Chr. belegt, seit dem 3. Jt. v. Chr. taucht es in Keilschrifttexten in unterschiedlichen Zusammenhängen auf. P. wurde im Bauwesen (Mörtel, zumeist für Backsteinmauerwerk), als Isolier- und Abdichtmittel gegen Wasser sowie als Bindemittel bei der Fixierung von Ein- oder Auflagen in/auf ein Trägermaterial, als Klebemittel bei der Schäftung von Werkzeugen und Waffen sowie bei Reparaturen genutzt. Die konservierenden und antitoxischen Eigenschaften begründen die Verwendung im Schiffbau (v. a. seit der Perserzeit), im Bestattungswesen und in der Medizin. Das zähplastische Verhalten wurde als Hilfsmittel bei toreutischen Verfahren (als Widerlager bei Metalltreibarbeiten, beim Punzieren und Ziselieren) genutzt. Eine Besonderheit ist das seit dem frühen 4. Jt. bis etwa in das 7. Jh. v. Chr. nachweisbare Kunstprodukt Bitumen-→ Mastix, das auf Susa konzentriert blieb: Eine Mischung von P./Bitumen und bestimmten mineralischen Rohstoffen wurde bei etwa 250°C zu einem Werkstoff mit neuen Eigenschaften und Gestaltungsmöglichkeiten gebrannt, der mit den Techniken der Steinbearbeitung zu bearbeiten war.

W. HELCK, s. v. Bitumen, LÄ 1, 825 · P. R. S. MOOREY, Ancient Mesopotamian Materials and Industries, 1994, 332–335 · J. CONNAN, O. DESCHESNE, Le bitume à Suse. Collection du Musée du Louvre, 1996.   R. W.

II. KLASSISCHE ANTIKE

Die mod. Fachbegriffe P., Teer und Rohharz haben in der griech.-röm. Ant. keine eindeutige Entsprechung. Lat. *pix* und griech. πίσσα/*píssa* (att. πίττα/*pítta*) bezeichnen verarbeitetes Harz, Holzteer oder P., aber gelegentlich auch Rohharz. Andererseits bedeuteten *resina* und ῥητίνη/*rhētínē* in der Regel Rohharz, manchmal jedoch auch P. im allg. Holzteer kann auch *pix liquida*, *picea resina* oder *resina* genannt werden, Rohharz *flos crudus resinae* (Plin. nat. 14,122–124; 16,52–56; Theophr. h. plant. 3,9,1 f.; 3,15,3; 9,2,1; 9,2,5 f.).

Harz wurde durch das Anzapfen von Nadelbäumen gewonnen. Die aufgefangene Flüssigkeit wurde verfestigt oder erhitzt, um ein teerähnliches Endprodukt zu erhalten. Sie konnte aber auch frisch und unverarbeitet verwendet werden. Holzteer wurde durch trockene Destillation von Holz hergestellt. Theophrastos beschreibt das in Makedonien übliche Verfahren: Wie für die Herstellung von → Holzkohle schichtete man einen runden Holzstoß auf, der zur Kontrolle der Luftzufuhr fast vollständig mit Erde bedeckt war. Nur eine kleine Öffnung, durch der Schwelbrand entzündet wurde, verblieb; das Feuer konnte bis zu zwei Tage lang in Gang

gehalten werden. Der Teer (*pitta*) floß langsam aus einer Mulde unter dem Meiler durch eine Rinne in eine Auffanggrube (Theophr. h. plant. 9,3,1–4). Plinius erwähnt Meiler, bei denen nach einem wäßrigen Vorlauf dickflüssigerer Holzteer hervorfloß, der durch Kochen zu eigentlichem P. weiterverarbeitet oder durch die Zugabe von Asphalt (Bitumen) oder Essig veredelt wurde (Plin. nat. 16,52–5). Durch erneutes Kochen erhielt man *palimpissa* (Plin. nat. 24,40). *Zopissa* (griech. ζώπισσα) war mit Salzwasser getränktes P., das von altem Schiffsholz abgeschabt wurde (Plin. nat. 16,56).

Die Anwendungsmöglichkeiten für P. waren vielfältig – Schiffsholz, Tauwerk und Holz für den Hausbau wurden damit wasserdicht gemacht, Wein- und Lebensmittelgefäße überzogen und versiegelt; ferner fand P. Verwendung als Geschmackszusatz für Wein und in verschiedenen Arzneien (Vitr. 10,4,2; 7,4,2; Plin. nat. 14,57; 20,102; Colum. 12,4,4).

P. war ein wichtiges Handelsgut im Mittelmeerraum, nach Ps.-Xenophon durfte es nicht wieder ausgeführt werden (vgl. auch Xen. Ath. pol. 2,11–13). Für den griech. Raum waren P. und Schiffsholz aus Makedonien von besonderer Bed. (IG I 3,117); im westl. Mittelmeerraum kam sehr begehrtes P. u. a. aus Bruttium (Plin. nat. 14,127; Strab. 6,1,9), wo in Lokroi [2] Epizephyrioi auch ein Heiligtum als Verkäufer heimischen P. auftrat (SEG 42,905). In allen mit Nadelholz bewaldeten Regionen ist eine lokale Produktion von allerdings oft geringerer Qualität anzunehmen (vgl. Plin. nat. 16,38–49).

Trotz der großen Bed. ihrer Tätigkeit sind nur wenige Hinweise auf die P.-Macher selbst überliefert. Bekannt sind die Bezeichnungen für den Handwerker (πισσουργός/*pissurgós*) und für die Arbeitsstätten (πιττουργεῖα/*pitturgeía*; lat. *picariae*, »Pechhütten, Teeröfen«); Cicero erwähnt eine *societas* von → *publicani*, die im 2. Jh. v. Chr. Sklaven und Freigelassene für die Bewirtschaftung von gepachteten *picariae* einsetzte (Pol. 7,101; Strab. 5,1,12; Cic. Brut. 85 f.). Um den Beistand der Götter für ihre schwierige Arbeit zu erbitten, vollzogen die maked. P.-Macher bestimmte Rituale (Theophr. h. plant. 9,3,3).

1 J. ANDRÉ, La resine et la poix, in: AC 33, 1964, 86–97 2 R. MEIGGS, Trees and Timber in the Ancient Mediterranean World, 1982, 467–471 3 A. SCHRAMM, s. v. P., RE 19.1, 1–5.   A. B.-C./Ü: B. O.

Pechys (πῆχυς). Den Proportionen des menschlichen Körpers entnommenes griech. Längenmaß von der Spitze des großen Fingers bis zum Ellenbogen (»Elle«, lat. → *cubitus*) zu 2 σπιθαμαί (*spithamaí*/»Handspannen«), 6 παλαισταί (*palaistaí*/»Handbreiten«; vgl. lat. → *palmus*) sowie 24 δάκτυλοι (*dáktyloi*/»Fingerbreiten«; vgl. lat. *digitus*), entsprechend 1 ½ Fuß (vgl. Vitr. 3,1,8). Je nach dem zugrunde liegenden Fußmaß (→ *pus*) ergibt sich eine Länge von ca. 40–52 cm. Nach einem metrologischen Relief von der Insel Salamis betrug die att. *p.* 48,7 cm.

→ Daktylos; Maße; Palaiste; Spithame

1 K. W. BEINHAUER (Hrsg.), Die Sache mit Hand und Fuß – 8000 Jahre Messen und Wiegen, 1994
2 I. DEKOULAKOU-SIDERIS, A Metrological Relief from Salamis, in: AJA 94, 1990, 445–451 3 F. HULTSCH, Griech. und röm. Metrologie, ²1882, 45–48. H.-J. S.

Pecia (mittellat. *pecia, petia*; »Stück«). Eine Form der Textüberlieferung, bei der gleichzeitig mehrere Kopien von einer Vorlage, dem sog. *exemplar*, erstellt werden, häufig im 13. und 14. Jh. und dann v. a. im akad. Unterricht der Universitäten Paris, Bologna und Oxford.

Das *p.*-Verfahren sollte den Aufwand für die Herstellung einer Abschrift minimieren und gleichzeitig deren Vollständigkeit gewährleisten, neuen Marktanforderungen gerecht werden und neue Studenten mit Exemplaren theologischer oder juristischer Texte versorgen. Das Verfahren der *p.* wurde von der Universität kontrolliert. Die Vorlage, deren Gültigkeit vorab genehmigt und regelmäßig durch eine Kommission von *petiarii* überprüft wurde, wird in selbständige Texteinheiten, die *peciae*, aufgeteilt. Für jedes Stück legte man eine jeweilige *taxatio* fest, d. h. den Betrag für das Ausleihen und Abschreiben in einem bestimmten Zeitraum (meist einer Woche). Die Vorlagentexte – die man heute nicht mehr für Unikate hält – wurden von autorisierten Buchhändlern (*stationarii*) verwahrt; diese hielten sie nicht nur vorrätig, sondern achteten auch auf ihre Vollständigkeit und den vorschriftsmäßigen Zustand; auch schufen sie Ersatz für abgenutzte Exemplare. Trotz der Aufteilung der Vorlagenexemplare entstanden durch den Kopiervorgang in der Regel gleichmäßig wirkende Texte.

Wie das Abschreibsystem im einzelnen funktionierte, zeigt eine Reihe von ma. Zeugnissen: Einige wenige Preislisten von *exemplaria* sind erh., die teils aus der Universität, teils von Buchhändlern stammen, ferner eine Anzahl Vorlagenexemplare, schließlich etliche tausend Hss., die auf die erwähnte Weise kopiert wurden. Die genauere Betrachtung dieser Quellen ergibt jedoch ein eher komplexes Bild: So wurde etwa in Bologna zwar als Abrechnungseinheit in *quaternii* gerechnet (Lagen von vier Doppelblättern), die Texteinheiten jedoch, die *p.*, waren in der Regel in Binionen, somit wohl in einfach gefaltete (nicht geschnittene) Doppelblätter aufgeteilt; durch kleinere Einheiten wollte man wohl die Abschrift beschleunigen. Es ist durchaus möglich, daß ein Kopist alle *peciae* in der richtigen Reihenfolge abschrieb; in der Praxis war dies nicht allzu häufig. Statt dessen waren die Kopisten offenbar oft gezwungen, den Umfang einer fehlenden *p.* zu schätzen; die irrigen Textbezüge und augenfällig unschönen Textanschlüsse in vielen Hss. legen diesen Schluß jedenfalls nahe. Daneben hilft als weiteres Indiz bei der Identifikation einer auf diese Weise abgeschriebenen Hs. eine regelmäßig am Rand zu findende Ziffer. Diese bezeichnet diejenige *p.*, mit der die Transkription begann (eine solche Ziffer begegnet jedoch auch in »normalen« Kopien, die ihrerseits im *p.*-Verfahren entstanden sind). Die Ziffern wer-

den allerdings nicht immer angegeben und können auch bei einer neuen Bindung der Hs. verlorengegangen sein. Diese Beobachtungen legen es nahe, eine weit höhere Anzahl derjenigen Hss. anzunehmen, die im *p.*-Kopierverfahren hergestellt wurden, als auf den ersten Blick zu erkennen ist.

Konsequenzen des *p.*-Verfahrens zeigen sich etwa für die Überl.-Gesch. theologischer Texte, bei der die *p.*-Kopien häufig einen unabhängigen Zweig der Überl. darstellen, diese gewissermaßen flankieren; gelegentlich geben die *p.*-Kopien wertvolle Hinweise auf die von Universität zu Universität wechselnden »offiziellen« Versionen, geben vielleicht sogar Hinweise auf das Autorenexemplar. Da aber wohl schwerlich nur ein einziges *exemplar* als Vorlage zirkuliert haben dürfte und diese Vorlagenexemplare ihrerseits ebenfalls *p.*-Kopien waren, wird die Aufgabe des Hrsg. keineswegs erleichtert: Die einstige Vorstellung einer geradezu monolithischen Trad. tritt in den Hintergrund; die Text-Überl. gibt sich vielmehr als schwierig zu entwirrendes Geflecht.

→ Textgeschichte; PALÄOGRAPHIE; TEXTÜBERLIEFERUNG

J. DESTREZ, La p. dans les manuscrits universitaires du XIIIᵉ et XIVᵉ siècle, 1935 • G. FINK ERRERA, Une institution du monde médiéval: la p., in: Revue philosophique de Louvain 27, 1979, 319–327 • L. BATAILLON et al. (Hrsg.), La production du livre universitaire au Moyen âge. Exemplar et p. (Actes du symposium ... Grottaferrata 1983), 1988 • G. DOLEZALEK, La p. e la preparazione dei libri giuridici nei secoli XII e XIII, in: L. GARGAN (Hrsg.), Luoghi e metodi di insegnamento nell'Italia medioevale (secoli XII–XIV) (Atti del convegno internazionale di studi, Lecce-Otranto, 1986), 1989 • F. P. W. SOETERMEER, De p. in juridischen Handschriften, 1990 • L. DEVOTI, Aspetti della produzione del libro a Bologna: il prezzo di copia del manoscritto giuridico tra XIII e XIV secolo, in: Scrittura e civiltà 18, 1994, 77–142.
MA. MA./Ü: GE. SCH.

Pecten s. Kamm

Peculatus. Nach röm. Recht im wesentlichen jede strafbare Aneignung staatlichen oder dem Tempel- bzw. Grabkult gewidmeten Vermögens (*pecunia publica, sacra* und *religiosa*). Anders als das private Aneignungsdelikt → *furtum* wurde der *p.* in einem → *iudicium publicum* (öffentlichen Strafverfahren) vor einer → *quaestio* geahndet, die vielleicht schon eine *lex Cornelia*, sicher jedoch eine nicht genau datierbare *lex Iulia* (des Caesar oder des Augustus) einrichtete. Dieses Gesetz behandelte als *p.* auch die Verfälschung von Münzen und Beimischung minderwertigen Metalls (→ Münzverbrechen). Als Strafe scheint es bloß eine Geldbuße auf das Vierfache des entzogenen Wertes vorgesehen zu haben. Wie beim → *repetundarum crimen* (Bestechungsdelikt) hatte die Geschworenenbank also nicht nur den Schuldspruch zu fällen, sondern auch eine Abschätzung vorzunehmen, und wie in Repetundensachen gab es auch beim *p.* eine Bereicherungsklage gegen die Erben des Täters. Neben dem *p.* hat die *lex Iulia* vielleicht auch das

→ *sacrilegium* (Tempelraub, mit Kapitalstrafe?) und das *crimen de residuis* (Verbrechen des Mißbrauchs von Staatsgeld, mit einer Geldbuße von nur einem Drittel der vom Täter zurückbehaltenen Summe) geahndet. Beide werden jedenfalls im Digestentitel 48,13 neben dem *p*. genannt und behandelt, wobei die genaue Abgrenzung nicht ganz klar wird. Wohl erst die kaiserliche Kognition (→ *cognitio*) dürfte zu strengerer Bestrafung des *p*. tendiert haben. Ulpian spricht davon, daß die frühere → *aqua et igni interdictio* (Untersagung von – lebensnotwendigem – Wasser und Feuer) durch → *deportatio* ersetzt wurde; für das *sacrilegium* werden verschiedene grausame Todesstrafen genannt.

F. GNOLI, Ricerche sul crimen p., 1979.   A. VÖ.

Peculium. Der Begriff *p*. (von lat. *pecu*, »Vieh«, als Vermögenswert; vgl. Ulp. Dig. 15,1,5,3) bezeichnet das Sondervermögen einer Person, die nach röm. Recht fremder Gewalt unterworfen war: meist eines Haussohns in der → *patria potestas* oder eines Sklaven im Besitz des → *dominus*. Da rechtlich abhängige Personen nicht vermögensfähig waren, fiel das *p*. zivilrechtlich in das Hausvermögen des Gewalthabers, stand nach Trad. und sozialer Norm gleichwohl dem Gewaltunterworfenen zu. Diese rechtliche Ambivalenz begegnet bereits in den XII Tafeln (→ *tabulae duodecim* 7,12) und bei Plautus [2].

Durch permanentes Ansparen oder anfängliche Schenkung entstanden, konnte das *p*. gleichermaßen Vermögenswerte (Vieh, Geld, Werkstätten, Geschäfte, Sklaven etc.) und vermögensrelevante Rechte (Ansprüche aus gewährten Darlehen, Nutzungsrechte etc.) umfassen. Es wurde dem Gewaltunterworfenen zu selbständigem Wirtschaften überlassen. Häufiger geschah dies seit der späten Republik, als der zunehmende Umfang wirtschaftlicher Aktivitäten den Rückgriff auch auf Söhne und Sklaven als Geschäftsführer nahelegte. Deren wachsende Bed. für das röm. Wirtschaftsleben machte zum Schutz ihrer Geschäftspartner neue rechtliche Regelungen erforderlich. So konnte künftig der Gewaltinhaber für geschäftliche Transaktionen einer von ihm rechtlich abhängigen Person bis zur Höhe des aktuellen Realwerts ihres *p*. haftbar gemacht werden (*actio de peculio*), zumal dann, wenn daraus Teile zu seinen Gunsten transferiert worden waren (*actio de in rem verso*).

Mittel- bis längerfristig gestattete das *p*., das in vielen Fällen bedeutenden Umfang erreichte (Suet. Otho 5,2; Plin. nat. 33,145; AE 1913, 50 = [1. Nr. 246]; CIL XI 5400 = ILS 7812; CIL III 6998 = ILS 7196), einem Haussohn die Begründung eines eigenen Hausstands, einem Sklaven den Erwerb von Mitteln für den späteren Freikauf. Schon deshalb galt es im Bewußtsein der röm. Ges. zu jeder Zeit abweichend vom Zivilrecht als Eigengut, das gewöhnlich dem Haussohn bei seiner Entlassung aus dem Hausverband, dem Sklaven bei seiner Freilassung verblieb [1. Nr. 316, 317].

In der Regel war das *p*. nicht vererbbar [1. Nr. 127] und fiel im Todesfall automatisch an den Gewaltinhaber. Erst Augustus schuf mit dem Sondervermögen des *p. castrense* Testierfreiheit über Güter, die während des Militärdienstes erworben worden waren. Sie wurde von Kaiser Hadrianus über das Ende des Militärdienstes hinaus für Veteranen, von Constantinus I. und Iustinianus für gewaltunterworfene Inhaber bestimmter Amtsstellungen ausgedehnt (*p. quasi castrense*).

→ Actio [2]; Familie IV. B.; Freigelassene II.; Sklaverei

1 W. ECK, J. HEINRICHS, Sklaven und Freigelassene in der Ges. der röm. Kaiserzeit, 1993 2 KASER, RPR, Bd. 1, 278 f. (Sklaven), 344 (Hauskinder), 606 f. (*actio de peculio*) 3 A. KIRSCHENBAUM, Sons, Slaves and Freedmen in Roman Commerce, 1987 4 B. LEHMANN, Das Eigenvermögen der röm. Soldaten unter väterlicher Gewalt, in: ANRW II 14, 1982, 183–284 5 A. WACKE, P. non ademptum videtur tacite donatum. Zum Schicksal des Sonderguts nach der Gewaltentlassung, in: Iura 42, 1992 [1994], 43–95 6 I. ZEBER, A Study of the P. of a Slave in Pre-Classical and Classical Roman Law, 1981.   JO. H.

Pecunia (abgeleitet von lat. *pecus*, »Vieh«: Varro ling. 5,92, vgl. [1]) bezeichnet lat. das Vermögen, ursprünglich an Vieh, dann allgemein das Geld. Die Etym. zeigt, daß in Rom dem Metallgeld das Viehgeld voranging. Im 4. Jh. n. Chr. bezeichnet *p*. die Mz., das Geldstück (Eutr. 9,14), auch mit der Angabe des Metalls (Aug. civ. 4,21; 4,28) oder eingeschränkt das Kupfergeld (SHA Alex. 33,3).

1 WALDE/HOFMANN, s. v. P., Bd. 2, 272.

SCHRÖTTER, s. v. P., 492.   GE. S.

Pedaios (Πήδαιος). Troianer, außerehelicher Sohn → Antenors [1]. Dessen Frau → Theano zieht ihrem Mann zuliebe P. zusammen mit den eigenen Kindern groß. Er fällt durch → Meges (Hom. Il. 5,69–75).

P. WATHELET, Dictionnaire des Troyens de l'Iliade, 1988, Nr. 274.   MA. ST.

Pedalion (Πηδάλιον). Das h. Kap Greco genannte SO-Kap der Insel → Kypros, nach Strab. 14,6,3 der → Aphrodite heilig (vgl. Ptol. 5,14,3).

E. OBERHUMMER, s. v. P. (2), RE 19, 18 · Ders., Die Insel Cypern, Bd. 1, 1903, 125 f.   R. SE.

Pedanios Dioskurides (Πεδάνιος Διοσκουρίδης). I. LEBEN II. WERK

I. LEBEN

Der in Anazarbos (Kilikien) geb. Verf. der Abh. Περὶ ὕλης ἰατρικῆς/*Perí hýlēs iatrikḗs* (*De materia medica*, ›Über Heilmittel‹) ist ins 1. Jh. n. Chr. zu datieren: Im Vorwort (§ 4) zit. er einen Laikanios Bassos, den er als *krátistos* (»höchsten«) bezeichnet und den man mit dem Senator C. Laecanius Bassus, dem Consul von 64 n. Chr., gleichsetzt; Plinius zit. die Abh. in seiner *Naturalis historia* (die dem Widmungsbrief zufolge 77 n. Chr. vollendet wurde) nicht, weshalb man annimmt, daß sie zu dieser Zeit noch nicht vollendet oder noch nicht in Rom verbreitet war; daher wird ihre Abfassung zw. 65 und 75 n. Chr. angesetzt, das Geburtsdatum des P. D. um 25 n. Chr.

P. D. gibt an, sich seit frühester Jugend für den Stoff seines Werks interessiert zu haben (praef. § 4), und hat vielleicht in Tarsos Medizin studiert, unter Anleitung jenes Areios, dem er seine Abh. widmete; diesen Areios hat man mit dem von Galenos erwähnten und als Asklepiadeer bezeichneten Pharmakologen von Tarsos gleichgesetzt. Aufgrund der Aussage (praef. § 4: πολλὴν γῆν ἐπελθόντες – οἶσθα γὰρ ἡμῖν στρατιωτικὸν τὸν βίον, ›wir haben viele Länder bereist – denn du weißt, daß uns eine mil. Lebensweise beschieden war‹) hat man gemeint, daß P. D. Militärarzt gewesen sei (unter Claudius und Nero oder unter Nero und Vespasian), jedoch ohne konkrete Hinweise auf Ort, Zeit und Dauer einer eventuellen Militärkarriere. Möglicherweise hat P. D. durch ein Mitglied der Familie der Pedanii das röm. Bürgerrecht erhalten; daher der dreigliedrige Name, in den Hss.: Πεδάνιος Διοσκουρίδης Ἀναζαρβεύς.

II. Werk
A. Inhalt   B. Aufbau   C. Überlieferung

A. Inhalt

Die Abh., urspr. vielleicht ohne Titel, ist in den Hss., welche die älteste Version zu bieten scheinen, *Perí hýlēs* überschrieben. Die Form *Perí hýlēs iatrikḗs* geht vielleicht auf Galen zurück, der so möglicherweise den Gegenstand des Werks auf den ›Stoff, von dem ausgehend Medikamente hergestellt werden‹, begrenzen wollte. P. D. definiert seine Absicht jedoch vollständiger: περὶ τῆς τῶν φαρμάκων σκευασίας τε καὶ δυνάμεως καὶ δοκιμασίας (›Über die Präparierung, die Qualitäten und die Prüfung der Heilmittel‹, praef. § 1) und ὁ περὶ φαρμάκων λόγος (§ 5). Die Abh. enthält zu jedem der vorgestellten Stoffe (pflanzlich, mineralisch oder tierisch, daneben auch elaborierte Produkte) folgende Informationen: Beschreibung, eventuelle Umwandlung und Aufbewahrung, Eigenschaften (*dynámeis*) und Indikationen, Vorbereitung und Ausführung der Applikation; hinzu kommen je nach Fall Angaben zu weiteren Anwendungsmöglichkeiten: in der Kosmetik, in der Veterinärmedizin, in der Ernährung, im Handwerk und selbst in der Magie.

Die Anordnung der Stoffe folgt zwei Prinzipien: 1. die Natur und daran anschließend Duftpflanzen, Bäume, Tiere, Pflanzen aller Arten, Flüssigkeiten und mineralische Produkte; 2. innerhalb dieser Klassen die therapeutischen Wirkungen nach Gruppen von Stoffen; diese Gruppen entsprechen der Klassifikation der Stoffe nach ihrer physiologischen Wirkung, wie sie von der heutigen pharmakologischen Chemie anerkannt ist, in einer empirischen Vorahnung der therapeutischen Mechanismen. Über diese Klassifizierungen legt sich eine weitere, die von den kulturellen Valorisierungen der medizinischen Stoffe ausgeht und eine regelrechte *scala mundi* darstellt, vom positiv Konnotierten (den bunten Duftpflanzen) bis zu seinem Gegenteil (den Mineralien, von denen das letzte schwarz ist). Da ein Zusammenhang zw. den »Werten« der Produkte und ihrer Wirkung besteht (das Positive ist heiß, das Negative kalt) und da die Therapie dem Prinzip der Gegensätze folgt (das Heiße wird zur Behandlung eines Überschusses an Feuchtigkeit eingesetzt, das Kalte zur Behandlung eines Überschusses an Hitze), macht diese Skala die Eigenschaften eines medizinischen Stoffes ebenso wie seine Indikationen, ausgehend von seiner Position auf der Skala, vorhersagbar.

B. Aufbau

In den Hss. ist das Werk in fünf B. eingeteilt, die als thematische Einheiten angesehen werden. Doch läßt ihre annähernd gleiche Länge die Annahme zu, daß sie auf einer Aufteilung in Bände beruhen, deren Umfang durch die maximale Länge der Papyrusrolle definiert war, zumal die Buchübergänge keine deutlichen Unterschiede in der Thematik aufweisen. Jedes B. beginnt mit einer Einführung, die verm. die Informationen der Indices wiedergibt, die an den ant. Pap.- → Rollen befestigt waren; diese Angaben wurden beim Übergang von Pap.-Rolle zum → Codex in den Text des Werks übertragen und anläßlich einer gelehrten Revision oder einer Textausgabe zu den vorliegenden Einführungen gestaltet. In mehreren Hss. wird der Text von Illustrationen erläutert: Ob sie auf P. D. zurückgehen oder spätere Zusätze sind, ist bisher nicht geklärt.

Dem Werk wurden zwei kurze toxikologische Abh. beigefügt (über pflanzliche bzw. tierische Gifte), die man zu Unrecht als sein sechstes bzw. siebtes B. angesehen hat. Unter dem Namen des P. D. ist auch eine Abh. Περὶ ἁπλῶν φαρμάκων/*Perí haplṓn pharmákōn* (›Über einfache Heilmittel‹) überl., deren Echtheit zweifelhaft ist.

C. Überlieferung

Die Abh. ist durch eine reiche griech. Trad. in mehreren Rezensionen überl. und wurde zweifellos ab dem 5. Jh. n. Chr. ins Lat. übers., im 6. Jh. dann ins Syrische; von den sieben B. wurden mehrere arabische Übers. vorgenommen, zuerst die des Ḥunain ibn Isḥāq im 9. Jh.: Diese wurde von der syrischen Version ausgehend angefertigt, zwei weitere dann von der griech., in Zusammenarbeit mit Isṭifān ibn Basīl; danach wurde das Werk noch mehrfach ins Arabische übers., und die alte lat. Übers. wurde (vielleicht im 11. Jh.) revidiert. Der griech. Text wurde ab 1499 von Aldus Manutius in Venedig gedruckt, danach noch fünfmal im 16. Jh. Die Abh. wurde während der Renaissance in zahlreichen (lat. wie nationalsprachlichen) Übers. und Komm. weiter tradiert und übte so bis zum Beginn des 19. Jh. Einfluß auf die medikamentöse Therapeutik des Abendlands aus.

→ Galenos; Gifte; Medizin; Pharmakologie; MEDIZIN

Ed.: Berendes · R. J. Gunther (ed.), The Greek Herbal of Dioscorides, 1933 (Ndr. 1959) · Wellmann.
Lit.: O. Mazal, Pflanzen, Wurzeln, Säfte, Samen. Ant.

Heilkunst in Miniaturen des Wiener Dioskurides, 1981 ·
J. M. RIDDLE, Dioscorides, in: P. O. KRISTELLER (ed.),
Catalogus translationum et commentariorum 4, 1980,
1–143 · Ders., Dioscorides on Pharmacy and Medicine,
1985 · M. M. SADEK, The Arabic Materia Medica of
Dioscorides, 1983 · J. SCARBOROUGH, V. NUTTON, The
Preface of Dioscorides' Materia Medica: Introduction,
Translation, and Commentary, in: Transactions and Stud. of
the College of Physicians of Philadelphia, Ser. 5, Nr. 4,
1982, 187–227 · A. TOUWAIDE, Les deux traités de
toxicologie attribués à Dioscoride. Tradition manuscrite,
établissement du texte et critique d'authenticité, in:
A. GARZYA (Hrsg.), Tradizione e ecdotica, 1992, 291–335 ·
Ders., L'identification des plantes du Traité de matière
médicale de Dioscoride, in: K. DÖRING, G. WÖHRLE (Hrsg.),
Ant. Naturwiss. und ihre Rezeption, Bd. 1/2, 1992,
253–274 · Ders., Le Traité de matière médicale de
Dioscoride en Italie depuis la fin de l'empire romain
jusqu'aux débuts de l'Ecole de Salerne, in: A. KRUG (Hrsg.),
From Epidaurus to Salerno, 1992, 275–305 · Ders.,
Farmacopea araba medievale. Il codice Ayasofia 3703, 4
Bde., 1992–93 · Ders., La thérapeutique médicamenteuse
de Dioscoride à Galien, in: A. DEBRU (Hrsg.), Galen on
Pharmacology, 1997, 255–282 · Ders., La botanique entre
science et culture au 1er siècle de notre ère, in: G. WÖHRLE
(Hrsg.), Biologie (Gesch. der Mathematik und der
Naturwiss. der Ant., Bd. 1), 1999, 219–252 ·
M. WELLMANN, s. v. Dioskurides (12), RE 5, 1131–1142 ·
Ders., Die Schrift des Dioskurides ΠΕΡΙ ΑΠΛΩΝ
ΦΑΡΜΑΚΩΝ. Ein Beitrag zur Gesch. der Medizin, 1914 ·
J. C. WILMANS, Der Sanitätsdienst im Röm. Reich, 1995,
249–251.   A. TO./Ü: T. H.

Pedanius

[1] P. Dioscurides s. Pedanios Dioskurides

[2] (Cn. P.) Fuscus (Salinator). Enkel des Iulius
[II 141] Ursus Servianus, Großneffe des Kaisers
→ Hadrianus. Geb. wohl 113 n. Chr.; sein Vater P. [4]
war mit Hadrians Nichte Iulia [19] Paulina verheiratet.
Zusammen mit seinem Großvater machte er sich Hoffnungen auf die Nachfolge des kinderlosen Hadrian. Als
dieser → Ceionius [3] Commodus adoptierte und P. dagegen opponierte, ließ Hadrian ihn und Servianus beseitigen. Zur möglichen Identifizierung mit dem in
IEph III genannten jungen Senator vgl. [1; 2]. PIR² P
198.

  1 E. CHAMPLIN, Hadrian's Heir, in: ZPE 21, 1976, 80–89
  2 A. BIRLEY, Hadrian, 1997, 202; 291; 309.

[3] (Cn.?) P. Fuscus Salinator. Senator, Sohn von P.
[5]. Cos. suff. ca. 84 n. Chr., Proconsul von Asia wohl
98/9; danach noch, ganz außergewöhnlicherweise,
consularer Legat einer Prov. mit Legionsbesatzung
(Plin. epist. 10,87,3; [1]), wenn er mit dem Proconsul
identisch ist. Vater von P. [4]. PIR² P 199.

  1 W. ECK, in: Chiron 13, 1983, 205; 210; 215.

[4] Cn. P. Fuscus Salinator. Sohn von P. [3]. Er heiratete Iulia [19] Paulina (AE 1976, 77 = AE 1996, 93), die
Tochter des Iulius [II 141] Ursus Servianus und Nichte
des Kaisers → Hadrianus. Er kam frühzeitig in Kontakt

mit Plinius [2], der in einem Brief (Plin. epist. 6,26,1)
ein sehr vorteilhaftes Charakterbild von ihm entwickelt.
118 n. Chr. cos. ord. neben Hadrian. Ob dies eine bewußte Entscheidung Hadrians für den Verwandten war
oder ob P. als Patrizier eben das richtige Alter für den
Konsulat erreicht hatte, läßt sich nicht genau sagen. Er
starb, bevor sein Sohn P. [2] von Hadrian hingerichtet
wurde. PIR² P 200.

[5] Cn. P. (Fuscus?) Salinator. Cos. suff. im J. 61
n. Chr., Vater von P. [3], Bruder (?) von P. [6]. PIR² P
201.

[6] L. P. Secundus. Cos. suff. im J. 43 n. Chr. Proconsul
von Asia ca. 51/2. Stadtpraefekt von Rom seit dem Tod
des Volusius Saturninus im J. 56. Im J. 61 wurde P. von
einem seiner Sklaven ermordet, worauf alle 400 Sklaven, die in seinem Hause lebten, auf Senatsbeschluß
hingerichtet wurden (Tac. ann. 14,42–45). P.' Familie
stammte vielleicht aus → Barcino in der Hispania citerior. PIR² P 202.

    CABALLOS 2, 413–423.   W.E.

Pedarii s. Senatus

Pedaritos (Πεδάριτος). Spartiat, 412/1 v. Chr. Harmost
(→ harmostaí [1]) in der von Athen abgefallenen Polis
Chios, die er gegen athen. Angriffe verteidigte. Da er
dabei athen. Parteigänger brutal ausgeschaltet hatte, ver-
klagten ihn die Chier in Sparta (Thuk. 8,28,3; 32–33;
38–40; vgl. Isokr. or. 6,53; Theop. FGrH 115 F 8). Er fiel
bei einem Angriff auf athen. Belagerungstruppen
(Thuk. 8,55,3). Sein Nachfolger wurde verm. sein Vater
Leon [3].
→ Peloponnesischer Krieg   K.-W. WEL.

Pedasa (τὰ Πήδασα, Πήδασος). Stadt der → Leleges in
Karia im Bergland nördl. von → Halikarnassos (Strab.
13,1,59; 7,7,2) bei Gökçeler, östl. des h. Dorfes Bitez,
das den Namen P. bewahrt hat. Nachr. über P. lassen im
Einzelfall zweifeln, ob P., → Pidasa oder → Pedason gemeint ist (vgl. [1. Bd. 1, 535–538]). 545/4 v. Chr. wur-
den Pedaseis am Lide-Gebirge bei P. (h. Kaplan Daği)
erst nach hartem Widerstand von Harpagos [1], dem
Feldherrn des Kyros [2], geschlagen (Hdt. 1,175f.).
Nach dem → Ionischen Aufstand (499–494 v. Chr.)
wurde ein Teil der Bevölkerung von P. in das bergige
Hinterland von Miletos [2] deportiert (Hdt. 6,20;
→ Pidasa). → Maussolos (377–353) siedelte den größten
Teil der Bevölkerung von P. in einem → synoikismós
zusammen mit fünf anderen Städten der Leleges nach
Halikarnassos um, seiner Residenzstadt (Kallisthenes
FGrH 124 F 25; vgl. mit [1. 910f.⁹¹⁰] die dazu nicht ganz
stimmige Nachr. bei Plin. nat. 5,107). Dennoch bestand
auch noch in hell. Zeit eine Festung auf dem Boden von
P. Philippos [7] V. besetzte P., er mußte seine Garnison
nach Abschluß des 2. → Makedonischen Krieges 196
aber wieder aus P. abziehen (Pol. 18,44,4).
    Beachtlich sind die Überreste von P.: Burganlage im
Osten, Zitadelle mit Mauer samt Haupttor im Westen,

weiterer Mauerring mit Türmen im Süden; Tumulus-Kammergräber mit Keramik des späten 8. Jh. v. Chr., inschr. bezeugt (CIG 2660) ein Athena-Tempel.

1 MAGIE.

G. E. BEAN, Turkey Beyond the Maeander, 1971, 119–122 · Ders., s. v. P., PE, 682.   E. O.

Pedason (Πήδασον). Kleine Ortschaft (πολίχνιον/ *políchnion*) auf dem Territorium von → Stratonikeia in Karia (Strab. 13,1,59), deren genauere Lokalisierung bisher nicht gelungen ist [1].

1 W. RUGE, s. v. Pedasa (2), RE 19, 27.   E. O.

Pedasos (Πήδασος).
[1] Troianer, Sohn der Nymphe Abarbaree und des au-ßerehelichen Laomedon-Sohnes Bukolion; wird zu-gleich mit seinem Bruder Aisepos von → Euryalos [1] getötet (Hom. Il. 6,20ff.).
[2] Pferd des → Achilleus [1], bei der Eroberung von Theben (am Fuß des Plakos in der Troas) erbeutet; von → Patroklos als Beipferd neben Achilleus' göttlichen Rossen in den Kampf geführt, wird es von → Sarpedon getötet (Hom. Il. 16,152ff. und 467ff.).

R. JANKO, The Iliad: a Commentary, Bd. 4, 1992, zu 16,152–154 und 467–469 · P. WATHELET, Dictionnaire des Troyens de l'Iliade, 1988, Nr. 275.   MA. ST.

[3] (ἡ Πήδασος). Noch nicht lokalisierte homer. Stadt der → Leleges, die dem Fürsten Altes unterstand und von Achilleus zerstört wurde (Hom. Il. 6,34f.; 20,91–96; 21,86f.). Ihre Lage am Oberlauf des → Satnioeis läßt sie in der Nähe des Ida [2] suchen und nicht in oder bei Assos (so [1. 250–253]), also eher mit [2. 267] in der Gegend nordöstl. vom h. Altınoluk. Zur Zeit Strabons (13,50,1) gab es P. nicht mehr.

1 W. LEAF, Strabo on the Troad, 1923 2 J. M. COOK, The Troad. An Archaeological and Topographical Study, 1973, 266f.

W. RUGE, s. v. P. (4), RE 19, 29f.   E. SCH.

Pediaios (Πεδιαῖος). Hauptfluß der Insel → Kypros, h. Pidias. Er durchfließt die h. Messaria genannte Ebene von Westen nach Osten und mündet beim ant. Salamis (Ptol. 5,14,3).

E. OBERHUMMER, s. v. P., RE 19, 31 · Ders., Die Insel Cypern, Bd. 1, 1903, 163f.   R. SE.

Pedieis (Πεδιεῖς). Ort im oberen Kephisos-Tal in Ost-Phokis, der bei Palio Thiva, 5 km nordnordöstl. vom h. Tithorea, lokalisiert wird; hier diskutiert man aber auch die Lokalisierung von → Neon [6]. P. lag am rechten Ufer des Flusses, wo sich Spuren des Mauerrings erh. haben. P. wurde von den Persern 480 v. Chr. zerstört (Hdt. 8,33), von den Boiotoi 395 v. Chr. verwüstet (Hell. Oxyrh. 18(13),5). 360 v. Chr. erscheint es in der Liste der Beitragszahler für den Wiederaufbau des Tem-pels von Delphoi (CID II 5 Z. 55f.).

F. SCHOBER, Phokis, 1924, 38f. · MÜLLER, 541. · PH. NTASIOS, Συμβολή στήν τοπογραφίας τῆς Ἀρχαίας Φώκιδος, in: Φωκικά Χρονικά 4, 1992, 18–97, bes. 40f. · J. MCINERNEY, The Fold of Parnassos, 1999, 281–283.
                                                  G. D. R./Ü: J. W. MA.

Pedies (Πεδιῆς). Demos von → Lindos auf Rhodos, mit eigener Tributleistung im → Attisch-Delischen See-bund (zw. 2000 Drachmen und 1 Talent: ATL 1, 370f.), evtl. in der Küstenebene nördl. von Lindos [1. 747].

1 F. HILLER VON GÄRTRINGEN, s. v. Rhodos, RE Suppl. 5, 731–840.

Ders., Die Demen der rhod. Städte, in: MDAI(A) 42, 1917, 171–184.   H. SO.

Pedius. Röm. Gentilname, prominent seit dem 1. Jh. v. Chr.; auch auf Delos belegt.
[1] P., Q. Ca. 90–43 v. Chr., Sohn (nicht Enkel wie in Suet. Iul. 83,2) von Caesars Schwester Iulia [1. 687] und Legat → Caesars in Gallien 58–55 (Caes. Gall. 2,2,1; 2,11,3). Als Praetor 48 unterdrückte P. die Revolte von T. Annius [I 14] Milo (Caes. civ. 3,22). 46/5 begann P. als Legat Caesars mit Q. Fabius [I 22] Maximus den Feldzug in Spanien (Bell. Hisp. 2,2; Cass. Dio 43,31,1) und triumphierte am 13.12.45 illegal *ex Hispania* (InscrIt 13,1,567; Cass. Dio 43,42,1). P. war Miterbe Caesars, soll Octavianus (→ Augustus) sein Erbteil überlassen ha-ben (App. civ. 3,89) und wurde am 19.8.43 mit ihm *cos. suff.* (MRR 2,599). P. erhob die Verfolgung der Caesar-mörder zur Staatsaufgabe (*lex Pedia*) und verkündete die ersten → Proskriptionen. Aus Scham oder Entkräftung soll er E. 43 gestorben sein (App. civ. 4,26).

1 DRUMANN/GROEBE, 3.   JÖ. F.

[2] S. P. Der Jurist verfaßte frühestens in der 2. H. des 1. Jh. n. Chr. [3. 97], spätestens in der Mitte des 2. Jh. [4] einen umfangreichen Komm. ›Zum Edikt‹ (*Ad edictum*) und eine Monographie ›Über Stipulationen‹ (*De stipu-lationibus*, 54 indirekte Zitate: [1]). Seine elegante Stel-lungnahme (Dig. 2,14,1,3) betont das Erfordernis der Willenseinigung auch bei den förmlichen Verträgen wie der → *stipulatio* [2. 69f.].

1 O. LENEL, Palingenesia Iuris Civilis, Bd. 2, 1889, 1–10
2 C. A. MASCHI, La scienza del diritto all'età dei Flavi, in: Atti del Congresso Internazionale di Studi Vespasianei (Rieti 1979), Bd. 1, 1981, 59–83 3 C. GIACCHI, Per una biografia di Sesto Pedio, in: SDHI 62, 1996, 69–123
4 D. LIEBS, Jurisprudenz, in: HLL, Bd. 4, 1997, 141f.   T. G.

Pednelissos (Πεδνηλισσός, Πετνηλισσός). Befestigte Stadt in → Pisidia westl. von → Selge. Den Angriff von Selge im J. 218 v. Chr. konnte P. mit Hilfe von → Ach-aios [5] und → Garsyeris abwehren (Pol. 5,72–76). Un-ter den bedeutenderen pisidischen Städten gen. bei Strab. 12,7,2. Mz.-Prägung im 1. Jh. v. Chr. und von Traianus (98–117 n. Chr.) bis Gallienus (253–268 n. Chr.) [1]. In spätant. und byz. Zeit Suffraganbistum von → Perge [3]. Ruinen beim h. Kozan [2. 14f.].

1 Aulock 1, 47, 118–124 **2** S. Mitchell, Hell. in Pisidien, in: E. Schwertheim (Hrsg.), Forsch. in Pisidien, 1992, 1–27 **3** W. Ruge, s.v. P., RE 19, 43–45.   P.W.

Pedona. Stadt im Gebiet der Ligures Bagienni, nur inschr., nicht in der ant. Lit. erwähnt; h. Borgo S. Dalmazzo bei Cuneo. Nach Caesar wohl *municipium, tribus Quirina, regio IX.* Von P., Zollstation für die Erhebung der *quadragesima Galliarum* (»zweieinhalbprozentigen Zollabgabe«), konnte man den Südausgang von drei Alpenpässen der Prov. → Alpes Maritimae kontrollieren. Im 4. Jh. n. Chr war der Ort im Niedergang begriffen und wurde wohl aufgegeben. Spolien von P. befinden sich in der Abtei von S. Dalmazzo; Nekropole.

E. Culasso Gastaldi, G. Mennella, P., in: Supplementa Italica, N.S. 13, 1996, 293–328 • A. Riberi, San Dalmazzo di P. e la sua Abbazia, 1929.   G. ME./Ü: H.D.

Peducaeus. Name einer röm. plebeiischen Familie, die erst im 1. Jh. v. Chr. hervorgetreten ist; eigentlich Spitzname (»plattfüßig«).

I. Republikanische Zeit

[I 1] Für das J. 113 v. Chr. zum Volkstribun gewählt, brachte gleich nach seinem Amtsantritt im Dez. 114 ein Gesetz durch, das ein erneutes Verfahren gegen die Vestalinnen Licinia [4] und Marcia [3] wegen »Unzucht« unter Vorsitz des C. Cassius [I 17] Longinus Ravilla einleitete (Cic. nat. deor. 3,74; Ascon. 45 f. C.). MRR 1, 536.   K.-L. E.

[I 2] P., Sex. Wohl Sohn von P. [I 1], Praetor 77 v. Chr. (MRR 2,88) und Propraetor auf Sizilien 76/5 (MRR 2,92). Cicero, P.' Quaestor in Lilybaeum, erwähnt ihn häufig als vorbildlich (Cic. Verr. 2,2,138 f.; 2,3,156; 216; 2,4,142 f.). Auf seinen Tod ca. 49 deuten Würdigungen in Cic. Att. 10,1,1; 13,1,3. P.' Söhne waren P. [I 3] und M. → Curtius [I 5] Peducaeanus.

[I 3] P., Sex. Sohn von P. [I 2], Volkstribun ca. 55 v. Chr. (MRR 2,277) und Promagistrat unklaren Titels auf Sardinien 48/7 (App. civ. 2,197). P. war ein Freund und Schützling des T. Pomponius Atticus und mehr noch Ciceros, der ihn oft nennt und P.' lit. Urteil schätzte (Cic. Att. 10,1,1; 13,1,3; Cic. fin. 2,58). 40 ging er als Legat und »Aufpasser« des Octavianus (→ Augustus) mit L. Antonius [I 4] nach Spanien (MRR 2,385; vgl. aber 2,406 zu P. [I 4]). 32 stand P. am Totenbett des Atticus (Nep. Att. 21,4).

[I 4] P., T. *Cos. suff.* im Sept. 35 v. Chr. und vielleicht der Legat des J. 45 (vgl. P. [I 3]). PIR² P 221.   Jö. F.

II. Kaiserzeit

[II 1] L. P. Colon oder Colonus. *Praef. Aegypti* zw. 70 und 72 n. Chr., der in Alexandreia [1] einen Aufstand niederwerfen mußte. PIR² P 222.

[II 2] M. P. Priscinus. *Cos. ord.* im J. 110 n. Chr.; im J. 124/5 amtierte er als Proconsul der Prov. Asia. Sohn von P. [II 3]. PIR² P 224.

[II 3] Q. P. Priscus. *Cos. ord.* im J. 93 n. Chr. Ob er Proconsul von Africa wurde, bleibt unsicher. PIR² P 225.

[II 4] M. P. Saenianus. *Cos. suff.* im J. 89 n. Chr.; möglicherweise Bruder von P. [II 3]. PIR² P 226.

[II 5] M. P. Stloga Priscinus. *Cos. ord.* 141 n. Chr. Die Familie stellte über drei Generationen ordentliche Consuln, muß also hohes Ansehen genossen haben. Worauf dieses beruhte, ist bisher unklar, da über die einzelnen Personen kaum etwas bekannt ist. PIR² P 227.   W. E.

Pedum

[1] (lat. für καλαῦροψ/*kalaúrops*, κορύνη/*korýnē*, λαγωβόλον/*lagōbólon*, ῥάβδος καμπύλη/*rhábdos kampýlē*, ῥόπαλον/*rhópalon*, »Hasenholz«). Armlanger, knotiger Stock mit gekrümmtem Ende; letzteres konnte auch verziert sein (Verg. ecl. 5,888–892). Das *p.* war der Hirtenstab (z. B. Anth. Pal. 6,177; Theokr. 7,43), daneben diente es den Jägern als Wurfholz bes. bei der Hasenjagd (Anth. Pal. 6,188; 296). Von daher ist das *p.* in Darstellungen der Lit. und der Kunst Attribut von myth. Jägern wie Aktaion, den Kentauren und Orion, ferner von Hirten wie Attis, Paris und Marsyas; von letzterem übernimmt dann Thalia das *p.* Ebenso erscheint es in der Hand ländlicher Gottheiten wie Vertumnus (Ov. met. 14,39). Den Satyrn diente es als Waffe im Indienfeldzug des Dionysos. In der frühchristl. Kunst ist es Attribut des Guten Hirten, woraus sich der Abt- oder Bischofsstab entwickelte.

O. Bingöl, Thalia mit dem Lagobolon, in: N. Başgelen, M. Lugal (Hrsg.), FS J. Inan, 1989, 489–493.   R. H.

[2] Stadt in Latium Vetus zw. Tibur und Praeneste, (→ Latini, Latium), h. evtl. Gallicano. Anfangs im Albaner-, dann im Latiner-Bund, wurde P. von → Coriolanus 488 v. Chr. (Liv. 2,39,4; Dion. Hal. ant. 5,61), 338 v. Chr. von Furius [I 12] erobert (Liv. 8,12–13). Nach P. waren die *regio Pedana* (Hor. epist. 1,4,2 mit schol.) und die *via Pedana* (ILS 9012) benannt.

A. M. Kahane, The Sites of Scaptia and P., in: PBSR 41, 1973, 40–42.   G. U./Ü: H.D.

Pegasos (Πήγασος, lat. *Pegasus*).

[1] Ein geflügeltes Zauberpferd, mit dem korinthischen Helden → Bellerophon verbunden. Als → Perseus [1] der → Medusa das Haupt abschlägt, springen P. und → Chrysaor [4] aus ihrem Rumpf (Hes. theog. 280 f.). P.' Vater ist → Poseidon (Hes. theog. 276). Nach Hesiod schickt Poseidon P. dem Bellerophon (Hes. fr. 43a,82 ff. M.-W.), nach anderen erhält dieser von → Athena goldenes Zaumzeug, das die erforderliche Wunderkraft besitzt, − erst damit kann er den P. an der korinthischen Quelle → Peirene [2] fangen und zäumen (Pind. O. 13,58 ff.). Mit P.' Hilfe bezwingt Bellerophon die → Amazones, die → Chimaira und Solymoi (Pind. O. 13,80 f.; Hes. theog. 319 ff.). Er überredet → Stheneboia zu einem Ritt auf P. und stürzt sie unterwegs aus Rache ins Meer. An anderer Stelle erzählt Pindar, daß Bellero-

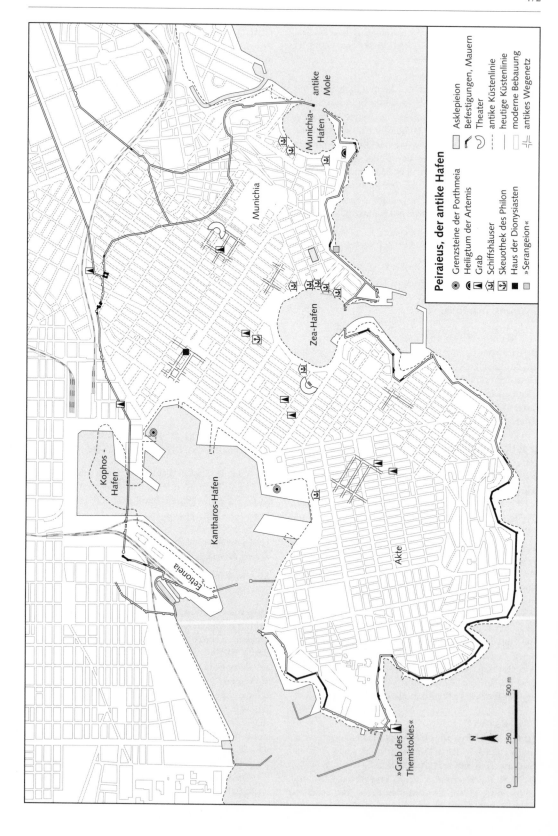

Peiraieus, der antike Hafen

Grenzsteine der Porthmeia
Heiligtum der Artemis
Grab
Schiffshäuser
Skeuothek des Philon
Haus der Dionysiasten
»Serangeion«

Asklepieion
Befestigungen, Mauern
Theater
antike Küstenlinie
heutige Küstenlinie
moderne Bebauung
antikes Wegenetz

antike Mole

Munichia-Hafen

Munichia

Zea-Hafen

Akte

Kophos-Hafen

Kantharos-Hafen

Eetioneia

»Grab des Themistokles«

500 m
250
0
N

phon von P. abgeworfen wird, als er in den Himmel fliegen will (Pind. I. 7,44–47). Nach Hesiod fliegt P. nach seiner Geburt von der Erde zu den Göttern, wo er im Haus des Zeus wohnt und dessen Blitz und Donner trägt (Hes. theog. 285 f.).

Etym.: Mit *pēgḗ* (»Quelle«) verbinden P. einige, weil er an den Quellen des Okeanos geboren sein soll (Hes. theog. 282 f.) und weil die → Hippokrene auf dem → Helikon [1] und andere Quellen durch seinen Huf-schlag entstanden seien (Strab. 8,6,21; Antoninus Libe-ralis 9). P. erscheint auf vielen Mz., zuerst in Korinth um 640 v. Chr. und in korinth. Kolonien (u. a. Syrakus).

    G. Türk, s. v. P., RE 19, 56 ff. · N. Yalouris, P. Ein Mythos in der Kunst, 1987.   AL.FR.

[2] s. Sternbilder

Pegasus. Der Jurist war Stadtpräfekt unter den Fla-viern (E. 1. Jh. n. Chr.) [2. 111 f.; 3. 146 ff.]: schon unter Vespasianus (Dig. 1,2,2,53) oder erst unter Domitianus (Iuv. 4,77). Statthalter in mehreren consularen Prov., darunter in Dalmatia (AE 1967, 355), gehörte zum *con-silium* des Domitianus (Iuv. 4,77). P., aufgrund seiner Gelehrsamkeit »das Buch« (*Liber*) genannt, wurde in Nachfolge des → Proculus das Schulhaupt der Prokulia-ner. Als Suffektconsul schlug er zw. 71 und 73 n. Chr. das *SC Pegasianum* vor, das dem mit einem Erbschafts-fideikommiß belasteten Erben die »falzidische Quart« (→ Falcidius) einräumte (*quarta Pegasiana*), diesen aber .auch zum Erbschaftsantritt zwang [4]. Vom Werk des P. sind nur 28 indirekte Zitate bekannt [1]. Seine Identität mit dem rätselhaften → Plautius [II 1] [3. 162 ff., 179] ist unwahrscheinlich, er war verwandt mit Plotius [II 3]. Sein Vater war vielleicht M. Plotius Paulus (CIL VI 3621; [5. 269 ff.]). PIR² P 512.

    1 O. Lenel (Hrsg.), Palingenesia Iuris Civilis, Bd. 2, 1889, 9–12   2 F. Sturm, Pegaso: un giureconsulto dell'epoca di Vespasiano, in: Atti del Congresso Internazionale di Studi Vespasianei (Rieti 1979), Bd. 1, 1981, 105–136   3 R. A. Bauman, Lawyers and Politics in the Early Roman Empire, 1989   4 U. Manthe, Das senatus consultum Pegasianum, 1989, 41 f.   5 E. Champlin, P., in: ZPE 32, 1978, 269–278.   T.G.u.W.E.

Peïon (Πήϊον, lat. *Peium*; Πεῶν χωρίον/*Peṓn chōríon*), Schatzburg des → Deiotaros (Strab. 12,5,2; Cic. Deiot. 17). Hell. und byz. Burganlage, in einer Schleife des → Siberis (Kirmir Çayı) auf steil abfallendem Felspla-teau angelegt, h. Tabanoğlu Kalesi. Starke Abschnitts-befestigung, Zisterne, Spuren einer Palastanlage und ei-nes Treppentunnels im nördl. Teil der Anlage.

    Belke, 212 f. · S. Mitchell, Blucium and Peium, in: AS 24, 1974, 61–74 · K. Strobel, Galatica II, in: Orbis Terrarum 6, 2000 (im Druck).   K.ST.

Peiraieus (Πειραιεύς, lat. *Piraeus*, h. Piräus).
I. Topographie   II. Geschichte
III. Archäologie

I. Topographie

Großer att. Demos der Phyle Hippothontis, Haupt-hafen von → Athenai an der Westküste von Attika, ca. 7 km von Athen entfernt. Sein Gebiet erstreckt sich zw. dem → Aigaleos im Norden und dem → Hymettos im Osten als Halbinsel ca. 3 km in den → Saronikos Kolpos. Diese Halbinsel umschließt im Westen den »großen Hafen« Kantharos, den die Landzunge der → Eetioneia nach Westen abriegelt. Sie wird im Süden vom Höhen-rücken der Akte (57 m H) beherrscht und auf der Ost-seite vom Munichia-Hügel (86 m H), der z.Z. des Thu-kydides (2,13,7) nicht unmittelbar zum P. zählte. Zw. Akte und Munichia greift die kreisrunde Bucht Zea von SO her tief ein; an der Ostseite der Munichia liegt eine weitere kleine Bucht mit Hafen (s. Karte).

II. Geschichte

Unter dem Artemis-Heiligtum vermutet Palaio-krassa [3. 10 ff.] eine neolithische Siedlung (mit Kon-tinuität bis in hell. Zeit). Neben archa. Grabfunden ist keine archa. Siedlung nachgewiesen. Auf strategische Bed. bereits E. des 6. Jh. v. Chr. deutet der Versuch des Hippias [1], die Munichia zu befestigen (Aristot. Ath. pol. 19,2). → Themistokles verlegte 493/2 v. Chr. den Hafen von der offenen Reede bei → Phaleron in den P., der mit seinen drei natürlichen Buchten der Flotte bes-seren Schutz bot (Thuk. 1,93,3 ff.; Philochoros FGrH 328 F 40; Diod. 11,41,2; Nep. Themistocles 6,1). Nach den → Perserkriegen wurde der gesamte P. befestigt (nach Thuk. 2,13,7: Gesamtlänge der Befestigungsan-lagen 60 Stadien = 10,5 km, tatsächlich 13 km). Die Stadtanlage des P. ab ca. 479 v. Chr. schreibt Aristoteles (pol. 1267b 22) → Hippodamos von Miletos zu. Wohl erst seit dieser Zeit war der P. mit neun *buleutaí* im Rat von Athen vertreten. Nach 460 v. Chr. verband Kimon [2] den P. durch die »Langen Mauern« mit Athen (Thuk. 1,107,1; 108,3; 2,13,6). Größte Bed. und dich-teste Besiedlung erlebte der P. im 5. und 4. Jh. v. Chr., als hier auch viele → *métoikoi* und Fremde wohnten – vgl. die inschr. belegten Kulte für fremde Gottheiten (Baal, Bendis, Isis, Men, Nergal, Sarapis).

Die ideale top. Situation des P. bildete eine der Vor-aussetzungen für die Thalassokratie Athens. Molen, von denen eine am Munichia-Hafen erh. ist, verengten die verschließbaren Hafeneinfahrten. Alle drei Häfen be-saßen Schiffshäuser. Nach dem E. des → Peloponnesi-schen Krieges wurden 404 v. Chr. Befestigungs- und Marineanlagen zerstört (Lys. 13,8; Xen. hell. 2,2,15), deren Wiederaufbau noch vor der Seeschlacht bei Kni-dos (August 394 v. Chr.) begann (IG II/III² 1656). Mitte des 4. Jh. v. Chr. standen am → Kantharos (dem Haupt-handelshafen) 94, am Munichia-Hafen 82 und an der Hauptmarinebasis, dem Zea-Hafen, 196 Schiffshäuser (IG II/III² 1627–1629; 1631) sowie Zeughäuser (*skeuo-thḗkai*) für die Ausrüstung der Kriegsschiffe (Takelage,

Ruder u. a.). Zw. 347 und 330 v. Chr. errichtete Philon [6] an der Westseite des Zea-Hafens die berühmte, nach ihm benannte Skeuothek (IG II² 1668; Reste: [1. 44 ff.]). Seit der Kapitulation Athens 322 v. Chr. im → Lamischen Krieg lag auf der Munichia eine maked. Garnison. Mit dem Aufstieg von Alexandreia [1], Rhodos und Delos als Handelszentren verlor der P. zunehmend an Bed. Im 1. → Mithradatischen Krieg wurde er 87/6 v. Chr. von Cornelius [I 90] Sulla belagert, erobert und gebrandschatzt (App. Mithr. 30 ff.; 40 f.; Plut. Sulla 14,7), die Skeuothek des Philon zerstört. In dem nun unbed. Handelshafen sah Strab. 14,2,9 ›eine kleine Häusergruppe um das Zeus-Heiligtum‹. Zu einer Erholung kam es in der Kaiserzeit [2]. Infolge der Siedlungsregression in Kaiserzeit und Spätant. legte man Gräber in ehemals besiedeltem Gebiet an. Der P. wird letztmals 396 n. Chr. anläßlich des Überfalls des Alaricus [2] unter dem ant. Namen erwähnt (Zos. 5,58); im MA war der Name P. vergessen (seit Mitte des 19. Jh. wieder P.).

III. ARCHÄOLOGIE

Die mod. Überbauung seit 1835 hat den ant. P. weitgehend zerstört. Reste der ant. Ummauerung, bes. auf der Südseite der Akte, stammen vom Wiederaufbau unter Konon [1]; vom Mauerring des Themistokles sind nur geringe Spuren erh. Auf ihn gehen wohl das »Asty-Tor« und das »Tor zw. den Langen Mauern« auf der Nordseite der Stadt sowie das »Eetioneia-Tor« auf der Eetioneia-Halbinsel westl. des Kantharos-Hafens zurück, die aber in der erh. Form aus Kononischer oder noch späterer Zeit stammen. Offenbar folgte die Kononische Mauer der Themistokleischen. Reste einer Befestigung auf der Munichia stammen wohl aus der Zeit der maked. Garnison. Schiffshäuser wurden am Zea- und am Munichia-Hafen gefunden, auf der Westseite des Zea-Hafens Fundamente der Skeuothek des Philon. In der Wohnstadt ist ein rechtwinkliges Raster aus ca. 7–8 m breiten und ca. 3–4 m schmalen Straßen nachweisbar, das offenbar den Stadtplan des → Hippodamos wiedergibt; die Insulae (Tiefe ca. 40 m) bestanden aus zwei Häuserreihen. Die Grundstücke maßen ca. 12 × 20 m. Charakteristisch für die Häuser sind ein großer Innenhof und ein → Andron [4], ein »Typenhaus« [1] ist nicht verifizierbar. In hell. Zeit baute man die Insulae zu Peristylhäusern (→ Haus II. B. 4.; Reste unter der Höheren Industrieschule von P.) oder größeren Komplexen (»Dionysiastenhaus« unter dem Städtischen Theater) um. Die kaiserzeitliche Insula an der Iroon-Polytechniu-Straße überlagert eine klassische. Das ant. Zentrum, die hippodamische Agora mit dem Heiligtum des Zeus Soter und der Athena Soteira (Strab. 9,1,15; Paus. 1,1,3), ist arch. nicht nachgewiesen.

Um den Kantharos-Hafen standen fünf Hallen für den Handel, u. a. die Alphitopolis-Stoa für den Getreidehandel sowie das sog. *deigma* für Geldwechsler und die Ausstellung von Waren. Von zwei Hallen fanden sich Fundamente. Freigelegt wurden ferner das Heiligtum der Artemis Munichia über dem Munichia-Hafen mit einer Dependance auf dem Munichia-Hügel und

das 420 v. Chr. gegr. Asklepieion am Zea-Hafen. Von den beiden Theatern des P. ist das ältere im Dionysos-Heiligtum am Westhang der Munichia (Thuk. 8,93,1) nicht erh. Das jüngere (um 200 v. Chr.) liegt nahe dem Zea-Hafen beim Arch. Museum. Als Heroon des Heros Serangos (vgl. Isaios 6,33; Alki. 3,4,3; Phot. und Hesych. s. v. Σηράγγειον) identifizierte man eine Höhlenanlage mit zwei großen Kammern, Mosaikböden und zwei Wasserkammern. Der Wasserversorgung des P. dienten unterirdische Zisternen und Stollen, von denen über 100 bei Notgrabungen nachgewiesen wurden. Bereits Strab. 9,1,15 bezeichnet den Munichia-Hügel als unterhöhlt (*lóphos hypónomos*). Ein Kenotaph des 4. Jh. v. Chr. an der Küste südl. der Einfahrt in den Haupthafen galt später als »Grab des Themistokles« (Paus. 1,1,2).

→ Athenai; Attika (mit Karte); Hafen, Hafenanlagen

1 W. HOEPFNER, E. L. SCHWANDNER, Wohnen in der klass. Polis, Bd. 1: Haus und Stadt im klass. Griechenland, ²1994, 38–42 2 J. DAY, An Economic History of Athens under Roman Domination, 1942, 142 ff. 3 L. PALAIOKRASSA, Neue Befunde aus dem Heiligtum der Artemis Munichia, in: MDAI(A) 104, 1989, 1–40.

K.-V. VON EICKSTEDT, Beitr. zur Top. des ant. P., 1991 · R. GARLAND, The P. from the Fifth to the First Century B. C., 1987 · L. PALAIOKRASSA, Τὸ ἱερὸ τῆς Ἀρτέμιδος Μουνιχίας, 1991 (griech. mit dt. Zusammenfassung) · CH. PANAGOS, Ο Πειραιεύς, 1995 · G. STEINHAUER, Τα μνημεία και το Ἀρχαιολογικό Μουσείο του Πειραιού, 1998 · TRAILL, Attica, 21, 52, 59, 6, 111 Nr. 103, Tab. 8 · TRAVLOS, Attika, Index s. v. P. · WHITEHEAD, Index s. v. P. K. v. E.

Peiraios (Πείραιος). Sohn des Klytios, aus Ithaka, treuer Gefährte des → Telemachos. P. begleitet diesen nach Pylos und nimmt den Seher → Theoklymenos bei sich auf (Hom. Od. 15,539–544; 17,55 und 71–78; 20,372).

PRELLER/ROBERT 2, 1408. NI. JO.

Peiras (Πείρας).

[1] Nach Epimenides (FGrH 457 F 5) von der → Styx Vater der → Echidna (Paus. 8,18,2).

[2] Sohn des → Argos [I 1] und der Euadne, Bruder des Ekbasos, Epidauros und Kriasos (Apollod. 2,3). P. gründet nach Plutarch (FGrH 388 F 2) als erster das Heiligtum der argivischen Hera, setzt seine Tochter Kallithyia (→ Kallithoe [2]/→ Io) als Priesterin ein und weiht der Hera ein Götterbild aus Birnbaumholz. Identisch mit Peiranthos/Piranthus (Hyg. fab. 145), Peirasos (Paus. 2,16,1; 2,17,5) und Peiren [1] (Apollod. 2,5). SI. A.

Peirasia (Πειρασία). Stadt im NO der Thessaliotis (→ Thessaloi), Ruinen auf dem isolierten, 313 m hohen Kalkberg Strongylovuno südl. vom h. Vlochós am linken Ufer des Enipeus [2]. Wurde mit dem homer. *Astérion* (Hom. Il. 2,735) gleichgesetzt (Steph. Byz. s. v. Ἀστέριον). 431 v. Chr. mit Athen verbündet (Thuk. 2,22,3 mit schol.). Beitr. für den delph. Tempel 359/7 v. Chr. sind inschr. belegt (Syll.³ 240 H, col. II 6 ff.). Ant.

Überreste: drei konzentrische polygonale Stadtmauern mit über 24 Türmen. P. ist vielleicht identisch mit *Iresiae* bei Liv. 32,13,9 (von Philippos [7] V. 198 v.Chr. verwüstet). Mz.: HN 303.

J.C. DECOURT, La vallée de l'Enipeus en Thessalie, 1990, 162–174 · F.STÄHLIN, s.v. P., RE 19, 102–104 · KODER/HILD, 233 · E.VISCHER, Homers Kat. der Schiffe, 1997, 702f.   HE.KR.

Peiren (Πειρήν).

[1] Sohn des → Argos [I 1] und der Euadne (Apollod. 2,3), Vater der → Io (Apollod. 2,5; Hes. cat. 124) oder der Kallithyia (= → Kallithoe [2]), die P. als Priesterin in dem von ihm begründeten Heiligtum der argivischen Hera einsetzt (Plut. FGrH 388 F 2). Andere Namensformen: Peiras (Apollod. 2,3), Peirasos (Paus. 2,17,5), Peiranthos (Hyg. fab. 145).

[2] Sohn des → Glaukos [2], Bruder des → Bellerophontes, der P. ungewollt tötet und aus Argos fliehen muß (Apollod. 2,30).   SU.EI.

Peirene

[1] (Πειρήνη). Eine der Danaiden (→ Danaos), mit Dolichos (Hyg. fab. 170) oder Agaptolemos (Apollod. 2,1,5) verheiratet.

[2] (Πειρήνη, Πειράνα).
I. MYTHOLOGIE II. TOPOGRAPHIE

I. MYTHOLOGIE

Eponymin der gleichnamigen Quelle P. in → Korinthos. Als ihre Eltern werden Flußgötter wie → Asopos [2] und → Metope [2] (Diod. 4,72,1) und → Acheloos [2] (Paus. 2,2,3) genannt, aber auch → Oibalos [1] (die ›Großen Ehoien‹ nach Paus. l.c.). Sie ist Mutter von Leches und Kenchrias, den Eponymen der Häfen Korinths. Als Kenchrias von Artemis versehentlich getötet wird, vergießt P. so viele Tränen, daß sie sich in die Quelle P. verwandelt. Diese soll auch durch den Hufschlag des → Pegasos [1] (Stat. Theb. 59–62) oder des Asopos (Anth. Pal. 7,218,4) hervorgetreten sein. An ihr wird Pegasos von → Bellerophon gefangen (Pind. O. 13,60–64; Eur. El. 475; Strab. 8,6).   T.J.

II. TOPOGRAPHIE

Das Wasser der Quelle P., nach der sich → Korinthos geradezu »Stadt der P.« nannte (Pind. O. 13,61f.; vgl. Strab. 8,6,21; Paus. 2,3,2f.), galt als bes. klar und gut (Athen. 2,43b; 4,156e; Anth. Pal. 7,218; Suda s.v. Π.) und wurde auch bei der Herstellung des »korinthischen Erzes« benutzt (Paus. 2,2,3; Plin. nat. 4,5). Die P. ist eine aus zahlreichen Wasseradern gespeiste Quelle am Abhang der Terrasse, auf der die Agora von Korinth liegt. Einer ersten Ausgestaltung mit Brunnenhaus in archa. Zeit folgten vielfache Umbauten bis in röm. Zeit. Ihre letzte ant. Gestaltung erhielt die P. mit dem marmornen Prunkbau wohl des Herodes [16] Atticus (Vorhof mit offenem Bassin, drei Apsiden). Das Brunnenhaus war schon vorher in hell. Zeit mit Statuen geschmückt worden.

In röm. Zeit wurde der Name P. auf die ebenfalls mit einem Brunnenhaus versehene Quelle im SO der Burg von Akrokorinth übertragen; man unterschied nun eine »obere« von einer »unteren« P. Die »obere« P. hat – entgegen ant. Vorstellungen – keine Verbindung mit der eigentlichen P.

H.N. FOWLER (Hrsg.), Introduction, Topography, Architecture (Corinth. Results of Excavations 1), 1932 · B.HILL, The Springs: P., Sacred Spring, Glauke (Corinth 1,6), 1964 (»untere« P.) · R.STILLWELL, O.BRONEER, in: C.W.BLEGEN et al., Acrocorinth (Corinth 3,1), 1930, 31ff., 50ff. (»obere« P.) · R.CARPENTER, Ancient Corinth. A Guide to the Excavations, [6]1960, 26ff., 85f. · G.ROUX, Pausanias en Corinthie, 1958, 116f., 129f. · G.PH.STEVENS, The Fountain of P. at Corinth in Hellenistic Times, in: Archaiologike Ephemeris 1953/4, 1, 45ff. · Ders., The Fountainhouse of P. in the Time of Herodes Atticus, in: AJA 38, 1934, 55ff. · U.KENZLER, Stud. zur Entwicklung und Struktur der griech. Agora in archa. und klass. Zeit, 1999 (Diss. 1998).   C.L.u.E.MEY.

Peirithoos (Πειρίθοος, -θους; Περίθοος, -θους; lat. *Pirithous, Perithous* etc.).

Thessalischer, später auch attischer Heros, König der → Lapithai, Sohn des Zeus (Hom. Il. 2,741; 14,317f.; vgl. Hom. Od. 11,631; Hellanikos FGrH 4 F 134; Plat. rep. 391c-d) oder des → Ixion (Ephoros FGrH 70 F 23; Diod. 4,63,1; 4,69,3; Ov. met. 8,403f., 567, 613; 12,210, 338; Apollod. 1,68) und der → Dia [3], Bruder der → Klymene [6], Gatte der → Hippodameia [2], Vater des → Polypoites [1] (Hom. Il. 2,740–742; 12,129, 182; Diod. 4,63,1; Apollod. 3,130; Apollod. epit. 3,14; Paus. 10,26,2). Bei der Hochzeitsfeier des P. und der Hippodameia kommt es zum Kampf der Lapithen und → Kentauren (Hom. Od. 21,295–303), bei Hom. Il. 1,262–268 ist erstmals von der Teilnahme des P. am Kampf gegen die »Bergtiere« (d.h. die Kentauren) die Rede. Der Versuch des Frauenraubes beim Hochzeitsfest ist, obwohl von ihm bei Homer noch nicht die Rede war, in der gesamten ant. Lit. geläufig: Diod. 4,70,2–4; Ov. met. 12,210–537; Ov. epist. 17,247f.; Ov. am. 2,12,19f.; Verg. georg. 2,455–457; Hor. carm. 1,18,7–9; 2,12,5; Prop. 2,2,9f.; 2,6,17–19; Stat. Theb. 2,563f.; Plut. Theseus 30; Paus. 5,10,8; Hyg. fab. 33 etc.

Die Freundschaft des P. mit → Theseus reicht vor den Zeitpunkt der Hochzeit (Plut. Theseus 30). Nach Hippodameias und → Phaidras Tod versuchen P. und Theseus, → Helene [1] zu rauben (Hellanikos FGrH 323a F 18; Plut. Theseus 31; Diod. 4,63,2; Hyg. fab. 79; Apollod. epit. 1,23), scheitern aber am Eingreifen ihrer Brüder Kastor und Polydeukes (→ Dioskuroi; Hellanikos FGrH 4 F 134 und 168). Sie versuchen auch, → Persephone aus dem Hades zu entführen und müssen dort, auf dem Thron der Lethe gefesselt, dafür büßen (Hom. Od. 11,631; Hes. fr. 280f. M.-W.; Apoll. Rhod. 1,101–104; Apollod. epit. 1,24). In der Tragödie ›P.‹ des Kritias (TrGF 1[2] 43 F 1) befreit → Herakles [1] nur Theseus, P. muß zurückbleiben. In späteren Versionen können beide (Diod. 4,26) oder keiner (Diod. 4,63,4; Hyg. fab. 79) gerettet werden. P. nimmt an der att. Amazonomachie (Pind. fr. 175; Paus. 1,2,1), der Kalydonischen Eberjagd (Paus. 8,45,7) und dem Argonautenzug (Hyg. fab. 14) teil.

In Attika ist P. Heros Eponymos des Demos der Perithoidai (Ephoros FGrH 70 F 23); er besaß ein Heroenheiligtum auf dem Hippios Kolonos (Soph. Oid. K. 1593f.; Paus. 1,30,4).

E. MANAKIDOU, s. v. P., LIMC 7.1, 232–242; 7.2, 172–177.
L. K.

Peiroos (Πείροος, -ως). Sohn des Imbrasos aus → Ainos [1], zusammen mit Akamas Anführer der thrakischen Bundesgenossen der Troianer (Hom. Il. 2,844f.); Vater des Rhigmos (ebd. 20,484). Tötet den Griechen → Diores [1] und fällt darauf selbst durch → Thoas (ebd. 4,517ff.).

P. WATHELET, Dictionnaire des Troyens de l'Iliade, 1988, Nr. 264.
MA. ST.

Peiros (Πεῖρος). Fluß in West-Achaia, entspringt am Nordhang des Erymanthos [1], fließ an → Phara vorbei und mündet 2 km nordöstl. von Dyme [1] in den Korinthischen Golf, h. wieder P. (ehemals Kamenitsa). Vgl. Hdt. 1,145; Strab. 8,3,11; Paus. 7,18,1 f.; 22,1.

R. BALADIÉ, Le Péloponnèse de Strabon, 1980, 72–74 · MÜLLER, 822.
Y. L. u. E. O.

Peisandros (Πείσανδρος).
[1] Sohn des Maimalos, Heerführer unter → Achilleus [1], bester Lanzenkämpfer der → Myrmidones nach → Patroklos [1] (Hom. Il. 16,193ff.).
[2] Sohn des → Antimachos [1], Bruder des Hippolochos, von → Agamemnon getötet, da sein Vater geraten hatte, den nach Troia gesandten → Menelaos [1] dort zu töten (Hom. Il. 11,122ff.).
[3] Troer, von Menelaos [1] im Zweikampf getötet; seine Waffe ist eine große Axt mit Stiel aus Ölbaumholz (Hom. Il. 13,601ff.).
[4] Sohn des Polyktor, einer der Freier der → Penelope (Hom. Od. 18,298) und deren tapferer Anführer (ebd. 22,243), vom Rinderhirten → Philoitios getötet (ebd. 22,268).
[5] Einer der sieben plataiischen Heroen, denen → Aristeides [1] vor der Schlacht bei Plataiai aufgrund des Delphischen Orakels opferte (Plut. Aristeides 11,3).
S. T.
[6] P. aus Kamiros (Rhodos). 7.–6. Jh. v. Chr.; die Überl. datiert ihn entweder vor Hesiod oder in die 33. Olympiade (648 v. Chr.: Suda s. v. Π. IV,122,11 ADLER = T1 PEG), [4] nicht nach dem 6. Jh. v. Chr. In seiner Heimatstadt wurde ihm in hell. Zeit auf öffentliche Kosten eine Statue errichtet, für die Theokritos ein Epigramm schrieb (Anth. Pal. 9,598 = GOW-PAGE 16), vielleicht weil er in seiner *Herákleia* (2 B.) den Heros und Vorfahren der Ptolemaier glorifiziert hatte, indem er seine Taten erzählte: Löwe, Hydra, Hirschkuh, Stymphaliden, Gerionos, Antaios und vielleicht die Kentau-

ren (jedoch verm. noch nicht die zwölf kanonischen Taten; vgl. T 2 PEG mit Lit.). Das genealogische Element seiner Dichtung macht einen hesiodeischen Einfluß denkbar. P. wurde in den alexandrinischen Kanon der Epiker (zusammen mit Homeros [1], Hesiodos, Panyassis, Antimachos [3]; T 7–12 PEG) aufgenommen. Ihm werden verschiedene Werke zugeschrieben ([1. 167] mit Lit.); verm. unecht ist das unter seinem Namen überl. Epigramm Anth. Pal. 7,304.

1 PEG I, 164–167 2 EpGF 129–135 3 B. GENTILI, Eracle »omicida giustissimo«, in: Ders., G. PAIONI (Hrsg.), Il mito greco, 1977, 305 4 R. KEYDELL, s. v. P. (11), RE 19, 144–145 5 G. B. PHILIPP, Herakles und die frühgriech. Dichtung. Zu Plut. De Hdt. Mal. 14,857 EF, in: Gymnasium 91, 1984, 335–336.
S. FO./Ü: TH. G.

[7] Athener aus Acharnai (schol. Aischin. 2,176), Mitglied der Untersuchungskommission des → Hermokopidenfrevels (And. 1,27; 43). Im J. 411 v. Chr. trat er engagiert für die oligarchische Verfassung ein (Thuk. 8,49; 53f.; 63ff.; Plut. Alkibiades 26,1) und wurde zu einem der Wortführer der 400 (→ *tetrakósioi*; [Aristot.] Ath. pol. 32; vgl. IG I³ 174/5). Nach dem Scheitern der Oligarchen floh er zu den Spartanern nach Dekeleia (Thuk. 8,98,1). Im Anschluß wurde P. häufig das Ziel des Komödienspottes (Aristoph. Lys. 490f.), seine »Feigheit« wurde sprichwörtlich (Suda s. v. Πεισάνδρου δειλότερος, »feiger als P.«).

DEVELIN, 2281.
HA. BE.

[8] Spartiat, Schwager des Königs Agesilaos [2] II., unterlag als *naúarchos* (»Flottenkommandant«) in der Schlacht bei Knidos 394 v. Chr. der persischen Flotte unter → Konon [1] und fiel (Xen. hell. 3,4,29; 4,3,10ff.; Philochoros FGrH 328 F 144–145; Nep. Konon 4,4; Diod. 14,83,5f.; Iust. 6,3; Plut. Agesilaos 10f., 17,4; Paus. 3,9,6; Polyain. 2,1,3).
K.-W. WEL.

[9] Mythograph der hell. Zeit. Verf. eines romanhaften Werkes, das häufig in den Scholien zu → Apollonios Rhodios benutzt wird, ähnlich dem des Dionysios von Samos. Das längste Fr. (FGrH 16 F 10 = schol. Eur. Phoen. 1760) ist eine Kurzfassung der verschiedenen Überl. des Oidipus-Mythos.

FGrH 16, Bd. Ia, 544–547; Bd. IA, *10–*11.

[10] P. aus Laranda, lebte unter Alexander Severus (222–235 n. Chr.). Sohn des Epikers → Nestor, Verf. der Ἡρωικαὶ θεογαμίαι (*Hērōïkaí theogamíai*, 60 B.), einer Art myth. Enzyklopädie, die ›sozusagen die gesamte Gesch. einschließt‹ (πᾶσαν ὡς εἰπεῖν ἱστορίαν περιλαβών: Zos. 5,29,2 = T 2 HEITSCH) und die dadurch, daß sie die Mythen der Reihe nach erzählte, den → epischen Zyklus verdrängte (Iohannes Philoponos in Aristot. an. post. 13,3, p. 157,14). Das Werk begann vielleicht mit der Hochzeit von Zeus und Hera. In den spärlichen Fr. werden außer den Toponymen (bei Steph. Byz. fr. 7–14 HEITSCH) erwähnt: Zeus und Io, Kadmos, Typhon, die Argonauten, die Giganten, vielleicht Herakles. Das Zi-

tat bei Macr. Sat. 5,2,4f., wonach Vergil P. in Aen. 2 ›beinahe wörtlich übertrug‹ (*ad verbum paene transcripserit*), ist umgekehrt zu interpretieren: P. wird wohl Vergil gefolgt sein [5; 6]; einen weiteren, hell. P. als Quelle für Vergil nimmt [9] an. Zur Identifikation des P. bei Macrobius mit dem Mythographen [2. 544–547].
→ Mythographie

FR.: 1 E. HEITSCH, Die griech. Dichterfr. der röm. Kaiserzeit, Bd. 2, 1964, 44–47 2 FGrH 16, Bd. Ia, 544–547; Bd. IA *10–*11. LIT.: 3 G. D'IPPOLITO, Studi nonniani. L'epillio nelle Dionisiache, 1964, 82–83 4 Ders., s. v. Pisandro, EV 4, 125–126 5 G. FUNAIOLI, D'una pretesa fonte dell'Iliuperside virgiliana, in: Ders., Studi di letteratura antica 2.1, 1948, 167–174 6 R. KEYDELL, Die Dichter mit Namen P., in: Hermes 70, 1935, 301–311 7 Ders., s. v. P. (12), RE 37, 145–146 8 U. VON WILAMOWITZ-MOELLENDORFF, KS 4, 368–373 9 F. VIAN, Recherches sur les »Posthomerica« de Quintus de Smyrne, 1959, 99–100. S.FO./Ü: TH.G.

Peisenor (Πεισήνωρ).

[1] Vater des → Ops [2] und Großvater der → Eurykleia (Hom. Od. 1,429).

[2] Herold des → Telemachos (Hom. Od. 2,38; Eust. ad Hom. Od. 2,37, p. 1432,46).

[3] Troianer, Vater des → Kleitos [3] (Hom. Il. 15,445).

[4] Einer der Freier der → Penelope, aus Same (Apollod. epit. 7,28).

[5] Lykier, Vater des Chlemon (Q. Smyrn. 8,101).

[6] Sohn des → Neleus [1] (schol. Hom. Il. 11,692).

[7] Einer der → Kentauren, flieht vor dem Lapithen → Dryas [1] (Ov. met. 12,303). T. J.

Peisianax (Πεισίαναξ).

Athener, Alkmaionide (→ Alkmaionidai), Bruder der Isodike, die um 480 v. Chr. → Kimon [2] heiratete. P. stiftete die um 460 auf der Nordseite der athen. Agora beim panathenaiischen Weg errichtete Stoa Peisianakteios, deren Fundamente nördlich der h. Hadrianu-Straße teilweise freigelegt sind. Vier große Bildtafeln (z. B. Marathonschlacht: [1]) zierten diese später als Stoa Poikile bekannte Halle.

1 E. HARRISON, The South Frieze of the Nike Temple and the Marathon Painting in the Painted Stoa, in: AJA 76, 1972, 353–378.

Agora 3, 31–45 (Testimonia) · J. M. CAMP, The Athenian Agora, 1986, 66–72 · DAVIES, 377f. · TRAILL, PAA 771385. K.KI.

Peisidike (Πεισιδίκη).

[1] Name verschiedener myth. Gestalten: Tochter des → Aiolos [1], Gattin des → Myrmidon (Apollod. 1,51f.), Tochter des → Nestor [1] (ebd. 1,94), Tochter des → Pelias (ebd. 1,95; Hyg. fab. 24).

[2] Tochter des Königs Lepethymnos aus → Methymna; verrät aus Liebe ihre Vaterstadt an den sie belagernden → Achilleus [1], wird aber auf dessen Befehl dafür gesteinigt (Parthenios 21). Dieselbe Gesch. gibt es auch von Pedasa in Monenia (Pedasos [1]; schol. Hom. Il. 6,35). L.K.

Peisinos (Πεισῖνος).

Verf. einer *Hērákleia*, die → Peisandros [6] angeblich ›gestohlen‹ haben soll (Clem. Al. strom. 6,2,25,2).

PEG I, 164. S.FO./Ü: TH.G.

Peisistratidai (Πεισιστρατίδαι).

Athenischer Adels-*oíkos* aus Brauron (Plut. Solon 10,3; Plat. Hipparch. 228b), der über → Nestor [1] von Pylos auf den Zeussohn Neleus zurückgehen soll (Hdt. 5,65; → Peisistratos [1] und [2]). Herodot bezeichnet nur die athen. Söhne des Tyrannen → Peisistratos [4] und deren Nachkommen als P. (528/7–511/10 v. Chr.), die spätere und die mod. Lit. oft alle Generationen: 669/8 v. Chr. ist ein → Peisistratos [3] *árchōn* (Paus. 2,24,7); an den Namen des → Hippokrates [1], des Vaters des Peisistratos [4], erinnert man sich wegen dessen (wohl ersten) gleichnamigen Sohnes.

P. im engeren Sinne sind Peisistratos' [4] ältere athen. Söhne → Hippias [1], → Hipparchos [1] und → Thessalos, die nichtathen. Söhne Iophon [1] und → Hegesistratos [1] sowie ein Enkel, Peisistratos [5], der Sohn des Hippias (Hauptquellen: Hdt. 5,55; 62–65; [Aristot.] Ath. pol. 14–19; Thuk. 6,54–59).

In der breiten und kontroversen wiss. Diskussion zu den P. überwiegen zwei Fragen: 1) Folgte Hippias 528/7 als Tyrann in dynastischer Nachfolge oder kam es zu einer Samtherrschaft von Hippias und Hipparchos? 2) Wie gestalteten sich die Beziehungen zu athen. Adelshäusern (vgl. IG I³ 1053: Archontenliste 528/7–522/1 mit Namen athen. Adeliger)? Um 520 begann die polit. Stabilität zu schwinden, der privat motivierte Mord an Hipparchos 514/3 (→ Harmodios [1], → Aristogeiton [1]) entfesselte ein Terrorregime des Hippias, das in der athen. Erinnerung das Tyrannenbild bleibend prägte. Aus dem Exil beendeten Adelige (→ Alkmaionidai) mit Hilfe Spartas den Spuk 511/10; die P. verschwanden aus Athen, z. T. ins persische Exil (Hdt. 7,6; 8,52,2). Entfernte Verwandte blieben in der Stadt, so Hipparchos, Sohn des Charmos, *árchōn* 496/5. Er wurde zwar das erste Opfer des → Ostrakismos (487), doch ist eine damalige Pro-P.-Tyrannispartei ein modernes Phantom.

Spätestens seit dem 4. Jh. v. Chr. und bis h. besteht die Tendenz, alle Bautätigkeit, Weihungen, Götter- und Heroenkultförderung der Zeit zw. 528/7 und 511/10 den P. zuzuschreiben und ähnliche Selbstdarstellung anderer Aristokraten zu verneinen [1. 33–36; 2. 185f.; 3. 67].
→ Athenai (III. 3.); Tyrannis

1 K. H. KINZL, Betrachtungen zur älteren griech. Tyrannis, in: AJAH 4, 1979, 23–45 2 Ders., Zur Vor- und Frühgesch. der attischen Trag., in: Klio 62, 1980, 177–190 3 Ders., Rez. zu J. M. HURWIT, The Art and Culture of Early Greece ..., in: Phoenix 41, 1987, 65–68.

J. S. BOERSMA, Athenian Building Policy, 1970 · DAVIES, 11793 · L. DE LIBERO, Archa. Tyrannis, 1996 · E. KLUWE, Die Tyrannis der Peisistratiden und ihr Niederschlag in der Kunst, Diss. Jena 1966 · F. KOLB, Die Bau-, Rel.- und Kulturpolitik der Peisistratiden, in: JDAI 92, 1977, 99–136 ·

B. Lavelle, The Sorrow and the Pity, 1993 ·
F. Schachermeyr, s. v. Peisistratiden, RE 19, 150–155 ·
H. A. Shapiro, Art and Cult under the Tyrants in Athens,
1989 · M. Stahl, Aristokraten und Tyrannen im archa.
Athen, 1987 · E. Stein-Hölkeskamp, Adelskultur und
Polisges., 1989.   K. Kl.

Peisistratos (Πεισίστρατος).

[1] Sohn des → Nestor [1], des Herrschers von Pylos,
und der Eurydike. Er begleitet den gleichaltrigen
→ Telemachos nach Sparta (Hom. Od. 3,400–483;
15,44 ff.; Paus. 4,1,4).

[2] Sohn des P. [1], Enkel → Nestors [1]. Er geht als
einziger der Neliden nicht nach Athen, als diese von den
Herakliden aus Messenien vertrieben werden (Paus.
2,18,8 f.; Hdt. 5,65).

J. Andrée-Hanslik, s. v. P., RE 19, 155 f.   K. Wa.

[3] Athener, árchōn 669/8 v. Chr. (Paus. 2,24,7), auf den
[1. 70] ein Graffito bezieht (Datier. Anf. 6. Jh.: [2. 14]).

1 LSAG 2 H. R. Immerwahr, Attic Script, 1990.

Davies, 11793 · Traill, PAA 771750; 771755.

[4] Athener von höchstem Adel, Sohn des → Hippokrates [1], geb. vor 600 v. Chr. Vor ca. 561 war er mil.
Führer gegen → Megara [2] als árchōn → polémarchos (anders [1. 41]), darauf Mitglied des Areopag (→ Areios pagos). P.' Sohn Hegesistratos [1] war Tyrann in Sigeion
unter lydischer und pers. Oberhoheit; weitere drei Söhne (→ Peisistratidai) teilten P.' Schicksal bis zu seinem
Tod im J. 527. Als 511/10 → Hippias [1], sein gewalttätig
herrschender Sohn, samt Verwandtschaft aus Athen vertrieben wurde, waren 50 J. vergangen, seit P. ca. 561 im
Ringen zwischen den drei Parteien (stáseis) aus »naher
Ebene« (hoi ek pedíu), »naher Küste« (páraloi) und »nahem
Hügelland« (hyperákrioi; zu den »Gruppen« s. [2]) mit seiner durch Volksbeschluß bestellten Leibwache die Akropolis besetzt hatte. Kurz danach von den zwei Gegen-
stáseis vertrieben, wurde P. vom Anführer der einen stá-
sis, Megakles [2], zurückgeführt, aber nach wenigen
Monaten schon wieder vertrieben. Das folgende 10jäh-
rige Exil nutzte P., um systematisch Allianzen in Grie-
chenland und darüber hinaus aufzubauen. Mit deren
Hilfe erkämpfte er sich ca. 546 mit brutaler Gewalt die
Heimkehr und lebte bis zu seinem Tod Anf. 527 in
Athen.

Die bunt ausgeschmückte, mit zahlreichen Details
versehene Erzählung der Hauptquelle Herodot (1,59–
64) – und danach der aristotelischen Athenaíōn politeía
(13–17) und vieler anderer Autoren – ist nach ähnlichem
Denkschema gestaltet wie im Falle des → Kypselos [2]
von Korinthos (Hdt. 5,92) und mit Blick auf das Ende
des Hippias in drei Phasen von P.' Tyrannenherrschaft
gegliedert. In den letzten zwei Lebensjahrzehnten des P.
gediehen in Athen Kultur, Außenhandel und -politik,
wirtschaftliche und gesellschaftliche Verhältnisse blüh-
ten (›Zeitalter des Kronos‹: [Aristot.] Ath. pol. 16,7).

Die Ära des P. und der → Peisistratidai wurde trotz
des Rückschlags unter Hippias vor 511/10 von größter
Bedeutung für Athens spätere innere und äußere Entwicklung. Die Chronologie von ca. 561–511/10 ist seit
1976 weitestgehend geklärt [3]. Die Gewichtung der
Rolle des P. und der anderen Adelsfamilien ca. 561–527
ist ein Problem der Quellengläubigkeit und für die histor. Rekonstruktion der Ereignisse von grundlegender
Bed. ([4. 308–316]; s. → Peisistratidai).

→ Athenai (III. 3); Tyrannis

1 Develin 2 K. H. Kinzl, Regionalism in Classical Athens?,
in: Ancient History Bulletin 3, 1989, 5–9 3 P. J. Rhodes,
Pisistratid Chronology Again, in: Phoenix 30, 1976,
219–233 4 K. H. Kinzl, Betrachtungen zur älteren
Tyrannis, in: Ders. (Hrsg.), Die ältere Tyrannis bis zu den
Perserkriegen, 1979, 298–325.

H. Berve, Die Tyrannis bei den Griechen, 1967 · K. H.
Kinzl (Hrsg.), Die ältere Tyrannis, 1978 · L. de Libero,
Die archa. Tyrannis, 1996 · H. Sancisi-Weerdenburg
(Hrsg.), P. and the Tyranny: A Reappraisal of the Evidence,
2000 · F. Schachermeyr, s. v. P. (3), RE 19, 156–191 ·
M. Stahl, Aristokraten und Tyrannen im archa. Athen,
1987 · E. Stein-Hölkeskamp, Adelskultur und Polisges.,
1989 · Traill, PAA 771760.

[5] 522/1 v. Chr. árchōn (IG I³ 1031 col. III 21) und Stifter
des Apollon-Pythios-Altars (Thuk. 6,54,6; IG I³ 948;
Inschr. mitunter – unglaubwürdig – ins 5. Jh. datiert)
und des Zwölfgötteraltars auf der Athener Agora
(Thuk. 6,54,6). Ältester Sohn des → Hippias [1]; sein
Todesjahr ist unbekannt, er war aber wohl mit Hippias
im pers. Exil.

Davies, 11793 · D. M. Lewis, in: CAH 4, 1988, 294 f. ·
Traill, PAA 771765.   K. Kl.

Peithagoras (Πειθαγόρας). Opferschauer aus Amphipolis, Bruder des Apollodoros, einer der → hetaíroi des
→ Alexandros [4] d. Gr.; P. sagte 323 v. Chr. den nahen
Tod von → Hephaistion [1] voraus (Arr. an. 7,18; App.
civ. 2,152) und später auch den von Alexandros (Arr.
l.c.; App. l.c.). Alexandros nahm diese Nachricht, von
P.' Bruder, entgegen und lobte beide (Arr. l.c.). P.
offenbar Aristobulos' [7] direkte Quelle (Arr. an.
7,18,5).   Al. Fr.

Peitho (Πειθώ). Griech. Personifikation der »Überre-
dung«, bes. der erotischen Überredung, daher häufig
Beiname der → Aphrodite. Tochter des → Okeanos,
Gattin des → Phoroneus oder des Argos [I 1] (Hes.
theog. 349; schol. Eur. Phoen. 1116; schol. Eur. Or.
1239). Bei Homer unbekannt, erscheint P. bei Hesiod
(Hes. erg. 73; Hes. theog. 573) bei der Erschaffung der
→ Pandora zusammen mit den → Charites. Sappho fr.
200 V. macht sie zu einer der Chariten, Aischylos zur
Tochter Aphrodites (zusammen mit → Pothos; Aischyl.
Suppl. 1038–1042). In der Lyrik steht P. allg. für erot.
Liebreiz (Ibykos PMGF fr. 288; Anakr. PMG fr. 384;
Anth. Pal. 5,70). Schon bei Aischylos beginnt jedoch
eine Verlagerung zur »rhet. Überredung« (Aischyl. Ag.

385; Aischyl. Choeph. 726; bes. Aischyl. Eum. *passim*; vgl. Soph. El. 562; Aristoph. Ran. 1391; Eur. *passim*).

In Athen wurde P. zusammen mit Aphrodite → Pandemos (vgl. Paus. 1,22,3) kultisch verehrt und besaß ein Heiligtum am Südosthang der Akropolis [1]. Auch an vielen anderen Orten gab es einen Kult der P. [2. 243]. In der bildenden Kunst konnte sie sowohl in enger Verbindung mit Aphrodite und ihrem Kreis als auch allein dargestellt werden [2. 243–250].

1 TRAVLOS, Athen, 1–2, 8 Abb. 5 2 N. ICARD-GIANOLIO, s. v. P., LIMC 7.1, 242–250; 7.2, 178–180.

R. G. BUXTON, Persuasion in Greek Tragedy: a Study of P., 1982 · V. PIRENNE-DELFORGE, Le culte de la persuasion, in: RHR 209, 1991, 396–413.   L. K.

Peitholaos (Πειθόλαος). Dritter Sohn des → Iason [2] von → Pherai. P. war beteiligt an der Ermordung des Schwagers Alexandros [15] 358 v. Chr. – in dieser Situation ist vielleicht epist. 6 des → Isokrates an die Söhne Iasons entstanden – und an der Tyrannenmacht der Brüder Teisiphonos (358–355) und → Lykophron [3] (355–352). Mit diesem zog er nach der Übergabe von Pherai an → Philippos [4] II. von Makedonien 352 ab (Diod. 16,37,3); mit einem phokischen Aufgebot und 150 Reitern unterstützten beide dann Sparta auf der Peloponnes (Diod. 16,39,3). Das den Brüdern als Bündnern (Isokr. epist. 6,3) vielleicht schon zu Lebzeiten Iasons verliehene Bürgerrecht Athens wurde nach einer Anklage beider 349 (Aristot. rhet. 3,1410a 17 f.) nur noch P. aberkannt (Demosth. or. 59,91). 349/8 soll ihn Philippos laut Diod. 16,52,9 noch einmal aus Pherai vertrieben haben.

H. BERVE, Die Tyrannis bei den Griechen, 1967, 293 f., 671 f.   J. CO.

Peithon (Πείθων).

[1] P., Sohn des Agenor, wurde von Alexandros [4] d. Gr. 325 v. Chr. als Satrap der Küste Indiens und Ufer des Indos bis zur Mündung des Arkesines eingesetzt. Er nahm → Musikanos gefangen und führte ihn zum König, bemannte die neuen Festungen am linken Indosufer und traf mit Alexandros bei Papala zusammen. Als Alexandros 323 den Großteil Indiens aufgeben mußte, versetzte er P. nach Gandhara (→ Gandaritis), was ihm von Perdikkas [4] und nach der Schlacht von → Triparadeisos bestätigt wurde. 316 übertrug ihm Antigonos [1] die von → Seleukos verlassene Satrapie Babylonien; 314 berief er ihn ab und bestellte ihn zu einem der Ratgeber von Demetrios [2] in Syria. Bei → Gaza (312) teilte er sich mit Demetrios den Oberbefehl und fiel in der Schlacht.

H. BERVE, s. v. P. (2), RE 19, 218–220.

[2] P., Sohn des Krateuas aus Eordaia, Trierarch der → Hydaspes-Flotte unter Alexandros [4] d. Gr. (326 v. Chr.), 325 als *sōmatophýlax* (»Leibwächter«) und vor Alexandros' Tod in seiner nächsten Umgebung bezeugt.

Von Perdikkas [4] erhielt er die Satrapie Media (bis auf den → Atropates zugewiesenen Teil), wurde aber gleich gegen die meuternden Söldner in Baktria gesandt. Diese ergaben sich unter Zusicherung ihrer Heimkehr, wurden aber von P.s Truppen niedergemetzelt. 320 an der Ermordung von Perdikkas beteiligt, führte er mit Arridaios [5] Perdikkas' Armee nach Triparadeisos, von wo ihn Antipatros [1] in seine Satrapie zurückschickte. Ein Versuch, 317 die Oberherrschaft über die östl. Satrapien zu usurpieren, schlug fehl. P. schloß sich → Seleukos, dann im Krieg gegen Eumenes [1] dem Antigonos [1] an. 316 begann er, eine Hausmacht gegen Antigonos aufzubauen; doch dieser lockte ihn in eine Falle und ließ ihn nach Verurteilung durch seine Berater hinrichten. Hauptquelle zu P.: Diod. 18–19.

H. BERVE, s. v. P. (4), RE 19, 222–222.   E. B.

Pektoriosinschrift. Inschr. (IG XIV 2525 = SEG 29, 825 = [1]) auf einer Marmorplatte, die 1839 in → Augustodunum/Autun aufgefunden wurde. Sie besteht aus drei elegischen Distichen (V. 1–6) und fünf Hexametern (V. 7–11). Es handelt sich – neben der Aberkiosinschr. – um eines der bekanntesten Zeugnisse der ant. christl. Epigraphie; in der gegenwärtigen Gestalt stellt sie ein Grabepigramm dar, das ein Pektorios für seine Mutter stiftete. Die ersten sechs Verse bilden das Akrostichon ΙΧΘΥΣΕ, so daß man damit rechnen muß, daß dieser Textteil unvollständig überl. ist ([1] erwägt eine Ergänzung: ἰχθύς/*ichthýs*, ἐλπίς/*elpís*). Während für den ersten Teil des Textes eine frühe Entstehung diskutiert wird (2. Jh. n. Chr.?), stammt das gesamte Epigramm aus dem 4. Jh. Seine PN belegen die Beziehungen des gallischen zum kleinasiat. Christentum; die Inschr. ist selbst wahrscheinlich ein interessanter Beleg für Theologie und Frömmigkeit der Eucharistie.

→ Elpis; Ichthys [1]

1 M. GUARDUCCI (Hrsg.), Epigrafia greca, Bd. 4: Epigrafi sacre pagane e cristiane, ²1995, 487 (¹1978).

F. J. DÖLGER, ΙΧΘΥΣ I, 1910, 12–15, 177–183 · Ders., Die Eucharistie nach Inschr. frühchristl. Zeit, 1922, 63–71 · J. ENGEMANN, s. v. Fisch, RAC 7, 1969, 1031 f. · C. M. KAUFMANN, Hdb. der altchristl. Epigraphik, 1914, 178–180 (Abb.).   C. M.

Pelagios (Πελάγιος).

[1] Mitschüler und Freund des → Libanios, vertrat 357 n. Chr. seine Heimatstadt Kyrrhos (in der Euphratensis) vor → Constantius [2] II. in Italien; etwa 382 war er *consularis Syriae*, er starb 393 (an ihn sind Lib. epist. 1325 und 1334 gerichtet). Nichtchrist. PLRE 1, 686 (P. 1).

[2] *Silentiarius* (→ silentiarii), trat als Epiker und wohl auch Historiker hervor. Unter den Kaisern Leo(n) [4] I. und → Zenon als → patríkios bezeugt. 479 n. Chr. war P. als Gesandter bei dem Ostgoten Theoderich Strabo. Er galt als Kritiker des Kaisers. Laut späteren, vielleicht stilisierten Erzählungen von Zenon als angeblicher »Heide« getötet, da dem Kaiser geweissagt worden sei, ein *silentiarius* werde sein Nachfolger werden. PLRE 2, 857 f.   H. L.

[3] *Vicarius ducis*, d. h. des *dux* Sergios, in der nordafrikan. Prov. Tripolitana, kämpfte unter dem → *patríkios* → Solomon gegen den rebellischen Berberführer Antalas, der beide im Frühjahr 544 n. Chr. besiegte.

1 PLRE 3, 988 Nr. 1 2 STEIN, Spätröm. R. 2, 548.   F. T.

[4] Pelagius, aus Britannien stammend (Aug. epist. 186,1), war schon lange in Rom, als er 409/10 n. Chr. kurz vor der Belagerung der Stadt durch Alaricus [2] über Sizilien und Africa nach Palaestina ausreiste (Aug. epist. 179,2; Aug. de gestis Pelagii 46); er hatte sich einen ausgedehnten Bekannten- und Schülerkreis von Bischöfen (→ Orosius, Liber apologeticus 31; Aug. epist. 179,2) und einflußreichen Laien bis hin nach Africa geschaffen (Aug. de gestis Pelagii 46; Hier. epist. 133,4). Seine Theologie wurde beeinflußt durch → Ambrosius, → Hieronymus, → Rufinus den Syrer, durch die Frühschriften des → Augustinus und → Iohannes [4] Chrysostomos. Seine betont antimanichäische (→ Mani) Position in der Verteidigung des freien Willens und seine Abneigung gegen jegliche Art von Fatalismus lassen die Gnade als Hilfe Gottes im Sinne von Augustinus in den Hintergrund treten. Ohne die allg. Heilsbedürftigkeit der Menschheit zu leugnen, distanziert sich P. von einer vererbten Sünde, die wie ein Fatum (→ Schicksal) die Menschen in den Zustand der Verdammnis versetzt.

Diese von Augustinus abweichende Gnadenlehre führte auf den Konzilen von Karthago und Mileve 416 (Aug. epist. 175–177) zur Verurteilung von P. und seinem Parteigenossen Caelestius, der auch Papst → Innocentius I. (402–417) zustimmte (Aug. epist. 181–183). Nach anfänglichem Freispruch verurteilte Papst → Zosimos unter dem Druck des afrikan. Plenarkonzils (Herbst 417) die beiden im Sommer 418 in einem umfangreichen Schreiben [14], nachdem die kaiserliche Kanzlei in Ravenna (30.4.418) und das afrikan. Plenarkonzil (1.5.418) P., Caelestius und ihre Anhänger exkommuniziert hatten. Wieweit die Kirchen von → Antiocheia [1], → Alexandreia [1] und → Konstantinopolis der Verurteilung folgten, ist nicht geklärt. Über das Schicksal des P. nach 418 ist wenig zu erfahren. Verm. wich er nach Ägypten aus, wo er sicher vor 431 starb. Die Interventionen von → Iulianus [16] von Aeclanum bei Zosimos und seinen Nachfolgern sowie am Hof von Ravenna blieben ohne Erfolg, ebenso die Annäherungsversuche in Konstantinopel. Auf dem Konzil von Ephesos wurde P. (postum) zusammen mit Caelestius, Iulianus von Aeclanum, Praesidius, Florus, Marcellianus und Orontius am 17.7.431 aus der kirchlichen Gemeinschaft ausgeschlossen (Coll. Vaticana 82,13; Acta Conciliorum Oecumenicorum 1,1,3, p. 9).

Die kritische Sichtung der echten Werke des P. ist weiterhin unabgeschlossen. Auch die gegenüber [10] schmalere Liste von [9] ist kaum endgültig (vgl. [15]). Außer den Pauluskommentaren [1], dem Demetriasbrief (PL 30,15–45; 33,1099–1120) und dem Glaubensbekenntnis für Innocentius I. (PL 45,1716–1718; PL 48,488–491; PL 39,2181–2183) sind nur Fr. (v. a. bei Augustinus und Hieronymus) unterschiedlicher Genera erhalten (Lehrbrief, theolog. Traktate, Testimoniensammlung).

→ Häresie; Semipelagianismus

1 A. SOUTER (ed.), Expositiones XIII Epistularum Pauli Apostoli, 3 Bde., 1922–1926 (Ndr. 1967) 2 G. BONNER, s. v. P., TRE 26, 1996, 176–185 3 P. BROWN, Rel. and Society in the Age of Saint Augustine, 1972 4 T. S. DE BRUYN, P.'s Commentary on St. Paul's Epistle to the Romans (engl. Übers. und Komm.), 1993 5 R. F. EVANS, Four Letters of P., 1968 6 R. HEDDE, E. AMANN, s. v. Pélagianisme, Dictionnaire de théologie catholique 12, 1933, 675–715 7 A. KESSLER, Reichtumskritik und Pelagianismus (Paradosis 43), 1999 8 R. A. MARKUS, Sacred and Secular. Studies on Augustine and Latin Christianity, 1994 9 F. G. NUVOLONE, s. v. Pélage et Pélagianisme, I. Les écrivains, Dictionnaire de spiritualité, ascétique et mystique 12b, 1986, 2889–2923 10 G. DE PLINVAL, Pélage. Ses écrits, sa vie et sa réforme, 1943 11 B. R. REES, The Letters of P. and His Followers, 1991 12 S. THIER, Kirche bei P. (Patristische Texte und Stud. 50), 1999 13 O. WERMELINGER, Rom und P. (Päpste und Papsttum 7), 1975 14 Ders., Das P.dossier in der Tractoria des Zosimus, in: Freiburger Zschr. für Philos. und Theologie 26, 1979, 336–368 15 Ders., Neuere Forschungsperspektiven um Augustinus und P., in: C. MAYER, K. H. CHELIUS (Hrsg.), Internationales Symposion über den Stand der Augustinus-Forsch. Würzburg, 1989, 189–217.   O. WER.

Pelagones, Pelagonia (Πελαγόνες, Πελαγονία). Bewohner und Landschaft in Nord-Makedonien, die Hochebene zw. dem h. südl. Macedonia und NW-Griechenland, umgeben von Hügelland und Gebirgszügen mit einer Nord-Süd-Erstreckung von ca. 100 km und einer West-Ost-Erstreckung von ca. 20 km. Urspr. bezog man P. nur auf das Gebiet um das h. Prilep am Mittellauf des Erigon (Strab. 7,7,8 f. [1. 283]; Strab. 7a,1,20; 38 f.; 9,5,11.). Es gab vier einfachere Zugänge nach P. In der P. lebten neben den P. u. a. auch die Eordoi (→ Eordaia) und Lynkestes (→ Lynkos). In den hallstattzeitlichen Siedlungen von P. (Visoi-Prilep, Vis, Saraj bei Prod) ist griech. Einfluß seit dem 6. Jh. v. Chr. über maked. Vermittlung festzustellen. Wahrscheinlich bildeten sich in dieser Zeit das pelagon. und lynkestische Königstum heraus (vgl. die Ehrendekrete für zwei Könige: IG II² 110 von 365 v. Chr.; ebd. 190 von 363/2 v. Chr.). Erst Philippos [4] II. konnte P. erobern (um 360 v. Chr.). Er gründete Herakleia [2] als mil. Stützpunkt in P. Nach 168 v. Chr. bildete P. die 4. maked. *merís/regio* (Liv. 45,30,6) und wurde 146 v. Chr. in die röm. Prov. Macedonia mit Herakleia [2] als Hauptstadt eingegliedert (Liv. 45,29,9), in der Spätant. in Pelagonia umbenannt (Hierokles, Synekdemos appendix 3,104).

→ Makedonia (mit Karten)

1 F. PAPAZOGLOU, Les villes de Macédoine à l'époque romaine (BCH Suppl. 16), 1988.

I. MIKULČIĆ, Pelagonija u svetlosti arheoloških nalaza od Egejske seobe do Augusta, 1966 · F. PAPAZOGLU, Inscriptions de Pélagonie, in: BCH 98, 1974, 271–297.

I. v. B.

Pelagonius Saloninus (wohl mit → Salonae im Illyricum zu verbinden) verfaßte gegen 360 n. Chr. die erste lat. Schrift zur Pferdeheilkunde. Von → Apsyrtos [2] übernahm er die Briefform seiner Kapitel, die sich jeweils an (leider nicht mit Sicherheit identifizierbare) hochstehende Gönner wenden. P.' Quellen waren außer lat. → Agrarschriftstellern (Columella, Celsus), die die Pferdemedizin nur summarisch abhandelten, griech. Spezialschriften wie die des Eumelos und Apsyrtos (erh. in den → Hippiatrika). P. wurde seinerseits zur Quelle für die Pferdemedizin des → Vegetius. Wohl schon bald ins Griech. übers., fand er später in die Slg. der Hippiatrika Eingang. Am vollständigsten findet sich der Text in einer im Auftrag POLIZIANOS 1485 kopierten Hs. Sie wird ergänzt durch wenige Fr. in einem Bobbienser Palimpsest (Codices Latini Antiquiores 393, 1. H. 6. Jh.) und einer Veroneser Hs. (16. Jh., W) sowie eine erst jüngst wieder mit P. verbundene Hs. (Codices Latini Antiquiores 876, 8./9. Jh., E), die die 2. H. des Werkes (204 ff.) überl. Die Neufunde E und W sind bei der Textkonstitution bisher nicht berücksichtigt worden und lassen auf neue Einsichten in die Überl.-Gesch. und eine dem Original nähere Textgestalt hoffen.
→ Veterinärmedizin

ED.: K.-D. FISCHER, 1980.
LIT.: Ders., in: HLL, Bd. 5, § 514.
ZU E: P.-P. CORSETTI, Un nouveau témoin de l'Ars veterinaria de P., in: Revue d'histoire des textes 19, 1989, 31–56 · A. ÖNNERFORS, Das medizinische Latein von Celsus bis Cassius Felix, in: ANRW II 37.1, 1993, 380 f. · J. N. ADAMS, P. and Latin Veterinary Terminology in the Roman Empire, 1995 (umfassende neue Darstellung).
ZU W: V. ORTOLEVA, Un nuovo testimone frammentario di Pelagonio, in: Res publica litterarum N. S. 21, 1998, 13–44.

K. D. F.

Pelanos (πελανός), ein mehr oder weniger flüssiger Mehlbrei oder Teig, der auch Honig, Öl, Mohn, Milch oder Wein enthalten konnte, wurde als Opfergabe ins Feuer gegeben und verbrannt bzw. ausgegossen (vgl. Aischyl. Pers. 203 f.; Eur. Ion 226 f.; 705–707). Der *p.* nahm laut Theophrast (bei Porph. de abstinentia 2,29) in seiner histor. Entwicklung immer feinere Formen an. Zuletzt wurde der angerührte Teig zu flachem Brot, Kuchen oder einem Fladen gebacken. Der *p.* wurde aber nie gegessen. Er war als Opfergabe bes. in chthonischen Kulten üblich, z. B. für Ge und die Verstorbenen (Aischyl. Pers. 253 f.) oder die Erinyen (Apoll. Rhod. 4,712–714). Seit dem 4. Jh. v. Chr. war *p.* auch Bezeichnung für Geldspenden an Heiligtümer [1. 250].
→ Opfer (III.)

1 L. ZIEHEN, s. v. πελανός, RE 19, 246–250 **2** P. STENGEL, Die griech. Kultusaltertümer, ³1920, 99, 183, 235.   AL. FR.

Pelarge (Πελαργή). Tochter des Potneus, Gattin des Isthmiades. P. soll zusammen mit ihrem Mann nach dem Epigonenzug und der Einnahme von Theben den ausgesetzten boiotischen Kult der → Demeter Kabeiria und der Kore (→ Persephone) durch die Wiedersetzung der Mysterienweihen der Kabeiraioi (oder Kabeirioi), der Nachkommen der diesen Ort urspr. bewohnenden → Kabeiroi, außerhalb des alten Gebietes erneuert und dafür, gemäß einem Orakelspruch aus Dodona, selbst kult. Verehrung erfahren haben (Paus. 9,25,5–7).

SI. A.

Pelasgisch

s. Griechenland, Sprachen; Vorgriechische Sprachen

Pelasgoi (Πελασγοί, lat. *Pelasgi*). Frühgesch. Volk in Griechenland und vielleicht im nordwestl. Kleinasien, sicher bezeugt für Kreta (Hom. Od. 19,177), Thessalia (durch den Namen der thessal. Pelasgiotis und die Wendung τὸ Πελασγικὸν Ἄργος/ *to Pelasgikón Árgos*, Hom. Il. 2,681) und Epeiros (Bezeichnung des Zeus von Dodona als »pelasgisch«, vgl. Hom. Il. 16,233, vgl. Hes. fr. 319 M.-W.). Die P., die in der ›Ilias‹ (Hom. Il. 2,840 ff.; 10,429; 17,288 ff.) den Troes (→ Troia) Hilfe leisten, sind nicht sicher zu lokalisieren; ihr Hauptort Larisa könnte das pelasgiotische Larisa sein (das im homer. Schiffskat. wohl nicht zufällig fehlt), doch ist der Name Larisa weit verbreitet und begegnet mehrfach auch in Kleinasien.

Immerhin zeigt der Platz der P. an der Seite der Troes, daß sie keine Griechen waren. Das heißt aber nicht, daß sie als ein vorgriech. Volk anzusehen sind; dagegen sprechen schon ihre Wohnsitze im Norden Griechenlands, aber auch die Tatsache, daß man sich ihrer noch im 8. Jh. v. Chr. erinnerte. Ihre Einwanderung fällt wohl erst in die Zeit der letzten großen Wanderungen um die Wende des 2./1. Jt., die auch andere nichtgriech. Völker (→ Kaukones, → Leleges, → Thrakes) nach Griechenland verschlagen haben. Auf eine Herkunft aus dem westl. Balkan weist der Zusammenhang ihres Namens (aus *Pelag-skoi*) mit dem der *Pelagones* in NW-Makedonia (→ Pelagones).

Die griech. Gelehrten allerdings hielten seit der Frühzeit der myth.-genealogischen Studien (vgl. Pherekydes FGrH 2 F 25; Ephor. FGrH 70 F 113) die P. für ein vorgriech., autochthones Volk und setzten es in weiten Teilen Griechenlands an; wieweit etwa in einzelnen dieser Angaben noch echte Überl. steckt, ist kaum auszumachen. Sicher unberechtigt ist die Ausdehnung des Namens der P. auf die vorgriech. Bewohner von Lemnos und Imbros; diese heißen auch Tyrsenoi (→ Tyrrhenoi) und waren nach Ausweis ihrer Inschr. tatsächlich Etrusker. Ob die P., die noch im 5. Jh. v. Chr. an der → Propontis östl. von Kyzikos saßen (Hdt. 1,57,2; Agathokles von Kyzikos FGrH 472 F 2), diesen Tyrsenern zuzurechnen sind oder echte P. waren, bleibt dahingestellt.

Ein Zusammenhang der Pelasgisch (→ Vorgriechische Sprachen) genannten Substratsprache mit den histor. P. läßt sich nicht nachweisen.

F. LOCHNER-HÜTTENBACH, Die Pelasger, 1960.   F. GSCH.

Pelasgos (Πελασγός, lat. *Pelasgus*). Stammherr und Namensgeber der → Pelasgoi, mit unterschiedlichen regionalen Mythen in Arkadia, Argos und Thessalia. Der arkad. P. (1), Sohn von → Zeus und → Niobe, Gatte der
Meliboia oder der Nymphe Kyllene sowie Vater des
→ Lykaon (Apollod. 3,96) ist der erste Bewohner des
Landes, schafft dort als König die kulturellen Grundlagen (Paus. 8,1,4) und stiftet Zeus einen Tempel (Hyg.
fab. 225; dort gilt P. als Sohn des Triopas, auch Paus.
2,22,1). Der argiv. P. (2), Urenkel des → Argos [I 1]
(Hyg. fab. 145), nimmt → Demeter in seinem Haus auf
(Paus. 1,14,2). Unweit der Stelle, an der er selbst später
begraben wird, baut er das Heiligtum der Demeter Pe-
lasgis (Paus. 2,22,1). Sechs Generationen nach P.' (1)
Ansiedlung auf der Peloponnes wandert das Volk nach
Thessalien; einer der Anführer ist ein weiterer P. (3),
Sohn von Poseidon und Larisa, nach fünf Generationen
von dort vertrieben (Dion. Hal. ant. 1,17,1 ff.).   S.T.

Pelatai (πελάται; Sg.: πελάτης, -τας) ist ein allgemeiner
Begriff zur Bezeichnung von Abhängigen in der griech.
Sprache. In solonischer Zeit (E. 7./Anf. 6. Jh. v. Chr.)
hatte er – analog zu → *hektémoroi* in Athen – möglicherweise eine technische Bed. (Aristot. Ath. pol. 2,2).
Diese ist jedenfalls verlorengegangen, denn bereits bei
Platon (Plat. Euthyphr. 4c) bezeichnet *p.* die Saisonar-
beiter, die personenrechtlich frei sind (Poll. 3,82). Damit hatte das Wort eine ähnliche Bed. wie → Theten;
häufig wurden beide Begriffe auch synonym gebraucht.
Ferner bezeichnete *p.* bes. Personen in Abhängigkeits-
verhältnissen im außergriech. Bereich bzw. in Randgebieten, so bei den Illyrern (Theop. FGrH 115 F 40)
und im Bosporanischen Reich (CIRB 976, 151 n. Chr.).
Vor allem wurde das lat. Wort → *clientes* regelmäßig mit
p. übersetzt (vgl. etwa Dion. Hal. ant. 1,81,2; 1,83,3;
2,9,2; 2,10,1 ff.).
→ Penestai

1 M. CHAMBERS, Aristoteles. Staat der Athener, 1990, 144 ff.
2 P. J. RHODES, A Commentary on the Aristotelian
Athenaion Politeia, 1981, 90 f.   H.-J. G.

Peleiades s. Dodona, Dodone (III.)

Pelekes (Πήληκες). Att. Mesogeia-Demos der Phyle
Leontis, mit zwei *buleutaí*. P. bildete mit Kropidai und
Eupyridai eine kult. *trikōmía* (»Dreidörferverband«;
Steph. Byz. s. v. Εὐπυρίδαι; [2. 185 mit Anm. 46]) und
lag daher verm. nördl. des → Aigaleos (beim h. Chassia?
[1. 47]).

1 TRAILL, Attica, 47, 62, 69, 111 Nr. 104, Tab. 4
2 WHITEHEAD, Index s. v. P.   H. LO.

Pelethronion (Πελεθρόνιον). Tal bzw. Ort am Westhang des Gipfels des → Pelion in Thessalia, wo → Chiron aufgewachsen sein soll und wo das Schlangenbiß
heilende Kraut Chironion oder Kentaurion wuchs.
Dichterisch wird daher das Epitheton »pelethronisch«
für Chiron, aber auch allg. für »thessalisch« gebraucht.
Belege: Nik. Ther. 438 ff.; 505; Strab. 7,3,6; Verg. georg. 3,115.

F. STÄHLIN, Das hellenische Thessalien, 1924, 43 f. • Ders.,
s. v. P., RE 19, 269 f.   HE. KR. u. E. MEY.

Peleus (Πηλεύς). Sohn des → Aiakos (Hom. Il. 21,189)
und der Chiron-Tochter Endeis, Bruder des → Tela-
mon (Ov. met. 7,476 f.; vgl. Pind. P. 8,100; bei Phere-
kydes FGrH 3 F 60 sind sie nur Freunde), Gemahl der
Nereide → Thetis, Vater des → Achilleus [1]. Da P. und
Telamon ihren Halbbruder Phokos absichtlich töten
(Alkmaionis F 1 EpGF; Apollod. 3,160), werden sie von
Aiakos aus ihrer Heimat Aigina verbannt. P. geht nach
Phthia zu → Eurytion [4], der ihn entsühnt und ihm
seine Tochter → Antigone [2] zur Frau gibt, mit der P.
→ Polydora [3] zeugt (Pherekydes FGrH 3 F 1b). Die
Verbannung soll erklären, weshalb P. im homer. Epos in
Thessalien beheimatet ist [4. 90–94].

Während der Kalydonischen Jagd tötet P. versehentlich Eurytion, worauf er zu → Akastos nach Iolkos
flieht. Dort unterliegt er bei den Leichenspielen für Pelias im Ringkampf → Atalante (Apollod. 3,106; bei
Hyg. fab. 273,10 siegt er gegen einen nicht genannten
Gegner). Als sich → Astydameia [2] (oder: → Hippolyte
[3]), die Frau des Akastos, in P. verliebt, aber von ihm
zurückgewiesen wird, verleumdet sie ihn zunächst bei
Antigone, die sich erhängt. Dann beschuldigt sie P. vor
Akastos, er habe sie zu verführen versucht (Potipharmotiv; Pind. N. 5,25–36; Apollod. 3,164 f.). Da Akastos
ihn zwar bestrafen, aber seinen Gast nicht ermorden
will, geht er mit P. auf die Jagd und nimmt ihm, während er schläft, sein Messer, worauf er P. am Pelion
zurückläßt, damit ihn Kentauren oder wilde Tiere töten
(Hes. cat. 209). Doch → Chiron rettet P. und gibt ihm
das zuvor gefundene Messer wieder. Anderen Varianten
zufolge erhält P. das Messer erst in diesem Augenblick
von den Göttern geschenkt oder als Kampfpreis bei den
Spielen für Pelias (Aristoph. Nub. 1063 mit schol.). Anschließend zieht P. aus Rache nach Iolkos, das er entweder allein (Pind. N. 3,32–34) oder mit → Iason [1]
und den → Dioskuroi einnimmt; er zerstückelt Astydameia und läßt das Heer über sie in die Stadt einmarschieren (Apollod. 3,173).

Der wichtigste Zug des P.-Mythos ist die Hochzeit
mit → Thetis, die ganz unterschiedlich motiviert wird
[1. 291 f.]: In der »Dankbarkeitsvariante« verweigert
sich Thetis mit Rücksicht auf Hera, die sie aufgezogen
hat, den Werbungen des Zeus, der sie aus Zorn mit einem Menschen vermählen will. Zum Dank sorgt Hera
dafür, daß sie wenigstens den Besten der Sterblichen, P.,
heiratet (dies wohl schon in den *Kýpria*: F 2 EpGF; vgl.
Apollod. 3,169). Nach der »Themisvariante« begehren

Zeus und Poseidon Thetis, verzichten aber zugunsten des P., nachdem → Themis prophezeit hat, daß der Sohn der Thetis stärker werde als sein Vater (Pind. I. 8,28–48; Apoll. Rhod. 4,790–809). Erstmals ist bei Pind. N. 3,35 f. und 4,62–65 der Ringkampf des P. mit Thetis angedeutet, durch den er sie zur Frau gewinnt. Als sie sich dabei in Feuer und einen Löwen verwandelt, hilft ihm nach Apollod. 3,170 Chiron, sie zu fesseln. An der Hochzeit, die auf dem Pelion stattfindet, nehmen die Götter teil und bringen dem P. Geschenke (Hom. Il. 23,277 f.; 24,59–63; Kypria F 3 EpGF; Eur. Iph. A. 704–707; 1076–1079; Catull. 64,265–302). Bald nach der Geburt des Achilleus zieht sich Thetis von P. zurück, nach Apollod. 3,171 weil er sie versehentlich stört, als sie das Kind im Feuer unsterblich machen will. Eur. Andr. 16–20 setzt aber voraus, daß P. und Thetis längere Zeit zusammenleben. P. gibt seinen Sohn Chiron zur Erziehung, der Achilleus schon in Hom. Il. 11,831 f. in der Heilkunst unterrichtet. Im Alter lebt P. allein in Phthia (Hom. Il. 16,15; 19,334–337).

Bei einigen Autoren wird P. von Akastos bzw. dessen Söhnen aus seinem Reich vertrieben (Apollod. epit. 6,13). In Eur. Andr. 1255–1258 verspricht Thetis ihm Unsterblichkeit, bei Pind. O. 2,78 befindet er sich nach dem Tod auf den Inseln der Seligen (→ makárōn nḗsoi). Außer an der Kalydonischen Jagd nimmt P. an der Argonautenfahrt, bei Pind. fr. 172 auch am Zug des Herakles gegen Troia und die Amazonen teil (Eur. Andr. 790–795; Apoll. Rhod. 1,553–558; Apollod. 1,111; Hyg. fab. 14,8).

In der archa. und frühklass. Kunst ist P. einer der am meisten dargestellten Helden, bes. auf att. Vasen des 6. und 5. Jh. v. Chr. Am beliebtesten ist hierbei die Gewinnung der Thetis, zumal der Ringkampf [3. 268].

1 A. LESKY, s. v. P., RE 19, 271–308 2 J. MARCH, The Creative Poet, in: BICS Suppl. 49, 1987, 3–26
3 R. VOLLKOMMER, s. v. P., LIMC 7.1, 251–269
4 A. ZUNKER, Untersuchungen zur Aiakidensage auf Aigina, 1988, 90–120.					J. STE.

Pelias (Πελίας). Rechtmäßiger König von → Iolkos, Sohn der → Tyro und des → Poseidon, Zwillingsbruder des → Neleus [1] (Hom. Od. 11,241 ff.; Hes. cat. 30 ff.), Gatte der Anaxibia oder Phylomache, Vater des → Akastos und mehrerer Töchter (Peliádes), u. a. der → Alkestis (Apollod. 1,95). Die unverheiratete, bei ihrem Onkel → Kretheus und dessen Frau → Sidero lebende Tyro setzt die Zwillinge P. und Neleus bei der Geburt aus. Nach ihrer Rettung und Wiedererkennung tötet P. Sidero auf einem Hera-Altar, wodurch er sich Heras Feindschaft zuzieht (Apollod. 1,90 ff.; Soph. Tyro), so daß er als Frevler gilt (hybristḗs: Hes. theog. 995 f.; Mimn. fr. 10,3 GENTILI-PRATO [1. 40 f., 64 ff.]). Tyro heiratet Kretheus, der mit ihr Aison, Pheres und Amythaon zeugt (Hom. Od. 11,258 f.; Hes. cat. 38 ff.). Nach Kretheus' Tod vertreibt P. Neleus (Apollod. 1,93) und wird als ältester Sohn rechtmäßiger König von Iolkos (Hom. Od. 11,256 f.; Hes. cat. 37,17 ff.; Apollod. 1,107;

Apoll. Rhod. 1,3; Val. Fl. 1,22 [1. 102 ff., 297 ff., 328 ff.]; nur bei Pind. P. 4,106 ff. ist Aison als ältester legitimer Tyro-Sohn König, der von P. abgesetzt wird [1. 150 ff.]).

Bei Machtantritt warnt ein Orakel P. vor dem »Einschuhigen«, weil Hera sich durch ihren Kultanhänger → Iason [1] mit Hilfe der → Medeia an P. rächen will (Pherekydes FGrH 3 F 105; Apollod. 1,107; Apoll. Rhod. 3,64 f.; 4,242 f.) bzw. P. für den Thronraub bestraft werden soll (Pind. P. 4,71 ff.; → Argonautai). Nach Rückkehr aus → Aia überredet Medeia die Pelias-Töchter, ihren Vater, den sie durch Kochen zu verjüngen verspricht, dafür zu zerstückeln; dann erweckt sie ihn aber nicht zu neuem Leben (Apollod. 1,144; Eur. Peliades; Diod. 4,50 ff.; Ov. met. 7,297 ff. [2; 3; 4. 94 ff.; 5]). Akastos veranstaltet Totenspiele für P. (Apollod. 1,143 f.; 3,106; 164), die in Epen und auf der → Kypseloslade behandelt waren [2. 322 ff.; 4. 100 ff.; 6].
→ Medeia

1 P. DRÄGER, Argo pasimelousa, 1993 2 K. SCHERLING, s. v. Peliades/P., RE 19, 308–317/317–326 3 H. MEYER, Medeia und die Peleiaden, 1980 4 M. VOJATZI, Frühe Argonautenbilder, 1982 5 E. SIMON, s. v. Peliades/P., LIMC 7.1, 270–273/273–277 6 R. BLATTER, s. v. Peliou Athla, LIMC 7.1, 277–280.					P. D.

Pelikan (πελεκάν, Gen. -ᾶνος/pelekán, -ános, zu unterscheiden von πελεκᾶς, -ᾶντος/pelekás, -ántos = »Specht« bei Aristoph. Av. 884 und 1155; auch πελεκῖνος/pelekínos). Manche deuten diesen Namen aber auch als Löffler (Platalea leucorodia). Das lat. Lehnwort pelicanus verwendet erst Vulg. Ps 101,7. Im Gegensatz zu den Römern war er den Griechen (z. B. Aristot. hist. an. 7(8),12,597a 9–13) als Brutvogel im Donaudelta (so auch h. noch) und Muschelfresser (Aristot. hist. an. 8(9),10,614b 26–30; Ail. nat. 3,20; Dion. ixeuticon 2,7: [1. 28 f.]) bekannt, der seine Nahrung im Kehlsack transportieren kann. Daß er (wie der Storch) seine Eltern füttere und die Wachtel hasse, behauptet Ail. nat. 3,23 bzw. 6,45. Die oriental. Vorstellung, der P. töte seine Jungen und opfere später sein eigenes Blut, um sie wiederzubeleben, lebt durch die Beziehung auf Christus (Physiologus 4) in der christl. Trad. fort [2]. → Boios überl. die Sage der Verwandlung des myth. Architekten → Polytechnos in einen P. (Antoninus Liberalis 11,10), was sich aber eher auf den Specht beziehen könnte. Die Erwähnung auf einem Speisezettel beim Komiker Anaxandrides (fr. 41,66 KOCK bei Athen. 4,131 f) ist nicht ernst gemeint.

1 A. GARZYA (ed.), Dionysii ixeuticon libri, 1963
2 C. GERHARDT, Die Metamorphosen des P., 1979 (= Trierer Stud. zur Lit. 1).

KELLER 2, 237–239.					C. HÜ.

Pelike s. Amphora [1]; Gefäße, Gefäßformen/-typen

Pelinna (Πελίννα). Stadt in der thessal. Hestiaiotis (Pind. P. 10,4 wie Strab. 9,5,17: Πελινναῖον; bei Steph. Byz. s. v. Π. irrtümlich Lokalisierung in der Phthiotis, ebenso bei Plin. nat. 4,32: *Magnesia*), h. Paliogardiki östl. von Taxiarches (15 km östl. von Trikala); gut erh. 3,2 km langer Mauerring mit 59 ha Fläche. Selbständige Bed. gewann P. erst im 4. Jh. v. Chr.; so erscheinen jetzt Pelinnaioi in delphischen Inschr. öfter als *naopoioí* (→ Tempelwirtschaft) oder → *hieromnémones* (vgl. Syll.³ p. 340f. bzw. 444f.). P. stand im → Lamischen Krieg (Diod. 18,11,1) auf maked. Seite (Polyain. 4,2,19). Im → Syrischen Krieg 192/1 v. Chr. wurde P. von Amynandros und Antiochos [5] III. erobert, von Rom und Philippos [7] V. anschließend zurückerobert (Liv. 36,10,5; 13,7; 14,3). Im MA erscheint P. unter dem ON Γαρδίκιον/*Gardíkion* als Bischofssitz (Not. episc. 3,505; 10,611; 13,462).

> J. C. DECOURT, La vallée de l'Enipeus en Thessalie, 1990, s. Index · H. KRAMOLISCH, s. v. Pelinnaion, in: LAUFFER, Griechenland, 523 · F. STÄHLIN, s. v. P., RE 19, 327–338 (Quellen) · KODER/HILD, 161.　　　　　HE. KR. u. E. MEY.

Pelion (Πήλιον). Das in NW/SO-Richtung streichende, aus verschiedenen Schiefern und Kalken gebildete Gebirge, das Thessalia (→ Thessaloi) im Osten abschließt und im Alt. von der Ossa [1] bis zum Vorgebirge Sepias die Halbinsel Magnesia [1] bildete; im engeren Sinne bezeichnete P. im Alt. den Hauptgipfel (Pliassidi; 1624 m). Der östl. Abfall gegen das Meer ist schroff, gänzlich hafenlos und war in der ant. Seefahrt gefürchtet. Das dicht bewaldete P., die Heimat des Kentauren → Chiron (→ Pelethronion), war berühmt wegen seiner zahlreichen Heilkräuter; es weist noch h. größere Eichen-, Kastanien- und Buchenwälder auf, in den unteren Lagen und am Fuß v. a. Obst- und Olivenbäume. Am Hauptgipfel lagen hl. Bezirk und Tempel des Zeus Akraios und die Höhle des Chiron mit Heiligtum. Eine ausführliche Beschreibung liefert Herakleides Kretikos fr. 2 (vgl. auch Hom. Il. 2,757; 16,143f.; Hom. Od. 11,316).

> PHILIPPSON/KIRSTEN I, 137–149 · F. STÄHLIN, s. v. P., RE 19, 339–341 · KODER/HILD, 233f.　　　　　HE. KR. u. E. MEY.

Pella (Πέλλα).
[1] Seit ca. 400 v. Chr. unter Archelaos [1] Residenzstadt der maked. Könige beim h. Palea P., in ant. Zeit vom Meer aus über den → Lydias zu Schiff erreichbar. Schon im 4. Jh. v. Chr. größte maked. Stadt (Xen. hell. 5,2,13) mit systematisch angelegtem Straßensystem, wurde P. infolge des unter Philippos [4] II. und Alexandros [4] d. Gr. zunehmenden Reichtums privat wie öffentlich großzügig ausgebaut. Die kürzlich freigelegte Agora, der → Palast auf einer Anhöhe im Norden der Stadt und die zahlreichen großflächigen Peristylhäuser mit ihren Kieselmosaiken aus dem 4. Jh. bezeugen den Wohlstand der Stadt. In hell. Zeit verfügte P. über eine eigene Kommunalverwaltung und wurde von den Griechen als *pólis* anerkannt. 242 v. Chr. erkannte P. die → *asylía* von Kos an ([1]; → *ásylon*). Gegen E. des 3. Jh. nahm P. *theōroí* (→ *theōría*) von → Delphoi auf [2. 17 Z. 61]. Nach der Beseitigung der maked. Monarchie durch die Römer (168 v. Chr.; 3. → Makedonischer Krieg) wurde P. Hauptstadt der dritten maked. *merís* (*regio*, Liv. 45,29,9), doch verlegte kurz nach Einrichtung der Prov. Macedonia (148) die röm. Verwaltung ihren Sitz nach → Thessalonike, und P. sank trotz der Lage an der neuen → Via Egnatia zur Bedeutungslosigkeit herab. Von Erdbeben im 1. Jh. v. Chr. verursachte Schäden im Agora-Bereich wurden nicht behoben. Die Gründung einer röm. Veteranenkolonie außerhalb des alten Stadtareals um 40 v. Chr. (verstärkt durch ital. Zuwanderer unter Augustus: Cass. Dio 51,4), die nach 27 v. Chr. den stolzen Namen *colonia Iulia Augusta* P. trug, konnte diesen Bedeutungsverlust nur mühsam aufhalten. Gegen 100 n. Chr. empfand Dion Chrysostomos (33,27) P. als ›einen Haufen kaputter Keramik‹, etwas später betonte Lukianos (Alexandros 6) die geschrumpfte Einwohnerzahl. Ausgrabungen, die bislang nur wenige Befunde aus der Kaiserzeit erschlossen haben, scheinen diesen Eindruck zu bestätigen. Dennoch wurden bis Gordianus [1] dort Br.-Mz. geprägt [3. 99 Nr. 30–36], was die Fortsetzung einer funktionierenden Ortsverwaltung bis ins 3. Jh. n. Chr. belegt.

Aus P. stammten die Dichter Paulinus [4] und Poseidippos.

→ Makedonia

> 1 R. HERZOG, G. KLAFFENBACH, Asylieurkunden aus Kos, 1952, Nr. 7 **2** A. PLASSART, Inscriptions de Delphes, in: BCH 45, 1921, 1–85 **3** H. GAEBLER, Die ant. Mz. Nordgriechenlands, Bd. 3,2, 1935.

> V. HEERMANN, Stud. zur maked. Palastarchitektur, 1980 · M. LILIBAKI-AKAMATI, P., in: S. DROUGOU (Hrsg.), Hellenistic Pottery from Macedonia, 1991, 94–99 · F. PAPAZOGLOU, Les villes de Macédoine, 1988, 135f. · F. M. PETSAS, P., 1978 · H. F. VOGELBECK, Griech. Mosaike aus P., in: Antike Welt 12/3, 1981, 13–16.　　　　　MA. ER.

[2] (arab. Ṭabaqāt Faḥl). Ort 30 km südl. des Sees Genezareth und 4 km östl. des Jordan, dessen günstige Lage eine Besiedlung seit dem präkeramischen Neolithikum erlaubte. Als *Pi-ḥȝ-w-m* erscheint P. in ägypt. Texten seit dem 19. Jh. v. Chr. Arch. Funde ägypt. und zypriotischer Provenienz bezeugen die Beziehung P.s zu Ägypten bis in die Spät-Brz. Unter den → Seleukiden wurde der Ort in Erinnerung an Alexandros [4] d. Gr. in *Pélla* umbenannt. Eine Phase des Wohlstandes seit 200 v. Chr. endete mit der Zerstörung durch den Hasmonäer → Alexandros [16] Iannaios (83/2 v. Chr.). Erst seit dem E. des 1. Jh. v. Chr. belegen öffentliche Bauten ein Wiederaufleben von P. unter röm. Herrschaft (mit eigener Mz.-Prägung seit 82 n. Chr.). P.s Stadtgebiet erreichte im 6. Jh. n. Chr. sein größtes Ausmaß (drei Kirchen, Militärbauten, Weiler in der Umgebung). Wohlstand ermöglichte den Handel mit entfernten Orten des byz. Reiches. P. erlebte den Übergang zur islam. Herrschaft als lokales Zentrum der neuen Prov. *al-Urdunn* mit gemischter christl. und muslimischer Bevölkerung. Schäden des Erdbebens von 717 n. Chr. wurden allerdings nicht mehr repariert, und ein weiteres Erdbeben 747 besiegelte das E. der Stadt.

R. H. Smith, s. v. P., New Encyclopedia of Archaeological Excavations in the Holy Land, Bd. 3, 1993, 1174–1180 · J. B. Hennessy, R. H. Smith, s. v. P., Oxford Encyclopedia of Archaeology in the Near East, Bd. 4, 1997, 256–259. T. L.

Pellana

[1] (Πελλάνα, Πελλήνη). Perioikenstadt (→ *períoikoi*) nordwestl. von → Sparta am Eurotas (Xen. hell. 7,5,9; Pol. 3,21,2f.; 4,81,7; 16,37,5; Diod. 15,67,2; Strab. 8,7,5: κώμη). Lokalisierung unsicher: beim h. Vurlia [1. 371] oder auf dem Paleokastro-Hügel nahe Kastania [2. 125f.] beim h. P. (ehemals Kalyvia). Nach Plut. Agis 8,1 begann an der Schlucht südl. von P. das Spartiatenland. Paus. 3,21,2 erwähnt bei P. eine Quelle und einen Asklepioskult. Einen Kult der → Dioskuroi bezeugt Alkm. fr. 14 B.

1 J. G. Frazer, Pausanias' Description of Greece, Bd. 3, 1898 2 H. Waterhouse, R. Hope Simpson, Prehistoric Laconia II, in: ABSA 56, 1961, 114–175. Y. L. u. E. O.

[2] Stadt in Arkadia (Plin. nat. 4,20: *Pallene*), vom Schol. zu Apoll. Rhod. 1,177 ausdrücklich gegen P. [1] abgesetzt. Nach Paus. 6,8,5 lag P. in der arkadischen Landschaft → Azania. Genauer nicht zu lokalisieren.

[3] (τὰ Πέλλανα). Mit P., einem der Orte, die → Agamemnon dem → Achilleus [1] als Kompensation für → Briseis anbot, identifizierten nach Strab. 8,4,5 manche Enope; man hat den Ort nach Hom. Il. 9,153 also an der Ostküste des Messenischen Golfs zu suchen. E. O.

Pellene

Pellene (Πελλήνη, Πελλάνα, Ethnikon Πελληνεύς, Πελλανεύς). Stadt im äußersten Osten von Achaia (→ Achaioi, mit Karte), westl. von → Sikyon (Paus. 7,26,12–27,12). P. befand sich seit myk. Zeit (ON vorgriech., Hom. Il. 2,574) bis ins 7./6. Jh. v. Chr. möglicherweise an der Stelle der von Strab. 8,7,5 erwähnten gleichnamigen *kṓmē*. Die Stadt befand sich in dauernden Auseinandersetzungen mit Sikyon (POxy. 11,1365; 10,1241; Ail. var. 6,1), in deren Verlauf sie zerstört, verlassen und aus dem → *synoikismós* mehrerer Dörfer (Strab. 8,7,5) zw. den Flußtälern des Sythas und des Krios östl. und westl. des Palati (801 m H) im Westen vom h. Zougra wiedererrichtet wurde.

Das Stadtgebiet ist stark zerklüftetes Bergland, aber gut bewässert und anbaufähig. Hier finden sich überwiegend röm. und spätant. Reste, z. B. der Stadtmauer, eines Theaters und eines dor. Tempels des 5./4. Jh. v. Chr.

P. gehörte zu den zwölf alten Städten von Achaia (Hdt. 1,145; Pol. 2,41,8; Paus. 7,6,1; Strab. 8,7,5), war in klass. Zeit grundsätzlich mit → Sparta (vgl. Thuk. 2,9,2; Xen. hell. 4,2,20), nur nach der Schlacht bei Leuktra

(371 v. Chr., Xen. hell. 7,1,18; 2,2) zwangsweise mit → Thebai verbündet, was zu einem demokratischen Verfassungsumsturz führte (Xen. hell. 1,42f.) und verlustreiche Kämpfe mit → Phleius mit sich brachte (Xen. hell. 7,2,11ff.). Seither bestanden enge Beziehungen zu Athen (vgl. IG II² 220). Zur Zeit Alexandros' [4] d. Gr. erlebte P. die Tyrannis des Platon-Schülers Chairon [4] (Demosth. or. 17,10; Athen. 11,509b; Paus. 7,27,7). Vereinzelte lit. Notizen (zweier mißglückter Überfälle der Aitoloi: Pol. 4,8,4 bzw. 4,13,5; im J. 225 von Kleomenes III. erobert: Pol. 2,52,2; Plut. Kleomenes 17,3; Plut. Aratos 39,3; Verheerungen im 2. → Makedonischen Krieg: Liv. 33,14,7; 15,2; 14) ergeben kein geschlossenes Bild der Gesch. der Stadt in hell. Zeit, die sich in röm. Zeit nach Schilderungen (Strab. l.c.; Paus. l.c.), Mz. (HN 415; 417) und arch. Resten durch bes. Wohlstand auszeichnete (Schafzucht, Weinbau).

E. Meyer, s. v. P., RE 19, 354–366 · Ders., s. v. P., RE Suppl. 9, 825 · A. K. Orlandos, Ἀνασκαφαὶ ἐν Πελλήνῃ, in: Praktika (1931) 1932, 73–83; (1932) 1933, 62f. · M. Osanna, Santuari e culti dell'Acaia antica, 1996, 277–301 · J. Hopp, s. v. P., in: Lauffer, Griechenland, 525f. · Müller, 825f. Y. L. u. E. O.

Pellio s. Leder

Pelodes limen (Πηλώδης λιμήν), h. Liqeni i Butrintit. See in der Umgebung von → Buthroton (h. Butrint). Der fischreiche P. l. steht über einen schmalen Wasserarm mit dem → Ionios Kolpos in Verbindung. Belegstellen: Strab. 7,7,5; Ptol. 3,14,4.

R. Hodges u. a., Late-Antique and Byzantine Butrint: Interim Report on the Port and its Hinterland (1994–95), in: Journal of Roman Archaeology 10, 1997, 207–234. K. F.

Pelopeia

Pelopeia (Πελόπεια, Πελοπία).

[1] Tochter des → Pelias und der Anaxibia oder Phylomache (Apollod. 1,95; Hyg. fab. 24). Von → Ares Mutter des → Kyknos [1] (Apollod. 2,155).

[2] Tochter des → Thyestes, von diesem Mutter des → Aigisthos, der an → Atreus die Ermordung der Söhne des Thyestes rächt. Die Erzählung vom Inzest des Thyestes gehört zum Mythenkomplex über die Nachkommen des → Pelops. Der Inzest wird oft erwähnt (z. B. Ov. Ib. 359; Sen. Ag. 293; schol. Eur. Or. 14) und war vielleicht Thema einer nicht mehr erh. Trag. des Sophokles (Thyestes in Sikyon, TrGF IV fr. 247). Der Erzählzusammenhang der erst späten Überl. ist unklar: Nach Ps.-Apollod. epit. 2,14 erhält Thyestes ein Orakel, daß sich der Sohn, den er mit P. zeuge, für ihn an Atreus rächen werde (vgl. schol. Eur. Or. 15; Hyg. fab. 87). Nach Hyg. fab. 88 flieht Thyestes nach der Ermordung seiner Kinder zu Thesprotos nach Sikyon. Dort vergewaltigt er P., die dort erzogen wird. Atreus kommt nach Sikyon, wo ihm Thesprotos die schwangere P. zur Frau gibt. Sie setzt Aigisthos nach der Geburt aus, doch dieser wird zurückgebracht und von Atreus als Sohn aufgezogen. Als Aigisthos erfährt, wer sein Vater ist, tötet sich P. Darauf ermordet Aigisthos den Thyestes (vgl. auch Serv. Aen. 11,262; Sen. Ag. 28–30).

O. Höfer, s. v. P., Roscher 3.2, 1902–1909 • K. Keyssner, s. v. P., RE 19, 374–375 • P. Xourgia, s. v. P., LIMC 7.1, 280 f.

K. WA.

Pelopidas (Πελοπίδας).
Vornehmer Thebaner, Sohn des Hippokles, nach → Epameinondas der herausragende Feldherr und Politiker des Boiotischen Bundes während der Thebanischen Hegemonie (s. → Boiotia, Boiotoi mit Karte).

Im J. 382 v. Chr. war P. ein junger Mann, sein Geburtsjahr ist daher wohl um 410 anzusetzen. Als Anhänger der demokratischen Faktion des → Ismenias [1] floh er infolge der spartanischen Besetzung der Kadmeia (s. → Thebai) nach Athen und organisierte von dort maßgeblich den Widerstand gegen das Regime des → Leontiades [2] (Plut. Pelopidas 7; vgl. Diod. 15,81,1). Im Dez. 379 drangen die Verschwörer in Theben ein und entfesselten einen Aufstand, der in die Befreiung Thebens und die Wiederherstellung des Boiot. Bundes mündete ([2. 97 f.] mit Quellen). P. wurde umgehend zu einem der sieben neu berufenen → Boiotarchen gewählt (bis zu seinem Tod bekleidete er das Amt fast durchgehend: Diod. 15,81,4 mit [4. 501]) und erhielt das Kommando über die Elitetruppe der »Heiligen Schar« (Siege bei Tegyra 375 und Leuktra 371). Nach dem ersten Peloponneszug des Epameinondas (371/70) strengte die Faktion des → Menekleidas einen polit. motivierten Prozeß gegen P. und die anderen Boiotarchen an, der im Sande verlief [3].

369 und 368 unternahm P. Hilfsexpeditionen nach Thessalien, um → Alexandros [15] von Pherai zurückzudrängen, geriet aber in dessen Gefangenschaft [1. 110–129]. Von Epameinondas 367 befreit, führte P. noch im selben J. eine Gesandtschaft zu Artaxerxes [2], die den Weg für eine → koinế eirḗnē unter der Regie Thebens ebnen sollte. Seine Ambitionen wurden jedoch von den thebanischen Bundesgenossen unterwandert ([5. 82–90] mit Quellen). Im J. 364 rief das Thessalische Koinon (→ Koinon I.) erneut P. zu Hilfe und übertrug ihm jetzt auch die Strategie über die Bundesstreitmacht. Alexandros [15] wurde endgültig nach Pherai zurückgedrängt, allerdings fiel P. in der Entscheidungsschlacht von → Kynoskephalai (Plut. Pelopidas 32; Diod. 15,80,4 f.). Ihm wurden postume Ehren des Thessalischen Bundes zuteil (u. a. Statue des → Lysippos [2] in Delphoi [6. 216–222]). Plutarchs P.-Vita (Hauptquelle: Ephoros) und die Vita des Epameinondas (verloren) stilisierten zusammengenommen das Bild eines idealen Staatsmannes (P.: Tapferkeit und jugendliches Charisma; Epameinondas: philos. Bildung) [6].

→ Thebai [1]

1 J. Buckler, The Theban Hegemony, 1980 2 H. Beck, Polis und Koinon, 1997 3 J. Buckler, Plutarch on the Trials of P. and Epameinondas, in: CPh 73, 1978, 36–42 4 P. J. Stylianou, A Historical Commentary on Diodorus Siculus

Book 15, 1998 5 M. Jehne, Koine Eirene, 1994 6 A. Georgiadou, Plutarch's P. (Beitr. zur Altertumskunde 105), 1997.

HA. BE.

Peloponnesischer Bund.
Mod. Bezeichnung für eine von → Sparta geführte Gruppe verbündeter Staaten, die vom 6. Jh. bis 365 v. Chr. Bestand hatte. Der Bund umfaßte in Wirklichkeit niemals die gesamte Peloponnes (→ Argos [II 1] weigerte sich beständig, Spartas Vorrang anzuerkennen), nahm jedoch zuweilen auch Staaten außerhalb der Peloponnes auf (z. B. → Boiotia im J. 421 v. Chr.: Thuk. 5,17,2). Er begann sich Mitte des 6. Jh. zu formieren, als Sparta seine Politik der Expansion durch Eroberung und direkte Annexion aufgab und das benachbarte → Tegea zu seinem ersten Verbündeten machte (Hdt. 1,65–68; vgl. 9,26). Einige neuere Forsch. warnen davor, den P. B. vor der Mitte des 5. Jh. als eine feste Organisation zu sehen ([2]; vgl. [7. 54–60]), doch liegt es näher, ihm zu keinem Zeitpunkt einen allzu hohen Grad an Organisation zuzusprechen ([5]; anders [3] und [4]). Vielmehr sollte man die entscheidende Wende um 505 v. Chr. ansetzen: Davor (um 506) rief der spartan. König → Kleomenes [3] die Peloponnesier dazu auf, sich einem (letztlich mißglückten: Hdt. 5,74–76) Angriff auf Athen anzuschließen, danach aber (504?) schlugen die Spartaner einer von ihnen einberufenen Versammlung der Bündner vor, → Hippias [1] in Athen wieder an die Macht zu bringen, gaben aber angesichts des Widerstandes den Plan auf (Hdt. 5,91–93).

Der P. B. war eine Allianz zur Durchsetzung außenpolit. Ziele. Formal verpflichteten sich die Mitglieder wohl, die gleichen Freunde und Feinde wie Sparta zu haben und zu folgen, wohin immer Sparta sie führen werde. Sparta übernahm die Initiative, und die Bündner unternahmen von sich aus keinen Feldzug ohne Spartas Einwilligung; es war jedoch anerkannt, daß sowohl Sparta als auch die anderen Mitglieder an eine Mehrheitsentscheidung gebunden waren, falls sie nicht rel. Hindernisse vorbringen konnten (vgl. Thuk. 1,87; 5,30). Die Mitgliedschaft im P. B. schwankte: So befanden sich z. B. → Elis [1] und einige → Arkades in den 470er–460er J. im Konflikt mit Sparta; 421 weigerten sich einige Mitglieder, den Frieden des → Nikias [1] zu beschwören, und bildeten einen eigenen Bund mit Argos. Auch mochten einzelne Bündner lokale Kriege gegeneinander führen (z. B. 423/2 Mantineia und Tegea: Thuk. 4,134).

Obwohl Sparta als ein Verfechter der → oligarchía gesehen wurde, griff es vor dem Ende des 5. Jh. gewöhnlich nicht in die inneren Angelegenheiten von Mitgliedsstaaten ein; als jedoch 421–420 die von Elis abhängigen Bewohner von → Lepreon sich an Sparta wandten und die Eleier Spartas Schiedsspruch nicht akzeptierten, intervenierte Sparta mil. zugunsten von Lepreon (Thuk. 5,31; 34; 49 f.). Nach dem → Peloponnesischen Krieg mischte sich Sparta zunehmend ein; es führte z. B. 402–400 Krieg gegen Elis, bestand 385 auf einer Auflösung der Polis → Mantineia in einzelne Dörfer (dioikismós) und griff zwischen 391 und 379 mehrfach in → Phleius ein. 382 errichtete es in → Thebai, das bis vor kurzem kein Bundesgenosse Spartas war, ein prospartan. Regime. Seit 382 erlaubte Sparta seinen Bündnern, einen Feldzug durch finanzielle Leistungen zu unterstützen, anstatt selbst daran teilzunehmen (Xen. hell. 5,2,21 f.); in den 370er J. gliederte Sparta alle seine Verbündeten in eine neue mil. Organisation ein (Diod. 15,31).

Nach Spartas Niederlage gegen die Boiotier bei Leuktra 371 war es nicht mehr stark genug, um seine Bundesgenossen unter Kontrolle zu halten. Mantineia konnte 370 nicht daran gehindert werden, sich wieder zusammenzuschließen; 365 zerfiel der P.B. endgültig, als Korinth und andere Mitglieder einen Vertrag mit den Boiotiern schlossen, dem Sparta selbst nicht beitrat.

→ Peloponnesos; Sparta

1 E. BALTRUSCH, Symmachie und Spondai, 1994, 19–30
2 G. L. CAWKWELL, Sparta and Her Allies in the Sixth Century, in: CQ 43, 1993, 364–376 3 G. E. M. DE STE. CROIX, The Origins of the Peloponnesian War, 1972, 96–124; 333–342 4 J. A. O. LARSEN, The Constitution of the Peloponnesian League, in: CPh 28, 1933, 257–276; 29, 1934, 1–19 5 J. E. LENDON, Thucydides and the Constitution of the Peloponnesian League, in: GRBS 35, 1994, 159–177 6 K. TAUSEND, Amphiktyonie und Symmachie, 1992, 167 ff. 7 L. THOMMEN, Lakedaimonion Politeia, 1996.　　P. J. R.

Peloponnesischer Krieg

A. BEZEICHNUNG
B. URSACHEN UND ANLÄSSE
C. ARCHIDAMISCHER KRIEG (431–421)
D. NIKIASFRIEDEN UND ZWISCHENKRIEGSZEIT (421–414/3)
E. DEKELEISCH-IONISCHER KRIEG (414–404)
F. AUSWIRKUNGEN

A. BEZEICHNUNG

Als P. K. wird in erster Linie die mil. Auseinandersetzung Athens und seiner Bündner (→ Attisch-Delischer Seebund) mit Sparta und dessen Bundesgenossen (→ Peloponnesischer Bund) zwischen 431 und 404 v. Chr. bezeichnet. Die Bezeichnung P. K. (*Peloponnēsiakós pólemos*) taucht zuerst bei Diodoros [18] auf (12,37,2; 13,107,5 u. ö.), ist Cicero bereits geläufig (Cic. rep. 3,44: *magnum illud Peloponnesiacum bellum*), geht aber wohl auf Ephoros oder einen hell. Chronographen zurück [3. 60 Anm. 65; 5. 294 f.]. Thukydides spricht vom ›Krieg der Peloponnesier und Athener‹ (Thuk. 1,1,1) oder vom ›Krieg gegen die Athener‹ bzw. ›gegen die Peloponnesier‹. Die Hauptquelle für den P. K. ist → Thukydides (bis zum J. 411), für seine letzten J. liegt v. a. der Bericht Xenophons (hell. 1,1–2,2) und Diodoros' (13) vor. Trotz der bereits in der Ant. üblichen und auch von Thukydides benutzten [5. 295] Gliederung des P. K. in einzelne Abschnitte (s. u.) betont Thukydides die Einheit dieses 27jährigen Krieges (z. B. 5,26), den er für die ›größte Erschütterung‹ (1,1: *kínēsis . . . megístē*) für die Griechen und einen Teil der → Barbaren hält.

In der mod. Forsch. dient der Name P. K. auch als Bezeichnung für den sog. Ersten Peloponnesischen Krieg, der in Reaktion auf das Bündnis zwischen Athen und Megara [2] seit 460 v. Chr. von Korinth und seinen Bündnern (v. a. Aigina) im Saronischen Golf, seit 458 auch von Sparta in Boiotia gegen Athen geführt wurde. Dieser Krieg schloß 451 mit einem von → Kimon [2] vermittelten Waffenstillstand und 446 mit einem Dreißigjährigen Frieden zwischen Athen und Sparta [5. 180–199].

B. URSACHEN UND ANLÄSSE

Wegen des mil. Eingreifens Athens zugunsten des von Korinth angegriffenen → Korkyra [1], der Belagerung des von Athen abgefallenen → Poteidaia und des gegen → Megara [2] gerichteten Volksbeschlusses erklärten Sparta und der Peloponnesische Bund 432 v. Chr. den 446 zwischen Athen und Sparta vereinbarten Frieden für gebrochen. Als tiefere Ursache für den Ausbruch des P. K. sind die energisch betriebene Ausweitung des athen. Machtbereichs, der Aufbau eines starken Kriegspotentials sowie die dadurch in Sparta ausgelöste Furcht vor einem bevorstehenden Konflikt anzusehen (Thuk. 1,23,5.6; → Kriegsschuldfrage). Die von Athen und Sparta eingegangenen Bündniszusagen, Bestrebungen Korinths, Thebens und des maked. Königs Perdikkas [2], lokale Konflikte auszunutzen, und die in Athen und Sparta angeheizte Stimmung engten den Spielraum für eine friedliche Beilegung der Konflikte zunehmend ein.

C. ARCHIDAMISCHER KRIEG (431–421)

Benannt nach dem spartan. König Archidamos [1] (zuerst bei Lysias: *Archidámeios pólemos*; bei Thuk. 5,25,1: *dekaetḗs pólemos*, »Zehnjahreskrieg«), der in den J. 431, 430 und 428 die in Attika einfallenden Peloponnesier anführte. Trotz der gewaltigen Schäden hielten sich die Athener an die von → Perikles [1] propagierte Strategie (Thuk. 1,143,4–144,1), vermieden offene Feldschlachten, verhielten sich gegenüber den alljährlich nach Attika eindringenden Peloponnesiern defensiv und versuchten, den Krieg mit der Flotte zu entscheiden. Eine aus dem Orient eingeschleppte Seuche (→ Epidemische Krankheiten II. B.) forderte bes. 430 und 429 zahlreiche Opfer unter der in den Mauerring um Athen und den → Peiraieus evakuierten Bevölkerung (Thuk. 2,47,3–54,5). Als darüber hinaus mil. Siege ausblieben, wurde Perikles seines Amtes als → *stratēgós* enthoben und in einem Prozeß verurteilt. 429/8 zum *stratēgós* wiedergewählt, starb er nach wenigen Wochen. 429 mußte Poteidaia kapitulieren; das 428 abgefallene → Mytilene wurde nach Belagerung in den Seebund zurückgezwungen und hart bestraft (Thuk. 3,35–50). Am Beispiel des Bürgerkriegs in Korkyra dokumentiert Thukydides die Auflösung traditioneller Bindungen und Werte (3,69–83). 426 versuchte der athen. *stratēgós* Demosthenes [1] in Mittelgriechenland, die gegnerische Allianz zu sprengen, blieb aber erfolglos. In einem Überraschungsangriff gelang es jedoch den Athenern, bei → Pylos (425) spartan. Truppen auf Sphakteria ein-

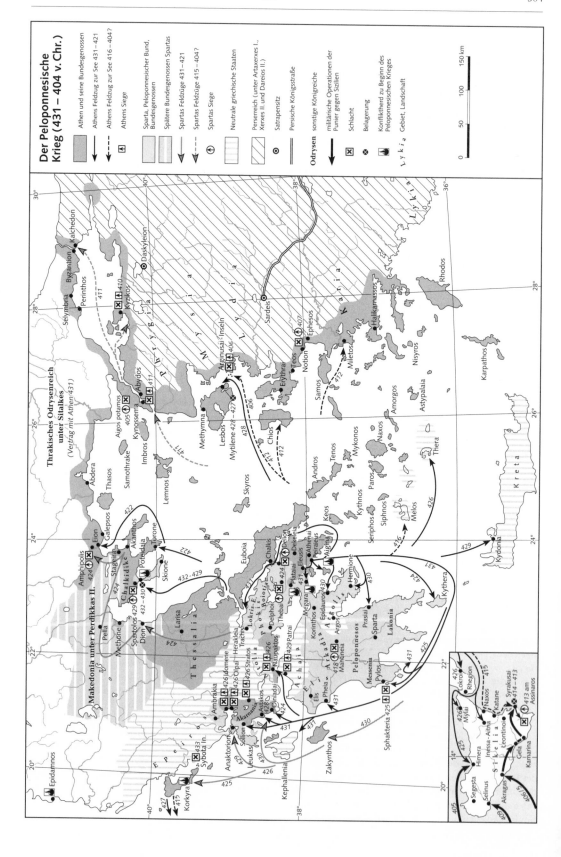

Der Peloponnesische Krieg (431 – 404 v. Chr.)

zuschließen und zur Kapitulation zu zwingen (Thuk. 4,8–23; 26–40). Durch mehrere athen. Volksbeschlüsse wurden die Tribute der Seebundsmitglieder erhöht; die Einziehung wurde effizienter organisiert (→ phóros). Erfolge des spartan. Feldherrn → Brasidas in Thrakien, v. a. die Einnahme von → Amphipolis, und die athen. Niederlage beim boiotischen Delion [1] (Thuk. 4,89–96: Ende 424) führten bei den Athenern zur Friedensbereitschaft, ebenso die in Athen als Geiseln gehaltenen Spartaner von Pylos bei den Spartanern.

D. Nikiasfrieden und Zwischenkriegszeit (421–414/3)

Nach dem Tod des → Kleon [1] und des Brasidas verständigten sich 421 Sparta und Athen auf einen Frieden, in dem im wesentlichen der Besitzstand vor dem Krieg anerkannt wurde (Nikiasfrieden; benannt nach dem athen. Feldherrn → Nikias [1]). Der Friede blieb instabil (Thuk. 5,26,3: hýpoptos anokōchḗ, »verdächtige Waffenruhe«). Eine zunehmende Isolierung Spartas innerhalb des Peloponnesischen Bundes, dessen Mitglieder den Frieden z. T. nicht anerkannten, bewog Athen auf Betreiben des → Alkibiades [3], ein Bündnis mit Argos [II 1], Mantineia und Elis [1] einzugehen. Der spartan. Sieg bei Mantineia (418) festigte aber Spartas Vormachtstellung auf der Peloponnes (Thuk. 5,64–74). 416 wurde das neutrale → Melos [1] von Athen erobert, die Bevölkerung getötet bzw. versklavt. Thukydides schildert dabei Athens schrankenlose Machtpolitik (5,84–116: sog. Melierdialog). 415 kam Athen auf Drängen des Alkibiades einem Hilfegesuch → Segestas nach und entsandte eine große Flotte nach Sizilien, um die Insel zu unterwerfen (Thuk. 6,8–26). Wegen des Verdachts, am → Hermokopidenfrevel und an einer Mysterientravestie beteiligt gewesen zu sein, wurde Alkibiades als stratēgós zurückberufen. Er floh nach Sparta. Das sizilische Unternehmen mißglückte trotz mehrfacher Verstärkung gründlich, 413 wurde die athen. Flotte im Hafen von Syrakusai vernichtet, das Heer wurde in die syrakusanischen Steinbrüche geschickt, die Feldherrn hingerichtet (Thuk. 7,69–87).

E. Dekeleisch-ionischer Krieg (414–404)

Die Spartaner erklärten 414 den Frieden mit Athen für gebrochen, rückten 413 in Attika ein und errichteten einen festen Stützpunkt in → Dekeleia, wonach der letzte Abschnitt des P. K. benannt wurde (Thuk. 7,27,2: ek tēs Dekeleías pólemos, »der Krieg von Dekeleia aus«; Dekeleikós pólemos erst bei Isokr. or. 8,37; Ionikós pólemos bei Thuk. 8,11,3). Miletos [2] und Chios fielen von Athen ab, Lesbos konnte zurückgewonnen werden. Durch ein Bündnis mit Persien (Thuk. 8,18; 412 v. Chr.) konnte Sparta eine bed. Flotte unterhalten; viele Bundesgenossen an der kleinasiatisch-ionischen Küste fielen von Athen ab. Die prekäre Situation nutzten 411 oligarchische Kräfte, um die demokratische Ordnung in Athen aufzulösen (Thuk. 8,63–70; [Aristot.] Ath. pol. 31–32; → oligarchía; → tetrakósioi). Außenpolitische Mißerfolge, der Widerstand der bei Samos stationierten Flotte gegen die athen. Oligarchen (Thuk. 8, 74–75) und der Sieg des zurückberufenen Alkibiades bei Kyzikos (Xen. hell. 1,11–18) führten 410 zur Wiederherstellung der Demokratie. 408 kehrte Alkibiades nach Athen zurück (Xen. hell. 1,4,8–20), wurde aber nach der Niederlage seines Steuermanns Antiochos [1] bei Notion (407) abgesetzt oder nicht wieder zum stratēgós gewählt. 406 blockierte der spartan. naúarchos (»Flottenkommandant«) Kallikratidas [1] die athen. Flotte vor Mytilene (Xen. hell. 1,6,12–23; Diod. 13,76–79,7). Trotz des wichtigen athen. Seesiegs bei den → Arginusai (Xen. hell. 1,6,27–34; Diod. 13,97–100) wurden die stratēgoí wegen unterlassener Bergung der Schiffbrüchigen zum Tode verurteilt (Arginusenprozeß, Xen. hell. 1,7). Dem spartan. naúarchos → Lysandros [1] gelang 405 bei → Aigos potamos der entscheidende Seesieg. Nach Belagerung durch die spartan. Flotte mußte Athen 404 kapitulieren, die langen Mauern niederlegen, die Flotte ausliefern, seine auswärtigen Besitzungen räumen und die Hegemonie Spartas anerkennen (Xen. hell. 2,2,9–23).

F. Auswirkungen

Der P. K. hatte tiefgreifende Wirkungen auf die Stabilität der griech. Welt. Beide großen Mächte des 5. Jh. v. Chr., Athen und Sparta, waren geschwächt aus diesem Ringen hervorgegangen. Sparta gelang es auch mit persischer Hilfe (→ Antalkidas) nicht, zu einer akzeptierten Ordnungsmacht in Griechenland zu werden; es verlor schließlich auch die Hegemonie im → Peloponnesischen Bund. Athen erholte sich trotz des Verlustes des → Attisch-Delischen Seebunds wirtschaftlich überraschend schnell, konnte sich nach den schlimmen Erfahrungen mit oligarchischen Regimen zu einer polit. Amnestie durchringen und seine Demokratie erheblich festigen. Dennoch erreichte es trotz der Gründung des → Attischen Seebunds seine frühere Rolle nicht mehr. Die Zeit nach dem P. K. und die erste H. des 4. Jh. waren geprägt von rasch wechselnden Versuchen Spartas, Athens, Thebens oder der Phoker, die Hegemonie in Griechenland zu erringen; die gleichzeitigen Versuche, einen allgemeinen Frieden (→ koinḗ eirḗnē) zu sichern, führten zu weiterer Destabilisierung und erleichterten die Einflußnahme auswärtiger Mächte (Perser, Makedonen: → Philippos [4] II.) auf die Angelegenheiten der griech. Poleis.

→ Athenai (III.); Sparta

1 B. Bleckmann, Athens Weg in die Niederlage, 1998
2 G. Cawkwell, Thucydides and the Peloponnesian War, 1997 3 S. Hornblower, The Fourth Century and Hellenistic Reception of Thucydides, in: JHS 115, 1995, 47–68 4 E. A. Meyer, The Outbreak of the Peloponnesian War after 25 Years, in: Ch. D. Hamilton, P. Krentz (Hrsg.), Polis and Polemos, 1997, 23–54 5 G. E. M. de Ste. Croix, The Origins of the Peloponnesian War, 1972 6 K.-W. Welwei, Das klass. Athen, 1999, 140–257. W. S.

Peloponnesos

(ἡ Πελοπόννησος, dor. Πελοπόννασος).
I. GEOGRAPHIE II. BYZANTINISCHE ZEIT

I. GEOGRAPHIE

Halbinsel im Süden Griechenlands (21439 km²), durch den → Isthmos von Korinth mit dem Festland (→ Attika, → Boiotia) verbunden, überwiegend gebirgig (vgl. Kyllene [1], Erymanthos [1], Lykaion, Westmessenisches Gebirge mit Ithome [1], Taÿgetos, Parnon), stark gegliedert (vgl. die zahlreichen kleineren Flüsse speziell in Achaia sowie Alpheios [1], Pamisos, Eurotas, Inachos [2]; ferner viele kleinere Küstenebenen und größere Ebenen wie in Elis [1], Messana [2], Lakonike, Argos und in Arkadia die Ebene von Megale Polis).

Die in der ant. Lit. überl. Größenangaben stimmen mit den tatsächlichen Daten gut überein: Umfang ohne Buchten 4000–4500 Stadien (ca. 710–800 km; tatsächlich ca. 1100 km), mit Buchten ca. 5600 Stadien (ca. 995–1000 km; tatsächlich ca. 1250 km; Strab. 8,2,1; Agathemeros 24; Plin. nat. 4,9). Nach Strabon (vgl. Agathemeros l.c.) beträgt die größte Nord-Süd- (Kap Malea – Aigion) ebenso wie die größte West-Ost-Erstreckung (Kap Chelonatas – Skyllaion) 1400 Stadien (249 km; tatsächlich 217 bzw. 223 km), die tatsächlich längste Linie (Kap Malea – Kap Drepanon) beträgt 241 km. Die Form der P. verglich man treffend mit einem Platanen- oder Weinblatt (Strab. 2,1,30; 8,2,1; Dion. Per. 404ff.; Steph. Byz. s. v. Π.). Abwegig ist die von Cicero kolportierte Behauptung des Dikaiarchos (Cic. rep. 2,4,8; Cic. Att. 6,2,2), alle Städte der P. außer Phleius seien Küstenstädte.

Den Namen leitete man von → Pelops [1] ab (so Hekat. FGrH 1 F 119; Thuk. 1,9,2; Strab. 7,7,1; 8,5,5; Steph. Byz. s. v. Π.). Bei Homer ist der Name noch nicht belegt; *Árgos* bezieht sich bei ihm wohl auf die P. (Hom. Il. 2,108; 15,372; Hom. Od. 1,344; 4,174; 296; 726; 816; 15,80; → Argos [II 1]). Älteste Belege finden sich im homer. ›Apollon-Hymnos‹ (Hom. h. ad Apollinem 250; 290; 419; 430; 432; 7. Jh. v. Chr.?) und in den ›Kyprien‹ (Kypria fr. 9 KINKEL, kurz vor 500 v. Chr.).

Der Halbinselcharakter der P. war so ausgeprägt, daß man die P. oft als »Insel« bezeichnete und zu den Inseln rechnete (z. B. Kypria fr. 9 KINKEL; Hdt. 8,44,1; Dion. Per. 414; Eust. zu Dion. Per. 403; Ptol. 7,5,11; IG IV² 590). Sie wurde daher auch als eine ganz eigene Größe empfunden, man sprach von »peloponnesischen« Besonderheiten, *Peloponnésios* wurde wie ein echtes Ethnikon gebraucht. So galt die P. als der »innere« Teil oder als »Akropolis« von Hellas [1] (Strab. 8,1,3; Paus. 2,5,7; Eust. zu Hom. Il. 320,34 sowie Eust. zu Dion. Per. 403). Am Isthmos [1] soll ein Grenzstein der P. gestanden haben (Strab. 3,5,5; Plut. Theseus 25,3). Bereits im 3. Jh. v. Chr. (Herakleides 3,1) wie in spätant. Zeit ist die Gliederung von Griechenland in P. und Hellas geläufig (Solin. 7,15f.; Mela 2,48; Plin. nat. 4,23; Ptol. 3,14,1; 25; vgl. auch die byz. Themeneinteilung). Von myk.

Zeit bis ins MA sind immer wieder Mauern zum Schutz der gesamten P. über den Isthmos gezogen worden.

Die Anwesenheit des Menschen ist durch Funde bes. in der Argolis und Elis seit spätestens mittelpaläolithischer Zeit (vor 5000 v. Chr.) belegt. Von neolithischer Zeit (5.–3. Jt. v. Chr.) an [3; 4] ist die Besiedlung dicht, mit starker Störung zu E. der myk. Zeit. In der Ant. gliederte man die P. nach den Volksstämmen [2] oder polit. Einheiten (Hdt. 8,73; vgl. schol. Hom. Il. 1,22; Paus. 5,1,1; Skyl. 40–44; 49–55; Skymn. 511ff.) gewöhnlich in fünf Teile: → Argolis, → Lakonike, → Messana [2], → Elis [1] mit Arkadia/→ Arkades und Achaia/→ Achaioi. Für die ant. Gesch. der P., die nur zeitweise – etwa unter Führung von → Sparta im → Peloponnesischen Bund ab der Mitte des 6. Jh. v. Chr. bis 371 v. Chr. oder z.Z. des Achaiischen Bundes (→ Achaioi) im 2. Jh. v. Chr. – eine gewisse polit. Einheit gebildet hat, vgl. die einzelnen Landschaften.

1 Y. LAFOND, s. v. Isthmos, in: H. SONNABEND (Hrsg.), Mensch und Landschaft in der Ant., 1998, 236–238 2 B. SERGENT, Le partage du Péloponnèse entre les Héraclides, in: RHR 192, 1977, 121–136; 193, 1978, 3–25 3 K.-T. SYRIOPOULOS, Ἡ προϊστορία τῆς Πελοποννήσου, 1964 4 J. RENARD, Le Péloponnèse au Bronze ancien (Aegaeum 13), 1995.

R. BALADIÉ, Le Péloponnèse de Strabon, 1980 • E. FOUACHE, L'alluvionnement historique en Grèce occidentale et au Péloponnèse (BCH Suppl. 35), 2000 • M. und R. HIGGINS, A Geological Companion to Greece and the Aegean, 1996, 40–73 • A. PHILIPPSON, Der P., 1892 • PHILIPPSON/KIRSTEN 3, 1959 • N. PURCELL, s. v. Peloponnesus, OCD, 1133 • G.D.R. SANDERS, I.-K. WHITBREAD, Central Places and Major Roads in the Peloponnese, in: ABSA 85, 1990, 333–361 • M. SEGER, P. MANDL, Satellitenbildinterpretation und ökologische Landschaftsforsch., in: Erdkunde 48, 1994, 34–47.

Y. L. u. E.O.

II. BYZANTINISCHE ZEIT

Der einschneidendste Bruch in der Gesch. der spätant. P. war die slavische Einwanderung (→ Slaven) seit dem E. des 6. Jh. n. Chr. [1]. Durch sie verlor Byzanz für 200 J. die Kontrolle über Südgriechenland (Hierokles hatte im 6. Jh. hier noch 26 Städte unter byz. Herrschaft gezählt). Doch macht es der weitgehende Mangel an schriftlichen Quellen für die P. schwer, die slavische Ansiedelung zu rekonstruieren. Die → Chronik von Monemvasia entstand ihrem Herausgeber I. DUIČEV zufolge erst zw. 963/969 und 1018 und ist in erster Linie an der Erhebung von → Patrai zur Metropolie (in Konkurrenz zu → Korinthos, dem Zentrum der röm. Verwaltung, der spätant. Kirchenorganisation und dann des Strategen eines → *théma* P. seit spätestens 811) interessiert. Somit ist die Forsch. stärker als anderswo auf die Zeugnisse der Arch. (dazu kritisch [2]) angewiesen, die mit den Ergebnissen der ON-Forsch. kombiniert werden müssen [3; 4]. Demnach widerstanden nur einzelne Städte wie Patrai und Korinthos den Slaven, während ein Teil der Bevölkerung Fluchtsiedlungen an der Küste gründete, von denen Monemvasia die wichtigste war.

Auch das Fortbestehen dorischer Bevölkerung auf der → Kynuria ist in diesem Zusammenhang zu sehen (→ Dorisch-Nordwestgriechisch). Die Anwesenheit von Slaven im → Taÿgetos ist bis ins 15. Jh. bezeugt, doch durch die Feldzüge des Stavrakios (783) und Skleros (ca. 805) gelang es dem Hof in Konstantinopolis, diese in den Reichsverband zu integrieren (legendenhaft verklärt im Wunder des Apostels Andreas vor → Patrai). Nach der Unterwerfung und Christianisierung der Slaven und der Abwehr der arabischen Piratengefahr durch Rückeroberung → Kretas (961) erlebte die P. eine neue Blütezeit.

1 M. WEITHMANN, Die slavische Bevölkerung auf der griech. Halbinsel, Diss. München 1978
2 H. ANAGNOSTAKES, Η χειροποίητη κεραμική ανάμεσα στην Ιστορία και την Αρχαιολογία, in: Byzantiaka 17, 1997, 285–330 (methodisch vorbildlich) 3 PH. MALINGOUDIS, Stud. zu den slawischen ON in Griechenland, 1981
4 M. VASMER, Die Slawen in Griechenland, 1941
5 J. KODER, s.v. Morea, LMA 6, 834–836 (mit Lit.) 6 T.E. GREGORY, s.v. P., ODB 3, 1620f. (mit Lit.) 7 A. BON, Le Péloponnèse byzantin jusqu'en 1204, 1951 (mit älterer Forsch.).   J.N.

Pelops (Πέλοψ).

[1] Sohn des → Tantalos (Kypria F 13 EpGF; bei Hyg. fab. 82 aus der Verbindung mit Dione), Gatte der → Hippodameia [1], Vater des → Atreus, des → Thyestes, des → Pittheus und weiterer Kinder (Pind. O. 1,88f. mit schol.). Urspr. Heimat des P. ist Kleinasien (vgl. Pind. O. 1,24; Hdt. 7,8). Sein Vater Tantalos zerstückelt P., kocht ihn und setzt ihn den Göttern als Speise vor, die den Frevel bemerken; nur Demeter ißt aus Unachtsamkeit davon (Apollod. epit. 2,3; Hyg. fab. 83). Bei der Wiederbelebung des P. wird das daher fehlende Schulterstück durch Elfenbein ersetzt (vgl. Pind. O. 1,26f.). Nach Serv. georg. 3,7 will Tantalos so die Allwissenheit der Götter prüfen. Pindar, der den ersten Beleg für das Mahl bietet, setzt gegen diese Erzählung, die auf hämischer Nachrede beruhe, eine unanstößige Variante: Während des Mahls raubt Poseidon den Knaben P. und macht ihn zum Mundschenken des Zeus. Da aber Tantalos die Götter um Nektar und Ambrosia betrügt, verstoßen sie seinen Sohn wieder unter die Menschen (Pind. O. 1,37–51; 65f.).

Bevor P. Hippodameia heiraten kann, muß er deren Vater → Oinomaos [1], den König von Pisa (Gebiet von → Olympia/Elis), überwinden. Weil dieser seine eigene Tochter begehrt (oder wegen eines Orakels, daß er durch seinen Schwiegersohn sterben werde), stellt er allen Freiern die Aufgabe, sich im Wagenrennen mit ihm zu messen. Mit seinen von Ares geschenkten Pferden holt er den Freier, der Hippodameia jeweils auf seinem Wagen hat, leicht ein und tötet ihn (schon bei Hes. cat. 259a). Hippodameia überredet aus Liebe zu P. → Myrtilos [1], den Wagenlenker des Oinomaos, das Gefährt zu manipulieren (oder P. besticht ihn). Da die Achse des Wagens nicht richtig befestigt ist, verliert

Oinomaos das Rennen und wird von seinen eigenen Pferden zu Tode geschleift, so daß P. Hippodameia gewinnt. Darauf tötet er Myrtilos durch Sturz ins Meer, weil dieser versucht, Hippodameia zu vergewaltigen (Oinomaos-Tragödien des Sophokles: TrGF 4, 471–477 und des Euripides: TGF 571–577; Diod. 4,73; Apollod. epit. 2,4–8; Darstellung von P. und Oinomaos im Ostgiebel des Zeustempels von Olympia). Bei Pind. O. 1,71–88 gewinnt P. allein durch den Wagen und die Pferde des Poseidon.

P. übernimmt die Herrschaft in Pisa/Elis und kann sie so erweitern, daß er schließlich der → Peloponnesos seinen Namen gibt (Thuk. 1,9; Apollod. epit. 2,9). Während noch Hom. Il. 2,104f. von einer problemlosen Herrschaftsabfolge unter den Pelopiden ausgeht, setzt sich später die Version durch, daß → Atreus und → Thyestes aus Neid ihren Halbbruder → Chrysippos [1] töten und dafür von P. verbannt und verflucht werden (Hellanikos FGrH 4 F 157). P. steht in bes. Beziehung zu Olympia, wo er neben dem Zeustempel einen eigenen Kultbezirk mit seinem Grab hatte, an dem man ihm einen schwarzen Widder opferte [1. 108–119; 2. 158–163]. Laut Weissagungen benötigte man von den Gebeinen des P. für die Eroberung Troias den Schulterknochen (Paus. 5,13,1–7; Apollod. epit. 5,10). Bildliche Darstellungen zeigen P. fast ausschließlich im Zusammenhang mit dem Wettkampf gegen Oinomaos [3].

1 W. BURKERT, Homo necans, 1972 2 E. KRUMMEN, Pyrsos Hymnon, 1990 3 I. TRIANTIS, s.v. P., LIMC 7.1, 282–287.
                                                                    J. STE.

[2] Sohn des Alexandros (PP II/VIII 1829?), Bruder des Taurinos (Alexanderpriester 260/259 v. Chr., PP III 5278?), Vater des Pelops [4], Makedone. P. erhielt als Freund Ptolemaios' II. und als Kommandant ptolem. Truppen in der Ägäis während der 270er Jahre (→ Chremonideïscher Krieg?) das samische Bürgerrecht (SEG 1, 364); vielleicht sind die P.-Inselchen nach ihm benannt. 264/3 war P. eponymer Alexanderpriester. PP III/IX 5227; VI 14618.

L. MOOREN, The Aulic Titulature in Ptolemaic Egypt, 1975, 60f. Nr. 011 · R. S. BAGNALL, The Administration of the Ptolemaic Possessions outside Egypt, 1976, 83f.   W. A.

[3] Eurypontide, Sohn des Lykurgos [11], der als erster Tyrann in Sparta galt, König unter Vormundschaft des → Machanidas. Nach P. wurde der 211/210 v. Chr. mit Rom geschlossene Vertrag benannt (Liv. 34,32,1; → Makedonische Kriege A.). P. soll von → Nabis beseitigt worden sein (Diod. 27,1), doch nennt Polybios an der einschlägigen Stelle (13,6) den P. nicht.

P. CARTLEDGE, A. SPAWFORTH, Hellenistic and Roman Sparta, 1989, 62; 65; 68.   K.-W. WEL.

[4] Sohn des P. [2], Gatte der Myrsine Hyperbassantos (PP VI 15772), daher über deren Schwester Iamnea mit Perigenes [2] verwandt, Vater des Ptolemaios. P. war noch unter Ptolemaios III. in offizieller Funktion (Stratege? Libyarch?) in Kyrene (SEG 18,734), danach in of-

fizieller Funktion in → Kypros (Zypern), wo er nach 217 v. Chr. zum Strategen wurde. Dies Amt bekleidete er mindestens bis zum 9.10.210 v. Chr., vielleicht sogar bis 205. Da → Agathokles [6] P. aus Alexandreia entfernen wollte, wurde er im Frühjahr 203 als Gesandter zu Antiochos [5] III. nach Kleinasien geschickt. PP VI 15064.

E. Olshausen, Prosopographie der hell. Königsgesandten, Bd. 1, 1974, 57f. Nr. 35 · R. S. Bagnall, The Administration of the Ptolemaic Possessions outside Egypt, 1976, 252f.   W. A.

[5] Griech. Arzt, wirkte um 150 n. Chr., Schüler des → Numisianos und → Quintus sowie Lehrer des → Galenos in Smyrna. Seine Kritik an dem Empiriker Philippos liegt Galens früher Schrift *De experientia medica* [1] zugrunde. Galen führt zwei Arzneimittelzubereitungen des P. an. Ein Fr., das über die Ursache von Tetanus handelt, ist bei → Paulos [5] von Aigina (CMG 9,1,167) erhalten. P. war Hippokratiker und kommentierte in Vorlesungen die Werke des → Hippokrates [6], doch wurden die meisten seiner Schriften noch vor ihrer Veröffentlichung durch einen Brand in seinem Haus zerstört. Seine »Einführung in die hippokratische Medizin« behandelte das gesamte Gebiet der Medizin einschließlich der Anatomie. Auch wenn Galen viele Einzelheiten dieses Werks – bes. zur Nerven- und Gefäßlehre – kritisierte, lobte er doch das darin zum Ausdruck kommende tiefe Verständnis anatomischer Probleme.

1 R. Walzer (ed.), 1944 (aus dem Arabischen).
V. N. /Ü: L. v. R.-B.

Pelorias (Πελωριάς). NO-Kap von Sicilia (Pol. 1,11,6; 42,5; Diod. 4,23,1; 5,2,2; 23,1,3; Diod. 4,85,5; 14,56,3; 6; 57,2: Πελωρίς), h. Capo Peloro oder Capo di Faro; im engeren Sinn die nach Osten gerichtete schmale Landzunge, im weiteren der ganze nach NO verlaufende Gebirgszipfel. Einem Mythos zufolge schüttete → Orion [1] die Landzunge auf und errichtete dort einen Tempel für Poseidon (Hes. fr. 183). Nach irrigen ant. Vorstellungen von der Orientierung der Insel richtete sich P. nach Norden (schol. zu Thuk. 4,25,3; Pol. 1,42,5; Dion. Per. 471f.; richtig aber Strab. 6,1,5). Auf dem P. befand sich ein Denkmal für Peloros, den Steuermann, den Hannibal [4] in Furcht vor Verrat bei der Durchfahrt durch die Meerenge hier hinrichten ließ (Sall. hist. fr. 29; Val. Max. 9,8; Mela 2,7; Strab. 1,1,17; 3,5,5: Denkmal in Form eines Turmes); die Erwähnung von P. bei Thuk. 4,25,3 erweist diese Erzählung jedoch als spätere Deutung. Bei mil. Unternehmungen gegen Messana [1] wurde das Kap mehrmals als Ankerplatz genutzt, so 425 v. Chr. von den Syrakusioi (Thuk. 4,25,3), 396 und 264 v. Chr. von den Karthagern (Diod. 14,56,3 bzw. Pol. 1,11,6; Diod. 23,1,3).

K. Ziegler, s. v. P. (2), RE 19, 397 · E. Manni, Geografia fisica e politica della Sicilia antica, 1981, 59–61 · BTCGI 4, 436–438.   E. O.

Pelor(os) (Πέλωρ(ος), »der Gewaltige«).
[1] Einer der fünf überlebenden → Spartoi (schol. Pind. I. 1,41; schol. Eur. Phoen. 670; schol. Apoll. Rhod. 3,1179; Apollod. 3,4,1; Paus. 9,5,3; Hyg. fab. 178).
[2] Eponym des thessalischen Erntefestes *Pelória*. P. bringt dem → Pelasgos die Botschaft vom Durchbruch des → Peneios durch das Tempe-Gebirge infolge eines Erdbebens. Aus Dank wird er von den Thessaliern reichlich bewirtet (Athen. 14,639e–640a). Zeus trägt in Thessalien den Beinamen *Pelórios*.
[3] Einer der → Giganten (Hyg. fab. praef. 4), wird entweder von → Ares (Claud. Gigantomachia 75–82) oder von → Poseidon (schol. Hom. Il. 16,176) getötet. Sein Name war nach Nonn. Dion. 48,38–40 und dem großen Fries des Pergamon-Altars [1. 207] *Pelōreús*.

1 F. Vian, s. v. Gigantes, LIMC 4.1, 191–270.   T. J.

Peltai (Πέλται). Bereits E. des 5. Jh. v. Chr. bestehende Siedlung (vgl. Xen. an. 1,2,10), nachmals seleukidische Militärkolonie (Mz.: HN 682: ΠΕΛΤΗΝΩΝ ΜΑΚΕΔΟΝΩΝ) in Phrygia (Strab. 12,8,13; 13,4,13: τὸ Πελτηνὸν πεδίον; Ptol. 5,2,25; Steph. Byz. s. v. Π.; Hesych. s. v. Βέλτη, evtl. verschrieben für Π., vgl. [1. 120 § 145]; *Pelteni*, Plin. nat. 95; 106) am Oberlauf des Maiandros [2] (vgl. die Mz. HN 682: ΜΑΙΑΝΔΡΟΣ), südl. von Çevril vermutet. In spätant. Zeit Bischofssitz (vgl. Not. episc. 1,356; 3,311).

1 Zgusta.

W. Ruge, s. v. P., RE 19, 401–403 · Mitchell 1, 20 · Belke/Mersich, 357.   E. O.

Peltastai (πελτασταί). Die πέλτη (*péltē*) war ein kleiner, leichter Rundschild aus Holz oder Flechtwerk, das mit Fell überzogen wurde (schol. Eur. Rhes. 311; Aristot. fr. 498 Rose); nach ihm wurde eine Gattung leichtbewaffneter Soldaten als *p.* bezeichnet (Diod. 15,44,3; Nep. Iphicrates 11,1,3 f.). Neben dem → Schild bestand ihre Bewaffnung aus einem oder zwei Wurfspeeren, einem Schwert und einer Stoßlanze. *P.* konnten aufgrund ihrer Bewaffnung sowohl im Fern- als auch im Nahkampf eingesetzt werden. Die *p.* waren in Griechenland zunächst meist fremde Söldner, die v. a. aus Thrakien kamen, wo sie wahrscheinlich die bedeutendste Waffengattung darstellten (z. B. Hdt. 7,75,1; Thuk. 2,29,5; 7,27,1); jedenfalls wurden thrakische Krieger mit *p.* assoziiert (Eur. Alc. 498). Aber auch in griech. Regionen wie Akarnanien und Aitolien gab es *p.* Sie hatten in gebirgigem und unwegsamem Gelände Vorteile, weil sie beweglicher als Hopliten (→ *hoplítai*) waren. Sie blieben für die griech. Poleis aber immer nur Ergänzung neben der Hoplitenphalanx, die aus Bürgern rekrutiert wurde (→ *phálanx*).

Sicher belegt traten *p.* zum ersten Mal während des → Peloponnesischen Krieges regelmäßig in Erscheinung; beide Seiten setzten sie je nach mil. Lage ein (Thuk. 2,79,4: Niederlage der Athener gegen Chalkidier bei Spartolos; 4,28,4: *p.* vor Sphakteria; 4,123,4;

4,129,2; 5,6,4: Kämpfe zwischen Kleon [1] und Brasidas in Nordgriechenland). Seitdem bildeten sie eine Waffengattung vieler griech. Heere. Bekannt wurde die Truppe von *p.*, die Athen während des → Korinthischen Krieges im Gebiet des Isthmos unterhielt. Unter → Iphikrates konnte sie im Verein mit athenischen Hopliten eine spartanische → *móra* [1] vernichtend schlagen (Xen. hell. 4,5,11–18; Diod. 14,91,2f.; Nep. Iphicrates 11,2,3). Trotz Diod. 15,44 hat Iphikrates aber keine grundlegende Reform des Heerwesens, die den *p.* mehr Gewicht gegeben hätte, durchgeführt, was lange Zeit Forschungsmeinung war [2. 102ff.]. *P.* gab es auch im Heer der Zehntausend (Xen. an. 3,3,8; 5,2,12; 6,2,16) und dem Aufgebot → Iasons [2] von Pherai (Xen. hell. 6,1,9). Im Hell. sind *p.* für Makedonien unter Philippos [7] V. (Pol. 2,65,2; 5,7,11; 5,13,5; 10,42,2; Liv. 28,5,11; 33,4,4f.: bei Livius lautet der lat. Ausdruck für *p. caetrati*) und für die Seleukiden unter Antiochos [5] III. (Schlacht von Magnesia: Liv. 37,40,13; App. Syr. 32) bezeugt.

1 J. K. ANDERSON, Military Theory and Practice in the Age of Xenophon, 1970, 112–126 2 J. P. G. BEST, Thracian Peltasts and Their Influence on Greek Warfare, 1969 3 W. K. PRITCHETT, The Greek State at War, Bd. 2, 1974, 117–125 4 M. M. SAGE, Warfare in Ancient Greece, 1996, 42f., 143–147 5 A. M. SNODGRASS, Arms and Armor of the Greeks, ²1999. LE. BU.

Pelte s. Peltastai

Peltuinum. *Praefectura* der → Vestini, *tribus Quirina*, in der *regio IV* (Plin. nat. 3,107; CIL IX 3314) auf einer Hochebene (ca. 870 m) am Fuß des Mons Fiscellus (h. Gran Sasso), h. San Paolo di Peltuino bei Castelnuovo di Ansedonia. Intensive Bautätigkeit in den J. nach 43 v. Chr. ist nachgewiesen (Stadtmauer, Theater und Hausanlagen; *Aqua Augusta*, restauriert 78 n. Chr.). Der *decumanus maximus* wurde seit 47 n. Chr. von der Via Claudia Nova überlagert (h. »tratturo«). Seit dem 3. Jh. n. Chr. konzentrierte sich die Siedlung an dieser Straße; sie verfiel allmählich nach dem Erdbeben von 346 n. Chr. Weitere ant. Überreste: Forum, Amphitheater, Theater.

CIL IX, p. 324 · A. LA REGINA, P., in: Quaderni dell'Istituto di Topografia Antica di Roma 1, 1964, 69–73 · P. SOMMELLA, L'urbanistica romana, 1988, 178f.
G. U./Ü: J. W. MA.

Pelusion (Πηλούσιον; lat. *Pelusium*). Ort an der äußersten NO-Spitze des Nildeltas (sö von Port Said), äg. *Sjn*, älter *Snw*, »Festung«, seit ptolem. Zeit auch als *P3-Pr-jr-Jmn* bezeugt, koptisch ΠΕΡΕΜΟΥΝ, das h. Tall Faramā. Der griech. Name P. geht wohl auf eine volksetym. Ableitung von äg. *sjn*, »Lehm« = griech. *pēlós* zurück (vgl. Strab. 17,1,21). Aufgrund des Namens gelten auch → Peleus (Amm. 22,16,3) oder → Isis (zum Gedenken an ihren Sohn Pelusios, Plut. Is. 17) als Gründer. P. war schon im 3. Jt. als Grenzfestung und Weinanbaugebiet

bekannt, histor. bedeutend wurde der Ort aber erst im 1. Jt. v. Chr. als Hafen, Handels- und Verkehrsknotenpunkt, v. a. aber als wichtigste Sperrfestung der Küstenstraße von Asien nach Ägypten. Der Assyrerkönig → Sanherib (705–681) versuchte hier einzudringen (Hdt. 2,141), unter → Assurbanipal (669–631) war P. Sitz eines assyrischen Vasallenfürsten. → Kambyses [2] siegte 525 v. Chr. bei P. entscheidend über Psammetichos III. (Hdt. 3,10–12), 374 wurden hier die Perser unter → Pharnabazos [2] und → Iphikrates abgewehrt (Diod. 15,42,2). Auch in ptolem. Zeit war P. eine wichtige Festung und Zollstation. Antigonos [1] und Demetrios [2] Poliorketes scheiterten 306 vor P., und in den → »Syrischen Kriegen« zw. → Ptolemaiern und → Seleukiden im 3. und 2. Jh. spielte P. als Ausgangspunkt für äg. Vorstöße nach Asien und als Sperrfestung eine Schlüsselrolle. Erst im 6. Syr. Krieg gelang es Antiochos [6] IV. (170/69) nach einer siegreichen Schlacht, P. zu erobern (Liv. 44,19,9). Danach wurde P. erst wieder im J. 55 bei der Wiedereinsetzung Ptolemaios' XII. durch röm. Intervention von Truppen des M. Antonius [I 9] eingenommen. Nach der Niederlage bei Pharsalos begab sich Pompeius [I 3] nach P. zu Ptolemaios XIII. und wurde dort 48 v. Chr. ermordet (Caes. civ. 3,103f.). Im folgenden »alexandrinischen Krieg« (48–47) leistete P. den Entsatztruppen Caesars unter Mithradates [8] von Pergamon keinen großen Widerstand, ebensowenig bei der Eroberung Ägyptens durch Octavian (→ Augustus) im J. 30 v. Chr. In byz. und arabischer Zeit war P. ein wichtiger Bischofssitz, der bis ins 11. Jh. erwähnt wird.

Hauptgottheit der Stadt war → Amun, daneben gab es u. a. Kulte der Isis und des Harpokrates. Die angebliche Verehrung der Zwiebel, von der zahlreiche griech. und lat. Autoren berichten [1], wird von christl. Schriftstellern als Ausgeburt des Aberglaubens verspottet und von Hier. comm. in Iesaiam 13,46 als *religio Pelusiaca* bezeichnet.

1 A. JACOBY, Beitr. zur Gesch. der spätäg. Rel., in: Recueil de Travaux 34, 1912, 9–15 2 H. KEES, s. v. P., RE 19, 407–415 3 H.-J. THISSEN, s. v. P., LÄ 4, 925f. 4 ST. TIMM, Das christl.-koptische Äg. in arab. Zeit, Bd. 2, 1984, 926–935, s. v. al-Farama. K. J.-W.

Penates (Di Penates). Die röm. Götter des Hauses, der Heimat und des Eides (*iurare per Iovem deosque P.*: CIL I² 582,18,24; Cic. ac. 2,65), etym. mit *penus* [2. s. v.], dem Inneren des Hauses, zu verbinden. Die Endung *–ates* drückt eine lokale Abstammung oder Zugehörigkeit aus: Die P. sind also diejenigen Geister, »die drinnen sind«, bzw. adj. zu *dei/di* »die Götter des Inneren«, sowie, da im *penus* der Vorrat des Hausherrn beherbergt wurde, die Beschützer des Vorrats (Gell. 4,1,1–23). Oft wurden sie mit den → Laren angeführt oder sogar vermengt (schol. Pers. 5,31), sind von diesen aber zu unterscheiden: Die Verehrung der Laren war die Sache der ganzen *familia*, des Gesindes und der Sklaven, während die P. als → *patrii di* des → *pater familias* (Plaut. Merc. 834; Dion. Hal. ant. 1,67,3) und der röm. Bürger (Cic.

Sest. 30) wirkten. Nur im Pl. (was niemals befriedigend erklärt worden ist) angerufen, waren sie urspr. vielleicht anikonisch, wurden jedoch später mit allen im röm. Haus verehrten Gottheiten gleichgesetzt (Serv. Aen. 2,514). So werden gewöhnlich (z.B. [1. 75–83]) außer dem → Genius und den Laren alle Gottheiten, die auf pompeianischen Wandgemälden in *lararia* (→ *lararium*) abgebildet sind, mit den Di P. identifiziert, was aber »theologisch« kaum richtig ist. Denn festes Merkmal der Di P. ist der Umstand, daß sie aus dem Haus (etwa bei der Flucht) mitgenommen werden konnten (Hor. carm. 2,18,26f.; Porph. Hor. comm. z. St.); dementsprechend dürfen als die eigentlichen Di P. nicht Wandbilder, sondern nur verschiedene Götterstatuetten (*sigilla*) gegolten haben.

Als generelle Kategorie waren die Di P. ganz unbestimmt. Sie erhielten ihre bes. Form in jedem Haus gemäß den Wünschen des Hausherrn entweder als anikonische Kultgegenstände oder als anthropomorph ausgeprägte Gottheiten. Bes. verehrt waren sie am Herd (Serv. auct. Aen. 11,211). Bei jedem Mahl wurde den Di P. ein → Opfer dargebracht: Die Spenden wurden in einer *patella* (→ *patera, patella*) auf den Tisch gestellt, mit Salz und Mehl bestreut und ins Feuer geworfen (Varro Men. 265; Cic. Verr. 2,4,48; Hor. carm. 3,23,17–20; Pers. 3,24–26; Arnob. 2,67).

Wie die privaten Di P. die *domus*, so beschützten die *publici P. populi Romani Quiritium* (ILS 108) den röm. Staat. Ihre öffentl. Verehrung weist verschiedene Komponenten und Entwicklungsschichten auf [1; 7]. Sie werden oft mit → Vesta genannt (Cic. Catil. 4,18; Cic. dom. 144; Cic. har. resp. 12; Cic. nat. deor. 2,67; Ov. met. 15,864; Serv. auct. Aen. 2,296; ILS 108) und wurden im *penus Vestae* (Fest. 296 L.) aufbewahrt (Tac. ann. 15,41; vgl. Dion. Hal. ant. 2,66). Da der röm. Vestatempel in der Nähe der → Regia stand, ist es denkbar, daß sich die königlichen Di P. nach dem Sturze der Monarchie in die *P. publici* verwandelten (vgl. Ov. trist. 3,1,29). Die bei Naev. Bellum Punicum 3 FPL erwähnten *sacra Penatium* sind als auf dem Tisch aufgestellte Statuetten (*sigilla*) zu deuten [1. 85f.], aber auch die *sacra* (Liv. 5,40,7–10) bzw. »Unterpfänder der röm. Herrschaft« (*pignora imperii*) [4], die sich im *penus Vestae* befanden – unter ihnen ein *fascinus* (Plin. nat. 28,39) und das Palladium (→ Palladion; Cic. Scaur. 48) –, sind als P. aufzufassen. Daneben gab es in Rom eine bes. *aedes Penatium* (»Tempel der P.«) auf der → Velia (Varro ling. 5,54; Liv. 45,16,5; R. Gest. div. Aug. 19); diese P. sind vielleicht mit den P. von → Alba Longa zu identifizieren [5].

Die Di P. wurden als → Dioskuroi dargestellt (Dion. Hal. ant. 1,68,2; vgl. [6. p. 320 Nr. 312/1]) oder auch mit den »Großen Göttern« von → Samothrake und anderen Gottheiten gleichgesetzt (Serv. und Serv. auct. Aen. 1,78; 2,325; 3,12; 3,148; Macr. Sat. 3,4,8–10). Als die Vorstellung von der troianischen Abstammung sich wahrscheinlich um die Mitte des 4. Jh. v. Chr. in Rom einbürgerte, gesellten sich die mit → Troia in Verbin-

dung gebrachten hl. Gegenstände wie das Palladium zu der Reihe der P. Nach der Unterwerfung Latiums (338 v. Chr.) verschob sich aber der öffentl. P.-Kult großenteils nach → Lavinium, einer Stadt, die ebenfalls troianischen Ursprung reklamierte und mit Rom ein → *foedus* hatte. Die P. von Lavinium, die Aeneas (→ Aineias [1]) aus Troia dorthin gebracht haben soll (Varro bei Serv. auct. 1,378; vgl. 3,12; nach Timaios bei Dion. Hal. ant. 1,67,4 Heroldstäbe aus Eisen und Erz und ein Gefäß aus Ton; nach Varro bei schol. Veronense Verg. Aen. 2,717 *sigilla* aus Holz, Stein und Ton), wurden zu den röm. Di P. (Varro ling. 5,14; Ascon. 24). Die röm. Magistrate mit → *imperium* pflegten in Lavinium den Di P. und Vesta bei Amtsantritt, Amtsniederlegung und Abgang in die Prov. zu opfern (Macr. Sat. 3,4,11; Serv. auct. 2,296; 3,12; von der röm. Trad. in die Königszeit zurückverlegt: Liv. 1,14,2). Die Natur der Di P. und *pignora* kann nur im Rahmen einer Gesamtbetrachtung der ant. Talismanbräuche (vgl. [3]) umfassend erklärt werden.

1 A. DUBOURDIEU, Les origines et le dévelopment du culte des Pénates à Rome, 1989 **2** ERNOUT/MEILLET **3** C. A. FARAONE, Talismans and Trojan Horses, 1992 **4** K. GROSS, Die Unterpfänder der röm. Herrschaft, 1935 **5** D. PALOMBI, s. v. P., Aedes, LTUR 4, 75–78 **6** RRC **7** G. WISSOWA, Die Überl. über die röm. Penaten, in: Ders., Gesammelte Abh., 1904, 95–121. J. LI.

Pendzhikent (ant. Name und Gründungsdatum unbekannt). Sogdische Stadt Pantcakat am Serafsan, Nord-Tadzhikistan; Handels- und Handwerkszentrum mit Goldgewinnung. Erh. sind eine Zitadelle, die Innenstadt mit zwei Tempeln, Vorstädte und Nekropole. In Tempeln und Privathäusern fanden sich Wandmalereien mit einheimischen, indischen und griech.-röm. Motiven, so der Fabel des → Aisopos von der Gans, die goldene Eier legt. Aus P. stammen auch Brakteaten mit der röm. Wölfin nach byz. Mz., auch in der Plastik sind hellenisierende Tendenzen zu beobachten. Die Stadt wurde vor 700 von Arabern und nochmals nach einem sogdischen Aufstand gegen die Araber (712 ?) zerstört; um 750 wurde sie endgültig verlassen. Ein Archiv wurde in der Burg Mug östl. von P. gefunden.
→ Sogdiana

A. M. BELENIZKI, Mittelasien. Kunst der Sogden, 1980. B. B.

Peneios (Πηνειός). Der große, das ganze Jahr reichlich Wasser führende thessalische Hauptfluß, der mit seinen vielen Zuflüssen, in der Thessaliotis v. a. von Süden, in der Pelasgiotis von Norden, fast ganz Thessalia (→ Thessaloi) entwässert. Er entspringt im Pindos [1] etwa 5 km östl. von Metsovo, durchfließt die beiden großen thessal. Ebenen im Norden und mündet nach 227 km Lauf durch die → Tempe in den Thermaios Kolpos. Belege: Hom. Il. 2,755; Hdt. 7,128f.

L. DARMEZIN, Sites archéologiques et territoires du massif des Chassia, in: Top. antique et géographie historique en pays grec, 1992, 139–155 • PHILIPPSON/KIRSTEN 1, vgl. Index • F. STÄHLIN, s. v. P. (2), RE 19, 458 f. • KODER/HILD, 234.   HE. KR. u. E. MEY.

Peneleos (Πηνέλεως, lat. *Peneleus*). Sohn des Hippalkimos und der Asterope (Hyg. fab. 97), Argonaut und Freier der → Helene [1] (Apollod. 1,113; 3,130), Anführer der Boioter im Troianischen Krieg (Hom. Il. 2,494). Dort tötet er → Ilioneus und Lykon (Hom. Il. 11,487 ff.; 16,335 ff.), wird von → Polydamas [1] verwundet (Hom. Il. 17,597–600), in den *Posthomerica* schließlich von → Eurypylos [1] getötet (Paus. 9,5,15); in einer anderen Version ist P. als Überlebender Insasse des Troianischen Pferdes (Tryphiodoros 180) bzw. wirkt als Kämpfer bei der Zerstörung von Troia durch die Tötung des → Koroibos [2] mit (Verg. Aen. 2,424).
         L. K.

Penelope (Πηνελόπη, homer.: Πηνελόπεια, lat. *Penelope, Penelopa*). Gattin des → Odysseus. Seit der Ant. existieren zwei Deutungen ihres Namens. Nach der einen bedeutet P. »Weberin«, was auf die in der ›Odyssee‹ so prominent dargestellte typische Frauenarbeit hinweist, nach der anderen leitet sich ihr Name von *pēnélops* (»Ente«) ab, was damit erklärt wird, daß sie von ihren Eltern ins Meer geworfen und von Enten gerettet worden sei. Zur etym. Erklärung von P.s Namen s. [1].

P. ist die Tochter des arkadischen Königs → Ikarios [2] und der Nymphe → Periboia [1] (Apollod. 3,126) oder der Asterodia (Pherekydes in schol. Hom. Od. 1,275; 4,797; 15,16); es werden noch weitere Namen genannt, auch die Zahl und die Namen ihrer Geschwister variieren stark. In ihrer Heimat → Arkadia galt sie als Mutter des → Pan von → Hermes oder → Apollon (Pind. fr. 100; Hdt. 2,145; Cic. nat. deor. 3,56; Hyg. fab. 224; Apollod. epit. 7,38). Ihr Grab wurde in Mantineia gezeigt (Paus. 8,12,6).

Unter den Freiern der P. findet ein Wettlauf statt, den → Odysseus gewinnt. Er zieht mit P. in seine Heimat Ithaka (Paus. 3,12,4; 3,13,6; 3,20,10 f.). In der ›Ilias‹ wird P. nie erwähnt, in der ›Odyssee‹ erscheint sie als Gattin des Odysseus und hat mit ihm den Sohn → Telemachos (in späteren Quellen werden noch weitere Söhne genannt). V. a. in der zweiten Hälfte dieses Epos hat sie eine prominente Rolle: Sie erscheint hier als liebende Gattin, die ihrem Mann zwanzig Jahre lang die Treue bewahrt und auf seine Heimkehr wartet. Odysseus hat ihr aufgetragen, wieder zu heiraten, wenn er nicht bis zur Mündigkeit des Sohnes zurück sei, der bei seinem Auszug nach Troia noch ein kleiner Knabe war (Hom. Od. 18,259 ff.; 11,447). Im 17. Jahr seiner Abwesenheit ziehen die Freier ins Haus, um P. zu einer Entscheidung zu zwingen, auch ihr Vater und ihre Brüder setzen sie unter Druck (ebd. 15,16 f.). P. möchte ihrem Sohn das Erbe erhalten und ist deshalb unentschlossen. Regelmäßig zeigt sie sich den Freiern und läßt sich von ihnen beschenken, trauert, betet, fastet, weint aber auch oft in ihrer unklaren Lage. Tagsüber

arbeitet sie am Leichentuch ihres Schwiegervaters → Laërtes, von dessen Fertigstellung sie eine zweite Heirat abhängig macht. Nachts trennt sie das Gewebte wieder auf – eine List, die schließlich von einer Dienerin verraten wird (ebd. 2,93 ff.; 19,137 ff.). Sie bemüht sich, von Reisenden Informationen über Odysseus zu erhalten. Als Odysseus als Bettler getarnt in sein Haus zurückkehrt, befragt sie ihn ebenfalls. Sie will die Entscheidung über eine zweite Ehe durch eine Probe herbeiführen, bei der die Freier versuchen sollen, den Bogen des Odysseus zu spannen (ebd. B. 20 und 21). Telemachos übernimmt die Führung und schickt sie weg, da er sich in diesem Moment mit Odysseus, der sich ihm bereits zu erkennen gegeben hat, an den Freiern rächen will. P. prüft den heimgekehrten Gatten, indem sie sich auf das Geheimnis ihres Ehebettes bezieht, das teilweise aus einem Ölbaumstumpf gefertigt ist (ebd. 23,177 ff.).

Im an die ›Odyssee‹ anschließenden kyklischen Epos ›Telegonie‹ macht sich Odysseus' und Kirkes Sohn → Telegonos auf die Suche nach seinem Vater. Als ihm dieser auf Ithaka entgegentritt, erkennt er ihn nicht und tötet ihn. Nach der Aufklärung des Irrtums bringt er den Leichnam mit P. und Telemachos zu seiner Mutter, er selbst heiratet P., die ihm später Italos gebiert, seine Mutter Kirke heiratet den Telemachos (Telegonia argumentum 1 PEG I; Hyg. fab. 127). In der nachhomer. Lit. werden auch viele andere der erwähnten Motive um- und weitergestaltet oder miteinander verbunden: So reist nach Theopompos (FGrH 115 F 354) Odysseus sogleich wieder von Ithaka ab, als er bei seiner Heimkehr P.s Untreue im Umgang mit den Freiern entdeckt, oder er tötet sie (Apollod. epit. 7,38). Grundsätzlich überwiegen aber die positiven Charakterisierungen der P. als umsichtiger und treuer Frau, als die sie geradezu sprichwörtlich wird (Eur. Or. 588 ff.; Eur. Tro. 422 f.; Aristoph. Thesm. 547 f.; Thgn. 1126; Plaut. Stich. 1 ff.; Cic. ac. 2,95; Verg. culex 265; Prop. 2,6,23; Hor. carm. 1,17,19; 3,10,11; Ov. am. 3,4,23 f.; Ov. ars 1,477; 2,355; Sen. epist. 88,8; Sen. Tro. 698; Lib. epist. 746,2 f.). Von den griech. Tragödien und Komödien, die sich mit ihr befassen, ist außer den Titeln fast nichts erh. Ovid (epist. 1) läßt in seiner Darstellung Zwischentöne aufscheinen, die P. den Frauengestalten der röm. Liebeselegie vergleichbar machen. P.s Darstellung in der griech. und röm. Kunst läßt sich in die Bildtypen P. alleine, P. und Telemachos, P. und Eurykleia, P. und die Freier, P. bei der Fußwaschung des Odysseus und P. bei der Wiedererkennung des Odysseus einteilen. Es fällt auf, daß sie selten am Webstuhl dargestellt wird (vgl. [2]). In der späteren Malerei ist dies jedoch das häufigste Motiv. Zum Nachleben der P. s. [3]. P.s Mythos wurde häufig als Oper gestaltet (SCARLATTI, 1676; FAURÉ, 1913; LIEBERMANN, 1954 u. a.).

1 CHANTRAINE, 897   2 CH. HAUSMANN, s. v. P., LIMC 7.2, 225–231   3 HUNGER, Mythologie, 316.

Lit.: L. E. Doherty, Athena and P. as Foils for Odysseus and the Odyssey, in: Quaderni urbinati di cultura classica 39, 1991, 31–44 · Dies., Gender and Internal Audiences in the Odyssey, in: AJPh 113, 1992, 161–177 · C. Emlyn-Jones, The Reunion of P. and Odysseus, in: G&R 31, 1984, 1–18 · Ch. Hausmann, s. v. P., LIMC 7.1, 291 · W. E. Helleman, P. as Lady Philosophy, in: Phoenix 49, 1995, 283–302 · N. Felson-Rubin, Regarding P., 1994 · Dies., P.'s Perspective. Character from Plot, in: J. M. Bremer, I. J. F. De Jong, J. Kalff (Hrsg.), Homer beyond Oral Poetic. Recent Trends in Homeric Interpretation, 1987, 61–83 · M. Katz, P.'s Renown: Meaning and Indeterminacy in the Odyssey, 1991 · M. C. Pantella, Spinning and Weaving: Ideas of Domestic Order in Homer, in: AJPh 114, 1993, 493–501 · I. Papadopoulou-Belmehdi, Le chant de Pénélope: poétique du tissage féminin dans l'Odyssee, 1994 · H. Roisman, P.'s Indignation, in: TAPhA 117, 1987, 59–68 · B. Wagner-Hasel, Die Macht der P. Zur Politik des Gewebes im homer. Epos, in: R. Faber, S. Lanwerd (Hrsg.), Kybele – Prophetin – Hexe. Rel. Frauenbilder und Weiblichkeitskonzeption, 1997, 127–146 · J. J. Winkler, »P.'s Cunning and Homer's«, in: Ders., The Constraints of Desire. The Anthropology of Sex and Gender in Ancient Greece, 1990, 129–161 · E. Wüst, s. v. P., RE 19, 460–493. R. HA.

Penestai

[1] P. (πενέσται, Sg. πενέστης/*penéstēs*) ist wahrscheinlich etym. verwandt mit dem Wort πένης (*pénēs*), »arm«. P. wurde als Kollektivbegriff auf die Schicht abhängiger Griechen bezogen, die in Thessalien die ökonomische und mil. Basis der Aristokratien in den Städten darstellten (Krannon, Larissa, Pherai). Dionysios [18] von Halikarnassos verglich sie mit den → Theten und → *pelátai* in Athen (Dion. Hal. ant. 2,9), somit wurde ihnen der soziale Status von Abhängigen oder *clientes* zugeschrieben. Die meisten ant. Autoren, v. a. Theopompos (FGrH 115 F 122; vgl. Poll. 3,83), verglichen sie mit den → Heloten in Lakonia und Messenia; deshalb ist anzunehmen, daß auch die *p.* Unfreie waren, genauer Menschen ›zw. Freien und Sklaven‹ (μεταξὺ ἐλευθέρων καὶ δούλων: Poll. 3,83). Wie die Heloten stellten sie eine griech. lokale Bevölkerung dar; sie waren eher eine versklavte indigene Bevölkerung als importierte »barbarische« Sklaven (Plat. leg. 776cd: πενεστικὸν ἔθνος). In Friedenszeiten bearbeiteten sie v. a. das Land und zahlten ihren Herren Abgaben in Naturalien (Archemachos FGrH 434 F 1), in Kriegszeiten leisteten sie auch Militärdienst. Eigenständig oder aber auch manipuliert von auswärtigen Mächten neigten sie zu Aufständen (Xen. hell. 2,3,36; Aristot. pol. 1264a 35).

Zw. *p.* und Heloten bestand ein grundlegender Unterschied: Die *p.* gehörten einzelnen thessalischen Aristokraten und waren keine öffentlichen Sklaven. Eine Inschr. aus Pharsalos (IG IX 2,234; spätes 3. Jh. v. Chr.) dokumentiert das Ende der Abhängigkeit der *p.*: Sie führt 23 Männer ohne Patronym auf, die zusammen mit dem Bürgerrecht von Pharsalos auch Landstücke von 60 *pléthra* Größe erhielten. Es kann sich hierbei nur um freigelassene *p.* handeln. Später ist der Status der *p.* nicht

mehr belegt, ihre Abhängigkeit fand in derselben Zeit wie die der Heloten ihr Ende.
→ Thessaloi, Thessalia

1 J. N. Corvisier, Entre l'esclavage et la liberté, un cas peu connu: les Pénestes thessaliens, in: L'information historique 43, 1981, 115–118 2 J. Decourt, Décret de Pharsale pour une politographie, in: ZPE 81, 1990, 163–184 3 J. Ducat, Les Hilotes (BCH Suppl. 20), 1990 4 Ders., Les Pénestes de Thessalie (Annales Littéraires de L'Univ. de Besançon 512), 1994, 79–86, 107–113 5 P. Vidal-Naquet, Réflexions sur l'historiographie de l'esclavage, in: Ders., Le chasseur noir, 1983, 223–248 6 K.-W. Welwei, Unfreie im ant. Kriegsdienst, Bd. 1, 1974. P. C.

[2] Illyrischer Volksstamm, im Zusammenhang mit dem Winterfeldzug des → Perseus [2] 170/169 v. Chr. im 3. → Makedonischen Krieg bei Liv. 43,18–21 als *amici populi Romani* angesprochen. In diesem Zusammenhang finden Penestia (Liv. 43,19,2; auch *Penestiana terra*: Liv. 43,18,5), der in diesem Gebiet liegende Hauptort der P., Uscana (Liv. 43,18,5; Pol. 18,14b,1: Ὑσκάνα πόλις; h. Kičevo?) sowie Oaeneum am Artatus (Liv. 43,19,2ff.; h. Tetovo?), Stuberra (Liv. 43,18,5; h. Čepigovo?), das Kastell Draudacum (Liv. 43,19,4; h. Gostivar?) und weitere Festungen (Liv. 43,19,5) Erwähnung. Die P. lokalisiert man im NW vom h. Mazedonien nördl. des Sees von → Lychnidos im oberen Vardar-Gebiet.

N. G. L. Hammond, A History of Macedonia, Bd. 1, 1972, 43 f. · F. Papazoglou, Les villes de Macédoine, 1988, 298–302. E. O.

Penia (Πενία, Πενίη). Personifizierte griech. »Armut«, »Not«, erscheint meist allegorisch als Erzieherin des Menschen, zu deren Gefolge → Ponos (»Mühe«), Karteria (»Stärke«), Sophia (»Klugheit«) und Andreia (»Tapferkeit«) gehören, sowie als Erweckerin der Künste und Lehrerin der Mühe (Aristoph. Plut. bes. 507 ff.; Lukian. Timon 31 f.; Theokr. 21,1). Zuweilen wird P. als Göttin erwähnt (Alki. 3,40,2; Hdt. 8,111); wenn bei Hdt. 8,111 Geldforderungen der Athener mit Hinweis auf die Gottheiten *Peithṓ* (Überredung) und *Anankaíē* (Zwang) von den Andriern unter Berufung auf ihre Gottheiten P. und *Amēchaníē* (Unvermögen) abgelehnt werden, ist dies als Allegorie zu verstehen. Die Existenz eines Kultes ist fraglich: nach Eur. TGF fr. 248 existiert kein Tempel der P., anderenorts findet sich der Hinweis auf einen Altar in → Gades (Ail. fr. 19 Hercher). Nach Plat. symp. 203b-c sind P. und → Poros [1] Eltern des → Eros [1]. Röm. Entsprechungen: Inopia, Paupertas (Plaut. Trin. Prolog; Hor. epist. 2,2,51).

J. Hemelrijk, Π. en Πλοῦτος, Diss. Utrecht 1925. SU. EI.

Peniculus (auch *penicillum*). Staubwedel, ein Stab mit dem haarigen Ende eines Tierschwanzes (Paul. Fest. 208; 231 M.), mit dem man Tische abwischte (Plaut. Men. 77f.), Schuhe putzte (Plaut. ebd. 391) oder landwirtschaftliche Geräte und Gefäße reinigte (Colum. 12,18,5). Der *p.* diente ferner als Pinsel zum Tünchen der Wände (Plin. nat. 28,235) und als Malpinsel (Plin. nat. 35,60f.; 103; 149). R. H.

Penis (φαλλός/*phallós*, lat. *mentula*; zu Synonyma vgl. [1]). Um 250 v. Chr. hatte man seine Anatomie (Eichel, Hodensack und Hoden) verstanden, doch tat man sich mit der Erklärung seiner Physiologie, v. a. der Erektionsfähigkeit, schwer. Galenos (de usu partium 15,3) nannte ihn ein ›nervenähnliches Teil‹ und diskutierte in *De motibus dubiis* die mögliche Beteiligung des Vorstellungsvermögens an der Erektion. Wenn auch die → *circumcisio* (Beschneidung) im wesentlichen auf jüdische Kreise beschränkt blieb, wurde die → Infibulation (Verschluß der Geschlechtsorgane) weithin praktiziert. Griech. und röm. medizinische und chirurgische Texte enthalten eine Fülle von Behandlungsvorschlägen bei unterschiedlichen Befunden, die das Ergebnis von Mißbildungen (z. B. Phimosen) oder → Geschlechtskrankheiten waren. Im klass. Athen war unverhülltes Auftreten von Männern in der Öffentlichkeit (z. B. bei sportlicher Betätigung) nicht anstößig (vgl. → Nacktheit). Auf pfeilerartigen, rechteckigen Kultsteinen (→ Hermen), bei zahlreichen Ritualen wie auch bei den unterschiedlichsten Formen von → Magie spielte der P. die gesamte Ant. hindurch eine bedeutende Rolle.
→ Phallos; Priapos

1 J. N. ADAMS, The Latin Sexual Vocabulary, 1982, 9–79
2 H. HERTER, s. v. Phallos, RE 19, 1681–1747.
V. N./Ü: L. v. R.-B.

Pensum s. Textilherstellung

Pentadius. Spätant. lat. Autor unbekannter Zeit, dem im → Codex Salmasianus die Gedichte Anth. Lat. 226 SH.B. (*De fortuna*), 227 (*De adventu veris*) und 259–262 zugewiesen werden. Charakteristisch ist die wörtliche Wiederholung der ersten Hexameterhälfte in der zweiten Pentameterhälfte bei jedem Verspaar; ein gelegentlicher Kunstgriff Ovids ist damit zur Formspielerei ausgeweitet. Die Autorschaft der andersartigen Gedichte Anth. Lat. 260–262 SH.B. ist fraglich. Die Epigrammslg. Anth. Lat. 25–68 SH.B. dürfte durch P. beeinflußt sein. Weitere Zuweisungen sowie eine Identifizierung mit dem Adressaten der Epitome des → Lactantius [1] haben keinerlei Grundlage.
→ Carmen de spe; Codex Salmasianus

W. SCHETTER, Kaiserzeit und Spätant., 1994, 451–459 · K. SMOLAK, s. v. P., in: HLL, Bd. 5, § 545. MA. L.

Pentadrachmon, Pentedrachmia (πεντάδραχμον, πεντεδραχμία; Xen. hell. 1,6,12), griech. Mz. im Wert von fünf → Drachmen, in ant. Texten mehrfach genannt: (1.) Sold in Chios 406 v. Chr. (Xen. l. c.), nicht klar zu identifizieren [3]. (2.) »Alte« Pentedrachmia als maked. Mz. zur Zeit des → Perdikkas [3] III. (365–359 v. Chr.; Polyain. 3,10,14), wohl die älteren maked. → Tetradrachmen, die regional in 5 Drachmen zerfielen [1]. (3.) In Kyrene (Poll. 9,60) vielleicht das attische Tetradrachmon, das dort verm. in fünf Drachmen zerfiel. (4.) Die → Trichryson genannte, ca. 17,8 g schwere

Gold-Mz. des Ptolemaios I. und II. war nach dem phönizischen → Münzfuß in P. (5.) Ein P. wird von Heron (1,21) als Mz. für Weihwasserautomaten genannt, wohl eine ptolem. Kupfer-Mz.

1 M. J. PRICE, The Coinage of Philipp II., in: NC 1979, 239 2 SCHRÖTTER, 498 3 W. E. THOMPSON, The Chian Coinage in Thucydides and Xenophon, in: NC 1971, 323–324.
DI. K.

Pentakosiomedimnoi (πεντακοσιομέδιμνοι, wörtl. »Fünfhundertscheffler«) waren die Angehörigen der obersten Schatzungsklasse in Athen. Diese wurden wahrscheinlich von → Solon zu den bereits existierenden Gruppen (→ *hippeís*, → *zeugítai*, → Theten) hinzugefügt, die ihrerseits im Hinblick auf die finanziellen Abstufungen formalisiert wurden (Aristot. Ath. pol. 7,3 ff.; 47,1; Aristot. pol. 1274a 15 ff.; Plut. Solon 18,1 ff.). An die Zugehörigkeit zu dieser Klasse war die Wählbarkeit für bestimmte Ämter gebunden; dies galt im 4. Jh. v. Chr. noch für das Amt des Schatzmeisters (ταμίας/→ *tamías*; Aristot. Ath. pol. 7,3; 8,1 f.; 47,1; Aristot. pol. 1274a 18 ff.; Plut. a. O.; Suda s. v. ταμία). Die Untergrenze war ein Ertrag vom eigenen Grundbesitz in Höhe von 500 Maßeinheiten (*métra*) ›an Trockenem und Feuchtem zusammen‹, d. h. vornehmlich an agrarischen Produkten wie Getreide, Öl und Wein (Aristot. Ath. pol. 7,4). Dafür existieren unterschiedliche Hohlmaße: der → *médimnos* (μέδιμνος; Scheffel für Getreide, ca. 52 l = ca. 40 kg Weizen und ca. 33 kg Gerste) sowie der → *metrētēs* (μετρητής; für Öl bzw. Wein, rund 39 l). Wie die unterschiedlichen Größen angerechnet bzw. kombiniert wurden, ist unklar. Wahrscheinlich wurden sie einfach als Maßeinheiten addiert. Jedenfalls beschränkte sich die Klassifizierung auf das agrarische Einkommen, was zu den Zuständen der solonischen Zeit sehr gut paßt.

Wie die anderen Schatzungsklassen blieben auch die p. erh., wenngleich nur wenige unmittelbare Belege existieren (Thuk. 3,16,1; Demosth. or. 43,54); sie waren u. a. für die Besteuerung (Poll. 8,130) und die Ausstattung von Erbtöchtern (→ *epíklēros*; Demosth. a. O.) wichtig. Mit dem Aufkommen der Geldwirtschaft und der zunehmenden wirtschaftlichen Differenzierung wird man für die Erträge auch monetäre Äquivalente gebildet haben [2. 142⁵⁰]. Da die Angaben über die Zugehörigkeit zu den Klassen, und damit auch zu den p., nicht konsequent überprüft wurden, gelangten im 4. Jh. auch Ärmere in entsprechende Positionen (Aristot. Ath. pol. 47,1).

1 P. J. RHODES, A Commentary on the Aristotelian Athenaion Politeia, 1981, 137, 141, 146, 151 2 A. H. M. JONES, Athenian Democracy, 1957.
H.-J. G.

Pentalitron (πεντάλιτρον). Wert von fünf Litren (→ Litra); als Silber-Mz. geprägt u. a. in Syrakus ([1], 3. Jh. v. Chr.) mit einem Gewicht von ca. 4,35 g. Eine → Drachme [1] aus Akragas/Sizilien trägt die Aufschrift

ΠΕΝ(τάλιτρον) ([2], um 450 v. Chr.), da 5 Litren einer Drachme entsprechen. Als Adjektiv »im Gewicht von 5 Litrai« bei Poll. 4,173.

1 SNG München 1360 2 SNG München 75.

SCHRÖTTER, s. v. P., 499 · HN, 120.   GE.S.

Pentanummion (πεντανούμμιον). Kupfermz. im

Wert von 5 Nummi (→ Nummus) in der von Anastasios [1] I. 498 n. Chr. eingeführten byz. Kupferprägung, mit Wertziffer E (griech.) bzw. V (lat.), geprägt bis Herakleios [7] I. (610–641). Lit. erwähnt im Lex. des Zonaras (→ Zonarae Lexicon); die Zahlenverhältnisse sind unklar.   DI.K.

Pentapolis (Πεντάπολις). Das Gebiet der »fünf Städte«

der westl. → Kyrenaia, also von Euhesperides/→ Berenike [8], → Taucheira/Arsinoe, → Barke (später von Ptolemaïs überflügelt), → Kyrene und Apollonia/Sozusa. Bei Darnis (h. Derna) begann das Gebiet der östl. Kyrenaia.

H. KEES, s. v. P. (3), RE 19, 509f.   W.HU.

Pentateuch (ἡ Πεντάτευχος sc. βίβλος, wörtlich »Fünf-

rollenbuch«, so Orig. comm. in Jo 4,25; vgl. Hippolytos 193 LAGARDE; lat. Pentateuchus, Tert. bei Isid. orig. 6,2,2). In der christl. Trad. Bezeichnung für die Überlieferungseinheit der Bücher Gn, Ex, Lv, Nm und Dt am Anfang der hebr. → Bibel. Die jüd. Trad. spricht stattdessen von spr htwrh, »Buch der Weisung« (vgl. auch die nt. Bezeichnung νόμος/nómos, Lk 10,26, oder νόμος Μωϋσέως/n. Mōÿséōs, Apg 28,23) bzw. von ḥmyšh ḥwmšy twrh (wörtlich »fünf Fünftel Tora«, bSan 44a). Während die oben genannten Namen dieser Bücher, die auf die → Septuaginta zurückgehen, auf den Handlungsinhalt bezogen sind (γένεσις/génesis, »Werden«; ἔξοδος/éxodos, »Auszug«; λευιτικόν/leuitikón, »das Levitische«; ἀριθμοί/arithmoí, »Zahlen«; δευτερονόμιον/ deuteronómion, »zweites Gesetz«), benennt die jüd. Trad. die entsprechenden Bücher jeweils nach ihrem ersten signifikanten hebr. Wort (br'šyt, »Im Anfang«; šmwt, »Namen«; wyqr', »Und er rief«; bmdbr, »In der Wüste«; dbrym, »Worte«). Erzählt wird in einem durchgehenden Handlungszusammenhang – beginnend mit der → Weltschöpfung (Gn 1,1–2,4a), der Paradies- (Gn 2,4b–3,24; → Paradies) und der Urgeschichte (wichtigste Texte: → Sintflutsage, Gn 6,5–9,17, und Turmbaugeschichte, Gn 11,1–9) – die »Geschichte Israels« und seiner Väter von → Abraham über den Auszug aus Ägypten und die Offenbarung am → Sinai bis zum Tode des → Mose [1] unmittelbar vor dem Eintritt in das verheißene Land.

Nach jüd. und christl. Trad. galt Mose als Verf. des P. (vgl. die Bezeichnung »Fünf Bücher Mose«). Trotz des durchgängigen Erzählzusammenhangs machen Anachronismen, zahlreiche Dubletten sowie deutliche Unterschiede in Stil und inhaltlichen Aussagen deutlich, daß die Annahme einer solchen mosaischen Urheber-

schaft nicht plausibel ist und vielmehr mehrere Trad. und Tradenten in einem Jahrhunderte währenden Prozeß, der wohl um ca. 400 v. Chr. zum Abschluß kam, an der Entstehung des Werkes beteiligt gewesen sein müssen. Vor diesem Hintergrund entstand, nach vereinzelten kritischen Stimmen in der Ant. (vgl. die Neuplatoniker → Porphyrios, → Kelsos) und im MA, seit der frühen Neuzeit die sog. P.-Kritik, der es um ein plausibles Modell zur Entstehung dieses lit. Werkes geht. Als die »klass.« Erklärungshypothese galt über lange Zeit hinweg die sog. »Neueste Urkundenhypothese«, die von Julius WELLHAUSEN (1844–1918) auf Grundlage älterer Arbeiten (REUSS; GRAF; KUENEN) entwickelt wurde (›Die Komposition des Hexateuch‹, 1876, u. a.). Sie rechnet mit den vier Quellen Jahwist (J; ca. 950 v. Chr.), Elohist (E, vor 722 im Nordreich), Deuteronomium (D; Ur-Dtn, um 622 v. Chr.) und Priesterschrift (P; Exilszeit oder frühnachexilische Zeit, 2. H. 6./5. Jh. v. Chr.), die in mehreren Redaktionen zusammengearbeitet wurden. Heute ist man von einem Konsens in der P.-Kritik weit entfernt: Während ein Teil der Forscher an J. WELLHAUSENS Hypothese festhält und diese nur punktuell im Hinblick auf Einzeldatier. oder die Zuordnung einzelner Texte modifiziert, stellen andere Forscher dieses Modell prinzipiell in Frage und plädieren dafür, mit einer Fragmenten- bzw. Ergänzungshypothese zu arbeiten. Diskutiert wird auch, ob die → Priesterschrift als jüngster Teil des P. als eine eigenständige Quelle oder als eine Redaktionsschicht anzusehen ist.

Hermeneutische Konsequenz der P.-Kritik ist in jedem Fall, den Text als eine gewachsene Größe zu verstehen, die ein Zeugnis produktiver Auseinandersetzung und Weiterbildung bestehender Trad. darstellt. → Priesterschrift

H. SEEBASS, s. v. P., TRE 26, 185–209 (mit Lit.) ·
E. ZENGER, Die Bücher der Tora/des P., in: E. ZENGER u. a., Einl. in das AT, ³1998, 66ff. (mit Lit.).   B.E.

Pentathlon (πένταθλον). Erster Mehrkampf der Sport-

gesch. überhaupt, in → Olympia angeblich seit 708 v. Chr. für Männer durchgeführt, für Jugendliche nur ein einziges Mal im J. 628 v. Chr. Mythische Herleitung aus dem Argonautenzug (Philostr. perí gymnastikḗs 3) [1]. Die starke ikonographische Präsenz und lange Trad. mit teilweise schwierig zu analysierenden Quellen haben zu erheblichen Deutungsunterschieden sowohl hinsichtlich der Durchführung und Reihenfolge der Übungen (nicht jedoch der Disziplinen selbst) als auch des Verfahrens der Siegerermittlung geführt. Trotz gewisser Vorbehalte gegen die etwas umständliche Ermittlung des Gesamtsiegers müssen die bereits 1963 erzielten Ergebnisse von J. EBERT [2], die in der späteren Diskussion nur unzureichend zur Kenntnis genommen wurden [3. 220²¹⁷], unbedingt als wiss. Grundlage angesehen werden.

Plazierung	Diskus	Sprung	Speer	Lauf	Ringen
1.	A	B	C	A	E:B
2.	B	K	E	B	Sieger
3.	C	E	H	E	gleich-
4.	D	G	I	C	zeitig
5.	E	C	A		Gesamt-
6.	F	A	D		sieger
7.	G	H	F		
8.	H	D	G		
9.	I	I	B		
10.	K	F	K		

Beispiel für den Verlauf eines Fünfkampfes

Die Reihenfolge der Übungen war nach EBERT Diskuswerfen, Weitsprung (fünffacher beidbeiniger Standsprung mit Bleihanteln, *haltéres*), Speerwerfen, Lauf (über 1 Stadion; so EBERT mündlich, abweichend von [2. 10–13]), Ringkampf. Die drei erstgenannten Disziplinen waren typisch für das P. und wurden nicht als Einzeldisziplinen ausgetragen. Der Sieger aller Wettkämpfe dieser »ersten Trias« war mit gutem Recht also Gesamtsieger des P. Dieser Sonderfall war selten. Üblicherweise schieden nach der dritten und vierten Übung dem Prinzip des dreifachen relativen Sieges entsprechend die schwächeren Bewerber aus, so daß die Besten den Gesamtsieger im Ringkampf untereinander ausmachten. Überzeugend bei diesem System wirkt auch die Regel, daß der Gesamtsieger in jedem Fall in der zuletzt ausgetragenen Disziplin siegreich war. Im P. gelangen Wiederholungen von Olympiasiegen nur selten [3. 105], unter den überl. *periodoníkai* (→ *períodos*) war kein einziger Pentathlet [8].

1 D. F. JACKSON, Philostratos and the P., in: JHS 111, 1991, 178–181 2 J. EBERT, Zum P. der Ant., 1963 3 W. DECKER, Sport in der griech. Ant., 1995 4 D. G. KYLE, Philostratus, Repêchage, Running and Wrestling: The Greek P. again, in: Journal of Sport History 22, 1995, 60–65 5 H. M. LEE, Yet Another Scoring System for the Ancient P., in: Nikephoros 8, 1995, 41–55 6 E. MARÓTI, Die Geheimnisse des griech. P.s, in: Annales Universitatis Mariae Curie-Sklodowska, Lublin 49, 1, sectio F, 1994, 27–37 7 Ders., Zur Problematik des Wettlaufes und der Reihenfolge der einzelnen Disziplinen beim altgriech. P., in: Acta Antiqua Hungarica 35, 1994, 1–24 8 R. KNAB, Die Periodoniken, 1934, Ndr. 1980. W. D.

Pentekontadrachmon (πεντηκοντάδραχμον). Goldenes → Tetradrachmon im Gewicht von 13,84 g im ptolem. Ägypten mit einem Wert von 50 Silberdrachmen (→ Drachme), geprägt seit Ptolemaios II. (285–247 v. Chr.) mit den Doppelbildnissen des verstorbenen Herrscherpaares und der Legende ΘΕΩΝ (»der Götter«) und denen des lebenden Herrscherpaares und der Legende ΑΔΕΛΦΩΝ (»der Geschwister«, s. → Philadelphos; [1]; Poll. 9,60).

1 SNG Copenhagen (Egypt: The Ptolemies), 133.

W. SCHWABACHER, s. v. P., RE 19, 528 f. · SCHRÖTTER, s. v. P., 499. GE. S.

Pentekontaëtie (πεντηκονταετία). P. bezeichnet im engeren Sinne → Thukydides' wohl erst spät eingeschobenen [6. 195], chronologisch unpräzisen und summarischen Bericht (Thuk. 1,89–117) über die knapp 50 J. zw. 479 und 431 v. Chr. (faktisch nur bis 439 v. Chr.), zentriert um die These vom Aufstieg der athen. Macht und Spartas wachsender Furcht vor dieser, sowie im weiteren Sinne in der mod. Forsch. die Gesch. dieses Zeitraums überhaupt. Das griech. Wort stammt nicht von Thukydides (umschrieben 1,118,2), wird aber in den Schol. zu 1,89,1; 97,2; 118,2 gebraucht. Als mod. Epochenbegriff ist die P. Ergebnis von Thukydides' dramatischer Stilisierung des großen → Peloponnesischen Krieges zum Höhe- und Wendepunkt der griech. Gesch. [8], während die sog. Erste Peloponnesische Krieg (ca. 460–446 v. Chr.) marginalisiert, das Ende der direkten mil. Konfrontation mit den Persern gar nicht erwähnt wird.

Die absolute Datier. vieler Ereignisse und Dokumente der P. ist im einzelnen strittig [1. 73–107; 2; 3. Teil 2, 178–216], doch die Entwicklungslinien sind klar erkennbar [3; 4; 5; 9]. In → Athenai wurde die demokratische Ordnung kontinuierlich ausgebaut, auch gegen den Einfluß vom → *dêmos* [1] unabhängiger Institutionen und gegen ein mögliches Abweichen von der antispartan. außenpolit. Trad. (z. B. »Entmachtung« des → Areios pagos 462; »Sturz« des → Kimon [2] 461). Die → *dēmokratía* war insgesamt ebenso unumstritten wie die stetige Festigung und Verdichtung des → Attisch-Delischen Seebundes zu einem Instrument athen. Machtinteressen und die aktive, geogr. weitgespannte Außenpolitik. Deren gemischte Bilanz (Siege über die Perser am → Eurymedon [5] ca. 467/6 und bei Salamis auf Kypros (450), aber Scheitern der Äg.-Expedition ca. 460–454; insgesamt Sicherung der athen. Herrschaft in der Ägäis; zugleich jedoch Verlust der zeitweilig (455) errungenen Kontrolle über die nördl. Peloponnes und Mittelgriechenland) fand ihren Ausdruck im Dreißigjährigen Frieden mit Sparta 446 (StV II² 156) und im faktischen Ende des Krieges gegen die Perser (um 449; → Kallias [4]) [1. 1–72; 7]. Trotz dieser Konsolidierung blieben die Beziehungen zw. Athen und dem → Peloponnesischen Bund, v. a. Korinthos, konflikthaltig; dies zeigt sich gerade bei der von → Perikles [1] mit propagandistischer Absicht verkündeten Idee eines »panhellenischen« Friedenskongresses in Athen, die von Sparta sofort abgelehnt wurde (Plut. Perikles 17). Im Seebund bekannte sich Athen zu seiner *tyrannís* (Thuk. 2,63,3).

Die an überl. Ereignissen (mit Ausnahme der samischen Revolte gegen Athen 440/439) ärmere Zeit nach 446 wird vielfach kompensatorisch als »Perikleische Zeit« im engeren Sinn und Höhepunkt des klass. Kulturstaates Athen bezeichnet. Doch in dieser Hinsicht bildete der Beginn des Peloponnesischen Krieges keinen Einschnitt; ebenso zeichneten sich die ungeminderte Konfliktbereitschaft Athens und der Haß auf die athen. Machtpolitik in vielen Staaten schon vorher deutlich ab. Quellen vgl. [10; 11].

→ Athenai; Attisch-Delischer Seebund; Peloponnesischer Krieg; Perikles [1]; Periodisierung; Sparta; Thukydides

1 E. BADIAN, From Plataea to Potidaea, 1993 2 E. BAYER, J. HEIDEKING, Die Chronologie des perikleischen Zeitalters, 1975 3 BELOCH, GG 2 4 CAH² V, 1992 5 G. E. M. DE STE. CROIX, The Origins of the Peloponnesian War, 1972 6 S. HORNBLOWER, Comm. on Thucydides, Bd. 1, 1991 7 K. MEISTER, Die Ungeschichtlichkeit des Kalliasfriedens und deren histor. Folgen, 1982 8 B. S. STRAUSS, The Problem of Periodization, in: M. GOLDEN, P. TOOHEY (Hrsg.), Inventing Ancient Culture, 1997, 165–175 9 K.-W. WELWEI, Das klass. Athen, 1999, 77–13 10 G. F. HILL, R. MEIGGS, A. ANDREWES, Sources for Greek History Between the Persian and the Peloponnesian War, 1951 11 ML. U. WAL.

Pentekoste (πεντηκοστή, die »Fünfzigste«) war eine Abgabe in Höhe von zwei Prozent. *Pentekostaí* sind in vielen griech. Städten, so in Athen, Epidauros, Troizen, Kyparissia, Keos, Delos, Kimolos (SEG 44,710 Z. 31), Erythrai, Knidos, Halikarnassos, im Gebiet des Hermias und in oberägypt. Städten als Zoll belegt, der auf alle importierten und exportierten Waren *ad valorem* erhoben wurde. Vor dem Löschen der Ladung bzw. dem Beladen des Schiffes waren die Waren bei den πεντηκοστολόγοι (*pentēkostológoi*) zu deklarieren. In Athen betrug die Fernhandelssteuer bis zum Peloponnesischen Krieg (E. des 5. Jh. v. Chr.) ein Prozent, wurde während des Krieges erhöht und am Anf. des 4. Jh. auf zwei Prozent festgelegt; sie bestand in dieser Höhe bis in röm. Zeit fort. Die *p.* wurde meistbietend an einen Pächter versteigert, der sie dann einzog. 400/399 v. Chr. wurde die *p.* für 30, im folgenden J. für 36 Talente verpachtet. Der (Haupt-)Pächter (πεντηκόστ-αρχος/*pentēkóstarchos*) arbeitete im allgemeinen mit Teilhabern zusammen. → Andokides [1] warf 399 v. Chr. Agyrrhios vor, durch Absprachen mit möglichen Konkurrenten die Pachtsumme zum Schaden der Polis niedrig gehalten zu haben (And. 1,133 f.). Die Steuerpächter genossen ἀτέλεια (→ *atéleia*), waren also vom Kriegsdienst befreit (Demosth. or. 21,166; 59,27). Außerdem gab es in Athen eine *p.*, die in die Kasse der »anderen Götter« floß (Demosth. or. 24,120). Demosthenes erwog, eine vom Gesamtvermögen der Eisphorapflichtigen zu erhebende *p.* einzufordern, die 120 Talente erbringen würde. Eine auf lokalen Handel erhobene *p.* ist für Delos nachgewiesen (π. τῆς ἀστίας).

→ Eisphora; Steuer; Zoll

1 P. BRUN, Eisphora – Syntaxis – Stratiotika: Recherches sur les finances militaires d'Athènes, 1983, 61 f. 2 M. DREHER, Zu IG II² 404, dem athenischen Volksbeschluß über die Eigenstaatlichkeit der keischen Poleis, in: Symposion 1985, 276–280 3 S. J. DE LAET, Portorium, 1949, 47 f., 327 f. 4 D. RATHBONE, Egypt, Augustus and Roman Taxation, 1993 5 P. J. SIJPESTEIJN, Customs Duties in Graeco-Roman Egypt, 1987 6 J. VÉLISSAROPOULOS, Les nauclères grecs, 1980, 208–211. W. S.

Pentelikon (τὸ Πεντελικὸν ὄρος). Berg im NO von Athen (1108 m). Der Name P. (h. Penteli) ist von dem nachkleisthenischen Demos Pentele [1] am SW-Fuß abgeleitet und in der Ant. nur bei Paus. 1,32,1 f. (vgl. Vitr. 2,8,49: *mons Pentelensis*) bezeugt, sonst (vorgriech.) Brilettos (Brilessos, Βριληττός). Der P. war berühmt für seinen → Marmor (Thuk. 2,23,1; Strab. 9,1,23; Theophr. de signis 3,6,43; S. Emp. adv. math. 1,257), der seit Mitte des 6. Jh. v. Chr. vermehrt abgebaut wurde und schon in Inschr. des 5. Jh. als »pentelischer« Marmor erscheint (IG I³ 444–447; 474 col. 2,202 f.; IG II² 1668, 31 und 33; 1672, 309). Am P. lagen die Demoi Ikarion, Kolonai [1] und [2], Kydantidai und Trinemeia. Am Westhang auf der Kuppe Kastraki befindet sich eine ant. Festung [3]. Neben einer Statue der Athena (Paus. 1,32,2) ist ein Kult des Asklepios [2] und der Nymphen [4] bezeugt. Bekannt war der P. für seinen → Honig (Kall. fr. 552). Im MA war der P. dicht mit Eremitenbehausungen, unter türk. Herrschaft auch mit Klöstern besetzt.

1 TRAILL, Attica, 92, 119 Nr. 27 2 D. DOW, Healing Deities on P., in: Phoenix 36, 1982, 313–328 3 J. R. MCCREDIE, Fortified Military Camps in Attica (Hesperia Suppl. 11), 1966, 52–56 4 J. M. WICKENS, The Archaeology and History of Cave Use in Attica, 1986, Bd. 1, 171; Bd. 2, 202–211 Nr. 39.

M. KORRES, Vom Penteli zum Parthenon (Ausst. in der Glyptothek München), 1992 · K. J. MATTHEWS u. a., The Reevaluation of Stable Isotope Data for Pentelic Marble, in: M. WAELKENS (Hrsg.), Ancient Stones, 1992, 203–212 · PHILLIPPSON/KIRSTEN, 1/3, 792–802 · TRAVLOS, Attika, 329–334 Abb. 413–420 (mit Lit.). H. LO.

Penthesilea-Maler. Att. rf. Vasenmaler, um 470–450 v. Chr. tätig. Um die 200 Vasen, meist Schalen unterschiedlicher Typen, Skyphoi und Kantharoi (→ Gefäßformen, Abb. D 8 und 5) sind ihm zugewiesen. Er führte die Werkstatt des → Onesimos [2], des → Antiphon- und des → Pistoxenos-Malers mit einem neuen Töpfer weiter, der nicht mehr wie seine Vorgänger signierte. Der P. reizte die Möglichkeiten der Trinkschale bis zum letzten aus – sowohl was die Größe als auch die Komposition der Innenseite angeht. Er öffnete das Bild bis zum Schalenrand und füllte es mit Figuren, die im Vergleich zu den Friesen jedes Maß sprengen – wie in der namengebenden Kylix, auf der → Penthesilea im Moment ihres Todes Achilleus erkennt (München, SA 2688). Die größte erh. Schale (H um 30 cm, Dm fast 57 cm) hingegen vereint ein Tondo üblichen Ausmaßes mit einem Innenfries (Ferrara, Mus. Arch., T 18C): Theseus-Taten umschließen zwei Epheben (→ *ephēbeía*) vor einem Altar. Diesen großartigen Schaleninnenbildern stehen konventionellere gegenüber, die Mensch und Tier in Szene setzen, oder solche, die das Verlangen der Geschlechter nacheinander in menschlicher oder göttlicher Gestalt oder im Thiasos der → Satyrn und → Mänaden, immer aber distanziert und klass. wohl gesetzt, thematisieren. In den einfachsten Schalentondi huldigte der P. der Vertrautheit zweier Knaben oder auch einer Hetäre mit einem Jüngling: der eine sitzend, der andere zu ihm herabgebeugt, wozu auch meist ein über zwei Zeilen laufendes HO PAIS KALOS gehört (→ Lieblingsinschriften) – Figurentypen, die später in der Penthesilea-Werkstatt endlos wiederholt wurden. Manchmal überließ der P. die Außenseiten einem Mit-Maler (Splanchnoptes-Maler, Maler von Brüssel R 330). Diese Arbeitsteilung wurde zu einem Kennzeichen der größten Schalenwerkstatt im Kerameikos, die sich bis zum E. des 5. Jh. hinzieht.

Die Skyphoi des P. sind durchwegs mit Ausnahmebildern geschmückt, wie demjenigen einer Bakchantin eigener Prägung, die, von zwei tanzenden Panen begrüßt, dem Boden entsteigt (Boston, MFA 01.8032). Daneben bemalte der P. auch Pyxiden (→ Gefäßformen, Abb. E 11) und tönerne Jo-Jos, für die er vorwiegend die wgr. Technik verwendete. Kräftiger im Strich, wirken die kleinen Jo-Jo-Seiten fast wie großformatige Schalenbilder seines Lehrers, des Pistoxenos-Malers, die ja auch hinter den flächigen rf. Rundbildern des P. stehen. Eine innen wgr. gehaltene Schale des P. ist möglicherweise erh. (Boston, MFA 03.847).

BEAZLEY, ARV², 879–890 · BEAZLEY, Paralipomena, 428–429 · BEAZLEY, Addenda², 300–320 · I. WEHGARTNER, Att. wgr. Keramik, 1983, 63, Nr. 49 · M. ROBERTSON, The Art of Vase-Painting in Classical Athens, 1992, 160–166 · E. KUNZE-GÖTTE, in: MDAI(A) 108, 1993, 88–99 · H. A. SHAPIRO u. a. (Hrsg.), Greek Vases in the San Antonio Museum of Art, 1995, Nr. 85, 87 · G. GÜNTNER u. a. (Hrsg.), Mythen und Menschen. Griech. Vasenkunst aus einer dt. Privatslg. Ausstellung Würzburg 1997, Nr. 29 · M. B. MOORE, CVA United States 33 (J. Paul Getty Mus. 8), 1998, Nr. 75–79.   A. L.-H.

Penthesileia (Πενθεσίλεια, lat. *Penthesilea*). → Amazone, Tochter des → Ares und der Otrere (Aithiopis argumentum, fr. 1 f. PEG I), die zur Reinigung von einer Blutschuld, in einigen Quellen vom Mord an ihrer Schwester → Hippolyte [1] (Apollod. epit. 5,1; Q. Smyrn. 1,20–32), in den Troianischen Krieg eintritt und die Troianer nach dem Tod → Hektors unterstützt (Hellanikos FGrH 4 F 149; Diod. 2,46,5). Sie tötet einige Griechen (Prop. 3,11,14 f.; Q. Smyrn. 1,238–246), wird dann von → Achilleus [1] besiegt, der sich in die Sterbende verliebt und den Troianern die Leiche zur Bestattung überläßt. Dies wird auf der griech. Seite von → Thersites als Liebe gedeutet und lächerlich gemacht, worauf ihn Achilleus mit einem Faustschlag tötet (Prop. 3,11,15 f.; Pherekrates fr. 165 PCG; Pacuvius, Penthesilea, p. 271 TRF; Lykophr. 999 ff.). Im Hell. und in den späteren Quellen steht die Liebe des Achilleus zu P. im Zentrum; so erklärt sich auch das Motiv der Bestattung der P. durch die Griechen (Diktys 4,3; Q. Smyrn. 1,1–830). Der Stoff ist bis in die byz. Zeit sehr beliebt, wobei die späteren Quellen oft Weiterentwicklungen der Grundmotive aufweisen (Ptol. Chennos bei Phot. 191,151b; Diktys 4,2 f.; Lib. progymnasmata 9,1,22; 11,11; Dares 36 MEISTER; Nonn. Dion. 35,27 f.; Nikolaos Sophistes, Progymnasmata 2,11). Zum Nachleben der P. vgl. [1]; am bedeutendsten ist wohl KLEISTS Drama ›P.‹ (1808), dessen Text u.a. von Klaus PRINGSHEIM für seine Oper ›P.‹ (1923) verwendet wurde.
→ Amazones

1 HUNGER, Mythologie, 316 f.

LIT.: E. BERGER, s. v. P., LIMC 7.1, 296 f. · A. KOSSATZ-DEISSMANN, s. v. Achilleus, LIMC 1.1, 161 f., 171 · R. SCHMIEL, The Amazon Queen. Quintus of Smyrna, Book 1, in: Phoenix 40, 1986, 185–194 · F. SCHWENN, s. v. P., RE Suppl. 7, 868–875.
ABB.: E. BERGER, s. v. P., LIMC 7.2, 232–249 · A. KOSSATZ-DEISSMANN, s. v. Achilleus, LIMC 1.2, 130–134.   R. HA.

Pentheus (Πενθεύς; bei Hekataios FGrH 1 F 31 Τευθεύς/ *Tentheús*). Sohn des Sparten → Echion [1] und der → Agaue, Cousin des → Aktaion und des → Dionysos sowie dessen Gegenspieler. Erste vollständig erh. Darstellung des Mythos sind die komplexen und kontrovers diskutierten *Bákchai* des → Euripides [1] (s. [7]; vgl. auch Theokr. 26; Ov. met. 3,511–731: [2]; Nonn. Dion. 44 und 46). Danach ist P. der junge Herrscher über Theben, der den neuen Kult des Dionysos unterbinden will, zu welchem der Gott die Schwestern der → Semele zwingt, weil diese seine Abstammung von Zeus bestreiten. Als P. mit einem Heer gegen die → Mänaden auf dem Berg Kithairon ziehen will, wird er von Dionysos überredet, sie zunächst, selbst als Mänade verkleidet, auszuspähen. Während des Spähgangs wird P. jedoch von den in Wahn versetzten Frauen auf einem Baum entdeckt und unter Führung der Agaue zerrissen (*sparagmós*), welche erst von → Kadmos [1] mit der Realität ihres Unglücks konfrontiert wird. Die ikonographische Darstellung des P. [1] mit Schwert oder Speer (ab 370 v. Chr.) bzw. als reifer Mann mit Bart, der von einer Mänade namens Galene zerrissen wird (um 520 v. Chr.), läßt zwar auf weitere Fassungen des Mythos schließen; anders als [4] meint, folgt jedoch nicht zwingend, daß Verkleidung und Zerreißung durch die eigene Mutter innovative Elemente des Euripides sind [7. 386 f.; 5. 27].

Dem Mythos von → Lykurgos [1] vergleichbar, scheint auch der des P. ein rituelles Ausspielen der polaren Spannung zw. göttlichem Wahnsinn und menschlicher Ordnung zu spiegeln, bei dem P. die Rolle des Trauerobjekts schon im Namen zugeschrieben ist (von *pénthos*: »Trauer«, »Klage«: Eur. Bacch. 367; 507 f.; Theokr. 26,26). Neben psychoanalytischen und strukturalistischen Deutungen [7] ist auf die religionshistor. hinzuweisen, welche in P. eine mythische Bezugsfigur der Verehrer des Dionysos, bes. des Initianden seiner → Mysterien sieht [5; 6]: Ein apulisch-rf. Krater (Toledo 1994.19, um 340–330 v. Chr.), welcher P. neben Aktaion in einer Unterweltsszene zeigt, schließt ihn offenbar vom glückseligen Leben des Eingeweihten nach dem Tod aus [3].

1 J. Bazant, G. Berger-Doer, s. v. P., LIMC 7.1, 306–317; 7.2, 250–265 2 P. James, P. Anguigena – Sins of the »Father«, in: BICS 38, 1991–1993, 81–93 3 S. I. Johnston, T. J. McNiven, Dionysos and the Underworld in Toledo, in: MH 53, 1996, 25–36 4 J. R. March, Euripides' Bakchai: A Reconsideration in the Light of Vase Paintings, in: BICS 36, 1989, 33–65 5 R. Seaford (ed.), Euripides, Bacchae, 1996, 25–52 (mit engl. Übers. und Komm.; Lit.) 6 Ders., Reciprocity and Ritual, 1994, Index s. v. P. 7 Ch. Segal, Afterword: Dionysus and the Bacchae in the Light of Recent Scholarship, in: Ders., Dionysiac Poetics and Euripides' Bacchae, ²1997, 349–393 (mit Lit.; ¹1982).   T. H.

Penthilos (Πενθίλος). Sohn des → Orestes [1] und der → Erigone [2], Vater von Damasios und Echelas, bzw. Archelaos (Paus. 2,18,5 f.; 3,2,1; 5,4,3; Strab. 13,1,3). P. und den Penthiliden wird neben Orestes die aiolische Kolonisation, insbes. die von → Lesbos, zugeschrieben (Paus. 3,2,1; Strab. 9,2,3; 9,2,5; 13,1,3; schol. Lykophr. 1374; Hellanikos FGrH 4 F 32). Die gewaltsame Herrschaft der Penthiliden in → Mytilene beendeten Megakles und Smerdis (Aristot. pol. 5,10, 1311b), die lesbische Stadt Penthile soll ihren Namen von P. ableiten (Steph. Byz. s. v. Πενθίλη).

N. G. L. Hammond, in: CAH 2,2, ³1975, 703–706.   SU. EI.

Pentobolon (πεντώβολον). Griech. Münze im Wert von 5 → Obolen, z. B. in der Silberprägung von Athen im 4. Jh. v. Chr., erwähnt bei Aristoph. Equ. 798, inschr. und in der Suda s. v. πεμπώβολον.   DI. K.

Pentonkion s. Quincunx

Peparethos (Πεπάρεθος). Insel der → Kykladen (h. zu den nördl. Sporaden gerechnet) vor der thessal. Küste (96 km², 20 km L, bis zu 8 km B; Strab. 2,5,21; Ptol. 3,12,44; Plin. nat. 4,72), mit gleichnamigem Hauptort, h. Skopelos. Der zentrale Höhenzug Megalovuno mit dem Hypselon (688 m) führt von NW nach SO. Vor der Westküste liegen Klippen und mehrere Kleinstinseln. Dem Mythos zufolge wurde P. von Kretern besiedelt (Diod. 5,79,2; Skymn. 579 ff.); den wahren Kern dieser Erzählung bezeugen Grabfunde des SH in der Bucht Staphylos im Süden. Im 8. Jh. v. Chr. wurde die Insel von Chalkis aus kolonisiert. Auf P. befanden sich drei ant. Siedlungen: der Hauptort P. im SO (wie h.), Panormos an der Westküste und Selinus im NW beim h. Glossa, alle mit zahlreichen ant. und ma. Überresten (Gräber, Tempel, Wachtürme, Wehrbauten). Ein Asklepios-Heiligtum lag im Westen; Hauptgott der Insel war Dionysos. Als bed. Flottenstützpunkt war P. Mitglied im → Attisch-Delischen Seebund (3 Talente Tribut, ATL 1,372 f.) und im → Attischen Seebund (Diod. 15,30,5; Syll.³ 147,85). Nach einer Militäraktion gegen die Makedonen auf → Halonnesos wurde P. 340 v. Chr. verwüstet und 338 maked. (Strab. 9,5,16), 200 v. Chr. im Verlauf des 2.

→ Makedonischen Krieges geplündert (Liv. 31,28,6). Antonius [I 9] übereignete P. 42 v. Chr. Athen (App. civ. 5,7,30), bei dem es bis zum E. des 2. Jh. n. Chr. verblieb. In byz. Zeit war P. Bistum unter dem Namen Skopelos. Der Literat Diokles [7] stammte von P.

Weitere Belege: Hom. h. 1,32; Soph. Phil. 547 ff.; Thuk. 3,89,4; Skyl. 58; Dion. Per. 521; Steph. Byz. s. v. Π.; Hierokles, Synekdemos 643,4 f.; Not. episc. 3,512. Inschr.: IG XII 8, 640–660. Mz.: HN 312 f.

A. A. Sampson, Ἡ νῆσος Σκόπελος, 1968 • W. Günther, s. v. P., in: Lauffer, Griechenland, 624 f.   A. KÜ.

Pepi s. Phiops

Peplos (Πέπλος).
[1] Decke, Tuch, auch Leichentuch (Hom. Il. 24,796; Eur. Tro. 627, vgl. Eur. Hec. 432); dann Obergewand oder Mantel von Frauen (Hom. Il. 5,734; Hom. Od. 18,292, vgl. Xen. Kyr. 5,1,6). Im Mythos legen die Troianerinnen dem Kultbild der sitzenden Athena einen P. auf die Knie (Hom. Il. 6,303). Des weiteren Bezeichnung für bes. prachtvolle Gewänder, v. a. für das Kleid der Hera von Olympia, das 16 Frauen alle vier Jahre neu webten (Paus. 5,16), sowie das der Athena Polias in Athen, das anläßlich der Großen Panathenäen (→ Panathenaia) neu gewebt und mit einer Darstellung der → Gigantomachie verziert wurde. Das Zusammenlegen dieses P. ist im Ostfries des → Parthenon dargestellt.

In der mod. arch. Fachsprache ist der P. ein Obergewand, wohl gleichzusetzen mit dem dorischen Chitonion. Der P. besteht aus einer viereckigen Stoffbahn zumeist schweren (Woll-)Stoffs, die etwa in ihrem oberen Drittel einmal waagerecht umgeschlagen und dann so um den Körper gelegt wurde, daß der so gebildete Überschlag (apóptygma) auf der Brust und dem Rücken auflag. Hierbei führte man das Tuch unter der linken Achsel hindurch (Abb. zu → Kleidung), zog ihn auf beide Schultern hoch und konnte ihn mit → Nadeln oder Fibeln befestigen. So entstand der an der rechten Körperseite sog. offene P. Daneben konnte man auch die offene Seite zusammennähen, so daß eine Stoffröhre gebildet wurde (geschlossener P.), in die ihre Trägerin hineinschlüpfte. Die Tragweise war dieselbe wie beim offenen P. Der P. wurde gegürtet wie ungegürtet getragen, wobei man im ersten Fall einen Bausch aus dem Gürtel ziehen konnte.

Der P. als Frauenkleidung ist oft in der Vasenmalerei und Plastik dargestellt; zu den bekanntesten Beispielen gehören die sog. P.-Koren, etwa jene von der Athener Akropolis (um 530 v. Chr., Athen, AM Inv. 679, [1. Abb. 349–351]).
→ Chiton; Kleidung (mit Abb.)

1 G. M. A. Richter, Korai. The Archaic Greek Maidens, 1968.

R. M. Cook, The P. Kore and Its Dress, in: Journ. of the Walters Art Gallery 37, 1978, 85–87 • A. Pekridou-Gorecki, Mode im ant. Griechenland: textile Fertigung und Kleidung, 1989.   R. H.

[2] Ps.-aristotelisches Werk myth. Inhalts, aus dem 63 Grabepigramme auf Helden v. a. des troianischen Sagenkreises (→ Epischer Zyklus) erh. sind (fr. 637–644 Rose). Die Epigramme waren in eine von → Hesychios [4] als ἱστορία σύμμικτος (»bunte Gesch.«) bezeichnete (Nr. 169 Rose [1. 270]) Prosa-Abh. eingeflochten (zur Anordnung der Epigramme vgl. [4]), in der sich allgemeinere Themen (Gesch. der Agone, Genealogien) und spezifische Heroengeschichten abwechselten. Datier. und Ursprung des Werkes sind unsicher, es könnte von einem Schüler des Aristoteles [6] zw. 250 und 150 v. Chr. verfaßt worden [6] oder eine kaiserzeitliche Kompilation sein [2. 310–312]. Ein Teil der Epigramme floß in Übers. in die *Epitaphia heroum* des → Ausonius ein [5. 44f.].

ED.: **1** V. Rose, Aristoteles. Fragmenta, 1886, 394–407. LIT.: **2** J.-P. Callu, Les »constitutes« d'Aristote, in: REL 53, 1975, 268–315 **3** P. Moraux, Les listes anciennes des ouvrages d'Aristote, 1951 **4** M. Schmidt, Versuch über Hyginus, in: Philologus 23, 1866, 47–71 · **5** F. W. Schneidewin, De peplo Aristotelis Stagiritae, in: Philologus 1, 1846, 1–45 **6** E. Wendling, De peplo Aristotelico, Diss. Straßburg 1891.   M. B.

Pera (πήρα/ *péra*, πηρίδιον/ *pērídion*, lat. *pera*). Ein Beutel oder Ranzen zum Tragen von Brot (Theokr. 1,49; Athen. 10,422b), Saatgut (Anth. Pal. 6,95; 104) oder Kräutern und Gemüse (Aristoph. Plut. 298), der zur Ausrüstung von Jägern (Anth. Pal. 6,176), Hirten (Anth. Pal. 6,177) oder Fischern gehörte und mittels eines Riemens über die Schulter an der Hüfte getragen wurde. Die *p.* war schon bei Hom. Od. 13,437; 17,197; 410; 466 Erkennungszeichen des Bettlers (vgl. Aristoph. Nub. 924) und galt später, zusammen mit dem Wanderstab (*báktron*, lat. *baculum*, → Stab), als Symbol der ihre Armut zur Schau tragenden Wanderphilosophen (Mart. 4,53, vgl. 14,81; Anth. Pal. 6,298). In der älteren Forsch. ist die *p.* z. B. mit dem Ranzen des → Krates [4] ([1. Abb. 1079]) und des → Diogenes [14] (Diog. Laert. 6,33; 37) identifiziert worden.

1 G. M. A. Richter, Portraits of the Greeks, Bd. 2, 1965.   R. H.

Peraia (ἡ περαία). Bezeichnung für Territorien eines Gemeinwesens, die »gegenüber« lagen, vorwiegend (aber nicht ausschließlich) Festlandbesitz von Inselstaaten. Die Erschließung küstennaher Gebiete diente primär der Gewinnung von Ressourcen, stellte aber für Insel-Poleis auch eine Schutzzone dar [1. 466f.]. Beispiele für *peraíai* von Festlandstaaten sind → Myus, umstritten zw. Miletos [2] und Magnesia [2] am Maiandros (Syll.³ 588), und die Halbinsel Perachora nördl. von Korinthos, die urspr. zu Megara [2] gehörte (Xen. hell. 4,5,1ff.; Xen. Ag. 2,18f.; Strab. 8,6,22).

→ Rhodos hatte Festlandbesitz mit wechselnder Ausdehnung (Pol. 18,2,3; 18,6,3; 30,24; Strab. 11,1,3; App. civ. 4,72,305; amtlich zumeist τὸ πέραν/ *to péran*), urspr. die knidische Halbinsel ohne Knidos, die Halbin-

sel Tracheia und die östl. angrenzenden Gebiete, aufgeteilt auf die drei alten rhodischen Städte → Lindos, → Ialysos und → Kamiros. Die *p.* war wie die Insel in Demen (→ *dḗmos* [2]) eingeteiltes rhodisches Staatsgebiet, dessen Bürger sich mit ihrem rhodischen Demotikon bezeichneten. In hell. Zeit besaß Rhodos noch weitere Gebiete faktisch als »Untertanenland«. Die größte Erweiterung erfolgte nach dem Frieden von Apameia (188 v. Chr.; → Antiochos [5]), als Rhodos Lykia und Karia südl. des Maiandros [2] erhielt, doch mußte dieses Gebiet bereits 167 v. Chr. auf Weisung Roms abgetreten werden. Wahrscheinlich 39 v. Chr. verlor Rhodos Reste seines »Untertanenlandes« an → Stratonikeia in Karia [2; 3. 81–92; 4; 5; 6].

→ Samos erwarb um 700 v. Chr. eine *p.* und besaß im 5. Jh. Thebai an der Mykale sowie Küstengebiete von Marathesion bis Trogilion mit Ausnahme des Landes von Karion und Dryussa. Der permanente Streit mit → Priene um diesen Besitz wurde Anf. des 2. Jh. v. Chr. durch rhodischen Schiedsspruch beigelegt (IPriene 37; [7. 32–37]).

→ Mytilene besaß schon in früharcha. Zeit (8./7. Jh. v. Chr.) Küstenplätze bis zum südl. Ausgang des Hellespontos bis zum Südende des Golfs von Adramytteion, verlor aber im 6. Jh. v. Chr. → Sigeion an → Peisistratos [4] und mußte nach der gescheiterten Erhebung gegen Athen 427 v. Chr. seinen Außenbesitz abtreten (Thuk. 3,50,3; 4,52,2 f.). Die *aktaíai póleis* zahlten jetzt *phóroi* (»Abgaben«) an Athen (ATL II 9 A 9 und 10). Mitte des 4. Jh. v. Chr. hatte Mytilene wieder eine *p.* (Curt. 4,8,13; Skyl. 98; Strab. 13,1,49; 13,1,51).

→ Tenedos verfügte über eine *p.* südl. von Sigeion und konnte sie nach dem → Peloponnesischen Krieg wahrscheinlich noch ausweiten. Sie war in röm. Zeit sehr begrenzt (Strab. 13,1,32; 13,1,44; 13,1,46f.).

→ Samothrake konnte vor dem frühen 5. Jh. v. Chr. eine *p.* zw. Mesembria im Westen und der Hebros-Mündung im Osten gewinnen (Hdt. 7,59,2; 7,108,2) und teilweise bis in hell. und röm. Zeit behaupten (IG XII 8, p. 40, Nr. 1 f.; [8. 262f.]).

→ Thasos gewann schon im 7. Jh. v. Chr. Festlandbesitz, erweiterte ihn im 6. Jh. zu einem Streifen zw. Strymon und Nestos [1] und gründete weiter östl. Stryme, verlor den v. a. durch Metallvorkommen wertvollen Besitz aber nach dem Scheitern der Erhebung gegen Athen 464 v. Chr. (Thuk. 1,100,2–101,3; Plut. Kimon 14,2); nach dem E. des → Attisch-Delischen Seebundes (404 v. Chr.) konnte Thasos bis Mitte des 4. Jh. erneut eine *p.* erwerben (Skyl. 67), die infolge der maked. Expansion aufgegeben werden mußte, im 1. Jh. v. Chr. Thasos aber durch die Römer wieder zugesprochen wurde [9. 36–49, 51 f.].

1 G. Reger, Islands with One Polis versus Islands with Several Poleis, in: M. H. Hansen (Hrsg.), The Polis as an Urban Centre and as a Political Community, 1997 **2** P. M. Fraser, G. E. Bean, The Rhodian Peraea and Islands, 1954 **3** H. H. Schmitt, Rom und Rhodos, 1957 **4** R. M. Berthold, Rhodes in the Hellenistic Age, 1984

5 W. Blümel, Die Inschr. der rhodischen P., 1991
6 A. Bresson, Recueil des inscriptions de la Pérée
rhodienne: Pérée intégrée, 1991 7 G. Shipley, A History of
Samos, 1987 8 K. Bringmann, H. von Steuben,
Schenkungen hell. Herrscher an griech. Städte und
Heiligtümer, 1995 9 D. Lazaridis, Thasos and its P.
(Ancient Greek Cities 5), 1971.

E. Meyer u. a., s. v. P. (1–6), RE 19, 565–585 · P. Debord,
L'Asie Mineure au IVᵉ siècle …, 1999, 264–272 · P. Funke,
P.: Einige Überlegungen zum Festlandbesitz griech.
Inselstaaten, in: V. Gabrielsen (Hrsg.), Hellenistic Rhodes,
2000, 55–75.   K.-W. WEL.

Perasia (Περασία).

Göttin, deren Verehrung im kili-
kischen → Kastabala (Name seit 2. Jh. v. Chr. auch
Hierapolis) lange nachweisbar ist. Eine 20 km nördl. des
Ortes gefundene aram. Inschr. des 5./4. Jh. v. Chr. erwähnt die ›Kubaba von P W Š D/R (= Piwaššara?), die
in Kaštabalay ist‹. Man hat vermutet, daß dieser Name
dem gräzisierten P. zugrundeliegt ([2. 13 f.]; verfehlte
Erklärung bei Strab. 12,2,7). Strab. 12,2,7 identifiziert
P. mit → Artemis; in einem inschr. Gedicht antoninischer Zeit schwankt der Autor zwischen Gleichsetzun-
gen mit → Selene, Artemis, der »feuertragenden → Hekate«, → Aphrodite oder → Demeter [2. 51–53]. Mz.
zeigen Darstellungen der P. mit Affinität zu → Kybele:
→ Kalathos, Schleier, Pinie, wobei letztere dem häufig
abgebildeten Attribut bzw. Symbol der P., der Kien-
span-Fackel, entspricht. Ebenso besteht bildliche Angleichung an die → Tyche der Stadt (Turmkrone)
[2. 92–94]. Der P.-Kult in Kastabala zeichnete sich dadurch aus, daß wohl bei nächtlicher Feier mit Tanz die
Priesterin (diabētría Perasías: SEG 42, 1290) in Ekstase
barfuß über Holzglut ging (Strab. 12,2,7; [5]), möglicherweise mit anschließendem Ausschwärmen der
Teilnehmer über den Pyramos-Fluß ins angrenzende
Waldgebirge (Iambl. de myst. 3,4; [2. 53–64]).

Die Prominenz dieses Kultes trug Kastabala-Hierapolis seit dem 2./1. Jh. v. Chr. den Status einer »heiligen
und unverletzlichen« Stadt ein [3. 462–464]. Aus dem
Heiligtum der P. wurden Einkünfte erwirtschaftet
([2. 35 f.] mit Erwähnung eines → hieromnēmōn). Als mit
ihr verbundene Götter (páredroi) verehrte man seit dem
2. Jh. v. Chr. → Zeus Olympios und seit dem 2. Jh.
n. Chr. möglicherweise Helios (→ Sol; [2. 96–99], vgl.
[4. 15 f.]; zum → Kaiserkult [4. 18–22]). Nach P. war in
Kastabala-Hierapolis ein wohl von → Macrinus gestif-
teter Hieros Agon, die Sevéreia Peráseia, benannt [1. 51 f.;
2. 89–92]. Perasiodoros ist ein von P. abgeleiteter
→ theophorer PN ([2. 50]; SEG 39, 1514).

1 G. E. Bean, Side kitabeleri. The Inscriptions of Side, 1965
2 A. Dupont-Sommer, L. Robert, La déesse de Hiérapolis
Castabala (Cilicie), 1964 3 K. J. Rigsby, Asylia, 1996
4 M. Sayar et al., Inschr. aus Hierapolis-Kastabala (SAWW
547), 1989 (vgl. SEG 39, 1497–1516) 5 H. Taeuber, Eine
Priesterin der P. in Mopsuhestia, in: EA 19, 1992, 19–24 (vgl.
SEG 42, 1290).   G. PE.

Perdikkas (Περδίκκας).

[1] Nach Herodot (8,137–139) war P. im 7. Jh. v. Chr.
der Begründer des maked. Königshauses und des maked. Reiches, dessen Anfänge im Gebiet der späteren
Residenz Aigai [1] lagen.

M. Zahrnt, Die Entwicklung des maked. Reiches bis zu
den Perserkriegen, in: Chiron 14, 1984, 345–348.

[2] P. II. Sohn des → Alexandros [2] I., König der Makedonen ca. 450–413 v. Chr., setzte sich erst allmählich
gegen seine Brüder durch, bewahrte dann aber durch
geschicktes Lavieren zwischen Athen und Sparta seine
Unabhängigkeit und hinterließ seinem Sohn Archelaos [1] ein gefestigtes Reich. 433/2 lag er im Krieg mit
Athen, das seine innenpolit. Gegner unterstützte, und
führte den Abfall Poteidaias, der Chalkidier und der Bot-
tiaier vom → Attisch-Delischen Seebund herbei (Thuk.
1,56–63). 431 schloß er Frieden mit Athen (Thuk.
2,29,6 f.), geriet aber bald in Konflikt mit dem athen.
Bündner Methone (ML 65) und wehrte 429 einen Einfall
der Thraker unter Sitalkes ab (Thuk. 2,95–101). 424/3
unterstützte er den Spartaner → Brasidas (Thuk. 4,78 f.;
82 f.) und zog gemeinsam mit ihm gegen die Lynkestis
(Thuk. 4,124–128), schloß dann aber erneut einen Vertrag mit Athen (Thuk. 4,132). 418 trat er dem zwischen
Argos und Sparta geschlossenen Bündnis bei (Thuk.
5,80,2; 83,4; 6,7,3 f.), näherte sich dann aber wieder
Athen an (Thuk. 7,9). Unter P. wurde Makedonien zu
einem Machtfaktor in der griech. Politik. Zu einem seiner Verträge mit Athen gehören die Fr. IG I² 89.
→ Makedonia; Peloponnesischer Krieg

N. G. L. Hammond, G. T. Griffith, A History of
Macedonia, Bd. 2, 1979, 115–136 · E. N. Borza, In the
Shadow of Olympus. The Emergence of Macedon, 1990,
132–160.

[3] P. III. Sohn von → Amyntas [3] III. und Eurydike [2], nach Beseitigung seines Vormunds Ptolemaios
von Aloros König der Makedonen 365–359 v. Chr.
(Diod. 15,77,5; 16,2,4). 364/3 wurde er zum Bündnis
mit Athen gezwungen und ging gemeinsam mit dem
athen. Feldherrn → Timotheos gegen Amphipolis und
gegen die Chalkidier vor (Demosth. or. 2,14; Polyain.
3,10,14; 4,10,2), fiel aber nach kurzer Zeit von Athen ab
und sicherte Amphipolis durch eine Besatzung (Diod.
16,3,3). 362/1 schloß er mit Timotheos' Nachfolger einen Waffenstillstand, den die Athener verwarfen (Aischin. leg. 30). 361/360 soll der aus Athen nach Makedonien geflohene Politiker Kallistratos [2] für P. das
Zollwesen in Makedonien reformiert und die Einkünfte erheblich gesteigert haben (Aristot. oec. 1350a 16–
23). Platons Schüler Euphraios weilte einige Zeit bei
P. und brachte ihn dazu, seinem Bruder Philippos ein
Teilfürstentum zu geben (Athen. 11,506ef; Speusippos
epist. 30,12). Auch scheint P. sich die obermaked. Fürstentümer unterstellt zu haben. Beim Versuch jedoch,
die Westgrenze gegen die Illyrer zu sichern, wurde er
359 besiegt und fiel mit 4000 seiner Makedonen.
→ Makedonia

N. G. L. HAMMOND, G. T. GRIFFITH, A History of Macedonia, Bd. 2, 1979, 185–188 · E. N. BORZA, In the Shadow of Olympus. The Emergence of Macedon, 1990, 194–197.   M. Z.

[4] Sohn des Orontes aus der Landschaft Orestis. 336 v. Chr. tötete er den Mörder von Philippos [4] II. Unter Alexandros [4] d. Gr. war er → *táxis*-Führer in Europa und in den Schlachten in Asien bis → Persepolis. Bei dem Staatsstreich gegen Philotas [1] war er *sōmatophýlax* (→ *sōmatophýlakes*). Mit → Ptolemaios versuchte er, die Tötung des Kleitos [6] zu verhindern. Zum *hípparchos* (Reiterführer) avanciert, führte er in Indien oft wichtige Aufträge aus und wurde bei der Siegesfeier in → Susa (324) mit einem goldenen Kranz geehrt und mit einer Tochter des → Atropates vermählt, die er bald verstieß. Nach der Abkommandierung des Krateros [1] und dem Tod des → Hephaistion [1] übernahm er dessen Hipparchie. So wurde er durch Zufall → *chilíarchos*. Auf dem Totenbett übergab ihm Alexandros seinen Siegelring, und P. übernahm die Leitung des Reiches und des Heeres, angeblich nach geheucheltem Zögern (Curt. 10,6). Er beseitigte Meleagros [4], verteilte im Namen des Königs Philippos → Arridaios [4] die Satrapien und ließ mit Hilfe von Eumenes [1] die angeblichen letzten Pläne Alexandros' vom Heer annullieren. Der abwesende Krateros wurde mit einem Ehrenamt abgespeist, Peithon [2] mit der Unterwerfung des Söldneraufstandes in Baktria beauftragt und Arridaios [5] mit dem Leichenzug Alexandros' betraut. P. eroberte Kappadokia, ließ den König hinrichten und übergab es an Eumenes. Antigonos [1], der sich geweigert hatte, ihn zu unterstützen, floh nach Makedonia.

Als → Kynnane ihre Tochter Eurydike [3] zur Vermählung mit Philippos Arridaios [4] nach Asien führte, ließ P. die Mutter ermorden, mußte aber die Heirat zulassen. P. hatte Nikaia [2], die Tochter des Antipatros [1], geheiratet, begann aber dann, um Alexandros' Schwester Kleopatra [II 3] zu werben. Darauf verbündete sich Antipatros mit Antigonos und Krateros; sie rückten in Asien ein. Inzwischen hatte Ptolemaios den Leichnam Alexandros' nach Äg. entführt. P. entsandte Eumenes gegen die Verbündeten, um selbst gegen Ptolemaios zu ziehen. Doch seine Versuche, in Äg. einzufallen, schlugen fehl, die Armee war verstimmt, und P. wurde von Offizieren unter der Führung von Peithon und → Seleukos ermordet (→ Diadochenkriege).

HECKEL, 134–163.   E. B.

Perdix (Πέρδιξ, auch Talos oder Kalos genannt), Urenkel des → Erechtheus, Neffe des → Daidalos [1], dessen Kunstfertigkeit er übertrifft – er gilt als Erfinder u. a. der Säge und des Zirkels (Ov. met. 8,246 ff.; Hyg. fab. 39; Verg. georg. 1,143) – und der ihn deswegen von der Akropolis in den Tod stürzt (Soph. fr. 323 TrGF; Hyg. fab. 39). Bei Ov. met. 8,251–253 wird P. von → Athena gerettet, die ihn in ein Rebhuhn (*perdix*) verwandelt, das der Bestattung des ebenfalls durch einen Sturz zu Tode gekommenen → Ikaros [1], des Sohns des Daidalos,

schadenfroh und mit den Flügeln Beifall klatschend zusieht (ebd. 236 ff.). Nach Paus. 1,21,4, Suda und Phot. s. v. Πέρδικος ἱερόν ist P. die Nichte des Daidalos, die ihren kunstfertigen Sohn Kalos in die Lehre ihres Onkels gibt.   S. ZIM.

Perduellio (wörtl. »schlimme Feindschaft«). Im röm. Strafrecht eine weitgefaßte und dehnbare Bezeichnung für jede Art feindlicher Handlung gegen das röm. Gemeinwesen (Dig. 48,4,11: *hostili animo adversus rem publicam*). P. bezieht sich bes. auf Delikte röm. Amtsträger (z. B. Feigheit des Feldherrn vor dem Feind, Mißachtung der Auspizien, Beschränkung der tribunizischen Gewalt, Mißhandlung von Bundesgenossen und wohl auch Landesverrat) [1]. In der Frühzeit Roms wurde der Tatbestand der *p.* von → *duoviri* abgeurteilt. Das Verfahren, das 63 v. Chr. gegen C. → Rabirius wiederbelebt wurde, ist wegen der problematischen Überl. strittig (v. a. Liv. 1,26; [2]). An seine Stelle trat nach dem Ende der Ständekämpfe (→ Ständekampf) der tribunizische Komitialprozeß (→ *comitia*), der aufgrund der vagen Deliktkategorie *p.* auch den polit. wie persönl. Interessen des bzw. der anklagenden Volkstribunen (→ *tribunus plebis*) dienen konnte [1]. Da *p.* mit dem Tod bestraft wurde, waren die Zenturiatskomitien (→ *comitia*) zuständig, die – seit 107 v. Chr. in geheimer Abstimmung – das Urteil fällten (Cic. leg. 3,36). Der Angeklagte konnte sich der Kapitalstrafe durch Selbstexilierung entziehen. Vom 1. Jhr. v. Chr. an ging *p.* im *crimen maiestatis* (→ *maiestas*) auf. Zu den Quellen vgl. [4].

1 W. KUNKEL, Die Magistratur, 1995, 633 f.
2 B. SANTALUCIA, Diritto e processo penale nell'antica Roma, ²1998 3 C. VENTURINI, Processo penale e società politica nella Roma repubblicana, 1996 4 A. PESCH, De perduellione, 1995.   L. d. L.

Peregrinatio ad loca sancta (*Peregrinatio Aetheriae*, *Itinerarium Egeriae*). Bericht einer gebildeten christl. Pilgerin über eine rel. motivierte Reise ins Hl. Land (→ Itinerare C.) und über die Liturgie in Jerusalem (→ Liturgie II.) gegen E. des 4. Jh. n. Chr. (wohl 381–384 [4; 2. 21–29]). Die einzige lückenhafte Hs. des Textes (Codex Arretinus, 11. Jh.) gibt keine Auskunft über die Verfasserin. Ihr Name ist v. a. durch einen Brief des galizischen Mönchs Valerius von Bierzo († 691) bekannt: *Egeria* (andere Lesarten: *Aetheria*, *Etheria*, *Eucheria*). Einiges spricht dafür, daß die Verfasserin Mitglied einer klösterlichen Frauengemeinschaft in NW-Spanien (oder Südfrankreich) war [2. 13–21]. Sie schrieb für ihre Mitschwestern in umgangssprachlichem, stark von der altlat. Bibel (vgl. → Bibelübersetzungen) beeinflußtem Spätlatein.

Der Text des persönlich gefärbten Reiseberichtes (in Briefform) gliedert sich in zwei Teile: Der erste (Kap. 1–23) ist von histor.-geogr. Interesse und schildert die Reisen der Pilgerin durch den Sinai und Teile Ägyptens, ins Ostjordanland und nach Südsyrien, ins obere Mesopot. sowie durch Kleinasien bis nach → Konstantinopolis, von wo aus sie ihren Ber. in ihre Heimat absandte [2. 29–33]. Der zweite (Kap. 24–49) stellt die Beschreibung der Liturgie Jerusalems dar, die auch für andere Kirchenprov. prägend wurde [2. 72–107]. Diese Kap. sind die wichtigste Quelle für die Kenntnis der Taufvorbereitung, der Begehung des Kirchenjahres an den Hl. Stätten und zahlreicher anderer kirchengesch. relevanter Phänomene (Epiphanie, Fastenzeit, Karwoche, Ostern, Pfingsten, Kirchweihe) sowie der Anfänge des kirchlichen Stundengebets. Zudem gibt der Bericht wichtige Aufschlüsse über Brauchtum und Frömmigkeitsleben sowie über das → Mönchtum und seine Lebensweise in Palaestina.

→ Bibel; Forschungsreisen; Itinerare II. C.; Literaturschaffende Frauen; Pilgerschaft (mit Karte); Reisen; Reiseliteratur

1 P. MARAVAL (ed.), Égérie. Journ. de voyage, 1982 (mit frz. Übers. und Komm.) 2 G. RÖWEKAMP, Egeria. Itinerarium – Reiseber., 1995 (lat. und dt.; Lit.) 3 A. BASTIAENSEN, Observations sur le vocabulaire liturgique, 1962 4 P. DEVOS, La date du voyage d'Égérie, in: Analecta Bollandiana 85, 1967, 165–194 5 H. DONNER, Pilgerfahrt ins Hl. Land, 1979, 69–137 6 J. WILKINSON, Egeria's Travels, ²1981 (engl. Übers. und Komm.). H. J. F.

Peregrinos Proteus (Περεγρῖνος Πρωτεύς). Ca. 100–165 n. Chr., geb. in Parion in Mysien. Dieser Philosoph ist uns vor allem durch das kritische und tendenziöse Werk ›Über den Tod des Peregrinos‹ des → Lukianos [1] bekannt. Laut Lukianos, De morte Peregrini 1, legte sich P. selbst den Beinamen Proteus zu – in den Augen des Satirikers ein passender Beiname, da P. wie der → Proteus der Odyssee vielfältige Verwandlungen erlebte (zuletzt im Feuer bei seinen Tod auf einem Scheiterhaufen). P. soll seinen Vater erwürgt haben, dürfte dann nach Palaestina gelangt sein, wo er mit Christen in Kontakt kam und schließlich eine Schlüsselposition in den christl. Kreisen Palaestinas besetzt haben dürfte; er schrieb zu dieser Zeit sogar christl. inspirierte Werke (Lukian., ebd.). Wegen seiner Zugehörigkeit zum Christentum wurde er ins Gefängnis geworfen. Danach kehrte er zu unbekannter Zeit nach Parion zurück und unternahm von dort zahlreiche Reisen. P. verstieß gegen christl. Bräuche (Verzehr verbotener Nahrung, ebd. 16) und wandelte sich in einer neuerlichen Metamorphose zum Kyniker.

In Ägypten verkehrte P. mit dem kynischen Philosophen Agathobulos (ebd. 17). Er führte das Leben eines Wanderpredigers, trug lange Haare, einen schmutzigen Mantel, Schultertasche und Stock (→ Kynismus), ging nach Rom und schließlich nach Griechenland. Aulus → Gellius [6] hörte ihn in Athen. P. traf persönlich Herodes [16] Attikos, → Demonax [3] und Lukianos. Sein theatralischer und pathetischer Tod im Feuer bei den Olympischen Spielen des Jahres 165 n. Chr. (Philostr. soph. 2,1,33; Lukianos glaubt an Einfluß indischer Brahmanen) sollte die kynische Verachtung von Tod und Schmerz illustrieren.

Das von Lukianos gezeichnete Porträt unterscheidet sich grundlegend von der Darstellung bei Gellius (12,11). Letzterer stellt ihn als einen würdevollen (gravis) und standhaften (constans) Mann dar, der Edelmütiges und Nutzbringendes äußert (›der Weise darf keine Sünden begehen, sogar wenn die Götter und die Menschen von der Sünde nicht erfahren werden‹). Menandros [12] Rhetor, Peri Epideiktikon 2,1 (= Bd. 3, 346,18 SPENGEL = 32,19 WILSON), erwähnt ein Ἐγκώμιον Πενίας (Enkōmion Penías, ›Loblied auf die Armut‹) eines »Proteus Kyon«, der gut P. sein könnte [1], und die Suda φ 422 schreibt dem frühen Philostratos einen Πρωτεὺς Κύων ἢ Σοφιστῆς (Prōteús Kýōn ē Sophistḗs) zu, der vielleicht P. zum Thema hat.

1 M. NARCY, s. v. Alcidamas d'Elée, GOULET 1, 108 2 H. M. HORNSBY, The Cynicism of Peregrinus Proteus, in: Hermathena 48, 1933, 65–84 3 M. J. EDWARDS, Satire and Verisimilitude. Christianity in Lucian's Peregrinus, in: Historia 38, 1989, 89–98 4 M.-O. GOULET-CAZÉ, Le cynisme à l' époque impériale, in: ANRW II 36.4, 1990, 2720–2833 (bes. 2764–2767) 5 CH.P. JONES, Cynisme et sagesse barbare: Le cas de Peregrinus Proteus, in: M.-O. GOULET-CAZÉ, R. GOULET (Hrsg.), Le cynisme ancien et ses prolongements, 1993, 305–317. M. G.-C./Ü: E. D.

Peregrinus (wohl von peregre, »außerhalb des Ackers«, nämlich des Landgebietes Roms) ist der wichtigste t.t. des röm. Rechts für den Fremden (→ Fremdenrecht), der nicht dem Rechtsverband der röm. Bürger (→ civitas) angehört, ohne doch ein Feind oder überhaupt rechtlos zu sein. Vom p. teils unterschieden, teils auch als bes. Gruppe von p. behandelt wurden die → dediticii, die als Angehörige einer von Rom unterworfenen Gemeinde weder das röm., noch das latin. Bürgerrecht (→ Latinisches Recht) erh. haben. Z. Z. der Zwölf Tafeln (5. Jh. v. Chr.; = tab.) wurde statt p. noch das Wort → hostis gebraucht (Cic. off. 1,37): Besaß ein hostis das Grundstück eines Römers, blieb er dem Herausgabeanspruch des röm. Eigentümers auch über die Ersitzungszeit von zwei Jahren hinaus ausgesetzt (tab. 6,3).

Der p. konnte viele Geschäfte mit röm. Bürgern gültig in den Formen des röm. → ius civile abschließen, wenn ihm das Recht dazu (→ commercium) verliehen worden war. Ähnliches galt für das Recht zur wirksamen ehelichen Verbindung mit einem röm. Bürger oder einer röm. Bürgerin (→ conubium). Sonst aber war er urspr. wohl auf den rechtlichen Schutz eines röm. Bürgers durch dessen hospitium (→ Gastfreundschaft) angewiesen. Freilich räumten schon die Zwölf Tafeln (tab. 2,2) dem hostis ein Vorrecht bei der Anberaumung von Gerichtsterminen ein, damit er nicht mehrfach nach Rom zu reisen und sich nicht länger als nötig dort aufzuhalten brauchte. Dies zeigt, daß dem hostis bereits im 5. Jh. v. Chr. der Rechtsschutz vor dem röm. Magistrat gewährt wurde. Nur für röm. Bürger galt aber das förmliche Gerichtsverfahren der → legis actio.

Eine neue Qualität erhielt die Stellung als p. (und nun nicht mehr als hostis) im röm. Recht durch die Einrichtung eines bes. Magistrats, des → *praetor p.*, für Streitig-keiten unter *peregrini* oder zw. einem Römer und einem *p.* im J. 242 v. Chr. (Pomp. Dig. 1,2,2,28). Offenbar hatte man zu dieser Zeit die Bed. des Handels mit einem *p.* und die Notwendigkeit, hierfür einen sicheren rechtlichen Rahmen zu schaffen, erkannt. Zu den wichtigsten Schöpfungen des *praetor p.* gehörte ein bes. Gerichtsverfahren für die Beteiligung eines *p.*, der Formularprozeß (→ *formula*). Daneben blieb aber die in den Zwölf Tafeln angedeutete Rechtsverfolgung eines röm. Bürgers gegenüber einem *p.* vor dem *praetor urbanus* (städtischen Praetor) erhalten (Gai. inst. 4,37): Für Diebstahl oder Sachbeschädigung durch einen *p.* wurde die Fiktion verwendet, daß der *p.* als Beklagter zum Zwecke des Prozesses wie ein Bürger zu behandeln sei.

Bes. wichtig für die weitere Entwicklung des röm. Rechts als einer »universellen« Rechtsordnung wurde die Schaffung eines bes. materiellen Rechts für Fälle unter Beteiligung mindestens eines *p.* Vor allem unter Verwendung des durchaus röm. Rechtswerts von Treu und Glauben (*bona → fides*) wurde ein → *ius gentium* als ein der Idee nach für alle Völker geltendes Recht ent-wickelt, zu dem solche grundlegenden Neuerungen wie der Konsensualvertrag (→ *consensus*) gehörten. Sowohl die prozeßrechtlichen als auch die materiellrechtlichen Neuerungen des *praetor p.* bewährten sich so sehr, daß sich aus ihnen ein »Amtsrecht« (→ *ius honorarium*) ent-wickelte, das auch für den Rechtsverkehr unter röm. Bürgern zunehmend anstelle des unflexiblen, archa. *ius civile* angewendet wurde.

Mit der Ausdehnung des röm. Bürgerrechts auf na-hezu alle Italiker nach dem Bundesgenossenkrieg (89 v. Chr.) und schließlich auf alle freien Einwohner des röm. Reiches außer den → *dediticii* in der → *constitutio Antoniniana* 212 n. Chr. verlor die Unterscheidung zw. röm. Bürger und *p.* weitgehend seine Bed.

DULCKEIT/SCHWARZ/WALDSTEIN, 147–150 · D. FLACH, Die Gesetze der frühen röm. Republik, 1994, 122 f., 127 f., 146 f., 151 · HONSELL/MAYER-MALY/SELB, 52 f., 57 f. · KASER, RPR 1, 35 f., 279–282 · WIEACKER, RRG, 264–267, 438–449.   G. S.

Pereus (Περεύς). Sohn des arkad. Königs → Elatos [3] und der Laodike, Vater der → Neaira [3], der Gattin des → Aleos [1], des Gründers von Tegea (Paus. 8,4,4; Apol-lod. 3,102).   S. ZIM.

Perfectissimus (bzw. *vir p.*, griech. διασημότατος/ *dia-sēmótatos*). Spätestens seit Marcus [2] Aurelius (161–180 n. Chr.) Ehrenprädikat und Rangtitel für Ritter über dem Rang des *egregius* (→ *vir egregius*), aber unter dem des → *eminentissimus*. Die Verleihung erfolgte zunächst persönlich und ohne Bindung an ein bestimmtes Amt. Vor → Diocletianus (284–305) ist der Titel unter ande-rem belegt für *praefectus* [3] *vigilum*, *praefectus* [12] *annonae* und → *praefectus Aegypti*, *procuratores a rationibus* (→ *pro-curator*) und *praesides* (→ *praeses*). Seit etwa 250 n. Chr.

wurde die Verleihung, die anfangs einem kleinen Kreis vorbehalten war, häufiger. Dies und die nun vorhan-dene feste Verbindung von Amt und Titel führten zu einer Entwertung des Titels, der auch ehrenhalber ver-liehen werden konnte. Mit dem Titel war die Freistel-lung von verschiedenen *munera* (→ *munus, munera* II.), z. B. der Dekurionatspflicht (s. → *decurio, decuriones* [1]), verbunden, was automatisch zum Ämterkauf führte, den die Kaiser immer wieder zu unterbinden versuch-ten. Zum Kreis der *perfectissimi* kamen im 4. Jh. auch Männer der Munizipalverwaltung, v. a. aber viele → *pa-latini*. Der Titel wurde nun in drei Rangstufen (*primi, secundi, tertii ordinis*) untergliedert. Er verlor kontinu-ierlich an Bed., weil im späteren 4. und 5. Jh. immer mehr bisher als *p.* bezeichnete Amtsträger als *clarissimi* (→ *vir clarissimus*) oder noch höher eingestuft wurden. Lediglich *officiales* (→ *officium* [6]) und andere ähnlich niedrig gestellte Personen trugen noch den Titel *p.* → Hoftitel (C.)   K. G.-A.

Pergament. Zu einem der Beschreibstoffe der Ant. zählte das gereinigte, enthaarte und gegerbte Leder (Hdt. 5,58,3). P. entstand durch eine verfeinerte Be-arbeitung der Tierhaut (von Esel, Kalb, Schaf, Ziege), bei der auf die Gerbung verzichtet wurde; statt dessen legte man die Tierhaut einige Tage in eine Kalklösung, entfernte sodann Fleischreste, Haare und Oberhaut, und legte sie danach in ein Kalkbad zur Reinigung (Kal-zinierung). Anschließend spannte man die Haut in ei-nen Rahmen, trocknete sie, glättete sie mit Bimsstein und weißte sie mit Kreide. Diese Art der Tierhautbe-arbeitung soll nach einer Notiz bei Plinius (nat. 13,70) in Pergamon im 2. Jh. v. Chr. in Konkurrenz zum → Pa-pyrus aufgekommen sein, doch ist nicht auszuschließen, daß schon früher P. als Beschreibstoff üblich war, wie Funde aus → Dura-Europos am mittleren Euphrat (3./2. Jh. v. Chr.) nahelegen. Der Begriff περγαμηνόν (*pergamēnón*) erscheint erstmals im Preisedikt des Kaisers Diocletianus (→ *Edictum* [3] *Diocletiani*). Üblicherweise nannte man das P. διφθέρα (*diphthéra*), μεμβράνα (*mem-bránа*)/lat. *membrana*, σωμάτιον (*sōmátion*).

Anfänglich diente das P. wie Wachstafeln für Kurz-nachrichten, Notizen oder Textentwürfe (Hor. sat. 2,3,1 f.; Hor. ars 386 ff.). P.-Bücher für lit. Texte er-wähnt schon Catull (22,7); Martial (1,2,3 f.) hebt ihr handliches Kleinformat hervor und kennt Ausgaben von Homer, Vergil, Cicero u. a. (14,183–195). P. setzte sich sehr bald gegen die Papyrus-Rolle durch, da es in mehreren Lagen gebunden (→ Codex) und von beiden Seiten beschriftet werden konnte; auch war es besser geeignet für Illustrationen (→ Buchmalerei) und wies eine größere Haltbarkeit auf. All dies führte dazu, daß ab dem 3. Jh. n. Chr. die juristischen Schriften und Biblio-theksbestände von Papyrus-Rollen auf P.-Bücher um-geschrieben wurden; in der Spätant. kam vor allem der Wunsch nach illustrierten Prachtausgaben der Bibel (Eus. vita Const. 4,36) auf, so daß aus den anfängli-chen Kleinformaten prachtvolle Repräsentationsschrif-

ten wurden (z. B. Codex Sinaiticus, Wiener Genesis; Vergilius Vaticanus lat. 3225).
→ Buch; Codex; Palimpsest

O. Mazal, Griech.-röm. Ant. (Gesch. der Buchkultur 1), 1999, 88–98, 127–132 · M. Zelzer, Si pergamenis digna canimus paginis. Die »Wege« des P.codex vom Taschenbuch zur Luxusform, in: P. Scherrer u. a. (Hrsg.), Steine und Wege. FS D. Knibbe, 1999, 419–423.   R. H.

Pergamon (Πέργαμον, ἡ Πέργαμος).
I. Lage   II. Antike Stadt, historische und städtebauliche Entwicklung
III. Ausgewählte Bauten mit Forschungsüberblick
IV. Politisch-historischer Überblick

I. Lage
Stadt in → Mysia, h. Bergama (am Fuß des ant. Stadtberges, teilweise auf den Resten von P.), in der Westtürkei, 110 km nördl. von İzmir, ca. 30 km von der Küste entfernt am rechten Rand der Ebene des Kaïkos [1], h. Bakır Çayı. Die ant. Siedlung lag auf einem 300 m hohem Gebirgsausläufer, vom 7. Jh. v. Chr. bis in spätbyz. Zeit (14. Jh.) in wechselnder Größe von Stadtmauern umgeben. Nur in der röm. Kaiserzeit erfolgte eine Ausdehnung in die Ebene auch ohne Befestigungen. Südwestl. der Stadt befinden sich die Kult- und Kuranlagen des Asklepios-Heiligtums.

II. Antike Stadt, historische und städtebauliche Entwicklung
A. Vorhellenistische Zeit
B. Philetairos (281–263)
C. Eumenes I. (263–241)
D. Attalos I. (241–197)
E. Eumenes II. (197–159)
F. Attalos II. (159–138)
G. Attalos III. (138–133)
H. Römische Zeit   J. Befestigungen der Spätantike und frühbyzantinischen Zeit

A. Vorhellenistische Zeit
P. wurde im 5. Jh. v. Chr. von Gongylos, einem griech. Dynasten, und seinen Nachfolgern beherrscht. Er prägte Mz. (HN 582), hat also wohl über eine Stadt, nicht nur über die Burg geherrscht. Ob ein fester Wohnturm (Karte 1 Nr. 1) – oder ein Wohnhaus (Nr. 2) seine Residenz war, ist unsicher. Arch. im wesentlichen aufgeklärt ist die Frühphase von P. Unter Ruinen hell.-röm. Bebauung fanden sich hinter der Terrassenmauer des Hera-Heiligtums und nordwestl. davon Reste einer frühen, die Gegebenheiten des Geländes nutzenden (z. B. durch die Verbindung von Felsgruppen mittels Mauern) Stadtbefestigung aus rohen, unbearbeiteten Steinen (Stärke etwa 2 m; Karte 1), ungefähr im Umfang der Stadtmauern der Zeit des Philetairos [2]. Keramikfunde datieren diese Befestigungen ins 7. Jh. v. Chr. Östl. der Terrasse des Hera-Heiligtums befand

sich ein allerdings nur für die Bauphase des 5. Jh. v. Chr. (Gongylos) nachgewiesenes Tor (Nr. 6) aus zwei sich überlappenden Mauerenden; hier ist aber auch schon ein Tor der frühesten Mauer vorauszusetzen. Weitere Reste früher Stadtmauern befinden sich am SO- und Osthang bis hinauf zur Burg. Der SW-Verlauf ist beim Bau einer späteren Fahrstraße zur Burg beseitigt worden. Es fanden sich geringe Reste rechtwinklig ausgerichteter Innenbebauung (»Reihenhäuser«) (Nr. 5) nordwestl. der Toranlage. Der Stadtplan dieser frühen Siedlung ist im einzelnen nicht bekannt. Das Baumaterial dürfte bei der hell. Überbauung des Stadtgebietes beseitigt bzw. wiederverwendet worden sein.

B. Philetairos (281–263 v. Chr.)
Dieser Gründer der Attaliden-Dyn. gestaltete die archa. geprägte befestigte Siedlung zu einer Stadt um (Karte 2): Er nahm an der alten Stelle eine Neugründung vor. Die neue Stadtmauer aus sorgfältig ausgeführtem Quadermauerwerk übertraf in ihrem Umfang die alte Mauerführung kaum. Es entstand auch ein gänzlich neues Straßennetz. Teils vertikal, teils horizontal zum Hang angelegte, ca. 2 m breite, nur als Fußwege nutzbare Gassen bildeten ein Netz innerhalb der großen Fahrstraßenschleife, die vom Rastersystem unabhängig war, weil auf ihr auch schwere Wagen zur Burg hinauffahren mußten. Die vertikal geführten Gassen sind inzwischen gut erforscht: Sie verliefen, wegen der Steilheit vielfach getreppt, im Abstand von 60–70 m voneinander; mit langen Steinplatten gedeckte Entwässerungskanäle waren in den Fels gehauen. In das Pflaster roh eingemeißelte Buchstaben (Epsilon, Sigma, Chi) lassen sich als Abrechnungsmarken verschiedener Bauunternehmer deuten. Wegen der Abwasserkanäle war das Straßensystem sehr wahrscheinlich einheitlich geplant und in einem Zuge verlegt, bevor der Hausbau begann.

Über die Stadt des Philetairos ist sonst nur wenig bekannt. Das Hauptheiligtum (Karte 1 Nr. 4) auf der Burg, ein Athenatempel der 2. H. des 4. Jh. v. Chr., bestand schon. Auf der obersten Burg dürfte sich die Residenz befunden haben, vielleicht ein fester Wohnturm (Nr. 1), vielleicht auch schon ein Peristylhaus (→ Haus, mit Abb.). Unmittelbar vor der südl. Stadtmauer lag schon im 5. Jh. v. Chr. ein Demeterheiligtum bescheidener Größe (Nr. 7), das von Philetairos größer ausgebaut wurde (Nr. 15). 2 km südwestl. von P. stand ein im 4. Jh. gegr. Heiligtum des Asklepios (Karte 6, Nr. 60), das bereits unter Philetairos mit neuem Marmortempel ausgestattet wurde. Bescheidene Wohnhäuser lagen südl. der Burg (Nr. 12), wo rund 100 J. später der P.-Altar entstand, desgleichen auf dem Gelände des späteren Oberen Marktes (Nr. 13) und am Ort des späteren Temenos für den Herrscherkult (Nr. 11). An der Stelle des späteren P.-Altars stand neben den Häusern ein Apsidenbau (Nr. 12) (Heiligtum, Heroon, Marktbau?). Im Bereich der späteren Königspaläste lagen Getreidemagazine (Nr. 3), neue traten am Nordzipfel der Burg hinzu (Nr. 8). Wohnhäuser befanden sich am Westrand der Akropolis (Nr. 9), wo später der Traianstempel stand. Reste eines Bades mit Kieselmosaikboden fanden sich an der westl. Stadtmauer (Nr. 14). So war das Stadtgebiet recht dicht bebaut.

C. EUMENES I. (263–241 V. CHR.)

Mit dem Sieg des Eumenes [2] I. über Antiochos [2] I. 262 v. Chr. wurden die Attaliden (→ Attalos, mit Stemma) von der Seleukidenherrschaft unabhängig. Das Territorium von P. reichte nun, mit einem Umkreis von rund 80 km, im Osten bis ins oberste Kaïkostal, im Norden bis ans Idagebirge (→ Ida [2]) bei → Adramyttion, im Süden etwa bis → Myrina [4]. Von großer Bautätigkeit in P. unter Eumenes I. ist bisher nichts bekannt.

D. ATTALOS I. (241–197 V. CHR.)

Attalos errichtete wichtige neue Bauten (Karte 3), so auf dem Platz der späteren Oberen Agora ein Zeusheiligtum (Nr. 19). Der Marktbetrieb vor dem Burgtor wurde durch ein neues, verm. mehrgeschossiges Marktgebäude (Nr. 17; vgl. ähnliche Bauten in Aigai und Alinda) direkt vor den Burgmauern reguliert. Ob die Frühphase des »Heroons für den Herrscherkult« (Nr. 18) und das »Megalesion« (Peristylbau oberhalb des Gymnasions; Nr. 20) auf Attalos oder auf seinen Nachfolger Eumenes [3] II. zurückgehen, ist nicht sicher. Der »Palast IV« auf der Burg (Nr. 16; mit Mosaiken ausgeschmücktes Peristylhaus) wird als Residenz Attalos' I. gedeutet. Das Demeterheiligtum ließ Apollonis, die Frau des Attalos, vergrößern (Nr. 21). Das Asklepieion (Karte 6, Nr. 60) wurde bei der Belagerung durch Philippos [7] V. 201 v. Chr. schwer beschädigt; dort entstanden Neubauten, u. a. ein Marmortempel im ion. Stil. Am E. der Regierung Attalos' I. steht ein wesentlich bereicherter Stadtplan, der sich jedoch noch immer auf das Areal innerhalb der Mauern des Philetairos beschränkte.

E. EUMENES II. (197–159 V. CHR.)

Eumenes II. hat Burg und Stadt neu gestaltet und war so tatsächlich »Neugründer« des hochhell. P., wenn auch nicht alle Bauten noch unter seiner Herrschaft abgeschlossen wurden. Er erweiterte das Stadtgebiet entscheidend durch den Neubau einer 4 km langen Stadtmauer aus großen Quadern, die bis hinunter an den Fuß des Stadtberges reichte; sie hatte ein aufwendig gestaltetes Haupttor ganz im Süden (Karte 6) und mehrere Nebentore. Der Mauerring umschloß ein weites, zuvor unbebautes Areal mit einem streng gerasterten Straßensystem, das anders ausgerichtet war als die Stadtanlage des Philetairos, in der das alte Straßensystem erh. geblieben war. Nach dem neuen Straßenraster wurde der neu angelegte Untere Markt (Karte 4 Nr. 41) ausgerichtet. Angrenzende Wohnhäuser (Nr. 40), nunmehr durchwegs vom Peristylhaustypus, waren an dem neuen System orientiert. Der riesige Komplex des Gymnasions (Nr. 38) war – dem Gelände angepaßt – abgestuft: drei Terrassen, hineingeschoben in den Zwickel zw. der befahrbaren Hauptstraße und der Stadtmauer des Philetairos. Unmittelbar oberhalb des Gymnasions entstanden zwei öffentliche Gebäude, große Peristylanlagen: das »Megalesion« (Karte 3 Nr. 20), verm. ein Heiligtum

der → Kybele (evtl. schon unter Attalos I. errichtet), und das »Gebäude Z« (Nr. 36) mit reicher, teilweise erh. Innenausstattung (Stuckwände und Bodenmosaiken). Ebenfalls in der Zeit des Eumenes II. wurden ein Theater (Nr. 28) am steilen Westhang des Burgberges mit Stützkonstruktionen der vorgelagerten Terrasse sowie ein Dionysos-Tempel (Nr. 27) ebendort erbaut; ferner eine Obere Agora (Nr. 35); die Erweiterung des alten Zeus-Temenos (Nr. 19) bis jenseits der Hauptstraße; der P.-Altar (Nr. 34), für dessen Vorplatz eine Strecke der alten philetairischen Stadtmauer eingeebnet wurde; das Athenaheiligtum (Nr. 30) mit neuen Hallen, Propylon und Bibliothek; ein neuer Palast (»Palast V«) in Form eines großen Peristylhauses (Nr. 32) und ein Temenos für den Herrscherkult (Nr. 33). Die Getreide- und Waffenmagazine auf der Burgspitze wurden ausgebaut (Nr. 23), ebenso das Asklepiosheiligtum mit nach Westen erweiterten Hallen (Karte 6 Nr. 60). Eine Druckwasserleitung (Nr. 22) wurde aus dem gebirgigen Hinterland auf die oberste Kuppe des Burgbergs geführt, um dort in einem Wasserturm zu enden (Nr. 26).

F. ATTALOS II. (159–138 V. CHR.)

Auch Attalos II. gestaltete P. mit neuen Bauten aus (Karte 4). Errichtet wurden ein Hera-Heiligtum unmittelbar über dem Gymnasion (Nr. 37) und die Südhalle des Athenaheiligtums (Nr. 31). Der Bau des P.-Altars (Nr. 34), unter Eumenes II. nicht abgeschlossen, wurde weitergeführt, die Arbeiten daran aber schließlich eingestellt; er blieb unvollendet.

G. ATTALOS III. (138–133 V. CHR.)

Bautätigkeiten sind weder für die Herrschaft des Attalos III. noch für die Jahre seines von Rom bekämpften Nachfolgers Eumenes III. (133–129 v. Chr.; → Aristonikos [4]) belegt.

H. RÖMISCHE ZEIT

Zur röm. Zeit s. Karte 5 und 6. Über die bauliche Entwicklung von P. in der ersten Phase der Römerherrschaft (ab ca. 129 v. Chr. bis ins 1. Drittel des 1. Jh. v. Chr.) ist nichts bekannt. Weite Teile der Stadt verfielen bis in die Mitte des 1. Jh. v. Chr., wurden z. T. auch zerstört. In der Zeit des ersten Wiederaufschwungs (60er J. des 1. Jh. v. Chr.) entstanden das »Diodoreion« (Karte 5 Nr. 45), ein Kultgebäude (Heroon) für einen reichen Bürger namens Diodoros Pasparos, der durch diplomatisches Geschick in Verhandlungen mit Rom und finanzielle Freigiebigkeit P. wieder auf die Beine geholfen hatte und dafür schon zu Lebzeiten mit kultischer Verehrung belohnt wurde. Die Westthermen des Gymnasions wurde Mitte des 1. Jh. v. Chr. erbaut (Nr. 39). Städtebaulich wichtig war erst wieder die Zeit der Kaiser Traianus (98–117 n. Chr.) und Hadrianus (117–138 n. Chr.). So entstand auf der Burg (Karte 5) ein Tempel für Traianus (Nr. 42, Traianeum); auf dem Stadtberg wurden das Temenos für den Herrscherkult (Nr. 43), die »Akropolis-Thermen« (Nr. 44) und das Demeterheiligtum ausgebaut (Nr. 46). Prächtig wurde das Gymnasion erneuert, v. a. die obere Terrasse (Nr. 47), aber auch andere Bauten. Ganz P. war nun eine einzige große Baustelle.

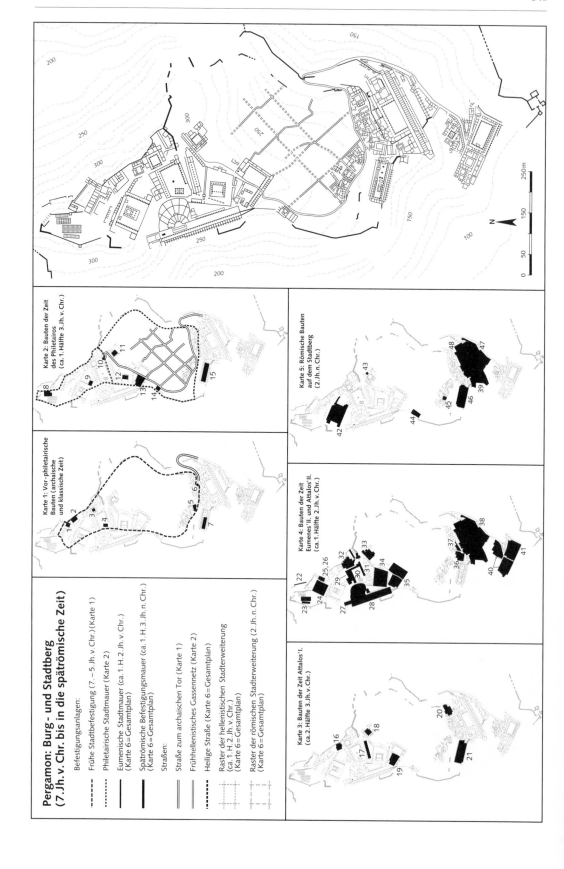

Pergamon: Burg- und Stadtberg
(7. Jh. v. Chr. bis in die spätrömische Zeit)

Befestigungsanlagen:

Frühe Stadtbefestigung (7.–5. Jh. v. Chr.) (Karte 1)

Philetairische Stadtmauer (Karte 2)

Eumenische Stadtmauer (ca. 1. H. 2. Jh. v. Chr.) (Karte 6 = Gesamtplan)

Spätrömische Befestigungsmauer (ca. 1. H. 3. Jh. n. Chr.) (Karte 6 = Gesamtplan)

Straßen:

Straße zum archaischen Tor (Karte 1)

Frühhellenistisches Gassennetz (Karte 2)

Heilige Straße (Karte 6 = Gesamtplan)

Raster der hellenistischen Stadterweiterung (ca. 1. H. 2. Jh. v. Chr.) (Karte 6 = Gesamtplan)

Raster der römischen Stadterweiterung (2. Jh. n. Chr.) (Karte 6 = Gesamtplan)

Karte 1: Vor-philetairische Bauten (archaische und klassische Zeit)

Karte 2: Bauten der Zeit des Philetairos (ca. 1. Hälfte 3. Jh. v. Chr.)

Karte 3: Bauten der Zeit Attalos' I. (ca. 2. Hälfte 3. Jh. v. Chr.)

Karte 4: Bauten der Zeit Eumenes' II. und Attalos' II. (ca. 1. Hälfte 2. Jh. v. Chr.)

Karte 5: Römische Bauten auf dem Stadtberg (2. Jh. n. Chr.)

Karte 6: Stadtplanschema der Zeit Eumenes' II. (2.Jh. v. Chr.) und römische Stadterweiterung (2.Jh. n. Chr.)

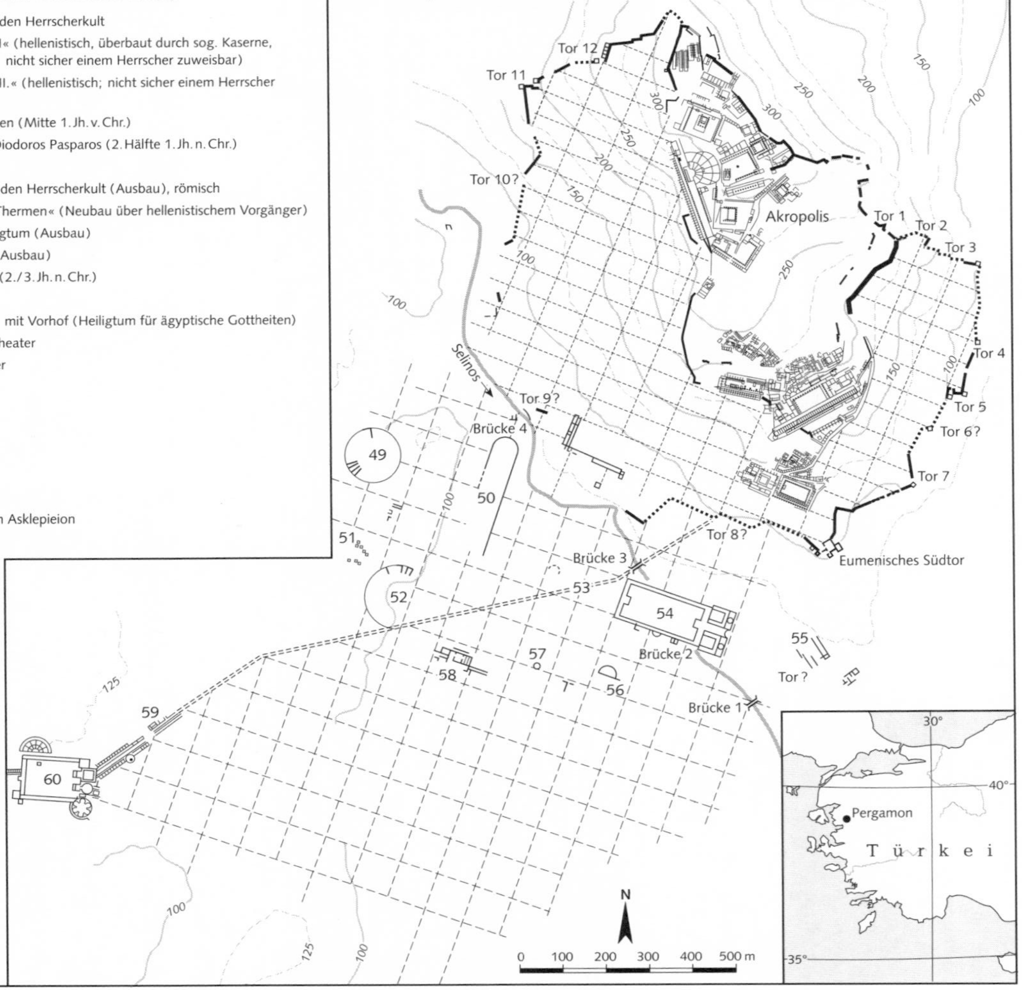

Pergamon: Stadtentwicklung (7. Jh. v. Chr. bis in die spätrömische Zeit)

Chronologische Reihenfolge:

6. Tor (in der frühen Stadtmauer)
5. »Reihenhäuser« (archaisch?)
7. Demeterheiligtum (5. Jh. v. Chr.)
2. »Palast III« (Congylidenzeitlich? ca. 5. /4. Jh. v. Chr.)
4. Athenatempel (4. Jh. v. Chr.)
1. Wohnturm der frühen Dynasten (?)
3. Frühes Getreidemagazin (im Bereich des späteren Königspalastes V)
60. Asklepios - Heiligtum (4. Jh. v. Chr. gegründet; großer Ausbau in hadrianischer Zeit)
12. Apsidenbau, umgeben von Wohnhäusern (auf dem Gelände des späteren Pergamonaltars)
10. Burgtor
11. Wohnhäuser (auf dem Gelände des späteren Temenos für den Herrscherkult)
13. Wohnhäuser (auf dem Gelände des späteren Oberen Marktes)
9. Wohnhäuser (auf dem Gelände des späteren Traianstempels)
8. Getreidespeicher
14. Bad
15. Demeterheiligtum, vergrößert von Philetairos
19. Zeusheiligtum (auf dem Gelände des späteren Oberen Marktes)
17. Marktgebäude
18. Heroon / Temenos für den Herrscherkult (schon Attalos I.?)
20. Megalesion (Peristylbau, vermutlich Kybeleheiligtum, schon Attalos I.?)
16. »Palast IV« (Peristylbau)
21. Demeterheiligtum, stark erweitert
41. Unterer Markt
40. Wohnhäuser (Peristylbauten)
38. Gymnasion
36. Bau »Z«
27. Dionysostempel (hellenistisch; in römischer Zeit erneuert unter Hadrian oder Caracalla)
28. Theater
29. Bibliothek
35. Oberer Markt
34. »Pergamonaltar«
30. Athenaheiligtum (Nord - und Osthalle, Nebenräume, Propylon)
32. »Palast V« (sehr großer Peristylbau)
23. Getreide - und Waffenmagazine (»Arsenale«)
22. Druckwasserleitung
26. Wasserturm
37. Hera - Heiligtum (Attalos II., Bauinschrift)
31. Südhalle des Athenaheiligtums (wohl Attalos II.)
33. Temenos für den Herrscherkult
24. »Baugruppe I« (hellenistisch, überbaut durch sog. Kaserne, 2. Jh. v. Chr.?, nicht sicher einem Herrscher zuweisbar)
25. »Baugruppe II« (hellenistisch, nicht sicher einem Herrscher zuweisbar)
39. West - Thermen (Mitte 1. Jh. v. Chr.)
45. Heroon für Diodoros Pasparos (2. Hälfte 1. Jh. n. Chr.)
42. Traianeum
43. Temenos für den Herrscherkult (Ausbau), römisch
44. »Akropolis - Thermen« (Neubau über hellenistischem Vorgänger)
46. Demeterheiligtum (Ausbau)
47. Gymnasion (Ausbau)
48. Ostthermen (2. / 3. Jh. n. Chr.)
53. Forum
54. »Rote Halle« mit Vorhof (Heiligtum für ägyptische Gottheiten)
52. Römisches Theater
49. Amphitheater
50. Stadion
55. Therme?
56. Odeion?
57. Rundbau
58. Therme?
51. Grabbauten
59. Therme beim Asklepieion

Nach einheitlichem Stadtplan (Karte 6) wuchs die Stadt ohne Befestigungsmauern hinaus in die Ebene, in Richtung auf das Asklepios-Heiligtum; die → *pax Augusta* machte Stadtmauern überflüssig. In der Ebene entstand außerhalb der eumenischen Mauern von traianischer Zeit an ein neues Straßenraster, das von dem der eumenischen Stadt in Richtung und Größe der *insulae* abwich, ausgerichtet auf die Achse des Traianstempels (Karte 5 Nr. 42) auf der obersten Burg. Dies gilt als Hinweis für die Datier. des Straßenraster-Entwurfs in traianische Zeit. Die verlängerte Flucht einer wichtigen Straße traf genau auf den Athenatempel auf der Burg (altes Hauptheiligtum). Diese Straße kreuzte in der Ebene das Forum (Nr. 53) des röm. P. Neue Großbauten in der röm. Unterstadt waren das Theater (Nr. 52), das Amphitheater (Nr. 49), das Stadion (Nr. 50) und die »Rote Halle« (Nr. 54), ein Heiligtum für äg. Gottheiten, das unmittelbar an das Forum angrenzte, und weitere röm. Bauten (Nr. 55–59). Am südwestl. Stadtrand erfuhr das Heiligtum des Asklepios (Nr. 60) einen aufwendigen Ausbau in hadrianischer Zeit.

J. Befestigungen der Spätantike und frühbyzantinischen Zeit

Durch wirtschaftliche und polit. Umstände bedingt, schrumpfte im 3. Jh. das Stadtgebiet deutlich. Auf dem Berg wurde wohl wegen der Einfälle der → Goti in den 260er J. eine neue, zum großen Teil aus wiederverwendetem Steinmaterial gemörtelte Mauer ohne Türme errichtet (Karte 6, starke Linie), eher für eine Fluchtburg denn für eine Stadt geeignet; sie verlief großenteils auf der Trasse der philetairischen Befestigung bzw. auf der Vorderkante der hell. und röm. Großbauten (Gymnasion, Demeterterrasse). Von einer neuen Innenbebauung ist nichts bekannt. Wegen der Gefahr, die von den Arabern drohte, wurde die Befestigung im 7. Jh. weiter bis auf die Linie des P.-Altars zurückgenommen. Viele Marmorbauten der Burg wurden zur Gewinnung von Baumaterial abgerissen, u. a. der P.-Altar. Ein Teil von dessen Reliefs wurde im Sperriegel am Südrand der Burg verbaut aufgefunden. Die Festung hatte außerdem ein großes Bollwerk aus Marmorspolien am Nordende der Akropolis.

III. Ausgewählte Bauten mit Forschungsüberblick

A. Pergamonaltar
B. Athenaheiligtum und Bibliothek
C. Oberer Markt und Zeustempel
D. Demetertempel E. Dionysostempel beim Theater F. Gymnasiontempel R

A. Pergamonaltar

Unter dem h. als P.-Altar bekannten Altarbau (Karte 4 Nr. 35) fanden sich Reste eines apsidenförmigen Vorgängerbaus, der als Heroon, Marktbau o.a. gedeutet wird. Der Westabschluß des Apsidenbaus ist unbekannt. Den P.-Altar erbaute um 170 v. Chr. Eumenes [3] II., wahrscheinlich den Göttern geweiht zum Dank für sei-

ne Errettung bei dem Mordanschlag im J. 172 in Delphoi. Das Thema des Haupt-Relieffrieses am Sockelbau in »barocker« Formensprache ist der Kampf der Götter mit den → Giganten. Der kleinere Fries um den Hof mit dem Opferaltar stellt mit landschaftlichen und atmosphärischen Elementen das Leben des mythischen Stadtgründers → Telephos dar. Die Stilunterschiede zum Hauptfries sind bedingt durch den bewußten Einsatz unterschiedlicher Stilmittel für die jeweiligen Themen und Anbringungsorte. Der Altarbau wurde nie ganz vollendet; so fehlten u. a. die Säulen auf der Innenseite des Altarhofes. Durch neue Forsch. (V. Kästner und M. Klinkott) wurden folgende Theorien (W. Hoepfner) überholt: Pergamon-Altar als Rasterbau von 100 Fuß Länge; Vielzahl von Statuen zw. Säulen des Außenbaus; Figuren der »Kleinen Gallier« auf der Mauer des Opferaltars. Daß → Phyromachos von Athen entwerfender Meister des Hauptfrieses gewesen sei (B. Andreae), ist unbewiesen.

B. Athenaheiligtum und Bibliothek

Die früher allg. akzeptierte Annahme, daß die königliche → Bibliothek, aus der Antonius [I 9] 200000 Schriftrollen nach Alexandreia [1] entführte, sich in einem großen Raum mit Athena-Statue im Obergeschoß der Westhalle des Heiligtums befunden habe, wird neuerdings bezweifelt (H. Mielsch). Die Athena-Statue (h. in Berlin, PM) stellte eine komplette, auf Maßstab ⅓ verkleinerte Nachbildung der Athena Parthenos des → Pheidias dar (M. Weber). Sie ist mit breiter Basis zu ergänzen, auf der sich auch der Schild der Athena und die Unterstützungssäule für Nike befanden. Die neuere Theorie (W. Hoepfner) von hölzernen Bücherschränken unter großen Fenstern, in 50 cm Sicherheitsabstand von den Wänden, mit Holzverkleidung hinter der Athena-Statue, ist ebenso unwahrscheinlich wie die Ausstattung des Athena-Saales als Katalogsaal mit Pinakes (→ *pínax*) an den Wänden und Statuen von Kat.-Personifikationen auf erh. Steinsockel (H. v.d. Knesebeck). Nach H. Mielsch befand sich im Athena-Saal ein Schatzhaus der Göttin; die Bibliothek habe anderswo gelegen (im Gymnasion?).

C. Oberer Markt und Zeustempel

Neuere Forsch. (K. Rheidt) haben erwiesen, daß das Gesamtareal südl. der Burgmauern (später: P.-Altar und Obere Agora) urspr. eine Marktzone vor dem Burgtor war. Vielleicht gehörte auch der Apsidenbau (Nr. 12) zum Markt. Die große Markthalle an der Nordseite des Areals war wohl mehrgeschossig und ähnelte anderen hell. Marktbauten. Der Zeustempel (Nr. 19) wurde unter Attalos I. auf dem Gebiet der späteren Oberen Agora errichtet; dafür wurden die früheren Stadtmauern umgebaut und in die jetzt erweiterte Tempelterrasse einbezogen. Erst mit der Erbauung des P.-Altars unter Eumenes II. mußte der Marktbetrieb zur Terrasse des Zeus-Tempels ausweichen. Diese wurde zur »Oberen Agora«, auch östl. der Hauptstraße, erweitert.

D. Demetertempel

Der unter Philetairos erbaute Tempel hatte keine ion. Säulenfront, sondern sog. aiolische Blattkapitelle auf facettierten Säulen, so wie später auch Propylon und Hallen (K. Rheidt).

E. Dionysostempel beim Theater

Die Außenwände der hell. Cella waren mit feinen Ritzlinien-Zeichnungen mit dem Entwurf der röm. Erneuerung der Tempelfassade bedeckt (E.-L. Schwandner).

F. Gymnasiontempel R

Datier. und urspr. Standort des Tempels mit umgearbeiteten älteren dor. Bauteilen sind umstritten. Es ist unklar, ob sie vom Nikephorion-Athena-Heiligtum vor der Stadt stammen (E.-L. Schwandner), ob sie dort zum Asklepiostempel mit der Kultstatue vom Bildhauer Phyromachos (B. Andreae) oder ob sie überhaupt zu einem Tempel gehörten (K. Rheidt).

→ Pergamon; Pergamon-Altar

Dt. Arch. Inst. (Hrsg.), Altertümer von P., Bde. 1 ff., 1912 ff. (= AvP) · Dt. Arch. Inst. (Hrsg.), Pergamenische Forschungen, Bde. 1 ff., 1972 ff. (= PF) · Ein Jahrhundert Forsch. zum P.-Altar. Aufsatzband hrsg. von der Antikenslg./Pergamon-Mus. Berlin, 1988 · W. Hoepfner, Zu griech. Bibl. und Bücherschränken, in: AA 1996, 25–36 · V. Kästner, in: W.-D. Heilmeyer (Hrsg.), Der P.-Altar. Die neue Präsentation nach Restaurierung des Telephosfrieses, 1997 · H. W. von dem Knesebeck, Zur Ausstattung und Funktion des Hauptsaales der Bibl. von P., in: Boreas 18, 1995, 45–56 · H. Mielsch, Die Bibl. und die Kunstslg. der Könige von P., in: AA 1995, 765–779 · W. Radt, P. Gesch. und Bauten einer ant. Metropole, 1999 (mit weiterer Lit.) · K. Rheidt, Die neue Agora. Zur Entwicklung des hell. Stadtzentrums von P., in: MDAI(Ist) 42, 1992, 235 ff. · Ders., Pergamenische Ordnungen. Der Zeustempel und seine Bed. für die Architektur der Attaliden, in: E.L. Schwandner (Hrsg.), Kolloquium »Säule und Gebälk« (Diskussionen zur arch. Bauforsch. 6), 1996 · E. Rohde, P. Burgberg und Altar, 8 1982 · A. Schober, Die Kunst von P., 1951 · E. Schulte (Hrsg.), Schriften der Hermann-Bröckelschen-Stiftung. C. Humann zum Gedächtnis, 4 Bde., ca. 1959–1975 · E. L. Schwandner, Beobachtungen zur hell. Tempelarchitektur von P., in: Hermogenes und die hochhell. Architektur. Kolloquium Berlin 1988, 1990, 85–102, bes. 93 ff. · E. Simon, P. und Hesiod, 1975 · M. Weber, Zur Überl. der Goldelfenbeinstatue des Phidias, in: JDAI 108, 1993, 83–122, bes. 107 (mit Abb. 15–17) · U. Wulf, Vom Herrensitz zur Metropole. Zur Stadtentwicklung von P., in: K. Rheidt, E. L. Schwandner (Hrsg.), Kolloquium »Stadt und Umland« (Diskussionen zur arch. Bauforsch. 7), 1998 · Dies., Der Stadtplan von P., in: MDAI(Ist) 44, 1994, 135 ff. · Dies., Die hell. und röm. Wohnhäuser von P. (AvP XV,3), Diss. (im Druck). W.R.

IV. Politisch-historischer Überblick

A. Begriff und Entstehung
B. Vorhellenistische Geschichte
C. Hellenistische Zeit D. Römische Zeit
E. Byzantinische Zeit

A. Begriff und Entstehung

Als Pergamenisches Reich (P. R.) oder Reich der Attaliden (→ Attalos, mit Stemma) bezeichnet man ein seit 281 v. Chr. ständig wachsendes, im 2. Jh. in seinem Bestand erheblich schwankendes Gebiet in Kleinasien (s. Karten »Das pergamenische Königreich«) mit dem Zentrum in der Festungsstadt P. (→ Mysia, ehemalige persische Satrapie Sparda). Das Reich, anfänglich eine Dynasten-Herrschaft (→ dynasteía; → Philetairos [2]; → Eumenes [2] I.) mit Duldung der → Seleukiden, wurde mit der Annahme des Königstitels durch → Attalos [4] I. Königreich, das im 2. Jh. z.Z. seiner größten Ausdehnung unter Eumenes [3] II. von Thrakia bis zum Tauros reichte.

Die Entstehung des P. R. steht zum einen in engem Zusammenhang mit den zentrifugalen Kräften, denen das Reich der Seleukiden ausgesetzt war (vgl. → Hellenistische Staatenwelt, Karten), da dessen schwer zu kontrollierende, riesige Landmasse, die ständige Rivalität mit den → Ptolemaiern (→ Syrische Kriege) und zahlreiche Konflikte im Haus der Seleukiden die Entwicklung eigenständiger Herrschaftsgebiete lokaler Dynasten erleichterten (s. auch → Bithynia, → Kappadokia, → Pontos; vgl. → Rhodos). Zum anderen förderte – speziell im Falle von P. – die ständige Bedrohung durch die seit 278 in Kleinasien eingefallenen Kelten (→ Kelten III. B.) eine straffe mil. und zivile Verwaltung nach dem Muster hell. Königreiche und auf der Grundlage griech. Kultur.

B. Vorhellenistische Geschichte

Die beherrschende Lage des Burghügels in der Kaïkos-Ebene läßt frühe indigene Besiedlung (im 3. Jt.?) vermuten, doch sind Burg und Stadtbefestigung erst seit dem 7. Jh. v. Chr. arch. nachweisbar. In der frühesten lit. Erwähnung (Xen. an. 7,8,8) erscheint P. 399 v. Chr. als Treffpunkt der Reste des von Kyros [3] angeworbenen griech. Söldnerheeres mit den Truppen des → Thibron (Xen. an. 7,7,5; Xen. hell. 3,1,6) und befindet sich im Besitz der Nachkommen des Gongylos, der 490 für den Verrat von → Eretria an die Perser (→ Perserkriege) vier Orte in der Kaïkos-Ebene erhalten hatte (Xen. hell. 3,1,6). Im 4. Jh. entwickelte sich P., obwohl es erneut unter pers. Herrschaft stand, nach dem Frieden des → Antalkidas (387 v. Chr.) zu einer nach griech. Muster verwalteten Stadt mit Rat und Volksversammlung (vgl. IPerg 5) unter dem Schutz der Stadtgöttin Athena Nikephoros (»Siegbringerin«) und mit einem wohl schon im 4. Jh. gepflegten Kult des → Asklepios (Paus. 2,26,8).

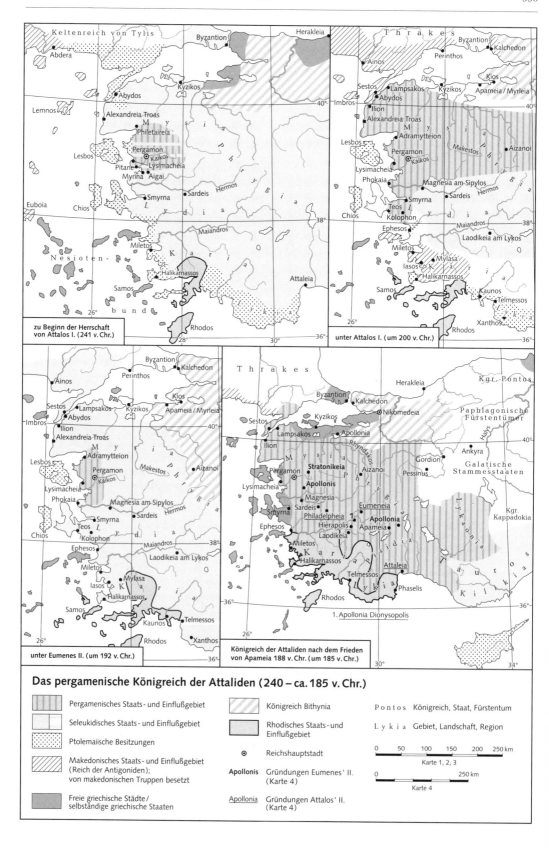

Das pergamenische Königreich der Attaliden (240 – ca. 185 v. Chr.)

Map labels (Karte 1, oben links): zu Beginn der Herrschaft von Attalos I. (241 v. Chr.)
Keltenreich von Tylis, Abdera, Byzantion, Herakleia, Thrakes, Kyzikos, Abydos, Lemnos, Alexandreia Troas, Mysia, Philetaireia, Pergamon, Kaïkos, Lesbos, Pitane, Lysimacheia, Myrina, Aigai, Phrygia, Smyrna, Sardeis, Hermos, Lydia, Euboia, Chios, Maiandros, Miletos, Karia, Nesioten-bund, Halikarnassos, Attaleia, Samos, Lykia, Rhodos

Map labels (Karte 2, oben rechts): unter Attalos I. (um 200 v. Chr.)
Thrakes, Byzantion, Kalchedon, Ainos, Perinthos, Kios, Sestos, Lampsakos, Kyzikos, Apameia/Myrleia, Imbros, Abydos, Ilion, Alexandreia Troas, Mysia, Adramytteion, Makestos, Aizanoi, Lesbos, Pergamon, Kaïkos, Phrygia, Lysimacheia, Phokaia, Magnesia am Sipylos, Smyrna, Sardeis, Hermos, Chios, Teos, Kolophon, Lydia, Ephesos, Maiandros, Laodikeia am Lykos, Miletos, Mylasa, Iasos, Karia, Halikarnassos, Kaunos, Telmessos, Samos, Xanthos, Rhodos

Map labels (Karte 3, unten links): unter Eumenes II. (um 192 v. Chr.)
Byzantion, Kalchedon, Ainos, Perinthos, Kios, Sestos, Lampsakos, Kyzikos, Apameia/Myrleia, Imbros, Abydos, Ilion, Alexandreia Troas, Mysia, Adramytteion, Makestos, Aizanoi, Lesbos, Pergamon, Kaïkos, Phrygia, Lysimacheia, Phokaia, Magnesia am Sipylos, Smyrna, Sardeis, Hermos, Chios, Teos, Kolophon, Lydia, Ephesos, Maiandros, Laodikeia am Lykos, Miletos, Mylasa, Iasos, Karia, Halikarnassos, Samos, Kaunos, Telmessos, Rhodos, Xanthos

Map labels (Karte 4, unten rechts): Königreich der Attaliden nach dem Frieden von Apameia 188 v. Chr. (um 185 v. Chr.)
Thrakes, Herakleia, Kgr. Pontos, Byzantion, Kalchedon, Nikomedeia, Paphlagonische Fürstentümer, Sestos, Kyzikos, Apollonia, Lampsakos, Ilion, Rhyndakos, Halys, Pergamon, Stratonikeia, Mysia, Aizanoi, Gordion, Ankyra, Galatische Stammesstaaten, Lysimacheia, Apollonis, Pessinus, Magnesia, Phrygia, Eumeneia, Smyrna, Sardeis, Philadelpheia, 1, Apollonia, Kgr. Kappadokia, Ephesos, Hierapolis, Apameia, Laodikeia, Pisidia, Lykaonia, Miletos, Karia, Halikarnassos, Telmessos, Attaleia, Tauros, Lykia, Kilikia, Rhodos, Phaselis
1. Apollonia Dionysopolis

Legend:
Pergamenisches Staats- und Einflußgebiet
Seleukidisches Staats- und Einflußgebiet
Ptolemaiische Besitzungen
Makedonisches Staats- und Einflußgebiet (Reich der Antigoniden); von makedonischen Truppen besetzt
Freie griechische Städte / selbständige griechische Staaten
Königreich Bithynia
Rhodisches Staats- und Einflußgebiet
⊙ Reichshauptstadt
Pontos Königreich, Staat, Fürstentum
Lykia Gebiet, Landschaft, Region
Apollonis Gründungen Eumenes' II. (Karte 4)
Apollonia Gründungen Attalos' II. (Karte 4)

0 50 100 150 200 250 km — Karte 1, 2, 3
0 250 km — Karte 4

C. Hellenistische Zeit

1. Die Anfänge des Pergamenischen Reiches in der Diadochenzeit 2. Die Entwicklung des Reiches seit Mitte des 3. Jh. v. Chr.

1. Die Anfänge des Pergamenischen Reiches in der Diadochenzeit

Lysimachos [2], der nach der Schlacht von Ipsos (301) in den Besitz von West-Kleinasien gekommen war, übergab dem Eunuchen Philetairos [2] das Kommando über die Burg in P. und die Aufsicht über die dort gelagerten 9000 Talente (Strab. 13,4,1; Paus. 1,8,1). Seit 283 begann sich die Beziehung zu Lysimachos zu lockern; spätestens nach dessen Tod bei Kurupedion (281) wechselte Philetairos zu Seleukos I. Unter vorsichtiger Wahrung der Loyalität auch gegenüber dessen Nachfolger Antiochos [1] I. (281–261) beschränkte sich Philetairos auf die Herrschaft im mittleren Kaïkos-Tal und nutzte seine finanziellen Mittel, um P. systematisch im Stil einer griech. Polis und zugleich als Residenz auszubauen. Er unterstützte griech. Städte (etwa Kyzikos) gegen die seit 278 vordringenden Kelten (vgl. IG XI 4,1105) und legte mit großzügigen Stiftungen in den Poleis Kleinasiens (Pitane, Aigai) und in gemeingriech. Heiligtümern (Delos, Delphoi) bereits die Grundlage für die spätere Rolle der Könige von P. als Förderer und Beschützer des Griechentums.

Philetairos' Neffe und Adoptivsohn Eumenes [2] I. (263–241), der nach dessen Tod sein Erbe antrat, betonte – ohne sich König zu nennen – bereits die dynastische Kontinuität: Hatte Philetairos noch Athena und Seleukos auf seinen Mz. (seit 275) abbilden lassen, erschien nun das Portrait des Philetairos. Vielleicht in der Hoffnung auf Unterstützung durch Ptolemaios II., der in Kleinasien aktiv wurde, riskierte er mit der Erweiterung seines Territoriums einen Konflikt mit Antiochos [2] I., den er mit seinem Sieg bei Sardeis 262 für sich entscheiden konnte. Das von P. kontrollierte Gebiet reichte nun nördl. bis zum Fuß der Ida [2], östl. bis ins obere Kaïkos-Tal und wurde nach hell. Vorbild mit der Gründung von Garnisonsstädten markiert (im Norden Philetaireia, im Osten Attaleia). Im Westen öffnete der Besitz des Hafens Elaia das Tor zur Ägäis (→ Aigaion Pelagos); das Gebiet südl. von Elaia bis etwa Myrina [4] annektierte Eumenes wohl während des 2. → Syrischen Krieges. Diese ungestörte Expansion erkaufte er freilich mit erheblichen Tributen an die räuberischen Kelten. Veränderungen in der Verwaltung wiesen schon auf eine königsgleiche Stellung des Dynasten: Eumenes ernannte die fünf *stratēgoí*, die Rat und Volksversammlung leiteten, und das außerstädtische Gebiet des Kaïkos-Tals wurde als *chōra* (»Territorium«) von P. aus zentral verwaltet. Mit Eumenes begann auch die Förderung der athenischen Philosophenschulen mit erheblichen Summen, speziell der Mittleren Akademie (→ *Akadḗmeia* III.; → Arkesilaos [5] von Pitane), aber auch des → Peripatos (→ Lykon [4] aus der Troas).

2. Die Entwicklung des Reiches seit Mitte des 3. Jh. v. Chr.

Noch vor dem Tod des Eumenes (241 v. Chr.) hatte sich für seinen Adoptivsohn und Nachfolger → Attalos [4] I. (241–197) die polit. Situation in Kleinasien verändert: Seleukos II. hatte in einer Art »Reichsteilung« seinen Bruder Antiochos Hierax als Mitregenten mit der Kriegführung in Kleinasien betraut; die daraus resultierende Bedrohung für die dortigen Dynasten wandelte sich jedoch, als Hierax den seleukidischen Thron beanspruchte und seinen Bruder bei Ankyra vernichtend schlug. Seleukos konzentrierte daraufhin seine Kräfte im Osten und überließ Kleinasien dem Hierax. Attalos, der es nach seinem Regierungsantritt gewagt hatte, die Tributzahlungen an die Kelten einzustellen (Liv. 38,16,14), und deren Angriff erfolgreich abgewehrt hatte, sah sich nun einer Koalition von Hierax und galatischen Truppen gegenüber. Spätestens nach weiteren Siegen über die Verbündeten nahm Attalos den Königstitel an (Pol. 18,41,7f.; Strab. 13,4,2), erweiterte sein Reich bis an den Tauros und propagierte mit dem Beinamen *Sōtḗr* seine Rolle als »Retter« der griech. Zivilisation vor dem Ansturm der → Barbaren.

Der Sieg der Pergamener über die Kelten wurde propagandistisch neben den Sieg der Athener über die pers. Barbaren gestellt: Im Athena-Bezirk auf der Burg kündeten nun eine Athena-Statue und brn. Kelten-Figuren (darunter der »Sterbende Gallier«, h. Rom, KM, und der »Gallier, sich und sein Weib tötend«, h. Rom, TM) vom pergamenischen Herrschaftsanspruch (vgl. IPerg 20, vgl. 43–45; → Nikeratos [3]; → Phyromachos; → Epigonos [1]; → Antigonos [6] und [7]). Sie stehen am Anf. der sog. Pergamenischen Kunst, die in den Gallier-Monumenten Eumenes' [3] II. und im Pergamon-Altar (s.u.) weitere Höhepunkte fand. Dieser Anspruch überdauerte auch erhebliche Rückschläge in der territorialen und polit. Bed. von P.

Zwar gelang es Seleukos III. während seiner kurzen Regierungszeit (226–223) nicht, das an P. verlorene Territorium zurückzugewinnen, aber der Seleukide Achaios [5] konnte im Auftrag Antiochos' [5] III. das P. R. um 223 erneut auf die unmittelbare Umgebung von P. reduzieren. Nur wenige griech. Städte, unter ihnen Smyrna, Lampsakos und Ilion, hielten zu P. Streit im Haus der Seleukiden und mil. Unternehmungen des Achaios [5] in Pisidia boten um 218 Attalos erneut die Möglichkeit, sein Gebiet (diesmal paradoxerweise mit Hilfe kelt. Söldner) von Kolophon bis an die nördl. Küste der Ägäis und östl. bis an den → Makestos auszudehnen und zu konsolidieren. Vielleicht stand für Attalos – neben der durch eine effiziente Kleinasien-Politik Antiochos' III. beschränkten Möglichkeit zu weiterer Expansion – auch der Anspruch, für die Freiheit des Griechentums verantwortlich zu sein, hinter dem Bündnis, das er mit den → Aitoloi gegen → Philippos [7] V. schloß und das ihn in Kontakt mit den Römern brachte.

Im 1. → Makedonischen Krieg kämpften pergamen. Truppen und Schiffe an der Seite der Römer, Attalos erwarb dabei Aigina (wohl als Flottenstützpunkt für eine Erweiterung des pergamenischen Spielraums in der Ägäis) und erschien als einer der Unterzeichner des Friedens von → Phoinike (205 v. Chr.), der auch seinen Krieg gegen → Prusias I., einen Bundesgenossen Philippos' V., beendete. Im gleichen Jahr half Attalos den Römern, die zu ihm als erstem und einzigem kleinasiat. Herrscher diplomatische Beziehungen unterhielten, den Schwarzen Stein der → Mater Magna von → Pessinus nach Rom zu schaffen (Liv. 29,10f.; 14,5–14). Es war deshalb nur konsequent, wenn Attalos im Herbst 201 in Rom um Hilfe gegen Philippos ersuchte, der seit 204 seinen Einflußbereich in der Ägäis systematisch erweiterte und dabei auch das Gebiet und die Interessen des Attalos bedrohte. Mit Hilfe gezielter Informationen über ein angebliches Bündnis zw. Philippos V. und Antiochos III. konnte Attalos Roms Eintritt in den bereits von ihm, Athen und Rhodos geführten 2. → Makedonischen Krieg erreichen. Attalos erlebte das Ende dieses Krieges nicht mehr und hinterließ 197 seinem ältesten Sohn und Nachfolger Eumenes [3] II. ein Reich, das er trotz seiner Freundschaft mit Rom nicht hatte erweitern können und das zudem unter seleukidischem Druck ständig schrumpfte.

Unter Eumenes [3] II. wurde das P.R. zur bedeutendsten polit. Macht in Kleinasien und zum Mittelpunkt griech. Kultur und Wiss., verlor jedoch nach dem Wandel der röm. Ostpolitik nach 168 zunehmend an polit. Eigenständigkeit. Eumenes hatte bei seinen Expansionsplänen ganz auf die Hilfe der Römer gesetzt und sie erfolgreich zum Krieg gegen Antiochos (191–188) bewogen. Am Sieg der Römer bei Magnesia (190) hatte er nicht nur tatkräftig Anteil, er nutzte auch die röm. Kräfte gegen die Galatai (189 v. Chr.; → Manlius [I 24]) und profitierte am meisten aus den Bestimmungen des Friedens von Apameia (188), der ihm das seleukidische Gebiet bis zum Tauros und zum Halys zusprach, die Herrschaft über zahlreiche Städte Kleinasiens, darunter Ephesos, Tralleis und Telmessos, sicherte und es ihm – gestützt auf röm. Hilfe – ermöglichte, sich weitere Landgewinne gegen Prusias I. und Pharnakes [1] I. zu erkämpfen.

P. befand sich auf dem Gipfel seiner Macht: Seine Gesandten beobachteten den gesamten griech. Raum, sein Geld floß in Strömen in griech. Städte und förderte dort Kunst, Architektur und Wiss. P. selbst wurde als urbanistisch durchkomponierte hell. Kapitale gestaltet (vgl. die Astynomoi-Inschr. OGIS 483), erlebte eine Blüte der Plastik, Malerei und Mosaikkunst und festigte seinen Ruf als Zentrum der griech. Kunst und Bildung mit der Neugestaltung des Athena-Bezirks, dem P.-Altar, neuen Festen für Herakles und Asklepios, der Gründung einer Bibliothek (der größten nach Alexandreia [1]; → Bibliothek II. B. 2.) und einer Philosophenschule (→ Krates [5]; → Apollodoros [7]) und einer staatlich organisierten und geförderten Ausbildung, die schon im Kindesalter begann. Zur Blüte von Philos. und Wiss. vgl. auch → Artemon [6], → Karystios, Kratippos [2] und Menippos [6].

Die polit. Macht von P. zerfiel dagegen schnell. Der Versuch des Eumenes, mit Hilfe Roms auch die zweite Großmacht im ägäischen Raum, das Makedonenreich, auszuschalten, gelang im 3. → Makedonischen Krieg (171–168), sein Ergebnis aber zerstörte die Bedingungen, die P. groß gemacht hatten: Rom hatte P. nach 188 die Rolle der Ordnungsmacht im ägäisch-kleinasiat. Raum zugedacht, war aber seit 168, nach der Vernichtung auch der maked. Macht, nicht bereit, P. als Großmacht in diesem Raum zu dulden. Seine traditionellen Feinde (die Galatai und das bithynische Reich unter → Prusias II.) fanden tätige Unterstützung im röm. Senat, Eumenes fand nicht einmal Gehör. Zwar scheiterte der röm. Versuch, Eumenes als König durch seinen Bruder Attalos [5] II. zu ersetzen, an der sprichwörtlichen Loyalität der Brüder, doch zog Attalos, als er 159 nach dem Tod des Eumenes auf den Thron kam (mit dem Beinamen → Philadelphos; 159–138), daraus den Schluß, keinen Schritt mehr ohne Rückversicherung bei den Römern zu tun [1]. Rom duldete nur mil. Akte der Selbstverteidigung. Im Schatten Roms setzte Attalos die Kulturpolitik seines Bruders fort: Die Residenz P. wurde weiter ausgebaut, Städte im Reich gegr. oder erneuert (etwa Philadelpheia am Kogamis und Attaleia [1]). Schenkungen an zahlreiche griech. Städte und Heiligtümer machten Attalos II. noch beliebter, als P. durch das Verhalten Roms ohnehin schon geworden war. Bei seinem Tod 138 hinterließ er seinem Neffen (oder Sohn?) Attalos [6] III. ein gefestigtes Reich, dessen Herrscher aber nur noch eine Marionette der Römer war.

Es war nur konsequent, wenn der seit 153 an der Regierung beteiligte Attalos III. (138–133), der als unbeliebter Sonderling galt (Diod. 34,3; Iustin. 36,4,1–5; vgl. aber OGIS 332), da er sich ausschließlich seinen wiss. Studien widmete (Plin. nat. 18,22), in seinem Testament P. und viele griech. Städte (etwa Ephesos) für frei erklärte, das Reich und den Staatsschatz aber den Römern vermachte. Rom bestätigte das Testament, mußte sich aber sein Erbe gegen Aristonikos [4], der als Eumenes III. auftrat, erkämpfen, bevor es 129 das ehemalige Königreich P. als Prov. → Asia [2] unter seine Herrschaft bringen konnte.

D. RÖMISCHE ZEIT

Polit. und wirtschaftlich geriet die Polis P. schnell in den Schatten der neuen Prov.-Hauptstadt → Ephesos, zumal P. 88 v. Chr. auf die Seite des Mithradates' [6] VI. trat und nach dem röm. Sieg über diesen dem polit. und finanziellen Ruin nur mit Hilfe seines Bürgers Diodoros Pasporos entging (IGR IV 292, Z. 4 und 12). 49/8 v. Chr. geriet P. als Hauptquartier des Pompeianers Q. Caecilius [I 32] erneut – und wieder auf der falschen Seite – in den Strudel der röm. Bürgerkriege, verlor seine Bibliothek als Geschenk des Antonius [I 9] an Kleopatra [II 12], gewann aber seit Augustus in einer nur kurz durch den Krieg zw. Septimius Severus und Pescennius Niger (193/4 n. Chr.) unterbrochenen, fast 300jährigen Friedenszeit wieder an Ansehen und Bed.: Seit 29 v. Chr.

Sitz der Versammlung des → *koinón* von Asia, Zentrum des Kaiserkults im Tempel der Roma und des Augustus mit den fünfjährlichen Spielen der *Sebastá Rōmaía*, stieg P. unter Traianus (98–117 n. Chr.) zur »Ersten und zweifachen (Kaiser)-Tempelpflegerin« (πρώτη καὶ δὶς νεοκόρος/*prōtē kai dis* → *neokóros*) auf, war unter Hadrianus (117–138 n. Chr.) kurzzeitig die ranghöchste Stadt der Prov. Asia (μητρόπολις τῆς Ἀσίας/*mētrópolis tēs Asías*), bis es unter Antoninus [1] Pius (138–161 n. Chr.) diesen Rang an Ephesos verlor. P. stellte einen der ersten Consuln, die aus Asia kamen (→ Iulius [II 119] Quadratus) und konnte E. des 2. Jh. sechs senatorische Familien aufweisen.

Seinen Ruf als Metropole von Kunst und Wiss., v. a. der Philos. und Medizin, gewann P. zurück. Im 2. Jh. n. Chr. wurde P. mit dem vor den Toren der Stadt gelegenen Asklepieion (→ Asklepios) zu einem allseits berühmten Kurort, einer Art »Mischung von Lourdes und Baden-Baden«, mit einer bekannten Ärzteschule (→ Galenos). Aus P. stammten z. B. der Peripatetiker Aristokles [4] und der Grammatiker → Telephos. Die Wirren des 3. Jh. n. Chr. und der Einfall der → Goti veränderten die Stadt in ihrem Aussehen, berührten aber ihre kulturelle Bed. nicht: Noch im 4. Jh. n. Chr. erlebte in P. die Ärzteschule eine Blüte (→ Oreibasios); hier studierte der nachmalige Kaiser Iulianos [11] Philos. Trotz seiner an paganer Philos. und Wiss. ausgerichteten Trad. besaß P. früh eine christl. Gemeinde, war eine der sieben Kirchen der Apokalypse und Zentrum einer christl. Diözese.

1 WELLES, Nr. 61.

R. ALLEN, The Attalid Kingdom, 1983 · M. DRÄGER, Die Städte der Prov. Asia in der Flavierzeit, 1993, 107–200 · CH. HABICHT, The Seleucids and Their Rivals, in: CAH 8, ²1989, 324–334, 373–380 · HALFMANN · E. V. HANSEN, The Attalids of P., ²1971 · MAGIE.
KARTEN-LIT. (ZUSÄTZLICH): H. WALDMANN, Vorderer Orient. Die hell. Staatenwelt im 3. Jh. v. Chr., TAVO B V 3, 1983, mit Nebenkarte.   W. ED.

E. BYZANTINISCHE ZEIT

P. war im 4. Jh. n. Chr. noch ein Zentrum des → Neuplatonismus, verlor aber in der folgenden Zeit rasch an Bed. Im 6./7. Jh. wurde die Unterstadt aufgegeben, die Bewohner zogen sich auf die Akropolis zurück, die durch eine neue Mauer befestigt wurde. Seit der vorübergehenden Eroberung durch die Araber 716 war P. völlig bedeutungslos und wurde erst im 12. Jh. wieder neu besiedelt und befestigt. Um 1302 fiel P. an die Türken.
→ PERGAMON

H. GELZER, P. unter Byzantinern und Osmanen, 1903 · K. RHEIDT, Die byz. Wohnstadt (Altertümer von Pergamon 15,2), 1991.   AL. B.

Pergamos. Gemmenschneider der klass. Zeit, dessen Signatur ΠΕΡΓΑ (PERGA) entsprechend der in klass. Zeit meist im Nom. auftretenden Meistersignaturen zu

Pergamos ergänzt wird. Der von ihm so signierte, durch Brand beschädigte Karneol-Skarabäus mit einem Jünglingskopf unter phrygischer Mütze (St. Petersburg, ER) wurde zusammen mit Mz. des Lysimachos [2] in einem Grab bei Kertsch auf der Krim gefunden [1. 134, 198f., Taf. 8,5; 3. 131²⁶, 138f.⁵⁶, Abb. 41c, Taf. 32,9], ist jedoch aufgrund der Buchstabenformen der Signatur auf der Lasche der Mütze sowie des Stils der Darstellung als älter einzuschätzen und bereits um die Jahrhundertwende vom 5. zum 4. Jh. anzusetzen [2. 201, 290 Taf. 531; 3. 139]. Weitere Zuschreibungen an P. sind bisher nicht überzeugend gelungen [1. 139⁵⁸].
→ Steinschneidekunst

1 A. FURTWÄNGLER, Studien über die Gemmen mit Künstlerinschr., in: JDAI 3, 1888, 105–325 2 J. BOARDMAN, Greek Gems and Fingerrings, 1970 3 ZAZOFF, AG.   S. MI.

Pergase (Περγασή; Demotikon Περγασῆθεν). Att. Mesogeia-Demos der Phyle Erechtheis, geteilt in Ober- und Unter-P. (Π. καθύπερθεν, Π. ὑπένερθεν) mit je zwei *buleutaí*, von denen ein Teil 307/6 v. Chr. in die Phyle Antigonis wechselte. Nach Aristoph. Equ. 321 lag P. am Weg ›von Athen‹ nach Aphidna (beim h. Chelidonou?). Die Grabinschr. IG II² 7205 stammt aus Varibopi bei Tatoï.

TRAILL, Attica, 6, 38, 59, 69, 111 Nr. 105f., 126, Tab. I, 11 · WHITEHEAD, Index s. v. P.   H. LO.

Perge (Πέργη). Stadt in → Pamphylia (Skyl. 100; Pol. 5,5,7; 8,17,32) nördl. des h. Aksu, einst am Kestros (h. Aksu Çayı, h. 4 km östl.) gelegen, der auf 60 Stadien (ca. 11,5 km, h. 14 km) vom Meer mindestens bis P. schiffbar war (Strab. 14,4,2; Mela 1,79; Arr. an. 1,26,1; 1,27,5; Ptol. 5,5,7; Plin. nat. 5,26,1; Apg 14,25). Der ungriech. Beiname *Preiia* (Weihinschr. des 5. Jh. v. Chr. im Mus. von Antalya: [1]) der »Herrin von P.« läßt ebenso wie die Nennung von *Parha* am *Kastaraja* (= »P. am Kestros«) in einem hethit. Staatsvertrag des 13. Jh. v. Chr. [2] auf eine vorgriech. Siedlung schließen; etym. ist auch die Ableitung von indeur. *bheregh,* »Berg« möglich [3]. Die Siedlungsspuren seit dem späten Chalkolithikum (4. Jt. v. Chr.) auf dem nördl. der hell.-röm. Stadt gelegenen Tafelberg lassen hier den vorgriech. Siedlungskern vermuten, der auch für die Frühe Brz. dokumentiert ist [4. 123; 5. 94]. Für die hethit. Zeit fehlen arch. Zeugnisse ebenso wie für die gemäß lokaler Trad. nach dem Troianischen Krieg im 12. Jh. v. Chr. erfolgte griech. Einwanderung nach Pamphylia [6].

Im 7. Jh. v. Chr. begann unter rhodischem Einfluß die Entwicklung zu einer griech. orientierten Siedlung mit ausgeprägt indigener Komponente, wie sie auch der graeco-pamphyl. Dial. im Gegensatz zum einheimischen → Sidetischen kennzeichnet [5. 94–105; 7; 8]. Trotz lyd., dann pers. Herrschaft war die griech., im 5. Jh. speziell att. Einfluß dominant, der zu einer nach und nach stark befestigten (Akro-)Polis auf dem Tafelberg führte. Das von Strab. 14,4,2 auf einer Anhöhe außerhalb der Stadt lokalisierte, bisher nicht gefundene

Heiligtum der Vanassa Preiia bzw. Artemis von P. entfaltete sich zu einem pan-pamphyl. Kultzentrum [9]; bisher sind auf der Akropolis nur die beiden Heiligtümer für Zeus und Ares gesichert. In hell. Zeit gehörte P. zum → Seleukidenreich, ab 188 v. Chr. zu → Pergamon. Verm. wurde unter den Attaliden (→ Attalos, mit Stemma) die neue Stadt in der Ebene südl. des Tafelbergs mit weitem Mauerring und dem eindrucksvollen Stadttor samt hohen Rundtürmen im Süden angelegt, zugleich die Befestigung der Akropolis verstärkt [10].

Nach unruhigen Zeiten im 1. Jh. v. Chr., die in der Plünderung des reichen Artemis-Heiligtums durch den röm. Legaten → Verres gipfelten (Cic. Verr. 2,1,95), erlebte P. in der Kaiserzeit seine größte Blüte, die insbes. der prachtvolle Ausbau der Stadt bezeugt. Von dem mit Statuen myth. und zeitgenössischer Gründer (Familie der Magna Plancia) reich ausgestalteten Hof des Stadttors erstreckte sich der einzigartige, von Portiken gesäumte *cardo maximus* mit in der Straßenmitte geführter Wasserbeckenreihe auf 1,2 km bis zu einem prächtigen Nymphäum am Fuß der Akropolis. Ihn und den gleich gestalteten *decumanus maximus* säumten monumentale Bauwerke mit teilweise reichem Skulpturenschmuck (Palaistra des Mäzens C. Iulius [II 48] Cornutus, Süd- und Westthermen, *macellum*), während das Theater mit dionysischem Fries und das gut erhaltene Stadion südl. außerhalb der Stadt errichtet wurden. Severische Schmuckbauten (Propylon, Nymphäum), v. a. (kürzlich ausgegrabene) reiche Wohnhäuser des 3.–5. Jh. [11] im Osten der Stadt und aufwendige Grabbauten in der Westnekropole mit qualitätvollen Sarkophagen (neue Ausgrabungen seit 1996) dokumentieren die anhaltende Blüte von P. im 3. Jh., die durch die Erhebung zur Metropolis unter Kaiser Tacitus um 275 n. Chr. bestätigt wurde [12]. Im Schutz der seit dem 4. Jh. erneuerten Befestigung von Stadt und Akropolis erlebte die christl. Stadt im 5. und 6. Jh. einen Aufschwung als Metropolitan-Bistum mit zwei großen Basiliken und drei weiteren auf der Akropolis, von denen eine im 10./11. Jh. qualitätvoll renoviert wurde und nach dem raschen Niedergang seit dem 7. Jh. eine ephemere Wiederbelebung dokumentiert.

Der Mathematiker Apollonios [13] und der Rhetor Varus stammten aus P.

→ Pamphylia

1 C. BRIXHE, R. HODOT, L'Asie Mineure du nord au sud (Ét. d'Archéologie Classique 6), 1988, 222 ff. Nr. 225
2 H. OTTEN, Die Br.-Tafel aus Bogazköy…, 1988, 13, 37 f.
3 POKORNY, s. v. *bheregh*, Bd. 1, 1959, 140 4 H. ABBASOĞLU, W. MARTINI, P. Akropolisi'nde 1995 Yılında Yarılan Çalismalar, in: 18. Kazı Sonuçları Toplantısı, Bd. 2, 1996, 51–63 5 Dies., P. Akropolisi'nde 1996 Yılında Yarılan Çalişmalar, in: 19. Kazı Sonuçları Toplantısı, Bd. 2, 1998, 93–105 6 P. WEISS, Lebendiger Mythos, in: WJA 10, 1984, 179–195 7 C. BRIXHE, Le dialecte grec de Pampylie, 1976 8 G. NEUMANN, Die sidetische Schrift, in: ASNP 8, 1978, 869–886 9 H. BRANDT, Ges. und Wirtschaft Pamphyliens und Pisidiens im Alt., 1990, 47 f. 10 S. ŞAHIN, Die Inschr. von P., Bd. 1, 1999 11 H. ABBASOĞLU, Perge Kazısı 1993 ve 1994 Yılları Ön Raporu, in: 17. Kazı Sonuçları Toplantısı, Bd. 2, 1995, 107–120 12 P. WEISS, Auxe P., in: Chiron 21, 1991, 353–392.

K. GRAF VON LANCKORONSKI, Städte Pamphyliens und Pisidiens, Bd. 1, 1890 · A. M. MANSEL, A. AKARCA, Excavations and Researches at P., 1949 · A. PEKMANN, History of P., 1973 · H. ABBASOĞLU, P. roma devri mimarisinde arşitravların soffit bezemeleri, 1994 · H. ABBASOĞLU, (regelmäßig Grabungsber.), in: Kazı Sonuçları Toplantısı, 1990 ff.   W. MA.

Periandros (Περίανδρος, lat. Periander). P. folgte um 655/627 v. Chr. auf seinen Vater → Kypselos [2] als Tyrann von → Korinthos. Nach der summarischen ant. Überl. regierte er etwa 40 Jahre (Aristot. pol. 5,12,1315b 25). Zur Ehefrau hatte P. Melissa, die Tochter des Tyrannen Prokles von Epidauros; von ihr hatte er außer einer Tochter die Söhne Kypselos, der stumpfsinnig war, und → Lykophron [1]. Die weiteren Söhne Euagoras, Gorgos, und Nikolaos stammten von Nebenfrauen (Hdt. 3,50–53; Diog. Laert. 1,94; Nikolaos von Damaskos FGrH 90 F 57,8). In seine Herrschaft fällt die wirtschaftl. Blüte der Stadt, der Ausbau des Handels, der Kolonisationspolitik (→ Kolonisation IV.) und der Seeherrschaft (ebd. F 58,3). P. gewann Korkyra [1] gegen die dorthin geflohenen Bakchiaden für sich und setzte dort seinen Sohn Lykophron als Tyrannen ein. Die Kolonien Apollonia [1] und Epidamnos wurden von beiden gemeinsam gegründet. → Poteidaia, die einzige korinthische Kolonie in der Ägäis, geht auf P. und seinen Sohn Euagoras zurück (ebd. F 59,1).

Der Plan, den → Isthmos durch den *díolkos*, eine gleisartige Zugbahn über Land, für Schiffe passierbar zu machen, wurde ihm zugeschrieben (Diog. Laert. 1,99); arch. Funde bestätigen h. die Durchführung. Außerdem legte er den künstlichen Hafen → Lechaion an.

P. scheint zunächst eine konsolidierende Innenpolitik betrieben zu haben (Hdt. 5,92ζ); wahrscheinlich hat er wie andere Gesetzgeber seiner Zeit gewirkt; Hinweise auf Luxusgesetze, Markt- und Hafenabgaben lassen sich erschließen (Ephoros FGrH 70 F 178; Herakl. Pont. FHG 2,213,5). Eine Wache von Speerträgern diente dem Schutz des Tyrannen (Hdt. 5,92η). Als Schiedsrichter fungierte er zwischen Athen und Mytilene im Streit um Sigeon (Hdt. 5,95).

Verbindungen pflegte er mit Arkadia, woher seine Mutter Krateia stammte, Epidauros, das er nach dem Tod seiner Gattin im Krieg gegen Prokles eroberte, Delphoi, Olympia und bes. mit dem kulturell avancierten Osten: mit Miletos, Lydien und Ägypten. → Arion aus Methymna auf Lesbos dichtete und studierte erstmals im Korinth des P. den → Dithyrambos ein (Hdt. 1,23 f.). P. förderte die Baukunst, bes. auf Korkyra, wo die korinthische Stiltradition äußerst qualitätvoll weiterentwickelt wurde. Wie andere Tyrannen und Gesetzgeber seiner Zeit wurde er unter die → Sieben Weisen gezählt (Diog. Laert. 1,13,41 f.; 1,13,97–100). Keiner seiner Söhne überlebte ihn. Als er am Ende seiner

Herrschaft Lykophron nach Korinth zurückholen wollte, wurde dieser von den Adligen auf Korkyra ermordet. Als Rache schickte P. deren Söhne zum Verschneiden zu Alyattes nach Lydien. Eine samische Kultlegende will es, daß sie von den Samiern gerettet wurden (Hdt. 3,48).

Bei den Quellen zu P. fällt der Reichtum an Legenden und Novellen auf (vgl. Hdt. 1,20,23f.; 3,50–53; 5,92). Wir müssen annehmen, daß P. schon im 5. Jh. v. Chr. als einer der Sieben Weisen zur lit. Gestalt wurde, der Weisheitssprüche und Legenden zugewiesen wurden (Hdt. 3,52; Diog. Laert. 1,97f.), daß er als legendäre Person im Rahmen der sophistischen Diskussionen um den Charakter der → Tyrannis zum theoretischen Beispiel wurde, und diese lit. Trad. in der ›Politik‹ des Aristoteles [6] weiterentwickelt wurde.

→ Korinthos; Tyrannis

F. SCHACHERMEYR, s. v. P., RE 19, 704–717 · H. BERVE, Die Tyrannis bei den Griechen, 1967, 19–27, 525–531. · J. B. SALMON, Wealthy Corinth, 1984, 197–230 · L. DE LIBERO, Die archa. Tyrannis, 1996, 151–176.   B.P.

Periboia (Περίβοια). Name zahlreicher mythischer Frauen, darunter:

[1] Naiade, von → Ikarios [2] Mutter der → Penelope (Apollod. 3,126).

[2] Jüngste Tochter des Gigantenkönigs → Eurymedon [1], von → Poseidon Mutter des ersten Phaiakenkönigs → Nausithoos [1] (Hom. Od. 6,56–59).

[3] Eine der beiden ersten durch Los bestimmten Mädchen, die die Lokrer während 1000 Jahren nach → Troia schicken mußten, um dort den Zorn der → Athena über die Vergewaltigung der → Kassandra durch → Aias [2] in ihrem Tempel durch Tempeldienst zu besänftigen (Ps.-Apollod. epit. 6,20f.; Plut. mor. 557d; schol. Hom. Il. 13,66; Pol. 12,5).

[4] Gattin des Königs → Polybos [2] von Korinth, die den ihr von Hirten überbrachten → Oidipus aufnimmt (Apollod. 3,49f.; bei Soph. Oid. T. heißt sie Merope). Nach Hyg. fab. 66–67 findet P. den Oidipus selbst und enthüllt ihm nach dem Tode des Polybos seine Herkunft.

[5] Tochter des → Alkathoos [1], Gattin des → Telamon und Mutter des → Aias [1] (Xen. kyn. 1,9,2; Plut. Theseus 29,1; bei Pind. I. 6,45; Soph. Ai. 569 heißt die Mutter des Aias Eriboia). Nach Paus. 1,42,2 (vgl. 1,17,3) gehört P. zu den Kindern, die von → Theseus zum → Minotauros begleitet werden (bei Bakchyl. 17,4 heißt sie Eriboia). Plut. Theseus 29,1 nennt P. unter den Frauen, die von Theseus vergewaltigt wurden (nach Pherekydes FGrH 5 F 153 heißt die Gattin des Theseus Phereboia).

[6] Tochter des → Hipponoos [3], Gattin des → Oineus, Mutter des → Tydeus. Weil sie von → Hippostratos [1] schwanger ist, schickt sie ihr Vater zu Oineus, der sie töten soll; oder sie wird von Oineus selbst verführt (Apollod. 1,8,4; vgl. Hes. cat. fr. 12; Thebais fr. 8 EpGF).

H. LEWY, s. v. P., ROSCHER 3.2, 1961–1963 ·
M. OPPERMANN, s. v. P., LIMC 7.1, 321–322 · W. RUGE, s. v. P., RE 19, 718–720.   K. WA.

Perideipnon (περίδειπνον) hieß in Griechenland (spätestens im 4. Jh. v. Chr.: Demosth. or. 18,288; Men. Aspis 233 SANDBACH; Men. fr. 309) das Begräbnismahl, das wahrscheinlich urspr. am Grabe (zu Unrecht abgelehnt [1. 175]), aber schon seit archa. Zeit vorwiegend im Haus des nächsten Verwandten des Verstorbenen (Demosth. or. 18,288) stattfand. Beim *p.*, das unmittelbar nach der Beisetzung (→ *ekphorá*) stattfand (so ausdrücklich Hegesippos, fr. 1,11: PCG 5, 549), trug man (wie bei anderen Gastmählern) den → Kranz (Cic. leg. 2,63) und langte oft kräftig zu (Stob. 4,56,34), u. a. weil damit für die nächsten Verwandten die Zeit des dreitägigen Trauerfastens beendet war (Lukian. de luctu 24; vgl. [2]). Da beim *p.* im allg. das Lob des Toten ausgesprochen wurde (z. B. Cic. leg. 2,63; Zenob. 5,28), diente *P.* auch als Titel postumer Lobschriften (Diog. Laert. 3,2; 9,115). Gesicherte bildliche Darstellungen des *p.* gibt es nicht; die sog. Totenmahlreliefs haben nichts mit dem *p.* zu tun.

→ Bestattung (C.); Tod

1 D. C. KURTZ, J. BOARDMAN, Thanatos, 1985, 175f.
2 R. ARBESMANN, Das Fasten bei den Griechen und Römern, 1929, 25–28.   W. K.

Periegetes, Perihegetes (περιηγήτης, »Fremdenführer«). Der *p.* war in erster Linie eine Institution der Touristik, in dessen Tätigkeit z. B. Plutarchos (Plut. mor. 395a; 396c; 397d; 400d; 400f; 401e) Einblick gibt. Davon leitete sich das bes. in hell. Zeit beliebte antiquarische Genre der *peri(h)égēsis* ab, in der die Führung Fremder durch einen *p.* in Prosa oder Poesie lit. Gestalt gewonnen hat; ihr nahe steht der Reiseber., also die Schilderung einer vollzogenen Reise, die anderen als Reiseführer dienen konnte (z. B. → *Peregrinatio ad loca sancta*). Thema solcher *periēgḗseis* waren Länder (Aigyptos, Hellas, Sicilia) und Stätten (Olympia, Delphoi, Ilion) alter Kulturtrad.; die jeweils notwendigen Erläuterungen gaben Anlaß zu zahlreichen Exkursen in die Gesch., Myth., Kunstgesch., Ethnographie und Geogr. Die Uferlosigkeit der Phantasie der *periēgḗtai* macht es schwer, die *periēgḗsis* von verschiedenen anderen lit. Gattungen wie der Paradoxographie (→ *paradoxographoi*) oder der geogr. Fachschriftstellerei (Ethnographie, *períodos*, → *períplus*) abzugrenzen. Als P. gelten → Dionysios [27], → Pausanias [8], der Anon. der *periēgḗsis* von Hawara (Pap. Petrie Nr. 80f. [1]) und → Ps.-Skymnos; nicht erh. sind die Schriften des → Alexandros [23], → Diodoros [11], → Heliodoros [2], → Nymphodoros [1] und → Polemon von Ilion (2. Jh. v. Chr.), dessen Fachkompetenz überragend gewesen sein muß.

→ Reisen; Reiseliteratur

1 J. P. MAHAFFY, The Flinders Petrie Papyri, 1893–1895.

H. BISCHOFF, s. v. Perieget, RE 19, 725–742 ·
S. BIANCHETTI, s. v. Reisebericht, in: H. SONNABEND (Hrsg.), Mensch und Landschaft in der Ant., 1999, 420–423.   E. O.

Perieres (Περιήρης, zu der Namensform Περίηρς s. Alkm. PMG fr. 78).

[1] Sohn des → Aiolos [1] (oder des Kynortes) und der Enarete (→ Ainarete), Gatte der → Gorgophone [3], Vater von → Aphareus [1], Leukippos, Ikarios, → Tyndareos sowie Pisas Gründer Pisos, Herrscher über Messenia in → Andania (Hes. cat. 10; Stesich. PMG fr. 50; Apollod. 1,51; 1,87; 3,117; Paus. 4,2,2; 4,3,7; 6,22,2).

[2] Wagenlenker des Menoikeus, der den Minyerkönig → Klymenos [4] durch einen Steinwurf tödlich verwundet und somit einen Krieg zwischen → Orchomenos [1] und Theben auslöst (Apollod. 2,67f.; Paus. 9,37,1).

[3] Seeräuber aus Kyme (oder Chalkis), auf den – neben Krataimenes aus Chalkis (oder Samos) – die Gründung und Besiedlung der Stadt Zankle (→ Messana, Messene [1]) zurückgeht (Thuk. 6,4,5; Paus. 4,23,7).   SU.EI.

Perigenes (Περιγένης).

[1] Sohn des Leontiskos, aus Alexandreia, *próxenos* (→ *proxenía*) von Siphnos (IG XII Suppl. p. 111) ca. 278/270 v.Chr., verm. Vater des P. [2]. Ein P. aus Samos wird 264 als *próxenos* von Olus geehrt, doch ist die Identifikation eher unwahrscheinlich [1. 196 Anm. 2]. PP VI 14941.

1 ROBERT, OMS 1.

R.S. BAGNALL, The Administration of the Ptolemaic Possessions outside Egypt, 1976, 146.

[2] Sohn des P. [1], vielleicht Vater der Iamnea (PP III/IX 5152), die ca. 243/1 v.Chr. *kanēphóros* (→ *kanēphóroi*) war, und über diese mit → Pelops [4] verwandt. P. war 218 ptolem. *naúarchos* (Flottenkommandant) vor → Koile Syria und arbeitete mit → Nikolaos [1] zusammen. PP V 13781.   W.A.

Perigune (Περιγούνη). Tochter des → Sinis, der von → Theseus erschlagen wird; von diesem Mutter des → Melanippos [3]. Später wird sie Gattin des Deioneus, des Sohns des → Eurytos [1] von Oichalia, von diesem Mutter des Nisos [1] von Megara (Plut. Theseus 8, p. 4c-d; Athen. 13,557a; Hyg. fab. 198,1).   L.K.

Perikles (Περικλῆς).

[1] Athenischer Politiker.
A. ABSTAMMUNG UND FRÜHE KARRIERE
B. AUFSTIEG ZUR MACHT UND HÖHEPUNKT
C. PELOPONNESISCHER KRIEG UND TOD
D. BEURTEILUNG   E. WIRKUNGSGESCHICHTE

A. ABSTAMMUNG UND FRÜHE KARRIERE

P. wurde als Sohn der Agariste [2] (nach Hdt. 6,131 träumte sie, einen Löwen zu gebären) aus der Familie der → Alkmaionidai und des Xanthippos wohl zw. 495 und 490 v.Chr. geboren. Aus einer ersten Ehe besaß P. zwei Söhne (Xanthippos und Paralos [1]), aus der Verbindung mit der Milesierin → Aspasia entstammt ein dritter, P. [2]. Die spätere Überl. zählt Anaxagoras [2],

Zenon von Elea sowie die Sophisten Damon und Pythokleides zu P.' Lehrern (Plut. Perikles 4; → Sophistik). Das meiste, das über den frühen P. berichtet wird, resultiert freilich aus Kombinationen Plutarchs [1. 83ff.] und irrigen Schlußfolgerungen aus Platon (z.B. Plat. Phaidr. 270a über Anaxagoras). IG II/III² 2,2, 2318 bezeugt P. als Choregen (→ Choregie) für die ›Perser‹ des Aischylos [1] im J. 472. In einem Prozeß gegen → Kimon [2] trat er 463/2 als Ankläger hervor (Plut. Perikles 10,6), 462 beteiligte er sich an den Reformen des → Ephialtes [2] (abweichende Versionen bei Plut. Perikles 7,8; 9,5 und Plut. Kimon 15). Im folgenden Jahr wurde Ephialtes ermordet und Kimon ostrakisiert. Belege für den allg. postulierten Aufstieg des P. zum führenden athen. Politiker seit 460 gibt es aber nicht. Plutarchs (Perikles 16,3) Angabe einer gar vierzigjährigen Vormachtstellung (*prōteúōn*) ist Spekulation. Keines der wichtigen Ereignisse der damaligen athen. Gesch. (z.B. der Bau der »Langen Mauern«, die äg. Expedition, der Krieg gegen Aigina, Verlegung der Bundeskasse nach Athen; vgl. → Athenai III. 6.) ist mit P. in Verbindung zu bringen. 457 (?) soll er an der Schlacht von Tanagra teilgenommen haben (Plut. Perikles 10,2), 455/4 führte er als *stratēgós* ein Landunternehmen gegen Sikyon (Thuk. 1,111,2f.; Diod. 11,85).

Erst das von P. veranlaßte Bürgerrechtsgesetz von 451/450 läßt Züge eigenständiger Politik erkennen. Es schloß jeden vom athen. Bürgerrecht (und dessen materiellen Vorteilen) aus, dessen Eltern nicht beide Athener waren ([Aristot.] Ath. pol. 26,4; Plut. Perikles 37,3) und sicherte P. eine starke Klientel unter den Bürgern, die angesichts des großen Zustroms von Fremden um ihre Privilegien bangten.

B. AUFSTIEG ZUR MACHT
UND HÖHEPUNKT

Anf. der 40er Jahre organisierte P. erfolglos (Widerstand Spartas) einen panhellenischen Friedenskongreß (Plut. Perikles 17; → Panhellenes, Panhellenismus). Wieweit die Koloniegründungen auf Euboia, Naxos und Andros (um 448/7) auf seine Initiative (Plut. Perikles 11,5) zurückgehen, ist unklar. P. selbst führte 447 v.Chr. 1000 Siedler zur thrak. Chersonesos [1] (Plut. Perikles 19,1), 435 unternahm er eine Kolonisationsfahrt ins Schwarze Meer (Sinope, Amisos, Astakos). Ob er als Gründer des unterit. → Thurioi (444/3) zu gelten hat, war bereits in der Ant. umstritten. 446/5 befehligte P. die att. Invasionstruppen, die das aufständische Euboia niederwarfen; ein spartan. Kontingent, das in Attika eingefallen war, veranlaßte er mittels Unterhandlungen und Bestechung (?) zum Rückzug (Thuk. 1,114; 2,21; Plut. Perikles 22f.). Komödien-Fr. (Kratinos PCG fr. 326) lassen auf seine Verantwortung für den Bau der sog. Süd- oder Mittelmauer zwischen Oberstadt und → Peiraieus schließen (Fertigstellung 445).

443 gelang P. der Aufstieg zum führenden att. Staatsmann, da mit Thukydides Melesiu der wichtigste Politiker der konservativen Opposition ostrakisiert wurde (Plut. Perikles 8,5; 8,11; 8,14). Nach Plutarch (Perikles

16,3) wurde P. nun fünfzehnmal in Folge als einer der zehn mil. Führer (*stratēgoí*; s. → *stratēgós*) gewählt, die zugleich großen polit. Einfluß hatten. Zeugnisse über seine Politik sind jedoch auch für die 30er Jahre rar. 441–439 unterwarf er (mit anderen att. *stratēgoí*) das von Athen und dem → Attisch-Delischen Seebund abgefallene Samos (Thuk. 1,117,2f.). Vorwürfe, P. sei dabei mit bes. Grausamkeit gegen die Unterlegenen vorgegangen (Duris von Samos FGrH 76 F 67), gehören zur üblichen Greuelpropaganda. Gegen die zunehmenden Angriffe der Komödie wohl insbesondere gegen seine Person [2. 169 ff.] beantragte P. um 440/439 ein Gesetz, das die Verspottung von Politikern verbot (schol. Aristoph. Ach. 67; 1150 DÜBNER). Es blieb aber nur kurzzeitig in Kraft.

C. PELOPONNESISCHER KRIEG UND TOD

Athens zunehmendes Interesse an den Märkten im Westen, in Sizilien und Unterit. [3. 49 ff.], bereitete verstärkt ab Mitte der 30er J. den Konflikt mit dem → Peloponnesischen Bund vor. Als entschiedener Gegner Spartas (Thuk. 1,127,3) zählte P. zu den Befürwortern des → Peloponnesischen Krieges. Während die zeitgenössische Öffentlichkeit ihm einhellig vorwarf, das Megarische → *psḗphisma* (Ausschluß der Nachbarstadt Megara von den Häfen des Seebundes) und damit den Waffengang provoziert zu haben (Aristoph. Ach. 526–539; Pax 605–614; Plut. Fabius Maximus 30,3; [4. 225 ff.]), verteidigt → Thukydides in der nach 404 begonnenen Neufassung seines Geschichtswerkes die Politik des P. und betrachtet den Krieg als unvermeidlich. Ob innenpolit. Druck P. bewog, die Kriegsgefahr zu beschwören, diskutierte bereits die Ant. heftig. (Über die Rolle des wohl 433 aus der Verbannung zurückgekehrten Thukydides Melesiu ist nichts bekannt, → Kleon [1] gewann erst nach P.' Tod an Kontur. E. der 30er J. wurden jedoch mit Anaxagoras und → Pheidias zwei Vertraute des P. in Prozesse verwickelt (Plut. Perikles 31,2–32). Eine dritte Anklage gegen seine Lebensgefährtin Aspasia (Plut. Perikles 32,1,5) ist umstritten. Den Kriegsplan, der – entsprechend den Kräfteverhältnissen zwischen Peloponnesischem Bund und → Attisch-Delischem Seebund – Offensive zur See und Defensive zu Land vorsah, hatte P. entworfen. Entgegen der Darstellung des Thukydides scheiterte diese Ermattungsstrategie sehr schnell. V. a. der Ausbruch einer Seuche in Athen ließ die anfängliche Kriegsbegeisterung bald in Friedensforderungen umschlagen. Der Zorn richtete sich gegen P., der im Winter 431/430 noch die Staatsrede auf die Gefallenen des ersten Kriegsjahres hatte halten dürfen (der berühmte, bei Thukydides 2,34–46 überl. Epitaphios ist ganz von diesem selbst gestaltet). Im Herbst 430 wurde P. seines Amtes enthoben und zu einer hohen Geldstrafe verurteilt (Thuk. 2,65,3). Trotz schneller Rehabilitation bei den nächsten Strategenwahlen erlangte er keinen polit. Einfluß mehr und starb im September 429.

D. BEURTEILUNG

Die Moderne sieht in P. häufig den großen demokratischen Reformer, den Kulturpolitiker, der die bedeutendsten Künstler und Philosophen um sich scharte und dem das Programm für den Ausbau der Akropolis zu danken ist, einen Friedensfürsten und Visionär (u. a. [5. 109 ff.; 6. 234 ff.; 7. 13 ff.]). Der wichtigste Schritt zur Entwicklung des demokratischen Systems war aber die Entmachtung des → Areios pagos durch Ephialtes [2], von den danach eingeführten Neuerungen (u. a. Zulassung der Zeugiten, → *zeugítai*) zum Archontat, Einsetzung der Demenrichter, Tagegelder für Buleuten, → *bulḗ*) schreibt [Aristot.] Ath. pol. 27,3 nur die Besoldung der Geschworenen einem Gesetzesantrag des P. zu. Die Einführung der *theōriká* (→ *theōrikón*), die nach Plutarch (Perikles 9,1) ebenfalls auf P. zurückgeht, ist ins 4. Jh. zu datieren. Von den in den 40er und 30er Jahren begonnenen Großbauten (→ Parthenon, Telesterion in → Eleusis, Tempel des Hephaistos, Odeion, Propyläen; → Athenai II. mit Karte; → Toranlagen) ist nur das Odeion als explizit Perikleisches Projekt überl. (Kratinos PCG fr. 73; Plut. Perikles 13,9); P. war aber Mitglied verschiedener Baukommissionen (*epistátēs*).

Außer → Pheidias und Anaxagoras [2] zählen die Quellen nur den Sophisten Protagoras (eine Anekdote bei Plut. Perikles 36,5) zum intellektuellen Zirkel des P. Die Beziehung zu → Sophokles beschränkte sich offenbar auf das gemeinsame Strategenamt im J. 440/439. Ion von Chios (FGrH 392 F 6) läßt eher auf wenig freundschaftliche Beziehungen schließen. Über die sog. Friedenspolitik des P. (so [8. 11 ff.]) fällten die Zeitgenossen ihr Urteil: P.' Politik führte Athen direkt in den Peloponnesischen Krieg und mittelbar in die größte Katastrophe seiner Gesch. (vgl. Plut. Fabius Maximus 30,1; Plut. Nikias 9,9; Plut. Alkibiades 14,2).

Das positive P.-Bild der Moderne stützt sich v. a. auf den späten → Thukydides, der P. idealisiert (v. a. Thuk. 2,65), Kriegseintritt wie -konzept für richtig hält und die Niederlage in der Unfähigkeit der Nachfolger begründet sieht (vgl. [9. 249 ff.]). Der Historiker reduziert P. auf den Staatsmann und Militär, die Schilderung seines Wirkens ist auf die J. 432–430 begrenzt [1. 139; 2. 65]. Der Kulturpolitiker und Demokrat P. findet weder in Thukydides noch Plutarch [1. 77 ff.] einen Gewährsmann. P.' Biographie bleibt bis Mitte des 5. Jh. fast völlig im Dunkeln, bis zum Beginn des → Peloponnesischen Krieges 431 ist sie nur sporadisch faßbar. Das »Perikleische Zeitalter« (471 bzw. 462–429) ist eine Konstruktion, die darauf beruht, daß die Gesch. Athens nach Themistokles zu derjenigen des P. stilisiert wurde. Die Zeit, in der dieser unter Ausschöpfung der institutionellen Mittel, die die Demokratie bot, die att. Politik dominierte (Thuk. 2,65,9), beschränkt sich auf die J. 443–430. Er war weniger Schöpfer und Gestalter der attischen Demokratie als ihr Produkt. Die ant. Vorstellung von der Rolle des P. in der athen. Gesch. vermittelt [Aristot.] Ath. pol. 28.

E. Wirkungsgeschichte

Nach dem verlorenen Peloponnesischen Krieg verblaßte die Erinnerung an P. bald. → Thukydides' aus dem Nachlaß veröffentlichtes Geschichtswerk blieb zunächst ohne Wirkung. Da P.' Name für die Schattenseiten des Attisch-Delischen Seebundes stand, wurde die Erinnerung an den Staatsmann zu einer Zeit, in der sich Athen um die Erneuerung des Seebundes bemühte, kaum gepflegt. Wenige kurze Erwähnungen finden sich bei den Rednern und Publizisten des 4. Jh. (Isokr. or. 15,111, 234, 234f., 307; 16,28; Lys. 30,28; [Demosth.] or. 26,6; 61,45; Demosth. or. 3,21; Lykurg. fr. 58 (9, 2 Conomis; Aischin. Tim. 25); die Historiographie zeichnete ein eher negatives Bild (z. B. Ephoros FGrH 70 F 194–196; Duris FGrH 76 F 67); die bis ins 19. Jh. wirksame Kritik bei Platon ist vernichtend (Plat. Gorg. 515e–516d; vgl. Plat. Phaidr. 269e–270a; Men. 94a-b; Prot. 319e–320a). Der Hell. beachtete P. kaum, eine oft vermutete Biographie aus dieser Zeit als Vorlage für die des Plutarch erweist sich als Chimäre [10. LVIII-LX]. In der philos. Überl. und in den rhet. Beispiel-Slgg. kristallisierte sich ein nahezu kanonisches P.-Bild heraus, dessen Reflexe sich bei Cicero, Valerius Maximus, Quintilianus, Plinius [2] d. J., Frontinus, Fronto, Polyainos u. a. finden. P. wird v. a. als bedeutendster griech. Redner (nach Demosthenes [2]) gewürdigt.

Einen Neubeginn bedeutete die P.-Biographie des → Plutarchos, der alle Quellen verwertete, die im 2. Jh. n. Chr. noch verfügbar waren. Nicht Plutarch jedoch, sondern die *Facta et dicta memorabilia* des → Valerius Maximus bestimmten bis weit in die Neuzeit das Bild des P. Berühmtes Beispiel ist die bildliche Darstellung des Staatsmannes durch Pietro Vannuci Perugino als Symbol der *temperantia* (des Maßhaltens) im Collegio del Cambio in Perugia (1497–1500). Noch die Historienmalerei des 18./19. Jh. ließ sich von Valerius Maximus anregen (u. a. J. L. David, J. Ch. N. Perrin, A. L. Belle, F.-N. Chifflart; weitere P.-Darstellungen durch L. Lafitte, J. A. D. Ingres, A. von Kreling, C. Rahl; P.-Büste von A. J. Gros), obwohl mit der frz. Übers. Plutarchs durch Jacques Amyot (1559) allmählich dessen P.-Biographie an Bekanntheit gewann. Die Wiederentdeckung der Monumente der griech. Baukunst, bes. der Ruinen der Akropolis, beförderte auch das Interesse an P. Aus einer Verschmelzung der P.-Porträts Plutarchs und des Thukydides (vgl. z. B. [12]) bildete sich nach dem Vorbild von Voltaires ›Le siècle de Louis XIV‹ (1751) im 18. Jh. die Vorstellung eines »Perikleischen Zeitalters«, die die Ant. nicht kannte. An dem verklärenden Bild (Ausnahme [11. 19ff.]), wie es z. B. [13] entwarf, wurden in der Forsch. des 20. Jh. einige wenige Abstriche gemacht, in seinen Grundzügen bleibt es jedoch unverändert.

→ Athenai (III. 6–8); Demokratia;
Peloponnesischer Krieg

1 E. Meinhardt, P. bei Plutarch, Diss. Frankfurt/Main 1957 2 J. Schwarze, Die Beurteilung des P. durch die att. Komödie und ihre histor. und historiograph. Bed., 1971 3 H. Wentker, Sizilien und Athen. Die Begegnung der att. Macht mit den Westgriechen, 1956 4 G. E. M. de Ste. Croix, The Origins of the Peloponnesian War, 1972 5 H. Bengtson, Griech. Staatsmänner des 5. und 4. Jh. v. Chr., 1983 6 F. Schachermeyr, P., 1969 7 D. Kagan, P. Die Geburt der Demokratie, 1992 (engl. 1990) 8 K. Dienelt, Die Friedenspolitik des P., 1958 9 J. Vogt, Das Bild des P. bei Thukydides, in: HZ 182, 1956, 249–266 10 Ph. A. Stadter, A Comm. on Plutarch's Pericles, 1989 11 K. J. Beloch, Die att. Politik seit P., 1884 12 G. W. F. Hegel, Vorlesungen über die Philos. der Gesch., in: Ders., Vorlesungen, Bd. 12 13 A. Schmidt, P. und sein Zeitalter, 1877.

E. Bayer, J. Heideking, Die Chronologie des perikleischen Zeitalters, 1975 · K. Christ, Hellas, 1999 · V. Ehrenberg, Sophokles und P., 1956 · H. Knell, Perikleische Baukunst, 1979 · B. Näf, Von P. zu Hitler? Die athen. Demokratie und die deutsche Althistorie bis 1945, 1986 · A. J. Podlecki, Pericles and His Circle, 1998 · F. Schachermeyr, Geistesgesch. der perikleischen Zeit, 1971 · L. Schneider, C. Höcker, Die Akropolis von Athen, 1990 · Ch. Schubert, P., 1994 · K. W. Welwei, Das klass. Athen, 1999 · W. Will, P., 1995 · G. Wirth (Hrsg.), P. und seine Zeit, 1979.

[2] Sohn des → Perikles [1] und der → Aspasia. Durch das Gesetz seines Vaters von 451/0 v. Chr. zunächst vom Bürgerrecht ausgeschlossen, erhielt er dieses erst 429 durch Sonderregelung (Plut. Perikles 37,5 f.). 406 war er *stratēgós* in der Schlacht bei den → Arginusai. Trotz des Sieges wurde er zusammen mit seinen Kollegen im Amt hingerichtet, da ihnen die Rettung der schiffbrüchigen Athener mißlang (Xen. hell. 1,5,16; 6,29; 7,2–34).

W. W.

[3] Dynast von Zẽmure-/→ Limyra (ca. 380–362 v. Chr. oder später), nennt sich in einer griech. Weihinschr. »Lykiens König« (»König« = griech. *basileús* = lyk. *xñtawata-*, von *xñtewe*, »führen«); Stammland: Ostlykien. P. besiegte Artum̃para-, den Dynasten oder Satrapen vom Xanthostal, der einen iranischen Namen trug, eroberte das karische Telmessos (Theop. FGrH 115 F 103) und war Gegner des → Maussolos. Daß er an der Spitze der Lykier am → Satrapenaufstand 362 v. Chr. (Datum nach Diod. 15,90,3) beteiligt war, ist wahrscheinlich, auch wenn sein Name nicht genannt wird; sein weiteres Schicksal ist dagegen bis h. unbekannt.

A. Keen, Dynastic Lycia, 1998, 148–170.   PE. HÖ.

Periklymenos (Περικλύμενος, lat. *Periclymenus*).
[1] Beiname des → Pluton (Hesych. s. v. Π.).
[2] Sohn des Poseidon. Im Krieg der → Sieben gegen Theben tötet er → Parthenopaios (Eur. Phoen. 1156ff.; Apollod. 3,75).
[3] Sohn des → Neleus [1] und der → Chloris [4] (Hom. Od. 11,281ff.). Teilnehmer am Zug der → Argonautai (Apoll. Rhod. 1,56ff.) Trotz seiner Verwandlungsfähigkeit von → Herakles [1] getötet (Ov. met. 12,556ff.), nach Hyg. fab. 10 durch Verwandlung in einen Adler gerettet.   L. K.

Periklytos (Περίκλυτος). Bildhauer, Schüler des → Polykleitos [2]. P. wird als Lehrer des 359 v. Chr. in Delphi tätigen Antiphanes genannt. Pausanias (2,22,7) nennt einen Bruder des → Naukydes, der Name ist in den Hss. jedoch unterschiedlich als P. oder Polykleitos wiedergegeben. P. spielt daher eine Rolle in der Rekonstruktion des Familienstammbaumes des → Polykleitos [2] und [3], während von seinem Werk nichts bekannt ist.

OVERBECK, Nr. 985, 995 · D. ARNOLD, Die Polykletnachfolge, 1969, 6; 12–14 · A. LINFERT, Die Schule des Polyklet, in: H. BECK (Hrsg.), Polyklet. Der Bildhauer der griech. Plastik. Ausstellung Frankfurt, LH, 1990, 240–297 · L. TODISCO, Scultura greca del IV secolo, 1993, 46–47.   R. N.

Periktione (Περικτιόνη).
[1] Mutter → Platons; entstammte einer altathenischen vornehmen Familie, der auch → Kritias und → Charmides [1] angehörten. Aus ihrer Ehe mit Ariston ging auch das Brüderpaar Glaukon und Adeimantos, Sokrates' Gesprächspartner in der platonischen *Politeía*, hervor, ferner Potone, die Mutter des → Speusippos, Platons Nachfolger in der Leitung der → Akademeia. In zweiter Ehe war P. mit Pyrilampes, dem Sohn eines Antiphon, verheiratet. Dieser Beziehung entstammt ein ebenfalls Pyrilampes genannter Sohn. Bereits bei Diog. Laert. 3,2 ist die wohl auf Pythagoreisches zurückgehende Trad. greifbar, nach der sich P. während ihrer Schwangerschaft mit Platon rein gehalten habe (von einer jungfräulichen Geburt spricht Hier. contra Iovinianum 1,42).   K.-H. S.
[2] Pseudonymer Verf. einer pythagoreisierendem Schrift Περὶ γυναικὸς ἁρμονίας (›Über die Harmonie der Frau‹) in ion. Dialekt, der Sprache des → Pythagoras (daraus zwei Fr. bei Stob. 4,28,19; 4,25,50). Die Harmonie wird erreicht, wenn die beiden niederen Seelenteile beherrscht werden und sich die Tugend einstellt; dann wird die Frau sich selbst, dem Mann, den Kindern, dem Haushalt oder gar dem Staat gerecht, falls sie herrscht; Verhaltensregeln für die Frau. Pseudonym auch des Verf. einer Schrift Περὶ σοφίας (›Über die Weisheit‹) in dor. Dialekt (daraus zwei Fr. bei Stob. 3,1,120 und 121), die in engem Zusammenhang mit Ps.-Archytas' ›Über die Weisheit‹ stehen. Platons Mutter hieß → Periktione [1].

ED.: H. TESSLEFF, The Pythagorean Texts of the Hellenistic Period, 1965, 142–146.   M. FR.

Perilaos (Περίλαος, Περίλεως).
[1] Sohn des → Ikarios [2] und der → Periboia [1], Bruder der → Penelope (Apollod. 3,126). Nach peloponnesischer Sage tritt P. statt des schon verstorbenen → Tyndareos als Ankläger des → Orestes [1] vor dem Areopag auf (Paus. 8,34,2).
[2] Argiver, war im Kampf gegen den Spartaner Othryades im Theater von Argos als Statue dargestellt (Hdt. 1,82; Paus. 2,20,7).   L. K.

[3] (auch Perillos genannt). Griech. Bronzebildner, wurde berüchtigt als der legendäre Schöpfer des Bronzestiers, in dem → Phalaris von Akragas (570–554 v. Chr.) seine Gegner verschmorte, und dessen erstes Opfer P. selbst geworden sein soll (Plin. nat. 34,89). Das Werk sei 405 v. Chr. nach Karthago entführt und 146 v. Chr. von Cornelius [I 70] Scipio nach Akragas zurückgebracht worden, wo es Cicero noch gesehen haben will (Cic. Verr. 4,33,73). Nach Timaios (bei schol. Pind. P. 185) jedoch ist das Original lange vorher ins Meer geworfen worden.

OVERBECK, Nr. 364–369 · EAA 6, s. v. Perillos, 1965, 61–62 · FUCHS/FLOREN, 426.   R. N.

Perimede (Περιμήδη).
[1] Schwester des → Amphitryon, Gattin des → Likymnios [1].
[2] Königin von Tegea in Arkadia (Herodian. perí monḗrus léxeōs 8), sonst Marpessa oder Choira genannt (Paus. 8,47,2). P. führt ein Frauenheer siegreich gegen die Spartaner unter → Charillos (ebd. 8,48,4 ff.), den sie samt Heer gefangennehmen (ebd. 8,5,9). Die Frauen opfern dem → Ares für ihren Sieg ohne männliche Beteiligung, daher erhält dieser den Beinamen *Gynaikothoínas* (»der von den Frauen bewirtet wird«). Eine Statue des Ares Gynaikothoinas befand sich auf der Agora von Tegea (ebd. 8,48,4).   S. T.

Perimedes (Περιμήδης).
[1] Gefährte des → Odysseus, der, jeweils mit → Eurylochos [1], diesem beim Totenopfer hilft (Hom. Od. 11,23–24; bildlich dargestellt u. a. auf der *Nékyia* des Polygnotos, vgl. [1]) und dessen Fesselung während der Vorbeifahrt an den Sirenen verstärkt (ebd. 12,195–196).
[2] Sohn des → Eurystheus, von den Athenern bei der Verteidigung der → Herakleidai getötet (Ps.-Apollod. 2,168) bzw. von → Herakles [1] nach dessen letzter Arbeit, weil dieser sich bei der Verteilung von Opferstücken benachteiligt fühlt (Antikleides FGrH 140 F 3).
[3] Bisher unbekannter Sohn des → Likymnios [1] (vgl. [2]).

1 B. MAGRI, s. v. P., LIMC 7.1, 324; 7.2, 268
2 C. HARRAUER, Likymnios und seine Familie in P. Vindob. G 23058, in: WS 101, 1988, 97–126.   T. H.

Perimele (Περιμήλη).
[1] Tochter des Admetos, Mutter des Magnes, des Eponymen der Landschaft Magnesia (Antoninus Liberalis 23; schol. Eur. Alc. 269).
[2] Tochter des Amythaon, Mutter des Ixion (Diod. 4,69; schol. Pind. P. 2,39 DRACHMANN).   L. K.

Perinthos (Πέρινθος). Von → Samos 602 v. Chr. auf einer Halbinsel angelegte Hafenstadt an der thrakischen Küste der → Propontis (Ps.-Skymn. 713–715; Strab. 7a,1,56; Diod. 16,76; Plin. nat. 4,47; → Kolonisation IV.), wo später die → Via Egnatia auf die Küstenstraße treffen sollte, h. Marmara Ereğlisi. Der ON ist vorgriech. Urspr. (vgl. die Endung -inthos). Um 570/560 v. Chr. war P. in Kämpfe mit Megara [2] verwickelt (Plut. qu. Gr. 57); etwas später wurde die Stadt von → Paiones erobert (Hdt. 5,1 f.), unter Dareios [1] I. 512 v. Chr. von den Persern besetzt (Hdt. 6,33), 476 v. Chr. von Kimon [2] befreit; 452/1 v. Chr. ist P. zum ersten Mal im → Attisch-Delischen Seebund (mit 10 Talenten Beitrag) bezeugt (IG I³ 261). P. war ein bed. Zentrum des griech.-thrak. Handels (Xen. an. 7,4,2). Seit 377 v. Chr. war P. Mitglied im 2. → Attischen Seebund. 367/6 bedrohte Kotys [I 1] die Stadt (Aristot. oec. 2,27). Im Kampf gegen Philippos [4] II. stand sie wie Byzantion 341/0 v. Chr. auf Seiten der Athener, vom Makedonenkönig vergeblich belagert (Plut. Demosthenes 17,2 f.; Diod. 16,74–76). Erst 202 v. Chr. geriet P. für kurze Zeit unter die Herrschaft Philippos' [7] V. (Pol. 18,2,4). Nach dem 2. → Makedonischen Krieg erhielt P. 196 v. Chr. von den Römern seine Freiheit zurück (Pol. 18,44,4; vgl. 2,4), wurde aber schon 195 von Antiochos [5] III. besetzt (App. Syr. 6). Aufgrund der Vereinbarungen von Apameia kam P. 188 v. Chr. wohl zu → Pergamon. Im J. 129 v. Chr. wurde die Stadt dem röm. Statthalter von Macedonia unterstellt.

Ab 46 n. Chr. war P. Hauptstadt der Prov. Thracia. 193/4 n. Chr. fanden bei P. Kämpfe zw. → Septimius Severus und → Pescennius Niger statt (SHA Sept. Sev. 8,11). 196 n. Chr. erhielt P. zum ersten Mal den Ehrentitel → neokóros des Septimius Severus, 218 zum zweiten Mal unter Elagabal [2]. Die Umbenennung von P. in Herakleia (vgl. den h. ON) nach seinem mythischen Gründer Herakles [1] ist 286 erstmals bezeugt (vgl. Amm. 27,4,12; Zos. 1,62,1). Nach der diocletianischen Reichsreform 297 n. Chr. (→ Diocletianus, mit Karte) war P. Hauptstadt der Prov. Europa, ab 313 mit 15 Bistümern die drittwichtigste Metropole des Patriarchen in Konstantinopolis (Not. episc. 1,8). 359 wurde die Stadt weitgehend durch ein Erdbeben zerstört (Soz. 4,16,3). Die Einfälle von → Hunni (450 n. Chr.) und → Avares (592 n. Chr.) überstand sie ohne große Schäden (Theophanes, Chronographia 102 f.).

M. H. Sayar, P.-Herakleia, 1998 · E. Schönert-Geiss, Die Münzprägung von P., 1965. I. v. B.

Periode (περίοδος, lat. periodus). Ant. Begriff für ein rhythmisch-melodisches Formungsprinzip.

In der → Metrik bezeichnet er die Verbindung von zwei oder mehreren Kola zu einer in sich geschlossenen, harmonischen Einheit; das → Kolon besteht in diesem Zusammenhang aus einem sog. Versfuß bzw. einer Gruppe von mehreren Versfüßen. P. bezeichnet in der Metrik sowohl Sprechverse wie etwa Hexameter und Trimeter als auch Singverse der Chorlyrik. P. werden durch Pausen getrennt, in denen (virtuell) Wortende gefordert und Hiat erlaubt ist; das letzte Element einer P., das als lang anzusehen ist, kann auch durch eine Kürze ausgefüllt werden; Elision am Periodenende ist sehr selten.

In der → Rhetorik bezeichnet der Begriff einen meist mehrfach zusammengesetzten, kunstvoll gebauten längeren Satz bzw. ein Satzgefüge; mit Kolon wird in diesem Zusammenhang ein kurzer Einzelsatz als Teil einer P. bezeichnet. Den Begriff der P. und den des Kolons hat → Thrasymachos von Athen eingeführt (Suda s. v. Thrasymachos p. 726.13 ff. Adler = 85 A 1 DK). Eine erste Definition findet sich bei Aristot. rhet. 1409a 35–b 1 für die rhet. P.; die metrische P. beschreibt Heph. p. 168,19 ff. Consbruch (beide Fest. p. 236,32–34 L.: periodus dicitur et in carmine lyrico pars quaedam et in soluta oratione verbis circumscripta sententia; ›P. ist die Bezeichnung für einen Teil in einem lyrischen Werk (Gedicht) und für einen Satz in metrisch nicht gebundener Rede, der aber gleichwohl durch die Wortordnung spezifisch strukturiert ist‹.

Wie eine P. in der Rhet. gestaltet werden soll, diskutieren Cicero (Cic. orat. 204; 222) und Quintilian (Quint. inst. 9,4,124 ff.) samt der lat. Übers. ambitus, circuitus, comprehensio, continuatio, circumscriptio; die ausführlichste ant. Behandlung findet sich bei Hermog. de inventione 4,3; der Scholiast zu Hermogenes nennt die Vorläufer (Bd. 7, 930,11–22 Waltz). Wissenschaftsgeschichtlich relevant ist der Beitrag A. Boeckhs [1], der als erster die pindarische Strophenform als regelmäßige Folge sich wiederholender P. erkannt und analysiert hat. Der älteste erh. Textzeuge mit kolometrischer Abtrennung ist der Liller Stesichoros-Papyrus (PLille 73, 76 und 111), dessen Datierung in das 3. oder doch erst 2. Jh. v. Chr. umstritten ist.

1 A. Boeckh, De metris Pindari libri tres, in: Ders. (ed.), Pindari Opera 1.2, 1811, 1–340 2 T. Habinek, The Colometry of Latin Prose, 1985, 127–136 3 Lausberg, Bd. 1, 458–460, 464 (§§ 923 f., 934) 4 P. Maas, Greek Metre, 1962, 45 (§ 63) 5 Norden, Kunstprosa, 295–299 6 W. Schmid, Über die klass. Theorie und Praxis des ant. Prosarhythmus, 1959, 52–56, 130–132 7 J. Zehetmeier, Die Periodenlehre des Aristoteles, in: Philologus 85, 1930, 192–208, 255–284, 414–436. GE. SCH.

Periodisierung I. Begriff
II. Abgrenzung; Antike Konzepte
III. Moderne Epochenbezeichnungen
IV. Die einzelnen Epochen

I. Begriff

Bei der P. werden größere gesch. Abschnitte gegenüber dem gleichförmigen Fortschreiten der Zeit so mit Sinn aufgeladen, daß sie unter dem gewählten Aspekt jeweils eine Einheit (Periode, Epoche, Zeitalter) bilden; damit erhalten einzelne Ereignisse den Rang von Epochenwenden oder Zäsuren. P. als Feststellung von qualitativen Unterschieden im Zeitablauf ist geschichtstheoretisch betrachtet – wie die histor. Rekonstruktion selbst – Ergebnis der perspektivischen Erklärung der Vergangenheit, zugleich Rahmen und Voraussetzung für weitere Forsch. Ungeachtet ihres theoretisch prekären Status und der extremen Abhängigkeit von den jeweils privilegierten Kriterien bleibt P. als markanter Ausdruck von wiss. Konventionalismus wie auch von neuen Akzentsetzungen und Paradigmenwechseln, ferner in der Organisation der akad. histor. Disziplinen unentbehrlich. Zäsuren und Zeitalter werden außerdem oft schon von Zeitgenossen erfahren und benannt; auch dies legitimiert die P. wiss. [18. 55 f.].

Allgemeine, schon in der Sprache angelegte Vorstellungen über Grundmuster histor. Verlaufsprozesse (z. B. »Entwicklung«, »Differenzierung«, »Verdichtung«, »Krise«) sind trotz der h. allg. Ablehnung zyklisch-organologischer Sinnbildungen kaum zu eliminieren [4]. Früher vorgeschlagene typologisch-universalistische Konzepte von P. berührten sich mit der Kulturkreislehre und brachten übergreifende Epochentypen hervor (z. B. »griech. MA«: Ed. MEYER [17. 267–269]). Eine individualisierende P. beansprucht nur für definierte Räume Gültigkeit; so bezieht sich die seit Renaissance und Humanismus gängige, spätestens 1702 von Ch. CELLARIUS zum Lehrbuchwissen erhobene P. in Alt., MA und Neuzeit nur auf den europäisch-mediterranen Raum im engeren Sinn.

II. ABGRENZUNG; ANTIKE KONZEPTE

Abzugrenzen ist die P. von der → Zeitrechnung, doch ist der dyn. Jahrzählung eine Tendenz zur Epochenbildung immanent (Herrscher-→ Ären). Ein Zeitbegriff kann rel.-polit. aufgeladen (z. B. lat *saeculum*; [7]), die Gegenwart zum Synonym für eine qualitativ neue Epoche stilisiert werden (Wiederkehr des »Goldenen Zeitalters« unter → Augustus; *nec nostri saeculi est*, ›Es entspricht nicht dem Geist unserer Zeit‹: Traianus bei Plin. epist. 10,97,2). Auch eine astronomisch oder numerisch konstituierte Zeiteinheit läßt sich als Epoche deuten (»Großes Jahr«: Plat. Tim. 39d 3 ff.; Cic. nat. deor. 2,51; Cens. 18,11; Jahrhundert). Wenn P. auf vorgefaßten metahistor. (mythisch-rel. oder philos.) Prinzipien oder Verlaufsschemata – oft mit prospektiveschatologischem Akzent – beruht, ist sie v. a. von geistesgesch. Bed.

Der griech. → Mythos periodisiert nach einem Drei-Generationen-Modell: Zeit der lokalen Haupt- und Zivilisationshelden, Zeit des Troianischen Krieges, Epigonen als Beginn der dyn. Chronologie der Königslisten. Eine theologisch-ethische Epochenvorstellung unter orientalischem Einfluß, verbunden mit dem Gegensatz Heroen – Jetztzeit, liegt im Modell der Fünf Weltalter vor (Hes. erg. 106–201; → Zeitalter) [5]. Wirkungsgesch. bedeutsam war die verwandte jüd./christl. Lehre von den Vier Weltreichen (Dan 2,31–45), säkularisiert als *translatio imperii* (Aemilius Sura bei Vell. 1,6,6). Die philos. Zivilisationstheorie kannte ein Stufenschema der Subsistenzformen (Jäger und Sammler, Hirten, Ackerbauern; → Anthropologie), während man die Erfahrung der polit. Instabilität im Modell eines Kreislaufs der Verfassungen zu bewältigen suchte (Pol. 6,4–9; → Verfassungstheorie; → Mischverfassung). Die empirische Forsch. verzeichnete die »Verfassungsänderungen« als Epochenzäsuren (Aristot. Ath. pol. 41).

Anders als für die polyzentrische griech. Gesch. gab es für Rom ant. Ansätze zu einer umfassenden P. Bereits im 2. Jh. v. Chr. wurden im historiographischen Diskurs Epochenjahre für den Beginn des moralischen Verfalls genannt [3]. Florus (epit. pr. 4–8) gliederte nach Lebensaltern, Tacitus nahm die Akkumulation dauerhafter Macht bei einzelnen Personen als Kriterium (Tac. ann. 1,1). Bemerkenswert sind vereinzelte Reflexionen über die Anforderungen an eine sinnvolle P. (Pol. 1,5; 3,1).

III. MODERNE EPOCHENBEZEICHNUNGEN

Von den mod. nichtpersonalen Epochenbegriffen ist nur → »Pentekontaetie« ant. belegt. Die h. gängigen Bezeichnungen stellen teilweise Entlehnungen aus der Kunstgesch. dar (Archa./Klass. Zeit, Spätantike) oder spiegeln polit. Zeiterfahrungen (Röm. Revolution: Th. MOMMSEN, Röm. Gesch., Bd. 2, 1855; SYME, RR). Neben schlichter zeitlicher Klassifizierung (Frühe, Mittlere, Späte Republik) stehen hochkomplexe Konzepte mit teleologischen Implikationen (Hell. im Sinne DROYSENS: s. u. IV A. 3.). Trotz aller Differenzierungen enthalten Bezeichnungen wie »Dunkle Jahrhunderte«, »Klass. Zeit« oder »Bas-Empire« noch immer auch Werturteile. Stärker im fachinternen Sprachgebrauch verankert sind (numerisch nicht exakte) Jahrhunderte als Epochenabbreviaturen (das 5. bzw. 4. Jh. v. Chr. in Griechenland; das 3. Jh. n. Chr. als Hiat zw. »Hoher Kaiserzeit« und Spätant.). Verbreitet ist die Benennung von Epochen nach langen und umwälzenden Kriegen (»Zeitalter der Perserkriege« usw.). P. spiegelt mitunter auch die Einschätzung der heuristisch-methodischen Grenzen einer histor. Rekonstruktion: Für G. GROTE (History of Greece, 1846–1856) begann das histor. Griechenland 776 v. Chr., davor lag das mythische Zeitalter; ähnliche Skepsis schwingt in »Dunkle Jahrhunderte« und beim »Frühen Rom« mit.

IV. DIE EINZELNEN EPOCHEN
A. GRIECHENLAND B. ROM

A. GRIECHENLAND
1. »DUNKLE JAHRHUNDERTE« UND ARCHAISCHE ZEIT 2. KLASSISCHE ZEIT 3. HELLENISMUS

1. »DUNKLE JAHRHUNDERTE« UND ARCHAISCHE ZEIT

Die arch. Forsch. betont h. stärker Siedlungskontinuitäten seit der submyk. Zeit (1100/1050 v. Chr.), dennoch markieren die → Dunklen Jahrhunderte (zum Begriff s. [8. 96–131]) einen Hiat in allen wesentlichen Lebensbereichen. In der archa. Zeit (ca. 800–500) bildeten sich das griech. Siedlungsgebiet (→ Kolonisation IV.) und die wesentlichen polit., rel. und kulturellen Phänomene, u. a. aristokratische Wettbewerbskultur, Schrift, Gesetzgebung, Kulte von → Polis-Göttern, panhellenische Zentren. Aus kleinen, schwach organisierten Gemeinden entstanden → *pólis* und *éthnos* als die typischen Formen partizipatorischer Bürgerstaatlichkeit mit polit. Institutionen, definiertem Territorium und hoher Konfliktbereitschaft. Eine unüberholte Charakterisierung ist [10], zur h. Sicht [19].

2. KLASSISCHE ZEIT

Das Konzept einer normativen Klassik und der daran anknüpfende Nachahmungsdiskurs seit der Ant. (→ Klassizismus) sind primär geistes- und wiss.-gesch. wichtig. Histor. bilden das 5. und 4. Jh. v. Chr. eine Periode als ›die Zeit, in der Griechenland auf der Grundlage des Stadtstaates »große Politik« machte‹ (A. HEUSS). Die Binnen-P. der Epoche zwischen den Schlachten von Marathon (490 v. Chr.) und Chaironeia (338 v. Chr.) ist unstrittig: → Perserkriege (500/490–479/8), → Pentekontaetie (479–431), → Peloponnesischer Krieg (431–404), überlappende Versuche von Hegemoniebildungen griech. Staaten und Aufstieg Makedoniens zur Vormacht (404–338). Kontroverser sind Zäsuren in der polit. Kultur des demokratischen Athen, etwa 462/1 und 404/3 [16; 1] (→ Athenai III.). In der Machtgeometrie ist der Unterschied zw. dem »bipolaren« 5. Jh. (Athen-Sparta) und dem multipolaren 4. Jh. deutlich. Das Streben der Polisstaaten nach machtvoller Freiheit blieb jedoch als Grundbedingung griech. Politik bestehen, auch über 338 hinaus und trotz mancher Innovation im zwischenstaatlichen und ideologischen Bereich (→ Koinḗ Eirḗnē, Bundesstaaten, → Panhellenismus).

3. HELLENISMUS

Bereits in DROYSENS ›Gesch. des Hell.‹ (²1877/78), die den Epochenbegriff [6. 1–3, 129–131] wiss. begründete, spiegelt die Disposition (Gesch. Alexanders sowie der Diadochen und Epigonen) eine wesentliche Signatur dieser Zeit: die Bed. des tatkräftigen Monarchen, der Herrschaft primär aus mil. Sieghaftigkeit legitimiert. Die weltgesch. Bed. des Hell. wird auch h. noch in der Ausbreitung der griech. Zivilisation im Orient gesehen, wobei es bei den hell. Monarchien und ihren graeco-maked. Eliten zu einer herrschaftlichen Überlagerung kam. Zugleich fanden freilich – auch in den zahlreichen neu gegründeten Städten nach griech. Modell – komplexe kulturelle und religiöse Austausch- und Akkulturationsprozesse statt (→ Hellenisierung). Neue Phänomene wie Bundesstaaten, Königshöfe und Honoratiorenherrschaft in den Städten gestalteten die polit. Erfahrungswelt auch der Griechen gründlich um.

Binnenepochen bildeten die Zeit Alexandros' [4] d. Gr. (336–323) und die Kämpfe um das ungeteilte Reich (323–301; → Diadochenkriege); die folgende Zeit der → Hellenistischen Staatenwelt war von einem labilen faktischen Gleichgewicht zw. den drei Großmächten (Makedonien, Seleukiden- und Ptolemaierreich) gekennzeichnet. Die Niederlagen des maked. und seleukid. Reiches gegen Rom (205–168) leiteten eine lange Agonie des polit. Hell. ein, die mit der Einverleibung Ägyptens in das Imperium Romanum (30 v. Chr.) endete. Es begann die Gesch. des hell. geprägten Kulturraums im röm. Reich.

B. ROM

1. KÖNIGSZEIT 2. REPUBLIK
3. PRINZIPAT/KAISERZEIT 4. SPÄTANTIKE

1. KÖNIGSZEIT

An Stelle des seit Varro (vgl. [12. 210 f.]) kanonischen Gründungsjahres 753 v. Chr. spricht die neuere Forsch. von einem Prozeß der Stadtwerdung Roms unter etr. Einfluß im 7. Jh. Eine Binnen-P. der Königszeit ist unmöglich, weil Anzahl, Namen und Regierungszeiten der kanonischen sieben Könige auf späterer Konstruktion beruhen. Ab etwa 500 konnte sich kein monarchischer Herrscher mehr etablieren; das traditionelle Datum 510 als Ende des Königtums geht auf einen Synchronismus mit dem Sturz der Tyrannis in Athen zurück.

2. REPUBLIK

Die gängige P. der nichtmonarchischen Phase der röm. Gesch. bietet feste Daten aus institutionellen und legislativen Umwälzungen und eine (grobe) Synchronität mit der äußeren Expansion: Danach war die vom patrizischen Adel beherrschte Frühe Republik (ab 509) innenpolit. durch den sog. → Ständekampf geprägt, in dem es um Existenzsicherung und Rechtsgleichheit für die Masse der Plebeier (→ plebs) sowie den Zutritt der plebeiischen Elite zur regierenden Schicht (→ patricii) ging. Traditionell gelten die Zulassung von Plebeiern zum Oberamt durch die leges Liciniae Sextiae (367) oder die Gleichstellung der Plebiszite mit Beschlüssen des Gesamtvolkes in der lex Hortensia (287) als Abschluß. Mit der Vertreibung des → Pyrrhos (275) war zugleich die Eroberung und herrschaftliche Organisierung Italiens durch Rom abgeschlossen. Die Mittlere oder »Klass.« Republik gilt als Blütezeit: Die aus den Ständekämpfen hervorgegangene, in sich homogene polit. Elite (→ nobiles) führte Rom zw. 264 (Beginn des 1. → Punischen Krieges) und 133 v. Chr. (Eroberung Numantias) zur Weltherrschaft. Das Volkstribunat des Ti. → Sempronius Gracchus 133 markiert den Beginn der polit. Desintegration (»Krise der Republik« oder »Revolutionszeit« [11. 558 f.]).

Aus der überforderten und zunehmend konsensunfähigen Nobilität erhoben sich Einzelpersönlichkeiten, die ihre Machtinteressen auch mit mil. Gewalt durchsetzten und so der monarchischen Alleinherrschaft den Weg bahnten (Diktaturen → Cornelius' [I 90] Sullas und → Caesars; Sieg Octavians/→ Augustus' über M. Antonius bei Actium 31 v. Chr.). Die neuere Forsch. relativiert die Zäsuren, indem sie die strukturellen Widersprüche und Konfliktpotentiale der Nobilitätsherrschaft lange vor 133 und das (partielle) Funktionieren der Ordnung auch in der Späten Republik (E. GRUEN [9]) betont.

Eine neue Sicht des Zusammenhanges zw. Innen- und Reichspolitik führt ebenfalls zu einer modifizierten P. Danach folgte auf eine Phase der eher zögerlichen Provinzialisierung neuer Gebiete durch den aristokratisch regierten röm. Stadtstaat eine vom Willen einzelner Aristokraten und Herrscher getragene imperiale Expansion, von der Neuordnung des Ostens durch → Pompeius [I 3] (63 v. Chr.) bis zur größten Ausdehnung des Reiches unter → Traianus (117 n. Chr.).

3. PRINZIPAT/KAISERZEIT

Die P. orientiert sich äußerlich meist an den Herrscherdynastien; die gängige Benennung der Prosperitätsphase zw. 96 und 180 als Epoche des »humanitären Kaisertums« [11. 342–344] folgt dem von Augustus seit Beginn des Prinzipats (27 v. Chr.) gesetzten Maßstab: Selbstbeschränkung des übermächtigen Herrschers, Rücksicht auf die Aristokratie, Ausrichtung am Wohl der Regierten. E. GIBBON (The History of the Decline and Fall of the Roman Empire, Bd. 1, 1776) ließ den Niedergang des röm. Reiches mit → Commodus (180–192) beginnen. Strittig ist die Unterscheidung von → Prinzipat und → Dominat als konträren Konzepten kaiserlicher Gewalt und Regierungspraxis [2].

4. SPÄTANTIKE

Unstreitig markiert der Regierungsantritt des → Diocletianus nach der Krise in der Zeit der »Soldatenkaiser« (235–284) eine Zäsur. Die durch ihn eingeleitete Reorganisation und Konsolidierung in den zentralen Bereichen (Kaisertum, Reichsorganisation, Verwaltung, Finanzen, Heerwesen und Währung) führte zusammen mit den germanischen Migrationen, dem Durchbruch des Christentums, dem »Verlust der Stadt« (J. MARTIN [15]) und den unterschiedlichen Entwicklungen im östl. und westl. Teil des Reiches zu einer einschneidenden Transformation. Die Erforschung der zeitlich weitgefaßten → Spätantike (bis ins frühe 7. Jh.) als einer eigenständigen Epoche hat den älteren Diskurs um Datum und Ursachen des Untergangs des röm. Reiches weitgehend abgelöst [14].

→ Ären; Dunkle Jahrhunderte; Fortschrittsgedanke; Hellenismus; Klassizismus; Pentekontaetie; Saeculum; Zeitalter; Zeitrechnung; EPOCHENBEGRIFFE

1 J. BLEICKEN, Die Einheit der athenischen Demokratie in klass. Zeit, in: Hermes 115, 1987, 257–283 2 Ders., Prinzipat und Dominat, 1978 3 K. BRINGMANN, Weltherrschaft und innere Krise Roms im Spiegel der Geschichtsschreibung des 2. und 1. Jh. v. Chr., in: A&A 23, 1977, 28–49 4 A. DEMANDT, Metaphern für Gesch., 1978 5 B. GATZ, Weltalter, goldene Zeit und sinnverwandte Vorstellungen, 1967 6 H.-J. GEHRKE, Gesch. des Hell., ²1995 7 B. GLADIGOW, Aetas, aevum und saeclorum ordo, in: D. HELLHOLM (Hrsg.), Apocalypticism in the Mediterranean World and the Near East, 1983, 255–271 8 M. GOLDEN, P. TOOHEY (Hrsg.), Inventing Ancient Culture, 1997 9 GRUEN, Last. Gen. 10 A. HEUSS, Die archa. Zeit Griechenlands als gesch. Epoche, in: A&A 2, 1946, 26–62 11 Ders., Röm. Gesch., 1960, ⁶1998 12 O. LEUZE, Die röm. Jahreszählung, 1909 13 F. G. MAIER, s.v. P. (Allgemein; Altertum), in: W. BESSON (Hrsg.), Fischer-Lex. Gesch., 1961, 245–253 14 Ders., Die Verwandlung der Mittelmeerwelt, 1968 15 J. MARTIN, Der Verlust der Stadt, in: CH. MAIER (Hrsg.), Die okzidentale Stadt nach Max Weber, 1994, 95–114 16 CH. MEIER, Der Umbruch der Demokratie in Athen (462/61 v. Chr.), in: R. HERZOG, R. KOSELLECK (Hrsg.), Epochenschwelle und Epochenbewußtsein, 1987, 353–380 17 ED. MEIER, Gesch. des Alt., Bd. 3, ²1937 18 J. H. J. VAN DER POT, Sinndeutung und P. der Gesch., 1999 (systematische Übersicht der Theorien) 19 U. WALTER, Das Wesen im Anfang suchen, in: Gymnasium 105, 1998, 537–552.   U. WAL.

Periodos, Periodonikes (περίοδος, περιοδονίκης).

Die vier bedeutendsten panhellenischen Agone (→ Sportfeste) in Olympia, Delphi, Nemea und am Isthmos wurden seit dem 3. Jh. v. Chr. unter dem Begriff p. zusammengefaßt. Ein Athlet, der wenigstens je einmal dort gesiegt hatte, erhielt den erst seit dem 2. Jh. n. Chr. belegten Ehrentitel *periodoníkēs* (vgl. heute *grand slam* im Tennis für Erfolge in den vier wichtigsten internationalen Turnieren des Jahres). Nur ca. 60 ant. Athleten hatten ein Anrecht auf diese Auszeichnung [1; 2]. Die meisten feierten ihre Siege jedoch vor Einführung des eigentlichen Titels. Gleich sechsfacher (bzw. siebenfacher: [3. 182f.]) *periodoníkēs* war der Ringkämpfer → Milon [2] von Kroton [4. Nr. 115, 122, 126, 129, 133, 139]. In der Jugendklasse scheint diese Siegeskonstellation nur für den Faustkämpfer Moschos aus Kolophon [1. Nr. 26; 3. Nr. 602] zuzutreffen. In der Kaiserzeit wurde die p. um die neuen Agone → Aktia und → Kapitoleia (und vielleicht die → Sebasteia) erweitert. Der in nun sieben (bzw. mit den Heraia, die musische Agonisten im Siegesfalle für die ohne musisches Programm ausgestatteten Olympischen Spiele ersatzweise angeben konnten, in acht) Agonen der p. erfolgreiche Athlet nannte sich jetzt *téleios periodoníkēs* (»vollkommener Periodonike«) [5].

→ Isthmia; Nemea [3]; Olympia (IV.); Pythia

1 R. KNAB, Die Periodoniken, 1934, ²1980 2 L. MORETTI, Noti sugli antichi periodonikai, in: Athenaeum 32, 1954, 115–120 3 J. EBERT, Epigramme auf Sieger an gymnischen und hippischen Agonen, 1972 4 L. MORETTI, Olympionikai, 1957 5 P. FRISCH, Der erste vollkommene Periodonike, in: EA 18, 1991, 71–73.

E. MARTI, ΠΕΡΙΟΔΟΝΙΚΗΣ, in: Acta Antiqua Academiae Scientiarum Hungaricae 31, 1985–1988, 335–355.   W. D.

Perioikoi (περίοικοι).

I. WORTBEDEUTUNG II. SPARTA

I. WORTBEDEUTUNG

Das Wort p. heißt wörtlich »die in der Umgebung Wohnenden« und wird nach denselben Regeln wie *apoikoi*, *ep-oikoi*, → *met-oikoi* und *par-oikoi* gebildet. Wie diese Begriffe besitzt p. eine eigentliche – top. – sowie eine übertragene – polit.-juristische – Bedeutung. Dabei können drei übertragene Bed. unterschieden werden: Das Wort konnte erstens Unfreie bezeichnen – sowohl gekaufte Sklaven als auch eine abhängige Bevölkerung, mit → Heloten oder → *penéstai* vergleichbar (Plat. rep. 547c; Aristot. pol. 1271b 30; 1330a 29). Zweitens können abhängige *póleis*, die nicht wirklich in ein Gemeinwesen integriert waren und daher auch nicht dessen polit. Namen trugen, als *p.* bezeichnet werden; etwa die von Elis abhängigen *póleis* (Xen. hell. 3,2,23; vgl. Strab. 8,3,30). Drittens wird mit diesem Begriff die gut belegte und histor. bed. Gruppe der *p.* (»Periöken«) von Sparta bezeichnet.

II. SPARTA

Neuere Forsch., die neben den schriftlichen Quellen auch die Ergebnisse der arch. Feldforsch. ausgewertet haben, zeigen, daß es trotz der Trad. der »100 *póleis*« in Lakonia und Messenia (Strab. 8,4,11) tatsächlich nur 22 *póleis* der *p.* (17 lakonische und 5 messenische) gab. Diejenigen *p.*, die Kriegsdienst als Hopliten (→ *hoplítai*) leisten konnten, waren Sparta gegenüber in vollem Umfang zur Heeresfolge verpflichtet (Plut. Agesilaos 26; Polyain. 2,1,7); 479 v. Chr. wurden vor der Schlacht von Plataiai 5000 (→ Perserkriege) von ihnen eingezogen (Hdt. 9,28,2), so daß jede Gemeinde von *p.* im Schnitt etwa 250 Hopliten stellen mußte. Die *p.* werden hier – genau wie die spartanischen Hopliten – als Λακεδαιμόνιοι (*Lakedaimónioi*) bezeichnet. Etwa nach 450 v. Chr. wurden sie als Reaktion auf die sinkende Bevölkerungszahl in Sparta sogar mit den → Spartiatai in denselben mil. Einheiten zusammengefaßt. Sie gehörten somit ethnisch und polit. der lakedaimonischen Ordnung an und waren kulturell wie sprachlich von den Spartiatai nicht zu unterscheiden. Allerdings durchliefen sie nicht die ἀγωγή (→ *agōgé*), waren nicht zu den öffentlichen gemeinsamen Mahlzeiten in Sparta zugelassen (→ Gastmahl II. B.), durften nicht wählen, für öffentliche Ämter kandidieren oder in Sparta selbst wohnen. Damit waren sie in der spartan. *pólis* insgesamt allenfalls Bürger zweiter Klasse. Sie waren jedoch Bürger ihrer eigenen *póleis*, die aber von Sparta abhängig waren. Vielleicht zahlten die *póleis* Tribute an Sparta; sicherlich besaßen die spartan. Könige Ländereien auf dem Gebiet der *p.* (Xen. Lak. pol. 15,3). Die *p.* von Messenia erlangten 369 v. Chr. zusammen mit den messenischen Heloten ihre Unabhängigkeit; in Lakonia jedoch blieb das System sozialer Abhängigkeit bis zu Beginn des 2. Jh. intakt, als sich viele *p.* lossagten, um ihren eigenen Bund der freien Lakonier zu gründen (τὸ κοινὸν τῶν Ἐλευθερολακώνων/*to koinón tōn Eleutherolakónōn*).

→ Sparta

1 P. CARTLEDGE, Agesilaus and the Crisis of Sparta, 1987
2 Ders., Sparta and Lakonia. A Regional History 1300–362 BC, 1979 3 Ders., A. J. S. SPAWFORTH, Hellenistic and Roman Sparta: A Tale of Two Cities, 1989
4 PH. GAUTHIER, Métèques, périèques et paroikoi, in: R. LONIS (Hrsg.), L'Étranger dans le monde grec, 1988, 23–46 5 F. HAMPL, Die lakedaimonischen Periöken, in: Hermes 72, 1937, 1–49 6 T. H. NIELSEN, Triphylia. An Experiment in Ethnic Construction and Political Organisation, in: Ders. (Hrsg.), Yet More Studies in the Ancient Greek Polis, 1997, 129–162 7 G. SHIPLEY, The Other Lakedaimonians. The Dependent Perioikic Poleis of Laconia and Messenia, in: M. H. HANSEN (Hrsg.), The Polis as an Urban Centre and as a Political Community, 1997, 189–281 8 J. ROY, The Perioikoi of Elis, in: s. [7], 282–320.

P.C./Ü: B.O.

Peripatos (Περίπατος). Der Name der Schule, welche die Schüler des → Aristoteles [6] gründeten, um dessen Lehre und Forsch. fortzusetzen. Da Aristoteles als Metöke (→ *métoikoi*) in Athen kein Grundstück besitzen durfte, müssen seine Vorlesungen und wiss. Arbeit in gemieteten Räumen stattgefunden haben. Erst nachdem sein Schüler → Demetrios [2] von Phaleron 317 v. Chr. die Regierung Athens im Interesse der maked. Oberherrschaft (→ Alexandros [4]) übernommen hatte, ermöglichte er Theophrastos, ein Grundstück zu erwerben und die Schule zu gründen. Der Ort lag außerhalb der Stadtmauer nordöstl. der Stadt, nahe beim Lykeion, einem Heiligtum des Apollon Lykeios mit einem Gymnasion (vgl. Karte → Athenai).

Urkundliche Information über Gebäude und Organisation des P. finden wir in den Testamenten der drei ersten Schulhäupter, → Theophrastos (gest. 288/286 v. Chr.), → Straton (gest. 272/268) und → Lykon [4] (gest. 224), bei Diog. Laert. 5,51; 5,62; 5,70. Das Gelände bestand aus einem Park (*képos*) mit einem *Perípatos* (wahrscheinlich einem mit Bäumen bepflanzten Wandelweg, nach dem die Institution benannt war), zwei Säulenhallen (→ Stoa), wovon eine mit Landkarten ausgestattet war, einem Musenheiligtum mit Standbildern des Aristoteles und seines Sohnes Nikomachos, einem Altar und mehreren Häusern. Zu Lebzeiten des Theophrastos (317–288/6) war der P. dessen Eigentum; Theophrastos vermachte ihn einer Gruppe von zehn »Genossen« (κοινωνοῦντες/*koinōnúntes*; vgl. engl. *fellows*), denen er die Wahl des Schulhaupts überließ, aber in den Testamenten seiner Nachfolger wird der P. scheinbar als deren Privateigentum behandelt. Lykon [4] vererbte ihn wieder an eine Zehnergruppe, aber Straton vermachte ihn direkt an Lykon, allerdings verbunden mit einer Aufforderung an die übrigen Mitglieder zur Zusammenarbeit mit ihm. Wahrscheinlich ist dies so zu erklären, daß die *koinōnúntes* nach der Wahl des jeweiligen Scholarchen diesem das Eigentum der Schule übertrugen, unter Wahrnehmung ihres Rechts zu gemeinsamer Nutznießung.

Trotz anfänglicher polit. Anfechtungen hatte der P. großen Erfolg; Theophrast soll 2000 Studenten gehabt haben. Von späteren Scholarchen sind fünf Namen bezeugt: Lykons Nachfolger → Ariston [3], → Kritolaos [1] aus Phaselis (um 155 v. Chr.) und sein Nachfolger → Diodoros [16] aus Tyros, und im 1. Jh. v. Chr. → Andronikos [4] aus Rhodos und sein Nachfolger → Boethos [4] aus Sidon; dazwischen sind einige Namen ausgefallen. Aus der Kaiserzeit haben wir über den P. keine sichere Nachricht, wissen auch nicht, ob später der staatlich besoldete Lehrstuhl der aristotelischen Philos. in Athen mit dem Scholarchat des P. verbunden war.

→ Aristotelismus

H. P. LYNCH, Aristotle's School, 1972 • H. B. GOTTSCHALK, Rez. von Lynch, CR. 90, 1976, 70ff. • Ders., Continuity and Change in Aristotelism, in: R. SORABJI (Hrsg.), Aristotle and After, 1997, 104–115 • Ders., Notes on the Wills of the Peripatetic Scholarchs, in: Hermes 100, 1972, 314–342 • C. NATALI, La scuola dei filosofi, 1981.

H.G.

Peripetie (ἡ περιπέτεια). Wörtl. »Umschwung«, »Umkehrung« der Situation, zumeist des Schicksals, häufig unerwartet und in der Regel vom Guten zum Schlechten (z. B. Aristot. rhet. 1371b 10). Zentral ist der Begriff in der ›Poetik‹ des Aristoteles (poet. 11,1452a 22–29), wo P. als der Umschlag dessen, was erreicht werden sollte, in sein Gegenteil definiert wird, wobei dies nach Wahrscheinlichkeit (κατὰ τὸ εἰκός) oder Notwendigkeit (κατὰ τὸ ἀναγκαῖον) geschehen müsse. P. ist zusammen mit der → Anagnorisis ein Charakteristikum von komplexen Handlungsstrukturen (*plots*; μῦθοι πεπλεγμένοι: 10,1452a 12–21), während einfache Handlungen (μῦθοι ἁπλοῖ) ohne diese beiden Elemente auskommen. Als Beispiel für eine P. nennt Aristoteles den ›König Oidipus‹ des → Sophokles, in dem der korinthische Hirte auftritt, Oidipus seine wahre Identität mitteilt in der Meinung, ihn damit von seiner Sorge zu befreien, damit aber das Gegenteil von dem erreicht, was er bewirken wollte (1110ff.). Das Beispiel macht deutlich, daß P. in engem Zusammenhang mit der die Emotionen der Rezipienten ansprechenden Wirkung der Tragödie zu sehen ist (→ Katharsis).

S. HALLIWELL, The Poetics of Aristotle, 1987, 116–120 · D. W. LUCAS (ed.), Aristotle. Poetics, 1968 u.ö., 291–298 (mit Komm.). B. Z.

Periphas (Περίφας).

[1] Mythischer Held vor Troia, aus Aitolien, von → Ares getötet (Hom. Il. 5,842. 847).

[2] Mythischer Held vor Troia, Gefährte des → Neoptolemos [1] (Verg. Aen. 2,476).

[3] Troianer, Herold des → Anchises, in dessen Gestalt Apollon → Aineias [1] zum Kampf ermutigt (Hom. Il. 17,323).

[4] Mythischer attischer Urkönig noch vor → Kekrops, wegen seiner Gerechtigkeit noch vor Zeus verehrt, von diesem in einen Adler verwandelt (Antoninus Liberalis 6; Ov. met. 7,400). L. K.

Periphetes (Περιφήτης).

[1] (Periphantos/Περίφαντος: Suda s. v. Θησείοισιν). Sohn des → Hephaistos (oder des → Neptunus: Hyg. fab. 38; dagegen Hyg. fab. 158) und der Antikleia. Wegelagerer bei Epidauros, der mit seiner Keule (*korýnē*), nach der er den Beinamen *Korynétes* (»Keulenträger«, lat. *claviger*: Ov. met. 7,436f.) hat, alle Vorübergehenden erschlägt. P. wird (zumeist als erster: Diod. 4,59; Apollod. 3,217; Plut. Theseus 8,4b) von → Theseus auf dessen Weg von Troizen nach Athen getötet, der seine Keule übernimmt (Diod. l.c.; Apollod. l.c.; Plut. Theseus l.c.; Plut. Romulus 30,37b-c; Paus. 2,1,4; Ov. met. l.c.; Ov. Ib. 405f. mit schol.).

1 O. HÖFER, s. v. P. (5), ROSCHER 3.2, 1973–1978 2 J. NEILS, S. WOODFORD, s. v. Theseus, LIMC 7.1, 922–951 (mit Bibliogr.), bes. IV A-B, 925–929.

[2] Mykener, Sohn des → Kopreus [1], wird vor Troia von → Hektor getötet (Hom. Il. 15,636–652). SI. A.

Periplus (περίπλους, »Umschiffung«, Pl. περίπλοι/ *períploi*), griech. Seefahrts- und Küstenbeschreibung. Neben ausgesprochenen Logbüchern wurden manche *p.* als Hdb. verfaßt, die sich auf rein nautische Problematik beschränkten und u. a. das Vorkommen von Hafen- und Ankeranlagen, die zurückgelegten Entfernungen, klimatische Faktoren, örtliche Besonderheiten registrierten. In der Entfaltung der *p.*-artigen Lit. spiegelt sich die Bed. der ant. Entdeckungsreisen wieder, die auch polit., wirtschaftlich und mil. genutzt werden konnten und an denen sich neben den Griechen Phoiniker wesentlich beteiligten (vgl. Hdt. 4,42).

Die Reihe der bekannten *p.* setzt mit dem Werk eines anon. Griechen aus Massalia (Marseille) ein, der die Küstenstrecke von Massalia bis Tartessos (an der Mündung des Guadalquivir) beschrieb. Diesen *p.* benutzte im 4. Jh. n. Chr. → Avienus in seinem teilweise erh. Lehrgedicht *Ora maritima*, worin die Küstengebiete von Britannia bis Massalia erfaßt waren. Eine Beschreibung der indischen Küste westlich der Indus-Mündung und der Umsegelung der Arabischen Halbinsel hat 519–516 v. Chr. der karische Seefahrer → Skylax (Hdt. 4,44) in einem *p.* verfaßt (FGrH 709 F 1–7; 8–13). Der unter seinem Namen überl. *p.* repräsentiert eine Kompilation aus dem 4. Jh. v. Chr., die sich auf das Mittelmeer und das Schwarze Meer bis zum Tanais konzentriert (GGM I, 15–96). Zu Anf. des 5. Jh. v. Chr. untersuchte der Karthager → Hanno [1] die afrikan. Westküste von Gibraltar bis nach Sierra Leone. Sein *p.* liegt in einer griech. Übers. aus dem 4. Jh. v. Chr. vor (GGM 1,1,14). Verloren ist dagegen der Reisebericht (im Original sowie in seiner griech. Version), in dem → Himilkon [6], Landsmann und Zeitgenosse des Hanno, die Seefahrt von Gibraltar nach Britannia schilderte.

In hell. Zeit wurden viele Fernfahrten unternommen, weswegen auch die Zahl der *p.* wuchs. So berichtete → Nearchos [2], der Flottenkommandant Alexandros' [4] d. Gr., über den Seeweg vom Indus zum Euphrates. Seine verlorengegangene Schrift wurde im 2. Jh. n. Chr. von → Arrianos [2] in seiner *Indikế* ausgiebig benutzt. Im Westen segelte um 325 v. Chr. → Pytheas aus Massalia nach Britannia und gelangte zur legendären Insel → Thule. In seinem fr. erh. *p.* (*Perí Ōkeanú*) berichtet er u. a. über geogr., ethnographische, meteorologische und astronomische Besonderheiten; die Glaubwürdigkeit der Einzelheiten seiner gelehrten Schrift wurde jedoch schon in der Antike oft bezweifelt. In den J. 286 bis 281 führte Patrokles, Statthalter Seleukos' I., eine Forschungsreise auf das Kaspische Meer durch (FGrH 712 F 1–8). Mitte des 2. Jh. v. Chr. veröffentlichte der am ptolem. Hof tätige Geograph → Agatharchides von Knidos einen *P. maris Erythraei*, in dem er die Küstenlandschaften am Indischen Ozean und am Persischen Golf beschrieb – eine Kompilation, die spätere Autoren als Quelle benutzten. Derselbe Raum wurde etwa im 1. Jh. n. Chr. von einem Anon. nochmals behandelt (*P. maris Erythraei* = *Perí tēs Erythrás thalássēs*). Als eine Zusammenfassung von wirtschaftlich und nautisch wichtigen Angaben trug dieser *p.* zur Entwicklung des Orienthandels bei.

In der röm. Kaiserzeit zog neben der Mittelmeer- auch die Schwarzmeerküste bes. Interesse auf sich, z. B. das des → Menippos [6] aus Pergamon (GGM 1,563–572, um 20 v. Chr.). Der o.g. → Arrianos [2] führte in hadrianischer Zeit (117–138 n. Chr.) eine Inspektionsreise von Trapezus nach Sebastopolis durch, worüber er brieflich dem Kaiser berichtete; später bezog er auf breiterer Quellenbasis die gesamte Schwarzmeerküste in seinen Text ein (GGM 1,370–401). Wahrscheinlich im 2. Jh. beschrieb → Dionysios [28] in seinem *Anáplus Bospóru* den Weg von der Propontis in den Pontos Euxeinos (GGM 2,1 f.). In die Zeit nach 400 n. Chr. fällt der *P. tēs éxō thalássēs* von → Markianos, der den *p.* des Menippos exzerpierte und daneben andere Werke für die Küstenbeschreibung des Indischen und Atlantischen Ozeans benutzte (GGM 1,515–562). Technisch geprägt ist die aus byz. Zeit stammende Küstenvermessung des Mittelmeeres (*Stadiasmus maris magni*, GGM 1,427–514), die auf ein Werk aus dem 3./4. Jh. zurückgeht.

→ Forschungsreisen; Geographie; Reisen; Schiffahrt; Stadiasmos

J. O. THOMSON, History of Ancient Geography, 1948 · R. GÜNGERICH, Die Küstenbeschreibung in der griech. Lit., 1950 · A. DILLER, The Trad. of the Minor Greek Geographers, 1952 · M. CARY, E. H. WARMINGTON, Die Entdeckung der Ant., 1966 · E. OLSHAUSEN, Einführung in die Histor. Geogr. der Alten Welt, 1991 (Lit.).   J. BU.

Peripolion (Περιπόλιον). Lokrisches Kastell nahe der Halex-Mündung in Bruttium (→ Bruttii, Bruttium) an der Grenze zu Rhegion [1], genauere Lage unbekannt, von den Athenern 426 v. Chr. erobert (Thuk. 3,99), von Lokroi [2] 425 zurückgewonnen (Thuk. 3,115,6).

1 G. CORDIANO, L'espansione territoriale di una polis in ambito coloniale alla luce del caso di Rhegion, in: Annali Facoltà di Lettere Università di Siena 18, 1997, 1–16.

A. DE FRANCISCIS, Società e stato a Locri Epizefiri, 1972, 174 f.   M. L.

Peripteros (περίπτερος). Ringhallentempel, im Gegensatz zum → Dipteros nur mit einfachem Säulenkranz (→ Tempel). Der Begriff in lat. Schreibweise erscheint erstmalig bei Vitruv (3,2,1 u.ö.). Der P., der sich mit –

im 5. Jh. v. Chr. kanonischen – 6×13 Säulen auf dem Stufenbau (→ Krepis [1]; → Stylobat) erhebt (im 6. Jh. v. Chr. finden sich demgegenüber verschiedene andere Konzepte, bes. gelängte Bauformen, v. a. in Westgriechenland), bildet den Regelfall des griech. Tempels. Die Regelmäßigkeit der Säulenstellung (→ Joch) ist ein probater Gradmesser für die chronologische Einordnung eines griech. Bauwerks; im 6. Jh. schwanken die Dimensionen des Joches bzw. des Interkolumniums erheblich, z. T. sind die Abstände der Säulen an Front und Flanken äußerst unterschiedlich (z. B. am Tempel C in → Selinus). Umlaufend gleiche Jochmaße bei gleichermaßen identischen Abständen der Ringhalle zu den Cellawänden finden sich seit dem älteren Poseidon-Tempel von Kap Sunion (ca. 490 v. Chr.) und dem »Athena-Tempel« in Paestum (ca. 500 v. Chr.) zunehmend häufig und werden zum Kennzeichen klass. griech. Tempelbaukunst; herausragendes Beispiel ist der Zeus-Tempel von → Olympia. Ausgenommen vom regelmäßigen Abstand der Säulen ist das Eckjoch (vgl. → Dorischer Eckkonflikt); verschiedene Verfeinerungen (→ Optical Refinements) waren Gegenstand der baulichen Gestaltung des P. und zeigen, in welch hohem Maß in der griech. Ant. Form variiert und einem theoretischen Ideal angenähert wurde. Maximale Regelmäßigkeit im Typus des P. findet sich in den ionischen Tempeln des späten 4. und frühen 3. Jh. v. Chr.

→ Hermogenes [4]; Priene; Pytheos; Tempel

B. FEHR, The Greek Temple in the Early Archaic Period: Meaning, Use and Social Context, in: Hephaistos 14, 1996, 165–191 · CH. HÖCKER, Planung und Konzeption der klass. Ringhallentempel von Agrigent, 1993 · Ders., Architektur als Metapher: Überlegungen zur Bed. des dorischen Ringhallentempels, in: Hephaistos 14, 1996, 45–80 · H. KNELL, Dorische Peripteraltempel mit gedrungenem Grundriß, in: AA 1975, 10–13 · W. MARTINI, Vom Herdhaus zum P., in: JDAI 101, 1986, 23–36 · D. MERTENS, Der Tempel von Segesta und die dorische Tempelbaukunst des griech. Westens in klass. Zeit, 1980 · W. MÜLLER-WIENER, Griech. Bauwesen in der Ant., 1988, 139–141 · H. RIEMANN, Zum griech. Peripteraltempel. Seine Planidee und ihre Entwicklung bis zum E. des 5. Jh. v. Chr., 1935 · Ders., Hauptphasen in der Plangestaltung des dorischen Peripteraltempels, in: G. E. MYLONAS (Hrsg.), Stud. Presented to D. M. Robinson, Bd. 1, 1951, 295–308 · W. WURSTER, Dorische Peripteraltempel mit gedrungenem Grundriß, in: AA 1973, 200–211.   C. HÖ.

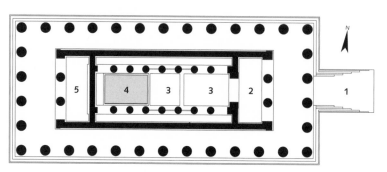

Olympia, Zeustempel (472–457 v. Chr.). Grundriß.

1 Rampe
2 Pronaos
3 Cella
4 Cella mit Kultbildbasis für den Zeus des Pheidias
5 Opisthodom

Perirrhanterion (περιρ(ρ)αντήριον). Großes Becken aus Ton, Marmor oder Kalkstein auf hohem Ständer mit zylindrischem Schaft und Basis von z. T. beträchtlichen Ausmaßen, wobei das Becken mit dem Ständer entweder fest verbunden oder abnehmbar ist. In Form und Aussehen dem Luterion (→ Labrum) ähnlich, diente das P. zum rituellen Reinigen durch Besprengen mit Wasser und stand vor Tempeln, an den Eingängen zu Heiligtümern bzw. an Kultorten in Gymnasien oder bei Hermen (während man das Luterion zur körperlichen Reinigung im Alltag nutzte). In Athen fanden sich P. außerdem an den Zentren des öffentlichen Lebens (z. B. Agora); weitere P. gelangten als Weihegaben, v. a. an weibliche Gottheiten, in die Heiligtümer. Die P. konnten sowohl ornamental als auch figürlich verziert sein. Die Verbreitung der P. beginnt mit dem 2. Viertel des 7. Jh. v. Chr. und reicht bis in röm. Zeit hinein. Unter den erh. P. ragen Exemplare aus der Zeit vom 2. Viertel des 7. Jh. bis zum beginnenden 6. Jh. v. Chr. heraus, deren Becken von drei oder vier auf Löwen stehenden Koren getragen werden.

M. KERSCHNER, P. und Becken, in: H. Walter (Hrsg.), Alt-Ägina Bd. 2.4, 1996, 59–132 · H. PIMPL, P. und Louteria. Entwicklung und Verwendung großer Marmor- und Kalksteinbecken auf figürlichem und säulenartigem Untersatz in Griechenland, 1997.   R. H.

Periskelis (περισκελίς, περισκέλιον, lat. *periscelis, periscelium*). In der arch. Forsch. h. nicht mehr gebräuchlicher Terminus für ein einfaches Band aus Stoff oder Metall, das als Oberschenkelschmuck oberhalb des Knies von Frauen der niederen Schichten und Prostituierten (Hor. epist. 1,17,56; Alki. fr. 4; Petron. 67), seltener von Frauen aus höheren Kreisen getragen wurde (Petron. 67; Longos 1,5). Davon zu unterscheiden sind Spangen, die man oberhalb des Fußknöchels trug, sogenannte *compedes* (Petron. 67; Plin. nat. 33,39–40 und 152). Darstellungen solcher Reifen und Spangen sind in der griech. und röm. Kunst häufig bei Personen im Kreis um Aphrodite/Venus (z. B. Venus von Weißenburg, München, Prähistor. Staatsslg. [1]) und bei Hetären.

Als *periskelís* wird in der Ant. auch der separate Ständerring von Gefäßen wie dem → Rhyton bezeichnet.

1 E. SCHMIDT, s. v. Venus, LIMC 8, 205, Nr. 116, Taf. 140,116.   R. H.

Peristasis (περίστασις). Ant.-griech. Bezeichnung des Säulenkranzes (→ Säule), also der Ringhalle am griech. → Tempel bzw. an anderen ant. Bauten mit umlaufender Säulenstellung [1]. Die Ringhalle kann einreihig (→ Peripteros) oder doppelreihig (→ Dipteros) ausgebildet sein (vgl. auch → Peristylium. Zu formalen Problemen der P. im griech. Tempelbau: → Dorischer Eckkonflikt; → Inklination; → Kurvatur; → Proportion).

1 F. EBERT, Fachausdrücke des griech. Bauhandwerks I. Der Tempel, Diss. Würzburg, 1910, 23 (mit Nachweis der Bauinschr.).

W. MÜLLER-WIENER, Griech. Bauwesen in der Ant., 1988, 217 s. v. P.   C. HÖ.

Peristylion (περιστύλιον, lat. *peristylium*). Repräsentatives Element öffentlicher und privater ant. Architektur; mit P. wird die einen Hof oder Platz begrenzende Säulenhalle (→ Säule) bezeichnet. In der griech. Architektur finden sich Peristylia seit dem späten 4. Jh. v. Chr. gehäuft in Privathäusern (→ Haus), daneben an zahlreichen repräsentativen öffentlichen Bauten, z. B. → Gymnasien, → Palaistren, → Bibliotheken, → Theatern und verschiedenen → Versammlungsbauten (Buleuterion und Prytaneion). Das P. ist von Beginn an eine herrscherliche Bauform und findet sich bereits in der myk. Architektur (→ Tiryns); infolge der privaten Verwendung im Hausbau (bes. Häuser von → Delos) hält es auch Einzug in verschiedene Paläste hell. Herrscher (→ Palast).

Die röm. Architektur adaptiert das P. intensiv und im gesamten in der griech.-hell. Architektur vorgefundenen Verwendungsspektrum. Bes. im Hausbau wird das P. als Ergänzung des → Atrium verwendet, häufig nun auch als baulicher Rahmen von → Gartenanlagen (vgl. auch → Porticus).

R. FÖRTSCH, Arch. Komm. zu den Villenbriefen des jüngeren Plinius, 1993, 85–92 · W. MÜLLER-WIENER, Griech. Bauwesen in der Ant., 1988, 178 f.   C. HÖ.

Peritas (Περίτας). Sonst unbekannter Epigrammatiker, dem alternativ zu → Leonidas [3] von Tarent zwei Distichen über Priapos, den Gartenwächter, zugeschrieben werden: Anth. Pal. 16,236 (vgl. 16,261 desselben Leonidas), das vielleicht das Muster für 16,237 von → Tymnes und sicherlich für Priap. 24 ist.

GA I 2, 385.   M. G. A./Ü: TH. G.

Perithoidai (Περιθοῖδαι). Att. Asty-Demos der Phyle Oineïs, mit drei *buleutaí*. P. wird vorwiegend auf Grund des FO der Grabinschr. IG II² 7219 und myth. Spekulation westl. von Athen im Kephisos-Tal an der Hl. Straße (→ Athenai II. 7.) lokalisiert (h. Aigaleo).

TRAILL, Attica, 49, 68, 111 Nr. 107, Tab. 6 · WHITEHEAD, 84, 210, 371.   H. LO.

Perizoma (περίζωμα, lat. *perizoma*). Griech. Schurz zur Bedeckung des Unterkörpers, der entweder um den Unterleib gelegt und von einem Gürtel gehalten, als Tuch um die Hüfte und dann zw. den Beinen durchgeführt oder in Form einer Shorts-ähnlichen Hose angezogen wurde. Das *p.* trugen Arbeiter, Handwerker, Opferdiener, Priester, Sklaven, aber auch Soldaten (vgl. Pol. 6,25,3; 12,26a 4) und Sportler als einziges Bekleidungsstück (→ Nacktheit C.) oder als Untergewand. Auf Darstellungen sind zumeist Männer mit dem P. bekleidet, seltener weibliche Figuren wie → Atalante und → Gorgo [1]. In der lit. Überl. werden diverse Schurztypen aufgeführt, von denen das *campestre*, der *cinctus* und das → *subligaculum* (→ Badehose) die bekanntesten sind. Im Theater wird der über dem Trikot des Schauspielers getragene Schurz aus Stoff oder zotteligem Fell mit angebundenem → Phallos ebenfalls P. genannt. In der Kunst ist das P. als Bekleidungsstück seit der minoischen und myk. Zeit bis zum Ausgang der Ant. belegt.

L. Bonfante, The Etruscan Dress, 1975, 19–31, 164–172 · E. Sapouna-Sakellarakis, Die brn. Menschenfiguren auf Kreta und in der Ägäis (Prähistor. Br.-Funde Bd. 1.5), 1995 · A. Kossatz-Deissmann, Zur Herkunft des P. im Satyrspiel, in: JDAI 97, 1982, 65–69.   R. H.

Perkote (Περκώτη).

Stadt in der → Troas, mit dem h. Bergaz Köyü zw. Abydos und Lampsakos an der Praktios-Mündung (h. Bergaz Çayı) zu identifizieren. P. wurde wohl in der 1. H. des 5. Jh. v. Chr. von der schon bei Homer (Hom. Il. 2,831; 2,834; 11,229) erwähnten Nachbarstadt Palaiperkote gegründet (Strab. 13,1,20). → Themistokles erhielt P. vom Perserkönig zum Lehen (Neanthes FGrH 84 F 17a; Phanias FHG 2,296; Athen. 1,54). Am → Attisch-Delischen Seebund war P. mit 1000 Drachmen beteiligt. 387 v. Chr. verbarg sich der Spartaner → Antalkidas vor den Athenern mit seiner Flotte bei P. (Xen. hell. 5,1,25). 334 v. Chr. kam Alexandros [4] d. Gr. von Arisbe nach P., lagerte am Praktios und zog von hier aus über Priapos zum → Granikos (Arr. an. 1,12,6 und [1. 71 f.]). Spätere Quellen fehlen, die Stadt existierte aber offenbar noch z. Z. Plinius' d. Ä. (1. Jh. n. Chr.; Plin. nat. 5,141).

1 W. Leaf, Strabo on the Troad, 1923, 71 f., 111–115.

W. Ruge, s. v. P., RE 19, 862–865.   E. SCH.

Perle I. Vorderer Orient und Ägypten
II. Klassische Antike

I. Vorderer Orient und Ägypten

Die sog. Orient-P. (echte P.) entsteht in einer Auster durch die Ummantelung eines Fremdkörpers mit Perlmutt. Dieser Vorgang dauert mehrere Jahre. Ein früher Beleg (Anf. 3. Jt. v. Chr.) für Orient-P. stammt aus → Uruk [1]. Danach sind erst Funde aus neubabylonischer Zeit aus → Babylon [2] und aus der achäm. Zeit aus einem Grab in → Susa [3] sowie aus dem Schatzfund in → Pasargadai [4] zu nennen. Gegen die Annahme, daß es mehr Orient-P. gegeben habe und diese sich zersetzt hätten, spricht, daß das Material identisch mit sehr gut erh. Muscheleinlagen (z. B. in Einlegefriesen der späten frühdyn. Zeit, um 2600 v. Chr.) ist [5]; P. waren daher sehr seltene Objekte. Sie stammten wahrscheinlich aus dem Persischen Golf.

Ebenfalls selten sind Orient-P. in Äg. Sie finden sich erst in ptolem. Zeit [6] und kamen wahrscheinlich entweder auch aus dem Persischen Golf, aus Indien [7] oder dem Roten Meer ([8], anders [9]).

1 K. Limper, Uruk. Perlen, Ketten, Anhänger (Ausgrabungen in Uruk-Warka, Endberichte 2), 1988, Nr. 71, Taf. 7 2 R. Koldewey, Die Tempel von Babylon und Borsippa (WVDOG 15), 1911, 46 3 J. de Morgan, Mémoirs de la Délégation en Perse 8, 1905, 51 f., Taf. II. V 4 D. Stronach, Pasargadae, 1978, 172, 177, 206, Taf. 156,c. 159,c 5 P. R. S. Moorey, Ancient Mesopotamian Materials and Industries, 1994, 92 f. 6 M. Vilímkova, Altäg. Goldschmiedekunst, 1969, 59 7 Keller, Bd. 2, 552 ff. 8 D. Doubilet, Perlen, 1996, 14 9 C. Andrews, Ancient Egyptian Jewellery, 1990, 65.   E. R. E.

II. Klassische Antike

Die See- (Meleagrina margaritifera L.) und die Flußperlmuschel (Unio margaritifera L.) reagieren auf das Eindringen von Sandkörnchen in ihr Fleisch durch Umhüllung mit Perlmutt und somit durch Bildung einer echten Perle. Diese – der Ant. unbekannte – Perlbildung ist in der Natur sehr selten, weshalb sehr viele Muscheln gefischt und geöffnet werden mußten. Die Bezeichnung ὁ μαργαρίτης (λίθος)/margarítēs (líthos) bzw. τὸ μάργαρον/márgaron hängt etym. mit altind. mañjaram N. bzw. mañjari Fem. (»Perle« oder »Blütenknospe«) zusammen [1. 190]. Die Römer verwenden margarita (Char. 72,9 B; Plin. nat. 13,42), unio (»Einmalige«, Plin. nat. 9,112 und 123; Suet. Nero 31,2) und gemma (Suet. Cal. 52) oder bac(c)a (»Beere«, schol. Pers. 2,66; Petron. 55,6–7); besondere Formen hießen elenchi (»Beweise«, Plin. nat. 9,113) und tympania (»Paukenperlen«, Plin. nat. 9,109, vgl. CGL 2,364,59; Iuv. 6,459).

Nach griech.-röm. Meinung übernahmen von den Indern, bei denen die Perlen dreimal so wertvoll waren wie Gold (Arr. Ind. 8,13; Athen. 3,93b), zuerst die Mesopotamier, Meder und Perser diesen Luxus (Athen. l. c.; Amm. 23,6,84), danach die Griechen infolge der Kriege des Alexandros [4] d. Gr. (Nearchos bei Arr. Ind. 38,3) und schließlich die Römer (Beispiele für den Besitz und Verzehr von Perlen nach Auflösung in Essig in reichen Kreisen z. B. durch Kleopatra [II 12], Macr. sat. 3,17,15–18 und Plin. nat. 9,119–121). Vom Indischen Ozean (Plin. nat. 9,106) lieferten die meisten Perlen die Meerenge zw. Vorderindien und Taprobane, dem h. Sri Lanka (Plin. nat. 6,81 nach Megasthenes; peripl. m. r. 61), das Vorgebirge Perimula (Ail. nat. 15,8), die Insel Stoidis im Persischen Golf (Plin. nat. 6,110; vgl. peripl. m. r. 35 und Theophr. de lapidibus 36, [2. 70]), außerdem das Rote Meer (z. B. Ail. nat. 10,13). Kleinere P. von unschöner Farbe und geringem Glanz kamen aus Britannien und Schottland (von Tac. Agr. 12 bestätigt, vgl. Plin. nat. 9,116; Suet. Iul. 47; Ail. nat. 15,8; Amm. 23,6,88; Tert. de cultu feminarum 1,6; Auson. Mos. 68 f.), aber auch u. a. vom thrakischen Bosporos und aus Mauretanien (Plin. nat. 9,115).

Die besten Beschreibungen der Perlmuschel liefern Androsthenes (bei Athen. 3,93b) und Plin. nat. 9,107–109. Isidoros von Charax (bei Athen. 3,94a-b) erwähnt sogar die P.-Fischer, die sich leicht an den Muscheln verletzen oder von Haien bedroht werden (Plin. nat. 9,110; Amm. 23,6,87). Plin. nat. 9,111 behauptet, man müsse zuerst die führenden größeren Muscheln fangen, um ihr Fleisch dann mit Salz auszulaugen und die P. zu gewinnen. Die Entstehung der P. wurde auf die nächtliche Aufnahme himmlischer Tautropfen (Plin. nat.

9,107; Solin. 53,23 sowie Isid. orig. 12,6,49 und 16,10,1 und danach z. B. bei Thomas von Cantimpré 7,51, [3. 265 f.]; Physiologos 44, [4. 137 f.]) oder auf Blitzeinschlag (Isidoros bei Athen. ebd.; Ail. nat. 10,13) zurückgeführt. Nur Tertullianus (de cultu feminarum 1,6) dachte an Mißbildungen und Tzetzes (chil. 11,480 ff.) mit Recht an eingedrungene Fremdkörper. Große P. mit mehr als 15 g (70 Karat) kannte man kaum (Plin. nat. 9,116; vgl. Suet. Iul. 50,2).

Die Verwendung als → Schmuck z. B. an Kleidern (Suet. Cal. 52) und an den Ohren (Plin. nat. 9,114; Sen. benef. 7,9,4) oder anderswo (Plin. nat. 9,117) war vielfältig. Man benutzte sie aber auch zu Bildern (Plin. nat. 37,143) und brachte sie an Sänften, einem von Caesar der Venus geweihten Brustharnisch sowie Schuhen des Caligula (Plin. nat. 37,17) und sogar an Statuen an (CIL 2,3386). Wegen des hohen Preises stellte man Imitationen (Plin. nat. 37,197) u. a. aus Glimmer, Fischschuppen und kleinen Perlen mit Tragantgummi als Klebemittel her (Tzetz. chil. 11,493 ff.; Papyrus Graecus Holmiensis p. 8,27–42 und 9,26–29, [5]).
→ Schmuck

1 J. B. HOFMANN, Etym. WB des Griech., 1950 2 D. E. EICHHOLZ (ed.), Theophrastus De lapidibus, 1965
3 H. BOESE (ed.), Thomas Cantimpratensis, Liber de natura rerum, 1973 4 F. SBORDONE (ed.), Physiologus, 1936 (Ndr. 1976) 5 O. LAGERCRANTZ (ed.), Papyrus Graecus Holmiensis, Recepte für Silber, Steine und Purpur, 1913.

KELLER 2,552–559 · G. F. KUNZ, H. STEVENSON, The Book of the Pearl, 1908 (Ndr. 1993) · J. BOLMAN, The Mystery of the Pearl, 1941 · R. A. HIGGINS, Greek and Roman Jewellery, 1961 · A. HERMANN, s. v. Edelsteine, RAC 4, 1959, 505–552.　　　　　　　　　　　　　　　　C. HÜ.

Perlhuhn. Die ant. Bezeichnungen (μελεαγρίς/ meleagrís, lat. meleagris, Syn.: gallinae Africanae oder Numidicae) meinten – trotz Colum. 8,2,2 (vgl. [1. 19]) – von den insgesamt 23 über Süd- und Vorderasien sowie Nord- und Westafrika verbreiteten Arten tatsächlich nur das gemeine P. (Numida meleagris L.). Das P. wurde wohl im 4. Jh. v. Chr. nach Griechenland und erst im 1. Jh. v. Chr. nach It. (Varro rust. 3,9,18, vgl. Plin. nat. 10,74: ›die als letzte von den südländischen Vögeln auf die Tafel gebrachten‹) eingeführt. Ihre Seltenheit war wohl Grund dafür, daß sie mit vielen anderen kostbaren Tieren im Festzug des Ptolemaios III. Euergetes in Alexandreia gezeigt wurden (Athen. 5,201b). Der Peripatetiker Klytos von Milet beschreibt bei Athen. 14,655c-e die um das Heiligtum der Artemis auf Leros gehaltenen Vögel hervorragend. Aristot. hist. an. 6,2,559a 25 (= Plin. nat. 10,144) erwähnt nur die gesprenkelten Eier, nicht die Vögel selbst. Daß sie durch das Grab des Meleagros berühmt seien, weil dessen ihn beweinende Schwestern in P. verwandelt worden seien (vgl. Ail. nat. 4,42; Ov. Met. 8,525–46 und Plin. nat. 37,40), behauptet (wegen der weißen Tropfen auf dem Gefieder und der schrillen Stimme) Plin. nat. 10,74. Außer im Artemiskult auf Leros spielten sie im Isiskult eine Rolle

(Paus. 10,32,16). In der dekorativen Kunst sind sie selten dargestellt, etwa zw. den Weinranken auf dem MosaikFußboden der Kirche des Iustinianus in Sabratha [2. 246 und Abb. 125] oder auf einem pompeianischen Fresko [3. 155, Fig. 44].

1 B. LORENTZ, Kulturgesch. Beitr. zur Tierkunde des Alt., Progr. Gymnasium Wurzen 1904 2 TOYNBEE, Tierwelt
3 KELLER, Bd. 2, 154–156.　　　　　　　　　　　　C. HÜ.

Perlmutter (unionum conchae). Die aus Indien (Plin. nat. 9,106) importierte Perlmuschel (concha, Plin. nat. 9,106; vgl. → Muscheln D. 3.) lieferte zwar die kostbare → Perle (μαργαρίτης/ margarítēs, margarita), doch hatte man für ihre mit derselben Substanz überzogenen Schalen kaum Verwendung. Wir wissen nur von Nero (Suet. Nero 31), daß er in seinem z. T. noch nachweisbaren Palast in Rom, der → domus aurea, die Wände mit P. auslegen ließ.

A. SCHRAMM, s. v. P., RE 19, 867 · BLÜMNER, Techn. 2², 380.　　　　　　　　　　　　　　　　　　　　C. HÜ.

Perlschrift. Byz. Buchschrift, ausgebildet in der 2. H. des 10. Jh., vollendet in dessen letztem Jahrzehnt. Sie ist charakterisiert durch eine Verbindung von typisch gerundeten mit mehr oder weniger schräg geneigten Buchstabenformen. Der Name P. bezieht sich auf die Aneinanderreihung längerer Buchstabengruppen, die perlenförmig gehalten und schnurartig verbunden sind [1]; bes. auffallend ist das kreisförmige O sowie das runde Y. Die P. ist gewöhnlich leicht rechtsgeneigt und gleichmäßig geschrieben; die Buchstaben sind gelegentlich wannenförmig, der Duktus ist normalerweise flüssig und selten unterbrochen, die Worttrennung wird nicht immer beachtet, Abkürzungen sind selten. Soweit möglich werden eckige und hakenförmige Formen gemieden (bes. bei H und Γ sowie in den Ligaturen A-P, Π-A, P-A, T-E), senkrechte Hasten sind gelegentlich gekrümmt; häufig finden sich großer Zeilenabstand und breite Freiränder.

Weite Verwendung fand die P. im 11. und 12. Jh. gerade für aufwendig gestaltete und bedeutenden Adressaten zugedachte Hss., z. B. der Cod. Vaticanus graecus 1613, das sog. Menologion des → Basileios [6] II. Bereits ab dem 11. Jh. zeichnet sich eine Auflösung des P.-Kanons ab: Vermehrt erscheinen wieder Majuskelbuchstaben (die geraden Hasten von Γ und T fallen bes. auf), der Kontrast zw. breiten (Z, K, Λ, M) und schmalen Buchstaben (E, H, Θ, N) ist ebenso signifikant. Die P. wurde später als eine → archaisierende Schrift wieder aufgenommen.

1 H. HUNGER, Studien zur griech. Paläographie, 1954, 22–32

H. HUNGER, Ant. und ma. Buch- und Schriftwesen, in: Ders., Gesch. der Textüberlieferung der ant. und ma. Lit., 1961, Bd. 1, 96 · Ders., Minuskel und Auszeichnungsschriften im 10.–12. Jh., in: J. GLÉNISSON (Hrsg.), La paléographie grecque et byzantine, 1977, 202.
　　　　　　　　　　　　　　　　　　　　　　　　P. E.

Permessos (Περμησσός; zu verschiedenen Namensformen [1. 869]). Bereits bei Hes. theog. 5 erwähnter, im → Helikon [1] entspringender Fluß; von späteren ant. Autoren unterschiedlich lokalisiert. Während der P. nach Strabon (9,2,19; 9,2,30) in der Nähe von → Haliartos in den Kopais-See mündete und daher – im Anschluß an [2. 212 f.] – u. a. von [1] mit dem Bach von Zagora (h. Evangelistria) identifiziert wird, verlegt die übrige ant. lit. Überl. (z. B. Nik. Ther. 12; Orph. Arg. 124; Prop. 2,10,26; Verg. ecl. 6,42; vgl. auch Paus. 9,29,5; SEG 15, 323,4) den Fluß in das Musental mit der → Aganippe [1] als Quelle; daher zuletzt von [3; 4. 80] mit dem östl. von Thisvi (ant. Thisbe) versickernden Fluß Askris (ehemals Archontitsa) gleichgesetzt.

1 E. KIRSTEN, s. v. P., RE 19, 869–872 2 W. M. LEAKE, Travels in Northern Greece, Bd. 2, 1835 3 P. W. WALLACE, Hesiod and the Valley of the Muses, in: GRBS 15, 1974, 5–24 4 Ders., Strabo's Description of Boiotia, 1979. P. F.

Perna. Oskische Göttin, deren Verehrung nur in Agnone bezeugt ist (vgl. VETTER Nr. 147), mit Statue und Altar in einem Hain der osk. → Ceres und Kult am Fest der → Floralia. Es besteht keine plausible sprachliche Verbindung zu → Anna Perenna oder zu einer etr. chthonischen Gottheit. Der Name per-na scheint nach lat. per, »zuvor«, gebildet; der mögliche Superlativ ist → Porrima. Die Verbindung mit Ceres verweist auf ein Wirken für die Fruchtbarkeit, die genaue Funktion ist unklar: Vielleicht war P. für das frühe Stadium von Schwangerschaften zuständig – analog zu → Prorsa (und Porrima?), die deren Endphase beaufsichtigte – oder für das erste Sprießen der Triebe aus dem Erdreich verantwortlich.

F. ALTHEIM, Terra Mater (RGVV 22,2), 1931, 91–108 · RADKE, 252 f. D. WAR.

Pero (Πηρώ).
[1] Tochter des → Neleus [1] und der → Chloris [4], hat zwölf Brüder, u. a. → Nestor [1]. Neleus verlangt als Brautpreis für P. die Rinder des Iphiklos. → Melampus [1] bringt die Rinder für seinen Bruder → Bias [1], der P. zur Frau erhält (Hom. Od. 11,281–297; 15,231–238; Apoll. Rhod. 1,120 f.; Paus. 4,36,3; 10,31,10). Mehrere Söhne des Paares nehmen am Argonautenzug teil (Apoll. Rhod. 1,118–120).
[2] Wird durch → Poseidon Mutter des Flußgottes Asopos (Apollod. 3,156; Paus. 2,12,4 nennt eine andere Mutter).

G. BERGER-DOER, s. v. P. (1), LIMC 7.1, 327 f. · E. WÜST, s. v. P. (1)–(2), RE 19, 875 f. R. HA.

Peroz (griech. Περόζης).
[1] **P. I.** (arab. Fīrūz). Persischer Großkönig (459–484 n. Chr.), Sohn → Yazdgirds II. Seine Regierungszeit ist durch die Auseinandersetzung mit hunnischen Stämmen (→ Hunni) geprägt, die bereits den Thronkampf gegen → Hormisdas [5] III. unterstützten. Etwa 465 n. Chr. geriet P. in Konflikt mit dem Kidariten-König

Kunchas, dem er eine Frau, die er als seine Schwester ausgab, als Gemahlin schickte (Priscus fr. 41 BLOCKLEY). Gefährlicher wurden ihm die → Hephthalitai, die P. nach 475 in einen Hinterhalt lockten, gefangennahmen und zu einem demütigenden Frieden zwangen, der die Vergeiselung seines Sohnes → Cavades [1] vorsah. Unter Bruch des Vertrages griff P. die Hephthalitai 484 erneut an, wobei er geschlagen wurde und fiel. Seine Söhne, mit Ausnahme des an diesem Feldzug unbeteiligten Cavades, gerieten in Gefangenschaft, eine Tochter kam in den Harem des siegreichen Hunnenkönigs (Prok. BP 1,3–4).

K. SCHIPPMANN, s. v. Fîrûz, Enclr 9, 631 f.

[2] **P. II.**, ein Nachfahre des → Chosroes [5] I., soll nach Ṭabarī [1. 396] um 631 n. Chr. einige Tage regiert haben.

1 TH. NÖLDEKE, Tabari, Gesch. der Perser und Araber zur Zeit der Sasaniden, 1879 (dt. Übers. und Komm; Ndr. 1973).

[3] **P. (III.)**, ein Sohn → Yazdgirds [3] III., versuchte von Tocharistan aus, das untergegangene → Sasaniden-Reich mit chinesischer Hilfe zurückzuerobern. 661–663 n. Chr. herrschte er über einen ephemeren no-iranischen Staat unter chinesischer Oberhoheit, mußte sich aber ca. 673 endgültig an den chinesischen Hof zurückziehen, wo er als Gardegeneral diente und um 678 starb. → Sasaniden

ZU P. [2] UND [3]: O. KLIMA, Ruhm und Untergang des alten Iran, 1988, 201; 209. M. SCH.

Perperene (Περπερήνη). Stadt in der aiolischen → Mysia, wohl an der Straße von Adramyttion nach Pergamon beim h. Aşağıbey (Lokalisierung durch [1] von [2] bestätigt; Plan bei [2. Bd. 1, 297]). Die Mz.-Prägung bezeugt den Bestand von P. seit dem 4. Jh. v. Chr. (vgl. [2. Bd. 2, 308–325]). → Thukydides will, wie Steph. Byz. (s. v. Παρπάρων) will, in P. gestorben, wohl aber → Hellanikos [1] um 400 v. Chr. (Suda s. v. Π.). Zur Zeit Plinius' d. Ä. (1. Jh. n. Chr.) scheint P. zum conventus von Pergamon gehört zu haben (nat. 5,122,3; 5,126,9). Die Mz. testieren ein reiches kult. Leben in P. Spätestens seit dem 5. Jh. hieß P. Theodosiupolis, was aus den Bischofslisten hervorgeht (Hierokles, Synekdemos 1,661,9; Not. episc. 1,114; 2,129 f.).

1 R. BOHN, E. FABRICIUS, Eine pergamenische Landstadt, in: MDAI(A) 11, 1886, 1–14, 444 f. 2 J. STAUBER, Die Bucht von Adramytteion (IK 50/51) 1996, Bd. 1, 291–309; Bd. 2, 308–325.

W. RUGE, s. v. P., RE 19, 890–892 · F. M. KAUFMANN, J. STAUBER, P. – Theodosiupolis, in: EA 23, 1994, 41–82. E. SCH.

Perperna. Etr. Gentilname (inschr. Form auch Perpenna); die Familie muß schon früh röm. Bürgerrecht erh. haben: mit P. [2] beginnt ihr polit. Aufstieg, P. [3] ist der erste Träger eines nichtröm. Namens, der Consul wurde, auch wenn man ihm 126 v.Chr. das Bürgerrecht wieder aberkannte.

MÜNZER, 95–97 • M.PALLOTINO, Etruskologie, 1988, 240 • SCHULZE, 88.

[1] **P., C.** Verm. Bruder von P. [4], Praetor spätestens 91 v.Chr., wurde 90 als Legat des Consuls P. → Rutilius Lupus im → Bundesgenossenkrieg [3] geschlagen (App. civ. 1,179; 183). MRR 2, 20; 29.   K.-L.E.

[2] **P., M.** Ging 168 v.Chr. im Auftrag des Ap. Claudius [I 4] Centho zusammen mit L. Petilius zum illyr. König → Genthios. Als dieser die Gesandten als Spione verhaftete, erklärte der Nachfolger des Ap. Claudius, L. → Anicius [I 4] Gallus, Genthios den Krieg und befreite die Gefangenen nach der Eroberung von Scodra. P. brachte die Siegesnachricht nach Rom (MRR 1, 430). Er war einer von vier Römern, die die Proxenie (→ *proxenía*) von Kierion in Thessalien (IG IX 2, 258) erhielten. Wegen Anmaßung röm. Bürgerrechts wurde er im J. 126 aus Rom ausgewiesen (Val. Max. 3,4,5).

MOMMSEN, Staatsrecht 3, 200 Anm. 1.   P.N.

[3] **P., M.** Sohn von P.[2]. In oder nach seiner Praetur 132 v.Chr. eroberte er im Sklavenkrieg → Henna [1] auf Sizilien und erlangte dafür eine → *ovatio* (Flor. epit. 2,7,8): Als *homo novus* wurde er 130 Consul, erhielt als Nachfolger des P. Licinius [I 19] Crassus Dives Mucianus das Kommando gegen → Aristonikos [4], den er besiegte und in Stratonikeia am Kaikos gefangennahm (IPriene 108; 109; Strab. 14,1,38; Val. Max. 3,4,5; Flor. epit. 1,35,6). Vor seiner Rückkehr starb er Anf. 129 in Pergamon.

[4] **P., M.** Sohn von P. [3], geb. ca. 148 v.Chr.; 92 Consul und 86 Censor mit L. Marcius [I 13] Philippus; sie nahmen die ersten Italiker nach dem → Bundesgenossenkrieg [3] in die Censuslisten auf (MRR 2, 54). P. starb im J. 49 im Alter von angeblich 98 J. (Plin. nat. 7, 156). Polit. war er bedeutungslos.

[5] **P. Veiento, M.** Vielleicht Sohn von P. [4]; als Anhänger der Marianer (→ Marius [I 1]) 82 v.Chr. Praetor und Statthalter der Prov. Sicilia, das er dem siegreichen Pompeius [I 3] überließ, wodurch er den → Proskriptionen (vielleicht in Ligurien) entkam (Diod. 38,14; Plut. Pompeius 10,2). Nach dem Tod des P. Cornelius [I 90] Sulla schloß er sich dem Aufstand des Consuls des J. 77, M. Aemilius [I 11] Lepidus, an; nach dessen Tod führte er die Reste des Heeres von Sardinien nach Spanien und trat auf die Seite des Q. → Sertorius, dessen Stellvertreter er wurde (Plut. Sertorius 15,2; App. civ. 1,527). In mehreren Gefechten von Pompeius geschlagen, ließ P. 73 Sertorius ermorden und übernahm selbst das Kommando. Schließlich wurde er Anf. 72 von Pompeius gefangen genommen, bot diesem als Auslöse die Korrespondenz des Sertorius an, wurde aber unverzüglich hingerichtet (Plut. Sertorius 27; Plut. Pompeius 20; App. civ. 1,536–538 u.a.)

1 C.F.KONRAD, Plutarch's Sertorius, 1994, Index s.v. P.
2 MRR 3, 155f.   K.-L.E.

Perpetua. Am 7. März 203 n.Chr. starben im Kartha-ger Amphitheater fünf junge Christen, unter ihnen P. und Felicitas. An Haft und Hinrichtung erinnert der bedeutendste lat. Märtyrertext, die wenig später entstandene → *Passio Sanctarum Perpetuae et Felicitatis*. Ihr Herzstück bildet das Tagebuch, das P. im Kerker verfaßt hat. Es erzählt in einfacher, lebhafter Sprache die persönliche Seite ihrer Passion, etwa die Sorge um ihr Kind oder den Schmerz ihres paganen Vaters, den sie mitleidet. Ihre Ängste widersprechen dem Ideal des heroischen Märtyrers; wir erleben eine Frau, die erst mit der Zeit lernt, Gefangenschaft und Hinrichtung als ihre Bestimmung anzunehmen. Diese Entwicklung zeigt sich v.a. in ihren vier Visionen, in denen pagane und christl. Vorstellungswelt verschmelzen. Ihre letzte Vision setzt die christl. Lehre vom Martyrium ins Bild um: Im → Pankration bezwingt sie → Satan und besiegelt so ihre Aufnahme ins Paradies. Die *Passio* entfaltete eine beispiellose Wirkung; sie prägt die gesamte afrikan. → Märtyrerliteratur (vgl. → *passio*) und fand selbst im Osten Widerhall. Dies gilt bis heute: Als eines der wenigen weiblichen Schriftzeugnisse aus der Ant. erlaubt uns P.s Erzählung einen einzigartigen Einblick in die Geisteswelt einer frühen Christin.
→ Passio

ED.: C.J.M.J. VAN BEEK, Passio Sanctarum Perpetuae et Felicitatis, 1936 • A.A.R. BASTIAENSEN u.a., Atti e passioni dei martiri, 1987 • J.AMAT, Passion de Perpétue et de Félicité, 1996.
LIT.: P.HABERMEHL, P. und der Ägypter, 1992 • J.E. SALISBURY, P.s Passion, 1997.   PE.HA.

Perrhaiboi (Περραιβοί). Volksstamm am Westhang des Olympos [1] an der Grenze zw. Thessalia und Makedonia. Bei Homer (Hom. Il. 2,749) noch selbständig, waren sie im 5. Jh.v.Chr. von den Thessaloi, insbes. von Larisa [3], als tributpflichtige → *períoikoi* abhängig (Thuk. 4,78,6; Strab. 9,5,19). Aus der Zeit ihrer Selbständigkeit behielten sie zwei Stimmen im delphischen Amphiktyonen-Rat (→ *amphiktyonía*), bis Philippos [4] II. ihnen eine davon abnahm (346 v.Chr.). Mit Thessalia gehörten die P. dem maked. Reich bis 196 v.Chr. an, als sie von Rom für frei erklärt wurden (Pol. 18,46,5; 18,47,6) und einen eigenen Bundesstaat gründeten, der um 146 mit dem Thessalischen Bund verschmolz. Sie verloren entweder jetzt oder erst unter Augustus ihre letzte Amphiktyonenstimme (Paus. 10,8,4f.). Ptolemaios (3,13,42; 44) rechnet die Städte der P., also die *trípolis* von Azoros, Doliche und Pythion sowie Gonnos zur thessal. Pelasgiotis, Chyretiai aber zur Hestiaiotis.

F.STÄHLIN, Das hellenische Thessalien, 1924, 5–39 • H.KRAMOLISCH, Die Strategen des Thessal. Bundes, 1978.   MA.ER.

Persaios (Περσαῖος).
[1] Vater der → Hekate (Hom. h. 2,24), P. entspricht → Perses [1].   SU.EI.

[2] P. aus Kition. Stoischer Philosoph, geb. ca 307/6 v. Chr. in Kition/Zypern. Einzelheiten zur Biographie bei Diog. Laert. 7,36 und Philodemos' ›Gesch. der Stoa‹ (coll. 12–14 DORANDI); vgl. auch SVF I 435–462. P. war in Athen ein bevorzugter Schüler des Stoa-Gründers → Zenon von Kition. Als dessen treuer Anhänger wurde P. an seiner Statt zum Hof des Antigonos [2] Gonatas gesandt und dort königlicher Berater. 243 v. Chr. befehligte er die maked. Garnison in Korinth, die von den Streitkräften des Achäerbundes eingenommen wurde; er selbst starb dabei oder flüchtete zu Antigonos nach Kenchreai.

P. schrieb zahlreiche Werke v. a. über polit. und ethische Themen (darunter eine ›Spartanische Verfassung‹ und eine Kritik gegen Platons ›Gesetze‹ in sieben B.), aber auch Erinnerungen und Anekdoten über Zenon; er versuchte eine rationalistische Begründung der Götter nach Art des → Prodikos und erörterte die Echtheit der sokratischen Dialoge und der Homerkritik des Aischines [1]. Er war philos. Lehrer des Aratos [4] von Soloi und des Halkyoneus (eines Sohnes des Antigonos Gonatas).

T. DORANDI (Hrsg.), Filodemo Storia dei filosofi: La stoà da Zenone a Panezio, 1994 • SVF I.   B. I./Ü: J. DE.

Persarmenia (armenisch *Parskahayk'*). Bei der Teilung von → Armenia maior 387 n. Chr. ging etwa ein Fünftel des Gebietes an Rom, der größere östl. Bereich an Iran. Während der röm.-byz. Bereich nach dem Tod Aršak III. (→ Arsakes [5]) um 390 als Prov. Armenia interior etabliert wurde, blieb der gesamte östl. Bereich, von den Byzantinern als P. bezeichnet, unter der Herrschaft der Sāsāniden, die nach dem Ende der Arsakidenherrschaft 428 n. Chr. einen Generalgouverneur (*marzpan*) in der neuen Hauptstadt Dvin (Doubios) einsetzten. Auf die forcierte rel. und kulturelle Iranisierung reagierten die Armenier mit Aufständen (451 in Avarayr, 571 in Dvin). Im 6. Jh. (527, 531, 572–91) kam es erneut zu byz.-persischen Auseinandersetzungen um P., das 591 großenteils an Byzanz ging, 610/11 wieder an Persien, 624/29 zurück an Byzanz unter Herakleios [7]. 653/54 wurde P. als formal autonomer Staat der arabischen Suzeränität unterstellt.

→ Armenia; Parther- und Perserkriege

C. TOUMANOFF, Stud. in Christian Caucasian History, 1963 • R. HEWSEN, The Geography of Ananias of Širak, 1992, 147 f. Anm. 1.   A. P.-L.

Perse(is) (Πέρση, Περσηΐς).
[1] Tochter des → Okeanos und der → Tethys, Gattin des Helios, von diesem Mutter der → Kirke und des → Aietes (Hom. Od. 10,136–139; Hes. theog. 356; 956f.; Apollod. epit. 7,14). Variierend werden als weitere Kinder genannt: Aloeus, → Pasiphae, → Kalypso, → Perses [2] (Apollod. 1,83; schol. Lykophr. 174; 798b; Cic. nat. deor. 3,48; Hyg. praef. fab. 36 MARSHALL).
[2] Beiname der → Hekate als Tochter des Perses [1] (schol. und Eust. ad Hom. Od. 10,139; Apoll. Rhod.

3,478 und 1035; Ov. met. 7,74; vgl. Hes. theog. 409–411).

NI. JO.

Persephone, Kore (Περσεφόνη, Κόρη).
I. GENEALOGIE UND MYTHOS   II. KULT

I. GENEALOGIE UND MYTHOS

Die griech. Göttin P./K. ist die Tochter des → Zeus und der → Demeter. Griech. Κόρη (dor. Κόρα, ion. Κούρη) betont ihre Persona als »Tochter« der Demeter, der Name Περσεφόνη (Hom. h. 2,56; Hes. theog. 913; auch Φερσεφόνη; ep. Περσεφονείη; att. Φερρέφαττα usw.) ihre Persona als Gattin des → Hades. Den für ihre Gestalt zentralen Mythos erzählt zuerst der homerische Demeter-Hymnos (Hom. h. 2, Mitte des 7. Jh. v. Chr.?; zu den lat. Versionen s. → Proserpina): K. wird von Hades/→ Pluton in die Unterwelt entführt, als sie auf einer Wiese (die in den verschiedenen Versionen unterschiedlich lokalisiert wird) Blumen pflückt, und wird nach der Heirat mit diesem Königin der → Unterwelt. Demeters erfolglose Suche nach ihrer Tochter erreicht in → Eleusis [1] ihren Höhepunkt, wohin sich die Mutter zurückzieht, ohne ihren normalen Funktionen weiter nachzukommen, was ein völliges Ausbleiben des Getreidewachstums zur Folge hat. Erst das Eingreifen des Zeus verhindert, daß die Menschheit verhungert: Er sendet schließlich → Hermes zu Hades, um diesen zu überreden, P. freizulassen, was Hades tut, nachdem er ihr Granatapfelsamen zu essen gegeben hat; dies bewirkt, daß P. den Hades nicht auf immer verlassen kann. Dort residiert sie für einen Teil des Jahres; im Frühjahr kehrt sie in die Oberwelt zurück und verbringt den anderen Teil des Jahres mit ihrer Mutter.

II. KULT
A. KORE UND DEMETER   B. THESMOPHORIA
C. KORE UND HADES   D. »ANKUNFTSFESTE«
E. VERSCHIEDENE KULTSCHWERPUNKTE
F. IKONOGRAPHIE   G. UNTERWELT

A. KORE UND DEMETER

K. wird oft mit Demeter zusammen verehrt. Deren myth. Suche nach der Tochter hat ihre Entsprechung im Ritual. In → Megara [2] gab es einen Felsen namens *Anaklēthrís*, weil Demeter ihre Tochter P. *anekálesen* (»zurückrief«), als sie auf der Suche nach ihr hier vorbeikam; die Frauen von Megara führten eine mimische Darstellung des Mythos auf (Paus. 1,43,2). In den eleusinischen → Mysteria wurde die Suche nach K. von den Eingeweihten nachts bei Fackelschein nachgespielt (vgl. Lact. inst. epit. 23): War die Göttin gefunden, wurde der Ritus mit gegenseitigen Glückwünschen und dem Werfen der Fackeln beendet. Wahrscheinlich gegen Ende der Suche und noch vor dem Wiederfinden fand die feierliche Anrufung der K. statt, in deren Verlauf der Hierophant einen Gong ertönen ließ (Apollodoros FGrH 244 F 110b).

B. Thesmophoria

Die von Frauen in der ganzen griech. Welt begangenen → Thesmophoria waren das Fest zu Ehren der Demeter (die auch den Titel *Thesmophóros* trug) und der K. In Athen (über dessen Thesmophoria am meisten bekannt ist [1]) beziehen sich viele Riten innerhalb der mehrtägigen Ritualsequenz auf Demeters Trauer nach K.s Entführung und ihre Abenteuer auf der Suche nach ihrer Tochter. Ebenfalls hierauf wurde jener Thesmophorien-Ritus bezogen, bei dem in Erinnerung an das Mythem, dem zufolge die Schweine des Hirten → Eubuleus bei der Entführung der K. mit dieser in einem klaffenden Spalt verschwunden waren, die verwesten Überreste von Ferkeln aus unterirdischen Kammern, in denen man sie einige Zeit lang hatte verrotten lassen, heraufgeholt wurden (schol. Lukian. p. 275,23 Rabe).

C. Kore und Hades

Zuweilen wurde K. mit Hades zusammen verehrt. Der Mythos ihres Raubs wurde u. a. auch als polarisierte Darstellung mancher die Ehe betreffenden Einsichten aus der Perspektive des Mädchens verstanden. An manchen Orten, insbes. in → Lokroi [2] Epizephyrioi, betont ihr Kult diesen Aspekt [3. 203–206]: Ihre Hochzeit war hier in Kult und Mythos bedeutsam; die Göttin wurde auch als Beschützerin der Ehe und der Sphäre der Frauen einschließlich des Schutzes der Kinder verehrt. Demeter scheint keine herausragende Rolle im lokrischen Kult gespielt zu haben, der mit dem Heiligtum des Persephoneion in Verbindung stand, in dem P. eng mit Hades verbunden war. Demeter hatte jedoch ein eigenes Heiligtum in Lokroi und wird mit ihrer Tochter im Thesmophorien-Kult verbunden gewesen sein (das Epitheton *Thesmophóros* ist für Demeter auch in Lokroi belegt) [3. 206–208]. P.s »Hochzeit« (*anakalyptéria*) und das Blumenpflücken, das ihrer Entführung voranging, wurden auch an anderen Orten gefeiert, so z. B. auf Sizilien (*Persephónēs anakalyptéria*: schol. rec. Pind. O. 6,160; vgl. Diod. 5,2,3) und in der lokrischen Kolonie Hipponion (Strab. 6,1,5).

D. »Ankunftsfeste«

P./K. gehört zu den Gottheiten, deren Ankunft in »Ankunftsfesten« gefeiert wurde. So war ein weiteres bedeutendes sizilisches Fest der P. das Ankunftsfest mit der Bezeichnung *Kórēs katagōgḗ*: Diodor zufolge (Diod. 5,4,5 f.) feierte man die »Rückkehr der P./K.« aus der Unterwelt, wenn die Frucht der Ähre zur Reife gelangte, etwa im Mai. Hierbei handelt es sich zweifellos um das Fest zu Ehren der K. bei der Quelle → Kyane im Gebiet von Syrakus, welches Diodor kurz zuvor beschrieben hatte (Diod. 5,4,2): → Pluton habe K. in der Nähe von Syrakus entführt und sei, nachdem er die Erde geöffnet hatte, dort mit ihr in den Hades hinabgestiegen; eine Quelle Kyane sei dort entsprungen; hier feierten die Syrakusaner jedes Jahr ein Fest, bei dem Privatpersonen kleinere Tiere opferten, während man als öffentliche Opfer Stiere in den Teich versenkte (eine Art des Opfers, die → Herakles [1] den Syrakusanern gezeigt haben soll, als er in Sizilien war, nachdem er das Vieh des → Geryoneus fortgetrieben hatte). Da die Quelle Kyane ein Übergang zw. Oberwelt und Hades war, ist dieser Ritus mit P.s/K.s Reisen zw. den beiden Welten verbunden worden.

Ein weiteres Ankunftsfest für P./K. waren die *Korágia* in → Mantineia (IG V 2,265; vgl. IG V 2,266), in deren Verlauf eine Prozession und Opfer stattfanden und die Statue von ihrem gewöhnlichen Platz im Tempel entfernt, zum Haus des Priesters oder der Priesterin und schließlich wieder zum Tempel zurückgetragen wurde, der den Kultteilnehmern an diesem Tag offenstand. Das Fest umfaßte einen Teil, der als *mystiká ta árrhēta* bezeichnet wurde, des weiteren *árrhēta mystḗria* (→ Mysterien C. I.) und auch die Darbietung eines neuen Gewandes (*péplos*). Ein Verein von *koragoí* war für das Fest verantwortlich, und der Ritus wurde als einer des Empfangs und der Unterhaltung der Gottheit verstanden. In → Kyzikos wurde P. mit dem Epitheton *Sṓteira* (»Retterin«, → *Sōtḗr*) verehrt, und ihr Fest hieß *Pherepháttia* oder *Kóreia* oder *Sṓteira*. In Arkadien wurden Demeter und Kore die »Großen Göttinnen« genannt, und Kore hieß bei den Arkadern Soteira (Paus. 8,31,1; vgl. 4,1,5–9; [2]).

E. Verschiedene Kultschwerpunkte

Der Kult von P./K. und Demeter war in Süditalien (→ Magna Graecia) und auf Sizilien weit verbreitet (ausführlich: [3]). Aus der Zeit vor der Mitte des 6. Jh. v. Chr. sind dort nicht viele Heiligtümer der beiden Göttinnen bekannt, doch danach erhielten sie an vielen Orten Süditaliens und Siziliens Tempel; in den nachfolgenden Jh. blühte ihr Kult; erst vom Ende des 3. Jh. v. Chr. an scheint er in Süditalien an Bed. zu verlieren. Von den jüngst ausgegrabenen bzw. veröffentlichten Heiligtümern der Demeter und K. in anderen Gegenden sind bes. erwähnenswert ihr Heiligtum in Korinth (an den Hängen von Akrokorinth), dessen früheste arch. bezeugte Phase in das 7. Jh. v. Chr. fällt [4; 5; 6], und das außerhalb der Stadt liegende Heiligtum in → Kyrene, im Wādī ʾl-Gadīr, das um 600 v. Chr. gegründet wurde [7; 8].

F. Ikonographie

In den bildlichen Darstellungen erscheint P./K. als junge Frau, oft mit zusätzlichen Attributen, unter denen Fackeln, Ähren und Szepter verbreitet sind, während sich andere, wie der Hahn in Lokroi Epizephyrioi, vor allem in der Ikonographie spezifischer lokaler Kulte finden [9].

G. Unterwelt

Als Königin bzw. Herrin (*Déspoina*) der Unterwelt besaß P. einen ehrfurchtgebietenden, furchteinflößenden Aspekt; jeder kam letztendlich in ihre Gewalt. Daher stand sie auch in Verbindung mit Kulten, die ein besseres Leben nach dem Tod garantieren sollten. Dazu zählen die eleusin. → Mysteria, Teil der Polis-Rel. Athens, mit denen auch Demeter verbunden war: Die Einweihung in diese Mysterien sollte ein glückseliges Leben im Jenseits garantieren (z. B. Hom. h. 2,479–482). Auch in sektenartigen Kulten, die ein glückseliges Leben nach dem Tod gewährleisten sollten, spielte P. eine bedeutende Rolle. Indiz hierfür ist ihre Funktion in den auf Goldblättchen eingravierten Texten, die mit in die → Orphik eingeweihten Personen beigesetzt wurden (→ Orphicae Lamellae; [10]). In den orphischen Theogonien ist P. die Frucht der inzestuösen Vereinigung von Zeus und seiner Mutter → Rhea-Demeter sowie, von Zeus, Mutter des orphischen Kindes → Dionysos, der von den → Titanen getötet und zerstückelt wird. Dieser sterbliche göttliche Sohn der P., Chthonios Dionysos, wurde mit → Zagreus (einer schwer zu fassenden, vielgestaltigen Figur, die bei Aischyl. TrGF 3 F 228 Sohn des Hades und der P. ist) identifiziert und schließlich zu Dionysos-Zagreus, Sohn des Zeus und der P. (z. B. Hesych. s. v. Ζαγρεύς; Suda s. v. Ζαγρεύς; vgl. schol. Pind. I.7,3).

→ Demeter; Mysteria; Proserpina; Thesmophoria

1 K. CLINTON, The Thesmophorion in Central Athens and the Celebration of the Thesmophoria in Attica, in: R. HÄGG (Hrsg.), The Role of Rel. in the Early Greek Polis, 1996, 111–125 2 M. JOST, Sanctuaires et cultes d'Arcadie, 1985, 297–355 3 V. HINZ, Der Kult der Demeter und K. auf Sizilien und in der Magna Graecia, 1998 4 N. BOOKIDIS u. a., Dining in the Sanctuary of Demeter and K. at Corinth, in: Hesperia 68, 1999, 1–54 5 N. BOOKIDIS, R. STROUD, Demeter and P. in Ancient Corinth, 1987 6 A. BRUMFIELD, Cakes in the Liknon: Votives from the Sanctuary of Demeter and K. on Acrocorinth, in: Hesperia 66, 1997, 147–172 7 D. WHITE, The Extramural Sanctuary of Demeter and P. at Cyrene, Libya (Final Reports 5), 1993 8 S. KANE, Cultic Implications of Sculpture in the Sanctuary of Demeter and K./P. at Cyrene, Libya, in: E. CATANNI, S. MARENGO (Hrsg.), La Cirenaica in età antica. Atti del convegno internazionale di studi Macerata 1995, 1998, 289–300 9 G. GÜNTNER, s. v. P., LIMC 3, 956–978 10 G. ZUNTZ, P. Three Essays on Rel. and Thought in Magna Graecia, 1971.

W. BURKERT, Homo necans, ²1983, 248–297 · J. STRAUSS CLAY, The Politics of Olympus. Form and Meaning in the Major Homeric Hymns, 1989, 202–266 · K. CLINTON, Myth and Cult. The Iconography of the Eleusinian Mysteries, 1992 · FARNELL, Cults, Bd. 3 · NILSSON, Feste, 313–325, 354–362 · DERS., GGR, Bd. 1, 462–466, 469–481 · C. SOURVINOU-INWOOD, »Reading« Greek Culture: Texts and Images, Rituals and Myths, 1991, 147–188 · DIES., Reconstructing Change: Ideology and Ritual at Eleusis, in: M. GOLDEN, P. TOOHEY (Hrsg.), Inventing Ancient Culture: Historicism, Periodization and the Ancient World, 1996, 132–164. C.S.I./Ü: T.H.

Persepolis (h. Taḫt-e Ǧamšīd; griech. Πέρσαι Πόλις/ *Pérsai Pólis*, Περσέπολις/*Persépolis* (Diod. 17,70,1 u.ö.; Strab. 15,3,6); lat. *Persepolis* (Curt. 5,4,33 u.ö.; Amm. 23,6,42); altpersisch *Pārsa*, gleichlautend mit dem Namen der Landschaft → Persis). Am NO-Rand der Marv Dašt-Ebene, ca. 60 km nördl. von Šīrāz nahe dem Ausgang des Tales gelegen, durch das im Alt. und h. die Straße nach → Pasargadai und Iṣfahān verläuft; in diesem Talausgang liegen die Reste der alten Stadt → Istachr.

Als neue Residenz nach Pasargadai ließ Dareios [1] I. (522/1–486) an den Hang des Kūh-e Raḥmat angelehnt eine 12 m hohe Terrasse von 450×300 m errichten, auf die eine doppelte Freitreppe hinaufführte. Dareios begann die Arbeiten an der großen Audienzhalle (Apadana), dem → Palast (mit Abb.), dem sog. Harem und dem Schatzhaus. Erst → Xerxes (486–465) vollendete diese Bauten und fügte den monumentalen Eingangsbau (»Tor aller Länder«), einen eigenen Palast sowie eine weitere Audienzhalle (»Hundertsäulensaal«) hinzu, die allerdings erst Artaxerxes [1] I. (465–423) fertigstellte; weitere Baumaßnahmen führten Artaxerxes [2] II. und [3] III. durch. Einige dieser Bauten sind auf hohen Sokkeln errichtet, deren Höhe man über lange, flache Treppen erreichte. Die Seiten der Sockel wie die Treppenwangen sind mit Steinreliefs geschmückt, die meist in endlosen Reihen – auch übereinander – pers. Würdenträger und die Waffengattungen des pers. Heeres, daneben auch Bedienstete des Königs, zeigen. Lange Prozessionen von Gruppen explizit verschiedenartig gekleideter Männer, die Tiere und Gegenstände als Geschenke bzw. Abgaben herbeibringen (in ihnen sind Delegationen der verschiedenen Völkerschaften des Reiches zu sehen), haben zur Vermutung geführt, daß P. vornehmlich – oder sogar ausschließlich – den Neujahrsempfängen diente, zu denen Gaben von überall her gebracht worden sein sollen (→ Neujahrsfest II.). Auf dauerhafteren Aufenthalt deutet die erst in neuerer Zeit entdeckte Wohnstadt in der vor der Terrasse liegenden Ebene.

Zuverlässige Abschriften persepolitanischer Keilinschr. gelangten bereits im 18. Jh. durch Carsten NIEBUHR von P. nach Europa und bildeten zusammen mit der Trilingue von → Bīsutūn die Grundlage für GROTEFENDS Entzifferung der → Keilschrift. Unter den relativ wenigen Funden aus den Grabungen in P., soweit sie die Plünderungen der Soldaten Alexandros' [4] d.Gr. im J. 330 v.Chr. überlebten, fand sich eine größere Anzahl von zumeist elamischen Tontafeln, deren Inhalt zeigt, daß P. u. a. auch als Verwaltungszentrum der Persis diente.

Die lit. bezeugte vollständige Zerstörung (Brandschatzung) von P. durch Alexandros [4] (Arr. an. 3,18,11 f.; Curt. 5,7,3–7; Kleitarchos FGrH 137 F 11 = Athen. 13,576d-e; Plut. Alexandros 38,1–7; Diod. 17,72,1–7; Strab. 15,3,6) fand arch. keine Bestätigung, da Brandspuren nur an bestimmten Stellen existieren und P. offensichtlich auch nach 330 v.Chr. bewohnt blieb (in hell. Zeit sowohl Terrasse als auch sog. Fratarakā-Tempel). Hinter der Terrasse sind die monumentalen Grabanlagen für Artaxerxes [2] II. und [3] III. in den Felshang gehauen, während die meisten anderen Herrscher ihre Gräber im nahegelegenen → Naqš-e Rostam anlegen ließen.

Diodor (Diod. 19,21 f.) berichtet über ein Fest des Satrapen → Peukestas und über die sog. »Konferenz von P.«, als Antigonos [1] Monophthalmos nach seinem Sieg über Eumenes die östl. Prov. neu ordnete (Diod. 19,48,1 f.).

E. Schmidt, Persepolis, Bd. 1–3, 1953; 1957; 1970 ·
L. Trümpelmann, Ein Weltwunder der Ant.: P., 1988 ·
J. Wiesehöfer, Das ant. Persien, 1993, bes. 43–48 und
ausführl. Bibliogr. · Ders., Die »dunklen Jahrhunderte« der
Persis, 1994.   H. J. N.

Perseptolis (Περσέπτολις). Sohn des → Telemachos; als
Mutter werden → Polykaste [2] (Hellanikos von Lesbos
FGrH 4 F 156) oder → Nausikaa (ebd.) genannt. Auf die
Verbindung von Telemachos mit Nausikaa, also even-
tuell auf P., wird das Geschlecht des att. Redners
→ Andokides [1] (Hellanikos FGrH 4 F 170c) zurück-
geführt.   TH. KN.

Perser s. Achaimenidai; Iran; Iranische Sprachen;
Parthia; Persarmenia; Perserkriege [1]; Parther- und
Perserkriege; Persis; Sāsāniden

Perserkriege
[1] A. Bezeichnung und Quellen
B. Vorgeschichte C. Marathon
D. Salamis und Plataiai E. Folgen

A. Bezeichnung und Quellen
Mit der modernen Bezeichnung P. wird im weiteren
Sinne der Kampf zw. ›Hellenen und Barbaren‹ (Hdt.
Prooemium) in der Zeit zw. dem → Ionischen Aufstand
(500–494 v. Chr.) und der Mitte des 5. Jh. v. Chr. bezeichnet, im engeren Sinne die Angriffe der Perser
(→ Achaimenidai) unter den Königen → Dareios [1] I.
und → Xerxes I. auf Griechenland, die 490 bei → Marathon und 480/479 bei → Salamis bzw. → Plataiai zurückgewiesen wurden. Nicht angewendet wird der Begriff P. auf spätere mil. Verwicklungen mit den Persern,
etwa im → Peloponnesischen Krieg, oder auf die Kriege
zwischen Rom und den Parthern und Sasaniden (»Neu-
persern«: → Parther- und Perserkriege).

Die h. Kenntnis der P. stützt sich ganz auf den Bericht des → Herodotos [1]: Aus griech. Sicht bilden die
P. den konsequenten Endpunkt des mit dem Regierungsantritt des Dareios I. (522 v. Chr.) beginnenden
Versuchs, die Lage in Griechenland zu erkunden
(→ Demokedes; Hdt. 3, 135–138), Inseln in der Ägäis zu
erobern (Samos: Hdt. 3,139–149), im Feldzug gegen die
→ Skythai nach Europa überzugreifen (pers. Satrapie
Thrakien: 513 v. Chr.) und die Eroberung Griechenlands durch den Feldzug des → Mardonios [1] (492
v. Chr.; Hdt. 6, 43–45) nach Thrakien und Makedonien
(→ Alexandros [2]) vorzubereiten. Die pers. Sicht der P.
ist uns nicht bekannt; lediglich eine späte Notiz (Dion
Chrys. 11,148 f.) läßt vermuten, daß der erste Perserzug
(s. u. C.) eher als eine marginale Strafaktion zur Sicherung der seit → Kambyses [2] aufgebauten Seeherrschaft
(vgl. Thuk. 1,13 und 16) zu sehen ist, während der zweite Zug (s. u. D.) einen ernsthaften Versuch darstellte, die
Westgrenze des von Persien kontrollierten Gebietes von
der Ägäis an die Adria zu verschieben und Griechenland
möglicherweise als weitere Satrapie einzurichten bzw.
nach maked. Muster als Vasallenstaat zu gestalten.

B. Vorgeschichte
Den unmittelbaren Anlaß zum Eingreifen der Perser
bot die Unterstützung der kleinasiatischen Griechen im
→ Ionischen Aufstand (500–494) durch Eretria [1] und
Athen. Obwohl sich die Mannschaften der 20 athen.
Schiffe nach ihrer Teilnahme am Feldzug gegen → Sardeis (498) wieder zurückzogen und nicht an der Seeschlacht von → Lade beteiligten, mußte die Hilfe der
Athener umso provokanter erscheinen, als diese sich
nach Ansicht des pers. Großkönigs seit dem Hilfegesuch
an die Perser 506 v. Chr. (Hdt. 5,73) in einem Unter-
tanenstatus befanden [1. 256 ff.].

C. Marathon
Wieweit der Heeres- und Flottenzug des → Mardonios [1] (492) als Vorbereitung zur Eroberung Griechenlands gelten kann, bleibt fraglich. Der Zug sicherte
die pers. Herrschaft in der nördl. Ägäis und zwang den
Makedonenkönig erneut zur Anerkennung der pers.
Oberhoheit. Eine Eroberung Griechenlands war wohl
noch nicht geplant [1. 238 f.]. Erst zwei Jahre später
(490) überquerten pers. Eliteeinheiten und Kontingente
kleinasiat. Griechen unter Führung von Datis und Ar-
taphernes [3] die Ägäis, wobei sie Naxos und einige Ky-
kladeninseln wieder unter pers. Herrschaft brachten. Sie
wandten sich zunächst gegen Karystos und Eretria, das
sie durch Verrat gewannen, landeten dann bei Marathon, wo sie vielleicht Zulauf für den auf der pers. Flotte
befindlichen ehemaligen athen. Tyrannen Hippias [1]
erhofften, und setzten dann zum Marsch auf Athen an.
Die nach Marathon ausgerückten ca. 9000 athen. Hopliten (→ hoplítai) und etwa 800 Plataier standen einer
etwa zweifachen pers. Übermacht gegenüber, da die
Truppen aus Sparta (→ Marathonlauf) aus rel. Gründen
nicht rechtzeitig eintrafen (so Hdt. 6,102; vgl. jedoch
Plat. leg. 692d; 698d-e). Unter Führung des Strategen
→ Miltiades [2] (offiziell unter der des → polémarchos [4]
→ Kallimachos [1]) gelang überraschend den Griechen
der Sieg (Hdt. 6,103–131; zu den Zahlen: [2. 35]). Das
Gros der Perser konnte sich geordnet einschiffen, die
Flotte nahm Kurs auf → Phaleron, zog sich jedoch kurz
darauf nach Persien zurück.

D. Salamis und Plataiai
Da man mit der Rückkehr der Perser (zur See) rechnen mußte (vgl. Hdt. 7,1), versuchte Athen sofort, Fuß
in der Ägäis (Paros, Kykladen) und im Saronischen Golf
(Aigina) zu fassen, und entfaltete eine lebhafte Innenpolitik, in gleicher Weise geprägt von Perserfurcht (s.
→ mēdismós), Adelskämpfen (→ ostrakismós), polit. Reformen ([Aristot.] Ath. pol. 22,3–7) und einem forcier-
ten Ausbau einer modernen Flotte (→ Themistokles;
→ Triere).

Der Tod des Dareios 486 v. Chr. und Aufstände im
Perserreich (in Ägypten und Babylonien) verschoben
einen pers. Angriff, bis → Xerxes I. ab 483 systematisch
Vorbereitungen traf, um nun die nach pers. Selbstverständnis konsequente Unterordnung Athens und der
Griechen zu erreichen: Zwei Schiffsbrücken bei Abydos überquerten den → Hellespontos, ein Kanal durch

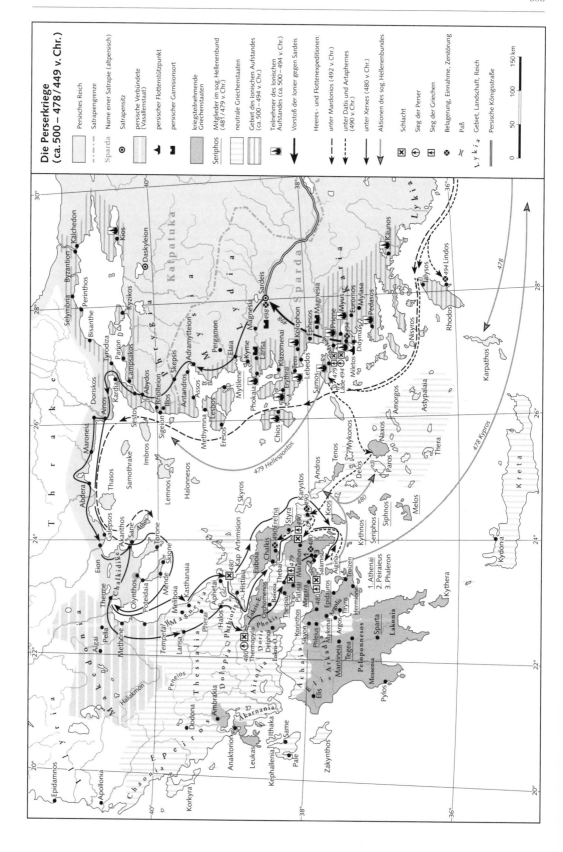

Die Perserkriege (ca. 500 – 478/449 v. Chr.)

die Halbinsel → Athos sollte das Desaster der Mardonios-Flotte vermeiden (Hdt. 7,20–25), in Thrakien wurde Proviant gespeichert. Xerxes selbst stellte sich an die Spitze von ca. 100000 Mann und etwa 600 Trieren (Zahlen: [2. 52f.; 3. 355]; erheblich überhöhte Angaben bei Aischyl. Pers. 341–343; Hdt. 7,184,4; 7,228,1; Diod. 11,3,7). Erstaunlich spät (481), aber noch vor dem Erscheinen der pers. Herolde, die Wasser und Erde als Zeichen der Unterwerfung forderten (Hdt. 7,131–132), schlossen sich 31 meist unbedeutende griech. Städte (Plut. Themistokles 20,3) zu einer »Eidgenossenschaft« (Hellenenbund) zusammen, deren Oberbefehl zu Wasser und zu Lande Sparta übernahm. Bedeutende Städte wie Argos [II 1] und Theben sowie Thessalien und die sizil./unterital. Griechen blieben dem Bund fern.

Ein erster – wohl auf Drängen der Thessalier errichteter – Abwehrriegel im → Tempe-Tal wurde als strategisch überflüssig, weil umgehbar, aufgegeben und eine zweite Linie bei den → Thermopylai aufgebaut. Die griech. Flotte erwartete die pers. Schiffe am Kap Artemision [1] auf Euboia. Angeblich durch Verrat (→ Ephialtes [1]) konnte das pers. Heer die Thermopylai umgehen, stieß aber nur noch auf eine Nachhut von 300 Spartanern und 700 Thespiern unter dem spartan. König → Leonidas [1], die völlig vernichtet wurde; die griech. Schiffe setzten sich anfänglich erfolgreich gegen eine stark durch Stürme geschwächte pers. Flotte durch, zogen sich aber am dritten Tag nach Salamis zurück, wo sie die längst beschlossene (→ Troizen) und begonnene Evakuierung der athen. Bevölkerung abschlossen.

Die nun folgende Zerstörung Athens ließ die Lage aussichtslos und den Rückzug hinter den → Isthmos geraten erscheinen; die Aufgabe der nördl. davon liegenden Poleis hätte den Zerfall des Hellenenbundes bedeutet. In dieser Situation konnte → Themistokles den spartan. Oberbefehlshaber → Eurybiades zur Seeschlacht überreden (Hdt. 8,73) und die Perser, ohnehin durch die fortgeschrittene Jahreszeit (Sept.) zur Entscheidung gezwungen, angeblich durch eine List zum Angriff im engen Sund von Salamis veranlassen. Ende Sept. 480 besiegten die ca. 400 griech. Schiffe (Thuk. 1,74,1) vor den Augen des Xerxes die etwas stärkere pers. Flotte ([3. 210]; Aischyl. Pers. 249–531; Hdt. 8,56–96; Diod. 11,17–19).

Xerxes kehrte daraufhin mit den Resten seiner Flotte zurück, wohl um angesichts der Niederlage drohenden Unruhen im Reich vorzubeugen. Mardonios überwinterte mit dem Heer in Thessalien und unterlag nach vergeblichen diplomatischen Bemühungen, Athen auf pers. Seite zu ziehen (Hdt. 8,143,2), 479 in der Schlacht bei Plataiai dem von → Pausanias [1] geführten griech. Heer. Etwa gleichzeitig zerstörte eine Flotte unter dem Spartaner → Leotychidas [2] pers. Schiffe an der Halbinsel → Mykale bei Miletos (Hdt. 9,99–106; die Datier. auf den Tag von Plataiai gehört ebenso in den Bereich der polit. Legende wie der Synchronismus der Seeschlacht gegen die Karthager vor dem sizil. → Himera mit dem Tag von Salamis).

E. FOLGEN

Die Niederlage der Perser hatte in der Ägäis eine Situation geschaffen, die es dem Hellenenbund erlaubte, die griech. Verteidigungslinie erheblich nach Osten vorzuschieben und unter dem Signum der Rache für erlittenes Unrecht sowie der Sicherung der Freiheit des kleinasiatischen Griechentums (vgl. Thuk. 1,96,1) aggressiv gegen Persien vorzugehen. Nachdem die Spartaner als Führer des Hellenenbundes sich jedoch bald von dieser Aufgabe zurückzogen, wurde Athen mit der Gründung des → Attisch-Delischen Seebundes (478) zur beherrschenden Macht in der Ägäis und trug den Krieg mit wechselndem Erfolg bis weit in den östl. Mittelmeerraum (→ Kimon [2]; → Pentekontaetie). Wieweit und wann die P. durch einen Vertrag, etwa den »Frieden des → Kallias [4]« von 449, beendet wurden, ist strittig (vgl. [4]).

Den Athenern gelang es sehr bald, sich mit ihren zweifellos bedeutenden Leistungen in den P. als Vorkämpfer der → Freiheit der Griechen zu stilisieren, dabei aber die führende Rolle Spartas oder die Leistungen anderer Poleis (etwa der Aigineten bei Salamis) in den Hintergrund treten zu lassen. Die Glorifizierung der Leistung Athens setzte bereits mit der Trag. ›Die Perser‹ des → Aischylos [1] ein, diente im 5. Jh. zur Rechtfertigung der athen. Hegemonie (Thuk. 1,74,4) im → Attisch-Delischen Seebund, blieb ein (nostalgisches) Standardargument im jährlichen → epitáphios (vgl. [5]) und verstärkte sich bei den Rednern des 4. Jh. v. Chr., wenn es um die Führung in einem panhellenischen Krieg (→ panhéllēnes) gegen Persien (→ Isokrates, Panathenaikós u.ö.; → Ephoros) oder um die Abwehr der Makedonen (→ Demosthenes [2] or. 19) ging. Dabei schreckte man auch vor massiven Fälschungen nicht zurück [6]. Der Erfolg dieser Propaganda zeigt sich bei → Alexandros [4] d.Gr., der mit dem Brand von → Persepolis Rache für die Zerstörung der athen. Akropolis durch die Perser genommen haben wollte, im Anspruch der pergamenischen Könige, mit dem Sieg über die Galater (→ Kelten III. B) an die Seite Athens als Verteidiger griech. Freiheit gegen die »Barbaren« getreten zu sein (→ Pergamon), und schließlich noch im Bild der Neuzeit, wonach die athen. Gesch. häufig als synonym mit der griech. Gesch. gilt.

→ Achaimenidai; Athenai; Barbaren; Sparta; ATHEN (I.); SCHLACHTORTE

1 M. ZAHRNT, Der Mardonioszug, in: Chiron 22, 1992, 237–279 2 K.-W. WELWEI, Das klass. Athen, 1999 3 C. HIGNETT, Xerxes' Invasion of Greece, 1963 4 K. MEISTER, Die Ungeschichtlichkeit des Kalliasfriedens, 1982 5 N. LOREAUX, L'Invention d'Athènes. Histoire de l'oraison funèbre dans la cité classique, 1981 6 CHR. HABICHT, Falsche Urkunden zur Gesch. Athens im Zeitalter der P., in: Hermes 89, 1961, 1–35.

A. R. BURN, Persia and the Greeks: the Defence of the West, c. 546–478 B.C., ²1984 · J. F. LAZENBY, The Defence of Greece 490–479 B.C., 1993.
KARTEN-LIT.: s. auch → Achaimenidai. W. ED.

[2] s. Parther- und Perserkriege

Perservase. Apulischer Volutenkrater aus → Canosa (1851 gefunden) in Neapel (NM, Inv. 81947 [H 3253], H 130 cm, [1]), aufgrund der zentralen Gestalt des Perserkönigs auch als »Dareioskrater« bezeichnet; eponymes Werk des danach benannten → Dareios-Malers. Die Hauptseite zeigt im Zentrum den Kronrat des Dareios [1] I., darunter Zahlmeister und Tributträger, darüber Athena mit Hellas vor Zeus und Apate vor Asia. Die arch. Forsch. sieht darin eine Spiegelung der Siege → Alexandros' [4] d.Gr. in Persien oder einen Nachklang von zeitgenössischen Theateraufführungen. Die Rückseite stellt den Kampf des → Bellerophon gegen die → Chimaira im Beisein von Göttern und kämpfenden Orientalen dar.

1 TRENDALL/CAMBITOGLOU 495, Nr. 38, Taf. 176,1.

R. A. TYBOUT, Ziffern auf einem Zahltisch. Zum Problem des Originals der Perserdarstellung auf dem Dareioskrater, in: BABesch 52/3, 1977/78, 264–265 · A. GEYER, Gesch. als Mythos, in: MDAI(A) 108, 1993, 443–455 · CH. AELLEN, A la recherche de l'ordre cosmique, 1994, 115f., 139f.   R.H.

Perses (Πέρσης).

[1] (oder → *Persaios*: Hom. h. 2,24). Sohn des Titanen → Krios [1] und der Eurybeia, Bruder des Astraios und des Pallas (Hes. theog. 375ff.; Apollod. 1,8), Gatte der → Asteria [2], Vater der → Hekate (Hes. theog. 409ff.).

[2] Sohn des Helios, Bruder des → Aietes (Hyg. fab. 27). Er raubt Aietes die Herrschaft in Kolchis und wird deshalb entweder von → Medeia (Apollod. 1,83) oder deren Sohn Medus (Hyg. l.c.; Diod. 4,56,1) getötet.

[3] Sohn des → Perseus [1] und der Kepheus-Tochter → Andromeda (Apollod. 2,49). P. wird nach seiner Geburt am Hofe des → Kepheus [2] als männlicher Erbe zurückgelassen. P. wird zum Namensgeber der Perser, die bis dahin laut Hdt. 7,61 *Kēphḗnes* genannt wurden.

S.T.

[4] Bruder des griech. Dichters → Hesiodos. An P., der nach einem Schiedsspruch der *basileís* erneut den Streit um das väterliche Erbe zwischen den Brüdern durch ein Schiedsverfahren entscheiden lassen will (Hes. erg. 27–39), richtet Hesiodos sein Lehrgedicht *Érga kai hēmérai* und fordert ihn darin auf, sich an die Normen der bäuerlichen Ordnung zu halten.

M. GARGARIN, Hesiod's Dispute with Perses, in: TAPhA 104, 1974, 103–111 · P. MILLETT, Hesiod and His World, in: PCPhS 210 N.S. 30, 1984, 84–115 · W. J. VERDENIUS, A Comm. on Hesiod: Works and Days, vv. 1–382, 1985, 36.   W.S.

[5] Epigrammdichter des »Kranzes« des → Meleagros [8] (Anth. Pal. 4,1,26), Thebaner (Lemma zu 7,445), verm. identisch mit einem maked. P. (Lemma zu 7,487). 9 Gedichte sind überliefert (Weih- und Grabepigramme sowie das epideiktische 9,334), verm. alles echte Inschriften. Sprache und Stil sind mit einer ziemlich frühen Schaffenszeit des P. nicht unvereinbar (vielleicht letztes Viertel des 4. Jh. v. Chr., vgl. POMTOW zu Syll.³

300), der folglich der ersten Generation hell. Dichter zugehören dürfte.

GA I 1, 155–158; 2, 446–452.   M.G.A./Ü: TH.G.

Perseus (Περσεύς).
[1] I. MYTHOLOGIE   II. IKONOGRAPHIE

I. MYTHOLOGIE

Sohn der → Danaë und des Zeus, der sie in Form eines Goldregens schwängert; Enkel des → Akrisios, des Königs von Argos, und der Eurydike. Aufgrund eines Orakels, daß der Sohn seiner Tochter ihn töten werde, setzt Akrisios Danaë und P. in einem Kästchen auf dem Meer aus. In Seriphos angespült, werden Mutter und Sohn von → Diktys [1] gefunden und aufgenommen. Als → Polydektes, der Bruder des Diktys und König von Seriphos, Danaë gegen ihren Willen heiraten will, zieht P. aus, um als Hochzeitsgeschenk das alles versteinernde Haupt der → Gorgo [1] → Medusa aus dem Land der → Hyperboreioi zu holen. Mit Hilfe des Hermes und der Athene gelingt dies folgendermaßen: Die Götter schicken ihn zu den → Graien, denen er das einzige Auge, das sie abwechselnd benutzen, raubt und sie so zwingt, ihm den Weg zu den Nymphen zu weisen, die über die nötigen Zaubergeräte verfügen: die *hárpē* (Sichelschwert), die *kíbisis* (Zaubertasche), die Tarnkappe und die Flügelschuhe. Schließlich kommt er zu den Hyperboreern, schlägt der schlafenden Medusa das Haupt ab (wobei → Pegasos [1] entsteht) und steckt es in die Zaubertasche; um durch ihren Anblick nicht versteinert zu werden, schaut er sie nur als Spiegelbild in seinem blanken Schild an [1. 113–120]. Mit der Tarnkappe entkommt er den beiden Schwestern Sthenno und Euryale (→ Gorgo [1]).

Auf dem Rückweg nach Seriphos befreit er → Andromeda, rettet sie vor der Opferung an ein Ungeheuer durch ihre Eltern → Kepheus [2] und → Kassiopeia [3] und heiratet sie. Nach Seriphos zurückgekehrt, versteinert er Polydektes mit dem Haupt der Medusa, das er schließlich Athene übergibt, die es auf ihren Schild (→ aigís) montiert. Seinen Großvater Akrisios tötet P. versehentlich beim Diskuswurf, wodurch sich schließlich das Orakel erfüllt. P. übernimmt die Herrschaft über Argos, tauscht es aber mit seinem Onkel → Proitos gegen Tiryns, von wo aus er → Mykenai gründet. Seinen Tod findet er schließlich durch → Megapenthes [1].

Der Mythos ist seit frühester Zeit belegt (Hom. Il. 14,319f.; Hes. theog. 280–283; Ps.-Hes. scut. 222–234; Sim. PMG fr. 543; vgl. auch Pherekydes FGrH 3 F 10–12 mit Apollod. 2,34–49). Die ausführlichste erh. lit. Darstellung bietet Pind. P. 10,31–50. Die att. Tragödie griff den Stoff in zahlreichen Stücken auf: Aischyl. Phorkides (TrGF 3 F 261f.), Aischyl. Polydektes (TrGF 3 p. 302), Aischyl. Diktyulkoi (ebd. F 46a–49); Soph. Akrisios (TrGF 4 F 60–76), Soph. Andromeda (ebd. F 126–136), Soph. Danae (ebd. F 165–170), Soph. Larisaioi (ebd. F 378–383); Eur. Andromeda (TGF fr. 114–156), Eur. Danae (ebd. fr. 316–330), Eur. Diktys (ebd. fr. 331–348);

vgl. auch die Komödie: Kratinos, Seriphioi (PCG IV fr. 218–232). Nachdem die Thematik im Hell. weniger beliebt gewesen zu sein scheint, tritt sie bei den Römern wieder umso stärker hervor: Livius Andronicus, Ennius, Accius [10. 317–375], Ov. met. 4,610–803; 5,1–249; Hyg. fab. 63 f. Weitere Abenteuer des P. bilden der gescheiterte Versuch, Dionysos zu töten (Paus. 2,20,4; 22,1; 23,7; Euphorion fr. 18 POWELL; Anon., SH fr. 418) sowie P.' Besuch bei Atlas und seine Versteinerung (Ov. met. 4,639–662), vgl. auch → Phineus (Ov. met. 5,1 ff.).

P. scheint Kultstätten in Seriphos (Paus. 2,18,1), bei Mykene [5. 213–223] und Chemmis in Ägypten (Hdt. 2,91) gehabt zu haben; die frühe Mythographie machte ihn durch seinen Sohn → Perses [3] zum Urahnen der Perser (Hdt. 7,61; 7,150; Hellanikos FGrH 4 F 60).

In der neuzeitl. Lit. ist der P.-Stoff selten, in der bildenden Kunst hingegen häufig, und zwar sowohl die Andromeda- als auch die Medusa-Episode. Dieselbe Doppelung in der Thematik findet sich in den zahlreichen P.-Opern [11. 546–551].   L.K.

II. IKONOGRAPHIE

P. wird meist als jugendlicher Heros dargestellt; Attribute (kurzes Schwert, später *hárpē* (ἅρπη, Sichelschwert); *kíbisis* (κίβισις, Zaubertasche); Flügelsandalen; Kopfbedeckung, ab 470/60 v. Chr. mit Flügeln) können variieren. Er ist einer der frühesten und durch alle Epochen am häufigsten dargestellten griech. Helden: seit 2. H. 7. Jh. v. Chr. und v. a. im 6. Jh. populär ist die Enthauptung der Medusa (protokorinth., protoatt., kyklad. Keramik; Terrakotta-Metopen von Thermos um 630; Kalksteinmetope von Selinus um 530); später, auf rf. Vasen, ist die Fluchtszene beliebter, und in der 2. H. des 5. Jh. die Episoden vor der Enthauptung (P. mit → Danaë [6. 345; 12]).

Im 4. Jh. ist P. in der att. Bildwelt wenig präsent, umso mehr in der süditaval. und etr. Kunst [15], wo auch oft Szenen auftauchen, die vom Üblichen abweichen oder für die keine schriftlichen Parallelquellen vorliegen (Jugend des P.; P. und der Thiasos). Auf apulischen Vasen erscheint P. oft das → Gorgoneion haltend und im Schild spiegelnd [1. 113–130; 9; 15]; dieser Typus des *P. triumphans* erscheint auch auf Münzprägungen vieler Städte [6. 348; 9].

Paus. 1,23,7 nennt einen P. des → Myron [3] von Eleutherai, aber nur wenige Statuen können sicher als P. identifiziert werden [15. 103–116]: hell. Bronzekandelaber, etr. Bronzestatuette des 5. Jh.; im archa. Knielaufschema und mit → Tiara des persischen Großkönigs als Mittelakroter des Nordgiebels des Heroons von → Limyra um 370/60 v. Chr. [4. 140].

In pompejanischer → Wandmalerei zw. dem E. des 1. Jh. v. Chr. und 79 n. Chr. herrscht das Bildthema P. und Andromeda vor [14].

Darstellungen des P. gibt es auch in ma. astronomischen Hss. [8]; außerdem: COSIMO DE' MEDICI als *P. triumphans* von B. CELLINI, 1554 [4. 141].   B. BÄ.

1 L. BALENSIEFEN, Die Bed. des Spiegelbildes als ikonographisches Motiv in der ant. Kunst, 1990 2 F. BROMMER, Denkmälerliste zur griech. Heldensage, 1976, 380–404 3 J. CATTERALL, s. v. P., RE 19, 978–992 4 R. JACOBEK (Hrsg.), Götter, Heroen, Herrscher in Lykien, Kat. Wien, 1990, 136–151 5 M. H. JAMESON, P., the Hero of Mykenai, in: R. HÄGG (Hrsg.), Celebrations of Death and Divinities in the Bronze Age Argolid, 1990 6 L. JONES ROCCOS, s. v. P., LIMC 7.1, 332–348; 7.2, 272–309 7 E. KUHNERT, s. v. P., ROSCHER 3, 1986–2060 8 E. LANGLOTZ, P., 1951 9 Ders., Der triumphierende P., 1960 10 R. KLIMEK-WINTER, Andromedatragödien (Beiträge zur Alt.kunde 21), 1993 11 E. M. MOORMANN, W. UITTERHOEVE, s. v. P., Lex. der ant. Gestalten, 1995, 546–551 12 J. H. OAKLEY, Danae and P. on Seriphos, in: AJA 86, 1982, 111–115 13 Ders., P., the Graiai and Aeschylus' Phorkides, in: AJA 92, 1988, 383–391 14 K. M. PHILIPS JR., P. and Andromeda, in: AJA 72, 1968, 1–23 15 K. SCHAUENBURG, P. in der Kunst des Alt., 1960 16 J. M. WOODWARD, P. A Study in Greek Art and Legend, 1937.
L. K. u. B. BÄ.

[2] Letzter Makedonenkönig (179–168 v. Chr.), geb. 212 als Sohn des → Philippos [7] V. und der Argiverin → Polykrateia; (Halb)bruder des → Demetrios [5], den er angefeindet, in eine Hochverratsaffäre verwickelt und als romfreundlichen Rivalen 180 beseitigt haben soll (Pol. 23,7; 10–11; Liv. 40,5,2–16,3; 23–24; [1. 251 f.; 2. 490]). Daher gilt P. als glühender Romfeind. Ursache des vorgeblich als Revanchekrieg ererbten 3. → Makedonischen Krieges (172–168), der Dyn. und Reich den Untergang brachte, war aber nicht P.' Kriegswille, sondern das wachsende, durch → Eumenes [3] II. geschürte Mißtrauen der Römer angesichts diplomatischer Erfolge des P. in Hellas, Rhodos, Bithynia und Syrien (Liv. 42,11–13; App. Mac. 11,1–2). Insbesondere P.' Heirat mit → Laodike [II 9] nebst rhodischem Brautgeleit und die Verschwägerung mit → Prusias II. nährte die röm. Angst vor einer feindlichen Koalition im hell. Osten [2. 497–501; 3. 174 f.]. Als Stütze Philipps V. hatte sich P. schon 199 gegen die → Paiones (Liv. 31,34,6; [1. 148 Anm. 3]), 189 bei der Belagerung von Amphilochia (→ Amphilochoi; Liv. 38,5,10; 7,1; 10,3; [1. 215]) und wohl auch gegen die → Thrakes erwiesen, in deren Gebiet 183 die Stadt Perseis (h. Prilep) gegründet wurde (Liv. 39,53,14–16; [1. 243]). Die → Bastarnae wurden durch die Ehe P.' mit einer Fürstentochter befriedet (Liv. 40,5,10 f.; [1. 246 Anm. 4; 255]).

Hauptziel seiner Regierung war die fortgesetzte Restauration eines ruhmvollen → Makedonia; so wehrte er den Thrakereinfall unter → Abrupolis ab [2. 491 f.]. V. a. intensivierte P. die Beziehungen zur Staatenwelt Griechenlands: Er amnestierte dort lebende maked. Schuldner und Verbannte (Pol. 25,3), gewann neuen Einfluß auf die delphische Amphiktyonie (→ *amphiktyonía*; Syll.[3] 636), umwarb Achaioi, Aitoloi und erfolgreicher die Boiotoi (Liv. 42,12,1–2; 5–7), wo er für die romkritischen Kreise zum Hoffnungsträger für den Wiedergewinn größerer Selbständigkeit wurde, da der Senat ihm die röm.-maked. → *amicitia* bestätigt hatte (Pol. 25,3,1; Liv. 40,58,9; [2. 492–495; 4. 143 f.; 147–157; 5. 191 f.]).

Als P. den Krieg mit Rom nicht mehr abwenden konnte [2. 502 f.; 505–512] und auch 172/1 die Gesandtschaft unter dem Königsfreund Solon in Rom brüskiert worden war (Pol. 27,6,1–4; Liv. 42,48,1–3; vgl. [6. 165–167]), war Makedonia zwar mil. und finanziell gut vorbereitet [2. 503 f.], doch erwies sich die Bündnispolitik als fatal schwach: Nur die Odrysai unter → Kotys [I 3], ab 169 auch der teuer umworbene → Genthios unterstützten P., nicht aber seine Schwäger Prusias und → Antiochos [6] IV., trotz P.' Appellen an monarchische Solidarität gegen Rom (Pol. 29,4,8–10; Liv. 44,24,1–6; [2. 533–537]). Der Zeitzeuge → Polybios [2] (29,6–9) kritisiert zudem, daß P.' Geiz eine Friedensvermittlung Eumenes' II. verhindert hätte. Die Hellenen, die nach dem maked. Sieg bei Kallinikos (171) weithin ihre Begeisterung für P. zeigten (Pol. 27,9,1; 10), einschließlich der mit P. sympathisierenden Rhodier um → Polyaratos [2] (Pol. 27,7,1–5; 14,1–2; 30,8 f.; 28,2,3; [3. 181 f.; 185 f.; 4. 184–191]), rieben ihre Kräfte wesentlich in innenpolit. Kämpfen mit den Romfreunden auf und nutzten P. wenig [4. 184–191]. Bevor dann P. im Juni 168 bei → Pydna von L. → Aemilius [I 32] Paullus vernichtend geschlagen wurde (Liv. 44,33–42, Plut. Aemilius Paullus 18–22,1; [2. 547–557]), hatte ihn schon die röm. Diplomatie besiegt. Auf Samothrake ergab sich P. schließlich den Römern (Liv. 45,4, 2–6,12; Plut. ebd. 26–27); nach dem Triumphzug des Aemilius wurde er in Alba Fucens interniert, wo er 165 (162?) starb (Liv. 45,40,6; 41,10; Plut. ebd. 33 f.; 37; [2. 568 Anm. 3]).

→ Hellenistische Staatenwelt; Makedonia; Makedonische Kriege

1 F. W. WALBANK, Philip V of Macedon, 1940 2 HM 3 3 R. M. BERTHOLD, Rhodes in the Hellenistic Age, 1984 4 J. DEININGER, Der polit. Widerstand gegen Rom in Griechenland 217–86 v.Chr., 1971 5 M. ERRINGTON, Gesch. Makedoniens, 1986 6 E. OLSHAUSEN, Prosopographie der hell. Königsgesandten, 1974.   L.-M.G.

Persica s. Pfirsich

Persinos (Περσῖνος). Epiker der hell. Zeit, aus Ephesos oder Milet. Verf. der orphischen *Sōtéria* (›Lieder für die Rettung‹; Orph. T 178, S. 52 KERN). Zwei Aussprüche sind überliefert, einer über den Tyrann Eubulos, der andere als Antwort auf die Frage ›wer ist der beste Dichter‹ (›nach dem Urteil aller Dichter ist er selbst der beste Dichter, nach dem der übrigen ist es Homer‹). P. schrieb → Linos die Erfindung des Hexameters zu.

SH 666A–666D • U. VON WILAMOWITZ-MOELLENDORFF, Hell. Dichtung, Bd. 1, 1924, 104.   S.FO./Ü: TH.G.

Persis (Περσίς; Strab. 15,3,1 u.ö.; altpersisch *Pārsa*). Region in Südwestiran, die – als Anšan (→ Anschan) – lange Zeit zum Reich von → Elam gehörte und später Heimat der Dyn. der → Achaimenidai [2] und → Sāsāniden war (s.u.).

Griech.-röm. Autoren wie arabische Geographen unterteilen die P. in geogr.-klimatische Zonen: die unfruchtbare und heiße Meeresküstenregion (mit den Häfen), das rauhe, kalte und unwirtliche Bergland und einen äußerst fruchtbaren Landstrich mit wohlbewässerten Talebenen (Curt. 5,4,5–9; Strab. 15,3,1; Arr. Ind. 39,2–4; vgl. Curt. 5,4,24; zu den arab. Autoren s. [1. 328 f.]). Schon seit dem 6. Jt. v.Chr. agrarisch genutzt, gelangte die P. zeitweilig unter sumerischen, ackadischen und protoelamischen, E. des 3. Jt. unter elamischen Einfluß – jeweils mit dem städtischen und polit. Zentrum Anšan (h. Tall-e Malyān); hl. Plätze befanden sich bei Kōrāngūn und → Naqš-e Rostam.

Nachdem wohl schon zu Beginn des 1. Jt. iranische Gruppen in die P. eingewandert waren (und sich mit der indigenen Bevölkerung vermischt hatten), etablierte sich verm. nach der Niederlage Elams gegen Assyrien 646 v.Chr. ein unabhängiges Königreich von Anšan unter einer pers. Dyn. (den Teispiden?). In diese Zeit gehört wohl auch die arch. nachweisbare Transformation einer vornehmlich pastoralistischen in eine vornehmlich, aber nicht ausschließlich seßhafte agrarische Kultur. Dem Teispiden → Kyros [2] II. d.Gr. gelang von der P. aus (Residenz: → Pasargadai) die Gründung eines Weltreiches (gegen → Meder, Lyder (→ Lydia) und Babylonier (→ Babylonia)); unter seinen achäm. Nachfolgern blieb das urbanisierte Pārsa das polit. und »ideologische« Zentrum des noch erweiterten Reiches (Residenz: → Persepolis; Grablege: → Naqš-e Rostam); den »Persern«, d.h. den Bewohnern der P., kam der erste Rang unter den Völkern des Reiches zu.

Von → Alexandros [4] d.Gr. 330 v.Chr. erobert, wurde die Provinz P. seit → Antiochos [5] III. in seleukidischem Auftrag durch indigene Dynasten (Fratarāka) verwaltet, die – nach einer kurzen Phase polit. Unabhängigkeit – nach 140 parthische »Vasallen« (mit Königstitel) wurden. Unter den → Parthern war die P. eine wichtige (und polit. sichere) Region ihres Reiches. Pers. Distriktfunktionäre aus der Familie des Sāsān (→ Sāsāniden) nutzten die parth.-röm. und innerparth. Konflikte zu Beginn des 3. Jh. n.Chr. zur Errichtung einer eigenständigen Herrschaft und lösten bald darauf die parth. Herrschaft über ganz → Iran ab, wobei sie sich auf (myth. oder histor.?) »Vorfahren« aus der P. beriefen und diese Region zum Zentrum ihres (als *Ērānšahr* bezeichneten) Reiches machten (Hauptorte: → Istachr, Fīrūzābād, Bīšāpur, Dārāb). Vor dem 6. Jh. in zahlreiche kleinere, seit Ḫosrou I. (→ Chosroes [5], 531–579) in größere administrative Distrikte unterteilt, fiel die P., die auch Sitz eines nestorianischen Metropoliten geworden war (→ Nestorios), 643 nach heftigen Kämpfen in die Hände der Muslime.

1 X. DE PLANHOL, s.v. Fārs I: Geography, EncIr 9, 328–333 2 J. WIESEHÖFER, s.v. Fārs II: History in the Pre-Islamic Period, EncIr 9, 333, 337.   J.W.

Persisch s. Indogermanische Sprachen;
Iranische Sprachen

Persischer Golf (Περσικὸς κόλπος; *Persicus sinus*). Der
P. G. war zu allen Zeiten ein verbindendes Element,
sowohl zw. den Anrainern als auch als Teil der Handels-
straße zw. Mesopotamien und dem Indus-Gebiet. Arch.
Belege konzentrieren sich auf das 5. vorchristl. Jt. (sog.
'Obēd-Zeit) und die Zeit um 3000 (sog. Ǧamdat Naṣr-
Zeit). Arch. und schriftliche Informationen aus Mesopotamien sind kontinuierlich von der 2. H. des 3. Jt. an
vorhanden. Im 3. Jt. war der P. G. bedeutender Teil der
Handelsverbindungen zw. Mesopotamien und der
→ Indus-Kultur. Auf starken assyrischen Einfluß im
8.–7. Jh. v. Chr. weist die Tatsache, daß verschiedene
Herrscher → Dilmuns (Baḥrain) den assyr. Königen
→ Sargon II., → Sanherib, → Asarhaddon und → Assurbanipal tributpflichtig waren. Unter → Nebukadnezar [2] stand auch die Insel Failaka (h. zu Kuwait) unter
babylonischem Einfluß, und unter → Nabonid ist um
544 v. Chr. ein babylon. Statthalter in Dilmun bezeugt.
Die achäm. Oberhoheit war auf Oman (→ Omana) beschränkt, während die → Seleukiden eine kleine Garnison auf Failaka (griech. Ikaros) und verm. auf Baḥrain
(griech. Tylos) unterhielten. Keramikfunde bezeugen
enge Verbindungen zw. dem parthischen → Iran und
der West-Seite des P. G., und im 2. Jh. n. Chr. residierte
auf Thiloua (Baḥrain) ein durch das Königreich von
→ Charakene (→ Mesene) eingesetzter Gouverneur.
Der erste sāsānidische Herrscher, → Ardaschir [1], führte ebenso wie Schapur II. (→ Sapor) Krieg gegen Ost-
Arabien, und vom 4. bis 7. Jh. n. Chr. war der P. G.
sāsānid. Einflußgebiet.

In dieser Zeit war das nestorianische Christentum
(→ Nestorios) in Ost-Arabien weit verbreitet, wo die
Bischöfe unter der Hoheit des Metropoliten von Rēv-
Ardaschīr (h. Būšīr) an der Küste von Fars standen. Der
Tod des Propheten → Mohammed bewirkte zwar eine
allgemeine Abkehr der neu zum Islam Bekehrten, aber
islam. Gegenmaßnahmen führten rasch zur Auslö-
schung von christl., jüd., zoroastrischen und paganen
Trad. unter der einheimischen Bevölkerung. Die polit.
Kontrolle war während der frühen islam. Jh. regional
organisiert: 'Uyūniden und Karmaten in Ost-Arabien,
Būyiden in Oman.
→ Handel; Indienhandel

D. T. Potts, The Arabian Gulf in Antiquity, Bd. 1–2, 1990.
D. T. P.

Persischer Meerbusen s. Persischer Golf

Persisches Münzsystem
s. Dareikos; Münzprägung II.; Siglos

Persius
[1] P., C. Ein durch seine Bildung herausragender Römer (Lucil. 592–596 Marx; Cic. fin. 1,7; Plin. nat. pr.
7), dem von Zeitgenossen zugetraut wurde, im J. 122

v. Chr. für C. → Fannius [I 1] die rhet. aus den übrigen
Reden des Fannius herausstechende Rede *De sociis et
nomine latino* (gegen die Bundesgenossenpolitik des C.
→ Sempronius Gracchus) geschrieben zu haben (Cic.
Brut. 99: ›von den Älteren‹). Eher einer der ersten
Rhet.-Lehrer in Rom als ein Senator: Cicero paralleli-
siert ihn mit Menelaus aus Marathos, dem Rhet.-Lehrer
des C. Sempronius Gracchus (ebd.). Er dient Lucilius
wie Cicero in den genannten Stellen als Folie für die
Konstruktion eines idealen Lesers.   J. R.

[2] Aulus P. Flaccus.
Röm. Satiren-Dichter neronischer Zeit.
I. Leben II. Werk III. Wirkung

I. Leben
Über sein Leben informiert im allg. wohl zuverlässig
eine ant. Vita, die letztlich auf Suetonius zurückgeht
(Hier. chron. p. 176, 183 H.), so [22], dann aber wohl
für eine glossierte Ausgabe des 4. Jh. (Hier. adversus
Rufinum 1,16) zurechtgemacht wurde (vgl. Vita Z. 42f.
Clausen), die ihrerseits unter dem Namen des berühmten Grammatikers M. Valerius → Probus umlief (Titel
der Hss.: *Vita ... de commentario Probi Valeri sublata*). In
der erh. Form ist sie durch Transpositionen und Interpolationen entstellt.

Danach ist P. am 4.12.34 n. Chr. als Sohn angesehener Eltern ritterlichen Standes und etr. Abstammung in
Volaterrae geboren. Nach dem Besuch der dortigen Ele-
mentarschule ging er mit 12 J. nach Rom, wo er Grammatik bei → Remmius Palaemon und Rhet. bei → Verginius Flavus studierte. Mit 16 J. schloß er sich dem
stoischen Philosophen L. Annaeus → Cornutus [4] an,
der für P.' Lebensführung bestimmend wurde; in seinem Kreis lernte er die Annaei → Lucanus [1] und
→ Seneca d. J. (dessen Art ihn wenig ansprach) kennen.
Zu seinen Freunden zählten außerdem der Dichter
→ Caesius [II 8] Bassus, der Historiker → Servilius No-
nianus, den P. wie einen Vater verehrte, und der Politiker P. → Clodius [II 15] Thrasea Paetus, mit dem er
entfernt verschwägert war. Sein Charakter wird als um-
gänglich, zurückhaltend und anhänglich geschildert.
Bereits mit kaum 28 J. ist er am 24.11.62 an einer Ma-
genkrankheit gestorben; sein Vermögen hatte er seiner
Mutter und Schwester, seine Bibliothek dem Cornutus
vermacht.

II. Werk
Von der lit. Produktion seiner frühen Jahre sind u. a.
eine → Praetexta und Gedichte auf → Arria [1], die
Schwiegermutter des Thrasea, durch P.' Mutter auf An-
raten des Cornutus vernichtet worden. Das unvollendete → Satiren-B., das einzige erh. Werk, fand seinen
Bearbeiter in Cornutus, der den Schluß der 6. Satire
zurechtgestutzt und polit. anstößige Anspielungen ent-
schärft haben soll, seinen Hrsg. in Caesius Bassus. Außerdem sind in den Hss. teils am E., teils am Anf. 14
Choliamben überl., die h. zumeist als Einleitungsge-
dicht gedeutet werden (vgl. [20. 73–98]). In der 1. Satire

setzt P. seine eigenen Intentionen, die sich an der alten Komödie, → Lucilius [I 6] und Horaz (→ Horatius [7]) orientieren, von der Nichtigkeit des zeitgenössischen lit. Betriebes ab. Die 2. Satire handelt vom rechten Gebet, die 3. vom Zwiespalt zw. Wissen und Handeln, die 4. von der Selbsterkenntnis; die 5. ist dem verehrten Lehrer Cornutus zugeeignet und preist die Philos. als Quelle der wahren inneren Freiheit; die 6. ist an Caesius Bassus gerichtet und behandelt den rechten Gebrauch des Reichtums. Im Vergleich mit der stofflichen Vielfalt von P.' wichtigstem Vorbild Horaz (dazu [13]) fällt die Beschränkung auf die Moraldiatribe (→ Diatribe) stoischer Prägung in die Augen. Der dialogisch organisierte Text wird zunächst in privaten Rezitationen vorgetragen worden sein (vgl. [17]). Auch der mit zahlreichen Hapax Legomena, Metaphern und Anspielungen aufwartende Stil, der Motive des Genus voraussetzt und zu übertrumpfen sucht, verleiht der Formulierung der Vita Gewicht: *scriptitavit et raro et tarde* (›literarisch tätig war er sowohl selten als auch spät‹, Z. 41 CLAUSEN).

III. WIRKUNG

Die Vita lehrt auch, daß P. unter den Freunden zumal von Lucanus bewundert wurde, die publizierten Satiren beim Publikum jedoch auf Staunen und Kritik stießen. Schon der nächsten Generation galt er als Klassiker der Satire (vgl. Mart. 4,29f.; Quint. inst. 10,1,94). Spätestens im 4. Jh. wurde eine Kommentierung des schwierigen Textes nötig (s.o.); die erh. Scholien (vgl. [23]; eine kritische Ed. fehlt) bezeugen die Entwicklung einer marginalen Erklärung des 5. Jh., die im Wirkungsbereich des karolingischen Lehrers Heiric von Auxerre (841–876) wieder zu einem selbständigen Lemma-Komm. zusammengefügt und unter den Namen von P.' Lehrer Cornutus (vgl. Vita, p. 39, 42–49 CLAUSEN) gestellt wird. Die ebenso reiche wie gute Textüberl. [24; 25] weist mindestens vier in die Spätant. zurückreichende Stränge auf: (1.) Vat. Lat. 5750, ein Palimpsestfragment des 6. Jh., (2.) Montepess. 125 (9. Jh.), (3.) α (zwei Codices, die letztlich auf ein 402 korrigiertes Exemplar zurückgehen) mit Satiren/Choliamben, (4.) Φ mit Choliamben, Satiren, Scholien und Vita. Fand P. im MA als Moralist großen Anklang, so fühlte sich zumal das 19. Jh. von seinem vielschichtigen Stil abgestoßen, während sich erst neuerdings eine gerechtere Würdigung durchzusetzen beginnt.

→ Satire; Stoizismus

ED.: 1 J. CASAUBONUS, ³1647 2 O. JAHN, 1843 (Ed. maior, cum scholiis antiquis) 3 F. BUECHELER, F. LEO, ⁴1910 (Ed. minor) 4 J. CONINGTON, H. NETTLESHIP, ³1893 5 F. VILLENEUVE, 1918 6 W. V. CLAUSEN, 1956 (Ed. maior) 7 Ders., ²1992 (Ed. minor) 8 W. KISSEL, 1990 (mit dt. Übers. und Komm.).
BIBL.: 9 M. SQUILLANTE, in: ANRW II 32.3, 1985, 1781–1812 (s. auch [8. 7–14, 863–884] und [15. 11–20, 157–160]).
LIT.: 10 F. VILLENEUVE, Essai sur P., 1918 11 W. KUGLER, Des P. Wille zu sprachlicher Gestaltung, 1940 12 C. S. DESSEN, *Iunctura callidus acri*, 1968 13 H. ERDLE, P. Augusteische Vorlage und neronische Überformung, Diss. München, 1968 14 R. A. HARVEY, A Commentary on P., 1981 15 U. W. SCHOLZ, P., in: J. ADAMIETZ (Hrsg.), Die röm. Satire, 1986, 179–230 16 M. COFFEY, Roman Satire, ²1989, 98–118, 285f. 17 W.-W. EHLERS, Zur Rezitation der Satiren des P., in: G. VOGT-SPIRA (Hrsg.), Strukturen der Mündlichkeit in der röm. Lit., 1990, 171–181 18 W. T. WEHRLE, The Satiric Voice, 1992 19 M. SQUILLANTE, Persio: il linguaggio della malinconia, 1995 20 F. BELLANDI, Persio. Dai *verba togae* al solipsismo stilistico, 1996 21 D. M. HOOLEY, The Knotted Throng: Structures of Mimesis in Persius, 1997 22 P. L. SCHMIDT, in: HLL, Bd. 4, 36f.
ÜBERL. UND REZEPTION: 23 Studi su Persio e la scoliastica Persiana, Bd. 1–3.2, 1972–1975 24 P. K. MARSHALL, P., in: L. D. REYNOLDS (Hrsg.), Texts and Transmission, 1983, 293–295 25 B. MUNK OLSEN, L'étude des auteurs classiques latins aux XIᵉ et XIIᵉ siècles, Bd. 2, 1985, 183–220. P. L. S.

Person. Gibt es in der Ant. ein Äquivalent für den modernen Begriff der »P.«, und gibt es Parallelen zu den Eigenschaften, die mit »P.-Sein« assoziiert werden? Die moderne Fragestellung schließt weitere Probleme ein: Beruht das wesenhafte Selbst einer P. auf ihrer biologischen Beschaffenheit oder ihren seelischen Eigenschaften (›Bin ich mein Körper oder mein Geist?‹); ist P.-Sein unabhängig von sozialer Klasse, Geschlecht und vielleicht der Spezies (›Sind Tiere Personen?‹). Ein wichtiges Thema im ant. Denken war die Frage, ob der Mensch dem Wesen nach eine (von dem Körper abtrennbare?) ψυχή (*psyché*, → »Seele«) oder eine psychophysische Verbindung von Seele und Körper sei: vgl. z. B. den platonischen Dualismus (→ Platon, ›Phaidon‹) im Gegensatz zu dem epikureischen Physikalismus (Lucr. 3; → Epikuros). Damit verbunden ist die Frage, ob das Wesen des Menschen aus dem vernunftbegabten Teil der *psyché* oder der *psyché* in ihrer Gesamtheit bestehe (vgl. z. B. Plat. Phaidr. 230a; Aristot. eth. Nic. 1168b 34–1169a 2; 1177b 30–1178a 3; M. Aur. 2,2).

Ein weiteres Problem betrifft die psychologischen Unterschiede zwischen den menschlichen und nichtmenschlichen, oder vernunftbegabten und nicht-vernunftbegabten Wesen: Decken sich die psychologischen Eigenschaften von Menschen (zumindest teilweise) mit denen von Tieren oder Göttern? [1; 2]. Ebenfalls relevant sind Beweisführungen, daß psychologische Eigenschaften (bes. die Fähigkeit zur Tugend) von sozialer Klasse und Geschlecht unabhängig sind, oder daß solche (essentiellen) psychologischen Eigenschaften als Kriterium für sozialpolitischen Status dienen sollen: vgl. z. B. Platons ›Staat‹ (bes. 5), und den → Stoizismus (bes. Zenon aus Kition, ›Staat‹, und Musonius 3–4, 13–14), dazu auch Aristot. pol. 1,4–6 über »natürliche Sklaverei«. Das lat. Wort, das die etym. Grundlage des Wortes »P.« bildet (*persona*, vgl. griech. πρόσωπον, *prósōpon*, wörtl. »Maske«), wird in diesem Zusammenhang in der Vier-Personae-Theorie der mittleren Stoa wichtig (Cic. off. 1,107–121; vgl. Epikt. 1.2; 2,10). Thema ist dort die Verbindung von moralischen Ansprüchen der wesenhaften moralischen Natur des Menschen mit seinem sozialen Status [3].

Der Übergang von der ant. zur mod. Reflexion über die Persönlichkeit geschieht über das Christentum. → Boethius' Definition der P. als *naturae rationalis individua substantia* (›individuelle Substanz einer rationalen Natur‹, Boeth. de duabus naturis 3) verbindet ant. Kategorien (Wesen, vernunftbegabte Natur) mit dem Konzept der Individualität. Daß dann die Individualität (in der nach-cartesianischen Philos. als Ich-zentriertes Selbstbewußtsein definiert) in den Blickpunkt rückt, ist der grundsätzliche Unterschied zw. mod. und ant. Denken über die Persönlichkeit. Das Hauptkriterium der Ant. ist die → Rationalität, oft kombiniert mit der Fähigkeit zur Geselligkeit oder zur Tugend, begriffen als die Eigenschaft von Menschen (oder Göttern) im Gegensatz zu Tieren.

1 C. GILL, Is There a Concept of P. in Greek Philosophy?, in: S. EVERSON (Hrsg.), Psychology, 1991, 166–193
2 R. SORABJI, Animal Minds and Human Morals, 1993
3 C. GILL, Personhood and Personality: the Four-Personae Theory in Cicero, De Officiis I, in: Oxford Studies in Ancient Philosophy 6, 1988, 169–199.

M. FUHRMANN, s. v. P. I, HWdPh 7, 1269–1283 · C. GILL (Hrsg.), The P. and the Human Mind, 1990 · Ders., Personality in Greek Epic, Tragedy, and Philosophy, 1996 (bes. Kap. 5–6).   C. GI./Ü: E. D.

Persona

[1] s. Maske

[2] Juristisch. *P.* ist zwar ein in die Gegenwartssprache eingegangenes Lehnwort aus dem Lat., hat dort aber noch überhaupt nicht die zentrale Bed. wie in der mod., nach-vernunftrechtlichen Rechtskultur (vgl. → Person). Ulp. Dig. 50,17,22 pr. spricht zwar von einer *p. versilis*, also der Persönlichkeit (auch) eines Sklaven. Dies steht jedoch im Zusammenhang mit der Feststellung, daß den Sklaven gerade keine rechtlichen Ansprüche zustehen. Vielmehr war der Sklave – wie weitgehend auch der röm. Haussohn – *p. alieni iuris* (in der Rechtssphäre eines andern). Als Rechtssubjekt hingegen wird die *p.* von Gaius [2] in der Grundkategorie der *p.* gegenüber den Sachen (*res*) und Klagen (*actiones*) angesprochen, und dies gilt auch für die → *actio* [2.B.] *in personam* (persönliche Klage). Von weittragender rechtstechnischer Bed. in der Neuzeit war ferner, daß der röm. Jurist Florentinus – wohl zu größerer Anschaulichkeit – gelegentlich ein Vermögen, das keiner (einzelnen) natürlichen Person zusteht, als funktionsgleich mit einer *p.* bezeichnet (*personae vice fungitur*, Dig. 30,116,3; 46,1,22).
→ Personenrecht

R. DÜLL, s. v. Persona, RE 19, 1040 f.   G. S.

[3] s. Person

Personennamen   I. ALLGEMEINES II. GRIECHENLAND III. ROM UND ITALISCHER SPRACHRAUM IV. MESOPOTAMIEN, SYRIEN/PALAESTINA UND ÄGYPTEN V. KLEINASIEN

I. ALLGEMEINES
A. FUNKTION   B. NAMENSCHÖPFUNG C. NAMENÜBERTRAGUNG

A. FUNKTION
Der P. ist ein individuelles, allgemeingültiges Zeichen zur Benennung einer Person. Der Bedarf, einen P. zu verwenden, besteht, wenn die Gruppe eines sozialen Kontaktes zu groß ist, als daß ihre Mitglieder noch nach ihrer Rolle (z. B. »Mutter«) benannt werden können, und das ist in allen histor. faßbaren Sprachen der Fall. Der P. ist dort ein Universale.

B. NAMENSCHÖPFUNG
Der P. wird, in der Ant. wie h., gewöhnlich bald nach der Geburt gegeben und später beibehalten. Er kann aber auch durch einen neuen ergänzt oder ersetzt werden (Künstlernamen!). Die Möglichkeit, einen P. durch eine im Wortschatz nicht vorhandene Lautfolge neu zu schaffen, ist in entwickelten Sprachen durch natürliche oder sprachspezifische Lautverteilungsregeln beschränkt. Nur die Kindersprache bedient sich ihrer gern; aus ihr gelangen dann einzelne Namen in die Gemeinsprache (lat. *atta* »Papa« > *Atta* als Cogn.; kleinasiat.-griech. Βάβα). Normalerweise werden P. dadurch neu geschaffen, daß eine Person nach der Geburt mit einem Wort glücklicher Vorbedeutung (lat. *Fēlīx*) oder im Laufe ihres Lebens mit einem Appellativum benannt wird, das einen Zug ihrer Erscheinung oder ihrer Gesch. bezeichnet (lat. *Cēnsōrīnus* für einen zweimaligen Censor). Bei der Namenschöpfung entsteht Homonymie zw. Namen und Appellativum (vgl. norweg. Vorname *Liv* und *liv* »Leben«), die zu Wortspielen verwendet werden kann (Cogn. *Aquila* und *aquila* »Legionsadler« bei Cic. Phil. 12,20). Normalerweise wird diese Homonymie durch den Kontext disambiguiert. Morphologische Mittel können dabei helfen: Suffixe, die hauptsächlich bei Namenwörtern verwendet werden (-ōn- in griech. Στράβων/*Strábōn* von στραβός/*strabós* »schielend«; lat. *Catō* von *catus* »schlau«), oder Komposition zu appellativ wenig anwendbaren Gebilden (Ἀγαθοκλῆς/*Agathoklês* »der guten Ruhm hat«).

C. NAMENÜBERTRAGUNG
Der normale Weg der Namengebung in größeren Ges. ist die Namenübertragung, d. h. die Benennung einer Person mit einem in der eigenen oder einer fremden Sprache schon vorhandenen P. Auch dabei entsteht Homonymie (die beiden Αἴαντε/*Aíante* der Ilias), die im engeren Lebenskreis unproblematisch ist. Eine Disambiguierung durch morphologische Mittel ist nur in Einzelfällen möglich (Suffixe: lat. *Mamercīnus* »Sohn eines *Mamercus*«; »Kurznamen« = Kurzformen von Komposita: griech. Ζεῦξις von Ζεύξιππος »der mit geschirrten

Rossen«). Im größeren Kreis erfordert die Identifikation der Person darum weitere Information. Dazu können zusätzlich zum Individualnamen angegeben werden: a) zusätzliche Namenglieder, nämlich der Name α) des Vaters (Patronymikon), β) der Mutter, γ) des Herkunftsorts oder -gebiets oder/und δ) der Familie, oder b) ein passendes Attribut.

Beispiele: a) α) homer. Αἴας Τελαμώνιος, ahd. *Hadubrant Hiltibrantes sunu*, β) etr. *Petvi Unial* »Petvi, der Uni (Tochter)«, γ) griech. Πρόξενος ὁ Βοιώτιος, δ) lat. *Mārcus Antōnius*, b) griech. Διονύσιος ὁ τύραννος, lat. *Cato Censorinus* (Censor 184 v. Chr.) zur Unterscheidung vom jüngeren *Cato Uticensis* (Freitod in Utica 46 v. Chr.).

F. SOLMSEN, E. FRAENKEL, Idg. EN als Spiegel der Kulturgesch., 1922. H. R.

II. GRIECHENLAND
A. ALLGEMEINES B. BENENNUNGSWESEN
C. WORTBILDUNG D. VOLL- UND
KOSENAMEN: BENENNUNGSMOTIVE
E. SPITZNAMEN: BENENNUNGSMOTIVE
F. FRAUEN- UND SKLAV(INN)ENNAMEN

A. ALLGEMEINES
P. sind seit der myk. Epoche bis in die Kaiserzeit in der Lit. sowie in Inschr. und Pap. reichlich belegt; Bildungstypen und Benennungsmotive bleiben im wesentlichen dieselben. Allerdings lassen die griech.-myk. P. oft mehr als eine Deutung zu, vgl. *e-u-ko-ro* (: alphabet-griech. Εὔκλος, Εὔκολος, Εὔχορος). Die meisten P. basieren auf im Griech. verständlichen Wörtern idg. oder nicht-idg. Herkunft. Nicht-griech. P. hat es aber immer gegeben (bes. im myk. Kreta oder in der Spätzeit in Kleinasien, Äg. und It.); einige sind adaptiert worden (Ἀλέξανδρος/*Alexandros* : hethit. *Alakšanduš*), andere bleiben undeutbar (so myth. Namen wie Ὀδυσσεύς/*Odysseús*, Σαρπηδών/*Sarpēdōn*).

B. BENENNUNGSWESEN
Der in klass. Zeit in der Regel am 10. Tag nach der Geburt verliehene P. war oft der des väterlichen Großvaters, seit dem 4. Jh. v. Chr. auch der des Vaters (oder ein Teil davon, z. B. Σω-κράτης Σω-φρονίσκου). In der Lit. sowie in öffentlichen Inschr. und Grabsteinen wird das Patron. (selten das Metronymikon) gebraucht: a) als Adj. auf -ιος (in aiol. Dial. auch -ειος), -ίδης/-ιάδης (z. B. myk. *a-re-ku-tu-ru-wo e-te-wo-ke-re-we-i-jo* /Alektruōn Etewoklewe^hios/, homer. Αἴας Τελαμώνιος, thessal. Σιμουν Αριστουνειος; homer. Ἕκτωρ Πριαμίδης, Ὀδυσσεὺς Λαερτιάδης), b) im Gen. (nach ὁ/ἡ oder παῖς, υἱός). Der Formel [P. + Patron.] kann eine Herkunftsangabe (Stadt, auch Demos oder Phyle) angefügt werden. Von hell. Zeit an werden Doppelnamen (der zweite, oft ein Spitzname, ist durch καί, ὁ/ἡ, ὁ/ἡ ἐπικαλούμενος/-μένη »der sog.« u. ä. eingeführt) gebraucht. In der Kaiserzeit wird das System der lat. *tria nomina* bes. in Kleinasien adaptiert: Praen. und Nomen sind lat., das Cogn. ist griech.

C. WORTBILDUNG
Zu unterscheiden sind: (I) Zweistämmige P. (Vollnamen), die den Typen der griech. Komposita entsprechen: possessiv (Ἐτεο-κλῆς), mit verbaler Rektion (Μενέ-λαος, Στησί-χορος, Λα-έρτης), mit nominaler Rektion (Θεό-δοτος), mit präpositionaler Rektion (Ἔφ-αλος).

(II) Einstämmige P. (Kosenamen), die als »Kurzformen« aus (I) entstanden sind, und zwar entweder (IIa) mit partieller Erhaltung des HG (z. B. homer. Πάτρο-κλ-ος aus Πατρο-κλέης) oder (IIb) mit Aufgabe des HG, z. T. mit Suffixerweiterung (u. a. -ᾶς, -ις, -[ε/ι]ας, -[ι]ων, -λος, -χος; Fem. -ώ, -ιδ-), z. B. Ἄλεξις aus VG Ἀλεξ(ι)°. Oft stehen (IIa) und (IIb) nebeneinander: zu Σωσί-λαος (I) vgl. Σώσι-λος und Σῶσι-ς, -ίας, -έας, -ίων, Σωσ-ώ; zu Κλεο-μένης/-μήδης vgl. Κλέο-μ(μ)-ις, Κλεομμᾶς und Κλέας, Κλέων, Κλεάδας, Fem. Κλεώ, Κλέυλλα.

(III) Einstämmige P. (Spitznamen), die nicht aus (I) entstanden sind: v. a. Appellativa (z. B. Λέων, Σοφία) und Adj. (z. T. mit Akzentverschiebung, Ἄγαθος, Σῖμος/α »stupsnasig« : myk. *si-mo, si-ma*), und auch Ptz. (z. B. Κλύμενος : myk. *ku-ru-me-no*). Einige Derivationssuffixe: -εύς (Κοπρεύς), -ίδας (urspr. Patron.), -ισκος, -ιχος (Deminutiva, auch Ntr. -ιον bei Frauennamen), -τωρ (Nomen agentis, z. B. Ἕκ-τωρ : myk. *e-ko-to*), -ων (individualisierend: Ἀγάθων »der Gute«, Στράβων »Schieler«).

Bei (II) und (III) ist expressive Gemination relativ häufig, vgl. Θεοκκώ (zu Θεό-κλεια), Μίκ(κ)α. Oft läßt sich ein P. schwer unter (II) oder (III) einordnen, z. B. Ἄγαθος, Ἀγάθων, Ἀγαθίων (-ίας, -ις, -υλλος, -ώ): aus Kompos. mit VG Ἀγαθο- oder einfach Spitzname?

D. VOLL- UND KOSENAMEN: BENENNUNGSMOTIVE
Im Bereich der P. ist die Komposition weitaus reicher entfaltet als außerhalb der → Onomastik, denn die Kombinationsmöglichkeiten von VG und HG sind praktisch uneingeschränkt; dazu kommen noch formelle Umstellungen (vgl. Ἀνδρότιμος neben Τίμ-ανδρος).

In der Regel haben P. einen ehrenvollen Sinn und weisen auf positive Eigenschaften hin; dies aber nicht notwendigerweise, vgl. z. B. Μελάμπους (homer.) »mit schwarzem Fuß«, Οἰνόφιλος »Freund des Weines«, Μελάμπυγος »mit schwarzem Hintern«, oder Μόλοβρος (myk. *mo-ro-qo-ro*) »Dreckfresser« [3]. Oft verbirgt der P. (a) eine phraseologische Junktur (die durch verschiedene Komposita ausgedrückt werden kann, vgl. Ἀρχέλαος : Λάρχος, Λαέρτης : myk. *e-ti-ra-wo* /Erti-lāwo-/) bzw. ein Syntagma. Diese können (b) idg. Herkunft sein (→ Indogermanische Dichtersprache) oder (c) auf einer Ersatzkontinuante beruhen; daneben sind aber auch (d) willkürliche bzw. unübersetzbare P. üblich.

Zu (a) vgl. Ὀρσίλαος (Hom. Il. 15,475: ὄρνυθι λαούς), Ὀρσίμαχος (Hom. Il. 9,353: μάχην ... ὀρνύμεν), Σωσίανδρος (Hom. Od. 3,231: ἄνδρα σαῶσαι); Κτήσαρχος (Hdt. 6,34: κτησαμένου τὴν ἀρχήν); vgl. auch Πάσαρχος (und myk. *qa-sa-ko* eher /K^wās-ark^hos/) zur syn. Wz. *kʷā-.

Zu (b): Ἀνδρομένης (homer. μένος ἀνδρῶν : avest. *Nərə-manah-*), Εὐκλέης (: altind.-ved. *Su-śrávas-*) »guten Ruhm habend«, Μεγακλῆς (homer. μέγα κλέος : ved. *máhi śrávas*); so auch die myk. »Kurzform« *a-qi-ti-ta* /Ak^wt^hitā/ (Fem.) »unvergänglich«, vgl. κλέος ἄφθιτον : ved. *śrávo ákṣitam*.

Zu (c): Νικάνωρ, Kontinuante von *e-ka-no* /Ek^hānōr/ »Männer besiegend« (ved. *sah* »besiegen«, got. *sigis* »Sieg«) (vgl. [2]); wahrscheinlich auch Αἰνησιμβρότα, Αἰνησίλεως, Kontinuanten von myk. *ke-sa-da-ra* /Kessandrā/ »die die Männer feierlich anredet«, *ke-ti-ro* /Ke(n)sti-los/ »der das Heer anredet« (*k̂ems-* : ved. *śaṃs*, lat. *censēre*) [1].

Zu (d): Λυσι-κλῆς (neben sinnvollen P. Λύσ-ιππος, Μεγα-κλῆς), Σωσι-φάνης (neben Σωσί-λαος, Εὐ-φάνης), auch homer. Φείδ-ιππος (dazu Φειδιππίδης, Aristoph. Nub. 60ff.), Ἱππό-ξενος, Τιμο-κλῆς; sinnlos Καλλί-αισχρος.

E. Spitznamen: Benennungsmotive

Durch Spitznamen, (s.o. (III) unter C. Wortbildung) werden auffallende Eigenschaften unterschiedlichster Art ausgedrückt. Daraus ergeben sich viele bizarre P. Einige übliche Benennungsmotive (gemeinsam für mask. und fem. P.) sind: Lebensalter (Γέρων : myk. *ke-ro*, Πρεσβύτης; myk. *e-ni-ja-u-si-jo* »Jährling« vgl. Hom. Od. 16,45 ἐνιαύσιος [σῦς]); Geburtsumstände (Τρίτος, -ων, Ὄψιμος : myk. *ti-ri-to*, *o-pi-si-jo* /Opsios/, Νουμήνιος, -νίς, Τριτώ); Aussehen und Auftreten (Κομάτας, Λεῦκος : myk. *ko-ma-we* /Komāwen(t)s/, *re-u-ko*; Βάττος, Βάτταρος »stotternd«); Charakter (Ἀσπάσιος, Ὀφέλτας »Helfer«, Πίστος, vgl. myk. Gen. *a-pa-si-jo-jo*, *o-pe-ta* [kypr. Gen. *o-pe-re-ta-u*], *pe-pi-te-me-no-jo* /Pepit^hmenoio/); Beschäftigung (Ἄγγελος, Ἀγήτωρ, Κυκλεύς : myk. *a-ke-ro*, *a-ke-ta* /^hĀgētās/?, *ku-ke-re-u*; Ἀμαξᾶς »Fuhrmann«); Beziehung zu Göttern (Ἀπολλώνιος/-ία; Διωνύσιος; Ἡφαίστιος, myk. *a-pa-i-ti-jo*; Ἀφροδισία; in der Spätzeit v. a. im Osten echte Götternamen als P., z. B. Ἄρτεμις, Ἑρμῆς, Κυβέλη); Herkunft (Αἰγύπτιος : *a₃-ku-pi-ti-jo*, myk. *a-si-wi-jo* /Aswios/; Fem. myk. *ka-pa-ti-ja* /Karpat^hiā/, Αἰγυπτία, Θετταλή, Λύδη; auch ON als P.: Ἀσία, Δωρίς, vielleicht myk. *ra-pa-sa-ko* /Lampsako-/, vgl. ON Λάμψακος).

Andere Motive (in Auswahl): Tiernamen (Mask. Ἀρνίσκος, Λέων, Ταῦρος : myk. *wa-ni-ko*, *re-wo*, *ta-u-ro*, auch *a-re-ku-tu-ru-wo*, vgl. auch ἀλεκτρύων »Hahn«; Ἀττέλεβος »Heuschrecke«, Τέττιξ »Baumgrille«; Fem. Κορώνη »Krähe«, Μέλισσα »Biene«; Mask. Fem. Σηπία), Pflanzennamen (Mask. Ἄμπελος; Fem. Ἀμπελίς, Ἀνθέμη/-ίς Ῥόδον/-ίς), Materialien (Μάρμαρος »Marmor« : myk. *ma-ma-ro*), Naturelemente und Naturerscheinungen (Ἀστήρ, Δῖνος »Wirbel«; Νεφέλη, vielleicht myk. *a₃-ka-ra*, vgl. αἴγλη »Glanz«), Kleider (Πέπλος : myk. *pe-po-ro*), Geräte (Πίναξ, vielleicht myk. *ko-re-wo*, vgl. κολεόν »Speergriff«), Abstrakta (Λόγος; bes. Fem.: Αἴρεσις, Γνώμη, Δόξα, Μόρφη; Δόσις, Νόησις).

F. Frauen- und Sklav(inn)ennamen

Die fem. P. richten sich generell nach dem Modell der mask. P. (auch in den Motiven, vgl. Νικομάχη), zei-

gen aber Besonderheiten: bei normalen Kompos. unzulässige Motion (Typ Ἀλεξάνδρα : myk. *a-re-ka-sa-da-ra*, Κασσάνδρη, Τιμοστράτη, Εὐρύκλεια); neutr. Nomina (Νόημα, Δώρημα, Λάλημα) als fem. PN, auch Adj. (Ἴλαρον, Σῖμον, Σύνετον, Λίγυρον) und Deminutiva (auf -ιον: Αἴσχριον, Ἀριστίον, Μίκιον, Μόσχιον, Χοιρίδιον). Kurznamen wurden zunächst bei Unfreien, Sklavinnen, Hetären, erst in der Kaiserzeit bei bürgerlichen Frauen gebraucht. Spezifische Sklavennamen gab es eigentlich nicht (vornehme P. tragen auch bescheidene Leute, vgl. myk. *ka-ra-u-ko* : Γλαῦκος, *e-ke-da-mo* /^hEk^he-dāmos/ als P. von Hirten). Üblich waren für Sklav(inn)en Spitznamen, v. a. die Ethnika und geogr. Namen als Ersatz von autochthonen P., auch myth. und histor. P. (z. B. Κροῖσος, Κῦρος, Πάρις).

→ Onomastik; Völker- und Stammesnamen

1 J. L. García-Ramón, Mycénien *ke-sa-do-ro* /Kessandros/, *ke-ti-ro* /Kestilos/, *ke-to* /Kestōr/ : grec alphabétique Αἰνησιμβρότα, Αἰνησίλαος, Αἰνήτωρ et le nom de Cassandra, in: J. P. Olivier (Hrsg.), Actes du IXème Colloque International des Ét. Mycéniennes (Athen 1990), 1992, 239–255 2 M. Meier-Brügger, Ἔχω und seine Bedeutung im Griech., in: MH 33, 1976, 180f. 3 G. Neumann, Griech. μολοβρός, in: HS 105, 1995, 75–80.

Bechtel, HPN • Ders., Kleine onomastische Stud., 1981 • E. Fraenkel, s. v. Namenswesen, RE 16, 1611–1648 • Fick/Bechtel • C. G. Fragidakis, Die att. Sklavennamen, 1988 • H. von Kamptz, Homer. P., 1982 • O. Landau, Myk.-Griech. P., 1958 • LGPN • O. Masson, Onomastica Graeca Selecta, 2 Bde., 1990 (hrsg. von C. Dobias-Lalou und L. Dubois) • Ders., Remarques sur les noms de femmes, in: MH 47, 1990, 129–138 • G. Neumann, Die homer. P. Ihre Position im Rahmen der Entwicklung des griech. Namenschatzes, in: J. Latacz (Hrsg.), Zweihundert Jahre Homer-Forschung, 1991, 311–328 • Ders., Wertvorstellungen und Ideologie in den P. der myk. Griechen, in: AAWW 131 (1994), 1995, 127–166 • R. Schmitt, Idg. Dichtersprache und Namengebung, 1974 • Ders., Morphologie der Namen: Vollnamen und Kurznamen bzw. Kosenamen im Idg., in: E. Eichler u. a. (Hrsg.), Namenforschung, Bd. 1, 1995, 419–427 • Ders., Entwicklung der Namen in älteren idg. Sprachen, in: Ebd., 616–636 • H. Solin, Die griech. P. in Rom, 1982 • F. Solmsen, Idg. EN als Spiegel der Kulturgesch., 1922 (hrsg. von E. Fraenkel). J.G.-R.

III. Rom und italischer Sprachraum
A. Familienname B. Namensystem
C. Geschichte

A. Familienname

Die ant. P. in Rom und (Mittel-)It. unterscheiden sich durch die dort aufgekommene Institution des (von dem Vater auf die Kinder vererbten) Familiennamens (→ Gentile) von allen P.-Systemen der gleichen und früheren Zeit. Der Familienname tritt zuerst kurz nach Beginn der Gesch. E. des 7. Jh. v. Chr. am unteren Tiber auf (Etrusker, Römer, Falisker). Im übrigen Mittelit. liegt er bereits vor, wenn die einheimische Namenüberl.

im 4. Jh. v. Chr. einsetzt, bei den → Messapii seit dem 3. Jh. v. Chr., bei den → Veneti noch später. Mit der → Romanisierung breitet sich das Gentile über den Rest Italiens und das ganze Imperium Romanum aus. Nach dem Verschwinden der altital. Familienaristokratien in der Kaiserzeit zerbröckelt das Familiennamensystem; zum Ausgang der Ant. ist es verschwunden. Die administrativ wie·juristisch (z.B. im Erbrecht) praktische Institution wurde in nordit. Städten im 9./10. Jh. n. Chr. wieder aufgegriffen und hat von dort ihren Siegeszug in die ganze Welt angetreten.

B. Namensystem

Im röm.-mittelital. Namensystem ist der P. aus mehreren selbständigen Gliedern zusammengesetzt. Ein röm. Männername der späten Republik wie *Q. Numerius Q. f. Vel. Rufus* (CIL I² 759) enthält: (a) das → Praenomen, den alten Individualnamen (Sigle *Q* = → *Quintus*), (b) das → Gentile, den Familiennamen (*Numerius*), (c) die Filiationsangabe, die das Praen. des Vaters im Gen. (meist als Sigle) vor abgekürztem *f*(*ilius*) nennt (*Quinti filius* »Sohn des Quintus«) und in hochoffiziellen Texten noch das Praen. des Großvaters hinzufügt (vgl. Fasti consulares, 260 v. Chr.: *Cn. Cornelius L. f. Cn*(*aei*) *n*(*epos*) *Scipio Asina*), (d) die Angabe der → Tribus in einer festgelegten Abkürzung (*Vel*(*inā tribū*): Abl. qualitatis) und (e) das → Cognomen, das als Individual-Cogn. der jüngere Individualname war und als erbliches Cogn. zur Unterscheidung der Zweige (*stirpes*) einer Adelsfamilie (→ *gens*) diente (kombiniert etwa in *Scipio Asina*). Da das Cogn. auch in der späten Republik noch nicht allg. üblich war (es fehlte etwa dem Sieger über die Cimbri C. Marius [I 1] oder dem Triumvirn M. Antonius [I 9]) und da der älteste Sohn meist das Praen. des Vaters übernahm, erlaubte das System nicht immer die Identifikation einer Person, v. a. zw. den Generationen; im allg. erfüllte es aber seine Funktion auch in einer umfangreichen Gesellschaft vorzüglich.

Zum Namen einer röm. Frau gehören Gent. und Filiationsangabe, dazu ein Individualname, der in älterer Zeit an der Stelle des Praen. (*Mino*(*r*) *Mamia Tib*(*eri*) *f*(*ilia*) o.ä.), später an der des Cogn. steht (*Minucia N. f. Maior*); informelle Texte nennen meist nur das Gent. (z. B. *Clodia*). → Freigelassene benutzen das Namenformular der Freigeborenen; *f*(*ilius*)/*f*(*ilia*) ist durch *l*(*ibertus*)/*l*(*iberta*) ersetzt und die Praen.-Sigle des Vaters durch die des → *patronus* (bei einer *patrona* durch Ɔ = *mulieris*); das Cogn. ist der alte Sklavenname (*A*(*ulus*) *Pupius A*(*uli*) *l*(*ibertus*) *Antiochus*, *Mummia L*(*uci*) *l*(*iberta*) *Zosima*). Bei Sklaven wird neben dem Sklavennamen entweder nur das Gent. des Herrn im Gen. (*Faustus Manli*) oder zusätzlich dessen Praen.-Sigle und *s*(*ervus*) angegeben (*Philippus Caecili L. s.*). Außerhalb des Systems stehen Spitz- und Kosenamen (Catullus [1] nennt *Mamurra* stets *Mentula* »Penis« und *Clodia* stets *Lesbia*).

Die P. der übrigen Sprachen in Mittelit. sind grundsätzlich wie die röm. aufgebaut. Die Tribusangabe fehlt überall; das Cogn. ist seltener; selten sind auch die lat. *filius/filia* entsprechenden Wörter (etr. *clan, seχ*); die

Frauen geben meist einen Vornamen an. Beispiele (P = Praen., G = Gent., F = Filiation, C = Cogn., M_G M_P = G und P der Mutter): (a) Männernamen: osk. *G*(*aavis*) *Paapii*(*s*) *G*(*aavieís*) *Mutíl* (PGFC); etr. *Vel Tite Meluta Arnθal* (PGCF); falisk. *Uoltio Uelmineo Titio Sceua* (PGFC); südpiken. *Titúm Anaiúm Audaqúm* (PGC); umbr. *Vuvçis Titis Teteies* (PFG); messap. *Dazes Blatθehias Plastas* (PGF). (b) Frauennamen: etr. *Θania Σeiati Trepunia A*(*rn*)*θ*(*al*) *seχ* (PGCF); osk. *Saluta Scaifia U*(*ibieis*) (PGF); falisk. *Cauia* [*U*]*ecilia Uoltilia* (PGF). Bemerkenswert: im Umbr. und oft im Falisk. ist das Vater-Praen. ein patronymisches Adj. (*Titio- Uoltilio-* zu *Tito- Uoltio-*); im Umbr. (*Titis*; auch im Südpiken.?) steht die Filiationsangabe vor dem Gent.; im Etr. enthält der P. oft auch den Namen (meist das Gent.) der Mutter (*Arza Veti Naverial* PGM_G, *Velθur Partunus Larisaliσa clan Ramθas Cuclnial* PGFM_PM_G).

C. Geschichte

Dem Familiennamensystem ging überall in It. ein Patron.-System voraus, in dem eine Person mit Individualnamen und einem adjektivischen Patron. (s.o. III. B. Namensystem, ferner I. Allgemeines) benannt wurde. Das ergibt sich aus (a) dem in allen anderen (nicht vom Lat. beeinflußten) idg. Sprachen verwendeten Patron.-System, (b) aus der Etym. der Gentilnamen, die weit überwiegend patronymische Adj. sind: lat. *Marcius* ist von *Marcus*, osk. *Pakuliís* von *Paakul*, etr. *Larecena* von *Larece* (vgl. σuθina »zum Grab σuθi gehörig«) abgeleitet, (c) aus Spuren in der ältesten Überl. (lat. *Numa Pompilius, Tullus Hostilius* als Söhne eines *Pompius* bzw. *Hostus* usw.; gleich große lexikalische Variation von ersten und zweiten Namen in etr. Inschr. von 700–625 v. Chr.).

Gegen E. des 7. Jh. v. Chr. wurde das Patron. vom Vater auf den Sohn, den Enkel und weiter vererbt und damit zum Familiennamen. Die Verminderung der Zahl der zur Auswahl stehenden Praenomina im 6./5. Jh. v. Chr. in Rom und Etrurien und ihre neue Funktion, das Bürgerrecht anzudeuten, erforderte die Einführung einer neuen (diesmal genetivischen) Filiationsangabe und eines neuen Individualnamens, des Cognomens. Zu Beginn der Kaiserzeit, als mit Rom nur noch ein Staat und mit Lat. nur noch eine Sprache mit einem Gentilnamensystem bestand, dazu die Zahl der das Praen. ihres *patronus* übernehmenden *liberti* (»Freigelassenen«) anwuchs, verlor das Praen. seine Funktionen und wurde wie die Filiationsangabe allmählich aufgegeben. Dank der zunehmenden → Adoptionen der neuen Aristokratie gab es viele Personen mit mehreren Gentilnamen, dank der Freilassungen der Kaiser Tausende mit gleichem Gent. (Endpunkt: → Constitutio Antoniniana 212 n. Chr.), so daß auch dessen Identifikationsmöglichkeit zurückging. Mit dem → Supernomen wurde zu Ausgang der Ant. das Familiennamensystem durch eine neue Einnamigkeit abgelöst.

→ Cognomen; Gentile; Onomastik; Praenomen

E. CAMPANILE, Stammbaum e Sprachbund: Il caso dell'onomastica femminile nel mondo italico e latino, in: Incontri Linguistici 16, 1993, 47–60 · G. COLONNA, Nome gentilizio e società, in: SE 45, 1977, 175–192 · B. DOER, Die röm. Namengebung, 1937 (Ndr. 1974) · M. DUVAL (Hrsg.), Actes du colloque international sur l'onomastique latine, 1977 · R. HIRATA, L'onomastica falisca e i suoi rapporti con la latina e l'etrusca, 1967 · M. LEJEUNE, L'anthroponymie osque, 1976 · A. L. PROSDOCIMI, Sul sistema onomastico italico. Appunti per il dossier, in: SE 48, 1980, 232–249 · H. RIX, Zum Urspr. des röm.- mittelital. Gentilnamensystems, in: ANRW I 1, 1972, 700–758 · R. SCHMITT, Das idg. und das alte lat. P.-System, in: O. PANAGL, T. KRISCH, Lat. und Idg., 1992, 369–393.

H. R.

IV. MESOPOTAMIEN, SYRIEN/PALAESTINA UND ÄGYPTEN

Die Onomastika Mesopotamiens, Syrien-Palaestinas und Ägyptens weisen eine Reihe fundamentaler Gemeinsamkeiten hinsichtlich ihres kulturellen Kontextes, ihrer Struktur und Semantik auf, die es rechtfertigen, trotz einer Fülle von Unterschieden im Detail von einer gemein-altorientalischen P.-Gebung zu sprechen. Überall wird die Person durch ihren Namen nicht nur identifiziert, sondern auch charakterisiert und repräsentiert. Wer den Namen deutet, kennt die Person; wer den Namen in bestimmten Situationen ausspricht, verfügt über sie. Daraus folgt: a) P. müssen verständlich sein. Sie entstammen daher fast immer der Umgangssprache oder (einer) der Schriftsprache(n) der Namengeber. b) Jede Person besitzt, von sekundären Thron-, Beamten- und Spitznamen abgesehen, nur einen einzigen Namen; sie bekommt ihn von den Eltern bei der Geburt und behält ihn bis zum Tod bei. Grundlegende Unterschiede zw. Männer- und Frauennamen gibt es nicht.

Überall lassen sich strukturell vier Hauptgruppen differenzieren:

1. Einwortnamen, z. B. sumerisch *ka'a*, »Fuchs«; akkadisch *barbaru*, »Wolf«; amurritisch *himār*, »Esel«; hurritisch *šešfe*, »Zicklein«; ugaritisch *klb*, »Hund«; hebräisch *ya'il*, »Steinbock«; altaram. *g'l*, »Mistkäfer«; äg. *wnš*, »Wolf«.

2. Regens-Rectum(= Genitiv)-Verbindungen, z. B. sumer. Lú-G(ottes)N(ame); akkad. *Awīl*-GN; amurrit. *Mut*-GN; ugarit. *mt*-GN; luwisch GN-*ziti*; äg. *s-n*-GN, alle »Mann des GN«.

3. Satznamen mit nominalem und verbalem Prädikat, z. B. sumer. GN-mansum; akkad. GN-*iddinam*; amurrit. *Yantin*-GN; hurrit. *Arib*-GN; ugarit. GN-*ytn*; hebr. *Natan*-GN; altaram. GN-*ntn*; äg. *rdj.n.f-n.j*, alle »GN/er hat (mir) (scil. das Kind) gegeben«. Bei den Verbalsatznamen lassen sich vergangenheitliche Aussagen von Wünschen unterscheiden.

4. Hypokoristika, die unter Weglassung eines der Namenselemente und eventuell Hinzufügung eines hypokoristischen Suffixes gebildet werden.

Innerhalb dieser Gruppen kennen bes. das Akkad. und Äg. mannigfaltige Ausdrucksmöglichkeiten, während die Onomastika des Sumer., Hurrit. und NW-Semitischen strukturell ärmer sind.

Den Strukturgruppen sind überall ähnliche semantische Typen zugeordnet:

1. Einwortnamen sind meist profan und nennen eine Eigenschaft des Namensträgers. Typisch sind Bezeichnungen für Tiere, Pflanzen, Gegenstände (»Schminkkästchen«), Körperfehler, Berufe, Herkunft (»der aus Memphis«), Zeit der Geburt (»Sohn des 20. Monatsges«) und Stellung in der Familie (»Zweiter«). Einwortnamen sind bes. bei Frauen gebräuchlich.

2. Regens-Rectum-Verbindungen sind überwiegend theophor und nennen die Zugehörigkeit des Namensträgers zu einer Gottheit. Der Namensträger wird meist als »der/die (der Gottheit)«, »Mann/Frau«, »Diener(in)« oder »Sohn/Tochter« der Gottheit bezeichnet. Eine zweite Gruppe von Regens-Rectum-Namen ist profan und nennt einen Herkunftsort (»Mann aus Ort NN«).

3. Die Satznamen sind überwiegend theophor. Hauptthema ist verständlicherweise das Wirken der Gottheit bei der Geburt des Kindes: Sie »hat gegeben«, »hat erschaffen«, »hat beschützt«, »hat geholfen«, »hat sich erbarmt«, »hat erhört«, »hat gesehen«, »hat erwählt«, »hat Recht verschafft« usw., wobei als Objekt das Kind oder den Namengeber zu ergänzen sind. Die gleichen Aussagen treten als Wunsch (»die Gottheit möge geben« usw.) oder in nominaler Stilisierung (»die Gottheit ist Geber«, »die Gottheit ist Schutz« usw.) auf. Aussagen wie »Gott ist Hilfe« sind nur scheinbar theologisch abstrakt; tiefenstrukturell liegt »Gott ist Hilfe für mich (d. h. den Namengeber o. ä.)« vor.

→ Theophore Namen

1 D. O. EDZARD et al., s. v. Namengebung, RLA 9, 94–134 (zur sumer., akkad., hethit., hurrit., amurrit. und westsemit. Onomastik) 2 E. EICHLER et al. (Hrsg.), Namenforsch. Ein internationales Hdb. zur Onomastik, 1995 (zur äg., sumer., akkad., eblait., amurrit., ugarit., phöniz. und hebr. Onomastik) 3 H. RECHENMACHER, P. als theologische Aussage (Arbeiten zu Text und Sprache im AT 50), 1997 4 M. P. STRECK, Das amurrit. Onomastikon der altbabylonischen Zeit, 2000 (mit Bibliogr. zur semit. Onomastik) 5 P. VERNUS, s. v. Name; Namengebung; Namenbildung, LÄ 4, 320–337.

M. S.

V. KLEINASIEN

Das hethitisch-luwische Onomastikon ist überwiegend in den Texten der hethit. Archive aus Tapikka, Šarrišša, Šapinuwa (Ortaköy) sowie aus → Alalaḫ, → Ugarit und Emar (Meskene) während der Periode des hethit. Reiches (17.–13. Jh. v. Chr.) belegt. Die ältesten PN liegen bereits in Dokumenten der altassyrischen Handelskolonien (→ Kaneš) in Anatolien vor (20./19. Jh. v. Chr.). Seit der mittelhethit. Zeit (15. Jh.) findet sich eine große Anzahl hurritischer PN (→ Hurritisch), v. a. in der Aristokratie von Ḫattusa: Bei der Krönung legten die Herrscher ihren hurrit. Namen zugunsten eines anatolischen Thronnamens ab. Im Westen Anatoliens traten myk. Namen auf, wie z. B. *Alakšanduš* (myk. *a-re-ka-sa-da-ra*, griech. *Aléxandros*), *Tawagalawa* (griech. *EteßokléßeFs*, myk. *E-te-wo-ke-re-we-i-jo*) und evtl. *Kukkunnis* (griech. *Kýknos*) [1; 4; 5].

Den Ritus der Namengebung beschreibt ein myth. Text: Die Hebamme legt dem Vater das Neugeborene in den Schoß, und er gibt ihm einen »wohlklingenden Namen« (TUAT 3, 833). Männliche und weibliche Namen werden in der Regel graphisch durch Determinative unterschieden; andererseits sind sie mit charakteristischen Elementen, z. B. (luw.) -*ziti*, »Mann« oder (luw.) -*muwa*, »Stärke, Kraft« für männl. bzw. -*wanatti*, »Frau« oder dem Suffix »-*ti*« für weibl. P. gebildet.

Bezeugt sind folgende Namenstypen [2; 3]:

1. Reduplikations- oder Lallnamen, wie *Kaka*, *Kiki*, *Lala*, *Nini* oder *Ababa*, *Amama*, *Kuzkuzi*, *Pupuli* usw.

2. Auf die Herkunft bezogene P. sind mit den Suffixen -*aili* (-*ali*), -*ili* und -*wiya*, z. B. Ḫattusili (»der aus Ḫattusa«) oder *Zip(pa)lantawiya* (»die aus der Stadt Zippalanda«), bzw. mit dem bereits in altassyr. Texten belegten Derivationssuffix hethit. -*umma*, luw. -*wanni*, z. B. *Urawanni* (»der aus der Stadt Ura«), gebildet.

3. Theophore P. sind überaus häufig, so z. B. *Ša(w)ušga-ziti*, »Mann (der) Ša(w)ušga«, *Arma-piya*, »Gabe des Mondgottes«, *Tarḫu-nani*, »der Wettergott (ist) Bruder«. Häufig sind auch P., die zwei Götternamen enthalten, z. B. *Arma-Tarḫunta*, »Mondgott-Wettergott«.

4. Nach Tieren gebildete Namen sind z. B. *Mašḫuiluwa* (hethit. *mašḫuil*, »Maus«), *Kurkalli* (*kurka*-, »Fohlen«), *Targaš(ša)nalli* (*targašna*-, »Esel«), *Ḫarana-ziti* (*ḫarana*-, »Adler«), »Adlermann«.

1 H. G. GÜTERBOCK, Troy in Hittite Texts? Wilusa, Ahhiyawa, and Hittite History, in: M. MELLINK (Hrsg.), Troy and the Trojan War, 1984, 33–44 **2** H. A. HOFFNER JR., s. v. Name, Namengebung, RLA 9, 116–121 **3** E. LAROCHE, Les Noms des Hittites, 1966 **4** J. PUHVEL, Homer and Hittite, 1991 (Rez.: J. TISCHLER, in: Beitr. zur Namenforsch. NF 27, 1992, 461–466). V. H.

Personenrecht I. ALTER ORIENT
II. PHARAONISCHES ÄGYPTEN
III. JÜDISCHES RECHT
IV. KLASSISCHE ANTIKE

I. ALTER ORIENT
A. ALLGEMEINES B. RECHTSFÄHIGKEIT
C. FAMILIENFORTSETZUNG

A. ALLGEMEINES

Der dem röm. Recht entstammende Begriff P. umfaßt die Rechtsstellung der Einzelperson im Rechtsverkehr, gegenüber der Familie und gegenüber der Ges.; je nach Definition sind Familien- und Erbrecht Bestandteile des P. Für die → Keilschriftrechte als – im Gegensatz zum entwickelten röm. Recht – vorwiss. Rechtsordnungen handelt es sich um der Übung entspringende Rechtsinstitute; die hier verwendeten modernen Kategorien sind anachronistisch. Quellen und Vorarbeiten zu den Rechtsordnungen liegen für die einzelnen Regionen des Alten Orients unterschiedlich vor. Das P. in → Nuzi (s. dazu [7]) und das neuassyrische P. (1. H. 1. Jt.

v. Chr.; [15]) zeigen dem jüd. P. (s. u. III.) ähnelnde Züge.

B. RECHTSFÄHIGKEIT

»Individuum« ist ein mod. Begriff. Den Einzelmenschen des Alten Orients kennzeichnen seine Stellung in Familie und Ges. sowie sein Name, gegebenenfalls mit Filiation, bei Frauen mit dem Mannesnamen.

Ein altersmäßig umrissener Eintritt der Geschäftsfähigkeit ist nicht bekannt, ebensowenig die Gepflogenheiten für elterliche Gewalt, Vormundschaft und Pflegschaft (zu Namengebung und Alterskategorien neusumerisch/altbabylonisch, 21./17. Jh., s. [22. 215–219, 301 f.]; neuassyr. [15. 125–134]; zu elterlicher Gewalt [23. 155 f.]). Familienstand und Geschlecht wirkten sich auf die Rechtsfähigkeit nicht aus. Die Stellung der → Frau veränderte sich – tatsächlich oder rechtlich – im einzelnen; sie darf nicht als durchweg gering erachtet werden und war auch nicht in erster Linie mit der Jungfräulichkeit verbunden (z. B. [10]). Frauen sind als Haushaltsvorstand seit der Farazeit (26. Jh. v. Chr.) belegt. Eine »Juristische Person« gab es nicht; zu Geschäftszwecken assoziierte Personen waren nur vertraglich verbunden (z. B. [14]); s. a. → Berufsvereine I.).

Die Ges. bestand aus Freien und Sklaven. Quellen der → Sklaverei waren v. a. Kriegsgefangenschaft, Delikte, Verkauf von Familienangehörigen oder Selbstverkauf (z. B. neusumer. [6. 82–90]). Sklavenstatus bedeutete nicht zwingend Geschäftsunfähigkeit (z. B. neuassyr. [15. 220–222]). Die soziale Stellung berührte den rechtlichen Status nicht (→ Adel [1]); allerdings existierten auch rechtlich beachtliche Abhängigkeiten (z. B. [16. 307; 4. 115]). Ein »Bürgerrecht« war unbekannt; die Fremden (*aḫûm*; → Fremdenrecht), insbes. die Nomaden, galten eben als »fremdartig«.

C. FAMILIENFORTSETZUNG

Die Rolle der → Familie und deren Fortsetzung hat biologische, rel. und wirtschaftliche Aspekte. Rechtlich sind v. a. → Ehe, → Adoption, Arrogation und → Erbrecht relevant; ferner erstreckte sich die Haftung meist auf Familienangehörige. Die wirtschaftliche Bed. spiegelt der Terminus »Haus« (sumer. É/akkadisch *bītum*); er bezeichnet bereits altakkad. den familiären Wirtschaftsverband und altassyr. die »(Familien-)Firma«. Belege aus neusumer. und altbabylon. Zeit deuten auf ungeteilte Erbengemeinschaften. Dem Ausscheiden aus der Familie waren entsprechend deren Wichtigkeit enge Grenzen gesetzt. Die Vermögensweitergabe diente auch der Sicherung des Unterhalts der Elterngeneration [17–21]. Der Blick aus heutiger Sicht verdeckt, daß erbrechtlich vorwiegend unter Lebenden – u. U. mit Wirkung auf den Todesfall – verfügt wurde: Entweder man ersetzte adoptionsartig den fehlenden Leibeserben oder bestimmte vermächtnisartig die Anteile der Familienmitglieder; ein Testament im eigentlichen Sinn und die willkürliche Einsetzung familienfremder Erben gab es nicht. Die Variationsbreite »erbrechtlicher« Abmachungen war groß; sie scheint jede denkbare Interessenlage abgedeckt zu haben.

Wie anderwärts werden in der Frühzeit des Alten Orients die Hauskinder unmittelbar geerbt haben. Schon in frühdyn. Zeit (25./24. Jh.) ist teilweise beachtlicher Privatbesitz belegt [16. 272–280], der bereits zu gewillkürter Vermögensweitergabe geführt haben könnte; ab der altbabylon. Zeit ist diese direkt bezeugt (ferner z. B. mittelassyr.). Natürliche Erben waren altbabylon. die Söhne, u. U. auch die mit einer Sklavin (Codex Hammurapi §§ 170 f.), ersatzweise Bruder oder Vatersbruder. Die Ehefrau war kein natürlicher Erbe, konnte aber Zuwendungen durch Verfügung unter Lebenden oder von Todes wegen erhalten, selbst neben Söhnen. Töchter waren wohl erbfähig; sie wurden aber häufig über die → Mitgift abgefunden. Diese fiel beim Tod den Kindern zu bzw. an die Frauenfamilie zurück. Mitunter erhielt der älteste Sohn einen Vorzugsanteil (z. B. lokal altbabylon. [12. 27–33]) oder Vermögen stand bei Wiederverheiratung der Frau den erstehelichen Kindern zu (z. B. mittelassyr. [3]). Andere Sonderrechte oder -güter sind nicht festzustellen. Die Annahme an Kindes Statt (sumer. NAM.DUMU/akkad. *mārātum*) ist bereits im 3. Jt. belegt [17. 53–55; 6. 110]. Gab es eine Tochter, war es möglich, deren Familie durch Eintritt des jungen Ehemanns fortzusetzen (neusumer. [11]). Als Annehmende finden sich auch alleinstehende Frauen, angenommen wurden Sklaven, (bes.?) Findelkinder und Mädchen, ferner Erwachsene (altbabylon./altassyr./neuassyr.) und Ehepaare (altassyr.). Die Verträge enthalten häufig Unterhaltsverpflichtungen (auch mittelbabylon.; [17–20]). Neuassyr. ist der Verkauf in die Adoption oder Ehe belegt [15. 134–144]. In → Nuzi diente die sogenannte »Immobilien-Adoption« der Begründung eines Versorgungs- oder Schutzverhältnisses [4. 117 f.; 16. 305]. – Enterbung war im gesamten Alten Orient grundsätzlich möglich (vgl. z. B. [6. 110 f.]).

1 F. R. KRAUS, Vom altmesopotamischen Erbrecht, in: J. BRUGMAN et al. (Hrsg.), Essays on Oriental Laws of Succession, 1969, 1–17 **2** Ders., Erbrechtliche Terminologie im alten Mesopotamien, in: s. [1], 18–57 **3** M. DAVID, Ein Beitrag zum mittelassyr. Erbrecht, in: s. [1], 78–81 **4** G. DOSCH, Zur Struktur der Ges. des Königreichs Arraphe, 1993 **5** E. EBELING, s. v. Erbe, Erbrecht, Enterbung, RLA 2, 458–462 **6** A. FALKENSTEIN, Die neusumer. Gerichtsurkunden, Bd. 1, 1956, 81–116 **7** C. H. GORDON, Parallèles nouziennes aux lois et coutumes de l'ancien testament, in: Rev. Biblique 44, 1935, 34–41 **8** S. GREENGUS, Legal and Social Institutions of Ancient Mesopotamia, in: J. M. SASSON (Hrsg.), Civilizations of the Ancient Near East, Bd. 1, 1995, 469–484 **9** R. HAASE, Einführung in das Studium keilschriftlicher Rechtsquellen, 1965, 49–78 **10** J. HENGSTL, »Liebe« im Spiegel der sumer.-altbabylon. Codices, in: Ant. Welt 17, 1985, 56–58 **11** Ders., Die neusumer. Eintrittsehe, in: ZRG 109, 1992, 31–50 **12** J. KLIMA, Unt. zum altbabylon. Erbrecht, 1940 **13** V. KOROŠEC, Keilschriftrecht, in: HbdOr, Erg.-Bd. III, 1964, 49–219 **14** H. LANZ, Die neubabylon. *ḫarrānu*-Geschäftsunternehmen, 1976 **15** K. RADNER, Die neuassyr. Privatrechtsurkunden, 1997 **16** J. RENGER, Institutional, Communal, and Individual Ownership or Possession of Arable Land in Ancient Mesopotamia ..., in: Chicago-Kent Law Review 71, 1995, 269–319 **17** C. WILCKE, Care of the Elderly in Mesopotamia in the Third Millennium B. C., in: M. STOL, S. P. VLEEMING (Hrsg.), The Care of the Elderly in the Ancient Near East, 1998, 23–57 **18** M. STOL, Care of the Elderly in Mesopotamia in the Old Babylonian Period, in: s. [17], 59–117 **19** K. R. VEENHOF, Old Assyrian and Ancient Anatolian Evidence for the Care of the Elderly, in: s. [17], 119–160 **20** G. VAN DRIEL, Care of the Elderly: The Neo-Babylonian Period, in: s. [17], 161–197 **21** R. WESTBROOK, Legal Aspects of Care of the Elderly in the Ancient Near East, in: s. [17], 241–250 **22** C. WILCKE, Familiengründung im alten Babylonien, in: E. W. MÜLLER (Hrsg.), Geschlechtsreife und Legitimation zur Zeugung, 1985, 213–317 **23** R. YARON, The Laws of Eshnunna, 1988.
JO. HE.

II. PHARAONISCHES ÄGYPTEN

A. RECHTSSUBJEKTE

B. FAMILIENFORTSETZUNG

C. OPFERSTIFTUNGEN

A. RECHTSSUBJEKTE

Die markanten Darstellungen der äg. Kunst zeichnen ein individuelles Persönlichkeitsbild, welches in den schriftlichen Quellen keine Entsprechung findet. Für das AR lassen die Quellen auf eine dreigeteilte Ges. schließen. Sie bestand aus → Adel (Fürsten und Beamten: *pˁ.t*), aus deren Untergebenen und Abhängigen (*mr.t*, Kollektivum *rḫy.t*) sowie aus der Priesterschaft (*ḥnmm.t*; → Priester). Eine sklavenartige Schicht unfreier Personen minderen Rechts (*ḥm*) entwickelte sich gegen Ende des AR aus nubischen und asiatischen → Kriegsgefangenen; in den folgenden Jh. wurde sie durch verarmte Ägypter und ihre Familienangehörigen wie auch durch Strafgefangene (*ḏ.t* u. a.) vermehrt. Sie alle konnten (anders als – zumindest im MR – hauseigene Bedienstete (*bꜣk*)) als Kauf- oder Mietobjekt gehandelt und vererbt werden. Der Status war erblich, schloß aber grundsätzlich nicht von Bildung, Geschäfts- und aktiver wie passiver Prozeßfähigkeit aus [16. 42–46]. Ab dem NR sicher belegt ist die Freilassung (*nmḥy.w*) von Sklaven zwecks Heirat oder Adoption [1]. Ungeachtet des erheblichen fremden Bevölkerungsanteils [7], darunter auch Juden [12], und der persischen Herrschaft (ab 525 v. Chr.) sind kaum Rückschlüsse auf die rechtliche Stellung von Fremden möglich. Familienstand und Geschlecht beeinflußten die Rechtsfähigkeit nicht (zur Stellung der → Frau s. [13]). Der privatrechtlich gleiche Rang von Mann und Frau spiegelt sich bes. im Ehegüterrecht, welches u. a. eine Vermögensauseinandersetzung bei Wiederverheiratung des Mannes vorsah [9. 288–315].

Wann bei Heranwachsenden die Geschäftsfähigkeit eintrat, ist ungewiß, u. U. nahm der Vater- gegebenenfalls der Mutterbruder die Vormundschaft wahr, sofern nichts letztwillig verfügt war [5. 173–179]. Gegenüber privaten Gläubigern wie dem Staat haftete die Familie mit [5. 201–208]. Ein noch immer ungeklärtes personenrechtl. Relikt der Perserzeit (6.–4. Jh. v. Chr.) ist die in den Papyri des griech.-röm. Äg. auftretende Bezeichnung »Perserabkömmling« (Πέρσης/Περσίνη τῆς ἐπιγονῆς), mit der sich ein Schuldner der Vollstreckung unterwarf [8. 312–315]. »Juristische Personen« gab es nicht, allerdings spielten Treuhand oder Stiftung in gewissem Sinn eine entsprechende Rolle.

B. Familienfortsetzung

Wie auch anderwärts diente die Familienfortsetzung – gegebenenfalls durch Adoption – der Vermögensweitergabe und der Unterhaltung der Familienmitglieder [10; 14]. Gewöhnlich war der älteste Sohn alleiniger Erbe oder erhielt einen Vorzugsanteil; aus dem Erlangten hatte er die Bestattungskosten (gegebenenfalls samt Totenopfer) zu übernehmen. Seitenverwandte mußten ausdrücklich ausgeschlossen werden, um nicht zu erben. Die gewillkürte Erbfolge hatte vor allem den Nachlaß aufzuteilen. Ehefrauen waren nicht erbberechtigt; sie wurden über ehegüterrechtliche Vereinbarungen oder durch Verfügung unter Lebenden abgefunden. Angehörige konnten z.Z. des NR einen Erbanspruch durch Beteiligung an den Begräbniskosten erwerben. Die Adoption diente sowohl der gewillkürten Erbfolge wie der Nachfolge im (Priester-)Amt [1; 4]. Das äg. Recht kannte die einseitige, letztwillige und widerrufliche Disposition über das Vermögen, nicht aber das Testament im eigentl. Sinn [17; 18]. Es gibt Hinweise auf eine fratrilineare Folge [2].

C. Opferstiftungen

Die → Opfer-Stiftungen übernahmen wichtige Aufgaben im Bereich von Familie und Familienfortsetzung. Die materielle Versorgung eines Verstorbenen (jmꜣḫw) war zentrales Anliegen des altäg. → Totenkults. Nach der Vorstellung vom Jenseits sicherte sie das Überleben nach dem Tode. Erst toten Königen und Beamten vorbehalten, wurden seit dem AR zunehmend untere Gesellschaftsschichten einbezogen. Um die Durchführung des Totenkults unabhängig vom Fortbestand der eigenen Familie zu sichern, wurden private Stiftungen mit der vertraglichen Verpflichtung zum Totendienst und der ausdrücklichen Einsetzung eines eigenen Totenpriesters eingerichtet. Eine Opferstiftung konnte ferner als Vormund einer Erbengemeinschaft eingesetzt werden. Ab dem NR kamen Stiftungen für das Bild des → Pharao auf. Der Stifter wurde dabei als Priester des Pharaonenbildes eingesetzt; er erlangte so Versorgungsfreiheit gegenüber den Familienangehörigen und damit ein gesichertes Alterseinkommen.

→ Ägyptisches Recht; Demotisches Recht; Familie

1 S. ALLAM, Papyrus Turin 2021: Another Adoption Extraordinary, in: CH. CANNUYER, J.-M. KRUCHTEN (Hrsg.), Individu, soc. et spiritualité dans l'Égypte pharaonique et copte. FS A. Théodoridès, 1993, 23–28 2 C. BENNETT, The Structure of the Seventeenth Dynasty, in: Göttinger Miszellen 149, 1995, 25–32 3 W. BOOCHS, Altäg. Zivilrecht, 1999, 18–67 4 C. J. EYRE, The Adoption Papyrus in Its Social Context, in: JEA 78, 1992, 207–222 5 E. FEUCHT, Das Kind im Alten Äg., 1995 6 Dies., Die

Stellung der Frau im Alten Äg., in: J. MARTIN, R. ZOEPFFEL (Hrsg.), Aufgaben, Rollen und Räume von Mann und Frau, Bd. 1, 1989, 239–306 7 R. GUNDLACH, Die Zwangsumsiedlung auswärtiger Bevölkerung als Mittel äg. Politik bis zum Ende des MR, 1994 8 PH. HUYSE, Die Perser in Äg. Ein onomastischer Beitrag zu ihrer Erforschung, in: AchHist Bd. 6, 1991, 312–320 9 E. LÜDDECKENS, Äg. Eheverträge, 1960 10 A. McDOWELL, Legal Aspects of Care of the Elderly in Egypt to the End of the New Kingdom, in: M. STOL, S. P. VLEEMING (Hrsg.), The Care of the Elderly in the Ancient Near East, 1998, 199–221 11 D. MEEKS, Les donations aux temples dans l'Égypte du 1er millénaire avant J.-C, in: E. LIPIŃSKI (Hrsg.), State and Temple Economy in the Ancient Near East, 1979, 605–687 12 J. MÉLÈZE-MODRZEJEWSKI, Les Juifs d'Égypte. De Ramsès II à Hadrien, 1991 13 B. MENU, La condition de la femme dans l'Égypte pharaonique, in: Rev. Historique de Droit Français et Étranger 67, 1989, 3–25 14 P. W. PESTMAN, The Law of Succession in Ancient Egypt, in: J. BRUGMAN u. a. (Hrsg.), Essays on Oriental Laws of Succession, 1969, 58–77 15 E. SEIDL, Äg. Rechtsgesch. der Saiten- und Perserzeit, ²1956, 52–56, 71–83 16 Ders., Einführung in die äg. Rechtsgesch. bis zum Ende des NR, Bd. 1, ²1957, 42–46, 55–59 17 A. THÉODORIDÈS, L'acte à cause de mort dans l'Égypte pharaonique (Recueils de la Soc. Jean Bodin 59: Actes à cause de mort, Bd. 1: Antiquité), 1992, 9–27 18 Ders., Du rapport entre un contrat et un acte de disposition appelé imyt-per en égyptien, in: RIDA 3e sér. 40, 1993, 77–105. JO. HE. u. O. WI.

III. Jüdisches Recht
A. Allgemeines
B. Familie
C. Familienfortsetzung

A. Allgemeines

Gerade die Bestimmungen der Tora (→ Pentateuch) zum P. gehören völlig verschiedenen Perioden an (→ Jüdisches Recht A.) und weichen von denen der – nur teilweise vom jüd. Recht geprägten – Rechtsurkunden sehr ab (z. B. [10; 2. 21–27, 22⁷²/⁷³]. Entwicklung und Einzelheiten lassen sich hier nicht angemessen darstellen.

B. Familie

Die Rechtsfähigkeit einer Person hängt nach der Tora von Familienstand und Geschlecht ab. Voll rechtsfähig war nur der erwachsene männliche Freie; die Geschäftsfähigkeit begann mit 20 J. (Nm 1,3: Belege in Auswahl). Das Familienoberhaupt hatte urspr. absolute Entscheidungsgewalt über seine Familie (Gn 38,11). Die – bereits als Verlobte verbindlich angetraute (Dt 22,23–29) – Frau war dem Mann untergeordnet (Gn 3,16) und verfügte nur über geringe Rechte (z. B. [1]). Als Witwe war sie faktisch schutzlos. Die Familie war patriarchalisch organisiert und umfaßte gegebenenfalls auch die Frauen der Söhne und das Gesinde (Gn 7,7); sie haftete und konnte vom Gläubiger verkauft werden (2 Kg 4,1). Schuldsklaven wurden im Sabbat-(= 7.; Ex 21,2), später im Jobel-(= 50.)Jahr (Lv 25,54) freigelassen [4. 36–57]. Quellen der → Sklaverei waren Kriegsgefangenschaft (Nm 31,26), Selbstverkauf (Lv 25,39–41), Kauf (Lv 25,44) und Hausgeburt von Sklaven (Gn 17,12). Sklavinnen wurden bei sexuellem Umgang oder Verheiratung mit einem Sohn einer Nebenfrau bzw. Tochter gleichgestellt (Ex 21,7–11). Ehe und Familie waren insgesamt von einer Vielzahl von Regelungen bestimmt [1; 12. 240–243].

Fremde besaßen in nachprophetischer Zeit gewisse Rechte und Rechtsschutz. Das Judentum war aus rel., gesch. und geogr. Gründen stets eng von Fremden umgeben; dies hat sich vielfältig in der Tora niedergeschlagen [7. 309–314]. Feindschaft gegen Juden läßt sich wiederum schon im Äg. der Pharaonenzeit nachweisen ([11] vgl. [3]). Die Rechtsurkunden aus jüd. Gemeinschaften spiegeln dies ebensowenig wie die innerjüd. Auseinandersetzungen zw. Strenggläubigen und Assimilanten (z. B. [4. 2 f.]).

C. FAMILIENFORTSETZUNG

Urspr. erbten nur die Söhne, auch die von Nebenfrauen; der älteste Sohn hatte ein entziehbares Vorzugsrecht (Dt 21,17). Mit dem Nachlaß verbunden war die Pflicht zur Unterhaltung der weiblichen Angehörigen. Die Erhaltung des Kerngutes (*naḥălā*), bestehend aus Grundbesitz und Mobilien, war ein wichtiges Anliegen (Nm 16,14); das Erbrecht ging urspr. von der Stammesgebundenheit des Grundbesitzes aus (Nm 36,9). Ersatzerbe war urspr. der nächste männliche Verwandte des Erblassers unter Verpflichtung zur Leviratsehe (zu dieser Dt 25,5–10; [15. 69–89]; → Ehe IV.), später auch Töchter, u.U. neben Söhnen (Hiob 42,15; vgl. Nm 36,1–12). Die Witwe hatte urspr. kein Erbrecht nach ihrem Mann (Nm 27,8–11; [14]); die Urkunden belegen Versorgungsabmachungen [4. 71–76]. Das Erbrecht war strikt auf den Nachlaßtransfer im Rahmen der Blutsverwandtschaft (des Mannes) ausgerichtet. Dies verbot die Adoption eines Fremden; die Annahme an Kindes Statt betraf Haushaltsangehörige (Gn 15,3; [12. 243³⁹]). Verfügungen über den Nachlaß wurden grundsätzlich unter Lebenden oder auf dem Totenbett getroffen (vgl. 2 Sam 17,23).

1 F. ALVAREZ-PÉREYRE, F. HEYMANN, Ein Streben nach Transzendenz. Das hebräische Muster der Familie und die jüd. Praxis, in: A. BURGUIÈRE u. a. (Hrsg.), Gesch. der Familie, Bd. 1, 1996, 196–235 2 L. J. ARCHER, Her Price Is Beyond Rubies: The Jewish Woman in Graeco-Roman Palestine, 1990 3 E. BALTRUSCH, Bewunderung, Duldung, Ablehnung: Das Urteil über die Juden in der griech.-röm. Lit., in: Klio 80, 1998, 403–421 (mit ebd. 81, 1999, 218) 4 J. COWEY, K. MARESCH, Urkunden aus dem *politeuma* der Juden von Herakleopolis (im Druck) 5 Z. W. FALK, Hebrew Law in Biblical Times. An Introduction, 1964, 111–170 6 Ders., Introduction to Jewish Law of the Second Commonwealth, Bd. 2, 1978, 248–349 7 E. FASCHER, s. v. Fremder, RAC 8, 306–347 8 R. WESTBROOK, Biblical Law, in: N. S. HECHT u. a. (Hrsg.), An Introduction to the History and Sources of Jewish Law, 1996 9 D. PIATELLI, Jewish Law During the Second Temple Period, in: s. [8], 1–17 10 J. MODRZEJEWSKI, Jewish Law and Hellenistic Legal Practice in the Light of Greek Papyri from Egypt, in: s. [8], 75–99 11 H. HEINEN, Äg. Grundlagen des ant. Antijudaismus, in: Trierer Theologische Zschr. 101, 1992, 124–149 12 S. E. LOEWENSTAMM, Law, in: B. MAZAR (Hrsg.), The World History of the Jewish People, Bd. 3, 1971, 231–267 13 E. OTTO, Biblische Altersversorgung im altoriental. Rechtsvergleich, in: Zschr. für altorientalisches und biblisches Recht 1, 1995, 83–110 14 J. A. WAGENAAR, ›Give in the Hand of Your Maidservant the Property…‹ Some Remarks to the Second Ostracon from the Collection of Sh. Moussieff, in: Zschr. für altorientalisches und biblisches Recht 5, 1999, 15–27 (vgl. dazu A. LEMAIRE, ebd. 1–14) 15 R. WESTBROOK, Property and the Family in Biblical Law, 1991 16 R. YARON, Acts of Last Will in Jewish Law (Recueils de la Soc. Jean Bodin 59: Actes à cause de mort, Bd. 1: Antiquité), 1992, 29–45 17 Ders., Introduction to the Law of the Aramaic Papyri, 1961, 111–170.

NACHSCHLAGEWERKE: G. HERLITZ, B. KIRSCHNER (Hrsg.), Jüd. Lexikon, 1927 (Ndr. 1982) · M. GÖRG, B. LANG (Hrsg.), Neues Bibel-Lex., 1988 ff. · RGG, ⁴1998 ff.
JO. HE.

IV. KLASSISCHE ANTIKE

Charakteristisch für die Struktur des privaten P. sowohl in Griechenland als auch in Rom war die Stellung des einzelnen in der → Familie. Die moderne Auffassung des P. als rechtliche Entfaltung des Individuums wird der klass. Ant. nicht gerecht. Prägend ist nicht die persönliche Entfaltungsfreiheit, sondern die Beziehung zu privaten Herrschaftsverhältnissen als Inhaber von Gewalt oder als ihr Unterworfener. Das private Herrschaftsrecht (vgl. → *kyrieía*; → *manus*; → *patria potestas*) kommt vor allem in Athen und Rom nur wenigen zu: den Hausvätern und Sklavenhaltern (→ *kýrios* II.; → *dominus*, → *pater familias*). »Personen« sind in der Redeweise der röm. Juristen hingegen gerade auch Rechtlose (Sklaven und Hauskinder, → *persona*). Aus der Zugehörigkeit oder Nichtzugehörigkeit zu einer privaten Herrschaftssphäre ergibt sich als zentrale Kategorie des P. der Status, z. B. als Familienvater, → Freigelassener oder Hauskind. Daraus folgt die bes. Bed. von Statusänderungen im P., z. B. die → Freilassung oder die Entlassung aus einem Familienverband (→ *emancipatio*) wie auch die Aufnahme in einen neuen (→ Adoption, *eispoíēsis*). Das → Erbrecht ist mit dem P. dadurch verbunden, daß es der Fortsetzung der familiären Herrschaft und des Familienverbandes selbst (→ *oíkos*; → Familie IV. B.) dient. Daher gehört das Erbrecht seiner Funktion nach mehr zum P. als zum reinen Vermögensrecht (Sach- und Schuldrecht). Wenig entwickelt ist im P. der klass. Ant. das Recht der privaten Körperschaften (→ Berufsvereine II.; → *collegium* I.; → *sýnodos*; → Verein) als »juristische Personen«. Wohl am nächsten kommen solchen Vorstellungen erst in byz. Zeit die kirchenrechtlichen Regelungen, insbes. zu den frommen Stiftungen (*piae causae*).

A. R. W. HARRISON, The Law of Athens, Bd. 1, 1968, 61–205 · KASER, RPR 1, 56–71, 270–310; 2, 151–158.
G. S.

Personifikation I. Begriff II. Historische Entwicklung III. Bildende Kunst

I. Begriff
A. Personifizierung in Rhetorik und Dichtung
B. Terminologische Schwierigkeiten
C. Religionsgeschichtliche Einordnung

A. Personifizierung in Rhetorik und Dichtung

Der frühneuzeitliche Begriff der *personificatio* gibt das hell. rhetor. Konzept der προσωποποιία/*prosōpopoiía* wieder, welche die Darstellung fiktiver Personen, konkreter Sachen oder abstrakter Begriffe als Redende und Handelnde bezeichnet (lat. *conformatio*: Rhet. Her. 4,66; *personarum ficta inductio*: Cic. de orat. 3,205; *prosopopoeia*: Quint. inst. 9,29–37). Als fiktionale Personifizierung v. a. von Begriffen ist die Prosopopoiie für die ant. Theorie ein Element des allegorischen Redens (→ Allegorie), das schon bei Homer (Il. 9,502–507: → Ate und die Litaí, »Bitten«) im Ansatz vorbereitet und spätestens in der alten Komödie (Logos und Logina bei → Epicharmos fr. 87–89; Penia, Armut bei Aristoph. Plut.) voll ausgebildet war und in Prosa und Dichtung Anwendung fand (z. B. Plat. Krit. 50; Cic. Catil. 1,27–29; Cic. Pis. 52). Nicht von Prosopopoiie als dem rhet. Mittel des »Zur-(fiktiven)-*dramatis-persona*-Machens«, sondern von Personifizierung oder P. als Stilmittel in einem allgemeineren Sinne kann dagegen gesprochen werden, wenn die griech. und lat. Lit. die Natur, konkrete Dinge und abstrakte Begriffe als mit menschlichen Gefühlen begabt und zu soziomorphen Handlungen fähig charakterisiert [1. 44–48].

B. Terminologische Schwierigkeiten

»Personifizierung« und »P.« sind also Handlungsbegriffe (*nomina actionis*), bezeichnen in terminologischer Schieflage in der Lit.- und Religionswiss. als *nomina rei actae* jedoch auch die Ergebnisse solcher Handlungen; in die Terminologie fließt dadurch die implizite Konnotation eines »Unwirklichen« ein, das als »lit. P.« oder »Kult-P.« als → *persona* [1] dargestellt wird, ohne eine wirkliche Persönlichkeit zu besitzen. So verkennt etwa die Vorstellung einer »P. abstrakter Begriffe«, daß es sich bei den sog. »vergöttlichten abstrakten Ideen« nach ant. Verständnis um konkrete, personalisierte und in der figürlichen Darstellung häufig anthropomorph dargestellte Gottheiten mit Weihungen, Opfern, Heiligtümern und Priestern handeln konnte (→ Anthropomorphismus).

Die Grenze zw. lit. »P.« und solchen »P.«, die Adressaten kultischer Verehrung waren, ist undeutlich und durchlässig; die Zusammenstellung beider Gruppen in der Dichtung thematisiert solche Durchlässigkeiten [2. 87–92]. Rel. Verehrung folgte persönlichen Bedürfnissen oder sozio-kulturellen, oft kontingenten Motivationen: Lit. Personifizierungen wie die röm. → Fama (Gerücht) oder → Somnus (Schlaf) und → Mors (»Tod«) waren, im Gegensatz zu ihren griech. Entsprechungen → Pheme und → Peitho [3. 233 f.] oder Hypnos und → Thanatos [4. 41–44], keine Adressaten von Kult, während z. B. für den Begriff der → *disciplina* (*militaris*) seit dem 2. Jh. n. Chr. Weihungen belegt sind [5. 53]. Der Versuch, im Rückgriff auf die Terminologie der ant. philos. Kritik an derartigen Gottesvorstellungen – Cic. leg. 2,28 erklärt die »Kult-P.« als *virtutes* und *res expetendae*, Varro, Antiquitates rerum divinarum fr. 189 CARDAUNS als *munera divina* (»göttliche Gaben«) – von »Wertbegriffen«, »Tugenden« oder »erstrebenswerten Qualitäten« zu sprechen [6. 233–242; 7. 830–833; 8. 459 f.], perpetuiert die rationalisierenden Kategorien dieser ant. Kritik und verengt den Betrachtungshorizont: Wie ließe sich unter einer solchen Perspektive die Besänftigung negativer Mächte durch die kultische Verehrung (Febris/Malaria, Robigus/Mehltau und Mala Fortuna/Unglück: Cic. leg. 2,28; Cic. nat. deor. 3,63; Asébeia/Gottlosigkeit und Paranomía/Ungesetzlichkeit: Pol. 18,54,10) erklären?

C. Religionsgeschichtliche Einordnung

Die ant. philos. Kritik an einer derartigen Gottesvorstellung steht in der Trad. der allegorisierenden Deutung (→ Allegorese) des griech.-röm. → Pantheons. Aus der Postulierung eines immateriellen göttlichen Wesens in Abgrenzung gegen die materielle Gottesvorstellung der homerischen Dichtung (seit dem 6. Jh. v. Chr.: Xenophan. 21 B 11 und B 23–26 DK) folgt die Rationalisierung der griech.-röm. Götterwelt: Homer und die frühen Menschen hätten die von ihnen beobachteten Kräfte (griech. *dynámeis*, *páthē*, lat. *vis*) und deren Wirkungen (*apotelésmata*, *prágmata*, lat. *utilitates*) auf übernatürliche Einwirkung zurückgeführt und deshalb personifiziert und Götter genannt (z. B. Apollodoros, Perí theōn FGrH 244 F 117; Cic. nat. deor. 2,60–62; Ps.-Plut. mor. 880c; [9]). In der Neuzeit wurde dieses Erklärungsmodell dahingehend verändert, daß die Vergöttlichung von Naturphänomenen und unerklärbaren Geschehnissen der Ursprung »primitiver« Rel. gewesen sei. Noch für H. USENER entwickelte sich die Gottesvorstellung aus der Vergöttlichung eines natürlichen Phänomens als »Augenblicksgott«; erst auf der Stufe ihrer rel. Verbegrifflichung habe man diese Phänomene als unpersönliche → Sondergötter gedeutet. In USENERS Dreierschema sind die persönlichen Götter Fluchtpunkt der rel. Evolution, die »Kult-P.« teilte er den Sondergöttern zu: In der histor. Entwicklung seien sie von den persönlichen Göttern ›aufgesaugt‹ und Beiwörter derselben geworden‹ [10. 368–371]. Den entgegengesetzten Weg schlugen L. DEUBNER für die griech. Rel. und G. WISSOWA für die röm. Rel. ein: für beide waren die »Kult-P.« Abspaltungen der persönlichen Götter [11. 2069 f.; 12. 327–337], für K. REINHARDT dann in nachhomerischer Zeit notwendig gewordene Vermittlungsinstanzen zw. den Olympischen Göttern und der Wirklichkeit [13].

Korrigieren lassen sich solche evolutionistischen Schemata durch die Analyse der ant. Gottesvorstellungen: »P.« sind integrale Bestandteile schon der Panthea der Kulturen Ägyptens und des Vorderen Orients [7. 828 f.; 14. 286]. Ob die griech. → Eukleia (guter Ruf) ein verselbständigtes Epitheton der → Artemis Eukleia (Soph. Oid. T. 159–161) oder vielmehr ein mit dieser identifiziertes urspr. Abstraktum sei, ist eine mod. Fragestellung: In der kultischen Realität ist sie als eigenständige Göttin in Athen (Paus. 1,14,5) Ausdruck eines arbeitsteilig ausdifferenzierten Pantheons. Gleiches gilt für die röm. Victoria (Sieg), deren Heiligtum 294 v. Chr. geweiht wurde (Liv. 10,33,9), ein Jahr nach und möglicherweise in Konkurrenz zu dem Tempel des → Iuppiter Victor (Liv. 10,29,14). Zu der Erklärung der »P.« als Bestandteil des ant. → Polytheismus trägt also weder die ant. Rationalisierung noch der mod. Evolutionismus Entscheidendes bei. Begreift man dagegen ein polytheistisches System als eine Mehrzahl personalisierter und innerhalb eines ausdifferenzierten → Pantheons handelnder Götter, dann zeichnen sich in handlungstheoretischer Perspektive die »P.« durch ihre konkretisierten Zuständigkeitsbereiche aus: Sie lassen sich, vielleicht besser als die Olympischen Götter, vorbestimmbaren Handlungsschemata zurechnen.

II. Historische Entwicklung
A. Griechische Welt B. Römische Welt

A. Griechische Welt
Griech. Personifizierungen der Natur, von konkreten Dingen und abstrakten Begriffen [11. 2127–2145; 15] werden in Lit. und → Mythos seit der früharcha. Zeit als göttlich vorgestellt. Bei Homer und Hesiod sind Flüsse (→ Flußgötter), → Quellen und → Okeanos (→ Meergottheiten), → Gaia, → Hestia, Helios (→ Sol) und → Selene, Hypnos und → Thanatos, die → Moiren, → Horai und → Charites, → Themis, → Nemesis, → Tyche, → Nike, → Plutos, → Phobos, → Eirene [1], → Eunomia, → Dike [1] und → Peitho göttlich. Für zahlreiche dieser »P.« ist tatsächlicher Kult schon im 6., spätestens im 5. Jh. v. Chr. belegt oder zu erschließen [4]. Mit Beginn der klass. Zeit treten als Adressaten von Kult → Eukleia, → Hygieia, → Kairos und → Pheme hinzu, im 4. Jh. → Demokratia [3. 228 f.], → Eirene [1], Agathe Tyche, → Homonoia, → Pistis und viele andere. Philosophische lit. Hymnen auf personifizierte Begriffe finden sich seit dem 4. Jh. (→ Hymnos I.B.), während die Verehrung der Tyche von Städten oder des → Demos in hell. Zeit als komplementäre Entwicklung zum → Herrscherkult auf die veränderten sozio-polit. Rahmenbedingungen der Epoche reagiert [7. 852; 16. 956]. Der Kult der griech. póleis für Rhṓmē (→ Roma), den populus Romanus und individuelle röm. Wohltäter seit dem frühen 2. Jh. v. Chr. erweitert lediglich dieses Bezugsfeld [16. 956–972; 17]. Die Ausbildung immer neuer »Kult-P.« bis in die Kaiserzeit bedeutet nicht die Zersetzung der traditionellen rel. Strukturen vorhell. Zeit

[18], sondern läßt sich als fortgesetzte Ausdifferenzierung des griech. Pantheons begreifen, innerhalb dessen die Kultteilnehmer persönliche und sozio-polit. Erfahrungen durch deren Rückbindung an verschiedene göttliche Adressaten in ihre Lebenswelt reintegrieren.

B. Römische Welt
Servius → Tullius soll den Kult der → Fortuna in Rom eingerichtet haben; erste arch. Zeugnisse datieren in das 6. Jh. v. Chr. In Analogie zur Entwicklung der hell. »P.« finden sich Begriffe des sozialen und polit. Wohlverhaltens als Adressaten von Kult in Rom seit dem späten 4. Jh. v. Chr.: Ein Tempel für → Concordia soll angeblich 367 geweiht worden sein, ein weiterer folgte 304; in die folgenden Jahrzehnte fallen Heiligtümer für → Salus, → Victoria, → Bellona, Fors Fortuna, → Fides, → Spes, → Honos und → Virtus, → Mens, → Iuventus und → Ops [3]. Zahlreiche dieser Weihungen haben ihre Ursache in mil. und innenpolit. Krisen; in diesen Kulten manifestieren sich auch die Wertvorstellungen der sie dedizierenden Nobilität [7. 841–869; 19. 238 f.]. In der späten Republik werden → Libertas, → Felicitas, → Clementia und → Pax [2] zu Schlagworten der polit. Auseinandersetzung und Qualitäten einzelner hervorgehobener Mitglieder der röm. Elite [7. 869–884]; mit der Verleihung des clipeus virtutis (→ Schild) an Augustus durch den röm. Senat im J. 27 v. Chr. gelten Virtus (Mannhaftigkeit), Clementia (Milde), Iustitia (Gerechtigkeit) und → Pietas (frommer Sinn) als »Herrschertugenden« [20. 228–269; 21]. Die »Kult-P.« werden in der Kaiserzeit durch den Beinamen Augustus oder den Genetiv Augusti mit dem Kaiser verbunden und verleihen diesem einen herausgehobenen rel. Status [7. 889–939; 8. 455–474]. In Inschr., auf Mz. und figürlichen Darstellungen gehören »Kult-P.« wie Victoria (Sieg), Salus (Wohlergehen), Pietas, Concordia/→ Homonoia (Eintracht), Pax/→ Eirene [1] (Friede), → Fides/Pistis (Treue), Aeternitas (ewiger Bestand), Fecunditas (Fruchtbarkeit) usw. zu den Schlagworten der kaiserlichen Propaganda und diffundieren so auch die polit. und moralischen Wertvorstellungen der röm. Kaiserzeit in den privaten Bereich [22]. Davon zu trennen ist die große Bed., die den verschiedenen »P.« in der privaten Rel. der Republik und Kaiserzeit zukam ([7. 837, 931–939; 8. 461]; vgl. [11. 2145–2164; 23]).
→ Indigitamenta

1 G. Maurach, Enchiridion Poeticum, ²1989, 44–48
2 D. C. Feeney, Literature and Rel. at Rome, 1998
3 R. Parker, Athenian Rel., 1996, 227–237 4 F. W. Hamdorf, Griech. Kultp. der vorhell. Zeit, 1964 5 G. L. Irby-Massie, Military Rel. in Roman Britain, 1999, 47–54
6 Latte 7 J. R. Fears, The Cult of Virtues and Roman Imperial Ideology, in: ANRW II 17.2, 1981, 827–948
8 D. Fishwick, The Imperial Cult in the Latin West, Bd. 2.1, 1991 9 M. M. Mactoux, Panthéon et discours mythologique. Le cas d'Apollodore, in: RHR 206, 1989, 245–270 10 H. Usener, Götternamen, 1896 (³1948)
11 L. Deubner, s. v. P. abstrakter Begriffe, Roscher 3.2, 2068–2169 12 G. Wissowa, Rel. und Kultus der Römer, ²1912 13 K. Reinhardt, P. und Allegorie, in: C. Becker

(Hrsg.), Vermächtnis der Ant., 1960, 7–40 **14** BURKERT **15** K. S. STELKENS, Unt. zu griech. P. abstrakter Begriffe, 1963 **16** R. MELLOR, The Goddess Roma, in: [7], 950–1030 **17** A. ERSKINE, The Romans as Common Benefactors, in: Historia 43, 1994, 70–87 **18** M. P. NILSSON, Kultische P., in: Eranos 50, 1952, 31–40 (= Ders., Opuscula Selecta, Bd. 3, 233–242) **19** HÖLKESKAMP **20** S. WEINSTOCK, Divus Iulius, 1971 **21** A. WALLACE-HADRILL, The Emperor and His Virtues, in: Historia 30, 1981, 298–323 **22** T. MIKOCKI, P. und Allegorien auf röm. Mz. der Kaiserzeit und deren figürliche Repräsentation in der privaten Sphäre in: T. KOTULA, A. LADOMIRSKI (Hrsg.), Les élites provinciales sous le haut-empire romain, 1997, 101–114 **23** H. L. AXTELL, The Deification of Abstract Ideas in Roman Literature and Inscriptions, 1907.   A. BEN.

III. BILDENDE KUNST

A. ALLGEMEIN B. ARCHAISCHE ZEIT
C. KLASSIK D. NACHKLASSIK/4. JAHRHUNDERT
E. HELLENISMUS
F. RÖMISCHE REPUBLIK UND KAISERZEIT

A. ALLGEMEIN

Die bildlichen Darstellungen der oben (II. A.) genannten und weiterer P. sind teils durch Beischriften auf den Darstellungen sicher zu benennen, teils durch den ikonographischen Kontext der Darstellung oder bestimmte charakteristische Attribute zu erschließen, teils müssen Benennungen mehr oder weniger gesicherte Vermutungen bleiben. Wie oben (I. B.) bereits betont, sind P. auch in figürlicher Darstellung konkrete, personalisierte Gottheiten und sind so anthropomorph (→ Anthropomorphismus) dargestellt, wie alle ant. Götter fast immer erfahren wurden. In nachklass. und hell. Darstellungen (4.–1. Jh. v. Chr.) überwiegen die weiblichen P. gegenüber den männlichen.

B. ARCHAISCHE ZEIT

Die ältesten überl. Darstellungen von P. in der Bildkunst schmückten die → Kypseloslade in Olympia (Paus. 5,17,5 ff.) im frühen 6. Jh. v. Chr.: Thanatos und Hypnos (Tod und Schlaf) als kleine Kinder in den Armen der → Nyx (Nacht); → Dike (Gerechtigkeit), eine schöne Frau, die Adikia (Unrecht) erschlägt; → Eris (Streit), eine sehr häßliche Frau, die zw. den Kämpfenden Aias und Hektor erscheint; und → Phobos (Furcht) mit Löwenkopf, als Schildzeichen des Agamemnon.

Ab der Mitte des 6. Jh. kommen alle diese P. auf att. Vasen vor: Eris auf einer Schale in Berlin, SM; Hypnos und Thanatos bei der Bergung des toten Sarpedon auf dem Euphronios-Krater New York, MMA (→ Euphronios [2]); Phobos als Wagenlenker des Ares im Kampf zw. Herakles [1] und Kyknos [1] (z. B. Oinochoe des Kolchos, Berlin, SM). Noch im 6. Jh. erscheint → Themis (Recht) im Götterzug bei der Hochzeit von Peleus und Thetis auf dem Sophilos-Dinos, London, BM (→ Sophilos); → Himeros (Begierde) mit Eros [1] als Knabe in den Armen der Aphrodite (Frg. Athen, NM); → Harmonia als Gattin des Kadmos [1] auf dem Thron von → Amyklai (Paus. 3,18,12) und der sf. Oinochoe,

Göttingen; → Oknos (Faulheit) in der Unterwelt (sf. Lekythos, Palermo); und → Peitho (Überredung) beim Parisurteil (rf. Oinochoe, New York, MMA) [14]. Um 560 schuf der Bildhauer Archermos von Chios eine Nike-Statue als laufende Flügelgöttin (h. Athen, NM) für das Apollon-Heiligtum auf Delos. Auf sf. Vasen erscheint → Nike allein, einmal neben Zeus gegen die Giganten kämpfend (Krater-Frg., Athen, NM).

C. KLASSIK

Auf rf. Vasen des 5. Jh. v. Chr. kommen hinzu → Geras (Alter) von Herakles niedergeschlagen; → Lyssa (Wahnsinn) beim Tod des Aktaion; Athanasia (Unsterblichkeit) in der Sage des Tydeus; Kratos und → Bia (Macht und Gewalt) bei der Bestrafung des Ixion (Frg. Slg. H. CAHN, Basel); und → Nemesis (Rache), der gegen 430 ein Tempel in Rhamnus geweiht wurde. Nach den Perserkriegen wird die geflügelte Nike sehr häufig auf rf. Vasen dargestellt, im agonalen wie auch mil. Zusammenhang. Im letzten Drittel des 5. Jh. treten manche neuen P. im Kreis des Dionysos und v. a. der Aphrodite auf: → Eirene (Frieden), Eudaimonia (Glückseligkeit), → Eukleia (Ruhm), → Eunomia (gute Ordnung), Eutychia (Glück, Erfolg), → Hygieia (Gesundheit), Makaria (Seligkeit), und Paidia (Spielerei) [3]. Manche von diesen waren auch als Figuren auf der Bühne in Athen zu sehen, z. B. → Lyssa in Eur. Herc. 843–874; Kratos und Bia in Aischyl. Prom. 12 ff.; und Eirene als Titelcharakter in Aristophanes' ›Frieden‹. In der Wandmalerei des 5. und 4. Jh. waren andere P. dargestellt, z. B. Betrug und Gutgläubigkeit in einem Gemälde des → Aglaophon [2] mit Odysseus, als Bettler verkleidet (Plin. nat. 35,138): Dolus (List) und Credulitas (Leichtgläubigkeit), also wohl griech. Apate und Pistis).

P. von geogr. und top. Gegebenheiten – Inseln, Bergen, Flüssen usw. – begegnen sowohl in der Plastik als auch in der Malerei ab der Mitte des 5. Jh., z. B. die lokalen → Flußgötter in den Giebelecken des Zeus-Tempels in → Olympia und des → Parthenons; die Inseln → Delos, → Aigina, → Kreta, → Lemnos und → Euboia auf rf. Vasen [13]; Städte und Heiligtümer wie → Eleusis, → Nemea, Theben (→ Thebai) und Megalopolis (→ Megale polis) sowie der Berg → Helikon auf einer wgr. Lekythos (München, SA).

D. NACHKLASSIK/4. JAHRHUNDERT

Die rf. Vasenmaler des 4. Jh. in den griech. Städten in Apulien, Kampanien und Paestum (→ apulische, → kampanische, → paestanische Vasenmalerei) haben manche P. aus der attischen Kunst übernommen, oft aber in anderem Zusammenhang: → Thanatos beim Tod des Memnon; → Peitho bei der Aussendung des Triptolemos (apulischer Krater, St. Petersburg); → Hypnos, der Begegnung von Leda mit dem Schwan beiwohnt (apulische Lutrophoros, Malibu). Andere, der attischen Trad. fremde P. werden in das unterital. Repertoire aufgenommen: → Homonoia (Eintracht), die die Versöhnung zw. Andromeda und ihrer Mutter stiftet (apulische Pelike, Malibu); → Euphemia (rel. Schweigen), die das Widderopfer des Phrixos beobachtet (apulischer Krater, Berlin, SM); → Phthonos (Neid) als Eros-ähnlicher Begleiter der Aphrodite beim Tod des Meleagros (apulischer Krater, Neapel) [1].

Der große Maler → Apelles [4] im späten 4. Jh. konnte eine vollständige → Allegorie – die Diabole (Verleumdung) – schaffen, die bis auf einen unbenannten Mann nur aus weiblichen P. besteht: Agnoia (Unwissenheit), Hypolepsis (Verdacht), → Phthonos (Neid), Epibule (Verrat), Apate (Betrug), Metanoia (Reue) und → Aletheia (Wahrheit). Um 375 v. Chr. schuf der Bildhauer → Kephisodotos [4] eine einfachere, zweifigurige Allegorie: die Statue der → Eirene, die den Knaben → Plutos (Reichtum) in den Armen hält. Der Typus ist nicht nur in röm. Kopien überl. (München, GL), sondern auch als Säulenbekrönung auf zeitgenössischen → panathenäischen Preisamphoren dargestellt. Kurz nach der Mitte des 4. Jh. wurden die ersten großformatigen Bilder der → Demokratia auf der Agora von Athen errichtet: ein Gemälde von → Euphranor [1] (s. [2]) in der Zeus-Stoa, das die Demokratia mit Theseus und dem → Demos zeigte (Paus. 1,3,3), und eine Statue (IG II² 2791), die möglicherweise vor der Königs-Stoa stand. 337/6 erscheint dieselbe P. zusammen mit dem Demos von Athen auf einem Urkundenrelief (Athen, Agora-Museum). Außer Demos und Demokratia tritt als weitere polit. P., Bule (der Rat) auf einigen Urkundenreliefs auf [2].

E. HELLENISMUS

→ Tyche bzw. Agathe Tyche, eine P., die gelegentlich auf Urkundenreliefs und Vasen des 4. Jh. erscheint, nimmt am Anf. der hell. Epoche in einem Gemälde des → Apelles [4] (Stob. 105,60) und in der vom Bildhauer → Eutychides geschaffenen Statue der Tyche von Antiocheia monumentale Form an. Dieser Typus der Stadt-P. mit Mauerkrone und Füllhorn verbreitet sich in der hell. Kunst weithin und geht ab dem 2. Jh. in die röm. → Fortuna über.

Unter dem Einfluß alexandrinischer Gelehrter finden sich in der hell. Kunst neue P.: So sieht man auf dem Relief von → Archelaos [9] von Priene (London, BM) mit der Apotheose Homers neben den Musen auch P. von ›Ilias‹ und ›Odyssee‹, → Chronos (Zeit) und → Oikumene (Bewohnte Welt) sowie Poiesis (Dichtung), Tragoidia (Tragödie), Komoidia (Komödie), Physis (Natur) und vier → Tugenden: Arete (Vorzüglichkeit) → Mneme (Gedächtnis), → Pistis (Vertrauen) und Sophia (Weisheit). Ähnliche Figuren, die jedoch ohne Inschr. nicht mit Sicherheit identifiziert werden können, tauchen in der → Allegorie der Fruchtbarkeit des Nils auf der frühhell. Tazza Farnese (Neapel, NM, → Steinschneidekunst) wieder auf. Solche hell. P. werden fast unverändert in die augusteische Hofkunst übernommen, so z. B. auf der Gemma Augustea (Wien, KM).

F. RÖMISCHE REPUBLIK
UND KAISERZEIT

Während in Griechenland die Kultverehrung von P. durch monumentale Tempel und Kultbilder eher die Ausnahme war (→ Nemesis; Tempel der → Eukleia auf der Athener Agora: Paus. 1,14,5), scheint dieser Brauch schon in der frühen röm. Republik tief verwurzelt gewesen zu sein (s. o. II. B.). 396 v. Chr. erhielt → Fortuna einen neuen Tempel in Rom, → Salus 302, → Victoria (Sieg) 294, → Spes 257, → Fides 254 und → Virtus 205. Die Ikonographie der jeweiligen P. wird fast ausschließlich auf Mz. überl. Der Fides jedoch können Fr. einer Akrolith-Statue aus dem 1. Jh. v. Chr. zugewiesen werden [11]. → Roma erscheint als P. auf Mz. ab dem Jahre 269 v. Chr., in der Großplastik aber erst in der Kaiserzeit. Im Gegensatz zu den frühen röm. Kult-P. wurde → Pax erst unter Octavian/→ Augustus zu einer wichtigen Göttin, zunächst auf Mz., dann aber 13 v. Chr. mit der Weihung der → Ara Pacis auf dem Marsfeld.

Die gemeinsame Darstellung von Menschen mit P. von Tugenden oder politischen Werten kommt wohl in spätaugusteischer bzw. tiberischer Zeit auf, wie z. B. der Silberbecher aus → Boscoreale, der das P.-Paar Roma und den → Genius Populi Romani (manchmal auch als Virtus und → Honos gedeutet) neben Venus und dem Kaiser → Augustus zeigt [4]. Erst in flavischer Zeit werden auch andere P. von Tugenden zu einem festen Bestandteil von röm. Staatsreliefs, wo sie das Lob des Kaisers in verschiedener Weise definieren bzw. präzisieren [6]. So faßt auf dem Cancelleria-Relief A (Vatikan) Virtus bez. Roma den Kaiser Domitianus [1] (später zu Nerva [2] umgearbeitet) am linken Unterarm und führt ihn in den Krieg. Im nördlichen Durchgangrelief des Titusbogens in Rom geht das Paar Honos und Virtus dem Triumphwagen des Kaisers voraus, während Victoria ihn bekränzt. Virtus und Victoria sind wieder im traianischen Schlachtfries (h. im Hauptdurchgang des Konstantinsbogens in Rom zu sehen). Der vollständigste Zyklus der Virtutes Principis (»Herrschertugenden«) schmückt den Triumphbogen des Traianus in → Beneventum. Vom Anf. der Kaiserzeit an werden die P. der eroberten Prov. nicht nur auf Mz. dargestellt, sondern auch in der Großplastik, etwa auf den sogenannten Hadrianeum-Reliefs in Rom [12].

1 CH. AELLEN, A la recherche de l'ordre cosmique. Form et fonction des personnifications dans la céramique italiote, 1994 2 O. TSACHOU-ALEXANDRI, Personifications of Democracy, in: J. OBER, C. W. HEDRICK (Hrsg.), The Birth of Democracy, 1993, 149–155 3 L. BURN, The Meidias Painter, 1987 4 J. R. FEARS, The Cult of Virtues and Roman Imperial Ideology, in: ANRW II 17.2, 1981, 827–948 5 P. G. HAMBERG, Stud. in Roman Imperial Art, 1945, 15–103 6 F. W. HAMDORF, Griech. Kultpersonifikationen der vorhell. Zeit, 1964 7 R. HINKS, Myth and Allegory in Ancient Art, 1939 8 J. A. OSTROWSKI, Les personnifications des provinces dans l'art romain, 1990 9 V. PAPADAKI-ANGELIDOU, Αἱ προσωποποιήσεις εἰς τὴν ἀρχαίαν ἑλληνικὴν τέχνην, 1960 10 L. PETERSEN, Zur Gesch. der P. in griech. Dichtung und bildender Kunst, 1939 11 CHR. REUSSER, Der Fidestempel auf dem Kapitol in Rom und seine Ausstattung, 1993, 86–112 12 M. SAPELLI (Hrsg.), Provinciae fideles. Il fregio del tempio di Adriano in Campo Marzio, 1999 13 H. A. SHAPIRO, Local Personifications in Greek Painting,

in: A. DELIBORRIAS et al. (Hrsg.), Praktika (Acta 12th International Congress of Classical Archaeology, Athen 1983), Bd. 2, 1988, 205–208 **14** Ders., Personifications in Greek Art, 1993.   A. SH.

Perspektive   I. TERMINOLOGIE
II. VERKÜRZUNG UND PROJEKTION IN DER MALEREI

I. TERMINOLOGIE

Der mod. Terminus P. hat seinen Ursprung im Konzept der *ars perspectiva*, das L. B. ALBERTI 1435 in seinem Traktat *De pictura* (1,18–21) darlegte [1]. Demnach blickt der Maler durch ein Fenster auf den Gegenstand, der durch die Umrißzeichnung in einem leeren »Raumkasten« dreidimensional verortet wird. Der sich auf der Fensterfläche abbildende Umriß ist die perspektivische Projektion [8. 121; 10. 79–82]. Die ant. Kunsttheorie hat kein Äquivalent für den Begriff P., da sie den leeren »Raum an sich« nicht kennt. Das ant. Bild baut sich vielmehr aus den einzelnen Gegenständen und den ihnen eigenen Orten auf; gemäß der um 300 v. Chr. verfaßten ›Optik‹ des → Eukleides [3] ist es der Sehstrahl des Blickenden, der, mit der Abstrahlung des Gegenstandes durchtränkt, dessen Verortung leistet [11. 226; 13. 67–92; 14].

Die griech. Malereitheorie nennt die auf den Betrachter ausgerichtete, ansichtige Darstellung von Figuren *katágrapha* (N. Pl., κατάγραφα, »Schrägansichten«; → Kimon [4]). Die perspektivische Darstellung von Gebäuden wurde mit dem Begriff *skēnographía* (σκηνογραφία, → »Bühnenmalerei«) bezeichnet, da die erste Theorie der zeichnerischen Projektion von Gebäuden auf den ebenen Malgrund aus der Athener Theaterpraxis des 5. Jh. hervorging. Die dort vom Bühnenmaler → Agatharchos dargelegten Verfahren entwickelten → Demokritos [1] und → Anaxagoras [2] fort (Vitr. 7 praef. 11). So wurde die *skēnographía* als Theorie der ansichtigen Darstellung (Damianus, Optica p. 28–30 SCHÖNE) zum Teilbereich der Optik (→ Physik), wie sie uns durch Eukleides und → Ptolemaios überl. ist.

Auch ohne den kohärenten Raum der Neuzeit vermag die ant. Malerei Bildtiefe zu erzeugen: Seit dem 6. Jh. v. Chr. werden Gegenstände durch Format, Farbkontrast oder Überschneidung als hintereinanderliegend gekennzeichnet und so räumlich aufeinander bezogen [7. 180]. Aufgrund der Erkenntnis der Optik, daß mit wachsender Entfernung die Intensität der Gegenstandsfarben nachläßt (Ptolemaios, Optica 2,124–126 LEJEUNE), kann in der → Landschaftsmalerei auch die Farbaufhellung Entferntheit suggerieren, wie die Odysseefresken vom Esquilin aus dem 1. Jh. v. Chr. belegen [4]. Anders als das perspektivische Bild der Neuzeit fordert das ant. nicht einen einzigen Betrachterstandpunkt, sondern es erlaubt, für die Betrachtung jeden Gegenstandes einen anderen Standpunkt einzunehmen [5].

II. VERKÜRZUNG UND PROJEKTION IN DER MALEREI

Die Entwicklung der verkürzten Figurendarstellung läßt sich seit dem späten 6. Jh. v. Chr. in der → Vasenmalerei schrittweise verfolgen (→ Kimon [4]; → Parrhasios; → Malerei D.). Auf zeichnerischem Wege erschließen die Maler von Körpern und Objekten (etwa Möbeln, Schilden, Wagen) Schrägansichten, die im Laufe des 5. und 4. Jh. v. Chr. an Komplexität gewinnen [9]. Noch im späten 4. Jh. v. Chr. wird die Tiefenwirkung eines Schlachtengemäldes – welches in wahrscheinlich recht getreuer Kopie durch das → Alexandermosaik (mit Abb.) überl. ist – v. a. durch die kühne Ansichtszeichnung eines Reitpferdes von schräg hinten erzeugt. Die ansichtige Darstellung von Gebäuden wird seit dem 5. Jh. Thema der Malerei. Das Bühnengebäude mit Schauspielern der »Würzburger Theaterscherbe« (Mitte 4. Jh. v. Chr. [6]) mit fluchtendem Paraskenion und in Untersicht gesehener Kassettendecke zeigt jedoch, daß Figur und Architektur jeweils unterschiedlichen Projektionsverfahren unterworfen sind. Dem mod. Betrachter widersprüchlich scheinend, stehen derartige Bildlösungen im Einklang mit der ant. Optik, derzufolge der Sehstrahl jeden Gegenstand einzeln erfaßt.

Bes. aussagekräftige Zeugnisse der ant. Architekturprojektion sind uns in röm.-campanischen → Wandmalereien des sog. Zweiten Stils erh., welche die Illusion von architektonisch gerahmten Durch- und Aus-

Fragment eines Kelchkraters. Proskenion in verkürzter Darstellung. Würzburg, Martin-von-Wagner-Museum. Inv. Nr. H 4696. H 4701. Mitte 4. Jh. v. Chr. (Umzeichnung).

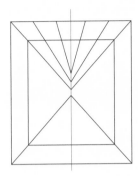

»Fischgrätenperspektive«
nach E. Panofsky.

blicken erzeugen (1. Jh. v. Chr., vgl. [5]). Anhand von Beispielen in → Pompeii, → Boscoreale, → Oplontis u. a. hat man seit dem späteren 19. Jh. – gestützt auf Vitruvs terminologisch unklare Definition der Skenographie (Vitr. 1,2,2) – versucht, durch Nachweis von konvergierenden Projektionslinien die Existenz der Zentral-P. in der Ant. nachzuweisen [3; 5; 10; 14; 16]; ein Unternehmen, gegen das sich schon Lessing wandte [2]. E. Panofsky hat gezeigt, daß die Gesetze der ant. Optik nur eine »Fischgrätenprojektion« – d. h. eine Ansammlung verschiedener Fluchtpunkte auf einer Vertikalachse des Bildes –, nicht aber eine Fluchtpunktkonzentration auf einen zentralen Punkt erlauben [8; 13]. Indem die Zentral-P. der Neuzeit nur einen einzigen Betrachterstandpunkt zuläßt, steht sie im Widerspruch zur antiken Wahrnehmungstheorie, der zufolge jeder einzelne Gegenstand für sich erfahren werden will [11. 221–226].
→ Malerei

1 L. B. Alberti, De pictura, lat. 1435, it. 1436, C. Grayson (Hrsg.), 1975 2 G. E. Lessing, 9. Antiquarischer Brief, 1768, in: K. Lachmann, F. Muncker (Hrsg.), Gotthold Ephraim Lessings Sämtliche Schriften 10, 1894, 255–256 3 H. G. Beyen, Die ant. Zentral-P., in: AA 54, 1939, 47–72 4 R. Biering, Die Odysseefresken vom Esquilin, 1997, 158–162 5 W. Ehrhardt, Bild und Ausblick in Wandbemalungen Zweiten Stils, in: AK 34, 1991, 28–65 6 S. Gogos, Bühnenarchitektur und ant. Bühnenmalerei, in: JÖAI 54, 1983, 59–86 7 N. J. Koch, Techne und Erfindung in der klass. Malerei, 2000, bes. 83–91 8 E. Panofsky, Die P. als symbolische Form (1927), in: H. Oberer, E. Verheyen (Hrsg.), Aufsätze zu Grundfragen der Kunstwiss., 1992, 99–167 9 G. M. A. Richter, Perspective in Greek and Roman Art, 1970 10 A. Rouveret, Histoire et imaginaire de la peinture ancienne, 1989, 65–115 11 T. Schirren, Aisthesis vor Platon, 1998 12 B. Schweitzer, Vom Sinn der P. (Die Gestalt 24), 1953 13 G. Simon, Der Blick, das Sein und die Erscheinung in der ant. Optik, 1992 14 R. Tobin, Ancient Perspective and Euclid's Optics, in: JWI 53, 1990, 14–41 15 K. H. Veltman, Literature on Perspective, in: Marburger Jb. für Kunstwiss. 21, 1986, 185–207 16 J. White, Perspective in Ancient Drawing and Painting, 1956.
N. K.

Perspicuitas s. Virtutes dicendi

Pertica. Als *p.* wird die Meßlatte (Stange) der röm. → Feldmesser und Architekten (meist in einer Länge von 10 Fuß (→ *decempeda*) = ca. 2,96 m, seltener zu 12, 15 oder 17 Fuß) bezeichnet. *P.* ist auch t.t. für das mit der Stange vermessene Gebiet sowie als *p. quadrata* Flächenmaß für ein Areal von 10 × 10 Fuß. Als regionale Sonderform ist aus Germanien *p.* als Längenmaß von 12 Fuß nach dem *pes Drusianus* zu 33,3 cm, entsprechend 3,99 m, bekannt. In der Landwirtschaft bezeichnet *p.* die im Weinbau verwandten Pfähle zum Befestigen der Reben sowie die Stöcke zum Abschlagen von Nüssen oder Oliven (Colum. 4,12,1; 4,16,4; 4,17,1; 4,26,2–4). → Maße; Pes

1 F. Hultsch, Griech. und röm. Metrologie, ²1882, 39f., 78 2 A. Schulten, s. v. P., RE 19, 1059–1060. H.-J. S.

Pertinax. P. Helvius P., röm. Kaiser 31.12.192–28.3. 193. Geb. am 1.8.126 n. Chr. im ligurischen Alba Pompeia (SHA Pert. 1,2; 15,6; Cass. Dio 73,3,1), Sohn eines Freigelassenen. Zunächst zum → *grammaticus* ausgebildet, bewarb er sich mit Hilfe des L. Hedius Lollianus [4] Avitus um eine Centurionenstelle (SHA Pert. 1,5; (Ps.-)Aur. Vict. epit. Caes. 18). Mit Unterstützung des Claudius [II 54] Pompeianus erhielt er den Rang eines *eques* (→ *equites Romani* D.), der ihm die ritterliche Laufbahn ermöglichte. Um 160 n. Chr., noch unter → Antoninus [1] Pius, diente er als *praefectus cohortis VII Gallorum equitatae* in Syrien (SHA Pert. 1,6; AE 1963, 52) und wurde dabei wegen unerlaubter Nutzung des → *cursus publicus* vom dortigen Statthalter gemaßregelt. Im → Partherkrieg des → Marcus [2] Aurelius ausgezeichnet, wechselte P. um 165 n. Chr. als *tribunus militum angusticlavius* zur *legio VI Victrix* in Eboracum (York) in Britannien (möglicherweise auch zur *XX Valeria Victrix* in Deva (Chester); SHA Pert. 2,1; AE 1963, 52) und erhielt danach höchstwahrscheinlich noch ein weiteres Kommando in dieser Prov., und zwar als *praefectus cohortis I Tungrorum* oder aber *II Tungrorum*. Nach Moesia superior oder Pannonia inferior versetzt, kommandierte er eine *ala* (CIL III 3232).

Sodann setzte P. die ritterliche Laufbahn fort; er diente zunächst um 168 n. Chr. als *procurator alimentorum per viam Aemiliam* in Norditalien [1. 451–454]. Weitere Stationen seiner Laufbahn waren um 169 n. Chr. das Kommando über die *classis Germanica* im h. Köln-Alteburg (SHA Pert. 2,3) und – ca. 169/170 n. Chr., als M. Claudius [II 31] Fronto Statthalter der Dacia Apulensis und von Moesia superior war [2. 122] – die Stelle eines → *procurator* in Sarmizegetusa, von der ihn Marcus Aurelius jedoch abberief (SHA Pert. 2,4). Doch P. erlangte das Wohlwollen des Kaisers bald wieder und kommandierte als *praepositus* Truppendetachements, die 169/170 die nach Raetia und Noricum eingedrungenen Germanen bekämpften (SHA Pert. 2,6). Aufgrund seiner Erfolge erhielt er den Rang eines Praetors (*adlectus inter praetorios*) und bekleidete von 171–ca. 175 das Amt eines *legatus legionis I Adiutricis*. An der Spitze dieser in Brigetio in der Prov. Pannonia superior stationierten Legion ver-

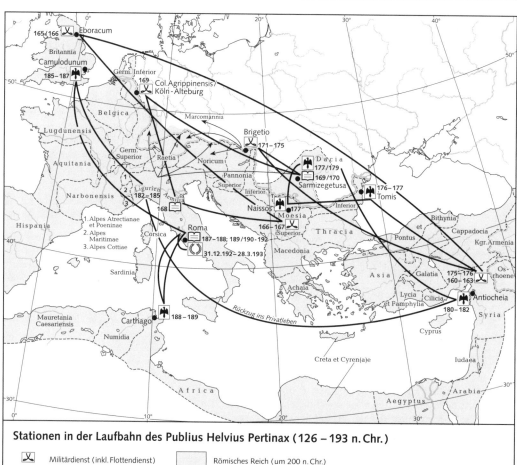

Stationen in der Laufbahn des Publius Helvius Pertinax (126 – 193 n. Chr.)

Militärdienst (inkl. Flottendienst)		Römisches Reich (um 200 n. Chr.)	
militärische Operationen		Provinzgrenze	
Zivildienst		Africa Provinzname	
Statthalterschaft		Aemilia Landschaft, Gebiet	
Kaiser			

0   150   300   450   600   750 km

160 – ca. 165	Praefectus cohortis VII Gallorum (Syria)
ca. 165 / 166	Tribunus militum angusticlavius legionis VI Victricis (Eboracum). Praefectus cohortis I bzw. II Tungrorum (Hadrianswall)
ca. 166 / 167	Praefectus alae (Moesia superior bzw. Pannonia inferior)
168	Procurator alimentorum per viam Aemiliam (Norditalien)
169	Praefectus classis Germanicae (Köln-Alteburg)
169 / 170	Procurator ducenarius (Sarmizegetusa)
	Praepositus vexillationum in bello Germanico (Oberitalien). Germanenabwehr.
	Adlectus inter praetorios
171 – 175	Legatus legionis I Adiutricis (Brigetio). Militärische Operationen in Raetia, Noricum, Marcomannia
175	Consul suffectus
175 – 176	Comes Augusti (gegen Avidius Cassius)
176 – 177	Legatus Augusti pro praetore provinciae Moesiae inferioris (Tomis)
177	Legatus Augusti pro praetore provinciae Moesiae superioris (Naissos)
177 – 179	Legatus Augusti pro praetore provinciae Daciae (Sarmizegetusa)
180 – 182	Legatus Augusti pro praetore provinciae Syriae (Antiocheia)
182 – 185	Zwangsweiser Rückzug in das Privatleben
185 – 187	Legatus Augusti pro praetore provinciae Britanniae (Camulodunum)
187 – 188	Praefectus alimentorum (Zivildienst in Rom)
188 – 189	Proconsul provinciae Africae proconsularis (Carthago)
189 / 190 – 192	Praefectus urbi
192	Consul II
31.12.192 – 28.3.193	Kaiser

trieb er die feindlichen Stämme aus den Provinzen Raetia und Noricum völlig (Herodian. 2,1,4; [3]) und nahm
dann an den Kämpfen gegen → Quadi, → Naristi und
→ Sarmatae jenseits der Donau teil. Dabei ereignete sich
174 das »Regenwunder« an der Donau (Eus. Hier.
chron. ad 2189 = p. 620 HELM; Cass. Dio 71,8–10).

Von Marcus Aurelius bereits zum Consul designiert,
bekleidete P. den Suffektkonsulat im Frühjahr oder
Sommer 175 n. Chr. zusammen mit → Didius [II 6] Iulianus in absentia (SHA Pert. 3,2; 14,5; SHA Did. 2,3;
Cass. Dio 71,22; Vat. 203 MOMMSEN/KRUEGER). 175/6
n. Chr begleitete P. den Kaiser als comes Augusti gegen
den Usurpator Avidius [1] Cassius nach Syrien, erhielt
176/7 nacheinander die Statthalterschaften der Provinzen Moesia inferior und Moesia superior (SHA Pert.
2,10; AE 1957,333) und wandte sich 177–179 als legatus
Augusti pro praetore Daciae gegen den Druck feindlicher
Stämme (CIL III 7751; AE 1973, 466; AE 1987, 843).

Daraufhin – wohl bereits von → Commodus – zum
Statthalter der Prov. Syria ernannt, verwaltete er diese
ca. 180–182, mußte sich dann auf Betreiben des Praetorianerpraefekten Perennis ins Privatleben nach Ligurien auf die väterlichen Besitzungen zurückziehen, erlangte jedoch nach dessen Tod 185 die Gunst des Commodus wieder: 185–187 war er Statthalter der Prov.
Britannia (SHA Pert. 3,3; 3,5), erhielt für 187/8 in Rom
das Amt eines praefectus alimentorum, danach 188/9 den
Prokonsulat von Africa, wo er sich – wie in Britannien –
durch übertriebene Strenge hervortat (SHA Pert. 4,2;
Cass. Dio 73,15,4; [4. 73 Nr. 94]), wurde von Commodus zum → praefectus urbi für die J. 189/190–192 ernannt und bekleidete schließlich als Kollege des Kaisers
192 n. Chr. seinen zweiten Konsulat (cos. ord. II: CIL VI
477; III 5178; XIV 251; VI 30967 [= 3702]).

Nach der Ermordung des Commodus am 31.12.192
übte P. die Herrschaft für knapp drei Monate aus [5],
bevor er selbst am 28.3.193 n. Chr. von den Praetorianern getötet wurde (Cass. Dio 73,8,1; 73,10,1 f.).
→ Vierkaiserjahr

1 H.-G. PFLAUM, Les carrières procuratoriennes équestres,
1960 2 FPD, Bd. 1 3 J. FITZ, P. in Raetien, in: Bayerische
Vorgeschichtsblätter 32, 1967, 40–51 4 THOMASSON, Fasti
Africani 5 A. R. BIRLEY, The Coups d'Etat of the Year 193,
in: BJ 169, 1969, 247–280.

G. ALFÖLDY, P. Helvius P. und M. Valerius Maximianus, in:
Situla 14/15, 1974, 199–215 · BIRLEY, 142–146 ·
M. FLUSS, s. v. Helvius (15a), RE Suppl. 3, 895–904 ·
KIENAST, 152 f. · H. G. KOLBE, Der P.stein aus Brühl bei
Köln, in: BJ 162, 1962, 407–420 · PIR² H 73.

KARTEN-LIT. (ZUSÄTZLICH): A. DEMANDT, Ant.
Staatsformen, 1995, 459, Abb. 31 (mit Modifikationen von
TH. FRANKE). T. F.

Perücke (φενάκη/phenákē, πηνήκη/pēnḗkē, lat. capilla-
mentum, galerus). Die Verwendung der P. hat in Griechenland offenbar im ausgehenden 6. Jh. v. Chr. eingesetzt; die spätarcha. Koren zeigen Frisuren, die ohne
angesetzte Haarteile nicht denkbar sind. Auch im Thea-

ter bediente man sich der P. im 5. Jh. v. Chr. (Aristoph.
Thesm. 258) und nutzte auch falsche Bärte (Aristoph.
Eccl. 25), ebenso tragen Musiker und Gaukler P. und
Haarteile (Ail. var. 1,26; Lukian. Alexandros 3). Der
Gebrauch von P. und Haarteilen war im kaiserzeitlichen
Rom überaus beliebt (Ov. ars 3,165–168; Artem. 1,18;
Anth. Pal. 11,310; zu Weihungen von P.: Anth. Pal.
6,211; 6,254). V. a. faszinierte das blonde Haar der Ger-
maninnen, das für P. verwendet wurde (z. B. Ov. am.
1,14,45; Mart. 5,37 5,68; Iuv. 6,120). Die P. diente dazu,
eigenes – etwa ergrautes – Haar oder den Mangel daran
zu überdecken (Lukian. dialogi meretricii 11,4; Anth.
Pal. 5,76). Die ornatrices (Haarkünstlerinnen) kamen bei
der Fertigstellung der komplizierten Haartrachten der
Römerinnen seit der flavischen Zeit ohne P. nicht aus.
Mitunter kürzten oder rasierten Frauen das eigene Haar
(Lukian. dialogi meretricii 5,3), wenn sie P. tragen wollten. P. wurden auch von Männern getragen, wenn
Kahlheit sie dazu zwang (vgl. Suet. Otho 12, Lukian.
ebd. 5,3); eher ein böser Scherz des Dichters ist das Malen von Haaren auf eine Glatze (Mart. 6,57). Schließlich
konnte die P. ein Mittel der Verkleidung sein (Suet. Cal.
11 und Suet. Nero 26; Iuv. 6,120; Pol. 3,78).

G. M. A. RICHTER, Korai. The Archaic Greek Maiden,
1964, 13 · K. SCHAUENBURG, P.-Trägerin im Blätterkelch,
in: Städel-Jb. 1, 1967, 45–63 · D. ZIEGLER, Frauenfrisuren
der röm. Ant. Abbild und Realität, 2000, 167–178. R. H.

Perusia. Urspr. umbrische Siedlung, dann Mitglied des
etr. Zwölfstädtebundes (Liv. 9,37,12), östl. des → Lacus
Trasumenus auf einer Anhöhe am rechten Ufer des Ti-
beris, h. Perugia. Municipium der tribus Tromentina, regio
VII (Plin. nat. 3,52). 295 v. Chr. von Rom unterworfen
(Liv. 10,31,3), lieferte P. 205 v. Chr. Cornelius [I 71]
Scipio für die geplante Afrika-Invasion Getreide und
Holz (Liv. 28,45,18). P. war Schauplatz des bellum Pe-
rusinum 41/0 v. Chr., als der nachmalige → Augustus
→ Fulvia [2] und L. Antonius [I 4] belagerte; er eroberte
und verheerte die Stadt (Sakralmord an Senatoren und
Rittern am 15. März 40, vgl. Suet. Augustus 14 f.; Pe-
rusinae arae, Sen. clem. 1,11,1), die er als P. Augusta
wiederaufbauen ließ (CIL XI 1924–1930).

Arch. Funde umfassen Überreste der → Villanova-
Kultur (9./8. Jh. v. Chr.) und aus etr. Zeit (Brunnen, der
sog. Pozzo Sorbello; Travertin-Zisterne; Cippus mit
langer etr. Inschr.: CIE 4538), Reste des sich am Stadthügel auf etwa 3 km entlangziehenden Mauerrings aus
Travertinquadern (3./2. Jh. v. Chr.) sowie verschiedene
Stadttore, darunter den monumentalen Arco di Augusto
(1. Jh. v. Chr.) mit zwei Wachtürmen und die Porta
Marzia in der Rocca Paolina (mit Blendloggia; 1. Jh.
v. Chr.). Weitere ant. Reste: Amphitheater, Brunnen,
domus mit Mosaiken; ausgedehnte Nekropolen in der
Umgebung; Hypogaeum der Volumni (1. Jh. v. Chr.).
Nachgewiesene Kulte: Apollo, Fortuna, Isis, Iuno, Silvanus, Venus, Vulcanus.

R. ROSSI (Hrsg.), P., 1993 · BTCGI 13, 414–458.
G. U./Ü: J. W. MA.

Pervigilium Veneris. Anon. lat. Gedicht in 93 trochäischen Tetrametern, das sich als Prozessionslied gibt, gesungen am Vorabend eines Venusfestes im sizilischen
→ Hybla [2]. Ein zu Beginn, am Ende und in unregelmäßigen Abständen innerhalb des Gedichts auftauchen-
der Refrain isoliert eine Reihe von kleinen Abschnitten, die sich zu drei Hauptteilen fügen: 1. Preis des
Frühlings und Ankündigung des Festes (V. 2–26);
2. Vergegenwärtigung des Festes, Ort der Handlung
(28–56); 3. Preis der Macht der → Venus (59–79); die
Schlußpartie (81–92) gipfelt in einer melancholischen
Reflexion des Dichters.

Das Gedicht, das eine Reihe von v. a. rel.-gesch. Fragen aufwirft (vgl. [7. 47–75; 8. 1547ff.]; Ed. [4. 26–35])
wird h. allg. (vgl. [11]) in das 4. Jh. n. Chr. datiert. Wenn
es nach 386 entstanden ist [12. 308 f.], steht und fällt die
Identifikation des Verf. mit Tiberianus anhand dessen
Datier. (vgl. aber [12. 310ff.]). Die Überl. des korrupten
Textes beruht hauptsächlich auf den Codices S und T
der *Anthologia Latina* (vgl. [4. 6–17]). Zu der v. a. in der
Neuzeit überaus reichen Rezeption s. [11. 263].

ED.: **1** C. CLEMENTI, [3]1936 (mit Komm.) **2** R. SCHILLING,
1944 **3** D. ROMANO, 1952 **4** L. CATLOW, 1980
5 C. FORMICOLA, 1998.
BIBLIOGR.: C. CLEMENTI (s. [1]), 91–164 (bis 1935).
LIT.: **6** P. BOYANCÉ, Encore le P. V., in: REL 28, 1950,
212–235 **7** E. CAZZANIGA, Saggio critico ed esegetico sul
P. V., in: Studi classici e orientali 3, 1953, 47–101 (mit Text)
8 P. BOYANCÉ, Le P. V., in: R. CHEVALLIER (Hrsg.),
Mélanges A. Piganiol, 1966, 1547–1563 **9** A. CAMERON,
The P. V., in: La poesia tardoantica (Atti del 5 corso della
Scuola Superiore di Archeologia, Dez. 1981), 1984, 209–234
(mit Text) **10** H. MacL. CURRIE, P. V., in: ANRW II 34.1,
1993, 207–224 (ohne Kenntnis von [11] und [12])
11 K. SMOLAK, in: HLL, Bd. 5, § 551 **12** D. SHANZER, Once
Again Tiberianus and the P. V., in: RFIC 118, 1990,
306–318.   P. L. S.

Pes. Der *p.* (»Fuß«) war die Grundeinheit der röm.
Längenmaße (entsprechend 29,62 cm), nach Vitruvius
(Vitr. 3,1,5) zusammen mit den Teilstücken *digitus*
(»Fingerbreite«; griech. δάκτυλος/→ *dáktylos* = ¹⁄₁₆ Fuß)
und → *palmus* (»Handbreite«; griech. παλαιστή/→ *pa-
laistē* = ¼ Fuß) sowie seinem 1 ½fachen → *cubitus* (»Elle«;
griech. πῆχυς/→ *pēchys*) den Proportionen des menschlichen Körpers entnommen. Nach dem im Münzwesen
üblichen Duodezimalsystem wurde der *p.* auch in 12
unciae unterteilt. Die zahlreich erhaltenen Klappmaß-
stäbe aus Bronze, Bein oder Messing in der Länge von

1 Fuß weisen in der Regel eine doppelte Skalierung zu
16 *digiti* und 12 *unciae* auf. Mehrfache des *p.* sind *gradus*
(2 ½), → *passus* (5), → *decempeda* (10) und → *actus* [2]
(120). Außer als Längenmaß wurde *p.* auch als Grundeinheit bei den Flächenmaßen (*p. constratus*) und Raum-
maßen (*p. quadratus*, → *quadrantal*) verwandt. Regionale
Sonderformen waren der sog. »Vindonissa-Fuß« zu
29,25 cm oder der in Germanien verbreitete *p. Drusianus* zu 33,27 cm.

→ Maße; Pus

1 K. W. BEINHAUER (Hrsg.), Die Sache mit Hand und Fuß –
8000 Jahre Messen und Wiegen, 1994 **2** H. BÜSING, Zur
Genauigkeit der Skalen einiger röm. Zollstöcke, in: Kölner
Jb. 24, 1991, 271–285 **3** W. HEINZ, Der Vindonissa-Fuß, in:
Jb. Pro Vindonissa 1991, 65–79 **4** F. HULTSCH, Griech. und
röm. Metrologie, [2]1882, 74–76 **5** R. C. A. ROTTLÄNDER,
Ant. Längenmaße, 1979.   H.-J. S.

Pesah (hebr. *psḥ*; griech. πάσχα, LXX, bei Phil. de sacrificiis Abelis et Caini 63 und Phil. legum allegoria 3 als
διάβασις/*diábasis* erklärt; dt. *Passah*). Alljährlich nach
dem jüd. Kalender im Frühjahr vom Abend des 14. bis
zum 22. Nisan begangenes jüd. Fest. Es zählt zu den
wichtigsten jüd. Festen und erinnert an den Auszug und
die Errettung Israels aus Äg. (vgl. Ex 7–14). Zentrales
Symbol sind die ungesäuerten Brote (hebr. *maṣṣōt*), die
die Eile des Auszugs versinnbildlichen sollen (Ex 12,34;
14,39). Daher ist alles Gesäuerte vor dem Fest aus dem
Haus zu entfernen (vgl. bereits Ex 12,15 u. a.); nach einer gründlichen Durchsuchung des ganzen Hauses wird
es entweder verbrannt oder – bei größeren Mengen –
an Nicht-Juden verkauft. Geräte, die für Gesäuertes
benutzt worden sind, werden entweder weggeschlos-
sen oder einer speziellen Reinigung unterzogen (»Ka-
schern«). Während der Festtage darf kein Gesäuertes
verzehrt werden. Die wichtigste Feier ist der Seder-
Abend am 14. Nisan, dem Vorabend des Festes: Mahl-
ritual mit a) Verlesung der P.-Haggada (bestehend aus
Nacherzählung von Ex 7–14, Segenssprüchen, Gebeten
u. a., entstanden hauptsächlich in den ersten nachchristl.
Jh.; → Haggada); b) Trinken von vier Bechern Wein;
c) einzelnen Speisen als Symbolen der einstigen Unterdrückung (z. B. *Maror*, Bitterkraut, an die Bitternis der
Knechtschaft; *Haroset*, ein Mus aus Honig, Datteln und
Nüssen, an den Mörtel, mit dem die versklavten Hebräer für den äg. Pharao die Lehmbauten errichteten,
erinnernd; zehn Tropfen Wein werden für die zehn Pla-
gen vergossen). Das P.-Mahl dient der Vergegenwärti-

Die römischen Längenmaße und ihre Relationen

Längenmaß	digitus	palmus	**pes**	cubitus	passus	mille passus
	Finger	Handbreite	**Fuß**	Elle	Doppelschritt	1000 Doppelschritte
Länge	1,85 cm	7,4 cm	**29,6 cm**	44,4 cm	1,48 m	1480 m
	4 digiti	= 1 palmus				
	16 digiti	= 4 palmi	**= 1pes**			
		6 palmi		= 1 cubitus		
			5 pedes		= 1 passus	

gung der einstigen Rettungstat Gottes; gleichzeitig wird die Hoffnung auf die baldige Rückkehr Israels aus der → Diaspora nach Jerusalem zum Ausdruck gebracht.

In der at. Wiss. wurden die traditionsgesch. Wurzeln dieses Festes ausführlich diskutiert. Dabei wird in der Regel angenommen, daß es sich urspr. um zwei Feste handelte, die erst im Laufe der Zeit miteinander verschmolzen worden seien. Im Zentrum des P.-Festes, das wohl innerhalb der Familie gefeiert wurde, stand ein Opfer, das mit einem apotropäischen Blutritus verbunden war (Ex 12,21–23). Während hier z. T. nomadischer Ursprung angenommen wird, gilt das Mazzotfest (Ex 12,15–20; s.a. Ex 23,14–17; 34,18; 34,22) als ein altes Wallfahrts- und Kulturlandfest zur Feier der Gerstenernte am Beginn der neuen Erntesaison. Verm. wurde die Historisierung der beiden Feste durch das Exodusgeschehen zur integrierenden Klammer, mit der diese verbunden werden konnten.

In der nt. Wiss. wird diskutiert, ob → Jesu Abendmahl auf ein P.-Mahl zurückgeht; einer definitiven Entscheidung freilich steht die problematische Quellenlage für die häusliche P.-Feier in der Zeit vor der Zerstörung des Zweiten Tempels (70 n. Chr.) entgegen: Im Gegensatz zum → Sabbat spielt P. in der antijüd. Polemik der Ant. keine herausgehobene Rolle.

M. RÖSEL, s. v. Pesach I. Altes Testament, TRE 26, 231–240 · G. FOHRER, Glaube und Leben im Judentum, ³1991, 90–103 (¹1979). B. E.

Pescennius. Imperator Caesar C. P. Niger Iustus Augustus, röm. Kaiser 193–194 n. Chr. Italiker, geb. zw. 135 und 140 n. Chr. in Aquinum (?) (SHA Pesc. 1,3). P. absolvierte zunächst den ritterlichen *cursus honorum*: Er war *praefectus cohortis* während der Herrschaft des → Marcus [2] Aurelius und zweimal *tribunus militum* unter → Commodus (SHA Pesc. 4,2; 4,4), der ihn unter die Praetorier aufnahm (*adlectus inter praetorios*). Zwischen 180 und 183 n. Chr. bekleidete P. den Konsulat (*cos. suff.*, Herodian. 2,7,4; [1. 138; 2. 138 f.]), bewährte sich möglicherweise als Statthalter von Dacia im Kampf gegen die → Sarmatae (Cass. Dio 72,8,1 [1. 137–141 Nr. 27] und erhielt ca. 186 ein Kommando in Gallien gegen Deserteure (SHA Pesc. 3,3 f.). Noch von Commodus eingesetzt, amtierte er seit 191 als *legatus Augusti pro praetore Syriae* und wurde Mitte April des J. 193 in Antiocheia [1] zum Augustus erhoben, als dort die Ermordung des Helvius → Pertinax bekannt wurde (Cass. Dio 74,6,1; Herodian. 2,7,6–8,5).

Obwohl vom Senat zum Staatsfeind (*hostis*) erklärt, fand P. Unterstützung im gesamten Ostteil des Imperium Romanum, in Äg. (Eutr. 8,18) und durch den Partherkönig → Vologaises IV. (Herodian. 3,2–3), bevor es zum Entscheidungskampf mit → Septimius Severus kam, der von den Donaulegionen zum Kaiser ausgerufen worden war. Den Oberbefehl über seine Streitkräfte vertraute P. dem Statthalter der Prov. Asia, → Asellius [1] Aemilianus, an (Herodian. 3,2,2; Cass. Dio 74,6,2), der sofort Byzantion besetzte und nach Perinthos in

Thrakien vorrückte (Cass. Dio 74,6,3; SHA Sept. Sev. 8,13), sich jedoch bald wieder nach Byzantion zurückziehen mußte (Cass. Dio 74,6,4), das Septimius Severus Mitte 193 belagerte. Als die Hauptstreitmacht des Septimius Severus nach Asien übersetzte, kam es E. 193 zur Schlacht bei Kyzikos, in der Asellius besiegt und getötet wurde, sowie zu einer weiteren Anf. 194 bei Nikaia, in der die Armee des P. abermals unterlag (Cass. Dio 74,6,4 f.; SHA Sept. Sev. 8,17). Nachdem Äg. etwa im Februar 194 von P. abgefallen war (BGU 326 Nr. 2, Z. 12), stieß Septimius Severus über die Tauros-Pässe vor und besiegte P. in einer Entscheidungsschlacht bei Issos etwa E. März 194 (Herodian. 3,36–8; Cass. Dio 74,7,2–8). P. versuchte zu entkommen, wurde aber bei Antiocheia ca. E. April 194 n. Chr. gestellt und getötet (Herodian. 3,4,6; Cass. Dio 74,8,3).

1 PISO, FDP, Bd. 1 2 LEUNISSEN.

A. R. BIRLEY, Septimius Severus, ²1988 · G. HARRER, The Chronology of the Revolt of P. Niger, in: JRS 10, 1920, 155–168 · KIENAST², 159 f. · PIR² P 254. T. F.

Pessinus (Πεσσινοῦς). Stadt in Phrygia, später Teil von Galatia, Tempelstaat, mit berühmtem Heiligtum der → Kybele/→ Mater Magna (Strab. 10,12; 12,5,3), vom hl. Flüßchen Gallos [2] durchflossen, das mit seinen Anschwemmungen das Stadtgebiet verschüttet hat; h. Ballhisar. Das Territorium von P. umfaßte im Norden den Berg → Dindymon mit seinen NO-Hängen bis zum Çardaközü, wohl eine Konfliktzone im Verhältnis zu den benachbarten Tolistobogioi. Zu diesen war im Osten und Süden der → Sangarios die Grenze, im Westen und SW reichte P. bis etwa Troknada und Orkistos. Nach der Sage war → Midas an der Errichtung von Tempel und Opferkult beteiligt (Diod. 3,59,8; Theop. FGrH 115 F 260; Arnob. 2,73). Der Kult der altanatolischen Muttergottheit muß hier durch den hl. Meteorstein (*baítylos*, → *baitýlia*) der Göttin bestimmt gewesen sein. Die Oberpriester trugen die kult. Namen Attis oder Battakes (unrichtig beschrieben als Doppelpriestertum bei Pol. 21,37,5–7). Die Pessinuntioi unterlagen einem kult. Schweinefleisch-Tabu (Paus. 7,17,10).

Tempel und Säulenhallen wurden von den Attaliden (→ Attalos, mit Stemma) prachtvoll neu errichtet. Das Heiligtum ist arch. aber noch nicht erfaßt [1]. Sondagen haben bisher eine späthell. Bebauung (mit Befestigungsmauer; 2./1. Jh.) und eine spätphrygisch/frühhell. (4./3. Jh.) über einer Planierungsschicht (darunter Mutterboden in 5–6 m Tiefe) ergeben. Ältere phryg. Siedlungen, Gräber und Monumente (7. und 6. Jh.) finden sich im weiteren Umkreis von P. Handel und die überregionale Bed. des Heiligtums bedingten den bes. Reichtum von P.; außerdem besaß P. ein in der Ant. landwirtschaftlich reiches Territorium. Der Tempelstaat bewahrte seine Stellung in pers. Zeit, ebenso nach der Landnahme der Galatai 275/4 v. Chr. Der Kult der Kybele gewann für die benachbarten → Tolistobogioi große Bed., was die Funde in → Gordion zeigen [2]. Noch im 3. Jh. dürften Angehörige galatischer Adelsfamilien in die Priesterschaft von P. eingetreten sein. Daß diese Cn. Manlius [I 24] Vulso 189 v. Chr. willkommen hieß und ihm den Sieg prophezeite (Pol. 21,37,5–7; Liv. 38,18,9), spricht trotz allg. gegenteiliger Meinung nicht dagegen, da für die Priesterschaft nur die Interessen ihres Staates zählten; eine »nationalgalatische« Gesinnung ist nur ein mod. Konstrukt [2].

205/4 wurde der hl. Stein der Kybele unter Vermittlung Attalos' I. nach Rom gebracht (→ Kybele C. I.), der Rom den Sieg über Hannibal [4] verhieß. Anfangs bestanden gute Beziehungen zu den → Seleukiden (Cic. har. resp. 28), später auch zu → Pergamon, an das sich P. seit 188 verstärkt anlehnte; die Hypothese einer attalidischen Herrschaft 183–166 ist aber ohne Grundlage [2]. 163–157/6 sind geheime Verbindungen zw. Eumenes [3] II. sowie Attalos [5] II. und dem Oberpriester Attis belegt [3. 55–61], der in teils kriegerischem Konflikt mit seinem Bruder Aioiorix stand, wohl einem Tetrarchen der benachbarten Tolistobogioi. 102 v. Chr. besuchte der Oberpriester Battakes Rom, wahrscheinlich um sich über Übergriffe der → publicani zu beschweren. Nach 65/4 stand P. unter der Herrschaft → Deiotaros' I., des alleinigen Tetrarchen der Tolistobogioi (Plut. Cato minor 15), fiel 58 (aufgrund eines Gesetzes des Volkstribunen P. [I 4] Clodius) an dessen Schwiegersohn → Brogitarus, den Tetrarchen der → Trokmoi, der P. 56 v. Chr. an Deiotaros verlor (Cic. har. resp. 29). Die Einsetzung der Oberpriester lag nun in der Hand der galatischen Fürsten. 25/4 wurde P. bei der Annexion des Amyntas-Reichs Teil der Prov. → Galatia und bei deren Neuordnung Hauptort der Tolistobogioi, deren stark beschnittenes Gebiet zusammen mit dem Territorium des alten Tempelstaates als die *pólis* (Stadtgemeinde) der Pessinuntioi bzw. der Galatai Tolistobogioi Pessinuntioi organisiert wurde.

In tiberischer Zeit (14–37 n. Chr.) wurde ein Tempel für den → Kaiserkult mit vorgelagertem Theater errichtet. In röm. Zeit bestand die Priesterschaft der Kybele aus dem Oberpriester und zehn Priestern, von denen jeweils fünf phrygischer bzw. galatischer Abstammung waren. Es ist unklar, wann diese Neuordnung erfolgte; der Ansatz unter Kaiser Claudius [III 1] [4. 408] ist nicht beweisbar. Eher dürfte sie zu den mit der Konstituierung der Prov. zusammenhängenden Maßnahmen nach 25/4 v. Chr. gehören. 258 n. Chr. wurde P. von einem Einfall der → Goti getroffen. Der allmählich erlahmende alte Kult, dessen Neubelebung Kaiser Iulianus [11] gezielt versuchte, lebte weit in die Spätant. fort. Seit dem späten 3. Jh. als Bischofstadt belegt, wurde P. E. des 4. Jh. Metropolis der Prov. Galatia II bzw. Salutaris. → Phryges, Phrygia

1 Kazı Sonuçları Toplantısı (Ankara) (jährliche Ber.) 2 K. STROBEL, Die Galater, Bd. 2, 2000 3 WELLES 4 P. LAMBRECHTS, R. BOGAERT, Asclépios, archigalle P., in: J. BIBAUW (Hrsg.), Hommages à M. Renard, Bd. 2, 1969, 404–414.

J. DEVREKER, M. WAELKENS, Les fouilles de la Rijksuniversiteit te Gent à Pessinonte 1967–1973, Bd. 1–2, 1984 • M. WAELKENS, P. et le Gallos, in: Byzantion 41, 1971, 349–373 • Ders., The Imperial Sanctuary at P., in: EA 7, 1986, 37–73 • P. LAMBRECHTS, R. BOGAERT, Nouvelles données sur l'histoire du christianisme à P., in: R. ALTHEIM-STIEHL (Hrsg.), Beitr. zur Alten Gesch. und deren Nachleben. FS F. Altheim, Bd. 1, 1969, 552–564 • J. DEVREKER, J. H. M. STRUBBE, Greek and Latin Inscriptions from P., in: EA 26, 1996, 53–66 • J. DEVREKER, Nouvelles monuments et inscriptions de P., in: EA 11, 1988, 35–50; 19, 1992, 25–31; 24, 1995, 73–83; 28, 1997, 97–100 • J. DES COURTILS (ed.), De Anatolia antiqua (Eski Anadolu), Bd. 1, 1991, 183–202 • J. DEVREKER, Les monnaies de P. Un supplément, in: EA 24, 1995, 85–90 • Ders., The New Excavations at P., in: E. SCHWERTHEIM (Hrsg.), Forsch. in Galatien, 1994, 105–130 • J. H. M. STRUBBE, Les noms indigènes à P., in: Talanta 10/11, 1978/9, 112–143 • Ders., Grave Inscriptions from P., in: EA 19, 1992, 33–43 • W. RUGE, s. v. P., RE 19, 1104–1113 • BELKE, 214f. • B. VIRGILIO, Il »tempio stato« di Pessinunte fra Pergamo e Roma …, 1981 • Ders., Il »tempio stato« di Pessinunte, in: Atene e Roma 26, 1981, 167–175 • RPC I, p. 548 • BMC Galatia, p. 18–23.   K. ST.

Pest, Pestis s. Epidemische Krankheiten

Petalismos (πεταλισμός). Als *p.* wurde eine Abstimmung mit Blättern (πέταλα) des Ölbaums bezeichnet. Der *p.* war in → Syrakusai das Äquivalent zum → *ostrakismós* in Athen, also ein Verfahren zur zeitlich begrenzten Verbannung einer herausragenden Person, ohne sie eines Vergehens für schuldig zu befinden. Diodoros (11,87) erwähnt den *p.* zum J. 454/3 v. Chr.: Er wurde nach einem mißglückten Versuch, eine → Tyrannis zu errichten, eingerichtet, hatte ein fünfjähriges Exil zur Folge, wurde aber bald wieder abgeschafft, weil die Furcht, dem *p.* zum Opfer zu fallen, die führenden Bürger zum Rückzug aus dem öffentl. Leben veranlaßte.

P. J. R.

Petasos (πέτασος). Griech. Hut aus Filz mit breiter Krempe, aufgrund seiner Herkunft auch als »thessalischer Hut« bezeichnet (Soph. Oid. K. 313); er wurde von Frauen und Männern getragen, die sich viel im Freien aufhielten (Fischer, Hirten, Jäger) oder auf Reisen waren; zu den bekanntesten myth. P.-Trägern zählen Hermes, Peleus, Perseus, Oidipus, Theseus. Weitere Träger sind – seltener – Wagenlenker (Athen. 5,200f.), Reiter (z. B. am Parthenonfries) und die att. Epheben (→ *ephēbeía*). Für einen sicheren Halt des *p.* sorgte ein Riemen, der unter das Kinn geführt wurde. Mitunter hing der *p.* im Nacken und wurde von dem um den Hals gelegten Riemen gehalten. Der *p.* konnte unterschiedliches Aussehen haben, so war die Krempe z. B. breit ausladend oder hochgeklappt, während der Kopf des *p.* u. a. halbkugelförmig oder spitz zulaufend war. In der ant. Kunst ist der *p.* seit der archa. Zeit vielfach dargestellt worden, bes. in Verbindung mit → Hermes, für den er als Attribut bes. kennzeichnend ist.

P. C. BOL, Zum P. des Hermes Ludovisi, in: N. BAŞGELEN, M. LUGAL (Hrsg.), FS J. Inan, 1989, 223–227.   R. H.

Peteesis (griech. Πετεησις; äg. *p'q-3s.t*, »der, den Isis gegeben hat«). Nach PRylands 63 [4] äg. Priester in → Heliopolis [1], der Platon über die Melothesie (Zuordnung der Körperglieder zu astralen Größen) belehrt [2. 81]. Verm. dieselbe Traditionsfigur eines Weisen wie der P., der in einigen Varianten zu Dioskurides, De materia medica 5,98 als Autor genannt wird, evtl. auch der Petasios des alchemistischen Corpus (CAAG Bd. 3, 15,3; 26,1; 95,15; 97,17; 261,9; 282,9; 416,15; [1. 68f., 205f.]). Ein tatsächlicher äg. Priester in Heliopolis namens *Petese*, der u. a. Wachsfiguren magisch belebt, ist in der Erzählung des PCarlsberg 165 bezeugt [3] und könnte Kristallisationspunkt für die spätere Trad. sein.

1 M. BERTHELOT, CH. RUELLE, Collection des anciens alchemistes grecs (= CAAG), 1888, 81 2 W. und H.-G. GUNDEL, Astrologumena, 1966 3 K. RYHOLT, The Story of Petese, 1999 4 J. DEM. JOHNSON, V. MARTIN, A. S. HUNT, Cat. of the Greek Papyri in the John Rylands Library, Manchester, Bd. 2, 1915, 2f. JO. QU.

Peteharsemtheus. Ägypter, geb. ca. 139 v. Chr., Inhaber eines fünf Generationen zurückreichenden Familienarchivs. Die Familie ist ein Beispiel für die vereinzelte Eingliederung von Griechen in äg. Familien. Mehrere Brüder des P. dienten in der Armee, wie auch Mitglieder früherer Generationen; P. selbst scheint die Familienangelegenheiten verwaltet zu haben; ihn betreffende Dokumente stammen aus den J. 114–88 v. Chr.

P. W. PESTMAN, in: Papyrologica Lugduno-Batava 14, 1965, 47ff. • N. LEWIS, Greeks in Ptolemaic Egypt, 1986, 139ff. • J. BINGEN, Vente de terre par Pétéharsemtheus (Pathyris, 100 av. J. C.), in: Chronique d'Égypte 64, 1989, 235–244. W. A.

Petelia (Πετηλία). Stadt auf einem Hügel (341 m H) nördl. von → Kroton (Liv. 27,26,5; Strab. 6,1,3; Plut. Marcellus 29); h. Strongoli. Als mythischer Gründer galt → Philoktetes (Cato fr. 70; Verg. Aen. 3,402 mit Serv.; Cincius fr. 53; Strab. l.c.; Solin. 2,10). P. war *mẽtrópolis* der → Lucani, wurde von Samnites gegen Thurioi befestigt (Strab. l.c.) [2], stand im 2. → Punischen Krieg auf röm. Seite und wurde von den Karthagern 215 nach langer Belagerung erobert (Liv. 23,20,4–10; 30,1–5; Pol. 7,1,3; Val. Max. 6,6 ext. 2; Petron. 141,10; Frontin. strat. 4,5,18; Sil. 12,431; App. Hann. 29). Reiche Br.-Prägungen zu E. des 3. Jh. v. Chr. sind erh. [1]. Beamte mit ital. PN sind belegt [3]. Im 1. Jh. v. Chr. wurde die Siedlung in die Ebene verlegt (Strab. l.c.; Mela 2,68; Plin. nat. 3,96). Blüte in der Kaiserzeit (Plin. nat. 3,96; Ptol. 3,1,75; Tab. Peut. 7,2). Arch.: Reste der Wehrmauern, hell. und röm. Nekropolen, Thermen, Forum [4].

1 M. CALTABIANO, Una città del sud tra Roma e Annibale. La monetazione di P., 1977 2 S. LUPPINO, Strabone VI 1,3: I Lucani a P., in: Archivio storico per la Calabria e la Lucania 47, 1980, 37–48 3 F. COSTABILE, I ginnasiarchi a P., in: Archivio storico per la Calabria e la Lucania 51, 1984, 5–15 4 G. CERAUDO, A proposito della base marmorea di Manio Megonio Leone …, in: Studi di Antichità 8,1, 1995, 275–284.

NISSEN 2, 937 • P. E. ARIAS, s. v. P., EAA 6, 1965, 94 • E. GRECO, P., Vertinae e Calasarna, in: AION 2, 1980, 83–92 • A. RUSSI, s. v. P., EV 4, 1988, 48–50 • M. OSANNA, Chorai coloniali da Taranto a Locri, 1992, 198. M. L.

Peteon (Πετεών). Im homer. Schiffskatalog genannte boiot. Stadt (Hom. Il. 2,500; danach alle späteren, bei [1. 1128; 3. 265] zusammengestellten Erwähnungen); eine an der Straße von → Thebai nach → Anthedon gelegene, seit klass. (?) Zeit zu Thebai gehörige Siedlung (Strab. 9,2,26); am Westhang des → Messapion beim h. Muriki [1. 1129f.] oder etwas weiter nördl. bei Platanakia [2. 233f.] oder bei Skala Paralimnis am SO-Ufer des Paralimni-Sees [4. 107] lokalisiert.

1 E. KIRSTEN, s. v. P., RE 19, 1128–1130 2 FOSSEY 3 E. VISSER, Homers Kat. der Schiffe, 1997 4 P. W. WALLACE, Strabo's Description of Boiotia, 1979. P. F.

Peteos (Πετεώς). Mythischer König von Athen (Hom. Il. 4,338), Sohn des Orneus (Paus. 2,25,6) und Vater des → Menestheus [1] (Hom. Il. 2,552). P. soll, von → Aigeus aus Athen vertrieben, mit Einwohnern des Demos Stiria die Polis → Stiris in Phokis gegründet haben (Paus. 10,35,8). In ägypt. Überl. soll der Ägypter Petes der Vater des Menestheus und Herrscher in Athen gewesen sein (Diod. 1,28,6). CA. BI.

Petilianus. Donatistischer (→ Donatus [1]) Bischof von Constantina/Cirta (Constantine in Algerien), zuerst Katechumene der kathol. Kirche, dann getauft und ordiniert in der donatistischen Kirche, nach 394 Bischof (Aug. contra litteras Petiliani 3,239). Bei der Religionskonferenz von Karthago 411 gehörte er neben → Primianus zu den führenden Sprechern. † nach 419/422. Seine *Epistula ad presbyteros et diaconos* zu Tauftheologie, Schisma und staatlichen Verfolgungsmaßnahmen (um 400) und seine zornige *Epistula ad Augustinum* (402) sind aus der Replik in → Augustinus' *Contra litteras Petiliani* (1 f. resp. 3) teilweise rekonstruierbar. Sein Traktat *De unico baptismo* um 408 wird kurz danach von Augustinus in seiner gleichnamigen Abh. bekämpft (Aug. retract. 2,34).

G. FINAERT, B. QUINOT (ed.), Bibliothèque augustinienne 30: Traités antidonatistes III: Contre les lettres de Pétilien, 1967 • G. FINAERT, A. C. DE VEER (ed.), Bibliothèque augustinienne 31: Traités antidonatistes IV: Livre sur l'unique baptême, 1968 • S. LANCEL (ed.), Actes de la conférence de Carthage en 411 (SChr 194), 1972, 221–238 • A. MANDOUZE, Prosopographie de l'Afrique chrétienne (303–533), 1982, s. v. P., 855–868. O. WER.

Petillius. Name einer röm. plebeiischen Familie (auch *Petilius*), seit dem 2. Jh. v. Chr in Rom bekannt.

SCHULZE, 443 • WALDE/HOFMANN 2, 297. K.-L. E.

I. Republikanische Zeit

[I 1] P., Q. hießen zwei miteinander verwandte (Vettern?) Volkstribune d. J. 187 v. Chr. Sie bezichtigten (auf Betreiben Catos [1]?) L. Cornelius [I 72] Scipio vor dem Senat der Veruntreuung öffentlicher Gelder (*peculatus*) im Krieg gegen Antiochos [5] III. und verlangten Rechenschaft. L.' Bruder P. Cornelius [I 71] Scipio erklärte die Anschuldigungen für absurd und zerriß demonstrativ die Unterlagen. Einen Prozeß hat es wohl nicht gegeben, sicher nicht ein hartes Urteil gegen L. Scipio, der im folgenden J. in aller Pracht triumphierte. Hergang und Zusammenhang dieser Phase der sog. Scipionenprozesse sind nur als vielschichtiger und widersprüchlicher Überl. zu rekonstruieren (vgl. neuerdings [1]). Einer der beiden P. ist wohl mit Q. P. Spurinna identisch, der 181 als *praetor urbanus* erreichte, daß ein Fund von angeblichen Schriften aus der Zeit des Königs → Numa Pompilius wegen Gefährdung der Rel. öffentlich verbrannt wurde (Liv. 40,29,3–14; Plin. nat. 13,84–87). 176 wurde er Consul, leitete die durch den Tod seines Kollegen nötigen Wahlen (Liv. 41,16,5) und fiel dann selbst im Kampf gegen die → Ligures (Liv. 41,17,6–18,12); in der Annalistik ist sein Amtsjahr von zahlreichen unglückverheißenden Vorzeichen gekennzeichnet.

1 E. S. Gruen, The »Fall« of the Scipios, in: I. Malkin, Z. W. Rubinsohn (Hrsg.), Leaders and Masses in the Roman World. FS Zvi Yavetz, 1995, 59–90.   TA.S.

[I 2] P. Capitolinus. Angeklagt, aus dem von ihm beaufsichtigten Iuppitertempel auf dem Capitolium einen Kranz gestohlen zu haben. Caesar sprach ihn frei (Hor. sat. 1,4,94–100 mit Porph. Hor. comm.); wohl identisch mit dem Münzmeister von 43 v. Chr. (RRC 487). JÖ.F.

[I 3] P. Spurinus, Q. s. P. [I 1]

II. Kaiserzeit

[II 1] Q. P. Cerialis Caesius Rufus. Aus Italien stammend, wahrscheinlich aus Umbrien. Mit Kaiser → Vespasianus verwandt, vielleicht sein Schwager. Dieser hat offensichtlich seine Laufbahn ab 69 n. Chr. wesentlich beeinflußt; denn das einzige Faktum seines vorausgehenden *cursus*, das Kommando über die *legio IX Hispana* in Britannien im J. 60, mußte ein Hindernis beim Vorankommen sein, da er mit seiner Legion von den Britanniern geschlagen worden war (Tac. ann. 14,32,3). Im J. 69 erscheint er dann unter den Führern der flavischen Partei, die gegen Rom vorrückten (→ Vierkaiserjahr); dabei wurde er wiederum in einem Reitergefecht besiegt. Doch Vespasian sandte ihn im J. 70, in dem er wohl auch einen Suffektkonsulat bekleidete, gegen die aufständischen Gallier und Germanen. → Domitianus, der versuchte, von ihm das Kommando zu erhalten, wies er zurück (Tac. hist. 4,86,1). In der Nähe von → Augusta [6] Treverorum (Trier) konnte er die Gallier unter Iulius [II 43] Civilis und Iulius [II 44] Classicus schlagen, später auch beim Legionslager von → Vetera (Xanten). Es kam zu Friedensverhandlungen zw. ihm

und Civilis; Tacitus' *Historiae* brechen allerdings mitten im Ber. darüber ab (hist. 5,24–26). Tacitus läßt trotz der mil. Erfolge P.' deutliche Vorbehalte gegen ihn erkennen.

Noch im J. 70, spätestens 71, ging P. nach Britannien, wo er nach Norden vordrang. Er wurde von Iulius → Frontinus abgelöst. Im J. 74, in dem Vespasian viele seiner Helfer im Zusammenhang der Censur auszeichnete, erhielt P. einen zweiten Konsulat. P. [II 2] ist verm. sein Sohn, auch bei P. [II 4] ist das nicht ausgeschlossen. Zu seinem Besitz in Rom vgl. [1] und [2]. PIR² P 260.

1 LTUR 2, 155   2 Birley, 67.

Eck, Statthalter, 135 f.

[II 2] C. P. Firmus. Tribun der *legio IV Flavia* in Dalmatia unter → Vespasianus (AE 1967, 355 = AE 1980, 468). Auf ihn ist wohl CIL XI 1834 = ILS 1000 zu beziehen. P. wurde auf Antrag Vespasians vom Senat mit *ornamenta praetoria* (→ *ornamenta*) geehrt, ebenso mit → *dona militaria*; später war er Praetor. Wohl Sohn von P. [II 1]. PIR² P 261.

A. B. Bosworth, Firmus of Arretium, in: ZPE 39, 1980, 267–277 · M. Dondin-Payre, Firmus d'Arretium: légat préquestorien?, in: ZPE 52, 1983, 236–240.

[II 3] P. Rufus. Senator, der nach der Praetur mit allen Mitteln den Konsulat erreichen wollte; deshalb war er als Ankläger gegen einen Freund des Germanicus [2] aufgetreten; später wurde er offensichtlich dafür verurteilt. Evtl. Vater von P. [II 1]. PIR² P 262.

[II 4] Q. P. Rufus. *Cos. ord. II* im J. 83 n. Chr. (so IGR IV 1393 = [1]). In den hsl. Fasti ist jedoch keine Iteration vermerkt. Am ehesten Sohn von P. [II 1]. Zur Diskussion der Identifizierung vgl. PIR² P 263.

1 G. Petzl (ed.), Die Inschr. von Smyrna, Bd. 2.1, 1987, Nr. 731.   W.E.

Petitio. Das Wort *p.* (das »Begehren«) wird für bestimmte Klagearten im röm. Formularprozeß gebraucht (→ *formula*), so für die → *actio* (Klage), die auf einen bestimmten Gegenstand oder eine bestimmte Summe erhoben wird (Dig. 12,1), oder die Klage des wahren Erben gegen den Besitzer einer Erbschaft (*hereditatis p.*, Dig. 5,3; Cod. Iust. 3,31). Außerdem werden die im Kognitionsverfahren (→ *cognitio*) erhobenen Ansprüche meist als *p.* bezeichnet. Eine genaue begriffliche Abgrenzung zw. *actio, p.* und *persecutio* (Rechtsverfolgung) enthalten die röm. Quellen nicht; sie ist auch zur nachträglichen Klassifikation nicht möglich.

Die *hereditatis p.* ist – wie noch im geltenden dt. Recht der Erbschaftsanspruch – weitgehend parallel zur → *rei vindicatio* (Herausgabeanspruch des Eigentümers) ausgestaltet. Das Verfahren wird vom *heres* (wahren Erben) betrieben, dem in der Regel jemand gegenübersteht, der seinerseits behauptet, die Erbschaft *pro herede* (als Erbe) zu besitzen. In der Kaiserzeit kann sich die *p.*

auch gegen jemanden richten, der einen Nachlaßgegenstand nur (*pro possessore*) überhaupt besitzt. Ließ sich der Beklagte auf den Streit über die *hereditatis p.* nicht ein und gab die Erbschaft auch nicht freiwillig heraus, konnte der Praetor den Besitzer durch ein → *interdictum quam hereditatum* zur Herausgabe zwingen. Das → *interdictum quorum bonorum* verhalf demjenigen zur Verfügbarkeit des Nachlasses, der nicht nach → *ius civile* Erbe (*heres*) war, sondern praetorischer Erbberechtigter (→ Erbrecht III. A., → *bonorum possessio*).

Als bes. Ausgestaltung der *hereditatis p.* bestimmte ein *SC Iuventianum* (129 n. Chr.), daß auch derjenige verklagt werden konnte, der den Besitz aufgegeben hatte, und zwar der bösgläubige Veräußerer auf vollen Schadensersatz, der gutgläubige auf die erhaltene Gegenleistung.

HONSELL/MAYER-MALY/SELB, 544–547. G. S.

Petobastis

[1] s. Nesysti [2]

[2] Sohn des Nesysti [3], Hoher Priester des Ptah (→ Phthas) zu Memphis E. 3./Anf. 2. Jh. v. Chr.; Vater von → Psenptah [2], Großvater von P. [3].
→ Phthas; Memphis

J. QUAEGEBEUR, in: D. J. CRAWFORD et al., Stud. on Ptolemaic Memphis, 1980, 68 Nr. 21 • D. DEVAUCHELLE, Rez. zu E. A. E. REYMOND, From the Records of a Priestly Family from Memphis, in: Chronique d'Égypte 58, 1983, 135–145, bes. 142 f.

[3] Sohn des → Psenptah [2], Hoher Priester des Ptah in Memphis und Inhaber weiterer Priesterämter von 121 bis 76 v. Chr.; Gatte der Harunchis (PP III/IX 7096), Vater des → Psenptah [3]. PP III/IX 5371.

[4] (auch Imuthes genannt). Sohn des → Psenptah [3], geb. 46 v. Chr., Prophet Kleopatras [II 12], Hoher Priester des Ptah von Memphis 39–30 v. Chr. PP III/IX 5372.

J. QUAEGEBEUR, The Egyptian Clergy and the Cult of the Ptolemaic Dynasty, in: AncSoc 20, 1989, 93–116, bes. 107.
W. A.

Petosiris (äg. »der, den Osiris gegeben hat«) vgl. → Nechepso.

D. PIGREE, s. v. P., The Dictionary of Scientific Bibliography, Bd. 10, 1974, 547–549.

Petra (Πέτρα, »Fels«); vgl. Plan Sp. 667/8.

[1] Hauptstadt des nabatäischen Reiches (→ Nabataioi) in Edom, ca. 80 km südl. des Toten Meeres im Wādī Mūsā (im h. Jordanien). Die Stadt wird zuerst von Diodoros [18] unter der Bezeichung *Pétra* (Diod. 19, 95–98) als Zufluchts- und Versammlungsort (»hoher Ort, Fels«) der Nabataioi genannt. Der inschr. belegte semit. Name P.s lautete *Raqmu*. Obgleich die Umgebung P.s seit dem Neolithikum Besiedlungsspuren aufweist, war das von zwei Bergketten in nord-südl. Richtung eingefaßte Tal (ca. 1 km lang, 400 m breit) des nabat. Stadtgebietes nicht vor dem 4. Jh. v. Chr. bewohnt. Früheste ergra-

bene Reste gehören zu aus Bruchsteinen erbauten Häusern, die aufgrund von Münzfunden in die 2. H. des 3. Jh. v. Chr. datiert werden. Spätere Schichten bargen Mz. mit dem Namen des Gründers des nabat. Reiches, Ḥaretat (Aretas [2] II., Iust. 20,5) vom E. des 2. Jh. v. Chr.

Das Bundesgenossenverhältnis zu Rom und der wirtschaftliche Aufstieg P.s im 1. Jh. v. Chr. und 1. Jh. n. Chr. (Obodas II.?/III.? und Aretas [4] IV.) drückt sich in der Mischung bzw. dem Nebeneinander von röm. und nabat. Architektur und Ästhetik aus. Tunnel, Kanäle und Bassins sorgten für eine verbesserte Wasserversorgung. Eine Kolonnadenstraße (Plan Nr. 20), gesäumt von öffentlichen Gebäuden, führte vom Theater (Plan Nr. 9) zu Tempeln (Qaṣr bint Firʿaun, Plan Nr. 33; Löwen-Greifentempel, Plan Nr. 26). Wohnhäuser in Hanglage wurden aus Hausteinen errichtet oder teilweise in den Fels gegraben. In das 1. Jh. v. Chr. datieren Felsgräber mit Pylonen für Verstorbene und getreppten Zinnen im oberen Teil der Fassade (→ Grabbauten II. B., mit Abb.). Felsgräber vom Typ der »Tempelfassade« (z. B. des Sextius Florentinus, ca. 129 n. Chr., Plan Nr. 15) gehören in die Spätzeit P.s. Die Annexion des Gebietes von P. durch Kaiser Traianus 106 n. Chr. und seine Umwandlung in die *provincia Arabia* sowie die Umleitung der Karawanenroute zum Golf über → Palmyra führten zum Niedergang; die Stadt blieb jedoch rel. Zentrum Südsyriens und des Transjordanlandes.

Seit dem 5. Jh. n. Chr. war P. Bischofssitz. Bis zum Bau einer dreischiffigen Basilika (Plan Nr. 35) fand der Kult in umgewidmeten Kammern des »Urnengrabes« (Plan Nr. 11) und des Mausoleums ad-Dair (Plan Nr. 38) statt. Zur Gesch. P.s in frühislamischer Zeit liegen keine Informationen vor.

M. G. AMADASI GUZZO, E. EQUINI SCHNEIDER, P., 1998 • T. WEBER, R. WENNING (Hrsg.), P. Antike Felsstadt zw. arab. Trad. und griech. Norm, 1997 • A. NEGEV, s. v. P., The New Encyclopedia of Archaeological Excavations in the Holy Land, Bd. 4, 1993, 1181–1193 • PH. C. HAMMOND, M. S. JOUKOWSKY, s. v. P., Oxford Encyclopedia of Archaeology of the Near East, Bd. 4, 1997, 303–308.
KARTEN-LIT. (ZUSÄTZLICH): TH. WEBER, R. WENNING (Hrsg.), P. (Ant. Welt, Sondernummer), 1997. T. L.

[2] Grenzfestung am wichtigsten Paß von Makedonia nach Thessalia zur Umgehung der Tempe-Schlucht. Wahrscheinlich gehörte sie in röm. Zeit zur *colonia* Dion [II 2].

F. PAPAZOGLOU, Les villes de Macédoine, 1988, 116 f.
MA. ER.

[3] Festung und Stadt in → Lazika (Prok. BG 8,2,21; 8,2,32; 8,4,5; 8,9,2; 8,11,11 ff.; Prok. BP 2,15,10; 2,17,3; 2,18–20; Prok. aed. 3,7,7); von Iustinianus [1] I. (Mitte des 6. Jh. n. Chr.) im Zuge der Kämpfe gegen die Perser ausgebaut. Meist identifiziert mit den Ruinen in Čiḫisjiri an der Pontosküste, nördl. von Batumi/Georgien. Ergraben wurden eine Mauer mit Vorwerk (Proteichis-

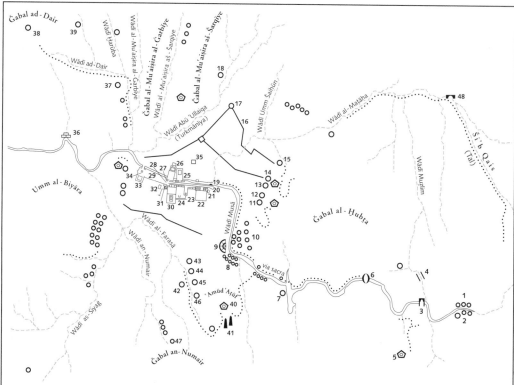

Petra: Die wichtigsten Denkmäler (ca. 1. Jh. v. Chr. – ca. 150 n. Chr.)

———— Stadtmauer

········· Zugangsweg

⬠ Höhenheiligtum

○ ○ Felsgrab

N

0   250   500   750   1000 m

1. Blockgräber (2. Hälfte 1. Jh. n. Chr., teilweise Verwendung
   als Zisterne im 4. oder 5. Jh. n. Chr.)
2. »Obeliskengrab« (Vier-Stelen-Grab;
   1. Hälfte / 2. Hälfte 1. Jh. n. Chr.)
3. Stadttor (Haupteingang in den Ort)
4. nabatäischer Felstunnel
5. al-Madāris
6. Sīq (Felsspalte, Hauptzuweg und Ausgang der *via sacra*,
   Ausbau spätestens seit Aretas III.)
7. Ḥaznat Fir'aun (»Schatzhaus des Pharao«, königliches
   Mausoleum oder sepulkrales Heiligtum, Bau evtl. unter Aretas III.)
8. Theaterberg-Nekropole
9. nabatäisch / römisches Felstheater (errichtet zwischen 4 v. und
   27 n. Chr., Ausbau zwischen 40 – 53 / 63 n. Chr., Renovierung
   zwischen 106 – 150 n. Chr.)
10. »Grab des 'Unešu« (1. Jh. n. Chr.)
11. »Urnengrab« (1. Hälfte 1. Jh. n. Chr.; im Laufe des 5. Jh. n. Chr.
    Umwandlung in eine bischöfliche Grabeskirche)
12. »Seidengrab«
13. »Korinthisches Grab« (3. Viertel 1. Jh. n. Chr.)
14. »Palastgrab«
15. Grab des Sextius Florentinus (129 n. Chr.)
16. nördliche Stadtmauer
17. Conway-Turm
18. Turkmānīya-Grab
19. Nymphaeum (Brunnenhaus)
20. Kolonnadenstraße (270 m lang, 6 m breit)
21. Südnymphaeum
22. »Oberer Markt«

23. »Mittlerer Markt«
24. »Unterer Markt«
25. sog. Palast
26. Nordtempel
    (»Löwen-Greifen-Tempel«)
27. Werkstatt
28. Dreibogiges Temenos-Tor
29. Temenos
30. Südtempel
31. Bad
32. Kleiner Tempel
33. Qaṣr bint Fir'aun (Haupttempel)
34. Altar
35. Dreischiffige Basilika mit Raum der Papyrusrollen
36. Steinbrüche
37. Löwen-Triclinium
38. Grabmal ad-Dair
39. Qattar ad-Dair
40. Opferplatz 'Amūd 'Aṭūf (»Obeliskenberg«) mit
    »Zitadelle« Qaṣr al-Qanṭara
41. Felspfeiler (»Obelisken«) im Steinbruch 'Amūd 'Aṭūf
42. Soldatengrab
43. »Renaissance-Grab«
44. »Grab mit Sprenggiebel«
45. »Triclinium«
46. »Gartentempel«
47. »Südgräber«
48. nabatäischer Aquädukt vom Ši'b Qais (Tal)

Türkei

Petra●

Ägypten

ma), frühbyz. Thermen mit Portikus, mehrere Zisternen, eine Basilika mit polygonaler Apsis, Resten von Bauteilen aus Marmor und Mosaikboden.

N. INAIŠVILI, Cixisjiris I–VIss. arkeologiuri jeglebi (Die arch. Denkmäler von Cichisdziri), 1993 • V. A. LEKVINADZE, O postrojkach Justiniana v Zapadnoj Gruzii, in: Vizantijskij vremennik 34, 1973, 174–178.   A.P.-L.

[4] Stadt im Innern von Sicilia westl. vom h. Corleone (Ptol. 3,4,14; Solin. 5,23: *Petrenses*) nahe der Stadt → Entella, mit der sie durch → *synoikismós* verbunden war (vgl. den 5. Volksbeschluß von Entella: SEG 30, 1121, Z. 9 und 23). 254 v. Chr. vertrieben die Bürger von P. im 1. → Punischen Krieg die karthagische Besatzung und lieferten ihre Stadt den Römern aus (Diod. 23,18,5: Πετρῖνοι). Im 2. Punischen Krieg schlossen sich Claudius [I 11] Marcellus an (Sil. 14,248: *Petraea*). Als *civitas decumana* war sie den Plünderungen des → Verres ausgesetzt (Cic. Verr. 2,3,90: *Petrini*), später *civitas stipendiaria* (Plin. nat. 3,91: *Petrini*). Mz.: eine Br.-Emission aus der Zeit nach 241 v. Chr.

BTCGI 13, 494–498 • M. GARGINI, P.: riesame della documentazione storica e archeologica, in: G. NENCI (Hrsg.), Seconde giornate internazionali di studi sull'area Elima, 1997 • E. MANNI, Geografia fisica e politica della Sicilia antica, 1981, 216.   GI.F./Ü: H.D.

Petraios (Πετραῖος, lat. *Petraeus*). Einer der → Kentauren (Hes. scut. 185). Ein gleichnamiger Kentaur kämpft gegen die Inder (Nonn. Dion. 14,189). P. wird von → Peirithoos getötet (Ov. met. 12,330f.). Ant. Ikonographie: Françoisvase (CIG IV 8185c); sf. att. Kantharos aus Vulci (CIG IV 7383); sf. Oinochoe aus Kameiros ([1. 286 B 623]; hiergegen: [2. 38f.]); Kelebe, den Kampf des → Kaineus gegen die Kentauren abbildend: [3. 113 Abb. 112].
→ Lapithai

1 H.B. WALTERS, Cat. of the Greek and Etruscan Vases in the British Museum, Bd. 2, 1893 2 P. V. C. BAUR, Centaurs in Ancient Art, 1912 3 H. BOUCHER, Kaineus et les centaures (Kélébé de la Collection Saint-Ferriol), in: RA 16, 1922, 111–118.   TH.KN.

Petreius. Seltener ital. Gentilname [1. 306].
[1] P., M. Ca. 110–46 v. Chr., röm. General mit jahrzehntelanger Erfahrung, vielleicht Sohn eines → *primipilus* (vgl. Plin. nat. 22,11) aus dem Volskergebiet [2. 31⁶]. Seit ca. 93 war P. 30 Jahre lang *tr. mil.* oder *praef. legionis* (Sall. Catil. 59,6); etwa 64 wurde er Praetor (MRR 2, 161) und ging E. 63 als Legat zum Consul C. Antonius [I 2], für den er im Januar 62 → Catilinas Heer bei Pistoria vernichtete (Sall. Catil. 59,4–60,5). 59 verließ P. aus Protest gegen Caesar eine Senatssitzung (Cass. Dio 38,3,2; Gell. 4,10,8). 55–49 vertrat er als Legat Pompeius [I 3] in Hispania ulterior (Vell. 2,48,1; Plut. Caesar 28,8). P. vereinigte 49 bei Ilerda sein Heer mit dem von L. Afranius [1] gegen den anrückenden Caesar, wurde aber von ihm ausmanövriert und mußte

kapitulieren (Caes. civ. 1,38–85; App. civ. 2,43,168–171). P. erhielt von Caesar freien Abzug, ging zu Pompeius (Liv. per. 110; Vell. 2,50,3) und rettete sich 48 nach Africa (Cass. Dio 42,13,3). 46 hatte P. letzte Erfolge gegen Caesar bei Ruspina, wo er verwundet wurde (Bell. Afr. 18,1–19,6; App. civ. 2,95,299f.; Cass. Dio 43,2,1–3), unterlag aber bei Thapsos mit den übrigen Pompeianern. Da P. auf keine Gnade hoffen konnte oder wollte (Cass. Dio 41,62,2f.), suchte er den Tod (→ Iuba [1]).

1 SCHULZE 2 SYME, RR.   JÖ.F.

Petrocorii (Πετροκόριοι). Volksstamm der Gallia Celtica (nachmals Aquitania), an beiden Ufern des → Duranus (Dordogne) im h. Périgord (Strab. 4,2,2 nennt die *Petrokórioi* unter den 14 aquitanischen Völkern zw. Garumna und Liger; Ptol. 2,7,9: Πετροκόριοι καὶ πόλις Οὐέσσουνα). Nachbarn waren im NW die Santoni, im Westen die Bituriges Vivisci, im Süden die Nitiobriges, im SO die Cadurci, im NO Lemovices (Plin. nat. 4,109; Not. Galliarum 13,6). 52 v. Chr. von Caesar unterworfen (Caes. Gall. 7,75), bildeten die P. in augusteischer Zeit zusammen mit anderen Stämmen die Prov. → Aquitania. Die P. waren berühmt wegen ihrer Eisenwerke (σιδηρουργεῖα ἀστεία, Strab. 4,2,2). Ihr Hauptort war Vesunna (benannt nach einer Quellgottheit) an der mittleren Ille, E. des 3. Jh. n. Chr. *civitas Petrucoriorum* (h. Périgueux). Ant. Reste: Tempel der Vesunna, Wehrturm, Forum mit zwei Plätzen, Basilika, Amphitheater, Thermen, Villen. Inschr.: CIL XIII 939; 11037.

H. GAILLARD, Dordogne (Carte Archéologique de la Gaule 24), 1998 • C. GIRARDY-CAILLAT, Périgueux (Guides archéologiques de la France 35), 1998 • A. GRENIER, Manuel d'archéologie gallo-romaine 4, 1960, 683 • M.L. MAURIN (Hrsg.), Villes et agglomérations urbaines. 2ᵉ colloque Aquitania 1990 (Aquitania Suppl. 6), 1992, 125–129.   Y.L.u.E.O.

Petron (Πέτρων) von Himera. Von DIELS/KRANZ zu den älteren Pythagoreern gezählt (Nr. 16). Im einzigen Zeugnis, dessen Echtheit umstritten ist (Hippys FGrH 554 F 5 = Phainias fr. 12 WEHRLI = Plut. de def. or. 23, 422de; vgl. [1; 2]), wird ihm die Lehre zugeschrieben, es gebe 183 Welten, die sich in einer Reihe aneinanderschlössen.
→ Kosmologie; Pythagoras; Pythagoreische Schule

1 W. BURKERT, Lore and Science in Ancient Pythagoreanism, 1972, 114 Anm. 35 2 L. ZHMUD, Wiss., Philos. und Rel. im frühen Pythagoreismus, 1997, 69 Anm. 14.

G. HUXLEY, Petronian Numbers, in: GRBS 9, 1968, 55–57 • J.-F. MATTÉI, Pythagore et les Pythagoriciens, 1993, 35f.
                                                       C.RI.

Petron(as) (Πετρωνᾶς, häufig verkürzt: Πέτρων). Aus Aigina stammender griech. Arzt, der sich durch die Nachricht datieren läßt, daß Ariston sein Schüler gewesen sei (Anth. Pal. 546F); dieser Ariston wird als Verf.

der um 400 v. Chr. datierten hippokratischen Schrift *Perí diaítēs* (*De diaeta acutorum*) angesehen und von Galen als παλαιός (»älterer«) bezeichnet (CMG 9,1, 135,4). Celsus [7] jedoch setzt P. zw. Hippokrates und den hell. Ärzten an (3,9,2); damit können aber seine medizinischen Vorstellungen – durch die er, dem Anonymus Londinensis (20,1) zufolge, teilweise mit → Philolaos [2] von Kroton in Verbindung steht – offenbar nicht übereinstimmen. So war P. der Ansicht, daß der Körper aus zwei Elementen (heiß und kalt) bestehe, die durch zwei weitere ergänzt werden (trocken für das Heiße, feucht für das Kalte); Krankheit werde durch Ernährung verursacht und erzeuge Galle (und nicht umgekehrt). Von seiner Therapeutik kennen wir nur seine Mittel zur Fieberbekämpfung: Brechmittel (Schweinefleisch und schwerer Wein) und Aufnahme kalten Wassers.

K. DEICHGRÄBER, s. v. P., RE 19, 1937, 1191 f.

A. TO./Ü: T. H.

Petronell s. Carnuntum

Petronius

[1] 395–397 n. Chr. *vicarius Hispaniarum*, ab 398 am Hof in Mediolanium [1] (Mailand), zusammen mit seinem Bruder Patroinus Adressat zahlreicher Briefe des → Symmachus; 401 erhielt er ein unbekanntes Amt (*comes rerum privatarum?*). In den J. 402–408 war P. *praef. praet. per Gallias*; er richtete dort einen jährlich in Arelate (Arles) tagenden Landtag der sieben Prov. ein (Zos. epist. 8 = MGH Epp 3, p. 14). Vielleicht wurde er im Zusammenhang mit der Usurpation des → Constantinus [3] III. abberufen. PLRE 2, 862 f. Nr. 1.   K. G.-A.

[2] C. P. *Cos. suff.* im J. 25 n. Chr. PIR² P 266.

[3] P. P. *Praef. Aegypti* in den J. 25/4–ca. 22/1 v. Chr. P. unternahm zwei Feldzüge gegen die Königin → Kandake in Äthiopien, die schließlich im J. 21 Gesandte zu → Augustus sandte, um Frieden zu schließen. Nach Strabon (17,1,54) schlug er in Alexandreia einen Aufstand nieder. Wohl Großvater von P. [2] und [4]. PIR² P 270.

[4] P. P. Wohl Enkel von P. [3] und Sohn von P. [15]. *Cos. suff.* im J. 19 n. Chr. Sechs Jahre lang leitete er als Proconsul die Prov. Asia (29–35 n. Chr.); das dritte J. als Proconsul fällt mit der 33. *tribunicia potestas* des Kaisers → Tiberius zusammen [1]; er gehörte also zu den Senatoren, die Tiberius weit über das übliche Maß in einem Amt beließ. 36 wurde er Mitglied einer Kommission zur Abschätzung der Schäden, die ein Großfeuer in Rom verursacht hatte (Tac. ann. 6,45,2). Als P. Statthalter von Syrien war, befahl ihm 39 n. Chr. → Caligula, seine Statue im Tempel von Jerusalem aufzustellen; P. intervenierte beim Kaiser wie auch König Herodes [8] Agrippa, die Anordnung zu widerrufen. Obwohl Caligula seinen Befehl widerrief, wollte er P. wegen Ungehorsam zum Selbstmord zwingen; doch traf dieser Befehl erst ein, als der Tod des Kaisers bereits bekannt war. Mit der Familie der Vitellii war P. verwandtschaftlich verbunden. PIR² P 269.

1 TH. CORSTEN, Die Amtszeit des proconsul Asiae P. P., in: EA 31, 1998, 94 ff.

VOGEL-WEIDEMANN, 274 ff.   W. E.

[5] P. Niger (Arbiter). Röm. Roman-Autor des 1. Jh. n. Chr.

A. LEBEN   B. DIE SATYRICA
C. LITERARISCHE FORM   D. DIE CENA
E. DIE EPYLLIA   F. DEUTUNG   G. NACHLEBEN

A. LEBEN

Über den Verf. der *Satyrica* wissen wir kaum mehr, als Tacitus überl. (ann. 16,18–19; die Identität des Romanautors mit der von Tac. geschilderten Persönlichkeit wird inzwischen allg. akzeptiert). Tacitus porträtiert einen Römer, der sich in vollendetem Raffinement dem Müßiggang ergibt. Daß P. sich auch auf dem polit. Parkett souverän zu bewegen weiß, zeigt er als Statthalter Bithyniens und als Consul (höchstwahrscheinlich ist er mit dem *consul suffectus* des Jahres 62 n. Chr., P. Petronius Niger, identisch; das lange umstrittene Praenomen (traditionell meist T.) darf dank eines Inschr.-Fundes als geklärt gelten [1]. Anf. der sechziger Jahre nimmt ihn Kaiser → Nero in den Kreis seiner Vertrauten auf, wo P. als »Autorität in Fragen verfeinerter Lebensart« (*elegantiae arbiter*; einige Hss. geben ihm den Beinamen »Arbiter«) Einfluß auf den Kaiser gewinnt. In den Wirren der Pisonischen Verschwörung (→ Calpurnius [II 13]) gelingt es → Tigellinus, seinen ärgsten Rivalen zu stürzen. P. entschließt sich zum Freitod, den er in spielerischem Gleichmut ausführt (66 n. Chr.).

B. DIE SATYRICA

Die *Satyrica* (= Sat.) sind der erste und vor Apuleius' *Metamorphoses* (→ Ap(p)uleius [III]) einzige lat. → Roman, von dem wir wissen. Dank der Mißgunst der Überl. sind von ihm nur einige, z. T. stark lädierte Episoden erh., die uns auf den Spuren des Protagonisten und Erzählers Encolpius ins zeitgenössische Unterit. führen, wo er mit seinem Gefährten Ascyltos und seinem Liebling Giton eingangs ein Streitgespräch über die Rhet., einen ungeplanten Bordellbesuch, Liebeshändel, Gaunereien um einen gestohlenen Mantel und eine veritable Orgie bestehen muß. Eine Einladung vereint das Trio an der Tafel Trimalchios, eines ebenso steinreichen wie exzentrischen Freigelassenen. Dort durchleiden sie mit fasziniertem Grauen ein pompöses Gastmahl und die abgründig-oberflächliche Konversation des Gastgebers und seiner Freunde.

Alsbald im Streit von Ascyltos geschieden, begegnet Encolpius dem alternden Dichter Eumolpus, an dessen Seite er und Giton sich nach Kroton durchschlagen, wo sie den einheimischen Erbschleichern einen Streich spielen und es sich auf deren Kosten gut gehen lassen. Zuletzt drohen sie aufzufliegen. Über einem kühnen Manöver des Eumolpos, die Farce zu retten, bricht die Erzählung ab.

Wovon der Roman handelt, gibt bereits der Titel zu verstehen. In den ›Satyrgeschichten‹ geht es über alle lüsternen Umtriebe hinaus um Personen, die in einem Niemandsland zw. »Mensch« (Konvention) und »Tier« (Anarchie), als → Satyrn eben, in den Tag leben. Doch auch der Anklang an die lat. → »Satire« (*satura*) ist gewollt; er verweist auf den satirischen Zug vieler Episoden und charakterisiert den Roman als Grenzgänger zw. griech. und röm. Welt.

C. LITERARISCHE FORM

Die changierende Form der *Sat.* mit ihrem Pasticcio von Prosa und Gedicht (→ Prosimetrum) entzieht sich nicht allein aus ant. Sicht jeder Einordnung in eine der vertrauten Gattungen. Immerhin lassen sich einige Einflüsse bestimmen, die den Text prägen. An erster Stelle steht das → Epos, v. a. die in Encolpius' Kopf allgegenwärtige ›Odyssee‹. Verborgener, doch ähnlich nachhaltig wirkt Vergils *Aeneis*. Ob Plot oder Bau der *Sat.* sich insgesamt an den hexametrischen Modellen inspiriert haben, läßt sich aus dem Erhaltenen kaum klären. Die Romanze zw. Encolpius und dem Jüngling Giton erinnert an den hell. Liebesroman. Was dieser seinem Publikum jedoch mit eher ernster Miene serviert, wird in den *Sat.* überzeichnet und in seiner unterschwellingen Komik entlarvt [2]. In den beiden Erzählungen des Eumolpus (85–87; 111–112) lebt die milesische → Novelle (vgl. → Milesische Geschichten) fort. Auch die zeitgenössische Bühne scheut P. nicht. Manche Szenen, etwa die fortwährenden Auseinandersetzungen um Giton, schmecken nach den burlesken Verwicklungen des → Mimus. Anderes läßt an die röm. Satire denken, etwa die *Cena Trimalchionis*, die in Horazens *Cena Nasidieni* (Hor. sat. 2,8) ein Vorbild hat.

Daß die *Sat.* zur Familie der menippeischen → Satire gehörten [3; 4], darf angesichts gewichtiger thematischer Diskrepanzen bezweifelt werden. Fr. zweier prosimetrischer griech. Romane (→ *Iolaos*-Roman, publ. 1971; *Tinuphis*, publ. 1981; 2. Jh. n. Chr.?) haben die Diskussion neu entfacht; manche Interpreten entdecken in dieser bislang unbekannten Spielart des Abenteuerromans mit Verseinlagen den Ahnherrn der *Sat.* [5; vgl. 6]. Ein nüchterner Blick auf die Papyri muß vor solchem Enthusiasmus warnen. Von klaren Antworten scheinen wir weiter entfernt denn je; die *Sat.* weigern sich beharrlich, ihren Rang als ingeniöses Unikat preiszugeben.

D. DIE CENA

Die Lebensnähe der *Sat.* zeigt sich eindringlich in der Glanzszene des Romans, dem Bankett im Hause des Trimalchio (*Cena Trimalchionis*). Sie entwirft ein in der ant. Lit. beispielloses Porträt einer Klasse, der röm. Freigelassenen [7]. Als kleine Geschäftsleute aus dem griech. Osten leben sie ein rohes *carpe diem*, das einzig die Freuden der Tafel und der Liebe gelten läßt. Zugleich schicken sie sich in die bittere Einsicht, daß ihnen ein gesellschaftl. Aufstieg auf immer verwehrt bleibt. Symbol dieser Existenz am Rand der Ges. ist Trimalchios Haus. Sein Bildschmuck verwandelt es in ein Mausoleum, in

dem der Hausherr todesbesessen das eigene Begräbnis in Szene setzt. Zugleich erscheint es als Labyrinth, in dem er wie ein Minotauros dahindämmert, als Freigelassener ein Wechselbalg – nicht »Tier« (Sklave), nicht Mensch [8].

E. DIE EPYLLIA

Auch den beiden Epyllia des Eumolpus kommt in dem Roman ein besonderer Rang zu [9; 10; 11; 12]. Die *Troiae halosis* (89), das Lied vom Fall Trojas, wagt den aussichtslosen Wettstreit mit Vergil (Aen. 2,13–267). Doch gerade die »Schwächen« des Gedichts, seine vielen Wiederholungen, erfüllen eine poetische Funktion. Sie erinnern beständig daran, daß das Gedicht als Ganzes »Wiederholung« ist, eine Nachschöpfung der großen epischen Vorlage. Eumolpus' Lied wird Sinnbild seines Epigonentums. Das Lied zeigt aber auch eine ideologische Facette. In der *Aeneis* gewinnen die Schrecken des Krieges im Nachhinein einen versöhnlichen Sinn; Trojas Tod wird zur Geburtsstunde Roms. Von dieser histor. Sinnstiftung weiß die *Troiae halosis* nichts mehr. Um so stärker spielt sie mit Täuschung, Eidbruch, Verrat; hier findet sie die Grundmelodie der zeitgenössischen Welt. Fast unmerklich untergräbt Eumolpus' Lied die in der *Aeneis* verkündeten augusteischen Werte.

Ähnlich das *Bellum civile*, das die Schreckensjahre am E. der Republik besingt (119–124) [13; 14]. Luxus und Dekadenz entfesseln als dämonische Kräfte einen Bürgerkrieg, der keine Helden kennt. Caesar übersteigt in Hannibals Spuren die Alpen, um Rom ein zweites Mal in den Abgrund zu stürzen; Pompeius als »Anti-Aeneas« gründet Rom nicht mehr, sondern gibt es der Zerstörung preis. Die Schlacht von Actium schließlich wird nicht zur Wende, die den Äon des Friedens einläutet, sondern zur endgültigen Katastrophe – ein abgründiges Bild der Ereignisse, welche Neros Welt hervorgebracht haben.

F. DEUTUNG

Nicht wenige der mod. Interpreten sehen in den *Sat.* pure Unterhaltung ohne jeden Tiefgang. Eine andere Lesart entdeckt hinter der heiteren Fassade des Romans eine ernste Analyse der kaiserzeitlichen Ges., einer verworrenen, unberechenbaren Welt ohne Orientierung oder Ziel, aus der sich die Götter und jede vernünftige Ordnungsmacht verabschiedet haben (zuletzt [15; 16]). In der Summe hat diese Deutung die besseren Argumente auf ihrer Seite. In den *Sat.* hält ein unbestechlicher Beobachter dem Tollhaus der neronischen Jahre einen nur an den Rändern verzerrten Spiegel vor. Bissige Moralpredigten oder nostalgische Verklärung der Vergangenheit sind seine Sache nicht; doch ein Gespür für die innere Armut seiner Epoche mit ihrem epigonalen Hunger nach Größe und eine Ahnung von »Spätzeit« verleihen seinen Zeilen unter ihrer scherzhaften Oberfläche den Ernst, der alle große Komik ausmacht.

G. NACHLEBEN

Nicht nur Apuleius (→ Ap(p)uleius [III]) scheint seinen Vorgänger studiert zu haben [17] – bis ins 6. Jh. wurde P. gelesen, von Hieronymus und Macrobius, Sidonius und Boëthius, Fulgentius [1] und Isidorus [9]. Danach verlieren sich die Spuren. In karolingischer Zeit haben sich in einigen frz. Klöstern Hss. erh.; aus ihnen kennt John of Salisbury den Autor (*Policraticus*, 1159). Auf sein Resümee, *fere totus mundus ex Arbitri nostri sententia mimum videtur implere* (›Nach Ansicht unseres Arbiter scheint beinahe alle Welt eine Posse zu spielen‹), dürfte der Denkspruch am Londoner *Globe Theatre* zurückgehen, *Totus mundus agit histrionem*, sowie SHAKESPEARES berühmter Monolog *All the world's a stage* (in *As you like it*).

Wiederentdeckt wurde P. von den it. Humanisten. Die ersten Edd. E. des 15. Jh. (ohne *Cena*) gewannen über die wiss. Kreise hinaus Einfluß. BARCLAY schrieb sein *Euphormionis Satyricon* (1603), BURTON zit. immer wieder P. in seiner *Anatomy of Melancholy* (1621). Auch NODOTS ›vollständige Fassung‹ mit eigenen Ergänzungen (1691) besitzt lit. Meriten. DRYDEN, SWIFT und POPE schätzen P. ebenso wie VOLTAIRE und SMOLLETT oder später FLAUBERT, HUYSMANS und Oscar WILDE.

Auf eine reiche Rezeption in MA und Neuzeit kann die Novelle von der Witwe von Ephesus zurückblicken [18]. Im sinnenfrohen 18. Jh. wurde die *Cena* (ed. princeps 1664) wiederholt Wirklichkeit, etwa im Karneval des Jahres 1702 am Hof zu Hannover, in Saint-Cloud unter der Regentschaft des Duc d'Orléans (1715–23) oder 1751 am preußischen Hof.

Anerkennung erfuhr P. von ELIOT, POUND und FITZGERALD; NIETZSCHE feierte ihn als ›anmutigsten und übermütigsten Spötter, unsterblich gesund, unsterblich heiter und wohlgeraten‹. Als Zyniker an Neros Seite erleben wir ihn in SIENKIEWICZ' Roman *Quo vadis?* (1896). Nur im Fleisch bzw. im Buchstaben, nicht im Geist werden FELLINIS *Satyricon* (1968) und der P.-Roman von V. EBERSBACH (›Der Schatten eines Satyrs‹, 1985) der Vorlage gerecht. Eine kongeniale Hommage hat der Schauspieler Greger HANSEN dem Text gewidmet (Berlin 1993).
→ Nero; Roman

1 SEG 39, 1989, Nr. 1180 2 R. HEINZE, P. und der griech. Roman, in: Hermes 34, 1899, 494–519 3 E. COURTNEY, Parody and Literary Allusion in Menippean Satire, in: Philologus 106, 1962, 86–100 4 P. DRONKE, Verse with Prose from P. to Dante, 1994, 9–12 5 R. MERKELBACH, Fr. eines satirischen Romans, in: ZPE 11, 1973, 81–100 6 S. A. STEPHENS, J. J. WINKLER, Ancient Greek Novels, 1995, 363–366 7 J. P. BODEL, Freedmen in the Satyricon of P., Diss. Michigan 1984 8 Ders., Trimalchio's Underworld, in: J. TATUM (Hrsg.), The Search for the Ancient Novel, 1994, 237–259 9 A. COLLIGNON, Étude sur Pétrone, 1892, 109–226 10 H. STUBBE, Die Verseinlagen im P., 1933 11 F. I. ZEITLIN, Romanus P., in: Latomus 30, 1971, 56–82 12 C. CONNORS, P. the Poet, 1998, 84–146 13 G. GUIDO, Petronio Arbitro. Il Bellum Civile, 1976 14 P. GRIMAL, La Guerre Civile de Pétrone, 1977 15 R. HERZOG, Fest, Terror und Tod in Petrons Satyrica, in: W. HAUG u. a. (Hrsg.), Das Fest, 1989, 120–150 16 S. DÖPP, Leben und Tod in Petrons Satyrica, in: G. BINDER u. a. (Hrsg.), Tod und Jenseits im Alt., 1991, 144–166 17 V. CIAFFI, Petronio in Apuleio, 1960

18 G. HUBER, Das Motiv der Witwe von Ephesus in lat. Texten der Ant. und des MA, 1990.

ED.: K. MÜLLER, 1995.
ÜBERS.: O. SCHÖNBERGER, P., Satyrgeschichten, 1992.
KOMM.: M. S. SMITH, Petronii Arbitri Cena Trimalchionis, 1975 • E. COURTNEY, The Poems of Petronius, 1991.
BIBLIOGR.: G. L. SCHMELING, J. H. STUCKEY, A Bibliography of P., 1977 • M. S. SMITH, A Bibliography of P. (1945–1982), in: ANRW II 32.3, 1985, 1624–1665.

PE. HA.

[6] M. P. Honoratus. Ritter. Nach den → *tres militiae* absolvierte er eine procuratorische Laufbahn: *procur. monetae, procur. XX hereditatium, procur. provinciae Belgicae et duarum Germaniarum, a rationibus*; ca. 144/146 n. Chr. leitete er die stadtröm. Lebensmittelversorgung; 147–148 war er *praef. Aegypti*. PIR² P 281.

[7] M. P. Mamertinus. Ritter, *praef. Aegypti* 133–137 n. Chr.; unter Antoninus [1] Pius war er *praef. praet.* zusammen mit Gavius [II 6] Maximus. P. [8] war wohl sein Neffe. PIR² P 288; 287.

[8] M. P. Mamertinus. *Cos. suff.* im J. 150 n. Chr. Verm. Neffe von P. [7] und Sohn des kaiserlichen Procurators M. P. Sura. Verm. war er *amicus* des Redners Fronto [6], nicht sein Vater. PIR² P 287.

[9] Flavius P. Maximus s. Maximus [8].

[10] T. P. Priscus. Ritter; → *procurator* zunächst von Asia, dann von Syria; schließlich als *a libellis* unter Hadrianus bezeugt (AE 1993, 1477). PIR² P 300.

[11] T. P. Secundus. Ritter; als *praef. Aegypti* in den J. 92 und 93 n. Chr. bezeugt; danach *praef. praet.* Er war zusammen mit → Domitia [6] Longina, der Gattin des Kaisers → Domitianus [1] in die Verschwörung gegen diesen eingeweiht. → Nerva [2] mußte ihn den Praetorianern, die über die Ermordung des Domitianus empört waren und ihn umbringen wollten, ausliefern. PIR² P 308.

[12] M. P. Sura Mamertinus. Wohl Sohn von P. [8] und Enkel des kaiserlichen Procurators M. P. Sura (PIR² P 310); P. selbst war Senator. Er war der Schwiegersohn des → Marcus [2] Aurelius, verheiratet mit Cornificia, der Schwester des → Commodus. *Cos. ord.* im J. 182 n. Chr. Commodus ließ ihn zusammen mit seinem Sohn Antoninus und seinem Bruder P. [13] umbringen, nicht vor dem J. 190 (HA Comm. 7,5). PIR² P 311.

[13] M. P. Sura Septimianus. Bruder von P. [12]; Patrizier; *salius Palatinus* (→ *salii*); *cos. ord.* 190. Commodus ließ ihn zusammen mit seinem Bruder töten. PIR² P 312.

W. E.

[14] L. P. Taurus Volusianus. Nachdem er zunächst eine mil. Karriere absolviert hatte, schlug P. die ritterliche Ämterlaufbahn ein, die ihn bis zu den Ämtern des *praefectus vigilum* und des → *praefectus praetorio* führte (CIL XI 1836), bevor er 261 n. Chr. den ordentlichen Konsulat bekleidete (CIL XI 5749). Von 267 bis zum Tod des Kaisers → Gallienus fungierte er als → *praefectus urbi* (Chron. min. 1, p. 65 MOMMSEN).

PIR² P 313 • PLRE 1, 980f.   T. F.

[15] P. P. Turpilianus. *III vir monetalis* unter → Augustus; er amtierte, evtl. als Proconsul, in der Hispania Baetica (AE 1988, 723). PIR² P 314.

[16] P. P. Turpilianus. Nachkomme von P. [15]. *Cos. ord.* im J. 61 n. Chr. Noch im selben J. als Legat nach Britannien gesandt, wo er bis 63 blieb. An der Aufdeckung der Pisonischen Verschwörung (→ Calpurnius [II 13]) 65 n. Chr. beteiligt; deshalb von → Nero [1] mit → *ornamenta triumphalia* geehrt. 68 ernannte ihn Nero zum Kommandeur der Truppen gegen die aufständischen Gallier und → Galba [2], ohne daß P. jedoch It. verließ. Galba ließ ihn ohne Gerichtsverfahren töten. P. war mit dem zukünftigen Kaiser A. → Vitellius verschwägert. PIR² P 315.   W.E.

Petros (Πέτρος).

[1] (Apostel) s. Petrus [1]

[2] Bischof von → Alexandreia [1] († 311). Der in Verbindung mit der dortigen Katechetenschule stehende P. wurde um 300 als Nachfolger des Theonas Bischof. In der diocletianischen Verfolgung (→ Diocletianus) floh er 304–305/6 [2. 36] aus Alexandreia. Nach seiner ·Rückkehr schloß P. 305/6 Bischof → Melitios von Lykopolis, der eigenmächtig Weihen außerhalb seines Sprengels vorgenommen hatte und die milde Haltung des P. den → *lapsi* gegenüber angriff, aus der kirchlichen Gemeinschaft aus (Beginn des sog. melitianischen → Schismas). Vor weiteren Verfolgungen wohl 306 erneut geflohen, wurde P. kurz nach seiner Rückkehr im J. 311 in Alexandreia hingerichtet. Von den zahlreichen Werken des P. (CPG 1635–1662; Übersicht/Komm.: [2. 51–67]) sind neben Briefen (u. a. sog. kanonischer Brief mit 14 Bußkanones: CPG 1639; engl. Übers.: [2. 185–192]) und Homilien auch einzelne, mehrfach auf stark diskutierte Punkte der Lehre des → Origenes eingehende theologische Traktate (u. a. ›Über die Gottheit [Jesu Christi]‹: CPG 1635) fragmentarisch überl. (Tab. der Fr.: [2. 90 f.]; engl. Übers.: [2. 126–138]).

1 A. MARTIN, Athanase d'Alexandrie et l'Église d'Égypte au IVᵉ siècle (328–373), 1996, 215–298 2 T. VIVIAN, St. Peter of Alexandria, 1988.   J.RI.

[3] P. Patrikios (Π. Πατρίκιος). Geb. ca. 500 n. Chr. in Thessalonike, gest. 565 in Konstantinopolis, oström. Beamter und Historiograph, zunächst Anwalt in Konstantinopolis, seit 534 kaiserlicher Gesandter bei den Goten Italiens. Nach seiner Inhaftierung dort (536–539) übertrug ihm Kaiser → Iustinianus [1] I. das Amt eines → *magister officiorum*, das er bis zu seinem Tod bekleidete, und verlieh ihm den → Hoftitel (D.) *patricius* (*patríkios*), dem er seinen Beinamen verdankte. Nach einer ersten Mission 550 zum Perserkönig → Chosroes [5] I. vereinbarte P. 561 mit dessen Kommissar Isdigusnas in Dara einen »50jährigen« Frieden, der sieben J. anhielt.

P. verfaßte Geschichtswerke (nur in Fr. erh.) über das Röm. Reich (bis auf Constantius [2] II.?), das Amt des *magister officiorum* bis zum 6. Jh., aus dem das ›Zeremonienbuch‹ (→ Constantinus [9]) eine längere Passage

(1,84–95 REISKE) bewahrt, und über seine Friedensmission 561/2.

ODB 3, 1641 · PLRE 3, 994–999 (P. 6) · STEIN, Spätröm. R., Bd. 2, 518–521; 723–729.   F.T.

[4] P. Sikeliotes (Π. Σικελιώτης), † nach 871 n. Chr. Verfaßte unter Kaiser → Basileios [5] I. ein polemisches Geschichtswerk gegen die → Paulikianer, das dennoch authentische Informationen über diese enthält, da P. Briefe ihres Anführers Sergios zitiert. Die Annahme, er habe an einer Gesandtschaft zu den Paulikianern nach Tephrike teilgenommen [2], trifft nicht zu [3]. Die Zuschreibung seiner Werke ist bis auf Codex Vaticanus Graecus 511 umstritten.

→ Armenia; Bogomilen; Gnosis

QUELLEN: 1 CH. ASTRUC u. a. (ed.), Les sources greques pour l'histoire des pauliciens d'Asie Mineure (Travaux et Mémoires 4), 1970, 1–227 (mit frz. Übers.).
LIT.: 2 J. LAURENT, L'Arménie entre Byzance et l'Islam, 1919 3 C. LUDWIG, Wer hat was in welcher Absicht wie beschrieben? Bemerkungen zur Historia des P. über die Paulikianer (Varia I) (Ποικίλα Βυζαντινά 6), 1987, 149–227.   K.SA.

Petrus

[1] (Πέτρος, eigentlich »der Fels«). Apostel, führende Gestalt des von → Jesus von Nazareth berufenen Jüngerkreises und der christl. Urgemeinde.

A. ALLGEMEIN B. BIOGRAPHIE
C. PETRUSLITERATUR DES 2. UND 3. JH.
D. DIE RÖMISCHE PETRUSNACHFOLGE UND
ANFÄNGE DES PAPSTTUMS

A. ALLGEMEIN

Quellen zu seinem Leben sind: (1) die nt. Schriften: Evangelien, Apostelgeschichte, Paulusbriefe (1 Kor, Gal), 1. und 2. P.-Brief (die biographische Auswertung muß den bes. Charakter dieses Schrifttums berücksichtigen); (2) altkirchliches Schrifttum, das die Erinnerung an P. wachhält, seine Ansehenssteigerung dokumentiert und die fortdauernde kirchliche Beanspruchung der Gestalt des P. belegt.

B. BIOGRAPHIE

1. Nt. Auskunft: P., vielleicht gleichen Alters wie Jesus von Nazareth, wurde als Symeon/Simon (Συμεών/Σίμων), Sohn eines Jona/Johannes (Mt 16,17; Jo 1,42; 21,15–17), Bruder des späteren Apostels Andreas (Mk 1,16 par.) wohl in → Bethsaida am See Genezareth (Jo 1,44) geboren. Fischer von Beruf, verheiratet (Mk 1,29–31 par.; 1 Kor 9,5), lebte er in → Kapernaum (Mt 8,14 par.), schloß sich Jesus von Nazareth an und nahm im engeren Jüngerkreis bald eine führende Stellung ein. In den Berichten über bes. Ereignisse wie die Totenerweckung (Mk 5,37), die »Verklärung« (Mk 9,2), die Rede über die Endzeit (Mk 13,3) und in Getsemane (Mk 14,33) gehört P. zur kleinen Gruppe der drei oder vier vertrauten Jünger Jesu. In den Listen des Zwölferkreises steht P. immer an erster Stelle. Das Vertrauensverhältnis ist vielleicht auch im Zweitnamen P.

(griech. *Kēphás*/aram. *Kēfá*, »Fels«) zu entdecken, der schließlich den Geburtsnamen verdrängte. Daneben sind kritische Nachrichten nicht zu überhören: Protest gegen das Leiden Jesu (Mk 8,32 par.), die Verleugnung Jesu (Mk 14,29–31 par.). Beim gewaltsamen Tod Jesu war P. nicht anwesend. Danach wurde er zum Zeugen der Auferstehung (1 Kor 15,5; vgl. Mk 16,7; Lk 24,34). In der sich neu sammelnden Gemeinde trat P. als Wortführer auf (Apg 1,15), als Verkündiger unter den Juden (Apg 2–3), auch unter Nichtjuden (Apg 10). Im Streit um das → Evangelium war seine Haltung nicht eindeutig (Gal 2; Apg 15,1–35), er stimmte aber grundsätzlich der Universalisierung der Heilsbotschaft zu. P. hielt sich in Antiocheia [1] (Gal 2,11) auf, unternahm offensichtlich Missionsreisen (1 Kor 9,5), war vielleicht in Korinth (1 Kor 1,12). Sichere Auskünfte über das weitere Lebensgeschick gibt das nt. Schrifttum nicht.

Für die spätere P.-Trad. sind einige nt. Texte prägend: Mt 16,13–19 (gottgeschenkte Erkenntnis des → Messias; Vollmachtsübertragung; vgl. Mt 18,18); Lk 22,32 (Stärkung der Brüder durch P.); Jo 21,15–17 (Hirte der Gemeinde). → Paulus [2], der in unverkennbarer Spannung zu P. stand (Gal 2,11–14), konnte dessen Vorrang nicht einholen. Die beiden pseudonymen P.-Briefe zeigen P. in der Rolle des Offenbarungsträgers und -garanten.

2. Martyrium und Romaufenthalt: Die Trad. von einem gewaltsamen Lebensende kann aus Lk 22,33 und Jo 13,37–38; 21,18–19 herausgelesen werden. Ort und nähere Umstände des Todes sind nicht genannt; in Kombination mit anderen Nachrichten kann an Rom gedacht werden. Der Verf. von 1 Petr läßt seinen Brief in Rom geschrieben sein (5,13: Gruß aus »Babylon« = Rom), bezeugt damit die Trad. eines Romaufenthaltes des P. (in 5,1 möglicher Hinweis auf das Martyrium). 1. Clemensbrief 5–6 (→ Clemens [1]) spricht sicher vom Martyrium des P. (und Paulus), hat dabei wohl Rom und die Verfolgung der röm. Christen unter Kaiser → Nero [1] im J. 64 (Tac. ann. 15 44) im Auge und bezeugt – zusammen mit → Ignatios [1] von Antiocheia (epist. ad Romanos 4,2), der Himmelfahrt des Jesaia (4,1–3) und der P.-Apokalypse –, daß im späten 1. und frühen 2. Jh. die Überzeugung vom röm. Aufenthalt und Martyrium des P. im Osten und Westen verbreitet war.

3. Das Grab des P.: Nach alter Trad. liegt das Grab des P. am Vatikan (St. Peter). Das älteste Zeugnis stammt aus dem späten 2. Jh. (Eus. HE 2,25,6–7). Danach wurde am Vatikan ein »Siegeszeichen« (→ *trópaion*) des Apostels gezeigt (für Paulus eines an der Straße nach Ostia). Das Siegeszeichen muß als angenommene Grabstätte interpretiert werden, da es von Rom in einer Auseinandersetzung vorgebracht wurde, in der die Berufung auf Heiligengräber als Argument für Apostolizität und Rechtgläubigkeit eingesetzt worden war (→ Heilige, Heiligenverehrung). Zudem reklamierte kein anderer Ort jemals ein »P.-Grab« für sich. Für Rom selbst ist eine konkurrierende Grab-Trad. in den → Katakomben an der Via Appia (h. San Sebastiano mit ausgegrabener

Gedächtnisstätte, freilich ohne Grab) auszumachen. Der von Kaiser → Constantinus [1] I. begonnene und geförderte Bau der Petersbasilika ist nur von der Trad. des P.-Grabes am Vatikan her verständlich. Als Todestag gilt der 29. Juni (sicher seit dem 3. Jh.). Ein weiterer Gedenktag ist der 22. Februar: *Cathedra Petri*, urspr. in einem röm. Totengedenktag zu lokalisieren, dann zur Thronbesteigung (*natale episcopi*) umgedeutet.

C. PETRUSLITERATUR DES 2. UND 3. JH.

Gegen Ende des 2. Jh. gab es eine reiche P.-Lit. unterschiedlicher kirchlich-theologischer Tendenzen (→ Neutestamentliche Apokryphen). In gnostischen Schriften (→ Gnosis) tritt P. als Offenbarungsempfänger auf, der Offenbarungen weit über das kanonische Gut hinaus mitzuteilen vermag. Grundlegend dafür sind nt. Texte über P. als Träger des Messiasgeheimnisses (Mt 16,17) und als Erstzeuge des Auferstandenen (Lk 24,34; 1 Kor 15,5). Mit den pseudepigraphischen (→ Neutestamentliche Apokryphen, → Pseudepigraphen) P.-Schriften (P.-Evangelium, P.-Apokalypse, P.-Predigten und P.-Briefe) werden Normativität und bleibende Identität der verkündeten Offenbarung demonstriert. In den → Petrusakten wird P. unter Kaiser Nero mit dem Kopf nach unten gekreuzigt. In der kirchl. Lit. werden P. (und Paulus) zu Gründern der röm. Christengemeinde (Eirenaios [2], Adversus haereses 3,3,2; Tertullianus, De praescriptione 36,3), die ihre Bischofsliste auf diese Gründung zurückführt. → Origenes [2] begründet in seiner Exegese von Mt 16,13–19 eine P.-Nachfolge im Geist. → Cyprianus [2] verteidigt mit Mt 16,18–19 sein episkopales Kirchenverständnis und die Einheit des Bischofsamtes (Cypr. de unitate ecclesiae 4).

D. DIE RÖMISCHE PETRUSNACHFOLGE UND ANFÄNGE DES PAPSTTUMS

In der ältesten röm. Bischofsliste haben P. und Paulus dem Linus den Episkopat (→ *epískopos*) für Rom übertragen (Iren. adversus haereses 3,3). Bei Tertullianus (De praescriptione 32,3) und in den → Pseudo-Clementinen (Mitte 3. Jh.?) bestellt der sterbende P. den → Clemens [1] zum Bischof von Rom. Grundlegend für den Vorrang des Bischofs von Rom ist die polit. Bed. der Stadt Rom mit der eigenen Stadtideologie. Innerkirchlich kommt die Trad. der doppelten Apostolizität (P. und Paulus) hinzu. Die beiden Vorzüge werden ab dem 4. Jh. zum Argument für einen rechtlichen Vorrang. Von Papst → Damasus (366–384) wird im Widerspruch zu Kanon 3 des Konzils von Konstantinopel 381 (Ehrenvorrang für den Bischof von Konstantinopel) der röm. Vorrang allein mit Mt 16,18–19 begründet und eine Kirchenordnung petrinisch legitimiert. Das Apostolische wird auf das Petrinische beschränkt, aus dem Bischofssitz (*Cathedra Petri*) wird der päpstl. Stuhl (*Sedes Petri*) mit seinen juristischen Konnotationen. Die Nachfolger des Damasus bis → Leo [3] I. (440–461) formulieren eine eigene röm. Petrinologie. Mit ihr wird der Bischof von Rom zum Erben und Stellvertreter des P. Wie P. das Haupt der Apostel war, so ist das jetzt sein Nachfolger; er trägt die Sorge für alle Kirchen (vgl.

2 Kor 11,28) und ist in dieser Sorgenlast und Schutz-
pflicht von P. getragen (Siricius I., Epist. 1 PL 13,1133A).
Der Bischof von Rom ist zwar »unwürdiger Erbe« des
P., aber als Rechtsnachfolger rückt er in die unauflös-
bare Einheit (*indeficiens consortium*) des P. mit Christus
ein. Wie einst Christus alle Vollmacht den Aposteln nur
durch P. verliehen hat, so geschieht das jetzt allein durch
die röm. P.-Nachfolger (so vor allem Leo I. in den Predigten zum Jahrestag seiner Weihe am 29.9.440).

In der gleichen Zeit wurde die klassische Romideologie christianisiert. Aus der *Roma antiqua* wird die *Roma
christiana*, deren Gründer P. und Paulus sind. Ihr für
Christus vergossenes Blut beschützt die Bürger Roms.
An ihren Gräbern strömt die ganze Welt zusammen
(→ Märtyrer). Rom ist zum Haupt der Völker (*caput
gentium*) geworden (bes. Rom-Dichtung des → Prudentius, s. bes. Laurentius-Hymnus: Prud. peristephanon 2;
Hymnus auf P. und Paulus: Prud. peristephanon 12).

Die röm. Petrinologie fand keine gesamtkirchliche
Rezeption. Die Ostkirchen lehnten den röm. Führungsanspruch ab, gestanden dem Bischof von Rom nur
einen Ehrenvorrang sowie die rechtliche Stellung eines
Patriarchen des Westens zu. Einspruch formulierten
ebenso westl. Kirchen. Für → Ambrosius ist der Primat
des P. ›ein Primat des Bekenntnisses, nicht der Ehre, ein
Primat des Glaubens, nicht des Ranges‹ (Ambr. de in-
carnatione 4,32). Laut → Augustinus empfing P. die
Schlüsselgewalt als Repräsentant der Gesamtkirche (*uni-
versam significans ecclesiam*), und ›der Fels, auf dem die
Kirche gebaut wird‹ (Mt 16,18), ist nicht P., sondern
Christus selbst (Aug. in Joannis evangelium 124,5; vgl. 1
Kor 10,4). Das petrinische Selbstverständnis paßte auch
nicht in das byz. Reichskirchensystem, in das der Bischof von Rom eingebunden blieb. Wohl hatte Papst
Gelasius I. (492–496) die ›geheiligte Autorität der Bischöfe der königl. Gewalt‹ vorgeordnet (Gelasius, Epist.
12 an Kaiser → Anastasios [1] im J. 494), aber Kaiser
Iustinianus [1] I. (527–565) hatte die beiden Gewalten in
umgekehrter Weise geordnet und die kaiserliche Macht
vorangestellt (Novelle 6 vom 6.3.535).

Eine entscheidende Wende bahnte erst Papst → Gregorius [3] der Große (590–604) an. Mit seiner »West-
politik« ebnete er dem röm. Einfluß in England, im
Merowingerreich und in Spanien die Wege. P. als Apo-
stelfürst und Himmelspförtner fand dort neue Verehrer
und sein Nachfolger Anerkennung. Pippin der Große
setzte seinen Führungsanspruch mit Hilfe des Papsttums
durch. Papst Stephanus II. (752–757) kam als erster Papst
754 in das Frankenreich und schloß mit Pippin ein auch
geistlich fundiertes Bündnis. 754 und 756 zog Pippin
nach Italien gegen die Langobarden. Der »Schutzherr
der röm. Kirche« übergab die den Langobarden abge-
nötigten Gebiete dem Papst (Kern des Kirchenstaates).
Das Bündnis zw. Frankenreich und Papsttum wurde
unter Karl dem Großen und Papst Leo III. (795–816)
fester geknüpft (Italien-Züge des Kaisers, Reisen des
Papstes in das Frankenreich, Kaiserkrönung Karls in
Rom an Weihnachten 800). In der engen Kooperation

sah der Kaiser seine Hoheit über die Kirche als Teil seines Herrscheramtes.

→ Christentum; Episkopos; Jesus; Mission; Paulus;
Petrusakten

1 K. BERGER, Unfehlbare Offenbarung. P. in der
gnostischen und apokalyptischen Offenbarungslit., in: P. G.
MÜLLER, W. STENGER (Hrsg.), Kontinuität und Einheit. FS
F. Mußner, 1981, 261–326 2 M. BORGOLTE, P.nachfolge
und Kaiserimitation. Die Grablege der Päpste, ihre Genese
und Traditionsbildung, 1989 (²1995) 3 R. E. BROWN u. a.
(Hrsg.), Der P. der Bibel, 1970 4 V. BUCHHEIT, Christl.
Romideologie im Laurentius-Hymnus des Prudentius, in:
R. KLEIN (Hrsg.), Das frühe Christentum im Röm. Staat,
1971, 455–485 5 O. CULLMANN, P., 1952 (³1985) 6 P.-A.
DEPROOST, L'apôtre Pierre dans une épopée du VIᵉ siècle.
L'Historia apostolica d'Arator, 1990 7 P. DSCHULNIGG,
P. im NT, 1996 8 E. KIRSCHBAUM, Die Gräber der
Apostelfürsten, 1957 (³1974, hrsg. von E. DASSMANN)
9 M. MACCARONE (Hrsg.), Il primato del vescovo di Roma
nel primo millenio, 1991 10 R. MINNERATH, De Jérusalem à
Rome. Pierre et l'unité de l'Eglise Apostolique, 1994
11 D. W. O'CONNOR, Peter in Rome. The Literary,
Liturgical and Archeological Evidence, 1969 12 R. PESCH,
Simon-P., 1980 13 CH. PIETRI, Roma Christiana.
Recherches sur l'Eglise de Rome. Son organisation, sa
politique, son idéologie de Miltiade à Sixte (311–446), 1976
14 K. SCHATZ, Der päpstliche Primat, 1990
15 W. ULLMANN, Gelasius I. (492–496), 1981
16 A. VÖGTLE, Das Problem der Herkunft von Mt 16,17–19,
in: Ders., Offenbarungsgeschehen und Wirkungsgesch.,
1985, 109–140 17 H. G. THÜMMEL, Die Memorien für P.
und Paulus in Rom, 1999.   K.-S. F.

[2] P. der Iberer (409–488); urspr. Murwan, Sohn des
iberischen Königs Buzmir, ab 421 als Geisel in Konstantinopel, wo er vorzügliche Bildung erhielt; er wurde
Mönch in Palaestina; 446 zum Priester geweiht, 452
Bischof von Majuma. Monophysit, in Iberia totge-
schwiegen, bis er im 12. Jh. in der georgischen Kirche
zum Vertreter der Orthodoxie umgewandelt wurde.
Seine Vita wurde um 500 in syrischer Sprache verfaßt
[1].

→ Monophysitismus

1 R. RAABE (ed.), P. der Iberer (syrischer Text mit dt.
Übers.), 1895.

J. ASSFALG, P. KRÜGER, s. v. P., Kleines WB des Christl.
Orients, 1975, 296 · A. B. SCHMIDT, Warum schreibt P. der
Iberer an die Armenier?, in: M. KOHLBACHER, M. LESINSKI
(Hrsg.), Horizonte der Christenheit, 1994, 250–267.
                                                  A. P.-L.

Petrusakten (Πράξεις Πέτρου). Die wohl zw. 180 und
190 n. Chr. entstandenen, nur fr. erh. griech. P.
(→ Neutestamentliche Apokryphen) schildern romanhaft das Wirken und das Martyrium des → Petrus [1]
unter Kaiser Nero. Wie die von ihnen abhängigen
→ Paulusakten sind die P. der Askese und Enthaltsamkeit verpflichtet. Ihre Wirkungsgesch. (auch in Überar-
beitungen und Übers.) für die christl. Frömmigkeit und
Ikonographie ist immens, so der Kampf gegen → Simon

den Magier (23–28; 31 f.; vgl. Apg 8,9–24), die Quo-vadis-Szene (35) sowie das Kreuzgebet und die Kreuzigung des Petrus mit dem Kopf nach unten (37–39).

W. Schneemelcher, Neutestamentliche Apokryphen, Bd. 2: Apostolisches, Apokalypsen und Verwandtes (dt. Übers.), ⁵1989, 243–289 (Lit.). M. HE.

Petrusapokalypse, Petrusevangelium
s. Neutestamentliche Apokryphen

Petschenegen (lat. *Bisseni*, griech. Πατζινάκαι). Turksprachige Stammesgruppe, erstmals 834 n. Chr. nördl. des Kaspischen Meeres erwähnt. 969 wurden sie von den Ogusen nach dem Zusammenbruch des → Chazaren-Reiches über die Wolga in die pontischen Steppen abgedrängt und 971 von den Byzantinern gemeinsam mit den Kiewer Rus besiegt. Die P. flohen 1036 vor den Rus nach Bulgarien und lieferten sich (mitunter im Bund mit den Ogusen) erbitterte Kämpfe mit Byzanz (1091, 1122) sowie mit den aus den Steppen nachdrängenden → Kumanen. 1171 wurden sie von den Byzantinern geschlagen und verschwanden aus der Geschichte.

H. Namik, Die P., 1933. H. Schö.

Peucetii. Volksstamm an der ital. SO-Küste. Er begegnet in der ant. Lit. am häufigsten in der griech. Namensform *Peukétioi* (Πευκέτιοι, vgl. Strab. 6,3,8; Cass. Dio 15,2,3; dagegen aber Πευκετεῖς, Herodoros FGrH 31 F 29; Ποίδικλοι, Strab. 6,3,1; 7; *Poediculi*, Plin. nat. 3,38; 102; Steph. Byz. s. v. Χανδάνη: Πευκεταῖοι; Strab. 6,3,8 hielt den Namen für griech.: Er sei bei der einheimischen Bevölkerung wohl in alter Zeit gebräuchlich gewesen, zu seiner Zeit aber veraltet). Die P. siedelten in Apulia, in einem teilweise gebirgigen Gebiet (Strab. 6,3,8), das im wesentlichen der h. Prov. Bari entspricht, zw. Daunii (→ Daunia) und → Messapii, nahe bei → Taras (Tarent) und den → Oenotri (Hekat. FGrH 1 F 89: Πευκετίαντες; Antoninus Liberalis 31,1 f.). Bereits in augusteischer Zeit hatte man Schwierigkeiten, die Völker in Apulia voneinander zu unterscheiden (Strab. 6,3,1; vgl. auch Ptol. 3,1,15; Serv. Aen. 8,9; Plin. nat. 3,99). Als Städte der P. werden → Barium (Βάριον) und → Gnathia (Ἐγνατία) erwähnt (Ptol. 3,1,15; Strab. 6,3,7 f.); darüber hinaus wurden bei Ceglie, Rutigliano und Monte Sannace arch. Grabungen durchgeführt, wobei städtische Strukturen und Nekropolen mit typisch lokaler Keramik zutage traten.

Die ant. Überl. führte die P. auf arkadischen Ursprung zurück: Peuketios, eponymer Heros, Sohn des → Lykaon, soll ein Heer nach It. geführt haben, um sich an der adriatischen Küste niederzulassen (Dion. Hal. ant. 1,11,3 f.; Strab. 6,3,8; Plin. nat. 3,99; Antoninus Liberalis 31,1 f.; vgl. auch Pherekydes FGrH 3 F 156; Serv. Aen. 8,9; zum illyrischen Element vgl. Plin. nat. 3,102). Über die Gesch. der P. ist wenig bekannt. Bestimmend für die histor. Ber. ist das Verhältnis der P. zu Taras, vgl. z. B. die Weihegaben, die Taras aus der Beute von einem Sieg über die P. zu Anf. des 5. Jh. v. Chr. nach → Del-

phoi schickte (Paus. 10,13,10), ebenso die Unterstützung, die zu E. des 5. Jh. v. Chr. der ›König der P.‹ Taras im Kampf um Herakleia [10] gegen die Messapii gewährte (Strab. 6,3,4). Die P. begegnen als Verbündete des Alexandros [6] 334 v. Chr. (Iust. 12,2,12) und des Agathokles [2] 295 v. Chr. (Diod. 21,4,1). Beziehungen zu den → Samnites zeichnen sich ab, wo Skyl. 15 die Sprache der Πευκετιεῖς/*Peuketieís* (P. oder → Picentes) für einen der fünf samnitischen Dial. hält; ebenso könnte sich möglicherweise noch Kall. fr. 107 auf die Samnites beziehen, wo er die Belagerung Roms durch die P. zu unbestimmter Zeit schildert.

→ Peuketische Vasen

Nissen 1, 539–456 • J. Bérard, La colonisation grecque, 1941, 413–416, 433–436 • E. M. De Juliis, Archeologia in Puglia, 1983 • F. D'Andria, Puglia, 1980 • Ders., Messapi e Peuceti, in: G. Pugliese Carratelli (Hrsg.), Italia omnium terrarum alumna, 1988, 651–715. S. d. V./Ü: H. D.

Peucini, Peuci (Πευκῖνοι). Bedeutender Volksstamm der → Bastarnae (Strab. 7,3,17; Plin. nat. 4,100: *Peucini Bastarnae*; gelegentlich sogar für die Bastarnae überhaupt, vgl. Tac. Germ. 46; Name wohl Fremdbezeichnung, abgeleitet von → Peuke) im NO von Dakia (→ Dakoi), östl. der Troglodytai im Donaudelta (Ptol. 3,10,9). Sie wiesen gemeinsame Züge mit den → Goti auf (ab um J. 248 n. Chr.) und beteiligten sich 269 n. Chr. an dem Raubzug in den Ägäis-Raum, den Claudius [III 2] bei → Naissus beendete.

L. Schmidt, Gesch. der deutschen Stämme, Bd. 1, ²1934, 217 f. (¹1900). I. v. B.

Peuke (Πεύκη).
[1] Die größte Insel im Delta des Istros [2] (Donau) im Gebiet der → Getai (Apoll. Rhod. 4,309–322; Strab. 7,3,15; Amm. 22,8,43; nach Ps.-Skymn. 785–789 war P. nicht kleiner als Rhodos, was ein Mißverständnis sein muß), h. wohl Sfintu Gheorghe (nördl. von P. [2]). Alexandros [4] d.Gr. versuchte 335 v. Chr. vergeblich, die auf P. geflüchteten → Thrakes und → Triballoi zu schlagen (Strab. 7,3,8; Arr. an. 1,2 f.).
[2] Südl. Mündungsarm des Istros [2], der sonst → *hierón stóma* (Ἱερὸν στόμα) genannt wird (peripl. m. Eux. 67,91; vgl. Ptol. 3,10,2).
[3] P. bzw. Teuke. Gebirge (Ptol. 3,5,15: Τεύκη ἤ Π.), entspricht den → Karpaten (Tab. Peut. 8,2: *Alpes Bastarnicae*).
[4] Eine Stadt im Deltabereich des Istros [2] (Lucan. 3,202; Honorius, Cosmographia A 24), was evtl. auf einem Irrtum beruht.

I. G. Petrescu, Del'ta Dunaja, 1963. I. v. B.

Peukelaotis (Πευκελαῶτις: Arr. an. 4,22,7–8,28,6; auch Πευκελαῖτις: Arr. Ind. 1,8; 4,11; Πευκελαῖτις: Strab. 15,1,27; ferner z.B. Προκλαίς: Ptol. 7,1,44; Ποκλαίς: peripl. m. Eux. 47 f.). Stadt in Gandhāra (im h. Pakistan westl. vom Indus; → Gandaritis), altindisch Puṣkalavatī, mittelindisch Pukkhalāvatī, griech. Form

wohl unter Einfluß von Namen mit *Peuko-* (*Peukolaos*, *Peukéstas*). P. hatte eine wichtige Lage am alten Handelsweg von Baktrien nach Indien am Westrand der Indusebene (→ Indienhandel). Von Alexandros [4] d.Gr. wurde P. nach 30tägiger Belagerung erobert und dann als maked. Garnison unter Philippos [4] verlassen; später eine indogriech. Stadt. Die Reste von P. hat man bei Ḥārsadda nö von Pēšawar in Pakistan seit den 40er Jahren ausgegraben.

K. KARTTUNEN, India and the Hellenistic World, 1997, 50 • O. STEIN, s. v. Πευκελαῶτις, RE 19, 1392–1395 • M. WHEELER, Charsadda: a Metropolis of the North-West Frontier, 1962.   K.K.

Peukestas (Πευκέστας).

[1] Sohn des Makartatos, mit Balakros [2] unter Alexandros [4] d.Gr. Befehlshaber der Besatzung in Äg. (Arr. an. 3,5,5, 331 v. Chr.). In der Nekropole von → Saqqara wurde ein Erlaß des P. zum Schutz einer Priesterbesitzung gefunden.

E. G. TURNER, A Commander-in-Chief's Order from Saqqâra, in: JEA 60, 1974, 239–342.

[2] Sohn des Alexandros aus Mieza, 326 v. Chr. Trierarch der → Hydaspes-Flotte Alexandros' [4] d.Gr. (Arr. Ind. 18,6). In einer Stadt der → Malloi rettete er diesem das Leben und wurde schwer verwundet (bes. Curt. 9,5,14–18). Zur Belohnung wurde er zum außerordentlichen *sōmatophýlax* (»Leibwächter«) befördert und 324 in Susa mit einem goldenen Kranz geehrt (Arr. an. 6,28,4; 7,5,4). Als Satrap von → Persis eingesetzt, errang er dort Wohlwollen, indem er sich als Perser gebärdete (Arr. an. 6,30,2–3; Diod. 19,14,4–5). 323 führte er dem König iranische Kontingente zu und nahm am Gelage des Medios [2] teil. Nach Alexandros' Tod im gleichen J. hielten ihn Perdikkas [4] und Antipatros [1] im Amt. Er machte 317 mit Hilfe benachbarter Satrapen die Pläne Peithons [2] zunichte, mußte sich dann wider Willen an Eumenes [1] anschließen und versuchte vergeblich, von ihm abzufallen. Nach der Schlacht von Gabiene (316) ergab er sich Antigonos [1], der ihn absetzte, aber am Leben ließ.

HECKEL, 263–267.   E.B.

Peuketische Vasen. Gattung indigener Keramik, benannt nach dem ant. Peuketia, der Landschaft des östlichen Apennin zw. Bari und Egnazia (→ Peucetii). Die P. V. setzen mit dem beginnenden 7. Jh. v. Chr. ein und tragen zunächst eine von geom. Mustern geprägte Dekoration (→ Swastika, Rauten, waagerechte und senkrechte Linien), die bes. in der spätgeom. Phase (vor 600 v. Chr.) ein enges ornamentales Raster bildet. Leitformen der P. V. sind Krater, Amphora, Kantharos und Stamnos; seltener sind Schalen. Die zweite Phase der P. V., die mit dem 6. Jh. v. Chr. beginnt, steht unter dem Einfluß der → korinthischen Vasenmalerei, der sich in Ornamenten (z. B. Strahlendekor), aber auch in einem Wechsel zu figürlicher Darstellung zeigt. Die letzte

Gefäßformen der peuketischen Keramik

Krater   Krater

Krug   Amphoriskos   Kantharos

Phase führt vom 5. bis in das 4. Jh. v. Chr.; die Gefäße sind jetzt auf der Töpferscheibe hergestellt, die rein ornamentale Bemalung macht einem pflanzlichen Dekor (Efeu-, Lorbeerranken, Palmetten) Platz, zu dem sich, wenn auch selten, figürliche oder myth. Darstellungen gesellen. Hinzu kommen griech. → Gefäßformen wie die Deckelschale, die Kleeblattkanne oder das Thymiaterion.

E. M. DE JULIIS, La ceramica geometrica della Peucezia (Terra Italia 4), 1994 • A. CIANCIO, Gioia del Colle 1, CVA Italia Bd. 68, 1995, Taf. 1–20.   R.H.

Peukolaos (*P. Díkaios kai Sōtḗr*/»der Edle und Retter«; mittelindisch Peukalaüsa). Indogriech. König in Gandhāra (→ Gandaritis) Anf. des 1. Jh. v. Chr., nur durch seine Mz. belegt.

BOPEARACHCHI, 106, 309.   K.K.

Pez(h)etairoi (πεζέταιροι). Die *p.*, »Gefährten zu Fuß«, sind erstmals bei Demosthenes (Demosth. or. 2,17) erwähnt. In der maked. Armee bezeichnete der Begriff *p.* die mit der → *saríssa* und kleinem → Schild, aber nicht mit Brustpanzer ausgerüstete schwere Infanterie, die die wichtigste Waffengattung des Heeres war. Zwar wurden nach Theopompos (FGrH 115 F 348) unter Philippos [4] II. nur die Elitetruppen der königlichen Garde so genannt, Alexandros [4] d.Gr. gab dann aber der gesamten → Phalanx diesen Ehrentitel, wenn Anaximenes (FGrH 72 F 4), der die Schaffung der *p.* unspezifisch einem König Alexandros zuschreibt, auf diese Weise richtig interpretiert wird. Die Gardesoldaten wurden dann *hypaspistaí*, später → *argyráspides* genannt. Die *p.* wurden nach Regionen aus der maked. Bauernschaft rekrutiert und waren auf dem Alexanderzug (Arr. an. 4,23,1) in sechs *táxeis* (Abteilungen) zu je 1500 Mann aufgeteilt. Sie bildeten auch den namhaftesten Teil der maked. Heeresversammlung. In hell. Zeit verschwindet der Ausdruck.

1 HM Bd. 2, 705–713.   LE.BU.

Pfandrecht   I. ALTER ORIENT
II. KLASSISCHE ANTIKE

I. ALTER ORIENT

Pfand(=Pf.)-Bestellung zur Vertragssicherung ist in den altorientalischen Rechten unterschiedlich gut bezeugt. Die Pf.-Bestellung spielt eine große Rolle im Verschuldungsprozeß in agrarischen Ges. Wenn z. B. Pächter mit ihren Abgabeverpflichtungen in Rückstand geraten waren, führte der Verfall eines Personen-Pf. oft zu Schuldknechtschaft [1; 2; 15. 179 f.] mit den sich daraus ergebenden negativen Folgen für das soziale Gleichgewicht einer Ges. (→ Pacht I.).

Pf.-Bestellung ist im → Keilschriftrecht seit der 2. H. des 3. Jt. für die einzelnen Perioden in unterschiedlicher Differenzierung durch Urkunden belegt. Bezeugt sind Grund- und Personen-Pf., beide mit Zinsantichrese. Das Pf. war in der Regel Besitz-Pf. und verfiel zumeist bei Nichterfüllung der Schuld zum Fälligkeitstermin; es war Sach-Pf., d. h. ein weitergehendes Zugriffsrecht auf die Person oder sonstiges Vermögen des Schuldners bestand nicht [8. 158–161]. Ansatzweise bereits in der altbabylonischen Zeit (18./17. Jh.), deutlich ab der Mitte des 2. Jt. kam es in Babylonien allmählich zu einer Entwicklung vom Ersatz-Pf. hin zum Sicherungs-Pf., das in neubabylon. Urkunden (ab dem 6. Jh. v. Chr.) voll entwickelt ist. In Assyrien besaß das Pf. dagegen vornehmlich Ersatzcharakter, war Verfalls- oder Lösungs-Pf. In altassyrischer Zeit (20./19. Jh.) ist zwar auch das Nutzungs-Pf. bezeugt, es dominierte hier aber wohl trotzdem das Sicherungs-Pf. Bes. gut bezeugt ist die Institution des Personen-Pf. (*tidennūtu*, Etym. unsicher) aus → Nuzi (vgl. [2]).

Im → hethitischen Recht regelte § 76 der hethit. Rechtssammlung nur einen Spezialfall des P. Danach war der Pf.-Gläubiger schadenersatzpflichtig, wenn ein ihm als Pf. gegebenes Tier starb ([3. 15; 5. 13–15]; anders [6. 82], wo an Requirierung des Tieres für öffentliche Arbeiten gedacht ist).

Nach den Papyri des griech.-röm. Äg. zu schließen, gab es in Äg. wohl einen (schriftl. niedergelegten) bedingten Verkauf. Das Mobiliar-Pf. läßt sich nur in brieflichen Bemerkungen, Haushaltsabrechnungen oder Abrechnungen von Pf.-Nehmern fassen [1. 112 f.].

Das AT enthält zahlreiche Hinweise, sowohl in erzählendem Kontext als auch in den überl. rel. und rechtlichen Normen. Es kennt antichretisches Pf. von Immobilien (Neh 5,3); Personen (d. h. zunächst Familienangehörige, dann der Schuldner selbst) durften nur nach Verfallszeit oder Nichtbegleichung einer Schuldforderung (Dt 15,12; Lv 25,39; 47) als Pf. genommen werden; lebensnotwendige Dinge (z. B. ein Mühlstein, Dt 24,6) durften nicht als Pf. verlangt werden.

Sowohl das mesopot. Recht als auch das AT kannten die Auslösung von Pf. durch (königliche) Verfügung (→ *seisáchtheia*, [11. 172. §6, 180. §20 f.]) oder durch rel. Satzung (Sabbatjahr [17. 279–282]).

1 W. BOOCHS, Altäg. Zivilrecht, 1999, 112 f. 2 B. EICHLER, Indenture at Nuzi, 1973 3 J. GROTHUS, Die Rechtsordnung der Hethiter, 1973 4 R. HAASE, Einführung in das Studium keilschriftl. Rechtsquellen, 1965 5 Ders., Keilschriftliches, 1998 6 H. HOFFNER, The Laws of the Hittites, 1997 7 B. KIENAST, Pfand, in: Ders., Die altbabylon. Briefe und Urkunden aus Kisurra, 1978, 66–150 8 V. KOROSEC, Keilschriftrecht, in: Oriental. Recht (HbdOr 1, Ergbd. 3), 1964 9 P. KOSCHAKER, Neue keilschriftl. Rechtsurkunden, 1928 10 Ders., Über einige griech. Rechtsurkunden aus den östl. Randgebieten des Hell., 1931 11 F. R. KRAUS, Königl. Verfügungen in altbabylon. Zeit, 1984 12 H. NEUMANN, Grundpfandbestellung und Feldabgabe, in: H. KLENGEL, J. RENGER (Hrsg.), Landwirtschaft im Alten Orient, 1999, 137–148 13 H. PETSCHOW, Neubabylon. P., 1956 14 K. RADNER, Die neuassyr. Privatrechtsurkunden, 1997, 368–390 15 J. RENGER, Flucht als soziales Problem in der altbabylon. Ges., in: D. O. EDZARD (Hrsg.), Gesellschaftsklassen im alten Zweistromland (ABAW N. F. 75, 1972), 167–182 16 E. SEIDEL, Einführung in die äg. Rechtsgesch. bis zum E. des NR, 1957 17 R. DE VAUX, Das AT und seine Lebensformen 1, 1964.   J. RE.

II. KLASSISCHE ANTIKE

Im griech. und v. a. im röm. Recht liegen die Wurzeln für die moderne Vorstellung des P. (als Rechtsgebiet und als subjektive Berechtigung). Dieses ist hiernach ein beschränktes dingliches Recht, also zu unterscheiden vom Eigentum, und dient der Sicherung einer schuldrechtlichen Forderung (meist auf Geld und oft aus Darlehen). Deshalb steht das Pfand dem Inhaber des P. unter bestimmten Voraussetzungen für die Befriedigung seiner Forderung zur Verfügung. Der Weg zu einem klar profilierten P. war freilich in der klass. Ant. lang, und schon in der Spätant. ging das Profil teilweise wieder verloren.

In einem weiteren Sinne umfaßt das P. in der klass. Ant. daher neben dem beschränkten dinglichen Sicherungsrecht auch verschiedene Arten der Einräumung vollen Eigentums zu Sicherungszwecken, so in Griechenland die → *prásis epí lýsei*, im Recht der gräko-ägypt. Papyri die → *oné en písti* und im röm. Recht die → *fiducia*. Aber selbst das P. im engeren Sinne blieb lange Zeit ein Verfallsrecht. Dies bedeutete, daß im Sicherungsfall – wenn also das P. nicht durch die schlichte Erfüllung der gesicherten Forderung abgelöst wurde – das P. in die volle Verfügungsbefugnis des Gläubigers als Eigentümer fiel. Dem Modell des Verfallsrechts entsprach im griech. Recht sowohl das Besitz- oder Faustpfand (*enéchyron*) als auch die ohne unmittelbaren Besitz mögliche → *hypothékē*. Das röm. → *pignus* hingegen entwickelte sich zu einem technisch perfekteren, genau auf die Sicherungsfunktion abgestimmten P.: Der Gläubiger wurde hier im Sicherungsfall nicht mehr Eigentümer, sondern erhielt nur ein Verwertungsrecht. Diese Entwicklung brachte auch die Möglichkeit mit sich, mehrere P. an derselben Sache zu bestellen. Hierdurch entstand das (noch heute, vor allem bei den Grund-P. sehr relevante) Problem des Ranges eines P. Die Verwertungsbefugnis als wesentlicher Inhalt des P. machte dieses Recht auch tauglich für die Einzelzwangsvollstreckung aufgrund eines Urteils oder einer vollstreckbaren Urkunde. So entstand ein Pfändungs-P., wie es uns schon in der griech. → *enechyrasía* entgegentritt.

Die genauere Modellierung des Sicherungscharakters führte im röm. Recht zu einer erheblichen Verfeinerung der Akzessorietät des P. Darunter versteht man die Abhängigkeit des P. von der zu sichernden Forderung. Begründungsakzessorietät (Abhängigkeit der Entstehung des P. vom Bestand der Forderung) galt für das *pignus* von Anfang an. Verwertungsakzessorietät (Erlöschen der Forderung nur in Höhe des Verkaufserlöses, Pflicht zur Herausgabe eines Mehrerlöses an den Verpfänder) kommt bereits im griech. Recht mit der Kategorie der → *hypérocha* (Veräußerungsüberschuß) vor. In das Recht des *pignus* wurde sie erst in der Zeit des Prinzipates aufgenommen.

In der Spätant. zeigen sich die Gefährdungen der Institution des P. durch das Fehlen von Publizität: Wurde das P. nicht mit unmittelbarem Besitz des Pfandnehmers oder (wie im mod. Grundstücksrecht) mit einer Registereintragung verbunden, führten Mehrfachverpfändungen und Pfandvorrechte (Pfandprivilegien), z.B. für den Staat, dazu, daß der Sicherungszweck nicht mehr erfüllt werden konnte. Dies trug zum Niedergang des privaten Kredits bei und spiegelt ihn zugleich wider.

KASER, RPR Bd. 1, 457–460; Bd. 2, 312 f. · M. KASER, Studien zum röm. P., 1982 · A. R. W. HARRISON, The Law of Athens, Bd. 1, 1968, 253–293. Vgl. auch die Bibliogr. bei → Enechyrasia, Hypotheke und Pignus.   G. S.

Pfau (der in Indien heimische, gut zähmbare Hühnervogel Pavo cristatus). Er hieß mit ungeklärter Etym. [1. Bd. 2, 862; 2. Bd. 2, 267] ὁ ταώς, ταῶς/*taṓs* und lat. *pavo* oder *pava*. Die Einführung erfolgte wohl im 7./6. Jh. v. Chr. über Babylon (Pfauenthron) nach Palästina und über den Iran (daher Μηδικὸς ὄρνις/*Mēdikós órnis*, »medischer/persischer Vogel«; Diod. 2,53 u.ö.) und Vorderasien nach Samos. Dort war der P. hl. Tier im Heratempel (Antiphanes bei Athen. 14,655b; aber auf samischen Mz. erst im 2. Jh. v. Chr. [3. Taf. 5,51]). Nach Plut. Perikles 13,13 zeigte man den P. gegen Eintrittsgeld im 5. Jh. v. Chr. in Athen in der Zuchtanlage des Pyrilampes und Demos bei Neumond. Die Eier verkaufte man teuer an andere Züchter.

In It. ist der Eigenname *Pavo* im 2. Jh. v. Chr. belegt (Lucil. 467 M). Varro (rust. 3,6; vgl. Colum. 8,11 und Pall. agric. 1,28) gibt genaue Vorschriften über seine Zucht und den erzielbaren enormen Profit (vgl. [4. 106 f.]). Der von Q. → Hortensius [7] erfundene P.-Braten galt als Höhepunkt der Schwelgerei (z.B. Cic. fam. 9,118,3 und 20,2; Hor. sat. 1,2,116), noch gesteigert durch P.-Hirn (Suet. Vit. 13) und P.-Zunge (SHA Heliog. 20,5). Zoologisch beschreibt ihn ausführ-

lich Aristot. hist. an. 6,9,564a 25–b 9, offenbar aus persönlicher Kenntnis. Zur äußeren Schönheit, bei der immer wieder die schillernden »Augen« (*gemmae*) hervorgehoben werden (z.B. Phaedr. 3,18), steht der angeblich schlechte Charakter im Gegensatz (Aristot. hist. an. 1,1,488b 23 f.: »mißgünstig und eitel«; Ov. met. 13,802: »frecher als ein gelobter P.« vgl. [6. 269]). In der Myth. ist der Vogel der Hera/Iuno heilig (*Iunonia ales*; [5. 242]). Von Künstlern häufiger dargestellt wird er erst in röm. Zeit, auch von den Christen [7], etwa auf Sarkophagen [5. Abb. 12]. So ist er wegen der sternenartigen Augen Attribut des Himmels und des Paradieses [5. 243 f.]. Auf Mosaiken findet er sich aber oft auch nur (wie der → Fasan) seiner Schönheit wegen, so etwa auf dem Weinrankenmosaik von Sabratha.

1 FRISK 2 WALDE/HOFMANN 3 F. IMHOOF-BLUMER, O. KELLER, Tier- und Pflanzenbilder auf Mz. und Gemmen des klass. Alt. 1889, Ndr. 1972 4 H. DOHR, Die ital. Gutshöfe, Diss. Köln 1965 5 TOYNBEE, Tierwelt 6 A. OTTO, Die Sprichwörter und sprichwörtlichen Redensarten der Römer, 1890, Ndr. 1988 7 H. LOTHAR, Der P. in der altchristl. Kunst, 1929.

KELLER, Bd. 2, 148–154.   C. HÜ.

Pfeffer (τὸ πέπερι, lat. *piper*) heißt bei Hippokr. gynaicia 1,81 (vgl. Hippokr. epidemiai 4,40; 5,67; 6,6,13; 7,64) die aus Indien eingeführte kostbare Gewürzpflanze Piper mit zwei Arten (P. album und nigrum). Die ungenügenden Beschreibungen bei Theophr. h. plant. 9,20,1, (zit. bei Athen. 2,66e), Dioskurides (2,159 WELLMANN = 2,188 BERENDES) und Plin. nat. 12,26f. verraten, daß die Samenkörner beim sogenannten P. longum in kleinen Schoten wachsen, was man auf den in Afrika verbreiteten Mohren- oder Negerpfeffer (Xylopia aethiopica A. Rich.) bezogen hat. Theophrast leitet von der erwärmenden Wirkung des P. eine Verwendung gegen Schierlingsgift (πρὸς τὸ κώνειον) ab. Nach Dioskurides half er u.a. gegen Augenleiden, Husten und Bauchschmerzen, unterstützte die Verdauung, trieb ab, verhinderte die Empfängnis und war Bestandteil von Theriak. Als Speisegewürz hatte er erst seit der röm. Kaiserzeit größere Bed. Colum. 12,59 erwähnt gepfefferten Essig (*acetum piperatum*). Der hohe Importpreis führte zu Verfälschungen u.a. mit Wacholderbeeren. Die *horrea piperatoria* in Rom dienten der Vorratshaltung (Hieron. chron. ad ann. 96 p. Chr.). P. war sprichwörtlich für Schärfe (Petron. 44,7: *piper non homo*, ›der reinste Pfeffer, kein Mensch‹). Im MA wird seit Isid. orig. 17,8,8 die Farbe des schwarzen P. auf die in den indischen Wäldern zur Bekämpfung der Schlangen angezündeten Feuer zurückgeführt.

A. STEIER, s. v. P., RE 19, 1421–1425.   C. HÜ.

Pfeil und Bogen. Der Gebrauch von P. und B. in Jagd und Krieg ist sehr alt; sie waren bereits in prähistor. Zeit weit verbreitet. Im Vorderen Orient waren P. und B. wichtige Kriegswaffen. Wie Reliefs aus Mesopotamien zeigen, standen die assyrischen Bogenschützen oft in einem Streitwagen (Palast Assurnaṣirpals II. in Nimrūd (→ Kalḫu), 9. Jh. v. Chr.; London, BM); bei der Belagerung von Städten wurden Bogenschützen zu Fuß eingesetzt (Relief → Tiglatpilesers III. in Nimrūd, 8. Jh. v. Chr.; London, BM); gegen die Araber kämpften berittene Bogenschützen (Palast des → Assurbanipal in Ninive (→ Ninos [2]), 7. Jh. v. Chr.; London, BM). Assyr. Könige jagten Löwen und Stiere mit P. und B. zu Fuß und vom Streitwagen aus (Jagddarstellung mit Streitwagen im Palast Assurnaṣirpals II. in Nimrūd, 9. Jh. v. Chr.; London, BM). In Äg. wurden bereits im 2. Jt. v. Chr. der Pharao oder hohe Würdenträger auf der Jagd mit P. und B. dargestellt, so etwa Userhet (Grab Nr. 56 in Theben, 15. Jh. v. Chr.) oder Tutanchamun (1347–1336 v. Chr.).

In der griech. Lit. sind P. und B. früh für Griechenland (Hom. Il. 4,122ff.; 5,171ff.; 11,582ff.; Hom. Od. 21,1–421), Persien (Hdt. 7,61,1) und für die → Sarmatae (Paus. 1,21,5) belegt. Die Löwenjagd mit P. und B. war ein Thema der myk. Kunst (Dolch aus dem 16. Jh. v. Chr., Mykene; Athen, NM). Bogenschützen im röm. Heer werden erstmals für die Zeit des 2. → Punischen Krieges erwähnt; Hieron [2] von Syrakus unterstützte Rom zunächst durch die Entsendung von kretischen Bogenschützen (Pol. 3,75,7; Liv. 22,37,8). Obgleich sich Syrakus 214 den Feinden Roms angeschlossen hatte, sind Bogenschützen im röm. Aufgebot weiterhin bezeugt (Liv. 24,34,5; 27,38,12). P. und B. wurden auch in Caesars Krieg gegen die Gallier verwendet; die Bogenschützen kamen aus Numidien und Kreta (Caes. Gall. 2,7,1). Seit dem Hell. diente neben dem B. auch das → Katapult zum Schießen von P.

Der B. (griech. tóxon; lat. arcus) bestand immer aus verschiedenen Teilen und war an den Enden verstärkt; er wurde entspannt, wenn er nicht genutzt wurde. Die P. (griech. tóxeuma; lat. sagitta) wurden in einem Köcher (griech. pharétra; lat. pharetra) aufbewahrt. Ihr Schaft war aus Holz oder Bambus und prinzipiell von dreieckigem Schnitt; die Spitze stets aus Eisen. Das Gesamtgewicht und die damit verbundene Wirkung konnten durch Beigabe von Blei erhöht werden. Röm. Soldaten waren auch mit Wurf-P. ausgerüstet (mattiobarbuli oder → plumbatae: Veg. mil. 1,17; 2,15; 3,14). In der Spätant. waren auch Brand-P. bekannt (Amm. 23,4,14; 23,6,37). Vergiftete P.-Spitzen sind schon bei Homer erwähnt (Hom. Od. 1,260ff.; vgl. Iulius Africanus, Cestes 2,5 zu den Skythen).

Es existierten auch P. mit drei P.-Flügeln; die Spitzen können entsprechend ihrer Länge in einen kurzen (2,7 cm), zwei mittellange (1,9 bis 3,6 und 2,7 bis 3,9 cm) und einen langen (3,5 bis 3,7 cm) Typ eingeteilt werden. P. hatten eine Reichweite von etwa einem → pléthron (ca. 30 m). Sowohl Soldaten zu Fuß als auch Reiter kämpften als Bogenschützen und griffen den Feind an, bevor die schwerbewaffneten Soldaten den Kampf begannen. In der Prinzipatszeit rekrutierte Rom die Bogenschützen v. a. in den östl. Prov.; sie dienten normalerweise in speziellen Einheiten der → auxilia, die

»Bogenschützen« (sagittarii) genannt wurden (ILS 2724: coh. I Ulpia sagittariorum; ILS 2005: coh. I Aelia sagit.; ILS 2740: coh. III sagittariorum). Andere Einheiten wurden nach dem Herkunftsort benannt (Syrien: ILS 1403; 9168; Damaskos: ILS 2585; Ituraea: ILS 2004; Tyros: ILS 2685; Commagene: ILS 9273; Apamea: ILS 2724; Thrakien: ILS 2006; Hamii: ILS 2551). Auch → Palmyra stellte Bogenschützen für das röm. Heer (ILS 9173).
→ Bogenschießen

1 D. BAATZ, Zur Geschützbewaffnung röm. Auxiliartruppen in der frühen und mittleren Kaiserzeit, in: Ders., Bauten und Katapulte des röm. Heeres, 1994, 113–126 2 M. C. BISHOP, J. C. N. COULSTON, Roman Military Equipment from the Punic Wars to the Fall of Rome, 1993 3 M. FEUGÈRE, Les armes des Romains, 1993 4 M. GICHON, M. VITALÉ, Arrow Heads from Horvat Eqed, in: IEJ 41, 1991, 242–257 5 T. VÖLLING, Plumbatae sagittae?, in: Boreas 14–15, 1991/92, 293–296. Y.L.B./Ü: C. P.

Pferd I. EINLEITUNG II. VERBREITUNG UND DOMESTIKATION DES WILDPFERDES III. ALTER ORIENT IV. KLASSISCHE ANTIKE

I. EINLEITUNG

Die herausragende kulturgesch. Bed., die dem P. seit dem 2. Jt. v. Chr. – zunächst als Fahrtier am → Streitwagen, später v. a. als Reittier – im Bereich des Alten Orients und der griech.-röm. Ant. zukommt, bedingt, daß die (insbes. frühe) Nutzungsgesch. dieser Equidenart in den letzten 100 J. weit mehr im Blickfeld der Altertumsforsch. stand als die aller anderen Haustiere. Während dabei in der 1. H. des 20. Jh. die wiss. Diskussion sehr stark von ethnologisch-soziologischen (und z. T. auch rassenideologisch beeinflußten) Fragestellungen dominiert wurde, die v. a. um die (völlig überschätzte) Rolle des P. bei der Ausbreitung der → Indogermanen und um die (vermeintliche) Einführung von P. und Streitwagen im Alten Orient durch Indoarier kreisten (forschungsgesch. Lit.-Überblick [14. 78²⁶]), hat sich in den letzten Jahrzehnten eine realkundlich orientierte, interdisziplinäre Forsch. durchgesetzt, die durch Auswertung alter und neuer Befunde die Nutzungsgesch. des P. in Frühzeit und Alt. vielfach in neuem Licht erscheinen läßt.

II. VERBREITUNG UND DOMESTIKATION DES WILDPFERDES

Aufgrund neuerer osteoarch. Unt. steht h. fest, daß sich die Verbreitungsgebiete der vier großen Wildequidengruppen – Zebras, → Esel, Halbesel (Onager) und P. – entgegen früherer Lehrmeinung (z. B. [24. 254f.]) im Spätpleistozän (bis vor ca. 12000 J.) nicht geogr. ausschlossen, sondern deutlich überlappten, und noch in frühgesch. Zeit z. B. in Arabien echte Wildesel und Halbesel, in Kleinasien Halbesel und Wild-P. gleichzeitig nebeneinander vorkamen [18; 21]. Der (ausgestorbene) wilde Vorfahre des Haus-P., Equus ferus BODDAERT 1785, war über weite Teile Europas und Asiens verbreitet. Während mongolische und andere Haus-P. Zentralasiens von seiner östlichsten Unterart *Equus ferus przewalskii* POLJAKOV 1881 abstammen können, leiten sich die europ. und westasiat. Haus-P. offenbar von mehreren anderen (geogr.) Unterarten ab ([17. 122–124]).

Zwar ist mit Blick auf die seit den 1960er J. bekannten P.-Knochen von Dereivka [2], einem FO der Srednij Stog-Kultur (Ukraine) des 5./4. Jt. v. Chr., noch in jüngster Zeit das Steppengebiet nördl. des Schwarzen Meeres als einziger Ursprungsraum des Haus-P. befürwortet und daran die Hypothese von bereits reitenden Indogermanen geknüpft worden (z. B. [1]), jedoch ist der Haustierstatus der Dereivka-P. bisher unbewiesen (zu den vermeintlichen »Trensenknebeln« der Srednij Stog-Kultur vgl. [5]). Auch der große zeitliche Abstand zum Auftreten des Haus-P. in Mittel- und SW-Europa und im Vorderen Orient (3./2. Jt.) spricht eher für ihre Wild-P.-Natur. Daß vielmehr überall, wo ausreichende Wild-P.-Populationen vorhanden waren, grundsätzlich auch mit autochthonen Domestikationsvorgängen zu rechnen ist, zeigt die eingehende osteometr. Unt. aller bisher für die Iberische Halbinsel dokumentierten P.-Knochen, die für die glockenbecherzeitlichen Haus-P. Spaniens eine Entstehung aus lokalen Wild-P. wahrscheinlich macht [17. 125–133]. Da das mitteleurop. Haus-P. (Chamer Kultur-Gruppe, 1. H. des 3. Jt.) wohl vom SO her importiert wurde [17. 139; 20. 558] und sich bei den brz. Haus-P. der Iberischen Halbinsel Einflüsse aus dem Vorderen Orient feststellen lassen, dürfte v. a. der noch nicht ausreichend belegten südosteurop.-kleinasiat. Form des Wild-P. (vorläufig als *Equus ferus scythicus* RADULESCO und SAMSON 1962 bezeichnet) bes. Bed. zukommen. Ein spezielles Problem bietet hier Kleinasien, wo Wild-P. für das 4. Jt. (Demircihüyük [21]; Altınova [4]) nachgewiesen sind, danach allerdings ein Fundhiatus bis zum Auftreten des hethiterzeitlichen Haus-P. (2. Jt.) besteht. Seine Einführung durch Hethiter oder Luwier (→ Ḫattusa II.; → Luwisch) bleibt jedenfalls außer Betracht, da die Träger der gemeinsamen uranatolischen Vorstufe der → anatolischen Sprachen gewiß schon vor Mitte des 3. Jt. in Kleinasien saßen.

Allgemein wird in der Frage früher P.-Domestikation noch zu wenig berücksichtigt, daß die Bezeugung des Haus-P., das – wie zuvor das bejagte Wild-P. – zunächst allein der Fleischversorgung gedient haben dürfte, an sich noch keinen Beweis für seine Nutzung als Fahr- oder Reittier darstellt. Auch h. ist das P. aufgrund seiner anatomischen Gesamtkonstruktion nicht von vornherein dafür geeignet, sondern bedarf zunächst v. a. einer gründlichen Gymnastizierung, die es ihm erst ermöglicht, beim Fahren oder Reiten sein Gleichgewicht zu halten, und ohne die es in kürzester Zeit durch Verschleiß, insbes. der Sprunggelenke, unbrauchbar wird. Fahren bzw. Reiten setzt daher zwingend eingehende Kenntnisse über physische Struktur und Verhaltensweise des P. voraus (s. auch → Reitkunst). Tatsächlich sind

diese erstmals ab dem 2. Jt. v. Chr. im Alten Orient zu belegen, auch wenn nach dem h. Kenntnisstand die P.-Domestikation in Europa früher erfolgt zu sein scheint.

III. ALTER ORIENT
A. ÄLTESTE ZEUGNISSE DER PFERDENUTZUNG (20.–17. JH.) B. FAHRKUNST UND REITEN IM 16.–12. JH. C. ZUCHT, HALTUNG, PFERDEHEILKUNDE D. GESELLSCHAFTLICHE UND RELIGIÖSE BEDEUTUNG

A. ÄLTESTE ZEUGNISSE DER PFERDENUTZUNG (20.–17. JH.)

In Mesopotamien ist das P. namentlich vereinzelt ab der Ur-III-Zeit (um 2050 v. Chr.; sumerisch ᴬᴺˢᴱsí-sí, Lw. < altakkadisch *sisium*, jünger anše-kur-ra »Esel des Berglandes«), osteologisch jedoch erst im 2. Jt. greifbar; vereinzelt früher datierte Knochenfunde sind hinsichtlich Datierung sowie Artzugehörigkeit zweifelhaft [20. 560¹⁹]. Bis zum 16./15. Jh. spielte das P. allerdings, v. a. in Babylonien, keine bedeutende Rolle, was in der traditionellen Nutzung des Hauesels seit dem 4. Jt., gerade auch als Fahrtier, begründet sein dürfte. Die verbreitete Vorstellung vom wagenziehenden »Hausonager« ist, da sich der Halbesel bis h. nicht zähmen läßt, falsch [19], die sumer.-akkad. Equidenterminologie samt vermeintlicher Hauesel-Onager-Verbastardierungen [13] revisionsbedürftig.

Ganz anders stellt sich die Situation im hethiterzeitlichen Kleinasien (→ Ḫattusa II.) dar, wo mit Beginn der schriftlichen, zunächst altassyrischen Überl. (ab dem 20./19. Jh. v. Chr.) das P. als bereits fest integrierter Teil der Ges. erscheint und für E. des 18. Jh. nach dem althethitischen ›Anitta-Text‹ (Abschrift des 16. Jh.) erstmals der mil. Einsatz von Streitwagengespannen bezeugt ist, auf den implizit auch der altassyr. überl. Hoftitel *rabi sisê* (»Großer der Streitwagengespanne«) weist. In der althethit. Gesetzessammlung, deren Entstehung ins 18. Jh. zurückreicht, werden P. im ersten Ausbildungsjahr (an der Longe) (*saudist-*, »einjährig«) und im ersten/zweiten J. des Einfahrens (*jugas/dājugas*, »von einer/zwei Jochzeit(en)«), d. h. im zweiten/dritten Ausbildungs-J., unterschieden, was ein theoretisch fundiertes (und bis h. gültiges) Konzept der drei J. dauernden Grundausbildung (Gymnastizierung) erkennen läßt. Dies setzt seinerseits bereits längere Erfahrungen im Umgang mit dem P. voraus [16. 23–29, 124 f.]. Diese Erfahrungen bildeten, auch wenn die Idee des Fahrens von Mesopotamien her übernommen sein mag, zugleich die entscheidende Vorbedingung für die Entwicklung des leichten (von nur einer Person tragbaren!), zweirädrigen Streitwagens mit hinterständiger Achse und Jochsattelschirrung (vgl. allg. [9]), der abgesehen von älteren, wenig präzisen Rollsiegel-Darstellungen in seiner technisch vollendeten Form zuerst auf einer hethit. Reliefscherbe des 17. Jh. nachweisbar ist [3]. Auch die ältesten unzweifelhaften Zeugnisse für das Speichenrad (20./19. Jh.) stammen aus Kleinasien (Kültepe, Acemhüyük) [11].

B. Fahrkunst und Reiten im 16.–12. Jh.

Spätestens gegen E. des 16. Jh. war die Nutzung von Streitwagen-P. im mil. Einsatz, bei der Jagd und zu repräsentativen Zwecken (Paraden, Prozessionen) im gesamten Alten Orient üblich. Beispielhaft steht dafür Äg., wo das P. bis zur Mitte des 17. Jh. noch kaum bekannt war (äg. *ssm.t*, »P.«, ist semitisches Lw.), indes die Fahrkunst schon bald nach ihrer Übernahme zu Beginn der 18. Dyn. (ca. 1540 v. Chr.) zu größter Blüte gelangte. Diese spiegelt sich bis in die Zeit Ramses' III. (1187–1156) in bes. reich und vielseitig überl. Quellenmaterial (Text-, Bildzeugnisse [8; 15]; originale Streitwagen [10]; Trensen und Geschirrteile [7]).

Tieferen Einblick in das sehr hohe Niveau der altoriental. Fahrkunst geben v. a. die sog. »Sphinx-Stele« Amenophis' II. (1426–1400), auf der erstmals die an einen Hippologen zu stellenden theoretischen und praktischen Anforderungen (Kenntnis vom Körperbau des P., Einfühlungsvermögen etc.) zusammenhängend formuliert sind, sowie die gleichfalls im 15. Jh. entstandenen hethit. Trainingsanleitungen für Streitwagen-P. (darunter der am besten erh., in einer Abschrift des 13. Jh. überl. ›Kikkuli-Text‹), die speziellen Ausbildungszielen gewidmet sind [16]. Diese Anleitungen, die noch durch eine frg. erh. mittelassyr. Anleitung (13. Jh.) ergänzt werden, bieten nicht nur – gut tausend J. vor den trainingswiss. Abh. griech. Gymnasten und Ärzte – die ersten systematischen Trainingspläne für einen lebenden Organismus, sondern lassen durch ihre Begrifflichkeit (z. B. »Versammlung« des P.) und fachkundige Darstellungsweise deutlich werden, daß die methodischen Grundlagen der »klass. Reitweise« (Xen. equ.; neuzeitliches europäisches Reiten) bereits in der 1. H. des 2. Jt. v. Chr. entwickelt worden sind (vgl. → Reitkunst).

Das Reiten trat hingegen, wenngleich nicht unbekannt (z. B. im Kurierdienst), bis zum E. des 2. Jt. noch ganz hinter dem Fahren zurück [9. 96f.]. Alle Zeugnisse vor dem 14. Jh. sind zweifelhaft – zumal Rollsiegel-Darstellungen, die durchweg keine sichere Bestimmung der Artzugehörigkeit des Reittieres zulassen. Von mil. Reiten, das die Funktion des Streitwagens übernimmt, kann erst ab dem 9./8. Jh. v. Chr. gesprochen werden (→ Reiterei).

C. Zucht, Haltung, Pferdeheilkunde

Über die P.-Zucht, die von der Sekundärlit. in Verkennung der Bed., die der gymnastischen Heranbildung des P. zukommt, oft unzutreffend als die entscheidende Voraussetzung des Fahrens und Reitens herausgestellt wird, ist vergleichsweise wenig überliefert. Für das Streitwagengespann wurden nur Hengste verwendet. Mit der Zucht begann man (wie mit der Ausbildung) ab dem vierten Lebensjahr; »Herdenstuten und ihre Zuchthengste« wurden ausdrücklich von den »Gespann-P.« unterschieden [16. 27f.]. Mittelbabylon. P.-Listen aus Nippur und Nuzi geben Auskunft über Farbe und Abstammung, hingegen werden P.-Rassen und spezielle Zuchtmerkmale nie benannt. Als bedeutende

Zentren der P.-Zucht galten SO-Kleinasien und Nord-Syrien, im 1. Jt. auch → Urarṭu und NW-Iran [9. 83; 112]. Der Wert eines Streitwagen-P. war allerdings v. a. von seinem Ausbildungsstand abhängig.

Der Gesunderhaltung des P. dienten in erster Linie sachgemäße Haltung, Wartung und Fütterung, denen allg. hoher Stellenwert beigemessen wurde [16. 146–148]. Neue Einsichten in die anspruchsvolle Stallunterbringung und -hygiene hat der jüngst in Qantīr (im Nildelta) ausgegrabene, weit über 400 Einstellplätze umfassende Marstall Ramses' II. (1279–1213) erbracht [7. VIII-XIX]. Von einer weitergehenden, medizinischen Versorgung zeugen ugaritische (14./13. Jh.) und neuassyr. (1. Jt.) hippiatrische Texte, die der Behandlung der bei P. häufig auftretenden Magen-Darm-Erkrankungen (Koliken) gewidmet sind [12].

D. Gesellschaftliche und religiöse Bedeutung

Der Umstand, daß erfolgreiche P.-Ausbildung geistige Auseinandersetzung mit der Natur des P. sowie ein großes zeit- und kostenaufwendiges Engagement voraussetzt, zudem immer auch eine individuelle menschliche Leistung darstellt, beschränkte die Ausübung der Fahrkunst notwendig auf die gebildete und vermögende Oberschicht. Jedoch ist eine sich explizit darauf berufende Standesabgrenzung nur im Machtbereich des hurritischen Staates → Mittani (15.–14. Jh.; zur hurrit.-akkad. Bezeichnung *marijannu* frühindoarischer Herkunft [23]) und in Äg. (hier des Militärs gegenüber der traditionellen Beamtenschaft) greifbar. Die Erkenntnis, daß die hippischen Grundsätze (Selbstbeherrschung, konsequentes Handeln, Einfühlung in Verhaltensweisen und Reaktionen eines anderen Lebewesens) zugleich Führungsqualitäten darstellen, ließ die Fahrkunst (ebenso wie das Schießen mit dem Kompositbogen; → Bogenschießen) allg. zu einem wichtigen Bestandteil der Prinzenerziehung und überhaupt zur Voraussetzung einer polit.-mil. Karriere werden [16. 136[290]]. Hethit. und äg. Gesandte trugen oft den Titel »Streitwagenfahrer« bzw. waren als Angehörige des Streitwagencorps ausgewiesen.

Rel. Bed. besaß das P. nur in Kleinasien, wo es im Mythos (so zumindest im luwisch-sprachigen → Kizzuwatna), im Kult (u. a. als nur vom König zu vollziehendes Brandopfer) und im königlichen Begräbnisritual (in Verbindung mit der schon idg. Vorstellung des Jenseits als Viehweide) fest integriert war [6]. Auch das Wagenrennen, das sich etwa für Mittani nur aus PN frühindoarischer Herkunft des Typs Sattiuaza (< *sātiuāja-, »Siegespreiserlangung habend«) oder Abiratta (< *abhi-ratha-, »einen überlegenen Streitwagen besitzend«) erschließen läßt, ist hier – neben anderen sportlichen Wettkämpfen – in kultischem Zusammenhang bezeugt [16. 127[263]]. Die Quadriga des → Sonnengottes begegnet erstmals in einem hethit. Gebet des 15. Jh., das allerdings in der altbabylon. Trad. steht, so daß die schon für die 1. H. des 3. Jt. in Mesopotamien nachzuweisende Esel-(!)Quadriga das Vorbild darstellen dürfte [6. 85–

87]. Außerhalb Kleinasiens hat das Ṗ. kaum Eingang in die rel. Vorstellungen gefunden. Eine Eigentümlichkeit stellen die im 1. Jt. v. Chr. in Assyrien dem Gott Aššur und dem Mondgott von Ḥarran (→ Mondgottheit) geweihten weißen Ṗ. dar (danach wohl auch die von den Königen von Juda der Sonne geweihten Ṗ. beim Jahwe-Tempel; 2 Kg 23,11) [23]; hingegen dürfte die im 14./13. Jh. in Syrien-Palaestina und Äg. verbreitete Ikonographie der auf dem Ṗ. stehenden oder reitenden Göttin (→ Anat/→ Astarte/Ašera) an die wesensverwandten Ṗ.-Schutzgöttinnen SO-Kleinasiens (Malija, Pirwa, Pirinkir) anknüpfen [6. 81–82].
→ Domestikation

1 D. W. ANTHONY, The Earliest Horseback Riders and Indo-European Origins, in: B. HÄNSEL, S. ZIMMER (Hrsg.), Die Indogermanen und das P., 1994, 185–195 2 V. I. BIBIKOVA, Appendix 2 und 3, in: D. Y. TELEGIN (Hrsg.), Dereivka, A Settlement and Cemetery of Copper Age Horse Keepers in the Middle Dnjepr, 1986, 135–186 3 K. BITTEL, Frg. einer hethit. Reliefscherbe mit Wagendarstellung, in: S. SAHIN (Hrsg.), Stud. zur Rel. und Kultur Kleinasiens. FS F. K. Dörner, Bd. 1, 1978, 179–182 4 J. BOESSNECK, A. VON DEN DRIESCH, P. im 4./3. Jt. in Ostanatolien, in: Säugetierkundliche Mitt. 24, 1976, 81–87 5 U. L. DIETZ, Zur Frage vorbrz. Trensenknebel in Europa, in: Germania 70, 1992, 17–36 6 V. HAAS, Das P. in der hethit. rel. Überl., in: B. HÄNSEL, S. ZIMMER (Hrsg.), Die Indogermanen und das P., 1994, 77–90 7 A. HEROLD, Streitwagentechnologie in der Ramses-Stadt, 1999 8 U. HOFMANN, Fuhrwesen und Pferdehaltung im Alten Äg., 1989 9 M. A. LITTAUER, J. H. CROUWEL, Wheeled Vehicles and Ridden Animals in the Ancient Near East, 1979 10 Dies., Chariots and Related Equipment from the Tomb of Tutʿankhamūn, 1985 11 Dies., The Earliest Known Three-Dimensional Evidence for Spoked Wheels, in: AJA 90, 1986, 395–398 12 D. PARDEE, Les Textes Hippiatriques, 1985 13 J. N. POSTGATE, The Equids of Sumer, Again, in: R. H. MEADOW, H.-P. UERPMANN (Hrsg.), Equids in the Ancient World (TAVO A 19/1), 1986, 194–206 14 P. RAULWING, Ein indoarischer Streitwagenterminus im Äg.?, in: Göttinger Miszellen 140, 1994, 71–79 15 C. ROMMELAERE, Les chevaux du Nouvel Empire égyptien, 1991 16 F. STARKE, Ausbildung und Training von Streitwagen-P., 1995 17 H.-P. UERPMANN, Die Domestikation des P. im Chalkolithikum West- und Mitteleuropas, in: Madrider Mitt. 13, 1990, 109–153 18 Ders., Equus africanus in Arabia, in: R. H. MEADOW, H.-P. UERPMANN (Hrsg.), Equids in the Ancient World (TAVO A 19/2), 1991, 19–33 19 A. VON DEN DRIESCH, »Hausesel contra Hausonager«, in: ZA 83, 1993, 258–267 20 Dies., Ein Exkurs in die Frühgesch. des Haus-P., in: H. GASCHE et al. (Hrsg.), Cinquante-deux réflexions sur le Proche-Orient ancien. FS L. de Meyer, 1994, 555–561 21 Dies., J. BOESSNECK, Gesamtergebnisse an den Tierknochenfunden vom Demircihöyük, in: M. KORFMANN (Hrsg.), Demircihöyük, Bd. 2, 1987, 52–66 22 E. WEIDNER, Weisse P. im Alten Orient, in: Bibliotheca Orientalis 9, 1952, 157–159 23 G. WILHELM, s. v. Marijannu, RLA 7, 419–421 24 F. ZEUNER, Gesch. der Haustiere, 1967. F. S.

IV. KLASSISCHE ANTIKE

A. ALLGEMEINES B. ANTIKE FACHLITERATUR; ZUCHT UND HALTUNG C. VERWENDUNG IM MILITÄRWESEN UND BEI SPIELEN D. WIRTSCHAFTLICHE NUTZUNG E. DAS PFERD IN KUNST, MYTHOS UND LITERATUR

A. ALLGEMEINES

Die bedeutende Rolle des P. in der Gesch. hat dazu geführt, daß die Geschichtswiss. sich stärker als mit anderen Haustieren mit dem P. und der Gesch. seiner Verwendung und Zucht beschäftigt hat; In Griechenland sind um das Jahr 2000 die kleinen Haus-P. (mit einer Widerristhöhe von ca. 135 cm) erstmals belegt, die kleineren westl. Rassen (etwa 125 cm) dagegen seit der Brz. Für die röm. Zeit wurde ein leichter Anstieg der P.-Größe festgestellt, für das 3. Jh. sind sogar Widerristhöhen von 140–150 cm belegt, was ein Indiz für die konsequente Auswahl von Tieren für die Zucht darstellt. Das P. der griech.-röm. Ant. ist mit dem mod. P. – einem Produkt jahrhundertelanger Zucht – nicht vergleichbar und ähnelt eher dem mod. Pony. Seine Schnelligkeit und Kraft wurden hochgeschätzt und in unterschiedlicher Weise genutzt. Die Leistungsfähigkeit eines leichten P. (350 kg) lag zwischen 40 und 80 kg × m/s bei einem vollen Arbeitstag. Theoretisch besaß ein P. bei gleichem Gewicht etwa dieselbe Zugkraft wie ein Ochse, war dabei aber wesentlich schneller. Allerdings muß dies angesichts der ant. Anschirrung (→ Landtransport) relativiert werden, denn das Joch entsprach eher dem Körperbau von Rindern als dem von P.

B. ANTIKE FACHLITERATUR; ZUCHT UND HALTUNG

Eine umfangreiche griech. und röm. Fachlit. befaßte sich mit P., Reiten (→ Reitkunst) und P.-Zucht; neben → Simon aus Athen und → Xenophon, die spezielle Schriften über die P.-Haltung (περὶ ἱππικῆς/*perí hippikḗs*; ἱππαρχικός/*hipparchikós*) verfaßten, behandelten Autoren wie Aristoteles [6], Theophrastos, Cato [1], Varro, Columella, Plinius, Palladius und Vegetius diese Thematik ausführlich im Rahmen ihrer Abh. zur Tierkunde, zur Landwirtschaft (→ Agrarschriftsteller) oder zum Militärwesen (→ Militärschriftsteller) und schufen damit die Grundlagen für eine echte wiss. Hippologie. Die *Mulomedicina* des → Vegetius ist eines der wenigen erh. Zeugnisse einer auf P. spezialisierten → Veterinärmedizin (ἱππιατρική/*hippiatrikḗ*). Es gab einen Kanon von Eigenschaften eines idealen Militär-P. (ἵππος πολεμιστής/*híppos polemistḗs*; lat. *bellator equus*), Parade-P. (πομπικός/*pompikós*, λαμπρός/*lamprós*) oder Jagd-P. (lat. *venator equus*). Die Qualitäten eines P. – naturgegeben oder durch sorgfältige Dressur erreicht – konnten mit einem differenzierten Vokabular beschrieben werden. Das Alter wurde anhand der Zähne und anderer Symptome geschätzt (Xen. equ. 1; 3; Aristot. hist. an. 576a; Varro rust. 2,7,2; Plin. nat. 11,168). Xenophons Ausführungen sind noch h. für die Beurteilung eines P. wertvoll. Die Namen der P. spiegelten oft ihren Charakter, ihr Äußeres, insbes. die Farbe des Fells, wider. Die weiße Farbe war sehr gefragt. Die P. des → Achilleus wurden Xanthos (der »helle Rotbraune« oder »Hellfuchs«) und Balios (»Apfelschimmel«) genannt (vgl. Hom. Il. 19,400–424).

Viele ant. Bezeichnungen für einzelne P.-Rassen stellen Hinweise auf ihre geogr. Herkunft dar, so die als Wagen-P. berühmten Perser und Kappadokier, die großen und edlen Thessalier, die schnellen und widerstandsfähigen Thraker und Epiroten, die skythischen P. (klein, kräftig und robust), die gelehrigen und ausdauernden Libyer und Afrikaner, die schnellen Sizilier, die Veneter, Lukanier, Lusitanier und die kleinen Gallier (vgl. etwa Varro rust. 2,7,6).

Die Zucht und Haltung von P. konnte in einem Gestüt (ἱπποφόρβιον/*hippophórbion*; lat. *equitium*) oder auf privaten Gütern erfolgen; der P.-Zucht werden in der röm. Agrarlit. längere Ausführungen gewidmet (Varro rust. 2,7; Verg. georg. 3,72–156; Plin. nat. 8,154–166; Colum. 6,27–35). Auf die Auswahl der für die Zucht geeigneten Tiere wurde große Sorgfalt verwendet (Verg. georg. 3,72; Colum. 3,9,5); die Ställe wurden so gebaut, daß die Tiere gesund blieben (Vitr. 6,6,4; Colum. 1,6,5; Pall. agric. 1,21). Die Nahrung bestand aus einer Futtermischung aus Gerste, Hafer, Heu, Klee und Luzerne und einer Mischung aus Getreide, Gräsern sowie Hülsenfrüchten, dem sog. → *farrago* (Varro rust. 1,31,5; 2,7,13). Neben der Pflege der Mähne, des Schwanzes und des Fells wurde der Stärkung der Beine und Hufe größte Aufmerksamkeit geschenkt (Xen. equ. 4; Veg. mulomedicina 1,56; 2,55–58). Der Wallach (*cantherius*, griech. ἐκτομίας ἵππος) wurde in der röm. Welt häufiger als bei den Kelten verwendet (Varro rust. 2,7,15; Plaut. Aul. 495). Das P. wurde vom Besitzer oder einem Bereiter (ἱπποκόμος/*hippokómos*; lat. *equiso*) – manchmal bereits im Alter von zwei Jahren – eingeritten; dabei wurden die Prinzipien angewendet, die auch für die heutige Reitkunst noch Gültigkeit besitzen (Xen. equ. 2,1–2; Varro rust. 2,7,13).

Ein P. kostete in Athen um 400 v. Chr. ungefähr 12 Minen (= 1200 Drachmen; s. → Preise; Lys. 8,10; Aristoph. Nub. 23). Außergewöhnliche Pferde waren extrem teuer; so sollen für Bukephalos, das P. Alexandros' [4] d.Gr., 13 Talente, für das P. des Cn. Seius, der 44 v. Chr. von M. Antonius [I 9] zum Tode verurteilt wurde, 100000 Sesterzen bezahlt worden sein (Plin. nat. 8,154; Gell. 3,9,4).

C. VERWENDUNG IM MILITÄRWESEN UND BEI SPIELEN

P. wurden als Reit- und Zugtiere verwendet; die verschiedenen Möglichkeiten ihres Einsatzes werden von Varro prägnant zusammengefaßt: *Equi quod alii sunt ad rem militarem idonei, alii ad vecturam, alii ad admissuram, alii ad cursuram, non item sunt spectandi atque habendi,* ›Pferde dürfen nicht einheitlich betrachtet und gehalten werden, da für den Kriegseinsatz, die Transportdienste, Zucht oder Wettrennen jeweils andere Pferde geeignet sind‹ (Varro rust. 2,7,15). P. wurden oft ohne Sattel oder wie in Griechenland mit einer Satteldecke aus Stoff (*ephippium*, Hor. epist. 1,14,43) geritten; in Rom hingegen wurde öfters ein Sattel (*sella*) verwendet. Es gab keine Steigbügel, jedoch Sporen (μύωψ/*mýōps*; lat. *calcar*) und vollständiges Zaumzeug. Weit verbreitet war das Gebiß mit Gelenk, wobei verschiedene Formen (χαλινός/*chalinós*; lat. *frenum*) existierten. In Rom wurden P. auch beschlagen.

Kein Tier war bei allen zivilen, mil., rel. Aktivitäten sowie in der Kunst so stark präsent wie das P. Bereits die homerischen Helden nutzten im aristokratischen Kampf den von zwei P. gezogenen Wagen (→ Streitwagen); der Einsatz von P. in der → Reiterei hing mit der späteren Entwicklung der → *pólis* zusammen. In Athen wurde die Aufstellung der Reiterei → Solon zugeschrieben; unter Perikles [1] wurden 1000 Reiter von zwei *hipparchoi* befehligt. Der Aufstieg der Reiterei zu einer wichtigen Waffengattung ist jedoch erst in die Zeit Alexandros' [4] d.Gr. zu datieren.

Die → *hippeís* (»Reiter«) waren seit Solon die angesehene zweite Zensusklasse in Athen. Die P. waren in der klass. Epoche, als ihr Besitz weitgehend auf aristokratische Familien beschränkt war, Symbole für Adel, Reichtum und Sozialprestige. Dies kommt auch in der Namengebung aristokratischer Familien zum Ausdruck: Viele Namen stellen durch den Namensbestandteil *híppos* eine Verbindung mit P. her (Hippias, Hipparchos: die Söhne des → Peisistratos; Hippokrates: Bruder des → Kleisthenes; Hipponikos: Sohn des → Kallias; → Philippos). In Rom besaß der *ordo equester* (→ *equites Romani*) in der Republik und im frühen Prinzipat eine wichtige Stellung im polit. System.

Ansehen, Symbolwert und Schönheit des P. verbanden es eng mit großen Festen, Schauspielen und dem Prunk von den → *Panathḗnaia* bis zu den Triumphzügen (→ Triumph) der Principes. Anläßlich des großen Fests der *Panathḗnaia* wurden in Athen Spiele, Wettkämpfe und Wettrennen veranstaltet, bei denen P. eine wichtige Rolle spielten. Bei Paraden der Reiterei führten die Einheiten in vollem Galopp bestimmte Manöver aus (Xen. hipp. 3). Die feierlichen Leichenspiele zu Ehren des → Patroklos waren der lit. Beginn der P.-Wettrennen in Griechenland (Hom. Il. 23,262–615), die unter den sportlichen Wettkämpfen das höchste Ansehen genossen. Bei den panhellenischen – den Olympischen, Pythischen, Nemeischen sowie Isthmischen – Spielen (vgl. → *Olýmpia* IV.; → *Pýthia*; → *Némea* [3]; → *Ísthmia*) wurden Wagenrennen mit Zwei- und Viergespannen und P.-Rennen in den Hippodromen, die eine Länge von fast 400 m hatten (→ *hippódromos* [1]), veranstaltet; diese Rennen lösten nicht nur ungemeine Begeisterung in der Öffentlichkeit, sondern auch ungeheuren Wetteifer zw. den teilnehmenden Städten aus. Der Sieg bedeutete eine beneidenswerte Ehre. Sophokles hinterließ eine eindringliche Schilderung eines solchen Wagenrennens (Soph. El. 698–756); → Pindaros verdankt seinen lit. Ruhm u.a. Pythischen Oden, in denen Sieger im Wagenrennen gerühmt wurden (Pind. P. 1f.; 4–7).

Die siegreichen P. wurden ebenso wie ihre Besitzer bewundert. → Kimon [1] ließ seine P., mit denen er dreimal bei den Olympischen Spielen gesiegt hatte, in der Nähe seines Grabes bestatten (Hdt. 6,103). Alkibiades [3] rühmte sich, sieben Viergespanne bei den Olympischen Spielen 416 v. Chr. ins Rennen geschickt zu haben (Thuk. 6,16,2; Plut. Alkibiades 11). In Akragas wurden für Renn-P. Grabdenkmäler errichtet (Diod. 13,82,6; Plin. nat. 8,155). Auch bei der → Jagd wurden P. häufig geritten; die Eigenschaften von Jagd-P. sind bei Oppianos ausführlich beschrieben (Opp. kyn. 1,158–367).

D. WIRTSCHAFTLICHE NUTZUNG

P. wurden seltener ökonomisch genutzt als → Maultier, → Esel und → Rinder. Dennoch ist ihr Einsatz im Transportwesen nicht zu unterschätzen. Das Arbeits-P., (lat. *caballus*; griech. καβάλλης/*kabállēs*) wurde bei vielen Gelegenheiten eingesetzt, mit Packsattel und für den Personentransport. Das normale Gespann bestand aus einem zweirädrigen Wagen mit einer Deichsel und zwei P., die mit doppelten Joch angeschirrt waren. Während P. ebenso wie Maultiere vornehmlich leichte Wagen zogen, wurden schwere Lasten normalerweise mit Hilfe von Ochsen befördert; wie Esel und Maultiere dienten P. auch als Lasttiere (Diod. 5,22,4; 5,38,5); zu den Wagentypen vgl. → Landtransport mit Abb.). Neben den P., die von Anfang an für die ökonomische Nutzung vorgesehen waren, gab es viele alte ausgemusterte P., die ihr Leben mit der Verrichtung der härtesten und undankbarsten Aufgaben beendeten (Apul. met. 3,17; Anth. Gr. 9,19; 9,20; 9,21; 9,301).

Die Zeugnisse über Fortbewegung und → Reisen in P.-Wagen oder auf dem Rücken von P. – von Homer (Hom. Od. 3,478–495) bis zum Preisedikt des Diocletianus – sind unzählbar. Obwohl es keine Steigbügel gab und der ant. Sattel mit dem mod. nicht vergleichbar war, wurden lange und schwierige Reisen unternommen. Dabei konnten in kurzer Zeit beträchtliche Entfernungen bewältigt werden; so benötigte Cato [1] für die ca. 550 km lange Strecke von Brundisium über Tarent nach Rom nur fünf Tage (Plut. Cato maior 14). Ein P. legte normalerweise eine Strecke von 30 bis 40 km pro Tag zurück, wenn es gut behandelt wurde (vgl. Apul. met. 1,2). In der Lit. sind auch auf P. reitende Frauen bezeugt (Ismene: Soph. Oid. K. 312 ff.). In der Prinzipatszeit wurden gesattelte oder vor Wagen gespannte P. und Maultiere auch für den → *cursus publicus* eingesetzt.

E. DAS PFERD IN KUNST, MYTHOS UND LITERATUR

Das P. war Gegenstand zahlreicher Darstellungen von den geom. Vasen, den monumentalen Skulpturen der klass. griech. Zeit bis hin zu den röm. Reiterstandbildern und spätant. Mosaiken in Nordafrika. Dargestellt wird das P. sowohl in der ihm eigenen Schönheit als auch in dramatischen Schlachtszenen. Diese Kunstwerke riefen bei Auftraggebern, Künstlern, Dichtern und Autoren der Ant. – wie später der Renaissance –

Begeisterung hervor. Der Bildhauer → Strongylion war für seine P.-Darstellungen berühmt (Paus. 9,30,1); die von Lysippos [2] geschaffene Bronzestatue eines P. preist das Gedicht Anth. Pal. 9,777. Die Zweier- und Vierergespanne des Bildhauers → Kalamis galten als unübertroffen (Plin. nat. 34,71). Pausanias beschreibt die von → Euphranor [1] gemalten Angriffe der athenischen Reiterei bei der Schlacht von Mantineia in der Säulenhalle des Zeus Eleutherios in Athen (Paus. 1,3,4). In vielen Städten Griechenlands wurden Standbilder von Kastor und Polydeukes (→ Dioskuroi) mit P. aufgestellt (Argos: Paus. 2,22,5; Athen: Paus. 1,18,1). Die Künstler haben gerade die Gangarten, bes. die Phase des Angaloppierens, gut beobachtet und dargestellt. Noch h. sind die P. des → Pheidias vom → Parthenon, die P. am östl. Giebel des Zeustempels in → Olympia, das Reiterstandbild des Marcus [2] Aurelius auf dem Kapitol (→ *capitolium*), die P. von San Marco in Venedig zu bewundern.

In vielen griech. Mythen war das P., aber auch Mischwesen wie die → Kentauren, allgegenwärtig. → Theseus etwa wird mit den → Amazonen in Verbindung gebracht, den kriegerischen, von ihren Pferden untrennbaren Frauen, deren Ursprung der Mythos in den nordöstl. Steppen zw. Kaukasus und Zentralasien festlegt – der Region, in der die Zähmung des P. begann. Viele Götter und Helden besitzen P., und einige von diesen stammen wiederum von Göttern ab. Der Sonnengott Helios fährt ein Gespann mit feurigen P., die → Phaeton nicht zu lenken versteht. Von → Athena wird erzählt, sie habe Wagen und Zügel erfunden; → Poseidon soll das Pferd erschaffen haben und gilt als Vater des → Pegasos. In Athen fanden die spezifischen Kulte für Poseidon Hippios und für Athena Hippia auf dem *Kolōnós* [2] *híppios* (»P.-Hügel«) statt, wo Heiligtümer für die Gottheiten standen. In Rom bestand auf dem Mons Palatinus ein von dem Arkader Euandros [1] begründeter Kult für → Neptunus Equestris. Auch bei den → *consualia*, einem Fest, das mit der Einbringung der Ernte verbunden war, wurden P.-Rennen abgehalten und die Tiere selbst bekränzt.

In zahlreichen Berichten und Anekdoten werden Intelligenz und Treue des P. in den Vordergrund gestellt (Athen. 12,520c). Über die P. des Achilleus hinaus sind in der Lit. weitere berühmte P. genannt; so etwa das P. Alexandros' [4] d. Gr., Bukephalos, oder das P. Caesars (Plin. nat. 8,154f.). → Caligula ließ seinem P. Incitatus einen prächtigen Stall aus Marmor mit einer Krippe aus Elfenbein bauen und soll vorgehabt haben, es zum Consul zu ernennen (Suet. Cal. 55,3). Das wohl schönste ant. Zeugnis der Verbundenheit von Mensch und P. ist das Grabgedicht, das → Hadrianus auf sein Jagd-P. Borysthenes verfaßte [3. 446].

→ Esel; Jagd; Maultier; Reiterei; Reitkunst; Landtransport; Streitwagen

1 J. K. ANDERSON, Ancient Greek Horsemanship, 1961 2 Ders., Hunting in the Ancient World, 1985 3 J. W. und A. M. DUFF (Hrsg.), Minor Latin Poets, Bd. 2, 1935

4 A. HYLAND, Equus, The Horse in the Roman World, 1990
5 B. KAMMINGA, J. COTTERELL, Mechanics of Pre-Industrial Technology, 1990, 193–233 6 S. LEPETZ, L'animal dans la société gallo-romaine de la France du Nord, 1996
7 J. PETERS, Röm. Tierhaltung und Tierzucht, 1998
8 G. NOBIS, Zur Frage römerzeitlicher Hauspferde in Zentraleuropa, in: Zschr. für Säugetierkunde 38, 1973, 224–252 9 I. G. SEPENCE, The Cavalry of Classical Greece, 1993 10 TOYNBEE, Tierwelt, 151–172 11 P. VIGNERON, Le cheval dans l'Antiquité grécoromaine, 1968 12 L. J. WORLEY, Hippeis: The Calvalry of Ancient Greece, 1994.

G. R./Ü: C. P.

Pferdekopfamphoren. Große Gruppe attischer sf. Bauchamphoren mit Pferdeprotomen (Kopf und Hals) in den Bildfeldern; erste H. 6. Jh. v. Chr. Bis auf ein fensterartiges Bildfeld ohne Ornamentleiste auf jeder Seite sind die P. außen ganz mit schwarzem Glanzton überzogen. Die nach rechts gerichteten Pferdeköpfe tragen ein Halfter und sind nach protoattischer Konvention mit Flammenmähne wiedergegeben – eine Stilisierung, die bis zum Ende der P., um oder nach der Mitte des 6. Jh., beibehalten wird. Das Aufkommen der P. ist mit dem → Gorgo-Maler in Verbindung gebracht worden. Von den über 100 P. stammen die wenigen großen Exemplare (H 50–60 cm) fast alle aus Attika und sind wahrscheinlich früher entstanden als die Hauptmenge kleinerer P. (H 20–40 cm), die vorwiegend exportiert wurden, v. a. nach Etrurien. Die stereotype Wiederholung des Pferdekopfes in seiner altertümlichen Ausführung weist auf eine rituelle Verwendung der P. Die kontroversen Thesen zur Funktion als Grabgefäß, Preisamphora oder Symposiongefäß stützen sich hauptsächlich auf die Bed. des Pferdes als Symbol der Aristokratie, aber auch auf seine Beziehung zum Heroenkult und zu Athena.

→ Amphora [1]; Pferd; Gefäße, Gefäßformen (Abb. A)

M. G. PICOZZI, Anfore attiche a protome equina, in: Studi Miscellanei 18, 1971, 5–64 • B. KREUZER, Unt. zu den attischen P., in: BABesch 73, 1998, 95–114. H. M.

Pfirsich (Prunus persica Batsch aus *Persica* sc. *malus*, griech. Περσικὸν μῆλον/*Persikón mēlon* bzw. lat. *Persicum malum*, d. h. wörtlich »persischer Apfelbaum«, für die Frucht), wurde erst im 1. Jh. n. Chr. aus Persien oder Armenien nach It. eingeführt (Plin. nat. 12,14 und 15,44 f.). Plin. nat. 15,39 f. unterscheidet nach der Herkunft mehrere Sorten, darunter die *supernatia*, d. h. die vom Adriatischen Meer. Mit den Früh-P. (*praecocia*) sind wohl die zunächst sehr teuren → Aprikosen gemeint. Der als bes. unschädlich eingestufte P. (vgl. Dioskurides 1,115,4 WELLMANN = 1,164 BERENDES) lieferte durch seine aufgestrichenen zerriebenen Blätter nach Plin. nat. 23,132 ein Mittel gegen den Blutfluß (*haemorrhagia*). Die zerriebenen Kerne (*nuclei*) sollten, mit Essig und Öl aufgetragen, gegen Kopfschmerzen helfen. Die Kultivierung sowie die Behandlung von Krankheiten des P.-Baumes beschreibt Pall. agric. 12,7,4–7.

V. HEHN, Kulturpflanzen und Haustiere (ed. O. SCHRADER), [8]1911 (Ndr. 1963), 431–435 • A. STEIER, s. v. Persica, RE 19, 1022–1026. C. HÜ.

Pflanzen s. Tier- und Pflanzenkunde

Pflaume (abgeleitet von lat. *prunus* für den Baum und *prunum* für die Frucht, von griech. προύμνη/*prúmnē* an Stelle des älteren Namens κοκκύμηλον/*kokkýmēlon*, »Kuckucksapfel«). Während der Baum in Mitteleuropa offenbar einheimisch war, lernten Griechen und Römer die Kultivierung wohl in Vorderasien kennen. In Griechenland nur schlecht wachsend, wurde sie in vielen Sorten in It. (nach Plin. nat. 15,44 erst nach → Cato [1]) kultiviert. Durch Pfropfung auf Apfel-, Nuß- und Mandelunterlage gewann man – h. kaum noch bestimmbare – Varietäten wie Apfel- (*malina pruna*, Plin. nat. 15,42) und Nuß-P. (*nucipruna*, Plin. nat. 15,41), die man durch Aussaat (*ossa prunorum*, Pall. agric. 3,25,33) oder Ableger vermehrte. Berühmt waren die syrischen oder Damascener P. (Plin. nat. 13,51 und 15,43), die Dioskurides (1,121 WELLMANN = 1,174 BERENDES) in getrocknetem Zustand für magenfreundlich und durchfallhemmend erklärt. Eine Abkochung der Blätter in Wein soll als Gurgelwasser angegriffenes Zahnfleisch, Zäpfchen und Mandeln heilen. Das mit Wein eingenommene Gummi, das Exsudat aus einem angeschnittenen Stamm, soll Blasenstein zerstören.

A. STEIER, s. v. P., RE 19, 1456–1461. C. HÜ.

Pflicht. Der Begriff der P. im strengen (kantischen) Sinne eines unbedingten Sollens ist in der Ant., die durchweg eudämonistisch denkt, d. h. im Glück das höchste Gut sieht, unbekannt. Es ist jedoch gebräuchlich, das stoische καθῆκον (*kathḗkon*, wörtl. »das Zukommende«, »Angemessene«), das Cicero mit lat. *officium* übersetzt, im Deutschen mit »P.« wiederzugeben; wegen der möglichen falschen Assoziationen ist dies jedoch nicht zu empfehlen. *Kathḗkon* ist ein Begriff zur wertenden Klassifizierung der menschlichen Handlungen. Diese sind für die Stoiker komplexe Geschehnisse, die sich aus äußerem Verhalten und innerer Einstellung zusammensetzen. Da aus richtiger innerer Einstellung kein falsches Verhalten entstehen kann, ergeben sich zunächst drei Klassen von Handlungen: »vollkommene Handlungen« (κατορθώματα/*katorthōmata*: richtiges Verhalten aus richtiger Einstellung), »mittlere Handlungen« (μέσαι/*mésai*: richtiges Verhalten aus falscher Einstellung) und »Fehlhandlungen« (ἁμαρτήματα/*hamartḗmata*: falsches Verhalten aus falscher Einstellung; SVF 3,491 ff.). Vollkommene und mittlere Handlungen unterscheiden sich also nicht im äußeren Verhalten, sondern allein in der inneren Einstellung. Diese ist jedoch oft nicht bekannt, so daß sich nicht entscheiden läßt, ob eine vorliegende Handlung eine vollkommene oder eine mittlere Handlung ist. Die Stoiker brauchen daher eine weitere Klasse, die von dieser Unterscheidung abstrahiert, es andererseits aber gestattet, das richtige Verhalten überhaupt wenigstens eindeutig gegen die Fehlhandlungen abzugrenzen. So bilden sie zu vollkommener und mittlerer Handlung den Oberbegriff der

»angemessenen Handlung«, des *kathékon*, und definieren ihn als »das Folgerichtige im Leben, für das sich, wenn es getan ist, eine vernünftige Rechtfertigung geben läßt« (SVF 3, 494). Unter diesen Begriff fällt nun jedes richtige Verhalten – des Weisen sowohl wie des Toren, ja selbst der Tiere und Pflanzen. Er umfaßt alles naturgemäße Verhalten schlechthin; denn nur von diesem (als Glücksbedingung) läßt sich eine vernünftige Rechtfertigung geben.

Auch den Römern sollte man nicht den Gedanken an ein unbedingtes Sollen unterstellen. Das Wort *officium*, dessen Bed. von der Gefälligkeit über den geschuldeten Dienst bis zum öffentlichen Amt reicht, hat nie diesen Sinn. → Ciceros an → Panaitios [4] orientierte Schrift *De officiis* hat allerdings über den Kirchenvater → Ambrosius von Mailand großen Einfluß auf die christl. P.-Lehre gehabt, und in deren Trad. konnte sich der Begriff eines unbedingten Sollens entwickeln, insofern sie die P. auf den Willen Gottes gründet, dem unbedingter Gehorsam geschuldet wird. Ambrosius übernimmt die Unterscheidung zw. vollkommenen und mittleren P., wendet sie aber auf das äußere Verhalten an (de officiis ministrorum 1,11,36f.). In späterer Zeit tritt die Einteilung in P. gegen Gott, gegen die Mitmenschen und gegen sich selbst hinzu.
→ Ethik; Glück; Stoizismus

M. HOSSENFELDER, Das »Angemessene« in der stoischen Ethik, in: B. MERKER et al., Angemessenheit. Zur Rehabilitierung einer philos. Metapher, 1998, 83–99.
M. HO.

Pflichtteil. Da im klass. griech. Recht Testamente zur Übergehung von Söhnen unzulässig waren (→ *diathéke* B.), stellte sich dort die Frage eines P. noch nicht. Ein P.-Recht für nahe Angehörige hat sich aber selbst im röm. Recht nur langsam durchgesetzt. Am Anfang der Entwicklung stand das Recht der Noterben (→ Erbrecht III. E.), bei Übergehung (→ *praeteritio*) das Testament ganz zu entkräften oder wenigstens einen Teil des Nachlasses zu erhalten; gegen Enterbung (→ *exheredatio*) konnten sich die Noterben nicht wehren. Ein echtes P.-Recht bestand hingegen für den → *patronus*, der stets (auch bei formgerechter Enterbung) die → *bonorum possessio contra tabulas* (»Vermögensinhaberschaft entgegen dem Testament«) für die Hälfte des Nachlasses seines Freigelassenen gegen andere als dessen Kinder beantragen konnte [3]. Seit dem 1. Jh. v. Chr. wurde der P.-Gedanke durch die → *querela inofficiosi testamenti* (»Beschwerde wegen pflichtwidrigen Testaments«) verwirklicht, welche nächsten Angehörigen, die im Testament nicht mindestens ein Viertel ihres Intestaterbteils erhalten hatten, zustand. Antoninus Pius (138–161 n. Chr.) gewährte einem Unmündigen, der in väterliche Gewalt aufgenommen (→ Adoption) und dann wieder aus ihr entlassen (→ *emancipatio*) worden war (so daß er nicht zu den gegen *praeteritio* geschützten Noterben gehörte), ein Viertel, als ob er Erbe wäre (die sog. *quarta divi Pii*). Unter Iustinianus wurde das P.-Recht auf die Witwe ausgedehnt (›Quart der armen Witwe‹, Nov. 53,6; 537 n. Chr.) und später im ganzen neu geregelt (Nov. 115; 542 n. Chr.).

Das Recht eines (auch familienfremden) Testamentserben, ein Viertel seines Erbteils unbelastet durch Vermächtnisse zu behalten (→ *legatum*), steht mit dem P.-Recht in keinem Zusammenhang.

1 HONSELL/MAYER-MALY/SELB, 465–467 2 KASER, RPR 1, 709–713; 2, 514–523 3 H. L. W. NELSON, U. MANTHE, Gai Institutiones III 1–87, 1992, 112 f.   U. M.

Pflug I. ALTER ORIENT UND ÄGYPTEN
II. KLASSISCHE ANTIKE

I. ALTER ORIENT UND ÄGYPTEN
Der Alte Orient und Ägypten (aber auch Indien und China) sind verm. die Herkunftsländer des P. (sumerisch APIN, akkadisch *epinnu*, äg. *hb.w*). Der Übergang vom Hack- zum Pflugbau in Äg. mag schon während der Naqada II-Periode (3700/3600–3200 v. Chr.) stattgefunden haben; nachzuweisen ist er erst in frühdyn. Zeit (E. 4. Jt. v. Chr.). Auch im Vorderen Orient ist der P. sicher älter, doch ist der einfache Umbruch-P. in Mesopotamien erst in der Uruk-Zeit (E. des 4. Jt.; Rollsiegel, archa. Texte) belegt. Seit wir Informationen haben, werden Zugtiere verwendet, doch betrifft dies verm. nur die Landwirtschaft der großen Produktionseinheiten (Tempel und Paläste; → Oikos-Wirtschaft). Der Hackbau muß daneben weiter existiert haben, wie das ironische sumer. Streitgespräch ›Hacke und P.‹ belegt; dort wird der P. als weniger einsatzfähig und personalintensiver als die Hacke bezeichnet, zudem kann er nur in der kurzen Zeit benutzt werden, in der der Boden feucht ist. Daher wird die Hacke vom obersten Gott → Enlil der Sieg über den P. zugesprochen. Einen großen Fortschritt bedeutete der nur in Vorderasien (und Asien) belegte Saat-P. mit einem an der P.-Sohle angebundenen Saattrichter. Damit ließ sich die Menge des benötigten Saatguts verringern und gezielt in gleichen Abständen und gleicher Tiefe in den Boden einbringen.
→ Landwirtschaft

M. CIVIL, The Farmer's Instructions. A Sumerian Agricultural Manual (Aula Orientalis Suppl. 5), 1994, 28–30, 78–87, 173–176 • L. STÖRK, s. v. P. – Pflügen, LÄ 4, 1013–1015 • B. HRUŠKA, Die Arbeitsgeräte in der altsumer. Landwirtschaft, in: H. KLENGEL, J. RENGER (Hrsg.), Landwirtschaft im Alten Orient, 1999, 237–247.   BL. HR.

II. KLASSISCHE ANTIKE
Hauptbestandteile des griech.-röm. P. (ἄροτρον/*árotron*; lat. *aratrum*) sind Scharbaum (ἔλυμα/*élyma*; lat. *dens, dentalia*), Krümel (γύης/*gýes*; lat. *buris*) und Sterz (ἐχέτλη/*echétle*; lat. *stiva*), an dem ein Handgriff (χειρολαβίς/*cheirolabís*; lat. *manicula*) angebracht sein konnte. Am Scharbaum befestigte man die aus Metall bestehende Pflugschar (ὕνις/*hýnis*; lat. *vomer*). Der Krümel war

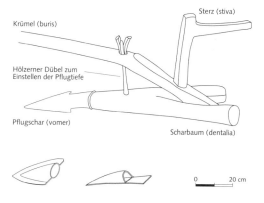

Römischer Pflug (schematische Zeichnung).

mit der Deichsel (ἰστοβοεύς/*histoboeús*; lat. *temo*) verbunden. Die ältesten Belege für den P. sind die aus mit-
telminoischer Zeit stammenden Ideogramme der kretischen → Hieroglyphenschrift. Funde von Zugtierfi-
guren aus frühhelladischer Zeit mögen die ältesten
Zeugnisse für die Verwendung des P. auf dem griech.
Festland bilden. Beschreibungen des P. in lit. Quellen
bieten → Hesiodos (Hes. erg. 427–436), → Vergilius
(Verg. georg. 1,162–175) und Plinius (Plin. nat. 18,171–
173); Abb. finden sich auf griech. Vasenbildern (Schale
des Nikosthenes, Berlin, SM; BEAZLEY, ABV, 223,66),
auf röm. Reliefs (Aquileia, Museo Archeologico) und
Mosaiken (Mosaik von Cherchel).

Hesiod unterscheidet zwei Typen des P., das
ἄροτρον αὐτόγυον/*árotron autógyon* und das ἄροτρον
πηκτόν/*árotron pēktón*; bei dem ersten Typus bestanden
Scharbaum und Krümel aus einem Stück, beim zweiten
waren sie aus verschiedenen Teilen zusammengesetzt.
Hesiod und Vergil beschreiben symmetrische P., die die
Erde zu beiden Seiten aufwarfen, aber nicht umbrachen
(in der engl. Forsch. gewöhnlich als *ard* bezeichnet). Der
P. bei Hesiod ist ein sog. *sole-ard*, bei dem Sterz und
Krümel am Scharbaum angebracht waren, während es
sich bei dem von Vergil beschriebenen P. um einen sog.
bow-ard handelt, bei dem der Sterz am Krümel und dieser wiederum am Scharbaum befestigt wurde.

Für bestimmte Arbeiten (Furchen von Drainagen/
Zupflügen der Saat) wurden am P. Bretter (*tabellae, tabulae, aures*) angebracht, durch die breitere Furchen erzielt wurden (Varro rust. 1,29,2). Nur Plinius d. Ä. (Plin.
nat. 18,171) nennt das Pflugmesser (*culter*), das den Boden vor der Schar aufritzte. Plinius beschreibt auch einen mit Rädern versehenen P. (*plaumoratum*), der im
rätischen Teil Galliens in Gebrauch war (Plin. nat.
18,172) und sich für den Einsatz auf schweren Böden
eignete. Da Servius seinen Gebrauch in Norditalien als
üblich ansieht (Serv. georg. 1,174), dürfte er dort seit
dem 4. Jh. n. Chr. verbreitet gewesen sein. Als Zugtiere
wurden vor den P. meist Ochsen, aber auch Kühe, Esel
und Maultiere gespannt (Varro rust. 1,20,4; 2,6,5; vgl.
Anth. Gr. 9,274; 10,101). Da der Boden in der Regel

durch den P. nicht umgebrochen wurde, pflügte man
den Acker dreimal. → Columella beschreibt jedoch eine
Methode, bei der man durch Schräghalten des P. die
Schollen wenden konnte (Colum. 2,2,25).
→ Getreide; Landwirtschaft

1 R. AITKEN, Virgil's Plough, in: JRS 46, 1956, 97–106
2 A. S. F. GOW, The Ancient Plough, in: JHS 34, 1914,
249–275 3 D. J. PULLEN, Ox and Plow in the Early Bronze
Age Aegean, in: AJA 96, 1992, 45–54 4 G. RECHENAUER,
Πῶς δὲ κατασκευάζεται ... σημαίων εἶπε, Die Beschreibung
des P. in Hesiods Erga, in: Eranos 95, 1997, 78–88
5 W. SCHIERING, Landwirtschaftliche Geräte, in:
W. RICHTER, Die Landwirtschaft im homerischen Zeitalter
(ArchHom 2), 1990, H147–H152 6 M. SCHNEBEL, Die
Landwirtschaft im hell. Ägypten, 1925, 101–109
7 H. SCHNEIDER, Einführung in die ant. Technikgesch.,
1992, 58–60, 68 f. 8 M. S. SPURR, Arable Cultivation in
Roman Italy, c. 200 B.C.–c. A.D. 100, 1986, 23–40
9 WHITE, Farming, 174–178 10 K. D. WHITE, Agricultural
Implements of the Roman World, 1967, 123–145.   K. RU.

Pfostenschlitzmauer. In der Eisenzeit Mitteleuropas
verbreitete Befestigungsbauweise aus Holz, Steinen und
Erde mit in regelmäßigen Abständen senkrecht ausge-
sparten Schlitzen in der trocken gesetzten Steinmauer-
front. Je nach Konstruktion unterscheidet man hauptsächlich zwei Typen: einmal mit einer gleichartigen
Rückfront und verbindenden Lagen von Querhölzern
durch den Mauerkörper (Typ Altkönig-Preist), zum anderen mit einer angeschütteten Erdrampe an Stelle einer
Rückfront und fehlenden Querhölzern an der Basis
(evtl. nur im oberen Teil – Typ Kelheim). Beide Mau-
ertypen waren v. a. im keltischen Siedlungsraum verbreitet; der erstgenannte hauptsächlich im 6.–4. Jh.
v. Chr., der zweite v. a. in den spätkeltischen Oppida
(2./1. Jh. v. Chr.; → Oppidum II.) als rechtsrheinische
Entsprechung zum → *murus Gallicus* in Gallien. In
→ Manching wird als Einzelfall ein *murus Gallicus* von
einer P. (Typ Kelheim) überlagert. Im germanischen
Bereich spielte die P. keine Rolle.
→ Befestigungswesen; Keltische Archäologie

J. COLLIS, Defended Sites of the Late La Tène in Central and
Western Europe, 1975 · D. VAN ENDERT, Das Osttor von
Manching, 1987, 83–86.   V. P.

Phaedrus (wohl C. Iulius Ph. oder Phaeder). Der erste
lat. Fabeldichter, lebte in der frühen Kaiserzeit.
I. LEBEN   II. FABELN
III. WIRKUNG   IV. ÜBERLIEFERUNG

I. LEBEN

Hauptzeugnisse für Biographie und poetisches Programm sind Prologe und Epiloge seiner 5 B., bes. der
Prolog zu B. 3. Die in einzelnen Fabeln versteckten autobiographischen Anspielungen (vgl. 3,1,7), bes. von B.
3 an, sind selten genau zu fixieren (der letzte, phantasie-
reiche Versuch in dieser Richtung: [15. 70 ff.]). Ph., um
15 v. Chr. in Makedonien, vielleicht in Pydna, geb. (3,
Prolog 17 ff.), kam als Sklave nach Rom und wurde von

→ Augustus freigelassen. Am Hofe wird er eine pädagogische Funktion gehabt haben, vgl. 3,10 (unter Augustus) und 2,5 (unter Tiberius, unter dem B. 1 erschien). Konkurrenten und Neider (2, Epilog 15 ff.; 4,
Epilog 31 ff.), die die Moral einzelner Fabeln als Kritik
am Regime deuteten, scheinen Ph. bei → Aelius [II 19]
Seianus angezeigt zu haben (3, Prolog 40 ff.). Mit der
Zusendung des gerade fertigen B. 2 versuchte Ph., seinen Fall vor den Kaiser zu bringen (2, Epilog 12 ff.). B. 2
ist während des Verfahrens (3, Epilog 22 ff.), wohl z.Z.
von Seianus' Fall (31 n.Chr.) verfaßt; mit ihm bat Ph.
den Adressaten Eutychus, sich, wie versprochen, für ihn
(beim Kaiser?) zu verwenden (3, Epilog 8 ff.). Unbekannt sind die Adressaten der urspr. nicht vorgesehenen
B. 4 (Particulo, Prolog 1 ff.) und 5 (Philetus, Grieche
und wohl Freigelassener wie Eutychus), die Ph. im hohen Alter schrieb (5, 10,10). Ph. starb wohl um die Mitte
des 1. Jh.

II. FABELN

Es war Ph'. Ziel, mit seinen metrischen Fabeln (zum
Versmaß s.u.) aus den Exempla-Slgg., die als Repertoire
für rhet. und philos. Beweise umliefen, ein neues lit.
Genus zu schaffen (vgl. 2, Prolog 1 ff.). Dabei dient die
stoffliche Abwechslung dem Lesevergnügen: Neben
der Hauptmasse von Tierfabeln finden sich weitere
Kleinformen wie histor. → Anekdoten (5,7; App. 10),
Mythen (z.B. 3,17), Schwänke (App. 15, die Witwe
von Ephesus), Allegorien (App. 7), Apophthegmen des
→ Aisopos etc. Ph. benutzte neben hell. Erzählgut wohl
die durch → Demetrios [4] von Phaleron angelegte Slg.
Aisopischer Fabeln (vgl. [16; 19]); ein älterer lat. Prosa-
Aesop ist nicht bezeugt.

Zunehmende Selbständigkeit gegenüber dem Textcorpus »Aesop« und ein entsprechendes Selbstbewußtsein drücken sich in der (außer B. 4) stetig abnehmenden
Zahl aesopischer Motive wie auch in programmatischen
Äußerungen aus (vgl. 1, Prolog; 2, Prolog 8 ff.; 3, Prolog
38 f.; 4, Prolog 12 f. und 2, Epilog 7: aemulatio). Schließlich wird der Name des Vorbildes zur Hypothek und
lästigen Konvention (4,22; 5, Prolog). Dabei sind die
Fabeln der Vorlage bald übernommen, bald in der Tendenz verändert, bald durch erfundene Fabeln oder Erzählungen aus anderen Quellen ergänzt.

Die weniger polit. ([22], vgl. aber [20; 25]) als moralisierende Tendenz, die sich in den Promythien bzw.
in den immer häufiger verwendeten Epimythien (den
einleitenden und resümierenden Komm.) ausdrückt,
geht in die Richtung einer generalisierenden Kritik wie
in der kynisch-stoischen → Diatribe (3, Prolog 49 f.),
womit individuelle Motive (3, Prolog 34 ff.) durchaus
vereinbar sind. Die → brevitas (Kürze) als Genusgesetz
der Fabel bleibt für Ph. im allg. verbindlich (2, Prolog
12; 3, Epilog 8; 4, Epilog 7); sein Stilideal (vgl. [18; 21])
ist die gebildete Umgangssprache, der sermo. Dazu paßt,
daß als Metrum nicht der tragische Trimeter, sondern
der Senar der Komödie (→ Metrik VI. C. 3.) Verwendung findet. Inhaltlich wie formal steht Ph.' Fabel der
→ Satire, zumal der des → Horatius [7], am nächsten, in

der die Fabel als Exemplum einen festen Platz hatte;
beider Ziel ist es, lachend die Wahrheit zu sagen (1,
Prolog 3 ff.).

III. WIRKUNG

Schon zu Lebzeiten hatte sich Ph. vielfältiger Kritik
zu erwehren (2, Epilog 19; 3, Prolog 60; 4, Prolog 15 f.;
5, Prolog 8 f.); neben der begreiflichen Ablehnung der
sich betroffen Fühlenden (App. 2) mußte der Dichter
auch Zurückhaltung der Zunftgenossen erleben (3,
Prolog 23, vgl. auch App. 14), die sich zumal gegen
seinen Stil (4,7) und die dunkle brevitas (3,10,59 f.) gewandt zu haben scheinen. Insgesamt vermißt Ph. eine
verständnisvolle Würdigung (3,12); daß er arm blieb,
wird (topisch?) mehrfach betont (3, Prolog 21; 5,4). Ph.
kompensiert diese Enttäuschungen mit der Hoffnung
auf Nachruhm (3, Prolog 31 f., 51 ff.; 4, Prolog 19,
Epilog 5), der sich indes so bald nicht einstellen sollte:
Von den Schriftstellern der nächsten Generationen
verschweigen ihn Seneca und Quintilianus bewußt
[15. 187 ff.], nur → Martialis [1] nennt (3,20,5) und benutzt ihn, im Spätlat. → Avianus. Eine spätant.
Prosaparaphrase unter dem Namen Aesops legte dann
den Grund für eine breite ma. Fabeltrad.; der Einfluß
der direkten Überl. [29; 31; 34] bleibt in den wenigen
karolingischen Hss., die ebenfalls auf eine spätant. Anthologie zurückführen, und der Auswahl N. PEROTTIS
(15. Jh.; [30]) Episode. Erst die Ed. princeps [1] ermöglichte eine wirkliche Rezeption und sicherte Ph.' Position als eines Klassikers der europäischen Fabeldich-
tung.

IV. ÜBERLIEFERUNG

Die Überl. ist, da nur in scholastischen Bearbeitungen und Auswahlen erh., trümmerhaft und kompliziert;
urspr. werden die 5 B. insgesamt 160–170 Fabeln enthalten haben (vgl. [34]): a) Die spätant. Prosaparaphrase
(80 Fabeln, davon 30 sonst nicht bezeugt) setzt eine vollständigere Vorlage voraus. Ihrer Urform steht Gud. Lat.
148 (10. Jh.) am nächsten (5 B., identische Reihenfolge), während die sog. »Romulus« (4 B.) umstellt, um-
formuliert und gegen Ende Fabeln aus einer anderen
Slg. ergänzt (anders [8], vgl. aber [9]). b) Dem Humanisten N. PEROTTI, der in seine Fabelanthologie (Autograph Neap. IV. F.58) etwa 60 Stücke, davon etwa 30
neue aufnahm (Appendix Perottina = App.), stand eine
erst mit 2,6 einsetzende Vorlage zur Verfügung. c) Die
direkte, verkürzte Überl., repräsentiert zumal durch
New York, Pierp. Morg. M.A. 906 (9. Jh.) sowie das Fr.
Vat. Reg. Lat. 1616 (9. Jh.; damit verwandt die Slg. des
Mönchs Ademar, vgl. [28; 31. 37 ff.]; 32]), bietet 94
Fabeln.

→ Aisopos; Fabel; FABEL

ED.: 1 PH. PITHOEUS, 1596 (Ed. princeps) 2 L. MÜLLER,
1877 3 L. HERVIEUX, Les fabulistes latins, Bd. 1–2, ²1893–94
(mit Paraphrasen) 4 L. HAVET, 1895 5 B.E. PERRY (mit
Babrius), 1965, LXXIII-CII, 189–417 (mit engl. Übers.)
6 A. GUAGLIANONE, 1969 7 E. OBERG, 1996 (mit dt. Übers.).
Paraphrasen außerdem bei: 8 G. THIELE (ed.), Der lat. Äsop
des Romulus und die Prosa-Fassungen des Ph., 1910

9 C. ZANDER, Ph. solutus, 1921.
LEX.: 10 C. A. CREMONA, 1980.
BIBLIOGR.: s. [24], 55 f. 11 R. W. LAMB, Annales
Phaedriani, 1998.
LIT.: 12 G. THIELE, Ph.-Studien, in: Hermes 41, 1906,
562–592; 43, 1908, 337–372; 46, 1911, 376–392
13 O. WEINREICH, Fabel, Aretalogie, Novelle (SHAW 1930),
1931 14 A. HAUSRATH, Zur Arbeitsweise des Ph., in:
Hermes 71, 1936, 70–103 15 A. DE LORENZI, Fedro, 1955
16 B. E. PERRY, Demetrius of Phalerum and the Aesopic
Fables, in: TAPhA 93, 1962, 287–346 17 M. NØJGAARD, La
fable antique, Bd. 2, 1967, 15–188 18 T. C. CRAVEN, Stud.
in the Style of Ph., Diss. Hamilton (Ontario) 1973
19 G. PISI, Fedro traduttore di Esopo, 1977 20 J. CHRISTES,
Reflexe erlebter Unfreiheit, in: Hermes 107, 1979, 208–220
21 M. MASSARO, Variatio e sinonimia in Fedro, in: Invigilata
lucernis 1, 1979, 89–142 22 P. L. SCHMIDT, Polit. Argument
und moralischer Appell, in: Deutschunterricht 31, 1979.6,
74–88 23 H. MacL. CURRIE, Ph. the Fabulist, in: ANRW
II 32.1, 1984, 497–513 24 N. HOLZBERG, Die ant. Fabel,
1993, 43–56 25 W. M. BLOOMER, Latinity and Literary Soc.
at Rome, 1997, 73–109, 261–272 26 E. OBERG,
Ph.-Komm., 2000 27 F. RODRÍGUEZ ADRADOS, History of
the Graeco-Latin Fable, Bd. 1, 1999, 102–128; Bd. 2, 2000,
121–174.
TRAD. UND REZEPTION: 28 F. BERTINI, Il monaco
Ademaro e la sua raccolta di favole fedriane, 1975
29 A. ÖNNERFORS, Textkritisches . . . zu Ph., in: Hermes 115,
1987, 429–453 30 S. BOLDRINI, Fedro e Perotti, 1988
31 Ders., Note sulle trad. manoscritta di Fedro, 1990
32 Ders., Il codice fedriano modello di Ademaro, in:
S. PRETE (Hrsg.), Memores tui. FS M. Vitaletti, 1990, 11–19
33 F. BERTINI, Interpreti medievali di Fedro, 1998
34 J. HENDERSON, Ph.' Fables: The Original Corpus, in:
Mnemosyne 52, 1999, 308–329 35 N. HOLZBERG, Ph. in der
Lit.-Kritik seit Lessing, in: Anregung 37, 1991, 226–242
36 A. FRITSCH, Ph. als Schulautor, in: Lat. und Griech. in
Berlin 29, 1985, 34–69; 32, 1988, 126–146; 34, 1990,
218–240. P. L. S.

Phaennos (Φάεννος). Epigrammdichter des »Kranzes«
des → Meleagros [8] (Anth. Pal. 4,1,29 f.), verm. 3. Jh.
v. Chr. Überl. sind ein Epitaphion für Leonidas' [1], der
an den Thermopylen fiel (Anth. Pal. 7,437; der philo-
lakonischen Richtung der hell. Epigramme zuzuordnen; vgl. → Epigramm E.), und eines für eine Grille, die
von ihrem Besitzer bestattet wurde (7,197); letzteres
scheint, obgleich topisch (vgl. 7,189; 190; 192; 198;
364), von → Mnasalkes abhängig zu sein (Anth. Pal.
7,194).

GA I 1, 159; 2, 457 f. · G. HERRLINGER, Totenklage um Tiere
in der ant. Dichtung, 1930, Nr. 13 und S. 63.
M. G. A./Ü: TH. G.

Phaëthon (Φαέθων, »der Leuchtende«, Partizip zu
griech. *phaínein*).
[1] Epitheton des Sonnengottes Helios (zuerst Hom.
Od. 11,16, neben dem Appellativum schon Hom. Il.
11,735), das ihn in röm. (seit Verg. Aen. 5,105) und
kaiserzeitlicher griech. Dichtung (Anth. Pal. 9,137,3;
Nonn. Dion. bes. 38,151 f.) auch selbständig bezeichnen kann.

[2] Sohn der → Eos und des → Kephalos [1], von
→ Aphrodite entführt und zu ihrem Tempeldiener gemacht (Hes. theog. 986–991), trägt als ikonographisches
Attribut einen Schlüssel; nach Ps.-Apollod. 3,14,3 dagegen Sohn des → Tithonos und Enkel von Eos und
Kephalos sowie Urgroßvater des → Kinyras (wohl um
Athens Anspruch auf Zypern mythisch zu begründen).
Ein Zusammenhang mit Ph. [3] läßt sich kaum herstellen (anders: [5]), ebensowenig ist die Gleichsetzung mit
dem Morgen- und Abendstern (Phosphoros, Hesperos)
zu halten.
[3] Sohn des Helios und der Okeanos-Tochter → Klymene [1] (der Asopos-Tochter Rhode: schol. Hom. Od.
17,208; der Prote: Tzetz. chil. 4,360–391; nach Hyg. fab.
154 als Sohn eines Klymenos Enkel von Helios und
Merope). Seine Fahrt mit dem Wagen des Sonnengotts
mißlingt und droht, die Erde in Brand zu setzen; Zeus
schlägt ihn mit einem Blitz nieder, so daß er in den
(meist mit dem Po identifizierten) Eridanos stürzt, an
dessen Ufer die Heliades, seine Schwestern, um ihn
trauern und in Bäume verwandelt werden; deren Tränen läßt die Sonne zu Bernstein erstarren (Eur. Phae-
thon; Ov. met. 1,750–2,400; Nonn. Dion. 38,90–434).
Rückführungen des schon früh (Plat. Tim. 22c-d) als
Weltbrand gedeuteten Mythos auf tatsächliche Stürze
von Himmelskörpern müssen spekulativ bleiben.
[4] Kolchischer Beiname des → Apsyrtos [1]) (Timo-
nax, Skythika FGrH 842 F 3; Apoll. Rhod. 3,245 f.;
3,1235 f.; 4,224 f.), als Wagenlenker seines Vaters, des
Helios-Sohnes → Aietes (Ph. [3] dient als Folie).

1 F. BARATTE, s. v. Ph. (1)–(3), LIMC 7.1, 350–355; 7.2,
311–313 2 J. BLOMQVIST, The Fall of Ph. and the Kaalijärv
Meteorite Crater: Is There a Connection?, in: Eranos 92,
1994, 1–16 3 C. COLLARD, in: Ders. et al. (ed.), Euripides,
Selected Fragmentary Plays, Bd. 1, 1995, 195–239
4 J. DIGGLE (ed.), Euripides, Ph., 1970 (grundlegend)
5 M. L. WEST (ed.), Hesiod, Theogony, 1966, zu Vers 991.
T. H.

Phaethusa s. Lampetie

Phaia (Φαιά, »die Graue«, nach Steph. Byz. Φαῖα).
→ Theseus erlegt bei Krommyon eine Sau von über-
irdischer Stärke (erste Erwähnung bei Bakchyl. 18(17),
23–25, dann Diod. 4,59,4). Ihr Name Ph. wird erst später genannt (Plut. Theseus 9; Apollod. epit. 1,1; Paus.
2,1,3). Nach Plutarch könnte Ph. urspr. eine von Theseus besiegte Räuberin gewesen sein. Nach Apollodoros
stammt die Sau von → Echidna und Typhon (→ Typhoeus) ab und wird nach ihrer gleichnamigen Amme
benannt. So ist sie auch auf einigen athenischen rf. Vasen des 5. Jh. v. Chr. gemeinsam mit einer alten Frau
abgebildet [1. 140–142].

1 E. SIMANTONI-BOURNIA, s. v. Krommyo, LIMC 6.1,
139–142. T. J.

Phaiakes (Φαίακες, lat. *Phaeaces*, die Phäaken). Myth.
Seefahrervolk, beherrscht von König → Alkinoos [1]
(zusammen mit 12 anderen »Königen«) und dessen Gat-

tin → Arete [1]. Die Ph. wohnen auf der Insel → Scherië, wohin sie von → Nausithoos [1] aus Hypereia geführt worden sind (Hom. Od. 6,5; 7,58). Eine ausführliche Schilderung der Ph. findet sich in Hom. Od. Buch 6–8 und 13. Die Ph. nehmen → Odysseus gastlich auf, nachdem ihn die Königstochter → Nausikaa als Schiffbrüchigen am Strand aufgelesen hat. Sie bewirten ihn üppig, lauschen aufmerksam seinen Erzählungen von seinen Irrfahrten und bringen ihn schließlich auf einem Zauberschiff nach Hause, worüber allerdings → Poseidon so erzürnt ist, daß er ihr Schiff versteinert und ihre Stadt durch eine Mauer absperrt (Hom. Od. 13,159 ff.; 179 ff.; Apollod. epit. 7,24).

Die Ph. sind Lieblinge der Götter, die früher selbst mit ihnen verkehrten, sie sind mit allen Gütern gesegnet, ihre Gelage werden durch Poesie und Musik (→ Demodokos [1]) sowie sportliche Wettkämpfe verschönt. Die Phäakinnen sind edel, klug und verfertigen kunstvolle Arbeiten. Die Verfassung der Ph. hat einen Oberkönig, der in einem herrlichen Palast wohnt, und 12 Unterkönige, die sich mit dem Volk auf der Agora versammeln. Insgesamt wirkt die Schilderung der ›Odyssee‹ wie die eines idealisierten ion. Adelsstaates und seines kulturellen Lebens. Damit vermischen sich Märchenzüge (vgl. die in Dunst und Nebel gehüllten, beseelten Zauberschiffe, die überallhin wundersam schnell ihren Weg finden: Hom. Od. 8,556–566) und Jenseitsvorstellungen (vgl. die »Graumänner«, *phaíēkes*, als ›schmerzlose Geleiter für jedermann‹: Hom. Od. 8,566; die Ph. kommen aus Hypereia, dem »Jenseitsland«: Hom. Od. 6,4). Ein Vergleich mit Sindbads siebter Reise legt zudem nahe, daß die Ph.-Episode der ›Odyssee‹ sogar insgesamt strukturell einem Standard-Märchentypus vom »Jenseitsabenteuer« des Märchenhelden (mit Nausikaa, der Königstochter, als potentieller Braut) entspricht, und zwar in einer ›Transposition ins Menschlich-Gesittete‹ [1. 117] (→ Märchen). Dies wurde später zum Bild eines Schlaraffenvolkes trivialisiert (Hor. epist. 1,2,28 ff.; 15,27). Die bildende Kunst beschränkte sich auf die Darstellung des Sängers Demodokos [2. 355 f.]. Ovids Freund → Tuticanus hat eine *Phaeacis* geschrieben (Ov. Pont. 4,12,27 f.; 4,16,27).

1 U. Hölscher, Die Odyssee. Epos zw. Märchen und Roman, 1988 2 O. Touchefeu-Meynier, s. v. Ph., LIMC 7.1, 355 f.

E. Cook, Ferrymen of Elysium and the Homeric Phaeacians, in: Journal of Indo-European Studies 20, 1992, 239–267 · B. Lincoln, The Ferrymen of the Dead, in: Ebd. 8, 1980, 41–59 · Ch. Segal, The Phaeacians and the Symbolism of Odysseus' Return, in: Arion 1,4, 1962, 17–63 · F. G. Welcker, Die homer. Phäaken und die Inseln der Seligen, in: Ders., KS, Bd. 2, 1845, 1–79 · U. von Wilamowitz-Moellendorff, Die Ilias und Homer, 1916, 497–505. L.K.

Phaiax (Φαίαξ).

[1] Myth. Stammvater der → Phaiakes, Vater des → Alkinoos [1] und des → Lokros [3] (Diod. 4,72,2; anders Hom. Od. 7,54 ff.; → Nausithoos [1]).

[2] Myth. Schiffsoffizier des → Theseus, zusammen mit → Nausithoos [3] (Plut. Theseus 17).

Deubner, 225. L.K.

[3] Athener, Sohn des Eresistratos, Acharner (Aischin. 3,138; Ostraka [3. 78 Nr. 152]); aus vornehmer Familie und etwa gleichaltrig mit seinem polit. Gegner → Alkibiades [3] (Plut. Alkibiades 13,1; Plut. Nikias 11,10). 424 »parteipolit.« umtriebig (Aristoph. Equ. 1377); Gesandter nach Sizilien 423/2 (Thuk. 5,4 f.). Plutarch (Nikias 11,10) beteiligt Ph., nicht Nikias, an → Hyperbolos' → Ostrakismos. Damals wurde er von → Eupolis in den *Dẽmoi* (416 v. Chr. nach [4. 27]) als ›Plauderer‹ verspottet (PCG fr. 116). Plutarch (Alkibiades 13,1) nennt eine Rede von Ph. gegen Alkibiades, die (nach [2]; vgl. [1. 248 f.]) mit der Rede [And.] 4 identisch sein soll.

1 J. Carcopino, Histoire de l'ostracisme athénien, 1909 2 A. E. Raubitschek, The Case against Alcibiades (Andocides IV), in: TAPhA 79, 1948, 191–210 3 R. Thomsen, Origin of Ostracism, 1972 4 I. C. Storey, Dating and Re-Dating Eupolis, in: Phoenix 44, 1990, 1–30.

Davies, 13921 · Develin, 137. K.Kl.

[4] Leitender Ingenieur beim Bau der mit Hilfe von karthagischen Kriegsgefangenen (aus der Schlacht bei → Himera, 480 v. Chr.) angelegten und nach ihm Φαίακες/*Phaíakes* genannten unterirdischen Abwasserkanäle in → Akragas (Diod. 11,25,4). Diese Bauwerke sind teilweise erh. [1.83 f.].

1 W. Deecke, Was lehrt uns das Pliozän von Agrigent ..., in: Zschr. der Dt. Geolog. Ges. 85, 1933, 81–92. C.Hü.

Phaidimos (Φαίδιμος, »der Strahlende«).

[1] Einer der von → Apollon erschossenen Söhne des → Amphion [1] und der → Niobe (Apollod. 3,45; Ov. met. 6,239; Hyg. fab. 11; Lact. ad Stat. Theb. 3,191–193; Mythographi Vaticani 1,156).

[2] König der Sidonier, der den auf der Rückkehr von Troia umherirrenden → Menelaos [1] gastfreundlich aufnimmt und ihm einen von → Hephaistos gefertigten Becher schenkt (Hom. Od. 4,617–619; 15,117–119).

[3] Ph. stammt aus dem Geschlecht des → Pentheus und gehört zu den 50 Thebanern, die dem → Tydeus, der als Bote des → Polyneikes aus Theben zurückkehrt, einen Hinterhalt legen und alle (mit Ausnahme ihres Anführers → Maion [1]) von Tydeus erschlagen werden (Stat. Theb. 2,575 ff.; 3,171 f.).

[4] Sohn des Spartaners Iasos, fällt durch Amyntas als einer der ersten im Zug der → Sieben gegen Theben (Stat. Theb. 8,438 ff.).

[5] Name eines athenischen Jünglings, der nach der Erlegung des → Minotauros den Siegesreigen anführt oder beschließt (François-Vase, Florenz, AM 4209). CA.Bi.

[6] Bildhauer, tätig in Attika. Von Ph. stammen einige der frühesten erh. Signaturen an Basen aus der Mitte des 6. Jh. v. Chr. Von seiner Grabstatue der Phile sind die Füße erhalten. Zwei weitere Basen trugen ehemals Stelen für einen Jüngling und ein Geschwisterpaar.

G. M. A. Richter, The Archaic Gravestones of Attica,
1961, 24–25, 156–158, Nr. 34–35, Abb. 200–202 • L. H.
Jeffery, The Inscribed Gravestones of Archaic Attica, in:
ABSA 57, 1962, 118, Nr. 2, 137, Nr. 44, 139–140, Nr. 48 •
G. Fogolari, s. v. Ph., EAA 6, 1965, 111 • Richter, Korai,
58–59, Nr. 91, Abb. 284–285 • W. Deyhle, Meisterfragen
der archa. Plastik Attikas, in: MDAI(A) 84, 1969, 46–64 •
Fuchs/Floren, 266, 299.   R. N.

[7] Elegischer Dichter, aus dem thrakischen Bisanthe
bzw. (nach anderen) aus Amastri stammend (Steph. Byz.
s. v. Βισάνθη), Hauptschaffenszeit in der 2. H. des 3. Jh.
v. Chr., Verf. einer Ἡράκλεια (Hērakleía), aus der Athen.
11,498e einen Hexameter zitiert (= fr. 214 Kinkel). Ph.
verfaßte auch Epigramme, von denen vier in der *Anthologia Palatina* erhalten sind ([1] Z. 2901–2926). Meleagros Anth. Pal. 4,1,51 vergleicht ihn mit einer Lev-
koje (φλόξ).

1 GA I.2, 452–457.   M. D. MA./Ü: T. H.

Phaidon (Φαίδων) aus Elis, geb. 418/416 v. Chr., To-
desdatum unbekannt. Titelfigur des platonischen Dialogs *Phaídōn*. Bei einer Eroberung der Stadt Elis soll Ph.
in Gefangenschaft geraten, als Sklave nach Athen verkauft und dort gezwungen worden sein, in einem Bor-
dell Dienst zu tun. Nachdem er mit → Sokrates bekannt
geworden war, soll dieser einen seiner Schüler veranlaßt
haben, ihn freizukaufen, und von da an soll sich Ph. der
Philos. gewidmet haben (Diog. Laert. 2,31; 2,105 u.ö.).
Ph. verfaßte zwei Dialoge mit den Titeln *Zṓpyros*
und *Símōn*. Auf den ersteren führt man wohl zu Recht
die Gesch. von dem Zusammentreffen des Sokrates mit
dem der → Physiognomik kundigen Magier → Zopyros
zurück, die in zahlreichen Quellen überliefert ist. Berichtet wird, daß Zopyros einst nach Athen gekommen
sei und sich anheischig gemacht habe, jedermanns Veranlagung aus seiner äußeren Erscheinung abzulesen. Als
man ihn mit Sokrates konfrontiert und er bei diesem
Stumpfsinn und Zügellosigkeit diagnostiziert habe, sei-
en die übrigen Anwesenden in Gelächter ausgebrochen,
Sokrates aber habe Zopyros getröstet, indem er bemerkt
habe, daß er tatsächlich in der geschilderten Weise veranlagt sei, diese Veranlagung jedoch durch Einsicht und
Disziplin bezwungen habe (Cic. fat. 10; Cic. Tusc. 4,80
u.ö.). Titelfigur des *Símōn* war offenkundig jener phi-
losophierende Schuster → Simon, von dem es bei Diog.
Laert. 2,122 heißt, er habe sich von den Gesprächen, die
Sokrates mit ihm in seiner Werkstatt führte, Aufzeichnungen gemacht, aus denen dann die von ihm verfaßten
›Schusterdialoge‹ erwachsen seien. Zwei Fr. aus Ph.s
Dialogen sind bei Theon, Progymnasmata 3 p. 75,1–2
und Sen. epist. 94,41 (in lat. Übers.) überliefert.
→ Elisch-eretrische Schule

Ed.: SSR III A.
Lit.: K. Döring, Ph., GGPh² 2/1, 238–241.   K. D.

Phaidra (Φαίδρα, lat. *Phaedra*). Tochter des → Minos
und der → Pasiphae, zweite Gattin des → Theseus,
Mutter des → Demophon [2] und des → Akamas. Ph.
liebt ihren Stiefsohn → Hippolytos [1] (= Hipp.). Sie
versucht vergeblich, ihn zu verführen, und beschuldigt
ihn darauf, sie vergewaltigt zu haben. Theseus bittet
→ Poseidon, Hipp. zu vernichten. Der Gott schickt einen Stier aus dem Meer, der das Pferdegespann des
Hipp. so erschreckt, daß dieser tödlich verunglückt. Ph.
begeht Selbstmord, als ihre Liebe zu Hipp. bekannt wird
(Ps.-Apollod. epit. 1,17; vgl. Paus. 1,22,2; Plut. Theseus
28; Diod. 4,62). Ph. wird unter den Frauen genannt, die
→ Odysseus in der Unterwelt trifft (Hom. Od. 11,32).

Die ältesten lit. Bearbeitungen des Mythos von ihrer
Liebe zu Hipp. sind drei Trag. des 5. Jh. v. Chr.: Soph.
Ph., Eur. *Hippólytos Kalyptómenos*, Eur. *Hippólytos Ste-
phanēphóros* (= Eur. Hipp.). Nur Eur. Hipp. ist erh. (428
v. Chr. aufgeführt). Kritische Bemerkungen über die
»unmoralische« Darstellung der Ph. bei Euripides (Aristoph. Ran. 1043f.; Aristoph. Thesm. 497; 547; 550)
ebenso wie die Behandlung der Figur bei Ov. epist. 4
und Sen. Phaedr. (s.u.) lassen vermuten, daß im *Hippólytos Kalyptómenos* der Verführungsversuch der Ph. auf
der Bühne gezeigt wurde (anders [1]). Der Inhalt von
Soph. *Ph.* ist kaum rekonstruierbar [2. 54–68]. In Eur.
Hipp. sind Ph. und Hipp. Opfer der → Aphrodite, die
Hipp. für seine einseitige Verehrung der → Artemis und
die Ablehnung der Heterosexualität bestrafen will (vgl.
[3]). Gegen den Willen der Ph. enthüllt ihre Magd dem
Hipp. die Leidenschaft der Ph., worauf diese Selbstmord begeht, zuvor noch in einem Brief ihren Stiefsohn
anklagt. Der sterbende Hipp. versöhnt sich mit Theseus,
nachdem Artemis als *dea ex machina* die Wahrheit enthüllt hat. Alle späteren Fassungen beruhen auf den verschiedenen Versionen der att. Tragödien.

Verm. handelt es sich bei der Erzählung, der das verbreitete Potipharmotiv (Gn 39) zugrunde liegt, um einen lokalen Mythos aus Troizen, der im 6. Jh. zum Bestandteil der att. Theseus-Myth. wurde [4. 6–10]. Dort
und in Athen wurde Hipp. kultisch verehrt (→ Hippolytos [1]). Nach Eur. Hipp. 28–30 errichtet Ph. auf der
Südseite der Athener Akropolis einen Tempel der
Aphrodite *epí Hippolýtōi* (»bei Hippolytos«) [5; 6] (Asklepiades FGrH 12 F 28; vgl. Paus. 2,32,3). In Troizen
wurde das Grabmahl der Ph. gezeigt (Paus. 2,32,3 f.).

Auch röm. Bearbeitungen des Stoffes basieren vorwiegend auf den griech. Tragödien. Ov. fast. 6,737 (vgl.
Ov. met. 15,497–529) sowie zahlreiche weitere Anspielungen (z. B. Verg. Aen. 6,445; 7,761–782; Hor. carm.
4,7,25 f.) belegen die Bekanntheit des Motivs. Ov. epist.
4 ist von Ph. an Hipp. gerichtet; Ph. erscheint hier als
ohnmächtig gegenüber der Macht des Amor, Hipp. als
der spröde, verzweifelt umworbene Geliebte [7. 111–
117]. In der lat. Liebeselegie steht Ph. für die Bedrohung
treuer Liebe [7. 111] (z. B. Prop. 2,1,51 f.). Am einflußreichsten für die weitere Rezeption bis in die Gegenwart wurde Senecas *Phaedra*, die auf den griech. Vorbildern von Euripides und Sophokles basiert [2]. Bei

Seneca gesteht Ph. selbst dem Hipp. ihre Liebe, wird zurückgewiesen und verleumdet ihn; beim Anblick seiner Leiche gesteht sie die Wahrheit und begeht Selbstmord. Die bekannteste Bearbeitung des Stoffes in der Neuzeit ist RACINES ›Phèdre‹ (1677). Zu weiteren mod. Bearbeitungen vgl. [8].

1 H.M. ROISMAN, The Veiled Hippolytus and Phaedra, in: Hermes 127, 1999, 397–409 2 O. ZWIERLEIN, Senecas Phaedra und ihre Vorbilder, 1987 3 F.I. ZEITLIN, The Power of Aphrodite, in: Dies. (Hrsg.), Playing the Other, 1996, 219–284 4 W.S. BARRETT, Euripides: Hippolytos, 1964 5 W. BURKERT, Structure and History in Greek Mythology and Ritual, 1979, 111–118 6 V. PIRENNE-DELFORGE, L'Aphrodite grecque, 1994, 40–46 7 F. SPOTH, Ovids Heroides als Elegien, 1992 8 FRENZEL, 638–642.

P. GHIRON-BISTAGNE, Phèdre ou l'amour interdit, in: Klio 64, 1982, 29–49 · H. HERTER, Ph. in griech. und röm. Gestalt, in: RhM 114, 1971, 44–77 · N.S. RABINOWITZ, Female Speech and Female Sexuality: Euripides' Hippolytos as Model, in: M. SKINNER (Hrsg.), Rescuing Creusa (Helios N.S. 13), 1985, 127–140 · CH. SEGAL, Language and Desire in Senecas Phaedra, 1986 · H.J. TSCHIEDEL, Phaedra und Hippolytus: Variationen eines tragischen Konflikts, 1969 · C. ZINTZEN, Analytisches Hypomnema zu Senecas Phaedra, 1960.   K.WA.

Phaidros (Φαῖδρος).

[1] Sohn des Pythokles, aus dem att. Demos Myrrhinus, geb. wohl um 450 v. Chr. Beschuldigt, an der Profanierung der eleusinischen → Mysteria und der Verstümmelung der Hermen beteiligt gewesen zu sein, begab sich Ph. 415 in die Verbannung, sein Besitz wurde konfisziert (And. 1,15; ML 79,112–115). Spätestens 404 kehrte er nach Athen zurück; danach heiratete er die Kusine (Lys. 19,15). Gest. vor 393. Teilnehmer der Zusammenkunft in → Platons *Prōtagóras* (315c), Gesprächspartner des Sokrates in Platons *Phaídros* und erster Redner in dessen *Sympósion* (178a–180b); Titelfigur einer Komödie des → Alexis (PCG II Alexis 247 und 248).

1 DAVIES, 201.   K.D.

[2] Sohn des → Kallias aus dem Demos Sphettos, plädierte als Stratege (→ *stratēgós*) 347/6 v. Chr. für die Erneuerung der → *symmachía* Mytilenes mit Athen [1. 168], war Zeuge im Prozeß gegen Timarchos 345 (Aischin. Tim. 43; 50), Bürge für die den Chalkidiern gestellten Schiffe und erneut Stratege 335/4 oder 334/3 (IG II² 1623,239f.) sowie 323/2 Trierarch und Stratege auf dem Feldzug gegen Styra auf Euboia (Strab. 10,1,6; IG II² 1632c, 329 und 342).

1 TOD.

DAVIES, 524–528 · DEVELIN, 2306 · PA 13964.   J.E.

[3] Sohn des Thymochares aus dem Demos Sphettos, starb nach 258 v. Chr., stammte aus einer reichen athenischen Familie von Minenpächtern und Rhetoren, war zweimal Stratege *epí tēn paraskeuēn* (»für Ausrü-

stung«) unter → Lachares [1], dann mehrfach Stratege *epí tēn chóran* (»für Landesverteidigung«) und *epí tus xénus* (»für die Söldner«). 287 wirkte er beim Sturz der athen. Garnison des Demetrios [2] Poliorketes mit und wurde dafür zum Hoplitenstrategen der restituierten Demokratie gewählt. Ph. erwirkte Subsidien für Athen von → Ptolemaios I., war Agonothet und übernahm mehrere → Liturgien (vgl. zur Karriere IG II² 682).
→ Athenai (III. 11.)

HABICHT, 102f., 158f. · T.L. SHEAR, Kallias of Sphettos and the Revolt of Athens in 286 B.C., 1978.   J.E.

[4] Epikureischer Philosoph, Mitglied einer angesehenen Athener Familie; geb. ca. 138, gest. 70 v. Chr.; als *éphēbos* (junger Mann) für 119/8 bezeugt. 94 hielt Ph. sich in Athen auf, verließ den Ort jedoch vor 88, während der polit. Vormachtstellung des Athenion. In dieser Zeit lebte er in Rom, wo er Cicero, Atticus, L. und App. Saufeius kennenlernte. Nach der Eroberung Athens durch Sulla kehrte er zurück. In vorgerücktem Alter übernahm er die Leitung der → epikureischen Schule in Athen als Nachfolger des → Zenon von Sidon. Beide waren fast gleichaltrig und wirkten in Athen, doch hatten sie zweifellos beide nacheinander die Schulleitung inne (zu Ph. vgl. Phlegon von Tralleis FGrH 257 F 12 § 8). Ob Cicero im 1. B. seines Werkes *De natura deorum* Ph.' Schrift ›Über die Götter‹ verwendete (Cic. Att. 13,39), ist unsicher [2; 3].

1 T. DORANDI, Lucrèce et les Epicuriens de Campanie, in: K. ALGRA u.a., Lucretius and His Intellectual Background, 1997, 35–48 2 D. OBBINK, Philodemus »On Piety«, Bd. 1, 1996, 22, 96 3 K. SUMMERS, The Books of Phaedrus Requested by Cicero (Att. 13,39), in: CQ 47, 1997, 309–311.   T.D./Ü: J.DE.

Phainarete (Φαιναρέτη).

In erster Ehe verheiratet mit Chairedemos und Mutter des Patrokles (Plat. Euthyd. 297e), in zweiter Ehe mit → Sophroniskos und Mutter des → Sokrates. Bei Plat. Tht. 148e–151d erzählt Sokrates, daß seine Mutter Hebamme sei, und vergleicht sein Tun mit dem ihren. Es ist nicht auszuschließen, daß Platon den Beruf der Ph. um dieses Vergleiches willen erfunden hat und daß dieser dann als vermeintliches Faktum in die Sokrateslegende einfloß.
→ Maieutik

A. RAUBITSCHEK, s.v. Ph. (2), RE 19, 1562f.   K.D.

Phaineas (Φαινέας)

aus Arsinoe. Aitol. Bundesstratege 198/7 v. Chr. und 192/1 (→ Aitoloi, mit Karte), der im 2. → Makedonischen Krieg bei T. → Quinctius Flamininus vergeblich aitol. Forderungen gegen → Philippos [7] V. vorbrachte (im J. 198: Pol. 18,2,6; 4,3; Liv. 32,32,11; 33,8; 34,2–3; im J. 197: Pol. 18,37,11f.; 38,3–7) und im später eskalierenden Konflikt mit den Römern fest eine gemäßigte Position vertrat (im J. 192: Liv. 35,4,41; 35,45,2–5) [1. 73–75, 102]. Bei M'. → Acilius [I 10] Glabrio (der später ein Grundstück des Ph. in Delphoi konfiszierte, Syll.³ 610,8) vollzog er 191 als *stra-*

tēgós die → *deditio* der Aitoloi, die aber ungültig blieb (Pol. 20,9–10; Liv. 36,28) [1. 99–101; 2. 276–281]. Weitere Friedensbemühungen, z.B. des T. Quinctius bei Naupaktos (im J. 191: Liv. 36,35,3–6) und ein Reiseversuch des Ph. nach Rom (Pol. 21,26,7–19) führten erst 189/8 mit der Mission Ph.' mit → Nikandros [2] in Rom zum Erfolg (Pol. 21,29; Liv. 38,8,1–10,14).

1 J. DEININGER, Der polit. Widerstand gegen Rom in Griechenland, 1971 2 A.M. ECKSTEIN, Glabrio and the Aetolians, in: TAPhA 125, 1995, 271–289. L.-M.G.

Phainias (Φαινίας) von Eresos (auf Lesbos), Peripatetiker (→ Peripatos). Die Namensschreibung ist für Lesbos inschr. bezeugt und dem gemeingriech. Phanias (Φανίας) vorzuziehen. Ph. war Schüler des → Aristoteles [6] und Freund des → Theophrastos. Seine Lebenszeit wird gewöhnlich ca. 375–300 v. Chr. angesetzt; überl. ist nur, daß er in der 111. Ol. (= 336/333 v. Chr.), zur Zeit Alexandros' d. Gr. und danach lebte. Mit Theophrast unterhielt er eine Korrespondenz, deren einzig erh. Fr. (fr. 4) diesen als Greis darstellt. Ph. und Theophrast sollen zusammen an dem Sturz der Tyrannen ihres Heimatlandes beteiligt gewesen sein (fr. 7).

Schriften: Nur zwei Titel weisen auf einen philos. Inhalt, Πρὸς Διόδωρον (›Gegen Diodoros‹, vermutlich Diodoros [4] Kronos) und Πρὸς τοὺς σοφιστάς (›Gegen die Sophisten‹, fr. 9–10); die als Fr. 8 angeführten Titel logischer Werke sind äußerst schwach bezeugt [1], und Περὶ τῶν Σωκρατικῶν (›Gegen die Sokratiker‹, fr. 30–31) scheint rein biographisch gewesen zu sein. Ph.' Pflanzenschrift (Περὶ φυτῶν) war wohl populärer gehalten als die des Theophrast und mehr auf den praktischen Nutzen der Pflanzen ausgerichtet, aber das mag eine durch die Auswahl der erh. Zitate (alle bei Athenaios [3]) verursachte Annahme sein (fr. 36–50).

Der größte Teil seiner Fr. stammt aus histor. Schriften mit ethischer und charakterologischer Tendenz, in denen er seine eigene polit. Haltung deutlich macht: Zwei Werke behandelten die Tyrannenherrschaft, von denen eines, Τυράννων ἀναίρεσις ἐκ τιμωρίας (›Die Eliminierung der Tyrannen durch Rache‹, fr. 14–16), an eine Bemerkung des Aristoteles (Aristot. pol. 1311a 32ff.) anknüpft. Eine komplizierte Persönlichkeit wie → Themistokles scheint ihn bes. interessiert zu haben (fr. 23–28); die Schilderung gab ihm Gelegenheit, Anekdoten von sehr unterschiedlichem Wert anzubringen. Ansonsten sind zwei Fr. (32–33) eines Περὶ ποιητῶν (›Über Dichter‹) und zwei paradoxographische Berichte (fr. 34–35) erh. Letztere können wie Fr. 17 irgendwo in den histor. Werken gestanden haben; die Annahme, Ph. habe eine bes. paradoxographische Sammlung veröffentlicht, ist unnötig.

→ Aristotelismus

1 H.B. GOTTSCHALK, Did Theophrastus Write A Categories, in: Philologus 131, 1987, 245–253.

WEHRLI, Schule 9, 9–43 · F. WEHRLI, in: GGPh² 3, 552–554. H.G.

Phainippos (Φαίνιππος).
[1] Das Landgut des Ph., Sohn des Kallippos, ist in einer attischen Gerichtsrede aus der Zeit um 320 v. Chr. beschrieben (Ps.-Demosth. or. 42). In dem → *antídosis*-Verfahren verlangt der Kläger, daß Ph. an seiner Stelle auf die Liste der dreihundert reichsten Athener Bürger, die am stärksten mit → Liturgien belastet wurden, gesetzt werden sollte (ebd. 42,3 f.).

Der Besitz des Ph. war aus zwei Gründen außergewöhnlich: Einerseits war Ph. der einzige Erbe seines Vaters und zugleich seines Großvaters mütterlicherseits, andererseits sollen diese beiden Besitzungen ein einziges zusammenhängendes Landgut dargestellt haben, das als ἐσχατιά (*eschatiá*, »Grenzland«) bezeichnet wird. Der Redner behauptet, daß der Umfang dieser Ländereien 40 Stadien (ca. 7,2 km) betragen habe und daß auf dem Gut über 1000 *médimnoi* (ca. 33 t) Gerste, 800 *metrētaí* Wein (ca. 31000 l) und außerdem Brennholz (→ Brennstoffe) in größeren Mengen für den Verkauf produziert worden seien; ferner soll es Weideland für Pferde gegeben haben. Offenbar übertreibt der Redner; es kann angenommen werden, daß das Landgut des Ph. nicht viel größer war als andere große Besitzungen in Attika. Unter den Arbeitskräften werden nur einige Eseltreiber erwähnt. Zur Zeit des Prozesses versuchte Ph., so viel Gerste wie möglich zu verkaufen, um von den extrem hohen Preisen zu profitieren. Verm. pflegte Ph. den größten Teil der auf dem Gut produzierten Erzeugnisse zu verkaufen, um aus seinen Besitzungen ein Einkommen zu erzielen.

→ Großgrundbesitz

1 J.K. DAVIES, Athenian Propertied Families 600–300 B.C., 1971, Nr. 14734 2 R. OSBORNE, Pride and Prejudice, Sense and Subsistence, in: J. RICH, A. WALLACE-HADRILL (Hrsg.), City and Country in the Ancient World, 1991, 119–145 3 G. E. M. DE STE. CROIX, The Estate of Phaenippus, in: Ancient Society and Institutions. Studies Presented to Victor Ehrenberg, 1966, 109–114. D.R./Ü: H.SCH.

[2] Auf einer in der Ptolemais (Äg.) gefundenen Inschr. bezeugter Tragiker des 3. Jh. v. Chr. (TrGF I 114). B.Z.

Phainops (Φαῖνοψ).
[1] Gastfreund → Hektors aus → Abydos [1], dem → Apollon in Ph.' Gestalt erscheint (Hom. Il. 17,583).
[2] Vater von → Xanthos und → Thoon, die vor Troia fallen (Hom. Il. 5,152ff.).
[3] Vater des Phryger-Anführers → Phorkys [2], der vor Troia fällt (Hom. Il. 17,312ff.).

P. WATHELET, Dictionnaire des Troyens de l'Iliade, 1988, Nr. 328–330. MA.ST.

Phaisana (Φαισάνα). Ortschaft am Alpheios (Pind. O. 6,34 f.) in der Pisatis (Istros FGrH 334 F 41; Didymos, schol. Pind. O. 6, 55a), vielleicht identisch mit → Phrixa.

F. CARINCI, s. v. Elide, EAA 2. Suppl. 2, 1994, 450. Y.L.

Phaistos (Φαῖστος).

[1] Mythischer König von Sikyon, Sohn des Rhopalos, des Sohnes des → Herakles [1]; ordnet Götterkult für Herakles an; wandert aufgrund eines Orakels nach Kreta aus, wo die Stadt Ph. [4] nach ihm benannt ist (Paus. 2,6,6f.).

[2] Verbündeter der Troianer im Troianischen Krieg, Sohn des Boros aus Tarne in Lydien, von → Idomeneus [1] getötet (Hom. Il. 5,43).   L.K.

[3] Hell. Epiker, zweimal in den Scholien zu Pindaros und in einem anon. Traktat über Metrik erwähnt. Verf. der *Makedoniká* (korrekte Form des Titels, auch überliefert als *Lakedaimoniká*). Erh. ist ein Vers über das libysche Orakel des → Amun (von Alexandros [4] befragt?).

1 SH 670 2 CollAlex 28 3 FGrH 593 IIIb Komm., 365
4 M. Fantuzzi, in: K. Ziegler (Hrsg.), L'epos ellenistico, 1988, LXXIX-LXXX 5 F. Stoessl, s. v. Ph. (5), RE 19, 1608 f.   S. FO./Ü: TH. G.

[4] (Φαιστός). Der Ort Ph. liegt auf einem der Hügel, die das breite Tal des Geropotamos, die fruchtbare Mesara-Ebene, kurz vor der Mündung des längsten Flusses von Kreta im Westen einengen. Diese günstige Lage war wohl die Voraussetzung für eine spätneolithische Siedlung. Ph. blieb bis ca. 700 v. Chr. Hauptort der Siedlungskammer, die neben günstigen Boden- und Klimabedingungen für die Landwirtschaft auch Erzlager in den umgrenzenden Gebirgen bot. Zudem lagen im Bereich von Ph. die günstigsten Hafenplätze der kretischen Südküste. Unter diesen Voraussetzungen entwickelte sich schon in der frühen Brz. ein Zentrum der minoischen Palastkultur, das durch die sorgfältigen Ausgrabungen und Restaurierungen it. Archäologen seit 1900 gut dokumentiert ist. Nur in Ph. sind im sw Bereich des → Palastes die einzelnen Phasen von Aufbau, Zerstörung und Wiederaufbau so erh., daß die architektonische Entwicklung und Organisation erkennbar ist. Dem kommt die lokale Trad. entgegen, zerstörte Gebäude auf einem festgelegten Niveau mit Schutt aufzufüllen und den Neubau auf diesem festen Fundament zu errichten.

Der letzte Neubau des Palastes von Ph. stammt aus der Mitte des 16. Jh. v. Chr. Die Architektur folgt der lokalen Trad. und generell dem ökonomischen Konzept minoischer Zentralbauten: Um den Innenhof sind, den top. Gegebenheiten angepaßt, Bereiche der Vorratshaltung, Verwaltung und Produktion, des täglichen Lebens, des Kultes und der Repräsentation gruppiert. Letzteren diente – u. a. mit dem einzigartigen Portal – der Hof im Westen der Anlage. Im Zuge der Neugestaltung wurden hier auch der gepflasterte Platz mit markierten Wegen und ein kleines Heiligtum an der Ostwand des alten Palastes zugeschüttet und das Platzniveau erhöht. Dagegen wurde der Innenhof des Vorgängerbaus in den Neubau einbezogen, die neue Randbebauung allerdings minimal in der Ausrichtung geändert. Gegenüber dem Vorgängerbau war die Westfassade zum Hügel hin zurückversetzt. Diese Verlagerung der Außenfront ist auch schon bei den mehrfa-

chen, durch Brände oder Erdbeben verursachten Umbauten des alten Palastes zu beobachten. Da der Palast nicht zur Gänze freigelegt ist, sagen die Außengrenzen nichts über die Kapazität des neuen Palastes aus. Histor. Schlüsse, etwa auf den Rückgang der Macht von Ph. bereits in der Zeit des Neubaus, sind durch den architektonischen Befund nicht beweisbar. Andererseits ist evident, daß der Verwaltungstrakt im NO des Palastes, aus dem neben dem berühmten → Diskos auch viele mittelminoische Siegelabdrücke stammen, in der spätminoischen Phase nicht mehr genutzt wurde. Da zudem die Gebäude im SO zusammen mit Teilen des Innenhofes an der steilen Hügelkante abgerutscht sind, ist die Zuweisung funktioneller Bereiche nicht sicher.

Die Stadtsiedlung von Ph. schließt am flachen Abhang an den Westhof des Palastes an. Weitere begrenzte Ausgrabungen der Siedlung liegen bei Hagia Photini im NO und bei Chalara im Süden des Palastes. Nimmt man diese zufällig gegebenen Bereiche der Siedlung als Grundlage, ergibt sich eine Stadtanlage, die ähnlich wie in → Mallia dichtbesiedelt den Palast umgibt. Die Siedlung überlebte die Zerstörung ihres Zentrums bis in geom. Zeit (frühes 1. Jt. v. Chr.), für die nachfolgende Zeit sind einzelne Häuser und der Tempel der → Rhea auf dem sö Sporn des Palasthügels gesichert.

Ph. zugeordnet werden muß das kultische Zentrum in der Kamareshöhle. Eine Nekropole, die der Bed. von Palast und Siedlung über die Zeiten hin entsprechen würde, ist noch nicht gefunden worden.

Ph. war, neben → Knosos im Norden Mittelkretas, das bedeutendste Machtzentrum im Süden. Das zeigt schon allein die Kamareskeramik, die nur an diesen beiden Orten produziert wurde. Im 14. Jh. v. Chr. wurden die Paläste von Ph., Mallia und → Zakros zerstört und nicht wieder aufgebaut: Knosos war polit. in der Endphase der minoischen Kultur führend. Danach bestimmte → Gortyn über die Mesara-Ebene.

→ Ägäische Koine (mit Karten); Kreta (mit Karte); Minoische Kultur und Archäolgoie; Religion, minoische

A. di Vita (Hrsg.), Creta Antica: 100 anni di archeologia italiana, 1984 · J. W. Graham, The Palaces of Crete, 1987 · R. Hägg, N. Marinatos (Hrsg.), The Function of the Minoan Palaces, 1987 · W. Kamm, Die Konstruktion des Neuen Palastes von Ph., 1989 · D. Levi, The Recent Excavations at Ph., 1964 · Ders., Festòs: Metodo e criteri di uno scavo archeologico, 1968 · Ders., Festòs e la civiltà minoica, Bd. 1, 1976; Bd. 2,1–2,2, 1981–1988 · L. Pernier, L. Banti, Il palazzo minoico di Festòs, Bd. 1, 1935; Bd. 2, 1951.   G.H.

Phakusa (Φάκουσ(σ)α u. ä.). Ort im NO des Nildeltas, das h. Fāqūs. Ein altäg. Name ist nicht bekannt. Ph. ist erst in ptolem. Zeit bezeugt. Strab. 17,1,26 bezeichnet es – wohl zu Unrecht – als Ausgangspunkt des Kanals vom Nil zum Roten Meer (→ Ptolemais). Nach Ptol. geographia 4,5,24 war Ph. Metropole des Gaues Arabia. In christl. Zeit war Ph. Bischofssitz.

St. Timm, Das christl.-koptische Äg. in arabischer Zeit, Bd. 2, 1984, 923–926.   K. J.-W.

Phalaikos (Φάλαικος).

[1] Sohn des → Onomarchos. Ph. wurde im J. 352 v. Chr. als Minderjähriger von seinem Onkel → Phayllos [1] als vierter *stratēgós autokrátōr* (Stratege mit Sondervollmachten) der Phoker im 3. → Heiligen Krieg eingesetzt. Als Vormund wurde Mnaseas [1] bestellt, der aber bereits 351 starb (Diod. 16,38,6 f.). Nach wechselnden Kämpfen gegen Theben wurde Ph. 347 abgesetzt, offenbar weil er sich den Friedensbemühungen der Phoker widersetzte (als offizieller Grund wurde die Veruntreuung der delphischen Tempelgelder vorgebracht: Diod. 16,56,3). Wenig später führte Ph. einen Putsch durch und durchkreuzte 346 abermals Friedenssondierungen der Phoker, um sich und seine marodierenden Söldner bei den → Thermopylai vor Philippos [4] II. zu retten (Diod. 16,59,2 f.; Aischin. 2,130; 132 f.; Demosth. or. 19,58). Er zog in die Peloponnes und weiter nach Tarent, mußte aber wegen einer Meuterei umkehren. Ph. fiel um das J. 342 bei der Belagerung von → Kydonia (Diod. 16,59,3; 61,3–63,4).

J. Buckler, Philip II and the Sacred War, 1989 · J. McInerney, The Folds of Parnassos, 1999.   HA. BE.

[2] Epigrammatiker, verm. aus dem »Kranz« des Meleagros [8], vielleicht schon gegen Ende des 4. Jh. v. Chr. tätig. Überl. sind fünf Gedichte (zu Anth. Pal. 6,165 vgl. FGE 46–49), darunter nur zwei elegische Distichen: Anth. Pal. 7,650 und Epigramm 1 G.-P. [1] (vgl. Athen. 10,440d). In den anderen zeigt Ph. eine typisch frühhell. metrische Vielfalt (vielleicht war er auch Lyriker): In Anth. Pal. 13,6 (Epitaph für einen Komödiendichter, der verm. mit → Lykon von Skarpheia identisch ist) verwendet er den Elfsilbler. Dieser wird als »phalaikeisch« (»phaläceisch«) bezeichnet (→ Metrik) – nicht weil er die Schöpfung des Ph. war, sondern verm. wegen dessen häufigen Gebrauchs dieses Versmaßes.

1 GA I 1, 160 f.; 2, 458–464.   M. G. A./Ü: TH. G.

Phalanna (ἡ Φάλαννα).

Stadt in der thessalischen Perrhaibia (→ Perrhaiboi) in fruchtbarer Lage, geringe Reste auf der flachen Magula Kastri, 3 km östl. von Tirnavos. Eigene Mz.-Prägung im 4 Jh. v. Chr. (HN 305). Ph. stellte mehrfach → *hieromnḗmones* und Schatzmeister in → Delphoi. 171 v. Chr. war Ph. Schauplatz röm.-maked. Kampfhandlungen (Liv. 42,54,6; 65,1).

R. Scheer, s. v. Ph., in: Lauffer, Griechenland, 532 · B. Lenk, s. v. Ph., RE 19, 1617–1620 · F. Stählin, Das hellenische Thessalien, 1924, 30 f. · Koder/Hild, 269.
                                                          HE. KR.

Phalanthos (Φάλανθος; lat. *Phalant[h]us*).

Myth. Gründer von → Taras/Tarent (Antiochos von Syrakus FGrH 555 F 13; Ephoros FGrH 70 F 216; Paus. 10,10,6–8 u.ö.). Nach Antiochos l.c. gründete Ph. Tarent auf Anweisung des Orakels von Delphi, nachdem ein von ihm

angeführter Aufstand der Parthenier gegen Sparta im ersten Messenischen Krieg gescheitert war, nach Ephoros l.c. hätten die Spartaner die Parthenier zur Auswanderung überredet. Nach Paus. l.c. bestand Tarent jedoch bereits. Paus. 10,13,3 berichtet außerdem, daß Ph. vor Italien Schiffbruch erlitten habe und von einem Delphin gerettet worden sei (vgl. → Taras). Kult genoß Ph. in Tarent (Iust. 3,4,13–18) und Brundisium (Strab. 6,3,6).   L. K.

Phalanx (φάλαγξ).

I. Die Hoplitenphalanx
II. Die makedonische Phalanx

I. Die Hoplitenphalanx

Das Wort *ph.* bezeichnet bereits bei Homer die Schlachtreihe oder formierte Heeresabteilung (vgl. etwa Hom. Il. 11,214 f.; 13,126 f., vgl. 16,215–217). *Ph.* wird ähnlich wie στίξ (*stix*, »(Schlacht-)Reihe«) fast nur im Pl., *phálanges*, gebraucht; nach Homer verwendet erst Xenophon wieder den Ausdruck (Xen. an. 1,8,17; 6,5,27; Xen. Kyr. 1,6,43; Xen. hell. 4,3,18; 6,5,18).

Es ist h. anerkannt, daß der Massenkampf bereits in homer. Zeit (8. Jh. v. Chr.) entscheidend war; die *ph.* als einheitlich ausgerüstete und zentral geführte Einheit scheint sich freilich erst in der 1. H. des 7. Jh. v. Chr. zur normalen Kampfformation der meisten griech. Heere entwickelt zu haben. Sie bestand aus Hopliten (→ *hoplítai*), schwerbewaffneten Fußsoldaten. Frühester arch. Beleg für die *ph.* ist die Chigi-Kanne aus der Zeit um 640 v. Chr. [8. Abb. 25; 26; VII mit Komm.] (→ Chigi-Maler). Die *ph.* wurde aus denjenigen Bürgern eines Gemeinwesens rekrutiert, die die Ausrüstung selbst stellen konnten; sie gehört deshalb in den Kontext der sich herausbildenden → *pólis*. Die Soldaten wurden in engen Reihen so aufgestellt, daß sie einander Schutz gewähren konnten; die Tiefe betrug im Regelfall acht Reihen. Die Schwächen der *ph.* lagen im Mangel an Flankenschutz (vgl. z. B. Thuk. 4,33 ff.) und Beweglichkeit; sie war überdies nur in ebenem Gelände effektiv. Der Perser Mardonios [1] schätzte deswegen diese Art des Kampfes als töricht ein (Hdt. 7,9). In der Schlacht rückten die Heere aufeinander zu, wobei die Spartaner durch Musikbegleitung die Ordnung wahren wollten (Thuk. 5,70); der Gegner sollte durch die Wucht des Zusammenpralls weggedrängt werden (ὠθισμός, *ōthismós*). Gelang dies nicht, mußte der Nahkampf mit Stoßlanze und Schwert entscheiden (→ Bewaffnung). Leichtbewaffnete versuchten, die Gegner mit Fernwaffen zu verwirren. Normalerweise erlitt ein Heer die größten Verluste erst, nachdem es in die Flucht geschlagen worden war. Die *ph.* blieb trotz aller Differenzierung der Waffengattungen seit dem 4. Jh. bis in die hell. Zeit die wichtigste Schlachtformation der griech. Heere.

II. Die makedonische Phalanx

Die Makedonen rüsteten ihre schwerbewaffneten Pezetairen (→ *pez(h)étairoi*) seit → Philippos [4] II. mit

der → *sárissa*, einem Langspieß, und nur einem leichten Schild aus (Diod. 16,3,1 f.). Die maked. *ph.* war in sechzehn Reihen so aufgestellt, daß die Sarissen der zweiten, dritten, vierten und fünften Schlachtreihe noch über die erste Schlachtreihe hinausragten; die Soldaten der hinteren Reihen hielten die Sarissen zunächst in die Höhe gerichtet, gaben der *ph.* aber beim Angriff eine höhere Stoßkraft. Waren die Reihen mit engem Zwischenraum zum Nebenmann aufgestellt, sah sich jeder Soldat eines feindlichen Heeres zehn Sarissen gegenüber (Pol. 18,29f.); noch auf L. Aemilius [I 32] Paullus machte die *ph.* bei Pydna einen furchterregenden Eindruck (Pol. 29,17; Plut. Aemilius 19). Die strategische Schwäche der maked. *ph.* bestand darin, daß sie ihre Kampfkraft nur auf ebenem Gelände ohne natürliche Hindernisse entfalten konnte und daß die Formation der *ph.* bei längerem Gefecht nicht aufrechtzuerhalten war; aus diesen Gründen waren die röm. Legionen in den Kriegen des 2. Jh. v. Chr. – etwa in der Schlacht bei Pydna – der *ph.* deutlich überlegen (Pol. 18,31 f.; Plut. Aemilius 20; zur röm. Schlachtordnung vgl. → *legio*). Alexandros [4] d.Gr. und seine Nachfolger griffen für die *ph.* vermehrt auf → Söldner zurück, die bis zum Ende des 3. Jh. v. Chr. üblicherweise griech.-maked. Herkunft waren.
→ Heerwesen; Militärtechnik

1 S. BAR-KOCHBA, The Seleucid Army, 1976, 54 ff.
2 M. DÉTIENNE, La phalange. Problèmes et controverses, in: J. P. VERNANT (Hrsg.), Problèmes de la guerre en Grèce ancienne, 1968, 119–142 3 V.D. HANSON, The Western Way of War. Infantry Battle in Classical Greece, 1989
4 J. LATACZ, Kampfparänese, Kampfdarstellung und Kampfwirklichkeit in der Ilias, bei Kallinos und Tyrtaios, 1977 5 R. D. LUGINBILL, Othismos, the Importance of the Mass-Shove in Hoplite Warfare, in: Phoenix 48, 1994, 51–61 6 W. K. PRITCHETT, The Greek State at War, Bd. 4, 1985, 1–93 7 K. RAAFLAUB, Soldiers, Citizens and the Evolution of the Early Greek Polis, in: L. G. MITCHELL, P. J. RHODES (Hrsg.), The Development of the Polis in Archaic Greece, 1997, 49–59 8 E. SIMON, Die griech. Vasen, 1976 9 A. SNODGRASS, Arms and Armor of the Greeks, 1999, 114–130 10 H. VAN WEES, The Homeric Way of War. The »Iliad« and the Hoplite Phalanx, in: G&R 41, 1994, 1–18, 131–155. LE. BU.

Phalara (τὰ Φάλαρα). Stadt der Malieis, Hafen von Lamia [2] am Malischen Golf, verm. das h. Stilida. 426 v. Chr. durch ein Erdbeben zerstört (Strab. 1,3,20); nach Wiederaufbau weiterhin wichtige Hafenstadt (vgl. Strab. 9,5,13).

E. KIRSTEN, s. v. Ph., RE 19, 1647 · F. STÄHLIN, Das hellenische Thessalien, 1924, 217f. · K. BRAUN, R. SCHEER, s. v. Ph., in: LAUFFER, Griechenland, 533. HE. KR.

Phalarion (Φαλάριον). Festung (φρούριον) bei → Gela auf Sicilia, wohl die am Monte Desusino (429 m H) entdeckte Befestigungsanlage, im 6. Jh. v. Chr. von → Phalaris gegr. Hier lagerte 311 v. Chr. Agathokles [2] im Kampf gegen die Karthager (Diod. 19,108,2).

BTCGI 7, 407f.; 10, 331–334. GI. F./Ü: H. D.

Phalaris (Φάλαρις). Tyrann von → Akragas, Sohn des Leodamas aus Rhodos, beherrschte die um 580 v. Chr. gegr. Stadt ca. 570–555 v. Chr. Aristoteles (pol. 5,10, 1310b 28) zählt ihn zu den Tyrannen, die durch ihre hohe Amtsstellung (*ek tōn timṓn*) zur Macht kamen. An anderer Stelle (Aristot. rhet. 2,20,1393b 5–8) zitiert Aristoteles eine Fabel des → Stesichoros, nach der Ph. zunächst das Amt eines Stategen mit Sondervollmachten (*stratēgós autokrátōr*) innehatte. Nach Polyain. 5,1,1 hingegen soll Ph. als Schatzmeister beim Bau des Zeustempels auf der Burg mit Hilfe angeheuerter und bewaffneter Arbeitskräfte die Macht ergriffen und die Bürger entwaffnet haben. Er herrschte mittels eines Söldnerheeres und erweiterte das Gebiet von Akragas durch mehrere Kriegszüge. Er sicherte die Stadt gegen die Sikanoi durch die Befestigung des Vorgebirges Eknomon. Handelsbeziehungen pflegte er bes. mit → Karthago. Durch eine Verschwörung gegen ihn und seine Mutter fand Ph. nach 16jähriger Herrschaft sein Ende (Diod. 9,30). In der Überl. wurde er schnell zum Urbild des furchtbaren Tyrannen. Die Gesch. von dem ehernen Stier, in dem er seine Gegner rösten ließ, war schon 476 v. Chr. Allgemeingut (Pind. P. 1, 95). Als Gegenstand der Tyrannentopik finden wir ihn in Ciceros rhet. und polit. Schriften (Cic. rep. 1,28,44; Cic. off. 2,26; Cic. Att. 7,12,2; 7,20,2). In der Schrift *Phálaris* von → Lukianos [1] findet sich dagegen ein nicht an histor. Geschehen orientierter Versuch der Rechtfertigung und des Lobes. Die fingierte Slg. seiner Briefe wurde zum Gegenstand frühneuzeitlicher philol. Kritik (R. BENTLEY, 1699).
→ Tyrannis

H. BERVE, Die Tyrannis bei den Griechen, 1967, 129–132, 593–595 · T. J. DUNBAIN, The Western Greeks, 1948, 314–325 · N. LURAGHI, Tirannidi archaiche in Sicilia e Magna Grecia, 1994, 21–49. B. P.

Phalasarna (τὰ Φαλάσαρνα). Hafenstadt im NW von Kreta (Strab. 10,4,2; Plin. nat. 4,59) mit top. markanter, steiler Akropolis, h. Koutri. Histor. Nachrichten beginnen mit einem Bündnisvertrag mit der Nachbarpolis → Polyrrhenia auf Vermittlung von Sparta Anf. des 3. Jh. v. Chr. [1. Nr. 1, p. 179–181]. 184 v. Chr. erhielt Ph. auf Betreiben der Römer von → Kydonia die zuvor verlorene Autonomie zurück (Pol. 22,15). 172 v. Chr. stellte Ph. zusammen mit Knosos → Perseus [2] 3000 Söldner gegen die Römer zur Verfügung (Liv. 42,51,7). Nach Ausweis der Siedlungsspuren und sonstiger Funde hatte Ph. in röm. Zeit nur noch geringe Bed. Die arch. Überreste sind zahlreich: Hafen (100 × 75 m), ausgedehnte Befestigungsmauern, neben dem Hafen und auf der Akropolis Tempel, öffentliche Gebäude, Wohnhäuser, Zisternen, Gräber. Die Verlandung des Hafens (h. 100 m landeinwärts) ist in Zusammenhang zu bringen mit für Westkreta insgesamt markanten tektonischen Anhebungen, vielleicht verursacht durch das Seebeben von 365 n. Chr. [2. 159]. Der h. Meeresspiegel liegt bei Ph. ca. 6,5 m unter dem ant. Niveau.

1 A. CHANIOTIS, Die Verträge zw. kret. Poleis in der hell. Zeit, 1996 2 D. KELLETAT, Geologische Belege katastrophaler Erdkrustenbewegungen 365 AD im Raum von Kreta, in: E. OLSHAUSEN, H. SONNABEND (Hrsg.), Naturkatastrophen in der ant. Welt (Geographica Historica 10), 1998, 156–161.

F. J. FROST, E. HADJIDAKI, Excavations at the Harbor of Ph. in Crete, in: Hesperia 59, 1990, 513–527 · J. W. MYERS u. a., The Aerial Atlas of Ancient Crete, 1992, 244–247 · I. F. SANDERS, Roman Crete, 1982, 172, 181 f. · R. SCHEER, s. v. Ph., in: LAUFFER, Griechenland, 533 f. · T. A. B. SPRATT, Travels and Researches in Crete, Bd. 2, 1865, 227–235 · D. GONDICAS, Recherches sur la Crète occidentale, 1988, 85–141. H. SO.

Phaleas (Φαλέας) von Kalchedon. Griech. Denker (5. Jh. oder 1. H. des 4. Jh. v. Chr.), der sich mit → Polis-Strukturen befaßte, aber wohl nicht zu den Sophisten (→ Sophistik) zu zählen ist. Nach den wenigen Informationen, die Aristoteles [6] (pol. 2,7,1266a 39–1267b 21; 1274b 9; vgl. DIELS/KRANZ 39,1) polemisch und vielleicht verfremdet gibt, entwickelte Ph. (unter Vernachlässigung des Kriegswesens) ein ausdifferenziertes Konzept der Polis, dem der – angeblich von ihm als erstem formulierte – Gedanke der Besitzgleichheit der Bürger zugrunde lag. Diese sei in Neugründungen leicht herzustellen und in bestehenden Städten dadurch herbeizuführen, daß nur Reiche Mitgiften gäben, selbst aber keine nähmen. Ferner forderte er Gleichheit der Erziehung und verlangte, daß die Handwerker *dēmósioi* sein sollten, so daß sich egalitäre Ideen mit einer elitären Haltung verbunden zu haben scheinen. Ph. wird gerne Einfluß auf Aristophanes [3] (Eccl. 667–710) und Platon [1] zugeschrieben, ebenso Nähe zu → Protagoras und → Hippodamos (zum Hintergrund vgl. [1. 41–58]).

1 H. LEPPIN, Thukydides und die Verfassung der Polis, 1999

A. FOUCHER, Le statut des agriculteurs dans la cité grecque au IVᵉ siècle av. J.-C., in: REG 106, 1993, 61–81, bes. 71 f. H. L.

Phalerae s. Dona militaria

Phaleron (Φάληρον). Flache Bucht östl. des Piräus (→ Peiraieus), vor dessen Ausbau Haupthafen von Athen (Hdt. 5,63; 5,85; 6,116; 8,66 f.; 8,91 ff.; 9,32; Paus. 1,1,2), h. Kallithea/Moschato/Palaia Phaliro. Zugleich großer att. Asty-Demos der Phyle Aiantis mit 9 (13) *buleutaí*. Die Lage des ant. Demenzentrums ist strittig [1; 2. 25 ff.; 3; 5], die Frage der ant. Küstenlinie [5; 8. 340] kann nur mit geowiss. Methoden geklärt werden. Im 5. Jh. v. Chr. verband die »Phalerische Mauer« Athen mit Ph. (Thuk. 1,107,1; 2,13,7; [1; 6; 7]). Zahlreiche Kulte, u. a. des eponymen Heros → Phaleros, bezeugt Paus. 1,1,4. Ph. bildete mit Peiraieus, → Thymaitadai und → Xypete einen Kultverband von *tetrákōmoi* (»Vierdörferverband«) mit gemeinsamem Herakleion im Peiraieus (IG II² 3102; 3103; Poll. 4,14; [8]). Im 2. Jh. v. Chr. veranstalteten die *éphēboi* (→ *ephēbeía*) jährliche Prozessionen mit dem alten Kultbild der Athena nach

Ph. [4]. 317–307 v. Chr. war Demetrios [4] von Ph. Statthalter des → Kassandros in Athen. Erzeugnisse aus Ph.: Sprotten (*aphýai*) und Gründlinge (*kōbioí*; vgl. Aristoph. Ach. 901; Aristoph. Av. 76; Antiphanes, Timon fr. 206,4–8). Arch.: geom./frQharchQa. Nekropole [6. 290]. Weitere Belege: Strab. 9,1,21; Paus. 1,1,2; 4; 1,36,4; 8,10,4; 10,35,2; Diod. 11,41,2; Nep. Themistocles 6,1; Steph. Byz. s. v. Φ.

1 J. DAY, Cape Colias, Ph. and the Phalerian Wall, in: AJA 36, 1932, 1–11 2 W. S. FERGUSON, The Salaminioi of Heptaphylai and Sounion, in: Hesperia 7, 1938, 1–74 3 W. JUDEICH, Top. von Athen, ²1931, 169 Anm. 2, 426 ff. 4 B. NAGY, The Procession to Ph., in: Historia 40, 1991, 288–306 5 PHILIPPSON/KIRSTEN 1, 881 f., 903 Anm. 1 6 R. L. SCRANTON, The Fortifications of Athens at the Opening of the Peloponnesian War, in: AJA 42, 1938, 525–536 7 TRAVLOS, Athen, 160 Abb. 213 8 TRAVLOS, Attika, 288 ff., 340 Abb. 364.

TRAILL, Attica, 12, 53, 62, 66 f., 102, 106, 111 Nr. 108, Tab. 9 · WHITEHEAD, Index s. v. Ph. H. LO.

Phaleros (Φάληρος). Ein griech. Heros namens Ph. erscheint in diversen Zusammenhängen, ob immer derselbe gemeint ist, ist ungewiß: Ein Ph. wird auf Wunsch seines Vaters Alkon → Argonaut (Apoll. Rhod. 1,96 f.; Val. Fl. 4,654); er ist Eponym des att. → Phaleron, wo ihm ein Altar geweiht war (Paus. 1,1,4), sowie des unteritalischen Neapolis [2] (= Phaleron). Vielleicht ist dieser att. Ph. identisch mit dem angeblichen Gründer von → Soloi (Strab. 14,6,3). Vasen zeigen Ph. im Amazonenkampf; ein Lapithe (→ Lapithai) Ph. unterstützt Theseus gegen die Kentauren (Hes. scut. 179 f.). HE. B.

Phales s. Phallos

Phalkes (Φάλκης). Heraklide (→ Herakleidai), Sohn des → Temenos, Bruder des Kissos (→ Keisos: Paus. 2,19,1), Kerynes, Agaios (andere Söhne des Temenos nennt Apollod. 2,179) und der → Hyrnetho, Vater des Rhegnidas (Paus. 2,13,1). Aus Eifersucht auf Hyrnetho und deren Gatten → Deïphontes, die Temenos seinen Söhnen vorzieht, lassen Ph. und seine Brüder (mit Ausnahme des jüngsten: Agaios) den Vater beim Baden überfallen und töten (Nikolaos von Damaskos FGrH 90 F 30; Diod. 7,13,1; Apollod. l.c.; Paus. 2,19,1). Die Herrschaft über Argos [II 1] wird Hyrnetho und Deïphontes übertragen (nach anderer Überl. – Paus. l.c. – übernimmt der älteste Sohn Kissos/Keisos die Herrschaft). Bei dem Versuch, die Schwester aus Rache zu entführen, wird Hyrnetho von Ph. getötet (Paus. 2,28,3–6). Ph. erobert (oder besiedelt: Ephor. FGrH 70 F 18b; Skymn. 528) mit den Dorern → Sikyon, macht den bis dahin herrschenden Herakliden Lakestades zum Mitregenten (Paus. 2,6,7) und weiht der Hera Prodromia einen Tempel (Paus. 2,11,2). SI. A.

Phallos (φαλλός, lat. *phallus*; von einer idg. Wurzel *bhel-*, »aufblasen«, »aufschwellen«). Das männliche Glied spielte als Träger der segenspendenden Zeugungskraft eine große Rolle in Rel. und Kult. Bes. eng ist seine Verknüpfung mit → Dionysos: Ph.-Prozessionen finden sich an den ländlichen Dionysien (Aristoph. Ach. 241–276), wo der Ph. als Phales, dem das Kultlied gesungen wird, eigene Kontur erfährt (Aristoph. Ach. 263; 276), und an den großen Dionysien, wo zu der Prozession auch die Mitglieder des attischen Seebundes eigene *phalloí* entsandten [9. 592]. Wahrhaft riesig war der Ph. bei der Dionysosprozession in Alexandreia [1] (Athen. 5,201e). Die Herkunft des Ph. im Dionysoskult wird in Äg. verortet (Hdt. 2,48f.; Diod. 1,22,7; vgl. Plut. mor. 358b) oder im Mythos um Prosymnos und Dionysos (Clem. Al. protreptikos 2,34; [3. 70]). Dionysos selbst wird nicht phallisch dargestellt, dafür die → Silenen und → Satyrn als seine Begleiter [9. 593], woraus sich letztendlich die mit Ph. versehenen Kostüme der Alten und Mittleren → Komödie herleiten [2. 100–103], die noch später in der südital. Phlyakenposse (→ Phlyaken) eine Rolle spielen [2. 110f.]. Auch an den Haloen (einem attischen Fruchtbarkeitsfest, das im Monat Poseideon gefeiert wurde, als deren Gottheiten Dionysos und Poseidon neben Demeter erwähnt werden, kamen Ph. vor [9. 120]; bei den → Thesmophoria dieser Göttin wurden neben den Ferkeln auch Ph. aus Teig in unterirdische Hohlräume geworfen [9. 119], wohingegen die Beteiligung des männlichen Genitals neben dem weiblichen an den eleusinischen → Mysteria wohl ein neuzeitliches Konstrukt darstellen [9. 658f.].

Die Gestaltung der → Hermen mit Kopf, Armansatz und Ph. an einem Steinblock [9. 205–207], was Hdt. 2,51 als uralten Brauch auf die Pelasger zurückführt, läßt sich verbinden mit dem hölzernen erigierten Penis als Kultbild des Gottes Hermes im eleischen Kyllene [2] (Paus. 6,26,5). Auch für Aphrodite (Athen und Zypern) und Artemis (dorischer Raum) sind phallische Kultrituale bezeugt [8. 13]; für die Kabiren (→ *Kábeiroi*) ergibt sich dies implizit aus Hdt. 2,51. Die kleineren phallischen Götter Orthanes, Konisalos und Tychon (Strab. 13,1,12) sowie Ithyphallos (Diod. 4,6,4) sind letztlich im Kult des → Priapos aufgegangen, der Ende des 1. Jh. n. Chr. durch die Stücke des *Corpus Priapeorum* (→ Priapea) auch lit. Bed. gewann.

Im röm. Bereich zu erwähnen sind das Brautritual mit erigiertem Penis im Kult des → Mutunus Tutunus und die phallische Prägung der Liberalia (Varro, Antiquitates rerum divinarum fr. 260–262 CARDAUNS; → Liber, Liberalia); die Bed. des Ph. bei den Mysterien des Dionysos läßt sich für die → Bacchanalia durch die Fresken der Villa dei Misteri in Pompeii aus der Zeit Caesars belegen [4. 95f., 104–106].

Die starke lebensweltliche Verortung des Ph. im griech. Bereich ist an zahlreichen künstlerischen Darstellungen ablesbar [6. 44–49], wobei der Ph.-Vogel wohl direkt zu verbinden ist mit Ph.-Prozessionen in Delos [3. 71]. Bedeutend v. a. im röm. Bereich ist die apotropäische Funktion des Ph., der in einem Amulett (→ *phylaktḗrion*) um den Hals getragen werden konnte und sich als *medicus invidiae* (»Schutzmittel gegen Neid«; Plin. nat. 28,39) auch am Triumphwagen des Imperators befand ([8. 15–21]; zu *fascinum*, *phallus* und *sopio* s. [1. 64f.]). Auch im röm. Bereich findet sich der Ph. an ganz alltäglichen Gegenständen, so als Gefäß, mit Glöckchen behängt, oder in das Straßenpflaster eingelassen [5. 128f., 140, 31] (→ Tintinnabulum). Das einäugige Aussehen des erigierten Gliedes ist Grundlage für die sexuell konnotierte Verspottung von *lusci* (»Einäugigen«) bei Martial (am deutlichsten Mart. 2,33).
→ Erotik; Komödie; Penis; Pornographie; Priapos; Sexualität

1 J. N. ADAMS, The Latin Sexual Vocabulary, 1980 2 H.-D. BLUME, Einführung in das ant. Theaterwesen, ²1984 3 W. BURKERT, Homo necans (engl. Ausgabe), 1982 4 Ders., Ancient Mystery Cults, 1987 5 A. DE SIMONE, M. T. MERELLA, Eros a Pompei, 1974 6 A. DIERICHS, Erotik in der Kunst Griechenlands, 1993 7 H. HERTER, s. v. Ph., RE 19, 1681–1748 8 Ders., s. v. Genitalien, RAC 10, 1978, 1–52 9 NILSSON, GGR, Bd. 1.   JO. S.

Phanagoreia (Φαναγόρεια). Von → Teos (Ps.-Skymn. 886f.) in der 1. H. des 6. Jh. v. Chr. im Gebiet der → Sindoi (Ps.-Skyl. 72) angelegte Hafenstadt (Hekat. FGrH 1 F 212; → Kolonisation IV.) an der Korokondamitis limne (Golf von Taman) an der asiat. Küste des Bosporos [2] auf der Halbinsel Taman etwa 3 km südwestl. vom h. Sennaja. Da der Hypanis [2] in ant. Zeit mit verschiedenen Armen sowohl in die Korokondamitis limne als auch in die → Maiotis mündete, zergliederte er die Halbinsel Taman in verschiedene Inseln, auf deren einer Ph. lag (Strab. 11,2,10; Steph. Byz. s. v. Φ.; Amm. 22,8,30). Unter den ersten Spartokidai (→ Spartokos) stark befestigte asiat. Residenzstadt des Bosporanischen Reiches (→ Regnum Bosporanum) mit Handelshafen, entwickeltem Handwerk und Landwirtschaft. Im Krieg gegen Mithradates [6] VI. auf röm. Seite (App. Mithr. 555), kam Ph. nach kurzer Zeit voller Autonomie wieder zum Bosporanischen Reich. Unter Polemon [4] (ca. 14 v. Chr.) nahm Ph. für kurze Zeit zu Ehren des Agrippa [1] den Namen Agrippeia an (IOSPE 356; 360; HN 495). Zu Zerstörungen durch → Hunni kam es im 6. Jh. n. Chr. (Prok. BG 4,5,28). E. des 7. Jh. saß hier der Statthalter des Khans der → Chazaren (Theophanes, Chronographia 369–381). Ph. blieb bis ins frühe MA eine von griech. Kultur geprägte Stadt.

M. M. KOBYLINA, Fanagorija, in: Materialy Instituta Archeologii 57, 1956, 5–101 · V. F. GAIDUKEVIČ, Das Bosporanische Reich, 1971, 208–215 · M. M. KOBYLINA, Fanagorija, 1989 · D. D. KACHARAVA, G. T. KVIRKVELIA, Goroda i poseleniya Pričernomor'ya antičnoi epochi, 1991, 284–288.   I. v. B.

Phanai (Φάναι).
[1] Die ca. 300 m hohe Südspitze der Insel → Chios (Thuk. 8,24,3; Strab. 14,1,35; Steph. Byz. s. v. Φ.; Liv. 44,28,7; Ptol. 5,2,19), h. Akron Masticho.

[2] Ein etwa 10 km von Ph. [1] entfernter Hafenort an der SW-Küste von → Chios (Strab. 14,1,35), h. Káto Phana. Berühmtes Weinanbaugebiet (Verg. georg. 2,98 mit Serv. georg. z.St.); Palmenhain (Strab. l.c.). In der Bucht von Ph. legten verschiedentlich große Flotten an (so 412 v.Chr. die Athener: Thuk. 8,24,3; 191 v.Chr. die Römer: Liv. 36,43,11; 45,10,1; 168 v.Chr. die Makedonen: Liv. 45,10,1). In Ph. gab es seit dem 9. Jh. v.Chr. einen Apollon-Kult; noch vorhanden sind Reste eines ion. Tempels des 6. Jh. (vgl. Hesych. s.v. Φαναῖος) und einer frühchristl. Basilika. Inschr.: [1; 2].

1 AD 2, 1916, 206 2 ABSA 59, 1964, 32f.

J. KODER, Aigaion Pelagos (TIB 10), 1998, 222, 260.   A.KÜ.

Phanes (Φάνης).

[1] Griech. »der Leuchtende, Erhellende, Erscheinende«; »derjenige, welcher (es) offenbar ist (macht)« (OF fr. 56; 61; 109). Lichthafter (Nonn. Dion. 9,141), goldgeflügelter (OF fr. 54; 78; 87,2) Urgott der orphischen Kosmogonie (OF fr. 78; 86; → Weltschöpfung). Diese Kosmogonie, von einem Hieronymos und Hellanikos aufgezeichnet (OF fr. 54), ist zu scheiden von derjenigen in den *Hieroí Lógoi*, einem orph. Gedicht in 14 Rhapsodien (OF Testimonia 174; 196). Ph. ist nicht urspr. sein Name, wie das älteste Zeugnis, eine Parodie auf die altorph. Kosmogonie bei Aristoph. Av. 690–703 (OF fr. 1) belegt: Dort wird → Eros [1] aus dem von der → Nyx geborenen Welt-Ei geboren; dieses war urspr. von → Chronos für den → Aither geschaffen worden (OF fr. 70). Nach einer anderen Version ist Ph. als zweigeschlechtliche (OF fr. 56–57; 81; 87; 98) Potenz aus dem von dem löwen- und schlangengestaltigen Chronos-Herakles hervorgebrachten Welt-Ei entstanden.

Ph. ist Sohn des Aither (OF fr. 73), gleichzeitig Vater der Nyx (OF fr. 98), die von ihm die Herrschaft empfängt (OF fr. 101; vgl. fr. 104), wobei es drei Nyktes gegeben haben soll (OF fr. 98–99). Aus sich selbst heraus erzeugt er die → Echidna (OF fr. 58,2). Ph. wurde auch mit dem Tageslicht bzw. mit Helios gleichgesetzt (OF fr. 239; 300) und oft *Protógonos* (»Erstgeborener«) oder → Pan (OF fr. 54; 56; 73; vgl. Plat. Krat. 408b), ferner → Priapos und Antauges, »der Entgegenleuchtende« (Orph. h. 6), genannt. Er war wesensgleich mit dem orph. → Eros [1] (OF fr. 1; 82; 83), → Dionysos (OF fr. 61; 77; 170; 237,3), der mannweiblichen → Metis (OF fr. 60; 65; 83; 170) und → Erikepaios (OF fr. 80; 81; 85). Die Androgynität des Ph. deutet auf kosmische Zeugungskraft (OF fr. 81; 84; 98), seine Vieräugigkeit (OF fr. 76) und partielle Tiergestaltigkeit (OF fr. 79; 81–82) erinnern an den tetradischen → Kronos-El-Zervan, seine Verbindung mit der kosmischen Schlange (OF fr. 58) an den monströsen Aion-Kronos-Saturn der → Mithras-Mysterien.

Seine Zeugungen vollzieht Ph. in einer Höhle (OF fr. 97), von der aus er befruchtenden Regen von seinem Kopf spendet (OF fr. 84), mit dem er das »goldene Menschengeschlecht« schafft (OF fr. 140; das Phänomen ist

vergleichbar mit dem des Schweißes des → Osiris-Helios; dort sitzt er zusammen mit Nyx, mit der er die von ihm erschaffenen Götter lenkt: OF fr. 104; vgl. fr. 85; 89; 354). Erst später wurde er als Ph./*Protógonos* mit Zeus gleichgesetzt. Dieser verschlingt ihn (vgl. → Uranos und → Metis) und vereinnahmt so Ph.' kosmische Kräfte für sich, so daß er ihm auch in der Gestalt gleicht (vgl. OF fr. 168). Die synkretistische Verschmelzung dieser pantheistischen Gestalten (→ Pantheos) zeigt sich bildhaft z.B. auf dem Relief von Modena [1. 363f. Nr.1].

→ Mithras; Orpheus; Orphik; Synkretismus; Weltschöpfung

1 R. TURCAN, s.v. Ph., LIMC 6, 363f.

M. CLAUSS, Mithras. Kult und Mysterien, 1990, 78, 163 · O. GRUPPE, s.v. Ph., ROSCHER 3.2, 2248–2271 · A. MASARACCHIA (Hrsg.), Orfeo e l'orfismo. Atti del Seminario Nazionale, 1993, 638 · K. PREISENDANZ, s.v. Ph. (1), RE 19, 1761–1774 · M. RADNOTI-ALFÖLDI, Ph.: einige Gedanken zur Person, in: S. SCHEERS (Hrsg.), Studia Paulo Naster oblata (Orientalia Lovaniensia Analecta 12), Bd. 1, 1982, 1–6 · M.L. WEST, The Orphic Poems, 1983, 70–73, 203f., 231–235, 253–255.   W.-A.M.

[2] Ph. aus Chios, verm. Tragiker des ausgehenden 3. Jh. v.Chr. (TrGF I 121).   B.Z.

Phanes-Stater.

→ Stater aus natürlichem → Elektron [3] im Gewicht von ca. 14,2 g, nach 630 v.Chr. verm. in Ephesos/Ionien geprägt, mit einem äsenden Hirsch nach rechts auf dem Av., darüber der retrograden Inschr. in milesischen Buchstaben ΦΑΝΟΣ ΕΜΙ ΣΗΜΑ (›ich bin das Zeichen/Wappen des Phanes‹) und auf dem Rv. zwei aufgerauhten vertieften Quadraten, dazwischen ein rechteckiges Feld. Von diesem Stater sind bislang zwei Exemplare bekannt (London, BM; Frankfurt/Main, Bundesbank; [1. 1f.]). Neben den beiden Stateren gibt es bisher zwei Drittel-Statere mit der gleichen Av.-Darstellung und der Legende ΦΑΝΕΟΣ sowie zwei aufgerauhten quadratischen Vertiefungen auf dem Rv. (London, BM; München, SM; [1. 2; 2. 213]).

Die Phanes-Mz. sind die ältesten beschrifteten Mz. der Antike. Die Legenden zeigen, daß es von dem EN Φάνης (*Phánēs*) zwei Genetivformen gibt, wobei ΦΑΝΟΣ wohl der gesprochenen Sprache der Zeit zuzuordnen ist [1. 4]. Über die Person des Phanes ist nichts Näheres bekannt. Er kann die Prägung als Privatmann, Bankier, Beamter, Tyrann oder Beauftragter des ephesischen Artemisions veranlaßt haben [4].

1 P.R. FRANKE, R. SCHMITT, ΦΑΝΕΟΣ – ΦΑΝΟΣ ΕΜΙ ΣΗΜΑ, in: Chiron 4, 1974, 1–4 2 D.O.A. KLOSE, Staatliche Münzsammlung München: Griech. Mz., in: Münchner Jb. der bildenden Kunst, 3. Folge, Bd. 44, 1993, 213 3 E. PÁSZTHORY, Die Legierung des Frankfurter Ph.-S., in: S. SCHEERS (Hrsg.), Studia Paulo Naster oblata (Orientalia Lovaniensia Analecta 12), Bd. 1, 1982, 7–11 4 M. RADNOTI-ALFÖLDI, Phanes: einige Gedanken zur Person, in: S. SCHEERS (Hrsg.), s. [3], 1–6.   GE.S.

Phanias (Φανίας). Epigrammatiker, vielleicht unter den spätesten (2.–1. Jh. v. Chr.?) des »Kranzes« des Meleagros [8] (Anth. Pal. 4,1,54), auch *grammatikós* (Lemma zu 7,537). Unter den acht überl. Gedichten (darunter ein erotisches: 12,31) überwiegen die minuziösen Verzeichnisse beruflicher Werkzeuge und alltäglicher Gebrauchsgegenstände, mit denen Ph. → Leonidas [3] von Tarent nachahmt. Der äußerst seltene Latinismus δρύππα, »reife Olive« (vgl. Anth. Pal. 6,299,4), spiegelt vielleicht unmittelbare Kenntnis der ital. landwirtschaftlichen Fachsprache wider. Die Namensform *Phainías* (vgl. Lemma zu 6,299 und 12,31) scheint weniger zutreffend.

GA I 1,161–164; 2,464–475. M. G. A./Ü: TH. G.

Phano (Φανώ). Tochter der Hetäre → Neaira [6] und des → Stephanos, zuerst mit dem Athener Phrastor verheiratet, dann geschieden, darauf vom Vater mit dem *árchōn basileús* Theogenes verheiratet ([Demosth.] or. 59,79 ff.). Nach einem Skandal wegen ihres zweifelhaften Bürgerrechtes auch von diesem geschieden.

CH. CAREY, Apollodoros Against Neaira [Demosthenes 59], 1992. J. E.

Phanodemos (Φανόδημος). Atthidograph, Vater des Historikers → Diyllos und Anhänger der Restaurationspolitik des → Lykurgos [9] (FGrH 325 T 2–5). Wurde 343/2 v. Chr. als Mitglied des Rates mit einem goldenen Kranz geehrt (IG II² 223 = Syll.³ 227). Mehrere Inschr. aus den J. 332/1 bis 329/8 (IG VII 4252–4254) bezeugen sein Eintreten für den Kult des Amphiaraos von Ephesos. Auch die mindestens 9 B. umfassende, ca. 330 erschienene *Atthís*, von der 27 Fr. erh. sind, verriet starkes Interesse an Fragen des Kultes. Das am spätesten datierbare Fr. (F 23) behandelt den Tod des → Kimon [2] 450/449. Außerdem verfaßte Ph. *Ikiaká*, eine Gesch. der Insel Ikos (Steph. Byz. s. v. *Ikós*).

1 FGrH 325 mit Komm. 2 O. LENDLE, Einf. in die griech. Geschichtsschreibung, 1992, 147 2 K. MEISTER, Die griech. Geschichtsschreibung, 1990, 77. K. MEI.

Phanokles (Φανοκλῆς). Früh-hell. elegischer Dichter, Verf. eines Gedichts mit dem Titel Ἔρωτες ἢ καλοί (›Amouren oder Die Schönen‹; fr. 1–6 POWELL), in dem die homosexuellen Liebschaften von Göttern und Heroen des Mythos erzählt wurden. Das Gedicht hatte katalogischen Charakter (→ Katalog), nach dem Modell des Hesiodeischen ›Frauenkatalogs‹ (→ Hesiodos). Wahrscheinlich ist auch der Einfluß der ›Leontion‹ des → Hermesianax, mit dem Ph. die Neigung teilt, Adj. und Nomen, welche eine Junktur bilden, jeweils vor die Zäsur und ans Ende des Pentameters zu stellen.

Das längste Fr. (1 P.) enthält die Gesch. des → Orpheus, der von eifersüchtigen thrakischen Frauen getötet wird, weil er ihren Männern die Knabenliebe beibrachte: Sein Haupt, mit einem Nagel an der Kithara befestigt und ins Meer geworfen, wird von den Wellen bis Lesbos fortgetrieben, wo es bestattet wird. Diese Erzählung bietet dem Dichter den Ausgangspunkt für zwei *aítia*: das Aufblühen der lyrischen Dichtung gerade auf Lesbos und die Erklärung der Tätowierung der thrakischen Frauen als Andenken an die Bestrafung für die Tötung des Orpheus. Die Vorliebe für das *aítion* scheint auch in fr. 5 P. durch (Agamemnon läßt den Tempel der Aphrodite *Argynnís* zu Ehren ihres Geliebten Argynnos bauen) und vielleicht in fr. 3 (Dionysos raubt Adonis und nimmt ihn mit nach Zypern: Einrichtung eines Adoniskults?). Neben der Aitiologie zeigen sich weitere typische Züge der alexandrinischen Dichtung, z. B. Mythenrationalisierung (fr. 4 P.: Raub des Ganymedes als Werk des Tantalos, das Krieg zw. Phrygern und Troianern auslöst) und das Motiv der Metamorphose (fr. 6: die Gesch. des → Kyknos [3]). Der Versuch von [4], Ph. den Text von PSorbonn. inv. 2254 und PBruxell. inv. E 8934 zuzuweisen, ist problematisch (möglich auch: → Hermesianax).

→ Aitiologie

FR.: 1 CollAlex 106–109.
LIT.: 2 A. BLUMENTHAL, s. v. Ph., RE 19, 1781–1783 3 J. STERN, Phanocles' Fr. 1, in: Quaderni Urbinati n. s. 3, 1979, 135–143 4 K. ALEXANDER, A Stylistic Commentary on Phanocles and Related Texts, 1988. M. D. MA./Ü: T. H.

Phanomachos (Φανόμαχος). Athenischer *stratēgós* 430/ 429 v. Chr.: erfolgreiche Belagerung → Poteidaias im J. 430; Anklage wegen angeblicher Milde gegen die Poteidaier und Freispruch; verheerende Niederlage und Tod im Frühsommer 329 bei Spartolos (Thuk. 2,70; 79; Diod. 12,47,3; Paus. 1,29,7: Stele für die Gefallenen beim Dipylon-Tor). K. KI.

Phanosthenes (Φανοσθένης) von Andros. Er wurde wahrscheinlich wegen seiner Verdienste um die Einfuhr von Schiffsbauhölzern zum *próxenos* (→ *proxenía*) und → *euergétēs* der Athener ernannt, erhielt später das attische Bürgerrecht und wurde für 407/6 v. Chr. zum *stratēgós* gewählt. Nach der Niederlage von Notion löste Ph. → Konon [1] bei der Belagerung von Andros ab und fing zwei Schiffe aus Thurioi ab, die zur spartan. Flotte stoßen wollten (Plat. Ion 541d; Xen. hell. 1,5,18 f.; IG I³ 182).

H. A. REITER, Athen und die Poleis des Delisch-Attischen Seebundes, 1991, 286–297, Nr. 41. W. S.

Phanostrate (Φανοστράτη). Griech.-athenische Hebamme und Ärztin, dargestellt auf attischen Grabstelen vom E. des 4. Jh. v. Chr. (IG II/III² 6873; CLAIRMONT, 2. 890). Die Verbindung mit der Berufsbezeichnung → Hebamme deutet auf einen gewissen Grad der medizinischen Spezialisierung hin und zeigt zugleich, daß Frauen als Ärztinnen tätig sein und beträchtliche Einkünfte erzielen konnten. Für letzteres sprechen Qualität und individuelle Gestaltung der Steinmetzarbeit.

V. N./Ü: L. v. R.-B.

Phanostratos (Φανόστρατος) aus Halikarnassos. Tragiker, 306 v. Chr. verm. an den att. Lenäen erfolgreich. TrGF I 94 = DID B7. B.Z.

Phanote (Φανότη). Befestigte Stadt im Norden von → Epeiros, im Grenzbereich von Thesprotia und Molossia, nur im Zusammenhang mit dem 3. → Makedonischen Krieg (172–168 v. Chr.) erwähnt (Pol. 27,16,4; Liv. 43,21,4; 45,26,2 f.). Wahrscheinlich lag Ph. im Tal des → Thyamis, entweder beim h. Raveni oder beim h. Doliani.

P. CABANES, L'Épire, 1976, 296 · N. G. L. HAMMOND, Epirus, 1967, 186 f., 628 f., 676. D.S.

Phantasie A. DEFINITION B. GESCHICHTE

A. DEFINITION
Griech. φαντασία (*phantasía* = *ph.*) ist in seiner Grundbed. zu verknüpfen mit φαίνεσθαι (*phaínesthai*, »ans Licht kommen, erscheinen«). Der Begriff verweist also auf das, was erscheint, sich zeigt und sichtbar wird (φαντάζεσθαι, *phantázesthai*) – unabhängig davon, ob es wahr oder falsch ist; daher auch die etym. Ableitung von »Licht« (φῶς, *phōs*; Aristot. an. 3,3,429a 2; Chrysippos bei Aetios 4,12–15 DIELS). Die neutralste und strengste Definition lautet jedoch: ›*ph.* ist das, wodurch ein Vorstellungsbild (φάντασμα, *phántasma*) in uns entsteht‹, Aristot. an. 3,3,428a 1–2).

B. GESCHICHTE
Anders als der moderne Begriff »Einbildungskraft« meint *ph.* urspr. nicht die Fähigkeit, sich abwesende Dinge geistig vorzustellen, sondern weist eher auf die Art und Weise, wie wir Sinneswahrnehmungen beurteilen, wenn diese ungenau sind. So begründet sich Platons Bestimmung von *ph.* als Mischung aus sinnlicher Wahrnehmung (αἴσθησις, *aísthēsis*) und bloßem Dafürhalten (δόξα, *dóxa*; Plat. Phil. 38b–40b; Plat. soph. 263c–264b; → Meinung). Umgekehrt macht diese Bestimmung deutlich, daß der Eindruck, der durch ein Sinnesobjekt hervorgerufen wird, falsch sein kann. Auf dieses Täuschungspotential bezieht sich auch Aristoteles [6], wenn er *ph.* und *aísthēsis* gegeneinander abzugrenzen sucht (Aristot. an. 3,3,428a 11–15). Weil aber ›die Seele niemals ohne Vorstellungsbilder (*phantásmata*) denkt‹ (Aristot. an. 3,7,431a 16–17; 432a 9–10), muß die *ph.* auch wahr sein können. Der Irrtum liegt nicht in der Erscheinung als solcher, sondern in der Art des Urteils, das wir über sie fällen. Die *ph.* ist also etwas anderes als eine Mischung von Wahrnehmung und Vermutung (ebd. 3,3,428a 26 ff.).
Die Dinge werden etwas klarer mit der Neueinteilung der Begriffe, die der Stoiker → Chrysippos [2] vornimmt. Er unterscheidet deutlich zw. *ph.* als repräsentierender Vorstellung einerseits und der Einbildung (φανταστικόν, *phantastikón*) andererseits. Die Vorstellung (*ph.*), die durch das repräsentierte Objekt (φανταστόν, *phantastón*) entsteht, muß als ein Abdruck des

existierenden betrachtet werden (dergestalt, daß sie ohne dieses Vorgestellte nicht sein kann), während das *phantastikón* auf eine bloße Bewegung der Seele zurückgeht, die kein entsprechendes Objekt besitzt; das Korrelat dieser Vorstellung heißt *phántasma* (Aetios 4,12–15 DIELS; Diog. Laert. 7,50–51).
Verständlich ist die Verlegenheit Ciceros, dessen philos. Sprache die lat. Wörter *imaginari* und *imaginatio* noch nicht kennt. Das wird zumal deutlich, wenn er den stoischen Begriff der *ph.* durch lat. *visum* (Cic. ac. 1,40) übersetzt und das epikureische *eídōlon* durch lat. *visio* (Cic. div. 2,120; Cic. fin. 1,21). WILHELM VON MOERBEKE (1215–1286) und THOMAS VON AQUIN (1125–1274) zögerten später nicht, *ph.* und *phantasma* lat. zu deklinieren; Thomas von Aquin schreckte auch vor dem Konjugieren nicht zurück (*phantasiantur*, In Aristotelis Librum de Anima, 644–645).
→ Ästhetik; Wahrnehmungstheorien

1 M. ARMISEN, La notion d'imagination chez les Anciens, in: Pallas 15, 1979, 11–51; 16, 1980, 3–37 2 M.W. BUNDY, The Theory of Imagination in Classical and Medieval Thought, 1927 3 J.M. COCKING, Imagination: A Study in the History of Ideas, 1991 4 C. IMBERT, Théorie de la représentation et doctrine logique dans le stoïcisme ancien, in: J. BRUNSCHWIG (Hrsg.), Les Stoïciens et leur logique, 1978 5 K. LYCOS, Aristotle and Plato on »Appearing«, in: Mind 73, 1964, 496–514 6 M.C. NUSSBAUM, Aristotle's De motu animalium, 1978 (Kap. 5: The Role of Phantasia in Aristotle's Explanation of Action), 221–269 7 M. SCHOFIELD, Aristotle on the Imagination, in: G.E.R. LLOYD, G.E.L. OWEN (Hrsg.), Aristotle on Mind and the Senses, 1978, 99–141 8 J.-P. VERNANT, Naissance d'images, in: Ders., Religions, histoires, raisons, 1979, 105–137 9 G. WATSON, Phantasia in Classical Thought, 1988 10 HWdPh 7, 516–535 s. v. Ph. J.L.L./Ü: B. v. R.

Phantasos s. Morpheus

Phaon
[1] (Φάων, »der Leuchtende«). Fährmann aus Lesbos, der → Aphrodite in Gestalt einer alten Frau kostenlos von Lesbos zum Festland übersetzt. Sie schenkt ihm dafür ein verjüngendes und verschönerndes Salböl. Diese »Vorgesch.« der Ursache für Ph.s »leuchtende Schönheit« erscheint in den Quellen erst spät (Ail. var. 12,18; Serv. Aen. 3,279; Palaiphatos 48; Lukian. dialogi mortuorum 19(2),2. Anfänglich begegnet er v.a. in der Komödie: Kratinos (PCG IV fr. 370) präsentiert ihn als schönsten aller Menschen, den Aphrodite versteckt, um ihn für sich zu behalten (vgl. Kall. fr. 478; Marsyas d.J. FGrH 136 F 9), im ›Ph.‹ des Komikers Platon [2] (PCG VII fr. 189) wird er von liebestollen Frauen bestürmt.
Die berühmteste Gesch. um Ph. ist die von → Sapphos unglücklicher Liebe zu ihm; sie stürzt sich der Legende nach aus Liebeskummer vom leukadischen Felsen (→ Leukas). Schon Men. ›Leukadia‹ (PCG VI 1) setzt diesen Selbstmord Sapphos offenbar voraus (vgl. auch Plaut. Mil. 1246 f.); Ov. epist. 15 hat die Gesch. breit entfaltet. In röm. Komödien erscheint Ph. als Gründer

des leukadischen Aphroditeheiligtums, die Vasendarstellungen legen jedoch auch eine Nähe zu Apollon nahe, der ebenfalls ein Heiligtum am leukad. Felsen hatte, von dem jährlich ein Verbrecher als Sühneopfer in den Tod gestürzt wurde (Strab. 10,2,9) [1. 364–367].

1 G. BERGER-DOER, s. v. Ph., LIMC 7.1, 364–367; 7.2, 317–319.   L. K.

[2] Freigelassener der → Domitia [5] Lepida, der Tante des → Nero; nach ihrem Tod ging die Patronatsgewalt auf Nero über. Im J. 68 n. Chr., als Nero bereits zum Staatsfeind (*hostis*) erklärt war, begleitete Ph. diesen auf sein Landgut zw. der Via Salaria und Via Nomentana, wo Nero sich selbst tötete. PIR² P 340.   W. E.

Phara (Φαρά, Φαραί, Ethnikon Φαραιεύς). Stadt in West-Achaia am linken Ufer des → Peiros (Strab. 8,7,4f.; Paus. 7,22,1–5 [2. 186–188]; Ptol. 3,16,15: Φέραι oder Φάραι; Plin. nat. 4,13: *Pherae*; Steph. Byz. s. v. Φαραί, auch Φηραί) bei den h. Dörfern Pharai und Prevedos. Mit beherrschender Lage an der Straße zw. West-Achaia (mit Patrai) und Arkadia. Bed. in myk. Zeit [1. 230–232, 240f.]. Ph. gehörte zu den 12 alten Städten von Achaia (Hdt. 1,145: Φαρέες; Pol. 2,41,7f.) und zum frühesten Kern des neuen Achaiischen Bundes (vgl. → Achaioi, Achaia). Von Augustus zum Gebiet der neu gegr. Kolonie → Patrai geschlagen.

1 Y. LAFOND, Espace et peuplement dans l'Achaïe antique, in: Studi Urbinati 66, 1993/4, 219–263   2 A.-D. RIZAKIS, Achaïe I. Sources textuelles et histoire régionale (Meletemata 20), 1995.

M. OSANNA, Santuari e culti dell'Acaia antica, 1996, 151–167 · I. A. PAPAPOSTOLOU, Συνίεροι τῶν Φαρῶν, in: ArchE 1973, 167–174 · N. S. ZAPHEIROPOULOS, Ἀνασκαφαὶ Φαρῶν Ἀρχαίας, in: Praktika (1952), 1955, 396–412; Ἀνασκαφὴ ἐν Φαραῖς (1958), 1965, 167–176; Ἀνασκαφὴ Φαρῶν (1957), 1962, 114–117 · MÜLLER, 826–828.   Y. L.

Pharadas (Φαράδας) aus Athen; nach 85 v. Chr. in Thespiai (Boiotien) mit einem Satyrspiel an den Museia erfolgreich (TrGF I 173).   B. Z.

Pharai
[1] (Φαραί, Φηραί). Stadt in Süd-Messenia (Strab. 8,4,4f.; 5,8; 7,5; Paus. 4,30,2–31,1; Ptol. 3,16,8 (Φεραί); Steph. Byz. s. v. Φ.; [1. 181]), h. Kalamata. Bei Homer (Hom. Il. 5,543; 9,151; 293) eine der sieben Städte, die → Agamemnon dem → Achilleus versprach [2], spartanische Perioikenstadt. 394 v. Chr. wurde ihr Gebiet durch Konon [1] verwüstet (Xen. hell. 4,8,7; Nep. Conon 1), spätestens durch Philippos [4] II. zu Messana [2] geschlagen (Strab. 8,4,6), seit 182 v. Chr. Mitglied des Achaiischen Bundes (vgl. → Achaioi, Achaia; Pol. 23,17,2), von Augustus den → Eleutherolakones zugeteilt (Paus. 4,30,2). Nur wenige Reste sind erh. Inschr.: IG V 1, 1359–1368.

1 E. MEYER, s. v. Messenien, RE Suppl. 15, 155–289, hier 181   2 B. SERGENT, Les sept cités promises à Achille: de quoi parle-t-on?, in: RA 1994, 103–109.

W. MCDONALD u. a., The Minnesota Messenia Expedition, 1972, 288 Nr. 142 · S. GRUNAUER VON HOERSCHELMANN, s. v. Kalamata, in: LAUFFER, Griechenland, 289f.   Y. L.

[2] s. Pharis
[3] (Φάραι). Boiotische Ortschaft (Plin. nat. 4,26; Steph. Byz. s. v. Φ.), bildete seit hell. (?) Zeit gemeinsam mit → Eleon, → Harma und → Mykalessos einen von → Tanagra abhängigen Dorfverband (Strab. 9,2,14: τετρακωμία); zur Lokalisierung zw. dem h. Tanagra und h. Shimatari vgl. [1. 97f.; 2. 64f.].

1 FOSSEY   2 P. W. WALLACE, Strabo's Description of Boiotia, 1979.   P. F.

Pharaia (Φαραία, Φηραία). Ortschaft in NW-Arkadia (Pol. 4,77,5; Strab. 8,3,32), nicht genauer zu lokalisieren; evtl. beim h. Lambia oder eher die ant. Ortslage beim h. Nemuta am Ostrand des Oros Pholoï.

PRITCHETT 6, 35–37 · E. MEYER, Arkadisches. Pharai – Pherai – Ph. in Arkadien, in: MH 14, 1957, 81–88 · F. BÖLTE, s. v. Ph. (1), RE 19, 1809f.   Y. L. u. E. O.

Pharao. Aus dem AT (hebräisch *parʿō* Gn 12,15 und passim) bekannte griech. Wiedergabe (φαραω) der altäg. Bezeichnung für den äg. → Herrscher. Der Begriff bezog sich in → Ägypten urspr. auf den königlichen Palast bzw. Hof und heißt wörtlich »Großes Haus« (*pr-ʿ*). Spätestens seit → Thutmosis III. (1479–1426 v. Chr.) wurde auch die Person des äg. Herrschers mit diesem Ausdruck umschrieben. Als Titel vor dem Herrschernamen begegnet die Wortverbindung seit dem 10. Jh. v. Chr.
J. KA.

Pharasmanes (Φαρασμάνης).
[1] Ph. I., Sohn des Mithradates [19] und König von → Iberia [1] (Kaukasien). Als röm. Bundesgenosse unterstützte Ph. seit 35 n. Chr. das armenische Königtum seines Bruders → Mithradates [20] (Tac. ann. 6,32–35; 11,8–9) und seit 51 das des eigenen Sohnes → Radamistos (Tac. ann. 12,44–47). Das Scheitern seiner Verwandten als röm. Klientelkönige (vgl. Tac. ann. 13,37) und die Anerkennung des Arsakiden → Tiridates I. als König von → Armenia muß ihn getroffen und zu einem Umschwung seiner Politik veranlaßt haben. So ist er der bei Iosephos (Ios. bell. Iud. 7,7,4; vgl. aber Moses [2] von Choren 2,50) mißverständlich als König der »Hyrkanier« bezeichnete Herrscher, der den → Alanoi um 72 n. Chr. den Paß von Derbend öffnete und damit deren Raubzug durch Media Atropatene und Armenia ermöglichte. Bald darauf starb er, da 75 schon sein Sohn Mithradates II. (SEG 20,1964,112) herrschte. PIR² P 341.
→ Iberia [1]

E. DĄBROWA, Roman Policy in Transcaucasia from Pompey to Domitian, in: D. H. FRENCH, C. S. LIGHTFOOT (Hrsg.),

The Eastern Frontier of the Roman Empire, 1989, 67–76 ·
M. Schottky, Media Atropatene und Groß-Armenien,
1989, 168–170 · Ders., Dunkle Punkte in der armenischen
Königsliste, in: AMI 27, 1994, 223–235, bes. 223–225.

[2] Ph. II. Nachkomme (wohl Urenkel) von Ph. [1]
und Sohn des iberischen Königs Mithradates III. Ph.
tauschte Geschenke mit Kaiser → Hadrianus aus, konnte sich aber einem persönl. Treffen entziehen (SHA
Hadr. 13,9; 17,11 f.; 21,13). Auch er hetzte die → Alanoi
auf, die zwischen 134 und 136 n. Chr. erneut → Media
und → Armenia sowie → Albania [1] und das röm. Cap-
padocia schädigten (Cass. Dio 69,15,1 f.). Besser waren
seine Beziehungen zu Antoninus [1] Pius, den er mit
Frau und Sohn in Rom besuchte, und der sein Reich
erweiterte (Cass. Dio 69,15,3; SHA Antoninus Pius 9,6;
AE 1959, 38 von 141 oder 142 n. Chr.). Ph. wird auch in
einer Inschr. von Harmozike [1. Nr. 276] genannt. PIR²
P 342.

1 H. Donner, W. Röllig, Kanaanäische und aramäische
Inschriften, Bd. 1: Texte, Bd. 2: Komm., ²1966–1968
2 D. Braund, Hadrian and Ph., in: Klio 73, 1991, 208–219.

Zu Ph. [1] und Ph. [2]: D. Braund, Georgia in
Antiquity, 1994 · M. Schottky, Parther, Meder und
Hyrkanier, in: AMI 24, 1991, 61–134, bes. 82; 122–126 ·
Ders., Quellen zur Gesch. von Media Atropatene und
Hyrkanien in parthischer Zeit, in: J. Wiesehöfer (Hrsg.),
Das Partherreich und seine Zeugnisse, 1998, 435–472, bes.
448 f.; 452 f.; 455.   M. Sch.

[3] (auch *Pharesmanes*). Laze, oström. Offizier unter
Kaiser Anastasios [1], kämpfte 503–505 n. Chr. als *comes
rei militaris* (?), 505–506 als *magister militum* erfolgreich
gegen die Perser; zuletzt 527 als Unterhändler mit diesen
erwähnt. PLRE 2, 872 f. (Ph. 3).   F. T.

Pharax (Φάραξ).
[1] Spartaner, 405 v. Chr. Unterführer bei → Aigos
potamos (Paus. 6,3,15). Als *naúarchos* (Flottenkommandant) operierte er im Frühsommer 397 mit → Derkyli-
das in Karien (Xen. hell. 3,2,12–14) und fing die
athenischen Gesandten nach Persien ab, die in Sparta
hingerichtet wurden (Hell. Oxyrh. 10,1 Chambers).
396 belagerte er mit 120 Schiffen → Konon [1] in Kaunos (Diod. 14,79,4 f.) [1]. 390 unterstützte er als *próxenos*
(→ *proxenía*) der Thebaner die boiotischen Gesandten
bei → Agesilaos [2]. 370/369 wurde er als Gesandter der
Spartaner nach Athen geschickt [2]. Vielleicht ist er
identisch mit dem bei Diodoros (14,63,3; 14,70,2) genannten Pharakidas, der 396/5 die peloponnesische
Flotte vor Syrakusai zur Unterstützung des → Dionysios
[1] I. gegen Karthago befehligte [3].

1 P. Funke, Homónoia und Arché, 1980, 42–44; 64
2 D. Mosley, Ph. and the Spartan Embassy to Athens in
370/69, in: Historia 12, 1963, 247–250 3 B. Caven,
Dionysius I, 1990, 115–118.

[2] Spartaner, ging als Söldnerführer 355 v. Chr. nach
Sizilien, erfocht einen Sieg gegen → Dion [I 1], wurde
aber verdächtigt, selbst die Herrschaft über Sizilien an-
zustreben (Plut. Dion 48,7–49,1; Plut. Timoleon 11,6;
41,5 f.).   W. S.

Pharetra s. Pfeil und Bogen

Pharis (Φᾶρις, Φαραί). Ortschaft in der Lakonike
(Hom. Il. 2,582; Ephor. FGrH 70 F 117; Strab. 8,5,1; die
Form Φαραί in späterer Lit. wie Paus. 4,16,8; Hierokles,
Synekdemos 647,10; Liv. 35,30,9), ca. 10 km südl. von
Sparta, 2 km östl. von Amyklai [1], wohl Vaphio mit
dem bekannten myk. Kuppelgrab, zu Pausanias' Zeit
verlassen [1. 76 f.; 2. 168 f.].

1 H. Waterhouse, R. Hope Simpson, Prehistoric Laconia I,
in: ABSA 55, 1960, 67–107 2 Dies., Prehistoric Laconia II,
in: ABSA 56, 1961, 114–175, bes. 168 ff.

S. Grunauer von Hoerschelmann, s. v. Vaphio, in:
Lauffer, Griechenland, 697 f.   Y. L. u. E. O.

Pharisaioi, Pharisäer
(Φαρισαῖοι, meist im Pl. gebraucht).
I. Definition, Name II. Geschichte
III. Charakteristika IV. Nachwirkung

I. Definition, Name
Jüdische Religionspartei spätestens ab Mitte des
2. Jh. v. Chr., die unter dem Namen Ph. ausschließlich
bei → Iosephos [4] Flavios, in Teilen des NT (Evangelien; Apg; einmal bei → Paulus [2]: Phil 3,5,) und davon
abhängig in der patristischen Lit. genannt ist. In der jüd.
Traditionslit. ab dem 2. Jh. n. Chr. (→ Rabbinische Lit-
teratur) kommt die entsprechende hebr. Gruppenbe-
zeichnung *p'rūšīm* relativ selten vor, häufig in Opposition zu den → Sadduzäern. Strittig ist, inwieweit in diesen Textcorpora die Ph. selbst zu Wort kommen. Ob der
griech. Name Ph. (für nicht bezeugtes aram. **p'rišayya᾽*)
Selbst- oder Fremdbezeichnung war, ist nicht bekannt,
ebenso wie die exakte Bed. des Namens, der in der
Forsch. jedoch mehrheitlich als »die Abgesonderten«
verstanden wird (alternativ: »die Erklärer« als diejenigen,
die die hl. Schriften genau auslegen [2]).

Ausgangspunkt der Absonderung war die Haltung
gegenüber dem jüd. Gesetz (Tōrā, → Pentateuch), dessen Beachtung auch in bezug auf die rituellen Gebote
von den Ph. als Pflicht für ganz Israel angesehen wurde.
Der Gebotskomplex zu den Reinheitsfragen, der am
stärksten in die alltägliche Lebenspraxis hineinreicht (Lv
11–15; Nm 19), besaß dabei eine dominierende Rolle.
Die Betonung der rel. (Reinheits-)Praxis im Alltag derer, die nicht aktiv am Tempelkult teilnahmen, verweist
auf den nichtpriesterlichen Schwerpunkt der Ph. im
Unterschied zu den mit ihnen konkurrierenden Partei-
en der Sadduzäer und → Essener. Die Absonderung von
jeder Form der Gesetzesübertretung bedeutete als Konsequenz auch Absonderung gegenüber den Teilen des

jüd. Volkes, die aus pharisäischer (= pharis.) Sicht als rel. ungebildet bzw. indifferent verstanden wurden, da sie durch Nichtbeachtung der Reinheitsgebote im rituellen Sinn unrein wurden und diese Unreinheit nach der Tōrā durch Berührungen übertragbar ist. Diese Konsequenz der pharis. Frömmigkeit wird im NT aus der Sicht eines konkurrierenden Modells (»Marginalisierung« ritueller Unreinheit; der von Jesus verkündigte Gotteswille steht über der Tōrā) angegriffen (z. B. Mk 7,15–23; Mt 23,23–28; Apg 10,10–16; 28), was bei den Ph. eine wachsende Ablehnung des Anspruches Jesu auslöste (Mk 2,15–3,6). Umgekehrt schildern die Evangelien (zu) einseitig die Ph. als Hauptgegner Jesu. Vorausgesetzt, daß auf die Ph. unter dem Decknamen »diejenigen, die nach glatten Dingen suchen« (d. h. eine vereinfachte, alltagsfähige Weise der rituellen Gebotspraxis vertreten) auch in einigen Texten aus → Qumran (→ Essener) Bezug genommen wird, ergibt sich ein zweiter Einspruch gegen ihre Frömmigkeitspraxis, wobei dieses zweite konkurrierende Modell eine »Intensivierung« der Reinheitsthematik vertrat, die für die überwiegende Mehrheit nicht mehr alltagstauglich war. Die Bed. der rel. Reinheit innerhalb der verschiedenen Strömungen des ant. Judentums ist kaum zu überschätzen und auch arch. aufweisbar [3].

II. Geschichte

Iosephos erwähnt die Ph. als eine der drei jüd. *hairéseis* (»Partei, philos. Schule, Sekte«, → *haíresis*), erstmals im Zusammenhang mit dem → Hasmonäer Jonathan (161–143 v. Chr.), gemeinsam mit den Sadduzäern und den Essenern (Ios. ant. Iud. 13,171–173, vgl. Apg 15,5; 26,5). Ihre Ausprägung als unterscheidbare Gruppierung innerhalb des jüd. Volkes hängt mit dem hasmonäischen Aufstand gegen die seleukidische Hellenisierungspolitik unter → Antiochos [6] IV. zusammen (→ Judas [1] Makkabaios). Nach ersten Erfolgen der jüd. Aufständischen zerbrach die Allianz der verschiedenen Gruppen (vgl. 1 Makk 2,42; 7,12ff.; 2 Makk 14,6) wohl an der Frage nach den weitergehenden polit. Zielen und der zukünftigen Funktion der Tōrā für das sich bildende jüd. Staatsgebilde. Die Haltung der die polit. Macht und höchste rel. Autorität vereinenden Hasmonäer gegenüber den Ph. schwankte zw. aktiver Unterstützung (Iohannes Hyrkanos [2] I. zu Beginn seiner Regentschaft: Ios. ant. Iud. 13,288–298; Alexandra Salome: Ios. ant. Iud. 13,405–410; evtl. Hyrkanos [3] II.) und Ablehnung bis hin zur mil., bürgerkriegsähnlichen Auseinandersetzung (Alexandros [16] Iannaios: Ios. bell. Iud. 1,88–98; Ios. ant. Iud. 13,372ff.). Auch → Herodes [1] und seine Nachfolger nahmen eine ähnlich wechselvolle Haltung ein (Ios. bell. Iud. 1,571f.; Ios. ant. Iud. 14,172–176; 15,1–4; 368–371; 17,41–49).

Die Ph. waren an polit. Macht nur insofern interessiert, als sie die von ihnen vertretenen rel. Belange (die freilich sehr weitgehend waren) berührte. Die herodianische und später röm. Herrschaft in Iudaea stellte für sie kein grundsätzliches Problem dar; allerdings führte dies nach dem Tod des Herodes (6 v. Chr.) zur Entstehung einer weiteren Partei, den → Zeloten, die eine nationalistische Variante des Pharisäismus darstellten (vgl. Ios. ant. Iud. 18,4; 9; 23). Am Konflikt mit wie auch im Prozeß gegen → Jesus (Mk 3,6; Mt 21,45; 27,62; Joh 11,47; 18,1–3) und später an der Auseinandersetzung mit den frühen Christen (Apg 5,34ff.; 23,6ff.) waren die Ph. ebenso beteiligt wie an den internen jüd. Auseinandersetzungen zu Beginn des Aufstandes gegen Rom (66–73 n. Chr.; Ios. bell. Iud. 2,411; 4,158ff.; Ios. vita 17ff.). In den Jahrzehnten nach dem ersten Jüd. Krieg ging der Pharisäismus in der rabbin. Bewegung auf und bestimmte deren Gestalt maßgeblich mit.

Wichtigste und vielfach einzige Quelle für die pharis. Gesch. ist Iosephos [4] Flavios, zusätzliche Informationen enthalten einige Texte aus → Qumran (bes. 4 Q pNah; 1 Q pHab) und die rabbin. Überl. Umstritten ist die Zuschreibung einzelner Texte an einen (oder mehrere) pharis. Verf. (diskutiert hauptsächlich in bezug auf PsSal, 4 Esra, Fastenrolle), deren Möglichkeit jedoch nicht grundsätzlich verworfen und in manchen neueren Arbeiten auch wieder vertreten wird. Die patristischen Belege wurden bisher noch nicht umfassend ausgewertet.

III. Charakteristika

In seinem Bemühen, bei nichtjüd. Lesern Interesse und Verständnis für die jüd. Parteien zu erwecken, gebraucht Iosephos neben ihrer Bezeichnung als *hairéseis* auch *philosophíai* (»Philosophenschulen, philos. Schulrichtungen, Lebenskonzepte«, vgl. Ios. bell. Iud. 2,119; Ios. ant. Iud. 18,9; 11). Er vergleicht die pharis. *haíresis* an einer Stelle ausdrücklich mit der griech. Stoa (Ios. vita 12), allerdings ohne weitere inhaltliche Parallelisierungen. Durch diese Terminologie evoziert er bestimmte Erwartungen bei seinen Lesern, die er dann auch bedient: Die Ph. besitzen eigene, sog. väterliche Trad., die sie miteinander diskutieren und für deren Verbreitung sie sich einsetzen (Ios. ant. Iud. 13,296–298; 408; vgl. Mk 7,3ff.; Mt 23,15); ihre Ziele umschreibt Iosephos (und vergleichbar auch das NT) mit »gerecht sein« (δίκαιος εἶναι, Ios. ant. Iud. 13,289–291, vgl. 13,406; 14,176; Lk 16,15; 18,8; 18,14; 20,20) bzw. »das Gerechte tun« (πράττειν τὰ δίκαια, Ios. bell. Iud. 2,163; vgl. Mt 5,20) und so »Gott zu Gefallen leben« (ἀρέσκειν τῷ θεῷ, Ios. ant. Iud. 13,298, vgl. Ios. bell. Iud. 1,110). Ihre Lehr- und Lernmethode ist eine bes. genaue Auslegung der väterlichen Trad. (Ios. bell. Iud. 1,110; 2,162; Ios. ant. Iud. 17,41; Ios. vita 191; Apg 26,5), ihr Zusammenhalt untereinander hoch, ihr Ansehen und Einfluß beim Volk infolge ihrer Frömmigkeit beträchtlich (Ios. ant. Iud. 18,12–15). Als hauptsächliche Lehrdifferenz zw. den jüd. Parteien nennen Iosephos und das NT die unterschiedliche Jenseitserwartung (Ios. bell. Iud. 2,163; Ios. ant. Iud. 18,14; Mk 12,18; Apg 23,6; vgl. mSan 10,1–3) und damit verbunden die Lehre von der *heimarménē* (→ Schicksal; Ios. ant. Iud. 13,172; 18,13; Ios. bell. Iud. 2,162).

Bei aller hell. Stilisierung durch Iosephos sind doch wesentliche Punkte benannt: Die Ph. waren eine von

Schriftgelehrten, d. h. Exegeten der jüd. hl. Schriften, geprägte Strömung innerhalb des Judentums, die zueinander in graduell verschiedenen Gemeinschaftsformen in Beziehung standen, ohne sich dadurch von den nicht-pharis. Volksteilen abzuschließen. Sie vertraten im Gegenteil eine Art volksmissionarisches Anliegen und bemühten sich durch Lehre und Vorbild, für ihre Ideale zu werben. Daß im NT die Ph. bzw. ihre Schriftgelehrten vielfach mit der → Synagoge in Verbindung stehen (vgl. Lk 11,43; Mt 23,2; 6f), dürfte histor. zutreffend sein, wie die Ph. überhaupt innerhalb der jüd. Rel.-Gesch. seit dem 1. Jh. v. Chr. eine Reihe von Veränderungen bewirkten, deren Ziel es war, das Leben des einzelnen Juden wie des ganzen Volkes möglichst umfassend nach den Vorschriften der mosaischen Tōrā zu gestalten.

IV. NACHWIRKUNG

Das rabbin. und ma. Judentum und seine verschiedenen neuzeitlichen Strömungen verstanden und verstehen sich als legitime Erben der Ph. und Fortsetzer des pharis. Traditionsmodells. Innerjüd. Kritiker der pharis.-rabbin. Trad. wurden dagegen polemisch als »Sadduzäer« (die nach rabbin. Auffassung keinen Anteil am Heil haben, vgl. mSan 10,1) bezeichnet. Eine Folge dieser jüd. Selbstidentifikation mit den Ph. in der jüd.-christl. Polemik seit dem 12. Jh. war, daß Christen ihre zeitgenössischen jüd. Mitbürger in eine Reihe mit den nt. Ph. und damit den erklärten Gegnern Jesu, die seinen Tod wollten (vgl. Mk 3,6), stellten und auf diese Weise Übergriffe zu legitimieren versuchten. Das spannungsvolle Miteinander von Judentum und Christentum bis in die Gegenwart stellt in gewisser Weise die Perpetuierung des Konfliktes zw. Jesus und den Ph. dar.
→ Essener; Judentum; Hasmonäer; Sadduzäer

1 A. I. BAUMGARTEN, The Flourishing of Jewish Sects in the Maccabean Era: An Interpretation, 1997 2 Ders., The Name of the Pharisees, in: Journ. of Biblical Literature 102, 1983, 411–428 3 R. DEINES, Jüd. Steingefäße und pharis. Frömmigkeit, 1993 4 Ders., Die Pharisäer. Ihr Verständnis im Spiegel der christl. und jüd. Forschung seit Wellhausen und Graetz, 1997 (dazu kritische Rez.: E. P. MEIER, The Quest for the Historical Pharisee ..., in: Catholic Biblical Quarterly 61, 1999, 713–722) 5 Ders., M. HENGEL, E. P. Sanders' »Common Judaism«, Jesus und die Pharisäer, in: M. HENGEL, Judaica et Hellenistica (KS Bd. 1), 1996, 392–479 6 S. MASON, Flavius Josephus on the Pharisees, 1991 7 J. NEUSNER, The Rabbinic Traditions about the Pharisees before 70, 3 Bde., 1971 8 P. SCHÄFER, Der vorrabbinische Pharisäismus, in: M. HENGEL, U. HECKEL (Hrsg.), Paulus und das ant. Judentum, 1992, 125–172 9 L. H. SCHIFFMAN, Pharisees and Sadducees in Pesher Nahum, in: M. BRETTLER, M. FISHBANE (Hrsg.), Minḥah le-Naḥum, 1993, 272–290 10 G. STEMBERGER, Pharisäer, Sadduzäer, Essener, 1991 11 H.-G. WAUBKE, Die Pharisäer in der protestantischen Bibelwiss. des 19. Jh., 1998 12 H.-F. WEISS, s. v. Ph., TRE 26, 1996, 473–485. RO.D.

Pharkadon (Φαρκαδών, Φαρκηδών). Stadt in der thessalischen Hestiaiotis am Peneios, h. Ph. (ehemals Klokoto oder Tsioti). Vor Ph. schlug Philippos [7] V. 199 v. Chr. die → Aitoloi (Liv. 31,41f.).

L. DARMEZIN, Sites archéologiques et territoires du massif des Chassia, in: Top. antique et géographie historique en pays grec, 1992, 139–155 · E. KIRSTEN, s. v. Ph., RE 19, 1835–1838 · H. KRAMOLISCH, s. v. Ph., in: LAUFFER, Griechenland, 535 · KODER/HILD, 238. HE.KR.

Pharmakeia (φαρμακεία). Das Geben eines Heilmittels, Zaubermittels oder Giftes (phármakon). Erfolgte durch eigenhändiges Verabreichen der Tod eines Bürgers, konnte in Athen eine δίκη φόνου (díkē phónu, »Mordanklage«; → phónos) erhoben werden, über die der → Áreios págos entschied (Demosth. or. 23; or. 24; Aristot. Ath. pol. 57,3). Strafe war bei Tötungsvorsatz der Tod, sonst Verbannung. Platon unterscheidet zw. der ph. von Ärzten und Magiern einerseits, von Laien andererseits (Plat. leg. 932e–933e). Der Versuch ist erst im ptolem. Ägypten strafbar (PTebtunis I 43 = MITTEIS/WILCKEN 46).

E. BERNEKER, Der Versuch im griech. Recht, in: W. KUNKEL, H. J. WOLFF (Hrsg.), FS E. Rabel, 1954, Bd. 2, 42–44, 74f. · D. M. MACDOWELL, Athenian Homicide Law, 1963, 45f., 62f. · T. J. SAUNDERS, Plato's Penal Code, 1991, 318–323 · J. SCARBOROUGH, The Pharmacology of Sacred Plants, in: CH. A. FARAONE, D. OBBINK (Hrsg.), Magika Hiera, 1991, 138–174. G.T.

Pharmakides (Φαρμακίδες). In Theben zeigte man nach Paus. 9,11,2 alte Bilder von Frauen, die die Thebaner Ph. (»Zauberinnen«) nannten und die auf Geheiß → Heras die Geburt des → Herakles [1] unterbinden sollten. Die Ph. des Lokalmythos von Theben sind offenbar mit → Eileithyia sowie mit den Moiren (→ Moira), die wohl auch auf der → Kypseloslade als Ph. dargestellt waren (Paus. 5,18,2), zu identifizieren [1]. Hierfür spricht, daß diese in Theben in einem eigenen Tempel verehrt wurden (Paus. 9,25,4).

1 W. H. ROSCHER, Die sogenannten Pharmakiden des Kypseloskastens, in: Philologus 47, 1889, 703–709.
TH.KN.

Pharmakologie I. ETYMOLOGIE
II. QUELLEN III. MESOPOTAMIEN
IV. MEDIKAMENT UND MEDIZINISCHER STOFF
V. ZUBEREITUNG UND PHARMAZEUTISCHE FORMEN
VI. BERUFE UND INSTRUMENTARIUM
VII. BYZANZ, ARABISCHE WELT, RENAISSANCE

I. ETYMOLOGIE

Der griech. Begriff Ph. (ὁ περὶ φαρμάκων λόγος/ ho perí pharmákōn lógos, Pedanios Dioskurides, De materia medica praef. 5) bedeutet »Wissenschaft von den Medikamenten«. Das Wort φάρμακον/phármakon, dessen Etym. unbekannt ist, bezeichnet ursprünglich nicht das Medikament, sondern jeden in den Körper eingebrachten Stoff, welcher geeignet ist, dessen Struktur und Funktionen zu verändern. Das lat. medicamentum weist wie βοήθημα/boēthēma auf den Begriff der »Hilfe«. Spezifische Medikamente wurden durch ihre Haupteigenschaft bezeichnet (z.B. διουρητικόν/*diurētikón*, »urintreibend«; ἡπατικόν/*hēpatikón*, »leber-«). Vom Beginn des 1. Jh. v. Chr. an wurden die Begriffe ἀντίδοτος/*antídotos*, lat. *antidotus*, »Gegenmittel« und σύνθεσις/*sýnthesis*, lat. *compositio*, »Synthese« für das zusammengesetzte Medikament im allgemeinen sowie spezifische Bezeichnungen – wie ἀμβροσία/*ambrosía*, lat. *ambrosia*, »Ambrosia«; ζωπύρειος/*zōpýreios*, lat. *zopyrium*, »von → Zopyros«; θηριακή/*thēriakḗ*, lat. *theriaca*, »gegen Tierbisse«; ἱερά/*hierá*, lat. *sacra*, »heilig« – für spezifische Zubereitungen verwendet. Im Gegensatz dazu wurden die »einfachen« Medikamente mit dem Begriff ἁπλοῦν/*haplún*, lat. *simplex*, bezeichnet.

II. Quellen

Die Schriftquellen sind sowohl lit. Texte (Myth., Homer, Tragiker und Historiker) als auch medizinische Fachschriften: im wesentlichen das *Corpus Hippocraticum* (→ Hippokrates [6]), die *Problḗmata* des Ps.-Aristoteles, Diokles [6], Nikandros [4], Pedanios Dioskurides, Plinius, Scribonius Largus, Aretaios von Kappadokien, Rufus von Ephesos und Galenos; daneben gibt es auch arch. Quellen (Medikamentenflacons, die in Wracks oder Gräbern gefunden wurden und in pharmakochemischen Analysen untersucht werden können).

Die griech. pharmakolog. Schriften lassen sich drei Typen zuordnen: Die Medikamente werden angeordnet a) nach ihrem medizinischen Wirkstoff, b) nach den Krankheitsbildern, die sich mit ihnen behandeln ließen (allg. Schriften gingen häufig topographisch von Kopf bis Fuß vor), oder c) nach den pharmazeutischen Formen des Medikaments. Mit der Entwicklung zusammengesetzter Medikamente trat in frühhell. Zeit ein neuer Werktyp in Erscheinung, oft mit dem Titel Περὶ ἀντιδότων/*Perí antidótōn*, ›Über Gegenmittel‹.

A.TO./Ü: T.H.

III. Mesopotamien
A. Begriff   B. Quellen
C. Der medizinische Stoff
D. Zubereitung und Anwendung

A. Begriff

Zwei pharmakolog. Termini sind attestiert: das akkadische *bulṭu*, von *balāṭu*, »leben«, welches für Rezept und Medikament steht, und das besser bezeugte akkad. *šammu* (sumerisch *ú*), mit welchem die Pflanze allgemein, dann die medizinale Pflanze und das Medikament bezeichnet wird.

B. Quellen

Die pharmakolog. Lit., die einen Zweig der mesopot. Wissenschaft darstellt, läßt sich in Pflanzenlisten und praktische Hdb. unterteilen. Eine Auflistung von Pflanzen bietet das 17. Kap. eines der umfangreichsten Listenwerke Mesopotamiens (→ Liste), ur$_5$-ra = *ḫubullu*; praktischen Zwecken dient das drei Kap. umfassende Hdb. Uruanna = *maštakal*. Zweikolumnig angelegt, bietet das mehr als 1000 Einträge aufweisende Kompendium Äquivalente von Pflanzen, mitunter finden sich kurze Angaben zur Indikation. Das um 1000 v. Chr. entstandene Hdb. DUB.Ú.ḪI.A, die ›Tafel über Pflanzen‹, in drei Kolumnen unterteilt, liefert Namen, Indikation und Applikation von Pflanzen. Eine weitere Quelle liegt mit dem Werk *šammu šikinšu*, ›Von der Natur der Pflanze‹, vor, in welchem botan. Eigenschaften und Applikation von Pflanzen beschrieben werden. Nach optimistischer Schätzung können bis zu 20% der assyrisch-babylonischen Pflanzen auf Basis gemeinsemitischer Etym. identifiziert werden. Aufgrund der klimatischen Bedingungen in Mesopotamien und der Methodik von Ausgrabungen vor dem 2. Weltkrieg wurden seinerzeit kaum paläobotanische Analysen durchgeführt.

C. Der medizinische Stoff

Zu den Ingredienzien zählt man pflanzliche, tierische und mineralische Stoffe. Bei einem überwiegenden Teil der tierischen Materie handelt es sich um kodierte Pflanzenbezeichnungen – die altmesopot. Medizin bediente sich also nicht der sog. »Dreckapotheke«.

D. Zubereitung und Anwendung

Man unterschied zw. Simplizia, d.h. einfachen Mitteln, und Drogen, die aus verschiedenen Substanzen zusammengesetzt sind. Die Pflanzen wurden in frischem oder getrocknetem Zustand verarbeitet. Mitunter werden Angaben zu Dosierung und Anwendungsdauer geboten. Die pharmazeutischen Formen werden von der Applikation des Medikaments bestimmt: Innerlich anzuwendende Mittel wurden in Form von Trank, Speise, Leckmittel oder Pille eingenommen. Als äußerlich anzuwendende Mittel sind Salbe, Verband, Umschlag und Puder attestiert. Zäpfchen, Tampon, Klistier, Tropfen zur äußerlichen Anwendung, Einblasungen, Inhalation und Räucherung waren für die Anwendung auf Schleimhäuten vorgesehen.

→ Arzt; Medizin; Wissenschaft

D. GOLTZ, Stud. zur altorientalischen und griech. Heilkunde, 1974 · P. HERRERO, La thérapeutique mésopotamienne, 1984 · F. KÖCHER, Keilschrifttexte zur assyr.-babylon. Drogen- und Pflanzenkunde, 1955 · Ders., Ein Text medizinischen Inhalts aus dem Grab 405, in: R.M. BOEHMER (Hrsg.), Uruk – Die Gräber, 1995, 203–217 · M.A. POWELL, Drugs and Pharmaceuticals in Ancient Mesopotamia, in: I. und W. JACOB (Hrsg.), The Healing Past, 1993, 47–67 · R.C. THOMPSON, The Assyrian Herbal, 1924.   BA.BÖ.

IV. Medikament und medizinischer Stoff

Nach [1] wurzelte in Griechenland (wie im Alten Orient) das Medikament anfangs im Animismus; es konkretisierte sich im 1. Jt. v. Chr. jedoch ebenso wie die pathogene Ursache einer Krankheit; zunächst galten Eisen und Feuer als geeignet, dem Körper den pathogenen Stoff zu entziehen und zu zerstören (Plat. rep 405d). Auch Pflanzen sollten den pathogenen Stoff eliminieren (Beispiel: Behandlung der Töchter des → Proitos durch den Seher und Wunderheiler → Melampus [1]).

Die Wirkung von Medikamenten, die bis zu den – unter dem Namen des Aristoteles veröffentlichten – *Problémata* des Peripatos (4.–3. Jh. v. Chr., s. → Aristoteles [6] C.5.) ganzheitlich war, wurde dort im Hinblick auf Ziel, Bewegung und Differenzierung der Wirkungen spezifisch analysiert. Von → Diokles [6] (4.–3. Jh.) an wurde sie mit einer transformierenden Kraft (δύναμις/*dýnamis*) gleichgesetzt, deren Mechanismus jedoch nicht genauer bestimmt wurde. Nach der Schule der Asklepiadeer (→ Asklepiades [6]) und der → Methodiker, die einen Austausch von Atomen zw. Medikament und Körper postulierten, formalisierte → Galenos diese Konzeption mit der Annahme eines stofflichen Austauschs (der vier Elemente) zw. dem Medikament und dem Stoff des Körpers.

Die »Substanz« (ὕλη/*hýlē*, bisweilen durch ἰατρική/*iatrikḗ* näher definiert) der Medikamente war pflanzlich, tierisch oder mineralisch, wobei der erste Typ vorherrschte. Ihre Verwendung geht zumindest teilweise auf traditionellen Gebrauch zurück, der von der theoretischen Medizin aufgegriffen wurde. Das Spektrum der Stoffe wurde mit den Eroberungszügen Alexandros [4] d. Gr. ausgeweitet; die Eigenschaften der Stoffe scheinen in der hell. Welt systematisch untersucht worden zu sein, doch weiß man nicht, ob es Experimente gegeben hat. Die pharmazeutischen Substanzen wurden ganz oder teilweise aus (frischen oder getrockneten) Naturprodukten sowie aus bearbeiteten Produkten hergestellt. Seltenen Substanzen wurden um so mächtigere Eigenschaften zugeschrieben, je kostbarer sie waren – etwa denjenigen aus dem Orient, die seit dem *Corpus Hippocraticum* bekannt waren und deren Zahl sich in der Folge vervielfachte; begünstigt durch die Zunahme des Handels mit dem Orient kamen sie aus immer entfernteren Regionen.

Die medizinischen Substanzen wurden in Abhandlungen oft alphabetisch angeordnet, bei → Pedanios Dioskurides jedoch nach Gruppen (γένη/*génē*), die nach der therapeutischen Wirkung definiert waren, welche man den aufgenommenen Stoffen zuschrieb; dabei bildete das Ganze eine Rangordnung (τάξις/*táxis*), die in Stufen von einer positiv konnotierten Eigenschaft zu deren Gegenteil überging. In diesen homogenen Gruppen sind die Stoffe nach einem relativen System – insbes. nach dem Grad jener Eigenschaft, aufgrund der sie einer Gruppe zugeordnet sind – jeweils vom nächsten unterschieden und angeordnet. In Galens Schriften, wo die alphabetische Anordnung wiederaufgenommen und die Zahl der Eigenschaften reduziert ist, wird der Wirkungsgrad der medizinischen Stoffe auf einer Skala, welche Gegensatzpaare verbindet (kalt/heiß und trocken/feucht) und keinen Nullpunkt kennt, ausgedrückt.

V. Zubereitung und pharmazeutische Formen

Das einfache Medikament war aus einer Wirksubstanz, eventuell einer Substanz zur Modifikation der organoleptischen Eigenschaften des medizin. Stoffes und einer Grundmasse zusammengesetzt, die je nach

seiner inneren oder äußeren Anwendung die Applikation ermöglichte.

Vom 1. Jh. v. Chr. an wurden – mit Hilfe von Versuchen, von denen diejenigen des Mithradates [6] VI. Eupator am berühmtesten waren (vgl. Gal. de antidotis 1,1) – die sog. »zusammengesetzten Medikamente« (συνθετικά/*synthetiká*, lat. *composita*) entwickelt, welche mehrere Wirkstoffe miteinander verbanden, um eine breite therapeutische Wirkung zu erzielen; urspr. für den toxikologischen und präventiven Gebrauch bestimmt, wurden sie im 1. Jh. n. Chr. bei verschiedenen Krankheitsbildern und für verschiedene therapeutische Zwecke angewandt; oft trugen sie den Namen desjenigen, der sie erfunden hatte. Die Rezeptur blieb häufig geheim; hergestellt wurden sie nach denselben Prinzipien wie das einfache Medikament.

Die pharmazeutischen Formen variierten je nach Applikationsart des Medikaments: z. B. Aufgüsse, Sud, Cremes, Salben, Emulsionen, heiße Umschläge oder Dampfbäder. Die Dosierungen und Anwendungsweisen wurden mit einer gewissen Genauigkeit bestimmt (Mengen, jedoch keine Anwendungsdauer), ebenso die toxischen Wirkungen, welche mit der Aufnahme von überhöhten Dosen möglicherweise verbunden waren.

VI. Berufe und Instrumentarium

Medizinische Substanzen, v. a. pflanzliche, wurden von »Wurzelschneidern« (ῥιζοτόμοι/*rhizotómoi*) gesammelt, die auch die Bearbeitung des frischen Produkts durchführten (Säuberung, Auslese der Teile, Trocknung, Lagerung). In röm. Zeit (bes. im 1.–3. Jh. n. Chr.), als zusammengesetzte Medikamente (*composita*) es geradezu zur Mode wurden, entwickelte sich ein regelrechter Handel mit medizin. Stoffen, der sich auf gewisse (auch exotische) Stoffe spezialisieren konnte. Die Höchstpreise für bestimmte Produkte wurden im Edikt des Diokletian (→ Edictum [3] Diocletiani) festgeschrieben. Die Zubereitung des Medikaments, zumindest urspr. vom Arzt persönlich vorgenommen, oblag in der Folge Spezialisten (φαρμακοπώλης, lat. *pharmacopola*; πημεντάριος, lat. → *pigmentarius*; μυρεψός, lat. *seplasiarius*, lat. *aromatius*, *thurarius*), die sowohl Rohstoffe als auch Endprodukte verkauften.

Das benutzte Instrumentarium variierte je nach Natur der medizin. Stoffe – es sollte diese nicht durch chemische Reaktionen verändern – sowie nach der Art der Zubereitung. Aus byz. Hss. besitzen wir keine Abb. der pharmazeutischen Instrumente oder Arbeitsgänge; jedoch sind solche in arabischen Hss. (der Übers. des Pedanios Dioskurides) sowie in lat. Hss. von Übersetzungen arabischer Abh. erh., die von etwa 1050 an angefertigt wurden.

VII. Byzanz, arabische Welt, Renaissance

Die byz. Welt setzte zunächst die ant. Ph. fort mit den Enzyklopädien des → Oreibasios (4. Jh. n. Chr.), des → Aëtios [3] (6. Jh.), des → Alexandros [29] von Tralleis (6. Jh.), des → Paulos [5] von Aigina (7. Jh.) und im

10. Jh. etwa mit Theophanes Chrysobalantes fort. Nachdem das byz. Wissen im 9. Jh. Aufnahme in der arabischen Welt gefunden hatte, wurde es durch die Übers. arabischer Abh. ins Griech. oder durch die Integration arabischer Stoffe und Medikamentenformeln (z. B. bei Symeon Seth, 11. Jh., Nikolaos Myrepsos, 13. Jh., Johannes Zacharias Aktuarios, 14. Jh. und den *iatrosóphia*, byz. Rezeptbüchern) beeinflußt. Die arab. Welt führte ihrerseits neue medizin. Stoffe und pharmazeutische Formen ein und entwickelte das zusammengesetzte Medikament weiter; dabei wurden insbesondere Überlegungen zu seiner theoretischen Konzeption angestellt sowie zu dem Auftreten einer neuen spezifischen Eigenschaft des zusammengesetzten Medikaments, welche die Summe der Eigenschaften der einfachen Medikamente übersteigt. Diese Fragestellung und die in der arab. Welt entwickelten Formeln wurden dem lat. Westen vom 11. Jh. an von Salerno aus überl. und blieben bis ins 15. Jh. wirksam. Am E. des 15. Jh. regte Nicolao LEONICENO (1428–1524) eine Rückkehr zur Ph. der einfachen Medikamente an, wie sie die Abh. ›Über den medizinischen Stoff‹ des → Pedanios Dioskurides vertritt.

→ Krankheit; Medizin; Paccius Antiochus; Pedanios Dioskurides; Scribonius Largus; Theophrastos; Tier- und Pflanzenkunde; PHARMAZIE

1 LORENZ, Ant. Krankenbehandlung in histor.-vergleichender Sicht, 1990.

A. DEBRU, Philos. et pharmacologie: la dynamique des substances leptomères chez Galien, in: Dies. (Hrsg.), Galen on Pharmacology, 1997, 85–102 · C. FABRICIUS, Galens Exzerpte aus älteren Pharmakologen, 1972 · M. D. GRMEK, Le chaudron de Médée, 1997 · J. KORPELA, Aromatarii, pharmacopolae, thurarii et ceteri. Zur Sozialgesch. Roms, in: PH. J. VAN DER EIJK (Hrsg.), Ancient Medicine in its Socio-Cultural Context, 1995, Bd. 1, 101–118 · P. G. KRITIKOS, S. N. PAPADAKI, Contribution à l'histoire de la pharmacie chez les Byzantins, in: G. E. DANN (Red.), Die Vorträge der Hauptversammlung der Internationalen Ges. für Gesch. der Ph. (Kongress Athen 1967), 1969, 13–78 · J. SCARBOROUGH, Pharmaceutical Theory in Galen's Commentary on the Hippocratic Epidemics, in: G. BAADER (Hrsg.), Die hippokratischen Epidemien, 1989, 270–282 · A. TOUWAIDE, Le strategie terapeutiche: i farmaci, in: M. D. GRMEK (Hrsg.), Storia del pensiero medico occidentale, Bd. 1, 1993, 349–369 · Ders., Farmacologia araba medievale: il codice Ayasofia 3703, 4 Bde., 1992/93 · Ders., L'école aristotélicienne et la naissance de la pharmacologie théorique, in: La pharmacie au fil du temps, 1996, 11–22 · Ders., La pharmacologie de Dioscoride à Galien: du pharmacocentrisme au médicocentrisme, in: A. DEBRU (Hrsg.), Galen on Pharmacology, 1997, 255–282 · Ders., De la pratique populaire au savoir codifié: les étapes de la conceptualisation du pharmakon dans le monde grec antique, in: A. ROUSSELLE (Hrsg.), Monde rural et histoire des sciences en Méditerranée, 1998, 81–105 · G. WATSON, Theriac and Mithridatium, 1966.   A. TO./Ü: T. H.

Pharmakos

[1] (φάρμακος). Magier, s. Magie.

[2] (φαρμακός) von φάρμακον, »Hilfs- bzw Heilmittel«). Der *ph.* war ein menschlicher »Sündenbock« (→ Sündenbockrituale), den man in Athen und den ionischen Poleis während der → Thargelia, aber auch in Krisenzeiten wie Seuchen und Hungersnöten zur »Reinigung« aus der Stadt trieb. Der Sündenbock wurde unter den Armen und Häßlichen ausgewählt; daher galten *ph.* und verwandte Begriffe als Beleidigung [7; 8]. Die *pharmakoí* erhielten im Prytaneion eine bevorzugte Behandlung (z. B. in Massalia: Petron. fr. 1; schol. Stat. Theb. 10,793), wurden dann in einer Prozession zu mißtönender Musik in der Stadt herumgeführt (Kolophon: Hipponax fr. 5–11, 153 WEST), mit wildwachsenden und unfruchtbaren Pflanzen geschlagen (Kolophon) und schließlich unter Steinwürfen über die Stadtgrenzen getrieben (Abdera: Kall. fr. 90). Die entsprechenden griechischen Mythen handeln von Königen, Aristokraten und bes. von Königstöchtern, wie z. B. den Töchtern des → Erechtheus, die sich freiwillig für die Stadt opferten. Obwohl überzeichnend, verweisen diese Mythen [4–6] auf die Wichtigkeit eines Retters (→ Soter, → Soteria) für die Stadt, welche nur durch eine Sühnung dieser Qualität bewahrt werden konnte.

Vergleichbare Riten in Ebla, Israel und bei den Hethitern (→ Hattusa D.) legen nahe, daß die Ursprünge des vieldiskutierten [1–6] Rituals im nördl. Syrien liegen [9; 10]. Sein Vorkommen (vgl. POxy. 53,3709) in dem nach der Trad. 654 v. Chr. von dem ionischen Klazomenai gegründeten Abdera und in Massalia, einer Gründung Phokaias um 600 v. Chr., verweist auf Kultimport aus dem Alten Orient in früharcha. Zeit.

→ Magie; Menschenopfer; Opfer; Reinheit; Ritual; Sündenbockrituale

1 J. BREMMER, Scapegoat Rituals in Ancient Greece, in: HSPh 87, 1983, 299–320 (= R. BUXTON (Hrsg.), Oxford Readings in Greek Rel., 2000, 271–293) 2 R. PARKER, Miasma, 1983, 257–271 3 D. HUGHES, Human Sacrifice in Ancient Greece, 1991 4 P. BONNECHERE, Le sacrifice humain en Grèce ancienne, 1994, 118–121, 293–308 5 D. OGDEN, The Crooked Kings of Ancient Greece, 1997 6 S. GEORGOUDI, À propos du sacrifice humain en Grèce ancienne: remarques critiques, in: Archiv für Religionsgesch. 1, 1999, 61–82 7 K. M. STAROWIEYSKI, »Perikatharma et peripsema. Przyczynek do historii egzegezy patrystycznej«, in: Eos 78, 1990, 281–957 8 M. DI MARCO, Pirria ph., in: ZPE 117, 1997, 35–41 9 P. XELLA, Il »capro espiatorio« a Ebla. Sulle origini storiche di un antico rito mediterraneo, in: Studi Storico-Religiosi 62, 1996, 677–684 10 I. ZATELLI, The Origin of the Biblical Scapegoat Ritual: The Evidence of Two Eblaite Texts, in: VT 48, 1998, 254–263.   J. B.

Pharmakussai (Φαρμακοῦσσαι). Zwei kleine Inseln im Sund von Salamis vor Attika (Steph. Byz. s. v. Φ.); die größere, wo man das Grab der → Kirke zeigte (Strab. 9,1,13), h. Hagios Georgios in der Bucht von Paloukia, die kleinere das Felsenriff Tes Panagias bei Perama [1. 566 f.].

1 E. Meyer, s. v. Psyttaleia, RE Suppl. 14, 566–571. A. KÜ.

Pharnabazos (Φαρνάβαζος).

[1] Perser, ab 468 oder 455 v. Chr. Satrap von → Daskyleion [2]/Phrygien (Thuk. 2,67,1).

[2] Enkel von Ph. [1], Satrap von Daskyleion [2], gest. nach 373 v. Chr. 413/12 v. Chr. Bündnis mit Sparta, 409 mit Athen (→ Alkibiades [3], den er 404 aufnahm und auf Verlangen Lysandros' [1] ermorden ließ; Xen. hell. 1,1,6; 14; 2,16; 3,8 ff.; Diod. 14,11,2; Nep. Alkibiades 9 ff.; Isokr. or. 16,40). 394 Seesieg des Ph. und → Konon [1] über die spartan. Flotte bei Knidos, 393 Eroberung von Melos und Kythera. Ehe mit Apama, einer Tochter des persischen Großkönigs; die Enkelin Apama [1] wurde Stamm-Mutter der Seleukiden.
→ Tissaphernes

Th. Lenschau, s. v. Ph. (2), RE 19, 1842–1848 · M. Nollé, Denkmäler vom Satrapensitz Daskyleion, 1992. A. P.-L.

[3] Der Sohn des Artabazos [4] und Enkel von Ph. [2] diente 334 v. Chr. unter seinem Onkel → Memnon [3] und übernahm nach dessen Tod den Oberbefehl über die pers. Flotte. Zusammen mit Autophradates [1] zwang er Mytilene auf Lesbos, dann Tenedos zur Kapitulation (Arr. an. 2,1,3–2,2,3; Curt. 3,3,1). Ph. setzte seine Flottenoperationen fort, indem er die Milesier brandschatzte, Chios mit einer Besatzung belegte sowie nach Andros und dann nach Siphnos vorstieß, wo er mit Agis [3] III. von Sparta in Verbindung trat (Curt. 4,1,37; Arr. an. 2,13,4). Auf die Nachricht vom Ausgang der Schlacht von → Issos hin, bei der auch die Gattin und der Sohn des Ph. gefangen genommen worden waren (Curt. 3,13,14), kehrte Ph. 333 nach Chios zurück, um den Abfall der Insel zu verhindern, was zunächst gelang (Arr. an. 2,13,5; Curt. 4,5,15: November 333). Als im Jahr darauf die maked. Flotte in der Ägäis erschien, wurde Ph. in Chios belagert und geriet in Gefangenschaft (Arr. an. 3,2,3–4; Curt. 4,5,17). Ph., der zu Alexandros [4] d. Gr. gebracht werden sollte, entkam noch 332 bei Kos (Arr. an. 3,2,7). Später dürfte er aber auf die maked. Seite übergetreten sein, da er 321 als Reiterführer des Eumenes [1] gegen Krateros [1] erscheint (Plut. Eumenes 7). M. SCH.

Pharnakeia (Φαρνάκεια, Φαρνακία, lat. *Pharnacea*).

Hafenstadt an der Südküste des Schwarzen Meeres (→ Pontos Euxeinos), von Pharnakes [1] I. wohl nach der Besetzung von → Sinope 183 v. Chr. unter Einbeziehung der Bevölkerung von Kotyora gegr. (Strab. 2,5,25; 7,6,2; 11,2,18; 12,3,13–19; 28–30; 14,5,22; Ptol. 5,6,5; Plut. Lucullus 18,2; Plin. nat. 6,11; 32). Nach den Entfernungsangaben bei Xen. an. 5,3,2 (vgl. auch peripl. m. Eux. 34) befand sich Ph. jedoch nicht auf dem Boden von → Kerasus (evtl. ist die Aussage des Choirades bei Skyl. 86 darauf zu beziehen), selbst wenn sicher ist, daß Ph. schon z. Z. Arrianos' [2] den Namen Kerasus

angenommen hatte (Arr. per. p. E. 24); denn von diesem ON leitet sich ohne Zweifel der h. ON Giresun ab. Arch.: Reste der ant. Hafenmole, byz. Burg auf hell. Grundmauern; keine Grabungen.

D. R. Wilson, The Historical Geography of Bithynia, Paphlagonia, and Pontus in the Greek and Roman Periods, D. B. Thesis Oxford 1960, 248–251 (maschr.) · A. Bryer, D. Winfield, The Byzantine Monuments and Topography of the Pontos, Bd. 1, 1985, 126–134. E. O.

Pharnakes (Φαρνάκης).

[1] Ph. I. König von → Pontos (185–160/154 v. Chr.), Sohn → Mithradates' [3] III. Nach der Eroberung von → Sinope 183 v. Chr. kämpfte Ph. 182–179 v. Chr. (›Pontischer Krieg‹: Pol. 25,2; Diod. 29,24) zusammen mit dem kleinarmenischen Dynasten Mithradates gegen eine allmählich zusammenwachsende Koalition der Könige Eumenes [3] II., Ariarathes IV. (→ Kappadokia), Prusias II. und Artaxias [1] I., der Dynasten Akusilaos (Herrschaftsbereich unbekannt), Gatalos (Sarmate) und Morzios (Paphlagone) sowie der Städte Herakleia [7], Mesambria [1], Chersonesos [3] und Kyzikos. Gezwungenermaßen beendete er den Krieg mit dem Abschluß einzelner Verträge, von denen der Vertragseid der Chersonesioi frg., der entsprechende Vertragseid des Ph. vollständig erh. ist (IOSPE I² Nr. 402, Z. 1–10 bzw. 10–32); Rom, mit dem Ph. seither eine *amicitia* verband (IOSPE I² Nr. 402, Z. 3), lenkte offenbar diesen Vertragsabschluß (IOSPE I² Nr. 402, Z. 2–5; 24–28). Immerhin blieb Ph. im Besitz von Sinope, wohin er selbst oder sein Bruder Mithradates [4] IV. die Residenz aus Amaseia verlegte (Strab. 12,3,11). Doch waren die Folgen des Krieges für Ph. ernst; so war er z. B. noch 160/159 nicht in der Lage, den Athenern gegenüber zuvor eingegangenen Verpflichtungen nachzukommen (IG XI 4, 1056b, Z. 4–6; 37–41).

E. Olshausen, s. v. Pontos (2), RE Suppl. 15, 396–442 · L. Ballesteros Pastor, Mithrídates Eupátor, 1996, 27–30. E. O.

[2] Sohn des Mithradates [6] VI. und dessen designierter Nachfolger, König des → Regnum Bosporanum 63–47 v. Chr. Nach dem Verrat seines Vaters an → Pompeius Magnus setzte dieser Ph. im J. 63 zum König des Regnum Bosporanum und der → Chersonesos [3] ein (App. Mithr. 113). Ab 54/50 nahm er den Titel seines Vaters, »Großkönig«, an (IOSPE 2, 356). Gegen asiatische Stämme setzte er sich hart durch (Strab. 11,2,11; 5,8). Als Pompeius ihn im Bürgerkrieg um Hilfstruppen bat, hielt sich Ph. zurück (App. civ. 2,88; u. a.). Sofort nach der Schlacht bei → Pharsalos begann er, das Reich seines Vaters zurückzuerobern: Mit Hilfe sarmatischer Truppen nahm er zunächst → Phanagoreia mit den umliegenden Städten ein (App. Mithr. 120). Vor seinem siegreichen Feldzug, auf dem er in wenigen Monaten → Kolchis, → Kappadokia, Kleinarmenien (s. → Armenia) und Teile von → Pontos unterwarf (Strab. 11,2,17), setzte er Asandros als Stellvertreter ein. Sein weiterer Vormarsch wurde vom Abfall des Asandros (Cass. Dio 42,46,4) und von Caesar aufgehalten, der ihn 47 bei → Zela schlug. Ph. floh zurück ins Regnum Bosporanum, wo er im Kampf gegen Asandros fiel (App. Mithr. 120; Cass. Dio 42,47).

V. F. Gajdukevič, Das Bosporanische Reich, 1971, 322ff. • R.D. Sullivan, Dynasts in Pontos, in: ANRW II 7.2, 1980, 913–930 • K. Golenko, P. Karyszkowski, The Gold Coinage of King Pharnaces of the Bosporus, in: NC 12, 1972, 25–28.   I.v.B.

Pharnuches (Φαρνούχης), ein lykischer Dolmetscher (doch, wie der Name zeigt, aus persischer Kolonistenfamilie), wurde 329 v. Chr. von Alexandros [4] d.Gr. einem Truppenverband beigegeben, der unter Führung von drei → *hetaíroi* die von → Spitamenes belagerte Burg von → Marakanda entsetzen sollte. Durch die Inkompetenz der Offiziere wurde die Truppe fast ganz vernichtet. Daß ein Ph. drei *hetaíroi* unter seinem Kommando hatte (so Arr. an. 4,3,7 aus Ptolemaios und Aristobulos [7]), ist unmöglich: Er wurde, wie Aristobulos ihn sagen läßt, dem Verband sicher nur zu diplomatischen Zwecken beigegeben; dann wurde die Schuld an der Niederlage auf ihn abgewälzt (s. auch → Menedemos [1]).   E.B.

Pharos

[1] s. Leuchtturm
[2] (*Pharia*, Plin. nat. 3,152). 68 km lange Insel im Adriatischen Meer vor der dalmatischen Küste (Skyl. 23; Strab. 2,5,20), h. Hvar (Kroatien). Die Insel heißt nach Pol. 5,108,7 ὁ Φάρος/*ho Pháros*, die Stadt ἡ Φ./*hē Ph.* (Ruinen bei Stari Grad, vgl. [1]). Seit 385/4 v. Chr. (Diod. 15,13,4) war Ph. Kolonie von Paros (Ephor. FGrH 70 F 89), seit 229 zum illyr. Reich des Agron [3] und der Teuta gehörig, dann im Besitz des Demetrios von Ph.; 219 wurde Ph. von den Römern erobert (Pol. 3,18,2ff.). In der Kaiserzeit siedelten hier Kolonisten aus Salona (Zenturiation) [2].

1 M. Katić, Agglomération illyrienne pré-grecque à Stari Grad, in: P. Cabanes (Hrsg.), L'Illyrie méridionale et l'Épire dans l'Antiquité, Bd. 3, 1999, 61–65 2 G. Alföldy, Bevölkerung und Ges. der röm. Prov. Dalmatien, 1965, 107, 118.

L. Braccesi, Grecità Adriatica, ²1979, 233–236, 322–337 • J. J. Wilkes, The Illyrians, 1992, 113–116.   D.S.

Pharsalos (ἡ Φάρσαλος). → Peleus, König der Myrmidones, Vater des Achilleus, herrschte in der Stadt → Phthia, die im Alt. mit Ph. am südwestl. Rand der thessalischen Ebene gleichgesetzt wurde. Hom. Il. 1,155 kennt nur Phthia. Die → Thessaloi gründeten Ph. bei ihrer Landnahme am Quelltopf des → Apidanos. Sie nannten diesen Teil der Ebene *Phthiõtis*, während das Untertanenland der in die südl. Berge zurückgedrängten Ureinwohner zu *Achaía Phthiõtis* wurde. Ph. pflegte die Trad. der angeblichen Vorgängerstadt in Kulten für die Heroen aus dem Sagenkreis um → Achilleus [1],

während h. Phthia eher mit dem in den Quellen genannten Palaiopharsalos − wohl die Magoula bei Ampelia (ehemals Derengli) − gleichgesetzt wird [2. 1046–1050].

Der Name Ph. erscheint erstmals im Zusammenhang mit dem → Lelantischen Krieg um 700 v. Chr., als die thessal. Reiterei unter Kleomachos von Ph. → Chalkis [1] unterstützte (Plut. mor. 760e–761b). Ab der Mitte des 6. Jh. herrschte die Familie der Echekratidai in Ph.; sie wurde um 457 gestürzt (Thuk. 1,111,1). In den Kämpfen zw. den führenden Familien von Larisa, Pherai und Ph. um die thessal. *tageía* (→ *tagós*) hatte Ph. am E. des 5. Jh. unter Daochos [1] diese Position und stand im → Peloponnesischen Krieg auf Seiten der Athener (Thuk. 2,22,3). 395 geriet Ph. unter die Herrschaft von Larisa (Diod. 14,82,5), nach 374 unter die des Iason [2] von Pherai (Xen. hell. 6,1,2). Ph. gewann erst 352 durch Philippos [4] II. mit der Stadt → Halos wieder einen Hafen am Golf von Volos und damit größere Bed. (Strab. 9,5,8). Nach dem Tod Alexandros' [4] d.Gr. schloß sich Ph. im → Lamischen Krieg der antimaked. Koalition an, unterwarf sich aber 322 wieder Antipatros [1] (Plut. mor. 846e). Im 3. Jh. v. Chr. geriet die Stadt in den Sog des expandierenden Bundes der Aitoloi. Philippos [7] V. besetzte Ph. 198 während des 2. → Makedonischen Krieges (Pol. 5,99; Liv. 32,33,16). 191 war Ph. kurze Zeit in der Hand Antiochos' [5] III. (Liv. 36,10,9; 36,14,11). Spätestens 189 wurde Ph. von Rom dem 197 wiedergegr. Thessalischen Bund zugesprochen (Liv. 38,11), in dessen Führung aber kein Vertreter von Ph. erscheint. Die entscheidende Schlacht des Bürgerkrieges zw. → Caesar und → Pompeius Magnus fand im Sommer 48 v. Chr. bei Ph. statt (Caes. civ. 3,85–97 ohne Nennung von Ph.; dagegen führt das Epos des → Lucanus [1] Ph. im Titel: *Pharsalia*). Die Lokalisierung des Schlachtfeldes ist noch nicht endgültig geklärt [3].

431 n. Chr. erscheint Ph. als Bischofssitz (vgl. Not. episc. 3,494; 10,600). Iustinianus (527–565 n. Chr.) ließ die Mauern der Oberstadt von Ph. erneuern (Prok. aed. 4,3,5). Die Kontinuität der Besiedlung erweist sich auch durch die Erhaltung des urspr. ON. Von der ant. Stadt sind auf der ehemaligen Akropolis Teile der Mauer erh., Siedlungsspuren sind ab dem Neolithikum, Gräber seit myk. Zeit nachgewiesen.

1 Y. Béquignon, Recherches archéologiques dans la région de Pharsale, in: BCH 56, 1932, 89–119 2 Ders., s. v. Ph., RE Suppl. 12, 1038–1084 3 J.C. Decourt, La vallée de l'Enipeus en Thessalie, 1990, s. Index 4 Fr. Hild, H. Kramolisch, s. v. Ph., in: Lauffer, Griechenland, 535–537 5 F. Stählin, Das hellenische Thessalien, 1924, 135–144 (Quellen) 6 D. R. Theocharis, Δοκιμαστικαὶ σκαφαί, in: AD 19, 1964, Chron. 260–262 (Grabungsber.) 7 Koder/Hild, 238f. und Index 8 C. Vatin, Pharsaliens à Delphes, in: BCH 88, 1964, 446–461 9 N. M. Verdelis, Ἀνασκαφὴ Φαρσάλων, in: Praktika 1952, 185–204 (Grabungsber.) 10 E. Vischer, Homers Kat. der Schiffe, 1997, 655.   HE.KR.

Pharsanzes (Pharzanes). König des → Regnum Bosporanum im J. 253–254 n.Chr., der die Regierung des → Rheskuporis V., wahrscheinlich als römerfeindlicher Usurpator, unterbrach; bekannt durch seine Mz.-Emissionen. PIR² P 343.

> V. F. GAIDUKEVIČ, Das Bosporanische Reich, 1971, 470 · A. N. ZOGRAPH, Ancient Coinage. Ph. II: The Ancient Coins of the Northern Black Sea Littoral, 1977, 334–335.
> I. v. B.

Pharusii (Φαρούσιοι). Ein nomadisches nordafrikan. Volk, das Strabon (2,5,33; 17,3,3; 7) stets zusammen mit den → Nigritae nennt (vgl. Sall. Iug. 18: *Persae*; Mela 1,22; 3,103; Plin. nat. 5,43: *Gymnetes Pharusi*; 46: *Pharusi, quondam Persae*; 6,194: *Perusii*; Ptol. 4,6,17; Geogr. Rav. 43,10: *Paurisi*). Die Ph. scheinen teils westl., teils südöstl. des Hohen Atlas gewohnt zu haben. Mit ihren Karawanen gelangten sie gelegentlich bis nach → Cirta (Strab. 17,3,7).

> J. DESANGES, Cat. des tribus africaines …, 1962, 230–232.
> W. HU.

Phasael (Φασάηλος).
[1] Ältester Sohn des → Antipatros [4] und der Kypros, geb. ca. 77 v.Chr. verm. in → Marissa (Idumaea; Ios. bell. Iud. 1,8,9; Ios. ant. Iud. 14,7,3). 47 v.Chr. wurde Ph. durch Antipatros (ἐπίτροπος/*epítropos* von Iudaea unter dem Hohenpriester und → Ethnarchen → Hyrkanos [3] II.) zum Gouverneur (στρατηγός/*stratēgós* von) Jerusalem und Umgebung ernannt, während sein Bruder → Herodes [1] dasselbe Amt in Galilaea übernahm (Ios. ant. Iud. 14,9,2; Ios. bell. Iud. 1,10,4). Iosephos attestiert dem Ph. ein moderates, nach friedlichem Ausgleich der verschiedenen polit. Parteien strebendes Wesen [3. 54 f.]. Die äußerst erfolgreiche Machtpolitik des Familienverbandes des Antipatros und seiner Söhne zw. den streitenden Hasmonäerparteien Hyrkanos II. und → Aristobulos [2] II. sowie dessen Sohn → Antigonos [5] einerseits und den verschiedenen Vertretern röm. Macht andererseits führte dazu, daß Ph. und Herodes 42 v.Chr. von → Antonius [I 9] als Tetrarchen [3. 69 f.; 2. 124] über Jerusalem und Iudaea bzw. Galilaea eingesetzt wurden (Ios. ant. Iud. 14,13,1; Ios. bell. Iud. 1,12,5), wobei das in den Händen Hyrkanos' II. verbleibende Ethnarchenamt nur mehr nomineller Natur war [3. 69 f.]. 40 v.Chr. kam es unter der Leitung von Barzaphranes und Pakoros [1], die u.a. die Thronansprüche des Antigonos unterstützten, zu einem Parthereinfall nach Syrien und Palaestina. Hyrkanos II. und Ph. wurden während Friedensverhandlungen im parth. Lager gefangengesetzt (Ios. ant. Iud. 14,13,4–6; Ios. bell. Iud. 1,13,3). Ph. endete dort entweder durch Selbstmord (Ios. ant. Iud. 14,13,10), Vergiftung (Ios. bell. Iud. 1,13,11) oder im Kampf (Iulius Africanus, PG 10,84 f.).

> **1** N. KOKKINOS, The Herodian Dynasty. Origins, Role in Society and Eclipse, 1998, bes. 156–162 **2** P. RICHARDSON, Herod: King of the Jews and Friend of the Romans, 1996 **3** A. SCHALIT, König Herodes, 1969 **4** SCHÜRER 1, 275–280.

[2] Der höchste der drei Türme (neben Hippikos und → Mariamme [2]) des Palastes Herodes' [1] d.Gr. in Jerusalem bzw. der an seinen Palast angrenzenden Stadtmauer (Ios. bell. Iud. 5,4,3). Er ist nach Ph. [1], Herodes' älterem Bruder, benannt. Ph. wird h. meistens mit dem sog. »Davids-Turm« im Bereich des h. als »Zitadelle« bezeichneten Geländes am Jaffa-Tor identifiziert (anders [3]: Hippikos als der »Davids-Turm«). Einzig diese Türme sowie ein Teil der westl. Stadtmauer wurden von der vollständigen Zerstörung Jerusalems durch die röm. Truppen (70 n.Chr.; → Titus) ausgenommen, um als Erinnerung an die gewaltigen Verteidigungsanlagen zu dienen (Ios. bell. Iud. 6,9,1; 7,1,1).

> **1** R. AMIRAN, A. EITAN, Excavations in the Courtyard of the Citadel, Jerusalem, in: Israel Exploration Journ. 20, 1970, 9–17 **2** M. BROSHI, Excavations along the Western and Southern Wall of the Old City of Jerusalem, in: H. GEVA (Hrsg.), Ancient Jerusalem Revealed, 1994, 147–155 **3** H. GEVA, The Tower of David – Ph. or Hippicus?, in: Israel Exploration Journ. 31, 1981, 57–65 **4** SCHÜRER 1, 304 f. **5** R. SIVAN, G. SOLAR, Excavations in the Jerusalem Citadel, 1980–1988, in: H. GEVA (Hrsg.), s. [2], 168–176 **6** E. NETZER, Die Paläste der Hasmonäer und Herodes' d.Gr., 1999, 115–123.
> I. WA.

Phasaelis (Φασαηλίς, Φασηλός/*Phasēlós*, h. Ḥirbat Faṣāʾil). Von → Herodes [1] I. in Erinnerung an seinen älteren Bruder → Phasael [1] wahrscheinlich nach 30 v.Chr. nördl. von → Jericho im fruchtbaren Jordangraben gegr. Stadt (Ios. ant. Iud. 16,5,2; Ios. bell. Iud. 1,21,9). Nach Herodes' Tod an seine Schwester → Salome vererbt (Ios. ant. Iud. 17,8,1; Ios. bell. Iud. 2,6,3), ging Ph. nach deren Tod in den Besitz der → Livia [2], der Gattin des Kaisers Augustus, über (Ios. ant. Iud. 18,2,2; Ios. bell. Iud. 2,9,1). Ph. war bekannt für seine Datteln (Plin. nat. 13,44; vgl. die Darstellung als Palmenhain auf der byz. Mosaikkarte von → Medaba). In byz. Zeit wird Ph. bei Iohannes [29] Moschos als Ort der Kirche des Hl. Kyriakos genannt (Mosch. pratum spirituale 92). Weitere Erwähnungen: Kyrillos von Skythopolis, Vita Sabae 29; Steph. Byz. s. v. Φ.; Geogr. Rav. p. 84. Obwohl Ph. arch. noch nicht erforscht ist, sind Überreste, bes. des imposanten Wasserversorgungssystems (Aquädukt, Tunnel und Röhren usw.) [3; 2. 189 ff.], zu erkennen.

> **1** G. HARDER, Herodes-Burgen und Herodes-Städte im Jordangraben, in: ZPalV 78, 1962, 49–63 **2** P. RICHARDSON, Herod: King of the Jews and Friend of the Romans, 1996, s. Index **3** A. SCHALIT, König Herodes, 1969, 324 f. **4** SCHÜRER 2, 168 f.
> I. WA.

Phaselis (Φασηλίς). Hafenstadt an der lykischen Ostküste beim h. Tekirova. Als griech. Kolonie (Cic. Verr. 2,4,21; Plut. Kimon 12,3) um 690 v.Chr. von → Lindos evtl. an Stelle einer phöniz. Vorgängersiedlung gegr. Schon im 6. Jh. entwickelte sich Ph. aufgrund der günstigen Lage zu einem bed. Handelsplatz. Ph. beteiligte sich im 7. Jh. v.Chr. an der Gründung von → Naukratis (Hdt. 2,178). Seit Mitte des 6. Jh. unter pers. Herrschaft, wurde Ph. um 469 unter Kimon [2] zum Eintritt in den → Attisch-Delischen Seebund genötigt. Ein Ziel des mil. Unternehmens unter dem att. Strategen Melesandros 430/429 v. Chr. war die Sicherung der Seewege von Athen nach Ph. (Thuk. 2,69). Ein Vertrag mit → Maussollos (TAM 2, 1183) bezeugt den autonomen Status von Ph. im 4. Jh. Das Abkommen dürfte mit dem Konflikt zw. Maussolos und Perikles [3] von Limyra zusammenhängen, in dessen Verlauf Perikles Ph. belagerte (Polyain. 5,42). Von 309 bis E. des 3. Jh. stand Ph. unter ptolem. Herrschaft. Nach einer kurzen Phase der Autonomie wurde Ph. im Frieden von Apameia 188 (→ Antiochos [5]) mit Lykia → Rhodos unterstellt. Die Mz. zeigen Ph. zw. 138 und 104 als Mitglied des → Lykischen Bundes. Anf. des 1. Jh. fiel Ph. in die Hände kilikischer Seeräuber unter → Zeniketes, was zur Zerstörung durch P. Servilius Vatia (nachmals Isauricus) im J. 77 v. Chr. führte. Monumente und Inschr. weisen Ph. im 1. und 2. Jh. n. Chr. als wohlhabende Stadt aus (131 Besuch des Kaisers Hadrianus). Für das 3. und 4. Jh. n. Chr. wird vor dem Hintergrund von Einfällen der Isauroi und zunehmender Piraterie ein Niedergang in Verbindung mit einer Verkleinerung des Siedlungsareals angenommen [2. 36, 174]. Für das 4. und 5. Jh. wird Ph. als Bischofssitz (Hierokles 683,1), für das 7. und 8. Jh. im Zusammenhang mit den Araberstürmen erwähnt. Die Eroberung durch Seldschuken im J. 1158 bedeutete das E. von Ph.

Wirtschaftliche Bed. und Prosperität des Ortes werden an der umfangreichen, im 6. Jh. v. Chr. einsetzenden Mz.-Prägung und den drei Häfen deutlich. Die Siedlung bestand aus der auf einer Landzunge angelegten 20 ha großen Stadt mit hell. Mauer und der schon im 4. Jh. v. Chr. befestigten Nordsiedlung. Die Ruinen sind überwiegend kaiserzeitlich und byz., auf der Akropolis fand sich klass. Keramik.

Aus Ph. stammten der Grammatiker Dionysios [14] und der Peripatetiker Kritolaos [1].

→ Lykioi, Lykia

1 W. RUGE, s. v. Ph., RE 19, 1874–1883   2 J. SCHÄFER (Hrsg.), Ph., 1981   3 C. BAYBURTLUOĞLU, Ph. Kazısı Raporu, in: VII. Kazı Sonuçları Toplantısı 1985, 1986, 373–385   4 C. HEIPP-TAMER, Die Mz.-Prägung der lyk. Stadt Ph. in griech. Zeit, 1993.   A. T.

Phasianoi (Φασιανοί, Xen. an. 4,6,5), zusammen mit den → Chalybes und → Taochoi genannter Stamm am Phasis, der nicht mit dem Phasis in Kolchis (h. Rioni/ Georgien), sondern mit dem h. Pasinsu (armenisch Basean) zu identifizieren ist, der bei Pasinler in den Araxes [1]/Aras mündet. Die armenisch Pasean, georgisch Basiani genannte Region entspricht etwa der h. Region Basen/Pasen mit der Stadt Pasinler, ca. 60 km östl. von Erzurum, NO-Türkei.

W. E. D. ALLEN, A History of the Georgian People, 1971, 28 f. · R. HEWSEN, The Geography of Ananias of Širak, 1992, 206, 213 · B. BAUMGARTNER, Stud. zur histor. Geogr. von Tao-Klarŝeti, 1996, 42 f.   A. P.-L.

Phasis (Φάσις).

[1] Fluß im südwestl. Kaukasos, der bei Ph. [2] in den → Pontos Euxeinos mündete, h. Rioni. Seine Mündung verlagerte sich häufig, wobei das Festland anwuchs (vgl. Strab. 1,3,7). Eine Meeresbucht an der Mündung des Ph. erwähnt Ptol. 5,10,1. Der Ph. wird erstmals bei Hesiod (Hes. theog. 337–344) genannt. Er war über eine Strecke von 180 Stadien schiffbar (Ps.-Skyl. 81). Sein Oberlauf war ein reißender Bergfluß, den Prokopios mit eigener Bezeichnung Boas nennt (Prok. BP 2,29,16). Er galt als die NW-Grenze des Achaimenidenreichs (→ Achaimenidai [2]). Am Unterlauf des Ph. lagen zahlreiche kolchische Siedlungen, in denen griech. Importware seit der 2. H. des 6. Jh. v. Chr. gefunden wurde.

G. GAMKRELIDSE, Travaux hydroarchéologiques de localisation de l'ancienne Ph., in: O. D. LORDKIPANIDZE, P. LÉVÊQUE (Hrsg.), Le Pont-Euxin vu par les grecs, 1990 · O. D. LORDKIPANIDZE, Drevnaja Kolchida, 1976, 124–127 · Ders., Ph. The River and City in Colchis (Geographica Historica 15), 2000.

[2] Griech. Stadt in → Kolchis an der Ostküste des → Pontos Euxeinos, wo der Ph. [1] mündete (Strab. 11,2,17; Ps.-Skymn. 928–931; peripl. m. Eux. 44). Nach Mela 1,108 von Themistagoras aus Miletos [2] schon Mitte des 6. Jh. v. Chr. beim h. Poti gegr. Eine griech. Siedlung ist bisher jedoch nicht nachgewiesen worden. Erst bei Ps.-Skyl. 81 wird Ph. als griech. Stadt bezeichnet. Alle früheren Belege sind sehr zweifelhaft (z. B. Aristoph. Ach. 726; Aristoph. Av. 68). Eine Mz.-Prägung von Ph. kann nicht nachgewiesen werden. Im nahegelegenen See Paliastomi sind Überreste einer Stadt aus dem 3.–8. Jh. n. Chr. entdeckt worden. In der röm. Kaiserzeit wurde Ph. als wichtiger Hafen ausgebaut. Bezeugt ist ein Tempel der → Kybele (Arr. per. p. E. 9).

G. R. TSETSKHLADZE, Die Griechen in der Kolchis, 1998, 7–12, 174 · N. EHRHARDT, Zur Gründung und zum Charakter der ostpontischen Griechensiedlungen, in: ZPE 56, 1984, 153–158 · O. LORDKIPANIDZE, Ph. The River and City in Colchis (Geographica Historica 15), 2000.   I. v. B.

[3] (φάσις). Allg. »Anzeige«, vom Verbum φαίνειν (*phaínein*; »zeigen, ans Licht bringen«) abgeleitet. In Athen konnte jeder beliebige Bürger durch Vorzeigen des *corpus delicti* (z. B. Waren, deren Ein- oder Ausfuhr verboten war) vor dem → Prytanen oder einem anderen Magistrat ein Strafverfahren in Gang setzen, in dem der Einschreitende, wenn er vor der → *bulé* oder dem → *dikastérion* siegte, die Hälfte der auferlegten Strafe bzw. den halben Erlös des konfiszierten und versteigerten Gutes erstritt. Zulässig war die *ph.* u. a. bei Verstoß gegen Handels-, Zoll-, Münz- und Bergwerksvorschriften sowie bei Beschädigung öffentlichen Gutes. War die Sache nicht greifbar, konnte man mit → *éndeixis* einschreiten. Zu neuem epigraphischen Material aus Athen s. [2] (wo allerdings Demosth. or. 43,71 ausgeschieden wird).

Nur der Name und der Charakter als Popularklage verbinden diesen Typus mit dem *ph.*-Verfahren gegen den Vormund, der das Mündelvermögen nicht verpachtet, und der *ph.* wegen → *asébeia* (»Gottlosigkeit«).

Verfahren mit dem Namen *ph.* und häufig einer Anzeigeprämie von der Hälfte der Strafe oder des Vermögensobjektes gibt es auch außerhalb Athens: LSCG 150 A 7 (Kos, 5. Jh. v. Chr.); IG XII 5, 108,5 (Paros, 5. Jh. v. Chr.); IG XIII 5, 2,6 (Ios, 4. Jh. v. Chr.); IPArk 3,24 (Tegea, um 350 v. Chr.); Syll.³ 1220,9 (Nisyros, 3. Jh. v. Chr.); IMagn. 100 b 35 (2. Jh. v. Chr.). Ohne Prämie: IPArk 9,22 (Mantineia, 350–340); 17,89 (Stymphalos, 303–300 v. Chr.); 30,16 (Megalopolis, 2. Jh. v. Chr.); IPriene 195,24 (200 v. Chr.).

1 E. BERNEKER, s. v. Ph., RE 19, 1896–1898 2 D. M. MACDOWELL, The Athenian Procedure of Ph., in: M. GAGARIN (Hrsg.), Symposion 1990, 1991, 187–198.

G. T.

Phayllos (Φάϋλλος).

[1] *Stratēgós* der Phoker (→ Phokis, Phokeis), wurde im 3. → Heiligen Krieg 353 v. Chr. mit 7000 Soldaten zur Unterstützung → Lykophrons [3] von Pherai gegen → Philippos [4] II. von Makedonien nach Thessalien entsandt, erlitt aber eine Niederlage. Nach dem Tod seines Bruders → Onomarchos übernahm er als *stratēgós autokrátōr* den Oberbefehl über die Phoker und versperrte Philippos mit spartan., athen. und achaiischer Hilfe und Söldnern, die er mit delphischen Tempelschätzen entlohnte, die Thermopylai. Ph. trug den Krieg nach Boiotien, erlitt aber bei Orchomenos, am Kephisos und bei Koroneia Niederlagen. Er besetzte 351 das epiknemidische Lokris (s. → Lokroi, Lokris [1]) und starb nach der Erstürmung von → Naryka an einer Krankheit (Diod. 16,35,1; 36,1; 37; 38,3–6; Demosth. or. 19,83; 23,124; Paus. 10,2,6; Theop. FGrH 115 F 248).

J. BUCKLER, Philip II and the Sacred War, 1989. W. S.

[2] s. Pythionikai

Phea, Phia (Φεά, Φαιά, Φεαί).

Vorgebirge und Hafenstadt an der Küste von Elis [1] auf dem Isthmos der Halbinsel Ichthys (h. Katakolo) (Hom. Od. 15,297; Hom. h. 1,427; Thuk. 2,25,3 f.; 7,31,1; Pol. 4,9,9; Diod. 12,43,4; Xen. hell. 3,2,30; Strab. 8,3,12; 26 f.; Paus. 5,18,6; Pol. 4,9,9; Plin. nat. 4,13; 22) beim h. Katakolo, Hafen für → Olympia. Siedlungsspuren wurden gefunden auf dem Hügel Pontikokastro (Akropolis) und unter Wasser an der Bucht von Hagios Andreas sowie auf der westl. vorgelagerten Insel Tigani vom FH bis zur byz. Zeit.

F. BÖLTE, s. v. Ph., RE 19, 1909–1913 • J. HOPP, s. v. Pontikokastro(n), in: LAUFFER, Griechenland, 560.

C. L. u. E. O.

Phegaia (Φηγαία, Φηγαιά; Demotikon Φηγαιεύς).

Att. Paralia-Demos der Phyle Aigeis, ab 127/8 n. Chr. der Hadrianis, mit drei (vier) *buleutaí* an der Ostküste von Attika (beim h. Draphi [3. 335] oder Ierotsakuli? [1. 82 mit Anm. 12]). Keinen eigenständigen *démos*, sondern eine *kōmē* (»Dorfgemeinschaft«; von Steiria?) bildeten jene Phegaieis, die der Demenkatalog IG II² 2362 unter den Demen der Pandionis aufführt (vgl. Steph. Byz. s. v. Φ.) [2. 55, 57 ff.]. IG II² 1932,14 f. bezeugt Kulte des Herakles und der Dioskuroi in Ph. [4].

1 TRAILL, Attica, 7, 16, 40, 68, 82, 100, 112 Nr. 109, 120 Nr. 31, Tab. 2, 15 2 J. S. TRAILL, Demos and Trittys, 1986 3 TRAVLOS, Attika 4 WHITEHEAD, 207 mit Anm. 183, 187.

H. LO.

Phegeus (Φηγεύς).

[1] Sohn des → Alpheios [2] (Hyg. fab. 244), Bruder des → Phoroneus; myth. König von Phegea in Arkadien, das später Psophis hieß (Steph. Byz. s. v. Φηγεία; Paus. 8,24,2). Er entsühnt den Muttermörder → Alkmaion [1] und verheiratet ihn mit seiner Tochter → Alphesiboia (anderer Name: → Arsinoë [I 3]). Doch Alkmaion muß weiterziehen und heiratet die Tochter des Acheloos → Kallirhoë [2], für die er Ph. das Halsband der → Harmonia trügerisch entlockt. Dies muß Alkmaion mit dem Tod bezahlen; ihn rächt Kallirhoë mit der Ermordung des Ph. (Eur. Alkmaion in Psophis TGF fr. 65–73; Apollod. 3,75; 3,88 ff.; Hyg. fab. 245; Ov. met. 9,407–417).

[2] Sohn des → Dares [1], von → Diomedes [1] getötet (Hom. Il. 5,9–19).

[3] Vater des Amphiphanes und des → Ganyktor [2]; sie töten der Legende nach den Dichter → Hesiodos, weil er ihre Schwester → Ktimene [2] verführt habe (Certamen Homeri et Hesiodi 14).

L. K.

[4] (lat. *Phegelas*). Indischer König im → Pandschab, am → Hyphasis (h. Beas), mit Alexandros [4] d. Gr. verbündet. Er ist in indischen Quellen nicht genannt, sein oft zitierter altindischer Name Bhagala ist nur Vermutung (erstmals bei [1. 239 f.]). Er hatte Alexandros friedlich empfangen (Diod. 17,93,1; Curt. 9,1,36) und informierte ihn über die Gebiete östl. des Hyphasis (Diod. 17,93,2; Curt. 9,2,2–3). Danach ist nichts mehr über ihn bekannt. Über Ph. berichtet auch kurz die *Epitome Mettensis* 68, von Arrianos wird er aber nicht erwähnt.

1 S. LÉVI, Notes sur l'Inde à l'époque d'Alexandre, in: Journal asiatique 15, 8. Ser., 1890, 234–240. K. K.

Phegus (Φηγοῦς).

Att. Mesogeia(?)-Demos der Phyle Erechtheis, mit einem *buleutḗs*. Demotikon Φηγούσιος/ *Phēgúsios* (Steph. Byz. s. v. Φ.). Lage unbekannt.

TRAILL, Attica, 38, 62, 70, 112 Nr. 110, Tab. 1 • J. S. TRAILL, Demos and Trittys, 1986, 126. H. LO.

Pheidias (Φειδίας, lat. Phidias).

I. ALLGEMEINES II. ATHENA-STATUEN III. ZEUS VON OLYMPIA IV. WEITERE PLASTIKEN/STATUEN

I. ALLGEMEINES

Sohn des Charmides, Bildhauer aus Athen. Als Lehrer des Ph. galt in der Ant. → Hegias [1], nach anderen

→ Ageladas. Das Kunstschaffen des Ph. wurde in enger Verbindung mit dem athen. Staatsmann → Perikles [1] gesehen und erstreckte sich von etwa 460 bis 430 v. Chr., Blütezeit: 448–445 v. Chr. Die ant. Ber. über Leben und Werk des Ph. sind mit Skandalen angereichert (Quellen bei [1]). Die Verbindung mit Perikles brachte Ph. zw. 438/7 und 433/2 v. Chr. eine Anklage wegen angeblicher Unterschlagung von Gold für die Statue der → Athena Parthenos ein. Falsch sind Ber. über seinen Tod in einem Athener Gefängnis (Plut. Perikles 31), gesichert dagegen sein auf die Anklage folgender Aufenthalt in Olympia, suspekt sind Nachrichten über eine weitere Anklage und schließliche Ermordung in Elis. Notizen über die Schüler des Ph. sind von homoerotischen Anspielungen gefärbt; so sei Ph. auch Liebhaber des → Agorakritos gewesen, der öfter Ph.' Werke signieren durfte, während → Alkamenes [2] als Rivale mit Ph. in Wettstreit getreten sei. Die Authentizität einiger Signaturen war daher schon in der Ant. umstritten. Weitere Schüler in der Bildhauerei und Mitarbeiter waren → Kolotes [1] und → Theokosmos, in der Malerei sein Bruder oder Neffe → Panainos und für toreutische Teile → Mys [2].

Wie → Polykleitos [1] gehört Ph. zum engsten Kreis der immer wieder als Gipfel der Bildhauerkunst zit. Namen. Die ant. Lit. sah in Ph. den inspirierten Schöpfer von Götterbildern, deren Größe und Ausstattungspracht zu rel. Enthusiasmus hinriß. Die in → Goldelfenbeintechnik ausgeführten Kolossalstatuen der Athena Parthenos und des Zeus in Olympia verselbständigten sich vor den übrigen nicht sehr zahlreichen Werken des Ph. zu Idealen der Kunst überhaupt.

II. ATHENA-STATUEN

In die frühe Schaffenszeit des Ph. fällt das Siegesvotiv für Miltiades [2] im Kreis von Göttern und Heroen in Delphi, das aus histor. Gründen kurz vor 465 v. Chr. datiert wird. Trotz vieler Vorschläge zur Identifizierung einzelner Figuren ist es uns unbekannt. Von einer Bronzestatue der Athena Polias, später Promachos genannt, die ca. 465–456 v. Chr. für die Athener Akropolis von Ph. geschaffen wurde, vermitteln spätere Münzbilder und Beschreibungen eine Vorstellung. Die mindestens 7 m hohe Statue hielt einen erhobenen Speer und trug am Schild eine Reliefdarstellung der Kentauromachie, die → Parrhasios entworfen und → Mys [2] ausgeführt hatte. Umstritten ist die Identifizierung der Statue mit dem in Kopien überl. Typus »Medici« (Paris, LV), der auch mit einer Athena Araia des Ph. in Plataiai in Goldelfenbeintechnik in Verbindung gebracht wird. Eine Athena des Ph. in Pellene, gestaltet als kolossales → Akrolithon, ist unbekannt. Auf der Athener Akropolis sah Pausanias die sog. Athena Lemnia, die nach 451 v. Chr. anläßlich der Aussendung einer Klerurchie nach Lemnos geweiht wurde. Die vermutete Identität dieser wegen ihrer außerordentlichen Schönheit gepriesenen Statue mit einer Athena, die bewußt unbehelmt dargestellt war, führte zu FURTWÄNGLERS Rekonstruktion der Statue mittels Kopien eines Körpertypus und eines Kop-

fes, die trotz gravierender Einwände noch weitgehend akzeptiert wird.

Die bekannteste Athena des Ph. ist die Goldelfenbeinstatue der Athena Parthenos im → Parthenon auf der Athener Akropolis, die zw. 447 und 438 v. Chr. entstand. Die 12,7 m hohe Statue wurde in vielen Formaten nachgebildet und mehrfach beschrieben. Sie zeichnet sich durch reiches figürliches Beiwerk aus, von einer Nike in ihrer Rechten über Sphingen und Greifen am Helm bis zu einer Kentauromachie an den Sohlen der Sandalen. Der Schild zeigte innen eine gemalte Gigantomachie und außen eine Amazonenschlacht, in der man später ein verstecktes Porträt des Perikles oder des Ph. zu entdecken glaubte. An der Basis stellten Reliefs die Geburt der Pandora im Kreis der Götter dar. Alle Reliefs wurden einzeln und in Exzerpten kopiert.

III. ZEUS VON OLYMPIA

Bei der perikleischen Ausgestaltung der Akropolis (→ Athenai II. 1.), bes. am → Parthenon, wurde Ph. bereits in der Ant. eine schwer zu definierende Regie zugeschrieben (Plut. Pericles 13), die sich in der arch. Forsch. in der Zuweisung einzelner Teile der Bauplastik an Ph. niederschlug. Ab 437 v. Chr. dürfte Ph. jedoch bereits in → Olympia gewesen sein, wo er sein im Alt. am meisten gepriesenes Werk, das Kultbild des → Zeus, schuf. Die Ausgrabung der Werkstatt in Olympia bestätigte diese Chronologie und lieferte Fragmente von der Herstellung des technisch aufwendigen Werkes, an dem → Panainos und → Kolotes [1] beteiligt waren. Den Gesamteindruck der 12 m hohen Sitzstatue vermitteln h. nurmehr Münzbilder und Gemmen sowie lit. Beschreibungen (Paus. 5,11,1 u. a.; vgl. [1. 692–754]). Die figürliche Ausstattung war hier noch reicher als bei der Athena Parthenos, mit einer Nike in der Rechten, einem Szepter mit Adler in der Linken, der Geburt der Aphrodite an der Basis. Am Thron trugen Sphingen die Armstützen, Niken knieten neben den Thronbeinen, Chariten und Horen waren an der Lehne, Niobiden, Athleten, Amazonomachie des Herakles und myth. Malereien an den Verstrebungen angebracht. Am Schemel sah man Löwen und die Amazonomachie des Theseus. In späteren Nachbildungen sind einige der Niobiden und die Sphingen identifiziert. Zahlreich sind die Nachrichten über Reparaturen, Pflege und Diebstahl an dem Kultbild, das später als eines der Sieben → Weltwunder nach Konstantinopel gebracht wurde. Auf diese Zeusstatue konzentriert sich der Ruhm des Ph. als Schöpfer des rel. empfundenen Götterbildes.

IV. WEITERE PLASTIKEN/STATUEN

Weitere Götterstatuen des Ph. in Goldelfenbein waren ein Zeus in Megara, eine Meter Theon (→ Kybele; → Muttergottheiten) in Athen, Hermes in Theben, Aphrodite Urania in Athen und eine ähnliche in Elis, die auch dem → Kolotes [1] zugeschrieben wurde. Umstrittene Urheberschaft hatten bereits in der Ant. die Nemesis von Rhamnus, in Wahrheit von → Agorakritos, und die sog. Aphrodite in den Gärten von → Alkamenes [2]. Für unsicher hielt Pausanias (1,29,8) die

Zuweisung des Apollon Parnopios auf der Athener Akropolis an Ph. In Rom wurden Ph. später eine Aphrodite in Marmor, eine Athena in Bronze und ein Athlet zugeschrieben. Unbekannt bleiben uns auch ein Anadumenos und ein sog. Kleiduchos des Ph. Am Bildhauerwettstreit um die Amazonenstatue in Ephesos soll sich Ph. beteiligt haben, doch die Identifizierung seiner Statue mit dem Typus Mattei ist so unsicher wie die Authentizität der Anekdote selbst (Plin. nat. 34,53). Der Ruhm des Ph. veranlaßte auch Phantasiezuschreibungen bis hin zu toreutischen Kunststücken und inspirierte noch den Schöpfer einer ägyptisierenden Pavianstatue im 2. Jh. n. Chr. dazu, sich diesen Künstlernamen zuzulegen.

Die typenprägende Bed. des Ph. für das klass. Götterbild ließ ihn in der Ant. schon als visionären Schöpfer erscheinen. In der Forsch. stand daher Ph. lange Zeit stellvertretend für einen erhabenen Geist der Klassik. In jüngerer Zeit stehen seine reichen Bildprogramme einschließlich der Bauplastik am Parthenon im Vordergrund.

1 OVERBECK (s. Index).

LOEWY, Nr. 382, 532, 536, 548 · A. FURTWÄNGLER, Meisterwerke der griech. Plastik, 1893, 3–45 · N. HIMMELMANN, Phidias und die Parthenon-Skulpturen, in: A. LIPPOLD (Hrsg.), Bonner Festgabe für J. Straub (BJ, Beih. 39), 1977, 67–90 · B. S. RIDGWAY, Fifth Century Styles in Greek Sculpture, 1981, 161–171 · A. LINFERT, Athenen des Phidias, in: MDAI(A) 97, 1982, 57–77 · B. CONTICELLO et al. (Hrsg.), Alla ricerca di Fidia, 1987 · A. STEWART, Greek Sculpture, 1990, 150–160, 237–239, 257–263 · W. SCHIERING, Die Werkstatt des Ph. in Olympia, 2. Werkstattfunde (OlF 18), 1991 · C. HÖCKER, L. SCHNEIDER, Phidias, 1993 · A. DELIVORRIAS, s. v. Fidia, EAA, 2. Suppl., Bd. 2, 1994, 644–658 · E. B. HARRISON, Ph., in: YCIS 30, 1996, 16–65 · H. MEYER, Athena Lemnia, in: G. ERATH (Hrsg.), Komos. FS T. Lorenz, 1997, 111–117 · R. KRUMEICH, Bildnisse griech. Herrscher und Staatsmänner im 5. Jh. v. Chr., 1997, 93–102.   R. N.

Pheidippides (Φειδιππίδης). Meldeläufer (*hēmeródromos*) aus Athen, der nach der Landung der Perser bei → Marathon (490 v. Chr.) mit einem Gesuch um Truppenhilfe zu den Lakedaimoniern entsandt wurde (Hdt. 6,105 f.; → Perserkriege); am arkadischen Berg Parthenion von einer → Pan-Vision heimgesucht, erreichte er am zweiten Tag Sparta (Hdt. 6,105 f.). Ph. begegnet in der späteren Überl. als lat. *Phidippus* (Nep. Miltiades 4,3) bzw. als *Philippides* (so bereits schlechtere Hdt.-Hss. [1]; Plin. nat. 7,84; Plut. mor. 862a–b; Paus. 1,28,4; 8,54,6; Poll. 3,148; Solin. 1, 98; Suda s. v. Ἱππίας) und galt unter letzterer Namensvariante irrig als Protagonist des → Marathonlaufs (Lukian. pro lapsu inter salutandum 3). Seit 1982 knüpft ein alljährlicher Lauf zw. Athen und Sparta über 245 km (»Spartathlon«) an Ph.' Mission an.

1 E. BADIAN, The Name of the Runner, in: AJAH 4, 1979, 163–166.

F. J. FROST, The Dubious Origins of the »Marathon«, in: AJAH 4, 1979, 159–163 · G. HERBURGER, Lauf und Wahn, 1988, 197–202 · Y. KEMPEN, Krieger, Boten und Athleten, 1992, 91–96.   T. FR.

Pheidippos (Φείδιππος).

[1] Sohn des → Thessalos, Bruder des → Antiphos, somit Enkel des → Herakles [1] und der → Chalkiope [3] (Hyg. fab. 97,14). Einer der Freier der Helene [1] (Hyg. fab. 81). Er befehligt mit seinem Bruder 30 Schiffe vor Troia (Hom. Il. 2,676–680). Auf der Heimfahrt wird er nach Thesprotien verschlagen, wo er auch stirbt. In den Lügenerzählungen des Odysseus (Hom. Od. 14,316; 19,287) kommt zweimal der Thesprotenkönig Pheidon vor. Dessen Name ist die Kurzform von Ph.; man nimmt deshalb an, daß Ph. mit ihm identisch ist. Nach [1] ist Thesprotien die urspr. Heimat des Ph.

1 K. SCHERLING, s. v. Ph. (1), RE 19, 1936f.   AL. FR.

[2] In Athen ansässiger Salzfischhändler, Sohn des Metoiken Chairephilos. Die Familie, Zielscheibe des Komödienspottes (Alexis PCG 6; 77; 221; Timokles PCG 23 u. a.), erhielt ca. 328 v. Chr. auf Antrag von Demosthenes [2] das Bürgerrecht im Demos Paiania (Deinarch. 1,43). Ph. war spätestens 323/2 Trierarch (IG II² 1631d, 622–624).

DAVIES, 566–568 · J. ENGELS, Stud. zur polit. Biographie des Hypereides, ²1992, 238–241 · PA 14163 · A. RAUBITSCHEK, s. v. Ph. (2), RE 19, 1937f.   U. WAL.

[3] Sklave und Arzt des Galaterkönigs → Deiotaros, Mitglied einer Gesandtschaft, die 45 v. Chr. nach Rom kam. Damals legte Ph. medizinische Beweise für ein Mordkomplott gegen Caesar vor, das Deiotaros angeblich im J. 47 v. Chr. geschmiedet hatte, als er Caesars Gast in Galatien war (Cic. Deiot. 17f., 26, 28).

V. N./Ü: L. v. R.–B.

Pheidon (Φείδων).

[1] Ph. »der Korinther«, nach Aristot. pol. 1265b 12–16 einer der »ältesten Gesetzgeber«, soll der Urheber einer Regelung gewesen sein, nach der die Zahl der »Häuser« und der Bürger gleich sein mußte; sie scheint also dem Schutz der Besitzer von Landlosen und der Stabilisierung der Grundbesitzverhältnisse gedient zu haben (→ *klēros*). Wie das ähnliche Gesetz des → Philolaos [1] dürfte das Gesetz authentisch sein; es gehört vielleicht noch in die Zeit des Regimes der → Bakchiadai (frühes 7. Jh. v. Chr.).

K.-J. HÖLKESKAMP, Schiedsrichter, Gesetzgeber und Gesetzgebung im archa. Griechenland, 1999, 150–157.

[2] Aristokrat aus → Kyme [3], soll die ›Bürgerschaft erweitert‹ und dazu ein Gesetz erlassen haben, wonach ›jeder verpflichtet war, ein Pferd zu unterhalten‹ (Herakleides Lembos, Excerpta politiarum, fr. 39 DILTS), was als Teil einer »oligarchischen« Ordnung gegolten zu haben scheint. Die Historizität des Mannes und der Maßnahme, die vor die persische Eroberung Kymes und die Tyrannis des → Aristagoras [2] in der 2. H. des 6. Jh. v. Chr. gehören müßten, ist schwierig einzuschätzen.

K.-J. Hölkeskamp, Schiedsrichter, Gesetzgeber und Gesetzgebung im archa. Griechenland, 1999, 163 f.   K.-J. H.

[3] Ph. von Argos. Tyrann bzw. *basileús*, der sich zum Tyrannen aufschwang (Aristot. pol. 1310b), seine Datier. schwankt zwischen dem 9. (Marmor Parium FGrH 239 A 45) und 6. Jh. v. Chr. (Hdt. 6,127). In weiteren ant. Quellen (z. B. Ephoros FGrH 70 F 115) werden ihm wirtschaftl. Reformen und Münzprägung zugeschrieben; auch gilt er als Hoplitenführer, der jede Möglichkeit zur mil. Intervention auf der Peloponnes nutzte. Als sicher kann seine unerhörte Anmaßung in → Olympia gelten, als er sich selbst zum Kampfrichter aufwarf, und das Werben seines Sohnes Lakedas um → Agariste [1] (Hdt. 6,127,3; 555 v. Chr.?; [3. 39 f.¹⁸]). Damit ergibt sich eine Datier. des Ph. in die 1. H. des 6. Jh. v. Chr., und seine Rolle als die eines mitunter über das Ziel hinausschießenden archa. Adelsherren [5. 115; 4. 215; 3. 26].

1 G. Zoerner, Kypselos und Ph. von Argos, Diss. Marburg 1971   2 T. Kelly, History of Argos, 1976   3 K. H. Kinzl, Betrachtungen zur älteren griech. Tyrannis, in: AJAH 4, 1979, 23–46   4 L. De Libero, Die archa. Tyrannis, 1996   5 P. Barceló, Basileia, Monarchia, Tyrannis, 1993.   K. Kl.

[4] Athener. Im oligarchischen Umsturz von 404/3 v. Chr. Mitglied der »Dreißig« (→ *triákonta*). Nach deren Sturz sollte er als Mitglied eines gemäßigten Zehnmännerkollegiums eine Versöhnung zw. den Bürgerkriegsparteien herbeiführen (Xen. hell. 2,3,2; Lys. 12,54–58).   W. S.

Phellos (Φελλός). Lyk. Polis beim h. Çukurbağ. Schon im 6./5. Jh. v. Chr. lag hier ein bed. Ort (bei Hekat. FGrH 1 F 258 irrtümlich pamphylische *pólis*) mit dem lyk. Namen *wehñti* (→ Lykioi, mit Karte). Mitte des 5. Jh. v. Chr. residierte hier Harpagos, ein Dynast von → Xanthos; bis ins 4. Jh. v. Chr. blieb Ph. eine wichtige Mz.-Prägestätte verschiedener Dynasten und besaß ein bed. Heroon. In dieser Zeit hatte Ph. noch einen Hafen (Ps.-Skyl. 100; → Antiphellos). Trotz dessen frühen Verlusts besaß Ph. als Mitglied des → Lykischen Bundes von hell. Zeit bis in die Kaiserzeit ein ausgedehntes Territorium mit mehreren klass. Burgen (Bayındır Limanı, Çardaklı) samt dichter ländlicher Besiedlung. In byz. Zeit war Ph. Bischofssitz.

W. Ruge, s. v. Ph. (1), RE 19, 1951–1954 · M. Zimmermann, Unt. zur histor. Landeskunde Zentrallykiens, 1992, 61–67.   MA. ZI.

Pheme (Φήμη; lat. → *Fama*). Göttin bzw. Personifikation der öffentl. Rede: des Gerüchts und der (guten oder üblen) Nachrede (Hes. erg. 760–764; Bakchyl. 2,1; 10,1). Aischines (Aischin. Tim. 128 mit schol.; Aischin. leg. 144 f.; vgl. Paus. 1,17,1) erwähnt einen (nach der

Schlacht am Eurymedon [5] errichteten) Altar der Ph.; er unterscheidet: Ph. trete von selbst in Erscheinung, während *Diabolḗ* (»Verleumdung«) auf Einzelpersonen zurückgeführt werden könne. Dagegen ist Ph. für Ach. Tat. (6,10,4–5) die Tochter der Diabole.   RE. N.

Phemios (Φήμιος). Mythischer Sänger (neben → Demodokos [1]) auf Ithaka, Sohn des Terpios. Er singt vor den Freiern der → Penelope u. a. von der Heimkehr der Griechen aus Troia (→ Nostoi, → Epischer Zyklus); Odysseus verschont ihn (Hom. Od. 22,330–380).   L. K.

Phemonoe (Φημονόη). Tochter des → Apollon und dessen erste Seherin (→ Pythia) in Delphi, Erfinderin des Hexameters; der Spruch ›Erkenne dich selbst‹ (γνῶθι σεαυτόν) soll von ihr stammen (Paus. 10,5,4; 10,6,3; 10,12,5; Strab. 9,3,5). Ihr Name steht auch allg. für Prophetin (Lucan. 5,126. 185; Stat. silv. 2,2,39).   L. K.

Phenake s. Perücke

Pheneos (ὁ oder ἡ Φενεός, Ethnikon Φενεάτης oder Φενικός). Stadt in der nordarkadischen Azania (Strab. 8,8,2; 4; Paus. 8,13,6–22,1; Plin. nat. 4,20 f.; 31,54; Diod. 15,49,5) im Norden eines oberirdisch abflußlosen Karstbeckens, das durch Katavothren zum Ladon entwässert [1. 94, 99] und nur periodenweise einen flachen See mit zu Zeiten auch katastrophal hohem Wasserstand bildete (vgl. Theophr. h. plant. 3,1,26,5; 6; Theophr. c. plant. 5,14,9; Plin. nat. 31,54), südl. vom h. Kalivia im SW der Kyllene [1]. Ph. liegt in einer Reihe von kleineren Hochebenen, die eine wichtige Verbindungslinie zw. Zentral-Arkadia und Korinthos darstellt [2]. Wenige Reste der ant. Stadt sind vorhanden, v. a. Teile der Akropolis-Mauer (4. Jh. v. Chr.) an der NW-Seite der Akropolis auf einem ca. 60 m hohen Hügel beim h. Kalivia. Siedlungsspuren sind schon aus neolithischer Zeit erh. [3]. Ph. ist im homer. Schiffskat. (Hom. Il. 2,605) genannt, Weihung nach Olympia (5. Jh. v. Chr.; Paus. 5,27,8). Dem Arkadischen Bund (→ Arkades, Arkadia) des 4. Jh. schloß sich Ph. nicht an, dem Achaiischen (→ Achaioi, Achaia) bald nach 234 v. Chr. (IG IV 1², 73,13). 225 v. Chr. wurde Ph. von Kleomenes [6] III. eingenommen (Pol. 2,52,2; Plut. Kleomenes 17,6; Plut. Aratos 39,4). Unter Caracalla (198–217 n. Chr.) prägte Ph. wieder Mz. Hauptgott war → Hermes [4. 29 f., 455 f.], daneben → Demeter; ein Asklepiosheiligtum wurde ergraben [5]. Inschr.: IG V 2, 360–366. Mz.: HN 418; 452.

1 R. Baladié, Le Péloponnèse de Strabon, 1980, 93–115   2 J. Baker-Penoyre, Pheneus and the Pheneatike, in: JHS 22, 1902, 228–240   3 R. Hope Simpson, A Gazetteer and Atlas of Mycenaean Sites, 1965, Nr. 83   4 Jost, bes. 27–37   5 E. Protonotariou-Deilaki, Ἀνασκαφὴ Φενεοῦ, in: AD (Chron.) 17, 1961–1962, 57–61.

F. Carinci, s. v. Arcadia, EAA 2. Suppl. 1, 1994, 332 f. · J. Hopp, s. v. Ph., in: Lauffer, Griechenland 537 f. · Müller, 828–830 · K. Tausend, G. Erath, Ein ant.

Heiligtum in der Pheneatiké, in: JÖAI 66, 1997, 1–8 · K. TAUSEND, Ein Rundturm in der Pheneatiké und die Pyramiden der Argolis, in: JÖAI 67, 1998 (Beiblatt), 36–50.

Y. L.

Pherai (Φέραι). Stadt im Osten der thessalischen Pelasgiotis (→ Thessaloi) an einem wegen seiner günstigen Lage am SW-Ufer der → Boibe und an der reichen Quelle Hypereia (Plin. nat. 4,20) seit neolithischer Zeit kontinuierlich besiedelten Ort. Das bisher älteste bekannte Heiligtum von Ph., der Hauptgöttin Artemis Enodia geweiht, stammt vom E. der geom. Zeit (erneuert im 4. Jh. v. Chr.). Bei Hom. Il. 2,711–715 ist Ph. als Wohnsitz der → Alkestis und des → Admetos genannt, deren Sohn Eumelos im Troianischen Krieg elf Schiffe führte. Mit der Gründung von → Pagasai nach der Landnahme der Thessaloi wohl im 6. Jh. v. Chr. verfügte Ph. über einen Hafen am Golf von Volos und erlebte einen bes. wirtschaftlichen Aufschwung. Mz.-Prägung ist seit 480 v. Chr. bezeugt (HN 307–309). Im → Peloponnesischen Krieg stand Ph. auf der Seite von Athen (Thuk. 2,22,3).

Ab dem E. des 5. Jh. machten die Tyrannen von Ph. die Stadt zur Führungsmacht in Thessalia und hatten, gestützt auf Söldner, das Amt des thessal. → *tagós* inne (→ Lykophron [2] und [3], Iason [2]; Xen. hell. 6,4,27; 6,4,31 f.). Alexandros [15], der letzte der Dyn., unterlag 364 den Thebaioi bei → Kynoskephalai. Nach seiner Ermordung im J. 354 eroberte Philippos [4] II. Ph. und schlug den Hafen Pagasai Magnesia [1] zu (Diod. 16,37,3). Die maked. Herrschaft über Ph. dauerte bis 197 v. Chr., als Ph. nach Abschluß des 2. → Makedonischen Krieges Mitglied des wiedergegr. Thessalischen Bundes wurde (Pol. 18,46; Liv. 33,32); darin stellte Ph. nach Larisa [3] die meisten Jahresstrategen. 192/1 war Ph. vorübergehend von Antiochos [5] III. besetzt (Liv. 36,9). Nach der Plünderung des Territoriums von Ph. durch die Makedonen im 3. Maked. Krieg 171 v. Chr. (Liv. 42,56,8) zeugen nur noch Inschr. von der Blüte der Stadt bis in die röm. Kaiserzeit (IG IX 2, 412–456; [2. 400–412]). Sie ging in der Invasion der → Slaven im 6. Jh. unter. Die ma. Nachfolgesiedlung erhielt den Namen Velestino(n).

1 Y. BÉQUIGNON, Recherches archéologiques à Phères de Thessalie, 1937 2 Ders., Études thessaliennes, in: BCH 88, 1964, 395–412 3 K. GRUNDMANN, Magula Hadzimissiotiki, in: MDAI(A) 62, 1937, 56–69 4 E. KIRSTEN, s. v. Ph. (5), RE Suppl. 7, 984–1026 5 H. KRAMOLISCH, FR. HILD, s. v. Velestino(n), in: LAUFFER, Griechenland, 700 f. 6 F. STÄHLIN, Das hellenische Thessalien, 1924, 104–108 7 M. DI SALVATORE, Ricerche sul territorio di Ph., in: La Thessalie. Actes du colloque international à Lyon 1990, Bd. 2, 1994, 93–124 8 KODER/HILD, 133 9 E. VISCHER, Homers Kat. der Schiffe, 1997, 670–672, 674 f.

HE. KR.

Phere (Φηρή, Φηραί). Ortschaft in West-Arkadia am Alpheios [1] (Hom. Il. 5,541 ff.; Hom. Od. 3,488 ff.; 15,186 ff.), Heimat des Orsilochos [1], des Sohnes des Flußgottes Alpheios [2], und seiner Nachkommen.

E. MEYER, Arkadisches. Pharai – Pherai – Pharaia in Arkadien, in: MH 14, 1957, 81–88.

Y. L.

Phereklos (Φέρεκλος).
[1] Troianer, Sohn des Tekton (»Baumeister«), Enkel des Harmon (»Zusammenfüger«); Erbauer der Schiffe, mit denen → Paris Helene [1] entführt; von → Meriones getötet (Hom. Il. 5,59 ff.; Ov. epist. 16,22).
[2] Steuermann des → Theseus auf dessen Fahrt nach Kreta (Sim. 550b PMG).

P. WATHELET, Dictionnaire des Troyens de l'Iliade, 1988, Nr. 334.

MA. ST.

Pherekrates (Φερεκράτης). Bedeutender Dichter der att. Alten Komödie. Zunächst als Schauspieler tätig [1. test. 2a], begann er mit eigenen Aufführungen nach → Kratinos [1] und → Krates [1], aber vor → Hermippos [1], → Phrynichos [3], → Aristophanes [3], → Eupolis (vgl. [1. test. 2a, 5, 6]). Ein Sieg (unklar, in welchem Agon) ist für 437 v. Chr. bezeugt [1. test. 2a]; die Lenäensiegerliste schreibt P. zwei Siege zu [1. test. 6]. Er soll 17 [1. test. 1] oder 18 [1. test. 3] Stücke geschrieben haben; erh. sind 19 Stücktitel, darunter allerdings unsichere Zuweisungen und vielleicht auch zwei Titel für dasselbe Stück (Ἀνθρωφηρακλῆς/*Anthrōphēraklés*, ›Der Menschen-Herakles‹; Ψευδηρακλῆς/*Pseudhēraklés*, ›Der falsche Herakles‹).

Die insgesamt 288 Fr. (davon 6 unsicher und 120 keinem Stück mehr zuweisbar) lassen noch von folgenden Stücken etwas erkennen: Die an den Lenäen von 420 [1. test. i] aufgeführten und noch in Platons ›Protagoras‹ [1. test. ii] gewürdigten Ἄγριοι (*Ágrioi*, ›Die Wilden‹) brachten einen Chor von außerhalb jeder menschlichen Gemeinschaft stehenden Menschenfeinden auf die Bühne; fr. 10 evoziert eine sklavenlose Frühzeit. Die wohl zwischen 428 und 421 entstandenen Αὐτόμολοι (*Autómoloi*, ›Die Überläufer‹; fr. 35 bezeugt auch eine überarbeitete Fassung) verbanden vielleicht zeitgenössische Themen (→ Peloponnesischer Krieg) mit phantastischen Handlungselementen: In fr. 22 werden die neutral gebliebenen Argiver verspottet, in fr. 23 scheint ein geflügeltes Schiff in den Himmel zu steigen, und in fr. 28 (anapästischer Tetrameter aus dem Agon) beklagen sich Götter über die ungleiche Verteilung der Opfergaben. In der Κοριαννώ (*Koriannṓ*; die Titelfigur ist eine Hetäre) lassen die noch erkennbaren Handlungselemente an Themen der Neuen Komödie denken: In den witzigen Gelageszenen fr. 75 und 76 klagt eine Frau (die Titelheldin?) über zu kleine Trinkgefäße bzw. zu wäßrigen Wein, in fr. 77 sagt ein Sohn seinem Vater, er sei fürs Verliebtsein schon zu alt; offenbar lieben beide dieselbe Hetäre. Auch sonst scheinen – erstmals – Hetären bei Ph. eine große Rolle gespielt und in drei weiteren Stücken Titelrollen gehabt zu haben (Ἐπιλήσμων ἢ Θάλαττα, ›Der Vergeßliche oder: Thalatta‹; Ἰπνὸς ἢ Παννυχίς, ›Die Küche oder: Pannychis‹, Πετάλη, ›Petale‹).

Die Κραπάταλοι (*Krapátaloi*; Titel unklar; ›Die Hadesdrachmen‹?) spielten entweder (wenigstens teilweise) in der Unterwelt oder brachten aus der Unterwelt Kommende auf die Bühne: In fr. 85 spricht Aischylos.

Auch in den Μεταλλῆς (Metallḗs, ›Die Bergwerksarbei-ter‹), die Eratosthenes freilich einem Nikomachos zu-schreiben wollte [1. test. i–iii; 2. 179[88], 250[22]], ist die Unterwelt prominent: In fr. 113 (33 iambische Trime-ter) schildert eine Frau ein Schlaraffenland im Toten-reich, und fr. 114 stammt aus einer dazu passenden Chorpartie; eine weitere Schlaraffenlandschilderung boten die Πέρσαι (Pérsai, ›Die Perser‹, fr. 137), bei denen Ph.' Autorschaft allerdings umstritten ist (vgl. fr. 134; 138–140). In den Μυρμηκάνθρωποι (Myrmēkánthrōpoi, ›Die Ameisenmenschen‹) scheint die Sintflutgeschichte (vgl. fr. 118f.; in fr. 125 wird → Deukalion angeredet) mit der Verwandlung von Ameisen in Menschen (vgl. Hes. fr. 205 und Ov. met. 7,615ff.) verbunden gewesen zu sein. In der Petálē bittet eine Frau (die Titelheldin?) eine (Riesen-?)Taube, sie nach Kythera oder Zypern zu tragen (fr. 143). Die Τυραννίς (Tyrannís) könnte eine Frauenherrschaft dargestellt haben: In fr. 152 beklagt ein Mann, daß die Frauen für die Männer nur ganz flache Trinkschalen, für sich selbst dagegen tiefe Weinhumpen hätten herstellen lassen; in fr. 150 spricht offenbar ein Gott über den Himmel als große Opferdampf-Auffang-vorrichtung. Aus dem Χείρων (Cheírōn; Autorschaft umstritten, vgl. die oben genannten Stellen in [2]) ist das vielleicht bemerkenswerteste Ph.-Fr. erh. (fr. 155): Die personifizierte Musik erzählt der ebenfalls personifi-zierten Gerechtigkeit von ihrer Mißhandlung durch di-verse Dithyrambendichter (→ Melanippides, → Kine-sias, → Phrynis, → Timotheos).

Ph.' Werk zeigt zum einen viele märchenhafte Handlungselemente und nimmt zum anderen manche Tendenzen der Neuen Komödie vorweg; schon in der Ant. erkannte man, daß er im Gefolge des → Krates [1] eine bes. Form der Alten Komödie ausbildete, persön-liche Invektive weitgehend mied und stattdessen auf in-geniöse Handlungsstränge setzte [1. test. 2a]. Im späte-ren Alt. und noch in Byzanz wird Ph. stets unter den bedeutendsten Dichtern der Alten Komödie genannt [1. test. 2b, 7, 8, 9]. Attizisten der Kaiserzeit galt er als Ga-rant für bestes Attisch (Ἀττικώτατος [1. test. 10]); wohl deshalb sind viele seiner Fr. in lexikographischen Wer-ken überliefert.

1 PCG VII, 1989, 102–220 2 H.-G. Nesselrath, Die att. Mittlere Komödie, 1990 3 G.W. Dobrov, E. Urios-Aparisi, The Maculate Music: Gender, Genre and the Chiron of Pherecrates, in: G.W. Dobrov (Hrsg.), Beyond Aristophanes, 1995, 139–174.   H.-G.NE.

Pherekydes (Φερεκύδης).

[1] Ph. von Syros. Griech. Mythograph und Kosmo-loge, 6. Jh.v.Chr.; nach einer älteren Trad. war er Zeit-genosse des → Alyattes (ca. 605–560 v.Chr.; Pherekydes 7 A 2 DK; Akusilaos 9 A 1 DK), nach einer anderen fiel sein schriftstellerischer Höhepunkt in die 59. Olympia-de (544–541 v.Chr., somit wäre er Zeitgenosse des Ky-ros [2]; Diog. Laert. 1,118 und 121; vgl. Pherekydes 7 A 1 DK). Nach Diog. Laert. 1,116 war sein Buch noch im 3. Jh.n.Chr. erh.; sein Titel lautete wohl Heptámychos,

›Mit sieben Schlupfwinkeln‹ (Suda s.v. Φ.); es scheint eine Prosaschrift gewesen zu sein.

Ph. wurden viele → Wunder zugeschrieben, z.B. Vorhersagen eines Erdbebens, eines Schiffbruchs, der Einnahme von Messene. Dieselben Gesch. sind für → Pythagoras bezeugt, auch eine Freundschaft zwi-schen beiden wird erwähnt (Pherekydes 7 A 1 DK = Diog. Laert. 1,120). Interessant ist ferner die Bezeugung einer Sonnenwendmarkierung durch Ph. (Diog. Laert. 1,119).

Das Werk des Ph. läßt sich trotz der Spärlichkeit der Zeugnisse inhaltlich ungefähr folgendermaßen rekon-struieren: (a) drei präexistente Gottheiten; (b) → Chro-nos (eine Urform der Zeit; vgl. Kronos) bringt aus seinem eigenen Samen Dinge hervor, die auf fünf Ver-stecke verteilt werden, aus denen weitere Göttergene-rationen hervorgehen; (c) die Herstellung eines Tuches durch Zas (eine »Vorform« von → Zeus), darauf die Abb. von Erde und Ogenos (einer Art urzeitlichen Ge-wässers; vgl. → Okeanos), die Hochzeit von Zas und Chthonia (einer »Urform« der Erde) sowie die Über-reichung des Tuchs, gefolgt von dessen Ausbreitung über eine geflügelte Eiche; (d) die Schlacht zwischen → Kronos und Ophioneus (der Urschlange; vgl. → Ophion [1]); (e) die Zuweisung von Anteilen an ver-schiedene Gottheiten.

Ph.' Zugang zur Kosmologie war kein rein mythi-scher mehr (vgl. dagegen → Hesiodos). Seine Behaup-tung, daß drei Götter immer existiert haben, enthält eine rationale Verbesserung des traditionellen genealo-gischen Musters. Andererseits bleibt er z.B. in der Al-legorie des Tuches rein mythisch. Der Einfluß orienta-lischer Vorstellungen ist an vielen Stellen greifbar. → Kosmologie; Mythographie

ED.: Diels/Kranz, 43–51.
LIT.: G. Kirk, J.E. Raven, M. Schofield, Die vorsokratischen Philosophen, 1994, 54–78 · M.L. West, Three Presocratic Cosmologies, in: CQ, N.S. 13, 1963, 154–176, bes. 157–172.   L.K.

[2] Ph. von Athen. Lebte in der 1. H. des 5. Jh.v.Chr. (vgl. → Eusebios [7], Chronicon zu Ol. 81,1 = 456/5), Verf. von Historíai, einem genealogischen Werk in 10 B. Da bereits in B. 1 Aias, Achilleus und andere Heroen vorkommen, verzichtete Ph. offensichtlich auf eine Theogonie (anders Jacoby, Komm. zu FGrH 3 F 54, das jedoch Ph. [1] zuzuweisen ist) und begann mit den He-roen, wobei er den Stammbaum oft bis fast in die eigene Zeit herabführte (vgl. F 2: → Philaidai [2] und Miltiades; F 59: Hippokrates, vgl. [7]). Nach der neueren Forsch. [3; 4; 5] ordnete Ph. den Sagenstoff übersichtlich und systematisch ›in der Art eines myth. Handbuches‹ [4]; entsprechend ist die Ansicht von [1] abzulehnen, es handle sich um eine ungeordnete Zusammenstellung von heterogenen Stücken unterschiedlicher Autoren. Die wörtlich überl. Fr. dieses first Athenian prose writer [2] lassen einen schmucklosen (vgl. Cic. de orat. 2, 53) und reihenden Erzählstil erkennen [6]. Ph. wurde nach [7] von → Herodotos [1] für die Stammbäume benützt, die vom Mythos in die Gegenwart hinabführen. FGrH 3 mit Komm.

1 U. VON WILAMOWITZ, Ph. (SPrAW, philol.-histor. Kl. 16), 1926, 125–146 2 F. JACOBY, The First Athenian Prose Writer, in: Mnemosyne 13, 1947, 13–64 (= H. BLOCH (Hrsg.), Abh. zur griech. Geschichtsschreibung, 1956, 100–143) 3 A. UHL, Ph. von Athen. Grundriß und Einheit des Werkes, Diss. München 1963 4 K. VON FRITZ, Die griech. Geschichtsschreibung, Bd. 1, Texte, 1967, 83 ff., Anm. 59 ff. 5 O. LENDLE, Einführung in die griech. Geschichtsschreibung, 1992, 22–25 6 P. DRÄGER, Stilistische Unt. zu Ph. von Athen: Ein Beitr. zur ältesten ion. Prosa (Palingenesia 52), 1995 7 E. RUSCHENBUSCH, Eine schriftliche Quelle im Werke Herodots (FGrH 3, Ph. von Athen), in: M. WEINMANN-WALSER (Hrsg.), Histor. Interpretationen. FS G. Walser zum 75. Geb. (Historia Einzelschr. 100), 1995, 131–149.   K. MEI.

Pherenikos (Φερένικος).

[1] Thebaner, Sohn des Kephisodotos, der vor den Dreißig Tyrannen (→ triákonta) geflohene Athener in Theben aufgenommen hatte (Lys. fr. 78). Nach der Besetzung der Kadmeia 382 v. Chr. mußte Ph. als Anhänger der Faktion des Ismenias [1] nach Athen fliehen (Plut. Pelopidas 5,3). Beim Angriff der Emigranten auf Theben im Dez. 379 wartete Ph. mit seinen Leuten in der Thriasischen Ebene, bis eine Schar um → Pelopidas die Polemarchen in Theben ausgeschaltet hatte (Plut. Pelopidas 8,1; s. ferner Plut. mor. 576c; 577a).

R. J. BUCK, Boiotia and the Boiotian League, 1994.
HA. BE.

[2] Epiker aus Herakleia, vielleicht aus hell. Zeit. Fünf Verse sind überl. (über die Zeugung der Hyperboreer aus dem Blut der Titanen). Ph. erzählte außerdem die Genealogie der Hamadryaden.

1 SH 671–672 2 F. STOESSL, s. v. Ph. (3), RE 19, 2035.
S. FO./Ü: TH. G.

[3] Wurde 384/5 n. Chr. vom comes Orientis Ikarios mit der Brotversorgung Antiocheias [1] betraut. Nach Libanios ging er dabei rücksichtslos gegen die Bäcker vor (Lib. or. 27,11; 28,25).   W. P.

Pheres s. Admetos; Kretheus

Pheretima (Φερετίμα). Königin von → Kyrene, Frau des → Battos [3] III. des Lahmen, Mutter des → Arkesilaos [3] III. Nachdem dieser die Königsrechte zurückforderte und um 518 v. Chr. vertrieben wurde, floh Ph. zu Euelthon nach Salamis auf Kypros und forderte mil. Beistand. Nach der Wiedereroberung Kyrenes durch ihren Sohn und dessen Flucht nach Barke herrschte sie als Königin mit Sitz im Rat. Nach Arkesilaos' Ermordung in Barke rächte sie ihn in einem Feldzug gegen die Stadt mit Hilfe des äg. Satrapen Aryandes und hielt dort ein grausames Strafgericht. Sie starb in Ägypten an einer Fäulniskrankheit. Hauptquelle zur Gesch. der Ph. ist

Herodot (4,162–167; 200–205). Die ungewöhnliche polit. Rolle dieser Frau führte schnell zur Legendenbildung unter der Topik der klugen, rachsüchtigen Königin.

→ Battiaden (mit Stemma)

H. BERVE, Die Tyrannis bei den Griechen, 1967, 125, 592 · F. CHAMOUX, Cyrène sous la monarchie des Battiades, 1953 · F. HILLER VON GAERTINGEN, s. v. Ph., RE 19, 1938, 2038 f.   B. P.

Pherne (φερνή). Was die Frau an beweglichem Vermögen als »Mitgift« in die Ehe »einbringt« (φέρειν, phérein), wird gemeingriech. als ph. bezeichnet. Zu unterscheiden ist die ph. von der προίξ (→ proíx), der Mitgift hauptsächlich in Gestalt von Grundstücken und Sklaven, wie sie in den griech. Poleis üblich war. Durch die Schätzung der Rückgabepflicht in Geld verwischen sich die Grenzen, jedoch kann man nicht von synonymen [1. 2040 f.] Ausdrücken sprechen. Die klass. griech. Autoren verwenden ph. nur für mythische und nichtgriech. Verhältnisse (anachronistisch vielleicht Plut. Solon 20 [3. 22]). IK 11/1,4, 55–64 (Ephesos, 297/6 v. Chr.) und IK 3,25,64 (Ilion in der Troas, Anf. 3. Jh. v. Chr.) sind inschr. Belege für ph. außerhalb Ägyptens [3. 22 f.].

Seit den frühesten Papyri des ptolem. Ägypten bis die röm. Zeit tritt die ph. als feste Rechtseinrichtung auf. Sie ist die von der Braut selbst, selten von ihrer Familie dem Ehemann übergebene Mitgift in Gestalt von Kleidern, Schmuck, Hausrat (immer in Geld geschätzt) oder Geldbeträgen zum Unterhalt des ehelichen Haushalts [3. 132]. Die ph. stand unter Sachherrschaft und Verfügungsgewalt des Mannes und mußte von diesem je nach Ehevertrag bei Verfehlungen mit Strafaufschlag zurückgezahlt werden; bei Verfehlungen der Frau verfiel sie regelmäßig dem Mann. Bei Tod der Frau ging die ph. an ihre Familie zurück. Nicht in das Vermögen des Mannes fielen die → parápherna (Gegenstände des persönlichen Bedarfs) und die prosphorá (Zusatzgüter: Grundstücke und Sklaven), die in röm. Zeit als eigene Rechtseinrichtungen neben die ph. traten.

→ Eheverträge

1 O. SCHULTHESS, s. v. Ph., RE 19, 2040–2052 2 H. J. WOLFF, Die Grundlagen des griech. Eherechts, in: Tijdschrift voor Rechtsgeschiedenis 20, 1952, 1–29, 157–163 3 G. HÄGE, Ehegüterrechtliche Verhältnisse in den griech. Papyri Ägyptens, 1968 4 H.-A. RUPPRECHT, Einführung in die Papyruskunde, 1994, 109 f.   G. T.

Pheron (Φερῶν). Griech. Wiedergabe des äg. pr-ʿ, → »Pharao«, also kein Eigenname, sondern der äg. Königstitel. Nach Hdt. 2,111 (ähnl. auch Diod. 1,59) Sohn und Nachfolger des → Sesostris I. (1971–1928 v. Chr.). Er soll seine Lanze in die Nilüberschwemmung geworfen haben und als Strafe dafür erblindet sein, bis er seine Augen mit dem Urin einer Frau waschen konnte, die ihrem Mann stets treu war. Nach Wiedererlangung der Sehfähigkeit ließ er alle untreuen Frauen verbrennen

sowie in → Heliopolis [1] zwei Obelisken errichten. Andere Autoren nennen den Helden dieser Erzählung Nencoreus (Plin. nat. 36,74) oder Maracho/Naracho (Malalas FGrH 609 F 5), verm. für Nb-k3-rˁ (Amenemhet II., 1914–1879/76 v.Chr.). Die Episode geht auf eine äg. (demotische) Erzählung zurück, deren Reste im noch unveröffentlichten PCarlsberg 324 aufgefunden wurden [3].

1 A.B. Lloyd, Herodotus, Book II. Comm. 99–182, 1988, 38–43 2 H. de Meulenaere, La légende de Phéros d'après Hérodot (2,111), in: Chronique d'Égypte 28, 1953, 248–260 3 K. Ryholt, Narratives from the Teletunis-Temple Library (I), in: JEA 84, 1998, 151.   JO. QU.

Pheroras (Φερώρας). Jüngster Sohn des → Antipatros [4], geb. ca. 68 v. Chr. wahrscheinlich in → Marissa (Idumaea), gest. ca. 5 v. Chr. In erster Ehe war Ph. mit einer Hasmonäerprinzessin verheiratet (der Schwester von → Mariamme [1] I., der ersten Frau seines älteren Bruders → Herodes [1] I.), in zweiter Ehe mit einem »Sklavenmädchen« (Ios. bell. Iud. 1,24,5; Ios. ant. Iud. 16,7,3). Ph. war ein enger Mitstreiter seines Bruders Herodes: Er erneuerte in dessen Auftrag die Festung Alexandreion nördlich von → Jericho (Ios. ant. Iud. 15,11,5; Ios. bell. Iud. 1,16,3), fungierte 30 v.Chr. als Stellvertreter des Herodes, während dieser auf Rhodos den nachmaligen → Augustus traf, und wurde 20 v.Chr. mit dessen Erlaubnis von Herodes über die Tetrarchie Peraia (östl. des Jordan) eingesetzt (Ios. ant. Iud. 15,10,3; Ios. bell. Iud. 1,24,5). Ph. nahm Teil an den familiären und polit. Intrigen, die den herodianischen Königshof beherrschten [2. 274 ff.], u.a. auf Seiten Antipatros' [5], des Sohnes des Herodes, um dessen Thronnachfolge [4. 322 ff.; 2. 288 ff.]. Er wurde, wohl 6 v. Chr., von Herodes aus → Jerusalem verbannt und starb 5 v. Chr. in Peraia.

1 N. Kokkinos, The Herodian Dynasty. Origins, Role in Society and Eclipse, 1998, bes. 164–175 2 P. Richardson, Herod: King of the Jews and Friend of the Romans, 1996, s. Index 3 A. Schalit, König Herodes, 1969 4 Schürer 1, 292 ff., 319 ff.   I. WA.

Pherusa (Φέρουσα).
[1] Tochter des → Nereus und der → Doris [I 1] (Hom. Il. 18,43 = Hes. theog. 248; Apollod. 1,11; Hyg. fab. praef. 8); sprechender Name: die, die Seereisende ans Ziel bringt (schol. Hes. theog. 248).
[2] Eine der → Horai (Hyg. fab. 183,4).   S. T.

Phi (sprachwissenschaftlich). Der Buchstabe Φ bezeichnet im Griech. urspr. einen stimmlosen aspirierten labialen Verschlußlaut p^h, der in Erbwörtern auf uridg. b^h oder – vor *a o i* – auf g^{uh} zurückführbar ist (φέρω < *$b^h er$-e/o-; φόνος < *$g^{uh}ón$-o-; ὄφις < *$ə_2o(n)g^{uh}i$- zu lat. *anguis*, altind. *áhi*-, jungavest. *aži*-?) [1. 297; 2. 84, 88]. Als »Zusatzzeichen« zum griech. Ur-Alphabet (→ Alphabet C.) fehlt er den archa. Alphabeten von Kreta, Thera und Melos; hierfür steht gegebenenfalls ΠΗ (Pi +

Heta) [3. 35]. Unsicher ist sein Lautwert im etr. Alphabet (→ Etruskisch); vgl. etwa *Φerse* ~ Περσεύς gegenüber *Φapenaś* (ET Cr 2.31, 7. Jh. v. Chr.) ~ »Fabii«, das jedenfalls nicht als Beleg für kontemporäre spirantische Aussprache von Φ als /f/ im Griech. gedeutet werden kann: diese ist erst seit hell. Zeit nachweisbar [1. 205 f.]. In lat. Lw. wird griech. φ zunächst durch *p* (*purpura* < griech. πορφύρα) oder *ph* (*amphora* zu griech. ἀμφορεύς, wozu Deminutiv *ampulla* < *$amp^h or$-lā-) wiedergegeben, seit E. der Republik auch durch *f* (*Fedra* CIL I² 1413, griech. Φαίδρα) [4. 160–162].
→ F (sprachwiss.); P (sprachwiss.)

1 Schwyzer, Gramm. 2 Rix, HGG 3 LSAG 4 Leumann.
     GE. ME.

Phiale (φιάλη). In homerischer Zeit Bezeichnung für Kessel (→ Lebes), Becken, Gefäß allg., später nur noch für eine fuß- und henkellose flache Schale, die zu besserer Handhabung im Unterschied zum altorientalischen Vorbild mit Omphalos versehen war, einer zentralen Einwölbung des Bodens, in die der Finger von unten eingriff. Schon im 7. Jh. v. Chr. ist diese Form mit der Bezeichnung Ph. belegt. Nach lit. und bildlichen Zeugnissen vorwiegend als Opferschale für flüssige Spenden und als rituelles Trinkgefäß benutzt, ferner als Siegespreis und Hochzeitsgeschenk bezeugt. Die hohe Zahl an Heiligtumsfunden und Erwähnungen in Tempelinventaren zeigt ihre Beliebtheit als Weihgabe (→ Weihung). Ikonographisch kann sie heroische Kontexte bezeichnen und kultischer Bed.-Träger, als solcher auch Götterattribut sein, ihre Profanierung bleibt dagegen fraglich. Im Denkmälerbestand sind Ph. aus Ton relativ selten, die meisten bestanden ehemals aus Br. und Edelmetall. Ihre Wertschätzung drückte sich in vielfältigem Reliefdekor aus, seit hell. Zeit auch in Emblemen und Büsten anstelle des Omphalos, eine Prunkform, die bis in die Kaiserzeit fortbestand (Silberfund von Boscoreale). Die rituellen Aufgaben der Ph. übernahm in Rom die → patera.

H. Luschey, Die Ph., 1938 · Ders., s.v. Ph., RE Suppl. 7, 1026–1030 · N. Himmelmann, Zur Eigenart des klass. Götterbildes, 1959 · P.H.G. Howes-Smith, Bronze Ribbed Bowls from Central Italy and Etruria: Import and Imitation, in: BABesch 59, 1984, 73–112 · B. Freyer-Schauenburg, Eine att. rf. Ph. in Kiel, in: E. Böhr (Hrsg.), Stud. zur Myth. und Vasenmalerei, FS Konrad Schauenburg, 1986, 115–120 · S. Wolf, Herakles beim Gelage, 1993, 83–87 · C.M. Stibbe, Laconian Drinking Vessels and Other Open Shapes, 1994, 94–95; 225–227 · M. Vickers, D. Gill, Artful Crafts, 1994, 37–69 (Ph. in Schatzverzeichnissen) · A.V. Siebert, Instrumenta Sacra, 1999, 40–44.   I.S.

Phiale-Maler. Attischer rf. und wgr. Vasenmaler, tätig ca. 450–425 v. Chr.; seinen Namen erhielt er von einer rf. Phiale (Boston, MFA 97.371). Er bemalte Gefäße sehr unterschiedlicher Form, bevorzugte aber die mittleren Formate, bes. Nolanische Amphoren und Lekythen (→ Gefäßformen, Abb. A 5 und E 3), wie auch sein

Lehrer, der → Achilleus-Maler. Sie arbeiteten gemeinsam in der gleichen Werkstatt im Verein mit vier bedeutenden Töpfern und mehreren geringeren Vasenmalern. Über 200 Vasen werden dem Ph.-M. zugeschrieben.

Die rasch hingeworfenen, skizzierend frei fließenden Linien seines Zeichnens zeigen eine Spontaneität,
wie man sie nicht oft im Werk anderer Vasenmaler erkennen kann. Sie gibt seinem Œuvre speziellen Char-
me. Das Spektrum der Themen in seinen Zeichnungen
ist bemerkenswert. Hervorzuheben ist sowohl seine
Liebe zu Musik und Tanz, bezeugt in seinen Szenen
tanzender Mädchen, als auch sein Interesse für die Bühne, sind doch etliche seiner besten myth. Bilder von
Trag. des → Sophokles beeinflußt.

In seinem rf. Werk gibt es beachtliche Qualitätsunterschiede. Zwei Dekorschemata, die er öfter als alle
anderen Maler benutzte, sind die zwei übereinander ge-
staffelten Bildzonen auf seinen Kelchkrateren und Darstellungen auf den Schultern seiner Lekythoi. Seine
wgr. Arbeiten sind zu Recht für ihre hohe Qualität und
ihre seltenen wie interessanten Themen bekannt, doch
wandte er diese Technik nicht häufig an. Drei Arbeiten
seines Œuvres sind bes. herauszustellen: seine zwei wgr.
Kelchkratere – der eine mit Perseus, der Andromeda
rettet (Agrigento AG7), der andere mit Hermes, der das
Dionysoskind zu Papposilen bringt (Rom, VM 16586) –
und die wgr. Lekythos mit Hermes Psychopompos, der
auf eine Frau wartet, die ihren Kranz am Grabe befestigt
(München, SA 6248).

BEAZLEY, ARV², 1014–1026, 1678 · BEAZLEY, Paralipomena
440–441, 516 · J.H. OAKLEY, The Phiale Painter, 1990 ·
Ders., Attisch rf. Pelike des Ph.-M. und weitere Addenda,
in: AA 1995, 495–501 · Ders., The Achilles Painter, 1997,
100.   J.O.

Phidias s. Pheidias

Phigaleia (Φιγάλεια, Φιγαλία, seit hell. Zeit Φιάλεια).
I. LAGE, HISTORISCHE ENTWICKLUNG
II. DER TEMPEL VON BASSAI

I. LAGE, HISTORISCHE ENTWICKLUNG
Stadt in SW-Arkadia in extremer Gebirgslage über
dem Nordufer der → Neda (Pol. 4,3,5 ff.; Strab. 8,3,22;
Paus. 8,39,1–42,13; Ptol. 3,16,19; Hierokles, Synekdemos 647,13) beim h. Figalia, geogr. und histor. mit Messana [2] eng verbunden. Die Stadt mit gut erh. Mauerring von etwa 5 km Umfang (5./4. Jh. v. Chr.; [1]) liegt
in 420–720 m H über der in schwer zugänglicher Fel-
senklamm fließenden Neda, auch nach Osten und Westen durch tiefe Schluchten geschützt. Auf dem Gebiet
von Ph. liegt der Tempel des Apollon Epikureios bei
Bassai (h. Vasses; [2; 3]), einer kṓmē von Ph., etwa 6 km
nordöstl. in 1130 m H. Im NW davon beim Berg Ko-
tileon sind Reste von zwei Tempeln für Artemis bzw.
Aphrodite (6./4. Jh. v. Chr.) erh. Wegen ihrer schwer
zugänglichen Gebirgslage war die Stadt ein ideales

Rückzugsgebiet für messenische Freiheitskämpfer
[4. 262–268]. Ph. wurde deshalb zweimal von → Sparta
besetzt (Paus. 8,39,4 f.; 41,1; Polyain. 6,27,2). Nach der
Schlacht bei Leuktra 371 v. Chr. kam es auch in Ph. zu
blutigen Unruhen (Diod. 15,40,2). Ph. war an der Seite
Spartas am → Chremonideischen Krieg beteiligt (Syll.³
434, 25). Im 3. Jh. v. Chr. stand Ph. in → isopoliteía mit
dem Aitolischen Bund (→ Aitoloi, mit Karte), nahm sogar eine aitolische Besatzung auf. 219/8 v. Chr. trat Ph.
zum Achaiischen Bund über (Pol. 4,3,5 ff.; 6,10 f.; 31,1;
79,5 f. Mz.-Prägung: HN 418; → Achaioi, mit Karte). In
der Zeit von Septimius Severus (193–211) bis Geta (209–
212) prägte Ph. wieder Mz. (HN 453). Inschr.: IG V 2,
420–430 [5].

1 F. A. COOPER, J. W. MYERS, Reconaissance of a Greek
Mountain City, in: Journ. of Field Archaeology 8, 1981,
123–134 2 F. A. COOPER (Hrsg.), The Temple of Apollo
Bassitas, Bde. 1–4, 1992–1996 3 N. J. KELLY, The Archaic
Temple of Apollo at Bassai, in: Hesperia 64, 1995, 227–277
4 W. K. PRITCHETT, Aetiology sans Topography, in: Ders.,
Thucydides' Pentekontaetia and Other Essays, 1995,
205–279 5 G. J. TE RIELE, Inscriptions de Pavlitsa, in: BCH
90, 1966, 248–273.   Y. L. u. E. O.

II. DER TEMPEL VON BASSAI
Dem Gebiet von Ph. zugehörig ist der 6 km entfernt,
nahe dem h. Ort Bassai in schwer zugänglicher Lage
errichtete dorische Ringhallentempel für Apollon Epikureios, ein → Peripteros von 6 × 15 Säulen aus der Zeit
um 420 v. Chr.; die von Pausanias (8,41,8–9) getätigte
Zuschreibung des Tempels an den athenischen Architekten → Iktinos ist verschiedentlich angezweifelt worden. Der Bau aus dunklem lokalen Kalkstein weist nach
jüngsten Grabungsbefunden einen archa. Vorgänger
auf, dessen spätklass. Nachfolger von einiger baugesch.
Bed. ist, da hier erstmals eine Kombination aller drei
griech. Säulenordnungen (→ Säule) zu beobachten ist:
dorische Ordnung außen, Zungenmauern im Cella-
Inneren in ionischer Ordnung; zudem eine eingestellte
korinthische Säule (gerahmt von zwei Zungenmauern
mit ebenfalls korinthischem Kapitell). Die korinthischen Kapitele von Bassai sind die bislang ältesten der
griech. Architekturgesch.; sie wurden bei einer Unt. des
Bauwerks 1811/2 von Charles COCKERELL und Carl
HALLER VON HALLERSTEIN entdeckt und sind verschol-
len, aber in recht präzisen Zeichnungen überl. Der im
Innern der Cella umlaufende Skulpturenfries wurde im
Zuge dieser Bauuntersuchung demontiert und 1814
nach London ins Britische Museum verbracht.

ALLG.: P. BROUCKE, s. v. Figalia, EAA 2. Suppl. Bd. 2,
1994, 660–662 · JOST, 82–98 · MÜLLER, 830 ·
S. GRUNAUER VON HOERSCHELMANN, s. v. Ph., in: LAUFFER,
Griechenland, 538.

ZUM TEMPEL: H. BAUER, Korinthische Normalkapitele
des 4. und 3. Jh. v. Chr. (3. Beih. MDAI[A]), 1973 · CH.
COCKERELL, The Temple of Jupiter Panhellenius at Aegina
and of Apollo Epicurius at Bassae near Ph. in Arcadia,
1860 · F. FELTEN, Die Friese des Apollontempels von Bassai

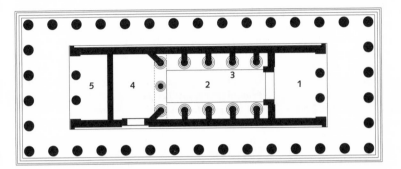

Phigaleia (Bassai). Tempel
des Apollon Epikureios
(ca. 420 v. Chr.). Grundriß.

1 Pronaos
2 Cella 1
3 Säulen, die in Zungen-
  mauern übergehen
4 Cella 2: »Adyton«
5 Opisthodom

und die nacharcha. arkadische Plastik, in: O. PALAGIA,
W. COULSON (Hrsg.), Sculpture from Arcadia and Laconia
(Kongr. Oxford 1992), 1993, 47–56 • N.T. DE
GRUMMOND, s. v. Bassai, Encyclopedia of the History of
Classical Archaeology, Bd. 1, 1996 • CH. HOFKES-
BRUKKER, A. MALLWITZ, Der Bassai-Fries in der urspr.
geplanten Anordnung, 1975 • H. KNELL, Grundzüge der
griech. Architektur, 1980, 65–71.   C.HÖ.

Phila (Φίλα).

[1] Nach Satyros bei Athen. 13,557c eine der Gemah-
linnen des → Philippos [4] II., Schwester von Derdas [3]
und Machatas [1].

[2] Älteste Tochter des Antipatros [1] und wahrscheinlich die Gemahlin von Alexandros [7], daher geb. um
355 v.Chr. Später heiratete sie Balakros [1] und 322
Krateros [1], dem sie Krateros [2] gebar. 321/320 vermählte ihr Vater sie mit Demetrios [2], dem sie Antigonos [2] und → Stratonike gebar. Trotz seiner Geringschätzung blieb sie ihm treu, unterstützte ihn 299 bei
den Verhandlungen mit → Seleukos und versuchte, ihn
mit ihrem Bruder → Kassandros zu versöhnen. Seiner
Besitzergreifung des maked. Thrones verlieh die Tochter des Antipatros einen Schein von Rechtmäßigkeit.
Nach seiner Vertreibung aus Makedonia beging sie
Selbstmord. Hauptquellen: Plut. Demetrios 14; 27; 31 f.;
Diod. 18,18; 18,30; 19,59 (Enkomion).

[3] Tochter von → Seleukos und → Stratonike, um 276
v. Chr. mit dem Onkel Antigonos [2] verheiratet, dem
sie Demetrios [3] gebar. Sie wurde in Delos geehrt.

W. HOFFMANN, s. v. Ph., RE 19, 2088.   E.B.

Philadelpheia (Φιλαδέλφεια).

[1] Lydische Gründung Seleukos' I. (vgl. SEG 35, 1985,
1170 [2. 180[139]; 3. Nr. 20]) oder erst Attalos' [5] II. Philadelphos (der jedenfalls Pate stand für den ON) am NO-
Fuß des → Tmolos im fruchtbaren Tal des Kogamis (vgl.
die Mz. bei HN 655, h. Alaşehir Çayı), eines südl. Ne-
benflusses des Hermos, in der südl. → Katakekaumene
[1] an der Straße von Sardeis nach Laodikeia [4], stark
erdbebengefährdet (Strab. 12,8,18; 13,4,10; vgl. das
Erdbeben 17 n.Chr. bei Tac. ann. 2,47; [1. 982f.[17],
1408[31]]). Ruinen befinden sich beim h. Alaşehir. Ph.
zählte in der röm. Kaiserzeit zum *conventus* von → Sardeis (Plin. nat. 5,111). Unter Caligula und Claudius

[III 1] erfolgte eine nur numismatisch bezeugte Umbenennung in Neokaisareia (HN l.c.). Unter Caracalla erhielt Ph. die Neokorie (Syll.[3] 883; SEG 35, 1985, 1365).
Ph. war Teil der byz. Prov. Lydia (Hierokles, Synekdemos 669,3), Suffraganbistum von Sardeis (vgl. Not.
episc. 1,163; 3,96). Als letzte byz. Bastion in Kleinasien
wurde Ph. von den Türken unter Bayezit I. 1391 erobert.

1 MAGIE 2 MITCHELL 1 3 J. KEIL, A. V. PREMERSTEIN,
Denkschriften der Kaiserlichen Akad. der Wiss. in Wien
57,1, 1914.

T.S. MACKAY, s. v. Ph., PE, 703.   E.O.

[2] Stadt in → Isauria, von Ptol. 5,7,5 in der Selinitis im
Westen der Kilikia Tracheia lokalisiert, nach dem arch.
und numismatischen Befund (Mz.-Legende Φιλαδελ-
φεων της Κ[ι]ητιδος) wohl das h. İmsi Ören, 70 km
nordnordöstl. von → Anemurion [1. 216f.; 2. 378]. Vgl.
Hierokles, Synekdemos 710,4; Not. episc. 1,849; 3,737;
10,795.

1 G. E. BEAN, T. B. MITFORD, Journeys in Rough Cilicia
1964–1968, 1970 2 HILD/HELLENKEMPER.   K.T.

[3] s. Rabbath Ammon

[4] Dorf im NO des → Fajum (h. Kaum al-Ğirza), als
Militärkolonie unter Ptolemaios II. (282–246 v.Chr.)
gegründet und nach der Königin Arsinoë [II 3] Philadelphos benannt, mit guten Straßenverbindungen ins
Fajum und ins Niltal nach Kerkē (Ğirza). 259 v.Chr.
erhielt der → *dioikētēs* Apollonios ein Landgut von
10000 Aruren (= 2756 ha; → *árura*) bei Ph., das von seinem Verwalter Zenon betreut wurde. Aus dessen Archiv wurden ca. 3000 Papyri gefunden – eine der wichtigsten Quellen für das ptolem. Äg. (→ Zenon-Papyri).
In Ph. wurden u. a. die göttliche Arsinoë und äg. Götter
wie Amun, Anubis, Isis und Osiris verehrt. Datierte
Zeugnisse gibt es bis ins 4. Jh. n. Chr., danach ist das
Dorf verödet.

A. CALDERINI, Dizionario dei nomi geografici e topografici
dell'Egitto greco-romano, Bd. 5, 1987, 74–78.   K. J.-W.

Philadelphos (Φιλάδελφος, wörtlich »der/die Ge-
schwisterliebende«). (Kult-)Beiname hell. Könige. Er
wurde zuerst von Arsinoë [II 3] II. getragen (für ihren

Bruder und Ehemann Ptolemaios II. ist Ph. erst ab 165/4 v. Chr. belegt). In der Dyn. der → Ptolemaier ist der Name sehr häufig (Kleopatra [II 9] Berenike III., Ptolemaios XII. und Kleopatra [II 10] Tryphaina; Kleopatra [II 12] VII. und ihre Brüder wurden noch zu Lebzeiten Ptolemaios' XII. zu *theoí néoi philádelphoi*; vgl. auch → Ptolemaios Ph.). In anderen Dyn. wurde Ph. ebenfalls benutzt, so z. B. für Attalos [5] II. [1. 156], Mithradates [4] IV. und Laodike [II 10], Demetrios [8] II., die Kinder Antiochos' [10] VIII., Iotape [1] VI. von Kommagene, Artabanos [5] II. und Ariarathes X.

Die Liebe Arsinoës zu ihrem Bruder wird lit. mit der von Zeus und Hera verglichen (Kall. in SH 254,2; Theokr. 17,130–137), hat ferner das Verhältnis von → Isis und → Osiris zum Vorbild. Einige andere Beispiele zeigen aber, daß das Epitheton nicht notwendig zur dynastischen → Geschwisterehe gehörte, sondern häufig den Respekt des jüngeren vor dem älteren Bruder ausdrückte, die Einigkeit der Geschwister untereinander oder sogar dynastische Kontinuität bezeugen und eine große Vergangenheit evozieren sollte. Im Sinn der brüderlichen → Concordia wurde Ph. im Osten auch für Drusus [II 1] und Germanicus [2] (BMC, Lydia p. 251 f.; Caria p. 167), für Marcus [2] Aurelius und Lucius → Verus benutzt (IG II/III² 3405; SEG 23,109).

Plutarchos [2] schrieb einen Traktat *Perí philadelphías* (›Über die Geschwisterliebe‹; Plut. mor. 478–492), der den dynastischen Aspekt fast ganz ausklammert. So kann Ph. auch in Grabinschr. auf Privatpersonen bezogen werden [2. 189].

→ Geschwisterehe; Philomotor [1]; Philopator

1 R. ALLEN, The Attalid Kingdom, 1983 2 M. TOD, in: ABSA 45, 1951, 118–122.

L. CRISCUOLO, Ph. nella dinastia lagide, in: Aegyptus 70, 1990, 89–96 · L. KOENEN, The Ptolemaic King as a Religious Figure, in: A. W. BULLOCH u. a. (Hrsg.), Images and Ideologies, 1993, 61–66 · F. MUCCIOLI, Considerazioni generali sull' epiteto Φιλάδελφος nelle dinastie ellenistiche e sulla sua applicazione nella titolatura degli ultimi Seleucidi, in: Historia 43, 1994, 402–422. W. A.

Philagrios (Φιλάγριος). Arzt aus Epeiros, wirkte im 3. bis 4. Jh. n. Chr., praktizierte in Thessalonike; Verf. von mehr als 70 B.: Abh. über → Diätetik, Gicht, Wassersucht und Tollwut sowie ein Hippokrates-Komm. [1]. Von späteren, v. a. arabischen Autoren wird er häufig mit seinen therapeutischen Verfahren bei Leber- und Milzkrankheiten zitiert. Was seinen theoretischen Hintergrund betrifft, so folgt er oftmals → Galenos, doch legt er besonderen Wert auf das Pneuma (→ Pneumatiker) als koordinierende Kraft im Organismus. Sein Name wird häufig in *Filaretus* entstellt (z. B. fr. 131–133: Rhazes, Continens, Venedig 1509, fol. 493r–494v), doch ist ungewiß, ob er der Verf. der Pulsschrift ist, die → Philaretos [1] zugeschrieben wird.

1 R. MASULLO (Hrsg.), Filagrio. Frammenti, 1999.
V. N./Ü: L. v. R.-B.

Philagros (Φίλαγρος). Sophist aus Kilikien, galt als arrogant und reizbar (Philostr. soph. 2,8), möglicherweise mit Q. Veranius Philagros aus Kibyra [1] verwandt; Schüler des → Lollianos [2], wahrscheinlich in Athen, wo er sich mit → Herodes [16] Atticus und dessen Schülern stritt, und möglicherweise Zielscheibe des → Lukianos [1] in dessen *Lexiphánes* (vgl. [2]). Auf den Lehrstuhl für griech. Rhet. in Rom berufen (in den 170er (?) Jahren n. Chr.), starb er in Italien oder auf See (Philostr. soph. 2,8). Zu seinen Schülern gehörte Phoinix (ebd.); einen Traum, der ihm ankündigte, daß er nicht mehr deklamieren könne, verzeichnet Artem. 4,1, p. 242,11–13 PACK.

→ Zweite Sophistik

1 IGR 4, 914f. 2 C. P. JONES, Two Enemies of Lucian, in: GRBS 13, 1972, 475–487.

PIR P 348. E. BO./Ü: T. H.

Philai (Φιλαί, äg. *P-Jrk*, wohl ein nubischer Name). Kleine Insel am Südende des 1. Nilkataraktes, auf der ein berühmter → Isis-Tempel und eine Anzahl kleinerer Heiligtümer standen. Verbaute Blöcke mit Königsnamen zeigen, daß es spätestens unter Taharka (690–664) hier ein Heiligtum gab, spätestens seit → Amasis [2] einen Isistempel. Die frühesten noch sichtbaren Anlagen stammen aber erst von → Nektanebos [1] I., und die meisten Bauwerke wurden von den Ptolemäern errichtet. In röm. Zeit wurden nur noch kleinere Kapellen hinzugefügt, zuletzt unter Diocletianus (284–305) eine Befestigung. Ph. und sein *Abaton* (Osiriskultstätte) auf der Insel Bigge werden häufig von griech. und lat. Autoren erwähnt [3; 4].

Im Haupttempel wurde ein göttlicher Falke als »Seele des → Sonnengottes« verehrt (vgl. Strab. 17,1,49), v. a. aber Isis, deren Kult bis in byz. Zeit populär war. Hier finden sich die letzten datierten hieroglyphischen (394 n. Chr.) und demotischen (452 n. Chr.) Inschr. Erst unter Kaiser Iustinianus [1] I. wurde der Tempel um 535 geschlossen (Prok. BP 1,19). Die Insel Ph. wurde schon 1910 vom (alten) Stausee überspült, 1972–80 sind (fast) alle Bauwerke auf die nahegelegene Insel Agilkia verlagert worden.

1 E. WINTER, s. v. Philae, LÄ 4, 1022–1027 2 E. VASSILIKA, Ptolemaic Philae, 1989 3 TH. HÖPFNER, Fontes Historiae Religionis Aegyptiacae, 1922–1925, 891 4 PH. DERCHAIN, À propos de Claudien, in: ZÄS 81, 1956, 4–6. K. J.-W.

Philaïdai (Φιλαΐδαι).

[1] Att. Mesogeia-Demos der Phyle Aigeis mit drei *buleutaí* an der Ostküste von Attika, auf dessen Gebiet das Artemis-Heiligtum von → Brauron lag. Aus Ph. stammte → Peisistratos [4] (Plat. Hipparch. 228b; Plut. Solon 10,2). Daß → Kleisthenes [2] den Demos deshalb nicht Brauron genannt habe [4. 11 mit Anm. 30, 24 mit Anm. 83], ist unbegründet, die Lokalisierung des Demenzentrums von Ph. westl. der frühchristl. Basilika von Brauron [1. 41; 2. 127] hypothetisch [3. 56].

1 TRAILL, Attica, 41, 68, 112 Nr. 111, Tab. 2 2 J.S. TRAILL, Demos and Trittys, 1986 3 TRAVLOS, Attika 4 WHITEHEAD, 11, 24, 32, 210, 370.   H.LO.

[2] Heute üblicher Name für eine athen. Adelsfamilie, die im 6. und 5. Jh.v.Chr. eine Reihe prominenter Heerführer und Politiker hervorbrachte. Die Ph. führten ihre Abkunft auf → Philaios [1], den Sohn des mythischen Helden Aias zurück. Kenntnis ihrer Genealogie beruht auf einer Liste des → Pherekydes [1] (FGrH 3 F 2) aus der Zeit um 550 v.Chr. Zu den bedeutendsten Ph. zählen → Miltiades [1] und [2] und → Kimon [2]. Die Familie war im Demos → Lakiadai ansässig. Die zahlreichen Siege ihrer Mitglieder bei Olympischen Wagenrennen sowie ihre Heiratsverbindungen zu den korinthischen → Kypseliden und zur thrakischen Königsfamilie lassen darauf schließen, daß die Ph. über beträchtliches Vermögen, panhellenisches Ansehen und entsprechende Beziehungen verfügten. Ob die Herrschaft (*arché*), die die Familie seit Miltiades [1] auf der thrakischen Chersonesos [1] ausübte, mit großem Grundbesitz in dieser Region verbunden war, ist unbekannt.

Der innenpolit. Kurs der Ph. wurde in der älteren Forsch. stets als »konservativ« und »antidemokratisch« charakterisiert. Eine solche Klassifizierung ganzer Familien läßt sich jedoch mit unserem Wissen über die polit. Handlungsspielräume athen. Aristokraten und ihren Wandel im 6. und 5. Jh. nicht vereinbaren. Zwar gibt es Hinweise, daß einzelne Ph., wie z.B. Kimon [2], ihre familiäre Trad. und die Leistungen ihrer Vorfahren in ihrer öffentl. Selbstdarstellung bewußt herausstellten. Das bedeutet jedoch nicht, daß die Ph. über Generationen hinweg konstant einen bestimmten polit. Kurs verfolgt hätten. Sie waren vielmehr typisch griech. Aristokraten, und das heißt, daß jeder einzelne von ihnen versuchte, unter den jeweils herrschenden Bedingungen seine Chancen zu nutzen und seine individuellen Einflußmöglichkeiten zu optimieren.

→ Adel [2]

DAVIES 8429 · M. STAHL, Aristokraten und Tyrannen im archa. Athen, 1987, 106ff. · E. STEIN-HÖLKESKAMP, Kimon und die athen. Demokratie, in: Hermes 127, 1999, 145–164.
E.S.-H.

Philaios (Φίλαιος).
[1] Sagenhafter Ahnherr des berühmten att. Geschlechts der → Philaidai [2] [1. 37 Anm. 1]. Sohn des → Aias [1] und der → Lysidike [3] (Hdt. 6,35). Laut Pausanias (1,35,2) Sohn des → Eurysakes, eines Enkels des Aias. Nach Plutarch (Solon 10) übergibt Ph. den Athenern die Insel Salamis. Hierfür erhält er, gemeinsam mit seinem Bruder Eurysakes, das att. Bürgerrecht. Ph. wohnt in Brauron, sein Bruder in Melite.
[2] Sohn des → Munichos [3].

1 WILAMOWITZ, Bd. 1.   J.BI.

Philammon (Φιλάμμων).
[1] Aus Delphi stammender mythischer Sänger und Leierspieler, Sohn → Apollons (Pherekydes von Athen FGrH 3 F 120); als Mutter werden Philonis (ebd.), → Chione [2] (Ov. met. 11,316f.) oder → Leukonoe [1] (Hyg. fab. 161) genannt, Söhne sind – neben anderen genealogischen Ansätzen – Thamyris (Eur. Rhes. 916; 925) und → Eumolpos (Theokr. 24,108). In Delphi soll Ph. Jungfrauenchöre (Pherekydes l.c.) sowie Chöre im Tempel eingeführt haben (Plut. de musica 3) und im musischen Wettstreit dort einer der ältesten Sieger gewesen sein (Paus. 10,7,2). Ferner wird Ph. zu den → Argonautai gerechnet (vgl. [1]). Er fällt im Kampf der Delphier gegen die Phlegyer (Paus. 9,36,2).

1 A. KOSSATZ-DEISSMANN, s.v. Ph., LIMC 8.1, 982.
TH.KN.

[2] Mit Deinon, dem Sohn des Deinon (Pol. 15,26a), für den Mord an Arsinoë [II 4] III. verantwortlich, danach von → Agathokles [6] als Libyarch für Kyrene (Λιβυάρχης τῶν κατὰ Κυρήνην τόπων) aus Alexandreia entfernt. Ph. hielt sich beim Ende des Agathokles in Alexandreia auf, wo er mit Frau und Sohn erschlagen wurde (Pol. 15,25,12; 33,11f.). PP VI 15082.

H. SCHMITT, Unt. zur Gesch. Antiochos' d.Gr., 1964, 204–206 · K. ZIMMERMANN, Libyen, 1999, 160–162.
W.A.

Philaretos (Φιλάρετος).
[1] Griech. medizinischer Schriftsteller. Eine Schrift, die Ph.' Namen trägt und letztlich auf → Galenos' Pulslehre zurückgeht, stellt eine byz. Überarbeitung (aus dem 9. Jh.?) der pneumatisch beeinflußten Schrift *De pulsibus ad Antonium* (= Gal. 19,629–642 K.) dar (→ Pneumatiker). Ob Ph. der Verf. der Originalschrift oder der Überarbeitung war, wird kontrovers diskutiert. Ein Zusammenhang mit → Philagrios kann nicht ausgeschlossen werden, da dessen Name gelegentlich in Ph. entstellt wird. Die Überarbeitung enthielt Diagramme, die aus → Theophilos Protospatharios oder einer gemeinsamen Quelle stammen, und dürfte noch weitere Veränderungen erfahren haben, bevor sie den überl. Zustand erreichte. Ihre Bed. liegt zum einen in der Kondensierung der galenischen Pulslehre zu einem knappen Hdb., zum anderen in der Wirkungsgesch.: In dieser leicht verwendbaren Gestalt wurde der ant. Stoff an Byzanz übermittelt, in Form einer lat. Übers. aus dem 11. Jh. gelangte er nach Salerno. Als Bestandteil der sog. *Articella* wurde die Überarbeitung einer der wichtigsten Standardtexte im Rahmen der ma. Medizinerausbildung.

J. A. PITHIS (ed.), Die Schriften ΠΕΡΙ ΣΦΥΓΜΩΝ des Ph., 1983 (mit dt. Übers. und Komm.).   V.N./Ü: L.v.R.-B.

[2] Ph. Eleemon (Φ. Έλεήμων, »der Barmherzige«). *702 in Amnia (Paphlagonien), †1.12.792 in Konstantinopolis. Vermögender Großgrundbesitzer, der seinen Besitz für wohltätige Zwecke veräußerte (vgl. seinen

Beinamen). Nach arab. Einfällen in den 80er J. des 8. Jh. n. Chr. verarmte er ganz. Kaiser → Constantinus [8] VI. heiratete im J. 788 Ph.' Enkelin Maria, weshalb die ganze Familie nach Konstantinopolis umzog. Auch dort widmete er sich karitativen Aufgaben und wurde nach seinem Tod im Kloster Andreas ἐν τῇ κρίσει/*en tēi krísei* begraben. 821/2 verfaßte sein Enkel Niketas von Amnia Ph.' Vita.

ED.: M.-H. FOURMY, MAURICE LEROY (ed.), La vie de S. Philarète, in: Byzantion (Brüssel) 6, 1934, 111–167.
LIT.: J. W. NESBITT, The Life of St. Philaretos (702–792) and its Significance for Byzantine Agriculture, in: Greek Orthodox Theological Review 14, 1969, 150–158.   K. SA.

Philargyrius s. Iunius [III 2] Filagrius

Philastrius (meist *Filastrius* oder *Filaster*). Ph. wurde nach langen Reisen als antihäretischer Prediger (→ Gaudentius [5] von Brescia, Sermo 21) vor 381 n. Chr. Bischof von → Brixia (Brescia), traf zw. 383 und 387 mit Augustinus (epist. 222) zusammen, starb an einem 18. Juli vor 397. Der erh. *Diversarum hereseon liber* über 156 Häresien basiert auf → Epiphanios [1] von Salamis (*Panárion*) und → Eirenaios [2] von Lyon (*Adversus haereses*) und wurde schon von → Augustinus (*De haeresibus*) verwendet.
→ Häresiologie

F. HEYLEN (ed.), Filastrii Episcopi Brixiensis Diversarum Hereseon Liber, in: CCL 9, 1957, 207–324 · G. BANTERLE, San Filastrio di Brescia, Delle varie eresie (it. Übers. und Komm.; Scrittori dell'area santambrosiana 4), 1991 · H. KOCH, s. v. Ph., RE 19, 2125–2131.   M. HE.

Phileas (Φιλέας).
[1] Griech. Geograph aus Athen (vgl. Marcianus, Epitome peripli Menippei 2 = GGM 1, 565; Avien. 43 f.), Mitte des 5. Jh. v. Chr. Seine 13 direkt erh. Fr. sind ed. (Fundstellen und Inhalte: [1. 2134 f.]). Als wohl erster att. Nachfolger der altionischen Periegese (→ Periegetes) dürfte Ph. in seiner ›Erdbeschreibung‹ (γῆς περίοδος, Harpokr. 152,2) das ganze Mittelmeergebiet, nicht nur die Küsten, wie in einem → Periplus behandelt haben; er kannte drei Erdteile: Asia, Europa und (durch den → Rhodanus davon abgegrenzt: Avien. 691–696) Libya. Neben rein Geographischem brachte er auch Erklärungen aus Mythos und Geschichte.
→ Geographie

1 F. GISINGER, s. v. Ph. (6), RE 19, 2132–2136.   H. A. G.

[2] Ph. aus Tarent organisierte 212 v. Chr. die mißglückte Flucht der Geiseln der Städte Tarent (→ Taras) und Thurioi aus Rom und wurde mit ihnen hingerichtet (Liv. 25,7,11–14). Dies führte zum Stimmungsumschwung in Tarent zugunsten Hannibals [4], den Nikon [3] bewerkstelligte (Liv. 25,8,1–11,8) [1. 37].

1 D. A. KUKOFKA, Süditalien im Zweiten Punischen Krieg, 1990.   L.-M. G.

Philemon (Φιλήμων).
[1] Gemahl der → Baukis.   T. J.
[2] Sohn des Damon aus Syrakus [1. test. 1, 11], wurde (vor 307/6 v. Chr.; vgl. [1. test. 15]) athenischer Bürger [1. test. 2–12. 15]. Bedeutender Dichter der att. Neuen Komödie mit Bühnendebüt einige Jahre vor → Menandros [4] (vor 328: [1. test. 2]); ob diese etwas frühere Chronologie oder der andere Charakter seiner Stücke dazu geführt hat, daß Ph. einmal als ›Dichter der Mittleren Komödie‹ bezeichnet wird [1. test. 7], ist unsicher [2. 62]. Ph.s erster Dionysiensieg ist für 327 v. Chr. bezeugt [1. test. 13]; die Lenäensiegerliste [1. test. 14] schreibt ihm drei Siege zu und stellt ihn chronologisch hinter → Timokles, → Prokleides, Menandros [4] und vor → Apollodoros [5] von Karystos, → Diphilos [5], → Philippides [3]. Ph. soll insgesamt 97 Stücke geschrieben haben [1. test. 1, 2, 4] – 63 Stücktitel (vier davon unsicher) sind erh. – und 97 [1. test. 5], 99 [1. test. 1,4] oder sogar 101 Jahre [1. test. 1, 6] alt geworden sein. Über seinen Tod waren wenigstens zwei Versionen im Umlauf: Er sei an einem heftigen Lachanfall gestorben [1. test. 1, 5] oder aber ruhig im Schlaf verschieden, noch während der Abfassung eines Stücks [1. test. 6, 7; vgl. test. 8].

Aus Ph.s umfangreichem Schaffen sind nur wenige Reste erh.; von den insgesamt 198 Fr. sind 4 zweifelhaft und 103 keinem bestimmten Werk mehr zuweisbar. Drei Stücke leben in Bearbeitungen des → Plautus weiter (aus dem Ἔμπορος/*Émporos*/›Der Kaufmann‹ wurde der *Mercator*, aus dem Θησαυρός/*Thēsaurós*/ ›Der Schatz‹ der *Trinummus* und aus dem Φάσμα/ *Phásma*/›Das Gespenst‹ die *Mostellaria*), wobei das Ausmaß der plautinischen Umarbeitung umstritten ist (vgl. [3] und dagegen [4]). Die erh. Titel weisen auf das übliche Repertoire der Neuen Komödie hin; nur zu folgenden Stücken lassen einzelne Fr. noch etwas vom Inhalt erkennen:

In den Ἀδελφοί (*Adelphoí*, ›Die Brüder‹) lobte ein Bordellbesitzer den großen Solon wegen seiner weitsichtigen Begründung von Bordellen (fr. 3); im Ἔφηβος (*Éphēbos*, ›Der Ephebe‹) beklagte wahrscheinlich ein alter Ehemann sein hartes Los (fr. 28). Aus dem Λιθογλύφος (*Lithoglýphos*, ›Der Steinschneider‹) ist noch ein Teil eines lebendigen Botenberichts erhalten (fr. 41), aus Μετιὼν ἢ Ζωμίον (*Metiōn ē Zōmíon*, ›Der Freier oder: Süppchen‹; der zweite Teil des Titels ist ein Spitzname für einen → Parasiten) ein Stück aus einer ebenfalls lebendigen Szene, in der sich ein Gastgeber über ein schlecht geratenes Fischgericht beschwerte (fr. 42). Ein selbstbewußter Koch (vgl. fr. 63 f.) trat im Παρεισιών (*Pareisiōn*, ›Der daneben Hereinschlüpfende‹, wohl wieder ein Parasit) auf. Im Πτερύγιον (*Pterýgion*, ›Der Gewandzipfel‹) beklagte sich jemand offenbar über anspruchsvolle Ehefrauen (fr. 69); im Πύρρος (*Pýrrhos*, war damit König Pyrrhos gemeint?) war Philosophenspott ingeniös mit einem Loblied auf den Frieden verbunden (fr. 74). Im Σάρδιον (*Sárdion*, ›Der Karneol‹, vielleicht ein für eine → Anagnorisis wichtiges Requisit) versuchte ein sympathischer Sklave seinen traurigen Herrn zu trösten (fr. 77). Aus dem Στρατιώτης (*Stratiótēs*, ›Der Soldat‹; MEINEKE wollte das Stück dem jüngeren Philemon [3] zuweisen) ist noch eine lange Koch-Rhesis erh. (fr. 82), die zunächst den ersten Ammenauftritt der euripideischen *Mḗdeia* (vgl. Eur. Med. 57) parodiert und in einer eindrucksvollen Hyperbole gipfelt. Der Ὑποβολιμαῖος (*Hypobolimaíos*, ›Der untergeschobene Säugling‹) war offenbar eine Nachgestaltung des *Kókalos* des Aristophanes (vgl. [1. test. Ὑποβολιμαῖος] und [1. test. 32]). In den Φιλόσοφοι (*Philósophoi*, ›Die Philosophen‹) richtete sich der Spott (unter anderem?) gegen den Stoiker Zenon (fr. 88). Anspielungen auf die Zeitgeschichte gab es im Βαβυλώνιος (*Babylṓnios*, ›Der Mann aus Babylon‹; in fr. 15 sind Alexandros' [4] d. Gr. Schatzmeister → Harpalos und seine Mätresse Pythionike erwähnt), in *Metíōn ḗ Zṓmíon* (s. o.; in fr. 43 wird der athenische Politiker → Kallimedon verspottet) und in der Νέαιρα (*Néaira*, fr. 49: der Tiger des Seleukos).

Unter den ohne Stückzuweisung erh. Fr. sind erwähnenswert fr. 95 (aus einem Prolog des Gottes Aër, »Luft«), 100 (ironischer Preis des Bauernlebens), 118 (Worte eines Euripides-Bewunderers; vgl. fr. 153), 134 (über den Kyniker → Krates [4]), 142 (gegen einen feisten Soldaten) und 160 (Spott auf das Eigenlob des Tragödiendichters → Astydamas [2]).

Zu Lebzeiten war Ph. auf der Bühne erheblich erfolgreicher als Menandros [1. test. 7, 23, 24]; später aber galt er paradoxerweise als eher für die Lektüre denn für Aufführungen geeignet ([1. test. 22]; inschr. ist lediglich eine Wiederaufführung von 262 oder 258 v. Chr. belegt, die einen dritten Platz errang: [1. test. 16]) und wurde nur noch als zweitbester Dichter der Neuen Komödie betrachtet ([1. test. 23] Quintilian; [1. test. 27] Velleius Paterculus). Dieser Umstand mag zum fast vollständigen Verlust seines Œuvres beigetragen haben. Bisher lassen sich nur ganz wenige kurze Papyri Ph. zuweisen; allerdings mag unter den zahlreichen Adespota noch einiges ihm gehören. In der Spätant. und über sie hinaus lebte er vor allem als Autor von gnomischen Betrachtungen weiter; über 40 % seiner Fr. (allein 60 unter den 103 ohne Stücktiteln) stammen aus der Anthologie des → Stobaios.

1 PCG VII, 1989, 221–317 2 H.-G. NESSELRATH, Die att. Mittlere Komödie, 1990 3 E. STÄRK, Mostellaria oder Turbare statt sedare, in: E. LEFÈVRE, E. STÄRK, G. VOGT-SPIRA, Plautus barbarus, 1991, 107–140 4 L. BRAUN, Phormio und Epidikazomenos. Mit einem Anhang zu Mostellaria und Phasma, in: Hermes 127, 1999, 43–46.

[3] Ph. d. J. Att. Komödiendichter des 3. Jh. v. Chr., Sohn von Philemon [2]. Er schrieb 54 Stücke [1. test. 1] und siegte sechsmal an den Dionysien [1. test. 2]; 280 nahm er an einem Komödienagon auf Delos teil [1. test. 3]. Ein Stück mit dem Titel Φωκεῖς (*Phōkeís*, ›Die Phoker‹) ist entweder ihm oder seinem Vater zuzuschreiben [1. test. *4]. Von den drei erhaltenen Fr. ist fr. 1 eine Art

Lehrvortrag eines eingebildeten Kochs, die beiden anderen sind sarkastische Gnomen auf den Arztberuf.

1 PCG VII, 1989, 318–320.

[4] Att. Komödiendichter, der am Dionysienagon von 183 v. Chr. mit einer Μιλησία (*Milēsía*, ›Das Mädchen aus Milet‹) sechster [1. test. 2] und bei anderen Dionysien wenigstens einmal erster wurde [1. test. 1].

1 PCG VII, 1989, 321. H.-G. NE.

[5] Glossograph aus dem att. Demos → Aixone, der Wende vom 3. zum 2. Jh. v. Chr. angehörig. Bruchstücke aus seinem Werk Περὶ Ἀττικῶν ὀνομάτων ἢ γλωσσῶν (›Über attische Worte oder Glossen‹) – der Titel ist bei Athen. 11,468f bezeugt – sind dem → Athenaios [3] durch Aristarchos [4] von Samothrake und Pamphilos [6], dem → Ammonios [4] durch Tryphon vermittelt. Aus diesem Werk sind Erläuterungen zu einigen in der att. Komödie vorkommenden Bezeichnungen von Nahrungsmitteln und Gebrauchsgegenständen überliefert. Ein weiteres, aus mindestens 2 B. bestehendes glossographisches Werk des Ph. mit dem Titel Παντοδαπὰ χρηστήρια (›Nützliche Gegenstände jeglicher Art‹) erwähnt Athen. 3,114d-e, der daraus Erklärungen zu verschiedenen Brotbezeichnungen zitiert.

1 L. COHN, Der Atticist Ph., in: Philologus N. F. 11, 1898, 353–367 2 R. WEBER, De Philemone Atheniensi Glossographo, in: Commentationes philologae quibus Ottoni Ribbeckio … congratulantur discipuli Lipsienses, 1888, 441–450 3 C. WENDEL, s. v. Ph. (13), RE 19, 2150–2151. ST. MA.

[6] Griech. Geograph, verfaßte nach der Flottenexpedition des Tiberius 5 n. Chr., die bis nach Jütland (→ Mare Suebicum) ging, und vor Plinius [1] d. Ä., d. h. spätestens 77 n. Chr., eine h. verlorene Schrift, die wohl *Períplus tēs ektós thaláttēs* (›Umfahrung des äußeren Meeres‹) [2. 194] oder *Perí Ōkeanú* (›Über den Ozean‹) [1. 2146] hieß. Ph. behandelte nach Erkundigungen bei Kaufleuten, auch in kritischem Anschluß an → Pytheas, bes. Meere, Inseln und Küsten des nördl., noch »Skythia« genannten Europa. Das zeigen die vier ihm eindeutig zugeschriebenen Fr. (Plin. nat. 4,95; 37,33; 37,36; Marinos bei Ptol. 1,11,8), in denen u. a. Irland, Skandinavien, die Kimbern auf Jütland und Bernsteinarten der Nordseeküste erwähnt werden.

→ Geographie

1 W. KROLL, s. v. Ph. (11), RE 19, 2146–2149 2 E. NORDEN, Ph. der Geograph, in: B. KYTZLER (Hrsg.), KS, 1966, 191–196. H. A. G.

[7] Attizist und Grammatiker um 200 n. Chr. [1. 363–366], Verf. eines (nur in zwei Auszügen [2. 285–301; 3. 392–396] erh.) jambischen Werkes über Widersprüche (Περὶ Ἀττικῆς ἀντιλογίας τῆς ἐν ταῖς λέξεσιν, Choiroboskos, Comm. in Hephaestion 183,4 f. CONSBRUCH) und von Σύμμικτα (›Vermischtes‹), in denen er u. a. Herodot-Probleme behandelte (Porphyrios, Quaestiones Homericae ad Il. 286–288 SCHRADER).

1 L. Cohn, Der Atticist Ph., in: Philologus 57, 1898, 353–367 2 F. Osann, Philemonis grammatici quae supersunt, 1821 3 R. Reitzenstein, Gesch. der griech. Etymologika, 1897 (Ndr. 1964). GR. DA.

[8] Lat. Grammatiker der ersten H. des 3. Jh. n. Chr., einer der Lehrer des Sohnes des Kaisers Maximinus [2] Thrax (SHA Maximinus 27,3 [1. 83, 85]). Ph. wird mit einem *Liber de proprietate sermonis* in Verbindung gebracht, welches mit *Adipiscitur* anfing und noch in der Bibl. Montecassinos im 15. Jh. vorhanden war [2. 19, Anm. 1]. Es handelt sich wahrscheinlich um einen lexikographischen Text mit Etymologien oder *differentiae* (→ *Differentiarum scriptores*), in alphabetischer Reihenfolge verfaßt und mit Autorenzitaten versehen.

1 A. Lippold, Der Kaiser Maximinus Thrax und der röm. Senat, in: Bonner Historia Augusta Colloquium 1966/67, 1968, 73–89 2 M. Manitius, Gesch. der lat. Lit. des MA, Bd. 1, 1911 3 W. v. Strzelecki, s. v. Ph. (17), RE 19, 2152–2155. P. G./Ü: TH. G.

Philetairos (Φιλέταιρος).
[1] Att. Dichter der Mittleren Komödie (1. H. 4. Jh. v. Chr.), laut Dikaiarchos Sohn des Komödiendichters → Aristophanes [3] [1. test. 1; 2. 192], was aber aufgrund der teilweise abweichenden ant. Trad. unsicher bleibt [3]. Auf der Liste der Lenäensieger ist Ph. mit zwei Siegen unmittelbar nach Anaxandrides bzw. vor Eubulos verzeichnet. Von den insgesamt 21 Stücken, die Ph. von der Suda zugeschrieben werden [1. test. 1], sind noch 13 (vielleicht auch nur 11) Titel bekannt, von denen zumindest fünf auf Mythentravestien schließen lassen [2. 193]. Die 20 kurzen Fr. enthalten nicht wenige Anspielungen auf offenbar noch lebende Zeitgenossen [3].

1 PCG VII, 1989, 322–332 2 H.-G. Nesselrath, Die att. Mittlere Komödie, 1990 3 A. Koerte, s. v. Ph. (5), RE 19, 2163 f. T. HI.

[2] Ph. aus Tios, Sohn des Makedonen Attalos und der Paphlagonierin Boa, wurde der Begründer der pergamenischen Dyn. der Attaliden (→ Attalos mit Stemma; Strab. 12,543; Athen. 13,577b; OGIS 264,15; 748,1). Als Kommandant der Burg von → Pergamon, in der 9000 Talente gelagert waren, stand der Eunuch Ph. im Dienst des → Dokimos, seit 302 v. Chr. des Lysimachos [2]. Die in Lysimachos' Familie von dessen Frau → Arsinoë [II 3] angezettelte blutige Intrige bzw. Verleumdung des Ph. durch Attalos veranlaßte diesen 282 zum Übertritt zu → Seleukos I., der alsbald in Kleinasien einmarschierte und Lysimachos besiegte (Strab. 13,623; Paus. 1,8,1; 10,4). Ph. kaufte die Leiche des im selben Jahr getöteten Seleukos dem Mörder Ptolemaios Keraunos ab und sandte die Asche an den Sohn und Nachfolger des Ermordeten, Antiochos [2] I. (App. Syr. 63,335). Er prägte Mz. im Namen des Lysimachos und dann des Seleukos, später mit dem Bild des Seleukos, jedoch mit seinem eigenen Namen; Mz. mit dem Bild des Ph. sind hingegen erst postum bis ca. 190 v. Chr. geprägt worden. Unter seleukidischer Oberhoheit herrschte Ph. tatsäch-

lich selbständig über Pergamon und das mittlere Kaikos-Tal. Er adoptierte seine Neffen Attalos [3], den er mit Antiochis, der Tochter des Achaios [4], verheiratete, und Eumenes [2] I. Er begründete die attalidische Politik, in griech. Städten durch Stiftungen und Spenden Einfluß zu gewinnen (OGIS 310–312; 335,135 f.; 748; 749; IDélos 298 A 95). In Pergamon errichtete Ph. den Demetertempel. Ein Kastell am Ida hieß Philetaireia (OGIS 266,2). Nach seinem Tod 263 wurde Ph. als → *euergétēs* verehrt (OGIS 266; 764,19 f.).
[3] Sohn eines Eumenes, ob Bruder des Eumenes [2] I. oder Vetter des Attalos [4] I., ist ungewiß. Ph. ist als Stifter in Thespiai belegt (OGIS 750).
[4] Sohn des → Attalos [4] I. und der Apollonis, geb. nach 220 v. Chr., zuletzt 171 belegt (Strab. 13,624). Ph. half seinem regierenden Bruder → Eumenes [3] II. u. a. 181 (?) durch eine Gesandtschaft zusammen mit den weiteren Brüdern Attalos [5] III. und Athenaios [2] in Rom, 171 durch Übernahme der zeitweiligen Regentschaft in Abwesenheit bes. des Eumenes und durch erfolgreiche Kriegführung gegen die Galater (→ Kelten III. B. 3.; IG XI 4, 1105; Pol. 24,5; Liv. 42,55,7; Plut. mor. 480c). Mehrere Städte ehrten ihn (Syll.³ 629,11 f.; OGIS 248,40 f.; 295; 308,14 f.). Athen verlieh ihm spätestens 175/4 das Bürgerrecht; 186, 182 oder 178 hatten er und seine drei Brüder dort bei den Panathenäen (→ Panathenaia) Wagenrennen gewonnen (IG II/III² 1,2, 905; II/III² 2,2, 2314,83–90; Syll.³ 641).

1 R. E. Allen, The Attalid Kingdom, 1983 2 Ch. Habicht, Athen in hell. Zeit, 1994, 191–193 3 E. V. Hansen, The Attalids of Pergamum, 1971 4 I. Kertész, Zur Sozialpolitik der Attaliden, in: Tyche 7, 1992, 133–141 5 H.-J. Schalles, Unt. zur Kulturpolitik der pergamenischen Herrscher im 3. Jh. v. Chr., 1985 6 B. Virgilio, Fama, eredità e memoria degli Attalidi di Pergamo, in: Studi ellenistici 4, 1994, 137–171 7 U. Westermark, Das Bildnis des Ph., 1961 8 Will I, 100; 136 f.; 144; 151 f. A. ME.

Philetas s. Philitas

Philhellenismus. In den mod. Sprachen kam das Wort Philhellene (»Griechenfreund«) bzw. Ph. (»Griechenfreundschaft«) anläßlich des griech. Befreiungskampfes (1821–1829) in Gebrauch, als sich in ganz Europa eine Woge der Sympathie mit den Griechen ausbreitete. Bald darauf (seit den 1850er Jahren) wurde das Wort auch von Alt.-Wissenschaftlern wie Grote und Mommsen benutzt (s. auch → Philhellenismus).

Die Ant. kannte nur das griech. Adj. φιλέλλην/ *philhéllēn* (= ph., »hellenenfreundlich«), das seit → Herodotos [1] (2,178) immer wieder, jedoch nicht sehr häufig, bezeugt ist. Es konnte auf Griechen angewandt werden, die sich der Sache des gesamten Griechentum bes. verschrieben oder durch Haß auf die → Barbaren bes. hervorgetan hatten, wie etwa die Athener im Krieg gegen den persischen Großkönig Xerxes (Isokr. or. 4 [Panegyrikos], 96; → Perserkriege) oder der Arzt Hippokrates [6], der sich weigerte, den Perserkönig Artaxerxes [1] zu behandeln (Soranos, Vita Hippocratis 8). Mit dieser Bed. verbindet sich die Wertung des Dichters → Homeros [1] als Philhellene in bestimmten *Scholia vetera* zur ›Ilias‹ bis hin zum Komm. des → Eustathios [4] in byz. Zeit (12. Jh.).

Noch häufiger jedoch werden Nicht-Griechen, bes. → Barbaren-Herrscher, als griechenfreundlich bezeichnet, wenn diese den Griechen ihre Gunst erwiesen haben: so etwa der Pharao Amasis [2] bei Herodot (2,178), dem ältesten Beleg für das Wort *ph.* In hell. Zeit erscheint *ph.* sogar in den offiziellen Titeln nichtgriech. Herrscher, die griech. Städte in ihre Gewalt gebracht haben: in denen der Könige der → Parther, nachdem Mithridates [12] I. den → Seleukiden Babylonien entrissen hatte (141 v. Chr.), oder im Titel des arab. Dynasten Aretas [3] III., des Herrn der → Nabataioi, der die Gunst der Stunde nutzte, um sich während der seleukid. Anarchie (84–71 v. Chr.) zum Schutzherrn über das hellenisierte → Damaskos aufzuwerfen.

Auch von Rom unterworfene Könige bezeichneten sich als *Philorhōmaios kai Ph.* (»Römer- und Griechenfreund«), als sei ihre Loyalität gegenüber Rom die Grundlage ihres Wohlwollens gegenüber den Griechen (vgl. Strab. 14,2,5 C.) – z. B. im 1. Jh. v. Chr. Antiochos [16] I. von Kommagene und noch im ersten Drittel des 3. Jh. n. Chr. → Rheskuporis III., König eines Reiches am Kimmerischen Bosporus (→ Regnum Bosporanum); dieser freilich in außergewöhnlicher Form auf einer einzigen ihm gewidmeten Ehreninschrift.

Diese Entwicklung zeichnet sich bereits in einem für Eumenes [2] II. von Pergamon beschlossenen Dekret der Delphischen → *amphiktyonía* von 182 v. Chr. ab, jedoch in einer unterschiedlichen Formulierung. *Ph.* erschien nämlich nicht als Titel der Könige in den großen, aus dem Alexanderreich hervorgegangenen hell. Reichen (→ Hellenistische Staatenwelt); auch die Städte verliehen den Königen den Titel nicht mehr, sondern ehrten sie auf hochformalisierte Weise für die ihnen und (all) den (anderen) Griechen erwiesene Gunst. So ist auch der Makedonenkönig, der üblicherweise »Alexandros, der Philhellene« genannt wird, nicht Alexandros [4] d. Gr., sondern → Alexandros [2] I. von Makedonia, der z. Z. der → Perserkriege lebte, und selbst diese Bezeichnung ist nicht vor Dion [I 3] von Prusa (2,33) im 1. Jh. n. Chr. belegt.

Das Wort *ph.* wird selbst nicht in den Schreiben verwendet, die röm. Magistrate und später die Kaiser an die Städte richteten, ebensowenig wie in den ihnen von den Städten gewidmeten Ehrendekreten. Eine einzige Ausnahme bildet bislang das Dekret aus → Akraiphia in Boiotia zu Ehren des Kaisers → Nero (Syll.³ 814): Weil dieser der röm. Prov. Achaia die Freiheit verliehen hat, wird er als *heis kai mónos tōn ap' aiōnos autokrátōr mégistos ph.* (»der eine und einzige seit Menschengedenken am meisten griechenfreundliche Kaiser«) bezeichnet; einen Altar und Standbilder erhielt Nero jedoch in seiner Funktion als *Neron Zeus Eleutherios.*

Trotz der spärlichen Überl.-Lage gibt es keinen Grund zu bezweifeln, daß die Bezeichnung *ph.* in den öffentl. Ehrenbezeigungen für Römer laufend gebraucht wurde (vgl. Plut. Antonius 23,2). Als Quintus → Tullius gerade die Statthalterschaft der Prov. Asia übernommen hatte, unterstrich sein Bruder → Cicero in einem Brief an Atticus (Cic. Att. 1,15,1), daß der Ruf der Brüder umso mehr auf dem Spiel stehe, als sie »mehr als andere Griechenfreunde seien und als solche gälten« (*praeter ceteros philhéllēnes et sumus et habemur*). Was darunter zu verstehen ist, wird in einem anderen Brief deutlich, der im Zusammenhang mit dieser Statthalterschaft an Quintus gerichtet ist (Cic. ad Q. fr. 1,1): Weil die Griechen die Wiege der Kultur und Zivilisation seien, verdienten sie eine bes. wohlwollende Behandlung.

Schon bei → Isokrates (or. 9,50) erscheint die Hochachtung vor der griech. Kultur als wesentlicher Zug des Ph. Aber die polit. und kulturellen Komponenten des Ph. sind nicht voneinander zu trennen: Der Anspruch, der Erwerb griech. Bildung (→ *paideía*) sei eine notwendige Voraussetzung für die Ausübung der Hegemonie über die Griechen (so Strab. 9,2,2 C., der hier eine Thematik aufnimmt und entwickelt, die auf den Historiker → Ephoros, einen Schüler des → Isokrates, zurückgeht), enthält in sich auch die Forderung nach einem privilegierten Status der griech. Städte – innerhalb des röm. Reiches ebenso wie zuvor im Herschaftsbereich der hell. Monarchien.

Dennoch läßt sich in bestimmten Texten die Tendenz feststellen, die kulturelle Dimension praktisch zur ausschließlichen werden zu lassen. So kann der Tyrann Hieron [1] I. von Syrakusai im 5. Jh. v. Chr. deshalb zum *ph.* erklärt werden, weil er der Kultur und den großen Dichtern seiner Zeit Ehre erwies (Ail. var. 9,11); in einem *Panēgyrikós* auf einen Kaiser des 3. Jh. n. Chr. (evtl. auf Philippus [2] Arabs) ist dessen Ph. nur durch die Art und Weise charakterisiert, wie er der von seinem Vorgänger verachteten griech. Kultur wieder Geltung verschaffte ([Aristeid.] 35,20; verm. apokryph). In byz. Zeit nahm das Wort *héllēn* die negative Bed. »heidnisch« an (s. → Hellenisierung B. 4.), *ph.* wurde deshalb immer seltener gebraucht.

→ Hellenisierung; Panhellenes, Panhellenismus; PHILHELLENISMUS

J.-L. FERRARY, Philhellénisme et impérialisme, 1988, bes. 497–526; 565–572 · J. IRMSCHER, *Philéllēn* im mittelgriech. Sprachgebrauch, in: ByzF 2, 1967, 238–245 · J. KAKRIDIS, Homer, ein Philhellene?, in: WS 69, 1956, 26–32 (= Ders., Homer Revisited, 1971, 54–67) · P. PARSONS, ΦΙΛΕΛΛΗΝ, in: MH 53, 1996, 106–115 · B. ROCHETTE, Note sur philobasileus et philellen à l'époque hellénistique, in: ZPE, 121, 1998, 62–66 · Ders., Sur *philhellen* chez Cicéron (Ad Att. 1,15,1), in: Acta Classica 68, 1999, 263–266 · J. WOLSKI, Sur le »philhellénisme« des Arsacides, in: Gerión 1, 1983, 145–156.   J.-L. F.

Philia s. Freundschaft

Philiadas (Φιλιάδας) aus Megara. Steph. Byz. s. v. Θέσπεια weist Ph. ein ἐπίγραμμα τῶν ἀναιρεθέντων ὑπὸ τῶν Περσῶν (»ein Epigramm auf die gegen die Perser Gefallenen«) zu und zitiert daraus ein elegisches Distichon (GVI Nr. 5 PEEK = Nr. 23 PREGER = FGE 289–290 = IEG II² p. 193), in dem die Tapferkeit der Thespier gerühmt wird. Die These, daß dieses Teil eines → Epitaphios gewesen sei, der auf einer der fünf bei den Thermopylen errichteten Stelen eingraviert war (Strab. 9,4,2), ist verm. unbegründet [1; 2]. Unsicher ist auch die Hypothese, daß Ph. Verf. der V. 773–782 (788) des *Corpus Theognideum* (→ Theognis) sei [3].

1 M. BOAS, De epigrammatis Simonideis, 1905, 17 Anm. 23
2 FGE 78–79 3 J. CARRIÈRE (ed.), Théognis, ²1975, 176 (mit Komm.). M. D. MA./Ü: T. H.

Philikos (Φίλικος) von Kerkyra (Korfu). Dichter und Tragiker, Dionysospriester in Alexandreia z. Z. Ptolemaios' II. Philadelphos (285–246 v. Chr.). Mitglied der → Pleias, oft mit → Philiskos [4] von Aigina (TrGF I 89) verwechselt (TrGF I 104 T1, T4). Von den ihm zugeschriebenen 24 Tragödien ist nichts erhalten. Von einem Demeter-Hymnos in stichischen katalektischen choriambischen Hexametern ist eine große Partie überl. (SH 676–680), in der Demeter über den Verlust der Tochter mit der Aussicht auf kultische Ehren in Eleusis und durch die Scherze der Magd → Iambe (in direkter Rede) getröstet wird.

K. LATTE, Der Demeterhymnos des Ph., in: Ders., KS, 1968, 539–561. B. Z.

Philinne (Φιλίννη). Ein Papyrus-Fr. (PAmherst 11) enthält drei Hexameter einer magischen Beschwörung (ἐπῳδή) gegen Kopfschmerzen, die einer gewissen ›thessal. Ph.‹ zugeschrieben werden. Dieses ist physisch verbunden mit einem weiteren Papyrusfr. (PBerolinensis inv. 7504) derselben Rolle, das einen Zauberspruch einer Syrerin aus Gadara gegen jede Art von Verbrennung enthält.

1 SH 900 2 PGM II², p. 145 3 PACK, Nr. 1871 (mit Lit.)
4 A. HENRICHS, Zum Text einiger Zauberpapyri, in: ZPE 6, 1970, 204–209. S. FO./Ü: TH. G.

Philinos (Φιλῖνος).
[1] Athener. Ph. schlug vor, alle → Theten unter die Hopliten (→ hoplítai) aufzunehmen (Antiph. fr. 61 aus der Rede *Katá Philínu*). 420/419 v. Chr. wollte er ein gegen ihn eingeleitetes Verfahren wegen Veruntreuung öffentl. Gelder verhindern, indem er unmittelbar vor dem Prozeß einen Philokrates dazu bewog, gegen den Ankläger wegen unabsichtlicher Tötung Klage zu erheben. Bei Annahme der Klage durfte der Ankläger des Ph. keine gehegten Stätten, auch keine Gerichtsstätten (*nómima*) mehr betreten (Antiph. 6,12; 21; 35f.).

E. HEITSCH, Antiphon aus Rhamnus (AAWM 1984.3), 1984, 90–109. W. S.

[2] Att. Redner des 4. Jh. v. Chr. Erh. sind die Titel dreier Reden (Harpokr. s. v. θεωρικά, ἐπὶ κόρρης, κοιρωνίδαι; Athen. 10,425b). In der einzigen davon, deren Echtheit in der Ant. nicht bezweifelt wurde, sprach sich Ph. gegen den Antrag des → Lykurgos [9] aus, die drei großen Tragiker des 5. Jh. durch Statuen zu ehren. Clemens von Alexandreia (strom. 6 P.626b) zit. im Wortlaut den Anf. einer Rede des Ph., der deutlich an Demosth. or. 19,1 und Aischin. Ctes. 1 anklingt.

BLASS 3,2,288ff. M. W.

[3] Tragiker, siegte an den Lenäen ca. 354 v. Chr. (TrGF I 80). B. Z.

[4] Ph. von Kos. Griech. Arzt, wirkte um 250 v. Chr. Er war einer der Begründer der → Empiriker-Schule (Ps.-Galenos, *Introductio*; Gal. 14,683; [1]). Einst Schüler des → Herophilos [1], brach er mit seinem Lehrer [1. fr. 6], als er dessen Pulsdiagnostik [1. fr. 77] und dessen Erklärungen der hippokratischen Begriffe, wie sie der Herophileer → Bakcheios [1] gibt, anzweifelte [1. fr. 311] (obwohl die drei Zit. aus seinem 6 B. umfassenden Glossar [1. fr. 322, 327, 328] prinzipiell damit übereinstimmen). → Plinius [1] d. Ä. und – auf indirektem Wege – → Galenos konsultierten ihn in pharmakologischen Fragen. Von seinen Theorien ist nur so viel bekannt, daß er der sinnlichen Wahrnehmung kritisch gegenüberstand.

Ed.: 1 DEICHGRÄBER, 163f., 254f. V. N./Ü: L. v. R.-B.

[5] Ph. aus Akragas, 2. H. des 3. Jh. v. Chr. Verfasser einer Monographie über den 1. → Punischen Krieg, deren Titel, Umfang und Inhalt unbekannt sind: Nur 5 Fr. sind erh. Das Werk diente → Fabius [I 35] Pictor (vgl. Pol. 3,8,1), → Polybios [2] (vgl. Pol. 1,14) und → Diodoros [18] (Diod. 23 und 24; vgl. Ph. FGrH 174 F 3–5) als Quelle. Nach Polybios (1,14) schrieb Ph. prokarthagisch, Fabius Pictor dagegen prorömisch, beide ohne absichtliche Entstellung der Wahrheit. Dennoch legte Polybios für die eigene Darstellung in B. 1,10–64 Ph. und Fabius Pictor zugrunde, wobei die prokarthag. bzw. antiröm. Partien weitgehend aus Ph. stammen (z. B. Pol. 1,10f.; 1,15; 1,17–19; 1,26–28; 1,60f.). Ph. ist Hauptautorität für den sog. Ph.-Vertrag von 306/5, dessen Historizität von Polybios geleugnet wird (vgl. Pol. 3,26), von verschiedenen mod. Forschern dagegen bejaht wird (vgl. [5]).

1 FGrH 174 mit Komm. 2 K. MEISTER, Histor. Kritik bei Polybios, 1975, 127ff. 3 Ders., Die griech. Geschichtsschreibung, 1990, 143f. 4 O. LENDLE, Einf. in die griech. Geschichtsschreibung, 1992, 219ff. 5 StV 3, Nr. 438. K. MEI.

[6] Ph. aus Korinth wurde mit seinen Söhnen unter dem Verdacht proröm. und prospartanischer Gesinnung von dem radikal romfeindlichen achaiischen Strategen → Diaios im J. 148 v. Chr. umgebracht (Pol. 38,18,6f.) [1. 222; 2. 19f.].

1 J. DEININGER, Der polit. Widerstand gegen Rom in Griechenland, 1971 2 R. BERNHARDT, Polis und röm. Herrschaft in der späten Republik, 1985. L.-M. G.

Philippeios (Φιλίππειος, sc. χρυσοῦς στατήρ; Diod. 16,8,5–6; Poll. 9,84; 9,59; Syll.² 588 Z. 7; Syll.³ 285; Dareikoi Ph.: IG II 5, 845c Z. 8), lat, Philipp(e)us (Liv. 37,59; 39,5; 39,7; Hor. epist. 2,1,234; allg. kursierende Gold-Mz.: Dig. 34,2,27,4), goldener → Stater Philippos' [4] II. von Makedonien. Er ist ein ca. 8,6 g schweres → Didrachmon attischen Fußes [2. 407–409]. Auf dem Av. erscheint der Kopf Apollons mit Lorbeerkranz, auf dem Rv. ein Zweigespann, das sich nach Plut. (Alexandros 4) auf einen Wagensieg Philipps in Olympia bezieht. Der Ph. war die erste massenhaft geprägte Gold-Mz. Griechenlands, die Ausbeute der Goldminen von → Philippoi (Diod. 16,8,5–6). Die Prägung des Ph. begann um 342–340 v. Chr.; ein großer Teil wurde erst nach 336 (also nach Philippos' Tod) – auch in Kleinasien – geprägt, zunächst bis 328 und dann 323/2 bis ca. 310 [2. 428–434; 4]. Der Ph. galt nach einer delphischen Inschr. von 336/335 v. Chr. (FdD, Bd. 3.5, 50, Sp. 2, Z. 9–10) 7 äginetische Statere = 20 attische Drachmen; das entspricht einer Gold-Silber-Relation von 10:1 (dazu einschränkend [2. 439–441]). Der Ph. strömte in großer Menge in die keltischen Gebiete auf dem Balkan und in Gallien und wurde dort in zunehmender Barbarisierung nachgeprägt [1; 2. 442–443; 3].

1 D. F. ALLEN, The Philippus in Switzerland and the Rhineland, in: SNR 1974, 42–74 2 G. LE RIDER, Le monnayage d'argent et d'or de Philippe II frappé en Macédoine de 359 à 294, 1977 3 S. SCHEERS, Les imitations en Gaule du statère de Philippe II de Macedoine, in: I. GEDAI, K. BIRÓNÉ-SEY (Hrsg.), Proc. of the International Numismatic Symposium Warszawa/Budapest 1976, 1980, 41–53 4 M. THOMPSON, Posthumous Philipp II Staters of Asia Minor, in: S. SCHEERS (Hrsg.), Studia Paulo Naster Oblata 1, 1982, 57–63.   DI. K.

Philippides (Φιλιππίδης).
[1] Athener und Anhänger von → Philippos [4] II., von den Komödiendichtern Alexis, Aristophon [4] und Menandros [4] verspottet (Athen. 6,230c; 238c; 11,503a; 12,552d-f). Ph. wurde nach zwei Verurteilungen wegen gesetzwidriger Anträge von → Hypereides 336 oder zw. 336 und 334 v. Chr. erneut mit einer solchen Klage (→ *paranómōn graphé*) wegen seines Ehrenantrages für die *próhedroi* belangt (Hyp. or. 4), unter denen Philippos [4] II. geehrt worden war.

J. ENGELS, Stud. zur polit. Biographie des Hypereides, ²1993, 143–147 · PA 14351.

[2] Ph., Sohn des Philomelos [2] aus dem Demos Paiania, 353/2 und ca. 326–323 v. Chr. athenischer Trierarch (Demosth. or. 21,208; IG II² 1613,191; 1631c,287; 1632c,263), Stratege für die Flotte, *agonothétēs* und *árchōn basileús*, wurde auf Antrag des Stratokles 292 hoch geehrt (IG II² 649).
→ Athenai (III. 10.–11.)

DAVIES, 549f. · HABICHT, 98 · PA 14361.   J.E.

[3] Sohn des Philokles, att. Dichter der Neuen Komödie und nach ant. Einschätzung einer der hervorragendsten Vertreter dieses Genos [1. test. 4, 5]. An den Dionysien siegte Ph. im J. 311 mit dem sonst unbekannten Stück Μύστις (›Die Eingeweihte‹) [1. test. 8]; mindestens zwei (vielleicht auch drei oder vier) Siege trug er an den Lenäen davon [1. test. 7]. Als einflußreicher Fürsprecher beim Makedonenkönig Lysimachos [2] sowie als Agonothet erwarb sich Ph. große Verdienste um Athen, die in einem außergewöhnlich langen Ehrendekret (ca. 287/6) durch seine Mitbürger gewürdigt werden [1. test. 3]. Aus dem umfangreichen Œuvre (der Suda waren noch 45 Stücke bekannt [1. test. 1]) sind 16 Titel und 41 kurze Fr. überliefert.

1 PCG VII, 1989, 333–352.   T.HI.

Philippika s. Demosthenes [2]

Philippikos Bardanes (Φιλιππικὸς Βαρδάνης). Byz. Kaiser (Nov. 711 n. Chr.-Juni 713). Aus armenischer Familie in Konstantinopolis (daher sein armen. Name *Bardanes*), gest. in Konstantinopolis 714/5. Als Teilnehmer an einer Expedition gegen Cherson wurde er dort unter dem griech. Namen Ph.B. zum Kaiser gegen → Iustinianus [3] II. ausgerufen, der bei dem Versuch, ihn auf seinem Weg nach Konstantinopolis aufzuhalten, getötet wurde. Als Anhänger des → Monotheletismus widerrief Ph.B. die Entscheidungen des Konzils von Konstantinopolis 680/1. Erfolglos im Kampf gegen Bulgaren und Araber, wurde er von Offizieren des → Themas Opsikion abgesetzt.
→ Byzantion, Byzanz (mit Karte); BYZANZ

LMA 6, 2083 · ODB 3, 1654.   F.T.

Philippoi (Φίλιπποι, lat. *Philippi*).
I. GRÜNDUNG, HELLENISTISCHE UND RÖMISCHE ZEIT II. CHRISTLICHE ZEIT

I. GRÜNDUNG, HELLENISTISCHE UND RÖMISCHE ZEIT
Stadt in Ost-Makedonia, von Philippos [4] II. um 355 v. Chr. an der Stelle von Krenides bzw. Daton (App. civ. 4,105) anläßlich der Eroberung des von → Thrakes besiedelten Gebiets zw. → Strymon und → Nestos [1] gegr. An Ph. führte später die → Via Egnatia vorbei. Die ant. Ruinenstätte von Ph. liegt 15 km nordwestl. vom h. Kavala entfernt. Obwohl die Bergwerke des → Pangaion (→ Philippeios) in der Nähe lagen und zunächst angeblich jährlich 1000 Talente abwarfen (Diod. 16,8,6) – noch unter Alexandros [4] d.Gr. mußten Streitigkeiten über die Schürfrechte zw. Ph. und den Thrakes geschlichtet werden (SEG 34, 664) –, scheint Ph. stärker landwirtschaftlich ausgerichtet gewesen zu sein. In hell. Zeit galt Ph. als autonome Gemeinde. Ph. erkannte 242 v. Chr. die → asylía von Kos an [1] und gewährte etwas später den delphischen *theōroí* Aufnahme [2]. Seit 168 v. Chr. gehörte Ph. zur 1. maked. *merís* (*regio*, Liv.

45,29,5 f.). Im 1. → Mithradatischen Krieg wurde Ph.
von L. Valerius Flaccus erobert (Granius Licinianus
35,70). Hier fanden 86 v. Chr. Verhandlungen zw. Sulla
und Archelaos [4] statt (Plut. Sulla 23).

Nach der Doppelschlacht, die sich die Caesarianer
unter Antonius [I 9] und dem nachmaligen Augustus
und die Republikaner unter M. Iunius [I 10] Brutus
bzw. Cassius [I 10] in der Nähe von Ph. 42 v. Chr. lieferten, wurde die Bevölkerung durch Ansiedlung röm.
Veteranen ergänzt, nach 30 v. Chr. kamen weitere Italiker hinzu (Cass. Dio 51,4,6). Die *colonia* erhielt das *ius
Italicum* (Dig. 50,15,8,8); nach 27 v. Chr. nannte sie sich
colonia Augusta Iulia Philippensis. Obwohl sich der urbane
Bereich in Ph. vom urspr. einzig besiedelten Akropolis-
hügel (App. civ. 4,105) jetzt in die Ebene erstreckte, wo
das (h. ausgegrabene) Forum mit den dazugehörigen
öffentlichen Gebäuden entstand, blieb der Charakter
der Stadt weitgehend landwirtschaftlich geprägt, die
Bevölkerung lebte verstreut in Dörfern auf dem Land
(15 *vici* sind namentlich bekannt).

1 R. HERZOG, G. KLAFFENBACH, Asylieurkunden aus Kos,
1952, Nr. 6 **2** A. PLASSART, Inscriptions de Delphes, in: BCH
45, 1921, 18 Z. 80.   MA. ER.

II. CHRISTLICHE ZEIT

Um 49/50 n. Chr. reiste der Apostel → Paulus [2]
nach Ph. und gründete dort eine christl. Gemeinde (Apg
16,11 ff.), die erste in Europa, zu der er auch im folgenden ein enges Verhältnis hatte (Phil 1,3–8; 4,15 f.) [1; 2].
Umfangreiche Bautätigkeit, u. a. die Pauluskirche des
Bischofs Porphyrios (Mosaikinschr. [3. Nr. 226]), sowie
zahlreiche christl. Inschr. (gesammelt bei [3. Nr. 222–
252], vgl. auch [2. 6–14]) bezeugen den Wohlstand im
spätant.-frühbyz. Ph. Bischöfe von Ph. sind nachgewiesen bei den Konzilien der J. 343 (Porphyrios) [4. 548 f.
Nr. 9], 431 (Flavianos) [5. 198 f.], 449 und 451 (Sozon)
[5. 436] und 692 (Andreas) [6. 152 Nr. 61, 228 f.] sowie
auch 532/3 (Demetrios) [5. 126]. Ph. war nachweislich
bis 692 Suffraganbistum von → Thessalonike; frühestens im 8. Jh. (spätestens Anf. 9. Jh.) wurde es Metropolis der Kirchenprov. Makedonia und hatte seit dem
10. Jh. Suffraganbistümer [6. 229]. 837 von den → Bulgaroi erobert, befand sich Ph. im 10. Jh. wieder unter
byz. Herrschaft (Reparatur und Ausbau der ant. Befestigungen). Idrīsī beschreibt im 12. Jh. Ph. als blühende
Stadt. Nach wechselvoller Gesch. geriet Ph. wohl 1387
endgültig unter türkische Herrschaft.

1 L. BORMANN, Philippi. Stadt und Christengemeinde z.Z.
des Paulus, 1995 **2** P. PILHOFER, Philippi. Bd. 1: Die erste
christl. Gemeinde Europas, 1995 **3** D. FEISSEL, Recueil des
inscriptions chrétiennes de Macédoine du IIIᵉ au VIᵉ siècle
(BCH Suppl. 8), 1983 **4** EOMIA 1 **5** R. SCHIEFFER, Acta
conciliorum oecumenicorum 4,3,2, 1982 **6** H. OHME, Das
Concilium Quinisextum und seine Bischofsliste. Stud. zum
Konstantinopeler Konzil von 692, 1990.   E. W.

H. BALZ, s. v. Philipperbrief, TRE 26, 504–513 ·
W. ELLIGER, s. v. Philippi, LThK³ 8, 213 · P. COLLART,
Philippes, ville de Macédoine depuis des origines jusqu'à la

fin de l'époque romaine, 1937 · T. E. GREGORY, s.v.
Philippi, ODB 3, 1653 f. · D. LAZARIDES, s. v. Ph., PE,
704 f. · P. LEMERLE, Philippes et la Macédoine orientale à
l'époque chrétienne et byzantine, 1945 · F. PAPAZOGLOU,
Les villes de Macédoine (BCH Suppl. 16), 1988, 405 f. ·
P. PILHOFER, s. o. [2] · P. SOUSTAL, s. v. Philippi, LMA 6,
2082 f. · TIR K 35,1 Philippi, 1993, 47.   MA. ER. u. E. W.

Philippopolis (Φιλιππόπολις, Φιλιπούπολις).
I. LAGE UND GESCHICHTE BIS ZUR EROBERUNG
DURCH DIE GOTEN   II. BYZANTINISCHE ZEIT

I. LAGE UND GESCHICHTE BIS
ZUR EROBERUNG DURCH DIE GOTEN

Stadt in Thrakia (→ Thrakes), von Philippos [4] II. in
direkter Nähe einer befestigten Siedlung der Bessoi am
rechten Ufer des → Hebros 341 v. Chr. gegr., wichtiger
Straßen- und Flußschiffahrtsknotenpunkt zw. Istros [2],
Pontos Euxeinos, Aigaion Pelagos, Hellas [1] und Ionios
Kolpos, zu Plinius' Zeiten (1. Jh. n. Chr.) wegen der
Lage auf drei Hügeln auch Trimontium genannt (Plin.
nat. 4,41, vgl. Ptol. 3,11,12: Τριμόντιον). Der h. ON
Plovdiv ist aus der thrak. Bezeichnung von Ph., Pulpudeva (Iord. de summa temporum 28,16; 47,5), entwickelt (unwahrscheinlich ist Poneropolis, vgl. Theop.
FGrH 115 F 117; Plin. l.c., desgleichen Eumolpia bei
Amm. 22,21, wohl nur Name einer Phyle von Ph.). Es
ist unbekannt, wann Ph. wieder von den Thrakes übernommen wurde, denen Philippos [7] V. die Stadt 183
v. Chr. nur für kurze Zeit abnahm (Pol. 23,8,5–7; Liv.
39,53,13 f.). Ph. war danach Residenzstadt der thrak.
Könige. Im Zusammenhang mit dem 3. → Mithradatischen Krieg (74–63 v. Chr.) wurde die Stadt 72 v. Chr.
von den Römern erobert (Festus Rufius, Breviarium
9,3) und im Rahmen eines Militärbezirks der Prov.
Macedonia eingegliedert (vgl. Plin. nat. l.c.).

In der röm. Prov. Thracia war Ph. als Metropolis eine
wichtige Stadt (μητρόπολις τῆς Θρᾴκης, IGBulg 3/1,878,
unter Marcus Aurelius). Die Römer organisierten sie
nach dem Muster griech. Städte. Sieben Phylennamen
sind bekannt. Bis in die Mitte des 3. Jh. n. Chr. erlebte
Ph. einen bed. wirtschaftlichen und kulturellen Aufschwung (vgl. die Architektur der Stadt). Den überl. PN
zufolge war die Bevölkerung gemischt: Außer Griechen
wohnten Thraker sowie Handwerker aus Kleinasien
und It. in Ph. Hauptgott war Apollon Kendresenos
(Synkretismus: Apollon und der »Thrakische Reiter«
mit dieser Epiklese), dessen Tempel auf dem h. Džen-
demtepe stand. Griech. und oriental. Gottheiten wurden in Ph. verehrt. Es gab auch eine jüd. Gemeinde
(IGBulg 3/1,937). Das Territorium war beträchtlich: 17
vici sind darauf bezogen (ILS 2094 aus dem J. 227 n. Chr.).
Ph. war Sitz des *koinón Thrakón*. Das Münzrecht erhielt
Ph. unter Domitianus (81–96 n. Chr.) und behielt es mit
kurzen Unterbrechungen bis Elagabal (218–222 n. Chr.;
auf dessen Mz. Angabe der Neokorie). Unter Marcus
Aurelius (161–180 n. Chr.) wurde, wohl in Verbindung
mit den Einfällen der → Kostobokoi, die Stadtmauer
erneuert. 250 n. Chr. stürmten → Goti unter Kniva die

Stadt; sie mußte kapitulieren und wurde verwüstet (Dexippos FGrH 100 F 26; Amm. 31,5,12). Inschr.: IGBulg 3/1,878–1054.

CH. DANOV, s. v. Ph. (1), RE 19, 2244–2263 · H. DŽAMBOV, Archeologičeski proučvanija za istorijata na Plovdiv i Plovdivski kraj, 1966 · A. PEJKOV, Razkopki v drevnefrakijskom gorode Evmolpija, in: Pulpudeva 3, 1980, 239–249 · L. BOTUŠAROVA, E. KESJAKOVA, Sur la top. de la ville de Ph. . . ., in: Pulpudeva 3, 1980, 122–148.   I. v. B.

II. BYZANTINISCHE ZEIT

Trotz der Einfälle von → Goti, → Hunni (443 bzw. 551 n. Chr.) und, als Vorboten der slavischen Invasionen, der → Avares (586) blieb Ph. während der byz. Zeit eine bed. Stadt, was auch durch die wiederholten Restaurierungen des inneren Mauerrings um das Trimontium deutlich wird (3.–6. Jh., unter Iustinianus [1] I.; dann wieder im 10./11. Jh.). Trotzdem ist eine Schrumpfung des Stadtgebietes nicht zu verkennen, wie die partielle Aufgabe von Siedlungsgebiet im äußeren Mauerring beweist. Früh (seit E. 3. Jh.) ist das Christentum bezeugt (Tatianos-Inschr.; Märtyrer). Seit dem 4. Jh. sind Kirchenbauten nachweisbar; eine Basilika wurde über dem ant. Apollon-Tempel errichtet. Vom 7. Jh. bis in die Osmanenzeit blieb Ph. Metropolis der Kirchenprov. Thrakien. Eine Synagoge ist bis ins 6. Jh. nachweisbar. Die Expansion des bulgarischen Chanates machte Ph. zu einer umkämpften Grenzstadt (812 und 832 Flucht der Bevölkerung), doch erfolgte keine dauerhafte Einnahme, so daß die Stadt dem Byzantinischen Reich als Operationbasis bei der Zerstörung des ersten → Bulgarischen Reiches dienen konnte (in diesem Zusammenhang Verstärkung der Mauern). Damals, um 1000, erfolgte wohl auch die Errichtung eines → théma Ph., nachdem die Stadt unter Konstantinos [1] VII. noch eine → eparchía Thrake innerhalb des théma Thrakoon gebildet hatte. Seit dem 11./12. Jh. ist die bulgarische Form Plъръ̌dĭvě (Lokativ, gebildet aus der alten thrakischen Form Pulpudeva) bezeugt.

1 P. SOUSTAL, s. v. Philippopel, LMA 6, 2083 f. (mit Lit.) 2 SOUSTAL, Thrakien, 399–404 (mit Lit.) 3 A. KAZHDAN, s. v. Ph., ODB 3, 1654 f. (mit Lit.) · M. OPPERMANN, Plovdiv, ant. Dreihügelstadt, 1984.   J. N.

Philippos (Φίλιππος). Die maked. Könige Ph. [3–7], darunter Ph. [4] II., Ph. [7] V.; Apostel und Evangelist Ph. [28]; Philosophen und Dichter Ph. [29–32].

[1] Spartiat, Befehlshaber in Miletos 412 v. Chr. (Thuk. 8,28,5), wurde 411 mit zwei Trieren nach Aspendos geschickt, um dort mit Unterstützung des → Tissaphernes die phoinikische Flotte zum Kampf gegen Athen zu bewegen (Thuk. 8,87), teilte aber dem naúarchos → Mindaros bald mit, seine Mission werde ergebnislos sein (Thuk. 8,99; [1. 244]).

→ Peloponnesischer Krieg

1 B. BLECKMANN, Athens Weg in die Niederlage, 1998.
K.-W. WEL.

[2] Anhänger der prospartanischen Partei des Leontiades [2], die während des Thesmophorienfestes 382 v. Chr. dem Spartaner → Phoibidas die Kadmeia in die Hände spielte und ein Terrorregime (Xen. hell. 5,4,2) in Theben errichtete. Ph. wurde am Ende seines Amtsjahres als *polémarchos* im Dez. 379 von den thebanischen Verschwörern um → Pelopidas bei einem Trinkgelage ermordet (vgl. Plut. Pelopidas 5; 7; 9; 11; Plut. mor. 594c; 597a).

R. J. BUCK, Boiotia and the Boiotian League, 1994, 64–76 · J. DEVOTO, The Liberation of Thebes in 379/8 BC, in: R. F. SUTTON (Hrsg.), Daidalikon. Studies in Memory of R. V. Schoder, 1989, 101–116.   HA. BE.

[3] Sohn (so Satyros, FGrH 631 F 1) oder Enkel (so Hdt. 8,139) von → Perdikkas [1], wahrscheinlich fiktiver Name im offiziellen Stammbaum der → Argeadai.

[4] Ph. II., König der Makedonen 356–336 v. Chr.; dritter Sohn von → Amyntas [3] und → Eurydike [2], geb. um 382, ermordet 336 v. Chr., Vater von → Alexandros' [4] d. Gr.

I. EINLEITUNG   II. JUGEND UND AUFSTIEG
III. DAS ERRINGEN DER HEGEMONIE
IV. ABSTIEG UND ENDE   V. BEWERTUNG

I. EINLEITUNG

Ph. war der Begründer der maked. Großmacht. Er verstärkte die Macht des Königtums gegenüber einem traditionell selbstbewußten Adel, schuf einen zentral regierten Staat und verschaffte sich durch eine Heeresreform (s. u. V.), eine expansive Außenpolitik und eine kluge Heiratspolitik die mil., finanziellen und diplomatischen Mittel, um nach der Konsolidierung des erheblich erweiterten maked. Reiches im Norden Griechenlands systematisch nach Süden auszugreifen. Er gewann zunächst den Zugang zur Ägäis, dann die Herrschaft über Thessalien und nutzte die nach dem → Peloponnesischen Krieg eingetretene allg. Schwäche Griechenlands und die häufigen lokalen Konflikte, um Mittelgriechenland unter seinen Einfluß zu bringen und schließlich ganz Griechenland zu beherrschen. Ein Ausgreifen nach Asien verhinderte seine Ermordung, doch nahm sein Sohn Alexandros [4] seine Pläne auf.

II. JUGEND UND AUFSTIEG

Als Kind lebte Ph. als Geisel unter den Illyrioi und drei Jahre in Thebai im Haus des → Pammenes [1] (Diod. 16,2,2; Iust. 7,5,1–2). Dort lernte er mehr über die Kriegskunst, das Leben in einer griech. → Polis und Beziehungen mit Persien als alle seine Vorgänger. Unter seinem Bruder → Perdikkas [3] nach Makedonia zurückgekehrt, übernahm er nach dessen Tod 360 die Leitung eines zerfallenden Staates, zuerst als Vormund seines Neffen → Amyntas [4], später als König. Er erwies sich rasch als hervorragender Diplomat. Die Athener ließen einen von ihnen unterstützten maked. Gegenkönig fallen, als Ph. die maked. Garnison aus → Amphipolis – in den Augen der Athener eine abgefallene

Kolonie –, zurückzog. Die Thraker und Paiones konnte er bestechen. Das gab ihm Zeit, ein Heer auszurüsten, mit dem er 358 die → Paiones unterwarf und ein illyrisches Heer unter → Bardylis [1] vernichtete. Der Sieg trug ihm die Minen von Damastion ein. Von der thessal. Stadt → Larisa [3] eingeladen, gegen → Pherai zu intervenieren, konnte er die beiden versöhnen und sich zu Verbündeten machen.

Seine Erfolge untermauerte Ph. durch Heiratsverbindungen (Athen. 13,557b-c). 357 schloß er die Ehe mit → Olympias [1], was eine Verbindung mit ihrem Onkel → Arybbas herstellte. Inzwischen hatte er die obermaked. Fürsten unter seine Botmäßigkeit gebracht. Nun plante er, Amphipolis zurückzugewinnen. Athen hatte das lange erfolglos versucht. Ph. versprach Athen in einem Geheimabkommen, Amphipolis nach der Eroberung gegen das von Athen besetzte Pydna zu tauschen; das würde ihm den Weg zum Meer eröffnen. So duldeten die Athener die Einnahme von Amphipolis. Wenn er je beabsichtigt hatte, das Abkommen einzuhalten, machte dies der Ausbruch von Athens → Bundesgenossenkrieg [1] (357) unnötig. Er behielt Amphipolis und eroberte Pydna. Athens Kriegserklärung blieb eine leere Geste.

356 war ein bes. erfolgreiches Jahr: Er wurde eingeladen, eine Schutzherrschaft über Krenides jenseits des Pangaiongebirges zu übernehmen (später in → Philippoi umbenannt). Das sicherte ihm die Gold- und Silberschätze des → Pangaion, die ihm 1000 Talente im Jahr einbrachten (Diod. 16,8,4). → Olynthos, das zu Athen geneigt hatte, konnte er durch Übergabe des von ihm eroberten Poteidaia für ein Bündnis gewinnen (StV 2, Nr. 308). Innerhalb einiger Sommerwochen gebar Olympias → Alexandros [4] (der etwa gleichaltrige → Arridaios [4], Sohn einer thessalischen Gemahlin des Ph., war schwachsinnig), Ph.' General → Parmenion [1] besiegte die Illyrioi, und Ph. selbst gewann den Ruhm eines Olympischen Sieges im Wagenrennen (Plut. Alexandros 3). Ein von Pammenes unterstützter Vorstoß in Thrakien (→ Thrake) schlug fehl (Demosth. or. 23,183; Polyain. 4,2,22), doch wurde Ph. mit der Eroberung von Methone [3], bei der er ein Auge verlor (Diod. 16,34,5; Iust. 7,6,14), Herr der maked. Küste. Seine Großmachtstellung ließ sich nicht bezweifeln.

III. DAS ERRINGEN DER HEGEMONIE

Jetzt konnte Ph. seine Ambition auf Mittelgriechenland lenken, wozu der 3. → Heilige Krieg eine Gelegenheit bot. Als → Lykophron [3] und → Peitholaos 354 die Tyrannis von → Pherai erbten, reklamierten sie Pherais Anspruch auf die tageía, die Führung im Thessalischen Bund (→ tagós). Von Larisa erneut zu Hilfe gerufen, besiegte Ph. die Tyrannen. Diese wandten sich an die Phoker, die nach Plünderung der delphischen Schätze ein großes Söldnerheer erworben hatten; → Onomarchos kam ihnen zu Hilfe und brachte Ph. zwei Niederlagen bei. Ph. mußte sich nach Makedonia zurückziehen und – zum ersten und einzigen Mal – eine gefährliche Meuterei im Heer unterdrücken (Diod.

16,35,2). Doch gab er sich an diesem Tiefpunkt nicht geschlagen. 352 rückte er mit einer neuen und wirksamen Losung in Thessalien ein: Die Köpfe mit delphischem Lorbeer bekränzt, erschienen er und seine Soldaten als Rächer des delphischen Apollons. Onomarchos stellte sich Ph. in der Küstenebene, wo er athenische Hilfe erwartete; diese kam zu spät, und seine Söldner konnten der maked. Kavallerie nicht standhalten. Die gefangenen Phoker ließ Ph. als Tempelräuber töten. Spätestens jetzt in Larisa eingebürgert, wurde er zum tagós gewählt, was ihm die Verfügungsgewalt über die berühmte thessalische Kavallerie (die einzige der maked. vergleichbare) sicherte. Die Tyrannen von Pherai ließ er unter günstigen Bedingungen abziehen, um im Eilmarsch → Thermopylai zu besetzen. Doch eine athenische Armee, diesmal rechtzeitig angekommen, verhinderte dies. Nach schneller Befriedung Thessaliens führte Ph. seine Armee nach Thrake.

Dort hatte sich eine durch → Charidemos [2] vermittelte Koalition zw. → Kersobleptes und Athen angebahnt. Ph. marschierte wie noch nie zuvor und konnte einen Teil des Landes zu seinem Vorteil organisieren. Dann erkrankte er; ein Gerücht lief um, er sei tot (Demosth. or. 1,13; 3,5). Nun drohte sein diplomatisches Gewebe sich aufzulösen: Olynthos und selbst Arybbas nahmen mit Athen Fühlung. Kaum genesen, mußte Ph. eiligst nach Makedonia zurückkehren. Er nahm sich nur Zeit zu einem Streifzug in die Chalkidike, als Warnung an Olynthos (Demosth. or. 1,13; 4,17). Arybbas schickte er ins Exil und setzte Olympias' Bruder → Alexandros [6] auf den Thron der → Molossoi (nach Arybbas' Tod, 342, wurde dieser rechtmäßiger König). Dann begann er 349 den Angriff auf den Chalkidischen Bund (→ Chalkidike). Auf Euboia unterstützte er Abfallstrebungen gegen Athen, um athenische Hilfe für Olynthos zu verhindern. Die Athener führten Peitholaos nach Pherai zurück; Ph. mußte den chalkidischen Krieg unterbrechen. Peitholaos hätte zur ernsten Bedrohung werden können; aber die Athener sandten ihm keine Hilfe; so blieb dies ein Zwischenspiel. Olynthos fiel, wahrscheinlich durch Verrat, obwohl die Athener drei Hilfskontingente stellten (Sommer 348). Die Stadt wurde zerstört und die Bürger in die Sklaverei verkauft.

Die folgenden Jahre sahen Verhandlungen Ph.' mit Athen und mit den Phokern. In Athen waren viele (unter Führung von → Philokrates [2] und → Demosthenes [2]) bereit, Frieden zu schließen. Einige, z.B. → Isokrates, sahen in Ph. sogar den Anführer eines panhellenischen Krieges gegen Persien (→ Panhellenes, Panhellenismus). Als Athen die Griechen zu einem Kongreß einlud, um zu entscheiden, ob man gemeinsam Krieg gegen Ph. führen oder Frieden schließen sollte, zeigten die Griechen kein Interesse. Im Februar 346 kam eine athenische Gesandtschaft in die maked. Königsstadt → Pella, um Ph.' Friedensvorschläge zu hören. Ph. bestand darauf, den Frieden auf Athen und seinen Bund zu beschränken; ein Bündnis solle dem Frieden folgen. Nach der Rückkehr der Gesandten machte sich Demosthenes zu Ph.' Sprachrohr und setzte diese Bedingungen durch. Inzwischen hatte Ph. Zeit zu einem thrakischen Feldzug. Charidemos [2] hatte sich in Athen niedergelassen und als *stratēgós* den → Kersobleptes durch Söldnergarnisonen gestärkt. In der Hoffnung auf Frieden gab Athen den Thraker jetzt preis. Er wurde Ph.' Vasall, und sein Sohn ging als Geisel nach Pella. Das Land bis zum Nestos wurde Makedonia angegliedert.

Im April 346 wurde in Pella der sog. Philokratesfrieden (→ Philokrates [2]) und ein Bündnis zw. Athen und Ph. beschworen. Kaum war die Beeidung vorüber, brachte Ph. auch andere Verhandlungen zu günstigem Abschluß. In Phokis war ein Bürgerkrieg ausgebrochen. → Phalaikos [1], im Besitz der Thermopylai, gewann die Oberhand, konnte aber seiner Mitbürger nicht mehr sicher sein; er akzeptierte von Ph. freien Abzug mit seinen Söldnern. Ph. stand endlich mit einer Armee in Mittelgriechenland. Den verbündeten Athenern befahl er, ein versprochenes Kontingent gegen Phokis beizusteuern. Das wollte Demosthenes nicht zulassen: Man müßte sowohl gegen eben noch Verbündete ziehen als auch Ph. viele athenische Bürger als Geiseln in die Hand geben. Das Bündnis war damit wertlos. Ph. besetzte Phokis, widerstand aber dem Druck seiner Verbündeten, die Bevölkerung als Frevler am delphischen Heiligtum und Tempelräuber hinzurichten. Phokis wurde entmilitarisiert und zu einer hohen Geldstrafe verurteilt. Seine zwei Sitze in der pyl.-delph. → *amphiktyonía* wurden auf Ph. übertragen.

In den nächsten Jahren konnte Ph. größere Stämme westl. und nördl. von Makedonia seinem Reich einverleiben und die Freundschaft der peloponnesischen Feinde Spartas gewinnen. Doch löste sich der Philokratesfrieden, bes. nach 343, allmählich auf. Athen begann unter Führung u. a. von Demosthenes und → Hegesippos [1], Widerstand gegen Ph. zu leisten. 343 begann → Diopeithes [3] mit offiziöser Unterstützung eine Reihe von Angriffen auf Ph.' thrakische Küste und auf das mit ihm verbündete Kardia. 342 mußte Ph. wieder in Thrake eingreifen. Seine Pläne zum Angriff auf Kleinasien, für die er Thrake benötigte, waren an → Mentor [3] verraten worden, und Kersobleptes verhandelte wieder mit Athen. In zwei Feldzügen wurde Kersobleptes vertrieben und das bulgarische Balkangebirge erobert und durch die Anlage von → Philippopolis (h. Plovdiv) gesichert. Das Odrysenreich wurde annektiert und einem maked. *stratēgós* unterstellt. Dann nahm Ph. 341 die Belagerung von → Perinthos, das sich Athen angenähert hatte, in Angriff. Die Stadt konnte sich jedoch dank Unterstützung durch → Byzantion und Persien gegen seine Belagerungsmaschinen verteidigen. Daraufhin suchte er Byzantion einzunehmen; auch dort konnte aber Hilfe von griech. Verbündeten und Persien den Angriff vereiteln. Ph. mußte beide Belagerungen aufgeben und den Prestigeverlust in Kauf nehmen. Ein Versuch, die mit Weizen für Athen beladenen Schiffe als Warnung aufzuhalten, führte zu einer athenischen Kriegserklärung. Demosthenes konnte plötzlich mehrere Städte zu einer Koalition vereinigen.

Inzwischen war ein amphiktyonischer Krieg gegen → Amphissa ausgebrochen (vgl. 4. → Heiliger Krieg). Ph. übernahm 339 das Kommando und benützte es vorerst, um auf Gebirgswegen → Elateia [1] zu erreichen. Auf diese Bedrohung hin brachte Demosthenes ein Bündnis zw. den Feinden Thebai und Athen zustande. Doch konnte Ph. 338 Amphissa einnehmen, durch geschickte Manöver eine Söldnerarmee der Verbündeten zerstreuen und in Boiotia eindringen. Bei → Chaironeia errang er im August 338 einen entscheidenden Sieg: Thebai wurde besetzt, Athen bat bald um Frieden, Ph. war Herr der griech. Poleis Europas. Athen gegenüber war er großmütig, weil er wußte, daß eine Belagerung fehlschlagen würde, wenn er es zum Widerstand reizte. So blieb die Demokratie erhalten, Athen gab seine antimaked. Haltung auf. Im übrigen Griechenland, soweit nicht mit ihm verbündet, wurde die Regierung Ph.' Freunden und Vertrauten übertragen. Drei Garnisonen genügten, um seine Herrschaft über Griechenland zu sichern.

Im Frühjahr 337 versammelte Ph. die Griechen zur Schaffung eines hellenischen Bundes (StV 3, Nr. 403 I: → Korinthischer Bund). Alle Regierungsformen wurden garantiert, Ph. selbst wurde das Oberkommando für einen Krieg gegen Persien übertragen. Ein Jahr später sandte er eine starke Vorhut nach Kleinasien.

IV. Abstieg und Ende

Um die Zeit des Kongresses verliebte Ph. sich in die junge maked. Adlige → Kleopatra [II 2]. Bei der Hochzeit (Nebenfrauen waren im maked. Adel durchaus üblich) kam es zu einem Streit zw. Ph.' Sohn Alexandros [4], der schon lange zur Nachfolge bestimmt war, und → Attalos [1], dem Vormund Kleopatras, der diese Nachfolge nun anzweifelte. Olympias und Alexandros wurden ins Exil getrieben, und obwohl Alexandros bald zurückkam, blieb die Spannung bestehen. Ph. wandte sich anscheinend jetzt seinem Neffen Amyntas zu; Alexandros fühlte sich der Nachfolge nicht mehr sicher. Als er sich um die Tochter des → Pixodaros bemühte, kam es zum Zerwürfnis mit Ph. und zur Verbannung seiner Freunde. Er selbst war am Hof isoliert. Im Herbst 336 vermählte Ph. seine Tochter mit Olympias' Bruder Alexandros [6]: Das sollte Olympias die Unterstützung ihres Bruders entziehen. Als Ph. bei der Hochzeitsfeier in → Aigai [1] quasi als 13. in der Prozession der zwölf Olympischen Götter das Theater betrat, wurde er von → Pausanias [6] ermordet. Alexandros und sogar die abwesende Olympias kamen in Verdacht, die Hand dabei im Spiel gehabt zu haben. Jedenfalls wurde Alexandros sogleich von → Antipatros [1] zum König ausgerufen. Ob Ph. in einem der in → Aigai [1] (h. Vergina) gefundenen Königsgräber begraben wurde, ist umstritten (Abb. des sog. »Ph.-Grabs« s. → Grabbauten III. B.).

V. Bewertung

Durch Krieg und Politik hatte sich der König eines den Griechen als »barbarisch« geltenden Randvolkes zum Herrn von Griechenland aufgeschwungen. V. a. schuf er ein unbesiegbares Heer. Das im Vergleich zur

Bürgerzahl griech. Poleis unermeßliche »Menschenmaterial« Makedonias nützte er als erster konsequent für seine Ziele. Er verwirklichte die Idee seines Bruders → Alexandros [3], der bewährten → *hetaîroi*-Reiterei → *pezétairoi* (Fußgefährten des Königs) zur Seite zu stellen. Beide waren mit der einzigartigen → *sárissa* bewaffnet, die es Ph. ermöglichte, die *pezétairoi* leichter zu panzern und beweglicher zu machen als → *hoplítai*. Durch Exerzieren gewöhnte er sie daran, ungeheure Strapazen zu ertragen. Er selbst kämpfte immer an vorderster Front und wurde mehrfach verwundet.

Polit. konnte Ph. sein Reich hauptsächlich dadurch zusammenhalten, daß er die Söhne des Adels als → *basilikoí paídes* an den Hof nahm, wo sie sowohl als Geiseln dienten als auch zu Offizieren des Reiches erzogen wurden. Er war der erste maked. König, der mit der → Polis vertraut war. Die Städte seines Reiches waren, wohl nach persischem Muster, autonom und reichszugehörig. Die Überlegenheit der Monarchie hinsichtlich Entscheidungs- und Anpassungsfähigkeit nützte er voll aus. In der Außenpolitik sah er Versprechen und Verträge nur solange als verbindlich an, als sie von Nutzen waren. Eines seiner ersten Ziele war der Erwerb von Gold und Silber. Diese benützte er freigebig zur Belohnung seiner Freunde und zur Gewinnung von Anhängern in den Poleis. Auch das Gebiet aufgelöster Städte verteilte er an seine alten und neuen Freunde. So zog er viele Mitglieder der Oberschicht aus ganz Griechenland an seinen → Hof (B.). Daß dieser Hof ein ›Pfuhl von Sittenlosen und Verbrechern‹ gewesen sei (so Theop. FGrH 115 F 225), wird von den Erfolgen, zu denen diese Männer ihm verhalfen, widerlegt.

Die Hauptquellen sind Diodoros 16, Iustinus 7–9, Demosthenes (or. 1–12 und or. 18–19), Aischines (Ctes. und leg.).

→ Makedonia

G. T. GRIFFITH, in: HM 2, 203–646, 675–755 (ausführlichste Biographie mit allen Quellen) • J. BUCKLER, Philip II and the Sacred War, 1989 • M. B. HATZOPOULOS, L. D. LOUKOPOULOS, Philip of Macedon, 1980. E. B.

[5] Ph. III. s. Arridaios [4]

[6] Ph. IV. Sohn von → Kassandros und → Thessalonike, Nachfolger Kassandros’ 297 v. Chr. als maked. König, starb kurze Zeit später (Eus. Chronikon 1, p. 231 und 241 SCHOENE; Iust. 15,4,24; 16,1,1).

[7] Ph. V. Sohn von → Demetrios [3], geb. 238 v. Chr., König der Makedonen 221–179 v. Chr. Nach Demetrios’ Tod regierte → Antigonos [3] als Vormund; nach dessen Tod (221) wurde Ph. König der Makedonen und *hēgemṓn* des Hellenenbundes, zuerst unter einem Regenten (→ Apelles [1]). 220 brach ein Bundeskrieg gegen die → Aitoloi aus. Ph. nahm Messene in den Hellenenbund auf, eroberte Elis und erzielte weitere Erfolge, doch kam er unter den Einfluß des → Aratos [2]. Eine Folge davon war die Hinrichtung des Kreises um Apelles (Pol. 5,25–29). Über diese Phase im Leben des Ph. berichtet Polybios nach dem Umschwung begei-

stert (bes. Pol. 7,11). Als Ph. keinen entscheidenden Sieg erringen konnte, wurde der Krieg durch den Kompromißfrieden von Naupaktos 217 beendet, zum Teil durch Vermittlung griech. Poleis, nach Polybios jedoch hauptsächlich deshalb, weil Ph. unter dem Einfluß des Demetrios von Pharos (bei Polybios Ph.’ graue Eminenz: s. bes. Pol. 7,13–14) hoffte, von → Hannibals [4] Siegen über Rom zu profitieren. Vorerst wollte er Roms Protektorat in Illyrien übernehmen. Als das mißlang, schloß er mit Hannibal einen Vertrag (Pol. 7,9), von dem die Römer sofort erfuhren. An der Küste konnte er der kleinen röm. Flotte nicht standhalten, doch unterwarf er einen Großteil des Hinterlandes (1. → Makedonischer Krieg).

211 schlossen die Römer mit den Aitoloi ein Bündnis, dem auch deren Verbündete sowie (formlos) → Attalos [4] von Pergamon beitraten. Zuerst gegen Ph. erfolgreich (so gewann Attalos Aigina), verloren die Römer 207 das Interesse an dem Krieg. Von Rom verlassen, mußten die Aitoloi mit Ph. 206 einen ungünstigen Frieden schließen. Erst dann erschienen eine röm. Flotte und Armee in Illyrien, aber es kam zu keinem Kampf. 205 schloß Ph. mit Rom den Frieden von Phoinike, der einen Teil seiner illyrischen Eroberungen anerkannte. Nach dem Abzug der Römer breitete er dort seine Herrschaft aus (Pol. 18,1,14), doch wurde der Osten jetzt zum Hauptpunkt seines Interesses.

204 kam in Alexandreia [1] noch im Kindesalter → Ptolemaios V. auf den Thron. Sowohl Ph. als auch Antiochos [5] III. wollten diese Situation nutzen: Ph. griff ptolemaiische Städte am Hellespont an und erweiterte seine ererbte karische Domäne. Das führte zu einem Zusammenstoß mit Attalos und Rhodos, deren Flotten ihm zwei Seeschlachten lieferten. Dann wandten sie sich an Rom (201) mit einem (wahrscheinlich erfundenen) Bericht über ein Geheimabkommen zwischen Ph. und Antiochos zur Aufteilung des Reiches der → Ptolemaier. Gerade vom Krieg mit Hannibal befreit, wollte der Senat die Stärkung eines feindlichen Königs in Illyrien und im Osten nicht zulassen. Er forderte ultimativ, Ph. solle seine Aggressionskriege einstellen. Als er das entrüstet zurückwies, erklärte Rom ihm 200 den Krieg (2. → Makedonischer Krieg).

Zwei Jahre lang stockte der Krieg. Erst 198 erschien T. → Quinctius Flamininus mit einer frischen Armee und einer neuen Parole: Bei einem Treffen mit Ph. verlangte er, der König müsse allen Griechen die Freiheit geben. Als Ph. darauf nicht einging, drang Flamininus in Griechenland ein, zwang den Achaiischen Bund (→ Achaioi) und andere Griechen, Ph. zu verlassen, und schlug ihn nach vergeblichen Verhandlungen 197 entscheidend bei → Kynoskephalai. Ph. mußte Griechenland und Illyrien aufgeben, eine hohe Kriegsentschädigung zahlen und seinen Sohn Demetrios [5] als Geisel nach Rom senden. Bei den → Isthmia von 196 verkündete Flamininus die völlige Freiheit der Griechen: Es würde im ganzen Land keine röm. Soldaten oder Tribute geben. In den Kriegen gegen → Nabis von

Sparta und gegen die enttäuschten Aitoloi und Antiochos war Ph. ein treuer Bundesgenosse Roms. Zum Lohn wurde ihm ein Teil der Entschädigung erlassen und Demetrios durfte heimkehren.

Nach Kriegsende begannen Senatskommissionen, auf jede gegen Ph. gerichtete Beschwerde hin zu intervenieren, wobei sie immer seinen Feinden recht gaben. Es war röm. Tradition, einem Feind nie zu vergeben, und der Dolchstoß Ph.' zur Zeit des Hannibalkrieges wurde nicht vergessen. Als er dann begann, Makedonia mil. und finanziell zu stärken, wurde die Lage so gespannt, daß er Demetrios mit zwei Beratern nach Rom schickte, um bei dessen aristokratischen Patronen Erleichterungen zu gewinnen (Pol. 23, 1–2). Doch Demetrios ließ sich von Flamininus zu der Hoffnung verleiten, die Römer würden seinen Vater stürzen und ihn zum König machen (Pol. 23,3,8). Als Ph. das durch seinen älteren Sohn → Perseus [2] erfuhr, mußte er Demetrios töten lassen (181). 179 starb Ph. auf einem Feldzug.

Leben und Leistungen des Ph. sind schwer zu ermitteln. Die Hauptquelle ist → Polybios [2], dem spätere Historiker (so → Appianos und → Livius [III 2]) folgen. Polybios' achaiische Vorurteile gegen Ph. werden bei Livius mit röm. übertüncht. Daß Ph. weit ausgreifende Pläne zu einem neuen Krieg gegen Rom hegte, ist feindliche Erfindung. Doch mußte Perseus unter der Last schwerer röm. Verdachtes die Herrschaft antreten. → Hellenistische Staatenwelt; Makedonia; Makedonische Kriege

E. BADIAN, Foreign Clientelae, 1958, bes. 55–95 · E. GRUEN, The Hellenistic World and the Coming of Rome, 1984, 132–157; 373–402 · N. G. L. HAMMOND, in: HM 3, 367–491.

[8] Sohn des → Alexandros [2], der ihm am Axios ein Lehen gab. Von → Perdikkas [2] um 435 v. Chr. vertrieben, fiel er im Bund mit Derdas [1] und Athen in Perdikkas' Gebiet ein und begleitete dann die Athener mit seiner Kavallerie auf dem Marsch gegen Poteidaia. Von Athen im Stich gelassen, floh er mit seinem Sohn Amyntas [4] zu → Sitalkes und starb bald darauf.

E. BADIAN, From Plataea to Potidaea, 1993, 171–185.

[9] Sohn des Machatas [1], Bruder des → Harpalos; vielleicht mit dem Kommandanten von Peukelaotis (Arr. an. 4,28,6) identisch. Von → Alexandros [4] d. Gr. 326 v. Chr. als Satrap des Gebietes zwischen Indos und Hydaspes eingesetzt, übernahm er nach Nikanors [2] Tod die Satrapie westlich des Indos. Er folgte Alexandros' Marsch südwärts entlang der indischen Flüsse. Das ausgedehnte Gebiet bis zum Zusammenfluß von Indos und Akesines, wo Ph. eine Hafenstadt gründen sollte, wurde mit einer starken Besatzung zu seiner Satrapie geschlagen. Doch 325 wurde er in einem Söldneraufstand ermordet.

HECKEL, 331–332.

[10] Sohn des Menelaos, führte am → Granikos (334 v. Chr.) die Kavallerie der mit → Alexandros [4] d. Gr. verbündeten Griechen (Arr. an. 1,14,3), dann bei → Gaugamela (seit wann, ist unbekannt) die thessal. Reiterei unter → Parmenions [1] Kommando (Arr. an. 3,11,10). Nach der Entlassung der Thessaler (Arr. an. 3,19,5) übernahm er einen Teil der Söldnerkavallerie und blieb vorerst unter Parmenion in Media. Nach dem Tod Philotas' [1] (und wahrscheinlich nach dem Parmenions) führte er dann seine Truppe mit den thessal. Freiwilligen und anderen Söldnereinheiten Alexandros auf dem Weg nach Baktra zu (Arr. an. 3,25,4 mit 28,1). Das ist die letzte Nachricht über ihn.

[11] Offizier unter → Alexandros [4] d. Gr., der ihn 324/3 v. Chr. als Satrap von → Baktria-Sogdiana einsetzte. Das Amt wurde ihm nach Alexandros' Tod von Perdikkas [4] bestätigt, doch wird er bei der Niederwerfung des Söldneraufstandes nicht erwähnt (s. → Peithon [2]); er wurde von Antipatros [1] bei Triparadeisos nach Parthia versetzt. Er ist wahrscheinlich mit Ph. [16] identisch, der 317/6 unter Eumenes [1] diente und der dann in die Dienste des Antigonos [1] trat. (Diod. 18,3,3; 39,6; 19,40,4; 42,7; 69,1; 20,107,5; vgl. Ph. [16] und Ph. [17]).

[12] Akarnanischer Arzt, begleitete den Feldzug des Alexandros [4] d. Gr. als einer der Hofärzte und heilte diesen 333 v. Chr. bei einer gefährlichen Erkrankung in Kilikia, als die anderen Ärzte dazu nicht in der Lage waren. Daran wurde eine Anekdote geknüpft, Alexandros sei von → Parmenion brieflich vor Ph. gewarnt worden, habe ihm aber doch volles Vertrauen geschenkt (Arr. an. 2,11,7–11; ausgemalt bei Curt. 3,6). Diese Anekdote ist nachweislich ein Gegenstück zur Verhaftung des → Alexandros [7]. Nach Curtius (4,6,17) zeigte Ph. weniger Geschick, als er bei Gaza einen Pfeil aus Alexandros' Schulter entfernte. Später erscheint er nur im → Alexanderroman beim Gelage des Medios [2].

BERVE 2, Nr. 788 · E. BADIAN, in: A. B. BOSWORTH, E. BAYNHAM (Hrsg.), Alexander the Great in Fact and Fiction, 2000, 60–63.

[13] Wahrscheinlich jüngster Sohn des → Antipatros [1], mit seinen Brüdern → Kassandros und → Iolaos [3] 323 v. Chr. bei → Alexandros [4] d. Gr. in Babylon, später mit ihnen von → Olympias [1] beschuldigt, den König vergiftet zu haben (Iust. 12,14,6). Als Kommandeur des Kassandros besiegte er 313 → Aiakides [2] und die → Aitoloi in zwei Schlachten; in der zweiten fiel Aiakides (Diod. 19,74,3–6; Paus. 1,11,4). Sein Sohn Antipatros war 281 König von Makedonien und wurde nach 40 oder 45 Tagen von → Sosthenes vertrieben.

[14] Sohn von → Antigonos [1] und → Stratonike, vom Vater angeblich streng erzogen (Plut. Demetrios 23,5; im Gegensatz zu seinem Bruder → Demetrios [2]) und brieflich beraten (Cic. off. 2,48). Er wurde zusammen mit Demetrios nach dem Frieden von 311 v. Chr. von der Stadt Skepsis geehrt (OGIS 6,30). 309 kämpfte er gegen Phoinix, der von Antigonos zu Ptolemaios abge-

fallen war (Diod. 20,17,5). Er starb 306 und wurde vom Vater mit königlichen Ehren bestattet (Diod. 20,73,1, mit irrigem Namen).

[15] Ein angeblich nicht adliger Makedone, heiratete um 325 v. Chr. Berenike [1], die ihm Magas [2], Antigone [5] und vielleicht andere Kinder gebar.

> BERVE 2, Nr. 787.

[16] Ehemaliger Offizier Alexandros' [4] d. Gr., wurde *phílos* (→ Hoftitel B.) des Antigonos [1], wahrscheinlich nach dem Tod des Eumenes [1]. Er kämpfte unter Demetrios [2] bei Gaza und hielt 302 v. Chr. die Burg von → Sardeis für Antigonos. Sein weiteres Schicksal ist unbekannt. Wahrscheinlich mit Ph. [11] und Ph. [17] identisch (Diod. 19,69,1; 20,107,5).

[17] Diente unter → Eumenes [1] und nahm an der Schlacht bei Gabiene (316 v. Chr.) teil (Diod. 19,40,4). Wahrscheinlich mit Ph. [11] und Ph. [16] identisch.

> E. B.

[18] Sohn des Alexandros, Makedone, 281/280 v. Chr. als ptolem. Pamphyliarch in Termessos geehrt (evtl. identisch mit dem bei Diod. 20,102,2 erwähnten Ph.). PP VI 15084.

> L. ROBERT, Documents d'Asie mineure méridionale, 1966, 53 ff.

[19] Sohn des → Lysimachos [2] und der → Arsinoe [II 3], wohl nach dem jüngeren Bruder des Vaters benannt. Nach dem Tod des Lysimachos war er mit seinen Brüdern Ptolemaios und Lysimachos in irgendeiner Form an der Herrschaft beteiligt. Ph. wurde im Frühjahr 280 v. Chr. im Alter von 13 J. von → Ptolemaios Keraunos ermordet (Iust. 24,3,5 ff.).

> H. HEINEN, Unt. zur hell. Gesch. des 3. Jh. v. Chr., 1972, 78 ff. W. A.

[20] Sohn eines Alexandros aus Megalopolis, Schwager des → Amynandros, unter dem er anfangs Athamania regierte, später Zakynthos verwaltete, und den er zum Bündnis mit den → Aitoloi und Antiochos [5] III. gegen Rom bewog, angeblich um von Antiochos auf den maked. Thron gesetzt zu werden. Er bestattete die bei → Kynoskephalai (197 v. Chr.) gefallenen Makedonen, was dazu beitrug, Ph. [7] den Römern in die Arme zu treiben. Von diesem und Baebius [I 12] in Pelinna belagert, mußte er sich dem Acilius [I 10] ergeben, der ihn in Ketten nach Rom schickte (Liv. 35,47; 36,8,13–14; App. Syr. 13,50–52; vgl. 16,66f.). E. B.

[21] Ziehbruder des → Antiochos [5] III. In der Schlacht von → Raphia 217 v. Chr. befehligte Ph. die 60 Elefanten am rechten Flügel, bei Magnesia 190, immer noch Kommandant der Elefantentruppe, hatte er mit Minnio und Zeuxis wohl in Aufgabenteilung die zentral aufgestellte Phalanx (Pol. 5,82,8; Liv. 37,41,1; App. Syr. 33,170).

> 1 B. BAR-KOCHVA, The Seleucid Army, 1976, 166 ff.

[22] Aus Phrygien stammend, Ziehbruder und *phílos* (→ Hoftitel B.) des → Antiochos [6] IV., unterdrückte seit 169/8 v. Chr. als dessen Kommandant in Jerusalem die Juden. Gegen den Aufstand des → Iudas [1] Makkabaios rief er den Strategen von → Koile Syria, Ptolemaios, zu Hilfe. Dem Tode nah (spät im J. 164) ernannte Antiochos – anstatt des Lysias [6] – denselben (?) nun bei ihm weilenden Ph. zum Reichskanzler und Vormund seines Sohnes Antiochos [7] V. Eupator. Im Kampf der Rivalen unterlag Ph. dem Lysias und wurde entweder hingerichtet oder floh an den ptolem. Hof (1 Makk 6,14f.; 55f.; 63; 2 Makk 5,22; 6,11; 8,8; 9,29; Ios. ant. Iud. 12,360; 379f.; 386; OGIS 253,6 (?)).

> T. FISCHER, Seleukiden und Makkabäer, 1980 · SCHÜRER 1, 151 ff. · WILL 2, 342; 353; 365. A. ME.

[23] Romtreuer Achaier (→ Achaioi mit Karte), der sich als Gesandter zu L. → Aemilius [I 32] Paullus mit → Kallikrates [11] in Amphipolis 167 v. Chr. an Denunziationen polit. Gegner beteiligte (Pol. 30,13,3–7; vgl. Liv. 45,31,6–8) [1. 193].

> 1 J. DEININGER, Der polit. Widerstand gegen Rom in Griechenland, 1971. L.-M. G.

[24] Ph. I. Epiphanes Philadelphos. → Seleukide, Sohn des Antiochos [10] VIII., herrschte 94–83 v. Chr. über einen Teil Syriens mit der Hauptstadt Damaskos, anfangs zusammen mit seinem Zwillingsbruder Antiochos XI. (gest. bereits 94). Gegen ihren Verwandten Antiochos [12] X. kämpften Ph. und sein von Ptolemaios IX. unterstützter, mit ihm gemeinsam regierender Bruder Demetrios [9] III. erfolgreich. 88/7 kämpften beide jedoch gegeneinander; Demetrios wurde Gefangener des Partherkönigs Mithradates II. Später wandte sich Ph. auch gegen seinen jüngeren Bruder Antiochos [13] XII., der 87 ebenfalls in Damaskos die Königsherrschaft angetreten hatte. 84/3 verlor Ph. seine syrische Herrschaft an Tigranes I. von Armenien und zog sich in sein kleines Restreich in Kilikien zurück (Iust. pr. 40; Ios. ant. Iud. 13,369–371; 384–389; App. Syr. 48,247f.; Eus. chronikon 1,259–263 SCHOENE).

> A. R. BELLINGER, The End of the Seleucids, in: Transactions of the Connecticut Acad. 38, 1949, 51–102, bes. 65 ff. · A. HOUGHTON, The Double Portrait Coins of Antiochus XI and Philip I, in: SNR 66, 1987, 79–85 · WILL 2, 446f.; 450. A. ME.

[25] Ph. II. Sohn des Ph. [24] I. Er vertrieb 67/6 v. Chr. mit Hilfe geflüchteter Antiochener und des arab. Fürsten Azizos von Kilikien aus seinen Verwandten Antiochos [14] XIII. aus Syrien, wurde aber selbst durch Azizos bedroht und floh nach Antiocheia [1] am Orontes. Von dort aus regierend, legte er sich den Beinamen *Philorhṓmaios* (»Freund der Römer«) zu, doch wurde er bald durch Aufstände – evtl. durch die um jene Zeit von dem röm. Politiker Clodius [I 4] angefachten – vertrieben und von → Pompeius [I 3] abgesetzt. Weiterhin Herrscher in Kilikien, konnte er infolge röm. Dazwischentretens 57/6 den Thron der Ptolemaier nicht erhalten (MAMA 3, 62; Diod. 40,1af.; Cass. Dio 36,17; Porph. chronikon FGrH 260 F 32,28; Eus. chronikon 1,261–263 SCHOENE: fälschlich zu Ph. [24] I.; Ioh. Mal. 9,225,7–10).

A. R. BELLINGER, The End of the Seleucids, in: Transactions of the Connecticut Acad. 38, 1949, 51–102, bes. 82–84 • G. DOWNEY, A History of Antioch, 1961, 140ff. • WILL 2, 446f.; 505f.; 510.   A. ME.

[26] Sohn → Herodes' [1] d.Gr., erhielt 4 v. Chr. aufgrund testamentarischer Verfügung als Tetrarch die nördl. Außenbezirke des Reiches seines Vaters: Batanaia, Trachonitis, Auranitis, Gaulanitis, Panias sowie nach Lk 3,1 auch Ituraia. Er baute Panias an den Jordanquellen sowie → Bethsaida an der Mündung des Flusses in den See Genezareth großzügig aus und nannte sie zu Ehren des Kaiserhauses Caesarea (Philippi) und Iulias. Iosephos [4] Flavios (ant. Iud. 18,106f.) würdigt ihn als gerechten, friedliebenden Regenten. Ph. war mit der aus der Legende vom Tod Johannes' des Täufers bekannten → Salome verheiratet. Nach seinem Tod wurde 33/4 n. Chr. sein Reich der röm. Prov. Syrien zugeschlagen.

SCHÜRER I, 425–431.   K. BR.

[27] Freigelassener des Cn. Pompeius, landete mit ihm 48 v. Chr. in Ägypten und wurde Zeuge seiner Ermordung bei → Pelusion (Plut. Pompeius 78,7; 79,4). Ph. bestattete seinen Patron unter ärmlichsten Umständen (80,3–5).   JÖ. F.

[28] Unter dem Namen Ph. verbergen sich zwei frühchristl. Gestalten, die früh in eine einzige verschmolzen sind: a) der Apostel Ph., b) der Evangelist Ph. Der Apostel Ph. (einer der Zwölf: Mk 3,18; Mt 10,3; Lk 6,14; Apg 1,13) aus Bethsaida zeigt Interesse an der Bekehrung der Griechen (Jo 1,43–48; 6,5–7; 12,20–22; 14,8–11). Der Evangelist Ph. (Apg 21,8) ist Vater von vier prophetisch begabten Jungfrauen (Apg 8,5–40) und zählt zu den sieben Leitern der sog. »Hellenisten« (Apg 6,5). Schon im 2. Jh. verteidigt sich Kleinasien gegen Rom mit dem Grab des Ph. in Hierapolis (Phrygien) und dem des Iohannes [1] in Ephesos (Eus. HE 3,31,2–5). Ph. gilt als Adressat und Verf. von gnostischen Schriften (→ Gnosis): Brief des Petrus an Ph. (NHCod 8,2 [6; 7]; → Neutestamentliche Apokryphen, → Nag Hammadi); Ph.-Evangelium (NHCod 2,3 [4; 5]). Die enkratitischen Ph.-Akten (4. Jh.) sind dank neuerer Textfunden auch griech. fast vollständig erh. [1; 2; 3].

1 F. BOVON u. a. (ed.), Acta Philippi (Corpus Christianorum Series Apocrypha 11), 1999 2 F. AMSLER, Acta Philippi. Commentarius (Corpus Christianorum Series Apocrypha 12), 1999 3 F. BOVON, Les Actes de Philippe, in: ANRW II 25.6, 1988, 4431–4527 4 B. LAYTON (ed.), Nag Hammadi Codex II 2–7, Together with XIII 2*, Brit.Lib. Or. 4926(1) and P. Oxy. 1, 654, 655, Bd. 1 (NHS 20), 1989 5 W. C. TILL (ed.), Das Evangelium nach Ph. (Patristische Texte und Studien 2), 1963 (mit dt. Übers.) 6 J.É. MÉNARD (ed.), La Lettre de Pierre à Philippe (Bibliothèque copte de Nag Hammadi/Section textes 1), 1977 7 M. W. MEYER (ed.), The Letter of Peter to Philip: Text, Translation and Commentary (Society of Biblical Literature: Dissertation Series 53), 1981 (mit engl. Übers. und Komm.) 8 F. S. SPENCER, The Portrait of Philip in Acts: A Study of Roles and Relations (Journ. for the Study of the New Testament/Suppl. Series 67), 1992 9 A. VON DOBBELER, Der Evangelist Philippus in der Gesch. des Urchristentums (Texte und Arbeiten zum nt. Zeitalter 30), 2000.   F. BO.

[29] Ph. aus Opus, 4. Jh. v. Chr., der wahrscheinlich später nach Medma in Unterit. übersiedelte – daher wohl die Beinamen *Opúntios* und *Medmaíos*. Schüler → Platons, dessen Interesse nach dem in der Suda überl., allerdings unvollständigen Schriftenverzeichnis der Astronomie, Parapegmatik, Zeitrechnung und Mathematik galt. Ph. hat aber auch auf dem Gebiet der Ethik gearbeitet und – nach den Schriftentiteln zu urteilen – Themen aufgegriffen, die teils von Platon, v. a. aber von → Xenokrates her vertraut sind. In Platons letzten Lebensjahren soll Ph. dessen Sekretär gewesen sein (ἀναγραφεύς: Philod. academicorum index 3,36ff.) und so auch postum die *Nómoi* herausgegeben (Diog. Laert. 3,37 u.ö.), ferner eine Platon-Vita verfaßt haben. Bereits in der Ant. (Diog. Laert. 3,37) wurde ihm die im *Corpus Platonicum* überl. *Epinomís* zugeschrieben (Diskussion der Verfasserfrage bei [1. 106]). In diesem kleinen Dialog im Anschluß an die platonischen *Nómoi* gehen platonische Ansätze und Weiterbildungen durch die ältesten Platonschüler eine eigentümliche Synthese ein (beispielsweise in der Forderung eines Staatskults für die Astralgötter, [Plat.] epin. 985dff.).

1 H. J. KRÄMER, Ph. von Opús und die ›Epinomis‹, in: GGPh², Bd. 3, 103–120.   K.-H.S.

[30] Dichter der Mittleren Komödie (1. H. 4. Jh.), laut einer ant. Trad. ein Sohn des Komödiendichters → Aristophanes [3] [1. test. 2, 3]. Ph., der an den Lenäen mindestens zweimal siegreich war [1. test. 4], soll auch Stükke des → Eubulos [2] aufgeführt haben [1. test. 3]. Aus seinem Œuvre sind noch vier Titel bekannt: Δαίδαλος (›Daidalos‹), Κωδωνιασταί (›Die Glöckner‹; dieser Titel ist unsicher [1. test. 1]), Νάννιον (›Nannion‹, ein Hetärenname; das Stück ist vielleicht Eubulos [2] zuzuschreiben), Ὀλυνθία (›Das Mädchen aus Olynth‹); als einziges direktes Zitat sind aus letzterem Stück bei Stobaios fünf Verse bewahrt [1. fr. 2].

1 PCG VII, 1989, 353–355 2 PCG V, 1986, 227.   T. HI.

[31] Megariker, Zeitgenosse, möglicherweise Schüler des → Stilpon. Einziges erh. Zeugnis ist ein wörtliches Zitat aus einer Schrift des Ph. bei Diog. Laert. 2,113, in dem Schüler aufgezählt werden, die Stilpon anderen Lehrern abspenstig machte.   K.D.

[32] Ph. aus Thessalonike. Epigrammdichter und Kompilator einer Epigramm-Anthologie, zeitlich nach → Meleagros [8] (in alphabetischer Reihenfolge, vgl. → Anthologie [1] D., vielleicht durch thematische Verknüpfungen bereichert [1; 2; 3]). Ph. lebte in Rom (wie die übertriebenen Schmeicheleien gegenüber dem Kaiser zeigen: Anth. Pal. 6,236; 240 usw.) um die 1. H. des 1. Jh. n. Chr. Überl. sind etwa 80 Gedichte, in denen Ph. die Imitation anderer Epigrammatiker aufnimmt – seien sie Dichter aus seinem eigenen »Kranz« oder dem des Meleagros: Widmungen verschiedener Art, häufig fiktive Epitaphien (vgl. 7,405: haßerfülltes Grabgedicht für den Iambographen → Hipponax), Beschreibungen von Kunstwerken, Erzählungen seltsamer Ereignisse, giftige Angriffe gegen pedantische Grammatiker und sklavische Anhänger von Zenodotos, Kallimachos [3] und Aristarchos (11,321; 347), ein paar elegante Gastmahl-Gedichte (9,561; 11,33), während das erotische Thema ganz vereinzelt erscheint (11,36). Als ein Dichter, der die Antithese, die sprachlichen Feinheiten, die scharfsinnigen Pointen liebt, ahmt Ph. vor allem → Leonidas [3] von Tarent nach, nicht allein auf inhaltlicher Ebene (Widmungen von Handwerkszeugen durch Personen niedriger Herkunft), sondern auch auf formaler Ebene (sprachliche Neubildungen und kühne Komposita). Die metrische Vielfalt offenbart zuweilen exzentrische Originalität (vgl. den stichischen Gebrauch des Pentameters Anth. Pal. 13,1).

1 A. CAMERON, The Garlands of Meleager and Philip, in: GRBS 9, 1968, 331–349 2 Ders., The Greek Anthology from Meleager to Planudes, 1993, 33–43, 56–65 3 K. J. GUTZWILLER, Poetic Garlands, Hellenistic Epigrams in Context, 1998, 38.

GA II 1, 296–351; 2, 327–371.   M. G. A./Ü: TH. G.

[33] Griech. Arzt und Pharmakologe, tätig in Rom (Iuv. 13,125) und Kleinasien im 1. Jh. n. Chr. (seine Rezepturen werden von → Asklepiades [9] Pharmakion zit.). Als Schüler des → Archigenes war er → Pneumatiker. Er schrieb über die Katalepsie und den Marasmus. Letztere Schrift bestand anscheinend aus 2 B., doch hatte sich bis in die Zeit Galenos' nur B. 1 mit der Definition, Beschreibung und Ätiologie der Erkrankung erh., so daß man vermutet hat, Ph. habe B. 2 über die Behandlung des Marasmus niemals beendet (Gal. de marasmo 6; 7,689 K).

Ph. ist nicht zu verwechseln mit dem gleichnamigen → Empiriker, dessen Auseinandersetzung mit → Pelops [1 5] die Grundlage für Galenos' Abh. De experientia medica bildete.   V. N./Ü: L. v. R.-B.

Philipposakten; Philipposevangelium
s. Neutestamentliche Apokryphen; Philippos [28]

Philippus
[1] Flavius Ph. *Praefectus praetorio orientis* 344/346–351 n. Chr. Er stammte wahrscheinlich aus einer Curialenfamilie (→ *curiales* [2]; trotz Lib. or. 42,24–25), evtl. aus Chytros auf Kypros (IEph 1a, 41). Über das Notariat und verm. weitere Posten am Hof stieg Ph., ein arianischer Christ (→ Arianismus), zwischen dem Sommer 344 und dem 28.7.346 zur Praetorianerpraefektur des Ostens auf (Lib. or. 62,11; Cod. Theod. 11,22,1). Ph., der 348 au-

ßerdem *cos. ord.* war, gehörte zu den engsten Vertrauten des Constantius [2] II. Dieser übertrug ihm wiederholt Sonderaufträge (z. B. die Absetzung des Bischofs Paulos [3] von Konstantinopolis). Der letzte Auftrag, eine Gesandtschaft 351 zum Gegenkaiser → Magnentius, kostete ihn Amt und Leben (Zos. 2,46,2–49,2; Athan. hist. Ar. 7). Ph. konnte eine Amtsadel-Dyn. begründen [1. 1145 Nr. 25].

1 PLRE 1.

A. H. M. JONES, The Career of Flavius Philippus, in: Historia 4, 1955, 229–233 · PLRE 1, 696f. Nr. 7.   A. G.

[2] Ph. Arabs. Imperator Caesar M. Iulius Ph. Pius Felix Augustus, röm. Kaiser 244–249. Geb. um 204 n. Chr., von niederer Herkunft, stammte aus dem späteren Philippopolis in Arabien (h. Sahba/Syrien) und absolvierte zunächst den ritterlichen *cursus honorum*, der ihn bis zum → *praefectus praetorio* aufsteigen ließ (Zos. 1,18,3; SHA Gord. 29,1; [Aur. Vict.] epit. Caes. 27,2). Anf. 244 n. Chr. ließ er wohl → Gordianus [3] III. ermorden und erhob sich selbst zum Kaiser (Cod. Iust. 4,10,1; 3,42,6; Zos. 1,19,1; Zon. 12,18 D.; Eutr. 9,2,3 [1. 189]).

Ph. beendete den seit 242 andauernden Krieg mit den Persern (→ Parther- und Perserkriege), schloß einen erträglichen Frieden, der einen Teil Armeniens und Mesopotamiens bei Rom beließ, ihn selbst aber zur Zahlung von 500000 *aurei* (→ *aureus*) verpflichtete (Zos. 1,19,1), und ernannte seinen Bruder → Iulius [II 114] Priscus zum *praefectus Mesopotamiae* (IGR 3, 1202). Im Frühsommer 244 hielt er sich bereits in Rom auf und hatte den ordentlichen Konsulat inne (CIL VI 793; AE 1954, 110). 245 brach er zum Kampf gegen die über die Donau gedrungenen Karpen (→ Carpi) auf (bezeugt am 12.11.245 im dakischen Aquae: FIRA 2,657). Erst 247 gelang es ihm, Karpen und Germanen in einer Entscheidungsschlacht zu besiegen, worauf er die Titel *Carpicus* (PLond. 3, 220f. Nr. 951) und *Germanicus maximus* (IGR 4,635) annahm und im Spätsommer desselben Jahres seinen → Triumph in Rom feierte.

Vom 21. bis 23.4.248 n. Chr. veranstaltete Ph. die 1000–Jahr Feier Roms (Aur. Vict. Caes. 28,1; → *saeculum*), doch kehrte keineswegs Ruhe ein. Noch E. 247 hatten die Legionen von Moesia den Ti. → Claudius [II 46] Marinus Pacatianus auf den Schild gehoben (Zos. 1,20,2; Zon. 12,19 D.), und damit begann eine Kette von Usurpationen: In Mesopotamia erhob sich → Iotapianus (Zos. 1,21,2), am Rhein Silbannacus (RIC 4,3,66f.; 105), an der Donau Sponsianus (RIC 4,3,67; 106). Selbst C. Messius Traianus → Decius [II 1], der seit 247 im Auftrag des Ph. mit Erfolg das Heer reorganisierte und die Goten (→ Goti) zurückschlagen konnte, wurde von den Truppen zum Kaiser ausgerufen (Zon. 12,20 D.; Zos. 1,21,3). Ph. brach Anf. 249 gegen ihn auf; die beiden Heere trafen im Sept./Okt. desselben Jahres bei Verona (oder bei Beroia?) aufeinander; in dieser Schlacht verlor Ph. sein Leben (Aur. Vict. Caes. 28,10; [Aur. Vict.] epit. Caes. 28,1; Eutr. 9,3).

Ph. war sich – trotz der zahlreichen Aufstände gegen ihn und der andauernden Einfälle der »Barbaren« in das Imperium Romanum während seiner Herrschaft – seiner Verantwortung als Kaiser bewußt. Er bemühte sich um ein gutes Verhältnis zum Senat, erließ eine allg. Amnestie für Deportierte und Verbannte, sorgte sich um die Getreide- und Wasserversorgung Roms und förderte die Städte im Reich; er erwies sich der Bevölkerung gegenüber als freigiebig und trat für die Belange der *inquilini* (→ *inquilinus*) und *coloni* (→ *colonatus*) ein, ließ das mil. so wichtige Straßensystem ausbauen und bekämpfte das immer weiter um sich greifende Treiben der → Räuberbanden energisch.

1 KIENAST[2].

R. GÖRGS, Kaiser Marcus Julius Ph., 1922 · X. LORIOT, Chronologie du règne de Philippe l'Arabe (244–249 après J. C.), in: ANRW II 2, 1975, 788–797 · M. PEACHIN, Philip's Progress, in: Historia 40, 1991, 331–342 · PIR[2] I 461 · H. A. POHLSANDER, Did Decius Kill the Philippi?, in: Historia 31, 1982, 214–222.   T.F.

Philiskos (Φιλίσκος).

[1] Dichter der Mittleren Komödie, dem die Suda 7 Stücktitel zuweist: Ἄδωνις (›Adonis‹), Διὸς γοναί (›Die Geburt des Zeus‹; diesem Stück wird bisweilen das *Adespoton* 1062 K.-A. zugewiesen **[4]**), Θεμιστοκλῆς (›Themistokles‹; dieser Titel ist wohl fälschlicherweise in die Liste gelangt [3. Anm. 37]), Ὄλυμπος (›Der Olymp‹), Πανὸς γοναί (›Die Geburt des Pan‹), Ἑρμοῦ καὶ Ἀφροδίτης γοναί (›Die Geburt des Hermes und der Aphrodite‹; evtl. zwei Stücke [3. Anm. 24]), Ἀρτέμιδος καὶ Ἀπόλλωνος <γοναί> (›Die Geburt der Artemis und des Apollon‹) [1. test. 1]. Stobaios zitiert zudem zwei Verse aus einem Stück Φιλάργυροι (›Die Geldgierigen‹) [1. fr. 1]. Ph.' Vorliebe für das Thema der Göttergeburten weist auf eine Wirkungszeit zu Beginn des 4. Jh. hin [2. 229; 3].

1 PCG VII, 1989, 356–359 2 H.-G. NESSELRATH, Die att. Mittlere Komödie, 1990 3 Ders., Myth, Parody, and Comic Plots: The Birth of Gods in Middle Comedy, in: G. W. DOBROV (Hrsg.), Beyond Aristophanes, 1995, 1–27 4 PCG VIII, 1995, 355.   T.HI.

[2] Sohn des → Onesikritos aus Aigina und Bruder des Androsthenes (Diog. Laert. 6,75); Schüler des Diogenes [14] von Sinope. Die sieben Tragödien, die dem Diogenes zugeschrieben werden, stammen laut → Satyros von Ph. (Diog. Laert. 6,73; 6,80). → Sotion nennt in seinem Verzeichnis der Schriften des Diogenes einen Titel ›Ph.‹ (Diog. Laert. 6,80). Wenn man der Suda glauben will (φ 359, IV, 725, 28–30 ADLER) war Ph. Lese-Lehrer Alexandros' [4] d. Gr. Nach derselben Quelle nannte Hermippos [2] ihn Schüler des Stilpon, wobei er dann aus chronologischen Gründen kaum Lehrer des Alexandros hätte sein können. Laut Suda schrieb er Dialoge, u. a. einen ›Kodros‹. Stob. 3,29,40 überliefert den Satz eines gewissen Ph., der inhaltlich jedenfalls von dem Schüler des Diogenes stammen könnte. Unwahr-

scheinlich ist die Identität des Ph. mit dem gleichnamigen Schuhmacher, an den sich Krates in einem Fr. des → Teles (IV B: ›Über Reichtum und Armut‹, p. 45 HENSE, p. 427 FUENTES GONZALEZ) wendet.

M. G.-C./Ü: B. V. R.

[3] Ph. von Miletos. Rhetor, gest. ca. 320 v. Chr., Schüler des → Isokrates und Freund des → Lysias (vgl. die Elegie in [1. 113f.]), Lehrer des Historikers → Timaios und vielleicht des Neanthes [1] (vgl. Dion. Hal. de Isaeo 19; epist. ad Ammaeum 1,2; Suda s. v. Ph., s. v. Timaios).

Ph. verfaßte einen *Bíos Lykúrgu* (›Leben des Lykurgos [9]‹; FGrH 496 F 9; Suda s. v. Φιλίσκος Μιλήσιος), eine *Téchnē rhētorikḗ*, ein Rhetoriklehrbuch in 2 B. sowie *dēmēgoríai* (»Volksreden«), d. h. Flugschriften nach Art des Isokrates, z. B. *Milēsiakós* und *Amphiktyonikós*.

1 E. DIEHL (ed.), Anthologia Lyrica Graeca, Bd. 1, 1949.

FGrH 337 bis (Addenda p. 757) · J. MÉLÈZE-MODRZEJEWSKI, Philiscos de Milet et le jugement de Salomon: La première réference grecque à la Bible, in: Bolletino dell'Istit. di Diritto Romano 91, 1988, 571–597 · B. MEISSNER, Historiker zwischen Polis und Königshof (Hypomnemata 99), 1992, 165f.   K.MEI.

[4] Ph. aus Aigina, Tragiker, häufig mit → Philikos und dem Komödiendichter Ph. [1] verwechselt, soll Schüler des Diogenes [14] (TrGF 89 T 1) und Isokrates (T 3) gewesen sein.   B.Z.

[5] Einzig aus der Liste der Lenäensieger bekannter Komödiendichter des 3. Jh. v. Chr. Von seinem Œuvre haben sich keine Spuren erhalten.

1 PCG VII, 1989, 360.   T.HI.

[6] Epikureer des 2. Jh. v. Chr. Zusammen mit einem gewissen Alkios (oder Alceus) versuchte er, die epikureische Philos. in Rom zu verbreiten. Beide wurden jedoch 155 v. Chr. unter dem Konsulat des L. Postumius aus der Stadt ausgewiesen (Athen. 12,547a; Ail. var. 9,12).

M. ERLER, in: GGPh[2] 4, 1994, 364.   T.D./Ü: J.DE.

[7] Bildhauer aus Rhodos, Sohn des Polycharmos. Ph. gehörte einer jener griech. Bildhauerfamilien an, die in spätrepublikanischer Zeit ebenso im Osten wie in Rom arbeiteten. In der Porticus Metelli in Rom standen von ihm Statuen der neun Musen mit Leto, Apollon, Artemis, ein weiterer Apollon und eine Aphrodite (sowie von seinem Vater eine Aphroditestatue). Eine Identifizierung der Musen des Ph. anhand von Kopien (sog. Philiskosmusen) ist nicht möglich. Künstlerinschr. eines Ph. in Thasos und Pergamon sind verm. demselben Bildhauer zuzuweisen, jedoch nicht sicher zu datieren.

OVERBECK, Nr. 2207 · LIPPOLD, 383 · L. LAURENZI, s. v. Ph., EAA 6, 1965, 122–123 · D. PINKWART, Das Relief des Archelaos von Priene und die Musen des Ph., 1965, 163–168 · E. LA ROCCA, Ph. a Roma, in: N. BONACASA (Hrsg.), Alessandria e il mondo ellenistico-romano, 3, 1984, 629–643 · M. WÖRRLE, Die Inschriften auf dem

Architravblock von der Ostwand des Marmorsaales, in:
M. FILGIS (Hrsg.), Die Stadtgrabung (Altertümer von
Pergamon, 15.1), 1986, 159–160 · B. S. RIDGWAY,
Hellenistic Sculpture, 1, 1990, 252–274, 359 · P. MORENO,
Scultura ellenistica, 1994, 409–413 · C. SCHNEIDER, Die
Musengruppe von Milet, 1999, 179–190.   R. N.

[8] Nur aus Philostr. soph. 2,30 (621–623) und verm.
einer delphischen Inschr. (BCH 73, 1949, 473–475) bekannter griech. Rhetor aus Thessalien, der z.Z. des Caracalla einen (allerdings nicht mit der üblichen Steu-
erbefreiung ausgestatteten) Lehrstuhl in Athen innehatte. Philostratos berichtet ausführlich über einen in dieser
Sache vor dem Kaiser ausgetragenen Streit und hebt ansonsten die vorbildliche Reinheit von Ph.' Sprache hervor; sein Stil neige aber zum Weitschweifigen und sei
für Redekontroversen weniger geeignet. Ph. starb mit
67 Jahren und wurde in der Akademie begraben.

PIR² P 367   M. W.

Philisteides (Φιλιστείδης). Nur aus Plin. nat. 4,58 und
120 bekannter Gelehrter aus Mallos. Seine Lebenszeit ist
unbekannt. Er war offenbar an geogr. Fragen interessiert, denn er soll laut Plinius über Inselnamen (z. B.
einen früheren Namen Kretas) geschrieben haben.

D. STROUT, R. FRENCH, s. v. Ph. (3), RE 19, 2390.   W. AX.

Philister (hebräisch pᵊlištīm; LXX Φιλιστιείμ, Gn 10,14
u.ö.; Ἀλλόφυλοι, 1 Chr 14,10 u.ö.; Vulgata Philistim). Im
AT die Bewohner einer Pentapolis mit den Städten
→ Gaza, → Askalon, Asdod, Ekron und Gat in der südl.
Küstenebene östl. des Mittelmeeres (→ Palaestina).
Zum ersten Mal bezeugt sind sie als prst/pw-rᵌ-sᵌ–ṯ im
Zusammenhang einer See- und Landschlacht 1177
v.Chr. in Inschr. und Reliefs des Totentempels
Ramses' III. in Madinat Hābū (Theben-West) neben
anderen Gruppen der sog. Seevölker (→ Seevölkerwan-
derung) [4. 53–112]. Seit Mitte des 12. Jh. v. Chr. grün-
deten die Ph. neue Orte und suchten die Macht über
Teile des gebirgigen Hinterlandes. »Israel« war zunächst
unterlegen (1 Sam 4–6), dann aber unter Saul vorübergehend (1 Sam 13 f.) und unter → David [1] dauerhaft (2
Sam 5,17–25; 8,1) mil. erfolgreich (→ Juda und Israel).
Nach assyr. Quellen [5. 272] schlugen die Assyrer im
8. Jh. v. Chr. wiederholt Aufstände im Ph.-Land (pilišta)
nieder und machten 711 v. Chr. das Land zur assyr.
Prov. Mit den babylonischen Eroberungen (vgl. Jer
47,1) verlieren sich die Spuren selbständiger Ph.-Städte
[4. 27–33].

Ausgrabungen haben eine vielfältige materielle Kultur erschlossen, aber leider kaum Sprachzeugnisse erbracht. Die sog. Ph.-Keramik [1. 94–218] mit schwarzer
und roter Dekoration auf weißem Untergrund ist seit
Mitte des 12. Jh. v. Chr. belegt. Sie stellt eine Weiterführung der feineren Myk. IIIC:1b-Ware dar, die vor
Ort gefertigt wurde, als das internationale Wirtschafts-
system kollabierte und keine Myk. IIIB-Importware
mehr zur Verfügung stand (→ Mykenische Kultur und
Archäologie C.3.). Für Form und Dekoration, bei der

geom. Muster sowie stilisierte Vögel und Fische vorherrschen, lassen sich auch äg., kanaanäische und zypri-
sche Vorbilder erkennen. Stadtplanung und Architektur
weisen z. T. nach Zypern, stehen aber auch in Kontinuität zur autochthonen spät-brz. Kultur [4. 141–159].
Die Ph. beherrschten das Metallhandwerk, haben aber
weder die Eisenproduktion erfunden noch gegenüber
Israel monopolisiert (vgl. 1 Sam 13,19–22).

Über die Rel. ist wenig bekannt. Die Götter Dagon
(1 Sam 5,1 f.; → Dagan) und → Baal Zebub (2 Kg 1,1 ff.)
sowie die Göttinnen → Astarte (1 Sam 31,10) und die
inschr. erwähnte Aschera [4. 170–171] stehen in einem
allg. vorderorientalischen Kontext, weibliche Figurinen
und Götterstatuen haben Parallelen in Funden aus Zypern [4. 169–178].

Von verheerenden Eroberungszügen der Ph. im Zusammenhang eines Seevölkersturms kann keine Rede
sein. Sie haben die polit. und wirtschaftl. labile Situation
beim Übergang von der Spät-Brz. zur Eisenzeit nicht
hervorgerufen, sondern ausgenutzt. Ihre materiellen
Relikte in der südl. Küstenebene haben allochthone
Wurzeln, die Mischkultur verhindert jedoch eine ethnische Deutung. Eine oft vertretene Herkunft der Ph.
aus der Ägäis (vgl. Am 9,7) bleibt eine Vermutung.

1 T. DOTHAN, The Philistines and their Material Culture,
1967 2 T. und M. DOTHAN, Die Ph., 1995 3 C. S. EHRLICH,
The Philistines in Transition, 1996 4 E. NOORT, Die
Seevölker in Palästina, 1994 5 S. PARPOLA, Neo-Assyrian
Toponyms (AOAT 6), 1970.   R. L.

Philistion (Φιλιστίων).
[1] Ph. von Lokroi. Arzt aus dem it. Lokroi, wirkte um
364 v. Chr. In diesem Jahr soll er dem 2. Brief Platons
zufolge Arzt von → Dionysios [2] II. in Syrakus gewesen
sein. Ein Fr. des Komödiendichters → Epikrates [4]
(Athen. 2,59c) wurde überzeugend dahingehend interpretiert, daß er jedoch bald darauf nach Athen gekommen sei. Er schrieb über Diätetik, Pharmakologie und
Chirurgie. Darüberhinaus enthält der → Anonymus
Londiniensis (20,25 ff. = fr. 4 WELLMANN) einen ausführlichen Bericht über sein Kausalitätsverständnis. Er
postulierte vier Elemente (Erde, Luft, Feuer und Wasser), denen er jeweils eine Qualität (trocken, kalt, heiß
und feucht) zuordnete. Krankheit resultiere aus einem
Elementenüberschuß bzw. -mangel, aus äußerlichen
Einflüssen (Wunden, Fehlernährung oder übermäßiger
Kälte bzw. Hitze), aus körperlichen Zuständen, bes. ge-
schwächter oder behinderter Atmung. Ph.s theoretischer Ansatz läßt sich eindeutig auf → Empedokles [1]
zurückführen und findet eine enge Par. im platonischen
Timaios, v. a. in → Platons Vierelementenlehre und seiner These von der Schädlichkeit einer Atembehinde-
rung (Tim. 81e–84d). Ph. soll zwar auch → Eudoxos [1]
von Knidos unterrichtet haben (Diog. Laert. 8,86), doch
ist die Breitenwirkung, die WELLMANN und DILLER [1]
ihm attestieren, alles andere als bewiesen, auch wenn er
unstreitig eine wichtige Schaltstelle für die Überl. der
empedokleischen → Elementenlehre ist.

1 H. Diller, s. v. Ph. (4), RE 19, 2405–2408.

Ed.: M. Wellmann, Fragmentslg. der griech. Ärzte, Bd. 1, Die Fragmente der Sikelischen Ärzte, 1901.

[2] Arzt aus Pergamon, der um 170 n. Chr. wirkte und seinem Lehrer → Metrodoros [8] in der Auslegung eines Rezepts gegen Unfruchtbarkeit aus den hippokratischen Epidemienbüchern (2,6,29) folgte. Er verabreichte einer reichen kinderlosen Frau heißen, angebratenen Tintenfisch, wofür er ein enormes Honorar verlangte. Die Frau mußte sofort heftig erbrechen und fiel in Ohnmacht, so daß Ph. mit der Patientin auch seinen Ruf verlor und trotz solider Ausbildung seinen Lebensunterhalt in den kleineren Städten im provinziellen Asia Minor verdienen mußte (Gal. Comm. in Hippocratis Epid. II: CMG 5,10,1, S. 401).   V. N./Ü: L. v. R.-B.

[3] Mimendichter der augusteischen Zeit, aus Kleinasien (Hier. ad Eus. chron. 2. Jahr der 196. Ol.). Die Suda s. v. Φ. kennt ihn als Verf. von κωμῳδίαι βιολογικαί (etwa ›Lebensnahen Komödien‹), von denen ein Titel (Μιμοψηφισταί, ›Schau-Wähler‹) überl. ist, und als Autor eines Φιλόγελως (›Lachfreund‹) betitelten Werkes. [1] schließt nicht aus, daß diese in ihrer jetzigen Fassung wohl byz. Witzesammlung z. T. auf Ph. zurückgehen mag; Notizen aus der Spätzeit scheinen ihn mit → Philemon [2], dem Zeitgenossen des Menandros [4], zu verwechseln [2. 2403 f.]; diese nennen ihn den »Erfinder des Mimos« (z. B. Cassiod. var. 4,51), was zeitlich nicht möglich ist. Martial (Mart. 2,41,15) kennt die Mimen *ridiculi Philistionis* (des »scherzhaften Ph.«).
→ Mimos

1 A. Thierfelder, Philogelos. Der Lachfreund, von Hierokles und Philagrios, 1968, 11–12   2 E. Wüst, s. v. Ph. (3), RE 19.2, 2402–2405.

H. Reich, Der Mimus, Bd. 1, 1903, 415–436 · A. Guida, Nota a pap. Berol. inv. 9772, in: RhM 116, 1973, 361 · J. Hammerstaedt, Der Mimendichter Ph. in einem Brief des Neilos von Ankyra …, in: JbAC 39, 1996, 102–104.
                         W.D.F.

Philistis (Φιλίστις, bei Hesychios s. v. Φιλιστίδ(ε)ιον). Seit ca. 270 v. Chr. Gemahlin Hierons [2] II. von Syrakus. Wie ihr – von Philistos abgeleiteter – Name und der ihres Vaters Leptines [5] bezeugen, gehört Ph. zu den Nachfahren der Familie des älteren Dionysios [1]. Sie erscheint nicht in lit. Quellen [1], aber auf einem epigraphischen Dokument (Syll.³ 429) und mehreren nach 241 geprägten Silber-Mz. mit ihrem Bild auf der Vs. und ihrem Namen, dem Königstitel und einem Zwei- bzw. Viergespann auf der Rs. [2]. Die Mz. stehen in ptolem. Trad. und bezeugen die herausragende Rolle der Ph. an der Seite Hierons.

1 G. de Sensi Sestito, Gerone II., 1977, 28 Anm. 103, 124, 162, 183, 185, 188   2 M. Caccamo Caltabiano, V. Tromba, La monetazione della basilissa Filistide, in: Numismatica e antichità classice 19, 1990, 161–181.
                         K. MEI.

Philistos (Φίλιστος).   A. Leben   B. Werk

A. Leben

Ph. von Syrakusai, ca. 430–356 v. Chr., Vertrauter, Berater, Offizier und Historiker von Dionysios I. und II. Ph. verhalf 406/5 → Dionysios [1] I. zur Macht (FGrH 556 T 3), kommandierte lange Zeit die Tyrannenburg auf Ortygia (T 5 c) und wurde mit dem Aufbau des adriatischen Kolonialreiches betraut (T 5 a). Um das J. 386 aus persönlichen Gründen verbannt, kehrte er wohl erst unter → Dionysios [2] II. zurück und wurde dessen einflußreichster Berater. Ph. war entschiedener Gegner der Reformpläne → Platons und Dions [I 1] (T 5 c und 7); er fand 356 als Admiral (*naúarchos*) des Tyrannen im Kampf gegen die aufständischen Syrakusier den Tod (T 9).

B. Werk

Ph.' Schrift *Sikeliká* (›Gesch. Siziliens‹) umfaßte zwei »Teile« (*syntáxeis*) und behandelte den Zeitraum von den mythischen Anfängen bis zum J. 363/2 v. Chr. Der erste Teil führte in 7 B. bis zur Einnahme von → Akragas durch die Karthager 406/5 (T 11 a), der zweite behandelte in 4 B. die Regierung des Dionysios I. von der Machtergreifung 406/5 bis zum Tode 368/7 (T 11 a). Dazu kamen 2 B. über Dionysios II. bis 363/2 (T 11 b). Das Werk wurde von → Athanis bzw. Athanas bis zum Rücktritt → Timoleons 337/6 fortgesetzt (T 11 c).

Nach Plutarch (Dion 36,3 = T 23 a) war Ph. *philotyrannótatos* (»der größte Tyrannenfreund«), ›der stets am meisten von allen die Schwelgerei und Machtfülle, die Reichtümer und Hochzeiten der Tyrannen pries und bewunderte‹. Analoge Urteile finden sich bei Cornelius Nepos [2] (Dion 3,1 = T 5 d), Diodoros [18] Siculus (16,16,3 = T 9 c), Dionysios [18] von Halikarnassos (Peri mimeseos 3,2 = T 16 a) und Pausanias [8] (1,13,9 = T 13 a). Auch die spärlichen Fr., die sich auf Dionysios I. beziehen (bes. F 57 und 58), lassen die überaus tyrannenfreundliche Einstellung des Ph. erkennen. Gleichwohl darf er als sehr kompetenter und bed. Historiker gelten: In der Ant. wird er übereinstimmend als Nachahmer des → Thukydides bezeichnet, z. B. von Dionysios von Halikarnassos (Dion. Hal. epist. ad Cn. Pompeium Geminum 5 = T 16), Cicero (Cic. de orat. 2,57 = T 17) und Quintilianus (Quint. inst. 10,1,74 = T 15 c). Zahlreichen Schilderungen bei Diodor, die aus → Timaios stammen (z. B. Belagerung von Gela, Diod. 13,108–113; Mauerbau in Syrakus, 14,18; Rüstungen zum Karthagerkrieg, 14,41–46; Pest in Syrakus, 14,71), liegt letztlich der anschauliche und sachkundige Bericht des Ph. zugrunde [1. 139 ff.]. Eine direkte Benützung des Ph. durch Diodor für die Gesch. des Dionysios I. in B. 13 und 14 (so [2. 394 ff.]) ist jedoch auszuschließen. In Diodors Darstellung der Sizilischen Expedition der Athener (Diod. 12,82–13,10) beruhen mehrere Angaben, die sich nicht bei Thukydides, sondern bei → Ephoros, Diodors Vorlage, fanden, letztlich ebenfalls auf Ph. (vgl. [3]).

76 Fr. sind erh., davon 42 Ortsnamen im geogr. Lexikon des Stephanos von Byzanz. Nach E. MEYER ist der Untergang von Ph.' Werk ›einer der empfindlichsten Verluste, der die ant. histor. Lit. betroffen hat.‹

1 K. F. STOHEKER, Timaios and Ph., in: Satura. FS O. Weinreich, 1952, 139–163 2 L. J. SANDERS, Diodorus Siculus and Dionysius I of Syracuse, in: Historia 30, 1981, 394–411 (= Ders., Dionysius I of Syracuse and Greek Tyrannis, 1987 3 R. ZOEPFFEL, Unt. zum Geschichtswerk des Ph., Diss. Freiburg im Br. 1965.

FGrH 556 • O. LENDLE, Einführung in die griech. Geschichtsschreibung, 1992, 206 ff. • B. MEISSNER, Historiker zwischen Polis und Königshof (Hypomnemata 99), 1992, 289 ff. • K. MEISTER, Die griech. Geschichtsschreibung, 1990, 68 f. • L. PEARSON, The Greek Historians of the West. Timaeus and his Predecessors, 1987, 19 ff. • CH. SABATTINI, Filisto storiografo e politico. Tradizione, forma, immagine, Diss. (im Druck) • M. SORDI, Filisto di Siracusa e la propaganda dionisiana, in: Studia Hellenistica 30, 1990, 159–171 • F. W. WALBANK, The Historians of Greek Sicily, in: Kokalos 14/15, 1968/69, 476–498.   K. MEI.

Philitas (Φιλίτας).

[1] **Ph. aus Kos** (Φιλίτας: so die korrekte Form; daneben auch *Philḗtas*/Φιλήτας), ποιητὴς ἅμα καὶ κριτικός, ›Dichter und zugleich Philologe‹: Strab. 14,2,19) aus der Zeit des frühen Hell., von gelehrten Dichtern nachfolgender Generationen als Schulgründer und bedeutender Bezugspunkt angesehen (vgl. Kall. fr. 1,9–12 und schol. Florentina z. St.; Theokr. 7,37–41; Hermesianax fr. 7,75–78 POWELL). Um 340 v. Chr. in Kos geboren (sein Vater hieß Telephos), wurde Ph. zw. 305 und 300 v. Chr. von Ptolemaios I. Soter an den Hof von Alexandreia gerufen, um der Erziehung des späteren Königs Ptolemaios II. Philadelphos als διδάσκαλος (Lehrer) vorzustehen (vgl. Suda s. v. Φιλήτας). Nach dieser Zeit kehrte er verm. nach Kos zurück, wo er zumindest ein Jahrzehnt lang zum Bezugspunkt für eine Gruppe von Intellektuellen und Dichtern wurde, zu denen auch → Theokritos (vgl. Vita p. 1,9 ff. WENDEL) und → Hermesianax (vgl. schol. Nik. Ther. 3) gehörten.

Von seinem poetischen Werk sind etwa 30 Fr. und vier sichere Titel erhalten. Dazu gehören (1) der *Hermḗs* (fr. 1–4 KUCHENMÜLLER) in Hexametern, bei dem es sich um ein Gedicht von hymnodischer Struktur mit einer *pars epica* gehandelt haben muß, in deren Mittelpunkt der heroische Mythos stand: Es wurde von der Ankunft und dem Aufenthalt des Odysseus auf der Insel des Aiolos erzählt, die mit Lipari/Meligunis gleichgesetzt wird, wo der Heros eine heimliche Liebesaffäre mit Polymele, der Tochter des Königs, hatte (vgl. Parthenios, erotika pathemata 2 = fr. 1 K.); (2) die *Dēmḗtēr* in elegischen Distichen, die mit ihrer Entwicklung des unbekannten Mythos von der Ankunft der umherstreifenden Göttin auf Kos und der wohlwollenden Aufnahme, die ihr vom königlichen Geschlecht der Meropiden bereitet wurde, das *aítion* eines spezifischen Kults der Göttin auf der Insel darstellte.

Zwei Slgg. kurzer Gedichte sind (3) die *Epigrámmata* (fr. 12–13 K.), von denen sich nur ein einziges vollständig rekonstruieren läßt (fr. 12 K.); und (4) die *Paígnia*, ebenfalls Gedichte von epigrammatischer Struktur, die jedoch Themen behandelt haben müssen, welche traditionell für die sympotische Lyrik typisch waren (erotische vielleicht eingeschlossen). Das einzige überl. *paígnion* ist nämlich ein aus zwei elegischen Distichen bestehendes Gedicht, das die für einige sympotische *skólia* charakteristische *gríphos*-Struktur aufweist (fr. 10 K.). An einem ›Telephos‹ betitelten Werk, von dem das schol. Apoll. Rhod. 4,1141 berichtet, darf man aufgrund der hsl. Überlieferung (ἐν Τηλέφῳ: cod. L; ἐν τῇ λέφῳ: cod. P) mit Recht zweifeln; wahrscheinlich ist dagegen, daß Ph. ein episches Gedicht über die mythische Gesch. von → Kos verfaßt hat und dieses neben der ›Demetra‹ das zweite von Kallimachos im Aitien-Prolog erwähnte Werk war (Kall. fr. 1,10 Anfang: Κῶν suppl. VITELLI). Aus seiner intensiven Tätigkeit als Sprachgelehrter gingen die *Átaktoi glôssai* hervor, eine glossographische Slg., verm. in Gestalt eines Lexikons (vgl. Straton comicus fr. 1,40–44 K.-A.), welches seltene lit. Wörter oder Begriffe aus lokalen Redeweisen und Fachsprachen umfaßte (fr. 29–52 K.); ein Werk mit dem Titel *Hermēneia* (vgl. Strab. 3,5,1) ist dagegen der wahrscheinlichste Ort für die exegetischen und editorischen Arbeiten des Ph. am Text des Homer und anderer Autoren (fr. 53–58 K.).

GESAMT-ED. DER POET. FR.: CollAlex 90–96 • A. NOWACKI, Philitae Coi fragmenta poetica, Diss. Münster 1927 (mit Komm.). TEIL-ED. DER POET. FR.: GA I.1, 165 (Ed. der epigr. Fr.); I.2, 673–675 (Komm.) • SH 477 f. (Ergänzung zu CollAlex) • W. KUCHENMÜLLER, Philetae Coi reliquiae, Diss. Berlin 1928 (Umfassende Ausg. der poet., glossograph. und krit.-exeget. Fr.).
LIT.: P. E. KNOX, Philetas and Roman Poetry, in: Papers of the Leeds Int. Latin Seminar 7, 1993, 61–83 • J. LATACZ, Das Plappermäulchen aus dem Katalog, in: CH. SCHÄUBLIN (Hrsg.), Catalepton. FS B. Wyss, 1985, 77–95 • L. SBARDELLA, L'opera »sinora ignota« di Filita di Cos, in: Quaderni urbinati n. s. 52 (81), 1996, 93–115 • Ders., Βιττίδα … θοήν: il problema dell'elegia erotica in Filita, in: R. PRETAGOSTINI (Hrsg.), La letteratura ellenistica. Problemi e prospettive di ricerca (Atti del colloquio internazionale, Roma, 1997), 2000, 79–89.   L. SB./Ü: T. H.

[2] **Ph. von Samos** werden zwei eindrucksvolle Epigramme in der *Anthologia Palatina* zugewiesen: die Weihung des eigenen »Rüstzeugs« seitens einer nicht mehr jungen Hetäre (Anth. Pal. 6,210) und der trostspendende Epitaph eines Mädchens, das vor seinem Vater starb (7,481). Beide entstammen dem »Kranz« des → Meleagros [8], dennoch erscheint der Name Ph. dort nicht im Proömium; schwerlich hätte Meleagros ihn vernachlässigt, wenn es sich um den berühmten Ph. [1] von Kos gehandelt hätte.

GA I 1, 164 f.; 2, 476–478 • K. J. GUTZWILLER, Poetic Garlands, 1998, 17.   M. G. A./Ü: TH. G.

Philo. Röm. Cognomen, in republikanischer Zeit in den Familien der → Publilii und → Veturii bis ins 2. Jh. v. Chr.; in der Kaiserzeit nicht mehr in Familien der Oberschicht (Cic. div. in Caec. 63: *Pit[h]oni* statt *Philoni*).

MÜNZER, 129f. · SCHULZE, 315.   K.-L.E.

Philocalus, Furius Dionysios
s. Filocalus, Furius Dionysius

Philocharidas (Φιλοχαρίδας). Spartiat, Sohn des Euryxilaidas, Mitunterzeichner des Waffenstillstandsvertrages zw. Sparta und Athen 423 v. Chr. (Thuk. 4,119,2) und des Nikiasfriedens 421 (Thuk. 5,19,2). Er sollte mit → Ischagoras und Menas [1] den → Klearidas anweisen, Amphipolis vertragsgemäß an Athen zu übergeben, doch widersetzte sich dieser (Thuk. 5,21). Ph. beschwor im gleichen Jahr die → *symmachía* Spartas mit Athen (Thuk. 5,24,1) und war 420 Mitglied einer spartan. Gesandtschaft, die in Athen durch Intrigen des Alkibiades [3] brüskiert wurde (Thuk. 5,44–46; [1. 37–40]). Mit → Megillos war er 408/7 v. Chr. erneut Unterhändler in Athen, um Gefangene auszulösen (Androtion FGrH 324 F 44; [2. 395]).
→ Peloponnesischer Krieg

1 W. M. ELLIS, Alcibiades, 1989 2 B. BLECKMANN, Athens Weg in die Niederlage, 1998.   K.-W. WEL.

Philochoros (Φιλόχορος). Ph. aus Athen, Sohn des Kyknos, geb. ca. 340 v. Chr., letzter und bedeutendster Atthidograph (→ *Atthís*). Seine Arbeiten – eine kurze Lebensbeschreibung in der Suda nennt 21 Werke (FGrH 328 T 1), weitere sechs sind aus sonstigen Zeugnissen bekannt – umfassen die gesamte Breite der Gesch., Lit. und Rel. Athens. Die Vielfalt der Themen, der schmucklose Stil und die Systematik des Sammelns lassen auf Einfluß der peripatetischen Schule (→ Peripatos) schließen und ihn als ›ersten Gelehrten‹ unter den Atthidographen‹ erscheinen (FGrH IIIb [Suppl.], Bd. 1, p. 227 f.). Ph.' antiquarische Interessen und seine Tätigkeit als Seher, Opferschauer (*hieroskópos*) und Exeget (FGrH 328 T 1–2) weisen auf eine tiefe Beziehung zu den alten Werten Athens und eine polit. konservative Haltung. Seine Parteinahme für Ptolemaios II. und gegen die Makedonen im → Chremonideischen Krieg (267–261) führte schließlich zu seiner Hinrichtung (wohl 262/1) auf Betreiben des → Antigonos [2] Gonatas. Ph.' Hauptwerk, die *Atthís*, umfaßte 17 B., von denen je zwei der mythischen Zeit bis → Solon, der Zeit bis zum E. des 5. Jh. und dem 4. Jh. (bis 338 oder 317) gewidmet waren; die restlichen 11 B. behandelten die ca. 50 selbst erlebten Jahre; die zahlreichen Fr. stammen überwiegend aus den ersten 6 B. Das hochangesehene Werk hat frühere Darstellungen der Lokalgesch. Athens (auch die des vielfach von Ph. benutzten → Androtion) fast vollständig verdrängt; es wurde in augusteischer Zeit erneut in einer Kurzfassung von Asinius [I 4] Pollio (FGrH 193) publiziert.

Ph.' weiteres, der *Atthís* meist vorausgehendes Werk umfaßte u. a. Studien zu Athen (›Über die Tetrapolis‹, ›Die Gründung von Salamis‹), zur Rel. (›Über die Mysterien in Athen‹, ›Über Weissagungen‹, ›Über Opfer‹, ›Über Feste‹ etc.) sowie zur Trag. und zu tragischen Stoffen (›Über die tragischen Dichter‹, ›Über die Stoffe des Sophokles‹, ›Über Euripides‹), eine (erste) ›Slg. der attischen Inschr.‹ und eine Schrift ›Über Erfindungen‹.
→ Athenai; Atthis

F. JACOBY, FGrH 328 (Testimonia und Fr.); IIIb (Suppl.) Bd. 1, 1954, 220–595 (Komm.); IIIb (Suppl.), Bd. 2, 1954, 171–486 (Anm.) · O. LENDLE, Einführung in die griech. Geschichtsschreibung, 1992, 146–150.   K. MEI.

Philodamos (Φιλόδαμος). Chorlyrischer Dichter aus Skarpheia. Er verfaßte einen inschr. überl. Paian an Dionysos, der bei den → Theoxenia in → Delphoi im J. 340/339 v. Chr. aufgeführt wurde. Er und seine Familie erhielten dafür eine Fülle von Privilegien in Delphoi. Das Gedicht scheint eine wichtige Funktion in der Neudefinition des → Dionysos in Delphoi als eines »zweiten → Apollon« gespielt zu haben. Stufenweise gleicht sich die Darstellung des Dionysos dem traditionellen Apollon-Bild an: apollinisch stilisierte Geburtsgeschichte, Musikalität, *Sotér*-/Heiler-Kompetenzen (→ Iakchos), analoge kultische Ehrungen, Apostrophierung als »Herr der Gesundheit«. Diese inhaltliche Angleichung wird durch die Verwendung von Formelelementen unterstützt, die offenbar als konstitutiv für die Gattung des → Paian als eines »Heil«-Liedes an Apollon aufgefaßt wurden. Dabei kündigt sich einerseits ein größeres lit. Formbewußtsein im Hell. an, anderseits dokumentiert der Paian die große Bed. der Kultlyrik als Mittel rel. Konstruktion.

1 A. STEWART, Dionysos at Delphi: The Pediments of the Sixth Temple of Apollo and Religious Reform in the Age of Alexander, in: B. BARR-SHARRAR, E. N. BORZA (Hrsg.), Stud. in the History of Art 10, Symp. Ser. I, 1982, 205–227 2 Guide de Delphes. Le musée (Sites et monuments VI), 1991, 77–84.

L. KÄPPEL, Paian, 1992, 207–284, 375–380 (mit weiterer Lit.) · B. L. RAINER, Philodamus' Paean to Dionysus: A Literary Expression of Delphic Propaganda, Diss. Univ. of Illinois at Urbana, 1975.   L. K.

Philodemos (Φιλόδημος).
A. LEBEN UND WERK
B. DIE EINZELNEN SCHRIFTEN
C. WÜRDIGUNG

A. LEBEN UND WERK
Geboren in → Gadara um 110 v. Chr.; in Athen Schüler des epikureischen Philosophen → Zenon von Sidon; nach dessen Tod kam Ph. etwa in der Mitte der 70er Jahre nach Italien. In Rom befreundete er sich mit L. Calpurnius [I 19] Piso Caesoninus (vgl. Cic. Pis. 68–72) und ließ sich in der Pisonenvilla (auch als »Villa dei

Papiri« bekannt) in → Herculaneum nieder, wo er mit
Siron und den Dichtern → Quinctilius Varus, L. → Va-
rius Rufus, → Plotius und → Vergilius zusammentraf.
Ph. starb nach 40 v. Chr.

Vor der Entdeckung der Bibliothek in der »Villa dei
Papiri« (→ Herculanensische Papyri) Mitte des 18. Jh.
war Ph. nur durch einen Hinweis bei Diogenes Laertios
(Diog. Laert. 10,3; 24) und einige Epigramme in der
Anthologia Graeca bekannt. In seine Gedichte, die er sein
ganzes Leben lang schrieb [4], fügte er außer den üblichen Topoi auch philos. Versatzstücke ein, so daß sich
der Dichter Ph. von dem Philosophen nicht trennen
läßt. Zahlreiche Prosa-Traktate, deren Themen ein weites Spektrum des damaligen Geisteslebens behandeln,
bilden den überwiegenden Teil seines Werkes. Diese
sind teilweise und fragmentarisch in der Bibliothek von
Herculaneum erhalten (→ Herculanensische Papyri).
Der Inhalt der wichtigsten Schriften [2; 3] in der vermuteten Chronologie:

B. Die einzelnen Schriften

Das kleine Werk Περὶ τοῦ καθ' Ὅμηρον ἀγαθοῦ βασιλέως (›Über den guten König nach Homer‹: PHercul.
1507), von Ph. in den ersten Jahren seines Aufenthaltes
in Italien verfaßt und seinem Gönner Piso gewidmet,
kann weder als bloße Allegorie noch rein polit. gedeutet
werden; es dürfte sich um einen wahrscheinlich in pro-
treptischer Absicht komponierten → Fürstenspiegel
handeln.

Die Σύνταξις τῶν φιλοσόφων (›Aufzählung der Philosophen‹), eine Gesch. der Philos., geordnet nach dem
Prinzip der aufeinanderfolgenden Schuloberhäupter
(διαδοχαί/*diadochaí*) in den wichtigsten griech. Philosophenschulen, vermittelte in einem mindestens 10 B.
umfassenden Leitfaden philos. Grundwissen, nicht nur
für die Mitglieder der Epikureischen Schule, sondern
auch für die gebildete Gesellschaft Roms und Italiens.
In den drei fragmentarisch erh. Büchern zur Akademie
(→ Akademeia), zu der Stoa (→ Stoizismus) und der
→ Epikureischen Schule stellt Ph. neben den äußeren
Ereignissen in den einzelnen Schulen auch doxographische Aspekte dar (→ Doxographie). Die ›Gesch. der
Akademie‹ (PHercul. 1021 und 164) berichtet die Geschehnisse in der Akademie von → Platon bis zu Antiochos [20] von Askalon und seinem Bruder und Nachfolger Ariston (Ed. [1]). Die ›Gesch. der Stoa‹ (PHercul.
1018) hat die Wechselfälle der Stoischen Schule, von
→ Zenon von Kition bis zu → Panaitios und seinen
Schülern (Ed. [2]) zum Inhalt. In den dürftigen Überresten der ›Gesch. der Epikureer‹ (PHercul. 1780) finden
wir Spuren von Episoden, die sich auf die Scholarchate
von → Polystratos [2] und Dionysios [11] von Lamptrai
beziehen (Ed. [9]).

Aus dem Gebiet der philos. Biographie wissen wir
von einer Biographie des → Epikuros in mindestens
zwei B. (Περὶ Ἐπικούρου, ›Über Epikuros‹: PHercul.
1289 und 1232); den Πραγματεῖαι (›Abhandlungen‹:
PHercul. 1418 und 310), einer Schrift, die Zeugnisse
über Epikuros und andere Epikureer enthält; und (mit

unsicherer Autorschaft) von der anonymen Vita des
→ Philonides [2] von Laodikeia (PHercul. 1044).

Die Schrift ›Über die Rhet.‹ (mindestens 9 B.) diskutiert in den ersten beiden B. (1. B.: PHercul. 1427; 2.
B.: PHercul. 1672 und 1674) die Argumente für und
gegen eine Definition der Rhet. als → *téchnē* (»Kunst«):
Ph. will demonstrieren, daß nur die sophistische oder
epideiktische, nicht aber die polit. Rhet. als solche gelten kann. Im dritten B. (PHercul. 1426 und 1506) sucht
Ph. zu zeigen, daß die sophistische Rhet. keine guten
Staatsmänner heranbilden kann, da sie den Politikern
keine moralischen Qualitäten verleiht; das ist vielmehr
das Ziel der Philos. Im vierten B. (PHercul. 1423 und
1007/1673) kritisiert Ph. die sophistischen Rhetoren
und ihren Anspruch auf Überlegenheit. Eines der folgenden B. (PHercul. 1015/832) enthält eine Polemik
gegen → Nausiphanes von Teos, den Lehrer Epikurs,
von dem dieser sich später lossagte, und gegen Aristoteles [6]; ein anderes (PHercul. 1004) wendet sich gegen
die Stoiker und Diogenes [15] von Babylon sowie gegen
einen Peripatetiker Ariston. In einem weiteren (vielleicht dem letzten) Buch (PHercul. 1669) wird die Kontroverse zw. Rhet. und Philos. aufgenommen. Ph. favorisiert die Überlegenheit der Philos.; sie ist jeder Art
von Rhet. übergeordnet und zeigt als einzige den Weg
zum wahren Glück.

Etwa gleichzeitig mit der Rhet. ist die Abfassung der
fünf B. Περὶ ποιημάτων (›Über Gedichte‹) anzusetzen.
Ph. legt dar (vom Standpunkt des Philosophen, nicht des
Lit.-Theoretikers), was die Qualität von Dichtung ausmacht. Die ersten drei B. des Werkes haben die polemische Debatte über die Beziehung zw. Form und Inhalt sowie zw. εὐφωνία/*euphōnía* und σύνθεσις/*sýnthesis*
(Wohlklang und Wortkomposition) zum Inhalt, gegen
Krates [5] aus Mallos und unbekannte »Kritiker« (*kriti-
koí*). Im vierten B. (PHercul. 207) greift Ph. Aristoteles
an, im fünften (PHercul. 1425 und 1538) erörtert er die
Definition des guten Dichters (ἀγαθὸς ποιητής/*agathós
poiētḗs*) und den Wert der Dichtung (ἀρετὴ ποιήσεως/
aretḗ poiḗseōs). Nicht wenn es durch seinen Rhythmus
und seine Melodie das Gehör zufriedenstellt und auch
nicht durch die Zusammenfügung von einzelnen Wörtern (*sýnthesis tōn onomátōn*) ist ein Gedicht gut, sondern
wenn es eine perfekte Übereinstimmung von Gedanken und Inhalt bietet. Aufgabe der Dichtkunst ist es
nicht, zu belehren, sondern Genuß sowohl für das Gehör als auch bes. für den Geist hervorzurufen. Dieses
Werk ist die einzige erh. Abh. über Dichtung und Literaturtheorie nach der Poetik des Aristoteles und vor
Dionysios von Halikarnassos.

In dem mindestens vier B. umfassenden Traktat Περὶ
μουσικῆς (›Über Musik‹, nur Fr. wohl des 4. B. erhalten)
behauptet Ph., daß die → Musik keinerlei moralische
Wirkung habe und auch nicht als ein Weg zur Tugend
angesehen werden könne. Ihr wird lediglich der Genuß
zugestanden, den sie verbreitet und der im Gemüt eine
Neigung zum Schönen und Guten erzeugt, jedoch
ohne ethisches Ziel. Die Musik soll um ihrer selbst wil-

len, für die ihr innewohnende Schönheit, geliebt werden und wegen der Freude, die sie dem Hörer bringt.

Ein Charakteristikum des Œuvres des Ph., die polemische, manchmal bissige Gesinnung, mit der er seine Gegner bekämpft, zeigt sich in der kleinen Schrift Περὶ τῶν Στωικῶν (›Über die Stoiker‹: PHercul. 339 und 155), wo er voller Ironie die Staatsschriften (*Politeíai*) des Stoikers Zenon und des Kynikers Diogenes [14] von Sinope kritisiert. In dem Werk mit dem Titel Πρὸς τοὺς [ἑταί-ρους] (›An die Schulgenossen‹: PHercul. 1005) wettert er gegen Gruppen von Epikureern, die als »Dissidenten« (σοφισταί/*sophistaí*) bezeichnet werden, da sie eine Interpretation der Lehre Epikurs vorschlugen, die sich von jener »orthodoxen« der Schule in Athen unterschied. Gegenstand der Debatte waren die Definition des σεβασμός/*sebasmós* (»Verehrung«) des Meisters, das Problem der Wirkungskraft lit. Kompendien und der ἐγκύκλιος παιδεία/→ *enkýklios paideía* (»Allgemeinbildung«).

Das große Werk Περὶ κακιῶν (›Über Untugenden‹) untersuchte in mindestens zehn B. jeweils eine Untugend bzw. die ihr entgegengesetzte Tugend. Besondere Aufmerksamkeit erfuhr dabei die Schmeichelei und die damit verwandten Laster. Das neunte B. (PHercul. 1424) betraf die Verwaltung des Hauses (οἰκονομία/*oikonomía*) und die Geldmittel, die der epikureische Weise hat, um sich das Lebensnotwendige zu beschaffen. Die der *oikonomía* entgegengesetzte Untugend scheint die Habsucht (φιλαργυρία/*philargyría*) gewesen zu sein: Von einer Schrift Περὶ φιλαργυρίας (›Über Habsucht‹) sind einige Fr. erhalten. Auf ähnliche Themen greift Ph. in dem Werk Περὶ πλούτου (›Über den Reichtum‹: PHercul. 163) zurück. Der Hochmut wurde im zehnten B. mit dem Titel Περὶ ὑπερηφανίας (›Über den Hochmut‹: PHercul. 1008) untersucht: Widrige Lebensumstände belehren den Hochmütigen über das richtige Benehmen.

Zu dem Werk ›Über die Lebensformen‹ (Περὶ ἠθῶν καὶ βίων) gehörte die Abh. Περὶ παρρησίας (›Über freizügige Rede‹: PHercul. 1471). Die *parrhēsía* wird von Ph. als eine *téchnē* betrachtet, die auf den einzelnen ähnlich wie Medizin wirken kann, d. h. als Kunst der Hilfeleistung und zugleich der Behandlung. Die Freiheit des Wortes ist laut Ph. die Leitlinie des gemeinsamen Lebens von Philosophen, wie es sich in der Philosophengemeinschaft von Athen und Herculaneum entfaltete. Auf dasselbe Werk können die beiden Bücher Περὶ χάριτος (›Über die Dankbarkeit‹: PHercul. 1414) und Περὶ ὁμιλίας (Über ⟨philos.⟩ Unterredung‹: PHercul. 873) zurückgeführt werden. Die *homilía* war für die Epikureer ein wichtiges Thema, verbunden mit → Freundschaft und gemeinsamer philos. Forsch. (συζήτησις/*syzḗtēsis*).

Wahrscheinlich verfaßte Ph. auch ein Werk über die Leidenschaften (πάθη/*páthē*); in einem Buch davon (Περὶ ὀργῆς, ›Über den Zorn‹: PHercul. 182) unterscheidet Ph. scharfsinnig zw. ὀργή (*orgḗ*, »Zorn«) und θυμός (*thymós*, »maßlosem Zorn«); auch der Weise kann

Augenblicken des Zorns unterworfen sein, niemals jedoch dem aufbrausenden maßlosen Zorn.

In die späteste Phase des lit. Schaffens des Ph. gehört die Abh. Περὶ θεῶν (›Über die Götter‹). Im ersten der beiden erh. B. (PHercul. 26) betont Ph. die schädlichen Wirkungen, die von der volkstümlichen Vorstellung über die Gottheit ausgehen, und die Tatsache, daß es die falschen Meinungen über die Götter sind, die, zusammen mit der Furcht vor dem Tode, als Ursache der Beunruhigung für die Menschen das Erreichen der Seelenruhe (*ataraxía*) verhindern. Nur der Weise ist fähig, sich davon zu befreien und die Glückseligkeit zu erreichen. Das dritte Buch (PHercul. 152/157) mit dem Titel Περὶ τῆς τῶν θεῶν διαγωγῆς (›Über das Leben der Götter‹) erörtert die Eigenschaften der Götter in Auseinandersetzung mit den Stoikern. Ph. verweilt bei dem Zusammenhang zw. Erkenntnis der Zukunft und Erreichen der Glückseligkeit sowie bei der göttlichen Allmacht, die sich in menschliche Angelegenheiten nicht einmischt. Er untersucht Fragen, die sich auf die Lebensführung der Götter und ihren Besitz von Gegenständen des täglichen Gebrauchs beziehen.

Entscheidend für die Rekonstruktion des theologischen Denkens ist auch eine weitere Schrift mit dem Titel Περὶ εὐσεβείας (›Über die Frömmigkeit‹) in zwei B. Das erste enthält eine Darstellung der Vorstellungen des Epikuros über das wahre Gefühl der *eusébeia* (»Frömmigkeit«): Die Götter existieren und müssen gemäß den Gesetzen der Stadt verehrt werden, aber die Menschen können von ihnen weder Schäden noch Wohltaten erwarten. Die Götter leben selig, frei von jeder Beunruhigung und glücklich, ohne sich um die Menschen und deren Handlungen zu kümmern. Das zweite B., das in drei Abschnitte geteilt ist, enthält eine Kritik der Mythen und Götter, wie sie von Dichtern und Denkern dargestellt werden, eine Kritik der populären rel. Glaubenssätze und schließlich eine Kritik der philos., bes. der stoischen → Theologie. Ein theologisches Thema wird auch in Περὶ προνοίας (*Perí pronoías*, ›Über die Vorsehung‹: PHercul. 1670) in Auseinandersetzung mit Chrysippos [2] behandelt.

Mit den Interessen des Ph. für die → Logik hängt die Abh. Περὶ φαινομένων καὶ σημειώσεων (›Über Erscheinungen und Bezeichnungen‹: PHercul. 1065) zusammen. In drei Abschnitten wird die Diskussion der epikureischen Schule über analoge Schlußfolgerungen (μετάβασις καθ' ὁμοιότητα) wiedergegeben. In Übereinstimmung mit den logischen und erkenntnistheoretischen Prinzipien des Epikuros verteidigt Ph. die Methode des logischen Schließens auf dem Weg der Analogie, die den Übergang von der Welt der Erscheinungen (φαινόμενον/*phainómenon*) zu der nicht erkennbaren (ἄδηλον/*ádēlon*) Welt erlaubt.

Der Zeit der schriftstellerischen und künstlerischen Reife des Ph. sind zwei ethische Schriften zuzuweisen, die unbestreitbare Übereinstimmungen in Sprache, Inhalt und Lehre zeigen: die sog. ›Ethik Comparetti‹ (PHercul. 1251) und die Schrift Περὶ θανάτου (›Über den Tod‹), in denen sich Ph. in persönlich gefärbten Überlegungen mit zwei grundlegenden Motiven der epikureischen Lehre auseinandersetzt: der Furcht vor dem Tod und den Mitteln, die dem Weisen zur Verfügung stehen, um sie zu überwinden.

C. WÜRDIGUNG

Nach dem aktuellen Kenntnisstand der Forsch. ist eine Unt. der Persönlichkeit und der Lehre des Ph. sowie seiner Stellung in der Gesch. des epikureischen »Gartens« schwierig. Ph. scheint in die epikureische Philos. Nuancen eingeführt zu haben, die sie, wiewohl sie die grundlegenden Prinzipien nicht angriffen, den neuen Erfordernissen der geänderten Zeiten und der röm. Wirklichkeit anpaßten. Dies geschah durch die Aufwertung der ἐγκύκλια μαθήματα (enkýklia mathḗmata, »umfassende Bildung«, d. h. Rhet., Poetik, Musik) und eine neue Interpretation der enkýklios paideía. Ph. war kein Denker von großer Tiefe und philos. Originalität; er war vor allem der Sprecher und Verbreiter des Gedankenguts seines Lehrers Zenon; nach dessen Tod fühlte er sich mit der Mission betraut, die epikureische Doktrin in systematischer und endgültiger Form in Italien zu verbreiten. Diese Aufgabe scheint ihm gut gelungen zu sein [12].

→ Epikuros; Epikureische Schule; Herculanensische Papyri; Zenon von Sidon

ED., ÜBERS., KOMM. IN AUSWAHL: 1 P.H. UND E.A. DELACY, Philodemus: On Methods of Inference, 1978 (Ed. mit engl. Übers. und Komm.) 2 T. DORANDI, Filodemo, Storia dei filosofi: Platone e l'Academia (PHerc. 1022 e 164), 1991 3 Ders., Filodemo, Storia dei filosofi: La stoa da Zenone a Panezio (PHerc. 1018), 1994 4 M. GIGANTE (Hrsg.), La scuola di Epicuro, Bd. 1, 1978ff. (Ed.-Reihe) 5 D. OBBINK, Philodemus ›On Piety‹, 1996 (Ed. mit Komm.) 6 F. SBORDONE, L. AURICCHIO, Ricerche sui Papiri Ercolanesi, Bd. 1–4, 1968–1983 (mit ital. Übers. und Komm.) 7 D. SIDER (ed.), The Epigrams of Ph., 1997 (mit engl. Übers. und Komm.) 8 S. SUDHAUS (ed.), Philodemi volumina rhetorica, 3 Bde, 1892–1896 (griech. Text) 9 A. TEPEDINO GUERRA, Il Κῆπος epicureo nell PHerc. 1780, in: CE 10, 1980, 17–24 10 Neuedition der Werke des Ph. (mit engl. Übers.) in Vorbereitung im internationalen Philodemus Project, vgl. http://www.humnet.ucla.edu/humnet/classics/philodemus/philhome.htm. LIT.: 11 T. DORANDI, La villa dei papiri a Ercolaneo e la sua Biblioteca, in: CPh 90, 1994, 168–182 12 Ders., Lucrèce et les Epicuriens de Campanie, in: K. ALGRA (Hrsg.), Lucretius and His Intellectual Background, 1997, 35–48 13 M. ERLER, Epikur – Die Schule Epikurs – Lukrez, in: GGPh² 4, 1994, 281, 289–362 14 M. GIGANTE, Filodemo in Italia, 1990 (engl.: Philodemus in Italy: The Books from Herculaneum, 1995) 15 N.A. GREENBERG, The Poetic Theory of Philodemus, 1990 16 A.A. LONG, D.N. SEDLEY, The Hellenistic Philosophers, 1987 (dt.: Die hell. Philosophen, 2000) 17 D. MUSTILLI et al., La villa dei papiri (CE 13, Suppl. 2), 1983 18 D. OBBINK (Hrsg.), Philodemus and Poetry, 1994.
                               T.D./Ü: E.D.

Philogelos (Φιλόγελως, »der Lachfreund«). Die einzige aus der Ant. überl. Sammlung von 265 einzelnen griech. Witzen (in verschiedenen Rezensionen; zur hsl. Trad. [1. 129–146; 8]), zusammengestellt zw. dem 3. [11] und 5. Jh. n. Chr. In den Mss. wird sie Hierokles und dem Grammatiker Philagrios zugeschrieben (nicht identifizierbar; Hypothesen bei [2. IV–V]). Datierungshinweise geben die röm. Stadtgründungsfeier von 248 n. Chr., worauf § 62 anspielt; Erwähnung des 391 n. Chr. zerstörten Serapeion von Alexandreia in § 76 (vgl. [6]). Im Ph. werden griech.-röm. rel. Institutionen genannt (Eid auf die Götter, Brandbestattung), die typisch für das späte Kaiserreich sind (vgl. [13. 1063]), doch gibt es keine eindeutigen sprachlichen Indizien für die Datier.: neben frühbyz. Merkmalen auch Attizismen, volkstümliche Ausdrücke, Latinismen und griech. Kirchensprache (ausführlich [10; 2. 117–125]; zu θεέ/theé und κύριε/kýrie in § 223 s. [3. 624]). Ebenso koexistieren soziale Institutionen des späten Kaiserreiches neben eher klassischen (athletischen Wettkämpfen, Theater, Gladiatorenspielen). Es gibt keine Spuren, die eine geogr. Lokalisierung erlauben.

Eine Form der Witze-Slg. könnte daher schon auf den berühmten Mimen → Philistion [3] (augusteische Zeit) zurückgehen, sein Name erscheint jedoch nicht in den Hss.; die Suda s. v. Φιλιστίων nennt ihn als Autor für den ›Ph., das Buch, das man zum Barbier (κουρέα) mitnimmt‹ (dies könnte die Tatsache anspielen, daß die Witze eine typische Art der Unterhaltung in der Barbierstube waren [9. 454; 1. 11], doch könnte κουρεύς auch ein Orts- oder Personenname sein [2. vi]). Die Hypothese wird bestärkt durch die Erwähnung der Scribonia (erste Gattin des Augustus? § 73) und durch die Übereinstimmung von § 206 mit Apophthegmata Vindobonensia § 131 (die Philistion zugeordnet werden).

Die Witze sind nach Typen geordnet; 103 haben als Hauptperson den scholastikós – anderswo ernsthaft im Sinne von »Student« oder »Lehrer« verwendet ([7]: hier aber ›der gelehrte Narr, ob er nun alt oder jung ist, ein Kalmäuser‹; vgl. [1. 17–20]), manchmal ein Lehrmeister, Jurist oder Arzt; häufiger ist es einfach der »Dummkopf«, dessen Komik in der konsequenten Anwendung der falschen Analogie liegt (z. B. schüttelt er einen Baum, um die Spatzen, die dort wie Obst sitzen, aufzulesen, § 19). Es erscheinen auch die Einwohner von Abdera (§§ 110–127), von Kyme [3] in Kleinasien (§§ 154–182) und von Sidon (§§ 128–139 – mit allen drei Städten wurde traditionell Dummheit assoziiert), daneben Geizhälse, der »Dummkopf« (μωρός), Witzbolde, Grobiane, Gefräßige, Trunksüchtige (und ähnliche Typen aus der Komödie und Charakterstudien) bis hin zu den »übelriechenden« Menschen (vgl. [3. 631–632]). Spärlich sind Witze mit sexuellem Hintergrund.

Der Ph. ist eine Schatztruhe für Belege aus dem alltäglichen Leben der röm.-hell. Zeit (z. B. [6. 10]). Der Humor ist volkstümlich, nicht gelehrt, er zögert nicht, auch physische Anomalien aufs Korn zu nehmen, verschmäht keine Elemente des schwarzen Humors, auch nicht makabre, geschmacklose, gelegentlich abstoßende Elemente. Er richtet sich nicht direkt *ad personam* (urspr. mit histor. Persönlichkeiten verknüpfte Anekdoten werden auf typisierte Charaktere angewandt), ist ohne moralische Andeutung, gründet in Wortspielen, Widersinn, Sinnlosigkeit und Absurdität.

Personen und Situationen erinnern an den → Mimos, und einige Witze könnten von einer mimisch-theatralischen Handlung begleitet gewesen sein ([9. 456–459, 467]; gegen einen Ursprung der Slg. aus dem Mimos [13. 1067]). Ähnlichkeiten mit den → *apophthégmata* und der aisopischen → Fabel (→ Aisopos) sind erkennbar (nicht zufällig enthält der größte Teil der Ph.-Hss. auch aisopische Fabeln oder Schilderungen aus dem Leben des Aisopos).

Der Ph. reiht sich in eine lange Trad. von ant. Witzbüchern ein. Verschiedene Witze erscheinen auch in anderen Quellen (v. a. → Plutarchos [2], aber auch → Cicero, → Velleius Paterculus, → Suetonius). Somit kann man sich den Ph. als eine Art *motif-index* [15] vorstellen, den man sowohl für Konversation als auch literarisch verwenden konnte.

→ Witz

ED.: **1** A. THIERFELDER, Ph. Der Lachfreund, von Hierokles und Philagrios, 1968 (griech.-dt., mit Komm.) **2** B. BALDWIN, The Ph. or Laughter-Lover, 1983 (engl. Übers. und Komm.). LIT.: **3** Ders., The Ph.: an Ancient Jokebook, in: Ders., Roman and Byzantine Papers, 1989, 624–637 **4** Ders., John Tzetzes and the Ph., in: Byzantion 56, 1986, 337–338 (Ndr. in: Ders., Roman and Byzantine Papers, 1989, 329–331) **5** A. CLAUS, Ὁ σχολαστικός, Diss. Köln 1965 **6** A. LUKASZEWICZ, Sarapis and a Free Man, in: Eos 77, 1989, 251–255 **7** E. MANUWALD, Σχολή und Σχολαστικός vom Alt. bis zur Gegenwart, 1923 **8** B. E. PERRY, On the Manuscripts of the Ph., in: Classical Studies in Honor of W. A. Oldfather, 1943, 157–166 **9** H. REICH, Der Mimus, Bd. 1.2, 1903, 454–475 **10** G. RITTER, Studien zur Sprache des Ph., Diss. Basel 1955 **11** L. ROBERT, L'épigramme grecque, 1968, 289 **12** J. ROUGÉ, Le Ph. et la navigation, in: Journal des Savants 1987, 3–12 **13** A. THIERFELDER, s. v. Ph., RE, Suppl. 11, 1062–1068 **14** K.-W. WEEBER, Humor in der Ant., 1991, 63–79 (Anthologie in Übers.) **15** S. WEST, Not at Home: Nasica's Witticism and Other Stories, in: CQ 42, 1992, 287–288.

S. FO./Ü: TH. G.

Philoitios (Φιλοίτιος). Rinderhirt des → Odysseus (Hom. Od. 20–22); verkörpert wie der Schweinehirt → Eumaios den loyalen Gefolgsmann. Das stark aufeinander konzipierte Figurenpaar [1] unterstützt Odysseus beim Freiermord, nachdem dieser sich ihnen zu erkennen gegeben und sich ihrer Loyalität versichert hat. Dabei rächen sich die beiden an der Gegenfigur, dem treulosen Ziegenhirten → Melanthios [1].

1 B. FENIK, Studies in the Odyssey (Hermes ES 30), 1974, 172–173.   RE. N.

Philokles (Φιλοκλῆς).

[1] Athenischer → Demagoge. Ph. wurde 406/5 v. Chr. zum → *stratēgós* nachgewählt und mit der Flotte zu → Konon [1] nach Samos entsandt. Beide kommandierten dann die Flotte im Hellespont. Zum Strategen wiedergewählt, verschuldete Ph. 405 die Niederlage bei → Aigos potamos mit, wurde gefangen und von Lysandros [1] hingerichtet, weil er die Besatzungen von zwei erbeuteten spartan. Trieren hatte ins Meer werfen lassen (Xen. hell. 1,7,1; 2,1,32 f.; Diod. 13,104,1 f.; Paus. 9, 32,9; Plut. Lysandros 13,1 f.; Plut. Sulla 42,8).   W. S.

[2] Sohn des Phormion aus dem athen. *dḗmos* Eroiadai, mehrfach *stratēgós*. Als *stratēgós* in der Festung Munichia verweigerte er 324 v. Chr. der kleinen Flotte des vor Alexandros [4] d. Gr. geflohenen → Harpalos die Einfahrt in den → Peiraieus, gestattete aber kurz darauf dem Harpalos als Privatmann den Zutritt. In der sog. Harpalos-Affäre (zur Chronologie s. [1]) deshalb der Bestechung bezichtigt, beantragte er – wie Demosthenes [2] – eine Untersuchung des → Areios pagos (*apóphasis*) gegen sich und wollte im Falle des Schuldnachweises die Todesstrafe auf sich nehmen (Deinarch. or. 3, ›Gegen Philokles‹). Ph. wurde aber vom Gericht freigesprochen oder zu einer geringen Strafe verurteilt; seine Identität mit dem wenig später von der Phyle Leontis geehrten Kosmeten (→ *kosmētḗs* [1]) ist strittig (vgl. [2. 315 f.]).

1 E. BADIAN, Harpalus, in: JHS 81, 1961, 16–43 **2** I. WORTHINGTON, A Historical Comm. on Dinarchus, 1992.   E. B. u. H. VO.

[3] Makedone, Königsfreund des → Philippos [7] V. (Pol. 22,14,7) [1. 111 f.]. Ph. attackierte als Feldherr im 2. → Makedonischen Krieg 200 v. Chr. Mylasa und Attika glücklos (Pol. 16,24,7; Liv. 31,16,2; 31,26,1–9), verfehlte 198 den Entsatz von Eretria (Liv. 32,16,12–14), befreite aber Korinth von feindlichen Besatzungen und lieferte es 197 nicht an T. → Quinctius Flamininus aus (Liv. 32,23,11–13; 32,40,5 f.). Er befreite auch Argos, das er 197 im Auftrag Philipps dem vermeintlichen Verbündeten → Nabis aushändigte (Liv. 32,25,1; 32,38,2–5; 32,40,1). Als Gesandter Philipps war Ph. 184/3 mit → Apelles [2] zur Begleitung des → Demetrios [5] in Rom (Pol. 23,1,5; 3,2). Dorthin kehrte er 181 zurück, um Beweise für ein röm. Komplott gegen Philipp zu sammeln; der ominöse, den Demetrios lobende Brief, den er von T. Quinctius mitbrachte, führte zu Demetrios' Anklage und Hinrichtung wegen Hochverrats 180/179 (Liv. 40, 20,3 f.; 40,23,5–9; Liv. 40,54,9).

1 S. LE BOHEC, Les »philoi« des rois Antigonides, in: REG 98, 1985, 93–124.   L.-M. G.

[4] Ph. aus Athen. Tragiker, 2. H. 5. Jh. v. Chr., Sohn des Polypeithes (TrGF I 24 T 1) bzw. Philopeithes (T 2), Neffe des Aischylos [1] (TrGF I 12 T 3). Er war wegen seiner bitteren Schärfe bekannt und soll mehr als 100 Tragödien verfaßt haben. Im tragischen Agon unterlag ihm Sophokles mit dem ›König Oidipus‹ (24 T 3).

B. GAULY u. a. (Hrsg.), Musa tragica, 1991, 94–97, 281 f.   B. Z.

[5] Ph. aus Acharnai. Athenischer Architekt, gehörte nach IG I² 372a Z. 3 (409/8) zum Collegium der → *epistátai* für den Bau des Erechtheion in Athen (→ Athenai II.1.; → Erechtheus). W.H.GR.

[6] Ph. aus Athen. Sohn des → Astydamas [1] (TrGF I 12 T 3), Tragiker in der 2. H. des 4. Jh. v. Chr. B.Z.

[7] Dichter der Neuen Komödie, im Jahre 154 v. Chr. mit dem Stück Τραυματίας (›Der Verwundete‹) an den städtischen Dionysien siegreich [1. test. 1]. Der einzige Überrest seines Werkes ist ein bei Athenaios unvollständig zitierter Vers aus einem ungenannten Stück [1. fr. 1].

    1 PCG VII, 1989, 361. T.HI.

[8] Sohn des Apollodoros (die phöniz. Namen sind unbekannt), König von Sidon, der verm. an den ptolem. Hof floh, in königl. Dienste trat und den Titel beibehielt, bis Sidon 294 (?) v. Chr. wieder ptolem. wurde. Ph. stiftete zweimal für die Wiederherstellung Thebens (nach 316 und um 308; [1. 24ff.]), gewann 309 Kaunos für Ptolemaios I. (Polyain. 3,16) und führte mit → Leonides [1] kurz nach 301 ein Unternehmen zur Entlastung von Aspendos durch (SEG 17, 639). Ph. war als Vorgesetzter des Nesiarchen → Bakchon in der Ägäis tätig, hatte Kompetenzen, die über den Inselbund (→ *nēsiótai* [2]) hinausgingen und weitere Inseln, ferner Bereiche des kleinasiatischen Festlandes betrafen (Ionien, Karien, Lykien). Vielleicht war er mit der Neuordnung der Verhältnisse im Inselbund (IG XII 5,2, 1065) und in Lykien beauftragt (SEG 28, 1224). Ph. war kaum *naúarchos* (IG XII 7, 506), eher *stratēgós*, aber ein ptolem. Titel ist noch nicht belegt. Seine Funktionen waren anfangs wohl v. a. mil., dann auch politisch. PP V 13795; VI 15085.

    1 M. HOLLEAUX, Études d'épigraphie et d'histoire grecques, Bd. 1, 1938.

M. WÖRRLE, Epigraphische Forsch. zur Gesch. Lykiens II, in: Chiron 8, 1978, 225–230 · H. HAUBEN, in: E. GUBEL (Hrsg.), Studia Phoenicia, Bd. 5, 1987, 413ff. W.A.

Philokrates (Φιλοκράτης).

[1] Athener, riet den Athenern bei den Verhandlungen im J. 392/1 v. Chr., einen Friedensvertrag mit Sparta abzulehnen (Demosth. or. 23,116f.). Als *stratēgós* kommandierte Ph. im Sommer 390 v. Chr. zehn Schiffe, die zur Unterstützung des → Euagoras [1] nach Kypros entsandt worden waren, aber von dem spartan. Nauarchen → Teleutias gekapert wurden (Xen. hell. 4,8,24).

    P. FUNKE, Homónoia und Arché, 1980, 95; 144f.; 150. W.S.

[2] Sohn des Pythodoros aus dem Demos Hagnus, athen. Rhetor z.Z. des → Eubulos [1], mehrfach Gesandter; der sog. Philokratesfrieden zwischen Athen und → Philippos [4] II. von 346 v. Chr. (StV 2,329f.) ist nach ihm benannt. Ph. beantragte wichtige Dekrete zur Einleitung der Verhandlungen und zur Annahme dieses Friedens in der → *ekklēsía*, seiner Ausweitung auf die Nachkommen Philipps und zur Preisgabe der mit Athen verbündeten Phoker. Unzufriedenheit in der Mehrheit des Volkes (*dḗmos*) mit diesem Frieden führte 343 zu einer → *eisangelía*-Klage durch → Hypereides wegen Bestechung und Hochverrates. Ph. floh und wurde in Abwesenheit zum Tode verurteilt, sein großes Vermögen konfisziert (Hyp. 3,29f.; Demosth. or. 19,116; Aischin. leg. 6; SEG 17,40).

    DEVELIN, 2434 · J. ENGELS, Stud. zur polit. Biographie des Hypereides, ²1993, 73–77. J.E.

[3] Ph. aus Rhodos, wehrte als Gesandter in Rom mit → Astymedes und Philophron erfolgreich die Gefahr eines röm. Krieges ab, den M'. Iuventius [I 6] Thalna 167 v. Chr. gegen den Widerstand von M. Porcius Cato [1] forderte (Pol. 30,4,1; 30,5,1; vgl. Liv. 45,20,4–25,13) [1. 206f.].

    1 J. DEININGER, Der polit. Widerstand gegen Rom in Griechenland, 1971. L.-M.G.

[4] Als ptolem. *syngenḗs* und *epistológraphos* (→ Hoftitel B. 2.) im Sept./Okt. 99 v. Chr. belegt. PP I/VIII 4.

    L. MOOREN, The Aulic Titulature in Ptolemaic Egypt, 1975, 171 Nr. 0271. W.A.

Philoktas (Φίλοκτας oder Φιλοκράτης/*Philokrátēs*) brachte zw. 274 und 257 v. Chr. als Führer einer Festgesandtschaft (*archithéōros*) des Ptolemaios II. und der Stadt Alexandreia Weihgeschenke nach Delos.

    E. OLSHAUSEN, Prosopographie der hell. Königsgesandten, Bd. 1, 1974, 316f. Nr. 209. W.A.

Philoktemon (Φιλοκτήμων). Nach Isaios (or. 6) ältester Sohn Euktemons aus Kephisia, um dessen großes Vermögen (Bordelle und Badehäuser, Ziegenherden und Maultiere) ein Streit entstand. Ph. diente als Reiter; er fiel als Trierarch ca. 370 v. Chr. vor Chios.

    DAVIES 15164; vgl. 14093 · R. F. WEVERS, Isaeus, 1969 · W. E. THOMPSON, Isaeus VI: The Historical Circumstances, in: CR 20, 1970, 1–4. K.KI.

Philoktetes (Φιλοκτήτης; lat. *Philoctetes*). Thessalischer Held, Sohn des → Poias (Hom. Od. 3,190) und der Demonassa (Hyg. fab. 97,8); hervorragender Bogenschütze, Begleiter des → Herakles [1]. Ph. zeichnet sich durch den Bogen aus, den er von Herakles zum Dank dafür erhält, daß er dessen Scheiterhaufen auf dem Berg Oite anzündet (Soph. Phil. 801–803). Bei Apollod. 3,131 und Hyg. fab. 81 wird Ph. zu den Freiern der → Helene [1] gerechnet. Er beteiligt sich am Kriegszug gegen Troia mit sieben Schiffen (Hom. Il. 2,716–725). Doch als die Griechen auf Tenedos beim Mahl sind bzw. ein Opfer an Apollon verrichten, wird Ph. von einer Schlange gebissen. Da die Wunde nicht verheilt und einen fürchterlichen Gestank entwickelt, setzt man ihn allein, nur mit seinem Bogen bewaffnet, auf der Insel Lemnos aus (ebd.; Soph. Phil. 260–275; Proklos zu den Kypria, EpGF p. 32; Apollod. epit. 3,27; abweichend Serv. Aen.

3,402). Als nach zehnjähriger Kriegsdauer der gefangene Seher → Helenos [1] oder → Kalchas prophezeit, daß Troia nur mit dem Bogen des Ph. erobert werden kann, schicken die Griechen → Odysseus nach Lemnos. Dieser kann Ph. überreden, nach Troia zu fahren. Dort wird Ph. von → Machaon oder → Podaleirios geheilt. Dadurch, daß Ph. → Paris mit einem Pfeilschuß tötet, trägt er maßgeblich zum Untergang Troias bei (dies behandelte die *Ilias parva*, EpGF p. 52; Thema eines Dithyrambos des Bakchylides, fr. 7; Soph. Phil. 604–613; Apollod. epit. 5,8). Pind. P. 1,52–55 zufolge zerstört Ph. sogar die Stadt. Die Rückholung von Lemnos und den Kampf des Ph. vor Troia stellt Quintus von Smyrna in den B. 9–10 dar. Nach dem Krieg kehrt Ph. entweder wohlbehalten in die Heimat zurück (Hom. Od. 3,190) oder wird nach Italien verschlagen, wo er mehrere Städte gründet und in einem selbst gestifteten Apollon-Heiligtum den Bogen weiht (Apollod. epit. 6,15b).

Bes. die attische Tragödie des 5. Jh. beschäftigte sich mit dem Schicksal des auf Lemnos zurückgelassenen Ph. Aischylos, Sophokles und Euripides haben jeweils einen ›Ph.‹ verfaßt, von denen nur der sophokleische erh. ist. Dion Chrys. 52 vergleicht die drei Stücke und hält sie für ebenbürtig. Der Chor bestand bei Aischylos und Euripides aus Lemniern, während Ph. bei Sophokles völlig isoliert ist. Ein eigener Zug bei Euripides (aufgeführt 431 v. Chr.; Paraphrase des Prologs bei Dion Chrys. 59) ist, daß sich zwei Gesandtschaften um Ph. bemühen, eine griech. (Odysseus, → Diomedes [1]) und eine troianische. Sophokles (Werk aufgeführt 409 v. Chr.) stellt dem Odysseus → Neoptolemos [1] zur Seite, der sich aufgrund seines aufrechten Charakters widersetzt, Werkzeug von Odysseus' Intrige zu sein. Den Ereignissen nach der Abholung des Ph. von Lemnos war Sophokles' ›Ph. in Troia‹ gewidmet (TrGF 4 F 697–703).
→ Sophokles

· C. W. MÜLLER (ed.), Euripides, Ph. Testimonien und Fragmente, 2000 · Ders., Ph. Beiträge zur Wiedergewinnung einer Trag. des Euripides, 1997 · A. SCHNEBELE, Die epischen Quellen des Sophokleischen Ph., 1988 · T. VISSER, Untersuchungen zum sophokleischen Ph., 1998.　　　　　　　J. STE.

Philolaos (Φιλόλαος).

[1] Ph. aus Korinth soll zu der Adelsgruppe der → Bakchiadai gehört haben, mit seinem Liebhaber Diokles ins Exil nach → Thebai gegangen und dort in einem gut sichtbaren Grab bestattet worden sein (Aristot. pol. 1274a 31–b5). Ph. gab den Thebanern Gesetze über die »Kinderzeugung«, die als νόμοι θετικοί (*nómoi thetikoí*) bezeichnet wurden und der Sicherung der Zahl der Landlose (Aristot. pol. 1274b 2–5), vielleicht durch Adoption eines Erben bei Kinderlosigkeit des Besitzers, gedient haben sollen. Solche Maßnahmen, die auch dem »Korinther« → Pheidon [1] zugeschrieben wurden, sind typisch für frühe Gesetzgebungen und könnten im Kern authentisch sein.

K.-J. HÖLKESKAMP, Schiedsrichter, Gesetzgeber und Gesetzgebung im archa. Griechenland, 1999, 246–250, vgl. 150–157.　　　　　　　K.-J. H.

[2] Pythagoreischer Philosoph
A. LEBEN　B. PHILOSOPHIE

A. LEBEN

Pythagoreer aus Kroton (Menon Anon. Lond. 18,8 = A 27) bzw. Tarent (Aristox. fr. 19 WEHRLI = A 4). Geb. um 470?, gest. nach 399 v. Chr. [2. 1–6]. Verf. eines naturphilos. Buches, von dem einige Fr. (in dor. Dialekt) und Testimonien erh. sind (als ganz oder teilweise authentisch gelten heute zumindest B 1–7, 13, 17 und A 9, 16–21, 27f., vgl. [2. 17, 34f.]); auch Aristoteles' Ausführungen über die »sog. Pythagoreer« dürften wenigstens z. T. auf Ph. zu beziehen sein (vgl. u. a. [2. 28f., 31f., 58–64] und [4], mit den Einschränkungen von [5. 116 mit Anm. 9; 6]). Über Ph.' Leben ist wenig bekannt. Angeblich war → Lysis sein Lehrer (A 1a). Als Schüler werden genannt: → Demokritos [1] (A 2), → Eurytos [2], → Archytas [1], Simmias und → Kebes (diese hörten Ph. vor 399 v. Chr. in Theben: Plat. Phaid. 61de), ferner die Pythagoreer der »mathematischen« Richtung (→ Echekrates [2]). Auch → Platon soll bei seiner ersten Reise nach Unter-It. mit Ph. zusammengetroffen sein (A 5; vgl [2. 5]). Aus platonkritischer Quelle (Aristoxenos?) stammt die Nachricht, Platon habe bei einem Aufenthalt am Hof des Dionysios in Syrakus von Verwandten des Ph. dessen Buch um teures Geld erstanden und es im ›Timaios‹ plagiiert (Hermippos fr. 40 WEHRLI; vgl. Timon fr. 54 DIELS = 828 SH; [7. 225–227]).

B. PHILOSOPHIE
1. ALLGEMEIN　2. KOSMOLOGIE

1. ALLGEMEIN

Ph. scheint in seinem Buch eine umfassende, mit Platons ›Timaios‹ vergleichbare Welterklärung gegeben zu haben. Ausgangspunkt bildet die Feststellung, daß ›die Natur im wohlgeordneten Weltganzen (*kósmos*) aus grenzlosen und grenzbildenden Dingen zusammengefügt ist‹ (B 1). Dies wird logisch und epistemologisch begründet: Von den drei Möglichkeiten, daß alle (in der Welt) seienden Dinge a) grenzbildend oder b) grenzlos oder c) sowohl grenzbildend wie auch grenzlos sind, trifft »evidentermaßen« nur die dritte zu (B 2). Die zweite scheidet aus, weil die Begrenzung überhaupt Voraussetzung für die Erkenntnis ist (›Denn wenn alles grenzlos ist, wird es von vornherein auch nichts geben, was erkannt werden kann‹: B 3). Die Erkennbarkeit aber verdanken die Gegenstände den (sie begrenzenden) Zahlen (ohne Zahl läßt sich ›nichts wahrnehmen oder erkennen‹: B 4). Wenn in B 5 von »Gestalten« der geraden und ungeraden Zahlen gesprochen wird, die ein jeder Gegenstand von sich aus »anzeige«, so scheint die figürliche Darstellung durch Rechensteine vorausgesetzt (vgl. → Eurytos [2], der den einzelnen Pflanzen und Lebewesen bestimmte Zahlenfiguren zugeordnet haben soll; vgl. [8; 5. 128f.], anders [2. 190–192]).

2. Kosmologie

Die grenzbildenden und grenzenlosen Dinge (u. a. Luft, Zeit, Leere? vgl. [2. 43f., 50]), aus denen der Kosmos zusammengesetzt ist, bestanden schon immer; es wäre ihnen jedoch unmöglich gewesen, eine Weltordnung zu bilden, wenn nicht → harmonía (eigentlich: »Zusammenfügung«) hinzugekommen wäre (B 6, vgl. A 1; die Fortsetzung von B 6 zeigt, daß Ph. darunter die musikalischen Zahlenverhältnisse der diatonischen Oktave versteht, welche die Quinte und Quarte in sich schließt). Als erstes wurde nach B 7 (vgl. A 16) der feurige »Herd« – qua Anfang von allem mit der Zahl 1 gleichgesetzt (vgl. auch B 8, dessen Echtheit von [2. 345f.] in Zweifel gezogen wird, doch s. [5. 126f.]) – in der Mitte der Weltkugel zusammengefügt (ein anderes, dieses umfassendes → Feuer setzt Ph. »ganz oben« an: A 16). Um das Zentralfeuer »tanzen zehn göttliche Körper« (A 16): Gegenerde, Erde, → Mond und → Sonne, die fünf → Planeten und die Fixsternschale. Daß sich in Ph.' Weltmodell auch die Erde bewegt, hat schon in der Ant. Aufmerksamkeit erregt (vgl. A 1 und 21; Aristot. cael. 293a 20–23; Aristot. perí tōn Pythagoreíōn fr. 13f. Ross = 162 und 169 Gigon) und in der Neuzeit Nicolaus Copernicus nach eigenem Bekunden zur endgültigen Preisgabe des geozentrischen Weltbildes mit angeregt [9]. Die Sonne hielt Ph. für eine Art Glas, welches Licht und Wärme des kosmischen → Feuers empfängt und durch Poren zu uns durchläßt (A 19 und Achilleus Isagoge 19, p. 46 Maass; [7. 342–344]). Der Mond wird nach seiner Auffassung ebenfalls von Lebewesen und Pflanzen bewohnt, allerdings, da sie keine Exkremente ausschieden, von größeren und schöneren und 15mal kraftvolleren als denjenigen auf der Erde (A 20).

Ph. äußerte sich ferner zu medizinischen Problemen (Embryologie und Ursache von Krankheiten: A 27f.; vgl. A 11; → Medizin). Er unterschied vier seelisch-vegetative Vermögen (1. Verstand; 2. Beseeltheit und Wahrnehmung; 3. Wachstum; 4. Zeugung) und setzte sie mit bestimmten Körperteilen in Beziehung (1. Kopf; 2. Herz; 3. Nabel; 4. Glied: B 13).

Auch ethische Fragen scheinen ihn beschäftigt zu haben: ›Es gibt bestimmte Beweggründe (Gedanken?), die stärker sind als wir‹: B 16; Verbot des Selbstmordes: Plat. Phaid. 61de; bezüglich Echtheit umstritten – befürwortend u. a. [10], ablehnend u. a. [2. 404–406] – ist B 14: ›Auch alte (orphische?) Theologen und Seher bezeugen, daß die Seele wegen bestimmter Strafen mit dem Körper zusammengejocht wurde und in diesem wie in einem Grab bestattet ist.‹

Zu den Ph. fälschlich zugeschriebenen Werken vgl. [2. 16; 11].

→ Kosmologie; Pythagoras; Pythagoreische Schule; Welt

Ed.: 1 Diels/Kranz, Nr. 44 2 C. A. Huffman, Philolaus of Croton, 1993 (Text und Komm.) 3 M. Timpanaro Cardini (Hrsg.), I Pitagorici, Bd. 2, 1962, 110–249. Lit.: 4 B. Centrone, Introduzione a i pitagorici, 1996, 104–133 5 H. S. Schibli, On »the One« in Philolaus, Fragment 7, in: CQ 46, 1996, 114–130 6 A. Petit, La trad. critique dans le pythagorisme ancien, in: A. Thivel (Hrsg.), Le miracle grec, 1992, 110–112 7 W. Burkert, Lore and Science in Ancient Pythagoreanism, 1972 8 J. Barnes, The Presocratic Philosophers, ²1982, 390f. 9 B. Biliński, Il pitagorismo di Niccolò Copernico, 1977, bes. 61–73 10 A. Bernabé, Una etimología platónica: ΣΩΜΑ-ΣΗΜΑ, in: Philologus 139, 1995, 229f. 11 H. Thesleff (ed.), The Pythagorean Texts of the Hellenistic Period, 1965, 147–151.
                                                                C. Ri.

Philologie I. Griechisch II. Römisch

I. Griechisch

A. Begriff B. Voralexandrinische Philologie
C. Alexandrinische Philologie
D. Das Ende der alexandrinischen Philologie
E. Kaiserzeit F. Christentum

A. Begriff

Ph. als Deutung von und Beschäftigung mit Texten ist so alt wie die Lit. selbst; sie entsteht aus dem Unverständnis bzw. dem Hinterfragen eines (meist in schriftlicher Form vorliegenden) Textes. Der Terminus selbst im Sinne von Wiss., die sich auf Grundlage der textlichen Überl. mit der Sprache und der Literatur eines Volkes beschäftigt, ist erst neuzeitlich (erste Erwähnung 1575 in der ›Gargantua‹-Übers. von Rabelais durch Johann Fischart). Ant. Bezeichnungen für Philologen waren γραμματικός (grammatikós) und κριτικός (kritikós), deren begriffliche Abgrenzung bis tief in die Kaiserzeit hinein diskutiert wurde (vgl. die verlorene Schrift Galens εἰ δύναταί τις εἶναι κριτικὸς καὶ γραμματικός, 17,57 Kühn). Der Begriff φιλόλογος (philólogos) hingegen bezeichnet bei → Platon [1] zunächst den Liebhaber von Reden; in hell. Zeit wird er u. a. von → Eratosthenes [2] in Anspruch genommen, der damit auf die Vielseitigkeit seiner wiss. Tätigkeit verweisen wollte. Epikureische Texte aus Herculaneum (→ Herculanensische Papyri) liefern Belege dafür, daß das Wort auch den Gelehrten schlechthin, ohne Spezifizierung des Faches, bezeichnete (Philod. De morte 26,1; ausführliche Diskussion des Begriffs bei [1]). Eine Einengung auf die Tätigkeit des grammatikós ist in keinem Fall antik.

B. Voralexandrinische Philologie

1. Die Vorläufer: Homer und die Rhapsoden
2. Vorformen der Philologie
3. Von Athen nach Alexandreia
4. Der Übergang

1. Die Vorläufer: Homer und die Rhapsoden

In der frühen griech. Lit. findet Ph. textimmanent statt; der Dichter oder → Rhapsode erklärt, indem er dichtet. Schon bei → Homeros [1] sind Ansätze zu erkennen, mythische Gestalten allegorisch zu deuten (vgl. die Schilderung der *Litaí* als bittflehende Menschen, Hom. Il. 9,502–512, und die Wahl der Paare beim Götterkampf, ebd. 20,67–74); daneben gab es einen großen Reichtum an etym. Deutungen (vgl. Zeus in → Hesiodos' *Érga*, Odysseus bei Homer). Die »dekonstruktive« → Allegorese als Versuch, überlieferte mythische Gestalten aufklärerisch auf ihren vermeintlich rationalen Kern zu reduzieren, wie sie im späten 6. Jh. v. Chr. mit → Theagenes von Rhegion einsetzt, scheint Homer ebenfalls bereits bekannt gewesen zu sein (vgl. die Vorwürfe des Patroklos in Hom. Il. 16,28–35; dazu [2]).

2. Vorformen der Philologie

Neben den → Rhapsoden, deren Aufgabe es immer war, Homer nicht nur vorzutragen, sondern auch zu interpretieren, gewannen die Schulen zunehmend an Bed., in denen die Dichtung, v. a. die Epen Homers, beherrschender Unterrichtsgegenstand war. Einerseits mußten seltene bzw. einmalige (*hápax legómena*) Wörter den Schülern erklärt werden (in den sog. D-Scholien sind modifizierte und verbesserte Versionen solcher Zusammenstellungen erh., die im 5. Jh. oder noch früher existierten), anderseits galt es, Homer gegen die Moralisten (→ Xenophanes von Kolophon) zu verteidigen, was zur Ausbildung der expliziten allegorischen Deutung durch Theagenes von Rhegion führte (vgl. auch die sog. exegetischen Scholien zur ›Ilias‹; der allegorische Deutungsansatz findet in der Folge vor allem bei den Stoikern Verbreitung und ist uns in der Schrift eines sonst unbekannten Herakleitos (1. Jh. n. Chr.) überl. Mit Theagenes wird gleichzeitig ein Interesse an Leben und Datier. Homers faßbar. → Hekataios [3] von Milet versucht, histor. Tatsachen aus der »wahren« Bed. von Ortsnamen herzuleiten, Philosophen denken seit → Herakleitos [1] über Namen (ὀνόματα, *onómata*) nach mit dem Ziel, Natur oder Wesen der Dinge zu ergründen; poetische → Figuren im Kleobulos-Fr. des → Anakreon [1] muten h. wie Anfänge einer Kasuslehre an: Was später in Alexandreia systematisiert werden wird, ist hier bereits in Vorformen vorhanden: ›Tatsache ist, daß die schöpferische Poesie die technischen Regeln künftiger Jh. vorausahnte‹ [3. 31].

3. Von Athen nach Alexandreia

Auch wenn sich für das zum geistigen Zentrum Griechenlands aufgestiegene Athen des 5./4. Jh. v. Chr. noch kein philol. Interesse an Lit. festmachen läßt, so ist doch die Beschäftigung mit der Lit. allgegenwärtig. Im archa. Griechenland waren schriftliche Aufzeichnungen hauptsächlich ein Hilfsmittel zum Vortrag gewesen (insofern muß unsicher bleiben, bis zu welchem Grade bei den in Umlauf befindlichen Werken Wert auf die Fixierung eines etablierten Textes gelegt wurde, → Schriftlichkeit/Mündlichkeit), jetzt aber entstand in den Schulen der → Sophistik eine starke Nachfrage nach den Texten der alten Dichter, die zu rhet. oder pädagogischen Zwecken studiert wurden. Ziel aller Bemühungen war die εὐέπεια/*euépeia*, »das richtige und gute Reden«, als wichtigster Teil der Erziehung; → Pro-

dikos als Lehrer der »Richtigkeit der Wörter« (τῶν ὀνομάτων ὀρθότης) belehrt seine Schüler über den korrekten Gebrauch scheinbar gleichbedeutender Wörter auch unter etym. Gesichtspunkten.

Der beginnende Buchhandel (→ Buch) ermöglichte die Einrichtung erster privater → Bibliotheken, über die z. B. → Euripides und der → Peripatos verfügten. Zwar war das Interesse des Aristoteles [6] und seiner Schule mit Sicherheit kein primär literarisches, doch liegen hier – und sei es nur in der formalen Beurteilung von Dichtung (vgl. die Einteilungen in Gattungen in der Poetik; → Literarische Gattungen) – die Grundlagen für die Prinzipien alexandrinischer Philologie (→ Literaturtheorie). Insofern kann Aristoteles, der u. a. Schriften ›Über die Dichter‹ und ›Schwierige Fragen bei Homer‹ verfaßte, als erster »Philologe« angesehen werden (vgl. Dion Chrys. or. 53,1: ἀφ' οὗ φασι τὴν κριτικήν τε καὶ γραμματικὴν ἀρχὴν λαβεῖν, »auf den die lit. Kritik und die Kunst der Erklärung zurückgeführt werden«).

4. Der Übergang

In gewissem Sinne ein Vorläufer der alexandrinischen Dichterphilologen scheint → Antimachos [3] von Kolophon gewesen zu sein, der allerdings eine Einzelerscheinung bleibt; er ist der einzige uns bekannte vorhell. Urheber einer Homer-Ausgabe, allerdings nicht im Sinne einer *diórthōsis* (»kritischen« → Ausgabe); vielmehr schrieb er über das Leben Homers, vielleicht in einer Art Vorrede zum Text; seine intensive Beschäftigung mit der homer. Sprache zeigt sich an den zahlreichen Glossen (→ Glossographie), mit denen er seine eigenen Werke versah. Der erste der »neuen« Dichter, der bei Strabon 14,2,19 als ποιητὴς ἅμα καὶ κριτικός (»Dichter und Philologe«) bezeichnet wird, ist → Philitas [1] von Kos: Er verfaßte unter dem neuen künstlerischen Anspruch Distichen, Kurzepen und Epigramme, aber auch ἄτακτοι γλῶσσαι (*átaktoi glóssai*), eine Kompilation seltener Dialektausdrücke, technischer Termini und homer. Vokabeln; er war der Lehrer des → Zenodotos von Ephesos, des ersten Bibliotheksvorstands von Alexandreia [1]. Die Rolle des Peripatetikers → Demetrios [4] von Phaleron bleibt ungewiß; Berichte über großen Einfluß seinerseits auf die Bibliotheksgründung sind wohl zurückzuweisen.

C. Alexandrinische Philologie
1. Anfänge 2. Prinzipien 3. Methoden

1. Anfänge

Die systematische Ph., wie sie in den 140 Jahren der Blüte Alexandreias entwickelt wurde (ca. 285–145 v. Chr.), hat ihre Voraussetzung in dem herrschaftlichen Interesse der → Ptolemäer, durch die vollständige Slg. der griech. Lit. die Überlegenheit der griech. Kultur herauszustellen und ihren Glanz auf das Königshaus zu übertragen. Daraus ergab sich das erste Arbeitsfeld der Philologen: Einerseits waren anfänglich viele Schriften ohne Prüfung aufgenommen worden, die sich später als → Fälschungen entpuppten, anderseits beeinträchtigte schon zu dieser Zeit der Vorgang des hsl. Abschreibens die Lesbarkeit der Bücher; fehleranfällig waren bes. im alten att. → Alphabet (ἀρχαία σημασία, *archaía sēmasía*) geschriebene Texte. Die Scheidung von Echtem und Unechtem betrieb v.a. → Kallimachos [3], der selbst nicht Bibliothekar in Alexandreia war, aber mit seinen Πίνακες (*Pínakes*, einem Katalog in 120 B.) einen ersten Ansatz von Bibliographie entwickelte (→ Pinax [5]): Er nennt jeweils den seiner Meinung nach korrekten Titel des Werkes, die vom Autor benutzten Quellen sowie den Zeitpunkt des ersten öffentlichen Vortrags eines Redners und gibt so erste Entscheidungskriterien zur Beurteilung der Texte an die Hand.

2. PRINZIPIEN

Zwei Grundprinzipien lassen sich für die alexandrinische Ph. aus den fast immer nur in kurzen, anon. Auszügen auf uns gekommenen Randkommentaren ma. Hss. gewinnen: 1) Homer soll durch Homer erklärt werden; durch Vergleich mit dem Gesamtcorpus des Autors suchte man, schwierige oder seltene Wörter zu verstehen, was aber nicht zu einer Verkennung der Möglichkeit des einmaligen Ausdrucks führte (vgl. schol. Hom. Il. 3,54). Vielmehr rechnete man erstmals mit dem Phänomen der dichterischen Freiheit (ποιητικὴ ἄδεια/*poiētikḗ ádeia*, ἀρέσκεια/*aréskeia*, ἐξουσία/*exusía*, auch in gramm. Hinsicht (Demonstrativpronomen statt des bestimmten Artikels bei Homer, Verständnis der Tmesis, vgl. schol. Hom. Il. 1,12; 1,67).
2) Das Unangemessene (ἀπρεπές, *aprepés*) hilft, Echtes von Unechtem zu unterscheiden – die Grundvorstellung geht vielleicht auf Aristoteles zurück; sie mag zeitweise in peripatetischen Kreisen eine Rolle gespielt haben und dann in allgemeinerer Form von den Alexandrinern angewendet worden sein (vgl. dazu auch [4]). Schwächung des Gedankenganges oder unziemliches Verhalten sind die Hauptargumente für *aprépeia*.

3. METHODEN

Mithilfe der Entwicklung von → kritischen Zeichen wurden erstmals die Beobachtungen der Philologen für den Leser nachvollziehbar und führten zur Etablierung gültiger Texte. Die Einführung des → Obelos geht bereits auf → Zenodotos zurück, der als der erste *diorthōtḗs* (»kritischer Hrsg.«) der homer. Dichtung angesehen werden kann; ein ausgefeiltes System findet sich aber erst bei → Aristophanes [4] von Byzanz, der weitere Zeichen (*sēmeía*) einführte, um den überlieferten Homertext kritisch zu beurteilen (→ Asteriskos, Sigma und Antisigma), aber vor allem als Begründer der → Kolometrie zu nennen ist (vgl. aber Stesichoros-Fr. mit Aufteilungen bereits 250 v.Chr.). Auch erfand er ein System zur Kennzeichnung der griech. → Akzente und verbesserte die zuvor äußerst rudimentär verwendete Interpunktion (→ Lesezeichen). Inwieweit er durch seine Ausgaben mitverantwortlich ist für die spätere → Kanon-Bildung der griech. Dichter, muß unsicher bleiben. Die noch offene Lücke schließt sein Schüler → Aristarchos [4] von Samothrake, der Komm. (ὑπομνήματα, → *hypomnḗmata*) schrieb und damit zum

ersten Mal Begründungen für seine Eingriffe in den Text lieferte. Für den Homertext ist folgende Reihenfolge anzunehmen: Aristarchos' erste *hypomnḗmata*, die auf Aristophanes' [4] Text fußten, danach Aristarchos' *diórthōsis* (»kritische« Ausgabe), seine zweiten *hypomnḗmata*, die seinen eigenen Text benutzten; schließlich die revidierte Rezension, die andere besorgten. Die in einer venezianischen Hs. aus dem 10. Jh. erh. Teile seines Apparats und Komm. zur Ilias sind jedoch zu dürftig, um uns ein exaktes Bild von seiner Tätigkeit vermitteln zu können. Aristarchos war auch der erste Kommentator eines Prosatextes (Herodot).

D. DAS ENDE DER ALEXANDRINISCHEN PHILOLOGIE

Da das Hauptinteresse der ersten Dichterphilologen Alexandreias der ἑρμηνεία τῶν ποιητῶν (*hermēneía tōn poiētōn*, »Erklärung der Dichter«) gegolten hatte und die Sprachstudien im Dienst von Textkritik und Interpretation standen, kam es erst spät und unter stoischem Einfluß zu einer theoretischen Zusammenfassung der Errungenschaften der alexandrinischen Ph. in Form einer τέχνη γραμματική (*Téchnē grammatikḗ*, ›Grammatik‹, die dem Aristarchos-Schüler → Dionysios [17] Thrax (ca. 180/70–90 v.Chr.) zugeschrieben wird. Gramm. wird darin folgerichtig als die auf Erfahrung beruhende Erkenntnis dessen definiert, was meistens von Dichtern und Prosaschriftstellern gesagt wird. Die sechs von Dionysios behandelten Bereiche (lautes Lesen, Erläuterung poetischer → Tropen, Erklärung veralteter Wörter und Inhalte, Etym., Analogie und κρίσις ποιημάτων/*krísis poiēmátōn*, »Literaturkritik«) bieten zum Ende der Blütezeit der alexandrinischen Ph. einen guten Überblick über die in fast 150 Jahren entwickelten Techniken; evtl. handelt es sich hierbei um die erste Abstraktion eines normativen Systems. Das wenige von Didymos [1] aus Alexandreia Überlieferte (Beobachtungen zu Demosthenes [2] aus histor. Perspektive) ist von nicht allzu hoher Qualität. Seine Leistung lag bereits nicht mehr in eigener philol. Tätigkeit, sondern in der Bewahrung des überl. Erbes der alexandrinischen Epoche.

E. KAISERZEIT

In röm. Zeit verlagerte sich das Interesse: Beschäftigung mit griech. Lit. stand im Dienst der attizistischen Bewegung (→ Attizismus), die Produktion lexikographischer Hilfsmittel (→ Lexikographie) für den Schreiber archaisierender att. Prosa gewann Priorität, wenn auch traditionellere lit.-wiss. Studien nicht völlig vernachlässigt wurden, wie sich aus den Schriften des → Heliodoros [4] und → Hephaistion [6] über → Metrik ersehen läßt. Hdb.-Wissen und *Téchnai* als Überblicksdarstellungen lösten die direkte Beschäftigung mit den Original-Autoren ab; so steht auch die vollständige Interpunktion der Ilias durch → Nikanor [12] (130 n.Chr.) im Zusammenhang mit seiner systematischen Darstellung einer Interpunktionslehre, die auf Homer und Kallimachos basierte. Ihren Schlußpunkt fand diese Entwicklung in der Schrift über Grammatik des → Apollonios [11] Dyskolos, der im Gegensatz zu seinen Vorgängern nicht mehr von empirischer Beobachtung der Phänomene der gesprochenen und von den Schriftstellern geschriebenen Sprache ausging, sondern behauptete, daß Sprache auf der Grundlage eines rationalen Systems von objektiven und natürlichen Regeln funktioniere; bisher der → Logik und der → Rhetorik vorbehaltene Unt. wurden so auf die Grammatik ausgedehnt und als für sie geeignet angesehen.

F. Christentum
1. Christliche Philologie
2. Scholien und Katenen

1. Christliche Philologie

In der Nachfolge des jüd.-hell. Autors → Philon [12] von Alexandreia, dessen Verbindung von philos. Vernunft und biblischer Offenbarung für die weitere Entwicklung wegweisend war, steht als erster bemerkenswerter christl. Lehrer → Origenes [2]. Durch die Abkehr vom heilsgesch. Denken lief seine → Exegese größtenteils auf die → Allegorese hinaus, die ihm als einziges Mittel erschien, die ἀσάφεια (asápheia, »Unklarheit«) der Heiligen Schrift zu erhellen; die typologische Auslegung, die mit gesch. »Vorausbildern« und ihrer Verwirklichung rechnet, trat dahinter zurück. Zur Sicherung des Bibeltextes versuchte Origenes, den Wortlaut der von ihm als inspiriert angesehenen → Septuaginta nach den Methoden der alexandrinischen Ph. herzustellen (Wortlaut des Textes in den Hss., Wortsinn, gesch. Umstände, Zuverlässigkeit der Berichte); in seiner Ἑξαπλᾶ (Hexaplá), einer Ausgabe des AT in sechs Kolumnen, ging er bei der Konstituierung des kritischen Apparates weiter als jeder seiner griech.-alexandrinischen Vorgänger. Ebenso scheint ihm bereits eine frühe Version des späteren *schema isagogicum*, das evtl. → Proklos zuzuschreiben ist, bekannt gewesen zu sein; zumindest vier Teilaspekte werden erkenntlich (Thema, Position im Werk, Zugehörigkeit, Erklärung des Titels). Man kann zu diesem Zeitpunkt (1. H. 3. Jh. n. Chr.) aber noch nicht von einem festen abzuhandelnden Schema ausgehen (bei Proklos kommen Nutzen, Authentizität und Aufteilung in Kapitel dazu; ausführliche Diskussion bei [5]). Im späten 4. Jh. stellt → Diodoros [20] von Tarsos zusammen mit seinem Schüler → Theodoros von Mopsuestia der allegorisierenden Methode des Origenes die histor.-grammatische Erklärung gegenüber (antiochenische Schule); die Bibel galt nicht mehr so sehr als philos. denn als histor. Buch und konnte so Gegenstand einer »lit.« Auslegung werden (direkte Rückbezüge der Antiochener auf den Peripatos bleiben unsicher).

2. Scholien und Katenen

Die Durchsetzung des → Codex als regulärer Buchform zum Ausgang der Spätant. brachte die Möglichkeit mit sich, an den Buchrändern Komm. und Anmerkungen unterzubringen, die bis dahin meist nur separat zugänglich gewesen waren. Aufgrund der Menge des Materials wurden Zusammenfassungen und Verschmel-

zungen erforderlich, deren Ergebnis uns in den sog. → Scholien vorliegt; eine ähnliche Entwicklung fand zeitgleich auch bei den theologischen Komm. statt (→ Katenen). Leider überliefern die Scholien im Gegensatz zu den Katenen fast nie den Namen des Autors der Anmerkungen, was heutige Zuweisungen überaus schwierig macht. Mit dem Entstehen der Scholien endet die ant. Ph.; erst im 9. Jh. läßt sich wieder in Byzanz lit. und philol. Tätigkeit größeren Ausmaßes feststellen, vgl. zur byz. Ph. → Byzanz (II. Literatur).

→ Allegorese; Ausgabe; Bibliothek; Etymologica; Exegese; Glossographie; Grammatiker; Korrekturzeichen; Kritische Zeichen; Lesezeichen; Lexikographie; Scholien; Philologie; Philologische Methoden

1 A. Dihle, Eratosthenes und andere Philologen, in: M. Baumbach et al. (Hrsg.), Mousopolos Stephanos, FS H. Görgemanns, 1998, 86–93 **2** G. W. Most, Die früheste erh. griech. Dichterallegorese, in: RhM 136, 1993, 209–212 **3** Pfeiffer, KPI **4** N. G. Wilson, Scoliasti e commentatori, in: Studi classici e orientali 33, 1983, 103–105 **5** J. Mansfeld, Prolegomena. Questions to be Settled Before the Study of an Author, or a Text, 1994.

Überblickswerke: Pfeiffer, KPI (vgl. N. G. Wilson, Rez. zur engl. Ausg., in: CR 19, 1969, 366–372) · U. von Wilamowitz-Moellendorff, Gesch. der Ph., ³1921 (Ndr. 1998) · J. E. Sandys, A History of Classical Scholarship, Bd. 1: From the Sixth Century B. C. to the End of the Middle Ages, ²1906 · L. D. Reynolds, N. G. Wilson, Scribes and Scholars. A Guide to the Transmission of Greek and Latin Literature, ³1991 · N. G. Wilson, Gesch. der griech. Ph.: Griech. Ph. im Alt., in: H.-G. Nesselrath (Hrsg.), Einleitung in die griech. Ph., 1997, 87–103. Einzelne Epochen: M. El-Abbadi, Life and Fate of the Ancient Library of Alexandria, ²1992 · B. Neuschäfer, Origenes als Philologe, 1987 (vgl. N. G. Wilson, in: CR 39, 1989, 136) · C. Schäublin, Unt. zu Methode und Herkunft der Antiochenischen Exegese, 1974 · H. van Thiel, Der Homertext in Alexandria, in: ZPE 115, 1997, 13–36 · St. West, Chalcentric Negligence, in: CQ 20, 1970, 288–296 · N. G. Wilson, s. [4], 83–112 · Ders., A Chapter in the History of Scholia, in: CQ 17, 1967, 244–256.   R. SO. u. N. W.

II. Römisch
A. Begriff   B. Republik
C. 1. Jahrhundert n. Chr.
D. 2. Jahrhundert n. Chr.

A. Begriff

Philólogos (ein Begriff, den Eratosthenes [2] aus Kyrene als Selbstbezeichnung geprägt hatte [4], s. o. I. A.) war – wie auch *philología* – z. Zt. Ciceros als Lehnwort (*philologus*) ins Lat. gekommen (Cic. Att. 13,12,3; 13,28,4; 2,17,1). Der Begriff war im Unterschied zu → *grammaticus* keine Berufsbezeichnung; die mit ihm umschriebenen Tätigkeiten schlossen das Verfassen von Grammatiken (→ Grammatiker) und Lexika (→ Lexikographie) ein, dazu das Edieren und Auslegen von Texten (für Spätant. s. auch → Scholien (lat.); → Macrobius [1]; → Servius).

B. Republik

Wie in Griechenland entwickelte sich auch in Rom Ph. als Hilfe zum Verständnis von Texten, die für die Erziehung und die Ges. allg. als wichtig galten. Bes. regte das archa. Lat. der ›Zwölf Tafeln‹ (→ *tabulae duodecim*) früh zu Komm. an: Die *Tripertita* des Sex. → Aelius [I 11] Paetus Catus (*cos.* 198 v. Chr.) umfaßte philol. wie juristische Erklärungen dazu; ebenso die *Commentarii* des M. Iunius Gracchanus (s. Varro ling. 6,95, → Iunius [I 20] Congus), eines Zeitgenossen der Gracchen. Auch andere, den alexandrinischen Methoden verpflichtete Arbeiten über Texte entstanden früh: C. → Octavius [I 14] Lampadio (ein Freigelassener der Mitte des 2. Jh. v. Chr.: Suet. gramm. 2,2 [3. ad loc.]) soll Naevius' *Bellum Punicum* in 7 B. eingeteilt haben. Der bedeutendste ant. Erklärer des Altlateins war L. → Aelius [II 20] Stilo Praeconinus an der Wende vom 2. zum 1. Jh. v. Chr., Lehrer Ciceros wie Varros. Das sogenannte *Anecdoton Parisinum* (Paris. lat. 7530 fol. 28ʳ, [5]), das gegen E. des 8. Jh. in Monte Cassino geschriebene Fr. von → Suetonius' *De notis*, läßt Aelius als ersten jene → kritischen Zeichen auf Texte lat. Dichter anwenden, die → Aristarchos [4] von Samothrake für den Homertext benutzt hatte. Auch Aelius' Schwiegersohn Servius → Clodius [III 1] befaßte sich mit lit. Problemen: Nach Cicero soll er Methoden zur Unterscheidung echter und falscher Plautus-Verse entwickelt haben (Cic. fam. 9,16,4) – Varros Kanon 21 echter Plautus-Stücke (Gell. 3,3,11 ff.) war der Höhepunkt dieser Forsch.-Trad. Varro formulierte auch das zentrale Prinzip: *emendatio* als Korrektur (→ Textverbesserung) der Überl.-Fehler (*recorrectio errorum qui per scripturam dictionemve fiunt,* fr. 236 F).

C. 1. Jahrhundert n. Chr.

Die folgende Epoche ist durch einen Wechsel der Schultexte gekennzeichnet: Die ›Zwölf Tafeln‹, zuvor auswendig gelernt (Cic. leg. 2,59), wurden ersetzt; insgesamt wurden nun jüngere den älteren Autoren vorgezogen: Vergil statt Ennius, Cicero statt Cato oder C. Gracchus usw. Die Anwendung der Ph. auf jüngere Texte führte zuweilen zu merkwürdigen Ergebnissen. Soweit der Vergilkommentar des Augusteischen Freigelassenen C. Iulius → Hyginus erh. ist, zeigt er Detailkritik aus chronologischen, genealogischen oder sakralrechtlichen Gründen; die beiden Emendationsvorschläge (Verg. Aen. 12,120: *limo* statt *lino*; Verg. georg. 2,247: *amaror* statt *amaro*) überzeugen nicht und werden durch Hyginus' Versuch, sie durch gefälschte Mss. zu stützen [6. 31–34], diskreditiert. Auch daraus erhellt, warum sich Q. → Asconius Pedianus in der Mitte des 1. Jh. n. Chr. getrieben fühlte, eine Abh. *Contra obtrectatores Vergilii* (›Gegen die Vergilkritiker‹) zu verfassen (Suet. p. 66,2 Reifferscheid). Bekannter sind Asconius' Komm. zu Ciceros Reden; von diesen Komm. sind fünf erh.: Sie konzentrieren sich ganz auf histor. Erklärung; im überl. Bestand findet sich nur eine Bemerkung zur Textgestalt (Ascon. 76C: *constituerunt* statt *restituerunt* zu *Pro Cornelio de maiestate* fr. 48 Crawford).

L. Annaeus → Cornutus [4] schrieb in Neronischer Zeit mindestens ein Werk über Vergil, dessen Textvorschläge später zit. werden: Für Verg. Aen. 1,150 verteidigte er (zu Recht) *volant* gegen *volunt*, ging aber mit *inflixit* statt *infixit* (Aen. 1,45) und *nocte* statt *morte* (Aen. 9,348) fehl. Seine Kritik an Vergils *dixerat ille aliquid magnum* (Aen. 10,547) erinnert an jene griech. Homerkritik, die allein auf dem Maßstab der »Angemessenheit« (πρέπον/ *prépon*) beruht.

Ähnlich dürftig ist unsere Kenntnis der Textkritik des M. Valerius → Probus (E. 1. Jh. n. Chr.), dem Suet. gramm. 24,2 kritische und kommentierte Textausgaben zuschreibt (*exemplaria emendata distincta adnotata*); das Erh. bezieht sich auf Terenz und Vergil. Nach dem *Anecdoton Parisinum* (s.o.) soll er das Repertoire an → kritischen Zeichen erweitert haben. Mehrere Passagen der *Scholia Danielis* (→ Servius) legen nahe, daß Probus seinen Zeichengebrauch auch explizit rechtfertigte ([6. 47–54], anders [7. 473 f.]).

D. 2. Jahrhundert n. Chr.

Im 2. Jh. zeigen A. → Gellius' [6] ›Attische Nächte‹ den archaisierenden Zeitgeschmack und Einsichten in die Prozesse, die zu Textverderbnissen führen (6,20,6; 9,14,1 f.; 20,6,14), auch wenn das Niveau des Zeitgenossen → Galenos (J.) nicht erreicht wird. Die Qualität professioneller Philologen des 2. Jh. ist aber kaum erkennbar, erh. sind nur karge Reste der Komm. des Q. → Terentius Scaurus zu Plautus, Vergil und Horaz, des → Velius Longus zu Vergils *Aeneis* und das Werk des → Flavius [II 14] Caper. Die zeitgenössische Textkritik wird – wenn repräsentativ – allein aus wenigen Passagen des Vergilkomm. des → Aemilius Asper kenntlich, der überwiegend exegetisch angelegt war: Für Verg. Aen. 10,539 verteidigte er gegen Probus (zu Recht) *armis* statt *albis* und stützte diese Variante durch den Verweis auf Sall. hist. 2,63 M.; kaum folgen wird man ihm mit *viris* statt *viri* in Verg. Aen. 10,737. In beiden Fällen ist nicht klar, ob es sich um Konjekturen oder vorgefundene Textvarianten handelt [6. 55–74].

Insgesamt folgt die lat. Ph. den Prinzipien der griech., allerdings ohne den Vorteil einer zentralen Institution wie der des → Museion von Alexandreia.

→ Grammaticus; Grammatiker; kritische Zeichen; Lexikographie; Scholien; Textverbesserung; Philologie; Philologische Methoden

Ed.: **1** GRF/GRF(add) **2** GL **3** R. A. Kaster (ed.), Suetonius, De grammaticis et rhetoribus, 1995.
Lit.: **4** Pfeiffer, KPI **5** S. F. Bonner, Anecdoton Parisinum, in: Hermes 88, 1960, 354–360 **6** J. E. G. Zetzel, Latin Textual Criticism in Antiquity, 1981 **7** H. D. Jocelyn, The Annotations of M. Valerius Probus, in: CQ 78, 1984, 464–472; 79, 1985, 149–161 und 466–474 **8** L. Holford-Strevens, Aulus Gellius, 1988 **9** R. A. Kaster, Gesch. der Ph. in Rom, in: F. Graf (Hrsg.), Einleitung in die lat. Ph., 1997, 1–16 **10** B. A. Marshall, A Historical Commentary on Asconius, 1985 **11** Reynolds/Wilson. A. DY./Ü: U. R.

Philomele, Philomela (Φιλομήλη, Φιλομήλα). Tochter des att. Königs → Pandion [1], Schwester der Prokne. Zu ihrem Mythos s. → Prokne.　　　K. WA.

Philomeleides (Φιλομηλείδης). Mythischer König auf Lesbos, der die Vorüberfahrenden zum Ringkampf herausfordert. → Odysseus besiegt ihn nach Hom. Od. 4,343 = 17,134 im Kampf, nach Hellanikos FGrH 4 F 150 zusammen mit → Diomedes [1] durch eine List.

H. VON GEISAU, s. v. Ph., RE 19, 2519 f.　　　R. HA.

Philomelion (Φιλομήλιον). Stadt in Süd-Phrygia im Tal des Gallos [1] (Mz.: HN 683) an der von Ephesos ostwärts führenden Straße, wo sie sich nach Dorylaion bzw. nach Kaisareia gabelte (Strab. 11,6,1; 12,8,14; Ptol. 5,2,25; Tab. Peut. 9,4; Steph. Byz. s. v. Φιλομήλειον; Cic. Verr. 2,3,191; MAMA 7,38–42), gegr. im 3. Jh. v. Chr. von einem maked. Dynasten namens Philomelos (Lit. bei [1. 1313¹⁷]). Ph. war z. Z. von Ciceros Prokonsulat Teil der Prov. → Cilicia (Cic. fam. 3,8,5 f.; 13,43,1; 15,4,2; Cic. Att. 5,20,1), in der frühen Kaiserzeit der Prov. → Asia [2] (Plin. nat. 5,95), wohl seit → Diocletianus der Prov. → Pisidia (vgl. Prok. anekdota 18,42; Hierokles, Synekdemos 672,12). Seit Mitte des 2. Jh. ist eine Christengemeinde in Ph. nachweisbar (Eus. HE 4,15,3).

1 MAGIE.

BELKE/MERSICH, 359–361 · W. RUGE, s. v. Ph. (1), RE 19, 2520–2523.　　　E. O.

Philomelos (Φιλόμηλος).
[1] Sohn des → Iasion und der → Demeter, Bruder des reichen → Plutos (anders Hes. theog. 969 f.) und Vater des Pareas, des Gründers von → Parion (häufiger wird aber Parios, Sohn des Iasion, als Gründer genannt). Ph. lebt in höchster Armut und gilt als Erfinder des Wagens, den er mit zwei Ochsen bespannt. Aus Bewunderung hierfür versetzt seine Mutter ihn als → Bootes unter die Sterne (Petellides Knossios bei Hyg. astr. 2,4, s. FHG 4, p. 472).　　　CA. BI.
[2] Sohn des Theotimos aus Ledon [1. 19–21], Anführer des Phokischen Bundes zu Beginn des 3. → Heiligen Krieges: Als die delphische → amphiktyonía die Phoker im Frühjahr 356 v. Chr. wegen der Kultivierung von Ackerland in der Ebene von Krisa zu einer hohen Geldstrafe verurteilte, spornte Ph. seine Landsleute zum Widerstand gegen die als unverhältnismäßig empfundenen Sanktionen an. Er wurde zum *stratēgós autokrátōr* gewählt [2. 115–7] und trat lautstark für die Wiederherstellung der ehemaligen *prostasía* der Phoker über Delphoi ein (Diod. 16,23,1–24,1; Paus. 10,2,1–3; vgl. Polyain. 5,45; Iust. 8,1,8; [3]). Im Juli 356 besetzte Ph. das Heiligtum und plünderte die Tempelschätze; die → Pythia wurde zu einem Orakel gezwungen, welches dies nachträglich legitimierte (Diod. 16,24,4–25,3; 27,1–4; vgl. Plut. mor. 292d-f) [4. 32]. 355 wurde Ph. vom Boiotischen Bund bei Neon [6] vernichtend geschlagen und fiel (Diod. 16,28–31,4; Paus. 10,2,4).

1 J. BUCKLER, Philip II and the Sacred War, 1989 2 H. BECK, Polis und Koinon, 1997 3 J. MCINERNEY, The Folds of Parnassos, 1999 4 F. LEFÈVRE, L'Amphictionie pyléo-delphique, 1998.　　　HA. BE.

Philometor (Φιλομήτωρ, wörtlich »der/die die Mutter Liebende«).
[1] Kultbeiname von hell. Herrschern, zuerst von Ptolemaios VI., der anfangs unter der Regentschaft seiner Mutter stand. Für viele der folgenden Könige (z. B. Ptolemaios VIII., X., XV., Kleopatra [II 12] VII., Antiochos [10] VIII., Demetrios [9] III.) gilt die Feststellung von GUTSCHMID [1. 112], daß sie anfangs unter der Vormundschaft ihrer Mutter regierten. Es gibt für den Namen auch äg. Konnotationen (*Kamutef*, »der Stier seiner Mutter« [sc. Isis]), die zeigen sollten, daß durch die Herrschaft dieses Königs die Ewigkeit der Königsherrschaft garantiert wird.

Ph. wurde, wie → Philadelphos und → Philopator, auch zur Bezeichnung der Eigenschaft eines »einfachen« Toten benutzt [2. 174 Anm. 3].

→ Philopator

1 A. VON GUTSCHMID, KS 4, 1893 2 L. ROBERT, Sur un papyrus de Bruxelles, in: RPh 1943, 170–201.

L. KOENEN, The Ptolemaic King as a Religious Figure, in: A. W. BULLOCH u. a. (Hrsg.), Images and Ideologies, 1993, 61–66.　　　W. A.

[2] In Konstantinopolis Schüler des → Themistios, 355 n. Chr. in Antiocheia [1]; seine Identität mit dem namensgleichen Neffen der Neuplatonikerin Sosipatra ist fraglich.　　　H. L.

Philon (Φίλων).
[1] Athener aus Acharnai, wurde 404 v. Chr. vom oligarchischen Regime verbannt (→ triákonta) und lebte während des Bürgerkrieges abwartend als Metoike in Oropos. Nach der Rückkehr wurde er bei der Bewerbung für die → bulḗ in einer Dokimasieklage (→ dokimasía) der Feigheit und anderer Verfehlungen bezichtigt (Lys. 31; viell. 398 v. Chr.).

BLASS, Bd. 1, 480 f. · TH. LENSCHAU, A. RAUBITSCHEK, s. v. Ph. (2), RE 19, 2526 f.

[2] Athener aus dem Demos Paiania, Sohn des Philodemos, Schwager des Redners → Aischines [2] (2,150–152), der Ph.s Tapferkeit als Hoplit lobte und angeblich fünf Talente von ihm erbte (Demosth. or. 18,312). Nicht identisch mit dem bei Demosthenes (or. 19,140) genannten Mitglied der thebanischen Gesandtschaft an Philippos [4] II. im J. 346 v. Chr.

DAVIES, 544 · PA 14862.

[3] Athener, Schüler des Aristoteles [6], führte eine erfolgreiche Paranomie-Klage (→ paranómōn graphḗ) gegen Sophokles von Sunion; dieser hatte 307 v. Chr. ein Gesetz durchgebracht, das die Gründung einer Philosophenschule ohne Genehmigung bei Todesstrafe ver-

bot und Anlaß für die Flucht des → Theophrastos und des übrigen → Peripatos war (Diog. Laert. 5,38; Athen. 13,610f).

CHR. HABICHT, Athen in hell. Zeit, 1994, 236f. • PA 14806 • P. SCHOLZ, Der Philosoph und die Politik, 1998, 66. U. WAL.

[4] Schüler des → Diodoros [4] Kronos, gegen E. des 4. Jh. v. Chr. Verf. eines Dialogs mit dem Titel *Menéxenos*, vermutlich mit jenem Ph. identisch, dessen Schriften Περὶ σημασιῶν (›Über Zeichen‹) und Περὶ τρόπων (›Über Formen des Schließens‹) Chrysippos [2] angriff (Diog. Laert. 7,191; 194). Bezeugt sind für Ph. zwei Lehren, zu denen er in der Auseinandersetzung mit Diodoros gelangte: 1. Die Konditionalaussage ist dann wahr, wenn nicht der Vordersatz wahr und der Nachsatz falsch ist (S. Emp. P. H. 2,110; S. Emp. adv. math. 8,113). 2. Möglich ist das, was aufgrund der ihm eigenen Natur die Tauglichkeit besitzt, wahr zu sein, auch wenn äußere Umstände das Wahrwerden dauerhaft verhindern. Ph. exemplifizierte dies am Beispiel eines Stückes Holz, welches auf dem Meeresgrund liegt und daher nie in Brand geraten wird, läge es woanders, aber durchaus in Brand geraten könnte (Alex. Aphr. in Aristot. an. pr. 184,6–10 u.ö.).

ED.: **1** SSR II.
LIT.: **2** K. DÖRING, s. v. Diodoros Kronos, Ph., Panthoides, GGPh² 2.1, 221–230. K. D.

[5] Leiter einer Expedition (zum Tierfang?) unter Ptolemaios I. oder II.; er kam bis nach Meroe und zum Roten Meer und schrieb einen Bericht über seine Reise (FGrH 670), der seit → Antigonos [7] und → Eratosthenes [2] immer wieder benutzt wurde. Ph. lieferte wichtige Ergebnisse für die Berechnung des Erdumfanges und andere geogr. Anschauungen.

P. FRASER, Ptolemaic Alexandria, 1972, Bd. 2, 296 Anm. 338; 297 Anm. 339; 600 Anm. 314. W. A.

[6] Ph. von Eleusis. Griech. → Architekt spätklass. Zeit. Von seiner Tätigkeit berichten Schriftquellen und Inschriften. Hiernach plante er die zw. 347 und 329 v. Chr. errichtete, durch eine ausführliche, gut erh. Inschr. (IG II² 1668) berühmt gewordene und laut Plutarch (Sulla 14,7) bei der Eroberung durch Sulla im Jahr 86 v. Chr. zerstörte → Skeuothek für die attische Flotte im → Peiraieus. Obwohl die Inschr. den Magazinbau scheinbar akribisch beschreibt, ist eine genaue Rekonstruktion auf ihrer Grundlage bisher nicht möglich gewesen [1].

Lediglich Bautypus, Dimensionen und einzelne Bauformen sind geklärt. Offensichtlich handelte es sich um einen aus sorgfältig bearbeiteten Steinquadern errichteten, knapp 120 m langen, ca. 16 m breiten und 10,5 m hohen, mit Fenstern und Satteldach ausgestatteten Bau, dessen Mauerkrone ein umlaufender Triglyphenfries (→ Fries) schmückte. Das Innere gliederten Pfeilerreihen in ein breiteres Mittelschiff und zwei dop-

pelgeschossige Seitenschiffe. Nach Größe und Ausstattung war die Skeuothek nicht nur ein geräumiger Nutzbau, in dem die Takelage für ca. 150 Kriegsschiffe untergebracht werden konnte, sondern zugleich auch ein Gebäude, das besondere architektonische und repräsentative Ansprüche signalisierte.

Als weiteres Werk aus seinem Atelier ist eine dem Telesterion in → Eleusis [1] (→ Mysteria) vorgeblendete Säulenhalle mit breit gelagerter Giebelfassade überl. (IG II² 1670, 1671, 1673, 1675, 1680, Vitr. 7 praef. 17), deren arch. Befund vielfach diskutiert wurde [2]. Ein Ph., der mit Ph. von Eleusis identisch sein könnte, war mehrfach in → Delphoi tätig, baute dort ein Waffenarsenal sowie eine Stoa für das Gymnasion und restaurierte kostbare Weihgeschenke des Kroisos (Syll.³ 249–253). Falls es sich bei dem Ph., der für 342/1 als Trierarch (IG II² 1622, 694) und für 338 als Stifter eines Weihgeschenks im Asklepieion Athens (IG II² 1533, 95) genannt ist, gleichfalls um Ph. von Eleusis handelt, gehörte er zur wohlhabenden Schicht Athens und könnte sich sein Vermögen als Bauunternehmer erworben haben. Daß er noch für spätere ant. Zeiten zu den bedeutenden Architekten zählte, belegt die Erwähnung seiner Person und seiner Bauten in verschiedenen Schriftquellen (Cic. de orat. 1,14,62; Strab. 9,1,15; Plin. nat. 7,125; Philod. de rhetorica 12,192; Val. Max. 8,12,2). Zusätzlich hinterließ er Schriften (→ Architekturtheorie), auf deren Bed. Vitruv (7 praef. 12) ausdrücklich hinweist.

1 M. UNTERMANN, Neues zur Skeuothek des Ph., in: DiskAB 4, 1983, 81–85 **2** TRAVLOS, Attika, 95f.

E. FABRICIUS, s. v. Ph. (56), RE 20, 56–60 • K. JEPPESEN, Paradeigmata, 1958, 69–149 • A. LINFERT u. a., Die Skeuothek des Ph. im Piräus, 1981 • V. MARSTRAND, Arsenalet i Piraeus, 1927 • W. MÜLLER, Architekten in der Welt der Ant., 1989, 188f. • H. SVENSON-EVERS, Die griech. Architekten archaischer und klass. Zeit, 1996, 301–315 (mit weiterer Lit.). H. KN.

[7] Ph. von Byzanz. Griech. Mechaniker, lebte verm. kurz nach → Ktesibios [1], also wohl Anf. des 2. Jh. v. Chr. [3. 41; 7. 13f.; 5. Bd. 2, 300f.]. Er verfaßte eine Schrift über die Mechanik (Μηχανικὴ σύνταξις/ *Mēchanikḗ sýntaxis*) in 9 B., von der B. 4 sowie Auszüge aus B. 7 und 8 (= B. 5 in alten Ausgaben) auf griech. sowie B. 5 in arab. Übers. (und teilweise in einer lat. Übers. aus dem Arab.) erh. sind. B. 4 (Titel: Βελοποιικά/ *Belopoiiká*, ›Herstellung von Geschützen‹; Ed.: [8. Teil 1]; Ed. und dt. Übers.: [1]) gibt sehr genaue Anweisungen über den Bau von Geschützen (s. die Abbildungen in [1. Taf. 3–8]). B. 5 (Πνευματικά/ *Pneumatiká*, ›Pneumatik‹; engl. Übers. und Ed. der lat. Übers. in [7]; s. auch [3. 44–74]) enthält einen theoretischen Abschnitt über Luft, Wasser und das Vakuum sowie Beschreibungen von Geräten, die auf dem Prinzip des Luftdrucks beruhen; das B. ist ähnlich aufgebaut wie → Herons ›Pneumatik‹. Die B. 7 und 8 (Παρασκευαστικά/ *Paraskeuastiká*, ›Mil. Rüstung‹, Πολιορκητικά/ *Poliorkētiká*, ›Belagerungskunst‹; Ed. der Exzerpte: [8. Teil 2]; Ed. mit dt. Übers.: [2]) beschäftigen sich mit Taktik und Rüstung für Städteverteidigung und -belagerung.

Ph.s Schrift wurde weitgehend von den entsprechenden Werken des → Heron verdrängt. Zum Weiterwirken von Ph.s ›Pneumatik‹ in Spätant., MA und Neuzeit s. [7. 19–34].

Von Ph. stammt auch ein alternativer Beweis zu Eukl. elem. 1,8 (Ed.: [4. 266,15–268,14; 6. 263 f.]) und eine Näherungslösung des Problems der → Würfelverdopplung (Delisches Problem) mit mechanischen Mitteln ([5. Bd. 1, 262–264]; → Neusis, → mechanische Methode).

→ Katapult; Mechanik; Pneumatik; Poliorketik; Würfelverdopplung

    1 H. DIELS, E. SCHRAMM (ed.), Ph.s Belopoiika (4. B. der Mechanik, mit dt. Übers.; Abh. Preuß. Akad. Wiss. 1918, Philos.-Histor. Kl. 16), 1919 2 Dies. (ed.), Exzerpte aus Ph.s Mechanik B. VII und VIII (vulgo 5. B., mit dt. Übers.; Abh. Preuß. Akad. Wiss. 1919, Philos.-Histor. Kl. 12), 1920 3 A. G. DRACHMANN, Ktesibios, Ph. and Heron. A Study in Ancient Pneumatics, 1948 4 G. FRIEDLEIN (ed.), Procli Diadochi in primum Euclidis Elementorum librum commentarii, 1873 5 T. L. HEATH, A History of Greek Mathematics, 2 Bde., 1921 6 Ders., The Thirteen Books of Euclid's Elements Translated From the Text of Heiberg, Bd. 1, 1956 7 F. D. PRAGER, Philo of Byzantium, Pneumatica (Faksimile und Transkription einer lat. sowie Übers. einer arab. Hs. mit Anm., Abb. und Komm.), 1974 8 R. SCHOENE (ed.), Philonis Mechanicae Syntaxis, libri quartus et quintus, 1893.   M. F.

[8] Sohn des Kastor (PP VI 14608; zu weiteren Familienverbindungen [1. 98 f.]), aus Alexandreia. Ph. wurde verm. während einer Gesandtschaft zu Philippos [7] V. 188/7 v. Chr. zum *próxenos* (→ *proxenía*) von Delphoi und der Aitoloi; zw. 186 und 180 war er *archisōmatophýlax* (→ Hoftitel B. 2.) und als ptolem. *stratēgós* in Kyrene, 179/8 war er eponymer Alexanderpriester.

    1 J. IJSEWIJN, De sacerdotibus sacerdotiisque Alexandri Magni, 1961.

    E. OLSHAUSEN, Prosopographie der hell. Königsgesandten, Bd. 1, 1974, 58 f. Nr. 36 · L. MOOREN, The Aulic Titulature in Ptolemaic Egypt, 1975, 198 Nr. 0359.   W. A.

[9] Ph. aus Larisa.
Akad. Philosoph, 159/8–84/3 v. Chr., übernahm 110/9 nach dem Tod des → Kleitomachos [1] das Scholarchat, kam 88 nach Rom, wo Cicero sein Hörer war. Über seine Schriften sind wir nur unzureichend informiert; seine ›Römischen Bücher‹, die man aus Ciceros ›Lucullus‹ zu rekonstruieren versuchte, führten zur Auseinandersetzung mit seinem ehemaligen Schüler → Antiochos [20]. Sicher scheint, daß Ph. seinen philos. Standpunkt mehrfach wechselte und die skeptische Richtung der Akademie vertrat (er galt sogar als Begründer einer vierten Akademie: S. Emp. P. H. 1,220).

→ Akademeia; Skeptizismus

    FR.: H. J. METTE, Ph. von Larisa und Antiochos von Askalon, in: Lustrum 28–29, 1986–1987, 9–24.
    LIT.: W. GÖRLER, Ph. aus Larisa, in: GGPh² 4.2, 915–934.   K.-H. S.

[10] Ph. Historicus.
Hell., verm. jüd. Historiker, der ein nicht erh. griech. Werk über die Könige der Juden verfaßte (Clem. Al. strom. 1,141); er lebte vor 40 v. Chr. → Iosephos [4] Flavios, der Ph. zusammen mit den Historikern → Demetrios [29] und → Eupolemos [1] einmal erwähnt und ihm den verm. von ihm selbst gewählten Beinamen »der Ältere« (πρεσβύτερος/*presbýteros*) zur Unterscheidung von dem Philosophen Ph. [9] gibt, hielt ihn für einen Nichtjuden (Ios. c. Ap. 1,23) – wahrscheinlich eine Fehleinschätzung [2. 556], die wohl bereits auf seine Vorlage zurückzuführen ist, entweder auf → Alexandros [23] Polyhistor [2. 556] oder auf eine anon. chronographische Arbeit aus dem J. 40 v. Chr. [4. 94]. Ph. ist wahrscheinlich nicht identisch ([4. 113] gegen [1; 2. 560]) mit dem Dichter gleichen Namens (lebte vor Alexandros Polyhistor), von dem drei Fr. eines Epos über Jerusalem (Themen: Abraham, Joseph, Wasserversorgung Jerusalems; → Literatur IV.) erh. sind (Eus. Pr. Ev. 9,20; 24; 37). FGrH 729 T 1–2 (III C, p. 689–691).

    1 R. DORAN, The Jewish Hellenistic Historians before Josephus, in: ANRW II 20.1, 1987, 246–297 2 SCHÜRER 3, 555 f., 559–561 3 N. WALTER, Zur Überl. einiger Reste früher jüd.-hell. Lit. bei Josephus, Clemens und Euseb, in: Studia Patristica 7, 1966, 314–320 4 Ders. (ed.), Fragmente jüd.-hell. Historiker (Jüd. Schriften aus hell. Zeit, Bd. 1,2), 1976, bes. 112–114 5 Ders. (ed.), Fragmente jüd.-hell. Epik: Ph., Theodotos (Jüd. Schriften aus hell. Zeit, Bd. 4), 1977.   I. WA.

[11] Aus Hispalis, Pompeianer (von Cn. Pompeius im Sertorius-Krieg begnadigt?), der seine Heimatstadt 45 v. Chr. nach der Schlacht bei → Munda [1] für kurze Zeit zurückeroberte (Bell. Hisp. 35,2–4; 36,1–4). Wohl identisch mit Ph., einem Freigelassenen, der im Juli 44 die Forderungen des Sex. Pompeius nach Rom brachte (Cic. Att. 16,4,1 f.).   JÖ. F.

[12] Ph. von Alexandreia (*Philo Iudaeus*).
I. LEBEN UND UMGEBUNG   II. WERKE
III. LEHRE   IV. NACHWIRKUNG

I. LEBEN UND UMGEBUNG
Ph., geb. ca. 15 v. Chr., gest. ca. 50 n. Chr., ist der bedeutendste Repräsentant des griech.-sprachigen → Judentums von → Alexandreia [1] (dessen kulturelles Leben dort vom frühen 3. Jh. v. Chr. bis zur Katastrophe des Jüd. Aufstands 117 n. Chr. florierte). Über seine Biographie sind nur wenige Einzelheiten bekannt [18. 813–819]. Ph. stammte aus einer wohlhabenden alexandrinischen Familie der Oberschicht. Sein Bruder → Alexandros [17] war *alabárchēs* (vgl. → *arabárchēs* [1]), leitender Beamter der jüd. Gemeinschaft (→ *políteuma*) in Alexandreia; Ph.s Neffe Tiberius Iulius → Alexandros [18] machte glänzende Karriere im röm. Staatsdienst, wandte sich allerdings von der jüd. Rel. ab. Diskussionen, die im Familienkreis über philos. und rel. Themen geführt wurden, sind in Ph.s ›Dialogen‹ dokumentiert (s. u. II. C.).

39 n. Chr. war Ph. Leiter einer Gesandtschaft alexandrinischer Juden nach Rom zu Kaiser → Caligula. Anschauliche Schilderungen des histor. und sozialen Kontextes dieser Reise finden sich in zwei Abh. (s. u. B. 2. a.). Ph. bezieht sich verm. darauf in seinen Klagen, er werde durch ›einen Ozean von Bürgerpflichten‹ von seinen Studien abgehalten (De specialibus legibus 3,3). Die einzige erh. ungefähr zeitgenössische Erwähnung des Ph. findet sich bei dem jüd. Historiker → Iosephos [4] Flavios: Ph. werde von der jüd. Gemeinde ›in höchsten Ehren gehalten‹ und sei ›nicht ungebildet in der Philos.‹ (Ios. ant. Iud. 18,258; vgl. Eus. HE 2,5; 16–18). Ph. selbst bemerkt beiläufig, daß er den Gottesdienst im Jerusalemer Tempel besuchte (De providentia 2,107). Laut Hier. vir. ill. 11 war er priesterlicher Abkunft, was auf Verbindungen zu den → Sadduzäern schließen läßt [29]. Viele beiläufige Details seiner Schriften weisen auf Teilnahme am kulturellen und sozialen Leben von Alexandreia hin [33]. Als Angehöriger der Elite war Ph. sicherlich röm. Bürger [15] (→ civitas B.); seine intellektuellen und polit. Aktivitäten sind jedoch im Zusammenhang mit dem immer schwierigeren Stand der jüd. Gemeinde Alexandreias zw. der gebildeten griech. Oberschicht und der unbeständigen einheimisch-ägypt. Bevölkerung zu sehen [36. 55–78].

Ph.s bemerkenswerte Kenntnisse der griech. philos. Trad. weisen auf eine solide Ausbildung und Kontakt mit den griech. Philosophenschulen in Alexandreia hin (konkrete Belege dafür gibt es allerdings nicht). Ebenso zeigen seine exegetischen Werke gründliche Vertrautheit mit der Exegese-Trad. der Septuaginta. Daß diese im Rahmen einer (vielleicht mit der Synagoge verbundenen) Schule erworben wurde, ist zu vermuten, aber nicht beweisbar [4]. Ph.s eigene Schriften entstammen möglicherweise auch dem Schulkontext – welchem, bleibt Spekulation [35].

II. Werke

Ph. war ein produktiver Autor. Fast 50 Schriften sind (im griech. Original bzw. in lat. oder armenischer Übers. [18. 819–870]) überliefert. Mindestens 20 bis 25 weitere sind verloren, wie aus der Liste bei Eus. HE 2,18 (basierend auf den Beständen der bischöflichen Bibliothek in Caesarea [2], von der sich die Hss.-Trad. herleitet), aus Erwähnungen und Fr. in den → Florilegia und → Catenae sowie aus Verweisen innerhalb von Ph.s Werken erschlossen werden kann. Die meisten Werke sind Komm. zum → Pentateuch, den fünf Büchern Mose, die Ph. in griech. Übers. bekannt waren. In De vita Moysis 2,25–44 stellt er die Entstehung der Septuaginta dar und erklärt, diese und der hebr. Text seien »Schwesterversionen« identischen Inhalts. In der Forsch. besteht fast allg. Konsens darüber, daß Ph. kein Hebräisch beherrschte [19. 50–96]. Für die Etymologien hebr. Namen benutzte er zweifellos die bestehenden → Onomastika [12].

Das philonische Textcorpus ist berüchtigt für die Schwierigkeiten, die es dem nichteingeweihten Leser bereitet. Aufschlußreich für das Verständnis einzelner Schriften ist ihre Stellung im Gesamtcorpus. Die folgende Unterteilung beruht in Grundzügen auf der Rekonstruktion von COHN [7], weicht aber in der Rolle, die De vita Moysis zugeschrieben wird, sowie der Einordnung von De opificio mundi ab.

A. Exegetische Werke

1. De vita Moysis

Das einführende Werk (Περὶ βίου Μωυσέως, ›Das Leben des Moses‹, in 2 B.) hat das Ziel, den großen jüd. Gesetzgeber einem breiteren Publikum bekanntzumachen; sein Leben wird unter den Rubriken König und Volksführer, Gesetzgeber, Priester und Prophet behandelt.

2. Pentateuch-Kommentare

a) Darlegung des Gesetzes: Eine Serie von zehn zusammengehörigen Werken mit systematischer Darstellung des Pentateuch-Inhalts: im wesentlichen wörtliche Exegese mit gelegentlicher Behandlung der symbolischen und allegorischen Bed. der Texte [3. 63–79]. Das erste Werk, De opificio mundi (Περὶ τῆς τοῦ κατὰ Μωυσέα κοσμοποιίας), erklärt den Schöpfungsbericht in Gn 1–3 als kosmologische Begründung des Gesetzes. Mit De Abrahamo (Βίος σοφοῦ τοῦ κατὰ διδασκαλίαν τελειωθέντος ... ὅ ἐστι περὶ Ἀβραάμ) und De Iosepho (Βίος πολιτικοῦ ὅπερ ἐστι περὶ Ἰωσήφ) folgen Darstellungen dieser beiden Erzväter als »leibhaftiges Gesetz« (die Viten von Isaak und Jakob sind verloren). Die Gesetze werden zuerst allg. in De decalogo (Περὶ τῶν δέκα λογίων...) und im einzelnen in den vier B. von De specialibus legibus (Περὶ τῶν ἐν μέρει διαταγμάτων) erläutert. Zwei weitere Abh., De virtutibus... (Περὶ ἀρετῶν ...) und De praemiis et poenis et de exsecrationibus (Περὶ ἄθλων ἐπιτιμιῶν, Περὶ εὐλογιῶν καὶ ἀρῶν), runden die Serie ab.

b) Allegorischer Komm. zur Genesis: Eine Serie von 19 Abh., die Gn 2–17 versweise kommentieren (die Titel der einzelnen Schriften beruhen dabei entweder auf dem Inhalt des biblischen Textes oder auf einem zentralen Aspekt von Ph.s Interpretation): Legum allegoriae (3 B.), De cherubim, De sacrificiis, Quod deterius potiori insidiari soleat, De posteritate Caini, De gigantibus, Quod Deus immutabilis sit, De agricultura, De plantatione, De ebrietate, De sobrietate, De confusione linguarum, De migratione Abrahami, Quis divinarum rerum heres sit, De congressu eruditionis gratia, De fuga et inventione, De mutatione nominum. Als Anhang sind zwei B. De somniis (Περὶ τοῦ θεοπέμπτους εἶναι τοὺς ὀνείρους) angefügt, die verschiedene Träume innerhalb der Genesis behandeln. In allen diesen Werken wendet Ph. streng die aus der griech. Homer-Interpretation übernommene allegorische Methode an (→ Allegorese) [22; 8; 31]: Die Begebenheiten der Genesis bezieht er auf das Leben der nach Vollkommenheit, Vollendung und Ruhe in Gott strebenden Seele. Ph. beschränkt sich nicht auf die jeweilige Bibelstelle, sondern verwebt sie mit anderen Texten und Themen zu außerordentlicher Komplexität [25] (nützliche Strukturanalysen bei COLSON und ARNALDEZ). Ein Fr. einer späteren Abh., die Gn 18 kommentiert, ist unter dem Titel De Deo in armen. Übers. erhalten [31].

c) *Fragen und Antworten zur Genesis* (sechs B. in vier) und *zur Exodus* (zwei B., urspr. fünf) sind nur in einer armen. Übers. aus dem 6. Jh., einer lat. Übers. von *Quaestiones in Genesim* 4,154–244 (urspr. B. 6) aus dem 4. Jh. und in Fr. in den *Catenae* und *Florilegia* erhalten. Den Komm., der die Methode von Fragen und Antworten (→ *zētēmata kai lýseis*), die für die Homer-Auslegung entwickelt wurde, anwendet, kann man als ergiebige Fundgrube für exegetisches Material betrachten [13; 34]. Wo immer möglich, bietet Ph. sowohl eine wörtliche als auch eine allegorische Interpretation.

B. Historische und apologetische Werke

1) Zwei Werke, die als Teile eines urspr. größeren Ganzen anzusehen sind, *In Flaccum* (Εἰς Φλάκκον) und *Legatio ad Gaium* (Περὶ ἀρετῶν πρῶτον καὶ πρεσβείας πρὸς Γάιον, vgl. [18. 859]), beschreiben die Ereignisse der J. 38–40 n. Chr. in Alexandreia und Rom aus einer dezidiert pro-jüd. Perspektive. Das Ableben von Flaccus → Avillius und Caligula wird dem Wirken der göttlichen Vorsehung zugeschrieben.

2) *De vita contemplativa* (Περὶ βίου θεωρητικοῦ) enthält die berühmte Beschreibung der jüd. Gemeinschaft der → Therapeuten, die in der Nähe von Alexandreia lebte [28. Bd. 2, 591–597]. Ph. betrachtet sie als Musterbeispiel des kontemplativen Lebens. Die komplementäre Abh. über die → Essener, die das praktische Leben veranschaulichte, ist verloren, kann aber aus *Quod probus* 75–87 rekonstruiert werden. Eusebios [7] deutete die Therapeuten als frühchristl. Mönche (Eus. HE 2,16–17).

3) Nur in einigen Fr. (bei Eus. Pr. Ev. 11) erh. ist die *Hypothetica* oder *Apologia pro Iudaeis*, eine Beschreibung von Herkunft, Bräuchen und Gesetzen der Juden.

C. Philosophische Werke

Ph. verfaßte eine Reihe philos. Werke, in denen offene Hinweise auf sein Judentum auf ein Minimum reduziert sind. Diese Schriften sind eine wertvolle Fundgrube für die ant. Philos.-Gesch. Die These, daß es sich um Jugendwerke handelt, wurde aufgegeben [38]. Zwei Werke sind vollständig auf Griech. erh.: a) *Quod probus omnis liber sit* (Περὶ τοῦ πάντα σπουδαῖον εἶναι ἐλεύθερον*, über Ethik) und b) *De aeternitate mundi* (Περὶ ἀφθαρσίας κόσμου, eine Verteidigung der Unzerstörbarkeit des Kosmos; die Fortsetzung ist verloren). Drei Werke sind vollständig nur in einer armen. Übers. aus dem 6. Jh. erh.: c) *De providentia* I sowie zwei Dialoge: d) *De providentia* II (griech. Fr. erh. bei Eusebios) und e) *De animalibus* [36]. Viele Werke und Fr. werden Ph. fälschlicherweise zugeschrieben (vollständige Aufzählung bei [23]).

III. Lehre

Wie Ph.s Werk erkennen läßt, galt seine Loyalität in erster Linie dem Judentum und der Weisheit des Mose, die er als göttlich inspiriert ansah [5]. Im Rahmen seiner Auseinandersetzung mit den mosaischen Schriften nutzte er jedoch seine Kenntnisse der griech. Philos. Das Ergebnis ist eine Gedankenwelt, die wie eine Synthese aus griech. und biblischem Gedankengut anmutet, obwohl dies von Ph. sicherlich nicht beabsichtigt war. Der stärkste Einfluß kam vom Platonismus, insbes. dessen Unterscheidung zw. dem intelligiblen und dem sinnlich wahrnehmbaren Bereich, dessen Vorstellung von der Erschaffung des Kosmos durch einen göttlichen Schöpfer (Ph.s Genesis-Interpretation ist stark durch → Platons [1] Dialog *Tímaios* und seine Interpretations-Trad. beeinflußt [24; 10. Nr. 137.1–2, 141.1, 143.1]) und dessen Sicht von Leben und Unsterblichkeit der Seele. Ph.s Philos. steht dem zeitgenössischen → Mittelplatonismus am nächsten [9. 139–183]; daneben sind auch stoische und aristotelische Ideen deutlich zu erkennen (v. a. auf dem Gebiet der Ethik [41]). Versuche, Ph. als systematischen Philosophen darzustellen [43], sind zum Scheitern verurteilt: Er stellt philos. Denken in den Dienst der Erläuterung der mosaischen Schriften [19; 20; 3]. Seine Methode kann man eklektisch nennen [16], aber sie hat eine klare Zielsetzung.

Ph.s Hauptinteresse gilt der Theologie. Gott wird mit dem Sein identifiziert (abgeleitet von der göttlichen Selbstoffenbarung in Ex 3,14). Seinem Wesen nach ist er namenlos und unbegreiflich [17]. Menschen können nur erkennen, *daß* er ist, nicht, *was* er ist. Höchst einflußreich ist Ph.s Doktrin vom göttlichen → *lógos*, die auf hell.-jüd. Weisheits-Spekulation aufbaut [40] (→ Weisheit). Der *lógos* ist grundsätzlich der Aspekt Gottes, der in Beziehung zur geschaffenen Welt steht; manchmal wird er jedoch so behandelt, als ob ihm eine eigenständige Existenz zukomme. Ziel menschlicher Existenz ist es, sich von der körperlichen Welt mit ihren Leidenschaften abzuwenden und Kenntnis von und Gemeinschaft mit Gott zu gewinnen, was durch Kontemplation über die Schöpfungsordnung und Studium des Gesetzes zu erreichen ist [42]. In Ph.s Theologie, Kosmologie und Soteriologie ist die Lehre von der göttlichen Gnade (*cháris*) zentral [44].

Der Name Israel wird von Ph. (falsch) als »er, der Gott sieht« etym. gedeutet. Grundsätzlich ist dies universalistisch zu verstehen [1], dennoch erkennt Ph., daß den Juden durch ihre direkte Beziehung zu den Erzvätern und Mose ein bes. Platz zukommt [3]. Ph. hatte verm. wesentliche Verbindungen zum zeitgenössischen palaestinischen Judentum, die aber mangels direkter Zeugnisse nicht konkret zu rekonstruieren sind [6]. Versuche, ihn in frühere alexandrinische Trad. einzuordnen, sind spekulativ [42; 11]. Er läßt sich mit Aristobulos und dem Autor der Weisheit des Salomon vergleichen, verfügt aber über gründlichere Kenntnisse der griech. Philos. Auch für den Hintergrund des NT [26. 63–86; 30; 43] und für die Vorgesch. gnostischen Denkens [21] (→ Gnosis) ist das Werk des Ph. von Bedeutung.

IV. Nachwirkung

Nach dem Niedergang des hell. Judentums übte Ph. keinen Einfluß auf die jüd. Trad. aus; er wird von den Rabbinern niemals genannt. In der späteren paganen Lit. wird er nur von → Heliodoros [8] (anon.) zitiert.

Auf frühe christl. Denker, bes. in Alexandreia, übten seine Werke jedoch eine starke Anziehungskraft aus. → Clemens [3] nennt ihn als erster und verwendet seine Schriften ausführlich (vgl. [14]). Spätere Kirchenväter (→ Origenes, → Gregorios [2] von Nyssa, → Ambrosius, → Hieronymus, → Augustinus) berufen sich selten auf ihn, haben ihm aber vieles zu verdanken, bes. auf dem Gebiet der allegorischen Bibelauslegung und Theologie [26; 27]. Dieser starken Nachwirkung ist es zuzuschreiben, daß Ph.s Schriften zum Großteil erh. blieben. Seine Verbindung von biblischem Gedankengut und philos. Lehren übten maßgeblichen Einfluß auf die Entwicklung christl. dogmatischer → Theologie und Philos. aus.

→ Alexandreia [1]; Exegese; Hellenisierung; Judentum; Philosophie; Theologie

ED.: L. COHN, P. WENDLAND, S. REITER, 6 Bde., 1896–1915 (Ndr. 1962: noch immer die grundlegende krit. Ed.).
ÜBERS.: L. COHN et al., Die Werke Philos von Alexandria, 7 Bde., 1909–1964 (dt.) • F. H. COLSON et al., Philo, 10 Bde. und 2 Suppl.-Bde., 1929–1962 (griech. und engl.) • R. ARNALDEZ et al., Ph. d'Alexandrie, 36 Bde., 1961–1992 • R. RADICE et al., Filone di Alessandria, 1994 (it.) • C. D. YONGE, The Works of Philo, 1993 (¹1854; engl.).
ANT. ÜBERS.:
ARMEN.: J. B. AUCHER, 2 Bde., 1822–1826 • F. SIEGERT, Ph. von Alexandrien ›De Deo‹, 1988 • A. TERIAN, s. [36].
LAT.: F. PETIT, L'ancienne version latine des ›Questions sur la Genèse‹, 2 Bde., 1973.
FR.: s. den Überblick in R. RADICE, D. T. RUNIA, 1988 (s.u.), 14–19 (es gibt keine Gesamtausgabe) • F. PETIT, Quaestiones Fragmenta Graeca: Les œuvres de Ph. d'Alexandrie, Bd. 33, 1978.
BIBLIOGR.: H. L. GOODHART, E. R. GOODENOUGH, A General Bibliography of Philo Judaeus (bis 1936, inkl. Hss.), in: E. R. GOODENOUGH, Politics of Philo Judaeus, 1938 • R. RADICE, D. T. RUNIA, Philo of Alexandria: Annotated Bibliography, 1988 (1937–1986) • D. T. RUNIA, Philo of Alexandria: Annotated Bibliography II, 2000 (1987–1996) • The Studia Philonica Annual (jährliche Ergänzungen).
LEX.: P. BORGEN et al., The Philo Index, 2000.
LIT.: 1 E. BIRNBAUM, The Place of Judaism in Philo's Thought, 1996 2 P. BORGEN, Philo of Alexandria: A Critical and Synthetical Survey of Research since World War II, in: ANRW II 21.1, 1984, 98–154 3 Ders., Philo of Alexandria: An Exegete for His Time, 1997 4 W. BOUSSET, Jüd.-christl. Schulbetrieb in Alexandrien und Rom, 1915 5 H. BURKHARDT, Die Inspiration hl. Schriften bei Philo von Alexandrien, 1988 6 N. G. COHEN, Philo Judaeus: His Universe of Discourse, 1995 7 L. COHN, Einteilung und Chronologie der Schriften Philos, in: Philologus Suppl. 7, 1899, 385–437 8 J. D. DAWSON, Allegorical Readers and Cultural Revision in Ancient Alexandria, 1992 9 J. DILLON, The Middle Platonists, 1977 (²1996) 10 DÖRRIE/BALTES 5, 1998 11 R. GOULET, La philos. de Moïse, 1987 12 L. GRABBE, Etymology in Early Jewish Interpretation: The Hebrew Names in Philo, 1988 13 D. M. HAY (Hrsg.), Both Literal and Allegorical: Studies in Philo of Alexandria's Questions and Answers on Genesis and Exodus, 1991 14 A. VAN DEN HOEK, Clement of Alexandria and his Use of Philo in the Stromateis, 1988 15 A. KASHER, The Jews in Hellenistic and Roman Egypt, 1985 16 J. MANSFELD,
Philosophy in the Service of Scripture: Philo's Exegetical Strategies, in: J. M. DILLON, A. A. LONG (Hrsg.), The Question of »Eclecticism«, 1988, 70–102 17 L. A. MONTES-PERAL, Akataleptos theos: der unfaßbare Gott, 1987 18 J. MORRIS, The Jewish Philosopher Philo, in: [28], Bd. 3, 809–870 19 V. NIKIPROWETZKY, Le commentaire de l'Écriture chez Ph. d'Alexandrie, 1977 20 Ders., Études Philoniennes, 1996 21 B. A. PEARSON, Philo and Gnosticism, in: ANRW II 21.1, 1984, 295–342 22 J. PÉPIN, Remarques sur la théorie de l'exégèse allégorique chez Ph., in: Ph. d'Alexandrie (Colloque du C.N.R.S., Lyon 1966), 1967, 131–167 23 J. R. ROYSE, The Spurious Texts of Philo of Alexandria, 1991 24 D. T. RUNIA, Philo of Alexandria and the Timaeus of Plato, 1986 25 Ders., Exegesis and Philosophy: Studies on Philo of Alexandria, 1990 26 Ders., Philo in Early Christian Literature: a Survey, 1993 27 Ders., Philo and Church Fathers, 1995 28 SCHÜRER 29 D. R. SCHWARTZ, Philo's Priestly Descent, in: F. E. GREENSPAHN et al. (Hrsg.), Nourished with Peace, 1984, 155–171 30 G. SELLIN, Gotteserkenntnis und Gotteserfahrung bei Philo von Alexandria, in: H.-J. KLAUCK (Hrsg.), Monotheismus und Christologie, 1992, 17–41 31 F. SIEGERT, Ph. von Alexandrien über die Gottesbezeichnung »wohltätig verzehrendes Feuer« (De Deo), 1988 32 Ders., Early Jewish Interpretation in a Hellenistic Style, in: M. SAEBO (Hrsg.), Hebrew Bible/Old Testament, 1996, 130–198 33 D. I. SLY, Philo's Alexandria, 1995 34 G. E. STERLING, Philo's Quaestiones: Prolegomena or Afterthought?, in: [13], 99–123 35 Ders., The School of Sacred Laws: The Social Setting of Philo's Treatises, in: Vigiliae Christianae 53, 1999, 148–164 36 V. A. TCHERIKOVER, Corpus papyrorum judaicarum, 1957 37 A. TERIAN, Philonis Alexandrini de Animalibus, 1981 (mit engl. Übers. und Komm.) 38 Ders., A Critical Introduction to Philo's Dialogues, in: ANRW II 21.1, 1984, 272–294 39 T. H. TOBIN, The Creation of Man: Philo and the History of Interpretation, 1983 40 Ders., s.v. Logos, The Anchor Bible Dictionary 4, 1992, 348–356 41 D. WINSTON, Philo's Ethical Theory, in: ANRW II 21.1, 1984, 372–416 42 Ders., Logos and Mystical Theology in Philo of Alexandria, 1985 43 H. A. WOLFSON, Philo. Foundations of Religious Philosophy in Judaism, Christianity and Islam, 2 Bde., 1947 44 D. ZELLER, Charis bei Ph. und Paulus, 1990.
D. T. R./Ü: SU. FI.

[13] Ph. von Tarsos. Urheber eines von Galenos (13, 267–269) erwähnten Antidots, das seinen Namen trägt (φιλόνειον/philóneion). Der Formel des Antidots zufolge stammte er aus Tarsos. Aufgrund der Zitate der Formel (s.u.) setzt man Ph. ins 1. Jh. n. Chr. Die Formel fügt sich in die Veränderungen der → Pharmakologie dieser Epoche und in die Entwicklung zusammengesetzter Medikamente zur inneren Anwendung. Man hat Ph. als erstes bekanntes Mitglied der (hypothetischen) pharmakologischen Schule von Tarsos angesehen (über die man allerdings keinerlei Kenntnisse hat).

Die aus 13 Distichen bestehende Formel präzisiert Indikationen (1–6) und Bestandteile (7–13). Aufgrund der Präsenz von Opium dürfte sie analgetische Wirkung gehabt haben und war bei Schmerzen im Magen-Darm-Trakt, im Bereich der Harnwege, der unteren und oberen Atemwege und des Nervensystems angezeigt. Galenos hat sie kommentiert (13,269–276), und dem Ailios

Aristeides [3] soll sie vom Gott Asklepios (Aristeid. orationes 3,29) empfohlen worden sein, bevor sie in der späteren medizinischen Lit. mehrfach wiederaufgenommen wurde und sogar selbständig in byz. Hss. zirkulierte.

Ein weiteres Ph. zugeschriebenes, aber nicht näher bezeichnetes Medikament taucht bei Celsus (6,6,3) auf, doch läßt sich nicht sagen, ob es sich um das bereits erwähnte handelt.

H. DIELS, Die Hss. der griech. Ärzte, Nachtrag, 1907, 63 ·
H. DILLER, s. v. Ph. (47), RE 20, 52 f. · C. FABRICIUS, Galens Exzerpte aus älteren Pharmakologen, 1972, 202 ·
D. GOUREVITCH, Le triangle hippocratique, 1984, 75, Anm. 5 · J. SCARBOROUGH, V. NUTTON, The Preface of Dioscorides' Materia Medica, in: Transactions and Studies of the College of Physicians of Philadelphia, Ser. 5, Nr. 4, 1982, 193 und Anm. 24.   A. TO./Ü: T. H.

[14] Ph. von Hyampolis. Arzt, der im späten 1. Jh. n. Chr. wirkte und in den *Quaestiones convivales* (*Symposiaká*, ›Tischgesprächen‹) des → Plutarchos [2] auftritt. Dabei spricht er über Aufpfropfung von Bäumen (Plut. symp. 2,6) und Diätetik (ebd. 4,1) und behauptet, die sog. Elephantiasis (→ Lepra) sei eine »neue« Krankheit (ebd. 8,9). Seine Erklärung, die Phänomene Hunger und Durst entstünden durch eine Veränderung der Körperporen und nicht durch einen Mangel an Essen und Trinken (ebd. 2,4), legt die Vermutung nahe, daß er ein Anhänger des → Asklepiades [6] von Bithynien oder der → Methodiker war.   V. N./Ü: L. v. R.-B.

[15] Ph. von Gadara. Mathematiker, vermutlich 2. Jh. n. Chr., Lehrer des Mathematikers und Grammatikers → Sporos von Nikaia. Der griech. Mathematiker → Eutokios von Askalon berichtet in seinem Komm. zu → Archimedes' [1] Κύκλου μέτρησις (›Kreismessung‹), daß Ph. Archimedes' Approximation der Zahl π verbessert habe [1. 258,25].

1 J. L. HEIBERG (Hrsg.), Archimedis opera omnia cum commentariis Eutocii, Bd. 3 (Eutocius), ¹1881, ²1915 (Ndr. mit Korrekturen 1972).   GR. DA.

[16] Ph. von Byblos s. Herennios Philon

[17] Wohl aus → Byzantion stammender spätant. Autor einer kleinen Schrift *Perì tōn heptá theamátōn* (›Über die sieben Weltwunder‹), die dank ihrer rhet. ausgefeilten Schilderung eine mühsame Reise zu den Sieben Weltwundern zu ersetzen verspricht. Ed.: [1. 13–37].
→ Hängende Gärten; Leuchtturm; Weltwunder

1 K. BRODERSEN (Hrsg.), Reiseführer zu den Sieben Weltwundern, 1992 (mit dt. Übers.).   K. BRO.

[18] Ph. aus Metapontion. Flötenspieler und Dichter (Steph. Byz. s. v. Μεταπόντιον, p. 448,14 M. = SH 689) aus unbekannter Zeit. Vielleicht auch Verf. eines anapästischen Dimeters, den Athen. 15,697b (= SH 689A) zitiert.   M. D. MA./Ü: T. H.

[19] Verf. eines epigrammatischen satirischen Monodistichons über die Ehrwürdigkeit des weißhaarigen Alters, das jedoch größter Schmach ausgesetzt ist, wenn der Verstand nachläßt (Anth. Pal. 11,419). Die Identifikation mit → Herennios Philon von Byblos wurde erwogen [1], vgl. aber [2].

1 FR. JACOBS (ed.), Anthologia Graeca 13,936, 1814   2 FGE 114.

F. BRECHT, Motiv- und Typengesch. des griech. Spottepigramms, 1930, 71.   M. G. A./Ü: TH. G.

Philonides (Φιλωνίδης).
[1] Att. Dichter der Alten Komödie, Vater des Komödiendichters → Nikochares [1. test. 1, 2]. Die Ergänzung seines Namens auf der Liste der Dionysiensieger ist unsicher [1. test. 3]. Überl. sind noch drei Stücktitel Ἀπήνη (›Der Wagen‹), Κόθορνοι (›Die Kothurne‹), Φιλέταιρος (›Der gute Gefährte‹) sowie 17 kurze Fr., die meisten aus den ›Kothurnen‹. Das Ph. gelegentlich zugeschriebene Stück Προαγών (›Der Vorwettkampf‹) stammt verm. von Aristophanes, der es unter Ph.' Namen aufführen ließ [2. 253]; insgesamt war Ph. viermal als Regisseur für Aristophanes tätig [3].

1 PCG VII, 1989, 363–369   2 PCG III.2, 1984   3 A. KÖRTE, s. v. Ph. (3), RE 20, 62.   T. HI.

[2] Epikureer und Mathematiker [2] des 3./2. Jh. v. Chr., stammte urspr. aus einer polit. hervortretenden Familie in Laodikeia [1] (Syrien). In Athen studierte er Philos. bei → Basileides [1] und Thespis, in Ephesos Geometrie bei dem Mathematiker Eudemos von Pergamon, Dionysodoros und Artemon [2]. Ph. verfaßte viele Schriften, darunter einen Komm. zu B. 8 von Epikuros' *De natura* und ein Werk ›Über den Komm. des Artemon‹ (d. h. dessen Komm. zu Epikuros' *De natura*, B. 1–33). Reste einer Biographie des Ph. enthält PHercul. 1044 [3].

1 M. ERLER, Epikur – Die Schule Epikurs – Lukrez, in: GGPh² 4, 252–255   2 A. ANGELI, T. DORANDI, Il pensiero matematico di Demetrio Lacone, in: CE 17, 1987, 90–91   3 I. GALLO, Frammenti biografici da papiri, Bd. 2: La biografia dei filosofi, 1980, 23–166.   T. D./Ü: J. DE.

[3] Dichter der Mittleren oder Neuen Komödie, einzig aus drei kurzen, bei Stobaios ohne Stücktitel zitierten Bruchstücken bekannt [1].

1 PCG VII, 1989, 370–371.   T. HI.

Philonikos (Φιλόνικος). Komödiendichter aus der Übergangszeit von der Alten zur Mittleren Komödie, auf der Liste der Lenäensieger hinter → Philyllios mit einem Sieg um 390 verzeichnet [1. test. 2]. Von seinen Werken sind keine Reste erhalten.

1 PCG VII, 1989, 362.   T. HI.

Philonis (Φιλωνίς). Tochter des Deion (oder des Heosphoros und der Kleoboia), Mutter des → Autolykos [1] von Hermes und Mutter des → Philammon von Apollon. Vielleicht in Hes. fr. 64 M.-W., sicher bei Pherekydes FGrH 3 F 120, der sie in der Gegend des Parnassos ansiedelte; nach Konon FGrH 26 F 1 und 7 lebte sie im att. Thorikos; daher ist die Rekonstruktion ihres Namens als Kultempfängerin in einem verderbten Teil des Opferkalenders von Thorikos einleuchtend (SEG 33, 44f. Nr. 147). Hyg. fab. 65 nennt Ph. als Gattin des Hesperus oder Lucifer und Mutter des → Keyx.

E. K./Ü: SO. PR.

Philopappos s. Iulius [II 12]

Philopator (Φιλοπάτωρ, wörtlich »der/die den Vater Liebende«). Kultbeiname hell. Herrscher, der zuerst von → Ptolemaios IV., dann von seiner Gattin Arsinoë [II 4] III. getragen wurde (*theoí philopátores*). Der Beiname Ph. wurde auch außerhalb der ptolem. Dyn. benutzt (z.B. Mithradates [4] IV., Ariarathes V., Demetrios [9] III., Antiochos [13] XII.). Er bezeichnete den Sohn, der von seinem Vater zu Lebzeiten zur Thronfolge designiert wurde. Mitregentschaft konnte, mußte aber nicht mit dem Titel verbunden sein. Der äg. Hintergrund, den der Titel auch haben konnte, erleichterte seine Benutzung durch die → Ptolemaier: Ptolemaios IV. wurde nach der Schlacht von → Raphia (217 v. Chr.) von der äg. Priesterschaft als Harendotes geehrt, als ›Horus, der seinen Vater beschützt, dessen Sieg schön ist‹.

→ Philometor

L. KOENEN, The Ptolemaic King as a Religious Figure, in: A. W. BULLOCH u. a. (Hrsg.), Images and Ideologies, 1993, 61–66.

W. A.

Philopoimen (Φιλοποίμην). Sohn des Kraugis aus → Megale Polis, 253–182 v. Chr., prominenter achaiischer Staatsmann, Begründer eines »begrenzten Widerstandes« gegen Rom [1. 112–127]; von → Polybios [2] idealisiert und bis in die röm. Kaiserzeit als »letzter Grieche« und letzter Vorkämpfer für die Freiheit gefeiert (Paus. 8,52,6; Plut. Philopoimen 1,7), in jüngerer Zeit wegen seines »doktrinären Patriotismus« kritisiert [2. 227; 3. 51].

Ph.s hohes Ansehen beruhte auf seinen zahlreichen mil. Erfolgen, die er als *hípparchos* und als *stratēgós* des Achaierbundes (209 bzw. seit 208/7; → Achaioi, Achaia mit Karte) errang, u. a. gegen → Machanidas (Syll.³ 625; Plut. Philopoimen 7; 10; 12; Liv. 37,20,2; [1. 114]). Mehrere Jahre wirkte Ph. als Söldnerführer auf Kreta (Paus. 8,49,7; [2. 27–48]), zuletzt 199–193, als er angeblich wegen des → Kykliadas Achaia verließ (vgl. Liv. 31,25,10; [1. 40¹; 109]; vgl. [3. 115⁴]). Bundesstratege war Ph. achtmal: 208/7, 206/5, 201/200, 193/2, 190/189, 189/8, 187/6 und 183/2. Unter seiner Führung besiegten die mil. reorganisierten Achaioi 201 und 192 den → Nabis sowie 188 Sparta (Pol. 16,36–37; Plut. Philopoimen 9; 14–16; Liv. 35,25,6; 26,3; 26,10; 27–30; [2. 80f., 102–106, 145f.]), für dessen Anschluß an die Achaioi Ph. sich schon 192 – ohne Mandat! – engagiert hatte (Liv. 35,37,1f.; [1. 117; 2. 118–122; 3. 36]). Beim Feldzug gegen das abtrünnige Messene geriet Ph. 182 in Gefangenschaft und soll von → Deinokrates [2] vergiftet worden sein (Plut. Philopoimen 20; Liv. 39,49–50; Iust. 32,1,5–10; [1. 124; 2. 191–194]).

Ph.s kompromißlose Haltung in Fragen der Unabhängigkeit und Selbstbestimmung des Achaierbundes zeigte sich schon gegenüber → Kleomenes [6] im J. 223/2 (Plut. Kleomenes 24,8; vgl. Pol. 2,61,5–11; [4. 194]). Sein Hauptanliegen war Machtzuwachs des Bundes v. a. durch Vereinnahmung Spartas, was zu diversen Konflikten dann auch mit den Römern führte, die nach ihrem Sieg über → Philippos [7] V. von den Achaiern die Akzeptanz ihrer Ordnungspolitik für Hellas erwarteten (vgl. Pol. 24,11; 13; [1. 113]). Indem Ph. röm. Feldherren und Gesandte, v. a. den T. → Quinctius Flamininus brüskierte (Pol. 23,5,15–18; 39,3,4–8; Liv. 38,32,8; 39,33,5–8; 36,5; 37,9–17; Plut. Philopoimen 17,2–7; Paus. 7,9,3; 4; [1. 110, 123, 3. 39–48]), förderte er die Polarisierung im Achaierbund, wo Diophanes und → Aristainos den Römern gegenüber immer willfähriger wurden [1. 109–121], während Ph. und → Lykortas die absolute Priorität achaiischer Rechtspositionen gegen röm. Einmischungsversuche vertraten. Nach seinem Tod erhielt Ph. in mehreren Orten Statuen (Syll.³ 624; Pol. 39,3,1; Paus. 8,49,1), deren Demontage durch die Römer im J. 146 v. Chr. Polybios rückgängig machen konnte (Pol. 39,3,3; 3,10; Plut. Philopoimen 21,10–12).

→ Makedonische Kriege

1 J. DEININGER, Der politische Widerstand gegen Rom in Griechenland 217–86 v.Chr., 1971 2 R. M. ERRINGTON, Philopoemen, 1969 3 H. NOTTMEYER, Polybios und das Ende des Achaierbundes, 1995 4 R. URBAN, Wachstum und Krise des Achäischen Bundes, 1979.

L.-M. G.

Philoponos, Iohannes (Φιλόπονος, »der Fleißige«; auch Γραμματικός/*Grammatikós*, »der Lehrer« genannt).
I. LEBEN   II. WERK
III. BEDEUTUNG UND WIRKUNG

I. LEBEN

Ph. lebte als christl. Universalgelehrter in Alexandreia [1] um 490–575 n.Chr. und war Schüler des → Ammonios [12]. Sein Beiname könnte sich auf seinen Arbeitseifer oder auf seine Zugehörigkeit zur Bruderschaft der *philóponoi* (φιλόπονοι) beziehen. Er wurde wegen seines christl. Glaubens von dem neuplatonischen Gelehrten der Akademie (→ Akademeia) in Athen → Simplikios scharf angegriffen, nachdem Kaiser Iustinianus [1] diese im J. 529 n.Chr. hatte schließen lassen. 570 wurde er als Tritheist, 680 als Monophysit verurteilt.

II. WERK

Ph. verfaßte zahlreiche Schriften, u.a. mathematische, astronomische, grammatische und medizinische, von denen viele nicht überl. sind. Von bes. Bed. sind: seine erh. Aristoteles-Komm. (zu Aristot. an., an. pr., an. post., cat., gen. corr., meteor., phys.), ferner die polemischen Schriften De aeternitate mundi contra Proclum, De aeternitate mundi contra Aristotelem (nur Fr.) sowie der Komm. zum Hexaemeron (De opificio mundi). Er argumentiert unter rein philos. Voraussetzungen für die Annahme eines Anfangs und eines Endes der Welt, führt zur Erklärung von Projektilbewegungen den Impetus-Gedanken ein und bezieht diesen durch den christl. Schöpferglauben auch auf alle natürlichen Bewegungen. Damit distanziert er sich von der aristotelischen Lehre von der Kreisbewegung des Himmelsaithers. In seinen (erh.) theologischen Schriften *Diaitētḗs*, *Tmḗmata* und *Epistula ad Iustinianum* entwickelt er seine monophysitische Theologie (→ Monophysitismus), in *De trinitate* (nur Fr.) begründet er seinen Tritheismus. Mit seiner gegen Aristoteles entwickelten Kosmologie haben sich islam. und lat. Denker im MA intensiv auseinandergesetzt.   K.SA.

III. BEDEUTUNG UND WIRKUNG

Der relativen Wirkungslosigkeit seiner theologischen Spekulationen steht eine ungeheure philos. Leistung gegenüber, welche Ph. zu einem Wendepunkt in der Gesch. der aristotelisch-neuplatonischen Naturphilos. werden läßt. Die Auseinandersetzung mit Aristoteles [6] geht aus seiner umfangreichen Tätigkeit als Lehrer und Kommentator hervor und ist nichts weniger als eine grundsätzliche Neureflexion der damaligen physikalischen Grundbegriffe. Ph. kritisiert u. a. die auf aristotelischen Argumenten beruhende neuplaton. Vorstellung einer ersten, formlosen Materie (als der untersten Stufe der → Ontologie) und ersetzt sie durch das Postulat der dreidimensional-körperlichen Ausdehnung (τὸ τριχῇ διαστατόν). Die aristotelische Definiton des Ortes eines Gegenstandes als der inneren Oberfläche des ihn umgebenden Körpers fällt seiner Kritik ebenso zum Opfer wie die aristotelischen Vorstellungen vom → Raum und von der Gesetzmäßigkeit der Fallbewegung. Zu seinen wichtigsten und einflußreichsten Gedanken zählt die im Physik-Komm. entwickelte Impetus-Theorie (→ Physik) sowie die vernichtende Kritik (in *Contra Aristotelem*) der aristotelischen Aithertheorie und der Lehre von der Ewigkeit von Zeit und → Bewegung. Bleibendes Verdienst des Ph. ist die kritisch-konstruktive Auseinandersetzung mit Aristoteles, die ihn zum Vorläufer der frühneuzeitlichen Emanzipation vom → Aristotelismus macht.

Umstritten ist, was seinen Bruch mit der philos. Schultrad. hervorgerufen und überhaupt ermöglicht hat. Bemerkenswert ist, daß Ph. über die inhaltlichen Meinungsverschiedenheiten hinaus auch die methodischen Grundlagen neuplaton. Hermeneutik hinterfragt. Als Christ lehnt er den Gedanken der Abhängigkeit des Seelenheils von der Philos. ab; zugleich schwindet der Glaube an die fraglose Autorität der großen Denker (vornehmlich Platon und Aristoteles) sowie das Bedürfnis, evidente philos. Meinungsverschiedenheiten zu harmonisieren. Dabei konzentriert sich Ph. darauf, philos. Begriffe auf ihre vom Autor intendierte Bed. zu überprüfen, wobei er der platon.-neuplaton. Tendenz entgegentritt, die Begriffe als direkte Abbilder und Zeichen einer noetischen Welt wahrer Wirklichkeiten zu deuten.   CH. WI.

→ Ammonios [9]; Aristoteles-Kommentatoren; Aristotelismus; Monophysitismus; Neuplatonismus; Trinität

ED.: C. SCHOLTEN (ed.), Johannes Ph., De opificio mundi (Fontes Christianae 23), 1997 · H. RABE (ed.), De aeternitate mundi, 1899 · K. WALTER (ed.), Libellus de paschate, 1899, 198–229 · A. ŠANDA (ed.), Johannis Philoponi opuscula monophysitica, 1930 · PG 94, 743–754 (Fr. bei Iohannes von Damaskos).
LIT.: L. FLADERER, Johannes Ph., De opificio mundi: Spätant. Sprachdenken und christl. Exegese, 1999 · F. A. J. DE HAAS, John Philoponus' New Definition of Prime Matter, 1996 · C. SCHOLTEN, Ant. Naturphilos. und christl. Kosmologie in der Schrift De opificio mundi des Johannes Ph., 1996 · R. SORABJI (Hrsg.), Philoponus and the Rejection of Aristotelian Science, 1987 · C. WILDBERG, John Philoponus' Criticism of Aristotle's Theory of Aether, 1988 · M. WOLFF, Fallgesetz und Massebegriff, 1971.
                                         K.SA. u. CH. WI.

Philos, Philoi s. Hoftitel (B.)

Philosophie   A. WORT UND BEGRIFF
B. ALLGEMEINE KENNZEICHEN   C. PERIODEN

A. WORT UND BEGRIFF

Ph. bedeutet soviel wie »Liebe zur Weisheit« oder »Verlangen nach Wissen« (*Philo-sophia*). Das griech. Subst. φιλοσοφία (*philosophía*) bzw. das Verb φιλοσοφεῖν (*philosopheín*) taucht bei Homeros [1] und Hesiodos (um 700 v. Chr.) noch nicht auf, σοφία (*sophía*) dagegen gelegentlich. *Sophía* bedeutet jede Form von technischer Fertigkeit, intellektuellem Wissen oder polit. Klugheit, wie es etwa die → Sieben Weisen verkörpern (Hdt. 1,29; 30; 60; 4,95). Das Wort *philósophos* ist zum ersten Mal bei Herakleitos nachweisbar (fr. 35 DK), doch erst → Platon [1] gibt eine Definition – vor ihm ist *philosophía* gleichbedeutend mit *philomathía*, »Wißbegierde« (Thuk. 2,40,1). Bei Platon (bereits bei → Pythagoras nach einigen ant. Quellen: Cic. Tusc. 5,3,4) werden *sophía* und *philosophía* kontrastiert: erstere sei Gott allein vorbehalten (Plat. Phaidr. 278d; Aristot. metaph. 982b 17 ff.). Zwei Grundbedeutungen des Wortes Ph. lassen sich in der Ant. erkennen: 1) das Fragen nach den Himmelserscheinungen, dem Kosmos überhaupt (Naturphilos.), dessen Struktur nach vielen griech. Philosophen nur durch reines Denken zugänglich sei (s. auch → Metaphysik); 2) das Nachdenken über den Menschen und das gute Leben (→ Ethik).

B. ALLGEMEINE KENNZEICHEN

Die Griechen entwickeln den westl. Begriff der Wiss., verstanden als rigoroses Beweisen und Begründen von Annahmen, als Wissen um das Ganze sowie als eine Tätigkeit, die ihren Zweck in sich selbst hat (Aristot. protrepticus fr. 6; Plot. 3,8). Die Ph. beruht auf der Offenheit und Freiheit des Forschens, und ist durch die Grundbegriffe von Ordnung (*kósmos*) und Proportion oder Regelmäßigkeit (*lógos*) charakterisiert, wie sie auch in der Bildhauerei und Architektur der Zeit veranschaulicht werden. Der *kósmos* wird als umfassende, gesetz- und zweckmäßige Ordnung konzipiert (→ Kosmologie). Der Ordnungsgedanke den Kosmos betreffend wird auf das menschliche Leben übertragen und hierfür zum Paradigma erhoben. Daher die angestrebte Parallelität zw. Welt- und Staatsordnung (*pólis*). Das Verständnis und das Spezifikum der griech. Ph. formt sich durch eine graduelle Abgrenzung gegen den dichterisch dargestellten → Mythos (oder gegen die Rel.), aber auch gegen die Einzelwissenschaften. Der Ph. und dem Mythos gemeinsam sind Weltbild und -orientierung (→ Welt). Andererseits zielt die Ph. aber auch auf ein möglichst rationales, begriffliches Verstehen (→ Rationalität). Die Spannung zw. ant. Ph. und Dichtung wird durch den Gebrauch, den mehrere Philosophen (Parmenides, Herakleitos, Platon, Lucretius etc.) von dichterischen Formen (Gedicht, Aphorismus, Dialog, etc.) machen, relativiert (vgl. → Philosophische Literaturformen). Darüber hinaus unterscheidet sich die Ph. von den einzelnen empirischen Disziplinen; die → Mathematik, als rein rationale Wiss., bildet das Modell der Wiss. schlechthin (vgl. → Pythagoreische Schule, → Platon). Ph. ist primär der Versuch, die Einheit aus der Vielheit (metaphysisch, ethisch und polit.) zu denken. Die Erforschung des *kósmos*, des Seins überhaupt gilt den meisten griech. Philosophen als die höchste und eigentlichste Fähigkeit des Menschen. Auch deshalb ist Ph. gleichzeitig Ethik. Zudem kann sie durch die Abkehr von äußeren Gütern wie Geld und Ehre eine (mehr oder minder) asketische Lebensweise implizieren (→ Askese).

C. PERIODEN
1. ANFÄNGE
2. KLASSIK (SOKRATES, PLATON, ARISTOTELES)
3. HELLENISTISCHE UND RÖMISCHE PHILOSOPHIE
4. KAISERZEIT UND SPÄTANTIKE

1. ANFÄNGE
Der Anfang der Ph. in Griechenland beruht zum Teil auf den vorangegangenen wiss. Leistungen aus Mesopotamien und Ägypten, insbes. in → Mathematik und → Astronomie. Daher stammt auch die wiederholt geäußerte Bewunderung griech. Autoren für ihre traditionsreichen Vorgänger, so bei Herodot und Platon (z.B. Hdt. 2,109; Plat. leg. 819b). Erst bei den Griechen jedoch werden die Wiss. als Selbstzweck ohne praktischen Nutzen verstanden und getrieben. Die Ph. fragt zuerst nach der → Natur des Ganzen (*phýsis*), ab dem 5. Jh. v. Chr. dann auch (bzw. nur) nach der Natur des Menschen (*anthrōpínē phýsis*). Die → Milesische Schule (ionische »Natur-Ph.«) fragt nach dem Urstoff oder dem → Prinzip (*archḗ*) aller Dinge. Das Ordnungsprinzip wird als unveränderlich und göttlich (*theíon*) aufgefaßt (→ Eleatische Schule: → Parmenides, → Zenon). Die Naturphilos. führt teilweise zu einer Kritik des → Anthropomorphismus in der Rel. (→ Xenophanes und → Anaxagoras [2]), so auch später bei Platon. Die ma-

terialistische Denkart (→ Materialismus), wie der → Atomismus des → Demokritos [1], und ihre Weiterführung (→ Epikuros, → Lucretius [III 1]) sollte die Religionskritik radikalisieren. Später (vor allem in der hell. und frühchristl. Zeit) erscheint als Alternative zur Ablehnung der Dichtung deren allegorische Deutung, die einen tieferen Sinn hinter dem Wortlaut sucht (→ Allegorese).

2. KLASSIK
(SOKRATES, PLATON, ARISTOTELES)
Nachdem die → Sophistik (5.–4. Jh. v. Chr.) als erste einen radikalen Skeptizismus und Konventionalismus verteidigt, sucht → Sokrates (470/65–399 v. Chr.) die alten Moralvorstellungen rational zu fundieren. Sokrates hat damit die Ph. ›vom Himmel herabgeholt und sie unter den Menschen angesiedelt‹, indem er nach der Tugend (*aretḗ*) und dem → Glück (*eudaimonía*) fragte (Cic. Tusc. 5,10). Für ihn ist Einsicht die Bedingung zum guten, glücklichen Leben. Grundlegend wird die Sprache (*lógos*), genauer die im Dialog zu prüfenden Meinungen (*lógoi*) der Menschen (Plat. Phaid. 96a–99d). Die dialektische Widerlegungskunst (*élenchos*) deckt Scheinwissen und Dünkel auf und weist damit auf den langen Weg der philos. Erkenntnis hin. Außer Sokrates' Schülern → Xenophon und bes. → Platon (deren Werke erh. sind) gehören zu den Sokratikern die Vertreter des → Kynismus (→ Antisthenes [1], → Diogenes [14] von Sinope), die → Kyrenaïker (→ Aristippos [3]) und die → Megariker (→ Eukleides [2]), die jeweils verschiedene Aspekte der heute kaum zu rekonstruierenden Lehre des Sokrates, der selbst nichts schrieb, hervorheben: die Autarkie (→ *autárkeia*), die → Lust und die → Logik (oder Dialektik).

Platon betont die Komponente *phílos* in *philosophía/philosopheín* und fixiert die Ph. so nicht als »Weisheit« (*sophía*), sondern als das »Verlangen« danach (Plat. Phaid. 61a; Plat. Gorg. 484c). Der Philosoph liebt nicht einen Teil der Weisheit, sondern ›die ganze Weisheit‹ (Plat. rep. 475b; 580d-e). *Sophía* bleibt das Ziel, auch wenn sie nie ganz erreichbar ist. Als wahrhafte, umfassende Bildung (*paideía*) wird die Ph. bei Platon zum Gipfel aller Künste und Wiss. Die → Dialektik soll bis zu den ahypothetischen Prinzipien und den rein noetischen Ideen führen (→ Ideenlehre). So koinzidieren das menschliche und das metaphysische Gute. Scharf entgegengesetzt wird die Ph. der → Sophistik, die (Schein-)Wissen zum bloßen Mittel der Selbstdarstellung degradiere. In Abkehr vom sophistischen Relativismus stellt Platon die grundsätzliche Unterscheidung von → Meinung (*dóxa*) und Wissen (*epistḗmē*) her (→ Erkenntnistheorie). Platons idealistische Staatslehre geht vom (als unwahrscheinlich anerkannten) Zusammenfallen von polit. Macht und echtem, selbstlosem Wissen (→ Politische Philosophie) aus.

→ Isokrates, Schüler des → Gorgias [2], versucht eine Rückkehr zum allgemeineren Sinn der Ph. als *sophía* und dadurch ihre Versöhnung mit Politik und → Rhetorik, indem er die Erreichbarkeit und Relevanz des

Wiss.-Ideals ablehnt. Geschichtlich betrachtet erlangte eher die isokratische als die platonische Konzeption dauerhafte Wirkung auf das ant. → Bildungswesen. Die Schule Platons, die Akademie (→ Akadḗmeia), stellt eine philos. Lebensgemeinschaft dar, die auch indirekt polit. wirken soll (→ Philosophisches Leben). Nach Platons Tod entwickeln sich die vor allem mathematisch orientierte sogenannte Alte Akademie (→ Speusippos, → Xenokrates) sowie die Mittlere (→ Arkesilaos [1]) und die Neue Akademie (→ Karneades [1]), die unterschiedliche Formen von → Skeptizismus aufweisen.

→ Aristoteles [6] weist Platons unitarische Konzeption des Wissens zurück und teilt die Ph. in theoretische Ph. (→ Metaphysik, → Mathematik, → Physik) einerseits und praktische und »herstellende« (poietische, poiētikḗ) Ph. (Poetik, Rhet., Ökonomie, Politik, → Ästhetik; → Praktische Philosophie; → Politische Philosophie) andererseits. Die verschiedenen Wissensgebiete oder Philosophien sollen den unterschiedlichen Gattungen (génē, eídē, lat. genera) des Seins entsprechen (Aristot. metaph. 1004a 4). Die Ph. im strengeren, eigentlichen Sinne (Metaphysik) behandelt nur die zugleich allgemeinste und höchste Gattung, das Sein selbst (Aristot. metaph. 1026a 20). Allein das theoretische Leben erlaubt dem Menschen Autarkie (Aristot. eth. Nic. 1097b 10–11; 1172a 27–35). Allg. ist Aristoteles' (nur zum Teil erh.) Werk durch zwei Grundtendenzen gekennzeichnet: Systematisierung und Spezialisierung. Die philos. Spekulation bleibt mit empirischer Forsch. (vornehmlich mit der Biologie) gekoppelt.

Die Fortsetzung der aristotelischen Schule, des Lykeions, läßt sich nur bis zum 2. Jh. v. Chr. verfolgen (→ Peripatos). Einen Neubeginn ermöglicht die Veröffentlichung der Gesamtausgabe des Aristoteles durch → Andronikos [4] (um 50 v. Chr.), die eine neue Trad. von → Aristoteles-Kommentatoren initiiert. Der → Aristotelismus wird im → Neuplatonismus aufgenommen und in ihn integriert.

3. HELLENISTISCHE UND RÖMISCHE PHILOSOPHIE

Die hell. Schulen (seit etwa 300 v. Chr.) teilten die Ph. systematisch in Physik, Ethik und Logik und verstanden jene v. a. als → Ethik oder Moral-Ph. (ars vitae, Cic. fin. 2,2). Die ethische Grundeinstellung ruht meist auf Physik, das heißt einer Weltkonzeption (Sen. epist. 89,7). Die dem Theoretischen und dem Praktischen zugewiesene Bed. gestaltet sich je nach Denker unterschiedlich. Platon, Aristoteles und bes. die Person des Sokrates gelten für den → Stoizismus als entscheidender Bezugsrahmen. Allg. läßt sich feststellen, daß das Hauptinteresse der hell. Ph. nicht mehr die Ordnung des Kosmos ist, sondern die Suche nach dem → Glück. Ph. soll Hilfe gegen Schicksalsschläge sein (Sen. epist. 104,21–24) und Seelsorge leisten (Epikt. dissertationes 3,3; 13; 15; M. Aur. 2,17). Durch geistige Übungen ist Seelenruhe (→ ataraxía, apátheia, lat. tranquillitas animi) zu erlangen. Angestrebt werden die Reduzierung der Bedürfnisse, die bei den Kynikern (→ Kynismus) auf die Spitze getrieben wird, und die Beherrschung der Leidenschaften und des Begehrens nach äußerlichen Dingen. Die praktische Orientierung führte zu verschiedenen Formen von → Popularphilosophie. → Zenon von Kition (333/2–262 v. Chr.) und die alte Stoa entwickeln auch die → Logik und eine Sprachkonzeption, außerdem kommt es in dieser Periode zu einer Blüte einzelner Wiss. wie → Mathematik und → Astronomie. Die Mittlere Stoa (→ Panaitios und → Poseidonios) nimmt eine Umorientierung vor, wobei unter anderem eine Milderung der moralischen Strenge und des epistemologischen Optimismus erfolgt (Cic. fin. 4,79). Nach 167 v. Chr. wird die stoische Ph. in Rom in polit. Kreisen rezipiert (sog. → Scipionenkreis) und dadurch eingebürgert. → Cicero nimmt weitgehend die isokratische Konzeption der Ph. als Allg.-Bildung (→ enkýklios paideía) auf und bildet dadurch das eigentümlich röm. Denkmodell von → humanitas.

Auf der Basis des Atomismus des Demokritos und des Hedonismus der Kyrenaïker gründet → Epikuros (342/1–271/70 v. Chr.) eine weitere moralisch orientierte Ph.-Schule. Unterschieden wird zw. dem, was in menschlicher Macht steht, und was nicht, wodurch der Raum der Freiheit und der Verantwortung bestimmt wird (Diog. Laert. 10,133–134). Epikuros grenzt sich gegen die Stoa durch seine apolitische Einstellung ab (Diog. Laert. 10,130 ff.; Lucretius' [III 1] Aneignung der epikureischen Position bildet insofern eine Ausnahme im polit. orientierten röm. Geistesleben). Die Unveränderlichkeit des Seins wird aber von ihm weiter angenommen, der völlige Determinismus der Stoa hingegen abgelehnt. Die Skeptiker (→ Pyrrhon von Elis, ca. 360–271 v. Chr., später → Sextos Empeirikos, um 200 n. Chr.) – ähnlich wie die Sophistik und die Mittlere Akademie – weisen jede Möglichkeit von Erkenntnis zurück (Diog. Laert. 9,61 und 74–76; S. Emp. adv. math. 11,140). Dieser Agnostizismus hat die Akzeptanz der Sitten der eigenen Ges. zur Folge, und soll dann auch zur gesuchten Gelassenheit (ataraxía) beitragen.

Berichte über Frauen, die sich philos. betätigten, sind selten und unergiebig, aber, wie heute immer mehr anerkannt, rekonstruktionswürdig und -bedürftig (→ Philosophinnen).

4. KAISERZEIT UND SPÄTANTIKE

In der Spätant. findet ein Übergang vom Praktischen zum Rel.-Metaphysischen statt. Den Höhepunkt der Epoche (1.–4. Jh. n. Chr.) bildet der → Neuplatonismus (→ Plotinos, → Porphyrios, → Proklos), der eine stark theologische Lektüre platonischer Texte vornimmt; die Einswerdung mit dem unaussprechlichen Einen ist das Ziel (Plot. Enneades 6,7,35; 5,9,10). Das mystische Element basiert jedoch auf streng rationalen Übungen. Die Betrachtung der als göttlich, unwandelbar und ewig angesehenen Welt impliziert zugleich eine Ethik: Die göttliche Ordnung soll nachahmend verwirklicht werden. Damit verbunden ist Plotinos' Kritik an der pessimistischen Weltauffassung der → Gnosis. Dem platonischen Text folgend, wird die Gottes-Nachahmung zur Aufgabe der Ph. (Plat. Tht. 176b).

Nach der anfänglichen Opposition gegen die griech.-röm. Ph. (etwa → Tertullianus) suchen ab dem 2. Jh. n. Chr. die meisten christl. Denker (→ Clemens [3] von Alexandreia, → Origenes, → Hieronymus, → Augustinus) eine gemeinsame Basis von Ph. und christl. Offenbarung. Bei Augustinus etwa werden philos. Vernunft (*ratio*) und christl. Glaube (*fides*) als verschiedene, aber gegenseitig bedingte Wege zur Weltorientierung und Gotteserkenntnis angesehen; der Glaube sei dabei vorrangig. Elemente platonischer und neuplatonischer Theologie und stoischer Ethik werden in das neu entstehende christl. Weltbild integriert. Die Trennbarkeit der Seele von der irdischen Welt (trotz der Bejahung der Körperlichkeit durch die Inkarnation) und die Selbstgenügsamkeit Gottes bilden bedeutende Züge der gemeinsamen Grundlage. Autarkie wird dem Menschen jedoch wegen des Angewiesenseins auf die Erlösungstat Christi in der christl. Lehre versagt. Überdies mußte der neue Schöpfungsgedanke die griech. These der Ewigkeit der Welt (etwa bei Aristoteles) ablehnen (→ Philoponos). Diese Auseinandersetzung mit der hell. Ph. führte unvermeidlich zur Aneignung philos. und theologischer Begrifflichkeit, die dann wiederum zur Klärung etwa des Trinitäts- und Inkarnationsproblems beitrug. Als Übersetzer der aristotelischen Logik wird → Boëthius (ca. 430–524 n. Chr.), ähnlich wie früher Cicero, ein entscheidender Vermittler zw. griech. und lat. Geistesleben, zw. Ant. und MA überhaupt.

Von großer Bed. ist später auch die Rezeption und Vermittlung griech. Texte zum lat. MA durch die Araber (9.–12. Jh.), durch die die Neuentdeckung der Schriften des Aristoteles im 13. Jh. möglich wird. Ph., vornehmlich die aristotelische Metaphysik und Logik, wird dann unter die sieben Freien Künste (→ *artes liberales*) aufgenommen.

→ PHILOSOPHIE; PHILOSOPHIEGESCHICHTE

G. BARDY, »Ph.« et »Philosophe« dans le vocabulaire chrétien des premiers siècles, in: Revue ascétique et mystique 25, 1949, 97–108 · G. BIEN, Himmelsbetrachter und Glücksforscher. Zwei Ausprägungen des ant. Ph.begriffs, in: Archiv für Begriffsgesch. 26, 1982, 171–178 · E. BRÉHIER, Y a-t-il une ph. chrétienne?, in: Revue de métaphysique et de morale 38, 1931, 133–162 · L. BRISSON, Ph. du mythe, 1996 (dt. Übers. 1996) · W. BURKERT, Weisheit und Wissenschaft, 1962 · Ders., Platon oder Pythagoras? Zum Ursprung des Wortes »Ph.«, in: Hermes 88, 1960, 159–177 · R. BUXTON (Hrsg.), From Myth to Reason?, 1999 · M. CANTO-SPERBER (Hrsg.), Ph. grecque, ²1998 · A.-H. CHROUST, Philosophy: Its Essence and Meaning in the Ancient World, in: Philosophical Review 56, 1947, 19–58 · P. COURCELLE, Connais-toi toi-même. De Socrate à Saint Bernard, 3 Bde., 1974–1975 · E. R. CURTIUS, Zur Gesch. des Wortes »Ph.« im MA, in: Romanische Forsch. 57, 1943, 290–309 · A. DIHLE, Fachwiss. – Allgemeinbildung, in: H. FLASHAR (Hrsg.), Aspects de la ph. hellénistique (Entretiens 32), 1985, 185–231 · M. DIXSAUT, Le naturel philosophe, 1985 · K. DÖRING, Exemplum Socratis. Studien zur Sokratesnachwirkung..., 1979 · GGPh², Bd. 2.1, 1998; Bd. 3, 1994;

Bd. 4.1, 1994 · H.-G. GADAMER, Griech. Ph., 3 Bde., 1985–1991 (= Gesammelte Werke 5–7) · O. GIGON, Cicero und die griech. Ph., in: ANRW I 4, 1973, 226–261 · E. GILSON, Reason and Revelation in the Middle Ages, 1938 · GUTHRIE · P. HADOT, Ph. als Lebensform, 1991 · Ders., Qu'est-ce que la ph. antique?, 1995 · Ders., Les divisions des parties de la ph. dans l'Antiquité, in: MH 36, 1979, 202–223 (= Ders., Etudes de ph. ancienne, 1998, 125–151) · R. HARDER, Die Einbürgerung der Ph. in Rom, in: Antike 5, 1929, 291–316 (= Ders., KS, 1960, 330–353) · CH. HEIN, Definition und Einteilung der Ph. Von der spätant. Einleitungslit. zur arab. Enzyklopädie, 1985 · C. HORN, Ant. Lebenskunst. Glück und Moral von Sokrates bis zu den Neuplatonikern, 1998 · G. B. KERFERD, The Image of the Wise Man in Greece in the Period Before Plato, in: F. BESSIER (Hrsg.), Images of Man in Ancient and Medieval Thought. FS G. Verbeke, 1976, 17–28 · TH. KOBUSCH, Metaphysik als Lebensform. Zur Idee einer praktischen Metaphysik, in: W. GORIS (Hrsg.), Die Metaphysik und das Gute, 1999, 29–56 · H. J. KRÄMER, Der Ursprung der Geistesmetaphysik, 1964 · Ders., Platonismus und hell. Ph., 1971 · A. M. MALINGREY, Philosophia. Étude d'un groupe de mots dans la littérature grecque des Présocratiques au IVᵉ siècle après J.-C., 1961 · M. PUELMA, Die Rezeption der Fachsprache griech. Ph. im Lat., in: Freiburger Zschr. für Philos. und Theologie 33, 1986, 45–69 · P. RABBOW, Seelenführung. Methodik der Exerzitien in der Ant., 1954 · F. RICKEN (Hrsg.), Ph. der Ant., 2 Bde., 1996 · E. RUDOLF (Hrsg.), Polis und Kosmos, 1996 · TH. A. SZLEZÁK, Platon und Aristoteles in der Nus-Lehre Plotins, 1979 · G. VERBEKE, L'homme et son univers: de l'Antiquité classique au Moyen Age, in: C. WENIN (Hrsg.), L'homme et son univers au Moyen Age, 1986, 16–41 · N. VOLIOTIS, The Term »Philosophy« in Isocrates' Works and the Relevant Aspects in Plato's and Aristotle's, in: Platon 30, 1978, 134–139 (neugriech.) · C. J. DE VOGEL, Some Reflections on the Term »Philosophia«, in: Philosophia (Assen) 1, 1970, 3–24.   F. R.

Philosophinnen   A. PROBLEME DER DEFINITION   B. HISTORISCHER ÜBERBLICK   C. WISSENSCHAFTSGESCHICHTE

A. PROBLEME DER DEFINITION

Aufgrund zumeist familiärer Bande von Ph. zu namhaften Denkern wird in ant. Quellen vorzugsweise über ihr Verhältnis (als Geliebte, Hetäre, Gattin, Tochter) zu diesen berichtet. Leben und Leistung von Ph. ausgewogen zu beurteilen, ist also in den seltensten Fällen möglich. Die feministische Theorie geht soweit, alle Frauen, deren philos. Ambitionen dokumentiert sind, als Ph. zu bezeichnen [6. XIII–XV].

B. HISTORISCHER ÜBERBLICK

Die lit. Quellen berichten bevorzugt über das ämulative Verhältnis von Ph. zu deren männlichen Kollegen: so über → Hipparchia und → Theodoros Atheos (Diog. Laert. 6,97), Leontion und → Theophrastos (Cic. nat. deor. 1,93), → Hypatia und → Isidoros [7] (Damaskios, Epitome Photi 164 ZINTZEN). Berichte aus dem → Neuplatonismus betonen erstmals Überlegenheit von Ph., so für → Sosipatra (Eun. vit. soph. 6,6,5), für die Frau des Maximos von Ephesos (ebd. 7,3,16) und für Hypatia (Synes. epist. 136; Sokrates Scholastikos 7,15,1). Die Marginalisierung von Ph. wurde durch die soziokulturellen Grundbedingungen für genuines Philosophieren gefördert: Der philos. Eros in der platonischen Trad. wie auch die *philía*- Konzepte von → Peripatos und Stoa sind männlich konnotiert. Freilich zeigten Pythagoreer und Epikureer gegenüber Ph. größere Akzeptanz. Zu Ph. in der Akademie (→ *Akadémeia*) gibt es widersprüchliche Berichte [2]. Dem Peripatos werden keine Frauen zugerechnet.

Ph. nahmen zu Problemen der Physik, Ethik und Logik Stellung. Eine betont rel. Komponente weiblichen Philosophierens ist zu beobachten: Von Themistoklea (Diog. Laert. 8,8) bis hin zu den Neuplatonikerinnen Sosipatra (Eun. vit. soph. 6,6,6–7) und Asklepigeneia (Marinos, Vita Procli 28) reichen die Beispiele. Grunddogmen der philos. Anthropologie, die die Geschlechterordnung begründeten, scheinen von Ph. nicht explizit angesprochen worden zu sein. Aus den Briefen der Pythagoreerinnen läßt sich immerhin ersehen, daß Ph. den weibl. Lebenszusammenhang, die männl. Perspektive ergänzend, reflektierten. Weibl. Denken dürfte sich in der Regel in patriarchalische Denkstrukturen eingefügt haben.

Für Frauen der gesellschaftlichen Eliten war in der griech. und röm. Ant. kein Erziehungsgang vorgesehen, der eine philos. Ausbildung empfahl. Die Kontaktnahme mit der Philos. erfolgte durch ein (meist verwandtschaftliches) Naheverhältnis zu einem philos. Zirkel. Die Funktion der Schulleitung ist nur für Arete von Kyrene (Strab. 17,3,22) sicher bezeugt. Unterricht, wenn auch nicht an einem institutionalisierten Ort, gaben Sosipatra (Eun. vit. soph. 6,9,2) und Hypatia (Sokrates Scholastikos 7,15,1; Damaskios fr. 102,5–7 ZINTZEN; → Philosophischer Unterricht).

Während bis zum ausgehenden Hell. und ab der Spätant., beginnend mit den Schülerinnen des Plotinos (Porph. vita Plotini 9,2–4), zahlreiche Aktivitäten von Ph. bezeugt sind, fehlen für Rom entsprechende Nachrichten. Einigen wenigen Frauen, einer Anhängerin Ciceros, Caerellia (Cic. Att. 13,21a,2), und Frauen aus stoischen Kreisen, zuvorderst Porcia, der Tochter des M. Porcius [1] Cato (Plut. Cato minor 23,2–6), wird ein Interesse an Philos. attestiert. Hinreichende Indizien dafür, daß sie als Ph. wirkten, fehlen freilich. Selbst die Rezeption griech. Ph. im lat. Schrifttum nimmt sich – christl. Autoren ausgenommen – bescheiden aus. Cicero hat in Erläuterung seiner Aneignung der griech. Philos. seine Ansicht über Ph. pointiert formuliert: Vorbildliche Politiker, nicht aber eine griech. Ph. wie → Themista sollten in die röm. Lit. Eingang finden und zur Nachahmung anleiten (Cic. fin. 2,68; zur Abwertung von Ph. – am Beispiel Themistas – vgl. zudem Cic. Pis. 26,63).

Die Christen versahen den Begriff *philosopheín* (»Philos. betreiben«) allg., aber selbst in Hinblick auf eine frauenspezifische Lebensform mit einem neuen Inhalt: das Lebensziel auf Gott und eine immaterielle Existenz im Sinne des NT auszurichten und eine asketische Lebensordnung zu befolgen. Gregorios [2] von Nyssa erläutert dieses Verständnis von Philos. in der Vita seiner Schwester → Makrina (Greg. Nyss., Vita Sanctae Macrinae, bes. 5,44–50; 11). Auch die Tätigkeit einer anon. Apostelin im südlichen Kaukasus (Sokr. 1,20,2), die anders als Makrina in der Öffentlichkeit wirkte, wird mit *philosopheín* bezeichnet. Während die Quellenlage zu den altgläubigen Ph. keine hinreichenden Rückschlüsse auf eine mögliche lit. Stilisierung erlaubt, läßt sich das Bild der christl. Ph. zumindest im griech. Osten klar fassen [3. 13–23]. Für den röm. Westen sei auf Marcella, eine Anhängerin des Hieronymus, verwiesen. Ihre philos. Tätigkeit wird schemenhaft bei Hier. epist. 127, bes. 4–9, erkennbar.

Die Mitarbeit von Frauen an Werken, die unter dem Namen eines Lehrers publiziert sind, wird vielfach vermutet: so für Hypatia die inhaltsformende Edition des Ptolemaios-Komm. ihres Vaters Theon von Alexandreia [5. 69]. Neben der grundsätzlichen Marginalisierung von Autorinnen könnten esoterische Lehrformen von Ph., die von einer Verschriftlichung Abstand nahmen, dazu beigetragen haben, daß nur wenige Texte von Ph. überliefert sind (dagegen [1. 132–134]). Die Pythagoreerinnen legten ihre Schriften bevorzugt in Briefen nieder, die vielfach als Pseudepigrapha eingeschätzt werden und deren Datier. nach wie vor umstritten ist [4].

C. WISSENSCHAFTSGESCHICHTE

Bereits in der Ant. existierten Material-Slgg. zu Ph. (Phot. cod. 161 HENRY 2, p. 127). Daß Ph. keine zu vernachlässigende Gruppe bildeten, bezeugt u. a. eine spöttische Bemerkung bei Lukian. Eunuchus 47,7. Nach Clem. Alex. strom. 4,19,121,5 erwähnt auch Hieronymus (Hier. adv. Iovinianum, PL 23, 1,42,285), daß Philon (Schüler des Diodoros [4] Kronos) den Töchtern seines Lehrers, den Ph. Argia, Artemisia, Pantaklea und Theognis, eine Schrift gewidmet habe. Aktuelle Hdb. zu Ph. gehen zumeist auf die *Historia mulierum philosopharum* des G. MÉNAGE (1690) zurück. Das Bemühen, die feministische Theorie einer Gesch. der antiken Ph. zugrunde zu legen, begleitet mittlerweile die Erforschung von Leben und Werken von Ph. [6].
→ Bildung; Frau; Geschlechterrollen; Hipparchia; Hypatia; Literaturschaffende Frauen; Makrina; Sosipatra

1 G. CLARK, Women in Late Antiquity, 1993
2 T. DORANDI, Assiotea e Lasteneia, due donne all' Academia, in: Atti e memorie Accademia Toscana »La Colombaria« 54, 1989, 53–66 3 E. GIANNARELLI, La tipologia femminile nella biografia e nell'autobiografia cristiana del IV secolo, 1980 4 MORAUX, Bd. 2, 605–607
5 A. TIHON, Le ›Grand Commentaire‹ de Théon d'Alexandrie aux tables faciles de Ptolemée, Bd. 1, 1985 6 M. E. WAITHE, A History of Women Philosophers I. Ancient Women Philosophers 600 B.C.–500 A.D., 1987 (Rez.: F. DECLEVA-CAIZZI, in: Rivista critica di storia della filosofia 44, 1989, 569–572).

A. CAVARERO, Platon zum Trotz. Weibliche Gestalten der
ant. Philos., 1992, 145–207 • T. DORANDI, Figure femminili
della filosofia antica, in: F. DE MARTINO (Hrsg.), Rose di
Pieria, 1991, 261–278 • M. ERLER, Frauen im Kepos, in:
GGPh² 4.1, 1994, 287f. • GOULET, Bd. 1–2, 1994 •
A. JENSEN, Gottes selbstbewußte Töchter.
Frauenemanzipation im frühen Christentum?, 1992 • G.
MÉNAGE, The History of Women Philosophers (engl.
Übers.), 1984.   HE. HA.

Philosophische Literaturformen.

Mit ph. L. sind Darstellungsformen und sprachliche Darstellungsmittel gemeint, deren sich die ant. Philos. bedient. Ihre Unterscheidung von nicht-philos. Formen mit Blick auf Fachterminologie (die bisweilen bewußt gemieden wird: Plat. Tht. 182a; vgl. die Auseinandersetzung des Epikuros mit Metrodoros [3] von Lampsakos, Epik. de natura B. 28 [1. 101, 218]) oder auf logische Strenge ist nicht immer eindeutig. Notwendig bleibt die Frage nach dem Inhalt; die nach der Beziehung von Lehre und lit. Gattung ist meist nur im Einzelfall zu bestimmen [2. 548; 3. 1035ff.; 4. 848].

A. DICHTUNG UND PROSA
B. DARSTELLUNGSWEISE UND FUNKTION
C. MÜNDLICHKEIT UND SCHRIFTLICHE FORMEN
D. FORMEN IM ZUSAMMENHANG MIT
PHILOSOPHISCHEM UNTERRICHT

A. DICHTUNG UND PROSA

Das Spektrum der ant. ph. L. reicht von → Aphorismus und → Gnome als ›scharf formulierte, allg. gültige Gedanken, die sich auf das Tun der Menschen beziehen‹ (vgl. Aristot. de philosophia fr. 13 ROSE [5. 35]) über → Lehrgedicht und philos. → Hymnen (Orphische Hymnen s. → Orphik, → Kleanthes [2], → Lucretius [III 1], → Proklos) zu → Dialog, Symposion- und Memorabilien-Lit. (→ Athenaios [3], → Xenophon), es umfaßt Essay, → Diatribe, → Protreptik, Parainese und → Konsolationsliteratur ebenso wie Lehrbuch, Traktat und Brief-Lit. (→ Brief [6. 3ff.]; [3. 1049ff.] mit Blick auf christl. Lit.). Eine Ursache dieser Vielfalt mag in der Zwischenstellung der Philos. zw. Dichtung und Wiss. liegen. Der Wechsel von Theogonie zur Kosmogonie, von Genealogie zur Aitiologie, vom Mythos zur Physik in den frühesten philos. Werken wird begleitet vom Übergang von dichterischer Ausdrucksform zu Prosa (→ Anaximandros, → Anaximenes, → Herakleitos, → Anaxagoras, → Pherekydes [7. 15]). → Parmenides wählt die Form des Lehrgedichtes, sein Schüler → Zenon von Elea hingegen verteidigt die Thesen des Lehrers in Prosa (vgl. Plat. Parm. 127c). Die generelle Bevorzugung der Prosa in der Philos. des 5./4. Jh. v. Chr. ist wohl als Reaktion auf die bis dahin dominante Dichtung zu werten. → Xenophanes', Parmenides' oder → Empedokles' Entscheidung für didaktische Dichtung [8. 838ff.] ist vor diesem Hintergrund auffällig. Die Wahl dichterischer Formen für die Vermittlung philos. Wissens will sich offenbar das Ansehen (→ Musen-In-

spiration) und die durch Dichtung gegebenen poetischen Möglichkeiten der Wissensvermittlung (Mnemotechnik, s. → memoria) zunutze machen oder sie folgt der Überzeugung, daß der Gegenstand eine bes. Ausdrucksform verlangt. Noch Kleanthes sieht die poetische Sprache als adäquate, philos. Ausdrucksform für den göttlichen Bereich; Lucretius läßt diese Vorstellung im Proömium zum 5. B. anklingen [9; 10; 11]. Von Bed. mögen auch das kulturelle Umfeld und das intendierte Publikum gewesen sein (Xenophanes, Parmenides, Empedokles z. B. in → Magna Graecia) [12; 13].

B. DARSTELLUNGSWEISE UND FUNKTION

Als Ordnungskriterien sind (1) das Verhältnis von Autor und Werk, (2) die Darstellungsform oder (3) die Funktion der Texte angeführt worden:

(1) Behandelt der Autor eigene Vorstellungen in Form von Aufzeichnungen (z. T. bei → Aristoteles [6]) bzw. öffentlichen Vorträgen, oder spricht er über andere Philosophen (→ Xenophon, ›Memorabilien‹, → Doxographie)? Schreibt er unter eigenem Namen, läßt er seine Meinungen durch andere verkünden, oder läßt er den Leser über seine philos. Meinung im unklaren (vgl. z. B. die »Anonymität« Platons) [4. 849]. (2) Schon in der Ant. hat man darstellende (hyphḗgēsis) von untersuchenden (zḗtēsis) Schriften unterschieden (Platons Dialoge wurden nach diesen Diskurstypen kategorisiert: Diog. Laert. 3,49; Albinos, Isagoge 3; [14; 15; 16]). Im ersteren Fall bietet die Darstellung einen Überblick über die gesamte Lehre bzw. zentrale Teile (z. B. Epikurs ›Brief an Herodot‹; Lucretius; Proklos' ›Elemente der Theologie‹) oder behandelt bes. Fragen, wobei sie von Grundsätzen ausgeht und zu Folgerungen gelangt (Theorem-Beweis); → Eukleides' [3] ›Elemente‹ sind hierfür bekanntestes Beispiel und oft wohl auch Modell. Wieder andere Darstellungen (Handbücher, Doxographien) orientieren sich an der Ordnung der Gegenstände (z. B. Teilen der Philos.). Bei den untersuchenden Darstellungen (zḗtēsis) veranlassen Fragen eines Schülers an den Lehrer – sei es als Reaktion auf eine These (»Problemata«; »Zetemata«; »Aporien und Lösungen«) [17. 1ff.] oder einen Text (vgl. Iambl. de myst., anläßlich von Porphyrios' ›Brief an Anebon‹ [18]) – die Suche nach Antworten oder nach Prämissen für einen Schluß. Vor allem Platons »sokratische« Dialoge mit Überprüfungen (Elenktik) von Definitionen oder Thesen dienten wohl als Vorbild.

(3) Unter dem Gesichtspunkt des Zweckes wurden schon in der Ant. verschiedene Formen philos. Texte unterschieden (vgl. Stob. 2,7,2 WACHSMUTH-HENSE); Absicht und intendierter Adressatenkreis, aber auch die jeweilige Vorstellung von Wissen und seiner Vermittlung sind ausschlaggebend. Der Wunsch nach Inhaltsvermittlung ist mit dem Bestreben verbunden, dieses Wissen beim Leser zur zweiten Natur – »Einfärben« ist hierfür beliebte Metapher – werden zu lassen, damit es im Leben wirksam werden kann (Sen. epist. 71,31: *olorare*; M. Aur. 5,16; Plat. rep. 430c: βάπτειν/*báptein*; vgl. [19]) und dadurch sein Leben zu verändern. Hierzu

diente vor allem die → Dialektik (»Dialoge«), zunehmend aber auch (bes. seit → Cicero) in der philos. Lit. der griech.-röm. Kaiserzeit die Einbeziehung stilistischer Mittel und der Rhetorik.

C. Mündlichkeit und schriftliche Formen

In Zeiten zunehmender Verschriftlichung im 5. und 4. Jh. v. Chr. finden Diskussionen über Vor- und Nachteile schriftlicher Texte im Kontext philos. Wissensvermittlung statt (Plat. Phaidr. 274b–277a; Plat. epist. 7, vgl. [20. 21–59; 21], → Schriftlichkeit-Mündlichkeit). Wer den Wissenserwerb dialektischer Wahrheitssuche und mündlichem Diskurs vorbehält, wird Texten nur unterstützende Funktion zubilligen (z. B. → hypómnēma). Dabei ist freilich je nach Publikum mit einer Mehrfachfunktion des Textes zu rechnen, z. B. für »aporetische« Dialoge Platons bei einem Publikum mit Vorkenntnissen mit einer erinnernden Funktion, bei einem beliebigen Publikum mit einer für die Schule werbenden Funktion (Plat. Phaidr. 276d; [20. 280ff.; 22]). Wer erworbenes Wissen als endgültige Wahrheit und schriftlich vollständig vermittelbar ansieht, wird in Texten adäquaten Ersatz für den Autor (Isokrates, vgl. [23; 21. 13ff.]), und Hilfe bei der Verinnerlichung der Lehre sehen (Epikuros, → Seneca, Epiktetos, Marcus [2] Aurelius). Texte mit Ergebnissen der vorausgegangenen Wahrheitssuche, wie Anthologien oder Sentenz-Slgg. der → Epikureischen Schule (Ratae Sententiae, Gnomologium Vaticanum), im → Stoizismus (Marcus [2] Aurelius' Meditationes), auch im Platonismus (→ Porphyrios' ›Brief an die Mutter‹), aber auch traditionelle Gattungen wie → Gebet und → Hymnos (z. B. Venushymnus in Lucretius' De rerum natura 1,1–61) erhalten in diesem Kontext philos. Funktion als Meditationshilfe zur Verinnerlichung des Wissens bzw. zur Selbstvergewisserung der Natur der Götter [24. 1500ff.; 27; 3. 1149ff.]. Beides soll der Orientierung im Leben und der philos. Lebenspraxis dienen. Auch die Lektüre traditioneller Dichtung als Reservoir moralischer exempla verhilft dazu, Philos. im Alltag wirksam werden zu lassen (z. B. → Horatius' Homerlektüre in Praeneste: Hor. epist. 1,2,1–30). Als Folge der Rückgewinnung der Transzendenz und mit der endgültigen Dominanz des Platonismus in der Spätantike (→ Neuplatonismus) geht es philos. Gebetstexten nicht mehr um Orientierung im Diesseits, sondern um Unterstützung des Rückkehrwunsches der Seele zu ihrem geistigen Ursprung (z. B. orphische und proklische Hymnen) [26].

Ant. Reflexion über die ph. L. findet sich bei → Isokrates, → Platon und (über Platons Dialoge) bei → Aristoteles [6] (vgl. Isokr. antidosis 45; Plat. Tim. 51e; Aristoteles über Platons Dialoge bei Diog. Laert. 3,37). → Apollonios [14] von Tyana sieht in der Philos. eine eigene Gattung (epist. 19). Theoretische Bemerkungen finden sich in der ant. Brief-Lit. [3]. Überlegungen zu einer funktionalen Klassifikation philos. Textsorten mit Blick auf den Rezipienten bietet Epikuros (Brief an Herodot 35; dazu [27]): Je nach Leseinteresse (genaue

Kenntnis, Überblick) und Kenntnisstand (Fortgeschrittene oder Vorgebildete) sind Zusammenfassungen oder genaue Darstellungen nützlich. In der Philos. des Hell. und der griech.-röm. Kaiserzeit finden sich deshalb zunehmend Kurzfassungen (→ epitomé), Kompendien, Sentenzen-Slgg., Briefe, Kommentare.

Urspr. wurde mündlich philosophiert, und bei einigen Philosophen (Sokrates, Arkesilaos [5], Menedemos [8], Ammonios [9] Sakkas) blieb die Philos. aus verschiedenen Gründen der Mündlichkeit vorbehalten. Viele Textsorten stehen in Bezug zu oder sind erwachsen aus dem mündlichen Unterricht (→ Philosophischer Unterricht). Dabei sind mehrere Anwendungsbereiche zu unterscheiden, die durch den bei → Aristoteles [6] zuerst (vielleicht Platon folgend) verwendeten Begriff »exoterisch« bzw. sein Gegenteil »esoterisch« (»öffentlich«/»nicht-öffentlich«, bzw. »populär/fachlich«) gekennzeichnet werden können (Aristot. eth. Nic. 1,13, 1102a 26; 6,4,1140a 3; eth. Eud. 2,1,1218b 34; pol. 3,6,1278b 31; 7,1,1323a 22; eth. Eud. 1,8,1217b 22; metaph. 13,1,1076a 28; phys. 4,10,217b 30; dazu ferner pol. 1,5,1254a 33 und Eudemos bei Simpl. in Aristot. phys. (1,2,185b 5) Komm. p. 85,27 Diels = fr. 36 Wehrli; vgl. Lukian. vitarum auctio 26; vgl. [28; 29]). Aristoteles hat propädeutische Argumentationen offenbar als »exoterisch« bezeichnet. »Esoterisch« ist freilich nicht mit »geheim« gleichzusetzen [30. 400–405]. Wenn heute lit. Werke als »exoterisch« bezeichnet werden, so findet sich dieses Verständnis zuerst bei Cicero (Cic. fin. 5,5,12; Cic. Att. 4,16,2). Man wird bei Aristoteles, aber wohl auch schon bei Platon drei Bereiche unterscheiden können, in denen philos. Texte Verwendung fanden: die lit. Werke (»Dialoge«) für die Öffentlichkeit, »exoterische« Übungen oder öffentliche Unterrichtskurse; streng wiss. Vorträge und Diskussionen innerhalb der Schule (→ Philosophischer Unterricht).

Als kanonisch angesehene Texte wurden philologisch und inhaltlich kommentiert. Die Struktur der Komm. erinnert (z. B. → Olympiodoros' Komm. zum Platonischen ›Gorgias‹) an die Schulpraxis: Der Schüler liest einen Text vor, der Lehrer kommentiert, vgl. Cic. de orat. 1,46–47 = 16 Dörrie [32] (zu Komm. hilfreich [34], vgl. [31. 192]). Komm. wurden (gemeinsam mit Konkordanzen, Lexika, Gesamtdarstellungen, Monographien) zum wichtigen Bestandteil philos. Unterrichtes und der Philos. überhaupt (z. B. Anonymus, Commentarium in Platonis ›Theaetetum‹ (PBerol. inv. 9782) in [35]: anon. Theaitetos-Komm.; erster erh. Komm. zu Aristoteles ist → Aspasios' [1] Komm. zur ›Nikomachischen Ethik‹; CAG XIX 1 Heylbut).

D. Formen im Zusammenhang mit philosophischem Unterricht

Auch die → Diatribe steht in Zusammenhang mit mündlichen Formen philos.-rhet. Unterrichts-Trad., vielleicht mit innerschulischer Diskussion von Thesen (vgl. [37]). Elemente dieser Gattung (direkte Ansprache, dialogische Elemente, Wechseln von Frage und Antwort) reflektieren die urspr. Beziehung zwischen Student und Lehrer im schulinternen Vortrag. Der wohl erst im 19. Jh. für predigtartige, populärphilos. Ausführungen verwendete Begriff »Diatribe« (vorgeschlagen auch *diálexis, diálogos*; s. [3. 1124] mit weiterer Lit.) steht für Lehrtätigkeit, Vortrag oder Rede, die schriftlich verfaßt und lit. werden konnte, z.B. als Bericht über den Unterricht eines Philosophen (vgl. → Arrianos' [2] Ausgabe von → Epiktetos' *Dissertationes*).

Von Bed. sind »Einführungsschriften« (*Eisagōgaí*; → Isagoge) in verschiedenen Formen: dihäretische Einführungen mit Zergliederung vom allg. hin zum speziellsten Begriff der jeweiligen Wiss. (z.B. Alypios, Εἰσαγωγὴ μουσική/›Einführung in die Musik‹, ähnlich → Porphyrios' Εἰσαγωγή/›Einführung‹), Einführungsschriften mit dialogischen Strukturen (Porphyrios' Εἰσαγωγὴ εἰς τὰς κατηγορίας κατὰ πεῦσιν καὶ ἀπόκρισιν/›Einführung in die Kategorien durch Frage und Antwort‹) oder solche, die Schulunterricht widerspiegeln (Nikomachos' *Harmonikón encheirídion*/›Hdb. der Harmonik‹; [31. 58, Anm. 99; 40]), Werbeschriften (*Protreptikoí*: *Protreptikós* des Aristoteles, des → Iamblichos [2] oder Ciceros *Hortensius*, vgl. → Protreptik), mahnende und therapeutische Schriften (*Parainetikoí*), die sich z.B. mit Affekten auseinandersetzen (vgl. Plut. de ira; Seneca, Briefe), Philosophenviten, die als Hagiographie und zur Verinnerlichung im Kreis von Anhängern vorgelesen werden [38; 39], oder Kompendien: Sie alle gehören ebenfalls in den schulischen Kontext. Mitschriften und Reinschriften vom Unterricht (*hypomnḗmata*, lat. *commentarii*, vgl. Sen. epist. 33,7: *ex commentario sapere*; [40]) waren kaum zur Veröffentlichung bestimmt, wurden aber bisweilen gegen den Willen ihrer Verfasser publiziert (Plat. Parm. 128d); deshalb wurden dann autorisierte Fassungen in Umlauf gebracht (vgl. Arr. Epicteti dissertationes; Arr. epist. ad Gellium p. 5f. SCHENKL; Quint. inst. 1, praef. 7).

Andere philos. Gattungen haben keinen Bezug zum Unterricht: Briefe (Platons und Epikurs Briefe; kynische Briefe, Seneca) [3. 1132ff.], lit. Werke wie Biographie, Autobiographie (→ Augustinus, *Confessiones*), → Doxographien, Anekdoten, lit. gestaltete Material-Slgg. (vgl. → Clemens [3] von Alexandreia, *Strōmáteis*; → Gellius' [6] *Noctes Atticae*; → Athenaios' [3] *Deipnosophistaí*), Gedenk-Lit. (Platon, ›Apologie‹; Xenophons ›Memorabilien‹), die ›Meditationen‹ des → Marcus [2] Aurelius und die ›Dissertationen‹ des Epiktetos dienen auch außerhalb der Schule beim Adressaten der Verinnerlichung von Verhaltensweisen und von philos. Inhalten.

→ Diatribe; Literatur; Philosophie; Protreptik

1 M. ERLER, Epikur-Die Schule Epikurs-Lukrez (GGPh² 4.1), 1994 2 R. BRAND, Die lit. Form philos. Werke, in: Universitas 40, 1985, 545–556, bes. 548 3 K. BERGER, Hell. Gattungen im Neuen Testament, in: ANRW II 25.2, 1984, 1035–1432 4 P. HADOT, s. v. Philos. VI (Lit. Formen), HWdPh 7, 848–858 5 J. DALFEN, Formgesch. Unt. in den Selbstbetrachtungen Mark Aurels, 1967 6 M. UNTERSTEINER, Problemi di Filologia Filosofica, 1980 7 H. CHERNISS, Ancient Forms of Philosophical Discourse, in: Ders., Selected Papers, 1977, 14–35 8 E. PÖHLMANN, Charakteristika des röm. Lehrgedichts, in: ANRW I 3, 1973, 813–901 9 H. REICHE, Myth and Magic in Cosmological Polemics: Plato, Aristotle, Lucretius, in: RhM 114, 1971, 296–329, bes. 307 und Anm. 28 10 D. OBBINK, How to Read Poetry about Gods, in: Ders. (Hrsg.), Philodemus and Poetry, 1995, 188–209, bes. 205f. 11 P. HADOT, Physique et poésie dans le Timée de Platon, in: Revue de théologie et de philos. 115, 1983, 113–133 12 A. A. LONG, in: CHCL-G, 246 13 G. WÖHRLE, War Parmenides ein schlechter Dichter? Oder: Zur Form der Wissensvermittlung in der frühgriech. Philos., in: W. KULLMANN, J. ALTHOFF (Hrsg.), Vermittlung und Tradierung von Wissen in der griech. Kultur, 1993, 167–180, bes. 174ff. 14 B. REIS, Der Platoniker Albinos und sein sog. Prologos, 1999 15 O. NÜSSER, Albins Prolog und die Dialogtheorie des Platonismus, 1991 16 D. CLAY, The Origins of the Socratic Dialogue, in: P. VANDER WAERDT (Hrsg.), The Socratic Movement, 1994, 23–47 17 H. DÖRRIE, Porphyrios' Symmikta Zetemata, 1959 18 F.W. CREMER, Die Chaldäischen Orakel und Jamblich de mysteriis, 1969 19 M. ERLER, Röm. Philos., in: F. GRAF (Hrsg.), Einführung in die lat. Philol., 1997, 537–598, bes. 539–544 20 Ders., Der Sinn der Aporien in den Dialogen Platons, 1987 21 S. USENER, Isokrates, Platon und ihr Publikum, 1994 (mit weiterer Lit.). 22 K. GAISER, Protreptik und Paränese bei Plato, 1959 23 M. ERLER, Hilfe und Hintersinn. Isokrates' Panathenaikos und die Schriftkritik im Phaidros, in: L. ROSSETTI (Hrsg.), Understanding the Phaedrus, 1992, 122–137 24 R. J. NEWMAN, Cotidie meditare. Theory and Practice of the Meditatio in Imperial Stoicism, in: ANRW II 36.3, 1989, 1473–1517 25 M. ERLER, Reflexe mündlicher Meditationstechnik in der Kaiserzeit, in: W. KULLMANN et al. (Hrsg.), Gattungen wiss. Lit. in der Ant., 1998, 361–381 26 Ders., Interpretieren als Gottesdienst. Proklos' Hymnen vor dem Hintergrund seines Kratylos-Komm., in: G. BOSS, G. SEEL (Hrsg.), Proclus et son influence, 1987, 179–217 27 I. HADOT, Epicure et l'enseignement philosophique hellénistique et romain, in: Actes du VIIIᵉ Congrès de l'Association G. Budé, 1969, 347–356 28 F. DIRLMEIER, Physik IV 10 (Ἐξωτερικοὶ λόγοι), in: J. DÜRING (Hrsg.), Naturphilos. bei Aristoteles und Theophrast, Verhandlungen des 4. Symposium Aristotelicum in Göteborg, 1969 29 K. GAISER, s. v. Exoterisch/esoterisch, HWdPh 2, 866ff. 30 Th.A. SZLEZÁK, Platon und die Schriftlichkeit der Philos., 1985 31 J. MANSFELD, Prolegomena. Questions to be Settled Before the Study of an Author, or a Text, 1994 32 H. DÖRRIE, Der Platonismus in der Ant., Bd. 1, 1987, 433ff. 33 DÖRRIE/BALTES 3, 1993, 151f., 162ff., 184–226 (Überblick über Komm.-Lit. zu Platons Dialogen) 34 J. BARNES et al., Alexander of Aphrodisias: On Aristotle's Prior Analytics 1. 1–7 (engl. Übers.), 1991, 4–7 (bes. 5) 35 G. BASTIANINI, D. N. SEDLEY (Hrsg.), Corpus dei Papiri Filosofici Greci e Latini (CPF), Bd. 3: Commentari, 1995, Nr. 9 (227–562) 36 H. THROM, Die Thesis. Ein Beitrag zu ihrer Entstehung und Gesch., 1932 37 M. ASPER, Zu Struktur und Funktion eisagogischer Texte, in: W. KULLMANN et al. (Hrsg.), Gattungen wiss. Lit. in der Ant., 1998, 309–340 38 I. DÜRING, Aristotle's Protrepticus, 1961 39 D. CLAY, Individual and Community in the First Generation of the Epicurean School, in: G. MACCHIAVOLI (Hrsg.), Syzetesis, FS M. Gigante, 1983, 255–279 (bes. 264–270) 40 T. DORANDI, Den Autoren über

die Schulter geschaut. Arbeitsweise und Autographie bei den ant. Schriftstellern, in: ZPE 87, 1991, 11–33.

R. BRANDT, Die Interpretation philos. Werke. Eine Einführung in das Studium ant. und neuzeitlicher Philos., 1984, bes. 103–136 • J. M. BROEKMAN, Darstellung und Diskurs, in: E. W. ORTH (Hrsg.), Zur Phänomenologie des philos. Textes (Phänomenologische Forsch. 12), 1982, 77–97 • K. DÖRING, »Spielereien, mit verdecktem Ernst vermischt«, in: W. KULLMANN, J. ALTHOFF (Hrsg.), s. [13], 1993, 337–352 • H. FRÄNKEL, Dichtung und Philos. des frühen Griechentums, 1962 • K. VON FRITZ, Philos. und sprachlicher Ausdruck bei Demokrit, Plato und Aristoteles, 1966 • M. FUHRMANN, Das systematische Lehrbuch. Ein Beitrag zur Gesch. der Wiss. in der Ant., 1960 • O. GIGON, Grundprobleme der ant. Philos., 1959 • G. GABRIEL, C. SCHILDKNECHT (Hrsg.), Lit. Formen der Philos., 1990 • B. GLADIGOW, Sophia und Kosmos, 1965 • I. HADOT, Seneca und die griech.-röm. Trad. der Seelenleitung, 1969 • Dies., The Spiritual Guide, in: World Spirituality 15, 1986, 444–459 • P. HADOT, Philos. als Lebensform. Geistige Übungen in der Ant., 1991 • R. HIRZEL, Der Dialog. Ein literarhistor. Versuch, 2 Bde., 1895 (Ndr. 1963) • K. HORNA, s. v. Gnome, Gnomendichtung, Gnomologien, RE Suppl. 6, 74–87 (87–90: K. VON FRITZ, Ergänzungen) • R. KASSEL, Unt. zur griech. und röm. Konsolationslit., 1958 • M. LATTKE, Hymnus. Materialien zu einer Gesch. der ant. Hymnologie, 1991 • J. MANSFELD, Doxography and Dialectic. The Sitz im Leben of the »Placita«, in: ANRW II 36.4, 1990, 3056–3229 • Ders., Studies in the Historiography of Greek Philosophy, 1990 • Ders., D. T. RUNIA, Aetiana. The Method and Intellectual Context of a Doxographer, 1996 • J. MITTELSTRASS, Versuch über den Sokratischen Dialog, in: Ders., Wiss. als Lebensform, 1982, 138–161 • G. F. NIEDDU, Neue Wissensformen. Kommunikationstechniken und schriftliche Ausdrucksformen in Griechenland im sechsten und fünften Jh. v. Chr., in: W. KULLMANN, J. ALTHOFF (Hrsg.), s. [13] • J. STENZEL, Studien zur Entwicklung der platonischen Dialektik von Sokrates zu Aristoteles Arete und Diairesis, ²1931 (Ndr. 1961), 123–141 • TH. A. SLEZÁK, Platon lesen, 1993 • B. WEHNER, Die Funktion der Dialogstruktur in Epiktets Diatriben (Philos. der Ant. 13), 2000, bes. 27–36 • M. L. WEST, Early Greek Philosophy and the Orient, 1971 • W. WIELAND, Platon und die Formen des Wissens, 1982 • Ders., Platons Schriftkritik und die Grenzen der Mitteilbarkeit, in: V. BOHN (Hrsg.), Romantik. Lit. und Philos. Int. Beiträge zur Poetik, 1987, 24–44.   M. ER.

Philosophischer Unterricht

A. INSTITUTIONELLE ASPEKTE
B. UNTERRICHTSMETHODEN   C. LEHRINHALTE

A. INSTITUTIONELLE ASPEKTE

→ Platon begründete verm. seine Schule, die Akademie (→ *Akademeía*) – so benannt nach dem Gymnasion, in dem der Unterricht abgehalten wurde, nach dem Vorbild der pythagoreischen Lebensgemeinschaften (Plat. rep. 10,600b; → Pythagoreische Schule). Seine Institution diente ihrerseits als Modell für die nachfolgenden Philosophenschulen, die (anders als die jeweils an wechselnden Orten sich kurzzeitig bildenden

Schülergruppen der Sophisten; → Sophistik) in Athen durch Jh. fortbestanden: das von → Aristoteles [6] und → Theophrastos gegründete Lykeion (→ Peripatos), die von → Zenon von Kition begründete Stoa (→ Stoizismus) und der »Garten« (*képos*) des → Epikuros. Die Testamente der Schuloberhäupter belegen (Diog. Laert. 3,41; 5,11; 5,51; 5,61; 10,14; 10,69), daß die Besitzungen der Schule (Bibliothek, Grund und Boden) Eigentum des von Schulmitgliedern oder von seinem Vorgänger gewählten Schulleiters waren [1. 106–134; 2. 226ff.]. Rechtlich beruhten die Schulen daher auf der Person ihres Schuloberhaupts; die früher vertretene Ansicht [3. 262–291], daß die Schulen aus juristischen Gründen die Form von Rel.-Gemeinschaften annehmen mußten, entfällt somit. Der Unterricht fand in Vielzweckbauten (wie den beiden *Akadēmeía* und *Lykeíon*) benannten Gymnasien statt, oder, im Falle Zenons, in einer öffentlichen Säulenhalle, der *Stoá poikílē* (→ Stoa). Nur Epikuros besaß einen Garten mit Haus, in dem er unterrichtete und mit seinen Schülern gemeinschaftlich lebte (Diog. Laert. 10,17f.).

Im Unterschied zu den pythagoreischen Gemeinschaften standen diese Schulen einem großen, überwiegend männlichen und freigeborenen Publikum offen. Nur zwei Frauen, → Axiothea und Lastheneia, sind als Schülerinnen Platons und des → Speusippos bekannt (Diog. Laert. 4,2). Epikuros ließ als Schüler nicht nur Sklaven (Diog. Laert. 10,2; 10,10), sondern auch verheiratete Frauen und ehemalige Hetären zu [4. § 24, S. 287]. Bei den Stoikern erfahren wir nichts über Schülerinnen, trotz des Eintretens des C. → Musonius [1] Rufus für den Philos.-Unterricht für Frauen; der Freigelassene → Epiktetos [2] war jedenfalls schon als Sklave dessen Schüler. Auch der Stoiker L. Annaeus → Cornutus [4] war ein Freigelassener. Unter den uns bekannten neuplatonischen Philosophen befand sich auch → Hypatia (zu Schülerinnen der einzelnen philos. Richtungen s. auch → Philosophinnen). Die philos. Richtungen der Kyniker und der pyrrhonischen Skeptiker gründeten keine Schulen (→ Kynismus; → Pyrrhon; → Skeptizismus).

Die Mehrheit der Philosophen nahm kein Honorar. Die Schule des Epikuros lebte von den Zuwendungen von Wohltätern und von bescheidenen Beiträgen der Mitglieder. Im allg. unterteilten sich die Schüler in zwei Gruppen, die der einfachen Zuhörer und des engeren Kreises der Vertrauten, Freunde oder Gefährten (*hetaíroi, gnṓrimoi, synḗtheis*, lat. *iunctiores*), von denen einige von den Schulleitern als Kollegen betrachtet wurden (*kathēgētaí, kathēgemónes*), so z. B. in der Schule Platons Speusippos und Xenokrates. Diese eigentlichen Schüler lebten häufig zusammen mit ihrem Lehrer (Diog. Laert. 4,19; 10,9). Dies gilt auch später für die neuplaton. Schule in Athen. Der Schulbetrieb war bestimmten Regeln unterworfen, die u. a. die Wahl des Schulhauptes, Feste und die in Abständen stattfindenden gemeinsamen Mahlzeiten betrafen.

Von diesen privaten Institutionen hielt sich der Garten Epikurs bis ins 2. Jh. n. Chr. in Athen mit einer ununterbrochenen Abfolge der Nachfolger in der Schulleitung [1. 191 ff.; 4. § 9, S. 209 f.]. Die Akademie sowie die auch → »Peripatos« genannte Institution des Aristoteles endeten im 1. Jh. v. Chr. [2. 98–120; 1. 177–192, 192–207], ebenso auch die Stoa ([2. 366 ff.], anders: [1. 190 ff.]). Das Erlöschen der athenischen Institutionen als solchen ist nicht gleichzusetzen mit dem Untergang dieser philos. Richtungen, da deren Vertreter ab dem 1. Jh. v. Chr. vornehmlich in Kleinasien, Ägypten, Nordafrika und den lat. sprechenden europ. Gebieten des röm. Reiches private Schulen eröffneten (z. B. Gallien: Massilia und Augustodunum).

Parallel zu diesem Vorgang entwickelte sich vom Beginn der röm. Kaiserzeit an in zunehmendem Maße ein von den Städten bezahlter und durch kaiserliche Verordnungen reglementierter, von fest angestellten Lehrern besorgter Lehrbetrieb, der die Gramm., Rhet. und – v. a. in den größeren Städten – vielfach auch Philos. [5. 215–238; 6. 20–25] umfaßte. Im Jahre 176 n. Chr. richtete Kaiser Marcus [2] Aurelius in Athen vier Lehrstühle für platonische, aristotelische, stoische und epikureische Philos. ein, die aus der kaiserlichen Schatulle bezahlt wurden (Lukian. Eunuchus 3; Philostr. soph. 2,2,566). Aber der private Unterricht blieb – wie auch für die Fächer Gramm. und Rhet. – neben den kaiserlichen und städtischen Einrichtungen bestehen, wovon neben vielen anderen Epiktetos in Nikopolis und → Plotinos in Rom Zeugnis ablegen. Auch die neuplaton. Schule in Athen (Ende 4. bis Anfang 6. Jh.) und die diversen neuplaton. Schulen in Alexandreia hatten rein privaten Charakter (in Athen durchgehend, in Alexandreia zumindest seit etwa 450 n. Chr.) und wurden nicht von der Stadt subventioniert [7. 20³⁶, 27 f.; 8. 239].

B. UNTERRICHTSMETHODEN

Alexandros [26] von Aphrodisias stellt die Unterrichtsmethoden seiner Zeit (um 200 n. Chr.) denen der vorhergehenden Jh. folgendermaßen gegenüber (Alex. Aphr. in Aristot. top. 27,13 WALLIES): ›Diese Form der Rede (d. h. die Diskussion von Thesen) war in alter Zeit (d. h. von Sokrates bis ins 1. Jh. v. Chr.) üblich, und auf diese Weise hielten sie ihre Lehrveranstaltungen ab, nicht indem sie Bücher kommentierten, wie es heutzutage der Fall ist ..., sondern sie argumentierten, nachdem eine These (thésis) aufgestellt worden war, dafür oder dagegen, um ihre Fähigkeit zu üben, Argumentationen zu erfinden, indem sie sich auf allgemeingültige Prämissen (to keímenon) stützten‹. Bei aller Vereinfachung zeigt die Aussage, daß sich Alexandros eines tiefgreifenden Unterschiedes zw. »alter« und »neuer« Methode bewußt war. »These« ist hier wohl (nach Aristot. top. 104b 30) zu definieren als Problem, strittiger Gegenstand der Diskussion [9]. Cicero (fin. 2,1,1–3) gibt einen kurzen histor. Abriß dieser Methode, von den Sophisten bis zu seiner eigenen Zeit (Mitte 1. Jh. v. Chr.). Danach nahm die Diskussion von Thesen zwei

unterschiedliche Formen an: Die eine (des → Sokrates, aber auch des → Arkesilaos [5]) vermittelt keine positive Lehre, sondern zwingt den Schüler durch Fragen zum Nachdenken über seine eigene Position; die Philos. hat hierbei rein kritischen Charakter. Bei der anderen, die, wie Cicero sagt, dem → Gorgias, aber auch vielen seiner Zeitgenossen eigen ist, entwickelt der Lehrer seinen eigenen Standpunkt, indem er auf die Frage eines Schülers antwortet; dabei stellt der Schüler seine Frage (z. B.: Ist der Schmerz ein Übel?) so, daß der Lehrer seinen Standpunkt als negative Antwort darauf ausführlich darstellen kann: Hier handelt es sich um dogmatische Philosophie. Cicero nennt letztere Form schola und bezeichnet sie als die Unterrichtsform auch der ersten Nachfolger Platons (dies bestätigt auch → Philodemos [10. 266, 542]). Bei der skeptischen Richtung der Akademie war es auch üblich, in utramque partem zu argumentieren, d. h. nacheinander eine positive und eine negative Antwort auf die gestellte Frage zu liefern. Dadurch nahm der Unterricht stets die Form einer Diskussion eines bestimmten Problems an und lief in Hinsicht auf eine bestimmte Frage und eine bestimmte Antwort ab [11. 247] (so z. B. die Dialoge Platons, die Abh. des Aristoteles, die Metaphysik des Theophrastos). In der Epoche von Platon bis Cicero nimmt somit der ph. U. in der platonischen, aristotelischen und stoischen Schule (Cicero spricht von den »Fragen« der Stoiker, fin. 5,7) nie eine systematische und deduktive Form an: Er führte auf Prinzipien hin, aber ging nicht von ihnen aus.

Diese Methode wurde auch noch in der sog. »exegetischen Epoche« (1.–6. Jh. n. Chr.), von der Alexandros spricht, weitgehend fortgesetzt: Nach der Kommentierung kanonischer Texte (u. a. der Schulgründer) durch den Lehrer selbst oder auch durch einen Schüler mit Beistand des Lehrers fand in der Regel in kleinerem Kreise ein Gespräch zw. Lehrer und Schülern statt, d. h. ein Austausch von Fragen der Schüler und ausführliches Antworten der Lehrer: so bei dem Stoiker Epiktetos (diatribae 1,26,1) und den Platonikern bzw. Neuplatonikern Tauros [12. 216 ff.] und Plotinos (Porph. vita Plotini 3,36, vgl. auch Athen. 5,186e). Was man heute etwas willkürlich als → Diatribe bezeichnet, entspricht, wie H. THROM [9] überzeugend nachgewiesen hat, ganz einfach der Methode der Thesen-Diskussion.

Unter dem Einfluß der Mathematik wurde in der Philos. dagegen manchmal auch die deduktive Methode angewandt. Frühestes Beispiel ist der Anfang der Ausführungen des Timaios in Platons Timaios (Prokl. in Plat. Tim. 1,238,15 DIEHL). Bei Aristoteles werden am Anfang der ›Kategorien‹, der Schrift ›Über den Himmel‹ und B. 1 der ›Physik‹ Definitionen und allg. Prinzipien aufgestellt. Epikuros erklärt zu Beginn seines ›Briefes an Herodot‹, daß er hierin eine Kurzfassung seiner Forsch. über die Natur (Physik) geben wolle, die er deduktiv abfaßt: Seine Ausführungen beginnen mit Axiomen über das Sein und das Ganze (37,14 ff.), aus denen sich eine Reihe von Aussagen über die Physik ergibt. Man findet dieselbe Methode in den ›Elementen der Theologie‹ und den ›Elementen der Physik‹ des → Proklos, die beide aus einer Anreihung von auseinander hervorgehenden Theoremen bestehen.

Die Exegese, die Alexandros von Aphrodisias als die Lehrmethode seiner Epoche erwähnt (s.o.), d.h. der Komm., war tatsächlich die hauptsächlichste Form des theoretischen Unterrichts schon ab dem 1. Jh. n. Chr. Bei den Neuplatonikern wurde sie pädagogisch verfeinert: Der Studiengang bestand aus zwei aufeinanderfolgenden Zyklen, dem aristotelischen und dem platonischen. Jeder umfaßte eine repräsentative Auswahl der Lehrschriften des Aristoteles bzw. der Dialoge Platons, die in bestimmter, dem Schwierigkeitsgrad nach geordneter Reihenfolge studiert wurden. Dabei richtete sich der mündliche oder schriftliche Komm. des Lehrenden strikt nach dem aktuellen Niveau der Schüler; so durfte z.B. der Komm. der aristotelischen Kategorienschrift, mit der der ph.U. begann, keine metaphysischen Aussagen enthalten. Die Unkenntnis dieser Sachlage hat zu vielen irrigen Interpretationen moderner Forscher geführt [13. 173 f.; 7. 64 mit Anm. 12; 8. 238].

C. Lehrinhalte

Abgesehen von Aristoteles, für den die Dialektik nicht zur eigentlichen Philos. gehörte, stimmten alle Schulen, auch die sog. »Alte Akademie« (d.h. die unmittelbaren Nachfolger Platons) darin überein, daß der ph.U. drei Teile (→ Physik, → Ethik und → Dialektik) umfaßte. Letzteres entsprach bei den Platonikern der → Theologie, die in die Kontemplation mündete – denn ihre Dialektik hatte die göttlichen Ideen zum Gegenstand –, während sie von den Stoikern als reines Studium der → Logik angesehen wurde [14; 15]. Darüber hinaus waren bei den Platonikern, Mittel- und Neuplatonikern aus ontologischen Gründen die mathematischen Wiss. (Geometrie, Arithmetik mit der dazugehörigen Zahlenmystik, theoretische Musik, Astronomie zusammen mit Astrologie) eng mit der Philos. verbunden; diese Wiss., zumal mit den dazugehörigen Zweigen wie Geographie, Optik und Mechanik, wurden aber auch von den Stoikern und den Peripatetikern gepflegt [8. 234 ff.] und gehörten großenteils noch zum ph.U. Da die mathematischen Wiss. (trotz einer Mitte des 19. Jh. von F. Ritschl aufgestellten und seitdem immer wieder unkritisch wiederholten These) nicht zur aus Gramm. und Rhet. bestehenden Allgemeinbildung der höheren Schichten gehörten [5. 252–261; 6. 32–34], bildete das Studium der Philos. für alle, die keine Fachausbildung als Ingenieur oder Architekt anstrebten, den einzigen Zugang zu ihnen [8. 243 f.]. Da die ant. Philos. auch und v. a. eine Lebensform war [16; 17] (→ Philosophisches Leben), die je nach Schule eine bestimmte Einstellung zum Leben und ethische Verfassung erforderte, war das theoretische Wissen allein nicht das Endziel der philos. Schulen, sondern die moralische Haltung, die sich aus den Lehren ergab. Die Einübung der Lehren und ihre reale Umsetzung ins Leben bildeten somit (zumindest für den engeren Schülerkreis) einen erheblichen Teil des ph.U.: Durch ständige Wiederho-

lung der Hauptlehren, durch für jede Schule charakteristische geistige Übungen, durch Ermahnungen und frugale Lebensweise (Vegetarismus bei den Neuplatonikern) sollte, jeweils auf anderen Wegen, das gemeinsame Ziel aller ant. Philosophenschulen erreicht werden: das glückliche Leben (→ Glück).

→ Bildung; Enkyklios Paideia; Erziehung; Philosophie

1 J. P. Lynch, Aristotle's School, 1972 2 J. Glucker, Antiochus and the Late Academy (Hypomnemata 56), 1978 3 U. von Wilamowitz-Moellendorff, Antigonos von Karystos (Philol. Unt. 4), 1881 4 M. Erler, Epikur, in: GGPh.² 4.1., 1994 5 I. Hadot, Arts libéraux et philos. dans la pensée antique, 1984 6 Dies., Gesch. der Bildung: artes liberales, in: F. Graf (Hrsg.), Einleitung in die lat. Philol., 1997, 17–34 7 Dies., Simplicius – Commentaire sur le Manuel d'Épictète, 1996 8 Dies., Les aspects sociaux et institutionnels des sciences et de la médecine, in: Antiquité Tardive 6, 1998, 233–250 9 H. Throm, Die Thesis. Ein Beitrag zu ihrer Entstehung und Gesch., 1932 10 K. Gaiser, Philodems Academica (Supplementum Platonicum 1), 1988 11 I. Düring, Aristoteles und das platonische Erbe, in: P. Moraux (Hrsg.), Aristoteles in der neueren Forsch., 1968, 232–249 12 M.-L. Lakmann, Der Platoniker Tauros in der Darstellung des Aulus Gellius, 1995 13 I. Hadot, Le commentaire philosophique continu dans l'Antiquité, in: Antiquité Tardive 5, 1997, 169–176 14 P. Hadot, Les divisions des parties de la philos. dans l'Antiquité, in: MH 36, 1979, 201–223 15 Ders., Philos., dialectique, rhetorique dans l'Antiquité, in: Studia philosophica 39, 1980, 139–166 (Ndr.: Ders., Études de ph. ancienne, 1998, 159–193) 16 Ders., Philos. als Lebensform – Geistige Übungen in der Ant., 1991 17 Ders., Wege zur Weisheit, oder Was lehrt uns die ant. Philos.?, 1999 18 J. Hahn, Der Philosoph und die Gesellschaft, 1989.

I. H.

Philosophisches Leben. Die antike griech. und lat. Philos. ist nicht ausschließlich dadurch gekennzeichnet, daß sie Theorien über die Welt oder den Menschen ausgearbeitet hat; vielmehr stellte sie auch eine Lebensform dar. Die Wahl einer bestimmten philos. Schule bedingte somit weniger die Aneignung einer bestimmten Doktrin als vor allem die Verwirklichung einer gewissen Lebensform [1; 2; 3; 4; 5] (vgl. S. Emp. adv. math. 9,178–180), d.h., in einer Weise zu leben, die den Außenstehenden oft seltsam und widersinnig erschien. Sie wurde meistens innerhalb der Philosophenschulen ausgeübt – Gemeinschaften, in denen Lehrer und Schüler täglich Kontakt miteinander hatten (*contubernium*, Sen. epist. 6,6), häufig zusammen wohnten und aßen.

A. Die vorsokratische Periode   B. Sokrates
C. Platon und Aristoteles
D. Epikureer und Stoiker
E. Kyniker und Skeptiker   F. Neuplatonismus
G. Das Leben der Philosophen aus der
Sicht der Komödie und Satire

A. Die vorsokratische Periode

H. Diels [6] hat alle Indizien zusammengestellt, die uns die Annahme erlauben, daß schon bei den → Vorsokratikern Schulgemeinschaften von Lehrern und Schülern bestanden; daß die Zugehörigkeit zu einer bestimmten Schule auch die Art und Weise, philos. zu leben, mit einschloß, ist nur für die Pythagoreer (→ Pythagoreische Schule) klar bezeugt. So lobt z. B. Platon in der ›Politeia‹ (Plat. rep. 600b) Pythagoras, der eine Lebensweise (*trópos tu bíu*) eingeführt habe, die noch zu Platons Zeiten von den Pythagoreern praktiziert wurde. Späte Schriftsteller (Diodoros [18] Siculus, 10,5–10, 1. Jh. v. Chr.; Porphyrios, Vita Pythagorica 30–53, und Iamblichos, v. P. 60–101, 3.–4. Jh. n. Chr.) beschreiben die pythagoreischen Gemeinschaften ausführlich, projizieren jedoch leider häufig ein viel jüngeres philos. Ideal auf die Vergangenheit. Die Pythagoreer ließen sich jedenfalls wohl einerseits auf stadtpolitische Funktionen ein, führten jedoch andererseits ein asketisches Leben (→ Askese) – unter Einschluß vegetarischer Ernährungsweise, die in ihrem Glauben an die Metempsychose begründet ist. Sie wandten bestimmte geistige Übungen an, z. B. die Gewissenserforschung, die sowohl eine Bemühung um Selbstbeherrschung als auch eine Gedächtnisübung darstellte.

B. SOKRATES

Die Persönlichkeit des → Sokrates hatte einen derart starken Eindruck hinterlassen, daß sie kurze Zeit nach seinem Tode mythische Formen annahm. Es ist daher schwer, hinter den »Hagiographien« eines Platon (›Symposion‹) oder Xenophon (›Memorabilien‹) die wahre histor. Person des Sokrates wieder freizulegen. Jedenfalls übte er bestimmenden Einfluß auf die Vorstellung aus, die man sich im Verlauf der ant. Philos.-Gesch. vom ph.L. machte, denn Platon und Xenophon ließen durchblicken, daß seine einzige wirkliche Lehre letztlich aus seinem Leben bestand: ›Ich höre nicht auf zu zeigen, was mir gerecht erscheint; in Ermangelung von Reden mache ich es durch meine Handlungen deutlich‹ (Xen. mem. 4,4,5). Plutarch sagte von ihm, daß er nicht von einem Katheder herab mit seinen Schülern philosophierte, sondern indem er, wenn es sich so traf, zusammen mit ihnen scherzte oder trank, mit einigen von ihnen in den Krieg zog oder auf die Agora ging, und schließlich, indem er ins Gefängnis ging und das Gift trank (Plut. an seni res publica gerenda sit 26,796d). Das ph.L. muß also genau genommen im Philosophen einen moralischen Wandel hervorrufen, der sich andererseits, dank dialektischer Übung, im lebendigen Dialog innerhalb einer Schule verwirklicht.

C. PLATON UND ARISTOTELES

Aus all den Schulen, die von Schülern des Sokrates gegründet wurden, ragt die Schule des → Platon, die Akademie (→ *Akadēmeia*), durch ihre Mitglieder (→ Xenokrates, → Speusippos, → Aristoteles [6]) und ihre Dauerhaftigkeit heraus. Wie die pythagoreische zielt auch die platonische Schule darauf, durch Übung in den verschiedenen Wiss., aber auch durch eine gewisse Askese in der Politik tätige Männer zu formen. Der charakteristische Lebensstil dieser Schule, deren tägliches Leben durch präzise Verfügungen wie z. B. zur Organisation gemeinsamer Mahlzeiten oder zur Wahl der Schulhäupter geregelt wurde, ist einerseits durch den Dialog (der weniger ein Mittel der Forsch. als der Formung war), andererseits durch gewisse Ernährungsvorschriften sowie durch die ›auf den Tod vorbereitende Übung‹ gekennzeichnet, wie sie in Platons ›Phaidon‹ (64a) beschrieben wird und die darin besteht, sich gedanklich an die Trennung vom Körper zu gewöhnen. Die Schule des Aristoteles, das Lykeion, war in ihrer Organisation der Akademie vergleichbar. Hier herrschte eine Lebensform vor, die der wiss. Erforschung, aber auch der Kontemplation gewidmet war.

D. EPIKUREER UND STOIKER

Andere dauerhafte schulische Institutionen entstanden gegen Ende des 4. Jh. v. Chr.: die von Zenon von Kition begründete Stoa (→ Stoizismus) und der »Garten« des → Epikuros. Der Lebensstil der Schule Zenons unterschied sich stark von der des Epikuros. Bei den Stoikern herrschten Anspannung und aktives Handeln, bei den Epikureern Passivität und Entspannung. Die Stoiker forderten von ihren Anhängern nie nachlassende Wachsamkeit (*prosochḗ*), beständige moralische Reinigung der Absichten (mit dem Ziel, daß eine Handlung durch nichts anderes als die Verwirklichung des moralisch Guten motiviert werde), unermüdliche geistige Vorbereitung auf den infolge möglicher unglücklicher Ereignisse drohenden seelischen Schock, sowie die Hingabe an die städtische und menschliche Gemeinschaft. Die stoische Lebensform stand bei den röm. Aristokraten in hohem Ansehen: M. Porcius [I 7] Cato Uticensis, Q. Mucius [I 8] Scaevola, P. Clodius [II 15] Thrasea Paetus, Seneca, → Marcus [2] Aurelius zeichneten sich durch die Strenge ihrer Lebensführung, ihre moralische und polit. Integrität und ihre Charakterstärke aus.

Im Gegensatz dazu ging es bei den Epikureern einerseits darum, die Seele von ihren quälenden Ängsten zu befreien (von der Furcht vor den Göttern, vor dem Tod, vor Leiden aller Art), andererseits sollten den Begierden Schranken gesetzt werden, jedoch nicht durch den Zwang der Askese, sondern im Gegenteil durch den Genuß einfacher, unvermischter Freuden (was den Verzicht auf Beteiligung an der Politik, der Quelle vieler Sorgen, erforderte). Das Leben in der epikureischen Schule war bekannt für die dort waltende freundschaftliche Atmosphäre, für die Frugalität der gemeinsam eingenommenen Mahlzeiten und für die Gleichheit, die zw. Herren und Sklaven, Männern und Frauen herrschte (vgl. auch → Philosophinnen).

E. KYNIKER UND SKEPTIKER

Die Kyniker (→ Kynismus) und Skeptiker (→ Skeptizismus), die übrigens im Unterschied zu den »dogmatischen« Schulen keinen organisierten Schulbetrieb aufwiesen, verlangten von ihren Anhängern kein theoretisches Studium (bei den Skeptikern führt der philos. Diskurs bekanntlich zu seiner Selbstauflösung), sondern die praktische Aneignung bestimmter Lebensformen. Der vielleicht durch Vermittlung des → Antisthenes [1] auf den Sokratismus zurückgehende Kynismus stellt einen radikalen Bruch mit der Lebensart der Außenstehenden und selbst der anderen Philosophen dar: Ablehnung aller sozialen Konventionen, strenge asketische Lebensweise, Schamlosigkeit, Verachtung des Geldes, Respektlosigkeit gegenüber den Mächtigen, provozierende Redefreiheit (parrhēsía) und absolute Unabhängigkeit von allen unnützen Bedürfnissen waren die Kennzeichen der Lebensform eines → Diogenes [14] von Sinope oder eines → Krates [4] aus Theben und seiner Frau → Hipparchia. Im Gegensatz dazu proklamierten die Skeptiker, die sich auf das Beispiel des → Pyrrhon beriefen, einen totalen Konformismus (sie fügten sich den Gesetzen und Bräuchen ihres Landes), denn sie weigerten sich zu behaupten, daß diese oder jene Sache schlecht oder gut sei. Sie beharrten folglich in völliger Gleichgültigkeit gegenüber allen Dingen und somit in unerschütterlichem Seelenfrieden (ataraxía).

F. NEUPLATONISMUS

In der Form des Platonismus, auf die man in der Moderne den Begriff → »Neuplatonismus« anwendet und die mit → Plotinos (3. Jh. n. Chr.) einsetzte, überwiegt die pythagoreische Komponente des Platonismus. In der Schule des Plotinos und (in noch größerem Maße) im Neuplatonismus des → Iamblichos herrschte ein beinahe »mönchisches« Leben: Porphyrios (de abstinentia 1,29,4) zufolge soll man »dem Geiste gemäß« leben, d. h. den Körper »fliehen«, sich von den Leidenschaften befreien, kein Fleisch essen und, soweit möglich, zu Kontemplation und mystischer Ekstase gelangen. Bei Iamblichos und seinen Anhängern kamen noch sakramentale Praktiken hinzu: die von den Göttern vorgeschriebenen Riten der chaldäischen → Theurgie, die den Kontakt mit dem Göttlichen und die Schau der göttlichen Formen erlauben.

G. DAS LEBEN DER PHILOSOPHEN AUS DER SICHT DER KOMÖDIE UND SATIRE

Neben der Schrift des Diogenes [17] Laertios über ›Das Leben der Philosophen‹, das uns viele kostbare Nachrichten über die Lebensformen und berühmten Aussprüche von ant. Philosophen vermittelt, stehen die Zeugnisse der Komödie [7; 8] und des Satirikers Lukianos [1]. Die Philosophen, deren Lebensweise dem Laien seltsam erschien, gaben reichlich Anlaß zum Spott (z. B. Aristophanes' ›Wolken‹). Diese Karikaturen geben uns zwar keine Auskünfte über den tiefen Sinngehalt der verschiedenen philos. Richtungen, aber sie sind von Interesse, weil sie uns über äußerliche, meist frappierende Aspekte berichten. So vermerkte man an den Platonikern ihren Stolz, ihre Förmlichkeit, Eleganz und ihr geziertes Wesen, an den merkwürdigerweise mit den Kynikern in einen Topf geworfenen Pythagoreern dagegen ihre Unsauberkeit. Andererseits machten sich Komödiendichter und Lukianos über die Pseudo-Philosophen lustig, die den Anspruch erhoben, Philosophen zu sein, aber bei weitem nicht das beispielhafte Leben führten, das sie den anderen empfahlen.

1 I. HADOT, Seneca und die griech.-röm. Trad. der Seelenleitung, 1969 2 J. HAHN, Der Philosoph und die Ges., 1989 3 P. HADOT, Die Philos. als Lebensform, 1991 4 Ders., Qu'est-ce que la philos. antique?, 1995 5 A.-J. VOELKE, La philos. comme thérapie de l'âme, 1993 6 H. DIELS, Über die ältesten Philosophenschulen der Griechen, in: Philos. Aufsätze, E. Zeller zu seinem 50. Jubiläum gewidmet, 1887 (Ndr. 1962), 241–260 7 A. WEIHER, Philosophen und Philosophenspott in der att. Komödie, Diss. München/Nördlingen 1913 8 R. HELM, Lukian und Menipp, 1906, 371–386. P. HA.

Philostephanos (Φιλοστέφανος).

[1] Ph. von Kyrene, Schüler (γνώριμος) des → Kallimachos [3] (Athen. 331d; vgl. [4. Bd. 2, 752]), lebte unter Ptolemaios Philopator (222–206 v.Chr., vgl. [1. 30]). Verf. von scheinbar geogr., tatsächlich aber aitiologisch und paradoxographisch ausgerichteten Werken (Gell. 9,4,3 stellt Ph. neben andere Schriftsteller von *res inauditae*, → Aristeas, → Ktesias, → Onesikritos, von denen wir nur dürftige Fr. und die Titel besitzen, die vielleicht auch Teile eines umfassenden Werkes (oder einer großangelegten Antiquar-Periegese [6]) bezeichnen könnten. Bekannte Werke: ›Über die Städte Asiens‹ (fr. 1–8 MÜLLER [6. 105f.], mindestens 2 B.), denen vielleicht ›Über die Städte Europas‹ beizufügen ist (fr. 9 M. ›Über Kyllene‹, fr. 9a ›Über Epeiros‹ [6. 106f.]); ›Über Inseln‹ (fr. 10–19 M. [6. 107–109], darin Sizilien: fr. 15–17; Zypern: fr. 10–14 – eine Monographie? [6. 108f.]); ›Über sonderbare Flüsse‹ (fr. 20–26 M. und [3]; vgl. [6. 109–111; 5]); ›Über Quellen‹ (fr. 27 M. [6. 111]); ›Über Erfindungen‹ (fr. 28–31 M.: gehört wohl einem peripatetischen, im Kallimachos-Kreis z. B. von Istros [4] gepflegten Genre an; verm. wurden die Erfinder (εὑρεταί) in Barbaren und Griechen eingeteilt [6. 111–113]); ›Hypomnemata‹ (fr. 32–38 M.) enthält wie das gleichnamige Werk des Kallimachos vermischte Nachr. aitiologischen, lit. oder geogr. Inhalts über Kulte. In elegischen Distichen und ion. Dialekt abgefaßt, war ›Über sonderbare Seen‹ [2] verm. nicht Ph.' einziges poetisches Werk.

Mit seinem Interesse an Seltenem und Außergewöhnlichem, seinem Vergnügen am etym. Spiel mit Toponymen, histor. oder rel. Namen steht Ph. ganz in der Nachfolge des → Kallimachos [3]; schon die wenigen Fr. zeigen dieselben Gegenstände (z. B. den Gründungsmythos von Phaselis oder die wunderbaren Wasser des Flusses Krathis; vgl. im Detail v. a. [4; 6]). Vielleicht verfaßte auch Ph. *Aítia* (fr. 14 M.; Diskussion und Lit. in [4. Bd. 2, 754–755]). Die Aitiologien folgen offenbar euhemeristischen Erklärungen (wie z. B. über die Herkunft des Namens Trinakria vom König Trinakros, fr. 16 M.), entsprechend einer allg. Tendenz, alles, was unbegreiflich schien, rationalistisch zu erklären. Unter den verschiedenen histor.-mythograph. Quellen des Ph. (→ Pherekydes, → Herakleides, → Kleon von Syrakus) muß neben Kallimachos auch → Timaios wichtig gewesen sein.

→ Mythographie; Paradoxographie

Fr.: **1** FHG 3, 28–34 (teilweise; zu ergänzen durch [6])
2 SH 691–693 **3** A. Giannini (ed.), De mirabilibus fluviis, in: Paradoxographorum Graecorum reliquiae, 1965, 21–23. Lit.: **4** P. M. Fraser, Ptolemaic Alexandria, 1972, Bd. 1, 522–524, 777 f.; Bd. 2, 752–778, 1085 **5** A. Giannini, Studi sulla paradossografia greca, in: Acme 17.1, 1964, 110 f. (mit Lit.) **6** F. Gisinger, s. v. Ph. (7), RE 20, 104–118 (mit weiteren Fr., Komm. und Lit.). S. FO./Ü: TH. ZI.

[2] Komödiendichter des 3. oder 2. Jh. v. Chr. Ein Fr. aus dem Stück Δήλιος (fr. 1), in dem der Sprecher berühmte Köche aufzählt, ist erhalten.

1 PCG VII, 1989, 372. B. Bä.

Philostorgios (Φιλοστόργιος). Der Kirchenhistoriker Ph. wurde ca. 368 n. Chr. in Borissos/Kappadokia geb. und blieb zeitlebens Laie. Seit 388 lebte er in Konstantinopolis und erweiterte seine gute Bildung auf Reisen. Wichtig für seine theologische Position wurde eine Begegnung mit seinem Landsmann → Eunomios, dessen Neuarianismus er theologisch folgte (→ Arianismus B. 3.; den Begriff »anhomöisch« lehnte er ab [3. 65,11–14 u. ö.]). Fr. seiner Gesch. der arianischen Kontroverse finden sich v. a. in der *Passio* des → Artemius [2] [1. 169y/172] und bei → Photios [2]. Das Werk, das an → Eusebios [7] anschließt und die J. 320–425 behandelt, ist wertvoll wegen seines Quellenmaterials, der detaillierten Charakterisierung von homöischen Theologen und wegen des Innenblicks auf diese theologische Richtung. Die beiden Bände des Werkes waren durch ein Epigramm eingeleitet (Anth. Pal. 1,193 f.), die akrostichischen Anfänge der zwölf B. ergeben den Namen des Autors. Ein Enkomion auf Eunomios und *agónes* gegen → Porphyrios sind verloren. Photios rühmt seinen Stil (Phot. bibl. cod. 40).

1 F. Halkin (ed.), Bibliotheca hagiographica Graeca (Subsidia hagiographica 8a), ³1957.
Ed.: **2** CPG 3, 6032 **3** J. Bidez, F. Winkelmann, Philostorgius, Kirchengesch. (GCS 21), ²1972. C. M.

Philostratos (Φιλόστρατος).
[1] Att. Redner des 4. Jh. v. Chr., Sohn des Dionysios aus Kolonos, bekannt durch Inschr. (IG II/III² 2,1622,773) und aus Erwähnungen bei → Demosthenes [2]. In den 90er Jahren beherbergte er als noch junger Mann die Geliebte des mit ihm befreundeten → Lysias (Demosth. or. 59,22 f.), 366/5 war er unter den Anklägern des → Chabrias im Oropos-Prozeß, später siegte er als Chorege mit einem Knabenchor bei den Dionysien (Demosth. or. 21,64), 342 war er Trierarch, zw. 343 und 340 sagte er als Zeuge im Prozeß gegen → Neaira [6] aus. Ph. war vermögend und adoptierte Phainippos, den Sohn seiner Tochter Aristonoe (Demosth. or. 42,21 f. und 27). M. W.
[2] Nur auf einer unsicheren Inschr. bezeugter Komödiendichter des 3. Jh. v. Chr.; vielleicht Lenäensieger (vgl. [1 ad [Nicos]trati III test. *2).

1 PCG VII, 1989, 373a. B. Bä.

[3] Ph. aus Lemnos (3./2. Jh. v. Chr.), Verf. von 43 Tragödien und 14 Komödien (TrGF I 194).

PCG VII, 373. B. Z.

[4] Verf. eines Epigramms, das (vielleicht inspiriert durch ein Gemälde) die Verwundung des Telephos beschreibt (Anth. Pal. 16,110). Ungeklärt ist, ob er mit dem Flavius Ph. von Lemnos gleichzusetzen ist, unter dessen Werken die Suda (φ 421) auch Epigramme erwähnt (s. Ph. [5–8]). Noch ungewisser ist die Zuschreibung von zwei iambischen Gedichten (Στίχοι τοῦ Φιλοστράτου) aus dem Cod. Parisinus Graecus 3019 f. 206 [1].

1 S. Follet, Deux épigrammes peu connues attribuées à Philostrate, in: RPh 38, 1964, 242–252. M. G. A./Ü: G. K.

[5–8] Die Suda (φ 421–423 Adler) führt drei Sophisten mit dem Namen Ph., verteilt über mindestens drei Generationen zw. 160 und 250 n. Chr., allesamt mit dem Beinamen »der Lemnier« (Λήμνιος). Nur einige der in der Suda erfolgten Zuschreibungen der zahlreichen Werke (z. T. nicht erh.) werden von der h. Forsch. gebilligt, davon wenige einhellig.
[5] Die größte Übereinstimmung herrscht hinsichtlich desjenigen Ph. [5], den die Suda den »Zweiten« nennt (φ 421).
A. Leben B. Werke
C. Wirkung D. Textüberlieferung

A. Leben
Ph., Sohn des Veros, wurde ca. 170 n. Chr. in einer wohlhabenden athenischen Familie mit Besitzungen auf Lemnos geboren, das er in seiner Jugend kennenlernte (Philostr. Ap. 6,27; vgl. Philostr. soph. 1,21,515–516). Als Schüler des → Proklos von Naukratis (Philostr. soph. 2,21,602) und vielleicht → Damianos, Hippodromos [2] und Antipatros [12] verlief sein Leben ebenso wie das vieler Gestalten in seinen ›Sophistenbiographien‹ (= soph.). Die Suda schreibt ihm Deklamationen (μελέται, *melétai*) und eine sophistische Karriere als Rhetor und Lehrer in Athen und Rom zu. In Athen hatte er verm. ein hohes Amt inne: Wenn er identisch mit dem in drei Inschr. bezeugten L. Flavius Ph. von Steiria ist (IG II/III² 1803, vgl. [1. 323–325]), war er zw. 200/1 und 210/1 [2. 101 f.] (vielleicht ca. 205 [3]) »Hoplitengeneral« (στρατηγὸς ἐπὶ τὰ ὅπλα, ein Beamter, dem hauptsächlich die öffentliche Lebensmittelversorgung oblag) sowie einer der Prytanen der Phyle → Pandionis [4]. Er ist wohl auch identisch mit dem Sophisten Flavius Ph., der von der Stadt Athen mit einer Statue in Olympia geehrt wurde (Syll.³ 878).

Nachdem Ph. seine sophist. Aktivitäten nach Rom verlagert hatte (ab ca. 203–205), wurde er (vielleicht vor Ende des J. 207, zur Chronologie vgl. [5. 19–22]) am Hof des Septimius Severus und der → Iulia [12] Domna, bes. in Iulias Kreis von γεωμέτραι (Mathematikern) und Philosophen (Philostr. Ap. 1,3) eingeführt: Er war anwesend, als (Ende 212 oder Anf. 213) → Heliodoros [7] in

Gallien vor Caracalla deklamierte (soph. 2,32,625–626), vielleicht auch beim kaiserlichen Besuch in Tyana und Antiocheia [1] am Orontes im J. 215 (Cass. Dio 77,18,4; Philostr. soph. praef. 480). Die Inschr. einer Statue in Erythrai [2] zu Ehren des L. Flavius Capitolinus, des Sohnes des Sophisten Flavius Ph. (IEry. 63 = Syll.³ 879), besagt, daß Ph.' Ehefrau Aurelia Melitine war, daß ein weiterer Sohn und weitere Verwandte röm. Senatoren waren und die Familie verm. über Grundbesitz in Erythrai verfügte (vgl. Philostr. epist. 45).

B. Werke
1. Apollonios von Tyana

›Die Lebensbeschreibung des → Apollonios [14] von Tyana‹ (Τὰ ἐς τὸν Τυανέα Ἀπολλώνιον = Ap.) in 8 B., vollendet in der Zeit zw. Iulia Domnas Tod im J. 217 (sie hatte das Werk in Auftrag gegeben, darin wird von ihr in Vergangenheitstempora gesprochen, Ap. 1,3) und der Widmung von soph. (237/8, s.u.), zumal soph. 2,5,570 auf Ap. verweist. Für Ap. benutzte Ph. lokale mündliche Überlieferungen, die in den von Apollonios besuchten Städten im Umlauf waren; ein Werk in 4 B. des → Moiragenes (Anf. 2. Jh. n. Chr.); eine Schrift des Maximos von Aigeai über die Jugend des Apollonios in Kilikien; eine Slg. von Briefen (Ap. 1,2; 7,35), von denen einige schon zur Regierungszeit Hadrians (117–138) dem Apollonios zugeschrieben wurden (Ap. 8,20); ferner zwei weitere diesem zugewiesene Werke, ›Über Opfer‹ (Περὶ θυσιῶν) und ›Über Astrologie‹ (Περὶ μαντείας ἀστέρων; Ap. 3,41, vgl. 4,19). Ph. spielt Apollonios' Rolle als Magier (μάγος), die verm. der des Philosophen bei Moiragenes gleichzusetzen ist, herunter und betont seine Verbindung zum Göttlichen als die eines pythagoreischen Weisen, der im Röm. Reich umherzog (und sogar bis nach Persien, Indien und Äthiopien gelangte), an Menschen und Städte seine Mahnungen richtete, die herkömmlichen griech. Kulte wiederbelebte und sich der Unterdrückung durch die »Tyrannen« Nero und Domitianus widersetzte. Ph. stellt seinem Apollonios einen Begleiter (in der Rolle eines platonischen Gesprächspartners) zur Seite: Damis von Niniveh (verm. erfunden als Folie zu Apollonios), um aus dessen ›Tagebüchern‹ zitieren zu können und um seinem Bericht mehr Gewicht zu verleihen als dem seiner Vorgänger. Die Einteilung in 8 B. und weitere Züge des Werkes rücken es eher in die Nähe des → Romans als einer → Biographie.

2. Sophistenbiographien

Die ›Sophistenbiographien‹ (Βίοι σοφιστῶν, Bíoi sophistṓn), gewidmet Gordianus III. während dessen Prokonsulat in Africa im J. 237/8 (vgl. soph. praef. 480, so [6]), sind in höherem Maße als Ap. dem Zeitgeist des frühen 3. Jh. verhaftet und typischer in ihrer Anschauung von griech. kultureller Identität. Die 2 B. umfassen 59 Biographien, die Mehrzahl (41) davon von herausragenden griech. Sophisten: von → Niketes [2] von Smyrna zur Zeit Neros bis zu eigenen Zeitgenossen – eine Zeitspanne, für die Ph. den Ausdruck »Neue« oder

→ »Zweite Sophistik« nachhaltig prägte. Den Viten dieser → Sophisten (darunter herausragend die langen Abschnitte zu → Polemon und → Herodes [16], soph. 1,25; 2,1) gehen die Lebensbeschreibungen von acht Philosophen voraus, deren Selbstdarstellung ihnen ebenfalls den Titel »Sophist« eingebracht hatte (soph. 1,1–8, zum Schluß → Dion [3] von Prusa und → Favorinus), sowie von zehn »klass.« Sophisten des 5.–4. Jh. v. Chr.: von Gorgias bis Aischines [2] (soph. 1,9–18), deren Autorität Ph. für sein Konzept der »Zweiten Sophistik« nutzbar macht. Ph. verwertete sowohl die Schriften (hauptsächlich Deklamationen) der dargestellten Personen als auch die mündliche Überl., die er selbst bei Sophisten gehört hatte. Seine Glaubwürdigkeit hat man bezweifelt [7], doch wird seine Version oft durch die Forsch. bestätigt [8]. Die soph. stellen eine unschätzbare, wenn auch einseitige griech. Kultur-Gesch. einer Periode dar, die sich in der traditionellen Historiographie nur schwer fassen läßt.

3. Gymnastikos

›Über die Gymnastik‹ (Γυμναστικός, Gymnastikós), eine histor. und protreptische Abh. zur griech. Athletik mit bes. Augenmerk auf den Olympischen Spielen, stammt aller Wahrscheinlichkeit nach von diesem Ph.: Sie entspricht seiner ständigen Besorgnis um griech. Werte und griech. Identität, auch um das Prestige der Eliten von griech. Städten; sprachliche Parallelen [9; 10] bestätigen diese Zuschreibung. Die Erwähnung der Höchstform des Sportlers T. Aurelius Helix (Kap. 46) legt nahe, daß die Schrift nach dessen zweitem Olympischen Sieg (entweder 213 [10] oder 217 [11]) und verm. nach seinem Doppelsieg bei den → Kapiteleia in Rom verfaßt wurde (219, vgl. Cass. Dio 79,10,2–3).

4. Heroikos

›Über Heroen‹ (Ἡρωικός, Hērōikós) stammt verm. ebenfalls von Ph. [5] (anders: Hērōikós und Eikónes I– zur Einteilung I und II s.u. – von Ph. [7], [10. 495–497]). Der Dialog, in dem ein phönizischer Matrose von einem Weinhändler auf der Thrakischen Chersones von dessen Zusammentreffen mit den Geistern der Heroen des Troianischen Kriegs erfährt, ist eine Variante des populären »Sports«, Homer und andere archa. Dichter zu »korrigieren« (vgl. → Dion [3] von Prusa or. 11, → Diktys), und erlaubt dem Autor, sich in der Poesie zu versuchen (vgl. Heroikos 53,10; 55,3) [12. 221–224; 13. 183–187]. Dasselbe Thema (Der Geist des Achilleus erscheint dem Apollonios) ist kurz in Ap. 4,12f. [14] behandelt; doch steht die Chronologie unter Diskussion: Bezüge auf den zweiten Olympischen Sieg des Helix sprechen dafür, den Hērōikós nicht vor 213 [14] und wohl nach 217 zu datieren.

5. Eikones

Von zwei Slg. von lit. Bildbeschreibungen, Eikónes I und II (lat. Imagines, ›Bilder‹), stammt die frühere (Eikónes I, in 2 B.) verm. von Ph. [5]; sie enthält Beschreibungen (→ Ekphrasis) von 65 Gemälden überwiegend myth. Inhalts. Sie sind gestaltet als Erklärungen zu Gemälden in einer Galerie in einem Vorort von Neapel und vom Erzähler an den 10jährigen Sohn seines Gastgebers gerichtet. Menandros [12] Rhetor (2,390) schreibt dieses Werk (verm. zu Recht) dem Autor des *Hērōïkós* zu, doch die Gattungsunterschiede erschweren ein endgültiges Urteil.

6. DIALEXEIS

Die zweite der erh. Abh. über Natur und Kultur (Διαλέξεις, *Dialéxeis*; verm. identisch mit denen, die auch die Suda Ph. [5] zuschreibt) hat ein top. Detail mit Ap. gemein (Philostr. dial. 2/Ap. 4,34) und stammt verm. von Ph. [5].

7. BRIEFE

Aus der Slg. von 73 erh. Briefen gehören verm. 58 Liebesbriefe, deren junge Adressaten oder Adressatinnen bis auf drei unbenannt sind, zu den von der Suda genannten Ἐπιστολαὶ ἐρωτικαί (*Epistolaí erōtikaí*, ›Liebesbriefe‹). Von den Briefen nichterotischen Inhalts, deren Adressaten namentlich genannt werden (epist. 41–43; 45; 49; 52; 65–73), stammen mindestens neun (65–73) mit großer Wahrscheinlichkeit von Ph. [5], bes. der an Ktesidemos (epist. 68; vgl. soph. 2,1,552), der an Iulia Domna (epist. 73; vgl. Ap. 1,3) und der Brief eines Lemniers (epist. 70).

8. EPIGRAMM

Ein Epigramm auf einem Standbild oder Gemälde des Telephos (Anth. Plan. 110) ähnelt dem *Hērōïkós* 23,24ff.; die Suda schreibt Ph. Epigramme zu; die Autorschaft Ph.' [5] ist wahrscheinlich ([15] zeigt, daß zwei andere später sind).

9. NERO

Der kurze Dialog Νέρων (›Nero‹, überl. zusammen mit Werken des Lukianos), in dem der Stoiker → Musonius [1] im Gespräch mit einem Menekrates (vielleicht eine Fiktion, die auf Ph.' lemnischem Landsmann basiert, vgl. Heroikos 8; 11) → Neros Versuch, den Isthmos von Korinth durchstechen zu lassen, kritisiert (daneben auch Neros künstlerische Aktivitäten und Muttermord); obwohl von der Suda (wie der *Hērōïkós*) Ph. [6] zugeschrieben, ist als Autor Ph. [5] wegen der engen Bezüge mit Ap. (4,23; 37; 5,7; 19) wahrscheinlicher.

[6] Dieser Ph. erscheint in der Suda (φ 422) als Vater von Ph. [5] (der aber auch Sohn des Veros genannt wird) und als Verf. eines ›Nero‹, eines *Gymnastikós* und einiger rhet. Werke, darunter eines gegen einen Antipatros. Letzteres paßt aber angesichts der Lebensdaten des Antipatros (ebenso wie ›Nero‹ und der *Hērōïkós*) besser zu Ph. [5] (dagegen: [16. 3]). Das Schweigen über den Vater Ph.' [5] in soph. spricht gegen die hier und in anderen Werken implizite Unterscheidung zw. den beiden Ph. [5] und [7]. Evtl. stammt auch keines der Werke von Ph. [6], somit einer sehr verschwommenen Gestalt.
[7] Ph. [7], ein Sophist, der in Athen lehrte und auf Lemnos verstarb (laut Suda), dürfte Ph. ›der Lemnier‹ sein, der in soph. häufig lobend erwähnt wird. Die Suda nennt diesen Ph. den Sohn des Nervianos (Νερβιανοῦ), des Neffen (ἀδελφόπαιδος) des Ph. [5], dessen (letzteren) Schüler und Schwiegersohn Ph. [7] war. Durch Emen-

dation (ἀδελφόπαις für ἀδελφόπαιδος) oder durch Annahme eines Irrtums der Suda kann Ph. [7] überzeugend zum Neffen von Ph. [5] gemacht werden (vgl. [5. 11; 10. 517–519]). Ph. [7], geb. 187 oder 191/2 [17], war 22jährig ein Schüler des Hippodromos (soph. 2,27,617), erhielt im Alter von 24 nach glänzender Deklamation von → Caracalla Immunität (Befreiung von öffentlichen Ämtern, soph. 2,30,623), lernte nach 222 in Rom Claudius → Ailianos [2] kennen (soph. 2,31,625) und lag in Streit mit → Aspasios [3] während dessen Rhet.-Professur in Rom und später in Ionien (soph. 2,33,627–628; vgl. Suda α 4205). Als Aspasios kaiserlicher Sekretär wurde, schrieb Ph. ihm einen kritischen Brief ›Wie man Briefe schreiben soll‹, zweifellos das als *Dialéxis I* überl. Werk. Dies ist Ph.' [7] einziges erh. Werk von all denen, die ihm die Suda zuschreibt (*Eikónes*, *Panathēnaïkós*, *Trōïkós*, eine Paraphrase der homer. Schildbeschreibung und fünf Deklamationen) – wenn nicht die *Eikónes* und der *Trōïkós* (? = *Hērōïkós*) von ihm stammen (s.o. zu Ph. [5]).
[8] Ph. (in der Suda unerwähnt), der sich am Anfang der (unvollständig überl.) *Eikónes II* als Sohn der Tochter des Verf. der früheren *Eikónes I* darstellt, könnte der Sohn von Ph. [7] und der Tochter des Ph. [5] sein [18] und war somit verm. um 250 tätig. Er, nicht Ph. [7], war wohl der athenische *árchōn* von 255/6, L. Flavius Ph. von Steiria (IG II/III² 2245; zur Datier. [2. 331–333], mit anderen Identifikationen [2. 243]; dagegen [5. 18; 19]). Erh. sind von seinen *Eikónes* die Einleitung und 17 Beschreibungen, die sich detaillierter als bei Ph. [5] auf die (verm.) imaginierten Gemälde bezogen, aber in Phraseologie und Themenwahl häufig an Ph. [5] erinnern.

C. WIRKUNG

Die Philostratoi wurden viel gelesen und bewundert, bes. Ph. [5]. Sein Stil (zusammen mit dem von Platon, Xenophon und T. Aurelius → Nikostratos [10]) wurde (vielleicht schon zu seinen Lebzeiten) von Metrophanes von Lebadeia besprochen (Suda μ 1010). Im 3. Jh. n. Chr. kannte Menandros [12] Rhetor (2,390) die *Eikónes* und den *Hērōïkós*. Ap. war um 300 die Grundlage eines hexametrischen Epos von → Soterichos und wurde im späten 4. Jh. von Nicomachus Flavianus ins Lat. übersetzt (nicht erh.) [20]. Libanios [21], Himerios (der verm. in or. 21,9 Philostr. soph. 2,12,593 wiedergibt), Synesios und Eunapios (Eun. vit. soph. praef. 454) waren mit soph. vertraut; Iulianus [11] kannte Ap. mit ziemlicher Gewißheit.

Später, um 850, finden wir bei → Photios sowohl eine kürzere Zusammenfassung von Ap. (Phot. bibl. cod. 44) als auch eine längere Sequenz von Passagen, die er wegen ihres bewunderungswürdigen Stils exzerpierte (ebd. 241). In der darauffolgenden Generation war verm. → Arethas der Autor der in Cod. Laurentianus 69,33 erhaltenen Erklärungen zu Ap. In der Mitte des 11. Jh. empfahl Michael → Psellos (de operatione daemonum 48) Ph. (neben Heliodoros [8], Lukianos und Achilleus Tatios) aufstrebenden Autoren; er erklärte

Eikónes I zu einem seiner Lieblingsbücher; seine Kenntnis von Lollianos, Polemon und Herodes [16] Atticus schöpfte er vermutlich aus soph. Um 1125 lobte Gregorios [4] von Korinth Ap. (zusammen mit Heliodoros, Achilleus Tatios, Xenophon und Prokopios) als erzählerisches Vorbild. Um 1295 verfaßte Maximos → Planudes Erläuterungen zu den *Eikónes* und zum *Hērōikós*.

D. TEXTÜBERLIEFERUNG

Die meisten erh. Werke des Ph. [5] sind in zahlreichen Mss. überl.: der *Hērōikós* in mindestens 48 (vgl. L. DE LANNOYS (ed.), 1977, V–XXII), die früheste Hs., Cod. Laurentianus 58,32 stammt aus dem 12. oder 13. Jh. Zu Ap. (früheste Hs. Cod. Escorial. aus dem 11. oder 12. Jh.), soph. etc. vgl. die Ausgabe von K. L. KAYSER, Zürich 1844. Der *Gymnastikós*, obgleich dem Arethas bekannt, blieb nur in Fr. erh., bis MINOIDES MYNAS die einzige Hs. mit einem vollständigen Text (14. Jh., Cod. Parisinus suppl. Gr. 1256) 1844 nach Paris brachte (14c.).

1 J. S. TRAILL, Greek Inscriptions Honouring Prytaneis, in: Hesperia 40, 1971, 321–326 (Nr. 13); 326–329 (Nr. 14)
2 S. FOLLET, Athènes au IIe et au IIIe siècles. Études chronologiques et prosopographiques, 1976
3 E. KAPETANOPOULOS, B. D. MERRITT, J. S. TRAILL, The Inscriptions (Agora 15), 313–315, Nr. 447–449 4 J. S. TRAILL, Prytany and Ephebic Inscriptions, in: Hesperia 51, 1982, 231–233, Nr. 34 5 J. J. FLINTERMAN, Power, Paideia, and Pythagoreanism, 1995 6 I. AVOTINS, The Date and Recipient of the »Vitae Sophistarum« of Philostratus, in: Hermes 106, 1978, 242–247 7 C. P. JONES, The Reliability of Philostratus, in: G. W. BOWERSOCK (Hrsg.), Approaches to the Second Sophistic, 1974, 11–16 8 S. C. R. SWAIN, The Reliability of Philostratus' Lives of the Sophists, in: Classical Antiquity 10, 1991, 148–163 9 J. JÜTHNER, Der Verf. des Gymnastikos, in: FS Th. Gomperz, 1902, 225–232 10 K. MÜNSCHER, Die Philostrate, in: Philologus Suppl. 10, 1907, 467–558 11 J. JÜTHNER, Ph. über Gymnastik, 1909, 87–89 12 E. L. BOWIE, Greek Sophists and Greek Poetry in the Second Sophistic, in: ANRW II 33.1, 1989, 209–258 13 Ders., Philostratus, Writer of Fiction, in: J. R. MORGAN, R. STONEMAN (Hrsg.), Greek Fiction, 1994, 181–199 14 F. SOLMSEN, s. v. Philostratus (9–12), RE 20, 125–177 15 S. FOLLET, Deux épigrammes peu connues attribuées à Philostrate, in: RPh 38, 1964, 242–252 16 G. W. BOWERSOCK, Greek Sophists in the Roman Empire, 1969 17 I. AVOTINS, The Year of the Birth of the Lemnian Philostratus, in: AC 47, 1978, 538–539 18 W. SCHMID, Der Atticismus, Bd. 4, 1896, 6–7 (Ndr. 1964) 19 PIR F 233 20 M. DZIELSKA, Apollonius of Tyana in Legend and History, 1986, 153–183 21 A. F. NORMAN, Philostratus and Libanius, in: CPh 48, 1953, 20–23.

ERSTAUSGABEN:

BRIEFE: Epistulae Graecae, Bd. 2, Aldina, Venedig 1499.
AP.: (mit Eusebios' ›Adversus Hieroclem‹), Aldina, Venedig 1501–1502.
SOPH., HEROIKOS, IMAGINES I UND II: in der Aldina Lukian, Venedig 1503 (mit Kallistratos).
GYMNASTIKOS: K. L. KAYSER, Heidelberg 1840 (unvollständig) · K. MINOIDES MYNAS, Paris 1858 (komplett).
MOD. ED.: C. L. KAYSER, 1870–1871.

HEROIKOS: L. DE LANNOY, 1977.
IMAGINES: O. BENNDORF, C. SCHENKEL, 1893.
ED. MIT ÜBERS.: Ap.: V. MUMPRECHT, 1983 (dt.) · F. C. CONYBEARE, 1912 (engl.).
SOPH.: W. C. WRIGHT, 1921 (engl.).
IMAGINES I UND II: A. FAIRBANKS, 1931 (engl., mit Kallistratos).
BRIEFE: A. R. BENNER, F. H. FOBES, 1949 (engl., mit Alkiphron und Ailianos).
KOMM. UND INDEX: J. JÜTHNER, S. [11], 1909 · S. ROTHE, Komm. zu ausgewählten Sophistenviten des Ph., 1989 · I. und M. AVOTINS, An Index to the Lives of the Sophists of Ph., 1978 · O. BENNDORF, K. SCHENKEL, Index verborum zu Imagines I und II in ihrer Ausgabe der Imagines, 1893.
ÜBERS. MIT KOMM:
IMAGINES I: A. BOUGOT, F. LISSARRAGUE, Philostrate. La galérie de tableaux, 1991 · O. SCHÖNBERGER, E. KALINKA, Philostratus. Die Bilder, 1968.
LIT.: E. L. BOWIE, Apollonius of Tyana: Trad. and Reality, in: ANRW II 16.2, 1978, 1652–1699 · G. ANDERSON, Philostratus, 1986 · Ders., The Second Sophistic, 1993 · R. WEBB, The Transmission of the Eikones of Philostratus and the Development of »Ekphrasis«, unpubl. Diss. London, 1993 · S. C. R. SWAIN, Hellenism and Empire, 1996, 380–400 · J. ELSNER, Hagiographic Geography: Travel and Allegory in the ›Life of Apollonius of Tyana‹, in: JHS 117, 1997, 22–37 · L. DE LANNOY, Le problème des Philostrate, in: ANRW II 34.3, 1997, 2362–2449 · A. BILLAULT, L'univers de Philostrate, 2000 · J. ELSNER, Making Myth Visual, in: MDAI(R), 2000 (im Druck).   E. BO./Ü: G. K.

Philotas (Φιλώτας).

[1] Ältester Sohn des → Parmenion [1], stand nach → Philippos' [4] Ehe mit → Kleopatra [II 2] bei der Pixodaros-Affäre zu ihm gegen → Alexandros [4] d. Gr. Nach Philippos' [4] II. Tod (336 v. Chr.) und der Ermordung Attalos' [1] durch → Parmenion [1] avancierte Ph. zum Kommandeur über die → *hetaíroi*, die er in den großen Schlachten gegen die Perser führte. Im Herbst 330 starb sein Bruder Nikanor [1]. Ph. blieb zur Leichenfeier zurück, während Alexandros den Marsch fortsetzte. In Drangiana holte Ph. das Heer ein und wurde sogleich in die Verschwörung eines Dimnos gegen Alexandros verwickelt. Laut Arrianos (Arr. an. 3,26, nach → Ptolemaios) hatte die Affäre schon in Äg. (332) begonnen; jetzt wurde Ph. vom Heer verurteilt und als ›offenkundig schuldig‹ hingerichtet. Nach Diodoros (17,79,3) und Curtius (6,11,21) war er vielleicht schuldig.

Curtius, aus der Vulgata (→ Alexanderhistoriker), berichtet von einem Staatsstreich gegen Ph.: Von Alexandros in Sicherheit gewiegt, wird Ph.' Zelt nachts unter Führung von Freunden des Königs und zwei *sōmatophýlakes* (→ Hoftitel B.) gestürmt; er wird vor dem Heer angeklagt, verurteilt, gefoltert und gesteinigt. Der von Curtius mit Reden ausgeschmückte Bericht beruht letzten Endes auf einem offiziellen Bulletin. Das beweist v. a. das Ph. abgezwungene »Geständnis« eines Komplottes zwischen Parmenion und dem damals schon toten → Hegelochos [1]. Nach Ph.' Tod sandte Alexandros einen Eilboten an → Kleandros [3] mit dem Befehl, Parmenion zu ermorden. Das »Geständnis« diente zur Rechtfertigung des Mordes.

Bei Plutarchos [2] (Plut. Alexandros 48–49), der die Vulgata kannte, ist alles ganz anders erzählt: In Äg. beginnt Ph., seiner Geliebten seine Geringschätzung von Alexandros' Charakter und Erfolgen anzuvertrauen. Von Krateros [1] darüber informiert, befiehlt Alexandros ihr, ihm weiter über Derartiges zu berichten. Auf dieses ›Komplott gegen Ph.‹ (49,1) folgt die Dimnos-Affäre. Hier ist Ph. völlig unschuldig. In den anderen Quellen erfährt Ph. zweimal durch einen Denunzianten von der Verschwörung und verhindert, daß Alexandros davon informiert wird. Bei Plutarch dagegen weiß er von der Verschwörung überhaupt nichts: Die Denunzianten wollen nur mit einer wichtigen Meldung zu Alexandros zugelassen werden, und davon nimmt Ph. keine Notiz. Als sie dennoch zum König gelangen, erregen sie bei ihm den Verdacht der Beteiligung des Ph.; Alexandros, durch die Bespitzelung gegen Ph. ›verbittert‹, glaubt dies gern und berät sich mit Freunden, deren Haß gegen Ph. er kennt; Ph. wird verhaftet, gefoltert und hingerichtet. Dieser Bericht ist als Gegengewicht zur offiziellen Fassung ernst zu nehmen.

HECKEL, 23–33.

[2] Ein Ph., nach dem Tod → Alexandros' [4] d.Gr. Satrap von Kilikia, kann mit Ph., der am Gelage des → Medios [2] teilnahm, identisch sein.

BERVE 2, Nr. 804.   E.B.

[3] Ph. aus Amphissa. Griech. Arzt, offizieller Gast (→ próxenos) der Stadt Delphoi [1] und geschwätziger Freund des Lamprias, des Großvaters von Plutarchos [2]. Als Ph. in Alexandreia Medizin studierte, wurde er Zeuge der verschwenderischen Vorbereitungen, die der Triumvir M. → Antonius [I 9] im Jahre 41–40 v. Chr. für die Unterhaltung von Kleopatra traf. Später wurde Ph. Leibarzt von Antonius' älterem Sohn, M. Antonius [I 10] (Plut. Antonius 28).

1 W. A. OLDFATHER, A Friend of Plutarch's Grandfather, in: CPh 19, 1924, 177.   V. N./Ü: L. v. R.-B.

Philotera (Φιλωτέρα). Tochter des Ptolemaios I. und der Berenike [1]; ihr Geburtsjahr ist unbekannt, sie starb nach 276 v. Chr. und kurz vor Arsinoë [II 3] II. Sie erhielt sehr bald griech. Kult (vgl. Kall. fr. 228,40–58), wurde dann verm. im Arsinoeion mitverehrt (zu ihrem äg. Kult s. → Nesysti [2]). Nach Ph. sind zwei Dörfer im Arsinoitis, ein Demos in Ptolemais und Städte am Roten Meer, in Lykien und Israel benannt.

P. FRASER, Ptolemaic Alexandria, 1972, Bd. 1, 668f.; Bd. 2, 373 Anm. 282; 377 Anm. 314 · G. WEBER, Dichtung und höfische Ges., 1993, 269 · M. WÖRRLE, Epigraphische Forsch. zur Gesch. Lykiens III, in: Chiron 9, 1979, 83–111, bes. 104f.   W. A.

Philotes (Φιλότης). Griech. Personifikation von Sexualität und sinnlicher Liebe. Bei Hesiod (theog. 224) ist sie die Tochter der → Nyx und die Schwester der Moiren (→ Moira; vgl. aber Hes. theog. 905) sowie von Alter, Schlaf, Betrug, Rache, Streitsucht etc. Diese auffällige Kombination führt man mitunter auf ein negatives Frauenbild oder eine pessimistische Weltsicht Hesiods zurück. Während Hesiod noch explizit von Parthenogenese spricht (Hes. theog. 213), wird später der Erebos als Vater der Ph. bezeichnet (Cic. nat. deor. 2,44). → Empedokles [1] nennt seine kosmische Urkraft der Liebe ebenfalls Ph.

→ Eros [1]

M. L. WEST, Hesiod. Theogony, 1966.   HE. B.

Philotheos s. Kletorologion

Philotimos (Φιλότιμος). Freigelassener von Ciceros Frau → Terentia, Vermögensverwalter der beiden − trotz Ciceros Verdacht, Ph. habe ihn in den Jahren 51/50 betrogen (Cic. Att. 5,8,2f.; 7,1,9) − bis zur Scheidung 47/6 v. Chr. Auch als Leiter von Ciceros Botendienst erregte er bei diesem Anstoß (Cic. Att. 5,17,1; Cic. fam. 4,2,1). 46 wurde Ph., der selbst Sklaven besaß (Cic. Att. 10,15,1) und zuvor ein eifriger Pompeianer gewesen war (Cic. Att. 9,7,6; 10,9,1), unter die *Luperci* (→ Lupercalia) kooptiert (Cic. Att. 12,5,1).   JÖ. F.

Philotis s. Tutola

Philoxenides (Φιλοξενίδης) aus Oropos, Satyrspieldichter, nach 85 v. Chr. an den Amphiaraia und Romaia in Oropos erfolgreich (TrGF I 170).   B. Z.

Philoxenos (Φιλόξενος).

[1] Mehrere Offiziere namens Ph. werden in den Quellen über → Alexandros [4] d.Gr. erwähnt. Sie sind nicht immer sicher zu scheiden. Ein Ph. wurde 331 v. Chr. (irrig [1]) von Alexandros ›zum Einsammeln der Tribute diesseits des Tauros‹ (d. h. in Kleinasien) eingesetzt (Arr. an. 3,6,4). Das kann nicht stimmen. Arrian muß sich, wie oft, ungenau ausgedrückt haben, da diese Aufgabe bereits anderen anvertraut war. Daß sein Auftrag nur die Tribute von Karia betraf (›das wahrscheinlichste Segment‹: [2. 281], mit daran angeknüpften Vermutungen) ist ebenfalls kaum möglich. Eher handelt es sich um die *syntáxeis* (»Kriegsauflagen«) der griech. Städte, für die sonst niemand zuständig war [3. 54f.]. Dazu muß er auch Truppen zur Verfügung gehabt haben. Nach der Eroberung der persischen Reichsschätze und dem Ende des hellenischen Rachekriegs (330) wurde diese Steuer hinfällig. Ph. wurde jetzt anscheinend ›hýparchos‹ von Ionia‹ oder ›der Küste‹ (Polyainos 6,49; Plut. mor. 333a), mit dem Auftrag, die griech. Städte zu überwachen, in denen sein Eingreifen (so in Ephesos und auf einigen Inseln) bezeugt ist. 324 verlangte Ph. – und ganz parallel dazu Antipatros [1], der die Griechenstädte Europas überwachte – von Athen die Auslieferung von → Harpalos.

Ein nicht prominenter Ph. war längere Zeit Satrap von Karia, wo er die Untertanen ausbeutete. Er führte 323 Alexandros von dort Truppen zu. Er muß mit dem ebenfalls nicht prominenten Ph. identisch sein, der nach Alexandros' Tod Satrap von Kilikia wurde. Einem Ph. (vielleicht demselben) wurde 331 die Stadt Susa von seinem pers. Kommandanten übergeben.

1 BERVE 2, Nr. 793 (dazu auch Nr. 795 und 796) 2 A.B. BOSWORTH, A Historical Commentary on Arrian's History of Alexander, Bd. 1, 1980 3 E. BADIAN, Alexander the Great and the Greeks of Asia, in: Ancient Society and Institutions. Stud. in Honor of V. Ehrenberg, 1966, 37–69.   E.B.

[2] Dithyrambendichter von Kythera, 435/34 bis 380/79 v. Chr. (Marmor Parium, ep. 69, p. 18 JACOBY). Als Vertreter der »neuen Musik« (→ Musik IV.D.) verfaßte er 24 Dithyramben (Suda s.v. Φ.) einschließlich eines berühmten *Kýklōps* (bzw. *Galáteia*), der von Aristoph. Plut. parodiert wurde (schol. Aristoph. Plut. 819f. CAMPBELL). Anekdoten erzählte man von seiner Tätigkeit am Hof des Dionysios [1] I. von Syrakus und seinem Aufenthalt in Ephesos, wo er starb (Suda) [1. 138–175]. Zuweilen hält man ihn für den Verf. des ›Gastmahls‹ (Δεῖπνον), von dem größere Fr. in Daktyloepitriten erh. sind, obwohl es meist dem Ph. [3] von Leukas zugeschrieben wird (836 PMG). Ob es sich dabei wirklich um einen Dithyrambos handelte, ist umstritten; einige bezweifeln es [2. 70–71], während andere meinen, daß es zeige, wie weit die Gattung schon gesunken war [3. 143–144].

1 D.A. CAMPBELL, Greek Lyric 5, 1993 2 D.F. SUTTON, Dithyrambographi Graeci, 1989 3 B. ZIMMERMANN, Dithyrambos, 1992.   E.R./Ü: T.H.

[3] Ph. von Leukas. Gastronomischer Dichter, Anf. 4. Jh. v. Chr., Verf. eines von Athen. 1,5b erwähnten *Deípnon* in Hexametern, aus dem der Komödiendichter Platon [2] im ›Phaon‹ (391 v. Chr.) ein Dutzend Verse zitiert (fr. 189 PCG VII): Das Gedicht, eine Art *Opsartysía* (»Kochbuch«), inaugurierte die → gastronomische Dichtung (eine Untergattung des → Lehrgedichts) und wurde zum bevorzugten Vorbild des → Archestratos [2], bei dem sich deutliche Anklänge finden. Das Metrum, die ionische Patina, der episierende Stil sowie der Inhalt schließen die geläufige Hypothese aus, nach der der komische Dichter hier das lyrische *Deípnon* gleichen Namens »parodiert« habe (PMG 836a-f).

E. DEGANI, Filosseno di Leucade e Platone comico (fr. 189 K.-A.), in: Eikasmos 9, 1998, 81–99.   O.M./Ü: T.H.

[4] Autor eines Epigramms aus dem »Kranz« des Meleagros [8]: die Widmung auf der als Startpunkt eines Stadions dienenden Hermes-Statue, gestiftet von Lykios Tlepolemos von Myra (Anth. Pal. 9,319), eines vielfach siegreichen Athleten. Wenn es sich um den gleichnamigen olympischen Sieger von 256 v. Chr. handelt (vgl. Paus. 5,8,11), ist die Gleichsetzung [1] des Ph. mit dem Dithyrambographen Ph. [2] von Kythera auszuschließen.

1 TH. BERGK (ed.), Poetae Lyrici Graeci, Bd. 3, ⁴1882 (Ndr. 1914), 615.

GA I 1, 165; 2, 478–480.   M. G. A./Ü: G. K.

[5] Griech. Maler aus Eretria auf Euboia, Schüler des → Nikomachos [4], später Vertreter der »attisch-thebanischen Malschule«, wirkte am E. des 4. Jh. v. Chr. in Makedonien für den späteren König → Kassandros (Plin. nat. 35,110). Ph. gilt als Schöpfer der Originalvorlage des als recht getreue Kopie geltenden → Alexandermosaiks. Das figurenreiche Schlachtenbild rühmt einen Sieg des → Alexandros [4] d.Gr. über die Perser. Nur noch ein weiteres Werk ist für den einzig bei Plinius erwähnten Maler überl.: drei ausgelassen feiernde → Silene, über deren Aussehen in der Forsch. unterschiedliche Vorstellungen bestehen. Neuerdings wird Ph. wegen stilistischer und inhaltlicher Analogien auch als Urheber des gemalten Jagdfrieses über dem Eingang des »Philippsgrabes« in Vergina (s. → Aigai [1]) erwogen. Die lebendige Komposition zeigt eine Adelsgesellschaft mit Pferden und Hunden bei der Löwenjagd in baumbestandener Hügellandschaft.

Ph. perfektionierte die bereits von seinem Lehrer gepflegte Technik der Schnellmalerei (→ *compendiariae*), die in einem vereinfachenden Verfahren bei Vorzeichnung und Farbschichtenaufbau bestanden haben dürfte. Weitere Vergleiche mit Grabgemälden aus Makedonien und anderen Randgebieten der griech. Welt legen für den Maler außerdem eine vollendete Beherrschung der Licht - → Schattenmalerei (Skiagraphie) nahe. → Malerei

I. BALDASSARE, A. ROUVERET, Une histoire plurielle de la peinture grecque, in: M.-CH. VILLANUEVA-PUIG (Hrsg.), Céramique et peinture greques, 1999, 219–231 • N. J. KOCH, Techne und Erfindung in der klass. Malerei, 2000, 167–171; 176; 199; 211 • P. MORENO, Elementi di pittura ellenistica, in: L'Italie méridionale et les premières expériences de la peinture hellénistique, 1998, 7–67 • I. SCHEIBLER, Griech. Malerei der Ant., 1994 • B. TRIPODI, Cacce Reali Macedoni, 1998, 56; 90f.; 101–109.   N.H.

[6] Ph. Aniketos (Ἀνίκητος, mittelindisch: Philasina). Indogriech. König E. des 2. oder Anf. des 1. Jh. v. Chr., nur durch seine Mz. belegt.

BOPEARACHCHI, 100f., 288–294.   K.K.

[7] Ägypt. Chirurg und Pharmakologe, der gegen E. des 2. Jh. v. Chr. wirkte und von dem Celsus (De medicina 7, praef. 3) sagt, er habe durch seine Veröffentlichungen und seinen Unterricht (in Alexandreia?) die Chirurgie ein gutes Stück vorangebracht. Von seiner Behandlungsweise des Augenflusses berichtet der Pap. PACK² 2377. Eine ganze Reihe seiner Arzneimittelzubereitungen werden durch Galen via → Asklepiades [9] Pharmakion überl. Der Gentilname Claudius, den ihm Galen in seiner Schrift *De compositione medicamentorum secundum genera* (2,17 und 3,9 = 13,539 und 645 K.) gibt, geht wahrscheinlich auf eine Textverderbnis in einer Hs. zurück.   V.N./Ü: L.v.R.-B.

[8] Ph. aus Alexandreia. Vielseitiger Grammatiker des 1. Jh. v. Chr. [1. 3–7], der in Rom forschte und lehrte (Suda φ 394). Ph. verfaßte mindestens 19 Schriften [1. 8–14], u. a. zu den Epen Homers (Textkritik, Prosodie, Sacherklärung), über → Griechische Dialekte (er hält auch Latein für einen dem Aiolischen verwandten Dial.), über Metrik, Glossen und rechten Sprachgebrauch (*Hellēnismós*). In seinem – verm. alphabetisch geordneten [1. 8] – Hauptwerk Περὶ μονοσυλλάβων ῥημάτων (›Über einsilbige Verben‹) grenzt sich Ph. von der am Substantivum orientierten etym. Lehre der Stoiker ab, indem er ὀνόματα (*onómata*, Subst.) und ῥήματα (*rhḗmata*, Verben) auf einsilbige Verbalstämme zurückführt, die durch → Analogie [2] erschlossen werden müssen, wenn sie in der Umgangssprache oder im Dial. nicht mehr existieren. Keine der Schriften des Ph. ist direkt überliefert; Fr. finden sich bei späteren Grammatikern (bes. → Orion) und in den byz. → Etymologica.

> FR.-SLG.: **1** C. THEODORIDIS (ed.), Die Fr. des Grammatikers Ph., 1976.
> LIT.: **2** J. L. HELLER, Nepos, »Skorpistes« and Ph., in: TAPhA 93, 1962, 61–89 **3** G. L. KONIARIS, Conjectures in the Fragments of the Grammarian Ph., in: Hermes 108, 1980, 462–476 **4** C. WENDEL, s. v. Ph., RE 20, 194–200.
> GR.DA.

[9] Ph. von Mabbūg. Syr. Schriftsteller († 10.12.523 n. Chr.). Ph. (die hellenisierte Form seines syr. Namens Aksᵉnāyā) wurde im Sāsānidenreich geb. und an der »Persischen Schule« von → Edessa [2] erzogen. Ein glühender Gegner des Konzils von Kalchedon (451) und des *Tomus Leonis* (→ Leo [3]), wurde er im J. 485 Metropolit von Mabbūg (Hierapolis/→ Bambyke), von wo er jedoch anläßlich der Thronbesteigung Iustinus' I. (518) ins Exil nach Gangra vertrieben wurde. Sein ausgedehntes Schrifttum in syr. Sprache umspannt hauptsächlich theologische und monastische Themen. Zur ersten Gruppe gehören zehn Reden (*mēmrē*, → *mēmrā*) gegen den Ostsyrer Ḥabbīb (482/484), ein Werk über die Trinität und die Inkarnation sowie ein Komm. über den Iohannes-Prolog; zur zweiten Gruppe gehören 13 Reden über das monastische Leben und ein Brief an Patrikios (von dem eine Kurzversion im 8.–9. Jh. im Hl. Sabas-Kloster bei Jerusalem unter dem Namen → Isaak [3] des Syrers ins Griech. übers. wurde). Unter seinen anderen Briefen befindet sich einer, der an Kaiser → Zenon adressiert ist (›Über die Inkarnation‹). Ph. gab eine Revision der syr. Übers. des NT in Auftrag, die im J. 507/8 von seinem Chorbischof Polykarpos vollendet wurde (das Werk ist verloren, diente jedoch einer etwa im J. 615 durchgeführten neuerlichen Revision durch Thomas von Ḥarqel als Grundlage).

> A. DE HALLEUX, Philoxène de Mabbog. Sa vie, ses écrits, sa théologie, 1963 · Ders., s. v. Philoxenus von Mabbug, TRE 26, 1996, 576–580 · F. GRAFFIN, s. v. Philoxène de Mabboug, Dictionnaire de Spiritualité 12, 1984, 1392–1397 · E. KETTENHOFEN, Biographisch-bibliogr. Kirchenlex. 7, 1994, 524–529.   S. BR./Ü: A. SCH.

Philtron (φίλτρον, lat. *philtrum*; auch στέργηθρον/ *stérgēthron* und θέλκτρον ἔρωτος/ *thélktron érōtos*; lat. *amatorium*, *pocula desiderii* bzw. *amoris*). Im allg. ein Liebeszauber, häufiger Instrumente dieses Zaubers (z. B. das Gewand der → Deianeira, Soph. Trach. 584, 1144), meistens aus Pflanzen sowie mineralischen und tierischen Substanzen hergestellt; *philtra* wurden auf zwei Arten eingesetzt: 1. Die Substanzen wurden in einem magischen Ritual verbrannt, das ein professioneller Magier unter Verwendung weiterer Gegenstände (Bleiplättchen mit Zauberformel, eine den Adressaten des Rituals verkörpernde Statuette) durchführte; wie bei rel. Opfern sollte dabei Rauch produziert und so eine Gottheit herbeigerufen werden, die dann in dem Zauber wirken sollte (z. B. Ach. Tat. 5,22). 2. Diese Substanzen sollten durch Getränke, die der Adressat des Zaubers zu sich nahm, oder Produkte, die an seinem Körper angebracht wurden, Liebe erregen (z. B. Heliodoros 3,16; Plin. nat. 28,256); vielleicht enthielten sie – so mod. Forscher – Aphrodisiaka.

→ Defixio; Magie

> A. BERNAND, Les sorciers grecs, 1991 · TH. HOPFNER, s. v. Ph., RE 20, 203–208 · J. J. WINKLER, The Constraints of Eros, in: C. A. FARAONE, D. OBBINK (Hrsg.), Magika Hiera. Ancient Greek Magic and Rel., 1991, 214–243.
> A. TO./Ü: T. H.

Philumenos (Φιλούμενος). Verf. einer Abh. über Vergiftungen (Περὶ ἰοβόλων ζῴων καὶ τῶν ἐν αὐτοῖς βοηθημάτων, ›Über giftige Tiere und daraus zu gewinnende Medikamente‹), die nur in der Hs. Vat. Gr. 284 (10. Jh. n. Chr.) überl. ist. Ph. muß auf jeden Fall nach → Galenos angesetzt werden – das Werk ist nach dem Vorbild von dessen Abh. zur Toxikologie gegliedert – und vor dem ihn zitierenden → Oreibasios, also ins 2. oder eher ins 3. Jh. n. Chr. Im Text des Ph. kommen äg. und alexandrinische Therapieverfahren vor, aus denen sich jedoch keine Schlußfolgerungen ziehen lassen, da das gesamte Werk auf Kompilation beruht.

Aus Verweisen späterer medizinischer Enzyklopädien auf Ph. und aus Fr. in der lat. Übers. des Alexandros [29] von Tralleis glaubt man ableiten zu können, daß Ph. ein umfangreiches therapeutisches Hdb. redigiert habe, von dem das Exposé zur Toxikologie nur einen Teil darstelle, ohne eine Abh. *sui generis* gewesen zu sein, wie man gemeint hat. Die Quellen des Ph. haben Anlaß zu zahlreichen Spekulationen gegeben; es scheint sich dabei letztlich um die → Pedanios Dioskurides zugewiesene Abh. zum selben Gegenstand zu handeln, deren Inhalt (wie bei Galenos) neu gegliedert und um neues Material erweitert wurde; soweit wäre es eine rein lit. Synthese. Die textbegleitenden Illustrationen des Vat. Gr. 284 – stereotype Bilder nicht spezifizierter Schlangen – gehören nicht zur urspr. Textstufe, sondern stammen aus byz. Zeit.

Die Abh. zur Toxikologie (oder vielleicht das gesamte vermutete Therapie-Hdb.) des Ph. wurde von Oreibasios benutzt und sehr bald ins Lat. übers., da Teile davon in der lat. Übers. des 2. B. der *Therapeutikaí* des Alexandros [29] von Tralleis erscheinen, die vielleicht noch zu dessen Lebzeiten (6. Jh. n. Chr.) verfaßt wurde. Die Abh. zur Toxikologie wurde ins Arab. übers. und zirkulierte somit schon im 9. Jh. n. Chr. unabhängig.

Das Werk blieb bis zu seiner Wiederentdeckung zu Beginn des 20. Jh. und der Ausgabe durch M. WELL-MANN unbekannt.

→ Pharmakologie

H. DILLER, s. v. Ph. (7), RE 20, 209–211 · Z. KÁDÁR, Survivals of Greek Zoological Illuminations, 1978, 72 f. · P. MIHAILEANU, Fragmentele latine ale lui Philumenus si Philagrius, 1910, 103–147 · H. MØRLAND, Zu Ph., in: Symbolae Osloenses 32, 1956, 84 f. · A. TOUWAIDE, Galien et la toxicologie, in: ANRW II 37.3, 1993, 1887–1986 · M. WELLMANN, Die pneumatische Schule, 1895 · Ders., CMG X,1,1, 1908 · Ders., Ph., in: Hermes 43, 1908, 530–569.   A. TO./Ü: T. H.

Philyllios (Φιλύλλιος). Komödiendichter des 5./4. Jh. v. Chr., nach der Suda Zeitgenosse des Diokles [5] und des → Sannyrion [1. test. 2]; siegte an den Lenäen und vielleicht an den Dionysien [1. test. 3, *4]. Erh. sind 33 Fr. und 10 Titel, von denen sechs mythischer Natur sind (Αἰγεύς, Ἀταλάντη, Αὔγη, Ἑλένη, Ἡρακλῆς, Πλύντριαι ἢ Ναυσικάα); das letztgenannte Stück [1. fr. 8] aus dem letzten Jahrzehnt des 5. Jh. verspottet den attischen Politiker Laispodias [2. 203].

1 PCG VII, 1989, 374–387 2 H.-G. NESSELRATH, Die att. Mittlere Komödie, 1990.   B. BÄ.

Philyra (Φιλύρα, wörtl. »Lindenbaum«).
[1] → Okeanide, bereits bei Hesiod (theog. 1002) die Mutter des Kentauren → Chiron, in dessen Höhle sie laut Pindar (N. 3,43) lebt. Die hesiodeische, aiolische Schreibung *Phillyrídēs* für Chiron verweist auf eine archa. Schicht des Mythos (WEST zu Hes. theog. 1002). Mit ihr vereinigt sich → Kronos, der sich selbst und Ph. in Pferde verwandelt, als er während des Liebesaktes von → Rhea überrascht wird. Ihr Kind ist der Kentaur Chiron, dessen monströse Gestalt die Mutter so schokkiert, daß sie Zeus bittet, ihr eigenes Aussehen zu verwandeln (TrGF Adespoton 734b). So wird sie zu dem Baum, der nach ihr benannt ist (Apoll. Rhod. 2,1231–1241; Hyg. fab. 138). Der Mythos wird durchwegs in Nordgriechenland angesiedelt, in Thrakien (Hyg. l.c.), auf dem Berg Pelion (Verg. georg. 3,92–94) oder auf einer unbekannten Insel im Schwarzen Meer (Apoll. Rhod. l.c.), die dem Festland gegenüberliegt, auf dem die Philyres lokalisiert werden (Apoll. Rhod. 3,392 f.; Val. Fl. 5,152; Amm. 22,8,21).

A. KOSSATZ-DEISSMANN, s. v. Ph., LIMC 7.1, 386–387 · H. STOLL, s. v. Ph., ROSCHER 3.2, 2353 f. · P. MAAS, KS, 1973, 229 (Phillyrides).   J. B./Ü: PE. R.

[2] Gattin des → Nauplios [1], Mutter des → Palamedes (Apollod. 2,23), auch unter dem Namen → Klymene [5].   L. K.

Phineus (Φινεύς).
[1] Sohn des → Agenor [1]-Sohnes → Phoinix [1] und der → Kassiepeia [1] (Hes. cat. 138; Pherekydes FGrH 3 F 86; Antimachos fr. 70 MATTHEWS), auch Sohn Agenors selbst (Hellanikos FGrH 4 F 95; Apoll. Rhod. 2,237; Nonn. Dion. 2,680) oder Poseidons (Apollod. 1,120). Ph. ist verheiratet zuerst mit → Kleopatra [I 1], Tochter des → Boreas und der → Oreithyia, und von ihr Vater von zwei Söhnen (→ Plexippos/Pandion; Parthenios/ Karambis; Mariandynos/Thynos u.a); darauf mit der → Dardanos [1]-Tochter Idaia (Apollod. 3,199 f.; Soph. fr. 704 RADT; schol. Apoll. Rhod. 2,178–182bc). Er ist beheimatet entweder an der thrakischen Ostküste des Pontos Euxeinos (→ Salmydessos, Apollod. 1,120; Soph. Ant. 966–976), der thynischen (europäischen) SW-Küste (Apoll. Rhod. 2,177 mit schol.; Val. Fl. 4,424) oder an der (kleinasiat.) bithynisch-paphlagonischen Südküste (Pherekydes FGrH 3 F 27).

Ph. ist der blinde Seher, der den → Argonautai (wie → Kirke dem Odysseus [1. 221]) die nächsten Stationen, bes. die → Symplegades, unter der Bedingung voraussagt, daß die Boreaden → Kalaïs und Zetes, seine Schwager, ihn gemäß einem Orakel von den → Harpyien befreien, die seine Speisen (Aischyl. fr. 258 RADT), ja ihn selbst (Hes. cat. 151) rauben (Apollod. 1,120 f.; jünger ist die Prophezeiung aus Dankbarkeit: Apoll. Rhod. 2,178 ff.; Val. Fl. 4,424). Grund seiner Blendung und Peinigung durch die Harpyien (sowie Verbannung: Val. Fl. 4,427 und 447 f.): Er hat entweder langes Leben der Sehkraft vorgezogen (Hes. cat. 157; Urheber Helios: schol. Apoll. Rhod. 2,178–182b) oder dem → Phrixos bzw. dessen Söhnen den (Rück- [2. 213 f.])Weg gezeigt (Hes. cat. 254; Apollod. 1,120 mit Poseidon, Istros FGrH 334 F 64 mit Helios als Urheber), oder den Menschen die Zukunft bzw. Pläne des Zeus verraten (Apoll. Rhod. 2,180–182; Val. Fl. 4,479; Variante bei Apollod. 1,120). Versorger und Freund des Ph. bei Apoll. Rhod. 2,456 ff. ist → Paraibios [1. 222 f. Anm. 3].

Nach einer wohl aus der Trag. stammenden Version hat Ph. seine Söhne aus erster Ehe auf die Verleumdung seiner zweiten Frau hin geblendet oder lebend eingraben und auspeitschen lassen bzw. ausgesetzt und ihre Mutter eingesperrt; Ph. wird deshalb von den mit den Argonauten fahrenden Boreaden oder Herakles geblendet oder getötet bzw. von Boreas geblendet oder fortgerafft, die Söhne und ihre Mutter werden befreit, die Stiefmutter zum Tode verurteilt (Soph. fr. 704 RADT; Soph. Ant. 966–976; Dionysios Skytobrachion fr. 18 RUSTEN bei Diod. 4,43 f.; ebd. fr. 19; Orph. Arg. 671 ff.; Apollod. 3,200, als Variante Apollod. 1,120 [3. 97 ff.]), die Söhne von → Asklepios oder den Boreaden geheilt (Phylarchos FGrH 81 F 18; Orph. Arg. 674 f.). Ph. in der Kunst: [4. 51 ff.; 5; 6].

[2] Sohn des Belos und der Anchinoë, Bruder des Aithiopenkönigs → Kepheus [2] (Eur. fr. 881 TGF bei Apollod. 2,11 und schol. Aischyl. Suppl. 317; Nonn. Dion. 3,296), Verlobter von dessen Tochter → Andro-

meda. Als Ph. deren Heirat mit → Perseus [1] verhindern will, wird er von diesem durch das → Gorgoneion versteinert (Apollod. 2,44; Ov. met. 5,1–235; Blendung in schol. Apoll. Rhod. 2,178–182b wegen Verwechslung mit Ph. [1]). Ph. in der Kunst: [7].

1 U. von Wilamowitz-Moellendorff, Hell. Dichtung, Bd. 2, ²1962 2 P. Dräger, Argo pasimelousa, 1993 3 J. S. Rusten (ed.), Dionysius Scytobrachion, 1982 4 M. Vojatzi, Frühe Argonautenbilder, 1982 5 L. Kahil, s. v. Ph. (1), LIMC 7.1, 387–391 6 K. Ziegler, s. v. Ph., RE 20, 245f. 7 E. Simon, s. v. Ph. (2), LIMC 8.1, 391f.

K. Ziegler, s. v. Ph., RE 20, 215–248.   P.D.

Phineus-Maler. Jüngerer der beiden Hauptmeister der → chalkidischen Vasenmalerei (vgl. → Inschriften-Maler), tätig etwa 540–520 v. Chr. Benannt wurde der Ph.-M. nach einer großen Augenschale mit Innenfriesen (Wagenzug von Dionysos und Ariadne; Phineus, Boreaden und Harpyien; Würzburg L 164); er bemalte v. a. Augenschalen und Halsamphoren, zudem Hydrien, Oinochoen und Skyphoi (→ Gefäßformen mit Abb.). Mythenbilder sind selten (Rückführung des Hephaistos [1. 204], Tydeus und Polyneikes in Argos [1. 207f.]); es überwiegen Tierfriese, symmetrische Tierbilder mit Mittelornament und variantenreiche Zusammenstellungen von Männern, Frauen, Jünglingen und Reitern. Der Stil des Ph.-M. ist von großer Eleganz und zeigt ionische Einflüsse. Der Ph.-M. und die nicht immer leicht von ihm zu trennende »Gruppe der Phineus-Schale« haben mit über 160 Werken das umfangreichste Œuvre der chalkid. Vasenmalerei geschaffen. Hauptfundorte sind → Lokroi [2], → Rhegion und → Vulci.

1 W. J. Slater, M. Steinhart, Phineus as Monoposiast, in: JHS 117, 1997, 203–211.

J. Boardman, Early Greek Vase Painting, 1998, 219 · M. Iozzo, La ceramica »calcidese«, 1994, 67–81.   M. ST.

Phintias
[1] (Φιντίας). Stadt an der Südküste von Sicilia, h. Licata, um 280 v. Chr. von Ph., dem Tyrannen von → Akragas, durch Ansiedlung der von → Mamertini vertriebenen Einwohner von → Gela gegr. (Diod. 22,2,2; 22,7,1); daher nannten sich die Einwohner von Ph. auch weiterhin Gelṓioi (Γελῷοι, IG XIV 256–261; [1. 711 Nr. 588f.]). 249 v. Chr. wurde bei Ph. im Zusammenhang mit dem 1. → Punischen Krieg eine röm. Flotte von den Karthagern geschlagen (Diod. 24,1,7f.). Unter röm. Verwaltung zählte Ph. zu den *civitates stipendiariae* (Plin. nat. 3,91). Auf der äußersten östl. Anhöhe des Monte S. Angelo (→ Eknomon) wurden mit Ph. identifizierbare Reste (ein terrassenförmig angelegter Siedlungsbereich, Wohnhäuser mit bemaltem Stuck, Nekropolen, mächtige Wasseranlagen) gefunden [2. 56, 162].

1 A. Holm, Gesch. Siziliens, Bd. 3, 1898 2 E. Manni, Geografia fisica e politica della Sicilia antica, 1981.

A. De Miro, s. v. Licata, EAA 2. Suppl. Bd. 3, 1995, 353–355 · BTCGI 12, 1–3.   GI. F. u. K. MEI./Ü: H. D.

[2] (Φιντίας). Att. Vasenmaler und Töpfer der Spätarchaik (525–510 v. Chr.), der wie → Euphronios [2] und → Euthymides zu den Hauptvertretern der sog. Pioniere der → Rotfigurigen Vasenmalerei gehört, jedoch in seiner Zeichenweise etwas altertümlicher als diese ist. Seine Anfänge liegen in der »Vorpionier-Zeit« (signierte Schale München, SA 2590). Einflüsse der früh-rf. Maler → Psiax und → Oltos sind erkennbar. Auch in seiner »Pionier-Zeit« hat Ph. noch häufig Ornamentleisten sf. gemalt und Konturen geritzt. Seine Formensprache ist klar und schnörkellos, aber ohne großen Schwung, seine Detailzeichnung (Wiedergabe der Muskeln, Fingernägel, Knöchel, Wimpern) sorgfältig und genau. Seine Figuren wirken oft ein wenig steif und seine Kompositionen, obwohl von Euthymides beeinflußt, etwas spannungsarm und akademisch. Sein Bildrepertoire ist breit gefächert und umfaßt Alltagsszenen (Hydria mit Musikunterricht und Hetärensymposion: München, SA 2421) ebenso wie Mythenbilder (Amphora mit Dreifuß-Raub und Thiasos: Tarquinia, Mus. Nazionale RC 6843). Ph. war schreibfreudig wie alle Pioniere und hat gelegentlich seinen Figuren die Namen von Kollegen beigeschrieben (Euthymides auf der Hydria München, SA 2421, Sosias auf der Amphora Paris, LV G 42). Von den zehn erh. Gefäßen mit Signatur hat er sieben als Maler (vier Schalen, eine Amphora, eine Pelike, eine Hydria) und drei als Töpfer (eine Schale, nicht von ihm bemalt, und zwei muschelförmige Salbgefäße) signiert.

Beazley, ARV², 22–26, 1620, 1700 · Beazley, Addenda², 154–155 · E. Simon, Die griech. Vasen, ²1981, Abb. 98–101 · C. Weiss, in: Greek Vases in the J. Paul Getty Museum 4, 1989, 83–94 · M. Robertson, The Art of Vase-Painting in Classical Athens, 1992, 20–35 u. ö. · J. Boardman, Rf. Vasen aus Athen. Die archa. Zeit, ⁴1994, 40, Abb. 38–42.   I. W.

Phintys (Φίντυς). Pseudonyme Verfasserin einer pythagoreisierenden Schrift Περὶ γυναικὸς σωφροσύνας (›Über die Selbstbeherrschung/*sōphrosýnē* der Frau‹; zwei längere Fr. auf Dorisch daraus bei Stob. 4,23,61 erh.): Die für die Frau charakteristische Tugend ist die Selbstbeherrschung; Mann und Frau teilen bestimmte Vorzüge und Fähigkeiten, andere sind eher männlich oder weiblich; das Philosophieren teilen sie sich. Die Frau erreicht das ihr spezifische Gut durch fünf Dinge: Keuschheit, körperliche Zierde, gute Haushaltung, Fernbleiben von orgiastischen Feiern und Maßhalten beim Opfern. Vielleicht ist Ph. identisch mit der Pythagoreerin Philtys im Katalog des Iamblichos (Iambl. v.P. 267); nach Stob. 4,23,61 ist sie Tochter des Kallikrates (vielleicht 2. Jh. n. Chr.).

→ Geschlechterrollen; Pythagoreische Schule

Ed.: H. Thesleff, The Pythagorean Texts of the Hellenistic Period, 1965, 151–154.   M. FR. u. C. RI.

Phiops (Φίοψ/Φιός). Griech. Form des Namens zweier äg. Könige (äg. *Pjpj*).

[1] Ph. I. Dritter König der 6. Dyn. (ca. 2300–2250 v. Chr.). Unter seiner Regierung sind Expeditionen zum → Sinai, nach Byblos [1], → Nubien und Punt bezeugt. Eine Inschr. des Ph. wurde im Palast G von → Ebla gefunden. Ein Höfling berichtet in seiner Grabinschr. von einer geheimen Untersuchung einer Haremsverschwörung unter Leitung der Königin [1. 98–110]; derselbe Bericht erwähnt fünf Feldzüge gegen asiatische → Nomaden. Der Name der Pyramide(n-stadt) des Ph. (*Mn-nfr-Pjpj*) ist später (zuerst um 1500 belegt) zum Namen der Stadt → Memphis geworden.

[2] Ph. II. Fünfter König der 6. Dyn. (ca. 2245–2180/50), der als Kind den Thron bestieg und späterer Überl. nach (Manethon, Fr. 19/20, s. [2], Turiner Königspap. [3]) 94 J. lang regierte; über 60 J. sind aus zeitgenössischen Quellen belegbar [1. 274]. Zu Beginn seiner Regierung brachte eine Expedition aus dem Sudan einen Pygmäen als »Tanzzwerg« nach Äg., später sind mil. Unternehmungen gegen Nubien und asiatische Nomaden bezeugt. Die Provinzverwalter wurden allmählich selbständiger – vielleicht einer der Gründe für den Untergang des AR kurz nach dem Tode des Ph. Er und seine drei Frauen sind in kleinen Pyramiden in Sakkara bestattet.

1 K. SETHE, Urkunden des AR, 1903 2 W. G. WADDELL, Manetho, 1964, 50–55 3 A. H. GARDINER, The Royal Canon of Turin, 1959, pl. II, V, Fr. 59.

T. SCHNEIDER, s. v. Ph., Lex. der Pharaonen, ²1996, 295–301.   K. J.-W.

Phix s. Sphinx

Phlegethon (Φλεγέθων).

[1] Fluß bei Cumae (→ Kyme [2]), der nach Strabon (1,2,18 und 5,4,5) aufgrund der nahen Thermalquellen mit dem homer. Ph. [2] identifiziert wurde.

[2] »Feuerstrom« (auch Πυριφλεγέθων/*Pyriphlegéthōn*); einer der Unterweltsflüsse, fließt zusammen mit dem → Kokytos [1] in den → Acheron [2] (Hom. Od. 10,513 f.). Nach Plat. Phaid. 113ab durchfließt der Ph. zuerst einen brennenden Ort und bildet einen riesigen Sumpf, umkreist dann die Erde, mündet in den Acherusischen See und fließt schließlich in eine tiefe Gegend des → Tartaros. Aus dem Ph. entstehen die überirdischen Vulkane. Im Ph. verbüßen Vater- und Muttermörder ihre Strafe, bis sie ihre Opfer von ihrer Reue überzeugen können und befreit werden (ebd. 113e–114b). In der orphischen Systematisierung der vier Unterweltsflüsse werden dem Ph. Feuer und Osten zugeordnet (Orph. fr. 123 und 125; → Orphik). Vergil stellt den Ph. als brennenden Strom dar, der die Unterweltsburg umgibt (Verg. Aen. 6,548–551). Ant. Erklärer leiten den Namen von der Leichenverbrennung ab (Apollod. FGrH 244 F 102a).   K. SCHL.

Phlegon (Φλέγων). Ph. Aelius, von → Tralleis in Kleinasien, Buntschriftsteller. Ph. war Freigelassener des Kaisers → Hadrianus, zu dessen Hofstaat er gehörte und dessen → *itinerare* (II.) er vielleicht führte (vgl. [7]); gest. nach 137 n. Chr., dem *terminus post quem* von Werk (6.) (s. u.).

Ph.s Œuvre umfaßte nach der Liste der *Suda* (FGrH 257 T 1) u. a. top.-heortologische Schriften – (1.) *Perí Olympioníkōn*/›Über die Olympioniken‹ (2 B.); (2.) *Ékphrasis Sikelías*/›Beschreibung Siziliens‹ (3 B.); (3.) ›Über Feste bei den Römern‹ (3 B.) und eine Top. Roms (2 B.); außerdem Schriften zu anthropolog. Merkwürdigkeiten: (4.) *Perí thaumasíōn*/›Buch der Wunder‹; (5.) *Peri makrobíōn*/›Über Langlebige‹. Sie wurden dann in seinem umfangreichsten (16 B.) und berühmtesten Werk verarbeitet, einer Weltchronik der Merkwürdigkeiten (*Mirabilia*) (6.) *Olympioníkōn kai chron[ik]ōn synagogē* bei Phot. bibl. 97 = FGrH 257 T 3; *Olympiádes* in der Suda), das die Zeit von 776/5 v. Chr. bis zum Tode seines Patrons Hadrian (137 n. Chr.) behandelte; deshalb gilt Ph. der *Suda* als »Historiker« (*historikós*). Eine Kurzfassung dieses Werkes in 8 B.: (7.) *Epitomē*, belegt seine Brauchbarkeit wie seine Überlänge.

Von den Werken (1.–3.) und (7.) sind nur die Titel erh.; im 9. Jh. konnte sich → Photios [2] noch die ersten 5 B. von (6.) vorlesen lassen. H. sind nur (4.) (zum Anfang vgl. [5]; [8. 193–198]) und (5.) lückenhaft hsl. erh., dazu ein Fr. aus (6.) (FGrH 257 F 1) in Heidelberg (Palatinus Graecus 398 = FGrH 257 F 36f.). Inhaltlich fällt die Zuwendung zu westlich-röm. Themen auf [7. 194f.], deren Bereich neben das *Pratum* des älteren → Suetonius gehört, ebenso ein ausgeprägtes (schon von Photios moniertes) Interesse an Prodigien und Orakeln; Ph.s Stil bewertet Photios als einen mittleren, der zwischen einem ›niedrigen‹ und einem allzu attizistischen liegt. Auch in der Neuzeit hat Ph. in GOETHES Ballade ›Die Braut von Korinth‹ (eine Bearbeitung von mir.) eine Spur hinterlassen. PIR² P 389.
→ Buntschriftstellerei

ED.: 1 FGrH 257 und 257a (Text II B 1159–1196; Komm. II D 837–853) 2 A. GIANNINI (ed.), Paradoxographorum Graecorum reliquiae, 1965, 169–219 (*Perí thaumasíōn*) 3 W. HANSEN, 1996 (engl. Übers. und Komm., mit ausführlicher Bibliogr.) 4 A. STRAMAGLIA, Res inauditae, 1999, 230–255; 360–382; 400–415 (mir. 1–3).
LIT.: 5 E. ROHDE, KS 2, 1901, 173–185 (¹1877) 6 L. BREGLIA, Oracoli sibillini, 1983, 5–39; 310–368 (mir. 10) 7 S. FEIN, Die Beziehungen der Kaiser Trajan und Hadrian zu den *litterati*, 1994, 193–199 8 A. STRAMAGLIA, Sul *peri thaumasíon* di Flegonte, in: Studi classici e orientali 45, 1995 (1997), 191–234 (mit ausführlicher Bibliogr.).   P. L. S.

Phlegra (Φλέγρα). Nach Hdt. 7,123 trug die Halbinsel Pallene [4] urspr. den Namen Ph. In der Ant. lokalisierte man hier den Kampf zw. Herakles [1] und den Giganten (Ephoros FGrH 70 F 34; Strab. 7a,1,25; 27; Apollod. 1,6,1; 2,7,1; Steph. Byz. s. v. Παλλήνη). Die Umbenennung der Halbinsel in Pallene wird auf die bei der Rückkehr aus Troia beim späteren → Skione gelandeten achaiischen Pelleneis zurückgeführt (Πελληνεῖς, Poly-ain. 7,47; vgl. Thuk. 4,120,1).

E. OBERHUMMER, s. v. Ph., RE 20, 264 f.   M. Z.

Phlegyas (Φλεγύας). Eponym der Phlegyer, eines my-thischen Volkes in Thessalien (Hom. Il. 13,302), auch in Boiotien, Phokis oder Epidauros (→ Erythräischer Pai-an [1. 372–374]) lokalisiert. Sohn des → Ares und der Dotis, Vater des → Ixion (Eur. TGF fr. 424) und der → Koronis [1], der Mutter des → Asklepios (Hom. h. 16; Pind. P. 3,8–11; Isyllos IG IV² 1, 128,37–56 = Paian 40 E KÄPPEL [1. 382]). Die Phlegyer gelten als Räuber-volk (Hom. h. 3,278), Ph. selbst steckt den Apollontem-pel in Delphi in Brand und wird deshalb zu einem der Büßer in der Unterwelt (Verg. Aen. 6,618; Serv. Aen. l.c.). Bei Dante erscheint er als Fährmann (Divina Com-media, Inferno 8,15 ff.).

1 L. KÄPPEL, Paian, 1992.   L. K.

Phleius (Φλειοῦς, seltener Φλιοῦς, Ethnikon Φλει-άσιος bzw. Φλιάσιος, lat. *Phleius*). Stadt in der nordöstl. Peloponnesos im SW von Korinth (Strab. 8,6,24; Paus. 2,13,3–8; Plin. nat. 4,13; Ptol. 3,16,16), h. ebenfalls Ph., ca. 2 km westl. vom h. Nemea auf einem weit von NO in die Schwemmlandebene des oberen Asopos [3] vor-springenden Ausläufer des Trikaranon (h. Koutsi).

Nur wenige Reste der ant. Stadt sind noch vorhan-den, so von der Stadtmauer, dem Theater am SW-Fuß des Stadtbergs (Paus. 2,13,5); ausgegraben ist u. a. das sog. Korinthische Tor im Osten der Stadtmauer (Xen. hell. 7,2,11), ein kleiner Tempel auf dem Stadtberg (evtl. der Demeter, vgl. Paus. l.c.), eine hell. Basilika in der Unterstadt. In der Umgebung hat man verschiedene kleinere Siedlungen und Heiligtümer festgestellt, auch Kastelle zum Schutz der Gebietsgrenzen. Neolithische und Funde aus dem FH hat man zwar in der Umgebung, auch am Fuß der Akropolis, gemacht, doch ist Ph. im homerischen Schiffskat. nicht erwähnt und ist mit sei-nem griech. ON und den in geom. Zeit einsetzenden Kleinfunden eine jüngere dorische Gründung, selbst wenn die Lokaltrad. Ph. als uralte Siedlung auswies und auf die homer. Stadt Araithyrea (Hom. Il. 571) zurück-führte.

Kontingente von Ph. waren an Kämpfen in den → Perserkriegen beteiligt (Thermopylai, Plataiai; vgl. Hdt. 7,202 bzw. 9,28,4; 31,3; 85,3; die Schlangensäule Syll.³ 31,13). Ph. hielt grundsätzlich treu zu → Sparta, was im → Korinthischen Krieg zu Kämpfen auf dem Gebiet der Stadt führte (Xen. hell. 4,4,15). Die infolge der Bestimmungen des → Königsfriedens vollzogene Rückberufung von Verbannten 381 v. Chr. verursachte interne Streitigkeiten, zu deren Schlichtung Agesilaos [2] die Stadt nach langer Belagerung schließlich besetzte (Xen. hell. 5,3,10 ff.). Nach der Schlacht bei Leuktra (371 v. Chr.) stand Ph. weiterhin fest zu Sparta, was au-ßenpolit. dauernde Kämpfe mit Argos [II 1] und Sikyon mit sich brachte (369–366 v. Chr.; Xen. hell. 7,2,1; 5; 17 ff.). Am → Lamischen Krieg war Ph. beteiligt (Paus.

1,25,4), stand wie andere Nachbarstädte unter maked. Oberherrschaft, die durch den Tyrannen Kleonymos [4] ausgeübt wurde (Pol. 2,44,6). 228 v. Chr. schloß sich Ph. an den Achaiischen Bund (→ Achaioi, mit Karte; Pol. l.c.; Plut. Aratos 35,3) an, dann vorübergehend an Kleomenes [6] III. (Pol. 2,52,2; Plut. Aratos 39,4; Plut. Kleomenes 19,1; 26,3).

In der röm. Kaiserzeit schildert Pausanias (2. Jh. n. Chr.; Paus. 2,13,3–8) Ph. in prosperierendem Zu-stand, unter den Severern (E. 2./Anf. 3. Jh. n. Chr.) prägte Ph. wieder Mz. Inschr.: IG IV 439–478. Mz.: HN 408 f.; 417.

Im griech. Kulturleben spielte Ph. eine beachtliche Rolle: So stammten aus Ph. etwa die Dramatiker → Pra-tinas und → Aristias [2], der Sillograph → Timon, der Musiker → Thrasyllos und der Maler Kleagoras, ferner → Echekrates, der Dialogpartner des Phaidon im gleich-namigen Dialog Platons; enge Beziehungen bestanden zu den Pythagoreern und zur Akademie (→ Axiothea; → Asklepiades [3]).

S. E. ALCOCK, Urban Survey and the Polis of Ph., in: Hesperia 60, 1991, 421–463 • W.-R. BIERS, Excavations at Phlius (1970), in: Hesperia 40, 1971, 424–447; (1972) 42, 1973, 102–120 • J. HOPP, s. v. Ph., in: LAUFFER, Griechenland, 542–544 • MÜLLER, 831 f. • N. PHARAKLAS, Φλειασία, 1972 • PRITCHETT 2, 1969, 96–111; 6, 1989, 6–9 • G. ROUX, Pausanias en Corinthie, 1958, 165–171.   Y. L.

Phlya (Φλύα). Großer att. Mesogeia-Demos der Phyle Kekropis, ab 224/3 v. Chr. der Ptolemaïs, mit fünf? (sechs?) *buleutaí*, beim h. Chalandri im NO von Athen, angrenzend an Athmonon (IG II² 2776,49). Neben zahl-reichen Kulten (Apollon, Artemis, Athena, Zeus, Nym-phen: Paus. 1,34,4; [1]) sind für Ph. ländliche → Dio-nysia bezeugt (Isaios 8,15 f.). Nach der Zerstörung durch die Perser erneuerte → Themistokles das uralte, von den → Lykomidai betreute Heiligtum der »Großen Göttin« (Plut. Themistokles 1,4; Paus. 4,1,7). Aus Ph. stammte Myron [2], der Ankläger im Prozeß um den Kylonischen Frevel (→ Kylon [1]), desgleichen der Dichter Euripides [1].

1 E. MEYER, s. v. Ph., RE Suppl. 10, 535–538.

TRAILL, Attica, 20, 51, 59, 62, 67, 112 Nr. 112, Tab. 7, 13 • J. S. TRAILL, Demos and Trittys, 1986, 4, 10 f., 13, 16 f., 24 f., 108 f., 115, 135 • WHITEHEAD, Index s. v. Ph.   H. LO.

Phlyaken (Φλύακες). Laut dem hell. Historiker Sosi-bios Lakon (FGrH 595 F 7) die im griech. Unterit. ge-bräuchliche Bezeichnung für die Darsteller der dortigen Spielart der dorischen Volksposse. Der Name wird in der Ant. gern von φλυαρεῖν (*phlyareín*, »Unsinn reden«) abgeleitet (Hesych. s. v.; vgl. Poll. 9,149); richtiger ist wohl die Herleitung von φλέω (*phléō*, »strotzen«); Phle-on (nebst ähnlichen Formen) ist ein alter Beiname für Dionysos als Vegetationsgott [2].

Seit den letzten Jahrzehnten des 19. Jh. [4. 52] wur-den die Ph.-Stücke in Verbindung gebracht mit den

Darstellungen komischer Szenen auf → unteritalischen Vasen, den → Phlyakenvasen (bisher über 250), die zw. 400 und 325 v. Chr. entstanden sind und Mythentravestien und Götterburlesken, aber auch komische Alltagsszenen zeigen (Übersicht in [1] und [3]); die dickbauchigen Akteure tragen oft häßliche Masken, überdimensionierte Phalloi und Zottelgewänder. In neuerer Zeit dagegen möchte [4] diese Darstellungen eher auf unterital. Aufführungen attischer Komödien zurückführen, was in einigen Fällen sicher zutrifft; ob dies für alle gelten muß, ist aber offen. In den letzten Jahrzehnten des 4. Jh. brachte die Ph.-Trad. mit → Rhinthon auch einen lit. Vertreter des in Unterit. praktizierten komischen Dramas hervor.

1 E. Wüst, s. v. Ph., RE 20, 292–306 **2** J. Schmidt, s. v. Phleon, RE 20, 290 **3** A. D. Trendall, Phlyax Vases (BICS Suppl. 19), ²1967 **4** O. Taplin, Comic Angels and Other Approaches to Greek Drama through Vase-Paintings, 1993 **5** M. Schmidt, Tracce del teatro comico Attico nella magna Grecia, in: Vitae Mimus. Forme e funzioni del teatro comico greco e latino, 1993, 27–43 **6** Dies., Komische arme Teufel und andere Gesellen auf der griech. Komödienbühne, in: AK 41, 1998, 17–32. H.-G. Ne.

Phlyakenvasen. Noch vor dem E. des 5. Jh. v. Chr. begannen die griech. Vasenmaler, groteske Komödienszenen der Phlyakenposse darzustellen; die ca. 250 erh. Vasen bzw. Vasen-Frg. zeigen ein reiches Repertoire aus der Götter- und Heldenburleske (z. B. Zeus und Hermes beim Liebesabenteuer, Herakles beim Opfer), Mythentravestie (Oidipus und die Sphinx) und dem täglichen Leben (Bestrafung eines Diebes, Liebesszenen, Hochzeit). In Griechenland selbst sind Ph. recht selten, dagegen häufig in der → apulischen und → paestanischen Vasenmalerei. Auf diversen Ph. vermitteln gemalte Bühne, Treppenaufgang, Säulen, Vorhänge u. a. den Eindruck einer reellen Theateraufführung, doch wird meist auf diese Details verzichtet. Die dargestellten Phlyaken tragen ein an Brust, Gesäß und Bauch ausgestopftes Zottelgewand mit vorgebundenem, riesigem → Phallos und die aus dem Typenvorrat der griech. → Komödie übernommenen → Masken.
→ Phlyaken; Unteritalische Vasenmalerei

A. D. Trendall, Phlyax Vases (BICS Suppl. 19), ²1967 • S. Gogos, Das Bühnenrequisit in der griech. Vasenmalerei, in: JÖAI 55, 1984, 27–53 • O. Taplin, Phallology, Phlyakes, Iconography and Aristophanes, in: PCPhS 213, 1987, 92–104. R. H.

Phlygonion (Φλυγόνιον). Phokische Stadt, deren Lokalisierung im NW der kleinen Ebene von Tséresi nicht gesichert ist; ihr werden die Reste der Befestigungsanlagen auf dem Hügel Palaiokastron zugeschrieben. Ph. erscheint unter den 346 v. Chr. auf Betreiben Philippos' [4] II. zerstörten Städte (Paus. 10,3,2); der Name Ph. taucht auch in den Ber. der Schatzmeister von → Delphoi nach 324/3 auf (CID II 108 Z. 10). Etwa 140 v. Chr. legte Ph. gemeinsam mit Ambryssos, wahrscheinlich im

Zuge einer → *sympoliteía*, die Gebietsgrenze zur Stadt Delphoi fest (FdD III 2, 136).

F. Schober, Phokis, 1924, 39 f. • E. Kirsten, s. v. Ph., RE 20, 306–308 • J. M. Fossey, The Ancient Topography of Eastern Phokis, 1986, 54–56 • J. McInerney, The Fold of Parnassos, 1999, 316–318 • G. Daverio Rocchi, Frontiera e confini nella Grecia antica, 1988, 132–142.
G. D. R./Ü: H. D.

Phobos (Φόβος, lat. → *Pavor*). Personifikation des Schreckens, bes. des Schreckens im Krieg (vgl. Aischyl. Sept. 45); daher mit seinem Bruder → Deimos Sohn des Ares und der Aphrodite (Hes. scut. 195 f., 463 f.). Bei Homer findet man die Brüder in Verbindung mit dem Wagen ihres Vaters (Hom. Il. 4,440 f.; 13,299 f.; 15,119 f.); sie erscheinen auf → Agamemnons Schild zusammen mit der → Gorgo [1] (Hom. Il. 11,36 f.), nur Ph. auf der → Aigis der → Athena (Hom. Il. 5,739) und des → Herakles [1] (Hes. scut. 144–148). Ph. galt als häßlich (PCG VIII fr. 873 K.-A.); entsprechende Vasenabbildungen (→ Kypseloslade) existieren.

J. Boardman, s. v. Ph., LIMC 7.1, 393 f. • H. A. Shapiro, Personifications in Greek Art, 1993, 16, 209–215. L. K.

Phocas (Focas). Grammatiker wohl des frühen 5. Jh. n. Chr. in Rom. Seine *Ars de nomine et verbo (Regula)* vertritt den im späteren 4. Jh. zunehmenden Typ der Regelgrammatik, die das Erlernen der korrekten Latinität durch zahlreiche Paradigmen zu Deklination und Konjugation erleichtert. Der Text ist aus den Erfahrungen des Sprachunterrichts erwachsen; der Verf. will die teils zu knappen, teils zu ausführlichen (dies die größere Gefahr) Darbietungen der Vorgänger durch eine bessere ersetzen; Quellen sind relativ selbständig verarbeitet. Der didaktische Zuschnitt hat dem Lehrbuch seit dem 6. Jh. (Zitate bei Priscianus und Cassiodorus) beachtlichen Erfolg gesichert, wie im MA ein Komm. des Remigius von Auxerre und die reiche Überl. (mehr als 70 Hss. bis zum Humanismus) bezeugen.

Die in einer spanischen Anthologie (Parisinus Latinus 8093, 9. Jh.) unter dem Namen des Ph. überl. metrische (Hexameter, Einleitung in sapphischen Strophen), gegen Ende abbrechende Vergilvita führt direkt auf die Suetonsche Vita *De viris illustribus* zurück [10; 13].

Ars:
Ed.: **1** F. Casaceli, 1974 (mit Komm., dazu A. Mazzarino, in: Helikon 13/14, 1973/74, 505–527) **2** G. Goetz, Der Liber glossarum, 1891, 55 f. **3** Ders., CGL I, 92 **4** G. Pesenti, Anecdota Latina, in: RFIC 45, 1917, 87–93.
Lit.: **5** W. Strzelecki, Quaestionum de Phoca grammatico specimen, in: Eos 37, 1936, 1–18 **6** C. Jeudy, L'ars de nomine et verbo de Ph., in: Viator 5, 1974, 61–156 **7** R. A. Kaster, Guardians of Language, 1988, 339 ff., Nr. 121.
Vita: Ed.: **8** G. Brugnoli, 1984 (mit Komm.) **9** Ders., Vitae Vergilianae antiquae, 1999, XXXIV, 159–169.

LIT.: **10** W. STRZELECKI, De Phocae vita Vergiliana, in: Munera philologica L. Cwiklinski oblata, 1936, 235–252 **11** W. SUERBAUM, Hundert Jahre Vergil-Forsch., in: ANRW II 31.1, 1980, 301–304, 307 (Bibliogr.); II 31.2, 1981, 1172f. **12** F. STOK, Questioni biografiche 10, in: Giornale italiano di filologia 48, 1996, 99–109 **13** P. L. SCHMIDT, in: HLL, Bd. 4, 32f.   P.L.S.

Phönizien s. Phönizier, Punier

Phönizier, Punier

I. NAMEN UND BEGRIFF, QUELLEN
II. GEOGRAPHIE UND TOPOGRAPHIE
III. GESCHICHTE IV. ARCHÄOLOGIE UND
KULTURGESCHICHTE V. SPRACHE UND SCHRIFT
VI. RELIGION

I. NAMEN UND BEGRIFF, QUELLEN

Name und Begriff der *Phoínikes* (Φοίνικες)/Phönizier (=Ph.) sind in der griech. Welt geprägt worden [1]. Die damit Bezeichneten verstanden sich selbst in erster Linie als Bürger/Angehörige eines städtischen Verbandes, z. B. als Tyrier, Sidonier oder – nach der gemeinsamen Kulturlandschaft – als Kanaanäer [2]. Sie bezogen sich damit auf eine aus der altvorderasiatischen Brz. tradierte polit. oder ethnische Identität. Die unterschiedlichen Bezeichnungen können nur von Fall zu Fall zur Deckung gebracht werden. Zum einen umfaßt der v. a. aus der at. Trad. bekannte Begriff »Kanaan« auch solche Gebiete, die in der Eisenzeit von anderen westsemitischen Stämmen eingenommen wurden [3. 87]. Zum anderen ist für denselben Zeithorizont anzunehmen, daß neben den Ph. im engen Sinne (d.h. Bürgern der phöniz. → Stadtstaaten in der Levante) auch Angehörige anderer, benachbarter nw-semit. Stämme mit diesem Namen erfaßt werden konnten – gleichsam als »Funktionsbezeichnung« für die in der Ägäis auftretenden Händler und Handwerker aus dem Osten [1. 118–133].

Der lat. Name *Poeni* (mit Adj. *Punicus*/Punier (=P.)) ist eine Schöpfung der Römer [4]. Etym. auf dieselbe Wurzel zurückzuführen wie das griech. *Phoínikes*, ist er schon im republikanischen Rom vornehmlich auf die phöniz. → *apoikía* Karthago angewendet worden, außerdem auf die im 6. bis 2. Jh. v. Chr. von dort aus beeinflußten bzw. beherrschten Gebiete, von denen Nordafrika und die Iberische Halbinsel noch von Horaz (Hor. carm. 2,2,11) mit dem Ausdruck *uterque Poenus* apostrophiert werden.

Die heutige Wiss. hat sich diesen Sprachgebrauch weitgehend zu eigen gemacht, unter dem Vorbehalt, daß das Punische im Grunde nur ein Teil des Phönizischen ist, weswegen auch im Folgenden die Behandlung von Ph. und P. gemeinsam erfolgt. Sowohl der Ablauf der gesch. Entwicklungen als auch die nähere arch. Betrachtung der einschlägigen materiellen Zeugnisse können auf der anderen Seite eine Scheidung zw. »phöniz.« und »pun.« legitimieren, jedenfalls etwa ab der Zeit, in der die Kräfte der phöniz. Stadtstaaten an der Levante zu

schwinden begannen und → Karthago zu einer der Führungsmächte des mediterranen Westens aufstieg.

Die lit. Quellen für den einen wie den anderen »Horizont« fließen spärlich und sind v. a. bei den Nachbarn überliefert [5]. Diese begriffen die phöniz. und pun. Kultur vielfach als fremd, wenn nicht als feindlich, und geben deswegen selten präzise und oft genug verzerrte Auskünfte über die tatsächlichen Verhältnisse. Die arch. Zeugnisse, die v. a. hinsichtlich der phöniz. Stadtstaaten im heutigen Libanon nur sehr lückenhaft zur Verfügung stehen, können nur wenig dazu beitragen, Fragen nach dem kulturellen Profil und den ihm zugrundeliegenden Vorstellungen eindeutig zu beantworten. So ließe sich in Analogie zu dem von J. UNTERMANN geprägten Begriff der »Trümmersprachen« für das Iberische, Oskische, Umbrische etc. [6] die phöniz.-pun. Kultur als »Trümmerkultur« bezeichnen. G. MARKOE hat sie entsprechend eine *lost civilisation* genannt.

II. GEOGRAPHIE UND TOPOGRAPHIE

Der geogr. Bereich der phöniz. Kultur muß auf andere Weise beschrieben werden als derjenige der »klass.« ant. Kulturen der Griechen und Römer. Im Mutterland ist er zum einen durch die konkrete territoriale (leider in keinem Fall genau bekannte) Ausdehnung der phöniz. Stadtstaaten (d. h. Arwad, → Byblos [1], → Sidon und → Tyros an der Levanteküste) definiert, zum anderen bringt es das seit der Brz. hier manifeste enge Neben- und Miteinander der einzelnen, oft ethnisch eng verwandten Stadtstaaten und -kulturen mit sich, daß auch außerhalb gelegene Orte, z. B. → Ugarit im Norden oder → Samaria und → Jerusalem im Süden, für die Betrachtung der phöniz. Kultur Bed. haben.

Der hier beschriebene Raum wird außerdem durch die phöniz. Expansion bzw. → Kolonisation (III., mit Karte), die den gesamten Mittelmeerraum und darüber hinaus die atlantischen Küstenregionen Nordafrikas und Südwesteuropas erfaßt, gewaltig ausgedehnt [7]. Ihr Hauptzweck war die Beschaffung der für das heimische Gewerbe und Kunsthandwerk sowie für den prosperierenden Handel (bzw. Zwischenhandel) im östl. Mittelmeerraum dringend benötigten und nach dem Zusammenbruch der brz. Welt v. a. im Bereich der Levante fehlenden Rohstoffe, dann in zunehmendem Umfang auch die Befriedigung der Tributforderungen des Neuassyrischen Reiches (vgl. → Mesopotamien III.D.). Die Menschen aus den nicht bes. volkreichen phöniz. Städten hatten bei der Entscheidung für feste Niederlassungen außerhalb der Levante diese Aufgaben sorgfältig zu beachten. Betroffen war insbes. die Wahl des konkreten Ortes nach den Kriterien der maritimen Strategie, der lokalen Geogr. (einfache Verteidigung) und größter ökonomischer Effizienz [8]. Dies war bei der frühen Gründung der Kolonie von → Kition auf dem Boden einer verlassenen Siedlung myk. Zeit noch nicht sehr ausgeprägt. Im zentralen und westl. Mittelmeerraum jedoch sollte sich ein eigenständiges und charakteristisches phöniz. Siedlungsmuster entwickeln.

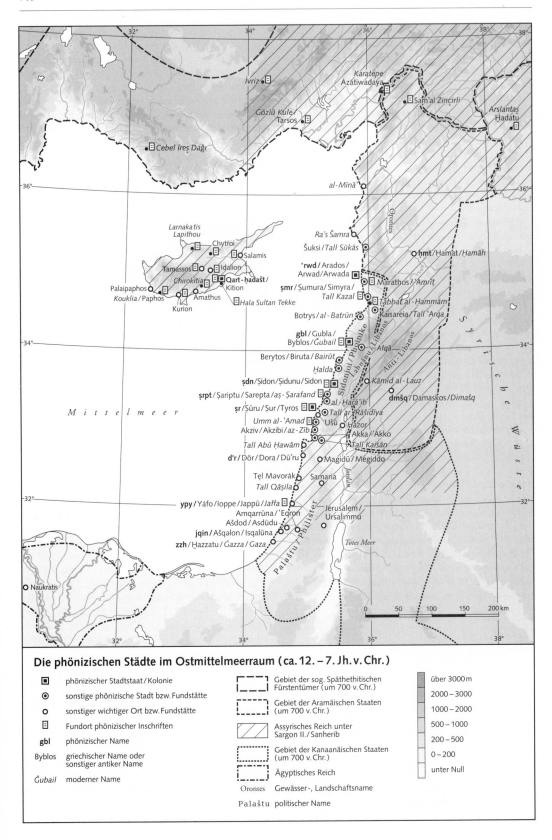

Die phönizischen Städte im Ostmittelmeerraum (ca. 12. – 7. Jh. v. Chr.)

▣	phönizischer Stadtstaat / Kolonie	
◉	sonstige phönizische Stadt bzw. Fundstätte	
○	sonstiger wichtiger Ort bzw. Fundstätte	
🄴	Fundort phönizischer Inschriften	
gbl	phönizischer Name	
Byblos	griechischer Name oder sonstiger antiker Name	
Ǧubail	moderner Name	

Gebiet der sog. Späthethitischen Fürstentümer (um 700 v. Chr.)

Gebiet der Aramäischen Staaten (um 700 v. Chr.)

Assyrisches Reich unter Sargon II./ Sanherib

Gebiet der Kanaanäischen Staaten (um 700 v. Chr.)

Ägyptisches Reich

Orontes Gewässer-, Landschaftsname

Palaštu politischer Name

über 3000 m
2000 – 3000
1000 – 2000
500 – 1000
200 – 500
0 – 200
unter Null

Dementsprechend tritt die phöniz. und pun. Kultur v. a. punktuell in Niederlassungen in Erscheinung, die im Rahmen der ant. Seefahrt als exzellente Häfen gelten konnten (z. B. → Ebusos/Ibiza und → Panormos [3]/Palermo) und in charakteristischen Fällen auch den natürlichen Zugang zu den erstrebten Rohstoffquellen eröffneten, wie z. B. → Gades/Gadir und → Sexi/Almuñécar, → Nora [1] und → Tharros (auf Sardinien). Eine Sonderstellung nahm dabei von Anfang an → Karthago (mit Plan) ein, nach der schriftlichen Überl. die einzige »echte« Apoikie der Ph. Hier garantierte die Stadtlage – mit weitem fruchtbarem Hinterland – zugleich die ausreichende Versorgung einer größeren Bevölkerung [9].

Der geogr. Rahmen für eine Betrachtung der phöniz. und pun. Kultur wird schließlich noch weiter gespannt durch die Funde exportierter Luxusgüter an Orten außerhalb der phöniz. Mutterstädte und Niederlassungen, wo seit der frühen Eisenzeit in den Durchgangs- und Zielgebieten der phöniz. Handelsexpeditionen die dort aufsteigende Führungsschicht in reichem Maße mit Prestige-Objekten versorgt wurde. Diese Elite war es, die den Zugang zu den begehrten Rohstoffen zu erschweren oder zu erleichtern vermochte – auf Zypern zu den Kupferlagerstätten des Troodos-Gebirges, in der Ägäis u. a. zu den Goldminen auf Thasos, in Etrurien zu den Colli Metalliferi [10], in Tartessos bzw. Südspanien zu den Minengebieten des Rio Tinto und der Sierra Morena [11]. Dies erklärt die kostbaren Elfenbeinmöbel (→ Elfenbeinschnitzerei), Bronzegeräte (z. B. → Thymiaterien), die Gold-, Silber- und Bronzegefäße, Schmuckstücke und Glasperlen usw., die als phöniz. Produkte oder Handelsgut – teilweise auch anderen oriental. Ursprungs – in die früheisenzeitlichen Fürstengräber auf → Kypros/→ Zypern, in der Ägäis, in Calabrien, Campanien, Latium und Etrurien sowie Andalusien gelangten [12]. Es erklärt mindestens zum Teil auch die denselben Fundgattungen zuzurechnenden Weihgeschenke phöniz. Herkunft in den großen Heiligtümern der griech. Welt [13]. So sind die Ph. in der mediterranen Welt der »klass.« Ant. vielleicht nicht urspr. »beheimatet«, aber doch auf äußerst vielfältige Weise präsent. H. G. N.

III. GESCHICHTE
A. PHÖNIZIER   B. PUNIER

A. PHÖNIZIER
Da es einen »phöniz. Staat« nicht gegeben hat, ist auch eine gemeinsame Gesch. nicht zu schreiben. Vielmehr definiert sich Phönizien durch die repräsentativen Stadtstaaten Arwad, → Byblos [1], → Sidon und → Tyros. So hat z. B. Menandros [5] von Ephesos ›die Archive von Tyros vom Phöniz. ins Griech. übersetzt‹ (Ios. ant. Iud. 8,144; 9,283 = FGrH 783 T 3). Andererseits soll schon Dios, ein hell. Historiker, nach Ios. c. Ap. 1,112 (= FGrH 785 F) eine ›phöniz. Gesch.‹ (περὶ Φοινίκων ἱστορίαι) verfaßt haben, ebenso Philostratos (Ios. ant.

Iud. 10,228 = FGrH 789). Auch Philon von Byblos (→ Herennios Philon) schrieb E. des 1. Jh. n. Chr. eine ›Phöniz. Gesch.‹, angeblich auf der Basis eines Werkes des Sanchuniathon von Beirut (→ Berytos), die uns allerdings nur in Auszügen bei Porphyrios und Eusebios [7] von Kaisareia bekannt ist (FGrH 790). So bestand jedenfalls in der hell. Ant. die Vorstellung einer einheitlichen Gesch. der Phönizier, die z. T. bis heute nachwirkt. Doch werden sowohl im AT als auch in den assyrischen Quellen zu den Eroberungszügen an der Mittelmeerküste lediglich die phöniz. Städte, kein sie repräsentierendes Staatswesen genannt. Allerdings verbanden sie eine gemeinsame Sprache und Schrift, Rel. und materielle Kultur (s. u. IV.).

Gemeinsame Grundzüge der phöniz. Gesch. lassen sich benennen: Die Stadtstaaten waren, da ihre jeweiligen Siedlungskammern territorial begrenzt waren, zur Expansion gezwungen, die über das Meer nach Zypern, Kreta, schon im 10. Jh. v. Chr. auch nach Westen (Malta, Sizilien, Sardinien, Spanien und Nordafrika) erfolgte. Wirtschaftliche, polit. und kulturelle Kontakte bestanden aber auch nach Nordsyrien und Anatolien: Abdimilkutti von Sidon ging eine antiassyr. Koalition mit Sanduarri von Kundu und Sizu im Taurus ein. Beide wurden deshalb 676 v. Chr. von → Asarhaddon (681–669) deportiert und enthauptet.

Die polit. Vorherrschaft scheint nach dem Zusammenbruch der nordsyrischen Staatenwelt nach 1200 v. Chr. zunächst bei Byblos gelegen zu haben (vgl. den Reisebericht des Ägypters Wen-Amun (ANET 25–29) sowie die verschiedenen archa. Inschr. aus dieser Stadt (KAI 1–8)), ging aber offenbar schon im 10. Jh. auf Tyros über, das nach Iust. 18,3,5 von Sidon »gegründet« wurde. Das AT bezeugt diese Führungsposition unter → Hiram I. (ca. 969–936; Vertrag mit Salomo: 1 Kg 5,26; Abtretung von Ländereien in Galiläa: 1 Kg 9,11; aus der heraus wohl im 9. Jh. → Kition auf Zypern als erste tyrische Kolonie gegründet wurde. Die Expansion nach Westen (Taršiš-Schiffe: 1 Kg 10,14–29) und ins Goldland Ophir über das Rote Meer (1 Kg 9,26 f.) erfolgte während seiner Regierung. Ethbaal I. (ca. 887–856), trug bereits (rechtens?) den Titel eines »Königs der Sidonier« (1 Kg 16,31). Erst später (Menandros FGrH 783: unter Pygmalion, ca. 820–774) wurde in Nordafrika → Karthago (Qart-ḥadašt, »Neustadt«) gegründet. Tyros blieb »Mutter von Karthago« und erhielt noch lange Zeit (bis ca. 540) von dort finanzielle Hilfe.

Tyros wurde seit der Regierung Adad-nirārī III. (810–783), verstärkt unter → Tiglatpileser III. (746–727), in die kriegerischen Auseinandersetzungen mit Assyrien einbezogen (→ Mesopotamien III. D.). Hiram II. (739–732), der sich an der Revolte des Rezin von Damaskos beteiligt hatte, mußte sich unterwerfen, doch wurde Tyros nicht in das Provinzsystem integriert. Vielleicht schon kurz vor Eloulaios (ca. 729–694) erlangte Sidon seine Selbständigkeit zurück. Es hatte auch die Oberherrschaft über Sarepta und Ma'rubbu – zwei Städte, die nach dem Vertrag Asarhaddons mit Baal von

Tyros (ca. 680–660) wieder Tyros zufielen. Da abtrünnig, wurde dieser 663 von → Assurbanipal (669–ca. 627) belagert und mußte sich ergeben. Die phöniz. Festlandstädte wurden dann wahrscheinlich in das assyr. Provinzialsystem eingegliedert (Mannu-kī-aḫḫē war Gouverneur von Simyra).

Nach dem Zusammenbruch Assyriens versuchten die phöniz. Städte offenbar, ihre Selbständigkeit wiederzugewinnen (vgl. Zeph 1,4), doch nach dem Ägypter → Apries (588 v. Chr., s. Hdt. 2,161; Diod. 1,68,1) ging auch der babylonische Herrscher → Nebukadnezar [2] II. hart gegen sie vor: Tyros wurde 13 J. lang belagert (Ios. c. Ap. 1,143). Der ›Hofkalender‹ des Babyloniers nennt später die Könige von Tyros, → Gaza, Sidon, Arwad und Ašdod, also der bekannten Stadtstaaten außer Byblos, als Repräsentanten.

Der Übergang zur pers. Herrschaft seit Kyros [2] II. (559–530) verlief offenbar problemlos, doch hatte jetzt Sidon Tyros endgültig überflügelt. Sein König saß zur Rechten des Großkönigs (Hdt. 8,67). Die inschr. bezeugte Dyn. des Ešmunazar griff mit dem Besitz von Dōr (→ Dora) und Jaffa (→ Jabne) weit nach Süden aus, doch wurde unter Dareios [1] I. 515/4 ganz Ph. als Teil der 5. Satrapie in das pers. Reich eingegliedert. Unter → Tennes (ca. 354–350) erhob sich Sidon gegen Artaxerxes [3] III. Ochos, mußte sich aber nach großen Verlusten geschlagen geben. Sidon nahm dann Alexandros [4] d.Gr. 333 freundlich auf, Tyros aber wehrte sich aus rel. Gründen und wurde nach einer Belagerung von 7 Monaten vernichtend geschlagen. Unter den → Diadochen und nach 64 v. Chr. unter den Römern spielten die phöniz. Städte polit. keine Rolle mehr.

W.R.

B. PUNIER

1. ALLGEMEIN
2. GESELLSCHAFT UND WIRTSCHAFT
3. VERFASSUNG UND VERWALTUNG

1. ALLGEMEIN

Als Gesch. der P. (zum Wort P. s. o. I.) wird das histor. Schicksal der phöniz. Gründung → Karthago und der karthag. und phöniz. Siedlungen im westl. Mittelmeerraum verstanden, die seit E. des 6. Jh. v. Chr. zunehmend in einem karthag. »Reich« aufgingen. Der Begriff »pun. Gesch.« dient demnach primär der histor. Periodisierung der phöniz. Gesch. und ist bei der Klassifizierung des arch. Fundmaterials und als Gliederungshilfe in der Rel.-, Sprach- und Kulturgesch. nur wenig hilfreich (s. o. I.).

Der geogr. Raum der pun. Gesch. umfaßte das gesamte westl. Mittelmeer einschließlich der an Gibraltar anschließenden atlantischen Küste Südspaniens und Nordafrikas in unterschiedlicher Intensität. Dabei lag der Schwerpunkt anfangs in Karthago und seiner weiteren Umgebung (h. die nördl. Hälfte Tunesiens), dem westl. angrenzenden Numidien und der nordafrikanischen Küste sowie Südspanien, im westl. Teil Siziliens

und an der West- und Nordküste Sardiniens. Erst nach dem Verlust Siziliens, Sardiniens und Korsikas als Folge des Ersten → Punischen Krieges (264–241 v. Chr.) an Rom wurde Spanien zum Ziel einer systematischen Durchdringung mit mil. und diplomatischen Mitteln.

Der zeitliche Rahmen der pun. Gesch. ist nicht schlüssig zu definieren: Aus röm. Sicht reicht die Gesch. der P. von der Gründung Karthagos (E. 9. Jh.) bis zu dessen Zerstörung nach dem Dritten Punischen Krieg (149–146 v. Chr.). Diese aus polit. Gründen erfolgte Einteilung ist jedoch histor. irreführend; sie berücksichtigt nämlich nicht die Eigenart der pun. Gesch. im Vergleich zur phöniz.: die »Reichsbildung«, d. h. die polit. Dominanz Karthagos über andere phöniz.-karthag. Siedlungen und Regionen. Diese wird seit der 2. H. des 6. Jh. an den mil. Eingriffen sichtbar, die Karthago in → Sicilia, → Sardinia und vor → Corsica zur Sicherung der phöniz.-pun. Präsenz und der maritimen Freizügigkeit unternahm. Zum andern blieben Sprache, Rel., ethnische Identität und z. T. auch polit. Institutionen der P. trotz intensiver Latinisierung und Christianisierung in Nordafrika auch nach der Zerstörung Karthagos weiterhin prägend oder doch präsent – ebenso in den stark punisierten Reichsgebieten wie Sardinien, und zwar zumindest bis zum E. des 3. Jh. n. Chr.

Erheblich erschwert wird die Darstellung der pun. Gesch. durch den völligen Verlust der ehemals wohl reichlich vorhandenen pun. Historiographie und Lit. Zeitgenössische Nachrichten über die polit. und administrative Organisation der P., ihre Wirtschaft und Sozialstruktur liegen deshalb entweder in griech. Brechung vor (Aristot. pol. 1272b 25–1273b 26; Pol. 6,43,3; 6,51–52), erweisen sich (v. a. in der lat. Lit.) als negativ bis feindlich (Liv. 21,4,9; 21,54,3; 22,23,4 u.ö.; Iust. 18 und 19) oder müssen aus materiellen Relikten und häufig stark formelhaften Inschr. erschlossen werden. Bei zunehmender Forschungstätigkeit und kritischer Sichtung der seit der Ant. verwendeten Klischees über die P. als gewinnsüchtigem, betrügerischem und dem mil. Einsatz für das Gemeinwesen abgeneigtem Händlervolk mit barbarischen Ritualen (Kinderopfer; → Moloch; → Menschenopfer) zeigt die jüngere Forsch. die Tendenz, die polit. Verfassung, mil. Organisation, (land-)wirtschaftl. Grundlagen und die Lebensbedingungen der pun. Ges. zum Gesamtbild einer »normalen« [55. 274] ant.-mediterranen Groß-Polis zu verdichten.

2. GESELLSCHAFT UND WIRTSCHAFT

Wie jede hoch entwickelte ant. Ges. gliederte sich auch die karthag. in Freie mit Bürgerrecht, freie Fremde ohne Bürgerrecht (→ métoikos) und Unfreie. Daneben gab es Freigelassene, die als »Sidonier« bezeichnet wurden, also einen Status zw. den nichtphöniz. Metoiken und den Bürgern der phöniz. Stadt Sidon erhielten. Wie in Griechenland wurden Freilassungen restriktiv gehandhabt; sie erforderten einen Freilassungsakt durch den Besitzer, wohl verbunden mit der Zahlung einer Summe, die Sklaven aus einem Sondervermögen (vgl. das röm. → peculium) erwirtschaften konnten, und eine

Bestätigung durch die Volksversammlung. Der Anteil der Metoiken und Sklaven an der Gesamtbevölkerung Karthagos von ca. 150 000 bis 200 000 Einwohnern im 4. und 3. Jh. v. Chr. (vgl. [55. 205 f.]) ist nur zu vermuten, doch scheint er in beiden Fällen hoch gewesen zu sein [14. 497–502].

An der Spitze der Ges. stand eine polit. führende aristokratische Oberschicht, deren Reichtum (entgegen früheren Meinungen) eher aus der Landwirtschaft als aus dem Handel stammte [55. 169–176]. Das breite Volk (*dḗmos*) konnte in eine Art Klientelverhältnis zu Patronen der Oberschicht treten, hatte aber auch genügend Erwerbsmöglichkeiten als Handwerker, Händler, Matrosen und Ruderer auf der karthag. Flotte sowie als Zusiedler in den phöniz./pun. Gründungen, so daß die Herrschaft der Oberschicht nie in Frage gestellt wurde (vgl. Aristot. pol. 1272b 30–32; 1273b 19 f.). Für die Homogenität der Aristokratie spricht das Fehlen einer Tyrannis (Aristot. pol. 1272b 32 f.) und die Entwicklung effizienter Organe zur Kontrolle der staatlichen Funktionsträger, v. a. im mil. Bereich. Die Wahl von Beamten ›nach Leistung und Reichtum‹ (ἀριστίνδην ἀλλὰ καὶ πλουτίνδην: Aristot. pol. 1272b 23–24) läßt auf eine prinzipielle Offenheit für Aufsteiger schließen. Als weitere Untergliederungen können die »Hetairien« (wohl nur des Adels) gelten, die nach Aristoteles (Aristot. pol. 1272b 34) gemeinsam speisten (*syssítion*, → Gastmahl; zur Deutung als urspr. Gemeinschaftsmahle adliger Kriegergefolgschaften s. [55. 164–167]), und »Vereinigungen des Volkes« (*mzrḥm*), die vielleicht auf den *dḗmos* beschränkt waren, aber auch den griech. → Phratrien oder röm. → *curiae* vergleichbare Untergliederungen des Gesamtvolks gewesen sein können.

Über die Familie als Grundeinheit des karthag. Staates ist fast nichts bekannt. Die häufige Weihung von Stelen durch Frauen weist auf deren sozial geachtete Stellung, die Einbindung der Familien in einen größeren, von einem Vorsteher geführten Familienverband läßt an die röm. *gentes* denken (doch fehlt in Rom eben diese personale gentile Spitze).

Die inschr. belegten Berufe zeigen eine große Bandbreite in Gewerbe und Handel (Liste bei [14. 481–483]), lassen jedoch den landwirtschaftl. Bereich vermissen. Die Vorstellung von einem an der Landwirtschaft desinteressierten P. (Cic. rep. 2,7), der seinen Reichtum überwiegend oder ausschließlich aus dem Handel bezog, ist dennoch nicht berechtigt, da die inschr. Quellen aus der Stadt stammen und die Bewirtschaftung der Güter auch über Sklaven oder einheimische Pächter erfolgen konnte. Selbst die schwachen Spuren der in Karthago entstandenen landwirtschaftl. Handbücher bei Varro (rust. 1,1,10; 2,1,27; 2,5,18; 3,2,13), Columella (1,1,10; 3,15,4–5; 12,39,1–2; 12,46,5–6 u.ö.) und Plinius (Plin. nat. 17,63; 17,80; 18,97–98; 21,110–112 u.ö.) lassen profunde Beschäftigung mit dem Ackerbau und geradezu wiss. Studien zur Viehzucht (Kreuzungen) erkennen (s. dazu [16]).

Zudem weisen mehrere Indizien auf ein nur sekundäres Interesse der Karthager am Handel: Die Gründungsgesch. (vgl. → Karthago) nennt als unmittelbaren Anlaß einen vorhandenen oder drohenden polit. Konflikt im Königshaus von → Tyros. Die Wahl des Ortes mit seinem fruchtbaren Hinterland rückt die »Neue Stadt« in die Nähe einer Agrarkolonie; die unmittelbare Nähe zum bereits bestehenden phöniz. Siedlungsplatz → Utica macht eine weitere Station für die phöniz. Handelsschiffahrt nach Westen im Grunde unverständlich. Die handwerkliche und künstlerische Produktion Karthagos ging – in starkem Gegensatz zu den phöniz. Städten in der Levante – auffällig wenig auf die Bedürfnisse der angeblichen Handelspartner ein, sondern diente überwiegend der Selbstversorgung (s.u. IV.B.). Die späte Einführung der Münzprägung (um 410 v. Chr. in Sizilien und Jahrzehnte später in Karthago) spricht gegen eine effiziente Gestaltung des Handels (und auch gegen eine frühe Verwendung größerer Söldnerverbände).

Des weiteren diente die Konzentration der mil. unterstützten Interessen auf Sizilien und Sardinien im 6. Jh. (→ Malchos [1]; → Mago [1]) – beide in röm. Zeit als »Kornkammern« bekannt – nach dem stürmischen Wachstum der Stadt, die vom 8. bis zum 6. Jh. das Vierfache ihrer urbanistisch genutzten Fläche erreichte, und unter dem wachsenden Druck der griech. → Kolonisation (IV.) eher der Sicherung der Getreidezufuhr als von Handelswegen nach Westen. Ebenso ist der im 6. Jh. begonnene und im 5. Jh. erfolgreich beendete Versuch, sich das wohl urspr. von der libyschen Bevölkerung gepachtete Land (vgl. *stipendium urbis conditae*, Iustin. 19,2,4) anzueignen und in der Folgezeit zu kolonisieren, aus dem Bestreben nach Ernährungssicherung zu erklären – und zwar auch dann, wenn die damit einsetzende mil. Konfrontation mit den Nachbarn schließlich (ähnlich wie in Rom) zum Aufbau eines Reiches führte, das seine Entstehung vielleicht weniger einer am Handel orientierten imperialen Idee als dem mil. Leistungswillen einer scharf konkurrierenden aristokratischen Oberschicht Karthagos verdankte (vgl. [55. 155–181]).

3. Verfassung und Verwaltung

Trotz des Interesses eines Aristoteles (Aristot. pol. 1272b 25–1273b 26) oder Polybios (Pol. 6,43,3; 6,51–52) an Karthagos grundsätzlich positiv bewerteter → *politeía* und trotz unserer Kenntnis zahlreicher Funktionsbezeichnungen (leider ohne Funktionsbeschreibungen) aus pun. Inschr. entzieht sich die Verfassung Karthagos (und mehr noch die Verwaltung des Reiches) einer systematischen Behandlung: Die Angaben sind über mehrere Jh. verstreut, die griech. und lat. Äquivalente für die einzelnen Institutionen (*árchontes*, *basileís*, *éphoroi*, *gerusía*, *stratēgoí*, *rex*, *iudices*, *senatus* etc.) deuten die Inhalte und Kompetenzen der pun. Institutionen mehr an, als daß sie sie beschreiben.

Die Organisation des frühen Karthago (8.–7. Jh.) ist nicht rekonstruierbar; die Stadt unterstand entweder einem Statthalter aus Tyros oder – was näher liegt, Karthago aber erst recht zum Sonderfall unter den phöniz. Kolonien machen dürfte – einem König nach dem Muster der Mutterstadt. Spätestens im 6. Jh. wurde dieser König durch einen aristokratischen Rat kontrolliert; kurz darauf verlor er Teile seiner zivilen und rechtlichen Gewalten an die im 5. Jh. neu geschaffenen oder in ihren Kompetenzen verstärkten zwei → Sufeten und behielt im wesentlichen nur den mil. Oberbefehl, der allerdings innerhalb der Familie (etwa der Magoniden; → Mago mit Stemma) bruchlos weitergegeben wurde. Seit dem 5. Jh. oder dem Beginn des 4. Jh. hatte der königliche Feldherr regelmäßig vor einem wohl speziell dafür geschaffenen »Staatsgerichtshof« der Hundert (Aristot. pol. 1273a 15: *megístē archḗ*, »Oberste Behörde«) bzw. Hundertvier Rechenschaft abzulegen und konnte sogar zum Tode verurteilt werden. Schließlich wurde er auch in seiner mil. Funktion durch vom Volk gewählte Heerführer (*stratēgoí*) ersetzt, doch existierte vermutlich der »König« als Titel eines sakralen Amtes weiter (so [55. 67–97]); vgl. [14. 458–460]).

Im 4. Jh. stellt sich Aristoteles die Verfassung Karthagos als aristokratisch-oligarchisch geprägte Mischform dar. Das königliche Element war durch die beiden Sufeten gegeben; sie vetraten den Staat nach außen, kontrollierten das Gerichtswesen und übten wohl auch selbst richterliche Funktionen aus. Vielleicht unterstand ihnen, unterstützt durch einen *quaestor*, die Leitung der Staatsfinanzen. Sie beriefen die Volksversammlung ein und hatten auch hohe Bed. im Staatskult. Das aristokratische Element lag im Rat, der wohl 300 Mitglieder hatte (vgl. Pol. 36,4,6) und aus seinen Reihen ein (Aristoteles noch nicht bekanntes) *sanctius consilium* (»hochheiliger Rat«, Liv. 30,16,3) als geschäftsführenden Ausschuß schuf. Mitglieder des Rates bildeten auch den o.g. »Staatgerichtshof«, der von den »Pentarchien« ausgewählt und von Aristoteles mit den spartanischen → *éphoroi* verglichen wurde; sie waren aber auf Lebenszeit bestellt, bis sie 196 v. Chr. auf Betreiben Hannibals [4] zu gewählten Jahresbeamten wurden. Das demokratische Element sah Aristoteles in der Volksversammlung mit allgemeinem Rederecht für alle Teilnehmer, dem Recht der Beamtenwahl (zumindest von Sufeten und Strategen) und der polit. Entscheidung in Fragen, die ihr von Rat und Sufeten vorgelegt wurden. Die Mitwirkung der Volksversammlung bei Verbannungen ist wahrscheinlich.

Das Reich der Karthager umfaßte eine Fülle von Städten und Stämmen, die auf unterschiedlichste Weise in den Einflußbereich Karthagos geraten waren und deshalb unterschiedliche Rechte, Pflichten und Privilegien genossen. Eine einheitliche Reichsverwaltung oder auch vergleichbare Ordnungen in den einzelnen »Prov.« sind nicht faßbar. Der sog. »Eid des Hannibal« (vgl. Pol. 7,9) läßt ein gestuftes System von Abhängigkeiten erkennen; es reichte von den Bürgern Karthagos über die Bürger der phöniz. Städte im Westen und der karthag. Kolonien (die nominell städtische Autonomie,

die Epigamie/→ *epigamía* mit den Karthagern und z. T. das Münzrecht besaßen, aber als *hýparchoi* bzw. *sýmmachoi* doch von der Zentralmacht abhängig waren) bis zu den *hypḗkooi* (»Untertanen«), zu denen die afrikanischen Libyer (auch die auf dem Territorium Karthagos lebenden) und teilweise numidische Stämme gehörten. Das Hinterland Karthagos war innerhalb eines das ganze Gebiet (*eparchía*) umgebenden grabenartigen Limes in Bezirke (*pagi* mit einem *praefectus pagi* an der Spitze) eingeteilt, in denen die einheimischen Gemeinden als Verwaltungszentren (z. T. mit nach pun. Vorbild gestalteten Organen) weiterlebten, aber wohl unter karthag. Kontrolle standen. In den Gebieten außerhalb Afrikas, in Sizilien und Sardinien, genossen die meisten Städte Autonomie, standen aber unter der faktischen Aufsicht mil. Amtsträger, wobei in Sardinien die Kontrolle wohl stärker ausgeübt wurde als in der sizilischen Epikratie. Die von Karthago kontrollierten Gebiete Spaniens gehörten zum Verwaltungsgebiet Afrika.

Alle Städte und Stämme innerhalb des karthag. Reiches waren zur Heersfolge verpflichtet und hatten, sofern sie nicht karthag. Bürger waren, einen Tribut an Geld oder Naturalien zu bezahlen, der von zehn Prozent der Erträge in Sizilien bis zu einem Viertel bei den Libyern reichen konnte. Insgesamt bewährte sich dieses »System« der gestuften Rechte und Tribute, das – wie das röm. – äußerst flexibel war und so den unterschiedlichsten Herrschaftbedingungen gerecht werden konnte. W. ED.

IV. ARCHÄOLOGIE UND KULTURGESCHICHTE
A. PHÖNIZIER B. PUNIER

A. PHÖNIZIER
Dingliche Ausprägungen der phöniz. Kultur sind ähnlich schwer zu fassen wie die durch sprachliche Nachricht überlieferten; sie konzentrieren sich auf ausgewählte Bereiche des Lebens.

1. URBANE ENTWICKLUNG
2. ARCHITEKTUR 3. PLASTIK
4. KUNSTHANDWERK
5. KULTURGESCHICHTLICHE EINORDNUNG

1. URBANE ENTWICKLUNG
In der städtischen Kultur der Ph. nahm die urbane Entwicklung einen lebendigen Verlauf. Während in der späten Brz. und noch darüber hinaus »orientalisches« Gepräge mit unregelmäßiger, gewundener Straßenführung vorherrschte, zeichnete sich im frühen 1. Jt. v. Chr. zunehmend eine Tendenz zur Orthogonalität ab [17. 94]. Funktionale Segmentierung (spezifische Handwerksquartiere) ist allg. anzunehmen und für die auf Brennenergie angewiesene Gewerbe bezeugt, z. B. in Sarepta im phöniz. Kernland und in den westl. Niederlassungen (u. a. Karthago, → Motya, → Mainake/Toscanos). Auf hohem Stand waren die Hafenanlagen [18] ebenso wie → Schiffbau und Navigationskunst.

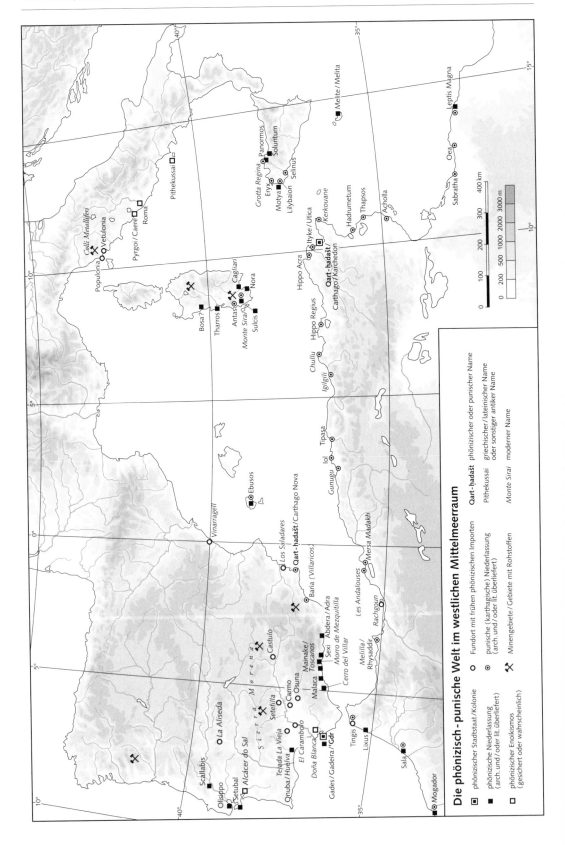

Die phönizisch-punische Welt im westlichen Mittelmeerraum

Qart-hadašt phönizischer oder punischer Name

Pithekussai griechischer/lateinischer Name oder sonstiger antiker Name

Monte Sirai moderner Name

■ phönizischer Stadtstaat/Kolonie

◉ Fundort mit frühen phönizischen Importen

◉ punische (karthagische) Niederlassung (arch. und/oder lit. überliefert)

✗ Minengebiete/Gebiete mit Rohstoffen

■ phönizische Niederlassung (arch. und/oder lit. überliefert)

□ phönizischer Enoikismos (gesichert oder wahrscheinlich)

Einzelne Elemente der urbanen Textur des phöniz. Mutterlandes sind seit dem 8. Jh. v. Chr. auch im zentral- und westmediterranen Raum an phöniz. Plätzen nachzuweisen, durchgehend urbane Strukturen jedoch wuchsen, mit Ausnahme der frühen Gründungen von → Kition, → Karthago und → Gades (?), erst langsam heran [19. 83–84].

2. Architektur

Von der Sakralarchitektur in den Städten [20] sind aus der Frühzeit nur kleinere Sanktuarien erhalten: das der → Astarte/→ Tinnit in Sarepta (8. Jh. v. Chr.), ein schlichter Langraum von bescheidenen Ausmaßen (ca. 3,6 × 7,4 m [21. 131–148]) und der pun. Tempel von → Kerkouane aus dem 4./3. Jh. v. Chr. [22. 145–221]. Doch gab es auch monumentale Bauten, unter denen der aus lit. Nachrichten bekannte, von → Hiram I. in Tyros errichtete → Melqart-Tempel (Ios. c. Ap. 1,112–127) sicher der berühmteste war und auch in der griech. Lit. sein Echo gefunden hat (Hdt. 2,44). Nach einer zuerst von R. D. Barnett vorgeschlagenen Deutung ist er auf einem h. verlorenen, von A. H. Layard gezeichneten Relief aus dem Palast des → Sanherib (704–681 v. Chr.) in Ninive (→ Ninos [2]) abgebildet [23]. Die beiden Säulen zu Seiten des Eingangs sind mit den Säulen Jachin (Yākīn) und Boas (Boʿaz) vor dem → Jahwe-Tempel Salomos in Jerusalem zu verbinden, bei dessen Bau tyrische Bauleute beteiligt waren, ebenso mit dem Astarte-Tempel im phöniz. Kition auf Zypern [24. 138–145]. Kaum zufällig stammt ein »proto-äolischer« Kapitellaufsatz aus Kalkstein mit einer Blütenbekrönung [25. 167–68] aus Gades, wo seit ältester Zeit ein Melqart-Tempel bezeugt ist. Erst aus persischer und hell. Zeit datieren die großräumigen Terrassen- und Hofheiligtümer von Bustān aš-Šaiḫ (→ Ešmūn-Heiligtum bei Sidon), ʿAmrīt (→ Marathos: Naïskos inmitten eines Porticus-umstandenen Wasserbassins von 38,5×46,7 m, Heiligtum für Melqart und Ešmūn) und Umm al-ʿAmad (2 km südl. von Tyros). Dieser Gruppe ist wohl eine in Karthago in Teilen aufgedeckte kleinere Tempelanlage zuzurechnen [26]. Kleinere »Kapellen« konnten auch in die enge städtische Bebauung eingefügt sein [27. 477–484].

Die genannten Heiligtümer sind, anders als z. B. die griech. Tempel seit der archa. Periode, keinem festen Kanon verpflichtet; spezifische Kennzeichen phöniz. Architektur sind für die Frühzeit vielmehr bestimmte schmückende Bauglieder wie das sog. »proto-äolische« Kapitell mit Blattüberfall, das als phöniz. Erfindung gelten kann [28. 76, 79; 29]. Die häufigeren → »Naïskos«-Heiligtümer (Chapelle Carton in Karthago, Tharros u. a.) verbinden äg. mit griech. Vorbildern, von denen jene ein seit der späten Brz. in der phöniz. Formen- und Bildersprache fest etablierter Faktor sind, diese hingegen ein Element, das sich erst etwa seit dem 5. Jh. v. Chr. in der Kultur der Ph. einen festen Platz erobert, jedoch seit dem 5. Jh. ständig an Bed. zunimmt. So ist im Karthago des späten 5./frühen 4. Jh. ein Tempel griech. Bauordnung bezeugt [30. 237–239]. Ein phöniz. Charakteri-

stikum sind dagegen in der Sepulkralarchitektur die aus Quadern errichteten Kammergräber (tombeaux bâtis) des 7.–5. Jh. v. Chr., in deren Typologie äg. und altanatolische Vorformen verarbeitet wurden [31. 366–371]. Im übrigen waren Begräbnissitten (Körper- und Brandbestattung) und Grabformen wenig festgelegt und traten im Westen auch nebeneinander in demselben Gräberfeld auf (→ Nekropolen III.). Neben sozialer Schichtung ist auch mit unterschiedlichem Traditionshintergrund der Bestatteten zu rechnen.

3. Plastik

In der phöniz. Kultur, in der die Götter in »anikonischen« Kultbildern – wie den drei baítyloi (→ baitýlia) im phöniz. Schrein von → Kommos [1]/Kreta [32] oder der meta der Astarte/Aphrodite von → Paphos (Tac. hist. 2,2) – verehrt wurden (s. u. VI.), war die monumentale figürliche Darstellung des Menschen nie ein bes. Anliegen. Vereinzelte großformatige Skulpturen des 8.–6. Jh. aus den phöniz. Städten in der Levante (Sarepta, Tyros) und aus Sizilien (→ Lilybaion/Marsala) sind ganz an äg. Vorbildern orientiert [33. 448–452, 456–462]. Auch im Sepulkralkult kam es nicht zu einer Entwicklung von Grabplastik als monumentaler Rundplastik [34; 35; 36. 60–67]. Auf den zahlreichen Grab- und Votivstelen Karthagos sowie auf Sardinien und Sizilien (neuerdings auch in Tyros!) behaupten sich neben oft sehr ungelenken Menschenbildern die baítyloi und die typischen Symbole (Tinnit-/Tanit-Symbol, sog. bottle-shaped idol). Auch alleinstehende baítyloi sind als Grabbekrönungen und Repräsentanten der Totenseele bezeugt [37]. Die Gruppe der anthropoiden → Sarkophage des 5./4. Jh., durch äg. Vorbilder angeregt und zu Anfang von griech. Künstlern in Sidon hergestellt, zeigen durchgehend griech. Stilformen [38; 39]. In wenigen Exemplaren auch über Palermo bis nach Gades/Cádiz verbreitet, waren sie allerdings eine vorübergehende Erscheinung. Fremd in Karthago blieben schließlich auch die beiden Sarkophage mit Deckelfigur aus der nécropole des Rabs [40], so wie im östl. Mittelmeerraum die auf Zypern konzentrierten → temple boys spätklass. und hell. Zeit [41].

Ein bisher einzigartiges Beispiel für das Spannungsverhältnis zw. der phöniz.-pun. Kultur und der in der griech. Welt entwickelten Rundplastik ist der sog. »Jüngling von Mozia« (Motya, Museo Whitaker; [42; 43]): Ausgestattet mit Gewand und Attributen, die in der phöniz.-pun. Welt beheimatet sind, trägt das Gesicht Züge des frühen strengen Stils der griech. Kunst, und die Körperhaltung nimmt die klass. Ponderation vorweg. In dieser lebensgroßen männlichen Marmorstatue glaubt man einen jugendlichen → Melqart oder aber eines der Denkmäler (Hdt. 7,166f.: mnḗmata) des nach der verlorenen Schlacht bei Himera (480 v. Chr.) entrückten → Hamilkar [1] zu erkennen [42; 43]. Der für das Werk verantwortliche Bildhauer muß ein hochrangiger westgriech. Künstler gewesen sein, vielleicht → Pythagoras von Rhegion.

4. Kunsthandwerk

Prinzipien und Strukturen der Formensprache und Bildgestaltung in der phöniz.-pun. Kultur lassen sich am ehesten im Bereich des Kunsthandwerks beobachten.

a) Elfenbeine

Schon zeitgenössisch bes. geschätzt oder als gottloser Luxus verabscheut (Am 6,4) waren die mit figürlich gestalteten Bauteilen (Knöpfen, Holmen, Stützen etc.) und Reliefpaneelen aus Elfenbein verzierten Möbel (Betten, Throne) [44] sowie Gerätschaften (Waffen, Zaumzeug, Fächer, Schminkpaletten) und Behältnisse (Truhen, Dosen). Sie gelangten als Geschenk oder Handelsware, Tribut oder Kriegsbeute an die Königshöfe der benachbarten Mächte (→ Arslantaş, → Karkemiš, Dūr Šarrukīn/Ḫorsābād, → Samaria) oder als Prestigegüter in den Besitz der mediterranen Führungseliten in der Ägäis, Etrurien (→ Caere, → Praeneste) und → Tartessos (Huelva, Carmona) [45]. Zunächst in phöniz. (vgl. Ez 27,6) und daneben in nordsyr. Werkstätten gefertigt, wurden sie offenbar bald auch von ausgewanderten oder eigens angeworbenen Handwerkern und ihren einheimischen Schülern in den Zentren der Nachfrage gearbeitet [46]. Unter den großen Fundgruppen ragt die aus dem sog. NW-Palast Assurnaṣirpals II. (883–858 v. Chr.) in Nimrud (→ Kalḫu) heraus. Unterschiedliche Werkstattstile lassen sich erkennen, jedoch in Ermangelung entsprechender Funde aus dem phöniz. Mutterland bislang nicht lokalisieren [47]. Eine zeitstilistische Entwicklung ist im sehr konservativen phöniz. Kunsthandwerk weniger deutlich. V. a. in den Elfenbeinarbeiten entfaltete sich die phöniz. Liebe zum Ornament, florale Motive wurden einer strengen, kalligraphischen Stilisierung unterworfen. Lotusblüte und Palmette sind konstitive Elemente des → Lebensbaumes. Die durch äg. Vorbilder (Papyrusblüte) angeregte Lotusblüte wird hier zum zentralen Motiv der Paradiesblume (*paradise flower*) entwickelt [48].

b) Metallarbeiten

Ähnlichen Rang besaßen die phöniz. Metallarbeiten (vgl. Hom. Il. 12,740–749), die auch annähernd gleiche Verbreitung gefunden haben. Neben verschiedenen in den Mittelmeerraum verhandelten Gerätschaften, Gefäßen (→ Thymiaterien, Lampenständern, Kesseln und Untersätzen, birnenförmigen Spendekannen) sowie (wenigen) rundplastischen Bronzestatuetten waren Bronze- und Silberschalen mit ihrem reichen, in einer Kombination von Ziselierung, Gravierung und Treibtechnik ausgeführten Reliefdekor offenbar hochbegehrt: 1985 zählte G. Markoe allein 83 publ. bzw. bekannte Exemplare [49], zu denen mindestens 40–50 Stücke (und weitere Frg.) aus dem 1849 von A. H. Layard im NW-Palast von Nimrud entdeckten »Hort« zu rechnen sind [50]. Die Produktionszentren lagen zunächst im syrisch-phöniz. Raum, später offenbar vorwiegend auf Zypern und in den phöniz. Städten, das eine oder andere vielleicht im mediterranen Westen.

Bildgut und Formensprache der Schalen sind – wie die der Elfenbeinarbeiten – stark von assyr. wie äg. Einflüssen bzw. Vorbildern geprägt, ihr spezifisch phöniz. Charakter ist in der sorgfältigen Komposition mit zentralem Medaillon und einem oder mehreren konzentrischen Friesen und deren teilweise heraldisch-emblematischer Gliederung zu erkennen. Im ikonographischen Repertoire der späteren Silberschalen (7. Jh. v. Chr.) erscheinen unter den narrativen Elementen Hoplitenzüge, dies vielleicht in Verarbeitung von Anregungen aus der griech. Welt [51].

c) Sonstige Erzeugnisse

Das phöniz. und das pun. Kunsthandwerk hat daneben eine Fülle von Luxusartikeln, Exotica, hervorgebracht, die in der Alten Welt weiteste Verbreitung fanden: Salbfläschchen und Perlen aus buntem Glas und aus Fayence, Schminkpaletten aus gravierten Tridacna-Muscheln [52], Siegel-Skarabäen [53], ägyptisierende Fayence-Amulette [54]. Die Keramik (→ Tongefäße) blieb dagegen stets auf einem durchschnittlichen handwerklichen Niveau und gelangte v. a. als Behältnis (Amphore, Salbfläschchen) nach außerhalb, oder etwa als persönlicher Besitz bei individuellen Wanderungsbewegungen innerhalb der phöniz. Welt, einschließlich der *enoikismoí* (→ Kolonisation III.).

5. Kulturgeschichtliche Einordnung

Zusammenfassend stellt sich der phöniz. Horizont im Mittelmeerraum als kulturgesch. Phänomen dar, das auf vielfältige Weise von Selektivität geprägt ist: Hinsichtlich der geogr. Verbreitung (Zielgebiete der Expansion, zielorientierte Handelskorridore), der sozialen Zielgruppen (lokale Eliten mit Schlüsselfunktionen), der kulturellen Medien der Vermittlung (allg., bes. technisches Wissen, »transportfähige« Prestigegüter aller Art zur schichtadäquaten Stilisierung der Lebensführung), der offenkundigen Konzentration in der Produktion der Artefakte auf die Nachfrage von außen (deren Befriedigung für die im Verhältnis zu den umgebenden Mächten wenigen und kleinen phöniz. Stadtstaaten überlebenswichtig war) und schließlich hinsichtlich der Akzeptanz der umgebenden Mächte, die jeweils vom regionalen Kulturprofil in »Übersee«, d. h. auch von den jeweiligen Bedürfnissen abhängig war. Im Hinblick auf das kulturelle Panorama in den Stadtstaaten an der Levanteküste zeigt sich die phöniz. Identität in den kaum gebrochenen Trad. der altvorderasiatischen Brz., in der Prädominanz einer differenzierten städtischen Lebensform und im hochentwickelten technischen (und administrativen) Wissen einer Zivilisation auf hohem Niveau.

B. Punier

Für die materielle Kultur der karthagischen bzw. pun. Welt sind auf der einen Seite dieses phöniz. Erbe und die Fortsetzung der in ihm begründeten Trad. charakteristisch. Auf der anderen Seite unterscheidet sie sich durch die fortgeschrittene Zeitstellung, die durch – gegenüber dem frühen 1. Jt. v. Chr. im phöniz. Mutterland – gänzlich veränderte Parameter von Politik und Wirtschaft geprägt ist. Karthago war auch im weiteren

Umfeld in Nordafrika und an der Straße von Tunis bis in das 4. Jh. v. Chr. hinein nicht ernsthaft gefährdet und nicht darauf angewiesen, durch Handel mit Rohstoffen (es sei denn, zur Befriedigung eigener Bedürfnisse) und Export von Luxus- und Prestigegütern seine Existenz und seinen Wohlstand zu sichern. Das Fehlen jenes für die phöniz. Kultur charakteristischen »auswärtigen«, d. h. nach außen gerichteten, Elements erlaubt es, in der karthagisch-pun. so etwas wie die »Normalität« einer ant., auf eine Stadt zentrierten Kulturgemeinschaft zu erkennen, sozusagen eine eigene pun. Identität zw. Ost und West [55. 237–274; 56. 303–350]. Ihr bes., konservatives Profil ergab sich aus der Bewahrung traditioneller Kultbräuche und hergebrachter ges. Normen. Die materiellen Erzeugnisse waren auf den Gebrauch in Kult und Magie und auf die Befriedigung der alltäglichen Lebensbedürfnisse eingestellt.

So ist auch der arch. Befund bestimmt durch eine Fülle von anspruchslosen Exvotos und Grabbeigaben aus Terrakotta (z. B. Kopf- und Büstenprotomen, Masken), schlichten, in Manier von Volkskunst verzierten Grabstelen, metallenen Kultgeräten (»Rasiermesser«), ägyptisierenden magischen Amuletten. Die im Westen u. a. durch Inschr. und Darstellungen (z. B. Votivterrakotten) bezeugte weite Verbreitung des Tinnit-Kultes gehört mit zu diesem Befund. Im einzelnen sind, etwa ab dem späten 6. Jh. v. Chr. ständig zunehmend, hellenisierende Tendenzen zu erkennen: Auffällig ist z. B., daß man für die weithin üblichen rundplastischen Votivköpfe mit aufgesetzter Räucherschale (*bruciaprofumi*, *pebeteros*) auf Vorbilder der griech. Demeter-Ikonographie (*Dēmétēr kernophóros*) zurückgriff. Kennzeichnend sind hier die Befunde des karthagischen Ebusos/Ibiza, wo sowohl die glockenförmigen Ton-Idole aus der Kultgrotte der Tinnit von Es Cuyeram als auch die Terrakottabüsten aus den Gräbern der städtischen Nekropole auf dem Puig des Molins zu einem guten Teil von griech. Vorbildern abhängig sind [58; 59].

→ Etrusci/Etruria; Hispania; Karthago; Melite [7]; Pithekussai; Sardinia; Sicilia; KARTHAGO   H. G. N.

1 H. Pastor Borgoñón, Die Phönizier: Eine begriffsgesch. Unt., in: Hamburger Beitr. zur Arch. 15/17, 1988/90, 37–142 **2** S. Moscati, Nuovi studi sull'identità fenicia, in: RAL 9.4, 1993, 9–14 **3** G. Bunnens, s. v. Canaan, DCPP, 87f. **4** Ders., La distinction entre Phéniciens et Puniques chez les auteurs classiques, in: P. Bartoloni (Hrsg.), Atti del I Congr. Internazionale di Studi Fenici e Punici (Roma 1979), Bd. 1, 1983, 233–238 **5** V. Krings (Hrsg.), La civilisation phénicienne et punique. Manuel de recherche (HbdOr I Bd. 20), 1995, 9–84 **6** J. Untermann, Trümmersprachen zw. Grammatik und Gesch. (Rheinisch-Westfälische Akad. der Wiss., Vorträge G 245), 1980 **7** H. G. Niemeyer, Die frühe phöniz. Expansion im Mittelmeer. Neue Beitr. zu ihrer Beschreibung und ihren Ursachen, in: Saeculum 50, 1999, 153–175 **8** M. Pellicer Catalán, Estrategia de los asentamientos fenicios en Iberia (Real Acad. de Bellas Artes Sevilla), 1996, 143–167 **9** H. G. Niemeyer, Das frühe Karthago und die phöniz. Expansion im Mittelmeerraum, 1989 **10** G. Markoe, In Pursuit of Silver: Phoenicians in Central Italy, in: Hamburger Beitr. zur Arch. 19/20, 1992/93, 11–31 **11** C. Domergue, Les mines de la péninsule ibérique dans l'antiquité romaine, 1989, 141–154 **12** J. Bouzek, Greece, Anatolia and Europe: Cultural Interrelations during the Early Iron Age, 1997, 160–167 **13** I. Ström, Evidence from the Sanctuaries, in: G. Kopcke, I. Tokumaru (Hrsg.), Greece between East and West. 10th–8th Centuries B. C. (Papers of the Meeting at the Institute of Fine Arts, New York 1990), 1992, 46–60 **14** W. Huss, Gesch. der Karthager, 1985 **15** Ders. (Hrsg.), Karthago, 1992 **16** J. Peters, Röm. Tierhaltung und Tierzucht, 1998 **17** H. G. Niemeyer, The Early Phoenician City-States on the Mediterranean: Archaeological Elements for their Description, in: M. H. Hansen (Hrsg.), A Comparative Study of Thirty City-State Cultures (Kongelike Danske Videnskabernes Selskab, Hist.-fil. Skrifter 21), 2000, 89–115 **18** H. Frost, Harbours and Proto-Harbours. Early Levantine Engineering, in: V. Karageorghis, D. Michaelidis (Hrsg.), Cyprus and the Sea (Proc. of the International Symposium Nicosia 1993), 1995, 1–22 **19** H. G. Niemeyer, Phoenician Toscanos as a Settlement Model?, in: B. Cunliffe, S. Keay (Hrsg.), Social Complexity and the Development of Towns in Iberia (Proc. of the British Acad. 86), 1995, 67–88 **20** M. Yon, Architecture sacrée, in: [5], 122–129 **21** J. B. Pritchard, Recovering Sarepta, a Phoenician City. Excavations at Sarafand, 1978 **22** M. Fantar, Kerkouane. Cité punique du Cap Bon (Tunisie), Bd. 3: Sanctuaires et cultes, société, économie, 1986 **23** R. D. Barnett, Ezekiel and Tyre, in: Eretz Israel 9, 1969, 6–13 **24** V. Karageorghis, Kition auf Zypern, die älteste Kolonie der Phöniker, 1976 **25** J. M. Blázquez, Tartessos y los orígenes de la colonización fenicia, ²1975 **26** F. Rakob, Forsch. im Stadtzentrum von Karthago, in: MDAI(R) 102, 1995, 420–427 **27** H. G. Niemeyer u. a., Die Grabung unter dem Decumanus Maximus von Karthago, in: MDAI(R) 102, 1995, 475–502 **28** E. Akurgal, Orient und Okzident, 1966 **29** Y. Shiloh, The Proto-Aeolic Capital and Israelite Ashlar Masonry (Qedem 11), 1979 **30** H. G. Niemeyer, R. F. Docter, Die Grabung unter dem Decumanus Maximus von Karthago. Vorber., in: MDAI(R) 100, 1993, 201–244 **31** H. Benichou-Safar, Les tombes puniques de Carthage, 1982 **32** J. W. Shaw, Der phöniz. Schrein in Kommos auf Kreta (ca. 800 v. Chr.), in: R. Rolle, K. Schmidt (Hrsg.), Arch. Stud. in Kontaktzonen der ant. Welt, 1998, 93–104 **33** G. Tore, L'art. Sculpture en ronde-bosse, in: [5], 448–470 **34** U. Kron, Heilige Steine, in: H. Froning (Hrsg.), Kotinos. FS Erika Simon, 1992, 56–70 **35** T. N. D. Mettinger, No Graven Image? Israelite Aniconism in its Ancient Near Eastern Context, 1995 **36** H. G. Niemeyer, Sêmata. Über den Sinn griech. Standbilder, 1996 **37** G. Falsone, An Ovoid Betyl from the Tophet at Motya and the Phoenician Trad. of Round Cultic Stones, in: Journ. of Mediterranean Studies 3, 1993, 245–285 **38** E. Kukahn, Anthropoide Sarkophage in Beyrouth und die Gesch. der sidonischen Sarkophagkunst, 1955 **39** M. L. Buhl, Les sarcophages anthropoïdes phéniciens en dehors de la Phénicie, in: AArch 58, 1987, 213–221 **40** H. G. Niemeyer, Gedanken zu Bild und Abbild im Grabkult der phöniz. und pun. Welt, in: F. Prayon (Hrsg.), Akt. des Kolloquiums »Der Orient und Etrurien«, Tübingen 1997 (Biblioteca di Studi etruschi), 2000, 323–331 **41** C. Beer, Temple-Boys. A Study of Cypriote Votive Sculpture, Bd. 1: Catalogue (Stud. in Mediterranean Archaeology 113), 1994 **42** N. Bode, Die

Statue von Mozia. Hamilcar als Heros, in: AK 36, 1993, 103–110 **43** G. C. PICARD, Mythe et histoire aux débuts de Carthage, in: E. ACQUARO (Hrsg.), Atti del II Congr. Internazionale di Studi Fenici e Punici (Roma 1987), 1991, Bd. 1, 385–392 **44** E. GUBEL, Phoenician Furniture (Studia Phoenicia 7), 1987 **45** Ders., M. E. AUBET, M. F. BASLEZ, s. v. Ivoires, DCPP, 233–237 **46** M. E. AUBET, Los marfiles orientalizantes de Praeneste, 1971 **47** S. M. CECCHINI, L'art. Ivoirerie, in: [5], 516–526 **48** B. B. SHEFTON, The »Paradise Flower«, a Court Style Phoenician Ornament, in: V. TATTON-BROWN (Hrsg.), Cyprus and the East Mediterranean in the Iron Age (Proc. of the 7th British Museum Classical Colloquium, London 1988), 1989, 97–102 **49** G. MARKOE, Phoenician Bronze and Silver Bowls from Cyprus and the Mediterranean, 1985 **50** R. D. BARNETT, The Nimrud Bowls in the British Museum, in: Riv. di Studi Fenici 2, 1974, 11–33 **51** G. FALSONE, s. v. Coupes metalliques, DCPP, 123 **52** R. A. STUCKY, The Engraved Tridacna Shells, in: Dédalo 10, 1974, 7–170 **53** E. GUBEL, s. v. Glyptique, DCPP, 191–194 **54** A. FEGHALI GORTON, Egyptian and Egyptianizing Scarabs. A Typology of Steatite, Faience and Paste Scarabs from Punic and Other Mediterranean Sites, 1996 **55** W. AMELING, Karthago. Stud. zu Militär, Staat und Ges., 1993 **56** S. LANCEL, Carthage. A History, 1995 **57** P. REGOLI, I Bruciaprofumi a testa femminile dal Nuraghe Lugherras (Paulilatino), 1991 **58** M. E. AUBET, El Santuario de Es Cuieram (Trabajos del Museo Arqueológico de Ibiza 8), 1982 **59** J. H. FERNÁNDEZ, Excavaciones en la necrópolis del Puig des Molins. Las Campañas de D. Carlos Roman Ferrer 1921–1929, Bd. 1–3 (Trabajos del Museo Arqueológico de Ibiza 28/29), 1992.

M. E. AUBET, The Phoenicians and the West, 1993 · C. BAURAIN, C. BONNET, Les Phéniciens. Marins de trois continents, 1992 · W. CULICAN, Phoenicia and Phoenician Colonization, in: CAH 3.2, 1991, 461–546 · E. GUBEL (Hrsg.), Les phéniciens et le monde méditerranéen (Ausstellungskat. Brüssel), 1986 · G. MARKOE, Phoenicians, 2000 · S. MOSCATI (Hrsg.), I Fenici (Ausstellungskat. Venedig), 1988 · H. G. NIEMEYER, Die Phönizier und die Mittelmeerwelt im Zeitalter Homers, in: JRGZ 31, 1984, 1–94 · A. PARROT, M. H. CHEHAB, S. MOSCATI, Die Phönizier (Universum der Kunst), 1977.

KARTEN-LIT. (ZUSÄTZLICH): H. G. NIEMEYER, Die frühe phönizische Expansion im Mittelmeer, in: Saeculum 1999, 153–175 · W. RÖLLIG, H. SADER, Syrien und Palästina vor der Annexion durch Assyrien (732 v. Chr.), TAVO B IV 14, 1991 · D. KELLERMANN, Palästina unter den Assyrern (nach 732 v. Chr.), TAVO B IV 15, 1991 · K. BIEBERSTEIN, S. MITTMANN, Palästina unter den Babyloniern und Persern (587–332 v. Chr.), TAVO B IV 16, 1991.

                                  H. G. N. u. W. R. u. W. ED.

V. SPRACHE UND SCHRIFT

→ Phönizisch; → PUNISCH.

VI. RELIGION

Die phöniz. und die von ihr abhängige punische Rel. (ph.-p. R.) sind weithin mit der »kanaanäischen« Rel. identisch, wie wir sie als naturhaften Hintergrund der → Jahwe-Religion aus der Polemik des AT kennen. Da die Träger der ph.-p. R. in Randlagen um das Mittelmeer lebten, ergab sich – außer frühem äg. Einfluß – eine mannigfaltige Wechselbeziehung zu Rel. Klein-

asiens und später Griechenlands und Roms, weniger zu der im Hinterland Karthagos lebendigen numidischen Rel. [6. 366–373]. Infolge ihrer weiträumigen Verbreitung unterliegt die ph.-p. R. regionalen Differenzierungen; Auswirkungen des → Hellenismus sind seit dem 3. Jh. v. Chr. spürbar. Die religions- und kulturgesch. Bed. der ph.-p. R. liegt vor allem in ihrer Vermittlung altorientalischer Religionselemente an das westliche Abendland.

Der Wettergott → Baal (»Herr«, »Ehemann«, »Eigentümer«) und seine Partnerin → Astarte spielen in vielen Abwandlungen eine zentrale Rolle [6. 79–90 u. ö.]. Stärker als in → Ugarit hat Baal einen polit.-kriegerischen Zug. Als → Melqart (»König der Stadt«) war er der Gott von → Tyros, als → Ešmūn derjenige von → Sidon; Melqart erfuhr durch die hell. Identifikation mit → Herakles [1], Ešmūn mit → Asklepios als Heilgott Verbreitung [3]. Der schon in der Orthosteninschr. von Zinçirli (KAI 24,16; 9. Jh. v. Chr.) erwähnte Baal Hammon war später Hauptgott von → Karthago [9; 6. 251–264]. Als »Himmelsbaal« (*bʿl šmm*) wurde Baal Hochgott, ohne andere Götter im Sinne einer Tendenz zum Monotheismus zu verdrängen.

Die Rolle des jugendlichen Vegetationsgottes scheint insbesondere in → Byblos [1] und → Alexandreia [1] (Theokr. 15) sowie später (Sappho 23; 107 D.) in griech. und lat. sprechenden Bereichen → Adonis innegehabt zu haben [6. 90–105]. Sein mit dem Ersterben der Vegetation verbundener jährlicher Tod, der dem des babylonischen Dumuzi (→ Tammuz) entspricht, überblendet ein älteres Schicksal des verunglückten Großwildjägers, wonach ein Wildschwein Adonis durch einen Biß in den Oberschenkel tötet (Ov. met. 10,710ff. u. a.), ein im Mythos des phrygischen → Attis (Paus. 7,17,9) wiederkehrendes Motiv. Einer drittjährigen Unterweltfahrt des Adonis (Apollod. 3,14,4) tritt bei (Ps.-)Lukian (De Syria Dea 6) die Vorstellung seiner Auferstehung gegenüber.

Schwer mit einer Göttin Syriens zu identifizieren ist die altertümliche *Bʿlt gbl* (»Herrin von Byblos«) [6. 70–79], deren Vorgängerin schon im 3. Jt. v. Chr. einen Tempel und heiligen Teich in der Stadt hatte. Später wurde → Astarte in vielen phöniz. Städten verehrt [7. 456–458]. Diese in Ugarit [4. 1.92. Z. 2] auch als »Jägerin« bezeichnete Göttin wird dort [4. Bd. 1.16. VI 56] wie später in Sidon als *šm bʿl* (»Name[nshypostase] Baals«, KAI 14,18) zur Partnerin Baals; vgl. *pn bʿl* (»Antlitz Baals«) als Epithet der karthagischen Göttin → Tinnit [5; 6. 199–215]. Seit hell. Zeit gehen Astarte und Atargatis in der → Syria Dea auf.

Die von der in den Inschr. bezeugten »offiziellen« ph.-p. R. bewältigten Lebensrisiken sind – ähnlich wie im AT – weithin die des bäuerlichen Lebens und der Gesch. Reste von Mythen sind in der euhemeristisch unterlaufenen, griech. Kosmogonie des Philon Byblios (→ Herennios Philon) bei Eus. Pr. Ev. 1,10,1–48 (vgl. 4,16,6; 10,9,12) erhalten. Einblick in die alltägliche Rel. geben viele Weihinschr., mit denen für Hilfe und Rettung gedankt wird [8. 480–488]; der stereotypen Phraseologie entsprechen Wendungen in den at. Dankpsalmen [8. 486, 493 f.]. Die mit der Stiftung solcher Inschr. oft verbundenen *m(o)lk*-(Darbringungs-)Opfer – wohl urspr. von kleinen Kindern, später von deren Substituten – für Tinnit und Baal Ḥammon sollten durch Hingabe von Leben künftiges Leben stärken (s. dazu auch → Menschenopfer; → Moloch). Meist schließen Weihinschr. mit der Bitte um göttlichen Segen. Magische Elemente sind die am Ende von Grab- und anderen Inschr. häufigen Flüche zum Schutz der betreffenden Objekte; eigentliche magische Texte sind selten.

1 La religione fenicia. Matrici orientali e sviluppi occidentali (Stud. semitici 53), 1981 2 C. BONNET, E. LIPIŃSKI, P. MARCHETTI (Hrsg.), Religio Phoenicia, 1986 3 C. BONNET, Melqart. Cultes et mythes de l'Héraklès tyrien en Méditerranée, 1988 4 M. DIETRICH, O. LORETZ, J. SANMARTÍN, Die keilalphabetischen Texte aus Ugarit (=KTU), 1976 5 F. O. HVIDBERG-HANSEN, La déesse TNT, 2 Bde., 1979 6 E. LIPIŃSKI, Dieux et déesses de l'univers phénicien et punique, 1995 7 H.-P. MÜLLER, s. v. עשתרת ʿštrt (ʿaštoræt), ThWAT 6, 1989, 453–463 8 Ders., Punische Weihinschr. und at. Psalmen, in: Orientalia 67, 1998, 477–496 9 P. XELLA, Baal Hammon, 1991.   H.-P. M.

Phönizisch ist die Sprache der Phönizier, welche mit ihrem späteren Ableger und Fortläufer, dem → Punischen, eine Einheit innerhalb der kanaanäischen Sprachgruppe (→ Kanaanäisch) bildet. Sie zerfällt in einzelne Dialekte, die sich nur teilweise nach ihrer geogr. Verbreitung (Byblos, Zincirli, Zypern) gliedern lassen. Das 22 Zeichen umfassende → Alphabet entwickelte sich aus dem protokanaanäischen. Es wurde zunächst in einer rein lapidaren Konsonantenschrift geschrieben, die in ihrem Duktus leicht von der aram. abweicht. Phöniz. Schriftzeugnisse (vom 13./12.–3. Jh. v. Chr.) umfassen überwiegend kurze Votiv-, Gedenk- und Bauinschr. auf Stein, Ton und Metall, darunter beschriftete Gefäße und Pfeilspitzen, Graffiti, Ostraka, Amphorenstempel, Stempelsiegel und Mz.-Legenden aus Phönizien (Byblos – u. a. mit Sarkophaginschr. des → Aḥiram –, Sidon, Tyros, Waṣta mit Inschr. in griech. Schrift), Palaestina, Syrien (Arslantaş-Beschwörungen), aus dem Hinterland der phöniz. Kolonien in Kleinasien (→ Karatepe mit phönizisch-hieroglyphen-luwischer → Bilingue, Zincirli), ferner Zypern, Attika (Athen, Peiraieus, teilweise zweisprachige griech.-phöniz. Inschr.), Rhodos, Italien, Sardinien (Nora), Malta, Spanien und Ägypten (Saqqāra-Papyrus). Die bekannte etr.-punische Bilingue aus → Pyrgoi (ca. 500 v. Chr.) dürfte noch als phöniz. und nicht als punisch zu betrachten sein.
→ Ammonitisch; Phönizier, Punier

J. FRIEDRICH, W. RÖLLIG, Ph.-punische Gramm., ³1999 · E. LIPIŃSKI, s. v. Langue, DCPP, 254–256 · S. MOSCATI, Die Phönizier, 1966.   C. K.

Phoibe (Φοίβη, lat. *Phoebe*).

[1] (die »Lichte«, »Reine« [2], vgl. zur Etym.: [3]). Titanin (→ Titanen), Tochter der → Gaia und des → Uranos (Hes. theog. 136; Orph. fr. 114; Apollod. 1,2; vgl. Diod. 5,66,2 f.; des Chthon (→ Chthonische Götter): Aischyl. Eum. 6 f.; des → Kronos: schol. Pind. P., Hypothesis p. 1 DRACHMANN), von ihrem Bruder → Koios (korrupt: Hyg. fab. praef. 10: Polus) Mutter der → Leto und der → Asteria [2] (Hes. theog. 404–409; Diod. 5,67,2; Apollod. 1,8; schol. Pind. P. l.c.), Großmutter von → Apollon und → Artemis. Ph. ist nach ihrer Mutter Gaia und → Themis die dritte Inhaberin des delphischen → Orakels, das sie als Geburtstagsgeschenk an → Apollon weitergibt, der nach ihr den Beinamen *Phoîbos* trägt (Aischyl. Eum. 1–8; vgl. schol. Hom. Il. 1,43 BEKKER; Etym. m. s. v. Φοῖβος Ἀπόλλων). Wahrscheinlich einer Ph. war das *Phoibaíon* bei Therapne (Hdt. 6,61,3; Paus. 3,14,9; 3,20,2; Liv. 34,38,5) geweiht [1; 2]. Umstritten ist dagegen, ob bei Paus. 2,30,7 als alter Name des Saronischen Meerbusens *Phoibaía* oder *Psiphaía límnē* zu lesen ist [5].

1 F. BÖLTE, s. v. Phoibaion, RE 20, 323–326 2 E. OBERHUMMER, s. v. Ph. (1–2), RE 20, 343–345 3 J. SCHMIDT, s. v. Phoibos (1), RE 20, 348 4 E. SIMON, s. v. Ph. (1), LIMC 8.1 Suppl., 984 5 G. TÜRK, s. v. Ph. (allg.), ROSCHER 3.2, 2395 f.

[2] Poetischer Name der → Artemis (vgl. Phoibos Apollon), zumeist bei röm. Dichtern, oft als Mondgöttin (z. B. Ov. am. 3,2,51; Ov. epist. 20,229; Ov. met. 1,11; Ov. fast. 6,235 f.). Das griech. Vorbild ist nur selten belegt (Opp. kyn. 2,1 f.; Porph. de philosophia ex oraculis 2,169 und 236 f. WOLFF; Paulos Silentiarios in Anth. Pal. 5,255,10; 9,765,1 f.).

[3] Eine der → Leukippiden, Tochter des Leukippos (oder des → Apollon: Paus. 3,16,1 nach dem ›Kyprien‹-Dichter) und der Philodike (Tzetz. zu Lykophr. 511), Schwester der Hilaeira (Elaeira bei Steph. Byz. s. v. Ἄφιδνα). Die Schwestern werden von den → Dioskuroi aus Messene geraubt und geheiratet. Ph. gebiert dem Polydeukes den Mnesileos (Apollod. 3,117 und 134; Mnesileos oder Mnesinoos: Tzetz. l.c.; Mnasinus: Paus. 2,22,5; 3,18,13; Ph. als Gattin des Kastor: Prop. 1,2, 15 f.). Vielleicht geht das *Phoibaíon* bei Therapne mit dem Dioskurentempel auf diese Ph. zurück [1; 4] (vgl. Ph. [1]).

1 F. BÖLTE, s. v. Phoibaion, RE 20, 323–326 2 A. HERMARY, s. v. Dioskouroi (4 B), LIMC 3.1, 583–585 3 L. JONES ROCCOS, s. v. Lynkeus I et Idas E, LIMC 6.1, 321 4 E. OBERHUMMER, s. v. Ph. (1–2), RE 20, 343–345.   SI. A.

Phoibidas (Φοιβίδας). Spartanischer Feldherr, wahrscheinlich mit dem Haus des → Agesilaos [2] verschwägert [1. 147 f.]. Er sollte im J. 382 v. Chr. seinem Bruder → Eudamidas [1] neue Truppen gegen Olynthos bringen, zog aber unterwegs nach Theben und nahm während des Festes der → Thesmophoria in einem Handstreich die Kadmeia, die Burg von Theben, ein

(Xen. hell. 5,2,25–36; Diod. 15,20,1 f.; Plut. Pelopidas 5; Plut. Agesilaos 23 f.; Plut. mor. 576a–577d; Androtion FGrH 324 F 50). Xenophon (Xen. hell. 5,2,25–7) führt dies auf ein Arrangement zwischen Ph. und dem Thebaner Leontiades [2] zurück, doch lassen Diodor und Plutarch klar erkennen, daß namentlich Agesilaos in die Affäre verwickelt war [1. 156f.]. Ph. verlor sein Kommando, kam aber mit einer Geldstrafe glimpflich davon; auch wurde die Besatzung in der Kadmeia beibehalten (Xen. hell. 5,2,32–5; vgl. Pol. 4,27,4). Zu Beginn des boiotischen Befreiungskrieges war Ph. in Thespiai als Harmost (→ harmostai) stationiert, wurde dort aber noch 378 von den Thebanern besiegt und fiel (Xen. hell. 5,4,41–6; Diod. 15,33,6; Plut. Pelopidas 15; [2]).

1 P. A. CARTLEDGE, Agesilaos, 1987 2 J. G. DeVOTO, Agesilaos in Boiotia in 378 and 377 B. C., in: The Ancient History Bull. 1, 1987, 75–82.   HA. BE.

Phoinike (Φοινίκη). Polis der epeirotischen → Chaones beim h. Finiq (h. Albanien), auf steil aus dem Bistrica-Tal herausragendem, von NW nach SO gestrecktem Hügel, ca. 5 km nordöstl. des zugehörigen Hafens → Onchesmos, ca. 17 km nördl. von → Buthroton. Eine Siedlung ist vom 5. Jh. v. Chr. bis in byz. Zeit nachweisbar [1. 219ff.]. Ph. erscheint im 4. Jh. v. Chr. auf Theorodokenlisten aus Epidauros (IG IV² 1,95,29) und Argos (SEG 23, 189 I 12). Nach dem Sturz des Königtums (232 v. Chr.) war Ph. Hauptort des Bundes der Epeirotes (Syll.³.653 A Nr. 4, B Nr. 22, 2. Jh. v. Chr.). Im 3./2. Jh. v. Chr. war Ph. die wohlhabendste und bestbefestigte Stadt in → Epeiros; 230 v. Chr. wurde sie kurzfristig von Illyriern eingenommen (Pol. 2,5,3–8,4). Zu E. des 1. → Makedonischen Krieges wurde 205 v. Chr. der Friede zw. Philippos [7] V. und Rom in Ph. abgeschlossen (Liv. 29,12,11–16); zu E. des 3. Maked. Krieges kam es zu inneren Unruhen (Pol. 32,5 f.). Im 5. und 6. Jh. n. Chr. war Ph. Bistum, eine Stadterneuerung wurde unter Iustinianus [1] vorgenommen (Prok. aed. 4,1,37). Die Siedlung wurde wohl aufgrund der Invasion der → Slaven aufgegeben. Kulte für Poseidon (SEG 23, 478), Artemis (Mz.) und Athena (SEG 43, 337 = 15, 397; zugeschrieben) sind bezeugt. Weitere Quellen: Strab. 7,7,5; Ptol. 3,14,7; Itin. Anton. 324,4.

1 N. CEKA, Städtebau in der vorröm. Periode in Südillyrien, in: Dt. Arch. Inst., Akten des 13. Internat. Kongresses für Klass. Arch. Berlin 1988, 1990, 215–229.

D. BUDINA, Phoinice à la lumière des recherches archéologiques recentes, in: Iliria 16/1, 1986, 113–121 · P. CABANES, L'Épire de la mort de Pyrrhos à la conquête romaine, 1976 · Ders., États fédéraux et koina en Grèce du nord et en Illyrie méridionale, in: Ders. (Hrsg.), L'Illyrie méridionale et l'Épire dans l'Antiquité, Bd. 3, 1999, 373–382 · N. G. L. HAMMOND, Epirus, 1967 · E. POLASCHEK, s. v. Ph. (9), RE 20, 1306–1308 · L. M. UGOLINI, Albania antica, Bd. 1, 1927, 125–138 · Ders., Albania antica, Bd. 2: L'acropoli di Fenice, 1932 · P. SOUSTAL, J. KODER, Nikopolis und Kephallenia (TIB 3), 1981, 234 f. (s. v. Ph.).   M. FE.

Phoiniker s. Phönizier, Punier

Phoinikides (Φοινικίδης). Komödiendichter des 3. Jh. v. Chr. aus Megara [1. test. 2]; siegte zweimal an den Dionysien [1. test. 3], errang an den Lenäen 285 mit den Ἀνασῳζόμενοι den fünften, im folgenden Jahr mit dem Ποιητής den vierten Platz. Erh. sind vier Fr. und fünf Titel (neben den genannten Αὐλητρίδες, Μισουμένη, Φύλαρχος); im ohne Titel erhaltenen Fr. 4 will eine Hetäre ihr Handwerk aufgeben, weil sie mit drei Liebhabern (einem Soldaten, einem Arzt und einem Philosophen) zu schlechte Erfahrungen gemacht habe [2. 323].

1 PCG 7, 1989, 388–392 2 H.-G. NESSELRATH, Die att. Mittlere Komödie, 1990.   B. BÄ.

Phoinikischer Standard s. Münzfüße

Phoinikussa, Phoinikodes (Φοινικοῦσσα, Φοινικώδης, lat. *Phoenicusa*). Die sechste der → Aeoli Insulae bei Plin. nat. 3,94, h. Filicudi zw. den Inseln Aliculi im Westen und Salina im Osten. Die »Dattelpalmeninsel« (φοῖνιξ, Aristot. mir. 132; Strab. 6,2,11) diente als Weideland, war aber zeitweise besiedelt: Auf dem Capo Graziano im Osten von Ph. wurde eine vorgesch. Siedlung entdeckt, ferner zahlreiche Gräber hell.-röm. Zeit. Unter dem Meeresspiegel sind bauliche Überreste verschiedener Epochen erh.

BTCGI 7, 456–463 · E. MANNI, Geografia fisica e politica della Sicilia antica, 1981, 76.   GI. F. u. K. MEI./Ü: H. D.

Phoinix (Φοῖνιξ, lat. *Phoenix*). Personen Ph. [1–4], der mythische Vogel Ph. [5], die Dattelpalme Ph. [6], die geogr. Orte Ph. [7–9].

[1] Myth. König von → Sidon oder → Tyros, Sohn des → Agenor [1] und der Telephassa (Apollod. 3,2–4), Bruder der → Europe [2], des → Kadmos [1] und der → Kilix, nach anderen auch deren Vater (Hom. Il. 14, 321); andere Kinder: → Phineus (Apoll. Rhod. 2, 178), Karne (Antoninus Liberalis 40). Eponym der Phoiniker und der Punier (*Poeni*; vgl. → Phönizier, Punier).   L. K.

[2] Sohn des → Amyntor [2], dessen Nebenfrau Ph. auf Drängen der Mutter verführt, worauf der Vater den Fluch der Kinderlosigkeit über ihn verhängt. Ph. flüchtet zu → Peleus nach Phthia, wo er Herrscher der Doloper und Erzieher des → Achilleus [1] wird (Hom. Il. 9,447 ff.). Nach anderer Fassung wird Ph. geblendet und von → Chiron geheilt (Eur. fr. 804 ff. NAUCK²; Apollod. 3,175). Im Vorfeld des troian. Kriegs holt Ph. den als Mädchen verkleideten Achilleus dank eines Tricks des Odysseus von Skyros nach Troia (Kypria fr. 19 BERNABÉ). Dort tritt er v. a. als Teilnehmer der Bittgesandtschaft in Erscheinung, die Achilleus erfolglos zur Aufgabe seines Kampfboykotts zu bewegen sucht (Hom. Il. 9,182 ff.): Ph. bedient sich dabei des langen → Meleagros [1]-Paradeigmas (spätere Quellen – Ov. met. 8,307 – nennen Ph. dann unter den Teilnehmern der Kalydonischen Jagd). Das Vorherrschen des Themas der

Bittgesandtschaft schlägt sich auch in den bildlichen Darstellungen nieder [1]. Ph. steht Achilleus in seiner Trauer um → Patroklos [1] bei (Hom. Il. 19,310–312) und fungiert an dessen Leichenspielen als Schiedsrichter (ebd. 23,359–361). Nach Achilleus' Tod holt Ph. mit Odysseus den für die Eroberung unentbehrlichen → Neoptolemos [1] nach Troia (Ilias parva, argumentum 2 Bernabé; Soph. Phil. 343–347). Dieser bestattet ihn im Land der Molosser (Apollod. epit. 6,12). Ph. ist als Titel mehrerer verlorener Dramen bekannt (u. a. von Sophokles, Euripides und Ennius [2]).

1 A. Kauffmann-Samaras, s. v. Ph., LIMC 8.1, 984–987
2 S. Radt, TrGF 4, p. 490.   RE.N.

[3] → *Dioikētḗs* ganz Ägyptens, ca. 250/240 v. Chr. (PP I/VIII 51), vielleicht als »Kollege« des Apollonios [1].

Hölbl, 58 mit 293 Anm. 124.   W. A.

[4] Iambendichter aus → Kolophon [1], 4./3. Jh. v. Chr. Paus. 1,9,7 weist ihm einen → Threnos auf die Einnahme der Stadt durch Lysimachos [2] zu. Unter den Resten seiner choliambischen Werke (mindestens 2 B.; fr. 1–6 CollAlex) sind bemerkenswert: Die Bearbeitung des Grabepigramms des assyrischen Königs Sardanapalos in 24 V. (laut Ph. jedoch dem König Ninos zugedacht), mit der Einladung, sich des Lebens zu freuen (1 P.); die Nachahmung des *korṓnisma* (eines Volksliedes, das von Bettlern vorgetragen wurde, die mit einer Krähe umherzogen; 2 P.); ein Gedicht in 23 teils beschädigten Versen, gegen diejenigen gerichtet, die im Überfluß leben, ohne zu wissen, daß der wahre Reichtum in der Weisheit besteht (6 P.). Ph. hat sein Vorbild in → Hipponax, von dem er, neben Dialekt und Metrum, die Vorliebe für Glossen und Neologismen übernimmt. Die Themen und der sententiöse Ton einiger der erh. Gedichte führten zu der Annahme, daß Ph. Kyniker war [1]: Jedenfalls kann man Einfluß eines gemäßigten → Kynismus auf seine Dichtung feststellen [2].

Fr.: CollAlex, p. 231–236.
Lit.: 1 G. A. Gerhard, Ph. von Kolophon, 1909
2 A. Barigazzi, Fenice di Colofone e il Giambo di Nino, in: Prometheus 7, 1981, 22–34 3 W. D. Furley, Apollo Humbled. Phoenix' Koronisma on its Hellenistic Literary Setting, in: Materiali e Discussioni 33, 1994, 9–31.
M. D. MA./Ü: T. H.

[5] Mythischer Vogel, beheimatet in Ägypten: (äg. *bnw/ benu*; zur Etym. > Φοῖνιξ [1. 317]), bes. in Heliopolis (Hdt. 2,73). Nach den Quellen ist offenbar ein äg. von einem griech. Mythos des Ph. zu unterscheiden. In Äg. ist der *bnw* urspr. mit dem Sonnenkult verbunden: Als Wasservogel symbolisiert er die Quelle aller Schöpfung. Als solcher sei er auf dem Stein-Fetisch *bnbn* wie der Sonnengott aus dem Wasser aufgetaucht. Der *bnw* ist außerdem mit dem *jšd*-Baum verbunden, auf dem er geboren ist. Dies bringt ihn zusätzlich in eine Beziehung zum Zeit-Zyklus. Als Teil der → Osiris-Verehrung nimmt er die Stellung des → Rē ein [1. 318f.; 2. 14–32].

Die früheste griech. Erwähnung findet man bei Hes. fr. 304 M.-W., der vornehmlich seine lange Lebenszeit betont (972 Menschenalter). Im folgenden ist dann in der griech. Lit. der Mythos breit entfaltet, offenbar in einer Art »Überarbeitung« des äg. Modells. Hdt. 2,73 berichtet, daß der Ph. alle 500 Jahre nach Heliopolis komme, um die Reste seines Vaters, die er in einem Ei mitbringe, im Sonnentempel zu bestatten (nach Tac. ann. 6,28 alle 1461 Jahre). Spätere Quellen erzählen, daß er sich daraufhin verbrennt und aus seiner Asche ein Wurm entsteht, der zum neuen Ph. heranwächst. Eine eindrucksvolle Beschreibung seines Aussehens bietet der Tragiker Ezechiel (TrGF Bd. 1, 128 F 1, 253–269). Es gibt mehrere histor. Berichte vom Auftauchen des Ph.: Tac. ann. 6,28 nennt eine Erscheinung im J. 34 n. Chr., wenig später wurde sogar ein Ph. in Rom gezeigt (Plin. nat. 10,2). Poetisch wurde der Mythos von dem durch Selbstverbrennung sich erneuernden Vogel von → Lactantius [1] (*Carmen de ave Phoenice*, Anth. Lat. 485 a: erste christl. lat. Dichtung in klass. Formtrad.) und → Claudianus [2] (Carmina minora 27: *Phoenix*) bearbeitet. Als Symbol der Ewigkeit Roms erscheint der Ph. bei Mart. 5,7 und auf Mz. der Kaiserzeit [3. 987–990], als Symbol der Auferstehung in der frühchristl. Kunst [2. 423–464, Taf. 1–40], als Symbol Christi im → Physiologus 7 Sbordone.

1 A. B. Lloyd, Herodotus Book II, Bd. 2 (Commentary 1–98), 1976 2 R. van den Broek, The Myth of the Phoenix according to Classical and Early Christian Traditions, 1972 3 R. Vollkommer, s. v. Ph. (3), LIMC 8.1, 987–990; 8.2, 656f.   L. K.

[6] Die u. a. in Nordafrika verbreitete Dattelpalme Phoinix dactifera L. (ἡ φοῖνιξ oder φοῖνιξ/*phoínix*, lat. *palma* oder *palmula*) mit der Frucht βάλανος τῆς φοῖνικος/*bálanos tēs phoínikos* bzw. φοῖνιξ/*phoínix* oder βάλανος/*bálanos* (seit dem 2. Jh. n. Chr. auch δάκτυλος/ *dáktylos*, daraus dt. »Dattel«). Der Name *palma* bezieht sich ursprünglich auf die im westlichen Mittelmeer wildwachsende Zwergpalme (Chamaerops humilis L.) mit ihren einer geöffneten Menschenhand ähnlichen Blättern.

In Griechenland und It. diente der dekorative Baum nur zur Zierde, weil er dort keine Früchte zur Reife bringt. Hdt. 1,193 und 4,172 kennt aber bereits die Kultur in Ägypten, den Oasen der Cyrenaika sowie in Babylonien. Er erwähnt die künstliche Befruchtung (vgl. Theophr. h. plant. 2,8,4; Plin. nat. 13,35), die Herstellung von Palm-Wein (vgl. Plin. nat. 14,102) und die Verwendung der Stämme für Bauten (vgl. Theophr. h. plant. 5,3,6 und 5,6,1). Xen. an. 1,15,10 und 2,3,14f. sowie Theophr. h. plant. (passim) bieten viele weitere Details. Plin. nat. 13,26 kennt bereits 49 Arten (*genera*). In der röm. Kaiserzeit war die Dattel sehr beliebt, auch bei Kaiser Augustus, der regelmäßige Sendungen von König Herodes [1] I. aus Judäa (→ Palaestina) erhielt.

In der Kaiserzeit wurden Kränze und einzelne Zweige der Palme zum Siegespreis, eine Sitte, die man später

auf Herakles oder Theseus zurückführte; auch Plut. symp. 723b datiert die Bezeichnung der Palme als allgemeiner Siegespreis bei Wettkämpfen zurück. Liv. 10,47,3 behauptet, daß bereits 293 v.Chr. *palmae »translato e Graeco more«* (»Palmen in Übertragung der griech. Sitte«) den Siegern der *ludi Romani* (→ ludi III. G.) gereicht worden seien. Immerhin diente die *toga* bzw. *tunica palmata*, das palmenbestickte Gewand, als die Kleidung des Iuppiter Capitolinus und des Feldherrn beim → Triumph. Bei Cic. Q. Rosc. 17 und Cic. orat. 2,221 bezeichnet *palma* den »Sieg«. Apul. met. 2,4,1 beschreibt das Bildnis einer geflügelten Siegesgöttin (*palmaris dea*). *Palmares ludi* finden sich CIL IX 1666. Mz. und Bildwerke mit Palmen als Siegesemblem sind häufig [1]. Im Kult stand die Palme nur in Beziehung zu Apollon in Delphoi. Eine Anpflanzung beim Heiligtum der Artemis in Aulis (Paus. 9,19,8) hatte lediglich dekorative Bed. Pythagoras soll die Anpflanzung verboten haben (Plut. Is. 10,354f.). Iuv. erwähnt 2,142 einen Fruchtbarkeitszauber mit Hilfe von *palmae*. Die medizinische Verwendung u.a. gegen Durchfall ergab sich aus ihrer adstringierenden Wirkung (Dioskurides 1,109 WELLMANN = 1,148 BERENDES).
→ Karyotos Phoinix

1 F. IMHOOF-BLUMER, O. KELLER, Tier- und Pflanzenbilder auf Mz. und Gemmen des klass. Alt., 1889 (Ndr. 1972).

A. STEIER, s.v. Ph., RE 20, 386–404 • V. HEHN, Kulturpflanzen und Haustiere (ed. O. SCHRADER), [8]1911 (Ndr. 1963), 270–286. C.HÜ.

[7] Karische Stadt und Berg im Bereich der rhodischen → Peraia (Strab. 14,2,2; Ptol. 5,2,11; Steph. Byz. s.v. Φοινίκη) beim h. Fenaket am Karayüksek Dağı im SW von Marmaris. Ph. war der Mittelpunkt des Demos Τλῷοι/ *Tlṓioi* der Polis Kamiros auf Rhodos. Arch.: Reste der ant. Akropolis, Nekropole, zahlreiche Inschr. (SGDI 4262f.; IG XII 1,1442; [1. 33f. Nr. 19–22, 58, 95]).

1 P.M. FRASER, G.E. BEAN, The Rhodian Peraea and Islands, 1954. E.O.

[8] (Φ., Φοινικοῦς; Ethnikon Φοινικούντιος, Φοινικούσιος). Stadt an der SW-Küste von Kreta (Apg 27,12; Ptol. 3,17,3: weiter westl. davon Φοινικοῦς λιμήν; Steph. Byz. s.v. Φοινικοῦς), h. Lutro, mit wichtigem Hafen (nach Strab. 10,4,3 Hafen von Lappa). Ph. war seit minoischer Zeit besiedelt (Keramikfunde). In byz. Zeit Bischofssitz (Hierokles, Synekdemos 651,1; Not. episc. 8,230; 9,139). Das Areal von Ph. ist arch. kaum erforscht. Neben einer frühchristl. Basilika gibt es Gräber, Zisternen und die Fundamente von Wohnhäusern.

I.F. SANDERS, Roman Crete, 1982, 122f., 165 • R. SCHEER, s.v. Ph., in: LAUFFER, Griechenland, 544f. H.SO.

[9] Bach im Bereich der Westenge der → Thermopylai beim sog. »Westtor«, mündete im Alt. in den Asopos [1] (Hdt. 7,176; 200; Strab. 9,4,14; Plin. nat. 4,30; Steph. Byz. s.v. Φοινίκη), h. Rhevma tu Mylu.

F. STÄHLIN, Das hellenische Thessalien, 1924, 198f. • Ders., s.v. Ph. (18), RE 20, 435 • MÜLLER, 358f.
HE. KR. u. E.MEY.

Phoitiai (Φοιτίαι, auch Φυτία/ *Phytía*). Stadt in Akarnania (→ Akarnanes), 4 km nordwestl. vom h. Bambini. Ph. beherrschte in strategisch günstiger Lage eine fruchtbare Hochebene im Inneren von Akarnania und war eine der führenden Städte des Akarnan. Koinon. Während der Teilung von Akarnania im 3. Jh. v.Chr. blieb Ph. bis zur Eroberung durch Philippos [7] V. 219 v.Chr. aitolisch. Ein Stadtplan von Ph. findet sich bei [1]. Vgl. IG IX 1² 2, 389, 602; Nennung in Theorodokenlisten: IG IV² 95 Z. 11; SEG 36, 331 Z. 47f.; BCH 45, 1921, 23 IV 63.

1 E. KIRSTEN, s.v. Ph., RE 20, 436–443 (Stadtplan von F. NOACK).

PRITCHETT 7, 4–8 • D. STRAUCH, Röm. Politik und griech. Trad., 1996, 272f. D.S.

Phoito s. Sibyllen

Phokaia (Φώκαια). Eine der zwölf ionischen Städte an der Westküste von Kleinasien, h. Foça, von Siedlern aus Phokis gegr. (Hdt. 1,146; Strab. 14,1,3; Nikolaos von Damaskos FGrH 90 F 51). Neueste Ausgrabungen bezeugen dort schon seit dem 2. Jt. v.Chr. eine Siedlung; aufgedeckt wurden auch Überreste der von Hdt. l.c. erwähnten, zw. 590 und 580 v.Chr. zu datierenden Mauer (über 5 km L). Ph. lag in archa. Zeit nicht auf der Halbinsel, sondern auf dem Festland und war eine der größten Städte des Mittelmeerraums im 6. Jh. v.Chr. Die Hauptgottheit von Ph. war → Athena, ihr Tempel lag auf der Halbinsel. Auch → Kybele wurde hier im Heiligtum nördl. des Athena-Tempels, aber auch in auf den vorgelagerten Inseln in den Felsen eingearbeiteten Tempeln verehrt (Verbreitung des Kybele-Kults durch Ph. über → Massalia und → Elea bis nach Spanien). Das auf die Zeit 340/330 v.Chr. zu datierende Theater wurde 1991 entdeckt. In hell. und röm. Zeit war Ph. Zentrum einer Keramikproduktion. In byz. Zeit beschränkte sich Ph. auf die Halbinsel.

Aus Ph. stammten der Sophist → Hermokrates [2] und der Architekt → Theodoros.

Die Phokaioi waren geschickte Seefahrer; sie trieben weltweit Handel, etwa mit → Naukratis und → Tartessos, gründeten zusammen mit Miletos [2] → Lampsakos und → Amisos, bes. aber im Westen → Velia, → Aleria, Nikaia (h. Nice), → Massalia und → Emporiae. Ph. wurde 546 v.Chr. von Harpagos [1] erobert (Hdt. 1,164f.), war am Ionischen Aufstand beteiligt (Hdt. 6,11f.; 17) und seit 478 Mitglied im Attisch-Delischen Seebund, von dem es sich 412 lossagte (Thuk. 8,31,3; Xen. hell. 1,6,33). Trotz Unterstützung für Aristonikos [4] 132 v.Chr. wurde Ph. dank der Fürsprache von Massalia von den Römern verschont (Iust. 37,1,1); Pompeius verlieh der Stadt sogar den Status einer *civitas libera*

(Lucan. 5,53). Ph. war Bischofssitz. Seit 1455 gehörte es zum Osmanischen Reich.
→ Kolonisation (mit Karte und Übersicht)

E. AKURGAL, Foça Kazıları ve Kyme Sondajları, in: Anatolia 1, 1956, 33–40 · Ö. ÖZYIĞIT, The City Walls of Ph., in: REA 96, 1994, 77–109 · M. MOREL u. a., Phocée et la fondation de Marseille, 1995 · Kazı Sonuçları Toplantısı 12, 1991 ff. (Ber. zu den neuesten Ausgrabungen seit 1989).
　　　　　　　　　　　　　　　　Ö. ÖZ.

Phokaiai (Φωκαῖαι). Noch nicht identifiziertes Stadtviertel (χωρίον) von → Leontinoi. Hierhin und in die nahegelegene Festung → Brikinniai zogen sich 422 v. Chr. einige Aristokraten von Leontinoi zurück, die zuvor ihre Stadt verlassen hatten und nach → Syrakusai übergesiedelt, von dort aber im Streit geschieden waren. Hier fanden sich auch bald viele der zuvor vertriebenen Demokraten aus Leontinoi ein, um den Kampf gegen Syrakusai aufzunehmen (Thuk. 5,4,4).

E. MANNI, Geografia fisica e politica della Sicilia antica, 1981, 218.
　　　　　　　　　　GI. F. u. E. O./Ü: H. D.

Phokais (Φωκαΐς). Verlorenes frühgriech. Epos auf die Stadt → Phokaia im kleinasiat. Ionien, wohl zu einem Komplex von frühen Regional- und Stadtgeschichtsepen gehörig [4]. Bezeugt nur in einer kaiserzeitlichen Lebensbeschreibung Homers (Vita Homeri Herodotea 16 = 10,3–7 bei [3]): ›die Einwohner von Phokaia behaupten, die sogenannte Ph. habe Homer bei ihnen gedichtet‹. Verf. und Abfassungszeit waren danach selbst den späteren Phokaiern unbekannt. Kein Fr. erhalten. Möglicherweise Quelle für spätere Notizen über Phokaia bei Geographen, Historikern und Lexikographen [5].

ED.: 1 PEG I 2 EpGF 3 U. VON WILAMOWITZ-MOELLENDORFF (ed.), Vitae Homeri et Hesiodi, 1916, ²1929.
LIT.: 4 E. BOWIE, Early Greek Elegy, Symposium and Public Festival, in: JHS 106, 1986, 13–35 (bes. 27–34) 5 F. CÀSSOLA, De Phocaide carmine, quod Homero tribui solet, commentatio, in: SIFC 26, 1952, 141–148.　　J. L.

Phokas (Φωκᾶς).
[1] Märtyrer († um 305 n. Chr. in Sinope; Fest: 22. 9.). Lebte in → Sinope als Gärtner und erlitt durch Enthauptung das Martyrium. Bereits im 4. Jh. soll sich über seinem Grab in Sinope eine Kirche befunden haben. Von dort verbreitete sich sein Kult im gesamten Mittelmeerraum. Er wird als Gärtner dargestellt.

J. BOLLANDUS, G. HENSCHENIUS u. a. (ed.), Acta sanctorum, Bde. 1 ff., 1643 ff.; 6, 293–299; 7.3, 629–632 · PG 60, 36 ff.
　　　　　　　　　　　　　　　　K. SA.

[2] Ph. Diakonos. Nur durch ein Monodistichon bekannter und nicht datierbarer Dichter; das Epigramm wird von dem Kelch vorgetragen, der den für den Mundschenk bestimmten Rest des Weines enthält (Anth. Pal. 9,772). Unbeweisbar ist die Gleichsetzung

mit dem gleichnamigen Diakon von Tyros, einem Teilnehmer an der Synode von Ephesos (449 n. Chr.).

M. LAUSBERG, Das Einzeldistichon. Studien zum ant. Epigramm, 1982, 358 Anm. 48.　　M. G. A./Ü: G. K.

[3] Oström. Beamter vornehmer Abkunft, Nichtchrist, spätestens seit 526 n. Chr. → patrikios, löste in der Zeit vom → Nika-Aufstand (Jan. 532) bis Okt. 532 Flavius → Iohannes [16] als → praefectus praetorio Orientis ab. Ph. war später in Konstantinopolis als Richter (iudex pedaneus) tätig. Z. Z. der iustinianischen Heidenverfolgung 545/6 (→ Iustinianus [1] I.; → Toleranz) nahm er sich das Leben. PLRE 2, 881 f. (Ph. 5).　　F. T.
[4] Oström. Kaiser (23.11.602–5.10.610 n. Chr.). Geb. 547, war unter Kaiser → Mauricius Centurio in der thrakischen Armee, die 602 revoltierte und ihn zum Anführer (exarchos) erhob. Erst nach dem Ausscheiden zweier anderer Kandidaten kam es zur Übertragung des Kaisertums auf Ph., der Mauricius mit seinen Söhnen am 27.11.602, dessen Witwe Constantina mit ihren Töchtern wegen Teilnahme an einer Verschwörung 605 hinrichten ließ. Doch wurde das Reich auch weiterhin von Unruhen und Aufständen erschüttert. Seit einem Einfall → Chosroes' [6] II. 604 in das Reichsgebiet begannen neue Auseinandersetzungen mit den Persern, die zw. 605 und 607 die Prov. Mesopotamien und Syrien einnahmen und in der Folgezeit bis Kappadokien vordrangen (→ Parther- und Perserkriege). In Italien arrangierte sich Ph. mit den → Langobardi, setzte als Exarchen von Ravenna (s. → Exarchat) Smaragdus, einen ihm ergebenen Beamten, ein, der ihm eine Säule auf dem Forum Romanum errichtete (Ph.-Säule), und sprach sich 607 für die Anerkennung des päpstlichen Primats aus. Eine Revolte in Afrika 608 unter → Herakleios [7] endete nach anfänglichen Kämpfen um Äg. mit der Einnahme Konstantinopels und der Hinrichtung des Ph.
→ Byzantion, Byzanz; BYZANZ

J. HERRIN, The Formation of Christendom, 1987 · D. OLSTER, The Politics of Usurpation in the Seventh Century, 1993 · J. FERLUGA, s. v. Ph., LMA 6, 2108 · ODB 3, 1666 · PLRE 3, 1030–1032 (Ph. 7).　　F. T.

[5] Ph. II. s. Nikephoros [3]

Phoke s. Robbe

Phokion (Φωκίων). Sohn des Phokos, Athener, aus dem Demos Potamon (?), → stratēgós und geachteter Rhetor (Plut. Phokion 5,5), 402/1–318 v. Chr. Ph. wurde 45mal (ebd. 8,1–2) zum Strategen gewählt – so oft, wie wohl kein anderer Athener –, führte 322–318 zusammen mit → Demades das oligarchische Regime in Athen an, war Schüler → Platons [1] und Freund des → Xenokrates (Plut. Phokion 4,2; Plut. mor. 1126c). 376/5 kommandierte Ph. (oder Kedon [2]: Diod. 15,34,5) als Trierarch (?) unter dem Strategen → Chabrias den linken Flügel beim Seesieg bei Naxos über Sparta und wurde danach mit dem Eintreiben von Steuern (syntáxeis) beauftragt (Plut. Phokion 6,2; 7,1; Plut. mor. 805f). Die Datier. der ersten der 45 Strategien (evtl. 371/370) und die Festlegung der wenigen amtslosen J. Ph.s sind umstritten. 349/8 vertrieb Ph. als Stratege nach einem Sieg bei Tamynai Plutarchos [1] aus Eretria (Plut. Phokion 12–13; Demosth. or. 21,164; Aischin. leg. 169–170). Verm. 344/3 beantragte er eine Hilfsexpedition für Megara (Plut. Phokion 15,1). 343 sprach er im Gesandtschaftsprozeß zugunsten des → Aischines [2] (Aischin. leg. 170 und 184). Im Frühj. 341 v.Chr. besiegte er als Stratege → Kleitarchos [1], den Tyrannen von Eretria auf Euboia, und setzte dort eine Demokratie ein (Diod. 16,74,1–2; schol. Aischin. Ctes. 103; Philochoros FGrH 328 F 160). 340/339 brachte er erfolgreich Hilfe für das belagerte Byzantion (Plut. Phokion 14,3; mor. 188b–c; 851a; IG II/III² 1628c,437; 1629d,958).

339/8 befehligte Ph. eine Flotte in der ägäischen Inselwelt und kehrte von diesem Kommando erst nach der Schlacht bei Chaironeia (338 v.Chr.) nach Athen zurück (Plut. Phokion 16,1). Dort wurde er statt des → Charidemos [2] zum Oberkommandierenden für die Verteidigung der Stadt ernannt (Plut. Phokion 16,4). Ph. unterstützte den → Demades-Frieden, sprach sich aber gegen den Beitritt Athens zum von → Philippos [4] II. gegründeten → Korinthischen Bund aus (Plut. Phokion 16,5). Er widersetzte sich 336 dem Beschluß von Dankopfern nach dem Tod des Philippos II. und einem Antrag, dessen Mörder zu ehren (ebd. 16,8). Als Stratege riet er 335 während des Aufstandes Thebens von einer Beteiligung Athens ab und befürwortete eine Auslieferung der führenden Rhetoren und Strategen um → Demosthenes [2], die Alexandros [4] d.Gr. nach der Niederwerfung des Aufstandes forderte (Diod. 17,15,2; Plut. Phokion 17,2–4). Ph. riet auch 333 im Rat dazu, → Alexandros' Forderung nach Trieren für seinen Seekrieg gegen das Perserreich zu erfüllen, während Demosthenes und → Hypereides dagegen sprachen (Plut. Phokion 21,1; Plut. mor. 847c; 848e). In die Affäre um → Harpalos war Ph. trotz der guten Kontakte seines Schwiegersohnes Charikles [2] zu diesem nicht verstrickt.

Nach dem Tode des Alexandros 323 sprach Ph. als Gegner des Hypereides und Leosthenes gegen die Auslösung des → Lamischen Krieges (Plut. Phokion 22,5–23,4). Trotzdem 323/2 zum Strategen für die Verteidigung Athens gewählt (ebd. 24,1), konnte er Landungstruppen unter Mikion zurückschlagen (ebd. 25,1–4). Nach der Niederlage der Hellenen verhandelten Ph. und Demades mit → Antipatros [1] über einen Frieden (Diod. 18,18,2; Plut. Phokion 26–28; Nep. Phocion 2,2). Von diesem mit Demades zum Leiter des oligarchischen Regimes über Athen 322–318 eingesetzt, kostete ihn sein freundschaftliches Verhältnis zu Nikanor, dem maked. Besatzungskommandanten, das Vertrauen seiner Mitbürger. Im April/Mai 318 wurde das Regime Ph.s abgesetzt und die Demokratie kurzfristig restituiert. Ph. bot darauf → Polyperchon [1] an, in Athen an die Spitze eines ihm willfährigen oligarchischen Satel-

litenregimes zu treten, wurde jedoch von Polyperchon den athen. Demokraten ausgeliefert, zum Tode verurteilt (Plut. Phokion 31–37; Diod. 18,64–67), bald darauf jedoch rehabilitiert und mit einem Staatsgrab und weiteren hohen Ehrungen ausgezeichnet (Plut. Phokion 38,1; mor. 850b).

Ph. war trotz persönlicher Lakonophilie und konservativer Grundhaltung bis 322 ein erfolgreicher und loyaler Stratege der att. → dēmokratía. Es gibt keine hinreichenden Gründe, seine Position vor 322 als promakedonisch oder gegenüber der Demokratie grundsätzlich feindlich zu kritisieren. Er wird gerne als Beispiel für die (in ihrem Umfang umstrittene) Spezialisierung unter Strategen und Rhetoren im Athen des 4. Jh. genannt. In der biographischen Darstellung des → Plutarchos [2] sowie in der Überl. seiner oft schroffen Apophthegmata wird Ph. (»der Gute«, Plut. Phokion 10,4) als ein vorbildlich aufrichtiger Mann bezeichnet. Als exemplum virtutis erfuhr Ph. ein bed. lit. Nachleben bis in die Neuzeit.

→ Attischer Seebund; Lamischer Krieg

C. BEARZOT, Focione tra storia e trasfigurazione ideale, 1985 • Develin, 2496 • H.-J. GEHRKE, Ph., 1976 • G. A. LEHMANN, Oligarchische Herrschaft im klass. Athen, 1997, 32–40 • L. A. TRITLE, Phocion the Good, 1988 • PA 15076.
J.E.

Phokis, Phokeis (Φωκίς, Φωκεῖς).

I. GEOGRAPHIE II. POLEIS, ETHNOS, KOINON
III. GESCHICHTE

I. GEOGRAPHIE

Mittelgriech., von weitläufigen Gebirgen geprägte Landschaft (ca. 1615 km²). Parnassos und Kirphis trennen die vom Kephisos durchquerte und östl. vom Kallidromos begrenzte Ebene bis zur Kopais im Osten von der sich am Golf von Korinth bis zur Bucht von Kirrha hinziehenden Ebene im Westen, die im NO an Doris, Thessalia und Ost-Lokris, im Westen an Lokris Ozolis grenzt. Ph. zählt zu den seismisch aktivsten Gegenden Griechenlands. Die katastrophalen Erdbeben von 426 v.Chr. (Thuk. 3,89,1–5; Diod. 12,59,1f.; Demetrios von Kallatis FGrH 85 F 6; Oros. 2,18,7), ca. 229–227 v.Chr. (SEG 38, 1476) und von 551 n.Chr. (Prok. BG 4,25,16–23) zogen auch geo- und hydromorphologische Veränderungen nach sich. Wegen ihrer zentralen Lage war Ph. schon seit vorgesch. Zeit immer wieder Durchzugsgebiet von Massenmigrationen, mil. Unternehmungen und überregionalem Handelsverkehr.

II. POLEIS, ETHNOS, KOINON

Ph. war bereits in vorgesch. Zeit besiedelt und kulturell bes. mit → Boiotia und Thessalia (→ Thessaloi) verbunden. Siedlungen konzentrierten sich an den Hauptverkehrsadern; in FH II ist eine Zunahme der Siedlungen zu beobachten, in MH und SH dominieren palastartige Niederlassungen mit bescheidenem wirtschaftlichen Wohlstand [1; 2]. In den → Dunklen Jahrhunderten [1] und in archa. Zeit orientierten sich die

Siedler stärker auf das Landesinnere hin. Die Gebirgs-
gegenden dienten als wirtschaftliche Grundlage für pa-
storale Lebensweise und als Rückzugsgebiete, und sie
prägten das Erscheinungsbild der Ges., wie sie sich in
gesch. Zeit herausbildete (vgl. Pind. hypothesis Pyth. d;
Hdt. 8,27; 32; 36; Xen. hell. 3,5,19; Hell. Oxyrh. 13,3;
Paus. 10,5,7; 23,5; 33,7f.; 10; Plut. Sulla 15,5; SEG 15,
412) [3]. Im 8./7. Jh. v. Chr. beschleunigte sich der Ur-
banisierungsprozeß bes. in der Ebene und am Fuß der
Gebirge im Osten und damit die Inbesitznahme des Bodens nach Städten (Hom. Il. 2,517–523: 9 Städte; Hdt.
8,33–35: 15 Städte; Dem. or. 19,123: 22 Städte; Paus.
10,3,1 f.: 20 Städte). Interne Konflikte in Ph. veranlaßten den Bau von Befestigungsanlagen (Abai, Hyampolis, Elateia [1], Parapotamioi, Daulis, Tithorea) [4]. Lokale Trad. und arch. Funde bezeugen übereinstimmend
Bevölkerungswachstum als Ergebnis von Einwande-
rungsschüben in kleineren Gruppen, vgl. die verschiedenen ON und Gründungsmythen der *póleis* (Abai, Elateia, Hyampolis, Panopeus, Stiris).

Neben dem Verständnis einer geo- und ethnographisch bedingten städtischen Vielfalt gab es in histor.
Zeit die Vorstellung von einem einheitlichen *éthnos* (vgl.
Diod. 16,23,4), das die Ph. auf den Stammvater → Phokos zurückführte (Paus. 10,1,10), vgl. das Ethnikon
Phōkeís, das erstmals im homerischen Schiffskat. erscheint (Hom. Il. 2,517–523), außerdem die Zugehörigkeit der Ph. zur in der Zeit des Befreiungskampfes
gegen die Thessaloi gebildeten pylaiisch-delphischen
→ *amphiktyonía* (Aischin. 2,116; Paus. 10,8,2; Harpokr.
s. v. ἀμφικτύονες). Aus der wachsenden panhellenischen
Bed. des Heiligtums von → Delphoi erklären sich die
polit. Ambitionen der Ph. – so ging es ihnen um die
Herrschaft über die östl. Gebiete und die Rückgewinnung der *prostasía* (»Leitung«) im Heiligtum (Diod.
16,25,5, vgl. 27,3; Paus. 4,74,11; vgl. auch die Plünderung des Tempels im 3. → Heiligen Krieg 356 v. Chr.).
Der Wille zur ethnischen Einheit fand seinen Ausdruck
in der Wahl des Kultplatzes (Heroon des Heros Archegetes und das Bundesheiligtum der Artemis Elaphebo-
los) und der institutionellen Formalisierung im *Phōkikón*
(Versammlungsort des → *koinón*; vgl. [5]). Das Ethnikon
Phōkeús erscheint auf Mz. seit E. des 6. Jh. v. Chr. [6; 7].
Das älteste Zeugnis einer → *sympoliteía* mit Bundesbür-
gerrecht geht auf den Anf. des 4. Jh. v. Chr. zurück (IG
II² 70); wenig später wird das Staatensystem als τὸ
κοι]νὸν τῶν Φωκέων/*to koi]nón tōn Phōkéōn* [8] (vgl.
Strab. 9,3,15: κοινὸν σύστημα/*koinón sýstēma*) bezeichnet. Das oberste Entscheidungsorgan war die Hauptversammlung, in der vor oder bei kriegerischen Auseinandersetzungen die Männer in Waffen erschienen
(Diod. 16,23,4–24,1; 27,2; 32,2; 56,3). Die ersten Bun-
desbeschlüsse stammen etwa aus der Mitte des 4. Jh.
v. Chr. (IG IX 1,70). Die frühesten Belege für Elateia als
Bundeszentrum (Sitz polit. Organe; heilige, zu Einrichtungen des *koinón* umfunktionierte Plätze: IG IX 1,97;
Phōkárchai: IG IX 97; 99; 101; *nomográphoi*: IMagn 34;
lokale Institutionen: MORETTI 2, 83) stammen erst aus
hell. Zeit.

III. GESCHICHTE

Im 6. Jh. v. Chr. wurde Ph. von den Thessaloi besetzt. Mit dem Sieg bei Kleonai nahe Hyampolis (Hdt.
8,27f.; Paus. 10,1,3–11; Plut. mor. 244d-e; Phot. s. v.
κατέλοισεν) befreiten die Ph. sich von der Fremdherr-
schaft. In den → Perserkriegen standen sie auf Seiten der
Griechen (Hdt. 7,203; Diod. 11,4,7) und waren in die
Konflikte einbezogen, die schließlich zum Ausbruch
des → Peloponnesischen Krieges führten (vgl. den
Grenzkonflikt mit Doris 457 v. Chr.: Thuk. 1,107,2f.;
Diod. 11,79,4–80,1; Plut. Kimon 17,4), in den sie auf
Seiten der Spartaner hineingezogen wurden (Thuk.
4,76,3). Ein Grenzkonflikt der Ph. mit Westlokris zu
Anf. des 4. Jh. v. Chr. veranlaßte den → Korinthischen
Krieg (395–386 v. Chr.; Xen. hell. 3,5,3–5; Hell. Oxyrh.
13,3; Paus. 3,9,9f.). Die Hegemoniebestrebungen der
Tyrannen von Pherai, der Thebaioi und Philippos' [4] II.
zogen Ph. in ihren Bann. Nach dem durch das
Eingreifen Philippos' II. beendeten 3. Hl. Krieg (356–
346 v. Chr.; → Philomelos [2]; → Onomarchos) beschloß der Amphiktyonenrat die Zerstörung der Städte
in Ph. und den Ausschluß von Ph. aus der Amphiktyonie; die Ph. hatten 60 Talente als Schadensersatz zu zahlen (Diod. 16,59,4–60,2; CID II 33–36); nach der
Schlacht bei → Chaironeia 338 v. Chr. wurden in Abmilderung dieses Beschlusses einige Städte in Ph. wie-
deraufgebaut. Am Asienfeldzug des Alexandros [4]
d.Gr. nahmen Kavalleriekontingente der Ph. teil (Diod.
17,57,3f.). In der folgenden Zeit stand West-Ph. nahezu
ständig unter der Herrschaft des Aitolischen Bundes
(→ Aitoloi, mit Karte), der östl. Teil dagegen abwechselnd unter Herrschaft oder Einfluß der Aitoloi oder
Makedones (→ Makedonia). 279 v. Chr. wurden die Ph.
in Anerkennung ihrer Verdienste bei der Verteidigung
von Delphoi gegen die → Kelten (Paus. 10,3,4; 20,1;
23,3–10) wieder in die Amphiktyonie aufgenommen.

In der röm. Kaiserzeit erlebte Ph. einen unaufhalt-
samen Niedergang der Siedlungen und einen stetigen
Bevölkerungsrückgang, seit dem 4. Jh. n. Chr. be-
schleunigt durch Barbareneinfälle (z. B. der → Goti; der
→ Slaven 539/540: Zos. 5,5,6ff.; Prok. BP 2,4,10ff.).
Von dem Befestigungssystem, das Iustinianus (527–565
n. Chr.) in Griechenland errichtete, war Ph. ausgenommen. Für das 6. Jh. ist nur ein einziger Bischofssitz
(Daulis; Not. episc. 3,421; 10,534; 13,384) bezeugt.
Inschr.: IG IX 1, 1–233; SGDI 1512–1536; [9]; SEG 3,
406–427; 16, 347–353; 23, 333–340; 25, 591–604; 34,
407–463; 37, 421–425; 42, 478–479.

1 S. E. IAKOVIDIS, Late Helladic Citadels in Mainland
Greece, 1983, 105   2 P. ÅLIN, The Prehistoric Periods, in:
E. W. KASE u. a., The Great Isthmus Corridor Route …,
Bd. 1, 1991, 65–69   3 G. J. SZEMLER, The Isthmus Corridor
during the Dark and Archaic Ages, in: E. W. KASE u. a., s.
[2], 74–104   4 J. M. FOSSEY, The Development of Some
Defensive Network in Eastern Central Greece during the
Classical Period, in: S. VAN DE MAELE, J. M. FOSSEY (Hrsg.),
Fortificationes antiquae, 1992, 109–132   5 J. MCINERNEY,
The Phokikon and the Hero Archegetes, in: Hesperia 66,

1997, 193–207 **6** R. T. WILLIAMS, The Silver Coinage of the Phokians, 1972 **7** S. CONSOLO LANGHER, La monetazione federale focese e le vicende storiche della Focide, in: Archivio Storico Messinese 60, 1992, 57–95 **8** A. R. RANGABÉ, Antiquités Helléniques ou répertoire d'inscriptions et d'autres antiquités, Bd. 2, 1855, Nr. 1226, Z. 1 **9** E. MASTROKOSTAS, Επιγράφαι Ἑσπερίας Λοκρίδος, Φωκίδις και Μαλίδος, in: AE 1955, 51–89.

F. SCHOBER, Phokis, 1924 • E. MASTROKOSTAS, Προιστορικοί συνοικισμοί εν Εσπερίαι Λοκρίδι, Φωκίδι και Βοιωτίαι, in: AE 1956, 22–27 • J. M. FOSSEY, The Ancient Topography of Eastern Phokis, 1986 • G. DAVERIO ROCCHI, Strutture urbane e centralismo politico nel koinon focese, in: L. AIGNER FORESTI (Hrsg.), Federazioni e federalismo nell'Europa antica, Bd. 1, 1992, 181–193 • PH. NTSIOS, Συμβολή στην τοπογραφίαν της αρχαίας Φωκίδας, in: Phokika Chronika 4, 1992, 18–97 • P. ELLINGER, La légende nationale phocidienne …, 1993 • N. CUCUZZA, s. v. Focide, EAA 2. Suppl. 4, 1996, 679–683 • S. CONSOLO LANGHER, Stati federali greci, 1996, 111–235 • H. BECK, Polis und Koinon, 1997, 106–118 • G. DAVERIO ROCCHI, Identità etnica, appartenenza territoriale e unità politica del κοινόν focese, in: Orbis Terrarum 5, 1999, 15–30 • J. McINERNEY, The Folds of Parnassos, 1999.

G. D. R./Ü: H. D.

Phokos (Φῶκος).

[1] Myth. Held aus Aigina, Sohn des → Aiakos und der Nereide → Psamathe; diese hatte vergeblich versucht, sich der Vergewaltigung durch Aiakos zu entziehen, indem sie sich in eine Robbe verwandelte (*phókē*): daher der Name Ph. für das Kind dieser Verbindung (Hes. theog. 1004f., Apollod. 3,158 und 160; Pind. N. 5,12). In → Phokis heiratet Ph. die Königstochter Asterodia und wird zum Eponym dieser Landschaft (Apollod. 1,86). Von seinen Stiefbrüdern → Peleus und → Telamon wird Ph. schließlich getötet, begraben ist er in Aigina (Paus. 2,29,9f.). Seine Mutter rächt seinen Tod (Ov. met. 11, 346–409; Antoninus Liberalis 38).

[2] Aus Korinth, Enkel des → Sisyphos; er heilt → Antiope [1] von ihrem Wahnsinn und heiratet sie (Paus. 2,4,3; 29,3f.; 9,17,5f.). Ob Ph. [1] und [2] identisch sind, ist unklar; bei Paus. 10,1,1; 2,29,3 erscheint Ph. [2] als der ältere.

[3] s. → Glisas

L. K.

Phokylides (Φωκυλίδης).

[1] Griech. Dichter aus Milet (Phryn. 336, p. 463 R.; Suda), der hexametrische und elegische → Gnomen verfaßte (elegisch: Athen. 632d; beides: Suda φ 643), ca. 540 v. Chr. (Suda).

Die Γνῶμαι (*Gnõmai*, Aphorismen) werden Ph. von vielen Autoren zugeschrieben (u. a. Platon, Aristoteles, Cicero, Strabon, Dion [I 3] Chrysostomos, Athenaios, Clemens von Alexandreia). Sie beginnen (wie die von → Demodokos [2] von Leros) mit καὶ τόδε Φωκυλίδου (›Auch dies sagt Ph.‹). Sie sind in Hexametern verfaßt (ein bis acht Verse), außer einem vierzeiligen Epigramm (Anth. Pal. 10,117 = 17 G.-P. und 1 G.-P.), das die Lerianer angreift (zitiert von Strabon 10,5,12). WEST

[1. 171] setzt dieses elegische Distichon mit Demodokos 3 G.-P. zusammen und ordnet es letzterem zu, während er Ph. nur die hexametrischen Aphorismen zuweist oder [1; 2] ein fortlaufendes Gedicht, das durch Wiederholungen des Kennverses gegliedert ist.

1 M. L. WEST, Studies in Greek Elegy and Iambus, 1974 **2** Ders., Phocylides, in: JHS 98, 1978, 164–167.

ED.: GENTILI/PRATO, 1 • D. E. GERBER, Greek Elegiac Poetry, 1999. E. BO./Ü: TH. G.

[2] Ps.-Ph. Dem im 6. (oder 7.) Jh. v. Chr. lebenden Milesier Ph. wird ein zw. 100 v. Chr. [4. 55ff.] und 100 n. Chr. [3. 690], möglicherweise in Alexandreia [5. 193] verfaßtes, verm. von einem jüd.-hell. Autor (»Pseudo-Ph.«) stammendes [1] Lehrgedicht (230 Verse) zugeschrieben. Es verbindet Entlehnungen aus der → Septuaginta (bes. Lv 19) – wobei spezifisch jüd. Glaubensinhalte nicht hervortreten – mit ›hell. Popularethik‹ [5. 191]. Christliches oder die Verwendung des NT sind nicht nachzuweisen. Einzuordnen ist es in den Bereich der für die hell. Epoche charakteristischen weisheitlich-lit. Lebenslehre [5. 188; 2]. In byz. Zeit als Schulbuch verwendet, hat es sich in zahlreichen Hss. erh. und ist seit dem 16. Jh. oft im Druck erschienen. Die V. 5–79 (eine erweiterte Fassung) sind in den *Oracula Sibyllina* (2,56–148; → Sibyllinische Orakel) überliefert. Textausgaben: [4; 5; 6].
→ Pseudepigraphen

1 J. BERNAYS, Über das phokylideische Gedicht (1856), in: H. USENER (Hrsg.), Gesammelte Abh., Bd. 1, 1885, 192–261 **2** M. KÜCHLER, Frühjüd. Weisheitstraditionen. Zum Fortgang weisheitlichen Denkens im Bereich des frühjüd. Jahweglaubens, 1979, 236–302 **3** SCHÜRER 3, 687–692 **4** P. W. VAN DER HORST (ed.), The Sentences of Pseudo-Ph., 1978 (mit Komm.) **5** N. WALTER (ed.), Pseudepigraphische jüd.-hell. Dichtung: Pseudo-Ph., Pseudo-Orpheus, gefälschte Verse auf Namen griech. Dichter (Jüd. Schriften aus hell.-röm. Zeit, Bd. 4), 1983 **6** D. YOUNG (ed.), Theognis, Ps.-Pythagoras, Ps.-Phocylides, Chares, Anonymi Aulodia, Fragmentum Telecambicum, ²1971, 95–112. I. WA.

Pholegandros (Φολέγανδρος). Insel der südl. → Kykladen (33 km², 19 km L, bis 4 km B) im SO von Melos (Strab. 10,5,1; 5,3; Plin. nat. 4,68; Ptol. 3,15,31), nach einem Sohn des → Minos (Steph. Byz. s. v. Φ.) benannt, h. wieder Ph.; ihre höchste Erhebung ist der Hagios Eleutherios (411 m). Schon in kret.-myk. Zeit war Ph. besiedelt, später dorisch. Ph. war Mitglied im → Attisch-Delischen Seebund (Tribut 1000 Drachmen: ATL 1,434f.; 2,83). Die ant. Stadt Ph. lag oberhalb des h. Ph. an der SO-Küste (Gräber, Marmorspolien und Mauern aus hell. und röm. Zeit). Ph. war ein gefürchteter Verbannungsort (Solon fr. 2,1; Plut. mor. 814a). Inschr.: IG XII 3, 1058–1072. Mz.: HN 490.

H. KALETSCH, s. v. Ph., in: LAUFFER, Griechenland, 545f.

A. KÜ.

Pholoe (Φολόη). Die eintönige, etwa 11 km lange und 8 km breite Konglomeratfläche nördl. des mittleren Alpheios [1], im Norden bis 798 m, im Süden 640 m hoch, gegen Osten mit Steilrand zum Erymanthos [2], nach Westen sich in niedrigeren Höhenzügen aus Mergel auflösend (Strab. 8,3,1; 3,5; 3,32; 8,3; Paus. 6,21,5; 8,24,4 ; Ptol. 3,14,35 ; Mela 2,43; Plin. nat. 4,21), h. Pholoi Oros. Die Ph. ist siedlungsleer und quellenarm, h. von Eichenwald und Ackerflächen bedeckt. Als Jagdgebiet für Großwild wird sie bei Xen. an. 5,3,10 genannt. Im Alt. wurde die Ph. zu Arkadia (→ Arkades) gerechnet und galt als Wohnsitz der → Kentauren.

PHILIPPSON/KIRSTEN 3, 332, 336 • F. BÖLTE, s. v. Ph. (1), RE 20, 513–517.   C. L. u. E. O.

Pholos (Φόλος, lat. *Pholus*). Einer der → Kentauren, Sohn des → Seilenos und einer Nymphe. Als → Herakles [1] von Ph. mit Wein bewirtet wird, stürzen sich die anderen Kentauren auf sie; Herakles vertreibt sie mit giftigen Pfeilen, an denen sich auch Ph. verletzt und stirbt (Stesich. PMGF S 19 = 181 p. 162; Theokr. 7,149; Diod. 4,12,3 ff.; Verg. georg. 2,456; Verg. Aen. 8,294).   L. K.

Phommus (Φομμοῦς) war als *syngenḗs* (»Verwandter des Königs«) und *epistratēgós* (→ Hoftitel B. 2.) der Thebais von ca. Aug./Sept. 115 v. Chr. bis mindestens Febr. 110 Vorgänger des Platon [3]; in OGIS 168,26 f. wird er vom König als *adelphós* (»Bruder«) bezeichnet. Ph., wohl aus dem Delta, war Ägypter; vielleicht kann seine Laufbahn als Beispiel dafür dienen, daß Kleopatra [II 6] III. einheimische Unterstützung suchte.

E. VAN'T DACK u. a., The Judaean-Syrian-Egyptian Conflict of 103–1 B. C., 1989, 73; 108.   W. A.

Phonaskoi (φωνασκοί, lat. *phonasci*). Stimmbildner, die zunächst zur Berufsausbildung von Herolden, dann von Sängern, Schauspielern, Choreuten, Rhapsoden, Rednern, Wanderlehrern und Vorlesern herangezogen wurden. Die Technik, *phōnaskía*, wird schon bei Demosth. or. 18,280 und or. 19,255 genannt, die *ph.* als Beruf erstmals in Rhet. Her. 3,20 (vgl. [2. 265; 5. 208]); bei Quint. inst. 2,8,15 sind die *ph.* als Beherrscher der hohen, mittleren und tiefen Stimmlage erwähnt; wie für die *oratores* war für sie regelmäßige Übung von großer Bed. (11,3,22). Von Augustus wird die Arbeit mit *ph.* ebenso berichtet (Suet. Aug. 84) wie von Nero (Tac. ann. 14,15; Suet. Nero 25). Das Werk eines sonst unbekannten Theodoros über die *ph.* bzw. die Phonaskie (Diog. Laert. 2,819) ist verloren, unsere Kenntnis der Disziplin entsprechend beschränkt.

Die Tätigkeit der *ph.* berührte Medizin wie Musik (dazu [8. 480 f.]). Schon C. Sempronius Gracchus hatte einen Sklaven, der hinter ihm stehend mit einer Stimmpfeife (*tonárion*) anzeigte, wann er seine Stimme mäßigen sollte (Plut. Gracchus 2; s. [3. 83 f.; 4. 81]). Das Rezitieren wurde von Ärzten der Kaiserzeit als ›gesundheitsfördernde körperliche Übung‹ empfohlen [6;

7. 93–105]; Cicero führt in Brut. 313–316 seine schwache Konstitution als Grund an, weshalb ihm Ärzte und Freunde rieten, das Reden aufzugeben, woraufhin er seinen schwülstigen Stil in Rhodos milderte [1. 24–27]. Der Blutkreislauf war bis William HARVEY (1628) nicht bekannt und man glaubte, der Atem (*spiritus*) ginge durch die *arteriae* (Cic. nat. deor. 2,138; dazu [2. 526 f.]; Cels. de medicina 1,2,6; vgl. [4. 105–107]). So konnten verschiedene Krankheiten durch die *ph.* behandelt werden.

1 G. CALBOLI, Oratore senza microfono, in: A. CERESA-GASTALDO (Hrsg.), »Ars rhetorica« antica e nuova, 1983, 23–56 2 Ders. (ed.), Cornifici Rhetorica ad C. Herennium, 1993 3 A. CAVARZERE, Oratoria a Roma, 2000 4 A. KRUMBACHER, Die Stimmbildung der Redner im Alt. bis auf die Zeit Quintilians, Diss. Würzburg 1920 5 F. L. MÜLLER (ed.), Rhetorica ad Herennium, 1994 6 J. SCHMIDT, s. v. Ph., RE 20, 522–526 7 H. SCHÖNE, Περὶ ὑγιεινῆς ἀναφωνήσεως bei Oribasius, Coll. Med. VI 10, in: Hermes 65, 1930, 92–105 8 G. WILLE, Musica Romana, 1967.   G. C.

Phonetik (Phonem, Phonologie) s. Lautlehre

Phonos (φόνος). Tötung eines Menschen. Wegen *ph.* konnten im griech. Recht die nächsten Verwandten urspr. → Blutrache (A.) üben; mit Erstarken der Polis, in Athen jedenfalls seit → Drakon (E. 7. Jh. v. Chr.), waren sie auf eine Privatklage (→ *díkē*) wegen *ph.* beschränkt. Diese war beim → *basileús* (I. C.) einzubringen, in drei Vorterminen wurden von den Parteien und Zeugen feierliche Eide (→ *diōmosía*) geschworen. Die Entscheidung fiel je nach Qualifikation der Tat in Gerichtsversammlungen, die an verschiedenen Kultstätten tagten (→ *dikastḗrion* A. I.): Bereits Drakon unterscheidet eigenhändige und mittelbare Tötung (IG I³ 104,12; Ergänzungsvorschlag [7. 152]), wonach man vielleicht die Zuständigkeit der Gerichtsstätte des → Areios pagos von der des Palladion abgrenzen kann [8]; nach Demosth. or. 23,71 und Aristot. Ath. pol. 57, 3 liegt die Abgrenzung jedoch darin, ob der Täter vorsätzlich (ἑκών, *hekṓn*) oder unvorsätzlich (ἄκων, *ákōn*) gehandelt hat [4. 45]. Auf vorsätzlichem → Mord an einem Bürger stand (vielleicht seit Solon, Anf. 6. Jh. v. Chr., [7. 155 f.]) die Todesstrafe, sonst Verbannung (→ *phygḗ*). Eine dritte Stätte, wo über *ph.* verhandelt wurde, liegt beim Delphinion, dem Tempel des Apollon Delphinios (der Täter behauptet, »gerechtfertigt« getötet zu haben, eine vierte an der Küste, beim Phreatto (*ph.*-Prozesse gegen bereits Verbannte). Die letzten drei Gerichte waren mit → *ephétai* besetzt. Ohne Gerichtsversammlung wurde beim Prytaneion über Tötung durch unbekannte (?) Täter, Tiere und Werkzeuge entschieden (Demosth. or. 23, 65–79; Aristot. Ath. pol. 57,3 f. [4]).

Über *ph.* außerhalb Athens und in den graeco-ägypt. Papyri sind wir nur spärlich informiert [5; 6].
→ Mord

1 E. CANTARELLA, Studi sull'omicidio in diritto greco e romano, 1976 2 E. CARAWAN, Rhetoric and the Law of

Draco, 1998 **3** M. GAGARIN, Drakon and Early Athenian Homicide Law, 1981 **4** D. M. MACDOWELL, Athenian Homicide Law, 1963 **5** H.-A. RUPPRECHT, Straftaten und Rechtschutz nach den griech. Papyri der ptolem. Zeit, in: M. GAGARIN (Hrsg.), Symposion 1990, 1991, 139–148, 141, 146 f. **6** R. TAUBENSCHLAG, Das Strafrecht im Rechte der Papyri, 1916 **7** G. THÜR, Die Todesstrafe im Blutprozeß Athens, in: Journal of Juristic Papyrology 20, 1990, 143–156 **8** Ders., The Jurisdiction of the Areopagos in Homicide Cases, in: M. GAGARIN (Hrsg.), Symposion 1990, 1991, 53–72 **9** A. TULIN, Dike Phonou, 1996 **10** R. W. WALLACE, The Areopagos Council, to 307 B. C., 1989. G. T.

Phorkides (Φορκίδες, auch Φορκυνίδες, Φορκυνάδες). Töchter des → Phorkys [1], namentlich die Gorgonen (→ Gorgo [1]) und die → Graien; letztere brachte Aischylos in seinen *Phorkídes* (TrGF 3 F 261 f.) auf die Bühne. L. K.

Phorkys (Φόρκυς, lat. *Phorcus, Phorcys, Phorcyn*). **[1]** Meergott, Sohn von → Pontos und → Gaia, Bruder des → Nereus (Hes. theog. 237; in Orph. fr. 16 Sohn von → Okeanos und → Tethys, in Orph. fr. 114 → Titan); mit seiner Schwester → Keto zeugt er Ungeheuer (→ Phorkides) wie die → Graien, Gorgonen (→ Gorgo [1]), → Echidna und die Schlange → Ladon [1] (Hes. theog. 270–303; 333–336); nach anderen ist er auch Vater der → Sirenen (Soph. fr. 861 TrGF), der → Hesperiden (schol. Apoll. Rhod. 4,1399d), der → Skylla (Apoll. Rhod. 4,828 f. mit schol.) und der → Thoosa (Hom. Od. 1,71 f.). In der ›Odyssee‹, wo ein Hafen Ithakas nach ihm benannt ist, trägt er den Beinamen → *hálios gérōn*, »Meergreis« (Hom. Od. 13,96). Als Herr des Meeres führt er den Reigen der Seetiere an (Verg. Aen. 5,824; Plin. nat. 36,26). Namensvarianten sind *Phórkos* (Pind. P. 12,13 u. ö.) und *Pórkos* (Alkm. 1,19 PMGF). Zur Etym. vgl. *phorkós*, »weiß« (Hesych. s. v. φορκόν) [1].

1 CHANTRAINE, s. v. φορκόν.

B. MAGRI, s. v. Ph., LIMC 7.1, 398. A. A.

[2] Sohn des → Phainops [3], aus Askania in Phrygien, kämpft im Troianischen Krieg auf troischer Seite, von Aias [1] getötet (Hom. Il. 2,862; 17,218; 312–318; Paus. 10,26,6). L. K.

Phorminx s. Musikinstrumente V. A. (mit Abb.)

Phormion (Φορμίων).
[1] Athenischer → *stratēgós*, kommandierte 440/439 v. Chr. eine Flotte gegen Samos (Thuk. 1,117,2). Gegen das von Ambrakioten gehaltene amphilochische Argos führte er 30 Schiffe zur Unterstützung der → Amphilochoi und → Akarnanes, die die Stadt fortan besiedelten. Athener und Akarnanes schlossen eine Symmachie (Thuk. 2,68,7 f.). Mit einem athen. Heer betrieb Ph. 432 von Land aus die Belagerung → Poteidaias (Thuk. 1,64,2; 65,2; 2,29,6; Diod. 12,37,1). Ab 430 sperrte er

mit 20 Wachschiffen bei Naupaktos den korinthischen Golf und errang 429 zwei Siege gegen überlegene Flotten (Thuk. 2,69,1; 80,4; 81,1; 83–92; Diod. 12,47,1; 48). Im Winter 429/8 unternahmen die Athener unter Ph.s Führung einen erfolgreichen Feldzug nach Akarnania (Thuk. 2,102,1). Nach seiner Rückkehr 428 wurde er im Rechenschaftsverfahren (→ *eúthynai*) zu einer hohen Geldstrafe verurteilt, verlor damit seine Rechte *(átimos)*, erhielt sie aber mit Hilfe einer Zuwendung der Stadt wieder zurück.
→ Peloponnesischer Krieg

D. HAMEL, Athenian Generals, 1998, 17; 26; 40 Anm. 1; 52 Anm. 10; 129; 134; 142 · K.-W. WELWEI, Das klass. Athen, 1999, 161–166. W. S.

[2] Athenischer Rhetor des 4. Jh. v. Chr., → *synēgoros* des Apsephion im Prozeß 355/4 gegen das Gesetz des → Leptines [1], das Befreiungen von den → Liturgien einschränken sollte (Hypothesis 2,3 zu Demosth. or. 20).
→ Ateleia

R. SEALEY, Demosthenes and His Time, 1993, 126–127 · PA 14952. J. E.

Phormis (Φόρμις) oder Phormos (Φόρμος, so Athen. 14,652a; Them. or. 27 p. 337b; Suda ε 2766, φ 609 = [1. test. 1]). Ph. war Syrakusaner und wie sein Zeitgenosse → Epicharmos Dichter komischer Dramen, angeblich auch Erzieher der Söhne des Tyrannen Gelon [1. test. 1], was vielleicht auf Verwechslung mit einem homonymen Feldherrn beruht (Paus. 5,27,1 und 7). Bei Aristoteles ist Ph. neben Epicharmos der Begründer einer geschlossenen Komödienhandlung [1. test. 2]. Die sieben ihm zugeschriebenen Stücke (keine Fr. erh.) scheinen meist mythische Sujets behandelt zu haben.

1 CGF, 148. H.-G. NE.

Phormisios (Φορμίσιος). Athener, kehrte nach Flucht vor dem Oligarchenregime (→ *triákonta*) 403 v. Chr. mit → Thrasybulos und den Demokraten vom Piräus zurück. Sein Antrag auf Rückkehr der Geflohenen in Eleusis und Beschränkung des Bürgerrechts auf die Haus- und Grundbesitzer gemäß dem Willen Spartas (Dion. Hal. Lysias 32,2) kann als Kompromiß zwischen der restaurierten Demokratie und oligarchischen Vorstellungen auf der Basis der Amnestie und mit dem Ziel einer außenpolit. abgesicherten Versöhnung gesehen werden [2. 227–232; 3. 344 f.]. Der Antrag war erfolglos, doch der in der Komödie oft verspottete Ph. konnte polit. aktiv bleiben, u. a. bei einer Gesandtschaft an den Großkönig, und setzte sich 379 für die geflohenen thebanischen Demokraten ein. Ph. starb angeblich beim Geschlechtsverkehr (Athen. 13,570f). Möglicherweise ist er identisch mit dem 380/379 siegreichen Choregen Ph., Sohn des Menekleides aus dem Demos Thymaitadai, der auf einer 1989 gefundenen Inschr. genannt wird [4].

1 PA 14945 2 G. A. LEHMANN, Die revolutionäre
Machtergreifung der Dreißig und die staatliche Teilung
Attikas (404–401/0 v. Chr.), in: R. STIEHL (Hrsg.), Ant. und
Universalgesch. FS H. E. Stier, 1972, 201–233
3 B. BLECKMANN, Athens Weg in die Niederlage, 1998
4 A. P. MATTHAIOU, Χορηγικὴ ἐπιγραφὴ Θαργηλίων, in:
Horos 8–9, 1990–91, 53–58.   U. WAL.

Phoroi s. Phoros

Phoroneus (Φορωνεύς). Sohn des → Alpheios [2], Ur-
ahn des pelasgischen Menschengeschlechts (im Gegen-
satz zum jüngeren »hellenischen«, dessen Urahn
→ Deukalion ist) und damit quasi »erster Mensch«
(Akusilaos FGrH 2 F 23a; Hes. fr. 122 M.-W.; Hellani-
kos FGrH 4 F 1; Hyg. fab. 143 und 274) [1. 84]. Neben
→ Prometheus Erfinder des Feuers (Paus. 2,19,5), Kul-
turbringer und Schiedsrichter im Streit Poseidons und
Athenas um Argos (Paus. 2,15,5). Von ihm berichtet das
Epos → *Phorōnís* (um 600 v. Chr.) [2; 3; 4].

1 PRELLER/ROBERT 2 PEG I, 118–121 3 EpGF, 153–155
4 F. STOESSL, s. v. Phoronis (2), RE 20, 646–650.   L. K.

Phoronis (Φορωνίς). Epos eines anon. Verf., 7./6. Jh.
v. Chr., erhielt seinen Namen nach dem Heros aus
Tiryns, → Phoroneus, dem ›Vater aller Menschen‹ (fr. 1
PEG). Die Häufigkeit des Wortes πρῶτος (*prótos*, »der
erste«) in den Fr. weist auf das Interesse des Dichters an
den ersten Anfängen des menschlichen Lebens hin. Fr.
2: Die → Daktyloi Idaioi entdecken die Kunst des Hephaistos. Fr. 4: → Kallithoë [2] schmückt als erste die
große Statue der »argivischen« Hera: der Beiname ist
problematisch (Lit. bei [1. 120]). Auf die Ph. gehen
wohl z. B. Paus. 2,15,5 und 2,19,5 zurück (Phoroneus als
Entdecker des Feuers). Ph. war Quelle für → Akusilaos
und vielleicht für → Hellanikos [1].

1 PEG I, 118–121 2 F. STOESSL, s. v. Ph. (2), RE 20, 646–650.
S. FO./Ü: TH. G.

Phoros (φόρος, Pl. *phóroi*, »Tribut«, »Beitrag«,
von *phérein*, »tragen«, »bringen«).

A. DEFINITION   B. UMFANG UND VERWALTUNG
C. ATHENISCHE TRIBUTLISTEN
D. ENTWICKLUNG IM PELOPONNESISCHEN KRIEG

A. DEFINITION
Phóroi waren Zahlungen von Staaten an eine übergeordnete Macht oder an eine Organisation, der sie angehörten. Im bes. bezeichnete *ph.* die finanziellen Beiträge der Mitglieder im → Attisch-Delischen Seebund.

B. UMFANG UND VERWALTUNG
Bei der Gründung des Attisch-Delischen Seebunds
478/7 v. Chr. wurden die Leistungen der Mitglieder
von → Aristeides [1] aus Athen festgelegt; sie hatten entweder Schiffe zu stellen oder eine Geldsumme zu zahlen
([Aristot.] Ath. pol. 23,5). Nach Thukydides (1,96,2)
belief sich die erste Festlegung des *ph.* auf 460 Talente,
doch bringt dies einige Probleme mit sich: Thukydides

müßte sich eigentlich allein auf Zahlungen in Geld beziehen; im Jahr 431 jedoch, als fast alle Mitglieder Geld-
beiträge lieferten und der Seebund verm. größer war als
zur Zeit seiner Gründung, lag die Höhe des bezahlten
Betrags unter 400 Talenten (obwohl Thuk. 2,13,3 von
600 spricht); dabei ist es wenig wahrscheinlich, daß die
allg. Bemessung des *ph.* niedriger lag als zur Gründungszeit, wenn man den guten Ruf in Betracht zieht, den die
Veranlagung durch Aristeides [1] »den Gerechten«
genoß (vgl. Thuk. 5,18,5). Es wurden verschiedene
Erklärungen versucht: Möglicherweise war in die urspr.
Veranlagung ein Gegenwert in Geld für die Schiffe
eingerechnet [2]; vielleicht basieren beide Zahlen bei
Thukydides auf »optimistischen« Veranlagungslisten,
die mehr Staaten enthielten, als tatsächlich bezahlten
[12. 8]; andere wiederum meinen, ein Teil der Tribute
sei gesammelt und wieder am Ort ausgegeben worden,
so daß die in Athen veröffentlichten Tributlisten (s.u.
C.) nicht den vollen Betrag der eingezogenen Tribute
wiedergeben [3].
Anfangs befand sich die Kasse des Seebunds auf der
Insel → Delos, wo dem Delischen Apollon wahrscheinlich ebenso wie später der Athena in Athen ein Teil des
ph. als Opfer dargebracht wurde. Gesammelt wurden
die *ph.* von den → *hellēnotamíai.* Nach Thuk. 1,96 waren
dies von Anfang an Athener, was glaubhaft ist, da die
Athener im Seebund die geschäftsführende Leitung besaßen (Zweifel: [14]).
Nach Ansicht der Athener bedeutete ein auf Dauer
gegr. Bündnis auch ständige Kriegführung. Ihre Strenge
bei der Forderung von Schiffen und Tributen brachte
nach Thuk. 1,99 eine wachsende Zahl von Mitgliedern
dazu, lieber *ph.* zu zahlen als Schiffe zu stellen. Aufständische Mitglieder konnten nach ihrer Unterwerfung zur Zahlung von *ph.* gezwungen werden (z.B.
Thasos: Thuk. 1,101,3). Spätestens 440 stellten nur noch
Samos, Chios und die Städte auf Lesbos Schiffe ([Aris-
tot.] Ath. pol. 24,2; vgl. Thuk. 1,19; 3,10,5).

C. ATHENISCHE TRIBUTLISTEN
Offenbar wurde 454/3 die Bundeskasse von Delos
nach Athen verlegt, angeblich auf Vorschlag von Samos
(Plut. Aristeides 25,3) und wahrscheinlich nicht als
Kundgebung der athen. Macht, sondern aus Furcht vor
einem Wiedererstarken der Perser nach dem Fehlschlag
des athen. Flottenunternehmens gegen Persien in Ägypten. Ab 453 wurde der *ph.* in Athen angesammelt: 1/60 des
gesammelten Betrags kam als *aparchḗ* (»Erstlingsgabe«) in
den Schatz der → Athena, wobei dieser Anteil nicht
nach der Gesamtsumme des *ph.* berechnet wurde, sondern jeweils getrennt nach den Zahlungen der einzelnen
Mitglieder. Die numerierten und datierten Listen dieser
aparchḗ, die sog. Athenischen Tributlisten, wurden in
Stein gehauen (neueste Ausgabe: IG I³ 259–290; s. auch
[5]). Für die ersten 15 J. (453–439) wurde ein einziger
großer Marmorblock benutzt, für die nächsten acht J.
(438–431) ein weiterer Block; danach verwendete man
für jedes J. eine eigene → Stele.

Soweit die Listen erh. oder zu rekonstruieren sind, lassen sie erkennen, welche Bündner in verschiedenen J. zahlten und wieviel. Die Höhe der Mitgliedsbeiträge reichte von 300 Drachmen der kleinsten Staaten bis zum 600fachen, nämlich 30 Talenten (Aigina und Thasos). Die Mitglieder erscheinen auf den Listen nicht in geordneter Reihenfolge, doch bestand von Anfang an die Tendenz, benachbarte Mitglieder zusammenzustellen. 442 setzt die Praxis ein, die Listen nach fünf regionalen Bezirken zu ordnen (dem ionischen, hellespontischen, thrakischen, karischen und dem Inselbezirk; s. → Attisch-Delischer Seebund, mit Karte); 337 wurden einige im Landesinnern gelegene karische Staaten aufgegeben und der Rest des karischen Bezirks zum ionischen geschlagen. Einige Städte stehen unter speziellen Rubriken: z.B. (im J. 434) *átaktoi* (»nicht veranlagt«), also Städte, die im J. 433–431 entweder ›ihren *ph.* selbst festlegten‹ (*póles autaí phóron tachsámenaí*) oder ›private Bürger zur Zahlung des *ph.* auf Listen erfaßten‹ (*póles has hoi idiōtai enégraphsan phóron phéren*). Dies sind offenbar Poleis, die einen speziellen Status von freiwilligen Mitgliedern des Seebunds besaßen [4]. Weiterhin erscheinen in den J. 429–428 Poleis, die ›ihren *ph.* angeben‹ (*haíde póles katadelōsi tom phóron*) und solche, die ›Sold aus dem hellespontischen *ph.* bezahlten‹ (*misthón etélesan haíde apó tō hellespontío phóro*); die Tribute dieser Städte wurden gesammelt und am Ort wieder ausgegeben, das ¹⁄₆₀ für Athena wurde jedoch in der üblichen Weise berechnet. Einige Mitglieder konnten spezielle Bedingungen erlangen: Für Methone z.B., eine Stadt an der Grenze zu Makedonia, deren Loyalität zu erhalten wichtig war, erwogen die Athener eine spezielle Veranlagung oder nur die Sammlung des ¹⁄₆₀ für Athena und entschieden sich für das letztere (ML 65 = IG I³ 61).

Möglicherweise wurde im J. 448, als der Krieg gegen Persien beendet zu sein schien (ungeachtet der Historizität des Friedens des → Kallias [4]), kein *ph.* erhoben (Zweifel: vgl. zuletzt [11]); 447 wurden die Beiträge aus dem Seebund wieder eingezogen. Seither scheint Athen Teile des Tributs für eigene Zwecke verwendet zu haben, auch für die Errichtung von Bauten in Athen (Plut. Perikles 12,1–4; 14): Ein Pap.-Fr. eines Komm. zu Demosthenes [2] gibt vielleicht einen (keineswegs sicheren) Hinweis auf den Transfer von 5000 Talenten Überschuß aus den Tributen in den athen. Staatsschatz (Pap. Strassbg. 84; neueste Rekonstruktion bei [13]).

D. ENTWICKLUNG IM PELOPONNESISCHEN KRIEG
Die Veranlagung erfolgte üblicherweise alle vier J., und zwar in den J. der Großen Panathenäen (→ Panathenaia). Bei der ersten Veranlagung nach Beginn des → Peloponnesischen Kriegs im J. 430 waren die Athener finanziell zuversichtlich und änderten die Höhe der Tribute nur unbedeutend; spätestens 428 jedoch gerieten sie in finanzielle Schwierigkeiten (vgl. Thuk. 3,19: Winter 428/7). Die zeitliche Ordnung der Listen aus den 420er J. ist nicht gesichert, doch wahrscheinlich gab es 428 eine außerordentliche Veranlagung mit erheblichen Erhöhungen (anderer Meinung jüngst [10]); 426

erfolgte keine weitere Veranlagung, aber das Dekret des → Kleonymos [1] verschärfte die Form der Eintreibung und machte reiche Bürger der Mitgliedsstaaten für den Tribut ihrer Städte persönlich verantwortlich (ML 68 = IG I³ 68). Im J. darauf (425) ordnete das Dekret des Thudippos eine weitere Veranlagung an, mit der ausdrücklichen Feststellung, daß der Eingang der Tribute ungenügend sei und kein Mitgliedsbeitrag gemindert werden sollte außer bei Zahlungsunfähigkeit (ML 69 = IG I³ 71). Dieses Dekret war von einer Veranlagungs-Liste begleitet: Viele Poleis waren weit höher veranlagt als vor dem Krieg, die aus den Inschr. zu erschließende Gesamtsumme betrug verm. über 1460 Talente (im Gegensatz zu den 431 tatsächlich erhobenen 400 bzw. bei Thukydides genannten 600 Talenten: s.o. B.). Die Liste ist optimistisch, sie enthält einige Poleis, die zuvor nicht bezahlt hatten und auch jetzt wahrscheinlich nicht zahlen würden (z.B. Melos), doch offensichtlich versuchten die Athener 425, erheblich höhere Tribute aus dem Seebund einzuziehen als 431. Nach dem Thudippos-Dekret sollte die nächste Veranlagung im J. der nächsten Panathenäen sein, also 422: Diese Liste ist teilweise erh. (IG I³ 77) und ähnelt der Liste von 425.

413 entschlossen sich die Athener, nachdem sie große Summen für die Sizilische Expedition (→ Peloponnesischer Krieg) aufgewendet und die Spartaner die att. Grenzfestung Dekeleia besetzt hatten, den Tribut durch eine fünfprozentige Steuer auf den Handel zu ersetzen, in der Hoffnung, dadurch mehr Geld aufzutreiben (Thuk. 7,28,4; [8. 15–17] setzt diesen Beschluß in das J. 414 an die Stelle der damals fälligen Veranlagung, vgl. jedoch [1]). Verm. wurde die Eintreibung von *ph.* 410/409 wieder aufgenommen, und eine weitere Veranlagungsliste muß ins J. 410 datiert werden (IG I³ 100; vgl. Xen. hell. 1,3,9; anders aber [6], der nicht an eine generelle Wiederaufnahme der Tributerhebung glaubt und diese Liste in das J. 418 datiert).

Als im 4. Jh. der → Attische Seebund gegründet wurde, galt die Zahlung von Tributen als einer der verhaßten Züge des Seebunds im 5. Jh.; die Athener verzichteten daher darauf, einen *ph.* im neuen Seebund zu erheben (IG II/III² 43 = Tod 123; vgl. IG II/III² 44 = Tod 124), aber wenig später wurden die Mitglieder aufgefordert, *syntáxeis* (»Beisteuern«, von *syntáttein*, »zusammenlegen«) zu entrichten.

→ Athenai (III. 6.); Attisch-Delischer Seebund; Attischer Seebund

1 K. J. DOVER, in: A. W. GOMME u. a., A Historical Comm. on Thukydides, Bd. 4, 1970, 401–403 2 S. K. EDDY, Four Hundred Sixty Talents Once More, in: CPh 63, 1968, 184–195 3 A. FRENCH, The Tribute of the Allies, in: Historia 21, 1972, 1–20 4 F. A. LEPPER, Some Rubrics in the Athenian Quota-Lists, in: JHS 82, 1962, 25–55 5 D. M. LEWIS, The Athenian Tribute Quota-Lists, 453–450 B. C., in: ABSA 89, 1994, 285–301 6 H. B. MATTINGLY, Two Notes on Athenian Financial Documents, in: ABSA 62, 1967, 13–17, bes. 13 f. (Ndr. in: Ders., The Athenian Empire Restored, 1996, 205–213, bes. 205–208)

7 R. MEIGGS, The Athenian Empire, 1972 8 B. D. MERITT, Athenian Financial Documents of the Fifth Century, 1932 9 ATL 10 M. PIÉRAT, Deux Notes sur la politique d'Athènes en mer Égée, in: BCH 108, 1984, 161–176, bes. 172–176 11 Ders., Athènes et son empire. La crise de 447–445, in: J. SERVAIS (Hrsg.), Stemmata: mélanges de philologie, d'histoire et d'archéologie grecques offerts à J. Labarbe (AC Suppl. 1987), 291–303 12 P. J. RHODES, The Athenian Empire, 1985, ²1993 13 H. T. WADE-GERY, B. D. MERITT, Athenian Resources in 449 and 431 B. C., in: Hesperia 26, 1957, 163–188 14 A. G. WOODHEAD, The Institution of the Hellenotamiae, in: JHS 79, 1959, 149–152.   P. J. R.

Phosphoros (Φωσφόρος, »Lichtbringer«; auch Ἑωσφόρος/Heosphoros, »Bringer der Morgenröte«; lat. → Lucifer [1], vgl. Cic. nat. deor. 2,53). Bezeichnung des Planeten Venus in seiner Qualität als lichtbringender, den Menschen lieber Morgenstern, der – was früh erkannt wurde – mit dem Abendstern Hesperos identisch ist (Parmenides, 28 A 1 DK; Plat. epin. 987b). In der Myth. blieb man dennoch immer bei der Vorstellung von zwei Sternen: Hier ist Ph. wie Hesperos Sohn der Morgenröte → Eos und des → Titanen → Astraios (Hes. theog. 378 ff. und WEST ad loc.; Nonn. Dion. 6,15 ff.) bzw. des → Kephalos [1]. Sein Sohn ist der trachische König → Keyx. Ph. ist Epitheton einiger lichtbringender bzw. lichttragender Gottheiten (Phosporeia, Helios).

W. GUNDEL, s. v. Ph. (1), RE 20, 652–654 · J. SCHMIDT, s. v. Ph. (2 ff.), RE 20, 654–657 · S. KARUSU, s. v. Astra (II 1, Sektion c), LIMC 2.1, 917–919.   C. W.

Photios (Φώτιος).

[1] Stiefsohn des → Belisarios, Sohn seiner Gattin Antonina aus früherer Ehe, geb. um 520 n. Chr., gest. 578/585; begleitete Belisarios auf Feldzügen in Italien seit 535, in Persien 541. → Prokopios berichtet in einer romanhaften Passage der *Historia arcana* (1,31–35; 2,1–17; 3,2–5; 3,12 f.; 3,21–29), Ph. sei auf Veranlassung Antoninas – deren Liebschaft mit Theodosios, einem Adoptivsohn ihres Gatten, er zu vereiteln suchte – von Kaiserin → Theodora eingekerkert worden, aber entflohen und (ca. 545 ?) Mönch in Jerusalem geworden. Andere Quellen bezeugen ihn dort als Abt des Neuen Klosters, der sich durch rigoroses Einschreiten gegen Monophysiten (→ Monophysitismus) und Samaritaner (→ Samaria) auszeichnete. PLRE 3, 1037–1039 (Ph. 2).
F. T.

[2] (um 810 – um 893 n. Chr.). Patriarch von Konstantinopel 858–867, 877–886. Der bedeutendste Vertreter des byz. Humanismus, von ökumenischer Gesinnung, der mit seinen Werken die Richtung im wiederaufgenommenen Studium der ant. Lit. im Byzanz des 9. Jh. mitbestimmte. Sein Λεξικόν/*Lexikón* [1], ein Jugendwerk, möglicherweise zw. 830 und 840 entstanden, stellt eine Kompilation mehrerer lexikographischer Quellen (darunter: → Harpokration [2], → Diogenianos [2], zwei Versionen der *Synagōgē*, vgl. → Lexikographie) dar; reich an Zitaten ant. Autoren, war es als Nach-

schlagewerk bei der Dichterlektüre gedacht und als Hilfsmittel für den Schreibenden oder Redenden konzipiert. Seine Βιβλιοθήκη/*Bibliothḗkē* [2] (um 838 oder 845 verfaßt; Endfassung wohl nach 876 zu datieren), eine Art griech. Lit.-Gesch. für das MA, besteht aus 279 Notizen bzw. Einträgen unterschiedlicher Länge, die er laut Widmungsbrief vor seinem Aufbruch zu einer arab. Gesandtschaft an seinen Bruder Tarasios richtete; das inhaltliche Referat von 386 (in einigen Hss. sogar mehr) Prosawerken (darunter viele verlorene, nur durch sein Referat bekannte) ant., patristischer und frühbyz. Autoren wird oft von einer literarästhetischen Würdigung begleitet, wobei manchmal gesuchter Stil und übertriebenes Archaisieren scharf kritisiert werden.

In der wechselhaften Karriere des Patriarchen spielte der Streit mit dem röm. Papst Nicolaus I., der zu einem Bruch zw. Ost- und Westkirche (867) führte, eine nicht unbedeutende Rolle. Unter seinen Auspizien erfolgte die Christianisierung der → Chazaren, → Slaven und → Bulgaroi. Zu den theologischen Werken des herausragenden Gelehrten und theoretischen Begründers des orthodoxen Glaubens in nachikonoklastischer Zeit (→ Syrische Dynastie) gehören seine auch für die polit. Gesch. und die Kunstgesch. wichtigen Homilien [3; 4], der antilat. Traktat Μυσταγωγία/*Mystagōgía* über den Hl. Geist [5] und eine Schrift gegen die manichäische Sekte der → Paulikianer [6]. In den 300 kurzen Traktaten der Ἀμφιλόχια/*Amphilóchia* [7], einer exegetischen Schrift, die Ph. an seinen Schüler und Freund Amphilochios, den Metropoliten von Kyzikos, ca. 868 richtete, behandelt er Fragen vorwiegend theologischer und philos. Natur. Die 299 Briefe [7] zeugen für seine führende Rolle in kirchlichen wie staatlichen Angelegenheiten: Sein erster Brief, ein Lehrschreiben an den im J. 865 zum Christentum bekehrten Bulgarenfürsten Boris-Michael, enthält u. a. einen interessanten Fürstenspiegel, der klass.-traditionelle mit spezifisch christl. Elementen verbindet. Ph.' Beitrag zur Herausbildung der Kaiserideologie und Propaganda der → Makedonischen Dynastie ist schließlich auch in verschiedenen Dichtungen und Kunstwerken seiner Zeit aufzuspüren.

ED.: 1 CHR. THEODORIDIS, Photii Patriarchae Lexicon, 2 Bde., 1982–1998 2 R. HENRY, Photius Bibliothèque, 8 Bde., 1959–1977 (mit frz. Übers.) 3 B. LAOURDAS, Φωτίου Ὁμιλίαι, 1959 (Predigten) 4 C. MANGO, The Homilies of Photius, 1958 (engl. Übers.) 5 PG 102, 279–392 6 P. LEMERLE et al. (ed.), Les sources grecs pour l'histoire de Pauliciens d'Asie mineure (Travaux et Mémoires 4), 1970, 99–183 7 B. LAOURDAS, L. G. WESTERINK, Photii Patriarchae Constantinopolitani Epistulae et Amphilochia, 4 Bde., 1983–1988.
LIT.: 8 A. KAZHDAN s. v. Ph., ODB 3, 1669 f.
9 F. TINNEFELD, s. v. Ph., LMA 6, 2109 f. 10 J. A. G. HERGENRÖTHER, Photius, Patriarch von Constantinopel, 3 Bde., 1867–1869 11 P. LEMERLE, Le premier humanisme byzantin, 1971, 37–42, 177–204 12 F. DVORNIK, Photian and Byzantine Ecclesiastical Studies, 1974 13 T. HÄGG, Ph. als Vermittler ant. Lit., 1975 14 W. T. TREADGOLD, The Nature of the Bibliotheca of Photius, 1980 15 D. S. WHITE,

Patriarch Ph. of Constantinople, 1981
16 K. TSANTSANOGLOU, New Fragments of Greek Literature
from the Lexicon of Photius, 1984 **17** J. SCHAMP, Ph.,
Historien des lettres, 1987 **18** G. DRAGAS, Towards a
Complete Bibliographia Photiana, in Chronological
Progression with an Index to the Author (Ἐκκλησία καὶ
Θεολογία 10), 1989–1991, 531–669 **19** N. G. WILSON,
Scholars of Byzantium, ²1996 (¹1983, 93–111).   I. V.

Phraaspa (Φράασπα: Steph. Byz.; Φράατα/ *Phraata*:
Plut. Antonius 38,2; Πράασπα/ *Praaspa*: Cass. Dio 49,
25,3; identisch mit Οὔερα/ *Vera*: Strab. 11,13,3). Wohl
Zitadelle der Stadt Gaza(ka) in → Media Atropatene
(beim h. Laylān am Urmia-See?), Stützpunkt des Antonius [I 9] beim Partherfeldzug 36 v. Chr., nicht identisch mit → Taḫt-e Sulaimān.

1 M. SCHOTTKY, Media Atropatene und Groß-Armenien in
hell. Zeit, 1989, Index s. v.   J. W.

Phraatakes s. Phraates [5]

Phraates (Φραάτης).
[1] Ph. I. Sohn des → Phriapatios, Partherkönig seit 176
v. Chr. Ph. besiegte um 171 die → Amardoi und deportierte sie nach Charax bei den Kaspischen Toren (Isidoros aus Charax 7). Bald darauf starb er, nachdem er
seinen Bruder → Mithradates [12] I. zum Nachfolger
bestimmt hatte (Iust. 41,5,9–10).

M. SCHOTTKY, Media Atropatene und Groß-Armenia,
1989, Index s. v. Ph.

[2] Ph. II. Neffe von Ph. [1], Sohn von → Mithradates
[12] I., Partherkönig seit 139/8 v. Chr. Gegen Ph. richtete sich 130 der Feldzug des Antiochos [9] VII. zur
Rückeroberung verlorener Gebiete des → Seleukidenreichs. Ph. konnte 129 Antiochos vernichten und die
Seleukiden als Machtfaktor im Iran ausschalten (Iust.
38,10). Die zur Abwehr der Seleukiden angeworbenen
skythischen Scharen erschienen zu spät, um etwas auszurichten. Als ihnen Ph. deshalb den vereinbarten Sold
verweigerte, verheerten sie sein Reich. Im Kampf gegen sie fiel er ca. 127 (Iust. 42,1).

TH. FISCHER, Unt. zum Partherkrieg Antiochos' VII., Diss.
München 1970 · M. SCHOTTKY, Quellen zur Gesch. von
Media Atropatene und Hyrkanien in parthischer Zeit, in:
J. WIESEHÖFER (Hrsg.), Das Partherreich und seine
Zeugnisse, 1998, 435–472, bes. 440; 462 f.

[3] Ph. III. Sohn des Sinatrukes (→ Sanatrukes), Partherkönig seit 71/70 v. Chr. Im Konflikt zwischen Pon-
tos/Armenia und Rom blieb er zunächst neutral (Sall.
hist. fr. 4,69 MAURENBRECHER) und wurde erst aktiv, als
sich der armenische Prinz → Tigranes gegen seinen Vater Tigranes I. erhob: Ph. nahm ihn an seinem Hof auf
und verheiratete ihn mit seiner Tochter. Zu seinen
Gunsten fiel Ph. 66 in Armenia ein, konnte jedoch nur
die Grenzlandschaft → Gordyaia besetzen. Nachdem
seine Truppen auch dort von den Römern vertrieben
worden waren, wurden die armenisch-parthischen

Grenzstreitigkeiten 64 durch eine von Pompeius [I 3]
eingesetzte Schiedskommission beigelegt: Gordyaia mit
→ Nisibis wurde → Armenia, → Adiabene Ph. zuge-
sprochen (Cass. Dio 37,5–7; Plut. Pompeius 36; 39;
App. Mithr. 106). Um 57 wurde Ph. von seinen Söhnen
Orodes [2] II. und Mithradates [14] III. ermordet (Cass.
Dio 39,56).

P. ARNAUD, Les guerres parthiques de Gabinius et de Crassus
et la politique occidentale des Parthes Arsacides entre 70 et
53 av. J.-C., in: D. DĄBROWA, Ancient Iran and the
Mediterranean World (Electrum 2), 1998, 13–43 ·
M. SCHOTTKY, Gibt es Mz. atropatenischer Könige?, in:
AMI 23, 1990, 211–227, bes. 223.

[4] Ph. IV. Enkel von Ph. [3], kam 38 v. Chr. durch die
Abdankung seines Vaters Orodes [2] II. an die Macht
und begann seine Herrschaft mit der Ermordung seiner
29 Brüder, seines Sohnes und seines Vaters (so Iust.
42,4,16–5,2). Im Bündnis mit Artavasdes [6] II. von
Atropatene überstand er 36 den → Partherkrieg des M.
Antonius [I 9], der bereits an der Belagerung der nord-
medischen Residenz → Phraaspa scheiterte und nur unter Schwierigkeiten einen geordneten Rückzug zustande brachte (Plut. Antonius 37–50; Cass. Dio 49,23–31).
Gefährlicher wurde ihm die Usurpation des → Tiridates
(seit 32/1 v. Chr.), vor der er nach »Skythien« floh. Unterstützt durch skythische Hilfstruppen kehrte Ph. zurück und setzte sich bis 25 durch (Iust. 42,5,4–6; Isidoros
aus Charax 1).

20 v. Chr. kam es zum Frieden mit Rom: Ph. gab die
erbeuteten Feldzeichen sowie die überlebenden Gefangenen aus den Feldzügen des Licinius [I 11] Crassus und
Antonius zurück und erkannte die röm. Oberherrschaft
über → Armenia an (R. Gest. div. Aug. 29; Iust. 42,5,11;
Vell. 2,91; Suet. Aug. 21,3; Suet. Tib. 9,1; Cass. Dio
54,8,1–3). Die italische Sklavin Musa, die Ph. bei dieser
Gelegenheit von Augustus geschenkt bekam, gewann in
den folgenden Jahren starken Einfluß auf den König:
Anläßlich der Geburt eines Sohnes wurde sie zur königlichen Gemahlin erhoben, vier bereits erwachsene Söhne von anderen Frauen wurden auf ihr Betreiben 10
v. Chr. ins Römische Reich abgeschoben (so R. Gest.
div. Aug. 32; Tac. ann. 2,1). Damit war der Weg für
Musa und ihren Sohn frei, die Ph. um 2 v. Chr. beseitigten (Ios. ant. Iud. 18,2,4). PIR² P 395 (mit Stemma p.
157).

H. BENGTSON, Zum Partherfeldzug des Antonius, 1974 ·
J. R. SEAGER, The Return of the Standards in 20 B. C., in:
Liverpool Classical Monthly 2, 1977, 201 f. · D. TIMPE,
Zur augusteischen Partherpolitik zw. 30 und 20 v. Chr., in:
WJA N. F. 1, 1975, 155–169.

[5] Ph. V. (in lit. Quellen *Phra(a)tákēs*, »der kleine Ph.«,
genannt). Sohn des Ph. [4] und der Musa. Ein um die
Zeitenwende wegen der Frage der Oberhoheit über
Armenia drohender Konflikt mit Rom konnte bei einer
Zusammenkunft des Königs mit Augustus' Enkel Gaius
→ Iulius [II 32] ausgeräumt werden (vgl. Cass. Dio

55,10,20 f.; 55,10a,3 f.; Vell. 2,100 f.). Daß Ph. seine Mutter Musa heiratete, hatte sicher polit.-religiöse Gründe, scheint aber seine Position endgültig erschüttert zu haben: Zw. 2 und 4 n. Chr. mußte er auf röm. Gebiet fliehen, wo er bald starb (R. Gest. div. Aug. 32; Ios. ant. Iud. 18,2,4). PIR² P 394.

→ Parthia; Parther; Partherkriege

Zu Ph. [1]–[5]: M. SCHOTTKY, Parther, Meder und Hyrkanier, in: AMI 24, 1991, 61–134; bes. 61–63; 97–99; 109; Stammtafel I–III; V; VII · J. WOLSKI, L'empire des Arsacides, 1993 · K. H. ZIEGLER, Die Beziehungen zwischen Rom und dem Partherreich, 1964.   M. SCH.

Phradasmanes (Φραδασμάνης). Sohn des Phrataphernes, des Satrapen von Parthia und Hyrkania; wurde 324 v. Chr. in Susa mit seinen Brüdern in eine maked.-iranische Reitereinheit aufgenommen (Arr. an. 7,6,4 f.).

A. B. BOSWORTH, Alexander and the Iranians, in: JHS 100, 1980, 1–21, bes. 13.   PE. HÖ.

Phradmon (Φράδμων). Bronzebildner aus Argos. Plinius (nat. 34,49) gibt als Blütezeit des Ph. 420–417 v. Chr. an. Bekannt ist Ph. v. a. durch seine Teilnahme am Wettstreit um die Amazonenstatuen von Ephesos, von deren Kopien ihm ohne ausreichende Begründung der sog. Typus Doria Panfili (Rom, Galleria Doria Panfili) zugewiesen wird. Siegerstatuen des Ph. befanden sich laut Pausanias (6,8,1) in Olympia und laut einer ergänzten Inschr. in Delphi. Eine Inschr. in Ostia nennt Ph. als Schöpfer einer Statue der delphischen Pythia Charite. Eine Gruppe von 12 Bronzekühen in Iton (Anth. Gr. 9,743) muß von einem späteren gleichnamigen Bildhauer stammen, falls das damit verbundene histor. Ereignis 356 v. Chr. zu datieren ist, wie vermutet wird.

OVERBECK, Nr. 489, 946, 1016–1018 · L. GUERRINI, s. v. Ph., EAA 6, 1965, 139 · J. MARCADÉ, Recueil des signatures de sculpteurs grecs, Bd. 1, 1953, 87–88 · F. ZEVI, Tre iscrizioni con firme di artisti greci, in: RPAA 42, 1969–70, 95–116 · B. S. RIDGWAY, A Story of Five Amazons, in: AJA 78, 1974, 1–17.   R. N.

Phraortes (Φραόρτης, altpersisch *Fravartiš*).
[1] Nach Hdt. 1,96 Vater des Mederkönigs → Deiokes.
[2] Sohn des → Deiokes, der nach Hdt. 1,102 22 J. regierte, die Perser unterwarf und im Kampf gegen die Assyrer fiel.
[3] In der → Bīsutūn-Inschr. [1. DB II 13 ff., 64 ff., DBe] erwähnter und auf dem dortigen Relief [1. Taf. 33a] abgebildeter medischer Rebell gegen → Dareios [1] I., der sich als Xšaθrita aus der Familie des Uvaxštra- (→ Kyaxares [1]) ausgab; er wurde am 8. Mai 521 v. Chr. bei Kund(u)ruš in → Media von Dareios geschlagen, in Raga festgesetzt, verstümmelt und zusammen mit seinen engsten Vertrauten hingerichtet.

1 R. SCHMITT, The Bisitun Inscriptions of Darius the Great. Old Persian Text, 1991, Index s. v. Ph.   J. W.

Phrataphernes (Φραταφέρνης). Satrap der Landschaften → Parthia und → Hyrkania unter → Dareios [3] III. (Arr. an. 3,23,4); befehligte Parther, Hyrkaner und Topeirer in der Schlacht bei → Gaugamela 331 v. Chr. (ebd. 3,8,4). Nach des Dareios Tod von → Alexandros [4] d. Gr. wieder in seine alte Stellung eingesetzt (ebd. 3,28,2; 5,20,7; Curt. 8,3,17), wurde er zu einem der treuesten Gefolgsleute des Makedonen, war an der Niederschlagung des Aufstandes in → Areia [1] beteiligt (ebd. 3,28,2; 4,18,1), nahm den Aufrührer → Autophradates [2] fest (ebd. 4,18,2; Curt. 8,3,17) und führte Alexandros in Indien die in seiner Satrapie zurückgelassenen Thraker zu (ebd. 5,20,7). Alexandros ehrte Ph. durch die Aufnahme seiner Söhne → Phradasmanes und Sisines in das *ágēma* (»Garde«) der Hetairenreiterei (ebd. 7,6,4; → *hetaíroi*). Über den Tod des Alexandros hinaus (bis ca. 321?) blieb Ph. in Besitz seiner Satrapie (Diod. 18,3,3 u. ö.).

BERVE, Bd. 2, Nr. 814, 400 f.   J. W.

Phratrie (φρατρία, »Bruderschaft«).
A. URSPRUNG UND DEFINITION   B. AUFGABEN
C. ORGANISATION UND VERBREITUNG

A. URSPRUNG UND DEFINITION
In der älteren Forsch. wurden die griech. Ph. als Verwandtschaftsverbände gesehen und auf die Wanderungszeit (→ Dorische Wanderung; → Kolonisation II.) zurückgeführt. Nach neueren Forsch. sollen sie auf nachbarschaftliche Vereinigungen zurückgehen und erst in archa. Zeit (seit dem 8. Jh. v. Chr.) zunehmende Bed. gewonnen haben. Doch spricht die Tatsache, daß der Begriff *phrátēr* bereits in den Epen des 8. Jh. v. Chr. nicht mehr »leiblicher Bruder« bedeutet, für ein hohes Alter der Ph. als fiktiven Verwandtschaftsverbänden. In den Epen sind die Ph. wichtige Einrichtungen der sozialen Integration, auf die bei der Einteilung des Heeres zurückgegriffen wurde (Hom. Il. 9,63; 2,362 f.). In Athen entschieden zumindest seit → Drakon [2] bei nicht-vorsätzlicher Tötung zehn ausgewählte Ph.-Mitglieder über eine Aussöhnung, wenn unmittelbare Verwandte fehlten (IG I³ 104,16–19). Die Gleichsetzung von Ph. und Trittyen (→ *trittýes*) als Untereinheiten der alten Phylen (→ *phylē* [1]) in der (ps.-)aristotelischen Schrift *Athenaíōn politeía* (fr. 3) ist eine späte Konstruktion. Die Phylenreform des → Kleisthenes [2] (s. auch → Attika mit Karte) hat die Ph. unberührt gelassen ([Aristot.] Ath. pol. 21,6).

B. AUFGABEN
In Athen bestand eine wesentliche Aufgabe der Ph. in der Pflege des Kults der Ph.-Götter, bes. des Zeus Phratrios und der Athena Phratria. Eine zweite wichtige Funktion war die Anerkennung der legitimen Abkunft. Am Hauptfest der Ph., den → Apaturia, wurden die Kinder der Ph.-Angehörigen in Ph. eingeführt. Durch Eid und Opfer bezeugte der Vater oder Vormund, daß das Kind aus einer legitimen Ehe mit einer Athenerin

hervorgegangen war. Nach Abstimmung der Ph.-Mitglieder wurden Söhne, Adoptivsöhne und Erbtöchter in das Ph.-Register eingetragen. Beim Eintritt in das Erwachsenenalter brachte der junge Mann ein Haaropfer dar, bei der Heirat der Ehemann (bei der → *epíklēros* der Vater) ein Brautopfer (*gamēlía*). Unbeschadet der Rolle der *dêmoi* (→ *dêmos* [2]) war die Mitgliedschaft in einer Ph. Voraussetzung für die Aufnahme in die Bürgerschaft.

C. ORGANISATION UND VERBREITUNG

Jede Ph. wurde von einem jährlich gewählten *phratríarchos* geleitet. Die Beschlüsse der Ph. wurden von der Polis anerkannt (Solon fr. 76 a RUSCHENBUSCH). *Génē* (→ Verwandtschaft), → *orgeônes* und *thíasoi* (s. → Vereine) waren Untergruppen der Ph. Demographische Veränderungen könnten zu Zusammenschlüssen oder Abspaltungen von Ph. oder Untergruppen geführt haben.

Ph. sind in vielen griech. Städten im Mutterland, in Kleinasien, Unteritalien, Sizilien und im hell. Äg. nachgewiesen [1; 2].

→ Curiae; Hetairiai

1 J. SEYFARTH, *Frátra* und *fratría* im nachklass. Griechentum, in: Aegyptus 35, 1955, 3–38 2 M. GUARDUCCI, L'istituzione della fratria nella Grecia antica e nelle colonie greche d'Italia, in: RAL 6, Ser. 6, 1937, 5–101; 8, 1938, 65–135.

CH. W. HEDRICK, The Decrees of Demotionidai, 1990 · Ders., The Attic Phratry, 1984 · S.D. LAMBERT, The Phratries of Attica, ²1999 · K.-W. WELWEI, Athen, 1992, 116–119.   W.S.

Phrearrhioi (Φρεάρριοι). Großer att. Paralia-Demos, Phyle Leontis, mit neun (zehn) *buleutaí*. Der Name ist nicht von φρέαρ/*phréar*, »Brunnen, Schacht« abzuleiten, sondern ist vorgriech. [1. 74⁵⁶⁸]. Der Fund eines Kultkalenders sichert seine Lage nördl. des südatt. Olympos [2] beim h. Pheriza. Ph. grenzte im Osten und Süden an → Anaphlystos [1. 74f.; 2]. Gruben in Ph.: [1. 78⁵⁶⁸]. Aus Ph. stammte → Themistokles.

1 H. LOHMANN, Atene, 1993, Index s.v. Ph.
2 E. VANDERPOOL, A *lex sacra* of the Attic Deme Ph., in: Hesperia 39, 1970, 47–53.

TRAILL, Attica, 45, 62, 67, 112 Nr. 113 Tab. 4 · WHITEHEAD, Index s.v. Ph.   H.LO.

Phriapatios Der dritte Partherkönig und der erste, der den Namen *Arsákēs* als Beinamen annahm (»Arsakes III.«), regierte ca. 191–176 v.Chr. Er war der Vater der parthischen Könige Phraates [1] I., Mithradates [12] I. und Artabanos [4] I. und damit der Stammvater aller späterer Arsakiden (→ Arsakes; Iust. 41,5,8–9; Nisa-Ostrakon 1760).
→ Parther; Parthia

M. SCHOTTKY, Parther, Meder und Hyrkanier, in: AMI 24, 1991, 61–134, bes. 95–98 · J. WOLSKI, L'empire des Arsacides, 1993, 58–65.   M.SCH.

Phrixa (Φρίξα). Ortschaft in West-Arkadien bzw. SO-Elis bzw. Triphylia (Xen. hell. 3,2,30) im Osten der → Pisatis am linken Ufer des Alpheios [1], wo der Leukyanias von Norden her einmündet (Hdt. 4,148,4: Φρίξαι; Paus. 6,21,5f.; Strab. 8,3,12; Steph. Byz. s.v. Μάκιστος). Sie lag auf einem auffallenden Hügel (305 m H; h. Paliophanaro) beim h. Phrixa, 9 km östl. von → Olympia. Ph. nahm später den Namen Phaistos bzw. wohl auch → Phaisana an (Steph. Byz. s.v. Φαιστός). Schon z.Z. des Pausanias (2. Jh. n. Chr.) war der Ort bis auf den Tempel der Athena Kydonia und deren Kult verödet.

MÜLLER, 832 · PRITCHETT 6, 1989, 70f.   E.O.

Phrixos (Φρίξος, lat. *Phrixus*). Sohn des → Athamas und der → Nephele [1], Bruder der → Helle. Als Athamas auf Anstiften seiner zweiten Frau Ino (→ Leukothea) Ph. aufgrund eines von ihr gefälschten Orakels dem Zeus opfern will, flieht er mit Helle auf einem von Nephele gesandten Widder mit goldenem Fell. Helle ertrinkt; Ph. opfert nach seiner Ankunft in → Aia (Kolchis) den Widder dem Zeus Phyxios und gibt das Vlies dem → Aietes, der es im Ares-Hain (als Garant seiner Herrschaft: Diod. 4,47,6; Val. Fl. 5,224ff.) aufhängt. Ph. heiratet → Chalkiope [2] (bzw. → Iophossa: Pherekydes FGrH 3 F 25) und hat von ihr die Söhne → Argos [I 2], → Melas [2], → Phrontis [1] und → Kytis(s)oros (sowie Presbon: Epimenides FGrH 457 F 12; s. insgesamt Apollod. 1,80ff.). Beim Tod (Ermordung: Hyg. fab. 3,3; Grab: Val. Fl. 5,184ff.) des Ph. kehren die Söhne nach Hellas zurück (Herodoros FGrH 31 F 47; Apollod. 1,120; Apoll. Rhod. 2,1141ff.; Rückkehr des Ph.: Hes. cat. 254).

Nach späterer Erfindung wird Ph. gemäß kolchischer Sitte (Apoll. Rhod. 3,200ff.) fellbestattet, wodurch seine Seele ins Goldene Vlies übergeht (Pind. P. 4,159ff.; Apoll. Rhod. 3,374). → Pelias entsendet → Iason [1] und die → Argonautai, um den durch die Fellbestattung des Griechen Ph. erregten Zorn des Zeus auf die → Aiolidai zu besänftigen (Apoll. Rhod. 2,1192ff.; 3,336ff. [1. 205ff., 315ff.]). Zugrunde liegt ein rel.-rechtlicher Brauch von → Halos, nach dem der Älteste des Geschlechtes zur Entsühnung des Landes dem Zeus Laphystios geopfert werden muß (Ph. bietet sich bei Pherekydes FGrH 3 F 98 selbst an). Athamas wird jedoch von Kytis(s)oros der Opferung entzogen (Hdt. 7,197 [2. 246f.; 1. 312ff.]). Zu Ph. in der Kunst s. [3. 768f.; 4].

1 P. DRÄGER, Argo pasimelousa, 1993 2 U. VON WILAMOWITZ-MOELLENDORFF, Hell. Dichtung, Bd. 2, 1924, Ndr. 1962 3 K. KEYSSNER, s.v. Ph., RE 20, 763–769 4 PH. BRUNEAU, s.v. Ph. et Helle, LIMC 7.1, 398–404.
                                                                    P.D.

Phronesis s. Klugheit

Phronime (Φρονίμη). Tochter des Etearchos, des myth. Königs von → Oaxos auf Kreta, und dessen erster Frau; Mutter des → Battos [1], des myth. Gründers von → Kyrene. Hdt. 4,154f. erzählt ihre Gesch. offenbar nach kyrenischer Quelle: Auf eine Verleumdung von Etearchos' zweiter Frau hin übergibt dieser seine Tochter dem Kaufmann Themison, damit er sie ertränke. Dieser wirft sie zwar gemäß seinem Versprechen ins Wasser, zieht sie aber wieder heraus. In Thera nimmt Polymnestos sie zur Nebenfrau, dem sie Battos gebiert.

W. ALY, Volksmärchen, Sage und Novelle bei Herodot und seinen Zeitgenossen, ²1969, 137f.   L. K.

Phrontis (Φρόντις).

[1] Sohn des → Phrixos und der → Aietes-Tochter → Chalkiope [2], Bruder des → Argos [I 2], → Melas [2] und → Kytis(s)oros (Hes. cat. 255; Apollod. 1,83). Bei Phrixos' Tod kehren die Söhne nach Hellas zurück (Apollod. 1,120; Apoll. Rhod. 2,1141ff.) oder bleiben in Kolchis (Val. Fl. 5,460ff.). Eine Rolle spielt Ph. nur bei Apoll. Rhod. 4,70ff., wo → Medeia ihn als jüngsten der Phrixos-Söhne bei ihrer Flucht um Hilfe anruft und er ihr antwortet.

[2] Sohn des Onetor, Steuermann des → Menelaos [1], der auf der Heimfahrt von Troia bei Sunion stirbt und begraben wird (Hom. Od. 3,278ff.). Nach Paus. 10,25,2f. hatte → Polygnotos [1] auf dem Gemälde der ›Iliupersis‹ in der → Lesche der Knidier in Delphi Ph. gemalt.

[3] Gattin des Troers → Panthus, Mutter des Hyperenor, → Euphorbos und → Polydamas [1] (Hom. Il. 17,40).

K. ZIEGLER, s. v. Ph., RE 20, 771 f.   P. D.

Phrurarchos (φρούραρχος). »Kommandant« (archós) einer »Wache« (phrurá), Kommandant einer Besatzung oder Festung. Das Amt hatte im → Attisch-Delischen Seebund neben den mil. auch polit. Funktionen zu erfüllen. So beauftragten die Athener nach ihrer Intervention in Erythrai [2] etwa 453/2 v. Chr. ihren dortigen *ph.* und ihren → *epískopos* [1], die Konstituierung eines neuen Rates zu überwachen. Der *ph.* sollte diese Aufgabe fortan alljährlich mit dem jeweils abtretenden lokalen Rat ausüben (IG I³ 14). Als griech. Äquivalent wird der Terminus außerdem für persische »Offiziere« verwendet (Xen. an. 1,1,6; Xen. Kyr. 5,3,11; 7,5,34; 8,1,6). Platon verwendet ihn als Bezeichnung für »Aufseher« über die Bürger im Staatsentwurf seiner ›Gesetze‹ (Plat. leg. 760b-e). Unter Alexandros [4] d.Gr. und den → Diadochen bezeichnet *ph.* königliche Militärbefehlshaber. In Äg. hatten *ph.* seit dem 2. Jh. v. Chr. auch polizeiliche und richterliche Befugnisse (Pap. Tebtunis 6,13; OGIS 111,16).   K.-W. WEL.

Phryges, Phrygia (Φρύγες, Φρυγία). Indeur., aus Thrakia (→ Thrakes) eingewandertes Volk und Landschaft auf der anatolischen Hochebene in Zentralanatolien. Während man bisher von deren Identität mit den aus keilschriftlichen Quellen bekannten Muški und des für das 8. Jh. v. Chr. bezeugten Muški-Königs Mita mit dem phryg. König → Midas ausgegangen war bei der Vermutung, daß die Ph. anfangs von Anatolien ostwärts

über den Euphrates [2] zogen, bevor sie von Tiglatpileser I. (1116–1078) aufgehalten wurden, scheint es ratsam, die Einwanderung der Ph. erst ins 9. Jh. v. Chr. (früheste arch. Quellen) zu datieren, als sich um → Gordion am Sangarios ein phryg. Königreich bildete (→ Kleinasien III D.). Inschr. (Zeugnisse der altphryg. Sprache, etwa 250 Texte, nur teilweise erschlossen, Übernahme griech. und semit. Schriftzeichen) und Keramik machen aber deutlich, daß im 8./7. Jh. v. Chr. das Siedlungsgebiet der Ph. das Phrygia der ant. Geographen (Strabon, Ptolemaios, Plinius [1] d. Ä., Hierokles [8]) an Umfang bei weitem übertroffen hat; solche phryg. Siedlungsbelege reichen von Daskyleion im Westen bis nach Tyana in Kappadokia. Das Königreich um Gordion umfaßte Kleinasien von den Quellen des Maiandros [2], evtl. sogar schon von der Küste des Aigaion Pelagos, also unter Einschluß von Lydia bis zum oberen Halys. Es unterhielt nachweisbar weltweite diplomatische und Handelsbeziehungen, so mit → Assur [1], → Urartu im Osten und → Delphoi (Hdt. 1,14) im Westen. Zu Anf. des 7. Jh. v. Chr. wurde dieses Königreich von den → Kimmerioi überrannt (Strab. 1,3,21); phryg. Kleinfürstentümer lösten den Zentralstaat ab und gerieten bald in Abhängigkeit benachbarter Mächte. Der Begriff Phrygia, bis zu diesem Zeitpunkt polit. geprägt, beschränkte sich seither auf landschaftliche und verwaltungstechnische Bezüge.

Auch ohne staatliche Eigenständigkeit erhielten sich die Ph. ihre Kultur mit Rel. (Grabtumuli; Felsgräber; Tempelstaaten; mystische Verehrung der → Kybele/Magna Mater mit → Attis im Tempelstaat → Pessinus; Verehrung des → Men und des → Sabazios), Wirtschaft (Viehhaltung, Wollerzeugung), Kunst (Architektur; Br.-, Holz-, Elfenbein-Arbeiten; intarsierte Möbel; Musik) und Sprache (etwa 110 neuphryg. Texte) unter den → Mermnadai nach 690, den → Achaimenidai [2] seit 547 (3. Steuerbezirk: Hdt. 3,127; E. 5. Jh. verwaltungstechnisch in einen nördl., Klein-Phrygia, und einen südl. Teil, Groß-Phrygia, zerlegt; die gemeinsame Grenze verlief südl. von Gordion), im Alexanderreich (→ Alexandros [4]) seit 333 und unter den → Diadochen Antigonos [1], Lysimachos [2], den → Seleukiden, den Attaliden (→ Attalos, mit Stemma), den Mithradatiden (→ Mithradates) und den Ariarathiden und 116 v. Chr. in die röm. Prov. → Asia [2] hinein. Im Westen kennzeichneten der mysische Olympos [13] und die Kibyratis, im SO der Karalis- und der Tatta-See und im NO die Linie vom Tatta-See zum Oberlauf des Sangarios gegen → Galatia die damalige Ausdehnung der Landschaft Phrygia.

Die Ph. behaupteten ihre kulturelle Identität auch gegenüber Fremdeinflüssen wie den zahlreichen maked. Siedlern, die mit Alexandros d.Gr. und den Diadochen ins Land gekommen waren, den Galatai (→ Kelten III.B.), die 278 v. Chr. von Thrakia nach Kleinasien übergesetzt waren und sich nach ihrer Niederlage im Kampf gegen Antiochos [2] I. um 269/8 v. Chr. im nordanatolischen Bereich von Phrygia (»Galatia«) zw. Sangarios und Halys niederließen; desgleichen, als Antiochos [5] III. 2000 jüdische Familien nach Phrygia deportierte (Ios. ant. Iud. 12,3,4; Apg 2,10).

Ab der Mitte des 3. Jh. n. Chr. wurde die röm. Prov. Asia mit ihrem phryg. Bereich mehrfach geteilt, woraus nach der Gebietsreform unter → Diocletianus die Prov. *Pamphylia I* (*Pacatiana* im Westen) und *II* (*Salutaria* im Osten) entstanden (vgl. → Kleinasien, mit Karten »Die provinzielle Entwicklung«). Im 4./5. Jh. wurden vom Hof in Konstantinopolis mehrfach Goti in Phrygia angesiedelt (*Gotthograíkoi*). Unter Herakleios [7] gehörten die phryg. Siedlungsgebiete zu den Themen Anatolikon und Thrakesion. Nach 1204 geriet Phrygia unter die Herrschaft der Seldschuken.

→ Kleinasien III. (mit Karten); Phrygisch; Tumulus

E. O.

JÄHRLICHE BER.: AJA • AS • Kazı Sonuçları Toplantısı (zu unterschiedlichen Grabungsplätzen und Sachthemen). LIT.: E. AKURGAL, Die Kunst Anatoliens vor Homer bis Alexander, 1961 • K. BARTL, Zentralanatol. Stadtanlagen von der Spätbrz. bis zur mittleren Eisenzeit (1. Internat. Colloquium der DOG, Mai 1996 Halle/Saale), 1997, 267–288 • BELKE/MERSICH • O. BINGÖL, Malerei und Mosaik der Ant. in der Türkei, 1997 • K. BITTEL, Grundzüge der Vor- und Frühgesch. Kleinasiens, ²1950 • Ders., Kleinasiat. Studien, 1942 • R. M. BOEHMER, Die Kleinfunde von Boğazköy aus den Grabungskampagnen 1931–1939, 1952–1969 (WVDOG 87), 1972 • E. M. BOSSERT, Die Keramik phryg. Zeit von Boğazköy, 2000 • C. BRIXHE, M. LEJEUNE, Corpus des Inscriptions Paléophrygiennes, 1984 • E. CANER, Fibeln in Anatolien, Bd. 1, 1983 • A. ÇILINGIROĞLU, D. H. FRENCH (Hrsg.), Anatolian Iron Ages (proc. of the Third Anatolian Iron Ages Coll., Van 1990), 1994 • TH. DREW-BEAR, Local Cults in Graeco-Roman Phrygia, in: GRBS 17, 1976, 247–268 • Ders., C. NAOUR, Divinités de Phrygie, in: ANRW II 18.3, 1976, 1907–2044 • R. DREWS, Myths of Midas and the Phrygian Migration from Europe, in: Klio 75, 1993, 9–26 • K. EMRE u. a. (Hrsg.), Anatolia and the Ancient Near East. FS T. Özgüç, 1989, 333–344 • C. H. E. HASPELS, The Highlands of Phrygia, 2 Bde., 1971 • F. IŞIK, Zur Entstehung phryg. Felsdenkmäler, in: AS 37, 1987, 163–178 • Ders., Zur Entstehung der tönernen Verkleidungsplatten in Anatolien, in: AS 41, 1991, 63–86 • G. B. LANFRANCHI, Dinastie e tradizioni regie d'Anatolia..., in: A. ALONI, L. DE FINIS (Hrsg.), Dell'Indo a Thule: Greci, Romani, gli altri, 1996 • MITCHELL • O. W. MUSCARELLA, The Iron Age Background to the Formation of the Phrygian State, in: BASO 299/300, 1995, 91–101 • Ders., Phrygian Fibulae from Gordion, 1967 • F. NAUMANN, Die Ikonographie der Kybele in der phryg. und griech. Kunst (28. Beih. MDAI[Ist]), 1983 • F. PRAYON, Phryg. Plastik, 1987 • Ders., A.-M. WITTKE, Kleinasien vom 12. bis 6. Jh. v. Chr. (TAVO Beih. 82), 1994 • W. RAMSAY, Cities and Bishoprics of Phrygia, 2 Bde., 1895–1897 • M. Salvini (Hrsg.), Frigi e Frigio. Atti del 1. Simposio Internazionale (16/17 ott. 1995), 1997 • G. K. SAMS, The Phrygian Painted Pottery of Early Iron Age Gordion and its Anatolian Setting, Diss. 1971 • M. WAELKENS, Die kleinasiat. Türsteine, 1984 • A.-M. WITTKE u. a., Östl. Mittelmeerraum und Mesopot. um 700 v. Chr., TAVO B IV 8, 1993. E. O. u. A. W.

Phrygisch, die Sprache, die die → Phryges aus ihren vorhistor. südbalkanischen Sitzen in ihr histor. Siedlungsgebiet Zentralanatolien mitbrachten, ist nur als Trümmer- bzw. Restsprache überl. Hauptquelle sind Inschr., dazu treten Glossen sowie Anthropo- und Toponyme. Von dem in hell. Zeit von → Kleitarchos [3] aus Aigina, → Neoptolemos [9] von Parion und → Thoas aus Ithaka gesammelten ph. Sprachgut ist nichts erhalten.

Zwei Entwicklungsstufen sind bezeugt: 1) das Alt-Ph. durch etwa 250 in einem dem griech. nahestehenden Alphabet geschriebene Inschr. (Umschrift in lat. Schrift), darunter einige umfangreichere Stein- und Felsinschr., aus der 2. H. des 8. Jh. bis zum E. des 3. Jh. v. Chr., überwiegend aus vorachaimenidischer Zeit; 2) das Spät-Ph. durch über 100 in griech. Alphabet geschriebene Inschr., v. a. Fluchformeln am Schluß griech. Inschr., aus dem 1. bis 3. Jh. n. Chr. Die Deutung, bes. die des Alt-Ph., bereitet erhebliche Schwierigkeiten. Man bleibt weitgehend auf die etym. Methode angewiesen.

Das Ph. ist ein selbständiger Zweig der → indogermanischen Sprachen. Dem Zweig der → anatolischen Sprachen gehört es nicht an. Dagegen weist es nähere Beziehungen zum → Griechischen auf. Die nur Ph. und Griech. eignenden Neuerungen deuten auf eine frühe Nachbarschaft beider Sprachen (ererbt *onoman* / ονομαν »Name«, : ion.-att. ὄνομα, gegenüber dor. ὄνυμα; ererbt oder aus dem Griech. entlehnt Dat. Sg. *lavagtaei vanaktei* »dem Heerführer [und] König«, : myk. *ra-wa-ke-ta* / griech. λαγέτας; myk. *wa-na-ka* / griech. Ϝάναξ > ἄναξ).

Charakteristika des Ph. sind u. a.: a) die Erhaltung der idg. palatalen Okklusiven (ON Ἀκμονία, : *akmon-*»Stein«, : altind. *áśman-* »Stein«; → Gutturale); b) die Entlabialisierung der idg. → Labiovelare (κε »und«, lat. -*que*, griech. τε); c) Reste des Deklinationsablautes (Nom./Akk. Sg. *matar/materan* »Mutter«, : griech. μήτηρ/μητέρα); d) das Vorhandensein des Augments (3. Sg. Praeteritum *edaes* / εδαες »er schuf«, : griech. ἔ-θη-κ-ε); e) die Bildung des Ptz. Perf. Pass. (τετικμενος etwa »verurteilt« wie griech. πεφυγμένος); f) das Pron. relativum (*ios* / ιος, : griech. ὅς, altind. *yás*).

Die dem Ph. benachbarten Sprachen (z. B. Thrakisch im südl. Balkanraum, Galatisch in Zentralanatolien) haben nachweisbare Spuren in den uns erh. ph. Sprachzeugnissen nicht hinterlassen. Seit hell. Zeit hat das Griech. auf das Ph., damals schon weitgehend auf die Sphäre des Alltags beschränkt, nachhaltig eingewirkt. Als lebendige Sprache wird es zuletzt in der patristischen Lit. des beginnenden 5. Jh. n. Chr. erwähnt (Sokr. 5,23 in PG 67, 648A). Wann es ausstarb, ist unbekannt.

→ Kleinasien V. Sprachen (Karte); Kleinasien VI. Alphabetschriften

C. BRIXHE, M. LEJEUNE, Corpus des inscriptions paléo-phrygiennes, 1984 • C. BRIXHE, Prolegomènes au corpus neo-phrygien, in: BSL 94/1, 1999, 285–315 • Ders., Le Phrygien, in: F. BADER (Hrsg.), Langues indo-européennes, 1994, 165–178 · G. Neumann, Ph. und Griech., 1988 · L. Zgusta, Kleinasiat. PN, 1964 · Ders., Kleinasiat. ON, 1984.

C. H.

Phryne (Φρύνη). Vor 371 v. Chr. in → Thespiai geb., bekannteste Hetäre (s. → hetaírai) des 4. Jh v Chr., gerühmt wegen ihrer Schlagfertigkeit (Athen. 13,585e-f) und der natürlichen Schönheit ihres Gesichts (Gal. protrepticus 10); ihren Körper habe sie sehr dosiert zur Schau gestellt [2. 157 f.]. Die zahlreichen Anekdoten über sie entstammen z. T. der biographischen Trad. über ihre prominenten Liebhaber → Hypereides und → Praxiteles; es gab auch eine eigene Schrift (oder Rede) des Aristogeiton über sie (alle Quellen, v. a. Athen. 13,590d–591f, bei [4]). Die überl. Preise für ihre Gunst (zwei Goldstatere bis 100 Drachmen, Athen. 13,583b-c) reduzieren die spezifische Gabentauschökonomie der Hetäre auf ein eindeutiges Honorar [2. 132 ff.]. Ph.s (unzweifelhafter) Reichtum spiegelt sich in ihrem angeblichen Angebot, Theben wieder aufzubauen, wenn dafür die Inschr. ›Alexander hat es zerstört, aufgebaut Ph. die Hetäre‹ aufgestellt werde (Athen. 13,591d; daraus ist evtl. zu schließen, daß sie nach 335 v. Chr. noch gelebt hat). Das Motiv der reichen Hetäre als Baumäzenin war nicht singulär (Hdt. 2,134,1 f.).

Ph. soll Modell für die sog. Aphrodite von Knidos des → Praxiteles und andere Plastiken sowie für das Bild der Aphrodite Anadyomene des → Apelles [4] gewesen sein (Athen. 13,590f–591a); bes. Aufsehen erregte eine vergoldete Statue von Praxiteles' Hand nach Ph.s Abbild, die in Delphoi zwischen den Standbildern der Könige → Philippos [4] II. und → Archidamos [2] stand.

In Athen wurde Ph. nach 350 wegen dionysischer Gelage im Lykeion, wegen der Einführung eines Kultes für einen Isodaites (»der Gleiches zuteilt«; s. → Pluton) und wegen der Abhaltung orgiastischer Prozessionen von Männern und Frauen der → asébeia angeklagt; das Auftreten und Handeln der selbständigen Frau konnte als transgressorische Bedrohung der pol.-sozialen Ordnung gesehen werden [5]. Hypereides erwirkte durch eine vielgerühmte, nicht erh. Rede einen Freispruch [3. 67–70]. Die Anekdote, er habe dies durch ein dramatisches Entblößen von Ph.s Brüsten erreicht, ist wohl unhistor. [1]; ihrer Wirkung schadete das nicht (Gemälde »Phryne vor den Richtern« von J. L. Gérôme, 1861).

→ Frau; Hetairai; Prostitution; Sexualität

1 C. Cooper, Hyperides and the Trial of Ph., in: Phoenix 49, 1995, 303–318 2 J. Davidson, Kurtisanen und Meeresfrüchte, 1999 3 J. Engels, Stud. zur polit. Biographie des Hypereides (Quellen und Forsch. zur ant. Welt 2), ²1993 4 A. Raubitschek, s. v. Ph., RE 20, 893–907 5 K. Trampedach, Gefährliche Frauen. Zu athen. Asebie-Prozessen im 4. Jh. v. Chr., in: S. Schmidt, R. von den Hoff (Hrsg.), Konstruktionen von Wirklichkeit, 2001.

U. WAL.

Phrynichos (Φρύνιχος).

[1] Ph. aus Athen, Tragiker. Nach Suda φ 762 (TrGF I 3 T 1) errang er seinen 1. Sieg 511/508 v. Chr.; er soll auf Sizilien gestorben sein (T 6). Als Erster soll er Frauenrollen auf die Bühne gebracht und den trochäischen Tetrameter »erfunden« haben (T 1), was wohl bedeutet, daß er das Versmaß in die Gattung Tragödie einführte. Berühmt war er wegen der Qualität (»Süße«) seiner Gesangspartien (Aristoph. Vesp. 219), die an Umfang die gesprochenen Teile bei weitem übertrafen (T 9). An lyrischen metrischen Formen finden sich große Asklepiadeen (F 6), Daktyloepitriten (F 9, 13) und Ioniker (F 14). Wie → Aischylos [1] soll er sich um die tragische Tanzkunst sehr bemüht haben (T 15).

Die Suda nennt neun Titel des Ph., von denen sieben aufgezählt werden (›Die Frauen von Pleuron‹, ›Die Ägypter‹, ›Aktaion‹, ›Alkestis‹, ›Antaios oder Die Libyer‹, ›Die Gerechten oder Die Perser oder Die Beisitzer‹, ›Die Danaiden‹), dazu kommen die beiden zeitgesch. Stoffe behandelnden Stücke ›Der Fall Milets‹ und die ›Phoinikierinnen‹ (erh. lediglich in Dichterzitaten).

Im ›Fall Milets‹ (Μιλήτου ἅλωσις / Milḗtu hálōsis) verarbeitet Ph. die Einnahme der Stadt → Miletos [2] durch die Perser während des → Ionischen Aufstands (494 v. Chr.). Die Aufführung soll nach Hdt. 6,21,2 die Athener dermaßen erschüttert haben, daß das gesamte Theater in Tränen ausgebrochen sei; Ph. sei zu einer Geldstrafe von 1000 Drachmen verurteilt worden, da er die Athener an ihr eigenes Unglück erinnert habe (→ Perserkriege). Das Verbot, das Stück weiter zu verwenden, könnte sich auf Wiederaufführungen in Dementheatern beziehen. Die Aufführung dürfte 492 stattgefunden haben, als → Themistokles Archon war. 476 fungierte Themistokles als → chorēgós des Ph., vermutlich als er die ›Phoinikierinnen‹ (Φοίνισσαι) aufführte. → Glaukos [7] von Rhegion schreibt in der Hypothesis zu Aischylos' [1] ›Persern‹, daß Aischylos sein Stück den ›Phoinikerinnen‹ des Ph. nachgebildet habe. Ausgangspunkt dieses Stücks des Ph. bildet die Niederlage der pers. Flotte bei Salamis, die ein Eunuch dem pers. Kronrat meldet. Ein weiterer Botenbericht (→ Botenszenen) folgte im Verlauf des Dramas. Den Hauptteil des Stücks werden Klagelieder der phönizischen Frauen, deren Männer in der pers. Flotte dienten, gebildet haben.

Ph.' ›Alkestis‹ diente als Vorbild für → Euripides' [1] gleichnamiges Stück. Thanatos (der Tod) im Prolog und Herakles, der Alkestis aus der Unterwelt zurückholt, könnten schon bei Ph. erschienen sein. Die ›Frauen von Pleuron‹ behandelten die Kalydonische Jagd und den Tod des Meleagros (F 6). Die ›Ägypter‹ und ›Danaiden‹ dürften die Vorlage für Aischylos' Danaiden-Trilogie gewesen sein. Daß die beiden Stücke im Rahmen einer Inhaltstrilogie zur Aufführung kamen, ist möglich. Ph. könnte die Anregung zu dieser Form von Aischylos bekommen haben.

→ Tragödie

B. GAULY u. a. (Hrsg.), Musa tragica, 1991, 40–49 ·
A. LESKY, Die tragische Dichtung der Hellenen, ³1972,
58–62 · H. LLOYD-JONES, Greek Epic, Lyric, and Tragedy,
1990, 230–237.   B. Z.

[2] Attischer Politiker, erstmals 422 v. Chr. erwähnt
(Aristoph. Vesp. 1302). Als *stratēgós* errang er im Sommer 412 bei Milet einen Sieg, riet aber angesichts einer
hinzugekommenen spartan. Flotte von der Belagerung
Milets ab (Thuk. 8,25–27). Bei der Flotte in Samos widersetzte er sich vehement einer Rückkehr des → Alkibiades [3]. Durch Intrigen geriet er in den Verdacht
des Landesverrats (Thuk. 8,48–51; Plut. Alkibiades
25,6–13), wurde abgesetzt (Thuk. 8,54,3), beteiligte sich
am Sturz der Demokratie in Athen und war einer der
führenden Personen im Regime der 400 (→ *tetrakósioi*;
Thuk. 8,68,3; Aristot. pol. 5,6,1305b 27). Nach Rückkehr von einer erfolglosen Gesandtschaft nach Sparta
wurde er im Herbst 411 auf offenem Markt ermordet.
In einem durch → Kritias postum eingeleiteten Verfahren wurde Ph. wegen Verrats verurteilt. Sein Vermögen
wurde konfisziert, sein Haus verwüstet. Seine Mörder
wurden öffentl. geehrt [1. 379–386].
→ Peloponnesischer Krieg; Tetrakosioi

1 B. BLECKMANN, Athens Weg in die Niederlage, 1998.
                                                  W. S.

[3] Dichter der att. Alten Komödie. Soll im gleichen
Jahr (429 v. Chr.) wie → Eupolis debütiert haben ([1.
test. 2]; vgl. aber [1. test. 1]); in der Dionysiensiegerliste
[1. test. 5] steht er drei Plätze hinter → Aristophanes [3],
zwei hinter Eupolis; er wurde im Lenäenagon zweimal
erster [1. test. 6], an den Dionysien von 414 mit dem
Μονότροπος (*Monotrópos*, ›Der Einsiedler‹) dritter [1.
test. 7a], an den Lenäen von 405 mit den Μοῦσαι (*Músai*,
›Die Musen‹) zweiter [1. test. 7b]. Zu seinen insgesamt
zehn Stücken [1. test. 1, 3] geben die Fr. nur noch wenig
her: Im Κόννος (›Konnos‹) dürfte der Musiklehrer des
→ Sokrates der Titelheld gewesen sein. Im Μονότροπος
von 414 (vgl. o.) ging es um einen → Menandros' [4]
›Dyskolos‹ vergleichbaren Charaktertypus (vgl. fr. 19,
*20), und es gab Ausfälle gegen eine Reihe stadtbekann-
ter Athener (fr. 21: Peisandros, Exekestides; fr. 22: Meton; fr. 23: Nikias; fr. 27: Syrakosios, der den Komö-
dienspott hatte gesetzlich einschränken lassen). In den
Μοῦσαι von 405 (vgl. o.) fand offenbar wie in den ›Fröschen‹ des Aristophanes ein Dichterwettkampf (zw. Sophokles und Euripides?) statt.

1 PCG VII, 1989, 393–430.   H.-G. NE.

[4] Attizistischer Lexikograph strengster Richtung des
2. Jh. n. Chr., von Photios (Bibl. Cod. 158) *Arábios* genannt, laut Suda φ 764 s. v. Φ. bithynischer Herkunft,
wiss. Kontrahent des → Iulius [IV 17] Pollux. Zu Ph.'
Werken zählt die Ἐκλογὴ ῥημάτων καὶ ὀνομάτων Ἀττικῶν (›Auswahl att. Wörter und Wendungen‹, 2 B.
[2. 29–31]), eine Zusammenstellung von Ausdrücken,
deren Gebrauch gegenüber dem att. Pendant als unzulässig erklärt wird. In der in Form einer → Epitome erh.

Σοφιστικὴ παρασκευή (›Sophistische Vorbereitung‹)
verfolgte Ph. das Ziel, alle rein att. Ausdrücke samt Belegen für den potenziellen Redner nach Gattung und
Stil auszuwerten. P.' Vorlagen waren Ailios → Dionysios [21] von Halikarnassos, der → Antiatticista und
Iulius Pollux; sein Werk wurde von späteren Lexikographen vielfach exzerpiert.
→ Lexikographie

ED.: 1 I. DE BORRIES, Phrynichi sophistae Praeparatio
sophistica, 1911 2 E. FISCHER, Die Ekloge des Ph. (SGLG 1),
1974.
LIT.: 3 D. U. HANSEN, Das attizistische Lex. des Moeris
(SGLG 9), 1998, 36–40 4 G. KAIBEL, De Phrynicho sophista,
1899 5 M. NAECHSTER, De Pollucis et Phrynichi
controversiis, 1908 6 D. STROUT, R. FRENCH, s. v. Ph. (8),
RE 20.1, 920–925.   ST. MA.

[5] Nach der Suda athenischer Tragiker (φ 765, TrGF I
212), Lebenszeit unbekannt, Verf. einer ›Andromeda‹
und ›Erigone‹ sowie von Waffentänzen (→ Pyrrhiche).
                                                  B. Z.

Phrynis (Φρῦνις). Kitharode aus Mytilene, tätig 446–
416 in Athen; Schlüsselfigur der »Neuen Musik« des
späten 5. Jh. v. Chr. [5. 12]. Von seinen Werken ist
nichts erhalten.

Zum Kitharaspiel durch den Terpandros-Nachkom-
men Aristokleides (um 480) gebracht (schol. Aristoph.
Nub. 971), siegte Ph. an den Panathenaia von 446
[2. 40 ff.] und wurde um 416 von Timotheos besiegt
[4. 1332]. Durch gelöste Rhythmen (Phot. 320b), veränderte Saitenstimmung (Plut. de musica 1141f) und
kampaí (hier: »Modulationen«) [3. 184f., 190] erneuerte
er die terpandersche Kitharodie (Plut. de musica 1133b)
und ermöglichte die Neuerungen des Timotheos (Aristot. metaph. 993b 16; die Denkfigur dieses »entdecken-
den Findens« wird noch in der Hochscholastik benutzt
[6. 1035 f.]). Die Erhöhung der Saitenzahl von 7 auf 9
wurde ihm zugeschrieben (Plut. mor. 13,84a); ein
Schritt, der staatspolitische Konsequenzen haben (vgl.
Plat. rep. 424c) und durch Entfernung der neu hinzugekommenen Saiten geahndet werden konnte (vgl. das
spartanische Dekret in Boeth. de institutione musica 1,1;
Plut. de musica 1144f.); ein Krater des Asteas nimmt
möglicherweise Bezug auf die Entfernung der von Ph.
hinzugefügten Saiten [7. 140]. Von Aristophanes noch
getadelt (Aristoph. Nub. 969–971), wurde Ph. im späten
4. Jh. für → Terpandros ebenbürtig gehalten (Athen.
14,638bc).
→ Musik (IV. D.)

1 D. CAMPBELL (Hrsg.), Greek Lyric 5, 1993, 62–69
2 J. DAVISON, Notes on the Panathenaea, in: JHS 78, 1958,
23–41 3 I. DÜRING, Stud. in Musical Terminology in 5th
Century Literature, in: Eranos 43, 1945, 176–197
4 P. MAAS, s. v. Timotheus, RE 6A, 1331–1337
5 L. RICHTER, Die Neue Musik der griech. Ant., in: Archiv
für Musikwiss. 25, 1968, 1–18 6 J. RITTER, s. v. Fortschritt,
in: HWdPh 2, 1972, 1032–1059 7 A. TRENDALL, Illustrations
of Greek Drama, 1971.   R.O. HA.

Phrynon (Φρύνων).

[1] Olympiasieger. Moretti [1. Nr. 58] datiert seinen Sieg (eher im → Pankration als im Stadion) [2. 213: A 68] in die 36. Ol. = 636 v. Chr. Ant. Überl. zufolge starb er 607/6 im Zweikampf mit → Pittakos von Mytilene um den Besitz von → Sigeion. Die Tätigkeit als *oikistḗs* (Koloniegründer) legt aristokratische Herkunft nahe ([3. 63], anders [4. 160 Anm. 59]).

1 L. Moretti, Olympionikai, 1957 2 D. G. Kyle, Athletics in Ancient Athens, ²1993 3 H. W. Pleket, Zur Soziologie des ant. Sports, in: MededRom, n. s. 36, 1974, 57–87 4 D. C. Young, The Olympic Myth of Greek Amateur Athletics, 1984.   W.D.

[2] Athener aus Rhamnus, einer der zehn athen. Gesandten, die 346 v. Chr. den Philokratesfrieden (→ Philokrates [2]) mit → Philippos [4] II. aushandelten. Ph. war diesem bekannt, da er 348 von maked. Schiffen gefangen und von Athen freigekauft worden war, und sandte ihm seinen unmündigen Sohn (Demosth. or. 19,229–233: feindselig; Aischin. 2,12).

→ Aischines [2]; Demosthenes [2]; Philokrates [2]

Develin, 316–322 · M. P. J. Dillon, Ph. of Rhamnous and the Macedonian Pirates: The Political Significance of Sacred Truces, in: Historia 44, 1995, 250–254 · LGPN 2, s. v. Ph. (14).   K.KI.

Phrynos-Maler.

Attischer sf. Vasenmaler, Mitte 6. Jh. v. Chr., benannt nach dem Töpfer Phrynos (Φρῦνος), dessen Signatur auf drei → Kleinmeister-Schalen erh. ist. Die Bemalung einer dieser Schalen (London, BM B 424) ist als Meisterleistung der sf. Zeichenkunst berühmt geworden. Sie trägt auf der Lippe zwei kleine Szenen, die in äußerst knapper und zugleich amüsant drastischer Darstellungsweise die Geburt der → Athena und die Einführung des → Herakles in den Olymp wiedergeben. Von dieser Schale ausgehend hat Beazley dem Ph.-M. weitere Schalenbilder und auch die ausdrucksvollen Szenen der Liebeswerbung eines Mannes um einen Jüngling auf einer Bauchamphora in Würzburg (Martin von Wagner Mus. L 269) zugewiesen, außerdem mindestens eine Amphore der sog. »Botkin-Klasse«. Es ist nicht sicher, ob zwei weitere vom Töpfer Phrynos signierte Schalen vom Ph.-M. bemalt sind. Auch neuere Zuschreibungen helfen nicht, den Stil des Malers klarer zu erfassen.

Beazley, ABV, 168–170 · Beazley, Paralipomena, 70–71 · Beazley, Addenda², 48 · J. D. Beazley, The Development of Attic Black-figure, ²1986, 49–50 · H. Mommsen, Zwei sf. Amphoren aus Athen, in: AK 32, 1989, 134–137 · H. A. G. Brijder, A Band-Cup by the Phrynos Painter in Amsterdam, in: M. Gnade (Hrsg.), Stips Votiva, FS C. M. Stibbe, 1991, 21–30.   H.M.

Phthas (Φθᾶς, Φθάς; äg. *Ptḥ*, Ptah)

war zunächst der Schöpfergott von → Memphis, erhielt jedoch später auch andernorts, z. B. im äg. Theben, Kulte [10]. Wie → Thot der Schreiber und Gelehrte *par excellence* war,

galt Ph. als der Handwerker, speziell Metallbearbeiter [4]; die → *interpretatio Graeca* kennt ihn als → Hephaistos. Zusammen mit seiner Gemahlin → Sachmet, einer löwenköpfigen Seuchengöttin, und beider Sohn Nefertem (mit dem → Lotos verbunden) bildete Ph. die memphitische Götter-Triade. V. a. in der Spätzeit (1. Jt. v. Chr.) wurde dem Ph. als weiterer Sohn der vergöttlichte Weise Imhotep (→ Imuthes [2]) zugesellt. Als »Seele« oder »Herold« des Ph. galt der Apisstier (→ Apis [1]). In der Ramessidenzeit gehörte Ph. zusammen mit → Amun und → Re zu den »Reichsgöttern« Ägyptens und nahm mit ihnen zusammen einen wichtigen Platz im theologischen System der Zeit ein. Enge Verbindungen ging Ph. mit dem Toten- und Handwerkergott Sokar als Ph.-Sokar-Osiris und mit dem Urgott Tatenen ein. Bes. mit letzterem wurde er z. T. direkt identifiziert. Eine ikonographische Sonderform ist die Darstellung als Zwerg (Patäke; → Pataikoi), die einerseits apotropäische Funktion besaß, andererseits mit den handwerklichen Aktivitäten des Gottes verbunden war [2].

Das Schöpfungswerk des Ph. wurde auf unterschiedliche Weise vorgestellt – neben die handwerkliche Komponente tritt die Schöpfung durch das Wort im sog. »Denkmal memphit. Theologie«, einem Text, in dem die übrigen Götter als Zähne und Lippen des Gottes, der mit Herz und Zunge schafft, dargestellt werden [5; 6]. In der sog. »Chonskosmogonie« von Karnak zeugt der mit Amun und Chons gleichgesetzte Ph. zunächst ein Ei, aus dem Hathor hervorgeht, mit der er wiederum die acht Urgötter zeugt [8]. Letzteren Bericht kolportiert in stark verkürzter Form noch Porph. de cultu simulacrorum (bei Eus. Pr. Ev. 3,11,45–47). Daneben spielt Ph. in den überl. Mythen eine erstaunlich geringe Rolle. Im Gegensatz zu anderen bed. Gottheiten ging er auch keine synkretistische Verbindung mit dem Sonnengott ein.

Der Charakter des Ph. als Handwerker äußerte sich nicht nur im Titel seines Oberpriesters in Memphis (*wr ḥrp ḥmw.t*, »Oberster Handwerksleiter«) [7], sondern trug ihm in später Zeit auch eine Verbindung mit der sich entwickelnden → Alchemie ein. So gilt er als Autor eines demotischen Traktats (Manuskript aus dem frühen 2. Jh. n. Chr.) über Textilfärbung [9]. Noch Zosimos von Panopolis (um 300 n. Chr.) will einen Schmelzofen im Tempelbezirk des Ph. in Memphis untersucht haben [11. Bd. 3, 224,4–6]. Der in spätant. alchemistischen Schriften als Autorität zitierte → Ostanes [2] soll einer Trad. zufolge Priester des Ph. in Memphis gewesen sein [11. Bd. 3, 57,1–15]. Allg. galt Memphis offenbar als Zentrum der Alchemie. Auch in der späten Magie spielte Ph. eine Rolle; sein Name erscheint in griech. und aram. Texten unter den *voces magicae* [1] (→ Zauberpapyri).

→ Weltschöpfung

1 W. M. Brashear, The Greek Magical Papyri: an Introduction and Survey; Annotated Bibliography (1928–1994), in: ANRW II 18.5, 1995, 3596, 3600

2 V. DASEN, Dwarfs in Ancient Egypt and Greece, 1993
3 W. ERICHSEN, S. SCHOTT, Frg. memphitischer Theologie
in demot. Schrift, 1954 4 W. HELCK, Zu Ptah und Sokar, in:
U. VERHOEVEN, E. GRAEFE (Hrsg.), FS Derchain, 1991,
159–164 5 H. JUNKER, Die Götterlehre von Memphis, 1940
6 Ders., Die polit. Lehre von Memphis, 1941 7 CH.
MAYSTRE, Les grands prêtres de Ptah de Memphis, 1992,
3–13 8 R. A. PARKER, L. H. LESKO, The Khonsu
Cosmogony, Pyramid Studies, 1988, 168–175 9 J. F.
QUACK, Von der altäg. Textilfärberei zur Alchemie, in:
B. KULL (Hrsg.), Die Rolle des Handwerks und seiner
Produkte in vorschrifthistor. und schrifthistor.
Gesellschaften (im Druck) 10 M. SANDMAN-HOLMBERG,
The God Ptah, 1946 11 M. BERTHELOT (ed.), Collection
des anciens alchimistes grecs, 1888 (Ndr. 1963). A. v. L.

Phthia

[1] (Φθία, Φθίη). Das Reich des → Peleus und → Achilleus [1], Heimat der → Myrmidones (Hom. Il. 1,155; 2,683 f.; 762–767; 19,323; Hom. Od. 11,496), also das Tal des → Spercheios mit der anschließenden Nordküste des Thermaios Kolpos (Strab. 9,5,8). Der Spercheios galt als Heimatfluß des Achilleus (Hom. Il. 23,140–144), Phthios als Sohn des Spercheios (schol. Hom. Il. 23,142); die → Dolopes wohnten ›im äußersten Teil von Ph.‹ (Hom. Il. 9,484), die → Ainianes betrachteten sich als Nachkommen der Myrmidones (Skymn. 616 f.). Schon bei Homer heißen aber die Bewohner der Achaia Phthiotis (dem Reich des → Protesilaos), *Phthíoi* (Φθῖοι, Hom. Il. 2,695–699; 13,693–700), Peleus und → Thetis gehören urspr. zum → Pelion, wo Achilleus vom Kentauren → Chiron erzogen wurde. Ph. dürfte also urspr. ganz Süd- und Ost-Thessalia umfaßt haben, wo der Name in den beiden Landschaften → Phthiotis weiterlebt, vielleicht Thessalia überhaupt (dazu Strab. 9,5,4–7). Schon im Alt. wurde Ph. vielfach für eine Stadt gehalten, sicherlich zu Unrecht; → Pharsalos erhob den Anspruch, die homerische Ph. zu sein (Strab. 9,5,6; Steph. Byz. s. v. Φ.).

E. BERNERT, s. v. Ph. (1) und (2), RE 20, 949–955 · J. C. DECOURT, La vallée de l'Enipeus en Thessalie, 1992, vgl. Index · R. HOPE SIMPSON, J. F. LAZENBY, The Kingdom of Peleus and Achilles, in: Antiquity 33, 1959, 102–105 · E. VISCHER, Homers Kat. der Schiffe, 1997, 654–657.

HE. KR. u. E. MEY.

[2] (Φθία). Tochter des Alexandros [10] und der Olympias, Tochter des → Pyrrhos. Sie wurde von der Mutter mit Demetrios [3] vermählt, um dessen Hilfe gegen die → Aitoloi zu gewinnen. Die Gemahlin des Demetrios, → Stratonike, floh darauf zu ihrem Brudes Antiochos [3] und hetzte ihn gegen Demetrios auf. Falls Ph. im J. 234 v. Chr. starb (so [2. 17] nach Syll.³ 485), kann sie mit Chryseis identisch sein, der Mutter des Philippos [7] V.

1 J. SEIBERT, Histor. Beitr. zu dynastischen Verbindungen in hell. Zeit, 1967, 37 f. 2 W. W. TARN, Philipp V und Ph., in: CQ 18, 1924, 17–23. E. B.

Phthiotis (Φθιῶτις). Name zweier Landschaften, die schon in jüngerer ant. Lit. nicht auseinandergehalten wurden: 1) die thessalische Ph., der südlichste Teil von Thessalia, das Gebiet von → Pharsalos (Hellanikos FGrH 4 F 52; Aristot. fr. 497; Strab. 9,5,3); 2) die südl. und südöstl. anschließende Landschaft Achaia Ph., das Gebiet des → Othrys, der Ebene von Halmyros und des Nordufers des Thermaios Kolpos mit mehreren Städten (Skyl. 63; Hdt. 1,56; 7,132; Thuk. 1,3; Herakleides Kretikos fr. 3,2; Skymn. 605; Strab. 1,2,38; 9,5,1; 5,8–11; Pol. 18,20,5; Ptol. 3,13,46). Achaia war urspr. als Gebiet von → *períoikoi* von Thessalia abhängig (Aristot. pol. 1269b 6; Thuk. 8,3,1), aber selbständiges Mitglied der delphischen → *amphiktyonía* (Aischin. 2,116; Harpokr. s. v. Ἀμφικτύονες; Paus. 10,8,2). Nach 363 v. Chr. war die Ph. von Thessalia getrennt, mit Boiotia verbündet (Diod. 17,57,3), fiel aber im → Lamischen Krieg ab (Diod. 18,11,1). Im 3. Jh. v. Chr. kam es zum Anschluß an den Aitolischen Bund (→ Aitoloi, mit Karte); 196 v. Chr. wurde die Ph. von Rom für frei erklärt und an Thessalia angeschlossen, wo die Landschaft seitdem verblieb (Pol. 18,46(29),5; 47(30),7).

E. BERNERT, s. v. Ph., RE 20, 955–958 · PHILIPPSON/KIRSTEN 1, vgl. Index · F. STÄHLIN, Das hellenische Thessalien, 1924, 135–144 · E. VISCHER, Homers Kat. der Schiffe, 1997, 661–668.

HE. KR.

Phthonos (φθόνος, lat. *invidia*). »Neid«, »Mißgunst«, insbes. der sog. *phthónos theõn*, der »Neid der Götter«, der sich gegen Menschen richtet, die die ihnen gesetzten Grenzen zum Göttlichen hin zu überschreiten trachten (→ Hybris); (vgl. Hdt. 1,32; 3,40 etc.); als Personifikation erscheint Ph. bei Eur. Tro. 768 u. a. L. K.

Phye (Φύη). Tochter des Sokrates aus dem Demos Paiania. Sie wurde wegen ihrer großen Gestalt (ca. 1,80 m) bei der zweiten Machtergreifung des → Peisistratos [4] 546/5 v. Chr. als Göttin Athene in Waffen gekleidet auf einem Wagen mitgeführt, zum Zeichen, daß die Göttin ihm den Weg weise (Hdt. 1,60; Aristot. Ath. pol. 14). Schon Herodot erzählt dies in Form einer Legende. In späteren Versionen wird Ph. zu einer thrakischen Kranzverkäuferin. Der Name Ph. ist auch für die Ehefrau des → Hipparchos [1] überl. (Kleidemos FGrH 323 F 15).

H. BERVE, Die Tyrannis bei den Griechen, 1967, 545, 555. B. P.

Phyge (φυγή). Wörtlich »Flucht« aus der Rechtsgemeinschaft wegen drohender → Blutrache, woraus der Zustand der »Verbannung« folgt. Für → Mord in Athen schon von Drakon (E. 7. Jh. v. Chr.) vorgesehen (IG I³ 104,11), später im griech. Recht oft anstelle der Todesstrafe geduldet (Demosth. or. 23,69) oder für polit. Verbrechen als Sanktion angeordnet, lebenslänglich (→ *aeiphygía*) oder zeitlich begrenzt (→ *apeniautismós*, im Falle des → Ostrakismos auf 10 J.; durch Volksbeschluß oder → *aídesis* (Bußvertrag) widerruflich. Der massenhaften *ph.* im 4. Jh. v. Chr. machte Alexandros [4] d. Gr. 324 durch einen Brief an die griech. Poleis ein Ende, indem er die Verbannung nahezu ganz aufhob (Diod. 18,8) [3].

> 1 O. SCHULTHESS, s. v. Ph., RE 20, 970–979 **2** TH. C. LOENING, The Reconcilation Agreement of 403/402 B. C. in Athens, 1987 **3** IPArk Nr. 5. G. T.

Phylake (Φυλάκη).

[1] Bei Homer und in anderer früher Dichtung und davon abhängigen Stellen gen. Stadt der Achaia → Phthiotis in der Ebene von Halmyros. Ph. war Heimat des → Protesilaos; noch Pind. I. 1,83 f. erwähnt Ph. mit einem Heiligtum des Protesilaos. Später ist Ph. offenbar in Thebai Phthiotides aufgegangen (Herakleides fr. 3,3 setzt Ph. damit gleich), welches die kulturellen und myth. Trad. von Ph. weiterführte. Eine genauere Lokalisierung bei Thebai ist nicht möglich. Belege: Hom. Il. 2,695; 13,696; 15,335; Strab. 9,5,8; 9,5,14.

> E. KIRSTEN, s. v. Ph. (4), RE 20, 983–987 · F. STÄHLIN, Das hellenische Thessalien, 1924, 173 · E. VISCHER, Homers Kat. der Schiffe, 1997, vgl. Index. HE. KR. u. E. MEY.

[2] Ort im Grenzbereich zw. Tegea und Sparta, wo der → Alpheios [1] entspringt (Paus. 8,54,1 f.), der östl. Ursprungsarm des h. Sarandapotamos, also wohl westl. von Vurvura zw. Tegea und Sparta. In Tegea gab es einen Demos Φυλακεῖς (Paus. 8,45,1).

> 1 PRITCHETT 4, 185 f. · PRITCHETT 5, 85–91. Y. L.

Phylakopi (Φυλακοπή, mod. ON). Prähistor. Siedlungsstätte an der östl. Steilküste der Insel → Melos, eines der wichtigsten brz. Zentren der Ägäis, bed. durch seinen Obsidian-Handel. Drei Siedlungsphasen wurden festgestellt: Ph. I (24.–21. Jh. v. Chr.), eine ausgedehnte Siedlung, kaum städtisch, wohl durch Erdbeben zerstört; Ph. II (2000–1600 v. Chr.), befestigt, teilweise mit mehrstöckigen Häusern, mit Kontakten zu → Knosos (Keramik) und zum griech. Festland, ferner Täfelchen mit → Linear A, zerstört durch Brandkatastrophe; Ph. III (seit 1600 bzw. seit 1400 v. Chr.), stark befestigt (doppelter Mauerzug, 6 m dick, mit Kasematten), Häuser mit Wandmalereien, rechtwinklige Straßenführung; anfangs unter minoischem, später unter myk. Einfluß (Palast, Megaron, Heiligtum). Ph. wurde um 1100 v. Chr. verlassen, wohl von → Dorieis zerstört.

→ Ägäische Koine (mit Karten); Naturkatastrophen

> H. KALETSCH, s. v. Ph., in: LAUFFER, Griechenland, 547 f. (Lit.) · C. RENFREW, The Archaeology of Cult. The Sanctuary at Ph., 1985. A. KÜ.

Phylakos (Φύλακος).

[1] Myth. Gründer und Eponym von Phylakia (Attika), auch von → Phylake [1]. Sohn des Deïon(eus) [1] und der Diomede, der Tochter des → Xuthos (Apollod. 1,51; 86), Vater des Iphiklos (Hom. Il. 2,705; 13,698) und der → Alkimede (Apoll. Rhod. 1,47). Ph. verursacht durch die Drohung mit einem vom Verschneiden von Böcken blutigen Messer die Unfruchtbarkeit seines

Sohnes. Als → Melampus [1] im Kampf seines Bruders → Bias [1] um die Rinder des Iphiklos (als Brautgabe für → Pero) den Iphiklos heilt, erhält er die Rinder kampflos für seinen Bruder (vgl. Hom. Od. 11,287 ff., 15, 225 ff., wo die Gesch. bereits angedeutet ist).

[2] Ortsheros von → Delphoi: »Wächter«, dessen Heiligtum vor dem der Athena Pronaia lag [1. 52 mit 48 Abb. 4 Nr. 17/18]. Ihm und Autonoos wurde die Hilfe beim Persereinfall 480 v. Chr. (Hdt. 8,36–39; Paus. 10,8,4) sowie beim Keltensturm 279 v. Chr. (Paus. 10,8,7 f.; 23,2) zugeschrieben.

> 1 J.-F. BOMMELAER, D. LAROCHE, Guide de Delphes: Le site, 1991. L. K.

Phylakterion (φυλακτήριον, wörtl. »das Schutzmittel«) bezeichnet die um Schutz bittende rel. Formel (PGM VII 317 f.) ebenso wie das Amulett, von dem man sich Schutz verspricht, lat. *amuletum* (Char. 1,15; [1]). Da man Amulette um Hals, Kopf, Arme und Beine oder an der Kleidung befestigt trug, hießen sie auch griech. περιάμματα/*periámmata* oder περίαπτα/*períapta* (Plat. rep. 426b; vgl. Pind. P. 3,52 f.: *periáptōn phármaka*), lat. *ligamenta* oder *ligaturae* (Aug. serm. 4,36; vgl. Cato agr. 160: *adligare*), »umgebundene Gegenstände«. Die ant. Terminologie ist hier unbestimmter und weiter gefaßt als das mod. Begriffsfeld, weshalb die religionswiss., nach den Paradigmata des späten 19. Jh. gebildete Unterscheidung zw. Talisman, Amulett und apotropäischem Zeichen für den ant. Befund überdeterminiert ist.

Als Amulette dienten einfache oder geknotete Fäden [2] und Bänder; Pflanzen, Tiere und sogar Teile von menschlichen Gliedern; Steine, Ringe und Gemmen [3–5]; Nägel, Figurinen und Götterbilder. Eine weitere Gruppe bildeten Streifen, Plättchen (*lamellae*) oder Täfelchen aus Papyrus, Holz, Leder, Wachs und Metall, die beschriftet an Bändern und gefaltet in Hüllen oder Kapseln getragen wurden [6; 7; 16]. Amulette wurden von Spezialisten – durchaus auch häufig in Massenproduktion – hergestellt und zum Verkauf angeboten (Aristoph. Plut. 883–885), konnten aber auch von Individuen ohne bes. Kenntnisse und mit geringem Aufwand für ihre eigenen Bedürfnisse angefertigt werden (Plin. nat. 28,27).

Durch rituelle Strategien der Verschriftlichung – etwa durch das Hinzufügen von Zahlen, Figuren, Symbolen, geheimnisvollen Zeichen (*charaktḗres*) und Namen, durch Vokalanhäufungen und das Aneinanderreihen scheinbar sinnloser Buchstabenfolgen wie der sog. *Ephésia grámmata*, durch die schriftliche Anrufung von *daímones* (→ Dämonen), Göttern (z. B. Abrasax, Aion, Hekate, Helios, Hermes, Isis, Serapis: [8. 222]) und von »magischen«, v. a. ägypt. oder jüd. Namen (z. B. Iaõ, Jeu, Moses, die auch in nichtchristl. und nichtjüd. Kontexten regelmäßig erscheinen) – versuchte man, die Wirksamkeit eines *ph.* weiter zu steigern; die schriftliche Konkretisierung der Anwendungsbereiche in Prosa (PGM CXXI), Versen (PGM IV 2145–2240), Zaubersprüchen, Beschwörungen und Gebeten [6. 110–122; 7; 16] präzisierte die erwünschte Funktion des jeweiligen Amuletts gegenüber den göttlichen Adressaten. Zum Material, zu den bevorzugten Orten, Zeitpunkten sowie Einzelheiten der ordnungsgemäßen Herstellung und Anwendung von Amuletten liegen z.B. in den → Zauberpapyri detaillierte Anweisungen vor (PGM IV 52–85; VII 186–221; 628–640; XII 201–210; XCIV 10–16), ebenso zu den komplexen Ritualsequenzen, in denen Amulette konsekriert wurden, um wirksam und im Einzelfall »belebt« zu werden (PGM IV 1596–1715; VII 590; XII 201–269; 270–350; [9]). Unter Kundigen kursierten vielfältige Zaubersprüche (ἐπῳδαί / epōidaí; lat. *carmina*), durch deren mündlichen Vortrag man die Wirkung eines Amuletts zu verstärken hoffte [6. 108–110, 113 f.] (→ Magie). Die Vielzahl solcher Anweisungen sowie ihre rituelle (Über-)Genauigkeit bei gleichzeitiger Beliebigkeit der beigegebenen theologischen Erklärungsmuster lassen auf eine große Heterogenität der Glaubensvorstellungen schließen.

Bezeichnungen wie *ph.*, griech. *(pro)baskánion* (Aristoph. fr. 592 HALL-GELDART) oder lat. *praebia* (Varro ling. 7,107; Fest. 276 L.) bringen die »Schutz«-Funktion der Amulette – entweder zur Prophylaxe oder als im konkreten Fall anzuwendendes Heilmittel (*phármakon*, lat. *remedium*) – zum Ausdruck: Schutz gegen eine große Bandbreite von Krankheiten (ausführlich wird in der Ant. die Wirkkraft einzelner Pflanzen, Tiere und Steine diskutiert: [10. 401–404; 11]), gegen physische und moralische Fehler (PGM CXXI), gegen *daímones* und übernatürliche Kräfte (PGM VII 579–590), gegen Zaubermittel, Flüche und → *defixiones* [16. 85 f.]; deshalb die »apotropäische« Verwendung von Gegenständen oder Symbolen wie z.B. dem → *phallós*, der → Gorgo [1] oder dem Auge des »Bösen Blicks«. *Phylaktḗria* wurden dem Neugeborenen überreicht (→ Lebensalter D.) und in Gräbern deponiert (Plin. nat. 37,66); hierzu zu ziehen ist die Installation von Götterstatuen, -bildern, → Hermen und Masken an Stadttoren, auf Straßen, an Türen und in Räumen zum Schutz oder zur Mehrung der Stadt, des Hauses und des Besitzes (PGM IV 2359–2372; ausführlich: [12]). Neben der defensiven Verwendung von Amuletten steht ihr Einsatz für die Erlangung von materiellem Wohlstand, von Schönheit und Anmut, von Sieg oder Freundschaft (z.B. [7. Nr. 58 Z. 37 ff.]), für den Erfolg bei einem sexuellen Abenteuer oder den Tod eines Feindes, sogar für die Nutzbarmachung göttlicher und menschlicher Mächte (PGM XIa 1–40; → Paredros B.).

Die Benutzung von Amuletten war – und ist – kein Phänomen von Volksrel. und Aberglaube, sondern läßt sich für alle Schichten der griech.-röm. Ant. belegen (ausführlich: Plin. nat. 28–34; Perikles: Theophr. fr. L21 FORTENBAUGH; Sulla: Plut. Sulla 29,11 f.; Augustus: Suet. Aug. 90; Apuleius: Apul. apol. 61). Man hat die Amulettpraxis in dem strikten Gegensatz von → Magie und Rel. zu fassen versucht, doch die rituellen Formen und Vorstellungen »magischer« und traditioneller rel.

Handlungen konvergierten in vielen Punkten (bis hin zum → Opfer vor dem Amulett wie vor einem Götterbild: Suet. Nero 56; PGM IV 2373–2440), so daß die vorgebliche Differenz beider Bereiche in handlungstheoretischer Perspektive durch ein Modell, das auf ihre Kohärenz abstellt, ersetzt werden sollte (vgl. [6. 122; 8. 220–222]).

Einige Amulette lassen die urspr. Tragweite leicht erkennen. Magische Gemmen sind häufig durchbohrt und konnten einzeln oder im Kontext in eine Halskette eingefügt werden. Andere Gemmen sind in ant. Fingerringen erhalten [5]. Amulettkapseln, wie man sie ebenfalls an der Halskette trug, kennen wir von den Darstellungen der → Mumienporträts [16. 6 f.]. Doch ebenso oft lassen die erh. Amulette ihre Tragweite nicht mehr erkennen [19. 41 f.].

Auch unter Juden und Christen waren Amulette weit verbreitet [10. 407–410; 13; 14; 15. 499–502; 16]; v.a. die christl. Amulett-Trad. ist das Bindeglied zw. der ant. und der byz. bzw. ma. Amulettpraxis [17]. Zwar unterscheiden sich die von Juden und Christen verwendeten Zeichen, Symbole und angerufenen Namen vor allem seit der Spätant. zusehends von denen ihrer heidnischen Umwelt, doch greifen sowohl die rituellen Formen als auch die konkreten Vorstellungen und Ziele, die in den jüd. und christl. Amuletten zum Ausdruck kommen [18], auf altbekannte und nur individualpsychologisch auflösbare Muster zurück.

→ Amulett (Alter Orient und Ägypten); Dämonen; Defixio; Fluch; Magie; Zauberpapyri

1 R. WÜNSCH, Amuletum, in: Glotta 2, 1911, 219–230 2 P. WOLTERS, Faden und Knoten als Amulett, in: ARW 8, 1905, 1–22 3 A. DELATTE, PH. DERCHAIN, Les intailles magiques gréco-égyptiennes, 1964 4 J. HALLEUX, J. SCHAMP (Hrsg.), Les lapidaires grecs, 1985 5 H. PHILIPP, Mira et Magica, 1986 6 R. KOTANSKY, Incantations and Prayers for Salvation on Inscribed Greek Amulets, in: C.A. FARAONE, D. OBBINK (Hrsg.), Magika Hiera, 1991 7 Ders., Greek Magical Amulets. The Inscribed Gold, Silver, Copper and Bronze Lamellae. Bd. 1: Published Texts of Known Provenance, 1994 8 J.G. GAGER, Curse Tablets and Binding Spells from the Ancient World, 1992, 218–242 9 S. EITREM, Die magischen Gemmen und ihre Weihe, in: Symbolae Osloenses 19, 1939, 57–85 10 F. ECKSTEIN, J. H. WASZINK, s.v. Amulett, RAC 1, 1950, 397–411 11 J. SCARBOROUGH, The Pharmacology of Sacred Plants, Herbs, and Roots, in: [6], 138–174 12 C.A. FARAONE, Talismans and Trojan Horses, 1992 13 J. NAVEH, S. SHAKED, Amulets and Magic Bowls. Aramaic Incantations of Late Antiquity, ²1987 14 Dies., Magic Spells and Formulaic Aramaic Incantations of Late Antiquity, 1993 15 K. VON STUCKRAD, Das Ringen um die Astrologie, 2000 16 TH. GELZER u.a. (Hrsg.), Lamella Bernensis: ein spätant. Goldamulett mit christl. Exorzismus und verwandte Texte, 1999 17 K. HAUCK (Hrsg.), Der histor. Horizont der Götterbild-Amulette aus der Übergangsepoche der Spätant. zum Frühmittelalter, 1992 18 M. SMITH, Salvation in the Gospels, Paul, and the Magical Papyri, in: Helios 13, 1986, 63–74 19 R. WÜNSCH, Ant. Zaubergerät aus Pergamon, 1905.

C. BONNER, Studies in Magical Amulets, Chiefly Graeco-Egyptian, 1950 • R. HEIM, Incantamenta Magica Graeca Latina, in: Jbb. für classische Philol. Suppl.-Bd. 19, 1892, 463–576 • L. ROBERT, Amulettes greques, in: Journal des Savants, 1981, 3–44 (= ROBERT, OMS 7, 465–506).

A. BEN.

Phylarchos (φύλαρχος, »Chef« einer → *phylē* [1]).

[1] In vielen griech. Poleis waren die *phýlarchoi* Phylenvorsteher mit hohen beratenden oder magistratischen Funktionen: In Epidamnos bildeten Phylenvorsteher auch den Beirat des leitenden Beamten (*árchōn*) und wurden im 5. Jh. v. Chr. in dieser Funktion durch einen Rat auf breiterer Basis abgelöst (Aristot. pol. 1301b 22 f.); in Kyzikos agierten *ph.* als Kollegium und übten mit den dortigen höchsten zivilen und mil. Beamten (*stratēgoí*) hohe magistratische Funktionen aus [1. Nr. 59 mit Komm.]; ähnliche Aufgaben hatten sie in Poleis in Thrakien (IGBulg III 2, 1803, 1830) und in hellenisierten kleinasiat. Städten [2. 156 f.; 270; 274; 289 f.; 346; 349; 351].

[2] In Athen bis zur Einführung der *stratēgía* (s. → *stratēgós*) 501/500 v. Chr. zunächst Führer der Aufgebote der vier altattischen, seit 507 der zehn kleisthenischen Phylen (Hdt. 5,69,2; → Kleisthenes [2]; → Attika mit Karte zur kleisthen. Phylenordnung); dann Kommandeure der Reiterkontingente der Phylen (Aristot. Ath. pol. 61,5).

[3] Griech. Bezeichnung für hebräische »Sippenhäupter« der vormonarchischen Zeit (LXX Dt 31,28) und für arabische »Häuptlinge« (Strab. 16,1,28).

1 F. G. MAIER, Griech. Mauerbauinschr., Bd. 1, 1959 2 N. F. JONES, Public Organization in Ancient Greece, 1987.

F. GSCHNITZER, s. v. Ph., RE Suppl. 11, 1067–1090.

K.-W. WEL.

[4] Ph. aus Athen oder Naukratis (Ph. FGrH 81 T 1), griech. Historiker des 3. Jh. v. Chr., einer der Hauptvertreter der »tragischen« bzw. »mimetischen« → Geschichtsschreibung (II. C.) [1. 93–108; 2. 95–102; 222 Anm. 22].

Ph. verfaßte *Historíai* in 28 B., die vom Tod des → Pyrrhos (272 v. Chr.) bis zum Tod des Spartanerkönigs → Kleomenes [6] III. (220/119 v. Chr.) reichten (FGrH 81 T 1) und von denen 60 Fr. erh. sind (FGrH 81 mit Komm.). Damit setzte er das Werk des Duris von Samos (s. → Geschichtsschreibung II. C.) und des Hieronymos [6] von Kardia fort. → Polybios [2] (Pol. 2,56–63 = FGrH 81 F 53–56) kritisiert Ph.' Parteinahme für Kleomenes sowie seine antiachaiische Tendenz und wirft ihm zurecht eine »sensationsbetonte Darstellung« (*terateía*) vor. Ph.' Werk enthielt zudem viele histor. fragwürdige Exkurse, u. a. wunderbare Begebenheiten (FGrH 81 F 10; 17; 35), seltsame Tiergeschichten (F 4; 26; 28; 38; 61), mannigfaltige Anekdoten (F 12; 31; 40; 41; 75) und allerlei Liebesaffären (F 21; 24; 30; 32; 70; 71; 81). Deshalb ist seine Glaubwürdigkeit (entgegen [3]) nicht hoch zu veranschlagen. Den Stil des Ph. beurteilt Dionysios [18] von Halikarnassos (Dion. Hal. comp. 4 = FGrH 81 T 4) sehr negativ.

Ph. diente → Plutarchos [2] als Hauptquelle für die Viten des Agis [4] und Kleomenes [6] und als Nebenquelle für die des → Pyrrhos und Aratos [2]; er wurde auch von Pompeius [III 3] Trogus ausgiebig benutzt [4. 106–108]. Daneben finden sich zahlreiche (wörtl.) Zitate bei Athenaios.

Alle kleineren Schriften (vgl. FGrH 81 T 1) des Ph. sind verloren: Die ›Gesch.‹ des Antiochos und des Eumenes von Pergamon‹ ist wohl ein Nachtrag zu den *Historíai*, der sich auf Antiochos [5] III. (223–187) und Eumenes [3] II. (seit 197) bezog; eine kurzgefaßte Sagengeschichte (›Mythische Epitome‹); ›Ungeschriebenes‹ (*Ágrapha*); ›Erfindungen‹ und ›Über die Epiphanie des Zeus‹. Ed.: FGrH 81.

→ Geschichtsschreibung (II. C.)

1 K. MEISTER, Histor. Kritik bei Polybios, 1975 2 Ders., Die griech. Geschichtsschreibung, 1990 3 H. STRASBURGER, Die Wesensbestimmung der Gesch. durch die griech. Geschichtsschreibung, ³1975 4 H.-D. RICHTER, Unt. zur hell. Historiographie, 1987.

J. KROYMANN, s. v. Ph., RE Suppl. 8, 471–489 • E. GABBA, Studi su Filarco, 1957 • T. W. AFRICA, Ph. and the Spartan Revolution, 1961 • G. MARASCO, Filarco e la religione, in: FS E. Manni, Bd. 4, 1980, 1387–1402 • P. PÉDECH, Trois historiens méconnus: Théopompe, Duris, Phylarque, 1989 • S. STELLUTO, Il motivo della *tryphé* in Filarco, in: J. GALLO (Hrsg.), Seconda miscellanea filologica, 1995, 47–84.

K. MEI.

Phylas (Φύλας).

[1] König der Thesproter, Vater der → Astyoche [4] (Astyocheia bei Hom. Il. 2,658). → Herakles [1] kämpft auf der Seite der Kalydonier gegen die Thesproter, nimmt → Ephyra [3] ein, tötet Ph., nimmt seine Tochter als Gefangene mit und zeugt mit ihr → Tlepolemos (Hom. Il. 2,653–660; Apollod. 2,149, vgl. Soph. Trach. hypothesis; Apollod. 2,166; Apollod. epit. 3,13). Bei Diod. 4,36,1 heißt derselbe König Phyleus.

[2] König der Dryoper, frevelt (ein Festschmaus im Hain des → Apollon: Apollod. 2,155; vgl. Soph. Trach. hypothesis) gegen das Heiligtum in → Delphoi, woraufhin → Herakles [1] mit den Meliern gegen ihn zieht, ihn tötet und mit seiner Tochter → Meda [3], die er als Gefangene mitnimmt, den Antiochos zeugt (Diod. 4,37,1; Paus. 1,5,2; 10,10,1). Bei Apollod. l.c. wird der König Laogoras genannt (vgl. Tzetz. chil. 2,466). Über das Schicksal der Dryoper: Paus. 4,34,9 f.

SI. A.

Phyle

[1] (φυλή, Pl. *phylaí*).

I. DEFINITION   II. HERKUNFT, VERBREITUNG, WANDEL   III. BENENNUNG UND FUNKTION

I. DEFINITION

Als *phylaí* bezeichneten die Griechen Gruppen oder Kategorien von Menschen (oder Tieren) verschiedenster Größe, also auch Völker und Stämme, in die sie selbst oder die »Ethnien« (*éthnē*) der → Barbaren sich gliederten. Eindeutig vorherrschend ist jedoch der technische Gebrauch des Begriffes für die größten Untereinheiten des → pólis-Staates. Wie bei den Bezeichnungen für andere Untergliederungen der pólis wurde auch mit dem Terminus ph. das Idiom der Verwandtschaft auf die Binnenorganisation der póleis übertragen.

II. Herkunft, Verbreitung, Wandel

Urspr. offenbar nur bei Ioniern (→ Iones) und Doriern (→ Dorieis) gebräuchlich, wurde die ph. seit dem 8. Jh. v. Chr. zu dem am weitesten verbreiteten Gliederungselement der pólis-Staaten. In NW-Hellas wie auch bei den → Aioleis [1] lassen sich ph. jedoch für die archa. Epoche nicht nachweisen und wurden hier z. T. erst in hell. Zeit eingeführt. Demnach besteht keine prinzipielle Verbindung zwischen der Entstehung oder dem Funktionieren der pólis und der Existenz von ph.

Zahl und Namen der ph. stimmten in den verschiedenen Städten der Ionier (Geleontes, Aigikoreis, Argadeis, Hopletes; dazu s. → Iones) und denen der Dorier (Hylleis, → Dymanes, Pamphyloi) anfangs weitgehend überein. Aufgrund der neueren Unt. von [4] wird die traditionelle Erklärung der in zahlreichen ion. und dor. póleis übereinstimmenden ph. als Erbe urspr. Stammesstrukturen zunehmend bezweifelt und stattdessen angenommen, daß die erkennbaren Kongruenzen erst mit oder nach der pólis-Genese, also nach der Wanderungsepoche (→ Dorische Wanderung; → Kolonisation II.) durch sekundäre Kontakte und Entlehnungen entstanden sind. Die Erklärung der Übereinstimmung der ph. wie auch der ph.-Namen als kulturelle und polit. Konvergenzen sowie ihre Herleitung von einer späten Identitätsbildung bei Ioniern und Doriern während archa. Zeit (8.–6. Jh. v. Chr.) sind jedoch nicht zwingend. Zwar könnte etwa die Effizienz der ph.-Ordnung eine Weitergabe von Stadt zu Stadt erklären, nicht aber die Übereinstimmungen der ph.-Namen in miteinander konkurrierenden und sich oft bekriegenden póleis. Auch besaß keine dor. bzw. ion. Stadt während der sog. → Dunklen Jahrhunderte oder der Frügharchaik genügend Einfluß, um die eigenen ph. innerhalb der jeweiligen Ethnie als bes. Merkmal derselben durchzusetzen. Die urspr. Übereinstimmungen deuten also eher darauf hin, daß die ph. sich bereits als Bestandteile dieser Ethnie vor deren Ausbreitung etabliert hatten und sich im Prozeß der pólis-Werdung zu Abteilungen der Gemeinden wandelten.

Im Verlauf der archa. → Kolonisation (IV.) wurde ab dem 8. Jh. v. Chr. in der Regel die ph.-Ordnung der → mētrópolis [1] in die → apoikía exportiert, konnte dort aber nach Bedarf um weitere ph. ergänzt werden. Im griech. Mutterland führten Reformen zu einer erheblichen Differenzierung von Anzahl und Abgrenzungsprinzipien, wobei territoriale Einteilungen dominierten. Diese ab dem 7./6. Jh. v. Chr. belegten Neuordnungen (bes. in Korinthos, Sikyon und Athenai) nutzten die ph. als Organisationskomponenten, die gemäß polit. (z. T. geradezu mathematisch wirkender) Ratio frei gestaltet werden konnten, um aktuellen Erfordernissen und Zie-

len durch Neugliederung der Bürgerschaft zu genügen. Ziele solcher Reformen waren: die Vermischung der Bürger, die Eingliederung von Zuwanderern oder die Aufnahme bisher Minderberechtigter in den Kreis der Vollbürger. Solche Maßnahmen förderten die innere Vereinheitlichung und Festigung der póleis, die u. U. mit einer Demokratisierung einhergingen.

III. Benennung und Funktion

Der ph.-Name wurde urspr. vom Namen eines eponymen Heros (→ Heroenkult) bzw. → archēgétēs abgeleitet. Ihn verehrte man als Ahnen, und damit verband sich die Vorstellung einer Verwandtschaft der ph.-Genossen (phylétai). Diese (geglaubte) Fiktion förderte wie die Eponymenkulte, die rel. Einheit schufen, die Integration der phylétai. Später konnten ph. auch nach Siedlergruppen, Orten, Heiligtümern, Göttern, Zünften oder schlicht mit Zahlen benannt werden. Bei ihrer Vermehrung und Umbenennung in hell. und röm. Zeit orientierte man sich häufig an den Namen der Monarchen und Kaiser oder ihrer Angehörigen.

Die Funktionen der ph. blieben von solchen Loyalitätsbekundungen im Kern unberührt. Rechtliche Statusunterschiede zwischen den ph. einer pólis sind nicht auszumachen. Sie waren ranggleich und verbanden auch intern alle sozialen Schichten miteinander. Die erbliche ph.-Zugehörigkeit war in der Regel Voraussetzung für eine Teilhabe am Vollbürgerrecht (→ politeía). Beruhend auf einer etwa gleich großen Zahl von Bürgern oder → hoplítai leisteten die ph. einen wesentlichen Beitrag zur polit., administrativen, kulturellen und mil. Selbstorganisation der póleis. So bildeten z. B. die von → Kleisthenes [2] neu geordneten ph. Athens (→ Attika mit Karte) wie die ph. in Sparta oder Argos das Gerüst für Wehrverfassung und Formierung des Heeres.

In Athen und anderswo (vgl. z. B. ML 8 zu Chios) stellten die ph. die Ratsgremien, bildeten aber in der Regel weder in der → bulḗ noch in der → ekklēsía eigene Stimmkörper. Die ph. wirkten maßgeblich an der Bestellung von Magistraten, Kommissionen oder Richtern mit. Diese wurden in gleicher Zahl entweder aus den phylétai erlost bzw. gewählt, oder den ph. oblag die Vorwahl von Kandidaten. Andere Aufgaben – z. B. die Stellung von Prytanen – fielen ihnen turnusgemäß oder per → Los (I. A.) zu. Sie strukturierten ferner einen Teil des rel. Lebens. Eigene Versammlungen, Landbesitz, Vermögen, Kassen und Beamte – Vorsteher, tamíai (→ tamías) u. a. – mit diversen mil. und zivilen Kompetenzen bezeugen die korporative Gestalt der ph.

Die ph. bildeten insgesamt ein Grundgerüst für die Partizipation der Bürger (polítai) am Gemeindeleben, an Verwaltung und Regierung: Sie kanalisierten deren Rechte und Pflichten, indem sie Verteilungsmechanismen für den Militärdienst, Ämter und Funktionen bzw. für die Teilhabe an Verwaltung und Regierung boten. Durch ihren ausgeprägten Bezug auf die Gesamt-pólis wirkten die ph. dabei zentralisierend und verstärkten eine institutionalisierte Staatlichkeit.

→ Athenai; Attika (mit Karte zur Phylenordnung); Eponymos; Kleisthenes [2]; Sparta

1 P. Funke, Stamm und Polis, in: J. Bleicken (Hrsg.), Colloquium, FS A. Heuss, 1993, 29–48 **2** N. F. Jones, Public Organization in Ancient Greece, 1987 **3** K. Latte, s. v. Ph. (1), RE 20, 994–1011 **4** D. Roussel, Tribu et cité, 1976.   B. SMA.

[2] Att. Paralia-Demos der Phyle Oineis, von 307/6–224/3 v. Chr. der Demetrias [2], mit zwei (sechs) *buleutaí*, Demotikon Φυλάσιος/*Phylásios*, im östl. → Parnes an der Grenze nach Boiotia (Strab. 9,2,11; Harpokr. s. v. Φ.; Steph. Byz. s. v. Φ.; Suda s. v. Φ.; Hesych. s. v. Φ.) und att. Grenzfestung des 5.(?)/4. Jh. v. Chr., h. Fili. Die h. sichtbare Anlage stammt aus dem 4. Jh. Nach Plut. mor. 189b 12 ff. haben sich angeblich schon Gegner des Peisistratos [4] in Ph. verschanzt. Von Ph. aus griff → Thrasybulos 404/3 v. Chr. die Dreißig Tyrannen an (Diod. 14,32,1 ff.; Xen. Hell. 2,4,2 ff.; Nep. Thrasybulos 2,1; IG II² 10; → *Triákonta*). 304 v. Chr. fiel Ph. an → Kassandros, doch → Demetrios [2] gewann Ph. zurück (Plut. Demetrios 23). 287 lag noch eine maked. Garnison in Ph. (IG II² 2917). Wann Ph. wieder athenisch wurde, ist unklar. IG II² 1299 belegt letztmalig Ausbesserungen für 236/5 v. Chr. Bei der Pansgrotte von Ph. spielt → Menandros' [4] *Dýskolos* [1].
→ Attika (mit Karte)

1 J. M. Wickens, The Archaeology and History of Cave Use in Attica, Bd. 2, 1986, 245–269 Nr. 47.

Habicht, Index s. v. Ph. · Traill, Attica, 50, 59, 68, 85, 112 Nr. 114, 120 Nr. 30, Tab. 6, 12 · Travlos, Attika, 319 Abb. 402–407 · Whitehead, Index s. v. Ph. · W. Wrede, Ph., in MDAI(A) 49, 1924, 153–224.   H. LO.

Phyles (Φυλῆς). Sohn eines → Polygnotos, Bronzebildner aus Halikarnassos. Erh. sind 23 Basen verlorener Porträtstatuen mit der Signatur des Ph. in Delos, Rhodos und Lindos, wonach er zw. 258 und 213 v. Chr. tätig war.

Lippold, 343 · J. Marcadé, Recueil des signatures de sculpteurs grecs, Bd. 2, 1957, 89–100 · EAA 6, s. v. Ph., 1965, 142–143.   R. N.

Phyleus (Φυλεύς). Ältester Sohn des → Augeias (Paus. 5,1,10), Bruder des Agasthenes (Paus. 5,3,3), nach → Echemos [1] zweiter Gatte der → Timandra (Hes. fr. 176,3 f.; vgl. Hes. fr. 23a,9. 31. 34 f. M.-W.) oder der → Ktimene [1] (Eust. ad Hom. Il. 2,625–630), bei Hyg. fab. 97,12 Gatte der Eustyoche. Ph. ist Vater des → Meges (Hom. Il. 5,72; 15,519 f. und 528; Apollod. 3,129; Q. Smyrn. 12,326) und der Eurydameia (Pherekydes FGrH 3 F 115a). Als sich Augeias weigert, → Herakles [1] den für die Ausmistung seines Stalles versprochenen Lohn zu zahlen, tritt Ph. in einer Gerichtsverhandlung für Herakles ein, wird daraufhin von seinem Vater des Landes verwiesen und geht nach Dulichion (Hom. Il. 2,628 f.; Apollod. 2,88–91; Paus. 5,1,9 f.). Einige Jahre später kehrt Herakles nach Elis zurück (einen Eid erwähnt diesbezüglich Plut. qu. R. 28,271c), erobert die Stadt, tötet Augeias und übergibt Ph. die Herrschaft

(Pind. O. 10,28–42; Kall. fr. 77 mit schol. Hom. Il. 2,629; 11,700 Bekker; Diod. 4,33,1.4; Apollod. 2,139–141). Nach Paus. 5,3,1.3 verschont Herakles Augeias, Ph. läßt seinem Vater die Herrschaft und kehrt nach Dulichion zurück. Nach dem Tod des Augeias fällt die Herrschaft an Agasthenes, → Amphimachos [2] und → Thalpios (vgl. Hom. Il. 2,625–630; Eur. Iph. A. 283–287; Strab. 10,2,19; Apollod. epit. 3,12). Ph. nimmt an den Leichenspielen des → Amarynkeus [1] (Hom. Il. 23,637) und an der Kalydonischen Jagd (Ov. met. 8,308) teil.   SI. A.

Phyllidas (Φυλλίδας, auch Φιλλίδας). Thebaner, im J. 379 v. Chr. Schreiber des Polemarchen → Archias [3]. Er stellte den Kontakt zu den Exilthebanern um → Melon und → Pelopidas in Athen her und traf die notwendigen Vorbereitungen für das Attentat auf Archias. Xenophon (Xen. hell. 5,4,2–9) schreibt Ph. ferner die Ermordung des → Leontiades [2] zu (s. aber Plut. Pelopidas 7–11; Plut. mor. 577b-d; 588b; 594d; 596; 598).

R. J. Buck, Boiotia and the Boiotian League, 1994, 72–78 · J. DeVoto, The Liberation of Thebes in 379/8 BC, in: R. F. Sutton (Hrsg.), Studies in Memory of R. V. Schoder, 1989, 101–116.   HA. BE.

Phyllis (Φυλλίς).

[1] Eponyme Heroine der Landschaft am unteren → Strymon, die sie als Mitgift in die Ehe mit dem Theseus-Sohn → Akamas einbringt. Als er ihr untreu wird, kommt er durch ihren Fluch ums Leben. Die Sage illustriert das große Interesse Athens an der Gegend mit den reichen Bodenschätzen (Aischin. 2,31 mit schol.; Thuk. 1,100,3; 4,102; Andration FGrH 324 F 33; Tzetz. ad Lykophr. 495). Ph. erhängt sich und wird in einen Baum verwandelt. Bei Kall. fr. 556 steht der tragische Tod und die Verwandlung der Ph. im Zentrum. Dieses Thema wird v. a. in der röm. Lit. bis in die Spätant. häufig behandelt (Verg. culex 131 f.; Hyg. fab. 59; 243; Ov. epist. 2; Ov. rem. 591–608; Plin. nat. 16,108; Philostr. epist. 28; Anth. Pal. 7,705,2).

[2] Name von Hirtinnen bei Verg. ecl. 3,76.78.107; 7,14.59.63; Hor. carm. 4,11,3; Mart. 10,81 f.; 11,29.50; 12,65 (Hetärenname).

R. Hanslik, Th. Lenschau, s. v. Ph. (3)–(4), RE 20, 1021–1024 · U. Kron, s. v. Ph., LIMC 7.1, 407 f. · Dies., Die zehn attischen Phylenheroen, 1976, 142–145.   R. HA.

Phylobasileis (φυλοβασιλεῖς, Pl.). Die aus dem Kreis der → Eupatridai bestellten *ph.* (»Könige der Phylen«; s. → *phylḗ* [1]) waren die Vorsteher der vier altattischen/ionischen »Stämme« (*phylaí*) Athens. Sie bildeten eines der wichtigsten Amtskollegien der archa. Polis, das dank seiner (u. a. im staatl. Opferkalender) verbrieften kultischen und richterlichen Kompetenzen auch nach der Phylenreform des → Kleisthenes [2] (508/7 v. Chr.) bestehen blieb. Gemeinsam mit dem *árchōn basileús* (→ *árchontes* [1]) leiteten die *ph.* die Ephetenprozesse (→ *ephétai*) bei Fällen unvorsätzlicher Tötung und waren im

→ Prytaneion-Gericht für Verfahren gegen unbekannte Personen, Tiere und leblose Gegenstände zuständig, die den Tod eines Menschen verursacht hatten.
→ Basileus (C.); Eupatridai; Phyle [1]

P. CARLIER, La royauté en Grèce avant Alexandre, 1984, 350; 353–359 · R. PARKER, Athenian Religion: A History, 1996, 14; 27; 45 f.; 112 f. · RHODES, 150 f.; 648 f. B. SMA.

Phylonoe (Φυλονόη, auch Φιλονόη).
[1] Frau des → Bellerophon, nachdem ihr Vater Iobates diesen als unschuldig angesehen hat (Apollod. 2,33).
[2] Tochter des → Tyndareos und der → Leda, von → Artemis unsterblich gemacht (Apollod. 3,126); in Lakonien verehrt (Athenagoras, Presbeia 1). S. T.

Phylotimos (Φυλότιμος) von Kos. Arzt und Jahresbeamter (mónarchos) von → Kos in der ersten H. des 3. Jh. v. Chr.; zusammen mit → Herophilos [1] war er Schüler des → Praxagoras und wurde eine der klass. Autoritäten der griech. Medizin (vgl. Gal. de examinando medico 5,2), auch wenn seine Schriften h. nur noch in Fr. greifbar sind. Er verfolgte anatomische Interessen, legte den Sitz der Seele in das Herz und hielt das Gehirn für eine bloße und überflüssige Ausdehnung des Rückenmarks (Gal. de usu partium 8,3 und 12). Eines seiner chirurgischen Behandlungsverfahren, das Celsus erwähnt (de medicina 8,20,4), sowie seine Bemerkungen über innere Erkrankungen sind bei späteren Autoren, oftmals in → Doxographien, überl., die wiederum aus Quellen zweiter Hand schöpfen. Seine Schrift über → Diätetik in mindestens 13 B. wird dagegen von → Athenaios [3] aus erster Hand zit. und von → Oreibasios teilweise exzerpiert. Darin richtete Ph. sein besonderes Augenmerk auf die Rolle der Säfte (→ Säftelehre) und versuchte wie sein Lehrer, Gesundheit über diätetische Maßnahmen und wohl dosierten → Aderlaß zu regulieren (Gal. de venesectione adv. Erasistratum 5). Im allgemeinen wird er in einem Atemzug mit Praxagoras als Vertreter der → Dogmatiker [2] genannt, so daß es schwer fällt, seine Beiträge von denen des Praxagoras zu unterscheiden.

FR.: F. STECKERL, The Fragments of Praxagoras of Cos and his School, 1958.
LIT.: H. DILLER, s. v. Ph., RE 20, 1030–1032 · S. M. SHERWIN-WHITE, Ancient Cos, 1978, 105, 195.
V. N./Ü: L. v. R.-B.

Phyromachos (Φυρόμαχος). Bildhauer aus Athen, Lehrer der Maler Herakleides [30] (tätig 168 v. Chr.) und Milon. Aus der kontrovers ausgelegten schriftlichen und arch. Überl. ergibt sich zumindest die Existenz eines berühmten, unter den Attaliden (→ Attalos) von Pergamon tätigen Künstlers. Diesen führen die Laterculi Alexandrini (spätes 2. Jh. v. Chr.) in einer Künstlerliste an, denselben meint Plinius (nat. 34,84), wenn er die für Attalos und Eumenes tätigen Bildhauer aufzählt. Da Plinius nur eine pauschale Notiz zu den monumenta Attalidum gibt, kann damit nicht erwiesen werden, ob bestimmte Siegesdenkmäler des Attalos [4] I. (241–197 v. Chr.), des Attalos [5] II. (159–138 v. Chr.) oder des Eumenes [3] II. (186–183 v. Chr.) von allen genannten Künstlern zur gleichen Zeit ausgeführt wurden. Eine Korrektur des überl. Bildhauernamens Isigonos (bei Plin. nat. 34,84 werden Isigonos und Ph. gleichzeitig erwähnt) zu → Epigonos [1], der noch im 3. Jh. v. Chr. tätig war, ist daher für die zeitliche Einordnung des Ph. ohne Belang. Umstritten ist folglich die Gleichsetzung der Monumente mit den in Kopien erh. sogenannten Großen Galliergruppen des 3. Jh. v. Chr. oder den sogenannten Kleinen Monumenta, die unterschiedlich rekonstruiert und mit stilgesch. Begründung vom frühen 2. Jh. bis um 160 v. Chr. datiert werden.

Aufgrund seiner Beteiligung an den monumenta Attalidum wird Ph. auch derjenige Bildhauer sein, der in Pergamon eine berühmte Kultstatue des Asklepios schuf, und zwar sicher vor 156 v. Chr.; das Entstehungsdatum ist von der Kenntnis des zugehörigen Tempels abhängig, die noch Gegenstand von Kontroversen ist. Durch spätere Inschr. ist Ph. als Autor eines mehrfach kopierten Porträts des Antisthenes [1] erwiesen. Das zugrundeliegende Original wird mit stilgesch. Begründung meist in das 2. Jh. v. Chr. datiert, aber auch in das 4. Jh. v. Chr. und somit einem sonst unbekannten namensgleichen Bildhauer zugewiesen.

In der gründlichsten Rekonstruktion durch ANDREAE [6] erscheint Ph. als führender Bildhauer der pergamenischen Kunst im 2. Viertel des 2. Jh. v. Chr., dem außer dem Porträt des Antisthenes und der Kultstatue des Asklepios (Kopie des Kopfes in Syrakus, Museo archeologico regionale) auch Teile der kleinen monumenta Attalidum (Gigant in Neapel, NM) stilistisch zugeordnet werden können und der stilbildend oder teilnehmend am Zeusaltar von Pergamon beteiligt war. Einwände von HIMMELMANN (s. [6]) gelten der Identifizierung oder Datier. dieser Werke. In der Diskussion spielen weitere schriftliche Zeugnisse (s. [6; 13]) eine Rolle, die entweder die Schaffenszeit des Ph. noch in das 3. Jh. v. Chr. setzen oder die Existenz weiterer Namensträger nachweisen könnten. Ein laut Plinius (nat. 34,51) um 296–292 v. Chr. tätiger Ph. kann der inschr. genannte Vater des Bildhauers Asklapon (tätig um 220 v. Chr.) sein. Ein Ph. arbeitete nach Ausweis von Inschr. öfters mit dem älteren → Nikeratos [3] in Delos und Kyzikos zusammen, woraus sich eine Schaffenszeit etwa in der 2. H. des 3. Jh. v. Chr. ergibt. Bei Plinius unklar überl. Statuen des spartanischen Königs Demaratos, dessen Mutter und des Alkibiades [3] könnten sich auf eine oder mehrere gemeinsam geschaffene Gruppen beziehen. Mit der Künstlerangabe Phylómachos wird eine Gruppe des Priapos mit Chariten beschrieben (Anth. Gr. 2,120,8), vielleicht ebenfalls von Ph. oder einem gleichnamigen Bildhauer.

1 OVERBECK, Nr. 860, 921, 1994, 1998–2001 2 LIPPOLD, 193, 320–321 3 J. MARCADÉ, Recueil des signatures de sculpteurs grecs, Bd. 2, 1957, 101–102 4 L. GUERRINI s. v. Ph. (1) und (2), EAA 6, 1965, 143 5 A. STEWART, Attika, 1979, 8–25 6 B. ANDREAE, N. HIMMELMANN, G. DE LUCA,

Ph.-Probleme, 1990 **7** B.S. RIDGWAY, Hellenistic Sculpture, 1, 1990, 287. 296. 301 **8** A. STEWART, Greek Sculpture, 1990, 62, 207–208, 301, 303 **9** B. ANDREAE, Laokoon und die Kunst von Pergamon, 1991 **10** H. MÜLLER, Ph. im pergamenischen Nikephorion, in: Chiron 22, 1992, 195–226 **11** F. QUEYREL, Ph. Problèmes de style et de datation, in: RA 1992, 367–380 **12** P. MORENO, Scultura ellenistica, 1994, 203–205, 255–258, 262–271, 370 **13** B. ANDREAE, s. v. Ph., EAA, 2. Suppl. 4, 1996, 355–356.   R. N.

Physica Plinii. Aus der Renaissance stammender Titel eines lat. Rezept-B., das zu einem großen Teil auf der → *Medicina Plinii* beruht und im 5./6. Jh. n. Chr. abgefaßt wurde. Es liegt in drei Rezensionen vor: 1. *Sangallensis* (6./7. Jh.) in drei B. (noch nicht hrsg.; Titel der Kap.: [6. 41–55]; enthält zahlreiche Beschwörungsformeln [5]); 2. *Bambergensis* [3], ins 5./6. Jh. gesetzt, aber vielleicht jünger und in drei B. eingeteilt; 3. *Florentino-Pragensis* [11; 10; 7] in fünf B. (unter Beifügung der *Medicinae ex oleribus et pomis* des → Gargilius [4] Martialis und des *Liber dietarum diversorum medicorum* eines anon. Verf. aus dem 5./6. Jh. n. Chr.); vielleicht auf das 13./14. Jh. zurückgehend. Diese Rezension wurde 1509 unter dem Titel *Medicina Plinii* gedruckt und fälschlich dem Arzt Plinius Valerianus zugewiesen, der durch eine Inschr. aus Como bekannt ist.

Bald's Leechbook (9. Jh.) benutzt die Ph. P. in einer von der *Bambergensis* und der *Florentino-Pragensis* unabhängigen Rezension und kann möglicherweise die Textgesch. [1] aufklären helfen, welche zur Zeit einer Revision unterzogen wird [2; 8; 9].

→ Gargilius [4] Martialis; Medicina Plinii

1 J. N. ADAMS, M. DEEGAN, Bald's Leechbook and the Ph. P., in: Anglo-Saxon England 21, 1992, 87–114 **2** K.-D. FISCHER, Quelques réflexions sur la structure et deux nouveaux témoins de la Ph. P., in: Helmantica 37, 1986, 53–66 **3** A. ÖNNERFORS (ed.), Ph. P. Bambergensis (Cod. Bamb. med. 2, fol. 93v–232r), 1975 **4** Ders., Die ma. Fassungen der Medicina Plinii, in: Ders., Mediaevalia, 1977, 9–18, 312 f. **5** Ders., Iatromagische Beschwörungen in der Ph. P. Sangallensis, in: Eranos 83, 1985, 235–252 **6** V. ROSE, Über die Medicina Plinii, in: Hermes 8, 1874, 18–66 **7** G. SCHMITZ, Physicae quae fertur Plinii Florentino-Pragensis liber tertius, 1988 **8** S. SCONOCCHIA, La medicina romana della tarda antichità: un nuovo testimone della cosiddetta Ph. P. Bambergensis, in: Ders. (Hrsg.), Stud. di letteratura medica latina, 1988, 71–89 **9** Ders., Per una nuova edizione della cosiddetta Ph. P. Bambergensis, in: A. GARZYA (Hrsg.), Tradizione e ecdotica dei testi medici tardoantichi e bizantini 1, 1992, 275–289 **10** W. WACHTMEISTER (ed.), Physicae Plinii quae fertur Florentino-Pragensis liber secundus, 1985 **11** J. WINKLER, Physicae Plinii quae fertur Florentino-Pragensis liber primus, 1984.
          A. TO./Ü: T. H.

Physik I. VORBEMERKUNG II. BEGRIFF UND VORAUSSETZUNGEN III. GEGENSTAND IV. ABGRENZUNGEN V. FRAGESTELLUNG UND FORSCHUNGSMETHODE VI. MATHEMATIK UND PHYSIK VII. OPTIK VIII. WEITERENTWICKLUNG UND NACHWIRKUNG

I. VORBEMERKUNG

Die Ph. im ant., von → Aristoteles [6] ausgearbeiteten Sinne ist nach Gegenstand und Fragestellung von der neuzeitlichen Ph. unterschieden. Sie wird hier ohne Zugrundelegung neuzeitlicher Auffassungen dargestellt.

II. BEGRIFF UND VORAUSSETZUNGEN

Die Ausdrücke »Ph.« (φυσική sc. ἐπιστήμη oder φιλοσοφία (*physikḗ epistḗmē* oder *philosophía*), gleichbedeutend mit περὶ φύσεως ἐπιστήμη/*perí phýseōs epistḗmē*, also »Naturwiss.« oder »Naturphilos.«) und »Physiker« (φυσικός/*physikós*) werden erstmals von Aristoteles als Bezeichnungen für ein Teilgebiet der Philos. bzw. für den Experten auf diesem Gebiet eingeführt (Aristot. metaph. 10,25 b19). Dementsprechend verwendet Aristoteles die Ausdrücke τὰ φυσικά/*ta physiká* und τὰ περὶ φύσεως/*ta perí phýseōs* bzw. φυσικὴ ἱστορία/*physikḗ historía* bei Querverweisen auf seine naturwiss. Schriften einschließlich *De caelo, De generatione et corruptione* und *Historia animalium*. Bei → Platon [1] hingegen kommt das Wort *physikós* noch nicht vor. Die aristotelische Ausdrucksweise wurde in der hell. Epoche beibehalten und dann ins Lat. übertragen (*physicus*, Cic. nat. deor. 1,83; *physica* (Ntr. Pl.), Cic. ac. 1,6).

Mit der zitierten Ausdrucksweise beansprucht Aristoteles einen thematischen Anschluß an die von den → Vorsokratikern betriebene kosmologische »Forschung« (ἱστορία/*historía*: Eur. fr. 910 TGF; Plat. Phaidr. 96a; Hippokr. de vetere medicina 20 mit polemischer Anspielung auf diesen Sprachgebrauch). Themen der vorsokratischen → Kosmologien sind Entstehung und Struktur des den Himmel und die Erde umfassenden »Ganzen« (einschließlich Wetter und Lebensvorgängen) als einer räumlichen und zeitlichen »Ordnung« (πᾶν/*pan*: Emp. 31B13 DK; Plat. Tim. 28c; ὅλον/*hólon*: Plat. Lys. 214b, vgl. Aristot. cael. 278b 18 ff.; κόσμος/*kósmos*: Herakl. 22B30 DK; Eur. fr. 910; Xen. mem. 1,1,11; Plat. Tim. 28b). Dabei bezeichnet der Naturbegriff keinen Bereich von Gegenständen, sondern ein Forschungsprogramm: die Dinge ›nach der Art und Weise ihres Aufkeimens zu unterscheiden und ihre Beschaffenheit zu erklären‹ (κατὰ φύσιν διαιρέων ἕκαστον καὶ φράζων ὅκως ἔχει, Herakl. 22B1 DK). Die Durchführbarkeit dieses Programms wird von → Parmenides und → Zenon von Elea mit dem Argument bestritten, daß sich Entstehen und Vergehen, Veränderung, Bewegung und Vielheit nicht widerspruchsfrei beschreiben lassen. Die nachparmenideische Kosmologie begegnet diesem Einwand durch Zurückführung aller Dinge auf gewisse transportable, auch als »Samen« oder »Wurzeln« bezeichnete Stoffe, die ihre unentstandene und unvergängliche »Natur«

ausmachen (σπέρματα/*spérmata*: Anaxag. 59B4 DK;
ριζώματα/*rhizṓmata*: Emp. 31B6 DK; φύσις/*phýsis*: Hippokr. de natura hominis 3 f.; vgl. Eur. fr. 910; Demokr.
68A68 DK; Pythagoras, Eid 58B15 DK; Plat. leg. 892c;
Aristot. metaph. 1014b 26 ff.). Bei Empedokles sind dies
die vier sog. Elemente (→ Elementenlehre), bei Anaxagoras die Homoiomerien, bei Leukippos und Demokritos die Atome (→ Atomismus); dem Zenonschen
Paradoxon der Anzahl (29B3 DK) wird durch die Annahme einer vollständigen Durchmischung der Stoffe
(→ Anaxagoras) bzw. einer Trennung der Atome durch
»nichts« Rechnung getragen.

V. a. durch die Vortragstätigkeit der Sophisten
(→ Sophistik) wurden die vorsokratischen Kosmologien und die mit ihnen verbundenen Kontroversen seit
der 2. H. des 5. Jh. v. Chr. einem breiteren Publikum
bekannt und zum Gegenstand eines nichtprofessionel-
len und insofern »dilettantischen« Interesses (*philosophía*
im vorplatonischen Sinne, vgl. Hippokr. de vetere medicina 20; Plat. apol. 23d). Eine populäre Themenbezeichnung ist zunächst περὶ τῶν μετεώρων (sc. καὶ τῶν
ὑπὸ γῆν: ›über die Dinge in der Höhe und unter der
Erde‹, Hippokr. de vetere medicina 1; Plat. apol. 18b;
23d; Aristoph. Nub. 490; Aristoph. Av. 690). Unter dieser Bezeichnung waren die einschlägigen Lehren den
Vorwürfen der → *asébeia* und der – geradezu sprichwörtlichen – Unseriosität ausgesetzt. Es ist nicht auszuschließen, daß sich eben deshalb seit E. des 5. Jh. die
Themenbezeichnung Περὶ φύσεως (sc. τῶν ἁπάντων o.ä.:
›Über die Natur von allem‹; Dialexeis 90,8,1 f. DK; Xen.
mem. 1,1,11; Plat. Tim. 27a) durchgesetzt hat.

III. GEGENSTAND

Die Ph. umfaßt bei Aristoteles den gesamten eingangs seiner ›Meteorologie‹ (338a 20 ff.) angegebenen
Themenkatalog: Sie ist diejenige wiss. »Disziplin« (oder
auch »Lehrgang«: μέθοδος/*méthodos*, Aristot. phys. 184a
11; Aristot. meteor. 338a 25; Aristot. de incessu animalium 704b 13), deren Grundlegung in der sog. ›Ph.-
Vorlesung‹ erfolgt und der dann zahlreiche Spezial-Abh.
gewidmet sind. Dabei handelt es sich zunächst um Abh.
zur → Astronomie (Aristot. cael. 1 f.), zur Lehre von den
Elementarkörpern und ihrer Umwandlung sowie vom
Entstehen und Vergehen der aus ihnen gebildeten Gegenstände (Aristot. cael. 3 f.; Aristot. gen. corr.; Aristot.
meteor. 4) und zur bei Aristoteles noch die → Geologie
umfassenden → Meteorologie (Aristot. meteor. 1 bis 3).
Aber auch die Biologie – einschließlich der Lehre von
den allg. Lebens- und (nichtrationalen) Seelenfunktionen – gehört nach Aristoteles zur Ph. (vgl. Aristot. an.
403a 28; Aristot. part. an. 641a 21). Insgesamt umfassen
die zur Ph. gehörigen Abh. über 40% des *Corpus Aristotelicum*. In eine andere Literaturgattung fallen die im
Corpus Aristotelicum überl., eher medizinisch orientierten *problemata physica* sowie die *problemata mechanica*
(→ Mechanik). Ein derart umfassender Themenkatalog
hat sich bereits in der vorsokratischen Kosmologie herausgebildet. Er liegt auch Platons *Tímaios* zugrunde und
bleibt für die hell. Epoche, trotz größerer Verselbstän-
digung der Einzeldisziplinen, verbindlich.

Thema der unter dem Titel ›Ph.-Vorlesung‹ (φυσικὴ
ἀκρόασις/*physikḗ akróasis*; lat. *physica*) überl. aristotelischen Abh. sind Grundannahmen und -begriffe, die in
den zur Ph. gehörigen Spezialabh. vorausgesetzt werden. Die einzelnen Bücher haben folgenden Inhalt:
B. 1: Zurückführung jeglichen Werdens (γένεσις/
génesis) auf Material (→ Materie) und Form/Privation
als »Prinzipien« (ἀρχαί/*archaí*, 190b 17 ff.; → Prinzip). B.
2,1: Erörterung des Naturbegriffs, Unterscheidung von
Naturdingen und Artefakten. B. 2,2: Form und Material
als Themen der Ph.; Abgrenzung von → Mathematik
und Ph. B. 2,3 ff.: Vier Arten von »Ursache«; Zufall und
Naturteleologie. B. 3,1–3 sowie B. 5,1 ff.: Unterscheidung von vier Arten der → »Bewegung« (κίνησις/
kínēsis, 201a 9 ff.) oder »Veränderung« (μεταβολή/*meta-
bolḗ*, 225b 5 ff.), nämlich Entstehen/Vergehen sowie
Wechsel von Ort, Größe und Qualität; Definition von
Bewegung als ›Wirklichkeit des Möglichen als solche‹
(τοῦ δυνάμει ὄντος ἐντελέχεια, ᾗ τοιοῦτον, 201a 10;
vgl. 202a 13 ff.). B. 3,4–8: Begriff des Unendlichen; Ablehnung des aktualen zugunsten des potentiell Unendlichen (206a 14 ff.). B. 4,1–5: Begriff des Ortes; Identifizierung des Ortes eines Gegenstandes mit der Grenz-
fläche des nächsten ihn umschließenden ruhenden
Körpers (212a 20). B. 4,6–8: Ablehnung eines (mikroskopischen oder makroskopischen) Vakuums. B. 4,9–14:
Zeitbegriff; Auffassung der Zeit als numerische Struktur, die sich aus der Unterscheidung verschiedener
»Jetzt« (νῦν/*nyn*) als Grenzen von Zeitintervallen (χρό-
νος/*chrónos*) an einer Bewegung ergibt (219a 19 ff.;
→ Zeittheorien). B. 5,3–6: Strukturen von Abfolge,
Einheit und Entgegensetzung. B. 6: Analyse der Kon-
tinuumsstruktur der Bewegung in Auseinandersetzung
mit den Zenonschen Paradoxa (bes. 233a 21 ff.; 239b
5 ff.; 263a 4 ff.). B. 7 und 8: Struktur effizienter Kausal-
beziehungen und -ketten, Zurückführung aller Bewegungen auf einen unbewegten Bewegungsursprung.

IV. ABGRENZUNGEN

Als »theoretische« Wiss. ist die Ph. nach Aristot. metaph. 1025b 18 ff. nicht nur von allen »praktischen«, sondern insbes. auch von allen »poietischen« Disziplinen
und somit von der → Medizin und der → Mechanik
unterschieden. Unter den theoretischen Disziplinen ist
sie wiederum dadurch ausgezeichnet, daß ihre Gegenstände, im Gegensatz zu denjenigen von Mathematik
und Theologie, veränderlich und somit wahrnehmbar
sind. Dabei bleiben Mechanik, Mathematik und Theologie systematisch auf die Ph. bezogen: Die von Aristoteles behauptete Strukturgleichheit von natürlichen und
künstlichen Vorgängen (Aristot. phys. 194a 21; 199a
9 ff.) gilt auch für die Mechanik. Gegenstände der Mathematik sind geom. (und numerische) Verhältnisse, die
an Naturdingen und -vorgängen auftreten und nur unter Abstraktion von diesem Umstand betrachtet werden; die Berechtigung dieser Abstraktion ergibt sich allein daraus, daß sie zu keinen falschen Ergebnissen führt
(Aristot. phys. 193b 35). Ein Zusammenhang von
Theologie und Ph. ergibt sich durch die Konstruktion

eines unbewegten Antriebs der Himmelsbewegungen (Aristot. phys. 258b 10 ff.; Aristot. metaph. 1072b 7 ff.; 1073a 23 ff.), die ihrerseits über den Wechsel der Jahreszeiten als Antrieb aller meteorologischen und biologischen Prozesse fungieren (vgl. bes. Aristot. gen. corr. 336b 2 ff.; Aristot. metaph. 1071a 13 ff.).

Durch den Ausschluß der rationalen Seelenfunktionen und der Objekte, auf die sie sich beziehen (→ Seele), verwahrt sich Aristoteles gegen die Auffassung, buchstäblich »alles« sei Gegenstand der Ph. (Aristot. part. an. 641a 32 ff.). Dieser Anspruch wurde in der vorsokratischen Literatur (Herakl. 22B1 DK; Demokr. 68B165 DK) und auch in der Sophistik (Dialexeis 90,8,1 f. DK) ausdrücklich erhoben. Auch die aus hell. Zeit überl. Themenangabe ›über die Weltordnung und was sich in ihr befindet‹ (περὶ κόσμου καὶ τῶν ἐν αὐτῷ, Diog. Laert. 1,18) schließt v. a. nach stoischer Auffassung die Erklärung der rationalen Seelenfunktionen und auch die Theologie ausdrücklich ein. Die seit → Zenon von Kition kanonische Einteilung der Philos. in Ph., → Ethik und → Logik entspricht einer Einteilung der Ausgangspunkte des dialektischen Übungsgesprächs bei Aristoteles (Aristot. top. 105b 19 ff.) und ist somit auf den Lehrbetrieb der Schule Platons (→ Akadḗmeia) zurückzuführen. Ihr folgt auch, allerdings mit abweichender Reihenfolge und unter Einschub der ›Metaphysik‹, die von → Andronikos [4] besorgte Redaktion des *Corpus Aristotelicum*.

V. FRAGESTELLUNG UND FORSCHUNGSMETHODE

Aristoteles identifiziert die »Natur« der Dinge nicht mit deren Ursprung und stofflicher Zusammensetzung, sondern mit ihren kausalen Eigenschaften (→ Kausalität). Er folgt dabei einer Auffassung, die in der Geschichtsschreibung und Medizin des 5. Jh. v. Chr. entwickelt wurde und auch den Naturbegriff Platons geprägt hat (vgl. Hdt. 2,45; Thuk. 3,82; Hippokr. de aëre, aquis, locis 7; Hippokr. de vetere Medicina 20). Physikal. Wissen ist kausales Wissen und somit jeweils eine Beantwortung der Frage »Warum ...?« (διὰ τί, Aristot. phys. 194b 17 ff.). Diese Frage kann in vier einander ergänzenden Weisen beantwortet werden: durch die Angabe (a) des Materials (ὕλη/*hýlē*), aus dem etwas besteht, (b) der »Art« oder »Form« (εἶδος/*eídos*) des fraglichen Gegenstandes, (c) des Ursprungs von Veränderung und Verharren sowie (d) des Guten, das durch den fraglichen Sachverhalt gewährleistet ist (ebd., vgl. 195a 24). Aristoteles unterscheidet zw. Naturdingen und Artefakten je nachdem, ob ein Gegenstand einen »inneren«, zu seinen artspezifischen Merkmalen gehörigen Ursprung von Veränderung und Verharren, und zwar insbes. der Ausbildung und Bewahrung der artspezifischen Merkmale selber, besitzt (Aristot. phys. 192a 13 ff.); dieser Ursprung ist dann gegebenenfalls die »Natur« (φύσις/*phýsis*) des fraglichen Gegenstandes. Nur insofern, als sich das Entstehen eines Gegenstandes als das Auftreten der einschlägigen Form an einem geeigneten und somit von der Art des Gegenstandes abhängigen Material vollziehen muß (Aristot. phys. 190a 31 ff.), dessen kausale

Eigenschaften erhalten bleiben (Aristot. metaph. 1014b 28), gilt auch dieses Material als »Natur« (Aristot. phys. 193a 9 ff.). Durch die Charakterisierung des Materials als »etwas Relatives« (πρός τι/*pros ti*, Aristot. phys. 194b 9) vermeidet Aristoteles aber dessen Identifizierung mit einem unentstandenen und unvergänglichen Stoff.

Thema der Ph. sind nach Aristoteles diejenigen Vorgänge, die aus der »Natur« der beteiligten Gegenstände erklärt werden können. Dementsprechend kommen nur Naturdinge als Gegenstände der Ph. in Betracht (Aristot. metaph. 1025b 20). Der Bereich des Herstellens bleibt ausgeschlossen, weil Veränderung und Verharren hier nicht auf die »Natur« der beteiligten Gegenstände, sondern auf Wissen und Absicht und somit auf einen äußeren Ursprung zurückgeführt werden (Aristot. metaph. 1070a 7). Ebenso ausgeschlossen sind die rationalen Seelenfunktionen, da diese nicht als Bewegungsursprung und somit als »Natur« fungieren (Aristot. part. an. 641b 4 ff.).

Diese Konzeption ist v. a. auf die Biologie abgestellt. Sie gilt aber auch für die Elementarkörper (192b 10), deren Auf- und Abwärtsbewegung (Aristot. cael. 268b 14 ff.; 310a 20 ff.) und deren Entstehen und Vergehen durch Umwandlung ineinander (Aristot. gen. corr. 331a 7 ff.) sowie durch chemische und thermische Wechselwirkung (Aristot. meteor. 378b 20 ff.) auf ihre jeweilige »Natur« zurückgeführt werden: Es gehört zur »Natur« der Elementarkörper, sich normalerweise an ihrem jeweils »eigenen Ort« (αὐτοῦ τόπος/*autú tópos*, Aristot. cael. 310a 21) – Feuer an der Peripherie der Welt, Erde in deren Zentrum, Luft und Wasser in den Regionen dazwischen – zu befinden und gegebenenfalls wie ein Kranker zur Gesundheit in diesen Normalzustand zurückzukehren (Aristot. cael. 311a 6 ff.). Diesen »natürlichen« Bewegungen entsprechen »naturwidrige«, durch äußere Einwirkung erzwungene Bewegungen in die entgegengesetzte Richtung. Die Elementarkörper sind jeweils sowie im Verhältnis untereinander durch Leichtigkeit und Schwere charakterisiert, ferner durch ihre Elementarqualitäten (warm, kalt, trocken, feucht). Wo Aristoteles für die Gestirne einen fünften Elementarkörper annimmt, eignet diesem »von Natur« die Kreisbewegung (Aristot. cael. 269a 2 ff.).

VI. MATHEMATIK UND PHYSIK

Von Zenon von Elea übernimmt Aristoteles die Forderung einer widerspruchsfreien mathematischen Analyse der Ausdehnung, Zusammensetzung und Bewegung von Körpern. Diese Analyse führt bei Aristoteles, in Auseinandersetzung mit der Atomistik, zur Darstellung von Orten, Zeitintervallen, Bewegungen und Körpern sowie ihrer Teile als Kontinua von jeweils endlicher Ausdehnung; nur deren jeweilige Grenzen sind ausdehnungslos. Der Begriff der instantanen Bewegung wird verworfen, da sich aus Geschwindigkeitsunterschieden eine Teilung unteilbarer Zeitstellen ergäbe (Aristot. phys. 234a 24 ff.); die Einführung von Momentangeschwindigkeiten als Grenzwerte (nach dem Vorbild inkommensurabler geom. Größenverhältnisse) wird nicht erwogen.

Gegen die eleatische (Melissos 30B 7.7 DK) und atomistische (Leukippos 67A 7 DK) Vorstellung von einem Eintritt ins »Leere« (κενόν/*kenón*) behauptet Aristoteles, daß räumliche → Bewegung ein begleitendes, ihre Richtung festlegendes (Aristot. phys. 214b 32ff.) und ihre Geschwindigkeit begrenzendes (Aristot. phys. 215a 31ff.), bei ballistischen Vorgängen auch ihre Fortsetzung garantierendes (Aristot. phys. 215a 14ff.; 266b 27ff.) Medium erfordert. Eine Inertialbewegung kommt daher nicht in Betracht. Die für einen Bewegungsablauf relevanten Größen sind: Weg (W) und Zeit (Z) sowie der bewegte Körper (K), dessen Schwere (S_N) bzw. die Stärke des Antriebs (S_A) und die Dichte (D) des Mediums. Diese Größen lassen sich jeweils vervielfachen und in gleiche Teile zerlegen, insofern auch numerisch analysieren. Aristoteles postuliert proportionale bzw. umgekehrt proportionale Zusammenhänge zw. W/Z und S_A bzw. K bei erzwungener Bewegung (Aristot. phys. 249b 30ff.) sowie zw. W/Z und S_N bzw. D bei natürlicher Bewegung (Aristot. cael. 273b 29ff.; 301a 26ff. bzw. Aristot. phys. 215a 24ff.). Anders als in der neuzeitlichen Ph. seit GALILEI gelten derartige Proportionen bei Aristoteles aber nicht als Naturgesetze. Als Relationen zw. Gegenständen verschiedener Art kommen sie für eine Erklärung physikal. Phänomene aus der jeweiligen »Natur« der beteiligten Gegenstände nicht in Betracht. Daher ist ihre Prüfung durch Experimente und Meßverfahren und überhaupt die quantitative empirische Forschung auch keine primäre Aufgabe der Ph. (zu entsprechenden Auffassungen der Stoa vgl. Sen. epist. 88,25ff.). Mathematische Definitionen natürlicher Gegebenheiten, etwa organischer Gestalten wie der Stupsnase, sind in der Regel inadäquat (Aristot. phys. 194a 1ff.). Ausnahmen – und somit die Möglichkeit einer mathematischen Ph. – sieht Aristot. in der Harmonik (→ Musik), Astronomie und Optik.

VII. OPTIK

Die Optik wird in der Ant. als Theorie des Sehens aufgefaßt. Hierzu gehört neben der (v. a. bei Gal. de placitis Hippocratis et Platonis 7,4ff.; Gal. de usu partium 10 ausgearbeiteten) Anatomie und Funktion der Sehorgane die Beschreibung der kausalen und geom. Beziehungen zw. Auge und Gegenstand. Die These der Atomisten, daß das Auge materielle, sich von der Oberfläche des Gegenstandes ablösende und auf der Pupille erscheinende »Kopien« (εἴδωλα/*eídola*, Leukippos 67A29 DK) empfängt, ist nach Aristot. sens. 438a 5ff. durch die Theorie der Abbildung und der Spiegelung überholt.

Die v. a. von → Eukleides [3], → Archimedes [1], → Heron und → Ptolemaios mit detaillierten Meßreihen betriebene geom. Optik (Perspektive, Reflexion an ebenen und gekrümmten Spiegeln, Brechung an der Oberfläche von Medien) operiert vielmehr mit Sehstrahlen, die vom Auge ausgehen. Dabei wird die Wechselwirkung zw. dem Auge und der Oberfläche des Gegenstandes und somit die Wahrnehmung seiner »Farbe« durch die (von Plat. Tim. 45bff. und Aristot. an.

418b 9ff. mit dem Licht identifizierte) Durchsichtigkeit des Mediums vermittelt. Nach stoischer Auffassung ist der Sehstrahl ein vom Auge ausgehender Spannungszustand der Luft; das Sehen gleicht einem Abtasten des Gegenstandes mit einem Stab (Diog. Laert. 7,157).

VIII. WEITERENTWICKLUNG UND NACHWIRKUNG

Die umfangreiche hell. Lit. zur Ph. ist größtenteils verloren. Unsere Kenntnisse beruhen weitgehend auf sekundären, v. a. auch lat. Quellen (Cic. nat. deor.; Cic. fat.; Cic. div.; Lucr.). Seit dem 2. Jh. n. Chr. entstanden ausführliche Kommentare zu Platons *Tímaios* (→ Proklos) sowie zu den naturwiss. Schriften des Aristoteles (v. a. → Alexandros [26], → Philoponos und → Simplikios).

V. a. durch die kontroverse Erörterung ihrer Grundannahmen und -begriffe bleibt die ant. Ph. auch weiter bedeutsam: Sie hat Alternativen geklärt, innerhalb derer auch die neuzeitliche Theoriebildung in vielen Punkten verbleibt. Das betrifft beispielsweise die von Aristoteles kritisierte Atomistik (unteilbare Körper bei Leukippos und Demokritos; unteilbare, aber ausgedehnte Raum- und Zeitstellen bei Epikuros), die kausale Struktur des Geschehens (interne Teleologie bei Aristoteles, externe Teleologie im Stoizismus und Platonismus; zeitlogisch motivierter, physikal. explizierter Determinismus bei den Stoikern (→ Prädestinationslehre); Indeterminismus auf atomarer Ebene bei Epikuros), die von Aristoteles verworfene Annahme eines mikroskopischen oder makroskopischen Vakuums (mit dem Problem der begrifflichen Unterscheidung von Körperausdehnung und Raum) sowie insbes. das (bereits im Hinblick auf die Statik und Hydrostatik des Archimedes problematische) Verhältnis der Ph. zu Mathematik und Mechanik und hiermit zusammenhängend den Begriff der »Natur«: Der neuzeitliche Begriff des Naturgesetzes als einer experimentell prüfbaren Beziehung zw. Meßgrößen ist gegen die Unterscheidung von Naturdingen und Artefakten indifferent; der entscheidende Durchbruch zur neuzeitlichen Ph. gelingt bei GALILEI gerade dadurch, daß zwei von Aristoteles – und auch von der von ihm angeregten, über → Philoponos in das MA tradierte Impetustheorie – nur unzureichend geklärte physikal. Phänomene, nämlich die Fortsetzung ballistischer (und somit erzwungener) und die Beschleunigung natürlicher Bewegungen, auf dieselben mechanischen Experimente zurückgeführt werden.

→ Aristoteles [6]; Atomistik; Kosmologie; Materie; Mathematik; Mechanik; Natur, Naturphilosophie; Raum; Teleologie; Welt; PHYSIK

1 A. C. CROMBIE, Styles of Scientific Thinking in the European Tradition, 3 Bde., 1994 2 E. J. DIJKSTERHUIS, Die Mechanisierung des Weltbildes, 1956, Ndr. 1983 3 H. FLASHAR, Aristoteles. Problemata Physica, ³1983 (dt. Übers.) 4 G. GALILEI, Unterredungen und Mathematische Demonstrationen über zwei neue Wissenszweige, die Mechanik und die Fallgesetze betreffend (Discorsi, dt.), Ndr. 1973 5 G. HEINEMANN, Natural Knowledge in the

Hippocratic Treatise On Ancient Medicine, in: J. ALTHOFF u. a. (Hrsg.), Ant. Naturwiss. und ihre Rezeption, Bd. 10, 2000 **6** L. JUDSON (Hrsg.), Aristotle's Physics. A Collection of Essays, 1991 **7** CH. KAHN, Anaximander and the Origins of Greek Cosmology, 1960 **8** D. C. LINDBERG, Auge und Licht im MA, 1987 **9** G. E. R. LLOYD, Hellenistic Science, in: CAH², Bd. 7.1, 321–352 **10** Ders., The Revolutions of Wisdom. Stud. in the Claims and Developments of Ancient Greek Science, 1987 **11** A. A. LONG, D. N. SEDLEY, The Hellenistic Philosophers, 2 Bde., 1987, §§4–15, 43–54 **12** W. D. ROSS (ed.), Aristotle's Physics, 1936 (mit Komm.) **13** S. SAMBURSKY, Das physikal. Weltbild der Ant., 1965 **14** H. SCHNEIDER, Das griech. Technikverständnis, 1989 **15** G. A. SEECK (Hrsg.), Die Naturphilos. des Aristoteles, 1975 **16** F. SOLMSEN, Aristotle's System of the Physical World. A Comparison with His Predecessors, 1960 **17** R. SORABJI, Matter, Space and Motion: Theories in Antiquity and Their Sequel, 1988 **18** Ders., Time, Creation, and the Continuum: Theories in Antiquity and the Early Middle Ages, 1983 **19** G. VLASTOS, Plato's Universe, 1975 **20** H. WAGNER, Aristoteles. Physikvorlesung, ³1979 (dt. Übers.) **21** S. WATERLOW, Nature, Change and Agency in Aristotle's Physics, ²1988 **22** W. WIELAND, Die aristotelische Physik, ³1992 **23** M. WOLFF, Gesch. der Impetustheorie, 1978.   GO. H.

Physiognomik (φυσιογνωμονία/*physiognōmonía*, lat. *physiognomia*). Die Ph. stellt innerhalb der ant. → Psychologie einen Komplex von Techniken dar, die durch Beobachtung von körperlichen Merkmalen und von Verhalten zur Einschätzung von Persönlichkeit und Charakter eines Menschen führen (Ps.-Aristot. phgn. 6–7).

Erh. Quellen sind: die Aristoteles [6] zugeschriebene, aber wahrscheinlich auf den → Peripatos und das 3. Jh. v. Chr. zurückgehende Abh. *Physiognōmoniká*; → Polemons [6] zw. 133 und 136 n. Chr. in Anlehnung an die vorige abgefaßte Schrift, von der ein Fr., eine Bearbeitung durch → Adamantios und eine arabische Übers. erh. ist; ein in der Verf.-Angabe der hsl. Überl. fälschlich Apuleius [III] zugewiesenes lat. Werk, das gewiß in der 2. H. des 4. Jh. n. Chr. auf der Grundlage der beiden zuvorgenannten Abh. und der nunmehr verlorenen des Loxos verfaßt wurde; schließlich eine byz. Bearbeitung der Abh. des Adamantios.

Die »Erfindung« Ph. wurde in der Ant. zwar → Pythagoras und → Hippokrates [6] zugeschrieben, ist aber älter, da sie auf die babylonische Mantik (→ Divination I.) zurückgeht, nach der der Körper Zeichen aufweist, anhand welcher sich die Lebenserwartung voraussagen läßt. Doch wurde sie im *Corpus Hippocraticum* (um 400 v. Chr.) kodifiziert und im Peripatos unter Heranziehung von Aristot. hist. an. und unter Anwendung des Syllogismus formalisiert. Durch → Galenos (2. Jh. n. Chr.) erhielt sie dann ihre theoretische Legitimation, zumal sie nach demselben Prinzip verfährt wie die medizinische Diagnostik, indem sie von Zeichen (*sēmeía*) ausgeht, um die Ursachen zu erfassen.

Drei Techniken wurden angewandt: die zoologische, ethnologische und medizinisch-psychologische

Ph. In den ersten beiden werden die erfaßten menschlichen Merkmale mit den Merkmalen einer Tierart bzw. Ethnie verglichen, von denen man annahm, daß sie konstant seien; die dieser Tierart bzw. Ethnie zugeschriebenen Qualitäten, welche mindestens zum Teil durch die jeweilige Umgebung bestimmt sind, werden auf die analysierte Person übertragen. In der dritten Technik ist die Unt. spezifischer, da man von der Überlegung ausging, daß die → Psychologie (d. h. die Seele) die körperliche Erscheinung beeinflussen könne, bes. durch Veränderung ihres Zustands (Ps.-Aristot. physiognom. 35); dabei haben Gesicht und Augen besondere Bedeutung. Während die ersten beiden Techniken der Ph. zu einer Typologie führen, ermöglicht die dritte eine spezifisch psychologische, differenzierte Analyse.

Ursprünglich deskriptiv und interpretierend, war die ant. Ph. zumindest seit der ps.-aristotelischen Abh. normativ, indem sie das notwendige Verhältnis zw. Erscheinung und Zustand aufgrund des Prinzips der Angemessenheit (*epiprépeia*) vorschrieb und den soziokulturellen Begriff des Gleichgewichts (→ *mesótēs*) zw. Extremen aufnahm.

Die psychologische Beobachtung wurde, wie seit den ›Charakteren‹ des → Theophrastos offenkundig, seit dem 4./3. Jh. v. Chr. zwar spezifischer, doch ohne die Ph. verschwinden zu lassen. In Rom war die Interpretation des Gesichts in Mode (*metoposcopi*), und vom 2. Jh. n. Chr. an bediente sich die Lit. der Ph. Danach vielleicht in Vergessenheit geraten, scheint sie vom 4. Jh. an wieder praktiziert worden zu sein und wurde ohne Unterbrechung nach Byzanz und in den Okzident überliefert.

→ PHYSIOGNOMIE; PHYSIOGNOMIK

J. ANDRÉ (ed.), Traité de physiognomonie par un anonyme latin, 1981 (mit frz. Übers. und Komm.) · A. ARMSTRONG, The Methods of Greek Physiognomists, in: G&R, N. S. 5, 1958, 52–56 · S. DARIS, Il lessico fisiognomico nei papiri greci, in: S. SCONOCCHIA (Hrsg.), Lingue tecniche del greco e del latino, 1993, 99–104 · E. C. EVANS, Stud. of Physiognomy in the Second Century A. D., in: TAPhA 72, 1941, 96–108 · Dies., Galen the Physician as Physiognomist, in: TAPhA 76, 1945, 287–298 · Dies., Physiognomics in the Roman Empire, in: CJ 45, 1950, 277–282 · R. FOERSTER, Die Ph. der Griechen, 1884 · Ders. (ed.), Scriptores Physiognomonici Graeci et Latini, 2 Bde., 1893 · B. HOPPE, Physiognomie der Naturgegenstände, insbes. der Pflanzen, in der Ant. und ihre Wirkung, in: Ant. Naturwiss. und ihre Rezeption 8, 1998, 43–59 · F. R. KRAUS, Die physiognomonischen Omina der Babylonier, 1935 · R. MEGOW, Ant. Physiognomielehre, in: Das Alt. 9, 1963, 213–221 · M. M. SASSI, La scienza dell'uomo nella grecia antica, 1988 · J. SCHMIDT, s. v. Ph., RE 20, 1064–1074 · S. VOGT, Aristoteles, Physiognomonika, 1999 (dt. Übers. und Komm.).   A. TO./Ü: T. H.

Physiologus (Φυσιολόγος). Das in griech. Sprache verfaßte kleine Werk Ph. ist die früheste und wichtigste Schrift typologischer Naturerklärung. In ihm werden zahlreiche Tiere sowie einige Pflanzen und Steine naturtypologisch auf Gott, Christus, Teufel, Taufe, Auferstehung usw. gedeutet. Die Überl. des griech. Textes ist kompliziert und uneinheitlich [5. XII–XXIX]. Der urspr. Text der ersten Redaktion umfaßte wahrscheinlich 48 Kap., deren Reihenfolge mehr oder weniger ungeordnet additiv ist. Fast ausnahmslos in den griech. Hss. und den alten Übers. steht der Löwe (Kap. 1) als König der Tiere am Anfang.

Entstanden ist der Ph. in der 2. H. des 2. Jh. n. Chr. in → Alexandreia [1] (früheste Benutzer: → Clemens [3] von Alexandreia, → Origenes [2], → Hippolytos [2] von Rom und wohl → Tertullianus, vgl. [7. 598]). Der Name des Verf. ist unbekannt (erwägenswert: → Pantainos, vgl. [7. 598]), die Verf.-Angaben der Hss. (Epiphanios, Basileios u. a.) sind ohne Belang. Wegen der stereotypen Aussagen (›wie der Ph. sagt‹ o. ä.) und Parallelen bei ant. nichtchristl. Autoren wurde vermutet, es liege als Quelle ein »Ur-Ph.« zugrunde, den WELLMANN [14] auf einen schemenhaften Autor um 200 n. Chr. namens Bolos von Mende zurückführen wollte. Insbes. postulierte WELLMANN für den Ph. und die sogenannten ›Kyraniden‹ eine gemeinsame Quelle (dagegen [6. 14–34; 7. 598]). Berührungen des Ph. mit ant. Autoren sind einerseits meistens vage und disparat, andererseits hat fast die Hälfte der vom Ph. berichteten Eigenschaften in der paganen und der vom Ph. unabhängigen christl. Lit. keine Parallele. Diese sind durchweg vom Autor des Ph. selbst aus bestimmten Bibelstellen in tiefgreifender theologischer Reflexion und mit Hilfe der christl. Denkform der → Typologie [6. 42–47; 7. 599] herausgelesen worden [6. 35]; zur Bibel kommen frühchristl. Texte wie zumal der Barnabasbrief [6. 29f.; 7. 598f.]. Gelegentlich verrät der Ph. präzise Naturkenntnis [6. 40f.].

Das Büchlein erlangte in Spätantike und MA große Verbreitung und Wirkung, zumal durch Übers. in nahezu alle Kultursprachen des Alt. und des MA (Syr., Arab., Kopt., Armen., Georg., Slaw., Rumän. [11. 79ff.; 7. 600]; textkritisch bedeutend wegen der Nähe zum griech. Text ist die Übers. ins Äthiop. [6. 57 Anm. 8; 7. 600]). Von den alten lat. Übers. b (im 4. Jh.) und y (vor 500) [7. 600f.] hängen die ma. lat. Versionen, die volkssprachlichen Übers. (z. B. ins Ahd. und Isländ.) und die Bestiarien ab [7. 601]. Zur bed. Wirkung des Ph. in der bildenden Kunst vgl. [9].

1 F. C. CARMODY, Ph. Latinus, versio B, 1939 2 Ders., Ph. Latinus, versio Y, 1941 3 D. KAIMAKIS (ed.), Der Ph. nach der ersten Redaktion (Beitr. zur Klass. Philol. 63), 1974 4 D. OFFERMANNS (ed.), Der Ph. nach den Hss. G und M (Beitr. zur Klass. Philol. 22), 1966 5 F. SBORDONE (ed.), Ph., 1936 (Ndr. 1976 und 1991) 6 K. ALPERS, Untersuchungen zum griech. Ph. und den Kyraniden, in: Vestigia Bibliae 6, 1984, 13–87 7 Ders., s. v. Ph., TRE 26, 1996, 596–602 (Lit.) 8 M. J. CURLEY, Ph., 1979 (Übers. des Ph. Latinus) 9 P. GERLACH, s. v. Ph., LCI 3, 1971, 432–436 10 N. HENKEL, Stud. zum Ph. im Mittelalter, 1976 11 F. LAUCHERT, Gesch. des Ph., 1889 (Ndr. 1974) 12 O. SEEL, Der Ph. (Übers. und Komm.), 1960 (^{6}1992) 13 U. TREU (ed.), Ph., 1981 (mit Übers.) 14 M. WELLMANN,

Der Ph. Eine religionsgesch.-naturwiss. Unt., in: Philologus Suppl. 32.1, 1930, 1–116.   K. ALP.

Physkos (Φύσκος).

[1] Karische Stadt der rhodischen → Peraia (Strab. 14,2,4; 29; 5,22; Ptol. 5,2,11: Φοῦσκα; Stadiasmus maris magni 272), Demos der Polis → Lindos auf Rhodos [1. 79²; 2. Nr. 51]. Ant. Überreste einer klass. und hell. Befestigung liegen auf dem Asar Tepe 2 km nordwestl. von Marmaris über einem vorzüglichen Naturhafen an der Bucht. Inschr.: [1. 2–5; 2. Nr. 1–7, 57].

1 P. M. FRASER, G. E. BEAN, The Rhodian Peraea and Islands, 1954 2 C. BLINKENBERG, K. F. KINCH, Lindos, Bd. 2,1, 1941.

G. E. BEAN, s. v. Ph., PE, 710 · E. MEYER, s. v. Ph., RE Suppl. 11, 1090f.   E. O.

[2] Stadt in West-Lokris (Plut. mor. 294e und Steph. Byz. s. v. Φ.), ca. 8 km südsüdöstl. vom h. Lidoriki beim h. Malandrino am Westabhang des Lidorikis. Von ca. 360 v. Chr. bis zur aitolischen Vorherrschaft 263/2 v. Chr. war Ph. Hauptort des westlokrischen Bundes, desgleichen in der Zeit der Unabhängigkeit seit 167 v. Chr. Sitz des Bundeskultes der Athena Ilias. Das Ethnikon Φυσκεύς/Physkeús wird oft in aitolischen, delphischen und lokrischen Inschr. erwähnt (IG IX 1,3², 665–706; SEG 32, 558; 42, 481; 44, 437). Reste der doppelten Stadtmauer, Hausfundamente und Funde reichen vom 4. Jh. v. Chr. bis in byz. Zeit.

W. M. OLDFATHER, s. v. Ph. (4), RE 20, 1167–1169 · L. LÉRAT, Les Locriens de l'ouest, Bd. 1, 1952, 48–50, 64, 77–81, 123–134; Bd. 2, 1952, s. Index · K. BRAUN, s. v. Ph., in: LAUFFER, Griechenland, 549 · E. W. KASE u. a., The Great Corridor Route, Bd. 1, 1992, 90, 96, 102 · KODER/HILD, 211.   G. D. R./Ü: H. D.

Phytaion (Φύταιον).

Stadt in Aitolia im Süden des Sees von → Trichonion (Ethnikon Φυταιεύς, vgl. IG IX 1² 1,24,6 f.; wohl auch Φυρταῖος, SGDI 1949,16), identifiziert mit den ant. Überresten beim h. Palaiochori, südl. von Kapsorachi. Bürger der Stadt stellten nach den Inschr. häufig Beamte des Aitolischen Bundes (vgl. [1. col. IV 46]; IMagn. 28,14); lit. nur bei Pol. 5,7,7 bzw. 11,7,5 und Steph. Byz. s. v. Φ. erwähnt.

→ Aitoloi, Aitolia (mit Karte)

1 BCH 45, 1921.

S. BOMMELJÉ, P. K. DORN u. a., Aetolia and the Aetolians, 1987, 100 · PRITCHETT 6, 133f.   K. F.

Phytalidai s. Theseus

Piaculum.

Von lat. *piare* = *pium reddere*, »reinigen«, »sühnen« (Plaut. Men. 517; Varro ling. 6,30), dann auch »versöhnen« (Plaut. Asin. 506; Verg. Aen. 6,379). *P*. bezeichnet zum einen die zur Verletzung der → *pax deorum* führende, eine Sühnung erfordernde Handlung (Plaut.

Truc. 223; Varro ling. 629), zum anderen den rituellen Akt der Sühnung eines solchen Verstoßes bzw. das zu diesem Zweck verwendete Opfertier (Cato agr. 139).

Da die korrekte Einhaltung von Vorschriften, Handlungen und Regeln zum wesentlichen Bestandteil röm. Kultausübung gehörte, war die Gefahr des Verstoßes groß. Unterschieden wurde zw. unabsichtlich (*sine dolo*) und absichtlich (*dolo malo*) begangenen Verstößen; priesterliche Kultsatzungen (→ Sakralrecht) und sog. *leges sacrae* legten fest, welche Verfehlungen als *p.* zu werten seien, und bestimmten (Un-)Möglichkeit, Art und Umfang der Sühnung durch das Piacularopfer (CIL I² 366; 2872; Cic. leg. 2,22). Unabsichtliche oder wiederkehrende unausweichliche Verstöße gegen solche Satzungen konnten im voraus bzw. durch regelmäßig stattfindende Opfer gesühnt werden [1. Nr. 48,20–24]. Das *p.* konnte vom Verursacher selbst oder vom Magistrat dargebracht werden, geopfert wurde ein Schwein oder das für die jeweilige Gottheit bestimmte Tier. Die verschiedenen Arten von Verstößen, die durch ein *p.* zu sühnen waren, beinhalteten a) die Störung von Opfer und Gebet (Cato agr. 141; Macr. Sat. 3,10,7; Gell. 4,6,6; Serv. Aen. 2,104); b) das Unterlassen sakraler Handlungen; c) die Verletzung geltender Vorschriften für die röm. → Priester (Liv. 5,52,14; Gell. 10,15,10); d) die Verletzung eines → Hains oder → Heiligtums (CIL I² 366; 2872; Cato agr. 139f.; [1. Nr. 42,14; 48,18–24]); e) die Verletzung bestimmter (Feier-)Tage (*dies nefasti*: Varro ling. 6,30; Macr. Sat. 1,16,9f.; → *fasti*); f) den Verstoß gegen das *ius manium* (→ Manes, Di; Cic. leg. 2,57); g) Vertragsbrüche.

→ Sühneriten

1 J. SCHEID (ed.), Commentarii fratrum arvalium qui supersunt, 1998.

W. EHLERS, s.v. P., RE 20, 1179–1182 • H. FUGIER, Recherches sur l'expression du sacré dans la langue latine, 1963, 341–346 • J. SCHEID, Le délit religieux dans la Rome tardo-républicaine, in: Le délit religieux dans la cité antique, 1981, 136–138, 148–151 • S. P. C. TROMP, De Romanorum piaculis, 1921 • G. WISSOWA, Rel. und Kultus der Römer, ²1912, 392f.   A. V. S.

Piakos (Πίακος). Stadt auf Sicilia (Steph. Byz. s. v. Π.), verm. nordwestl. von Catania bei Adrano im Viertel Mendolito. Mz.-Funde legen diese Lokalisierung nahe: eine br. (425–420 v. Chr.) und eine silberne (ca. 400 v. Chr.) Emission sowie die auf einem Exemplar verzeichnete doppelte Legende *Piakinos/Adran.*

BTGCI 13, 501–507 • E. MANNI, Geografia fisica e politica della Sicilia antica, 1981, 219.   GI.F./Ü: H.D.

Piazza Armerina   I. ALLGEMEINES
II. ARCHITEKTUR   III. MOSAIKEN

I. ALLGEMEINES

Ausgedehnte spätant. Villenanlage in Sizilien im sogenannten Casale (volkstümlich), einem Tal zw. Monte Casale, Monte Mangone und dem Colle di Piazza Vecchia. Benannt ist die Anlage nach der nahegelegenen mod. Ortschaft. Aufgrund der Keramikfunde wird für die Villa eine Entstehungszeit zw. 305 und 325 n. Chr. angenommen. Die ant. Restaurierungen der → Mosaiken sprechen dafür, daß die Anlage in dieser Form bis in byz. Zeit bewohnt war [6. 54, 376f.]. Danach wurde sie bis zu ihrer endgültigen Zerstörung im 12. Jh. n. Chr. von Bauern und Handwerkern quasi als Dorf genutzt.

Die zahlreichen großflächigen Mosaiken machen den Komplex zu einem der wichtigsten Fundplätze aus der Zeit der → Tetrarchie. Die Mosaiken standen bei den ersten Ausgrabungen und während der weiteren Forsch. allerdings lange derart im Zentrum, daß der übrige Befund, d. h. frühere bzw. spätere Siedlungsschichten, aber auch die Architektur zunächst nur ungenügend untersucht wurden. Erst [7] legten eine umfangreiche Publikation des Befundes vor, soweit dies anhand der Grabungsnotizen aus den 1950er J. und der erh. Reste noch möglich war.

Die zentrale Frage, die sich aufgrund der reichen Ausstattung zu ergeben schien, war die nach der Identität des Besitzers. Er ist möglicherweise in einem der Mosaiken, der sog. »Großen Jagd«, dargestellt. Man glaubte zunächst, in ihm einen röm. Kaiser – z. B. Maximianus [1] Herculius (vgl. [3]) oder Maxentius (vgl. [5]) – zu erkennen. Die neuere Forsch. ist allerdings nach den Funden weiterer ausgedehnter Baukomplexe der Spätant. zu dem Schluß gekommen, daß sich P. A. nicht derart von anderen spätant. → Villen unterscheidet, daß ein kaiserlicher Auftraggeber angenommen werden muß. So erscheint h. die Annahme eines röm. Aristokraten als Besitzer überzeugend ([7. 31–51]: L. Aradius Valerius Proculus Populonius).

II. ARCHITEKTUR

Die Villa liegt nicht ganz in der Talsohle und paßt sich an das abfallende Gelände von Ost nach West in Terrassen an. Durch einen Ehrenbogen betrat der ant. Besucher die Villa und kam durch einen Hof und eine Vorhalle in das Vestibül, also in einen ersten Empfangsraum. Von da gelangte er in das mit korinthischen Säulen umgebene, rechteckige Peristyl, ein großes Becken mit Fontäne in der Mitte. Im Westen schließt sich eine Thermenanlage an das Peristyl an, im Norden die Küche und Bedienstetenräume, im Osten die Räume des Besitzers. Diese bestehen aus der Ambulatio (ausgedehnter Flur), die gleichsam als Begrenzung zu den übrigen Räumen, aber auch als Verbindung der Privaträume untereinander diente, der Basilika mit Apsis, welche als Empfangssaal mit *opus sectile* (→ Mosaik) ausgestattet war, den Schlafräumen des Besitzers und einem eigenen Komplex für dessen Kinder. Für die Dienerschaft der Kinder waren wohl die südlich an das Peristyl anschließenden Räume gedacht. Von der Ambulatio schließlich führt eine Tür zum ausgedehnten Gartenperistyl in Hufeisenform, wiederum mit Fontäne und zudem mit einem geräumigen Trikonchos (Raum in Kleeblattform), einem Triclinium (Speisesaal).

Piazza Armerina, »Kaiservilla«.
305–325 n.Chr. (Grundriß)

	Deambulatoria, Peristylia		Thermen		Privatgemächer	25 Exedra (Nymphaeum)
1	Ehrenbogen	8	Palaestra (?)	16	Vorraum zu den »Gemächern des Kaisers«	26 Orpheussaal
2	Vestibulum mit nachträglich angebauter Vorhalle zum Ehrenhof	9	Frigidarium	17	privater Speisesaal	Nutzräume
3	Latrine	10	überdecktes Becken des Frigidariums	18	Cubiculum mit Alkoven	27 Küche mit Vorräumen
4	Gartenperistyl	11	Tepidarium	19	Peristyl der Kindervilla	28 Räume für die Bediensteten
5	Fontäne	12	Caldarium	20	Speisesaal der Kinder	29 große Latrine
6	Ambulatio		Gästezimmer	21	nördl. Cubiculum mit rechteckigem Alkoven	30 Ummauertes Areal (nicht ausgegraben)
	Basilika	13	Saal mit Jagdmosaik	22	südl. Cubiculum mit apsidialem Alkoven	31 Verteilerbecken des Aqädukts
7	Palastaula mit Apsis	14	Raum mit fischenden Eroten	23	Peristyl des Tricliniums	32 Latrine der Kindervilla
		15	Raum mit dem Mosaik »Raub der Sabinerinnen«	24	Triclinium	33 Aquädukt

Der Plan offenbart vier Bauabschnitte, die – wie [5. 19] sicher richtig annimmt – jedoch in einem Zug errichtet wurden. Man begann verm. mit dem rechtekigen Peristyl und den angrenzenden Räumen, ging sogleich zum Bau der Thermen über, baute sodann das Triclinium mit dem Gartenperistyl und schloß mit dem Eingangsbereich ab.

III. MOSAIKEN

Fast alle Räume sind mit farbigen → Mosaiken ausgestattet, diejenigen in den Repräsentations- und Wohnräumen der Familie reich figürlich verziert, jene in den Bedienstetenräumen einfacher, geom. geschmückt. Auffallend ist die Ausstattung der Basilika, die ganz mit Marmor verkleidet und mit einem → Pavimentum in *opus sectile* versehen war. Einen genauen Katalog der einzelnen Räume mit deren Wand- und Bodendekoration gibt [7. 112–373]. Die Mosaikenwerkstatt ist gemäß [6] afrikanisch, möglicherweise mauretanisch. Die auffallendsten Mosaikkomplexe sind die sog. »Große Jagd« (Ambulatio), die v. a. durch die zahlreichen exotischen Tierarten besticht, das Wagenrennen mit seinem Detailreichtum (Thermen), das – allerdings schlecht erh. – Orpheusmosaik (Apsidensaal) und die plastisch differenziert dargestellten Figuren der Herakles-Bildfolge (Trikonchos). Das Bildprogramm als Ganzes legt dem Betrachter dar, daß der Besitzer dank seiner Rechtschaffenheit (*virtus*), seiner Bildung und seiner Klugheit Sieger über all seine Gegner, auch über Chaos und Übel (wilde Tiere, Giganten), bleibt. Gleichzeitig offenbaren die Szenen im einzelnen, so z. B. die Jagden, die Lebensauffassung der neureichen Schicht der Spätant., die die Muße hatte, den einst ernsten Wettkämpfen nunmehr in Form eines sportlichen Freizeitvergnügens zu frönen.

→ Mosaik; Pavimentum; Sicilia

1 B. PACE, I mosaici di P. A., 1955 2 G. V. GENTILI, La villa Erculia di P. A. I mosaici figurati, 1959 3 H. P. L'ORANGE, Nuovo contributo allo studio del palazzo di P. A., in: Acta ad archaeologiam et artium historiam pertinentia 2, 1965, 65–104 4 G. V. GENTILI, P. A., 1969 5 H. KÄHLER, Die Villa des Maxentius bei P. A., 1973 6 K. M. D. DUNBABIN, The Mosaics of Roman North Africa, 1978 7 A. CARANDINI, A. RICCI, M. DE VOS, Filosofiana. La Villa di P. A., 1982 8 R. J. A. WILSON, P. A., 1983 9 C. F. SEMINI, Mosaici di P. A., 1992 10 L. VILLARI, L'ibla Sicana e il sito della villa imperiale di P. A., 1995.   AL. PA.

Pibechis. (Πιβῆχις). Spätant. Magier aus Ägypten. Wahrscheinlich unter verschiedenen Namen, z. B. Apollobex bekannt (Apul. apol. 90), die aber immer die Bed. »Falke« oder »Sperber« beinhalten. Somit ist P. in engem Kontakt zur ägypt. Gottheit → Horus zu sehen. P. soll die alchemistische Fähigkeit der Goldherstellung besessen haben [1. 2,25,12].

1 M. BERTHELOT (ed.), Collection des anciens alchimistes grecs, 1888 (Ndr. 1967).   J. BI.

Picentes, Picenum (Πικηνοί/*Picēnoí*, Πικεντίνη/*Pikentínē*). Italischer Volksstamm im Gebiet zw. Adria im Osten und Appenninus im Westen, zw. Aesis im Norden und Aternus im Süden, erstmals anläßlich eines Vertragsabschlusses mit Rom 299 v. Chr. erwähnt (Liv. 10,10,12). Von Rom in zwei Feldzügen 269/8 v. Chr. unterworfen (Acta triumphalia zum J. 268 v. Chr.; Liv. epit. 15; Eutr. 2,16); ein Teil der P. wurde im Norden des Golfs von Paestum (→ Poseidonia) angesiedelt (Strab. 5,4,13; Dion. Per. 361; Plin. nat. 3,70; Ptol. 3,1,7). Ihr Hauptort Asculum Picenum (*caput gentis*) wurde *civitas foederata*, die Einwohner des übrigen Gebietes, *ager Picenus*, erhielten die *civitas sine suffragio*. Die P. waren maßgeblich am → Bundesgenossenkrieg [3] gegen Rom beteiligt (Liv. per. 72; 74; 76; Eutr. 5,3; Flor. 2,6; Gell. 15,4,3). Noch 49 v. Chr. stand das Gebiet der P. unter der Verwaltung von → *praefecti* (Caes. civ. 1,15,1). In der Spätant. gehörte das P. zur Prov. *Flaminia et P.* (Not. dign. occ. 1,56; 2,14).

Das P. war vom 9. bis zum 4. Jh. v. Chr. von einer ganz eigenständigen Kultur geprägt (sog. »picena«-Kultur). Davon zeugen Grabbeigaben (bes. des 6. Jh.): Keramik, Geschirr für Symposien, Wagen, Skulpturen, die in den zahlreichen Nekropolen geborgen wurden (vgl. Numana, Canerano, Pitino di S. Severino, Tolentino, Fermo, Belmonte Piceno, Cupra Marittima). Inschr. in indigener Sprache sind erh. (→ Nordpikenisch; Südpikenisch: → Oskisch-Umbrisch).

→ Italien, Sprachen (mit Karte)

A. MARINETTI, Le iscrizioni sudpicene, Bd. 1, 1985 · D. LOLLINI, E. PERCOSSI (Hrsg.), La civiltà picena nelle Marche. FS G. Annibaldi, 1992 · D. G. LOLLINI, La civiltà picena, in: A. RADMILLI (Hrsg.), Popoli e civiltà dell'Italia antica, Bd. 5, 1976, 107–195 · M. LANDOLFI, I Piceni, in: G. PUGLIESE CARRATELLI (Hrsg.), Italia omnium terrarum alumna, 1988, 313–372 · G. PACI, Il Piceno in età romana. Atti del 3° Seminario di studi per personale direttivo e docente della scuola (Cupra Marittima, Ottobre 1991), 1992 · A. EMILIOZZI (Hrsg.), Carri da guerra e principi etruschi. Cat. della mostra (Viterbo, 1997/8), 1997, 229–241, 315–319 · G. COLONNA (Hrsg.), Die Picener. Ein Volk Europas (Ausst. Frankfurt), 1999 · A. NASO, I Piceni, 2000.   G. PA./Ü: J. W. MA.

Picti. Volksstamm jenseits der Nordgrenze der röm. Prov. → Britannia, erstmals im Zusammenhang mit Ereignissen des J. 297 n. Chr. erwähnt (Laterculus Veronensis 13; Paneg. 8,11,4). Constantius [1] I. zog 306 n. Chr. gegen sie zu Felde; seit der Mitte des 4. Jh. griffen sie aber wiederholt die Prov. an (Amm. 20,1; 26,4,5; 27,8,20). Ihr Siedlungsgebiet lag in Ost-Schottland nördl. des Forth (vgl. die Etym. verschiedener ON). Über ihre Siedlungen ist wenig bekannt; sie hinterließen immerhin eine bemerkenswerte Zahl von Bildsteinen [1]. Im 9. Jh. gerieten sie unter die Herrschaft der → Scotti westl. von ihnen, als das Königreich Schottland Form annahm.

1 C. THOMAS, The Interpretation of the Pictish Symbols, in: AJ 120, 1963, 31–97.

G. und A. Ritchie, Scotland, 1985 • F. T. Wainwright, The Problem of the Picts, 1955 • S. H. Cruden, The Early Christian and Pictish Monuments of Scotland, 1964 • A. Smyth, Warlords and Holy Men, 1984.　M. TO./Ü: I. S.

Pictones (Πίκτονες). Volksstamm der Gallia Celtica, nachmals → Aquitania, südl. des unteren → Liger (Caes. Gall. 3,11,5; 7,4,6; 75,3; 8,26,1; Plin. nat. 4,108; 17,47; Strab. 4,2,1; Ptol. 2,7,6), im h. Dep. Vendée [1], Deux-Sèvres [2] und Vienne [3]. Die P., seit dem 2. Jh. n. Chr. als *Pictavi* bekannt (CIL XIII 7297; Notitia Galliarum 13,6; Amm. 15,11,13), waren Nachbarn der Namnetes im NW, der Bituriges Cubi im Osten, der Lemovices im SO, der Santones im SW. Im J. 56 v. Chr. standen die P. bereits unter der Verfügungsgewalt des röm. Proconsuls (Caes. Gall. 3,11,5). Sie schlossen sich 52 v. Chr. → Vercingetorix an (Caes. Gall. 7,4,6; 75,3). In der röm. Kaiserzeit zählten die P. zu den *civitates* der Gallia Aquitanica (Strab. 4,2,1; Plin. nat. 4,108). Ihr Gebiet war wegen seiner Kalkböden für den Anbau von Olivenbäumen und Wein gut geeignet (Plin. nat. 17,47). Wirtschaftlich bed. waren der Fischfang, der Schiffbau und das Vorkommen von silberhaltigem Bleiglanz bei Melle [4. 975 f.] (Deux-Sèvres; *aerariae*: Caes. Gall. 3,21,3). Wichtig für den Handel war das gut ausgebaute Straßennetz (Itin. Anton. 460; Tab. Peut. 2,3 [5. 87 f.]). Ihr Hauptort war Lemonum (später *Pictavorum civitas* [6. 418, 504]; h. Poitiers). Der erste bekannte Bischof war → Hilarius [1]. Inschr.: [7. 55–57]; CIL III 14046a; CIL XIII 1124; 1697; 7297; 11070.

→ Gallia (mit Karte)

1 M. Provost u. a., Vendée (Carte archéologique de la Gaule 85), 1996 2 J. Hiernard, D. Simon-Hiernard, Deux-Sèvres (Carte archéologique de la Gaule 79), 1996 3 J. Perrier, Haute-Vienne (Carte archéologique de la Gaule 87), 1993 4 Grenier 2,2 5 Grenier 2,1 6 Grenier 1 7 P. Wuilleumier (ed.), Inscriptions latines des Trois Gaules, 1963.　Y. L.

Pictor. Röm. Cognomen (»Maler«), erblich in der Familie der Fabii (→ Fabius [I 31–35]).

Kajanto, Cognomina, 321.　K.-L. E.

Picumnus. Mit → Picus identifizierte röm. Gottheit (Aemilius Macer fr. 1 Courtney; Non. 834 L.; vgl. [1. 6–8]), obwohl keine etym. Verbindung mit *picus*, »Specht«, besteht [2. 254; 3. 299 f.]. Bekannt auch als Sterculinius, Erfinder des Düngens (Serv. Aen. 9,4), hatte P. einen Bruder → Pilumnus, der als Stercutius ebenfalls mit Dünger assoziiert wurde (Serv. auct. Aen. 10,76; [2. 293 f.]). Servius (nach Varro bei Non. 848,11–15 L.) deutet P. und Pilumnus als Götter der Ehe (*di coniugales*) oder der Kleinkinder (*di infantium*). Diese varronische Spekulation schließt eine frühere Trad. über die beiden Gottheiten nicht aus, die antiquarische Ausarbeitung macht gesicherte Rückschlüsse aber unmöglich.

1 H. Dahlmann, Über Aemilius Macer (AAWM 1981,6) 2 Radke 3 Walde/Hofmann, Bd. 2.　C. R. P.

Picus. Mythischer König der altital. Laurentes (Verg. Aen. 7,48; 171) bzw. der → Aborigines (Fest. 228,32–34 L.), Sohn des → Saturnus (Verg. Aen. 7,48) bzw. des → Stercutius (Serv. Aen. 10,76). Bei Verg. Aen. 7,45–49 ist P. Vater des → Faunus und Großvater des → Latinus [1] (anders: Verg. Aen. 12,164; vgl. [1]). P. erscheint der → Rhea Silvia im Traum (Ov. fast. 3,37) und nährt → Romulus und Remus (Plut. qu.R. 21). Von → Kirke wird P. in einen Specht (lat. *picus*) verwandelt (Verg. Aen. 7,189–192). Vergil motiviert diese Verwandlung mit P.' Zurückweisung von Kirkes Zuneigung; bei Ovid (met. 14,320–434) ist P. bereits mit Canens verheiratet, bei Servius (Aen. 7,190) mit → Pomona (mögliche Quelle ist Aemilius Macer, Ornithogonia: Plin. nat. 10,40 f.; Non. 834 L.).

Nach Valerius Antias (fr. 6 HRR; vgl. Ov. fast. 3,285–360) lehren Martius P. und Faunus den König → Numa Pompilius rel. Rituale. Die Deutung des Spechtes als Vogel der Weissagung (→ Divination; Fest. 214,9–11 L.; Dion. Hal. ant. 1,14,5; Plin. nat. 10,40), der → Mars heilig (Non. 834 L.) und Totem der → Picentes sei (Tabula Iguvina 5b 8–18; Plin. nat. 3,70), ist nicht unumstritten [2. 31 Anm. 30].

1 R. Moorton, The Genealogy of Latinus in Vergil's Aeneid, in: TAPhA 118, 1988, 253–259 2 N. Horsfall, Romulus, Remus and the Foundation of Rome, in: Ders., J. Bremmer (Hrsg.), Roman Myth and Mythography (BICS Suppl. 52), 1987, 25–48.　C. R. P.

Pidasa (Πίδασα). Befestigte Siedlung der Kares im Grion auf dem Ilbıra Dağı oberhalb Danişment mit zwei Akropolen (h. Cert Osman Kalesi) [1; 2. 91 f.; 5]. Den Pidaseis gaben die Perser nach 494 v. Chr. die → Milesia ὑπεράκρια/*hyperákria*, das Bergland von Miletos [2] (Hdt. 6,20). P. war Mitglied im → Attisch-Delischen Seebund (Tribut ein Talent, ATL 1, 535), schloß zw. 323 und 313 v. Chr. eine → *sympoliteía* mit Latmos [2] (vgl. [1]) und zw. 188/7 und 178/7 v. Chr. mit Miletos [2] (vgl. [1. 139; 3; 4. 283 f.]), das eine Garnison nach P. detachierte.

1 W. Blümel, Ein Vertrag zw. Latmos und P., in: EA 27, 1997, 135–142 2 J. M. Cook, Some Sites of the Milesian Territory, in: ABSA 56, 1961, 90–101 3 P. Herrmann, Milet, Bd. 6,1: Inschr. von Milet, 1996, 184 Nr. 149 4 M. Piérart, Athènes et Milet. II. L'organisation du territoire, in: MH 42, 1985, 276–299 5 W. Radt, P. bei Milet, in: MDAI(Ist) 23/4, 1973/4, 169–174 6 L. Robert, Documents d'Asie Mineure. 13: Une monnaie de Pédasa-P., in: BCH 102, 1978, 490–500 7 Zgusta, 489.　H. Lo.

Pierides (Πιερίδες; lat. *Pierides* oder *Pieriae*).
[1] Bezeichnung der → Musen nach ihrem Wohnort (Hes. theog. 53).
[2] Die neun Töchter des → Pieros (Paus. 9,29,4) und der Antiope, die die → Musen zu einem künstlerischen

Wettkampf herausfordern und von diesen besiegt und in Elstern (Ov. met. 5,671 ff.) verwandelt werden (Ov. met. 5,294 ff.; Antoninus Liberalis 9,1 ff.). Ihre Namen werden nach Antoninus Liberalis l.c. wie folgt angegeben: Akalanthis, Kolymbas, Iynx, Kenchris, Kissa, Chloris, Nessa, Pipo, Drakontis.   C.W.

Pieros (Πίερος).

[1] Eponym der maked. Landschaft Pieria (→ Pierides), Sohn des → Makedon [1] (schol. Hom. Il. 14,226). Seine Verbindung zu den → Musen wird in alternativen Genealogien deutlich: Sohn des → Linos (Suda s.v. Ὅμηρος; Certamen Homeri et Hesiodi Z. 47), Vater des → Oiagros und der → Kalliope [1] (l.c.; Paus. 9,30,4; Suda l.c.). Er dichtete als erster auf die Musen (Plut. de musica 3) und führte den Dienst der neun Musen in Thespiai (→ Thespeia) ein (Paus. 9,29,3). Nach späteren Versionen soll er seine neun Töchter nach den Musen benannt haben; nach einem musischen Wettkampf mit den echten Musen werden sie in Elstern verwandelt (l.c.; Antoninus Liberalis 9; Ov. met. 5,294–304).

[2] Sohn des → Magnes [1], Gatte der Muse → Kleio, von ihr Vater des → Hyakinthos (Apollod. 1,16).   L.K.

Pietas.

Lat. »pflichtgemäßes Verhalten« gegenüber: den Göttern (Cic. nat. deor. 1,116); Menschen, bes. der Familie und den Eltern (Cic. inv. 2,66; Ter. Andr. 869; [1. 105–114]); dem Vaterland (Cic. rep. 6,16; Liv. 39,9,10); sowie, später, dem Kaiser. P. wurde mit griech. → eusébeia übersetzt [2]. P. ist häufig mit anderen Tugenden verbunden: z.B. clementia (»Gnade«), concordia (»Eintracht«), constantia (»Beständigkeit«), fides (»Treue«), virtus (»Tapferkeit«).

Der → Personifikation der P. als einer weiblichen Gottheit im privaten wie öffentlichen Bereich (Plaut. Rud. 190–192; Plaut. Curc. 639 f.) ließ M.' Acilius [I 11] Glabrio, um ein Gelübde (votum) seines Vaters zu erfüllen, im J. 181 v. Chr. in Rom am Forum Holitorium auf dem Platz des späteren Marcellus-Theaters einen Tempel errichten; ein zweiter lag beim Circus Flaminius [3; 4]. Das Cognomen Pius wie auch Münzdarstellungen der P. – bisweilen mit dem → Storch, der seine Eltern im Alter nährt (Aristot. hist. an. 615b 23; Publius Syrus, CRF³ fr. 1,5 f.), als dem Symbol von p. seit republikanischer Zeit – stellten, mit unterschiedlichen Bildthemen, die p. der Machthaber bzw. des Kaiserhauses heraus [5. 108–140]. Den Prototyp des pius homo schuf → Vergilius mit Aeneas (→ Aineias [1]), den Augustus in seiner programmatischen Verwendung nutzte und die P. Augusta als »Kaisertugend« beschwor [4; 5; 6].

Seit → Augustinus (civ. 10,1) galt p. als das Gott verehrende wie Opfer abverlangende Verhältnis von Mensch zu Gott, von Kindern zu Eltern und das sich in den Werken der Barmherzigkeit äußernde Verhalten der Menschen untereinander. In diesem Sinne war sie auch in der weiteren Entwicklung des Christentums von Bedeutung [7].

1 R. SALLER, Patriarchy, Property and Death in the Roman Family, 1994 2 BURKERT, 408–412 3 P.C. ROSSETTO, s. v. P., LTUR 4, 86 4 E. LA ROCCA, s. v. P., in: [3], 87–89 5 P. ZANKER, Augustus und die Macht der Bilder, 1987, 108–140 6 A. TRAINA, s. v. P., EV 4, 93–101 7 M. GERWING, s. v. P., LMA 6, 2141 f.

J. R. FEARS, The Cult of Virtues and Roman Imperial Ideology, in: ANRW II 17.2, 831 f., 835, 841 · R. VOLLKOMMER, s. v. P., LIMC 8.1, 998–1003.   W.-A.M.

Pietrabbondante.

Beim Dorf P. (Prov. Isernia) lag das samnitische Bundesheiligtum, das vielleicht mit → Bovianum Vetus gleichzusetzen ist. Zahlreiche Waffenweihungen vom späten 5. Jh. v. Chr. bis zu den → Samnitenkriegen im frühen 3. Jh. v. Chr. lassen darauf schließen, daß hier der Zehnte der Kriegsbeute einer nicht mehr identifizierbaren Gottheit dargebracht wurde. Die erste quadratische Ummauerung des 4. Jh. wurde kurz nach der Mitte des 3. Jh. durch einen ionischen Tempel ersetzt, der E. des 3. Jh. gewaltsam zerstört wurde. Im 2. und frühen 1. Jh. erfolgte der monumentale Ausbau des Heiligtums; zunächst (um 180 v. Chr.) der kleinere Tempel A, dann ab dem späten 2. Jh. ein größerer Komplex, bestehend aus einem Theater und einem axial dahinter liegenden Podiumstempel (Tempel B). Nach einer oskischen Bauinschr. wurde der Tempel B von C. Statius Clarus errichtet, der bei App. civ. 4,25,102 im Zusammenhang mit dem → Bundesgenossenkrieg [3] (91–89 v. Chr.) erwähnt wird. Der mutmaßliche ant. Name → Cominium (Liv. 10,43,5–7) hängt sprachlich mit comitium (→ comitia) zusammen und weist auf die Funktion als Versammlungsplatz der → Samnites hin. Nach der Niederlage der Italiker gegen die Römer verfiel das Heiligtum rasch.

S. CAPINI, s. v. P., EAA 2. Suppl. Bd. 4, 371–375 · S. GRIMALDI et al., Antico futuro, 1996 · A. LA REGINA, P., in: V. CIANFARANI et al. (Hrsg.), Culture adriatiche antiche di Abruzzo e di Molise, 1978, 449–489 · M. J. STRAZZULLA, Il santuario sannitico di P., ²1973.   M.M.

Pigmentarius.

Abgeleitet von pigmentum (»Farbstoff«; vgl. Plin. nat. 33,111; 33,115; 33,158; 35,29; 37,81), bezeichnet das lat. Wort p. den Hersteller und Händler von Farben, Salben und Parfums (unguenta). Vertreter dieser Berufsgruppe sind bei Cicero und auf Inschr. erwähnt (Cic. fam. 15,17,2; ILS 7604; 7605; CIL VI 9795). Werkstatt und Laden eines p. sind vielleicht im Haus der Vettii in Pompeii abgebildet [2. Taf. XV 1]. Der Verkauf von Giften oder Liebeszauber durch die p. stand unter Strafe (Dig. 48,8,3,3; vgl. → pharmakeía).

1 E. MÜLLER-GRAUPA, s. v. Pigmentarii, RE 20, 1233–1234 2 ROSTOVTZEFF, Roman Empire.   H.SCHN.

Pignus.

Das röm. → Pfandrecht hat sich wesentlich durch die Kreditsicherungspraxis entwickelt. Es ist zunächst Verfallsrecht: Mit der Fälligkeit der gesicherten Forderung erwirbt der Pfandnehmer das (bis dahin aufschiebend bedingte) Eigentum an der Pfandsache mit dem Schutz der → *rei vindicatio* (des Eigentumsanspruchs). Diese Gestalt hat das *p.* in den von Cato d. Ä. mitgeteilten Formularen (Cat. agr. 146,2,3, 149,2 und 150,2). Der Verfall (in die Sklaverei) ist auch z. B. das Schicksal der im Latinerbündnis 493 v. Chr. gestellten (Pfand-)Geiseln (Fest. 166 s. v. *nancitor*). Schuldrechtlich tritt das *p.* nach Verfall an die Stelle der geschuldeten Leistung (*datio in solutum*), so daß die gesicherte Forderung erlischt, und zwar auch bei einem Minderwert des *p.*; ein Mehrwert des *p.* ist andererseits nicht herauszugeben (vgl. Cic. Att. 12,27(25),1; Labeo Dig. 20,1,35; Tabulae Herculanenses 70,73).

Im Laufe der röm. Republik tritt bei Fälligkeit der gesicherten Forderung an die Stelle des Verfalls ein Verkaufsrecht (*ius vendendi*) des Pfandnehmers (Servius/Ulp. Dig. 47,10,15,32; Plin. epist. 3,9,6), welches zunächst vereinbart werden muß (Iav. Dig. 47,2,74; Pomp. Dig. 13,7,6 pr.; Gai. inst. 2,64), später ohne weiteres besteht (Ulp. Dig. 13,7,4). Ein Mindererlös läßt die gesicherte Forderung jetzt auf den Rest (*reliquum, residuum*) fortbestehen (Pomp./Paul. Dig. 20,5,9,1); ein Mehrerlös (*superfluum*) muß an den Pfandgeber herausgegeben werden (Ulp. Dig. 13,7,24,2). Eine bes. Verfallsabrede bleibt möglich als *datio in solutum* (Cod. Iust. 8,13,13 vom J. 293) oder – nach griech. Vorbild – als Kauf (Marcianus Dig. 20,1,16,9), bis Constantinus [1] die Verfallsabrede verbietet (Cod. Theod. 3,2,1 vom J. 320, ebenso Cod. Iust. 8,34,3 vom J. 530).

Übergabe des Pfandes an den Gläubiger (dann *p.* im engen Sinn) ist für das Pfandrecht selbst ohne Bed. (Marcianus Dig. 20,1,5,1); es kann ohne Übergabe als *hypotheca* bestehen (Ulp. Dig. 13,7,9,2; Inst. Iust. 4,6,7; → *hypothḗkē*). Eine schuldrechtliche Beziehung (*p.* als Realobligation) mit dem Recht des Verpfänders auf Rückgabe des Pfandes nach Ablösung des gesicherten Darlehens entsteht jedoch nur durch Übergabe (Gai. Dig. 44,7,1,6; Inst. Iust. 3,14,4). Nach dem Formular der unter dem Einfluß von Catos Verpfändungsformularen wohl durch Servius Sulpicius Rufus (*cos.* 51 v. Chr.) begründeten *actio Serviana* entsteht das *p.* (zunächst nur für den Landverpächter, seit Iulianus [1] im 2. Jh. für alle Pfandnehmer, Inst. Iust. 4,6,7) unter folgenden Voraussetzungen: eine Pfandabrede (*conventio*), die Zugehörigkeit des Pfandobjektes zum Vermögen (*in bonis*) des Pfandgebers zu diesem Zeitpunkt und der Bestand der zu sichernden Forderung. Ferner darf der Gläubiger nicht mit der Annahme der Leistung auf die gesicherte Forderung im Verzug sein (→ *mora*). Die formlose *conventio* (Gai. Dig. 20,1,4; Ulp. Dig. 13,7,1 pr.) kann sich auf einzelne Sachen beziehen (*in speciem collata*) oder – unter Einfluß griech. Kreditsicherungspraxis (→ *hypállagma*) – (als *conventio generalis*) auf Sachgesamtheiten wie Warenlager oder ganze Vermögen, sog. Generalhypotheken (Gai. Dig. 20,1,15,1; Papin. Dig. 20,1,1 pr.). Mit der *conventio* erwirbt der Pfandnehmer ohne weiteres → *possessio* (Florent. Dig. 13,7,35,1). Schon dies scheint den allg. Interdiktenschutz des Pfandnehmers (→ *interdictum*) begründet zu haben (Iulianus/Paul. Dig. 41,2,1,15).

Das Erfordernis des *in bonis esse* (→ *bona*) enthielt zunächst auch die »Pfandfreiheit«, so daß eine Sache nur einmal verpfändet werden konnte (Africanus Dig. 20,4,9,3). Darin wirkte der Gedanke nach, daß das Pfand dem Gläubiger verfiel, wenn der Schuldner es nicht auslöste. Möglich war deshalb allein, für den Fall des Wegfalls des bestehenden Pfandrechts die Sache, für den Fall des Pfandverkaufs den Überschuß (*superfluum, hyperocha*) zu verpfänden (Gai. Dig. 20,1,15,2). Seit Ende des 2. Jh. begegnen mehrere Pfandrechte an derselben Sache (Marcellus Dig. 44,2,19; Marcellus/Ulp. Dig. 20,4,7,1) in der Rangordnung des Prioritätsprinzips (*prior tempore potior iure*, vgl. Cod. Iust. 8,17,3 vom J. 213), das aber zunehmend durch Rangprivilegien durchbrochen wird. Nur das erstrangige *p.* gewährt ein Verkaufsrecht, in das nachrangige Pfandgläubiger jedoch durch dessen Ablösung nachrücken können (*ius offerendi et succedendi*). *Pignora* wurden auch durch Gesetz begründet (z. B. durch ein SC unter Marcus [2] Aurelius, Papin. Dig. 20,2,1; ferner zahlreiche Generalhypotheken durch die Severerkaiser und durch Iustinianus). Außerdem konnte der Richter ein *p.* begründen (*p. in causa iudicati captum*). Schließlich gab es gewisse stillschweigend (*tacite*) begründete Pfandrechte (in Fällen von Miete und Pacht, vgl. Pomp. Dig. 20,2,2; Neratius Dig. 20,2,4).

Neben der geschilderten techn. Bed. des *p.* kamen »Pfänder« aufgrund privater Pfandnahme (*pignoris capio*) nach den Zwölftafeln (tab. 12,1) vor (Gai. inst. 4,28 f. und Reminiszenz bei Alfenus/Paul. Dig. 13,7,30?) sowie »Pfänder«, die im Wege magistratischen Zwanges (→ *coercitio*) genommen und zerstört wurden (Cic. orat. 3,1,4), ferner *pignora* im Sinne von *praediatura* (Verkauf von Grundstücken für den Staat), Zurückbehaltungsrecht, Angeld, Wetteinsatz, Geisel, Unterpfand, Beweis.

H. DERNBURG, Das Pfandrecht nach den Grundsätzen des heutigen röm. Rechts, 2 Bde., 1860–1864 · KASER, RPR, Bd. 1, 144 f., 463–473; Bd. 2, 312–321 · Ders., Studien zum röm. Pfandrecht, 1982 · A. MANIGK, s. v. Hypotheca, RE 9.1, 292–321 · Ders., s. v. Hyperocha, RE 9.1, 343–412 · Ders., s. v. P., RE 20.1, 1239–1284 · D. SCHANBACHER, Die Konvaleszenz von Pfandrechten im klass. röm. Recht, 1987 · Ders., Beobachtungen zum sog. »p. Gordianum«, in: ZRG 114, 1997, 233–271 · A. WACKE, Max Kasers Lehren zum Ursprung und Wesen des röm. Pfandrechts, in: ZRG 115, 1998, 168–202 · Ders., Die Konvaleszenz von Pfandrechten nach röm. Recht, ebd., 438–461. D. SCH.

Pigres (Πίγρης). Dichter aus Halikarnassos, Sohn (Plut. mor. 873f) oder Bruder (Suda π 1551) der Artemisia [1], ca. 480 v. Chr. (sofern die Person nicht erfunden ist; zum karischen Namen vgl. Hdt. 7,98; Syll.³ 46,28). Plutarchos (falls nicht Itp. [1]) schreibt P. die → *Batrachomyomachía* zu, die Suda fügt auch noch den → *Margítes* und eine *Iliás* hinzu, in der bei P. ein Pentameter jedem homer. Hexameter folgte.

1 R. PEPPMÜLLER, Rez. A. Ludwich, Der Karer P. und sein Tierepos Batrachomachia, 1896, in: PhW 21, 1901, 673–679. E. BO./Ü: TH. G.

Pikrai Limnai (Πικραὶ λίμναι). Bezeichnung (Strab. 17,1,24) der brackigen »Bitterseen« auf dem Isthmus von Suez, altäg. *km-wr*, »großer schwarzer (See)«. Im 3. und frühen 2. Jt. waren hier Befestigungsanlagen, später lief der Kanal zum Roten Meer (→ Ptolemais) durch diese Gewässer.

K. W. Butzer, s. v. Bitterseen, LÄ 1, 824 f.   K. J.-W.

Pilaster. In der klass. Arch. eine mod., der lat., it. und frz. Sprache entlehnte Bezeichnung für einen in die Wand eingebundenen Halbpfeiler. Das Architekturglied besteht analog der → Säule bzw. der Halbsäule aus Kapitell, Schaft und Basis. In der archa.-klass. griech. Architektur selten (vgl. hierzu aber → Ante), tritt der P. im Hell. und v. a. in der röm.-kaiserzeitlichen Architektur zunehmend in Erscheinung und findet Verwendung als Gliederungselement großflächiger Wandsysteme, ferner als Tür- und Fensterfassung. Die intensive Verwendung des P. in Renaissance, Barock und Klassizismus griff auf die röm. Architektur zurück, auf die griech. (bes. den Apollontempel von Didyma) hingegen die markante Verwendung des P. in der NS-Architektur der 1930er-Jahre.

H. Büsing, Die griech. Halbsäule, 1970 · E. Ettlinger, P.-Kapitelle aus Avenches, in: E. Schmid (Hrsg.), Provincialia. FS R. Laur-Belart, 1968, 278–290 (mit Lit.) · H. Lauter, Die Architektur des Hell., 1986, 253–256 · A. Scobie, Hitler's State Architecture. The Impact of Classical Antiquity, 1990 · weitere Lit.: → Ante.   C. Hö.

Pilatus [1] s. Pontius [II 7]
[2] M. P. Sabinus. Senator. *Cos. suff.* 153 n. Chr.; consularer Statthalter von Moesia superior, im J. 159/160 bezeugt. PIR² P 822.   W. E.

Pilger s. Pilgerschaft

Pilgerflasche. Mod. t. t. für eine Gattung flacher oder flachgerundeter Behälter aus Ton oder Metall, weniger häufig aus Stein und → Fayence (»saitische Neujahrsflaschen«, → Sais). Die Form war bei den Griechen vielleicht als *kṓthōn* bekannt; ihren mod. Namen verdankt sie den ma. Ampullen, in denen geweihtes Wasser aus den Pilgerstätten mitgenommen wurde, bes. aus dem ägypt. Heiligtum des Menas (Menasampullen). P. besitzen entweder zwei kleine Henkel oder zwei bis vier axiale Riemenschlaufen. Aus den spätbronzezeitlichen rhodischen, zyprischen und levantinischen P. entwickelten sich die eisenzeitlichen phönizischen P. und – später – die mittelitalischen bronzenen und → Bucchero-P.

→ Bucchero; Gefäße, Gefäßformen

D. Marzoli, Bronzefeldflaschen in It. (Prähistor. Bronzefunde, Bd. 2.4), 1989 · P. Mingazzini, Qual'era la forma del vaso chiamato dai greci kothon?, in: AA 1967, 344–361.   R. D.

Pilgerschaft   I. Klassische Antike
II. Christentum   III. Islam

I. Klassische Antike
A. Griechische Welt
B. Rom und das römische Reich
C. Ägypten und Naher Osten

P., hier definiert als eine aus rel. Gründen zu einem heiligen Ort unternommene Reise von beträchtlicher Länge, war eine in der gesamten Ant. verbreitete Praxis, nicht nur ein christl. Phänomen.

A. Griechische Welt

Die am besten belegte Form ist die staatliche P. (→ *theōría*), in deren Rahmen die griech. Stadtstaaten Gesandte (*theōroí*) ausschickten, um rel. Feste zu besuchen, ihre eigenen Feste anzukündigen oder → Orakel zu konsultieren. Feste zogen aber nicht nur offizielle *theōríai*, sondern auch private Pilger an; üblicherweise stammten diese aus einem bestimmten regionalen Einzugsgebiet. So war z. B. → Delos ein wichtiges regionales Zentrum für ionische Pilger (Thuk. 3,104,3–6), das Hera-Heiligtum in Lakinion für die ital. Griechen (Aristot. mir. 96, 838a 17; [1. 124–148]).

Pilgerreisen zum Zweck der → Initiation (→ Mysterien) fanden in → Eleusis [1] wahrscheinlich seit dem 6. Jh. v. Chr. statt [2] und sind für → Samothrake wenig später belegt. Einer Form der Initiation, die durch das Verb *embateúein* (»eintreten«) bezeichnet wird, unterzogen sich wohl einige Pilger in → Klaros [1] (s. [3]). Andere Zentren der Initiation, z. B. → Andania in Messenia, mögen ebenfalls Pilger angezogen haben. Der Pilger-Initiant hatte Zugang zu speziellen Ritualen und Erfahrungen, die dem gewöhnlichen Pilger oder *theōrós* verschlossen blieben; daher unternahm der Initiant *in spe* die Pilgerreise nur einmal, wogegen andere Pilger mehrmals zu einem Heiligtum zurückkehrten.

Die P. zu → Heilgöttern, hauptsächlich zu den Asklepieia (→ Asklepios I. C.), ist v. a. ein nachklass. Phänomen und war im röm. Reich weit verbreitet. Die am besten bekannten frühen Asklepieia finden sich in → Epidauros und → Lebena auf Kreta. Später gelangte → Pergamon zu Bed., ebenso → Aigeai in Kilikien [4]. Berichte über geglückte Heilungen wurden in speziellen Inschr. (*iámata*), die für Epidauros und Lebena bezeugt sind [5; 6], niedergelegt; in röm. Zeit finden sie sich auch im Sanatorium von Dair al-Baḥrī in Ober-Äg. [7].

Ein verbreiteter Grund für private Pilgerreisen war die Konsultation von Orakeln, was z. B. auf Bleitafeln aus → Dodona zw. 500 und 250 v. Chr. [8. 100, 259–273] und inschr. vom → Trophonios-Orakel in Lebadeia bezeugt ist (IG VII 3055 = LSCG 74). Manche Pilgerreisen markierten wohl bestimmte Stationen im Lebenszyklus: Theophr. char. 21 deutet an, daß manche Leute ihre Söhne zum Ritual des Haarescherens nach → Delphoi brachten; in → Akrai (Sizilien) wurden junge Menschen zu den »Paides und Anna« gebracht (SEG

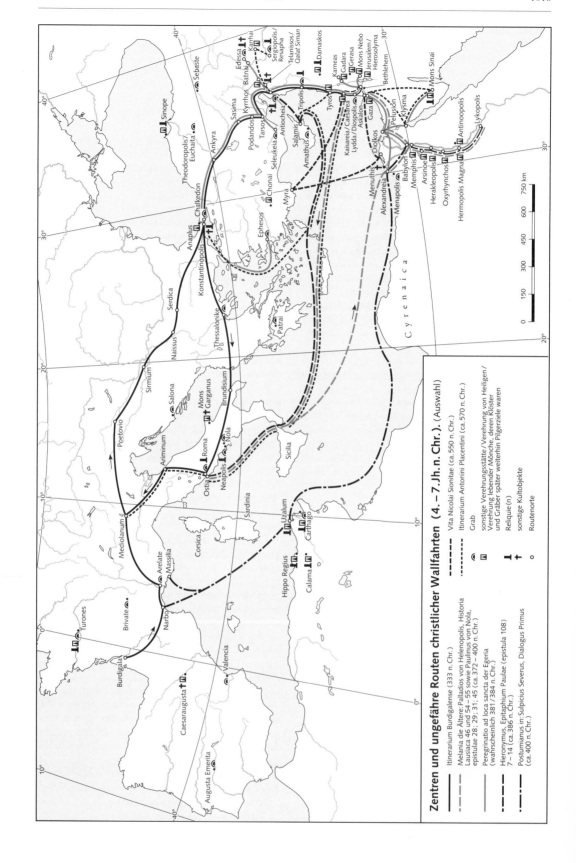

Zentren und ungefähre Routen christlicher Wallfahrten (4.–7. Jh. n. Chr.). (Auswahl)

Itinerarium Burdigalense (333 n. Chr.)

Melania die Ältere: Palladios von Helenopolis, Historia Lausiaca 46 und 54–55 sowie Paulinus von Nola, epistulae 28; 29; 31; 45 (ca. 372–400 n. Chr.)

Peregrinatio ad loca sancta der Egeria (wahrscheinlich 381/384 n. Chr.)

Hieronymus, Epitaphium Paulae (epistula 108) 7–14 (ca. 386 n. Chr.)

Postumianus in: Sulpicius Severus, Dialogus Primus (ca. 400 n. Chr.)

Vita Nicolai Sionitae (ca. 550 n. Chr.)

Itinerarium Antonini Placentini (ca. 570 n. Chr.)

Grab

sonstige Verehrungsstätte / Verehrung von Heiligen / Verehrung lebender Mönche, deren Klöster und Gräber später weiterhin Pilgerziele waren

Reliquie(n)

sonstige Kultobjekte

Routenorte

42,825–836; [9]). Eine weitere Motivation für P. war wohl eine Art rel. Tourismus, das Verlangen, Heiligtümer und rel. Sehenswürdigkeiten mit eigenen Augen zu sehen (Isokr. or. 17,4; Hyp. fr. 70; Kall. iambos 13,10f.). Viele Pilger stifteten Weihgaben (z. B. in Delos: [10]), diese waren aber nicht notwendigerweise der Hauptgrund für die Pilgerreise (→ Weihung). Pilger nahmen selten Souvenirs mit (in Ephesos wurden aber Stücke vom Heiligen Baum abgekratzt und beiseite geschafft: Kall. iambos 13,60f.; vgl. [11. 50f.]).

B. ROM UND DAS RÖMISCHE REICH

In der Rel. des röm. It. scheint die P. eine geringere Rolle gespielt zu haben. Dennoch sind viele Pilgerzentren bekannt, etwa die offiziellen Heiligtümer des → Mons Albanus (Dion. Hal. ant. 4,21,2; [12. 136f.]: Schauplatz der → feriae Latinae) und → Lavinium (Dion. Hal. ant. 2,52,3; [13. 136–143]; andere latinische Zentren waren der → Lacus Nemorensis mit einem jährlichen Fest der Diana (Ov. fast. 3,269f.), → Fregellae an der Grenze zw. samnit. und latin. Territorium, wo es einen Kult von Neptunus und Asclepius gab (Strab. 5,3; 5,10; [12. 139ff.]), oder der Hain von Helernus (Alernus) nahe der Tibermündung (Ov. fast. 2,67; 6,105).

Die bemerkenswertesten Pilgerreisen im röm. Reich unternahmen die röm. Kaiser: Vespasians Pilgerfahrt zum Serapeion (→ Sarapis) von Alexandreia [1] (s. [14]), Hadrians unermüdliche Reisen (die als Vorbild für die Entwicklung christl. P. angesehen worden sind [15]) und die Pilgerreisen des Kaisers Iulianus [11] nach → Pessinus und zum Berg → Kasion. Modell könnte die Pilgerreise Alexandros' [4] d. Gr. zum Orakel des → Amun in der Oase Siwa in Libyen (→ Ammoneion) 333/2 v. Chr. gestanden haben (Arr. an. 3,3,1–2; Strab. 17,1,43; Curt. 4,7) sowie vielleicht die im Alten Orient üblichen Pilgerreisen: So konsultierte z. B. → Asarhaddon im J. 675 v. Chr. Sîn in → Ḥarran, bevor er zu einem Feldzug nach Äg. aufbrach [16. 36].

In dem Maß, in dem das Reiseaufkommen im frühen röm. Reich zunahm, gibt es auch eine steigende Zahl von Belegen für Pilgerreisen und verwandte Aktivitäten, wie z. B. die P.-Trad. zu einem Orakel in → Abonuteichos im nw Kleinasien (Lukian. Alexandros 15–30). → Pausanias [8] hat vielleicht ebenso für Pilger wie für Touristen geschrieben [17], die philos. Reisen des Apollonios [14] von Tyana (vgl. [18]) ähneln ebenso Pilgerreisen wie diejenigen des P. Ailios → Aristeides [3] zu den Heil-Heiligtümern des nw Kleinasien. Ein gewisser Thessalos besuchte Äg., bes. → Thebai, um Kenntnisse der Pflanzenkunde zu erwerben, und erlebte eine Asklepios-Vision [19. Nr. 45].

C. ÄGYPTEN UND NAHER OSTEN

Hdt. 2,60 beschreibt ausgedehnte Pilgerreisen in Äg. im 5. Jh. v. Chr., bei denen 700000 Menschen am Fest der Artemis in → Bubastis singend und musizierend den Nil hinabgefahren sein sollen. In späthell. und röm. Zeit frequentierten Pilger Heiligtümer wie → Philai [20; 21. 54f.]; 22; 28], das Memnonion (→ Memnon [2]) in Abydos (s. [23]) oder das Serapeion in → Memphis (s.

[24]). Ein anderes wichtiges Heiligtum war dasjenige des → Mandulis/Aion in Kalabscha (Talmis) in Nubien. Eine anonyme Inschr. berichtet über eine hier empfangene Vision [19. Nr. 40; 25. 576 Nr. 166; 26]. Aus Philai gibt es Anhaltspunkte für Pilgerreisen aus Meroe bis ins 4. Jh. n. Chr. [27; 28. 242–248].

In Äg. verewigten Pilger ihre Besuche durch Inschr., bes. mit den Formeln to proskýnēma tu N (»Anbetung durch N.«; eventuell die Übers. einer demotischen Formel: [29]), N emnḗsthē N (»N. gedachte (hier) des N.«; auch gebräuchlich in Griechenland in röm. Zeit), N mnēsthḗi (»gesegnet sei N.«: [31. 16], offensichtlich die Übers. einer aram. Formel) [30; 31; 32. 67]) und hḗkō (»ich bin gekommen«). Nicht alle dieser Inschr. stammen von Pilgern, einige wurden auch von Soldaten oder anderen Touristen hinterlassen. Auf bildlichen Darstellungen halten Pilger gelegentlich Palmzweige [33. 325, 526; 34. 89]; ihr Aufenthalt wurde manchmal durch Darstellungen von Füßen verewigt [35].

P. ist auch in nahöstl. Kulten in hell. und röm. Zeit nachweisbar. Karthagische Pilger besuchten → Tyros (Curt. 4,2,10; Pol. 31,12,11f.; 2 Makk 4,18–20); im 4./3. Jh. v. Chr. kamen Pilger aus Paphos nach → Sidon [36]; zahlreiche Pilger-Graffiti sind aus der Grotte der Astarte in Wasta/Phönizien im 2. Jh. v. Chr. belegt ([37], vgl. KAI 174); eine Pilgerreise zum Heiligtum der → Syria Dea in Hierapolis/→ Bambyke wird detailliert bei Lukianos beschrieben (Lukian. de dea Syria 10; 55f.). Jüd. Pilgerreisen nach → Jerusalem sind seit → Philon [12] von Alexandreia bezeugt (Phil. de specialibus legibus 1,68f.; Phil. de providentia 2 p. 216 AUCHER). Br.-Medaillons mit Darstellungen der drei Gottheiten, die mit dem Kult von Heliopolis/→ Baalbek verbunden sind, wurden in anderen Gebieten Syriens gefunden – verm. wurden sie durch zurückkehrende Pilger verbreitet [38. 177f.].

→ Reisen

1 M. P. J. DILLON, Pilgrims and Pilgrimage in Ancient Greece, 1997 2 C. SOURVINOU-INWOOD, Reconstructing Change: Ideology and Ritual at Eleusis, in: M. GOLDEN, P. TOOHEY (Hrsg.), Inventing Ancient Culture? Historicism, Periodization and the Ancient World, 1997, 132–164 3 C. PICARD, Éphèse et Clare, 1922 4 A. KRUG, Heilkunst und Heilkult, 1984 5 L.-R. DONNICI (ed.), The Epidaurian Miracle Inscriptions, 1995 (mit engl. Übers. und Komm.) 6 M. GUARDUCCI, I »miracoli« di Asclepio a Lebena, in: Historia. Studi storici per l'antichità classica 8, 1934, 410–428 7 A. BATAILLE, Les inscriptions grecques du temple de Hatshepsout à Deir el Bahari, 1951 8 H. W. PARKE, Oracles of Zeus, 1966 9 M. GUARDUCCI, Il culto di Anna e delle Paides nelle iscrizioni di Buscemi e il culto latino di Anna Perenna, in: SMSR 12, 1936, 25–50 10 I. C. RUTHERFORD, The Amphikleidai of Sicilian Naxos. Pilgrimage and Genos in the Temple-Inventories of Hellenistic Delos, in: ZPE 122, 1998, 81–89 11 B. KÖTTING, Peregrinatio religiosa, 1950 12 J. M. FRAYN, Markets and Fairs in Roman Italy, 1993 13 N. BELAYCHE, Les pèlerinages dans le monde romain antique, in: J. CHELINI, H. BRANTHOMME (Hrsg.), Histoire des pèlerinages non chrétiens, 1987 14 A. HENRICHS, Vespasian's Visit to Alex-

andria, in: ZPE 3, 1966, 51–80 **15** K. G. HOLUM, Hadrian
and St Helena. Imperial Travel and the Origin of Christian
Holy-Land Pilgrimage, in: R. OUSTERHOUT (Hrsg.), The
Blessings of Pilgrimage, 1990, 66–81 **16** T. M. GREEN, The
City of the Moon God, 1992 **17** J. ELSNER, Pausanias: A
Greek Pilgrim in the Roman World, in: Past and Present
135, 1992, 3–29 **18** Ders., Hagiographic Geography: Travel
and Allegory in the Life of Apollonius of Tyana, in: JHS 117,
1997, 22–37 **19** M. TOTTI, Ausgewählte Texte der Isis- und
Sarapis-Rel., 1985 **20** É. BERNAND, Pèlerins, in: M.-M.
MACTOUX, E. GENY (Hrsg.), Mél. P. Leveque, Bd. 1, 1988,
49–63 **21** J. YOYOTTE, Les pèlerinages dans l'Égypte
ancienne, 1960, 17–74 **22** A. J. FESTUGIÈRE, Les
proscynêmes de Philae, in: REG 83, 1970, 175–197
23 F. DUNAND, La consultation oraculaire en Egypte tardive:
l'oracle de Bes à Abydos, in: J. G. HEINTZ (Hrsg.), Oracles et
prophéties dans l'antiquité, 1997, 65–84 **24** D. J.
THOMPSON, Memphis under the Ptolemies, 1988 **25** É.
BERNAND, Inscriptions métriques de l'Égypte
gréco-romaine, 1969 **26** A. D. NOCK, Essays on Rel. and the
Ancient World, Bd. 1, 1972, 357–400 **27** L. TÖRÖK, Two
Meroitic Studies. The Meroitic Chamber in Philae and the
Administration of Nubia in the 1ˢᵗ–3ʳᵈ Centuries AD, in:
Oikumene 2, 1978, 217–237 **28** I. C. RUTHERFORD, The
Island at the Edge. Space, Language and Power in the
Pilgrimages Traditions of Philai, in: D. FRANKFURTER
(Hrsg.), Pilgrimage and Holy Space in Late Antique Egypt,
1998, 229–256 **29** G. GERACI, Ricerche sul Proskynema, in:
Aegyptus 51, 1971, 3 ff. **30** B. SNELL, Ant. Besucher des
Tempels von Sunion, in: MDAI(A) 51, 1926, 159–162
31 A. REHM, ΜΝΗΣΘΗ, in: Philologus 94, 1940, 1–30
32 R. SOLZBACHER, Mönche, Pilger und Sarazenen, 1989
33 P. PERDRIZET, G. LEFEBVRE (ed.), Inscriptiones Graecae
Aegypti, Bd. 3, 1919 (Ndr. 1978) **34** H. JARITZ, Die
Terrassen vor den Tempeln des Chnum und der Satet, 1980
35 M. GUARDUCCI, Le impronte del Quo Vadis e
monumenti affini, figurati ed epigrafici, in: RPAA 19,
1942/3, 305–344 **36** O. MASSON, Pèlerins chypriotes en
Phénicie (Sarepta et Sidon), in: Semitica 32, 1982, 45–49
37 A. BEAULIEU, R. MOUTERDE, La grotte d'Astarté à Wasta,
in: Mél. de l'Université Saint-Joseph 27, 1947/8, 1–20
38 Y. HAJJAR, La triade d'Héliopolis-Baalbek, Bd. 1, 1977.
I. RU./Ü: SU. FI.

II. CHRISTENTUM

Die Vorstellung, das christl. Dasein sei nur eine P. auf
Erden (Hebr 11,13–15: der Christ als *xénos*; [14. 18–31]),
konkretisiert sich zunächst in der frühchristl. Lebensform des Wanderpredigers (→ Paulus [2]; Didache 11–
13 und 15,1–2) und der (allerdings marginalen) Gestalt
des spätant. Wandermönches [2; 10]. Seit der konstantinischen Zeit (etwa ab den 30er Jahren des 4. Jh.
n. Chr.) begegnet P. zunehmend auch als zeitlich begrenzte christl. Übung: als Wallfahrt (= W.). Entsprechend wird lat. *peregrinatio* (bzw. griech. ξενία, ξενιτεία/
xenía, xeniteía) ab dem späten 6. Jh. ähnlich dem später
davon abgeleiteten P. zum t. t. im doppelten Sinn: *peregrinatio a patria* (Verlassen der Heimat als asketische Praxis, bes. verbreitet bei den → Iroschottischen Mönchen)
und *peregrinatio ad loca sancta* (W.).

Das bedeutendste Ziel christl. W. vor dem J. 500
bilden die biblischen Stätten im Hl. Land [3; 13], an
denen schon seit dem 2. Jh. christl. Ortstrad. bezeugt

sind, die rel. Bildungsreisende anzogen [5. 83–89]. Ein
regelrechtes W.-Wesen entwickelte sich jedoch auch
hier erst nach dem Ende der Christenverfolgungen (312
n. Chr.) [4] (vgl. Karte). Daneben strömten Pilger zu
den Gedenkstätten von → Heiligen. Zur Erinnerung an
die verfolgte Kirche wurden ab dem 2. Jahrzehnt des
4. Jh. vor allem die Gräber von → Märtyrern der letzten großen Verfolgungen aufgesucht [9]. Zu manchen
Mönchen, deren Askese als tägliches Martyrium gedeutet wurde, pilgerte man z. T. schon zu ihren Lebzeiten
(z. B. Säulenheilige, äg. Mönche), wobei der jeweilige
Ort über den Tod des Heiligen hinaus die Pilger anzog.
Ab dem späten 4. Jh. lassen sich W. zu Verehrungsstät-
ten des Erzengels → Michael [1] nachweisen [1], aber
auch die Erinnerungsstätten früherer Märtyrer, darunter
bes. die Apostelgräber in Rom (Petrus und Paulus),
Ephesos (Iohannes) und Edessa (Thomas), erfreuten
sich bei Pilgern großer Beliebtheit. Für die einzelnen
W.-Zentren s. [5. 111–286; 6. 251–410] und die Karte.

Zu den Motiven für den Aufbau und Ausbau eines
christl. W.-Zentrums zählt die Absicht, vorchristl. Kulte
zu verdrängen. Für die Pilger standen jedoch eher persönliche Anliegen im Vordergrund. Neben bibelwiss.
Interesse, durch Wunder-Ber. genährte Sensationslust
und touristische Neugier sind vor allem vier Motive erkennbar: Hoffnung auf Heilung, Rat oder sonstige
Hilfe; Stärkung der Religiosität (durch Gebete, Teilnahme an Festen etc.), Buße und Erwerb von Reliquien
[5. 312–342; 6. 137–151].

Am W.-Zentrum nahmen die Pilger an den Gottesdiensten teil, pflegten ortstypische Bräuche (Bäder, In-
kubation, Berührung der Reliquien, → Prozessionen,
gemeinsame Mahlzeiten an Märtyrergräbern [*refrigeria*]),
hinterließen Geldspenden, Danktafeln und andere Gaben und erwarben Eulogien (für heilkräftig gehaltenes
Wasser, Erde, Öl, Berührungsreliquien, Bilder u. ä.)
[5. 389–413; 6. 213–245].

Als Folge des W.-Betriebs bildeten sich Siedlungen
mit Herbergen, Klöstern, Andenkenwerkstätten und
Wohnhäusern [6. 203–212; 11]. Es entstanden Reise-
Ber. (→ Itinerare), die z. T. anderen Pilgern als Führer
dienten und zum Kulturtransfer beitrugen [7]; umgekehrt prägten die Pilger auch die Kultur ihrer Reiselän-
der. Die W. mit dem zugehörigen Austausch von Reliquien und Mss. förderte das Bewußtsein übernatio-
naler Einheit der Christen, konnte aber auch nationalen
Charakter annehmen, z. B. die fränk. W. nach Tours
(→ Martinus [1]) [5. 266–275]. Begleiterscheinungen
der W. (Prostitution, Überfälle u. ä.) und zweifelhafte
Motive mancher Pilger ließen die Kritiker nicht ver-
stummen, die daran erinnerten, daß die eigentliche Pilgerreise des Christen nicht räumlicher Art ist [8. 5–23].
→ Forschungsreisen; Mönchtum; Peregrinatio ad loca
sancta; Reisen; Reiseliteratur; PILGERREISEN

1 TH. BAUMEISTER, Die christl. geprägte Höhe, in: RQA 83,
1988, 195–210 **2** H. VON CAMPENHAUSEN, Die asketische
Heimatlosigkeit, in: Ders. (Hrsg.), Trad. und Leben, 1960,
290–317 **3** E. D. HUNT, Holy Land Pilgrimage in the Later

Roman Empire AD 312–460, 1982, Ndr. 1998 **4** R. KLEIN, Die Entwicklung der christl. Palästinawallfahrt in konstantin. Zeit, in: RQA 85, 1990, 145–181 **5** B. KÖTTING, Peregrinatio religiosa, 1950, Ndr. 1980 **6** P. MARAVAL, Lieux saints et pèlerinages d'Orient, 1985 **7** Ders., Liturgie et pèlerinage durant les premiers siècles du christianisme, in: La Maison-Dieu 170, 1987, 7–28 **8** Ders., Lattitude des Pères du IVᵉ siècle devant les lieux saints et les pèlerinages, in: Irénikon 65, 1992, 5–23 **9** R. A. MARKUS, How on Earth Could Places Become Holy?, in: Journ. of Early Christian Studies 2, 1994, 257–271 **10** M. MEES, P. und Heimatlosigkeit, in: Augustinianum 19, 1979, 53–73 **11** L. REEKMANS, Siedlungsbildung bei spätant. Wallfahrtsstätten, in: JbAC Ergbd. 8, 1980, 325–355 **12** R. SOLZBACHER, Mönche, Pilger und Sarazenen, 1989 **13** P. W. L. WALKER, Holy City, Holy Places?, 1990 **14** G. STÄHLIN, s. v. ξένος, ThWB 5, 1–36 **15** Akten des XII. Kongresses für Christl. Arch. (1991), Bd. 1–2 (JbAC Ergbd. 20, 1–2), 1995.

KARTEN-LIT. (ZUSÄTZLICH): H. JEDIN u. a. (Hrsg.), Atlas zur Kirchengesch., 1988, 18 • P. MARAVAL, Lieux saints et pèlerinages d'Orient, 1985, bes. 165.   AN.M.

III. ISLAM

Die soziale und wirtschaftliche Bed. der P. im → Islam ist kaum zu überschätzen, denn die rel. bestimmte Mobilität weiter Bevölkerungskreise gilt als wesentlicher, vereinheitlichender Faktor der islam. Kultur. Der Besuch eines Heiligtums geht auf alte semitische Bräuche zurück (vgl. u. a. Ex 23,14). Zur Zeit dieser Wallfahrten ruhten schon im vorislam. Arabien die Waffen, so daß auch große Märkte stattfanden. Eines der wichtigsten Zentren war schon vor → Mohammed die → Kaaba (Kaʿba) in → Mekka.

Folgende Formen der islam. P. gilt es zu unterscheiden: Die »große Wallfahrt« nach Mekka (ḥaǧǧ) und Umgebung, die nur zu einer bestimmten Zeit (im Monat Ḏū'l-ḥiǧǧa) des islam. Kalenders zu verrichten ist. Sie gehört zu den grundlegenden Pflichten jedes erwachsenen Muslims, der dazu körperlich und finanziell in der Lage ist. Der in einem Weihezustand (iḥrām) befindliche Pilger muß dabei verschiedene Riten in der Umgebung von Mekka (ʿArafāt-Zeremoniell/wuqūf) einhalten, deren Höhepunkt die feierliche Umschreitung der Kaʿba (ʿumra) bildet. Die »kleine Wallfahrt« ist zeitlich weniger festgelegt und beschränkt sich auf den Besuch der Kaʿba. Zu erwähnen ist ferner die P. zu anderen hl. Stätten wie z. B. → Jerusalem. V. a. die → Schiiten pflegen schließlich den Brauch, Heiligengräber wie die der verstorbenen Imame (z. B. in Naǧaf und Karbalāʾ im Irak) zu besuchen.

S. FAROQUI, Herrscher über Mekka. Die Gesch. der Pilgerfahrt, 1990 • H. HALM, Die Schia, 1988, 177–185 • B. LEWIS, A. J. WENSINCK, J. JOMIER, s. v. Hadjdj, EI², CD-ROM Ed. 1999 • F. E. PETERS, The Hajj: the Muslim Pilgrimage to Mecca and the Holy Places, 1994 • M. WATT, Der Islam, Bd. 1, 1980, 327–347 • M. WOLFE, One Thousands Roads to Mecca: Ten Centuries of Travelers Writing about the Muslim Pilgrimage, 1997.   I. T.-N.

Pilia. Seit 56 v. Chr. (Cic. ad Q. fr. 2,3,7) Frau des T. Pomponius [I 5] Atticus, Mutter der Caecilia [2].   J.BA.

Pilius Celer, Q. Wohl mit → Pilia verwandt, erscheint 54–43 v. Chr. öfter in Ciceros Briefen im Umfeld Caesars und der Caesarianer. Er trat auch als Ankläger auf (Cic. fam. 8,8,2 f.; Cic. Att. 6,3,10). 46 Kandidat für ein polit. Amt (Att. 12,8)?   J.BA.

Pilleus (auch *pileus*). Halbkugel- oder kegelförmige, eng anliegende Kopfbedeckung aus Fell, Filz, Leder oder Wolle, die die Römer von den Etruskern übernahmen (vgl. Liv. 34,7). In Rom ist der *p.* das Abzeichen des freien Bürgers und wurde bei der → Freilassung den Sklaven (Petron. 41), Kriegsgefangenen oder Gladiatoren (Tert. de spectaculis 21) verliehen. Daher ist der *p. libertatis* zusammen mit der → *vindicta* das Attribut der → Libertas, das diese auf röm. Mz. in Händen hält. Syn. kann *p.* als Ausdruck für Freiheit verwandt werden (Mart. 2,68; Suet. Nero 57, vgl. Plaut. Amph. 455); so zeigen röm. Mz. nach der Ermordung Caesars den *p.* zw. zwei Dolchen. Bei den → Saturnalia trägt das gesamte Volk den *p.* (Mart. 11,6; 14,1). Daneben ist der *p.* Bestandteil der Priestertracht, wobei durch Zufügungen und Ausformungen verschiedene Kopfbedeckungen zu unterscheiden sind (*galerus, apex, tutulus*). Im spätröm. Heer ist der *p. pannonicus* eine flache und zylindrische Kopfbedeckung von Soldaten und Offizieren.
→ Pilos

> H. UBL, P. Pannonicus, die Feldmütze des spätröm. Heeres, in: Archaeologica Austriaca, Beih. 14 (= FS R. Pittioni) Bd. 2, 1976, 214–241 • L. BONFANTE, The Etruscan Dress, 1975, 68–69 • R. VOLLKOMMER, s. v. Libertas, LIMC 6, 278–284.   R.H.

Pilos (πῖλος). Eigentlich Filz als Unterfutter des Helmes (Hom. Il. 10,265), der Schuhe und Kappen (Hes. erg. 542–546) und schützender Teil der Rüstung (Thuk. 4,34,4), dann auch Begriff für Decken (Hdt. 4,73 und 75) und Schuhe aus Filz (Kratinos 100 CAF), bes. aber für eine kegelförmige Kopfbedeckung (Hes. erg. 546, Anth. Pal. 6,90 und 199, vgl. Hdt. 3,12; 7,61; 62; 92 zu den Filzmitren und -tiaren der östlichen Völker), der Hälfte eines Eies ähnlich (Lykophr. 506), mitunter mit einer Schlaufe an der Spitze zum Aufhängen und Tragen an einem Finger. Den *p.* trugen Handwerker (auf bildlichen Darstellungen z. B. Vulcanus, Hephaistos), Schiffer (z. B. Charon), Reisende, Fischer, Hirten, mitunter Frauen und Kinder oder alte Menschen, im Mythos v. a. die Dioskuren, Odysseus und Pylades, seltener Hermes, die Kyklopen, Patroklos, Athena und die Amazonen. Überl. ist bei IG II² 1672,70 der Name einer *p.*-Händlerin von 329/8 v. Chr. Bei Aristoph. Lys. 562 wird mit *pílos chalkús* ein → Helm (mit Abb. 11) bezeichnet.
→ Helm; Pilleus   R.H.

Pilum. In einer kurzen Erwähnung bei Servius (Serv. Aen. 7,664: *pilum proprie est hasta Romana*) wurde das *p.*, ein Wurfspeer, für den typischen röm. Speer gehalten. Zu den frühsten Zeugnissen für die Verwendung des *p.* im röm. Heer gehört die Darstellung der Schlacht bei Panormos 250 v. Chr. (Pol. 1,40). Bei Livius werden die ersten beiden Schlachtreihen der Legionen der Zeit um 340 v. Chr. als *antepilani* (»Soldaten vor den Trägern des *p.*«) bezeichnet (Liv. 8,8). Polybios spricht in seiner Darstellung des röm. Heeres von γρόσφοι/*grósphoi* als den Speeren der jüngsten Soldaten und von ὑσσοί/*hyssoí* als den Spießen der Schwerbewaffneten; dieser Text macht allerdings keine Aussagen über → *velites* und *p.* Trotz der Ausführungen bei Ain. Takt. 33,2 wird h. nicht mehr von einem griech. Ursprung dieser Waffe ausgegangen, sondern eine italische Entwicklung angenommen. M. → Furius [I 13] Camillus soll nach der älteren Überl. die Bewaffnung mit → *hasta* [1] und *clipeus* (→ Schild) durch eine Ausrüstung mit *p.* und *scutum* (Langschild), ergänzt durch den *gladius* (→ Schwert), ersetzt haben (Plut. Camillus 40f.).

Man unterscheidet zwei Typen des *p.*, ein leichtes (2 kg) und ein schweres (4,5 kg). Aus dem schweren, zweifellos älteren Typus ist das *pilum murale* hervorgegangen, das bei einer Belagerung zur Verteidigung der Mauern eines Legionslagers oder einer Stadt verwendet wurde (Caes. Gall. 5,40,6; 7,82,1; Tac. hist. 4,29,3; Tac. ann. 4,51,1; → Poliorketik). Das *p.* war ein Speer von 2,10 m L mit hölzernem Schaft von wenigstens 1,40 m L und eiserner Spitze, die bei unterschiedlicher Länge so fest war, daß sie mehrere Schilde durchbohren konnte. Gleichzeitig verbog sich die dünne Spitze beim Aufprall, so daß der Feind nicht in der Lage war, das *p.* zurückzuwerfen. Die Römer gebrauchten das *p.* normalerweise als Wurfgeschoß, bes. beim Angriff (Caes. civ. 3,93,1; Caes. Gall. 2,27,4). Nur in Ausnahmefällen diente es als Stoßwaffe (Plut. Caesar 45,2–4; Plut. Pompeius 69,4–5; Plut. Antonius 45,6). Marius [I 1] führte eine bedeutende Neuerung ein: Er ersetzte eine der beiden Nieten, mit denen die Spitze am Schaft befestigt war, durch einen hölzernen Nagel, der im Moment des Aufpralls brach und damit eine Weiterverwendung durch den Feind verhinderte (Plut. Marius 25).

Die ältesten Funde von Speeren, die als *p.* anzusehen sind, stammen aus → Vulci und → Telamon; u. a. wurden *p.* in Castra Caecilia (Spanien, etwa 79 v. Chr.) und in → Alesia (52 v. Chr.) gefunden. Eine gute bildliche Darstellung existiert am Grabmal der Iulier in Saint-Rémy. Nach Vegetius bestand die übliche Bewaffnung eines Soldaten der röm. Legion aus fünf *plumbatae* (mit Blei beschwerte Wurfpfeile), einem *spiculum* genannten *p.* und einem kleinen Speer (*verutum* oder *verivulum*; Veg. mil. 2,15).

Ein dem *p.* ähnliches Brandgeschoß war die *falarica.* Sie hatte einen runden Schaft, der am oberen Ende viereckig wurde und mit einer Eisenspitze versehen war. Der Brennstoff wurde um den oberen Teil des Schaftes gewickelt und kurz vor dem Abschuß entzündet (Veg.

mil. 4,18; Liv. 34,14,11; 21,8,10). Die *framea* war ein germanischer Speer mit schmaler und kurzer Eisenspitze, der im Nah- und Fernkampf eingesetzt wurde (Tac. Germ. 6).

1 M. C. BISHOP, J. C. N. COULSTON, Roman Military Equipment from the Punic Wars to the Fall of Rome, 1993 2 M. FEUGÈRE, Les armes des Romains, 1993 3 C. SAULNIER, L'armée et la guerre dans le monde étrusco-romain, 1980, 108 4 Ders., L'armée et la guerre chez les peuples samnites, 1983. Y. L. B./Ü: S. EX.

Pilumnus. Bruder des → Picumnus und als → Stercutius mit dem Düngen in Verbindung gebracht (Serv. auct. Aen. 10,76). Nach antiquarischer Spekulation (Piso fr. 44 HRR; Varro bei Non. 848 L.) gehört P. (mit Picumnus; s. dort) zu den *dei coniugales* oder *dei infantium.* Varro stellt P. mit den Göttinnen Deverra und Intercidona (Varro, Antiquitates rerum divinarum fr. 111 CARDAUNS; [1]) als Schutzgottheit des Familienhaushaltes gegen → Silvanus zusammen [2. 29–31] und leitet seinen Namen von *pilum*, »Mörserkeule«, ab, was auch die Assoziation mit den Bäckern erklärt (Serv. Aen. 9,4; [3. 256f.]). P.' Schutzfunktion ist nicht nur antiquarische Spekulation: Der Schutz des Hauses gegen Silvanus ist gebräuchlich [4. 14–32]; das »Ausfegen« (Deverra) ritueller Verunreinigung ist im röm. Kult bezeugt (Fest. 68,8–13 L.; Ov. fast. 2,23; 4,736). Ein Altar für Pitumnus (= P.) in → Veii, datierbar in die frühe Phase der röm. Kolonisierung der Stadt, bezeugt die Wichtigkeit des Gottes in Roms Kolonisationsprogramm [5. 27–29].

1 D. BRIQUEL, Le pilon de P., la hache d'Intercidona, le balai de Deverra, in: Latomus 42, 1983, 265–276 2 E. SAMTER, Geburt, Hochzeit und Tod, 1911 3 RADKE 4 P. DORCEY, The Cult of Silvanus, 1992 5 M. TORELLI, Religious Aspects of Early Roman Colonization, in: Ders. (Hrsg.), Tota Italia, 1999, 14–42. C. R. P.

Pilze (μύκης, -ητος oder -ου/*mýkēs*, lat. *mucus, mucor, -oris* oder σφόγγος/*sphóngos*, σπόγγος/*spóngos*, lat. *fungus*) wachsen in Griechenland seltener als in It., wo sie trotz der Vergiftungsmöglichkeit (Plin. nat. 22,97: *cibus anceps*, »unsichere Speise«, und 22,92: *temere manduntur*, »sie wurden unbesonnen gegessen«) als Nahrung dienten. Sie galten als Gärungsprodukt der Erde nach reichlichem Regen (vgl. Plin. nat. 22,94 und 100) bzw. als Erzeugnis der Baumwurzeln (aus deren zähem Saft, *ex pituita*: Plin. nat. 22,96). Manche Bäume wie Eichen bringen angeblich eßbare, Pinien und Zypressen aber schädliche P. hervor (Plin. nat. 16,31). Plin. nat. 22,97 gibt als Kennzeichen giftiger P. ihre fahle äußere (*color lividus*) und 22,92 ihre bläuliche Färbung im Inneren und die furchigen Lamellen (*rimosae striae*) an. Gegenmittel sind Absinth (Plin. nat. 27,50) und zahlreiche Pflanzen wie z. B. Porree (*porrum*: Plin. nat. 20,47) oder Senf (*sinapis*: Plin. nat. 20,236). Dioskurides (4,82 WELLMANN = 4,83 BERENDES) empfiehlt dagegen u. a. einen Trank aus Öl und Natron. Vergiftungen mit P. kamen vor – wie die des Kaisers Claudius [III 1], dem freilich seine Ehefrau → Agrippina [3] im Jahre 54 n.Chr. Gift unter die Pilze hatte mengen lassen (Plin. nat. 22,92, vgl. Suet. Claud. 44,2f. und Tac. ann. 12,67,1ff.). Als Heilmittel gegen Rheumatismen und Sommersprossen bei Frauen dienten z.B. die sogenannten »Sauschwämme« (*suilli* sc. *fungi*), vielleicht der Steinpilz Boletus edulis, in getrocknetem Zustand (Plin. nat. 22,98). Außer dem Stein-P. schätzte man (Plin. nat. 16,31) besonders den Champignon (*boletus*). Am berühmtesten war und ist aber die echte Trüffel (*tuber*: Plin. nat. 19,33–35 = τὸ ὕδνον/*hýdnon*: Dioskurides, 2,145 WELLMANN = 2,174 BERENDES). Weitere ant. Arten sind unbestimmbar.

A. STEIER, s. v. P., RE 20, 1372–1386.   C.HÜ.

Pilzmundkanne. Mod. t.t. für eine einhenklige, bauchige Ölkanne mit schlankem Hals und einer runden pilzförmigen Mündung. Die Form entwickelte sich im 9. Jh.v.Chr. an der phönizischen Levanteküste und verbreitete sich zw. dem 8. und 5. Jh. über alle phönizischen Gebiete im Mittelmeer.

→ Bichrome Ware; Black-on-Red-Ware;
Red-Slip-Ware

CH. BRIESE, Früheisenzeitliche bemalte phönizische Kannen von Fundplätzen der Levanteküste, in: Hamburger Beitr. zur Arch. 12, 1985, 7–118 • F. CHELBI, Oenochoes »à bobèche« de Carthage. Typologie et chronologie, in: Rev. des Ét. Phéniciennes-Puniques et des Antiquités Libyques 2, 1986, 173–255 • A. PESERICO, Le brocche »a fungo« fenicie nel Mediterraneo. Tipologia e cronologia, 1996.   R.D.

Pimpleia (Πίμπλεια). Dorf an der maked. Küste auf dem Territorium von → Dion [II 2], auch Pipleia (vgl. Hesych. s. v. Πίπλειαι; Varro ling. 7,20), ca. 3 km südl. vom h. Dion. In P. soll → Orpheus gelebt haben (Strab. 7a,1,17f.), der Ort soll den Musen geweiht gewesen sein (Strab. 9,2,25).

F. PAPAZOGLOU, Les villes de Macédoine, 1988, 112.
     MA.ER.

Pinakothek (von lat. *pinacotheca*, vgl. griech. πινακοθήκη/*pinakothḗkē*: Strab. 14,1,14). Räume für Bilder-Slgg. (vgl. Varro rust. 1,2,10; 59,2; Vitr. 6,2,5; Plin. nat. 35,4,148). Laut Vitruv (6,3,8; 1,2,7; 6,4,2; 7,3) sollten der oder die Räume groß und wegen der Lichtverhältnisse nach Norden gelegen sein. Ein Problem bildet die Begrifflichkeit: Die Bezeichnung P. für den Nordflügel der Propyläen auf der Athener Akropolis ist nicht antik; andere Bauten, die repräsentative Tafelbilder zur Schau stellten (die Stoa Poikile auf der Athener Agora, s. → Athenai II. 4., oder die reich mit großformatigen Tafelbildern ausgestattete Halle der Knidier in → Delphoi), wurden in der ant. Lit. als → *léschē* bezeichnet.
→ Malerei

W. EHRLICH, Die griech. Tafelmalerei und das Entstehen der P., in: Altertum 23, 1977, 110–119.   C.HÖ.

Pinara (Πίναρα, lyk. *pinale*, *pilleñni*). Stadt in Lykia östl. des → Kragos am Westrand des Xanthos-Tals (Strab. 14,3,5; Ptol. 5,3,3) beim h. Minare. Die Identifizierung durch Inschr. und Mz. ist gesichert. Die älteste Inschr. (TAM 1, Nr. 45), um die Mitte des 4. Jh. v. Chr., weist P. als Gründung von → Xanthos aus (vgl. Menekrates FGrH 769 F 1), Pfeilergräber deuten jedoch auf eine Existenz der Siedlung im 5. oder gar 6. Jh.v.Chr. hin. 334/3 wurde P. von Alexandros [4] d.Gr. eingenommen (Arr. an. 1,24,4). P. war eine der sechs größten Städte mit drei Stimmen im → Lykischen Bund (Strab. 14,3,3). Die auf steilem Fels gelegene, befestigte Akropolis dominiert das Stadtgebiet; das Siedlungsareal mit zahlreichen Gebäuden liegt ca. 350 m tiefer. Arch.: ausgedehnte Nekropolen mit Pfeilergräbern, Sarkophagen und Felsgräbern, von denen viele mit Hausfassaden, Reliefs sowie lyk. und griech. Grabinschr. geschmückt sind; aus röm. Zeit Tempel, Odeion, Theater und Therme; kaiserzeitliche Weihinschr. aus der Zeit des Domitianus (81–96 n. Chr.), Traianus (98–117) und des Antoninus Pius (138–161). Seit dem 4. Jh. war P. Bischofssitz mit Bischofskirche. Das Siedlungsareal wurde in der Spätant. stark verkleinert.
→ Lykioi, Lykia

W. W. WURSTER, M. WÖRRLE, Die Stadt P., in: AA 1978, 74–99 • C. BAYBURTLUOĞLU, Lykia, 1981, 71–76.   KA.GE.

Pinarius (ältere Namensform auch *Peinarius*, CIL I² 1357; 2469f.), Name einer patrizischen *gens*. Der Überl. nach übte sie zusammen mit den → Potitii (dort auch Belege) an der Ara Maxima einen Kult für → Hercules aus, der ihr schon in frühester Zeit, nämlich von Hercules selbst bzw. Euandros [1], übertragen worden sei. Gelehrte Konstruktion ist die Ableitung des Namens von πεινᾶν (*peinán*, »hungern«), weil die P. geringeren Anteil an den Opfern für Hercules gehabt hätten (Serv. Aen. 8,270 u.a.). Die Familie wurde auch auf Pinos, den angeblichen Sohn des → Numa Pompilius zurückgeführt (Plut. Numa 21,1–4). Nach der annalistischen Trad. im 5. und zu Beginn des 4. Jh.v.Chr. konnte sie sich danach nicht in der Nobilität halten. Der Kult wurde 312 v.Chr. von Ap. Claudius [I 2] Caecus in einen Staatskult überführt. Die ant. Quellen schreiben diese Übertragung den Potitii zu (Liv. 9,29,9–11; Val. Max. 1,1,7; Fest. 270 L.), doch hat [1. 306f.] mit guten Gründen vermutet, daß nur die Pinarii die Aufsicht über den Kult ausübten, die sie infolge der Bedeutungslosigkeit der *gens* im J. 312 verloren.

1 R. E. A. PALMER, The Censors of 312 B.C. and the State Religion, in: Historia 14, 1965, 293–324.   C.MÜ.

I. REPUBLIKANISCHE ZEIT

[I 1] P., L. Ließ 214 (?) v.Chr. als röm. Kommandant von Henna auf Sizilien die Bürger der Stadt im Theater töten, was den Abfall der Insel zu → Hannibal [4] nur noch beschleunigte (Liv. 24,37–39).   K.-L.E.

[I 2] P., T. Wird 54 v.Chr. von Cicero im Gefolge → Caesars erwähnt, sein Bruder war mit ihm befreundet

(Cic. ad Q. fr. 3,1,22). Verm. ist er der 43 dem Cornificius [3] empfohlene T. P. (Cic. fam. 12,24,3). Die Identität mit anderen P. ist unsicher. J. BA.

[I 3] P. Als Consul 472 v. Chr. (MRR 1, 29 f.) brachte er nach Varro (bei Macr. Sat. 1,13,21) ein Gesetz ein, das die Einfügung eines Schaltmonats zur Angleichung von Mond- und Sonnenjahr vorsah (zur Datier. dieser *intercalatio* vgl. [1. 40 f.; 2. 202; 204–207]; → Kalender). Die Urheberschaft einer *lex Pinaria* (bei Gai. inst. 4,15) mit Verfahrensbestimmungen bei der → *legis actio* ist zweifelhaft [3. 114; 4. 305].

1 G. RADKE, Fasti Romani, 1990 2 J. RÜPKE, Kalender und Öffentlichkeit, 1995 3 KASER, RZ, ²1996 4 R. E. A. PALMER, The Censors of 312 B. C. and the State Religion, in: Historia 14, 1965, 293–324.

[I 4] P. Mamercinus Rufus, P. Der Überl. nach Consul 489 v. Chr. (MRR 1, 18 f.) und im folgenden J. einer der zu → Coriolanus gesandten Consulare (Dion. Hal. ant. 8,22,4).

[I 5] P. Natta, L. 363 v. Chr. *magister equitum* des »zum Einschlag des Jahresnagels« eingesetzten → Dictators L. Manlius [I 11] Imperiosus (MRR 1, 117). Verm. identisch mit dem Praetor von 349, der von dem *cos.* Furius [I 11] Camillus mit dem Schutz der Küste von Latium betraut wurde (Liv. 7,25,12 f.). C. MÜ.

[I 6] P. Natta, L. Half 63 v. Chr. als junger Mann dem Stiefvater Licinius [I 35] Murena im Wahlkampf. Durch seine Schwester mit → Clodius [I 4] verwandt, weihte er als *novus pontifex* 58 → Ciceros Haus den Göttern, um es auf diese Weise Cicero zu entziehen. Nach Cic. Att. 4,8a,3 vielleicht 56 gestorben. J. BA.

[I 7] P. Rusca (Posca?), M. Evtl. als Praetor 181 v. Chr. Antragsteller einer *lex annalis* (Cic. de orat. 2,261); er beendete Aufstände in Sardinien und Korsika (Liv. 40,19,6–8; 34,12–13). MRR 1, 387, Anm. 2. K.-L. E.

II. KAISERZEIT

[II 1] Cn. P. Aemilius Cicatricula. *Cos. suff.* verm. im Dez. 72 n. Chr. Im J. 79/80 amtierte er wohl mit einem Sonderauftrag in der Prov. Africa [1. 136 f.]. Wohl Adoptivvater von Cn. Pinarius Aemilius Cicatricula → Pompeius [II 10] Longinus. PIR² P 407.

1 THOMASSON, Fasti Africani, 1996.

[II 2] P. Natta. Von → Aelius [II 19] Seianus abhängig, klagte er im J. 25 n. Chr. → Cremutius Cordus erfolgreich an (Tac. ann. 4,34,1). Sein Nachkomme könnte der *cos. suff.* von 81, C. Scoedius Natta Pinarianus, gewesen sein. PIR² P 410.

[II 3] L. P. Scarpus. Verwandter → Caesars, über dessen Schwester → Iulia. Caesar hatte ihn neben Octavianus (→ Augustus) und Q. Pedius als Erben in seinem Testament eingesetzt. In den Bürgerkriegen stand P. bis nach der Schlacht bei Actium (→ Aktion) auf seiten des → Antonius [I 9], der ihm zuletzt die Cyrenaica (→ Kyrenaia) mit vier Legionen anvertraut hatte. Auf Mz., die er dort schlagen ließ, trägt er die Bezeichnung *imp(erator)*

(RRC 546,1–3). P. fiel von Antonius, der die Legionen in der Cyrenaica nach Actium übernehmen wollte, ab und übergab sein Heer an Octavianus. P. behielt seine Stellung auch nach dem Tod des Antonius in der Cyrenaica, da er auch Mz. mit dem Namen des *C. Caesar divi filius* prägte. PIR² P 413.

[II 4] P. Valens. Nach HA Max. Balb. 5,5 Onkel väterlicherseits des Kaisers → Pupienus, der ihn angeblich sogleich zum → *praefectus praetorio* machte. Verm. Erfindung des Autors der → *Historia Augusta*. PIR² P 414. W. E.

Pinaros (Πίναρος), h. Deli Çayı. Im Sommer ausgetrockneter Fluß, der im → Amanos entspringt und südl. von → Issos in den Issikos Kolpos (Golf von İskenderun) mündet. An seinen Ufern erfocht Alexandros [4] d. Gr. 333 v. Chr. den Sieg über Dareios [3] (Pol. 12,17,4 f.; Arr. an. 2,10,1; 5; Strab. 14,5,19).

A. JANKE, Auf Alexanders des Großen Pfaden, 1904, 55–74 · HILD/HELLENKEMPER, 380. F. H.

Pinax (πίναξ, »Brett, bemalte oder beschriebene Tafel«; davon abgeleitet »Inschrift, Verzeichnis«).

[1] Anschlagbrett, Tafel für Aufzeichnungen aller Art (Hdt. 5,49,1; Plut. Theseus 1,1).

[2] (*pínax ekklēsiastikós*). In Athen Register der Bürger, die zur Teilnahme an der Volksversammlung (→ *ekklēsía*) berechtigt waren (Demosth. or. 44,35). Es wurde für die 139 *dēmoi* (→ *dēmos* [2]) vom → *dēmarchos* [3] geführt. Nach 338 v. Chr. war die Absolvierung des Ephebendienstes (→ *ephēbeía*) Voraussetzung für die Eintragung (Aristot. Ath. pol. 42,5).

[3] (auch πινάκιον/*pinákion*). Namensschild, das in Athen nach Neuregelung der Besetzung der Gerichte (→ *dikastérion*) im frühen 4. Jh. v. Chr. jeder → *dikastés* als Ausweis erhielt. Etwa nach 385 wurde die Marke mit seinem Namen und einem der zehn Buchstaben von A bis K versehen. An Gerichtstagen wurden zuerst die benötigten Richter ausgelost und dann den einzelnen Gerichtshöfen zugelost (Aristot. Ath. pol. 63,4 ff.; [1. 527 ff.]. Die Tafeln für Richter waren mit einer Eule gestempelt, andere, die zur Auslosung der Jahresbeamten dienten (Demosth. or. 39,10), mit einem Gorgonenhaupt. Verschiedene *pínakes* hatten beide Stempel [2. 187; 239].

→ Los (A.)

[4] Schriftliche Vorladung eines Atheners, der nicht im Bürgergebiet anwesend war (Demosth. or. 8,28).

1 W. SCHULLER, Neue Prinzipien der athenischen Demokratie, in: Der Staat 26, 1987, 527–538 2 M. H. HANSEN, Die athenische Demokratie im Zeitalter des Demosthenes, 1995. K.-W. WEL.

[5] T. t. für die Auflistung literarhistor. Materials, katalogartiges Lit.-Verzeichnis. Als Urform pinakographischer Tätigkeit lassen sich allerlei Urkunden katalogischer Art (z. B. Priester- oder Siegerlisten) bestimmen [9. 1410–1412]. Bereits in der klass. Zeit gewinnen diese als Gegenstand von Fachschriften lit. Bedeutung [2. 36–92; 7. 74–75, 106–109]. Auf der Basis von Archiv-Forsch. haben so → Hippias [5] aus Elis und Aristoteles [6] die Sieger bei den Olympischen, letzterer auch bei den Pythischen Spielen katalogartig zusammengestellt (fr. 615–617 ROSE). Als Leiter des Peripatos wertete letzterer darüber hinaus das großenteils urkundliche Material über Theateraufführungen in seinen Werken *Didaskalíai* und *Níkai Dionysiakaí* aus (fr. 618–630 R.; vgl. IG II² 2319–2323, 2325 [8. 107–120]), was ihn zum wichtigsten Wegbereiter der hell. Pinakographie macht.

Bes. Bed. erhielt die Lit.-Verzeichnung in der Buchkultur zur Zeit des → Kallimachos [3] (3. Jh. v. Chr.) [2. 133–244; 7. 161–169]. Der berühmte Gelehrte arbeitete Aristoteles' *Didaskalíai* in einen *p.* der Bühnendichter um (fr. 454–456; vgl. IG XIV 1098a, 1097, 1098 [8. 120–122]) und schuf zudem den sog. Demokritos-*p.*, ein Sprüche- (eher als Glossen-) und Schriftenverzeichnis [13]. Seine Hauptleistung auf diesem Gebiet stellen jedoch die auf Vorarbeiten in der Universalbibliothek von Alexandreia [1] beruhenden *Pínakes* dar (Πίνακες τῶν ἐν πάσῃ παιδείᾳ διαλαμψάντων καὶ ὧν συνέγραψαν, ›Verzeichnisse der in jeder Gattung namhaften Autoren und ihrer Werke‹; fr. 429–453, SH 292 f.): eine monumentale, 120 B. umfassende Bestandsaufnahme der griech. Lit., deren Autoren nach Gattungen bzw. Disziplinen klassifiziert und in alphabetischer Reihenfolge aufgeführt wurden. Jedem Namen folgte eine Kurzbiographie und ein vorwiegend alphabetisch geordnetes Werkverzeichnis mit jeweils Angaben über Werkanfang (*incipit*), Zeilenzahl und ggf. Echtheitsfragen. Durch diese kritische Inventarisierung schuf Kallimachos eine nationale Biobibliographie und zugleich eine Lit.-Gesch. im Überblick.

Trotz seiner Mängel [5. 233 ff.], die → Aristophanes' [4] von Byzanz berichtende Schrift Πρὸς τοὺς Καλλιμάχου Πίνακας (›Zu den P. des Kallimachos‹) veranlaßten [6; 11], wirkte das pinakographische Schaffen des Kallimachos wegweisend [3. 28 ff.; 9. 1424 ff.; 10. 99–106]. In seinem Zeichen standen nicht nur Bibliothekskataloge wie der von Pergamon ([1; 12. 72 f., 84 f., 110 f.]; s. noch POxy. 3360), sondern auch sämtliche Lit.-Verzeichnisse von den *Pínakes* des Andronikos [4] zu den Aristoteles- und Theophrastschriften bis hin zu Hesychios' *Onomatológos* und → Hieronymus' [1] *De viris illustribus*. Kallimachos' Pinakographie liegt aber auch den mit Werkverzeichnissen versehenen Biographien zugrunde, die sein Schüler → Hermippos einführte. [4. 90–102, 163–182].

→ Alexandreia [1]; Bibliothek; Biographie; Didaskaliai; Drama; Kallimachos [3]; Katalog

1 F. LONGO AURICCHIO, Su alcune liste di libri restituite dai papiri, in: Rendiconti della Accademia di Archeologia, Lettere e Belle Arti 46, 1971, 143–150 2 R. BLUM, Kallimachos und die Lit.verzeichnung bei den Griechen, 1977 3 Ders., Die Lit.verzeichnung im Alt. und MA, 1983 4 J. BOLLANSÉE, Hermippos of Smyrna and His Biographical Writings, 1999 5 M. GRIFFITH, The Authenticity of »Prometheus Bound«, 1977 6 K. NICKAU, Aristophanes von Byzanz zu den P. des Kallimachos, in: RhM 110, 1967, 346–353 7 PFEIFFER, KPI 8 A. PICKARD-CAMBRIDGE, The Dramatic Festivals of Athens, ²1968 9 O. REGENBOGEN, s. v. Π., RE 20, 1408–1482 10 F. SCHMIDT, Die P. des Kallimachos, 1922 11 W. J. SLATER, Aristophanes of Byzantium on the P. of Callimachus, in: Phoenix 30, 1976, 234–241 12 C. WENDEL, W. CÖBER, Das griech.-röm. Alt., in: Hdb. der Bibliothekswiss., Bd. 3, ²1955, 51–145 13 M. L. WEST, The Sayings of Democritus, in: CR 19, 1969, 142.   CH. F.

[6] Als arch. t. t. bezeichnet *p.* (lat. *tabula picta*) Bildtafeln aus Holz, gebranntem Ton, Elfenbein, Metall oder Stein, erh. vorwiegend in Ton, meist rechteckig oder quadratisch, seltener rund; hinzuzurechnen sind auch Zierteller aus Ton, wie sie in archa. Zeit in Ostionien, Korinth und Athen beliebt waren. Sf. und rf. bemalte Ton-*pinakes* wurden in Töpfereien gefertigt. Ein Sammelfund des 6. Jh. v. Chr. mit zahlreichen Werkstattszenen von Töpfern stammt aus einem Poseidonheiligtum bei Korinth (FO Pentheskuphia, h. Berlin, SM). Gut erh. ist ein rf. *p.* des 4. Jh. v. Chr. mit Prozessionsdarstellung aus Eleusis, Weihung einer Niinnion. Manche Serien archa. Ton-*p.* mit Totenkultszenen haben wahrscheinlich Grabbauten geziert, die h. nicht mehr existieren (→ Exekias). In der Tafelmalerei waren dagegen *p.* aus Holz üblich, oft sorgfältig aus mehreren Lagen gezimmert. Über Bildgattungen, Rahmungen sowie die Anbringung von *p.* geben u. a. hell. Tempelinventare von Delos Auskunft, wo z. B. von *p.* mit (πίνακες τεθυρωμένοι/*pinakes tethyrōménoi*) und ohne (ἀθύρωτοι/*athýrōtoi*) Flügeltüren die Rede ist.

Als autonome Bildträger dienten *p.* bevorzugt als Weihgeschenke. Größere Bilder präsentierte man erhöht auf Säulen oder Pfeilern; andere ließ man in Wände ein, und kleine *p.* (πινάκια/*pinákia*, lat. *tabellae*) hingen in Bäumen, an Wänden oder am Kultbild selbst. Seltener sind *p.* im ant. Wohnhaus bezeugt.
→ Malerei; Metope; Teller; Weihung

R. VALLOIS, Les pinakes déliens, in: Mél. M. Holleaux, 1913, 289–299 · J. BOARDMAN, Painted Votive Plaques, in: ABSA 49, 1954, 183–201 · W. KENDRICK PRITCHETT, Attic Stelai, in: Hesperia 25, 1956, 250–253 · P. MORENO, s. v. P., EAA 6, 1965, 171–174 · D. CALLIPOLITIS-FEYTMANS, Les plats attiques à figures noires, 1975 · D. P. BROOKLYN, Attic Black-Figure Funerary Plaques, 1982 · I. SCHEIBLER, Griech. Malerei der Ant., 1994, 14, 78–81, 94–96, 146 f.   I. S.

Pindaros (Πίνδαρος).

[1] Tyrann von Ephesos (ca. 560 v. Chr.), Neffe des → Kroisos. Als dieser Ephesos belagerte, soll P. geraten haben, die Tore und Mauern der Stadt durch Seile mit den Säulen des Artemisions (→ Ephesos mit Karte) zu verbinden. Kroisos, durch ein Gelübde dem Heiligtum verpflichtet, verschonte die Stadt, versprach Sicherheit und Freiheit, zwang aber P., die Stadt zu verlassen; sein Sohn blieb verschont, das Vermögen unangetastet (Hdt. 1,26; Polyain. 6,50; Ail. var. 3,26).

U. MUSS, Bauplastik des archa. Artemisions, 1994, 26–28.   PE. HÖ.

[2] Der griech. chorlyrische Dichter Pindar.

A. Leben   B. Werke
C. Sprache, Metrum, Stil
D. Auftraggeber   E. Das Epinikion
F. Vortrag   G. Würdigung und
Interpretation   H. Wirkung

A. Leben

Die Vita des P. in der ambrosianischen Hs. zitiert die Worte eines Mannes, der angibt, in einem Jahr der Pythischen Spiele geboren zu sein; diesen Mann hält man für den Dichter, das Jahr meist für 522 oder 518 v. Chr. (fr. 193). Sein Geburtsort ist Kynoskephalai bei Theben. Sein Vater heißt verschiedentlich Daïphantos, Pagondas oder Skopelinos, seine Mutter Kleodike. Die Verse Pind. P. 5,75–76 sprechen von dem Geschlecht der → Aigeidai als ›meine Vorfahren‹ (ἐμοὶ πατέρες): wenn dies die Stimme des Dichters und nicht die des Chores ist, war P. Mitglied einer prominenten Familie der thebanischen wie spartanischen Aristokratie. Seine Frau heißt → Megakleia, sein Sohn, für den er ein → *daphnēphorikón* (Pind. fr. 94c) verfaßte, Daïphantos, seine Töchter Eumetis und Protomache. POxy. 2438 verzeichnet einen Sieg im → Dithyrambos im J. 497/6 in Athen. Das erste datierbare → Epinikion ist Pind. P. 10 aus dem J. 498, das letzte P. 8 aus dem J. 446. Manche ant. Quellen sagen, daß P. im Alter von 80 J. starb; als Todesort gibt die Überl. → Argos [II 1] an. Die vielen Anekdoten über sein Leben werden heute mit Skepsis betrachtet [1. 57–66].

B. Werke

Nach der *Vita Ambrosiana* wurde P.' Werk in der Bibliothek von Alexandreia [1] in 17 B. gesammelt. Diese umfaßten neun Dichtungsgattungen: → Hymnos, → Paian, → Enkomion, → Threnos (je 1 B.), → Dithyrambos, → Prosodion, → Hyporchema (je 2 B.), → Partheneion (3 B.) und → Epinikion (4 B.). Nur das letzte Werk ist durch die hsl. Überl. erhalten. Von den übrigen können wir uns aufgrund von Zitaten bei Prosaautoren oder anhand von Papyrus-Fr. eine gewisse Vorstellung machen; insbes. POxy. Bd. 5 (1908) enthält beträchtliche Teile der Paiane 2, 4 und 6. Doch muß die moderne Würdigung der Kunst des P. im wesentlichen auf den Epinikien beruhen. Diese wurden nach Prestige und Alter der Spiele angeordnet: Oden für Sieger in → Olympia, bei den Pythischen Spielen (→ Pythia) in Delphi, am Isthmos (→ Isthmia) und in → Nemea [3]; die Reihenfolge der letzten beiden Bücher wurde im Verlauf der hsl. Überlieferung umgekehrt, wobei die Isthmia stark zerstört wurden und heute unvollständig sind. Insgesamt liegen 45 vollständige »Siegeslieder« und ein fr. Isthmisches Epinikion am Schluß der Slg. vor. Innerhalb der Bücher sind die Gedichte nach der Bed. des Wettkampfes angeordnet: zuerst Siege im Wagen- und Pferderennen, dann gymnastische Siege – der Reihe nach Pankration, Ringen, Boxen, Pentathlon und Fußrennen. Pind. P. 12 ist für einen Sieger im Flötenspiel (einer Besonderheit der Delphischen Spiele) ver-

faßt, während die drei letzten Nemeen, urspr. ein Anhängsel der Slg., sich gar nicht auf Nemeische Siege beziehen. Es gibt auch einige Anomalien: so wurden etwa Pind. P. 2 und 3, von denen man nicht mit Sicherheit weiß, ob sie Siege in Delphi oder anderswo preisen, der Bed. des Adressaten Hieron [1] von Syrakus wegen neben P. 1 angeordnet. Da wir es mit einem Buchtext zu tun haben, besitzen wir auch umfangreiche → Scholien (die für die übrigen griech. lyrischen Dichter fehlen); diese gehen hauptsächlich auf → Didymos [1] Chalkenteros zurück, bewahren aber zweifellos viel Material aus früheren Kommentaren.

C. Sprache, Metrum, Stil

P.' Sprache ist die poetische *koinḗ*, eine Kunstsprache, die man auch in den übrigen »Chorlyrikern« (Stesichoros, Bakchylides) findet: Diese verbindet aiolische, epische und dorische Formen, wobei letzteres Element bei P. weniger stark ausgeprägt ist als bei dem Spartaner → Alkman, doch stärker als bei dem Ionier → Bakchylides. Gelegentlich finden sich auch boiotische Wörter (vgl. z. B. schol. Pind. O. 1,146a).

Etwa die Hälfte der Epinikien sind in Daktyloepitriten abgefaßt, einem Versmaß, das sich zuerst bei → Stesichoros (→ Lyrik) findet und auch von → Simonides und Bakchylides benutzt wird, während die andere Hälfte in »aiolischen« Versmaßen abgefaßt ist, die auf Iamben und Choriamben aufbauen (→ Metrik V.D.). Eine einzige Ode (Pind. O. 13) verbindet beides. Der größte Teil der Oden ist triadisch aufgebaut (→ Lyrik); sieben sind monostrophisch (O. 14; P. 6, 12; N. 2, 4, 9; I. 8). Die meisten triadisch aufgebauten Oden weisen drei bis fünf Triaden auf; P. 4 bildet mit 13 Triaden eine Ausnahme.

Das herausragendste Charakteristikum des Stils des P. ist die Variation und Elaboration (*poikilía*) einer kleinen Zahl von Themen (Pind. P. 9,77–78: ποικίλλειν/*poikíllein*): Er benutzt Synonyme, Umschreibungen, Metonymien, wiederholte Metaphern, Oxymora, Wortspiele und Assonanzen, auch Wortwiederholungen und kunstvolle Periphrasen mit sowohl traditionellen als auch neugebildeten Kompositadjektiven. Das Hinarbeiten auf eine Klimax mittels eines Kontrasts [2. 36] oder einer → Priamel kommt regelmäßig vor. Die Topoi, die auf solche Art und Weise ausdifferenziert werden, umfassen Ankunft, Leichtigkeit des Lobes, Verpflichtung zum Lob, Aposiopese und Abbruchsformeln; Apostrophen, kurze Reden, Fragen und Befehle finden sich reichlich. Die Schwierigkeit des Stils ergibt sich aus der extremen Verdichtung und den schnellen Übergängen.

D. Auftraggeber

In Auftrag gegeben wurden die Oden von den Aristokraten und Prinzen der gesamten griech. Welt, von Thessalien (Pind. P. 10) bis Kyrene (P. 4; 5), von Rhodos (O. 7) bis Sizilien. Für Sieger aus Sparta existieren keine Oden, für Athener nur zwei kurze Gedichte (P. 7 für den Alkmaioniden → Megakles [4]; N. 2). Theben ist dagegen gut vertreten (P. 11; I. 1; 3; 4; 7). Drei geographische Gruppen ragen jedoch hervor:

1. Die kyrenäischen Oden umfassen das lange Gedicht P. 4, welches die Gesch. von → Iason und den Argonauten erzählt, von denen einer, Euphemos, ein Vorfahre der herrschenden Dynastie von Kyrene war; P. 5, ein Begleitstück auf denselben Sieg im Wagenrennen, (das genaue Kenntnis der Topographie des Ortes erkennen läßt) und P. 9, das durch die Gesch. von Apollons Vereinigung mit der eponymen Nymphe der Stadt, Kyrene, berühmt wurde.

2. Für Sieger von Aigina finden sich elf Oden, die, von zweien abgesehen (O. 8; P. 8), allesamt zu den Isthmien gehören und hauptsächlich für junge Sieger in weniger prestigeträchtigen Wettkämpfen bestimmt waren. P. hebt seine bes. Verbindung zur Insel hervor, weil Thebe und Aigina als Töchter des Asopos Schwestern sind (I. 8,16–30) und Aigina mit den Aiakiden Peleus, Telamon, Achilleus und Aias einen großen Schatz heroischer Mythen liefert.

3. Vierzehn Gedichte auf sizilische Sieger bezeugen das Interesse der großen Herrscherhäuser, in den panhellenischen Wagen- und Pferderennen Prestige zu erwerben: Vier Oden sind für Hieron [1] von Syrakus (O. 1; P. 1–3), vier für das Königshaus von Akragas, das durch Heirat mit Hieron verbunden war (O. 2 und 3; P. 6; I. 2). Aufgrund innerer Kriterien in O. 1–3 wird gemeinhin angenommen, daß P. Sizilien im J. 476 besuchte. Auftraggeber konnten auch mehr als eine Ode für einen bestimmten Sieg bestellen (z. B. Bakchyl. 5 und Pind. O. 1).

E. Das Epinikion

In einer voll ausgeführten Ode (d. h. einer Ode in der normalen Länge von fünf Triaden; → Lyrik) finden sich regelmäßig fünf Komponenten [3. 500]:

1. Es werden wesentliche prosopographische Informationen über den Sieger gegeben: Name, Patronym, Familie, Stadt, Art des Sieges und Aufzählung früherer Siege. Da P. gern angeborene Begabung (φυά/phyá) betont, zählt er oft auch die Siege anderer Familienmitglieder auf. All dies stellt das objektive »Programm« der Ode dar [4].

2. Der Dichter gibt seine Inspirationsquelle an, indem er zu und von seiner → Muse spricht, und reflektiert über seine Kunst, welche sorgfältige Auswahl und Kürze erfordert (καιρός/kairós, τεθμός/tethmós). Da angeborenes Talent für den Dichter ebenso wichtig ist wie für den Athleten, zieht P. angeborene σοφία (sophía) der Gelehrsamkeit vor (O. 2,86).

3. Aphorismen (γνῶμαι/gnômai) enthalten im Kern die traditionelle Weisheit, die der Weise (σοφός/sophós) lehrt, und bilden oft Brücken zw. den verschiedenen Abschnitten einer Ode. Das moralisierende Element gibt den erwähnten Ereignissen weitere Bed. und hebt so das einzelne auf die Ebene des Universellen.

4. Überall finden sich hymnische Elemente (P. nennt seine Oden ὕμνοι/hýmnoi); betont wird, daß alle Elemente menschlichen Lebens, gute wie schlechte, göttlicher Fügung entspringen. Neben den bedeutenderen Olympischen Göttern und dem unpersönlicheren θεός

(theós) oder δαίμων (daímōn) erscheinen viele kleinere Gottheiten oder deifizierte Abstrakta, z. B. Hesychía (P. 8,1), Hṓra (N. 8,1), Týchē (O. 12,2). Die Grazien (Chárites) sind durchgehend präsent; O. 14 ist ein Hymnos auf sie.

5. Die meisten Oden enthalten unabhängig von ihrer Länge mythische Erzählungen, welche in der Regel Material heranziehen, das zur Gesch. des Adressaten oder seiner Familie gehört. Die Mythen sind mit unvergleichlicher Brillanz und großer Ökonomie erzählt, eher in kurzen Vignetten als in ausführlicher Behandlung. Ringkomposition ist dabei häufig verbreitet, und die Erzählungen werden oft durch eine kurze summarische Feststellung (κεφάλαιον/kephálaion) eingeleitet [5. 55–67]. Als sophós liegt P. daran, die wahre Darstellung zu bieten, und er korrigiert gelegentlich seine Vorgänger (O. 1,36; 7,21); seine → Muse ist ihm Garant für die Wahrhaftigkeit seiner Version.

F. Vortrag

Externe Belege für den Vortrag der Oden gibt es nicht. Die meisten wurden zweifellos vor dem Sieger in dessen Heimat(ort) vorgetragen. In manchen Fällen gibt es Dubletten für denselben Sieg: O. 11 wurde unmittelbar am Ort des Sieges vorgetragen, das längere Gedicht O. 10 während der offiziellen Feier; O. 3 scheint sich deutlicher an eine Öffentlichkeit zu richten als die begleitende Ode O. 2; P. 5 wurde vom Sieger in Auftrag gegeben, während P. 4 ein privates Geschenk an den König war.

Die Epinikien selbst enthalten keine eindeutigen Belege für den Vortrag durch einen → Chor; ihr triadischer Aufbau ist allein kein Beweis dafür (→ Lyrik), und vieles, was man seit der Ant. regelmäßig für chorisch hielt, wird heute weithin als Solostück oder kitharodisch angesehen [6]. Kern des Problems ist das Personalpronomen »Ich«: Seine Verwendung in den Epinikien ist unklar; manche verstehen es als auf den Dichter selbst – im Gegensatz zum Chor – bezogen, andere ausschließlich auf den Chor bezogen, wieder andere meinen, daß es manchmal den Chor bezeichnet, manchmal den Dichter, manchmal beide zusammen. In den Epinikien erwähnt P. keinen χορός (chorós), sondern vielmehr den begleitenden κῶμος (→ kômos). Dies scheint nicht einfach ein Topos zu sein, sondern ein Verweis auf die Ausgelassenheit, die das Singen von Oden begleitete [7. 256 f.]. Im allg. vertritt die Figur der ersten Person in den Epinikien wohl den Dichter, ob er nun vom Chor begleitet wird oder nicht. In den Dithyramben und Paianen, deren Vortrag zweifellos durch einen Chor ausgeführt wurde und für einen staatlichen Anlaß bestimmt war, ist das »Ich« stets der Chor. Epinikien haben als Hauptzweck jedoch den Lobpreis von Einzelpersonen und sind als säkulare Hymnen keine Rituale der Polis.

G. Würdigung und Interpretation

Dion. Hal. comp. 22 zählt P. zu den Vertretern des »strengen Stils«. Die moderne P.-Interpretation ist weithin ein Versuch, in den disparaten Elementen des Gedichts Einheit zu finden. Boeckh und Dissen wollten jedes Gedicht auf eine *summa sententia*, einen Grundgedanken zurückführen, ein Ansatz, der eher die Gnomen privilegierte; diese Lösung war eine Reaktion auf die Frage der Einheit, die schon von Humanisten der Renaissance aufgeworfen wurde (s. [8]). Nicht viel anders YOUNG, der den Grund suchte, auf dem die Gedanken des Gedichts aufbauen [9]. A. BOECKH ging von der histor. Allegorie aus, indem er in den Gedichten Hinweise auf zeitgenössische Politik sah. Die Reaktion auf diese Sichtweise fiel mit der Reaktion auf den biographischen Ansatz zusammen (z. B. WILAMOWITZ [10]). SCHADEWALDTS Betonung des Programms [4] und BUNDYS [2] Beschäftigung mit den verschiedenen Topoi der Rhet. des Lobes haben vieles von dem, was in den Gedichten zuvor dunkel war, zugänglich gemacht. Doch hat dieser Ansatz die Technik auf Kosten von Originalität oder gedanklicher Ernsthaftigkeit analysiert. Respekt vor P. als Denker ist ein zentrales Anliegen der Werke von FRÄNKEL [3] und HUBBARD [11]. In jüngster Zeit hat man sich von der Suche nach der Einheit, welche als anachronistisches Erkennungszeichen betrachtet wird, wieder entfernt [8]. Seit NORWOOD [12] ist die Analyse der Metaphorik der Oden sehr beliebt.

H. WIRKUNG

In hell. Zeit verfaßte → Kallimachos [3] Siegergedichte (Kall. fr. 383; 384) und Hymnen [13. 85] unter dem offenkundigen Einfluß des P., auch → Theokritos ist ihm in den Eidyllia 16 und 24 verpflichtet, und → Apollonios [2] von Rhodos zeigt in den *Argonautiká* genaue Kenntnis von P. 4. Horaz (→ Horatius [7]) imitiert P. (Hor. carm. 1,12; 3,4) und erweist ihm in carm. 4,2 seine Reverenz, einem Gedicht, das der Renaissance Anlaß zu ihrer Unterscheidung zw. »größeren« pindarischen und »kleineren« horazischen Oden gab. Pierre DE RONSARD wollte der frz. P. sein und veröffentlichte im J. 1550 vierzehn pindarische Oden [14]. In England schrieb John MILTON pindarische Gedichte in lat. Sprache, und im 17. Jh. verfaßten Ben JONSON und Abraham COWLEY engl. Bearbeitungen pindarischer Gedichte. »Pindarisch« wurde allmählich zur allg. Bezeichnung für grandiose Dichtung in unregelmäßigen Versmaßen und findet sich bei Nicolas BOILEAU und John DRYDEN. Thomas GRAYS Gedicht *Progress of Poesy* beginnt mit einer gefeierten Bearbeitung des Anfangs von Pind. P. 1, wie es auch Matthew ARNOLDS Gedicht *Empedocles on Etna* tut. In It. waren die *Canzoni Eroiche* von Gabriello CHIABRERA pindarisch, und Ugo FOSCOLO sah in P. das stilistische Gegenstück zu sich selbst in griech. Sprache.

Die romantische Bewegung in Deutschland bewunderte P.: J. W. VON GOETHE spricht ihn in ›Wanderers Sturmlied‹ an, Friedrich VON HUMBOLDT übersetzte fünfzehn Oden, und August VON PLATENS pindarische Oden reproduzieren sorgfältig pindarische Versmuster, während Friedrich HÖLDERLIN P. nicht nur unter genauer Beachtung der Wortfolge übersetzte, sondern in dem Gedicht ›Der Rhein‹ auch bewußt pindarische Verse schrieb. Der Einfluß des P. war mächtig, auch

wenn man ihn nicht immer offen anerkannte [15. 230–244; 250–254]. Dichter des 20. Jh. hatten im allg. weniger Sympathie oder Verständnis für P.; manche wie etwa Ezra POUND und T. S. ELIOT äußerten sich geradezu despektierlich.

→ Chor; Epinikia; Lyrik; Sportfeste; ODE

1 M. R. LEFKOWITZ, The Lives of the Greek Poets, 1981 2 E. L. BUNDY, Studia Pindarica, 1962 3 H. FRÄNKEL, Dichtung und Philos. des frühen Griechentums, ²1962 4 W. SCHADEWALDT, Der Aufbau des Pindarischen Epinikion, ²1966 5 L. ILLIG, Zur Form der pindarischen Erzählung, 1932 6 M. DAVIES, Monody, Choral Lyric, and the Tyranny of the Hand-Book, in: CQ 38, 1988, 52–64 7 E. ROBBINS, Pindar, in: D. E. GERBER (Hrsg.), A Companion to the Greek Lyric Poets, 1997, 253–277 8 M. HEATH, The Origins of Modern Pindaric Criticism, in: JHS 106, 1986, 85–98 9 D. YOUNG, Pindaric Criticism, in: W. M. CALDER, J. STERN (Hrsg.), P. und Bakchylides (Wege der Forsch. 134), 1970, 1–95 10 U. VON WILAMOWITZ-MOELLENDORFF, P., 1922 11 T. K. HUBBARD, The Pindaric Mind: A Study of Logical Structure in Early Greek Poetry (Mnemosyne Suppl. 85), 1985 12 G. NORWOOD, Pindar, 1945 13 F. DORNSEIFF, Pindars Stil, 1921 14 T. SCHMITZ, Pindar in der frz. Renaissance. Studien zu seiner Rezeption in Philol., Dichtungstheorie und Dichtung (Hypomnemata 101), 1993 15 G. HIGHET, The Classical Trad., 1959.

ED.: EPINIKIA: B. SNELL, H. MAEHLER, ⁸1987. FR., INDICES: H. MAEHLER, 1989 • A. TURYN, ²1952. SCHOLIA VETERA: A. B. DRACHMANN, 3 Bde., 1903/1927. LEXIKA: I. RUMPEL, 1883 • W. J. SLATER, 1969. KOMM.: A. BOECKH, 1811/1821 • L. DISSEN, 1830 • B. L. GILDERSLEEVE, 1885 (Olympien, Pythien) • J. B. BURY, 1890/1892 (Nemeen, Isthmien) • L. R. FARNELL, 1930/1932 • E. THUMMER, 1968/1969 (Isthmien) • A. PRIVITERA, 1982 (Isthmien) • G. BONA, 1988 (Paiane) • M. CANNATÀ FERA, 1990 (Threnoi) • M. J. H. VAN DER WEIDEN, 1991 (Dithyramben) • B. GENTILI, 1995 (Pythien). BIBLIOGR.: D. E. GERBER, A Bibliography of Pindar 1513–1966, 1969 • Ders., Pindar and Bacchylides 1934–1987, in: Lustrum 31, 1989, 97–269; ebd. 32, 1990, 7–67. E. R./Ü: T. H.

[3] Freigelassener des C. Cassius [I 10] Longinus. Tötete diesen auf dessen Wunsch nach der Schlacht bei Philippi 42 v. Chr. (Cass. Dio 47,46,5; Val. Max. 6,8,4; Vir. ill. 83,5). Details waren schon in der Ant. umstritten (App. civ. 4,472 ff.; Plut. Brutus 48,5). J. BA.

Pindenissus. Festung im Amanos-Gebirge in der Kilikia Pedias. → Cicero eroberte 51 v. Chr. als röm. *proconsul* bei der Grenzsicherung seiner Prov. → Cilicia gegen die Parther im Kampf gegen die Volksstämme im Amanos – von Epiphaneia [1] aus – Erana (Hauptort des Amanos) mit Sepyra und Commoris. Er lagerte sodann in Arae Alexandri (südl. von Issos), unterwarf den Rest des Amanos und eroberte nach längerer Belagerung P., das hochgelegene und stark befestigte *oppidum* der Eleutherokilikes (Cic. fam. 2,10,3; 15,4,7–10; Cic. Att. 5,20,1: die Einwohner *Pindenissitae*; 5; 6,1,9), das später evtl. in → Neronias umbenannt wurde.

W. RUGE, s. v. Pindenissum, RE 20, 1700. F. H.

Pindos

[1] (ὁ/ἡ Πίνδος). Im Alt. bezeichnete man mit P. nur den mittleren Teil der gewaltigen, fast unzugänglichen Gebirgsmauer, die ganz Nord- und Mittelgriechenland von Norden nach Süden in mehreren Ketten von meist über 2000 m H durchzieht, südl. des Zygos-Passes (Paß von Metsovo, H 1650 m) und westl. von Thessalia (→ Thessaloi), die Wasserscheide zw. den Flußgebieten des → Peneios im Osten und des → Acheloos [1] im Westen. Die Gebirge nördl. davon trugen bes. Namen (vgl. das Boion-Gebirge bei Strab. 7a,1,6), die Gebirgsmasse südl. der Spercheios-Senke bezeichnet Strabon als Oite oder Kallidromon und weiter südl. als ›aitolische Berge‹ (Strab. 7,7,9). Die sonstigen ant. Erwähnungen betreffen ebenfalls nur diesen Teil westl. von Thessalia; nur bei Dionysios Kalliphontos 61 entspringt auch der → Euenos [3] am P. (gegen Ptol. 3,15,2). Xenophon erwähnt für den P. großes Raubwild (Xen. kyn. 11,1). Die höchste Erhebung in diesem Teil ist die Kakarditsa (Tsumerka) mit 2429 m. Die auch geologisch nicht zum P. gehörende Vardussia (2495 m) hieß im Alt. wahrscheinlich Aselenon (Nik. Ther. 215 mit schol.), die 2510 m hohe Giona dagegen Korax.

E. OBERHUMMER, s. v. P. (1), RE 20, 1700–1704 • A. PHILIPPSON, Thessalien und Epirus, 1897 • PHILIPPSON/KIRSTEN 2, vgl. Index.   HE.KR.

[2] (Πίνδος). Neben Boion, Erineos und Kytenion eine der angeblich von Doros gegr. Städte der mittelgriech. → Doris [II 1] (Hdt. 8,43; Plin. nat. 4,28), am Fluß P. (h. Kananitis) oberhalb von Erineos gelegen, auch Akyphas genannt (Strab. 9,4,10; SEG 27, 123, Z. 12; SEG 40, 487). Wahrscheinlich jüngste Stadt der dorischen Tetrapolis (Skymn. 592ff.); P./Akyphas scheint zeitweise zum Gebiet der → Oitaioi gehört zu haben (Strab. 9,5,10; SEG 39, 476). Die Stadt lag ca. 5 km westl. von h. Kastelli, ca. 3 km südl. von h. Oinochori bei Ano Kastelli am Oberlauf des Kananitis, wo sich zahlreiche Spuren ant. Besiedlung (z. T. in einer fränkischen Festung verbaut) v. a. aus hell. Zeit erh. haben.

E. W. KASE u. a. (Hrsg.), The Great Isthmus Corridor Route, 1991 • D. ROUSSET, Les Doriens de la Métropole, in: BCH 113, 1989, 199–239; 114, 1990, 445–472; 118, 1994, 361–374.   P.F.

Pinianus

[1] 385–387 n. Chr. *praefectus urbi Romae*, vom Senat 395 mit Postumianus zum Gesandten an Kaiser Valentinianus II. bestellt, um wegen einer Teuerung Hilfe zu erbitten. Um die Wahl eines weiteren Gesandten Paulinus kam es zum Streit. Wahrscheinlich Vater oder Onkel von P. [2]. PLRE 1, 702 (P. 1).

[2] Neffe oder Sohn von P. [1], 396 n. Chr. im Alter von 16 oder 17 J. mit der jüngeren → Melania [2] verheiratet, die ihn nach dem Tod ihrer beiden Kinder zur Askese bewegte. P. begleitete sie und ihre Mutter Albina 410 nach Sizilien, dann nach Afrika, wo er wegen seines Reichtums beinahe zum Presbyter in → Hippo [6] ge-

macht wurde, und 417 nach Jerusalem; er stand in Verbindung mit → Augustinus und → Hieronymus. P. starb 431/2.

G. A. CECCONI, Un evergete mancato. Piniano a Ippona, in: Athenaeum 66, 1988, 371–389 • A. GIARDINA, Carità eversiva. Le donazioni di Melania la Giovane e gli equilibri della società tardoromana, in: Hestíasis. Studi di tarda antichità offerti a S. Calderone, 1986, Bd. 2, 77–102 • PLRE 1, 702 (P. 2) • V. A. SIRAGO, Incontro di Agostino con Melania e Piniano, in: M. FABRIS (Hrsg.), L'umanesimo di Sant'Agostino. Atti del congresso internazionale (Bari 1986), 1988, 629–648.   K.G.-A.

Pinie (πίτυς/*pítys*, lat. *pinus*, Pinus pinea L.). Dieser markante, mit der → Fichte verwandte Nadelbaum mit breiter Krone wächst in den Küstenstrichen des Mittelmeers häufig. Wegen des P.-Kranzes, etwa als Siegespreis bei den Isthmischen Spielen (→ Isthmia), wird er seit Hom. Il. 13,390 häufig von Dichtern erwähnt. Die Anzucht der P. wird von Pall. agric. 12,7,9–12 und wesentlich knapper Geop. 11,11 beschrieben. Ein P.-Zapfen krönte vielfach röm. → Grabbauten. Das Holz diente zum Schiffbau. Rinde, Nadeln und Zapfen (κῶνος/*kônos*) wurden medizinisch verwendet, z.B. als Räuchermittel (Dioskurides 1,69 WELLMANN = 1,86 BERENDES). Nach Plin. nat. 23,142 stillten die h. noch gerne verzehrten Pinienkerne den Durst und beruhigten u. a. übersäuerten Magen. Die von → Pan und dem Windgott → Boreas geliebte Nymphe Pitys wurde von dem Windgott von einem Felsen gestürzt und in eine P. verwandelt (Geop. 11,10).

V. HEHN, Kulturpflanzen und Haustiere (ed. O. SCHRADER), [8]1911 (Ndr. 1963), 301–307 • H. GOSSEN, s. v. P., RE 20, 1708–1710.   C.HÜ.

Pinna (Πίννα). Stadt im Gebiet der → Vestini (Tab. Peut. 6,1), h. Penne. Seit dem → Bundesgenossenkrieg [3] (91–88 v. Chr.) *municipium* der *tribus Quirina* (Vitr. 8,3,5; Ptol. 3,1,59), seit Augustus in der 4. Region (Plin. nat. 3,107). Reste der Stadtanlage am Colle Castello bei S. Domenico und am Colle Duomo.

G. FIRPO, in: Fonti Latine e Greche per la storia dell'Abruzzo antico, 2,2, 1988, 841–858 • Abruzzo e Molise (Keiron 19–20), 1993, 62f., 70f.   M.M.MO./Ü: J.W.MA.

Pinus s. Pinie

Pinytos (Πίνυτος). Verf. eines Monodistichons (Herkunft aus dem »Kranz« des → Philippos [32] sehr zweifelhaft), eines konventionellen Grabepigramms auf → Sappho (Anth. Pal. 7,16). Die Seltenheit des Namens legt die Gleichsetzung mit dem Grammatiker P. aus Bithynion, einem Freigelassenen des Epaphroditus und Sekretär des Nero, nahe (Steph. Byz. s. v. Βιθύνιον).

GA II 1, 438f.; II 2, 464f. • M. LAUSBERG, Das Einzeldistichon. Studien zum ant. Epigramm, 1982, 261, 265.

M. G. A./Ü: G. K.

Piper s. Pfeffer

Piraeus, Piräus s. Peiraieus

Piraten s. Seeraub

Pirol. Das prächtig gelb-schwarz gezeichnete Männchen von Oriolus oriolus L. mit dem melodischen Ruf ist wohl mit dem χλωρίων/*chlōríōn* bei Aristot. hist. an. 8(9),22,617a 28 und *chlorion* bei Plin. nat. 10,87 gemeint. Dafür spricht außer der Färbung (*chlōrós* = grünlich gelb) das späte Erscheinen dieses Zugvogels mit der Sommersonnenwende und das Verschwinden im Winter. Syn. Bezeichnungen scheinen *icterus* und *galgulus* bei Plin. nat. 30,94 für einen zur Heilung von Gelbsucht benutzten Vogel sowie *virio* (Plin. nat. 18,292) zu sein [1. 85f.]. Das kunstvoll an Zweigenden aufgehängte napfförmige Nest scheint bei Plin. nat. 10,96 beschrieben zu sein.

1 Leitner.

D'Arcy W. Thompson, A Glossary of Greek Birds, 1936 (Ndr. 1966), 332f. · Keller, Bd. 2, 120.　　C.HÜ.

Pirustae (Πειροῦσται). Illyrischer Volksstamm (Strab. 7,5,3; Ptol. 2,16,8) im an Erzvorkommen reichen Gebiet zw. Lim und Drin im h. Albanien, im Zusammenhang mit dem Abschluß des 3. → Makedonischen Krieges als *civitas libera et immunis* im Vertragsverhältnis zu Rom 167 v.Chr. bei Liv. 45,26,13 erstmals erwähnt. 54 v.Chr. unternahmen die P. jedoch Plünderungszüge in die röm. Prov. → Illyricum, weshalb deren Proconsul Caesar die Ordnung in diesem Grenzgebiet durch Geiselstellung und Schiedsgerichte wiederherstellte (Caes. Gall. 5,1,5–9). Der nachmalige Augustus gliederte die P. in den J. 35 bis 33 v.Chr. in die röm. Prov. ein. Die P. waren maßgeblich am Pannonischen Aufstand der J. 6 bis 9 n.Chr. beteiligt (Vell. 2,115; → Pannonia). Nach der Einrichtung der Prov. Dacia durch Traianus (98–117 n.Chr.) wurden zahlreiche P. in die Goldbergwerke von → Alburnus maior deportiert, wo sie ein eigenes Stadtquartier bildeten (vgl. CIL III Taf. VIII).

TIR K 34 Naissus, 1976, 101.　　E.O.

Pisae. Stadt in Nord-Etruria inmitten einer Lagunenlandschaft am Zusammenfluß des Auser (h. Sèrchio) mit dem nördlichsten Mündungsarm des Arnus (h. Arno), ca. 3,8 km von der tyrrhenischen Küste entfernt, h. Pisa. Ungeachtet der Trad., die P. als griech., etr. oder ligurische Gründung bezeichnen (Iust. 20,1,11; Verg. Aen. 10,179; Strab. 5,2,5; Dion. Hal. ant. 1,20; Plin. nat. 3,50), reichen die Urspr. der Besiedlung dieses Lagunengebiets bis in das späte Äneolithikum und die frühe Brz. zurück. Spätestens im 9. Jh. v.Chr. entstand das Zentrum, um das sich die Besiedlung des äußersten NW von Etruria konzentrierte. Aufgrund ihrer Lage am → Mare Tyrrhenum in einen maritimen Kontext eingebunden (was die kleineren Landungsplätze entlang der Küste sowie die zu P. gehörige Anlegestelle am Auser

belegen), kontrollierte die Stadt bereits zu E. des 7. Jh. v.Chr. ein großes Gebiet, das vom oberen Tal der Versilia im Norden bis zur Mündung des Fine im Süden reichte und im Landesinnern das gesamte Tal des Auser, den unteren Valdarno und das Gebiet der mittleren Valdera umschloß. Seit Anf. des 6. Jh. v.Chr. standen Handwerk und Landwirtschaft (bes. der Weinbau, Export an die Küste von Südfrankreich bis nach Südetrurien) in Blüte. Die überregionale Bed. der Stadt dokumentieren die auf → Nestor [1] basierende Gründungslegende (Strab. 5,2,5), die Aufnahme in den etr. Städtebund zu E. des 5. Jh. v.Chr., die Prägung von Silbermz. und die Bauten des städtischen Hafens, desgleichen verschiedene neue Heiligtümer (bei Piazza Dante, Piazza del Duomo).

Seit der Mitte des 3. Jh. v.Chr. mit Rom verbündet, war P. eine wichtige Basis für Flotte und Heer im Kampf gegen die → Ligures (Liv. 33,43ff.) und → Karthago. Nachdem ein Teil ihres Territoriums an die röm. Kolonien → Luca (Liv. 40,43,1; 180 v.Chr.) und → Luna [3] (Liv. 41,13,4; 177 v.Chr.) abgetreten worden war, wurde P. zunächst *municipium* (Fest. 155,18), zw. 41 und 33 v.Chr. *colonia* (*Opsequens Iulia Pisana*, vgl. ILS 139,36f.) der *tribus Galeria* (vgl. ILS 7258,7). Über das Aussehen der röm. Stadt ist wenig bekannt; nennenswert sind lediglich die Ruinen der Thermen von Porta a Lucca, die von den Zerstörungen zu E. des 5. Jh. n.Chr. verschont blieben.

→ Etrusci, Etruria

S.Bruni, Pisa etrusca. Anatomia di una città scomparsa, 1998 · Ders., Le navi antiche di Pisa, 2000 · Ders., Ricerche di archeologia medioevale a Pisa. I: Piazza dei Cavalieri, la campagna di scavo 1983, 2000 · A.Neppi Modona, P., 1953 · Nissen 2, 288–291.　　St.Br./Ü: H.D.

Pisatis, Pisa (Πισᾶτις, Πίσα). Landschaft und Stadt bzw. zwei Bezeichnungen für eine Landschaft im Westen der → Peloponnesos. Die Frage der Historizität der Stadt P. wird wie schon in der Ant. (Strab. 8,3,31) so auch noch h. [1] diskutiert und vielfach negativ beantwortet (Strab. l.c.).

Die früheste Erwähnung nennt als Namensform Πίσα/*Písā* (⏑ –, vgl. Pind. O. 2,3; 3,9; Pind. N. 10,32), in der att. Lit. findet sich Πῖσα/*Pisa* (– ⏑, Eur. Iph. T. 1; Eur. Hel. 386; Hdt. 2,7, mit langem /i/); das Ethnikon lautet klass. stets Πισάτης/*Pisátēs* (Pind. O. 4,11; Eur. Iph. T. 824), seit hell. Zeit Πισαῖος/*Pisaíos* (vgl. Paus. 5,8,6); lat. *Pisaeus* (vgl. Accius, Atreus 196). Der Name selbst ist vorgriech.

P. kann für die Landschaft stehen, in der → Olympia liegt, später für Olympia selbst und alles, was dazugehört (vgl. SGDI 1153; schol. Pind. O. 6,55a; schol. Plat. Phaidr. 236). Der urspr. Umfang der Landschaft P. ist nicht bekannt. P. meint wohl das unmittelbar durch → Elis einverleibte Gebiet von Olympia nordwärts nach Elis mit acht Städten. Die hell. Geographen benutzen die Bezeichnung *Pisátis* unterschiedlich. Demetrios [34] nannte so das ganze Gebiet am Unterlauf des Alpheios

[1] (bei Athen. 8,346bc), was Artemidoros [3] von ihm übernahm; Apollodoros [7] verwendet die Doppelbezeichnung P. und Triphylía für das gesamte pylische Reich des → Nestor (→ Pylos) nördl. und südl. des Alpheios, wobei P. offenbar das östl. genannte elische Gebiet ist (Strab. 8,3,7; 3,11 f.). Welche Ausdehnung der Begriff P. bei Pol. 4,74,1 hat, ist nicht zu bestimmen. Pausanias zufolge (Paus. 5,1,6 f.; 6,21,3–5) ist *Pisaía* das Land südl. des Alpheios ohne Olympia.

1 A. MALLWITZ, Olympia und seine Bauten, 1972, 79.

F. CARINCI, s. v. Elide 1, EAA 2. Suppl. 2, 1994, 447 • J. HOPP, s. v. P., in: LAUFFER, Griechenland, 552–554 • F. KIECHLE, Das Verhältnis von Elis, Triphylien und der P. im Spiegel der Dialektunterschiede, in: RhM 103, 1960, 336–366 • E. MEYER, s. v. Pisa, P., RE 20, 1732–1755 • MÜLLER, 833 f. • P. SIEWERT, Die frühe Verwendung und Bed. des ON »Olympia«, in: MDAI(A) 106, 1991, 65–69 • O. VIEDEBANTT, Forsch. zur altpeloponnesischen Gesch. 2. Elis und P., in: Philologus, 85, 1930, 23–41.   Y.L. u. E.O.

Pisaurum. Röm. Kolonie (*tribus Camilia*, vgl. ILS 9241; *regio VI*, Plin. nat. 3,119) auf dem Gebiet des → *ager Gallicus* (gegr. 184 v. Chr.; Liv. 39,44,10; Vell. 1,15,2) an der *via Flaminia*, wo der Pisaurus (h. Foglia) beim h. Pésaro in die Adria mündet; die inschr. Belege (ILS 2970–2983; ILLRP 13–26) des *lucus*, die zusammen mit zahlreichen Weihungen des 3.–2. Jh. v. Chr. an zentralital. Götter bei P. gefunden wurden, lassen die Existenz eines *conventus civium Romanorum* vermuten, wo nachmals die Kolonie angelegt wurde. Der Platz war schon in frühgesch. Zeit besiedelt (Nekropole bei → Novilara). P. erhielt weitere Kolonisten: unter dem nachmaligen Augustus 41 v. Chr. (Cass. Dio 48,6) sowie zw. 31 und 27 v. Chr. (vgl. ILS 7218,2: *colonia Iulia Felix P.*). Als Magistrate sind bekannt: *duoviri* (*quinquennales*), *aediles*, *quaestores* (*alimentorum*), *decuriones*. 270/1 n. Chr. wurde P. von den → Iuthungi bedroht, die Aurelianus [3] am Metaurus [2] bei Fanum Fortunae besiegte (Aur. Vict. epit. Caes. 35,2). Im Kampf gegen die Goti unter → Vitigis wurden die Wehranlagen von P. von → Belisarios 544 n. Chr. wiederhergestellt (Prok. BG 3,11,32–34). Auch die christl. Basilika (mit Mosaiken) wurde damals unter dem *magister militum* Iohannes [17] wiederhergestellt.

I. ZICÀRI, s. v. P., RE Suppl. 11, 1092–1098 • Pesaro nell'antichità, ²1985 • G. CRESCI MARRONE, G. MENNELLA, P. I: Le iscrizioni della colonia, 1984 • BTCGI 13, 458–477 • G. PACI, Terre dei Pisaurensi nella valle del Cesano, in: Picus 16–17, 1996/7, 115–148 • R. FARIOLI CAMPANATI, I mosaici pavimentali della seconda fase della Cattedrale di Pesaro, in: Picus 18, 1998, 7–29.   G.PA./Ü: J.W.MA.

Piscina (von lat. *piscis*, »Fisch«).

[1] Die Fischzucht wurde in Griechenland in natürlichen Gewässern, seltener in künstlich angelegten Teichen betrieben (Aristot. hist. an. 592a). Seit dem 3./2. Jh. v. Chr. sind *piscinae* in Rom bekannt (Gell. 2,20,6 f.). Fischzucht in Süßwasserbecken gehörte zur *pastio villatica* (Varro rust. 3,3,1; 3,17,1; → Kleintierzucht); mit wachsender Beliebtheit von Seefischen wurden mit Meerwasser gefüllte *p.* angelegt (Colum. 8,17,1 ff.), die durch den notwendigen fortwährenden Zufluß frischen Meerwassers äußerst kostspielig im Unterhalt waren; auch die Pflege der Fische erforderte hohe Aufwendungen (Plin. nat. 9,170; Varro rust. 3,17,2 ff.). V. a. reiche Oberschichtangehörige ließen *p.* anlegen und brachten verschiedene Seefische in großer Zahl auf den Markt (Mart. 10,30,21 ff.; Macr. Sat. 3,15,7; → Muräne). Ausgedehnte Teichanlagen konnten erheblich zur Wertsteigerung von Ländereien beitragen (Varro rust. 3,17,3; Colum. 8,16,5; Plin. nat. 9,171; Macr. Sat. 3,15,6). Primär waren die *p.* jedoch für die → *nobiles* ein wichtiges Statussymbol. Die Fischliebhaberei der reichen *p.*-Besitzer wird in der Lit. oft der Lächerlichkeit preisgegeben (z. B. Varro rust. 3,17,5); v. a. Cicero kommentiert ironisch den Rückzug der reichen *piscinarii* aus der Politik zugunsten einer Beschäftigung mit ihren Fischen und Fischteichen (Cic. Att. 1,18,6; 1,19,6; 1,20,3; 2,1,7; 2,9,1). Unter den Besitzern von *p.* in der Zeit der späten Republik werden Q. Hortensius [5], L. Licinius [I 26] Lucullus und L. Marcius [I 14] Philippus genannt (Varro rust. 3,17,3–10; Plin. nat. 9,170–172); auch hochgestellte Frauen der frühen Prinzipatszeit besaßen Fischteiche (Antonia [4]: Plin. nat. 9,172; Domitia [1]: Tac. ann. 13,21,3).

Als *p.* wurden auch Schwimmteiche für Enten und Gänse, Viehtränken und Pferdeschwemmen einer *villa rustica* (Pall. agric. 1,31) bezeichnet.

Bei Frontinus werden die Klär- und Verteilungsbekken der röm. Wasserleitungen *p.* genannt (Frontin. aqu. 1,19). Die *p. publica* war der bei der Porta Capena gelegene Stadtweiher von Rom (Liv. 23,32,4) (s. P. [2]). → Fische; Fischerei; Villa

1 J. HIGGINBOTHAM, Piscinae: Artificial Fishponds in Roman Italy, 1997.   CH.KU.

[2] Schwimmbad. Die *piscina publica*, die bereits 312 v. Chr. in Verbindung mit der Aqua Appia (→ Wasserleitungen) in Rom vor der Porta Capena (→ Roma) erbaut wurde, nutzte man zum Schwimmen (Cic. Quinct. 3,7,1; Liv. 23,32,4). In den röm. Bädern (→ Thermen) bezeichnete *p.* sowohl das kalte Becken im Frigidarium als auch ein Schwimmbecken. Ersteres war ca. 1 m tief und über eine Balustrade mit Stufen zu erreichen. Im Frigidarium gab es häufig mehrere *piscinae*, die in Nischen oder Apsiden plaziert waren. Eine als Schwimmbecken genutzte *p.* konnte sich im Frigidarium, aber noch öfter im Freien befinden; sie wurde auch als *natatio* bezeichnet. Bei einer *calida p.* handelt es sich um ein erhitztes (Schwimm-)Becken in röm. Thermen. Diese Badebecken waren häufig mit Marmor verkleidet (→ Inkrustation) und wurden mit Wasser aus Wasserspeiern gespeist.
→ Thermen

I. NIELSEN, Thermae et Balnea, ²1993, 154 und passim.

          I.N.

Piscinae. Station der Via Aurelia zw. → Vada Volaterrana und → Pisae an der tyrrhenischen Küste von Etruria (Tab. Peut. 4,1; Geogr. Rav. 4,32; 5,2).

M. SORDI, La via Aurelia, in: Athenaeum 59, 1971, 302–312.
G. U./Ü: H. D.

Pisibania Lepida. Angehörige des Senatorenstandes, die bei Ferentium in Südetrurien Grundbesitz hatte (CIL XI 3003 und p. 1313); sie war mit Pisibanius [2] verwandt (vgl. [1. 158f.]).

1 P. WEISS, Ein Konsulnpaar vom 21. Juni 159 n. Chr., in: Chiron 29, 1999, 147–182. W. E.

Pisibanius

[1] **P. Celsus.** Verm. Senator, der nahe Ferentium in Südetrurien Grundbesitz hatte (CIL XI 3003 und p. 1313; vgl. [1. 147ff.].)

[2] **M. P. Lepidus.** Als *cos. suff.* am 21. Juni 159 n. Chr. bezeugt [1. 147ff.]; er ist auch in CIL VI 32321 als Consul genannt, verm. ab 1. April. Zur Verwandtschaft vgl. [1. 154ff.].

1 P. WEISS, Ein Konsulnpaar vom 21. Juni 159 n. Chr., in: Chiron 29, 1999, 147–182. W. E.

Pisidia (Πισιδία).

I. GEOGRAPHIE, BEVÖLKERUNG, WIRTSCHAFT
II. GESCHICHTLICHE ENTWICKLUNG

I. GEOGRAPHIE, BEVÖLKERUNG, WIRTSCHAFT

Landschaft im südl. Kleinasien, deren im Lauf der Gesch. wechselnde Grenzen nur ungefähr zu beschreiben sind, jedenfalls aber über das urspr. Siedlungsgebiet der Pisidai, die westl. Tauros-Region (Strab. 12,7,1–3), hinausreichen [2. 8f.]: Im Norden bilden die Gebirgszüge der Sultan Dağları eine natürliche Grenze gegen Phrygia (→ Phryges), die Westgrenze verläuft etwa entlang der Linie von → Apameia [2] bis → Termessos, die Ostgrenze (gegen Lykaonia) markieren Pappa-Tiberiopolis (h. Yunuslar) und → Etenna, im Süden fällt P. nach → Pamphylia ab (zw. Etenna und Termessos). Der Großteil von P. wird durch die von Becken und Hochebenen durchsetzten Gebirgsketten des → Tauros bestimmt. Die von drei großen Flüssen – Kestros (h. Aksu Çayı), Eurymedon [5] und Melas (h. Manavgat Çayı) – und zahlreichen Seen geprägte Landschaft ist recht fruchtbar [1. 58–61]: Getreideanbau (v. a. Weizen), Viehzucht und Fischwirtschaft sorgten für Prosperität, zu der auch die reichen Holzbestände (u. a. → Styrax) beitrugen (Strab. 12,7,3). Hier siedelten verschiedene Stämme, neben den (nachluwische Spuren aufweisenden) Pisidai v. a. die Milyadeis (→ Milyas [2]) und die → Solymoi; entgegen ant. (und mod.) Vorurteilen wurde P. nicht von unzivilisierten Barbaren, sondern bereits in hell. Zeit von einer griech. Siedlungskultur geprägt [2. 44–63; 5. 1–27]. Das lit. Hauptzeugnis dafür bietet Strab. 12,7,2, der unter Berufung auf den späthell. Geographen Artemidoros [3] eine Reihe von pisid. Poleis auflistet – neben den großen Städten → Sagalassos,

→ Selge und → Termessos unter anderen auch die arch. bislang kaum erforschten Orte Amblada, Anabura, Isinda und Timbriada.

Weitere pisid. Poleis der hell. Zeit sind aus lit. und inschr. Quellen bekannt, z. B. Kormasa (Pol. 21,36,1), Kretopolis (Pol. 5,72–77), → Lysinia, Pogla (SEG 19,834) und Sibidunda (SEG 19,855). Surveys der letzten zehn J. haben diesen Kat. hell. Poleis in P. sogar noch erweitert: Panemoteichos, bislang nur für die Kaiserzeit nachgewiesen, war vor archa. Zeit bis in die Spätant. kontinuierlich besiedelt, neugefundene hell. Königsbriefe weisen → Olbasa schon für das 2. Jh. v. Chr. als Polis aus; Adada, laut einer Inschr. (TAM 3,2) im 2. Jh. v. Chr. mit demokratischer Verfassung, besaß eine große hell. Agora, und hell. Siedlungszentren weisen auch Sia sowie Ariassos auf. Ungesichert ist hingegen die Existenz einer weiteren hell. Polis Angeira (SEG 43, 986).

II. GESCHICHTLICHE ENTWICKLUNG

Arch. Überreste des vorgriech. Alt. zeugen von der frühen Besiedlung P.s in Neolithikum und früher Brz.; die Perser gliederten P. in die ersten beiden Satrapien ein (Hdt. 3,90). Der Zug des Alexandros [4] d. Gr. führte zur Unterwerfung zahlreicher Poleis in P.; danach unterstand P. zumindest formell den → Seleukiden und fiel nach 188 v. Chr. an die Attaliden (vgl. [6. 54]; SEG 44, 1108), gegen deren Herrschaft v. a. → Selge aufgehrte (Pol. 31,1,2–5; Pomp. Trog. prol. 34). Spätestens ab 101 v. Chr. nahmen die Römer direkten Einfluß auf P., deren größten Teil sie aber 39 v. Chr. dem Galater Amyntas [9] als neuem »König von P.« (App. civ. 5,75) anvertrauten. Nach dessen Tod (25 v. Chr.) richtete Augustus die neue Prov. → Galatia ein, der auch P. zugeschlagen wurde (Strab. 12,5,1; 6,5); unmittelbare Konsequenzen dieser Maßnahme waren die Anlage röm. Kolonien in P. (Antiocheia [5], vgl. [5. 1–27], Komama, Kremna, Olbasa, Parlais) und der Ausbau des Straßennetzes [3]. Wahrscheinlich blieb es weitgehend bei diesem territorialen Zuschnitt zumindest bis in flavische Zeit (69–96 n. Chr.), da die (dann auch Süd-P. umfassende) Doppelprov. → Lycia et Pamphylia kaum schon im J. 43 v. Chr. bestand oder geschaffen wurde (vgl. [2. 98f.], anders [4. Bd. 2, 154f.]).

Erst im Zuge der Prov.-Reformen des → Diocletianus und seiner Nachfolger entstand im frühen 4. Jh. n. Chr. eine eigene, aus der nördl. Teilregion bestehende Prov. P. (vgl. z. B. ILS 8932) mit der Hauptstadt Antiocheia [5], während Süd-P. nun zu der ebenfalls neuen Prov. Pamphylia gehörte; beide Prov. wiederum wurden der Diözese Asiana zugeordnet. Diese auch für den kirchlichen Bereich bedeutsamen Änderungen zeigen sich bereits in der Teilnehmerliste des Konzils von → Nikaia [5] im J. 325. Im 4. Jh. litt P. unter Einfällen der Ostgoten (Zos. 5,13ff.), im 5. Jh. kam es wiederholt zu Einfällen der Isauroi (→ Isauria). Iustinianus [1] übergab zeitweise einem *praetor* die zivile und mil. Gewalt in P. Im 7. Jh. wurde P. in das neue anatolische → Thema eingegliedert [1. 79–101].

→ Luwisch

1 BELKE/MERSICH **2** H. BRANDT, Ges. und Wirtschaft Pamphyliens und Pisidiens im Alt. (Asia Minor Stud. 7), 1992 **3** B. LEVICK, Roman Colonies in Southern Asia Minor, 1967 **4** MITCHELL **5** S. MITCHELL, Hell. in Pisidien, in: E. SCHWERTHEIM (Hrsg.), Forsch. in P. (Asia Minor Stud. 6), 1992, 1–27 **6** WELLES.   H.B.

Pisidisch s. Luwisch B. 1.

Pisilis (Πίσιλις). Befestigte Siedlung in SO-Karia zw. Kalynda und Kaunos auf dem Baba Dağ bei Sarıgerme. Die Ruinen an der Bucht unterhalb gehören zu dem byz. Ort Prepia. Einzige Erwähnung: Strab. 14,2,2.

H. LOHMANN, Zw. Kaunos und Telmessos, in: Orbis Terrarum 5, 1999, 43–83.   H. LO.

Piso

[1] Röm. Cognomen (volksetym. von *pisere*, »stampfen«, abgeleitet, Plin. nat. 18,10), erblich in der Familie der Calpurnii (→ Calpurnius [I 8–23; II 12–24]) und von dort auf die Pupii übergegangen (→ Pupius); in der Kaiserzeit auch in zahlreichen weiteren Familien. Auch Name eines aquitanischen Fürsten, der 55 v. Chr. auf seiten Caesars gefallen ist (Caes. Gall. 4,12,3–6); sein Vater oder Großvater dürfte von L. Calpurnius [I 17] P. (*cos.* 112 v. Chr.) den Namen übernommen haben.

DEGRASSI, FCIR, 262.   K.-L.E.

[2] Sonst unbekannter Verf. eines satirischen Epigramms in zwei Hexametern gegen die Galater, ›aus deren Erde nicht Blumen sprossen, sondern Erinyen‹ (Anth. Pal. 11,424).

F. BRECHT, Motiv- und Typengesch. des griech. Spottepigramms, 1930, 100.   M.G.A./Ü: G.K.

Pisonische Verschwörung
s. Calpurnius [II 13]; Laus Pisonis; Nero [1] B.

Pissuthnes (Πισσούθνης), der Sohn eines Hystaspes, war vielleicht mit den → Achaimenidai verwandt [1. 174 und Anm. 3]. Als Satrap von → Sardeis unterstützte er 440 v. Chr. die Oligarchen von → Samos bei ihrem (mißglückten) Aufstand gegen Athen (Thuk. 1,115; vgl. Plut. Perikles 25). Zwischen 430 und 427 schickte P. arkadische und eingeborene Söldner den Griechen → Kolophons zu Hilfe, die jedoch scheiterten (Thuk. 3,34). Als die Lesbier und andere ionische Griechen 427 Kontakte zu Sparta knüpften, stellten sie dem spartan. Nauarchen Alkidas [1] ein Bündnis mit P. in Aussicht, doch zerschlug sich der Plan (Thuk. 3,31). Ca. 420 unternahm P. einen Aufstand gegen Dareios [2] II., zu dessen Bekämpfung insbesondere → Tissaphernes abgesandt wurde. Als es gelang, P.' griech. Söldner unter Lykon [1] zum Überlaufen zu bewegen, ergab dieser sich auf Versprechungen hin, wurde aber vor den Großkönig gebracht und hingerichtet (Ktesias, Persika 52 = FGrH 688 F 15,53). Sein unehelicher Sohn Amorges re-

bellierte später von Karien aus mit Hilfe Athens erneut (Thuk. 8,5; 8,19; 8,28; 8,54).
→ Peloponnesischer Krieg

1 J. V. PRÁŠEK, Gesch. der Meder und Perser, Bd. 2, 1910.   M.SCH.

Pistazie (πιστάκη/*pistákē* aus aram. *fustaqā*, arab. *fustuq*; lat. *pistacia*). Der wohlschmeckende Mandeln (πιστάκια/*pistákia*) hervorbringende, aus Mesopotamien und Syrien stammende Fruchtbaum Pistacia vera aus der Familie der Anakardiengewächse. Den Griechen wurde die P. durch die Eroberungen Alexandros' [4] d.Gr. bekannt. Theophr. h. plant. 4,4,7 erwähnt sie als ähnlich der Terebinthe (τέρμινθον/*términthon*) – noch ohne Namen – in Baktrien vorkommend. Nach Plin. nat. 15,91 wurde sie durch L. Vitellius im Jahre 35 n. Chr. unter Tiberius aus Syrien nach It. und durch den Ritter Pompeius Flaccus nach Spanien eingeführt. Plin. nat. 13,51 empfiehlt sie wie auch Dioskurides (1,124 WELLMANN = 1,177 BERENDES) gegen Schlangenbisse. Pall. agric. 11,12,3 beschreibt ihre Aussaat im Oktober und ihre Pfropfung auf die Terebinthe im Februar oder März. Als Zusatz sollten sie trüben Wein klären helfen (ebd. 11,14,12). Gal. de alimentorum facultatibus 2,30 hält die Früchte für magenneutral, empfiehlt sie aber zur Kräftigung der Leber.

H. GOSSEN, s. v. P., RE 20, 1809–1811.   C.HÜ.

Pistis (Πίστις). A. RELIGION   B. PHILOSOPHIE
C. RHETORIK   D. RECHT   E. CHRISTLICH

A. RELIGION

P. ist personifiziert die griech. Göttin der Treue und des Glaubens. Abgesehen von Thgn. 1137 (2. H. 6. Jh. v. Chr.) kommt P. als Gottheit erst sehr spät und selten vor. Sie besaß einen Kult, von dem wir zumindest für Athen bei Diogenianos 2,80 ein Heiligtum fassen können. P. wurde von den Römern mit → Fides gleichgesetzt. Erst im Christentum bezeichnet der Begriff der *p.* den Glauben an die geoffenbarte Wahrheit (s.u. E.).

B. PHILOSOPHIE

Laut → Parmenides wohnt den Meinungen der sterblichen Menschen keine πίστις ἀληθής (*pístis alēthḗs*, »wahre Verläßlichkeit«) inne (28 B 1 Z. 30 DK). Bei Platon gehört *p.* im Liniengleichnis der *Politeía* (Plat. rep. 509c–511e) zum Bereich der → Meinung (*doxastón*), der auch mit der sichtbaren Welt (*horatón*) gleichgesetzt wird: P. ist einerseits Gewißheit durch die Unmittelbarkeit der Wahrnehmung im Gegensatz zu *eikasía*, der bloßen Vermutung, die ebenfalls im Bereich des *horatón* angesiedelt ist und Schattenbilder schon für die Dinge an sich hält (509d–510a). Der Gegenbereich zu dem der Meinung ist der des *noētón*, der Welt, wie sie nur im Denken erfaßbar ist. Er wird in den Bereich der *diánoia* (»Denken«) und den Bereich der *nóēsis* (»Erkenntnis«) unterteilt (511d-e). P. stellt dabei also im Bereich des *doxastón* ein Analogon zur *nóēsis* dar, die sich im Bereich des *noētón* befindet. Diese Unterteilung stellt Sokrates seinerseits allerdings unter den Vorbehalt, zu erzählen, was ihm richtig zu sein scheint (*ta dokúnta*, 509c 3). *P*. wird im Sinne einer *orthḗ dóxa* (»richtigen Meinung«) verstanden (602a 4f.). → Porphyrios (233–310 n. Chr.) polemisiert offenbar gegen die Auffassung des → Paulus (1 Kor 13,13) von *p*. (Porph. ad Marcellam 24). Der Neuplatoniker → Proklos versteht in einer völligen Umdeutung des Begriffes unter *p*. die vollständige Einigung mit dem Einen (Theologia Platonica 1,25; Paganisierung des johanneischen Glaubensbegriffes; s. u.).

C. RHETORIK

Als *písteis* (Pl.) werden in der griech. Rhet. die Mittel bezeichnet, die dazu geeignet sind, im Zuhörer eine feste Überzeugung hervorzurufen (→ Argumentation; → *probationes*). Für → Aristoteles [6] ist *p*. eine Art Beweis (*apódeixís tis*, Aristot. rhet. 1355a 5); er unterscheidet die *písteis*, die nicht erlernbar (*písteis átechnoi*), sondern verfügbar sind, und diejenigen, die man durch kunstgerechte Anwendung der Rhet. einsetzen kann (*p. éntechnoi*, rhet. 1355b 35f.). Die aristotelische Unterteilung dieser letzten Gruppe in ethische, pathetische und sachliche Beweise wird später ebenfalls von den Römern übernommen (Quint. inst. 5,12,9). Hierbei wird *p*. mit *probatio* übersetzt.

D. RECHT

P. dient im griech. Privatrecht der klassischen Zeit zum Ausgleich des Risikos einer ungewissen Rechtslage und bezeichnet das Vertrauen zw. Vertragspartnern und die Vertrauenswürdigkeit der Vertragspartner oder Beweisführenden (vgl. Isokr. or. 17,44; Demosth. or. 32,16). In röm. Zeit verstärkt sich unter dem Einfluß der röm. *fides* der Aspekt der rechtlichen Bindung, die von ihr ausgeht: *p*. wird nun auch für Vertrauensverhältnisse verwendet, für die der Terminus vorher keine Anwendung fand. Im öffentlichen Recht ist die Bedeutung von *p*. abhängig von der jeweiligen Staatsform. Sie bezeichnet das Verhältnis der Gegenseitigkeit des Schenkens von Vertrauen und Entgegennahme der Treue zw. Bürger und gerade regierendem Staatsmann oder später euphemistisch das Abhängigkeitsverhältnis zw. König und Untertan. Schutzbriefe werden nun als *písteis* bezeichnet. In der Terminologie zw.-staatlicher Verträge wird *p*. schon früh von den Römern mit *fides* übersetzt (vgl. z. B. die Kapitulation der Aitoler vor den Römern 191 v. Chr.; hierzu und zu übersetzungsbedingten Verständnisschwierigkeiten Pol. 20,9,11 und Liv. 36,27,8). → Fides

1 W. BEIERWALTES, Das Problem der Erkenntnis bei Proklos, in: O. REVERDIN, De Jamblique a Proclus, 1975, 153–191 2 S. CALDERONE, ΠΙΣΤΙΣ-FIDES, 1964 3 E. S. GRUEN, Greek πίστις and Roman fides, in: Athenaeum N. S. 60, 1982, 50–68 4 J. T. LIENHARD, Note on the Meaning of πίστις in Aristotle's Rhetoric, in: AJPh 87, 1966, 446–454 5 D. R. LINDSAY, Josephus and Faith. Πίστις and Πιστεύειν as Faith Terminology in the Writings of Flavius Josephus and in the New Testament, 1993 6 W. SCHMITZ, Ἡ πίστις in den Papyri, Diss. Köln 1964 7 G. THOME, Zentrale Wertvorstellungen der Römer, 2000. W. PO.

E. CHRISTLICH

P. bezeichnet im christl. Sprachgebrauch den Glauben. Die LXX übersetzt mit den Ableitungen von der Wurzel πιστ- ausschließlich das Hifil (d. h. die Kausativ- bzw. Deklarativform) von hebr. *'aman* »Amen sagen«, d. h im Falle von Gott »zu Gottes Anspruch Ja und Amen sagen«. Die LXX greift dabei zurück auf die Grundbedeutung *p*. = »Vertrauen«. *P*. ist somit im AT immer nur Antwort des Menschen auf das vorangegangene Handeln Gottes in Vertrauen, Hoffnung, Furcht und Gehorsam. *P*. bedeutet Überwindung der Angst vor der Welt und Abkehr vom Vertrauen auf die eigene Kraft. Jedoch ist im AT *p*. noch nicht eine das Leben schlechthin bestimmende Haltung, sondern bezieht sich vorerst nur auf Notsituationen, aber bezeichnenderweise nicht auf den Tod, denn er ist Teil des heilsgesch. Handelns Gottes am Volk (Jes 7,9).

Das Glaubensverständnis des histor. → Jesus steht auf dem Boden des AT, bedeutet aber auch ein unableitbares Novum. In den Aussprüchen wie ›Bei Gott sind alle Dinge möglich‹ (Mk 10,27; so auch Hom. Od. 10,306; Soph. Ai. 86; Cic. nat. deor. 3,92) und ›Alles ist möglich dem, der glaubt‹ (Mk 9,23) wie auch im Wort vom bergeversetzenden Glauben (Mk 11,23) läßt Jesus den Glaubenden in einzigartiger Weise teilhaben an der schöpferischen Macht Gottes. Im Wort ›Dein Glaube hat dich gerettet‹ (Mk 5,34) entbindet Jesus maieutisch die heilbringende Kraft des Glaubens; er löst ihn damit aus der Heilsgesch. Israels heraus und verbindet ihn mit dem Schicksal des einzelnen – eine anthropologische Wende, die ohne griech. Einfluß nicht denkbar ist. Denn der Glaubensbegriff rückt bei Jesus in die Nähe des ant. Tugendbegriffs: Glaube ist nicht mehr eine Antwort auf das Handeln Gottes, sondern ein Entwurf des Menschen in die Zukunft.

→ Paulus [2] zieht daraus die theologischen Konsequenzen: Er erhebt den Glauben zum konstitutiven Merkmal des Christentums (Gal 2,15f.). Der Glaube ist ausgerichtet auf das eschatologische Heil; an diesem hat der Mensch nur im Glauben teil, nicht mehr in der Leistung nach dem Gesetz (Röm 10,9). Der Evangelist → Iohannes [1] führt die Eschatologie in Ontologie über und hebt so den Glauben über jegliche Weltanschauung hinaus. Der Glaube ist nicht mehr Ausrichtung auf das Heil, sondern das Heil selbst: Wer glaubt, hat das Gericht bereits durchschritten; wer nicht glaubt, ist bereits gerichtet (Jo 3,18). Der Glaube an den Gottessohn ist nicht ein Werturteil über den Sohn, sondern über den Glaubenden selbst. Glaube ist somit auch ein Erkennen der Wahrheit, das den Glauben nicht überbietet, sondern vollendet: Im Erkennen weiß der Glaube, was er hat. In analoger Weise hatte schon Platon (Tim. 29c) den Glauben in Beziehung zur Erkenntnis gesetzt. Auf den Spuren von Iohannes (und Platon) ist die Ostkirche geblieben, doch mußte sie in Abgrenzung zur Philos. nun stärker den Inhalt des Glaubens bestimmen. Dies führte zur bekannten Ausbildung von Glaubensformeln (→ Nicaenum, → Nicaeno-Constantinopolitanum), die dann auch von der Westkirche übernommen worden sind. Die Lateiner übersetzten *p.* mit *fides* und gaben so dem Glaubensbegriff einen stark moralisch-rechtlichen Sinn. Daher tritt in der Westkirche der Glaube in einen scharfen Gegensatz zur Erkenntnis (am deutlichsten bei Tert. de praescriptione haereticorum 14,6), während in der Ostkirche – im Anschluß an Platon – beides gerade eng verbunden ist (z. B. Clem. Al. strom. 5,1). Erst Augustinus gelingt hier ein Ausgleich (Aug. de praedestinatione sanctorum 2,2,5; Aug. trin. 13,2,5), woraus sich dann die klass. Unterscheidung von Glaubensinhalt (*fides quae creditur*, »der Glaube, der geglaubt wird«) und Glaubensakt (*fides qua creditur*, »der Glaube, mit dem geglaubt wird«) entwickelt hat.

O. MICHEL u. a., s. v. Glaube, Theologisches Begriffslex. zum NT, Bd. 1, ²1997, 781–800 · R. BULTMANN, A. WEISER, s. v. π., ThWB 6, 174–230 · H. VORSTER, s. v. Glaube, HWdPh 3, 627–643 · G. EBELING, Das Wesen des christl. Glaubens, 1959 (Lit.).   J. BÜ.

Pistis Sophia (Πίστις Σοφία).

Doppelter Eigenname einer Gestalt des gnostischen Mythos (Bed.: eine Sophia, für die ihr Glaube typisch ist und die deswegen den (Vor-)Namen »Pistis« trägt). Diese Gestalt hat einem von ihr handelnden, aus dem Griech. ins Koptische übersetzten gnostischen Buch den Namen gegeben; es bildet den Inhalt des Codex Askewianus, eines vorzüglich erh. Pergamentcodex aus dem 4. Jh. n. Chr. (benannt nach seinem früheren Besitzer A. ASKEW und im Besitz der British Library). Das ganze Buch enthält zwei verschiedene gnostische Schriften: vorn eine dreigeteilte längere, deren eigentlicher Titel ›Die (drei) Bücher des Erlösers‹ war (nur sie erzählt, und auch nur in einem Teil, nämlich den Kap. 29–82 von 135, von den Schicksalen der P. S.), und am Schluß eine kürzere ungeteilte. Den Rahmen der Hauptschrift bilden Unterredungen Jesu mit seinen Jüngern auf dem Ölberg im 12. Jahre nach seiner Auferstehung. In dem P. S.-Teil werden nicht nur Fall und Erlösung der P. S. erzählt, sondern es werden ihr auch Bußgebete im Stande der Erniedrigung und Dankhymnen im Prozeß der Erhöhung in den Mund gelegt, die ihre Vorbilder in Psalmen Davids bzw. Oden Salomos haben und die von den Jüngern immer wieder als »Erfüllung« dieser Vorbilder gedeutet werden.

Name und Gestalt der P. S. begegnen auch schon in älteren koptisch-gnostischen Schriften, nämlich in ›Eugnostos‹ (NHCod III,3 und V,1), ›Sophia Jesu Christi‹ (NHCod III,4 und Codex Berolinensis gnosticus 3), ›Hypostase der Archonten‹ (NHCod II,4) und ›Vom Usprung der Welt‹ (NHCod II,5).
→ Gnosis

C. SCHMIDT, V. MACDERMOT (ed.), P. S. (The Coptic Gnostic Library 9), 1978 (mit engl. Übers. und Komm.) · C. SCHMIDT, Koptisch-gnostische Schriften, Bd. 1, ⁴1981 ·

W. SCHNEEMELCHER, Nt. Apokryphen, Bd. 1, ⁶1990, 290–297 (dt. Übers., Lit.).   H.-M. SCHE.

Pistoriae (Πιστωρία).

Ligurische Stadt am Umbro (h. Ombrone), einem rechten Nebenfluß des → Arnus, wo sich ein Paß nordwärts über den Appenninus öffnet, h. Pistoia. Erstmals erwähnt zu Anf. des 2. Jh. v. Chr. (bei Plaut. Capt. 160 f.). Bei P. unterlag → Catilina 62 v. Chr. im Kampf gegen Petreius (Sall. Catil. 1,37). Seit 89 v. Chr. *municipium* der *tribus Velina*, seit Augustus in der *regio VII* (Plin. nat. 3,52; Ptol. 3,1,48), in spätant. Zeit in der *Tuscia annonaria* (Amm. 27,3,1), *mansio* an der Via Cassia (Tab. Peut. 4,2; Itin. Anton. 284 f.). Bischofssitz seit dem 5. Jh. n. Chr. Wenige etr. und röm. Überreste, Inschr. und Mz.

L. TONDO, Vecchi ritrovamenti di monete nel Pistoiese, in: RIA 81, 1979, 211–213 · D. C. BARNI, Viabilità romana nell'Appennino Pistoiese, in: Anazetesis 4/5, 1981, 40–50 · G. UGGERI, Per una definizione del municipium Pistoiense e del confine con la colonia di Lucca, in: Annali dell' Istituto di Storia dell' Università di Firenze 2, 1980/1, 25–44 · M. TORELLI (Hrsg.), Atlante dei siti archeologici della Toscana, 1992, 68–71.   M. F. P. L. u. G. U./Ü: J. W. MA.

Pistoxenos-Maler.

Att. Vasenmaler der Frühklassik, tätig ca. 480–460 v. Chr., benannt nach dem vom Töpfer Pistoxenos signierten Skyphos in Schwerin (Musikunterricht des Iphikles bei → Linos/Unheilbringender Herakles mit der alten thrakischen, tätowierten Dienerin Geropso). Der P.-M. begann in der Werkstatt des → Euphronios [2] (die von diesem signierte wgr. Schale Berlin, SM 2282, zeigt bei Achilleus noch die ältere Darstellungsweise des frontalen Auges mit langen Wimpern) als Schüler des → Antiphon-Malers und spezialisierte sich auf rf. Schalen. Sie zeigen vorwiegend Krieger, Pferde und Thiasos-Bilder in dialogischer Gruppierung. Seine Meisterwerke sind Schalen mit wgr. zweifigurigem Innenbild: Berlin, SM 2282 (Achilleus und Diomedes), Athen, AM 439 (Tod des Orpheus), Tarent (Mänade und Satyr). Mit der neuen Vierfarbenmalerei mit Firnis und Deckfarben (auch erhöhten, vergoldeten Details) erinnern sie, raumgreifend und spannungsreich komponiert, an Großmalerei. Die mit sicherer Hand, später ohne Relieflinie in feinerer, weicherer Strichführung gestalteten Figuren erscheinen in lebhaftem inneren bzw. dramatischen Dialog und zeigen die Nähe zum → Penthesilea-Maler. Am vollkommensten verbindet der P.-M. Thema und künstlerische Ausdrucksmittel im wgr. Innenbild der Schale London, BM D2, in dem Aphrodite in graz
ler Haltung auf einer fliegenden Gans entschwebt. Als Kalos-Namen (→ Lieblingsinschriften) wählt der P.-M. Lysis, mehrfach Glaukon und auf der neugefundenen Kerameikos-Schale Megakles (vgl. [1]). Diese bezeugt wahrscheinlich auf zwei Frg. mit dem geritzten Namen des bekannten Megakles [4] dessen zweiten Ostrakismos um 475. Die Signatur des Töpfers Pistoxenos ist auch auf einer Schale und vier weiteren Skyphoi erh. (zwei des

Syriskos-Maler, einer von → Epiktetos [1]). Die Doppelsignatur *Pistóxenos Syrískos epoíēsen* auf zwei Skyphoi weist auf eine Person: Syriskos (identisch mit dem Kopenhagen-Maler) hat mit dem Namen Pistoxenos das Malen aufgegeben und arbeitet nur noch als Töpfer [2].

1 F. WILLEMSEN, Ostraka einer Meisterschale, in: MDAI(A) 106, 1991, 137–156 2 M. ROBERTSON, Beazley and After, in: Münchner Jb. der bildenden Kunst 27, 1976, 42 f.

BEAZLEY, ARV², 859–863, 1554, 1672 f., 1703 · BEAZLEY, Paralipomena, 425 · BEAZLEY, Addenda², 298 f. · H. DIEPOLDER, Der P.-M. (BWPr), 1954, 110 · M. ROBERTSON, The Art of Vase-Painting in Classical Athens, 1992, 155–159 · I. WEHGARTNER, Att. wgr. Keramik, 1983, 87–91.   E. BÖ.

Pistrina s. Mühle

Pisye (Πισύη). Karische Stadt, Hauptort eines lokalen *koinón* (zusammen mit Pladasa, [3. 443 Nr. 19]; andere *koiná* wurden geleitet von Mobolla und → Idyma), 201 v. Chr. für kurze Zeit von Philippos [7] V. besetzt, dann von → Rhodos wiedergewonnen (Syll.³ 586; [2. Nr. 151]), gehörte zum auf der Grundlage der Abmachungen von Apameia 188 v. Chr. (→ Antiochos [5] III.) unterworfenen Gebiet der rhodischen → Peraia (Steph. Byz. s. v. Πισύη, ihm zufolge auch Πιτύη, Ethnikon Πισυήτης; Konstantinos Porphyrogennetos, De thematibus 14,33). Arch.: Spuren der Akropolis, eines Theaters, Fundort zahlreicher Inschr. beim h. Pisiköy südwestl. von Muğla [1. 47 Nr. 44 f., 73, 75, 92, 99, 127²; 2. Nr. 51].

1 P. M. FRASER, G. E. BEAN, The Rhodian Peraea and Islands, 1954 2 C. BLINKENBERG, K. F. KINCH, Lindos, Bd. 2,2, 1941 3 H. VAN GELDER, Gesch. der alten Rhodier, 1900.

G. E. BEAN, s. v. P., PE, 715.   E. O.

Pitana (Πιτάνα, Πιτάνη). Ortsteil von → Sparta (Pind. O. 6,28; Hdt. 3,55; Paus. 3,16,9; Plut. mor. 601b) westl. und südwestl. der Akropolis, als Wohngebiet bevorzugt, wo schon → Menelaos [1] gewohnt haben soll (Eur. Tro. 112 ff.; Paus. 3,14,6); hier lag auch das Grabmal der Königsfamilie der → Agiadai (Paus. 3,14,2 f.). Mit Mesoa, Kynosura, Limnai und Amyklai eine der fünf Ortschaften, aus denen sich die Polis → Sparta gründete. P. bildete eine der Bürgerabteilungen (ὠβά/*ōbá*) von Sparta und eine Abteilung des Heeres (Πιτανάτης λόχος/ *Pitanátēs lóchos* bei Hdt. 9,53,2 f., dagegen aber Thuk. 1,20,3). Inschr.: IG V 1, 675; 685; 730.

M. MOGGI, I sinecismi interstatali greci, 1976, Nr. 6.   Y. L.

Pitane (Πιτάνη). Stadt mit zwei Häfen in der mysischen Aiolis (Hdt. 1,149; Strab. 13,1,2; 51; 67; → Aioleis [2]); sie wird beim h. Çandarlı lokalisiert. P. galt als sagenhafte Gründung der → Amazones (Diod. 3,55,6) und existierte den Funden in der Nekropole zufolge bereits in spätgeom. Zeit (Grabungen von E. AKURGAL zw.

1959 und 1965, noch unpubl.; Beschreibung bei [1]). In der Stadt selbst wurde bisher offiziell noch nicht gegraben; daher gibt es kaum arch. Funde von dort.

P. war Mitglied im → Attisch-Delischen Seebund. 336 v. Chr. belagerte Parmenion [1] P. vergeblich (Diod. 17,7,9). Für 380 Talente kaufte sich P. nach 281 v. Chr. von Antiochos [2] I. Land hinzu (OGIS 335,133 ff.) und blieb bis 133 v. Chr. freie Stadt im pergamenischen Reich (→ Pergamon). Im 1. → Mithradatischen Krieg floh Mithradates [6] VI. nach P., wurde dort von Flavius [I 6] Fimbria belagert, entkam aber zur See.

Der Dichter → Matron stammte aus P. In christl. Zeit war P. Suffraganbistum von Ephesos.

1 C. SCHUCHHARDT, Die Altertümer von Pergamon 1.1, 1912/3, 99 f.

J. KEIL, s. v. P., RE 20, 1841–1843.   E. SCH.

Pithekos s. Affe

Pithekusa s. Pithekussai

Pithekussai (Πιθηκοῦσσαι, lat. *Pithecusa, Pithecusae*). Vulkanische Insel vor der campanischen Küste, erstmals erwähnt bei Pherekydes FGrH 3 F 54 (Πιθηκοῦσσα; frühes 5. Jh. v. Chr.), h. Ischia. Nicht nach den dort angeblich lebenden Affen (πίθηκος/*píthēkos*, »Affe«), sondern nach der auf der Insel ausgeübten Töpferei (πίθος/*píthos* »Weinfaß«) benannt, wie Plin. nat. 3,82 klarstellt. *Inarime*, wie P. auch genannt wurde, ist auf eine Fehldeutung einer homer. Passage zurückzuführen: → Typhoeus, der ›bei den Arimoi‹ (εἰν Ἀρίμοις) in Kilikia sein Lager hatte und um den herum Zeus in seinem Zorn die Erde mit Blitzen geißelte (soweit Hom. Il. 2,781–783), versetzte man (vgl. Pind. P. 1,17–19) unter das Meer von Sizilien bis nach Kyme, wo er vielfältige seismische Erscheinungen verursacht haben soll. Spätere Dichter (vgl. Verg. Aen. 9,716; Ov. met. 14,89) suchten nun Typhoeus genauer auf P., wobei sie den homer. Begriff *ein Arímois* zu *Inarime* als eigenen Inselnamen faßten. Zum Teil wurden solche Fehldeutungen in der Weise kombiniert, daß *Árimoi* als etr. Übersetzung der griech. *píthēkoi* begriffen (vgl. Strab. 13,4,6) und so der Name P. mit *Inarime* zusammengebracht wurde. Die Römer nannten P. auch *Aenaria* (App. civ. 5,69), da hier Aeneas an Land gegangen sein soll (Plin. nat. 3,82).

P. war bekannt für seine Naturschätze (Thermalwasser, Ton, Alaun, Erze, Früchte, Wein: Strab. 5,4,9; Plin. nat. 31,9). Noch vor 700 v. Chr. gründeten Siedler aus Euboia [1] auf P. die früheste griech. Kolonie, wie arch. Funde belegen. Diese Siedler verließen um 500 v. Chr. ebenso wie spätere, die Hieron [1] I. um 474 v. Chr. hierher brachte, die Insel hauptsächlich wegen enormer seismischer und vulkanischer Aktivitäten wieder (Strab. 5,4,9; vgl. Liv. 8,22,6; Timaios FGrH 566 F 58). P. befand sich erst im Besitz von Neapolis [2], wurde dann 326 an Rom abgetreten, von Augustus aber 29

v. Chr. im Austausch mit → Capreae aufs neue Neapolis zugeschlagen (Strab. l.c.).

Inschr. auf Gefäßen bilden eine grundlegende Quelle für die Gesch. der griech. Schrift [4]. Frühestes Interesse an den Altertümern von P. war seit dem 16. Jh. an die Pflege der Thermalquellen geknüpft [4]. Erste systematische Ausgrabungen wurden von G. Buchner [1] unternommen, der eine eingehende Unt. der Siedlungskontinuität von der euboiischen Siedlung auf dem Monte Vico über die syrakusanische Besatzung im Castello d'Ischia bis zu den Zeugnissen der röm. Kaiserzeit durchführte [4]. Die Unt. der Grabbeigaben und der Begräbnissitten sowie die Analyse des Handwerks zeigen die ethnische Heterogenität von P., die in permanenter kultureller Interaktion mit der euboiischen Kolonie oriental. [3] und einheimische Einflüsse [2] vereinigte.

1 G. Buchner, La scoperta archeologica di Pithecusa, in: Centro di Studi sull'isola d'Ischia, 1984, 205–211 2 B. D'Agostino, Appunti sulla posizione della Daunia e delle aree limitrofe rispetto all'ambiente tirrenico, in: A. Neppi Modona (Hrsg.), La civiltà dei Dauni nel quadro del mondo italico. Atti XII Convegno di Studi Etruschi e Italici (Manfredonia 1980), 1984, 249–261 3 S. F. Bondì, La colonizzazione fenicia, in: M. Guidetti (Hrsg.), Storia dei Sardi e della Sardegna, Bd. 1, 1988, 147–171 4 BTCGI 8, 327–370 5 C. Haller, L'isola di Ischia, 1998 6 G. Bailo Modesti, P. Gastaldi (Hrsg.), Prima di Pithecusa: i più antichi materiali greci nel golfo di Salerno, 1999.

G. Buchner, D. Ridgeway, P., Bd. 1, 1993 · G. Buchner, C. Gialanella, Museo archeologico di Pithecusae, 1994.
M. I. G./Ü: J. W. Ma.

Pithoigia s. Anthesteria

Pithos
[1] (Πίθος). Att. Mesogeia-Demos, Phyle Kekropis, drei (vier bzw. fünf) buleutaí, verm. im NO von Chalandri. Für P. sind → Thesmophória bezeugt (Isaios 8,19 f.). Mit den Nachbardemoi Gargettos und Pallene [3] bildete P. einen Kultverband der Athena Pallenis.

Traill, Attica, 51, 59, 62, 68, 112 Nr. 115, Tab. 7 · J. S. Traill, Demos and Trittys, 1986, 4, 11, 13 f., 21 f., 24 f., 135[34] · Whitehead, Index s. v. P.　　　H. Lo.

[2] (píthos, Pl. píthoi); das größte tönerne Vorratsgefäß der Griechen (bei den Römern → dolium), bis übermannshoch. P. wurden in spezialisierten, manchmal reisenden Werkstätten hergestellt und auf langsamer Drehscheibe mit der Hand geformt. Sie dienten der Aufbewahrung von Wein, Olivenöl und Getreide in Bauernhöfen, Stadthäusern und Palästen. Im minoischen Palast von → Knosos fanden sich p. an ihrer ursprünglichen Stelle, im Magazinboden eingelassen. Durch Vergrabung ergibt sich eine niedrigere und gleichmäßigere Aufbewahrungstemperatur, was die Haltbarkeit des Inhalts fördert. Zudem erleichtert sie den Zugriff auf den Inhalt. In der att. Vasenmalerei des 6. und 5. Jh. v. Chr. liefert die Gesch. des Kentauren

→ Pholos Darstellungen von eingegrabenen p., aus denen Herakles wohlriechenden Wein angeboten bekommt. Trotz ihrer für den Transport ungeeigneten Größe wurden p. über weite Distanzen verbreitet. Im spätbrz. Schiffswrack von Ulu Burun (Türkei), sind mehrere p. gefunden worden, von denen einer als Verpackung für zypriotische Töpfe diente.

H. Blitzer, ΚΟΡΩΝΕΪΚΑ. Storage-Jar Production and Trade in the Traditional Aegean, in: Hesperia 59, 1990, 675–711.　　　R. D.

Pitinum
[1] **P. Mergens.** Röm. municipium auf dem Gebiet des → ager Gallicus, tribus Clustumina, regio VI (Plin. nat. 3,114; evtl. Ptol. 3,1,53, wenn hier nicht P. [2] gemeint ist; CIL XI 5965; 6123), 4 km von der via Flaminia und dem h. Acqualagna entfernt, beiderseits des Candigliano. Die Stadt wurde von quattuorviri verwaltet (vgl. CIL XI 5959; 5961 f.; 5964). Nur weniges ist ergraben (villa des 2. Jh. v. Chr.), die Ergebnisse sind unveröffentlicht.

L. Banti, s. v. P. (2), RE 20, 1850–1859 · V. Purcaro, Acqualagna, in: Picus 1, 1981, 222–226 · E. Catani, Per una identificazione del »Pitinon« umbro di Claudio Tolomeo (Geogr. III,1,46), in: W. Monacchi (Hrsg.), Storia e archeologia di P. Pisaurense, 1999, 23–41.
G. Pa./Ü: J. W. Ma.

[2] **P. Pisaurense.** Municipium der tribus Ofentina (AE 1959, 94), regio VI auf dem Gebiet des → ager Gallicus (CIL XI 6033; vgl. 6035; 6354; bei Plin. nat. 3,114 ist evtl. Pitinates statt Pisuertes zu lesen), bei der Pfarrei S. Cassiano nahe Macerata Feltria. Arch. Forsch. dokumentieren die Besiedlung des Gebietes seit vorgesch. Zeit. Inschr. bezeugt sind decuriones, quattuorviri, seviri Augustales, pontifices, augures.

L. Banti, s. v. P (2), RE 20, 1850–1859 · G. Susini, P. P., in: Epigraphica 18, 1956, 3–49 · W. Monacchi, Il Museo civico di Macerata Feltria, 1995 · E. Catani, Per una identificazione del »Pitinon« umbro di Claudio Tolomeo (Geogr. III,1,46), in: W. Monacchi (Hrsg.), Storia e archeologia di P. P., 1999, 23–41.　　G. Pa./Ü: H. D.

Pittakos (Πιττακός: Hss.; Φίττακος: HN 562, Alk. in den Papyri). Anf. des 6. Jh. v. Chr. Tyrann (Alk. 87 Diehl [2. Bd. 1] = 348 Lobel/Page = Voigt) von → Mytilene; galt als einer der → Sieben Weisen (Plat. Prot. 343a; Diod. 9,11 f.; Strab. 13,2,3; Diog. Laert. 1,75 und 77; Plut. mor. 147b u.ö.). Sein Vater Hyrrhas (Alk. 24a D. = 129 L./P. = V.) soll aus Thrakien stammen (Duris FGrH 76 F 75; Suda s. v. P.), wo der PN P. belegt ist (Thuk. 4,107). P. war 607/6 v. Chr. (Hier. chron. zum J. 607/6) Stratege im Krieg um Sigeion gegen Athen (Strab. 13,1,38; Diog. Laert. 1,74). Er heiratete eine Frau aus der einst herrschenden (Aristot. pol. 1311b 26–30) Familie der Penthiliden (Diog. Laert. 1,81; in Verbindung mit P.' Tyrannis Alk. 43 und 48 D. = 70 und 75 L./P. = V.). Strabon zählt ihn – zusammen mit → Melanchros und → Myrsilos [1] – zu den Tyrannen in Mytilenes Zeit »der Bürgerkriege« (dichostasíai), doch P.

habe sich der Monarchie bedient, um die Machtcliquen (*dynasteíai*) auszuschalten; danach habe er der Stadt die Autonomie zurückgegeben. Ein Volkslied nennt P. → *basileús* ([2. Bd. 2, Carmen populare Nr. 30] = 869 PMG).

Alkaios' [4] ›Bürgerkriegsgedichte‹ (*stasiōtiká*, Strab. 13,2,3) greifen P. an: Zusammen hatten sie zur → *hetairía* [2] gehört, die Melanchros stürzte (Diog. Laert. 1,74; Suda s. v. P.) und gegen Myrsilos den Umsturz versuchte (schol. zu Alk. 37 D. = 114 L./P. = V.); P. arrangierte sich dann mit Myrsilos (Alk. 43,7; 24a D. = 70; 129 L./P. = V.). Alkaios' bittere Polemik aus der Verbannung gegen ›die Hybris des Tyrannen‹ P. (306 fr. 9 L./P. = 306g V.) ist reich an Schimpfwörtern (Liste bei Diog. Laert. 1,81 = 429 L./P. = V.). Er nennt ihn *kakópatris*, d. h. »vaterlandlosen Gesellen« (nicht: »von schlechten Eltern« [8. 1863; 1. 573]; 26; 48; 87 D. = 67; 75; 348 L./P. = V.; 106 L./P.; sonst ist dieses Wort nur noch bei Thgn. 193 belegt). P. ›verschlinge die Stadt‹ (24a; 43 D. = 129; 70 L./P. = V.), der *dḗmos* müsse ›von seinen Qualen erlöst werden‹ (24a). Doch schreibt Alkaios Stadt und *dḗmos* die Mitverantwortung für P.' Herrschaft zu. Alkaios nennt diesen verblendet (43) und jene mutlos, doch alle stimmten dem P. ›gewaltig zu‹ (87 D. = 348 L./P. = V.). Aristoteles' [6] Verfassungstypologie benutzt dieses Zitat und P. als Prototyp für sein Konstrukt der »gewählten Tyrannis« (Aristot. pol. 1285a 35–40; Diog. Laert. 1,75), wofür er den Begriff → *aisymnḗtēs*, »Schlichter«, okkupiert [7; 5; 4]. Gewählt ›gegen die Verbannten‹ (Aristot. ebd.), ›befreite er seine Vaterstadt von den drei größten Übeln, Bürgerkrieg, Krieg und Tyrannis‹ (Diod. 9,11).

Herodot bringt P. wie → Solon mit → Kroisos zusammen (1,27; Komm. zu Alk. 283 SLG; Diog. Laert. 1,81). Die Chronologie des Apollodoros [7] (FGrH 244 F 27 mit Komm.; [6. 246–254]) verbindet P.' *akmḗ* mit dem Sturz des Melanchros 612/609, geb. ist P. danach 652/649; die »zehnjährige Aisymnetie« liegt 10 J. vor dem Tod 578 oder 570 (je nach Konjektur). P. ordnete nicht die Verfassung neu (Diog. Laert. 1,75; Rat und Volksversammlung: Alk. 24c D. = 130 L./P. = V.), sondern gab einzelne Gesetze (Aristot. pol. 1274b 18f.) zur Eingrenzung aristokratischer Willkür [4. 223f.].

Die ant. Trad. stellt P. mit Solon und → Charondas in die Reihe der weisen Gesetzgeber (Dion. Hal. ant. 2,26). Zahlreiche → Gnomen sind als ›Worte des P.‹ (*Pittákeion*: Sim. 4,4 D. [2. Bd. 2, p. 63] = 542 PMG) überl. [3. fr. 19f.]. Diogenes Laertios (1,78) zitiert aus einem »Lied« des P. (vgl. [2. Bd. 2, Scolion Nr. 34]).

→ Aisymnetes; Alkaios [4]; Lesbos; Mytilene; Tyrannis

1 H. BERVE, Die Tyrannis bei den Griechen, 1967, 91–95; 572–575 2 E. DIEHL (ed.), Anthologia Lyrica Graeca, 2 Bde., ¹1925 3 GENTILI/PRATO 2, 31–41 4 K.-J. HÖLKESKAMP, Schiedsrichter, Gesetzgeber und Gesetzgebung im archa. Griechenland, 1999, 219–226 5 L. DE LIBERO, Die archa. Tyrannis, 1996, 28–30; 314–328 6 A. A. MOSSHAMMER, The Chronicle of Eusebius and Greek Chronographic Trad., 1979 7 F. E. ROMER, The

aisymneteia: A Problem in Aristotle's Historic Method, in: AJPh 103, 1982, 25–46 8 F. SCHACHERMEYR, s. v. P., RE 20, 1862–1873.   J.CO.

Pittheus (Πιτθεύς, Name verm. abgeleitet von πειθώ [1], daher etwa »Gutrat« [3], vgl. [2]). P. ist vielleicht urspr. eine alte Orakelgottheit, nach den Quellen Sohn des → Pelops und der → Hippodameia [1], Bruder u. a. des → Atreus und des → Thyestes (Eur. Med. 684; Eur. Heraclid. 207; Apollod. epit. 2,10; schol. Eur. Or. 5; Ov. met. 8,622f.), Vater der → Aithra (Hom. Il. 3,144; Eur. Heraclid. 207f.; Eur. Suppl. 4–7; Bakchyl. 17,34; Hyg. fab. 14,5 u.ö.) und der → Henioche [4] (Plut. Theseus 25,11f), Großvater des → Theseus, Urgroßvater des → Hippolytos [1], myth. Gründer und Herrscher von → Troizen: P. besiegt mit seinem Bruder Troizen den bis dahin herrschenden → Anthes [1] oder → Aëtios [1] und vereinigt die beiden alten Städte Hypereia und Antheia zu einer neuen Stadt, der er nach dem Tod seines Bruders dessen Namen gibt (Strab. 8,6,14; Plut. Theseus 3,2a; Paus. 2,30,8f.). P. ist berühmt für seine Weisheit, Beredsamkeit und Gottesfurcht (Eur. Med. 684–686; schol. Eur. Hipp. 11; vgl. Kall. fr. 237). Er lehrt und schreibt über die Redekunst (Paus. 2,31,3; vgl. WALZ 4, Nr. 22); ihm werden Sprüche wie *mēdén ágan* (»nichts zu sehr«; schol. Eur. Hipp. 264) und die Weisheit der *Érga* Hesiods (Plut. Theseus 3,2a-b) zugeschrieben. Weiterhin spricht er Recht und errichtet den Altar der Themides und das Heiligtum des Apollon Thearios (Paus. 2,31,3; 5f.). P. löst den Orakelspruch des → Aigeus und gibt ihm seine Tochter Aithra zur Frau (Eur. Suppl. 5–7; Plut. Theseus 3,2b-c; Apollod. 3,208; schol. Eur. Hipp. 11), anschließend wird er Erzieher seines Enkels Theseus (Diod. 4,59,1; Plut. Theseus 4,2d) und seines Urenkels Hippolytos (Eur. Hipp. 11; 24f.; Paus. 1,22,2).

1 R. HANSLIK, s. v. P., RE 20, 1873–1875 2 O. HÖFER, Nachtrag zum Artikel P., ROSCHER 3.2, 2515f. 3 PAPE/BENSELER, s. v. P., 1203.   SI. A.

Pityus (Πιτυοῦς: Strab. 11,2,14; Ptol. 5,8,10; 5,9,1; Patrum Nicaenorum nomina p. LXII, 113 GELZER; Zos. 1,32; Theod. hist. eccl. 9,5,35; Suda 1670; Πιτυῦς: Prok. BP 2,29,18; Prok. BG 8,4,1–6; Prok. aed. 3,7,8; *Pityus*: Plin. nat. 6,16; *Pithiae*: Not. dign. or. 18,32). Identifiziert mit Picunda/Bičvinta in der Republik Abchasien/ Georgien (röm.-frühbyz. Kastell). Die bei Strabon bzw. Plinius erwähnte Stadt, gegründet durch milesische Griechen, wurde bislang nicht identifiziert; G. LORDKIPANIDZE vermutet sie ca. 10 km östl. beim h. Lidzava. Seit hadrianischer Zeit (117–138 n. Chr.) war hier ein Stützpunkt des Pontischen Limes (→ Limes VI. B.) mit einer Abteilung der in Satala stationierten 15. röm. Legion (Ziegelstempel); Zerstörung durch Boranereinfall 255; *vicus* und Hafen wurden im späten 5./1. H. des 6. Jh. ummauert. Im Innern des Kastells fanden sich die *principia*, Offiziershäuser, mit Mosaiken; Thermen (Reihentyp) vor dem westl. Haupttor. Seit dem frühen 4. Jh. war P. Bischofssitz, mehrere Kirchenbauten des 4.–6. Jh. sind belegt.

A. Apakidze (Hrsg.), Velikij Pitiunt, Bd. 1–3, 1975–1978 • D. Braund, Georgia in Antiquity, 1994, 198–200, 290–292 • G. Lordkipanidze, Bičvintis nakalakari, 1991 • M. Speidel, Three Inscriptions from Pityous on the Caucasus Frontier, in: Ders., Roman Army Studies, Bd. 2, 1992, 209–211.   A. P.-L.

Pityussai (Πιτυοῦσσαι). Bezeichnung der beiden zu den → Baliares gehörenden, wegen ihres Fichtenbestandes so benannten Inseln (Strab. 5,3,1; Ptol. 2,6,77; Plin. nat. 3,76–78; Mela 2,126) → Ebusos und Ophiussa (Ὀφιοῦσσα, von ὄφις/*óphis*, »Schlange«; so auch der lat. Name Colubraria, von lat. *colubra*, »Schlange«); h. Formentera.

Trabajos del Museo arqueologico de Ibiza, Bde. 1–30, 1979–1993 • J. H. Fernandez Eivissa, Bibliografia arqueológica de las islas Pitiusas 1, 1980; 2, 1986; 3, 1993 • TIR K/J 31 Tarraco, 1997.   M. M. MO./Ü: H. D.

Pitzia. Gotischer → *comes* 505 n. Chr. [1. 886 f.]. In einer Auseinandersetzung mit den → Gepidae besetzte er 505 → Sirmium und half dem Lokalherrscher Mundo [2. 397 ff.] gegen oström. Truppen, die er besiegte (Ennod. panegyricus dictus clementissimo regi Theoderico 12; Iord. Get. 300 f.) [3. 174 f.]. Vielleicht identisch mit dem 514 von → Theoderich ermordeten Petia (Auctarium Havniense, MGH AA 9,331) [1. 861; 2. 406 f.].

1 PLRE 2 2 P. Amory, People and Identity in Ostrogothic Italy, 1997, 489–554 3 J. Moorhead, Theoderic in Italy, 1992.   WE. LÜ.

Pius

[1] Röm. Cognomen, in republikanischer Zeit in der Familie der Caecilii Metelli (→ Caecilius [I 31–32]), in der Kaiserzeit in zahlreichen weiteren *gentes*.

Kajanto, Cognomina, 251.   K.-L. E.

[2] Grammatiker, unsicher datiert auf E. 2./E. 3. Jh. n. Chr., tätig u. a. in Memphis und Sparta (schol. Hom. Od. δ 356; θ 372); Verf. eines Homer-Komm. (Etym. m. 821,55), dessen Material (zu Wort- und Sacherklärungen, inhaltlichen und stilistischen Fragen) in → Scholien-Lit. und in → Etymologika einging. Nach schol. Hom. Il. 12,175 wandte sich P. gegen Athetesen des → Aristarchos [4]. Der Versuch von [1. 94 ff.], ihm daher neben den elf P. namentlich erwähnenden weitere gegen Aristarchos gerichtete, anon. Homer-Scholien zuzuweisen, überzeugt nicht [2. 269 (376)]. Um einen Sophokles-Komm. des P. zu postulieren, reicht das Zitat P.' in schol. Soph. Ai. 408 kaum, da es auch einer gramm. Schrift entstammen kann.

1 E. Hiller, Der Grammatiker P. und die ἀπολογίαι πρὸς τὰς ἀθετήσεις Ἀριστάρχου, in: Philologus 28, 1869, 86–115 2 D. Lührs, Unt. zu den Athetesen Aristarchs in der Ilias, 1992 3 D. Strout, R. French, s. v. P. (2), RE 20, 1891 f. 4 M. van der Valk, Researches on the Text and Scholia of the Iliad, Bd. 1, 1963, 171, 436 f., 589.   R. SI.

Pixodaros (Πιξώδαρος). Hekatomnide, Bruder des → Maussolos und der regierenden Dynastin → Ada, die er entmachtete. Nach der Trilingue von Xanthos war er Satrap von Karien und, so die aram. Version, auch von Lykien (341–336 v. Chr.). Von 336 bis zu seinem Tod 335 übte er zusammen mit dem Perser → Orontopates, den Dareios [3] III. als Satrap geschickt hatte, die Herrschaft aus.

S. Ruzicka, Politics of a Persian Dynasty, 1992 • P. Briant, Histoire de l'empire Perse, 1996, 727–729.
                                        PE. HÖ.

Placentia (Πλακεντία). Stadt am rechten Ufer des → Padus (Po), wo westl. die Trebia mündet (ILS 9371; Strab. 5,1,11; Plin. nat. 3,118; Ptol. 3,1,46), h. Piacenza. Die Anf. der Stadt reichen in die → Terramare-Kultur zurück; dann siedelten hier Etrusci (Liv. 5,33,10; vgl. die »Leber von Piacenza« von ca. 200 v. Chr. im Museo Civico; → Haruspices, mit Abb.), anschließend Galli Anamares (Liv. epit. 20). Schon bevor Hannibal [4] nach It. zog, war P. ebenso wie → Cremona *colonia* mit → latinischem Recht (Pol. 3,40,4; Vell. 1,18,4). Die Stadt wurde 200 v. Chr. von den Galli eingenommen und zerstört (Liv. 31,10,2; 33,23,2) und bald darauf von den Römern zurückerobert (Liv. 34,22,3). 190 v. Chr. kamen neue Kolonisten in die Stadt (Liv. 37,46,9), die als Endpunkt der 187 v. Chr. erbauten Via Aemilia (Liv. 39,2,10) einen spürbaren Aufschwung erlebte. 90 v. Chr. wurde P. *municipium* (Fest. 155,19), *tribus Voturia*, nach der Augusteischen Gebietsreform *regio VIII* (Plin. nat. 3,115). In der Kaiserzeit entwickelte sich die Stadt zu einem Produktionszentrum für Keramik und gelangte als Knotenpunkt des Handelsverkehrs zw. dem → Ionios Kolpos und dem Straßennetz der Poebene (über die Via Aemilia und Via Postumia) zu einer beachtlichen wirtschaftlichen Blüte. 546 n. Chr. wurde die Stadt von → Totila eingenommen (Prok. BG 3,16,2 f.).

Auf die Zeit um 190 v. Chr. geht die erste Stadtmauer zurück – eine der frühesten aus Ziegelsteinen [3] errichteten. Die Aurelianische Mauer stammt aus dem 3. Jh. n. Chr., als hier die → Alamanni und → Iuthungi 271 n. Chr. geschlagen wurden (SHA Aurelian. 18,3; 21,1–3). P. verfügte über einen guten Flußhafen (Liv. 21,57,6; App. Hann. 7; Tac. hist. 2,17). Im Bürgerkrieg des J. 69 n. Chr. brannte das Amphitheater vor der Stadt ab (Tac. hist. 2,21). Erh. sind nur noch spärliche Gebäudereste von P. Der regelmäßigen Grundriß der Stadt, typisch für eine mil. Anlage [1], ist im h. Stadtbild immerhin noch zu erkennen [2] (ca. 480 × 480 m; der *decumanus maximus*, über den die Via Aemilia führte, ist die h. Via Roma; die Via Postumia entspricht der h. Via Taverna), die Straßenzüge und die Centuriation des Territoriums lassen sich sehr gut rekonstruieren [4].

1 M. Marini Calvani, s. v. P., EAA 2. Suppl. 4, 1996, 356–358 2 Dies., Piacenza in età romana, in: G. Pontiroli (Hrsg.), Cremona Romana. Atti del congresso storico archeologico per il 2200° anno di fondazione di Cremona, 1985, 261–275 3 Dies., Archeologia I. P., in: V. Agosti u. a.,

Storia di Piacenza, Bd. 2, 1990, 765–906 **4** Dies., Emilia occidentale tardoromana, in: G. Sena Chiesa (Hrsg.), Felix temporis reparatio. Atti del Convegno Milano 1992, 1995, 321–342.

Nissen 2, 270. A. SA./Ü: H. D.

Placidia

[1] s. Galla [3] Placidia

[2] Jüngere Tochter des → Valentinianus III. und der → Eudoxia [2], geb. 441/2 n. Chr. Zunächst mit dem Sohn des → Aetius [2] verlobt, wurde sie später anscheinend von Petronius → Maximus [8] zur Ehe mit seinem Sohn gezwungen ([2. 180 f.]). 455 nahmen die Vandalen bei der Eroberung Roms P. als Geisel und entließen sie 462 nach Konstantinopel. Wahrscheinlich war sie bereits 455 mit → Anicius [II 15] Olybrius verheiratet und so kurzzeitig (472) Kaisergattin von Westrom, jedoch nicht *Augusta*. Nach dem Tod des Olybrius 472 versuchte → Zeno sie zu verwenden, um den Vandalenkönig → Hunericus, den Mann ihrer Schwester → Eudokia [2], zu einer milderen Politik gegenüber den Katholiken zu bewegen. P. starb nach 478.

1 PLRE 2, 887 **2** F. M. Clover, The Family and Early Career of Anicius Olybrius, in: Historia 27, 1978, 169–196.
H. L.

Placidus

[1] Ritterlicher Militärtribun im syrischen Heer, der vom Statthalter Syriens, Cestius [II 3] Gallus, im J. 66 n. Chr. gegen die aufständischen Juden gesandt wurde. Ab 67 diente er in derselben Stellung unter → Vespasianus; mehrmals kämpfte er gegen den jüd. Militärbefehlshaber Flavios → Iosephos [4], zuletzt im J. 67, als die Stadt → Iotapata erobert wurde (Ios. bell. Iud. 3,144; 323–326). Zuletzt wird er im J. 68 erwähnt, als er die transjordanische Peraia unterwarf (Ios. bell. Iud. 4,419–439). PIR² P 437. W. E.

[2] Kompilator eines lat. Lex. des 5./6. Jh. n. Chr., wohl aus Spanien (zur Rezeption in der Praefatio der *Anthologia Salmasiana* vgl. [1]). Zwei Bestandteile heben sich deutlich voneinander ab, gramm.-antiquarische Worterklärungen, die vorwiegend auf Komm. zurückgehen (= A), und kürzere Glossen (= a; Ps.-P. bei [2], erh. nur bis Buchstabe P), die seltene Wörter altlat. Dichter verdeutlichen und auf eine vollständigere Glossenquelle zurückführen, deren Verhältnis zu → Festus [2. 5–10] (bzw. → Verrius Flaccus) umstritten ist. P. ging so vor, daß er a alphabetisch ordnete und mit A in je möglichst umfangreichen Blöcken vereinigte (A/a/b/B/C/c/d etc.). Das Glossar stellt – neben seiner Bed. für unsere Kenntnis des Altlat. – ein wichtiges Zeugnis für den spätant. Schulbetrieb dar. Die direkte Überl. beruht auf Parisinus n. acq. Lat. 1298 (11. Jh.) und drei Vaticani des 15. Jh.; hinzu kommen umfangreiche Exzerpte im → *Liber glossarum*. Die Rezeption schließt außerdem → Isidorus [9] von Sevilla ein.

→ Glossographie

Ed.: **1** CGL 5, 1–158 **2** J. W. Pirie, W. M. Lindsay, Glossaria Latina 4, 1930, 3–70 (mit kritischer Sichtung des Materials).
Lit.: **3** P. Karl, De Placidi glossis, 1906 **4** CGL 5, V–XX (Rezeption und Trad.) **5** CGL 1, 59–71 **6** F. Stok, Su alcune glosse di Placido, in: Orpheus N. S. 8, 1987, 87–101 **7** R. A. Kaster, Guardians of Language, 1988, 341 f.
P. L. S.

Placitus Papyriensis. Name des Verf., dem der *Liber medicinae ex animalibus* aus dem Corpus zugeschrieben wird, das außerdem Ps.-Musa, De herba vettonica, Ps.-Apuleius, *Herbarius*, die anon. Abh. *De taxone* und Ps.-Dioskurides, *De herbis feminis*, umfaßt. Da das Werk bei → Marcellus' [8] Schrift De medicamentis Anleihen macht, scheint es auf die 1. H. des 5. Jh. n. Chr. zurückzugehen. Der zuweilen mit Sextus Platonicus verwechselte Verf. ist unbekannt und vielleicht in seiner histor. Realität anzuzweifeln, zumal Text [5. 233–286] und Illustration [6] in zwei Rezensionen bezeugt sind, die sich nicht auf ein und dasselbe Original zurückführen lassen und zur Annahme zweier Verf. geführt haben [5. XXI; 4. 23–25].

Das Werk analysiert in 34 Kap. therapeutisch eingesetzte Stoffe tierischer Herkunft nach dem Vorbild des *Herbarius* des Ps.-Apuleius; seine Illustrationen gehen vielleicht auf alte [4. 27], möglicherweise hell. [4. 35] Vorlagen zurück. Der Text erfuhr eine Bearbeitung durch Constantinus Africanus [1. 1–112], wurde im 10. Jh. ins Engl. übers. [2. 12–60, 73–92; 3. 241–273, 330–338] und in der Renaissance mehrfach herausgegeben.

1 J. G. Ackermann (ed.), Parabilium medicamentorum antiqui, 1788 **2** H. J. De Vriend, The Old English Medicina de Quadrupedibus, Diss. Groningen 1972 **3** Ders. (ed.), The Old English Herbarium, 1984 **4** H. Grape-Albers, Spätant. Bilder aus der Welt des Arztes, 1977 **5** E. Howald, H. E. Sigerist (ed.), Antonii Musae De herba vettonica liber; Ps.-Apuleii Herbarius; Anonymi De taxone liber; Sextii Placiti Liber medicinae ex animalibus (CML 4), 1927 **6** C. H. Talbot, F. Unterkircher, Medicina antiqua. Codex Vindobonensis 93 der Österr. Nationalbibl. (Facsimile), 1971; Komm.-Bd. 1972.

M. P. Segoloni (ed.), Libri medicinae Sexti Placiti Papyriensis ex animalibus pecoribus et bestiis vel avibus concordantiae, 1998. A. TO./Ü: T. H.

Plaetorius. Name einer röm. plebeiischen Familie (gelegentlich mit *Laetorius* verwechselt), erst im 2. Jh. v. Chr. zu einigem Ansehen gelangt, in der Kaiserzeit unbedeutend.

Schulze, 44, Anm. 5.

[1] P. Cestianus, L. 43/42 v. Chr. Quaestor unter M. Iunius [I 10] Brutus; emittierte Denare, die mit der Darstellung eines → *pilleus* zwischen zwei Dolchen und der Legende *Eid(ibus) Mart(iis)* die Ermordung Caesars an den Iden des März 44 v. Chr. feierten (RRC 508).
K.-L. E.

[2] P. Cestianus, M. War vor 69 v. Chr. Quaestor (Cic. Font. 1), 69 Ankläger des Fonteius [I 2], zw. 69 und 66 *aed. cur.* (Cic. Cluent. 126), 66 Leiter des einen Gerichtshofs für Meuchelmord (*quaestio inter sicarios*, Cic. Cluent. 147). Verm. 63/2(?) Statthalter von Makedonia (FdD III 4, 45), vorher also Praetor. 56/5 war er verm. Legat des Cornelius [I 54] Lentulus (Cic. fam. 1,8,1). Unklar ist die Bemerkung Ciceros in Att. 5,20,8.

　　　　　　　　　　　　　　　　　　　　　J. BA.

Plaga

[1] Röm. Jagdnetz, speziell Fangnetz, in das Wild (Hirsche, Eber) durch Hunde bei der Treibjagd hineingehetzt wurde (Hor. epod. 2,31–32; Hor. epist. 1,6,58; 1,18,45) im Gegensatz zu den *retia* (Schlagnetzen) und *casses* (Fall- und Sacknetzen); von den aus Stricken geflochtenen *plagae* waren die aus Cumae am meisten geschätzt (Plin. nat. 19,11). Die Treibjagd mit der *p.*, schon früh in der ant. Kunst dargestellt (Becher von Vaphio), war dann v. a. ein Motiv der röm. Mosaik- und Sarkophagkunst. Der Terminus *p.* ist in der mod. arch. Forsch. nicht mehr gebräuchlich, sie achtet für gewöhnlich nicht auf die Unterschiede der Jagdnetze.

→ Jagd

> I. EGGER, Die Jagd auf röm. Sarkophagen und Mosaiken. Ein ikonographischer Vergleich, 1976, 148–165 · B. ANDREAE, Die röm. Jagdsarkophage (ASR 1.2), 1980, 111–125.

[2] (auch *plagula*), unterschiedlich verwandter lat. Begriff, mit dem ein Sänften- und Bettvorhang, aber auch ein Teppich oder eine Bettdecke gemeint sein konnte (vgl. Liv. 39,6,67 zu den aus Asien mitgeführten *plagulae*). Die *p.* war mitunter mit eingewebten oder -gestickten Ornamenten und Figuren verziert (Varro fr. 74,13; Non. 378,6).

[3] *Plagae* oder *plagulae* nannte man im Lat. Streifen aus → Papyrus, aus denen sich das Blatt zusammensetzte. Eine Anzahl von 20 Blättern nannte man *scapus* (Plin. nat. 13,77).

→ Papyrus (mit Abb.)　　　　　　　　　　　R. H.

Plagiat.

Griech. und röm. Autoren geben häufig die Quellen an, die sie als Vorlage benutzen; sie schaffen dichte Netze von Anspielungen, um den gebildeten Leser merken zu lassen, welche älteren Autoren sie als Modell verwenden. Dabei verändern sie mit Sorgfalt, was sie entleihen, indem sie geborgte Bilder, Metaphern und Motive auf überraschend neue Art und Weise gebrauchen. Kreativität und Originalität verstehen sich also innerhalb der Bedingungen und Grenzen vorliegender → literarischer Gattungen und Traditionen. Manchmal geht die Entleihung über die Anspielung hinaus. Prosaautoren – z. B. Geschichtsschreiber – entnehmen regelmäßig Fakten und Anekdoten aus ihren Vorgängern, ohne den Umfang dessen, was sie ihnen schulden, deutlich zu machen. Gleichzeitig jedoch sahen ant. Autoren und Lit.-Kritiker das Werk einer Einzelperson als deren eigenes legitimes (*gnḗsios*) Produkt an, und seit Theognis fürchteten Dichter, spätere Autoren könnten ihr Werk stehlen.

Vom Hellenismus an hielten Gelehrte wie → Aristophanes [4] von Byzanz Beispiele für das fest, was fortan »lit. Diebstahl« (*klopḗ*, vgl. lat. *furtum*) genannt wurde: Fälle, in denen ein Autor den Gebrauch des Werks eines anderen zu verbergen suchte, oder in denen er das, was er entnahm, falsch verwendete. Abhandlungen »über den (lit.) Diebstahl« (*perí klopḗs*) gehörten zur weiteren Unt. von *mímesis/imitatio* bzw. *aemulatio* (lit. Nachahmung) – als deren pathologischen Aspekt man das P. bezeichnen kann; sie erreichte im 3. Jh. n. Chr. ein beträchtliches Ausmaß. → Porphyrios zog sie heran für sein lebhaftes Porträt eines Gelehrtensymposions, in dem die Reputation von Schriftstellern sehr kritisch hinterfragt wurde (Porph. bei Eus. Pr. Ev. 10,3,12). Das Thema des P. wurde auch von gebildeten Christen wie → Clemens [3] von Alexandreia diskutiert.

→ Fälschung; Intertextualität; Literatur (III.; V.); Pseudepigraphen; FÄLSCHUNGEN

> E. STEMPLINGER, Das P. in der griech. Lit., 1912 · W. KROLL, Studien zum Verständnis der röm. Lit., 1924, 139–184 · K. ZIEGLER, s. v. P., RE 20, 1956–1997.
>
> 　　　　　　　　　　　　　　　AN. GR./Ü: TH. G.

Plagium.

Das Wort *p.* wird überwiegend auf griech. πλάγιος (*plágios*, »zweideutig, schief«), aber auch auf lat. *plaga* (»Fangnetz«) zurückgeführt. *P.* ist im röm. Recht ein Sammelbegriff für jegliche Anmaßung des Herrschaftsrechts über einen anderen Menschen: Menschenraub, Menschenhandel, Behandlung eines Freien als Sklaven, Überredung zur Flucht, Verbergen und Einsperren fremder Sklaven. Die Strafbarkeit des *p.* regelte die *lex Fabia* (wahrscheinlich 2. oder 1. Jh. v. Chr.), daher: *crimen legis Fabiae* (»Verbrechen nach der *lex Fabia*«). Die Bezeichnung der *lex de plagiariis* (»Über *p.*-Taten«) in Dig. 48,15 dürfte viel jünger sein. Als Täter kommen röm. Bürger und Sklaven in Betracht. Objekt des Deliktes waren nach dem 1. Kap. der *lex* Freie und Freigelassene, nach dem 2. Kap. fremde Sklaven. Voraussetzung für die Strafbarkeit war *dolus malus* (»böse Absicht«, Dig. 48,15,6,2); Versuch und Beihilfe (beim Sklaven auch die Mitwisserschaft des Herrn) waren (wie die Haupttat) strafbar. Die frühere Ansicht [1], dies beziehe sich nur auf → *publicani*, ist mit Cod. Iust. 9,20,10 nicht vereinbar. Auf *p.* stand urspr. eine Geldstrafe; ein Sklave durfte 10 J. lang nicht freigelassen werden. Um dem Überhandnehmen des *p.* entgegenzusteuern, drohten die Kaiser immer härtere Strafen an, so für die *humiliores* (»niederen Stände«) Bergwerksarbeit und Kreuzigung, für die *honestiores* (»gehobenen Stände«) teilweise Vermögenskonfiskation und auch Verbannung (→ *honestiores, humiliores*). Diocletianus ordnete generell für *p.* die Todesstrafe an (Cod. Iust. 9,20,7,1).

> 1 MOMMSEN, Strafrecht, 780.

CH. BRECHT, s.v. P., RE 20, 1998–2006 • A. BERGER, s.v. *Lex Fabia*, RE Suppl. 7, 386–394 • R. LAMBERTINI, P., 1980 • G. LONGO, Crimen plagii, in: Annali della facoltà giuridica dell' Università di Genova 13, 1974, 381–482 • M. MOLÉ, s.v. plagio, in: Novissimo Digesto Italiano 13, 1966, 116.   Z. VE.

Plakat s. Nachrichtenwesen; Werbung

Planasia. Insel im → Mare Tyrrhenum vor Etruria, h. Pianosa. Prähistor. Funde, *villa* des Agrippa [2] Postumus, Katakomben.

    BTCGI 13, 535–546.   G. U./Ü: H. D.

Plancia Magna. Tochter des → M. Plancius [3] Varus und Gattin des C. Iulius [II 48] Cornutus Tertullus. Sie stammte aus → Perge, wo sie mehrere öffentl. Ämter übernahm. Nach anderen Bauten errichtete sie ein Prunktor mit Statuen für Diana Pergensis, den Genius Civitatis, für Divus Augustus sowie für die Mitglieder der kaiserl. Familie in traianisch-hadrianischer Zeit [1]. Sie ist ein Beispiel für eine Senatorenfrau, die trotz ihrer Bindung an Rom durch ihre sozio-polit. Zugehörigkeit auch ihrer Heimat eng verbunden blieb. PIR² P 444.

    1 S. ŞAHIN (ed.), Inschr. von Perge, 1999, Nr. 89–99.

    W. ECK, Latein als Sprache polit. Kommunikation in Städten östlicher Prov., in: Chiron 30, 2000 (im Druck).
      W. E.

Plancina s. Munatia Plancina

Plancius. Seltener röm. Familienname, verm. von → Plancus abgeleitet. Bekannt sind bes. die Plancii aus Atina (P. [1–2]) im 1. Jh. v. Chr. und die P. aus Perge im 1.–2. Jh. n. Chr.

[1] P., Cn. Stammte aus einer alten ritterlichen Familie aus Atina (Cic. Planc. 32; vgl. CIL X 5075; 5119). Er diente unter Licinius [I 15] Crassus, verm. 96–93 v. Chr. in Spanien. Danach als Steuerpächter (→ *publicanus*) tätig, profilierte er sich 61–59 im Streit um einen Pachtnachlaß als Sprecher der Steuerpächter von Asia (Cic. Planc. 31–34; Schol. Bobiensia 157; 159 ST.) und machte sich Feinde. Vater von P. [2].

[2] P., Cn. Schlug nach Kriegsdienst 69 (?) v. Chr. in Africa und 68–66/5 auf Creta sowie nach Militärtribunat 62 in Makedonia, anders als sein Vater P. [1], die senator. Laufbahn ein. Bekannt wurde er bes. 58 als Quaestor in Macedonia, als er dem exilierten → Cicero Unterstützung gewährte (Cic. Att. 3,14; 22 u. ö.). So war seine Bewerbung für das Volkstribunat für 56 erfolgreich, seine Amtszeit aber wenig spektakulär. Dennoch gewann er die Wahlen für die curulische Ädilität für 54 deutlich. Von dem unterlegenen Iuventius [I 4] Laterensis verklagt, wurde er von Hortensius [7] und Cicero erfolgreich verteidigt. Dessen Rede (*Pro Plancio*) ist die wichtigste Quelle für P.' Leben. Seine im Senatsauftrag geprägten Münzen (RRC 455) sind die einzige Spur seiner Ädilität. 49 auf der Seite des → Pompeius [I 3], wartete er noch 46/5 auf Korkyra auf seine Be-

gnadigung durch Caesar. Danach verliert sich seine Spur.   J. BA.

[3] M. P. Varus. Bürger von → Perge in Pamphylia, der unter → Nero in den Senat aufgenommen wurde. Praetor vor 69 n. Chr.; *amicus* des Cornelius [II 11] Dolabella, den er dennoch im J. 69 beim → *praefectus urbi* anklagte (Tac. hist. 2,63,1). Seine Laufbahn mit nicht sehr bed. Ämtern führte ihn bis zum Prokonsulat von Pontus-Bithynia unter → Vespasianus. Er verfügte über ausgedehnten Grundbesitz in Galatia und Pamphylia. Seine Tochter → Plancia Magna war mit C. Iulius [II 48] Cornutus Tertullus verheiratet, der ebenfalls aus Perge stammte [1]. PIR² P 443.

    1 S. ŞAHIN (ed.), Inschr. von Perge, 1999, Nr. 86; 108; 118; 120–126.   W. E.

Plancus. Röm. Cognomen (»breitfüßig«), erblich in der Familie der Munatii (→ Munatius [I 2–5], [II 6]); weibl. Form Plancina (→ Munatia Plancina).

    KAJANTO, Cognomina, 241.   K.-L. E.

Planeten I. ASTRONOMIE
II. ASTROLOGIE UND MYTHOLOGIE

I. ASTRONOMIE
A. ALLGEMEIN
B. VON DEN PYTHAGOREERN BIS ARISTOTELES
C. HELLENISTISCHE ASTRONOMIE
D. KLAUDIOS PTOLEMAIOS
E. MITTELALTER BIS NEUZEIT

A. ALLGEMEIN

Aufgrund ihrer besonderen Bewegungen, die sich bedeutend von den regelmäßigen Bewegungen der sog. – weil scheinbar am Himmelsgewölbe festhaftenden – → Fixsterne abheben, wurden die P. von den Griechen seit den ältesten Zeiten der P.-Beobachtung (faßbar seit dem 5. Jh. v. Chr.) als Wandelsterne (οἱ πλάνητες/*hoi plánētes* und οἱ πλανῆται/*hoi planétai*; lat. *planetae*) aufgefaßt. Nur fünf P. waren den Griechen und den Römern bekannt: Merkur, Venus, Mars, Jupiter und Saturn (vgl. Tab. 6). Der Terminus πλάνητες ist zuerst für Demokritos belegt (68 A 86 DK), dann bei Xenophon (Xen. mem. 4,7,5). Bei der Beobachtung der P.-Bahnen fielen zwei Anomalien (ἀνομαλίαι/*anomalíai*) auf (Ptol. syntaxis mathematica 9,2,208,23–28 H.): a) Eine anomalistische Periode vollzieht sich in einem synodischen Umlauf (Syzygie mit der Sonne); in ihr sind die dem Beobachter bes. auffälligen Erscheinungen wie Schlingen und Stillstände enthalten. b) Die andere Art der Anomalien bezieht sich auf die Änderung der Geschwindigkeit im Umlauf eines P., wie man sie auch bei → Sonne und → Mond bemerkt; eine anomalistische Periode dieser Art vollzieht sich in einem siderischen Umlauf (Rückkehr zum gleichen Fixstern). Die immer komplizierter werdenden Theorien der griech. → Astronomie waren im wesentlichen darauf gerichtet, die unter a) und b) genannten Anomalien zu erklären.

B. Von den Pythagoreern bis Aristoteles

Das erste uns (seit Plat. rep. 7,530d und Aristot. cael. 2,9,291a 10) bekannte griech. P.-System ist das der → Pythagoreischen Schule. Das Wesentliche ihrer astronomischen Lehre ist die Hypothese der → Sphärenharmonie [22]. Diese war nur möglich durch die Voraussetzung kreisförmiger und gleichmäßiger Bewegungen von → Sonne, → Mond und den fünf P. (das Problem von Ursprung und Datier. der Theorie bleibt offen [2]). Nach dieser Lehre entsteht aus der Bewegung der P.-Sphären bei ihrer Drehung ein Geräusch (ψόφος/ psóphos). Aufgrund der Abstände der P. voneinander enthalten die Geschwindigkeiten die Verhältniszahlen der musikalischen Harmonie (der συμφωνίαι/ symphōníai; Aristot. cael. 2,9,290b 12–13). Diese Theorie wird durch die allg. pythagoreische Auffassung, das ganze Weltgebäude sei Harmonie, gestützt [18].

Der Pythagoreer → Philolaos [2] verwies seinerseits unter Annahme eines Umlaufs (Revolution) der Erde diese aus der Mitte des Weltalls (ἑστία τοῦ παντός/ hestía tu pantós) und setzte an ihre Stelle das Zentralfeuer (Aristot. cael. 2,13,293a 21; vgl. → Feuer D.); um dieses drehen sich Gegenerde (ἀντίχθων/ antíchthōn), Erde, Mond, Sonne, die fünf P. und der Fixsternhimmel. So entstehen zehn verschiedene Sphären, deren Umlaufzeiten sich von innen nach außen vergrößern, wobei der Fixsternhimmel als Abschluß eine Ausnahme bildet.

Ob → Platon [1], der mit dem Kreis der Pythagoreer in enger Verbindung stand, die Rotation der Erde schon kannte, ist eine vieldiskutierte Frage; man könnte bei entsprechender Interpretation von Plat. Tim. 40a–40bc darauf schließen [10. 466 f.]. Nach Aussage des Theophrastos (Diels, DG 494,1) hatte bereits Platon – allerdings wohl erst in hohem Alter – Kenntnis von der Revolution der Erde. Bes. wichtig ist, daß er die Auffassung vertrat, die P. irrten nicht planlos umher (leg. 7,821c–822c), sondern folgten strengen Gesetzen, weil sie göttliche Wesen seien, denen die beste und vollkommenste Bewegungsart, die Kreisbewegung, eigen sein müsse. Wenn wir Simplikios (Simpl. comm. in Aristot. cael. 488,21 H.) folgen, war es nämlich Platon, der seiner Zeit und dem gesamten Alt. folgendes Problem gestellt hat: ›Was für gleichförmige Kreisbewegungen sind bei den P. hypothetisch anzunehmen, wenn den Erscheinungen dadurch völlig Genüge getan werden soll?‹

→ Eudoxos [1] von Knidos war der erste Grieche, der die Lösung des von Platon gestellten Problems versuchte. Seine Hypothese erklärte die P.-Bewegungen aus dem Zusammenwirken jeweils mehrerer homozentrischer Sphären, die sich jedoch mit konstanter Geschwindigkeit um verschiedene gegeneinander in bestimmten Winkeln geneigte Achsen drehen und nicht als real angesehen, sondern nur mathematisch vorgestellt werden. Für die → Fixsterne benötigte er eine Sphäre (die der Bewegung von Ost nach West), für Sonne und Mond je drei, für die P. je vier Sphären – insgesamt also 26 Sphären und die Sphäre der Fixsterne. Für jeden P.

ergab sich aus den vier verschiedenen Bewegungen der einzelnen Sphären eine zusammengesetzte Bewegung, für die er graphisch die Bewegung eines Punktes auf einer Kurve annahm; diese Kurve hatte die Form einer ∞ und hieß *hippopédē* wegen ihrer Ähnlichkeit mit dem Pferdefuß (Prokl. in Eukl. elem. 1,127,1; s. Abb. 1 und 2). Damit war zunächst einmal die periodische und synodische P.-Bewegung mit ihren Stillständen, ihren Vorwärts- und Rückwärtsbewegungen mit dem Ziel, ›die Erscheinungen zu retten‹, erklärt. Diese Theorie ergab zwar für Saturn und Jupiter eine gute, für Merkur eine befriedigende Erklärung, konnte jedoch die Bahn des Mars nur zum Teil darstellen und für Venus blieb sie unzulänglich. Um diese Mängel zu beheben, wurde sie durch → Kallippos [5], einen Schüler des Eudoxos, dergestalt ausgebaut, daß sich die Gesamtzahl der Sphären auf 33 erhöhte.

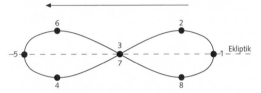

Abb. 1 Hippopede

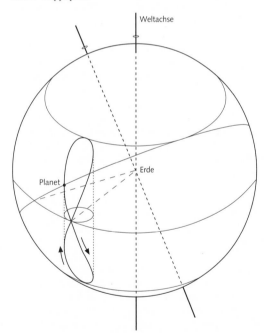

Abb. 2 Dynamische (dreidimensionale) Darstellung der Planetenbewegung nach Eudoxos

→ Aristoteles [6] übernahm die Eudoxische Hypothese in sein kosmologisches System. Er faßte die Sphären als real auf, bestehend aus einem fünften Element, dem Äther (αἰθήρ/ aithḗr). Sie lagen wie Zwiebelschalen ineinander und verfügten über unterschiedlichen Drehsinn und unterschiedliche Drehgeschwindigkeit; den Bewegungsantrieb für das Ganze gab die äußerste Sphäre, die des Fixsternhimmels. Aristoteles' Theorie der Sphären war verbunden mit der physisch-metaphysischen Frage nach der → Bewegung, ausgehend von dem Grundprinzip, daß alles, was sich bewegt, durch etwas (anderes) bewegt werden muß (ἅπαν τὸ κινούμενον ὑπό τινος ἀνάγκη κινεῖσθαι, Aristot. phys. 7,1,241b 1–2). Um die von der Geschwindigkeit der äußeren Sphären abhängige Geschwindigkeit der inneren Sphären mit den tatsächlichen Beobachtungsergebnissen übereinstimmen zu lassen, mußte sich Aristoteles zur Annahme von reagierenden Sphären entschließen, die jeweils auf der Außenseite der einzelnen P.-Sphären (mit Ausnahme von Saturn) eingeschoben waren. Sie sollten die Bewegungseinflüsse der jeweils vorangehenden Sphären aufheben. Da Aristoteles für Jupiter und Mars demnach je drei, für Venus, Merkur, Sonne und Mond je vier, insgesamt also 22 »zurückwälzende« (ἀνελίττουσαι/ anelíttusai) Sphären annahm, erhöhte sich die Gesamtzahl der Sphären von 33 auf 55, zu der noch als 56. die Sphäre der Fixsterne trat (nach einer anderen Rechnung des Aristoteles beträgt allerdings die Gesamtzahl nur 47). Nach dem → Mond waren keine rückwirkenden Sphären mehr nötig, weil auf ihn nur noch die im Zentrum des Kosmos unbeweglich gedachte Erde folgte. Ein Beobachtungsergebnis konnte jedoch durch diese Theorie nicht erklärt werden: die wechselnde Lichtstärke der P. (bes. Venus und Mars). Trotzdem blieb die geozentrische Grundauffassung des Aristoteles im Zusammenhang mit seinen sonstigen physikalischen Erkenntnissen bis zum Beginn der Neuzeit von autoritativer Bedeutung.

→ Herakleides [16] Pontikos, ein Schüler Platons, vertrat, verm. aufbauend auf der Beobachtung der geringen Elongationen von Merkur und Venus, die Theorie, daß diese zwei P. die Sonne als Mittelpunkt ihrer Bahnen hätten. Sein System an sich blieb geozentrisch, weil die → Sonne in Kreisbewegung um die Erde gedacht wurde. Damit wurde die zeitweilig auffallende Steigerung der Helligkeit gerade von Merkur und Venus durch die wahre Ursache ihrer wechselnden Erdnähe erklärt; sachlich bedeutete dies also eine Art Übergang vom geozentrischen zum heliozentrischen System [19. 27f.].

C. Hellenistische Astronomie

Als wesentliches Kennzeichen der hell. Astronomie gilt die Hinwendung zur wiss. Erforschung des Kosmos, die ihrerseits die Grundlage für weitere theoretische Erklärungen des P.-Systems lieferte. Von den bedeutendsten Beobachtungsergebnissen und Meßdaten jener Zeit sind zu erwähnen: der Versuch des → Aristarchos [3], die Entfernungen Mond-Erde und Sonne-Erde zu berechnen; die von → Eratosthenes [2] erreichte recht genaue Erdmessung; die Bestimmung der Orte der Fixsterne am Himmel durch Aristyllos und → Timocharis und ihr Sternenkatalog. → Hipparchos [6] gelang seinerseits eine genaue Darstellung der Sonnen- und Mondbewegung und die Vervollkommnung von Aristarchos' Verfahren zur Bestimmung der Entfernung von Mond und Sonne; er fertigte unter Überprüfung der Sternpositionen des Eudoxos [1] und des Aratos [4] und in Ausarbeitung des Katalogs des Eratosthenes einen großen Sternenkatalog an und entdeckte dabei die Präzession des Frühlingspunktes nach Osten.

In theoretischer Hinsicht ist bes. das heliozentrische Weltsystem des Aristarchos [3] nennenswert, dessen Lehre von der Rotation der Erde und ihrem Umlauf um die im Mittelpunkt des P.-Systems ruhende Sonne dem Archimedes [1] bekannt war (Arenarius 1,4,244 H.). Diese Theorie wurde von Seleukos von Seleukeia weiter ausgebaut (Plut. Platonicae quaestiones 8,1,1006), dem einzigen noch bekannten Vertreter des heliozentrischen Systems in der Antike. Dieses System hat sich infolge der zeitbedingten Unmöglichkeit einer völlig überzeugenden Begründung oder experimentellen Bestätigung (wie z.B. durch das 1851 gebaute Foucaultsche Pendel) sowie aus rel. Gründen (hier ist die Kritik des Stoikers → Kleanthes [2] zu erwähnen) nicht durchgesetzt. So blieb für die weiteren ant. Ausgestaltungen der P.-Theorien allein das geozentrische Weltbild beherrschend.

Es folgte zunächst ein Ausbau der homozentrischen Sphärentheorie, bei dem man im Gegensatz zu Aristoteles dachte, daß die Himmelskörper nicht an den Sphären befestigt seien, sondern selbst eine bewegende Kraft besäßen und sich in kreisförmigen Bahnen bewegten. → Apollonios [13] von Perge studierte den Stillstand und die rückläufige Bewegung der P. und kannte zumindest die Lehre vom Epizykel, die für die ant. P.-Lehre sehr wichtig war (s. Abb. 3): Der Mittelpunkt des

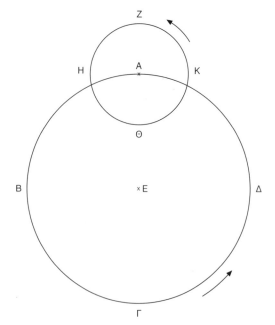

Abb. 3 Epizykel

Deferenten (ΑΒΓΔ) ist die Erde (E); der Epizykel (ΖΗΘΚ) hat seinen Mittelpunkt (A) auf der Peripherie des Deferenten; auf der Peripherie des Epizykels soll sich der P. also ebenfalls im Kreis, und zwar in gleicher Richtung wie der Deferent bewegen. Aufgabe ist es nun zu bestimmen, in welchem Verhältnis der Radius des Epizykels zu dem des Hauptkreises stehen muß (Ptol. syntaxis mathematica 3,3,218 H.). Einige Wissenschaftshistoriker nehmen an, daß bereits Apollonios ein gemischtes P.-System vertreten habe, und zwar (α) die Theorie der Epizykeln für die inneren P. und (β) die Exzentertheorie für die drei äußeren P. [8. Bd. 2, 196].

Hipparchos machte einen weiteren Fortschritt mit der Hypothese einer exzentrischen Stellung der Erde innerhalb der Sonnen- und Mondbahn. Für ihn ist die Beschäftigung mit der Exzenter-Hypothese klar erwiesen, die Klaudios → Ptolemaios folgendermaßen veranschaulichte (vgl. Abb. 4): ›Ziehen wir alsdann nach Ab-

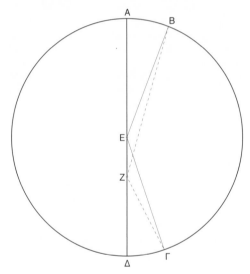

Abb. 4 Exzenter

tragung der gleichgroßen Bogen AB und ΓΔ die Verbindungslinien BE, BZ, ΓE, ΓZ, so wird ohne weiteres deutlich, daß das Gestirn, nachdem es jeden der beiden Bogen in gleicher Zeit zurückgelegt hat, auf dem um Z (= Erde) beschriebenen Kreis (sc. in der Ekliptik) scheinbar ungleiche Bogen durchlaufen haben wird; denn der Winkel BZA wird kleiner, der Winkel ΓZΔ dagegen größer sein als jeder der als gleich angenommenen Winkel BEA und ΓΕΔ‹ (Ptol. syntaxis mathematica 3,3,217 H.). Mit dieser Theorie könnte man in einer einfachen Form die Anomalie der P. in bezug auf die → Ekliptik erklären, die man aus der Ungleichheit der Rückläufstrecken in den verschiedenen Bezirken des → Tierkreises erschließen mußte. Die Exzenterhypothese galt bei Hipparchos zwar v. a. der Erklärung der Bahnen von Sonne und Mond, doch nahm die Forderung der Kombination der epizyklischen und exzentri-

schen Methode für alle P. von ihm ihren Ausgang. Er hat zumindest das Postulat aufgestellt, beide Theorien gemischt für die fünf P. anzuwenden.

In die Zeit zw. Hipparchos (2. Jh. v. Chr.) und Ptolemaios (2. Jh. n. Chr.) fällt die Festlegung der sogenannten Apsidenlinie, d. h. der mittels eines durch Erdmittelpunkt und Mittelpunkt des P.-Kreises hindurchgehenden Durchmessers markierten und mit Hilfe des Tierkreises genau bezeichneten Lage des Perigäums (Erdnähe) und des Apogäums (Erdferne) eines jeden P. (Plin. nat. 2,15,63–72).

D. KLAUDIOS PTOLEMAIOS

Mit der P.-Theorie des Klaudios Ptolemaios, die eines der bedeutendsten Ergebnisse der hell. Wiss. darstellt, fand die Gesch. der ant. P.-Theorien ihren Höhepunkt und zugleich ihren Abschluß. Sein großes Verdienst war der Ausbau der ant. P.-Theorien mit den Mitteln der exakten Mathematik. Zur Erklärung der Anomalien benutzte er systematisch die Verbindung der beiden Hypothesen des Epizykels und des exzentrischen Kreises. Ptolemaios verließ erstmalig das bis dahin grundsätzliche und unbestrittene Prinzip der gleichförmigen Bewegung des Epizykelzentrums auf dem Deferenten und machte diese Bewegung ungleichförmig – ein Bruch mit der platonischen Forderung. Um die ungleichförmige Bewegung der P. auf dem Deferenten zeichnerisch definieren zu können, führte Ptolemaios einen – später lat. aequans (Äquant) genannten – Kreis ein, den er als »Exzenter der Anomalie« (ὁ μὲν τῆς ἀνωμαλίας ἔκκεντρος κύκλος, Ptol. syntaxis mathematica 9,6, p. 255,12 H.) bezeichnete. Dieser Äquant war zum Deferenten exzentrisch gelagert. Ptolemaios ließ die auf dem Äquanten gleichmäßig fortschreitenden Radien den Deferenten an Punkten schneiden, die er als jeweilig korrespondierende Stellung des Epizykelmittelpunktes auf dem Deferenten definierte. Die gleichförmige Bewegung wurde damit zu einer kinematischen Hilfskonstruktion reduziert. Der Äquant war also lediglich ein Symbol eines mittleren Laufes (s. Abb. 5). Der Epizykelmittelpunkt wurde einerseits auf den Radienvektoren (R) gleitend gedacht und war andererseits gleitend an die Kreislinie des Deferenten gebunden, d. h. verknüpft mit dem Deferentenzentrum.

Die Winkelbewegung der Blicklinien (= Radienvektoren Erde-P.) war dreifach ungleichförmig, und zwar 1) durch die Ungleichförmigkeit auf dem Deferenten als solchem, 2) aus dem Deferentenzentrum, 3) infolge der Bewegung des P. auf dem Epizykel. Von solchen mathematischen Grundlagen ausgehend, gelang es Ptolemaios, durch geeignete Wahl der Radien des Deferenten und des Epizykels, durch entsprechende Bestimmung der Umlaufzeiten in diesen und durch Berechnung der Neigungswinkel von Deferent und Epizykel gegen die Ekliptik die P.-Bahnen mit allen ihren charakteristischen Stillständen und Schleifen recht genau darzustellen.

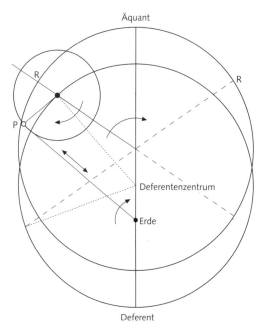

Äquant

R

R

P

Deferentenzentrum

Erde

Deferent

Abb. 5

E. MITTELALTER BIS NEUZEIT

Nach Ptolemaios sind keine Fortschritte auf dem Gebiet der ant. P.-Theorien mehr zu verzeichnen. Nach dem Untergang des röm. Imperiums verschwand im Raum des ehemaligen weström. Reiches das ant. astronomische Wissen für Jahrhunderte. Den byz. Gelehrten ist es zu verdanken, daß die ant. Texte überhaupt erh. sind; andererseits übertrugen die Araber die griech. Texte ins Arabische und machten die P.-Lehre der Griechen zur Grundlage ihrer astronomischen Unt. [5. 244–280]. So wurde durch die arab. Vermittlung auch der Text des Ptolemaios im Abendland wieder bekannt. Die um 1175 erfolgte Übers. der von den Arabern *Almagest* (*al-mǧsṭī*) genannten *Sýntaxis megálē* (lat. *Syntaxis*) aus dem Arab. ins Lat. hatte große Wirkung. Damit wurde Ptolemaios wieder zur Grundlage der P.-Lehre; von da an verstärkten sich aber auch zunehmend die Zweifel an der Richtigkeit des Ptolemäischen Systems. Bereits im Spät-MA kam es zur Formulierung einiger Theorien, nach denen die Erde sich bewegte, allerdings als reine Hypothesen [1. 260–265].

Die eigentliche Überwindung des geozentrischen Weltsystems erfolgte zu Beginn der Neuzeit im Werk des COPERNICUS (1473–1543), der in Anlehnung an ant. Auffassungen in seinem 1543 erschienenen Buch *De revolutionibus* die heliozentrische Lehre von der Rotation und der Revolution der Erde in völlig neuer Beweisführung wiederaufnahm. Ausgehend von dem Grundproblem einer möglichst einfachen Erklärung der Erscheinungen der P., verlagerte er zwar die Stellung der Erde im Weltsystem entscheidend, für die P.-Bahnen selbst aber hielt er an der ant. Lehre von der Kreisbe-

wegung mit Exzenter und Epizykel fest. So bedeutete der Durchbruch des COPERNICUS durchaus noch nicht das Ende der ant. P.-Lehre [11. 133–270]. Johannes KEPLER (1571–1630), der in Tübingen durch seinen Lehrer MÄSTLIN frühzeitig mit der copernicanischen Lehre bekannt geworden war, gelangte von der bisher üblichen rein geom. Auffassung der Bewegungen am Himmel zu einer physikalisch-dynamischen Sicht. Durch seine berühmten drei Gesetze überwand er die ant. Lehre von der kreisförmigen Bewegung der P. Er erklärte, daß die Bahnen der P. Ellipsen seien, in deren einem Brennpunkt sich die Sonne befinde (die beiden ersten Gesetze veröffentlichte er in der *Astronomia nova* 1609, das dritte in der *Harmonice mundi* 1619). Diese Entwicklung fand ihre Krönung in Isaac NEWTON (1643–1727), der die mod. Naturwiss. auf streng mathematischer Grundlage begründete.

In den letzten Jahrzehnten hat sich die Aufmerksamkeit vieler Epistemologen auf die copernicanische Revolution gerichtet, in der man einen Musterfall von »Paradigmenwechsel« (KUHN) sah: vom aristotelisch-ptolemäischen Paradigma zu jenem des COPERNICUS, der anfänglich zwar nur den speziellen Bereich der Astronomie betraf, später aber eine explosive Wirkung auf die gesamte kulturelle Struktur des Abendlandes hatte und dadurch die wiss. Revolution des 17. Jh. auslöste. In diesem Zusammenhang untersucht man sowohl die sozialen, rel. und wiss. Faktoren, die in Ant. und MA die Anwendung des heliozentrischen Systems von Aristarchos verhinderten, als auch diejenigen, die sie in der Neuzeit trotz vielfältigem Widerstand gestatteten.

1 F. BOTTIN, La scienza degli occamisti, 1982
2 W. BURKERT, Weisheit und Wiss., 1962 ,3 F. CORNFORD, Plato's Cosmology, 1937 4 D. R. DICKS, Early Greek Astronomy, 1970 5 J. L. E. DREYER, A History of Astronomy from Thales to Kepler, ²1953 6 K. VON FRITZ, Grundprobleme der Gesch. der ant. Wiss., 1971, 132–197 7 TH. HEATH, Aristarchus of Samos. The Ancient Copernicus, 1913 8 Ders., A History of Greek Mathematics, Bd. 2, 1921 9 M. JAMMER, Concepts of Space, 1954 10 A. JORI (ed.), Aristotele: Il cielo, 1999 11 TH.S. KUHN, The Copernican Revolution, 1957 12 B. MANUWALD, Stud. zum unbewegten Beweger in der Naturphilos. des Aristoteles, 1989 13 O. NEUGEBAUER, The Exact Sciences in Antiquity, 1957 14 Ders., A History of Ancient Mathematical Astronomy, Bd. 3, 1975 15 Ders., Astronomy and History, 1983 16 B. NOACK, Aristarch von Samos: Unt. zur Überl.-Gesch. der Schrift Περὶ μεγεθῶν καὶ ἀποστημάτων ἡλίου καὶ σελήνης, 1992 17 E. PÉREZ SEDEÑO, El rumor de las estrellas. Teoría y experiencia en la astronomia griega, 1986 18 L. SPITZER, Classical and Christian Idea of World Harmony, 1963 19 A. SZABÓ, Das geozentrische Weltbild, 1992 20 Ders., E. MAULA, Enklima. Unt. zur Frühgesch. der griech. Astronomie, 1982 21 P. TANNERY, Recherches sur l'histoire de l'astronomie ancienne, 1893 22 B. L. VAN DER WAERDEN, Die Astronomie der Pythagoreer, 1951 23 W. WIELAND, Die aristotelische Physik, 1962 24 E. ZINNER, Entstehung und Ausbreitung der copernicanischen Lehre, ²1988.

AL. J.

II. Astrologie und Mythologie

Seitdem die Babylonier die Luminare (Sonne und Mond) und die fünf P. mit Göttern gleichgesetzt hatten, galt dies trotz Versuchen, die P. wissenschaftlich nach ihrer Farbwirkung zu benennen (s. Abb. 6), auch in der

lateinisch	babylonisch	griechisch	
		mythologisch	»wissenschaftlich«
Saturnus	Ninurta (Ninib)	Kronos (Nemesis)	Phainon »der sich Zeigende«
Iuppiter	Marduk	Zeus (Osiris)	Phaéthon »der Scheinende«
Mars	Nergal	Ares (Herakles)	Pyróeis »der Feurige«
Venus	Ištar	Aphrodite (‹Isis›)	Phosphóros »der Lichtbringer«
Mercurius	Nabû	Hermes (Apollon)	Stilbon »der Funkelnde«

Abb. 6 Planetennamen

griech.-röm. Ant. weiter [1]. Dabei vereinigte sich die bereits dem griech. → Polytheismus innewohnende Tendenz zur Strukturbildung mit dem astrologischen Systemzwang. Das in seiner Reihenfolge seit Archimedes [1] belegte [2. 278–297] und nie in Frage gestellte P.-System der ant. Astrologen weist eine vollendete Symmetrie auf (s. Abb. 7): Zwischen der unbewegt ge-

Fixsternhimmel
_____

Saturnus ————————————————
Iuppiter ——————————————┐ ┐
Mars ——————————┐   │ │
                │   │ │
SONNE Hitze   temperiert   Kälte
                │   │ │
Venus ——————————┘   │ │
Mercurius ——————————————┘ │
Mond ——————————————————————┘

Erde
_____

Abb. 7 Symmetrie des astrologischen Planetensystems

dachten Erde und der äußeren Fixsternsphäre (→ Sternbilder, → Fixsterne) kreisen sieben Himmelskörper, wobei die Sonne in der Mitte die P. in zwei Dreiergruppen teilt. Eine äußere Triade wird durch drei Generationen (Großvater, Vater und Sohn) verkörpert, die innere Triade der sich schneller bewegenden P. durch die beiden weiblichen P. Venus und Luna (Mond) und den androgyn bzw. geschlechtslos gedeuteten Merkur. Die beiden Triaden erfüllen jeweils ein *mesótēs*-Schema (μεσότης: »Mitte zw. Extremen beiderseits«): Nahe der Sonne haben Mars und Venus (die als Ares und Aphrodite schon im alten Griechenland und später auch in

Rom gemeinsam verehrt wurden [3] und deren Symbole noch heute die beiden Geschlechter bezeichnen) an übermäßiger Hitze und Trockenheit Anteil, fern der Sonne Saturn und Luna an übermäßiger Kälte und Feuchte. In der Mitte haben der »joviale« Jupiter und sein wendiger Sohn Merkur jeweils ein ausgeglichenes Temperament.

Bisweilen wurden die beiden Luminare, die mythologisch als Apollo(n) und Artemis (Diana, Cynthia usw.) Geschwister sind, von den fünf echten P. unterschieden, die als »Dolmetscher« (ἑρμηνεῖς/ *hērmēneís*) galten (Diod. 2,30,3). Diese fünf echten Planeten bilden ein Quincunx-Schema (s. Abb. 8). Man achtete auf den

	günstig	ungünstig
Tag	Iuppiter	Saturnus
	Mercurius	
Nacht	Venus	Mars

Abb. 8 Quincunx der fünf echten Planeten

morgendlichen oder abendlichen Auf- und Untergang der P., die Geschwindigkeit ihrer Umläufe, ihr Stationärwerden, ihre Rückläufigkeit und bes. auf ihre Winkel (»Aspekte«), die sie von der zentralen Erde aus zueinander oder zu anderen Punkten des → Tierkreises bilden, bes. auf Oppositionen und Konjunktionen. Man beobachtete ferner, ob ein P. von zwei anderen »umschlossen« wird (δορυφορία/ *doryphoría*) oder ob er sich im zodiakalen Bezirk eines anderen befindet.

Auch die auf- und absteigenden drakonitischen Mondknoten (→ Mond) mit ihrer Umlaufzeit von ca. 18,5 Jahren (also zwischen der von Jupiter und Saturn angesiedelt) wurden zu den P. gerechnet [4].

Unter den Tierkreiszeichen regieren die Luminare je nur ein Zodion (Löwe bzw. Krebs), während sich die übrigen fünf P. die restlichen zehn teilen (s. Abb. 9). So

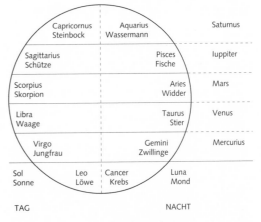

Abb. 9 Die Heptazonos der Planetenhäuser

wird die Inkompatibilität von Zwölfzahl und Sieben-
zahl ebenso ausgeglichen, wie die zyklische Jahresbe-
wegung mit dem linearen Aufstieg von unten nach
oben kombiniert wird; Kosmas [3] von Jerusalem fügte
noch weitere »Mitbewohner« (σύνοικοι/sýnoikoi) hinzu
(CCAG VIII 3, 121 f.). Die Neuzeit entwickelte das System weiter: Dadurch, daß die alten fünf P. je zwei zodiakale »Häuser« besetzen, konnten sie je eines an die
neuentdeckten P. Uranus, Neptun und Pluto angeben
[5]. Im System der Erhöhungen (ὑψώματα/hypsṓmata)
und der (diametral gegenüberliegenden) Erniedrigun-
gen (ταπεινώματα/tapeinṓmata: s. Abb. 10) liegen Saturn

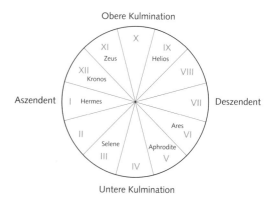

Abb. 11 Die Planeten der Dodekatropos

Planet		Erhöhung		Erniedrigung	
♄	Saturnus	Waage	21°	Widder	21°
♃	Iuppiter	Krebs	15°	Steinbock	15°
♂	Mars	Steinbock	28°	Krebs	28°
☉	Sonne	Widder	19°	Waage	19°
♀	Venus	Fische	27°	Jungfrau	27°
☿	Mercurius	Jungfrau	15°	Fische	15°
☽	Mond	Stier	3°	Skorpion	3°

Abb. 10 Erhöhung und Erniedrigung der Planeten

und Sonne, Jupiter und Mars sowie Venus und Merkur
einander ungefähr gegenüber (der Mond bleibt für sich
allein). Der Erhöhung der Sonne im 19. Grad des Wid-
ders liegt vielleicht ein alter Frühlingspunkt zugrunde,
der auf eine Entstehung des Systems etwa im J. 780
v. Chr. zurückweist. Innerhalb der Tierkreiszeichen regieren die P. die einzelnen Dekane (Abschnitte von 10°)
[6. 81, 307], einzelne Teile der Zodiakalfigur (Ptol. apotelesmata 1,9) oder die hellen Einzelsterne [7. 74–80]
sowie nach zwei verschiedenen Systemen bestimmte
Bezirke (ὅρια/hória), deren Summe im Tierkreis die Lebenszeit anzeigt: Saturn 57 J., Jupiter 79 J., Mars 66 J.,
Venus 82 J., Merkur 76 J.

Hinzu kam die Wirkung in den zwölf sog. »Häusern« des Zwölfstundenkreises (Dodekat(r)opos/δωδε-
κάτ(ρ)οπος). Anders als im Tierkreis regieren die P. hier
nur je ein »Haus« (s. Abb. 11) – das System des → Manilius [III 1] weicht ab [8. 18–91].

Abgesehen von der Konjunktion bildeten die P., von
der Erde aus gesehen, bestimmte »Aspekte« (σχηματισ-
μοί/schēmatismoí): Als günstig galt der Gedrittschein
(120°: τρίγωνον/trígōnon), auch als günstig der Sextil-
schein (60°: ἑξάγωνον/hexágonon), als ungünstig der Ge-
viertschein (90°: τετράγωνον/tetrágōnon) und der Ge-
genschein, die Opposition (180°: διάμετρον/diámetron).
Johannes KEPLER (1571–1630) erfand später weitere
Aspekte.

In der mythisch assoziierenden astrologischen Strukturbildung wurden die P. in ein weltweites Beziehungs-
geflecht integriert. Einige Parallelisierungen sind schon
sehr früh seit → Sudines (3. Jh. v. Chr.), andere erst spät
nachgewiesen. Dabei schwankt die Zahl der P. je nach

Bedarf zwischen vier (ohne Luminare und Merkur),
fünf (ohne Luminare), sechs (ohne die Sonne), sieben,
acht (mit dem Fixsternhimmel) oder neun (mit Fixsternhimmel und Erde): Die P. entsprechen im astralen
Bereich den sieben Sternen der Großen Bärin, den sieben → Pleiaden und den Kometenarten, auf der Erde
den Himmelsrichtungen, den sieben Klimata (geogr.
Breiten), den fünf Zonen oder auch den sieben Mün-
dungsarmen des Nil (Manil. 3,271–274), in der Musik
nach pythagoreischer → Sphärenharmonie den Inter-
vallen und den Tongeschlechtern (Ptol. Kanobos-
Inschr. p. 154 HEIBERG; vgl. schon Plin. nat. 2,84), den
fünf Vokalen (während die Konsonanten den Tierkreiszeichen vorbehalten sind) [9] sowie bestimmten, im
Griech. durch Buchstaben wiedergegebenen Zahlen,
später auch den grammatischen Tempora [10].

Die P. wurden ferner verteilt auf den Gegensatz von
Tag und Nacht und den der Geschlechter, auf die Elemente und alles, was mit diesen parallelisiert zu werden
pflegte: Farben, Geschmacksrichtungen, Säfte, Tem-
peramente und Sinne (z. B. Vettius Valens 1,1; Rhetorios CCAG VIII 214–224; Anon. ebd. 96–99). In der
Regel applizierte man die Reihe absteigend von oben
(Saturn) bis unten (Mond) auf andere gegliederte Einheiten. Während die zodiakale Melothesie (Verteilung
der Tierkreiszeichen auf die Glieder des menschlichen
Körpers) die äußeren Glieder des menschlichen Körpers
vom Kopf bis zu den Füßen auf die Tierkreiszeichen
verteilt (Antiochos CCAG VIII 3 p. 113, 8–13), weist
die planetare Melothesie den P. als »Eingeweiden des Kosmos« (σπλάγχνα τοῦ κόσμου/splánchna tu kósmu) meist
die inneren Organe zu: Nach dem bekanntesten System
des → Antiochos [23] beherrscht Saturn Kopf und Keh-
le, Jupiter Schultern und Rumpf, Mars Zwerchfell und
Nieren, die Sonne Herz, Lunge und Leber, Venus die
Genitalien, Merkur Schenkel und Knie, der Mond Blase
und Bauchhöhle. Später verteilte die Chiromantie die
P. auf die fünf Finger der Hand (Anon. CCAG VII p.
239,5; p. 244; [11]). Die Länder der → Oikumene sind
zwar grundsätzlich den Tierkreiszeichen vorbehalten,
doch berücksichtigt → Ptolemaios auch deren planetare
Hausherren.

Ferner parallelisierte man mit den P. die Tageszeiten, Weltalter (in absteigender Folge) wie Lebensalter (Ptolemaios in aufsteigender Folge) und Schwangerschaftsmonate, im seelischen Bereich die Seelenteile und Seelenkräfte, die sieben Tugenden πνεύματα ζωῆς (*pneúmata zōés*) und die sieben Laster oder (Tod)Sünden (πνεύματα πλάνης/*pneúmata plánēs*) [12. 52f.] (Macr. somn. 1,12,14; Serv. georg. 1,33; Serv. Aen. 6,714; Testamentum Salomonis 2; Testamentum Ruben, Kap. 3). In der sozialen Hierarchie rangieren die Luminare meist vor den fünf »Satelliten«, Merkur hat – wie auf der Bühne – Sklavenfunktion (Heph. 2,20,1 und 4; Ptol. apotelesmata 2,3; 30; Firm. 6,32,57; Serv. Aen. 10,272; Mart. Cap. 1,92; Anon. CCAG VII p. 98,25f.; vgl. schon Plaut. Amph. 117) [13. 215, 260–268, bes. 265].

In der Chronokratorie regieren die P. abwechselnd Jahre, Monate, Tage (auch die Schalttage [6. 253]) und Stunden; hieraus ergibt sich die noch heute gebräuchliche Wochentagsfolge, die urspr. beim Saturn-Tag begann [11. 2143, Z. 42 – 2147, Z. 15]; seit dem 2. Jh. n.Chr. rückten der Sonnen- und der Mithraskult die zentrale → Sonne an den Anfang, und das Christentum übernahm dies im Hinblick auf Christus als »Sonne der Gerechtigkeit« (*Sol iustitiae*). Die Zuordnung der beiden Luminare zu den edlen und der fünf anderen P. zu den unedlen Metallen bestimmt die → Alchemie, hinzu kommen die Zuteilungen zu den Edelsteinen (neben den Tierkreiszeichen), (Heil)Pflanzen, Blumen, Tieren (insbes. Vögeln) und Gewändern. In mehr geistige Bereiche weisen die Kombinationen mit Musen, Erzengeln oder Propheten sowie (parallel zu den Weltaltern) mit den Religionen (Abū Ma'šar, De magnis coniunctionibus 1,4). Später beanspruchten einzelne Städte bestimmte P., die Bastionen der Stadt Dresden wurden nach den P. benannt. Man findet die P. schließlich h. auch in Kartenspielen, Getränkesorten [15. 140f.]; Michel Butor klassifiziert nach ihnen die Sonaten Beethovens [16. 42–44].

Im Wagenrennen des Circus sah man (nach dem Vorbild des → Mars als Wagenlenker) P.-Bewegungen [17], die rel. Lit. ließ die Seelen (oder Götter) durch die P.-Sphären auf- oder abwärts reisen, im Kult des → Mithras bestimmten die P. die sieben Initiationsstufen [18. 242]. Überl. sind ein griech. Hymnos auf den P. Ares (Mars) unter den homerischen Hymnen und Gebete an einzelne oder alle P. (vgl. Anon. CCAG 9,82–86; Manethon 6(3), 753; Firm. mathesis 1,10,14). Bes. Merkur (Hermes Trismegistos, vgl. → Hermetische Schriften) galt als Vermittler astrologischer Lehren (Firm. 5,1,36) und diente auch als Pseudonym von Astrologen oder Verfassern astrologischer Werke.

In der profanen Lit. wurden Personen nach den Eigenschaften einzelner P. gestaltet: Diese Praxis lebt im Barock [19. 5–116] und in neuesten Interpretationen von Lit. [16. 34–36] wieder auf bis hin zu dem Roman von A.P. GÜTERSLOH, ›Sonne und Mond‹ (1962). Die Namen der P. luden zu dichterischen Katalogen und der Bildung von Oppositionen oder anderer Strukturen ein (z.B. Ov. Ib. 207–214; Lucan. 10,201–209; App. Vergiliana: Aetna 243). Dichter und Schriftsteller aller Zeiten spürten eine Affinität bes. zu Merkur, dem P. des *lógos*, der Zunge und der Schreiber. Die panegyrische Dichtung im Barock verglich Herrscher und Feldherrn mit Mars und der → Sonne. Die ant. plastische Kunst gestaltete P.-Götter als Statuen oder in der Kleinkunst als Zierfiguren auf Krügen, die Malerei verteilte sie in Deckengemälden auf die vier Himmelsrichtungen, die Musikgesch. kennt eine »P.-Symphonie« (G. HOLST).

Kam es in der babylonischen Astrologie bes. auf den Herrscher als den Repräsentanten des Landes, in der individuellen Astrologie des Hell. dagegen auf die Vielfalt der einzelnen Individuen an, so trat in der → Gnosis und im → Neuplatonismus das Einzelwesen wieder zurück: Die P. geben in ihren Sphären der Seele bei ihrem Abstieg vom Himmel die Laster mit auf den Weg, von denen sie sie beim Wiederaufstieg nach dem Tod wieder befreien (Testamentum Ruben, Kap. 3).

Die Versuche der Gegenreformation, die P. christl. umzubenennen, setzten sich nicht durch [20. 144–147], dennoch findet man Ähnliches noch in der Lit. wie in Franz WERFELS Roman ›Stern der Ungeborenen‹ (1946). In der Reihenfolge der parallel zu den neuentdeckten P. gefundenen Elemente Uranium, Neptunium und Plutonium lebt der ant. Mikrokosmosgedanke weiter. → Astrologie; Fixsterne; Mond; Sonne; Tierkreis; NATURWISSENSCHAFTEN

1 F. CUMONT, Les noms des planètes et l'astrolatrie chez les Grecs, in: AC 4, 1935, 5–43 2 W. BURKERT, Weisheit und Wiss., 1962 3 Ders., Das Lied von Ares und Aphrodite, in: RhM 103, 1960, 130–144 4 W. HARTNER, The Pseudoplanetary Nodes of the Moon's Orbit in Hindu and Islamic Iconographies, in: Ars Islamica 5, 1938, 113–154 5 W. HÜBNER, Ant. in der Astrologie der Gegenwart, in: W. LUDWIG (Hrsg.), Die Ant. in der europäischen Gegenwart, 1993, 103–124 und 179 6 W. GUNDEL, Dekane und Dekansternbilder, 1936 (²1969) 7 F. BOLL, Ant. Beobachtungen farbiger Sterne, 1916 8 W. HÜBNER, Die Dodekatropos des Manilius, 1995 9 AGRIPPA VON NETTESHEIM, De occulta philosophia, 1531, I 74 10 M. BUTOR, Les compagnons de Pantagruel, 1976 11 JOHANNES DE INDAGINE, Introductiones apotelesmaticae, 1556 (zuerst 1522), 10 12 R. REITZENSTEIN, Poimandres, 1904 13 W. HÜBNER, Manilius als Astrologe und Dichter, in: ANRW II 32.1, 1984, 126–320 14 W. und H. GUNDEL, s.v. P., RE 20, 2017–2185 15 H.A. STRAUSS, Psychologie und astrologische Symbolik, 1953 16 W. HÜBNER, Michel Butor y la antigüedad, 1998 17 P. WUILLEUMIER, Cirque et Astrologie (Mél. d'archéologie d'histoire 44), 1927, 184–209 18 R. MERKELBACH, Mithras, 1984 19 K. HABERKAMM, Sensus astrologicus, 1972 20 W. HÜBNER, Zodiacus Christianus, 1983.

F. BOLL, s.v. Hebdomas, RE 7, 2547–2578 · Ders., C. BEZOLD, W. GUNDEL, Sternglaube und Sterndeutung, ⁷1977 · A. BOUCHÉ-LECLERCQ, L'astrologie grecque, 1899 · W. BOUSSET, Die Himmelsreise der Seele, in: ARW 4, 1901, 136–169, 229–273 · F. DORNSEIFF, Das Alphabet in Mystik und Magie, ²1925 · W. EILERS, Sinn und Herkunft der P.namen, 1976 · W. GUNDEL, Sterne und Sternbilder im Glauben des Alt. und der Neuzeit, 1922 • W. HÜBNER, Rel. und Wiss. in der ant. Astrologie, in: J.-F. BERGIER (Hrsg.), Zwischen Wahn, Glaube und Wiss., 1988, 9–50 • Ders., Zum P.fragment des Sudines, in: ZPE 73, 1988, 33–42 • Ders., Grade und Gradbezirke der Tierkreiszeichen, 1995 • A. OLIVIERI, Melotesia planetaria greca (Memorie della Reale Accademia di archeologia, lettere ed arti 5, 15/2), 1936, 19–58 • D. PINGREE, The Yavanajātaka of Spujidhvaja, 1978. W. H.

Plangon (Πλαγγών). Tochter des athen. *stratēgós* des J. 389 v. Chr. → Pamphilos [1], geb. vor 404. Erste Frau des → Mantias [1], dem sie Boiotos (alias Mantitheos) und – außerehelich nach Scheidung und Tod ihrer Nachfolgerin – Pamphilos gebar. Zum Rechtshandel um das Namensrecht zwischen »Mantitheos« und Halbbruder → Mantitheos [3] vgl. Demosth. or. 38 und [Demosth.] or. 39f. (ca. 350).

DAVIES, 365f. • TRAILL, PAA 774575. K. KI.

Plania. Angeblich die Geliebte, die → Tibullus unter dem Pseudonym Delia besang (Apul. apol. 10). J. BA.

Planktai (Πλαγκταί sc. πέτραι, »Irrfelsen« oder vom Anschlagen der Brandung »Prallfelsen«). Bezeichnung (Hom. Od. 12,61) für mythische, durch ihre Glätte, Feuer und Wogen gefährliche Felsen auf der Rückfahrt der → Argonautai, in der Nähe von → Skylla und → Charybdis. Der → Argo gelang als einzigem Schiff die Vorbeifahrt mit Heras Hilfe (Hom. Od. 12,59ff.; Apollod. 1,136; Apoll. Rhod. 4,924ff.); → Odysseus meidet die P. auf → Kirkes Rat und fährt zwischen Skylla und Charybdis hindurch. Die für Zeus Ambrosia bringenden Tauben, von denen jeweils eine beim Überfliegen der P. hinweggerafft wird (Hom. Od. 12,62ff.), sind in der ›Odyssee‹ Reflex der mit den P. oft verwechselten (z. B. Hdt. 4,85,1) zusammenschlagenden → Symplegades (→ Kyaneai [1]) auf der Hinfahrt der Argonauten. Lokalisiert wurden die P. an der Straße von Messina, den Liparischen Inseln oder den Säulen des Herakles.

F. GISINGER, s. v. P., RE 20, 2187–2199 • A. LESKY, Aia, in: Gesammelte Schriften, 1966, 26–62, bes. 37ff. P. D.

Plantago. Die von ihrem Aussehen abgeleiteten Namen ἀρνόγλωσσον/*arnóglōsson*, κυνόγλωσσον/*kynóglōsson*, ἑπτάπλευρον/*heptápleuron*, πολύπλευρον/*polýpleuron*, προβάτειον/*probáteion*, ψύλλιον/*psýllion* und lat. *plantago* bezeichnen alle den gut bekannten und deshalb von Plinius in seiner Wuchsform mit vielen anderen Pflanzen verglichenen Wegerich (Plantago) mit mehreren Arten. Plin. nat. 25,80 rühmt unter Berufung auf seinen Zeitgenossen → Themison zwei Arten als hervorragend geeignet zur Austrocknung und Verdichtung des Körpers. Die Blätter mit ihrer adstringierenden Wirkung sollen nach Dioskurides (2,126 WELLMANN = 2,152 BERENDES) äußerlich gegen allerlei Geschwüre helfen. Als Gemüse mit Salz und Essig gekocht, galten sie u. a. als gutes Mittel gegen Magen- und Darmleiden.

Colum. 6,33,2 (= Pall. agric. 14,25,4) empfiehlt Wegerich mit Honig gegen jegliche Augenschmerzen von Pferden.

H. GOSSEN, s. v. P., RE 20, 2200–2202. C. HÜ.

Planudes, Maximos (Πλανούδης, um 1255 – um 1305 n. Chr.); Vorname vor Klostereintritt (ca. 1283) Manuel. Vielseitiger Gelehrter mit breiten Interessen und Kenntnissen in vielen Fachgebieten, Lehrer, Kopist, Editor und Kommentator klass. Autoren, Übersetzer lat. Lit.; er gilt als der erste Philologe der Palaiologenzeit (1259–1453; vgl. → Paläologische Renaissance). Geboren in → Nikomedeia, 1261 nach Konstantinopel gekommen, stand er in engem Verhältnis zum Kaiserhaus: Als Laie wurde er kaiserlicher Beamter, als Mönch nahm er an einer diplomatischen Mission nach Venedig (1296/7) teil. Im Akataleptu-Kloster (verm. auch im Chora-Kloster) unterrichtete er Gramm., Rhet., Mathematik und Astronomie. Seinem Schülerkreis gehörten führende Persönlichkeiten der Zeit an.

Eine Reihe von Schriften zu Gramm. und Syntax, Deklamationen und rhet. Arbeiten zu → Hermogenes [7] und → Aphthonios waren wahrscheinlich für Schulzwecke gedacht. Aber auch weitere Werke und einige Ausgaben des Polygraphen sind vielleicht mit seiner Lehrtätigkeit in Verbindung zu bringen: ein Rechenbuch über die arab. Ziffern [1], die Ausgaben des → Diophantos [4] (mit Komm. zu den ersten zwei B.), der *Geōgraphías hyphḗgēsis* des → Ptolemaios und der *Phainómena* des → Aratos [4]; zu letzterem, das als Lehrbuch der → Astronomie dienen sollte, fügte er sogar Textpartien hinzu, um das Werk auf den neuesten Wissensstand zu bringen. Für seine Texteditionen konsultierte P. mehrere Textzeugen. Seine große, zw. 1280 und 1283 entstandene Slg. epischer Dichtungen (im Cod. Laurentianus 32,16 erh.) ist v. a. für die Textüberl. von → Nonnos und → Theokritos von bes. Bed. Außerdem bereitete er eine Gesamtausgabe des → Plutarchos vor und verfaßte Scholien zu → Hesiodos, → Aristophanes [3], → Philostratos, → Aisopos und zu der sog. byz. Trias der Tragiker (→ Aischylos [1], → Sophokles und → Euripides [1]). Zu seinen anspruchsvollen Übers. lat. Autoren [2], die in zahlreichen Hss. überl. sind, zählen → Ciceros *Somnium Scipionis* mit → Macrobius' [1] Komm., → Boethius' *De consolatione philosophiae*, die → *Dicta Catonis*, Ovids *Metamorphoses* und *Heroides* (→ Ovidius) sowie zwei theologische Werke, nämlich → Augustinus' *De trinitate* [3] und *De duodecim abusivis saeculi* des Ps.-Cyprianus.

Erwähnung verdienen auch seine Anthologien von volkstümlichen Sprichwörtern und Epigrammen; die sog. *Anthologia Planudea* (im Marcianus graecus 481 autograph erh.), in der er an anstößig erscheinenden Stellen Eingriffe vornahm, enthält rund 2400 Epigramme (darunter 388 Stücke, die in der *Anthologia Palatina* nicht vorkommen). Von P. sind auch polemische und dogmatische Schriften, die aus Unionsversuchen mit der westl. Kirche entsprangen, Dichtungen [4] und Enkomia auf Heilige sowie eine Kaiserrede auf Michael IX. Palaiologos [5] erh. Seine 121 Briefe [6] an Schüler und Freunde schließlich zeugen für seine vielseitigen philol. Interessen und stellen eine Fundgrube von Informationen über das Kulturleben in der frühen Palaiologenzeit dar.

→ Anthologien; Astronomie

1 A. ALLARD (ed.), Maxime Planude, Le grand calcul selon les Indiens, 1981 2 W. O. SCHMITT, Lat. Lit. in Byzanz. Die Übers. des Maximos P. und die mod. Forsch., in: Jb. der öst. byz. Ges. 17, 1968, 127–147 3 M. PAPATHOMOPULOS, I. TSAVARI, G. RIGOTTI (Hrsg.), Αὐγουστίνου Περὶ Τριάδος ἅπερ ἐκ τῆς Λατίνων διαλέκτου εἰς τὴν Ἑλλάδα μετήνεγκε Μάξιμος ὁ Πλανούδης, 2 Bde., 1995 (umfassende Prolegomena, reiche Bibliogr. zu Leben und Werk: I, XV-CLVI) 4 PH. M. PONTANI (ed.), Maximi Planudis Idyllium, 1973 5 L. G. WESTERINK, Le Basilikos de Maxime Planude, in: Byzantinoslavica 27, 1966, 98–103; 28, 1967, 54–67; 29, 1968, 34–50 6 P. A. M. LEONE (ed.), Maximi monachi Planudis epistulae, 1991.

C. WENDEL, s. v. P., RE 20, 2202–2253 · HUNGER, Literatur 2, 68–71, 246 f. · E. A. FISCHER, s. v. P., ODB 3, 1681 f. · N. G. WILSON, Scholars of Byzantium, 1996, 230–241.
         I. V.

Plaria Vera. Frau eines bed. Ostiensers, A. Egrilius Rufus, und so Mutter der beiden Senatoren M. Acilius Priscus Egrilius [1] Plarianus und A. Egrilius [2] Plarianus. Zu ihrer möglichen zweiten Heirat s. [1. 215 ff.]. PIR² P 447.

1 CHR. BRUUN, Zwei Priscillae aus Ostia und der Stammbaum der Egrilii, in: ZPE 102, 1994, 215–225.   W. E.

Plastik   I. ALTER ORIENT
II. ÄGYPTEN   III. KLASSISCHE ANTIKE

I. ALTER ORIENT

Steinfiguren und -reliefs, teilweise großformatig, sind in Palaestina, Anatolien und Obermesopotamien schon im akeramischen Neolithikum (7. Jt. v. Chr.) belegt, in Mesopotamien erst im 6. Jt. in Form kleinerer Idole. Den Fundumständen nach gehörten sie zu Kultgebäuden, in der Levante auch zum Grabkult. Die frühsumerische (spätes 4. Jt.) anthropomorphe Stein-P. aus → Uruk und die frühelamische P. aus → Susa standen im Zusammenhang mit dem Tempelkult, ebenso Figuren in vereinfachter Formgebung aus Nordmesopotamien und Iran. Die Funktion der überaus zahlreichen kleinen Tierfiguren war weitgehend apotropäisch. Von der frühen Brz. (Mitte des 3. Jt.) bis ins 1. Jt. gab es in Mesopotamien, Syrien und Westiran eine ungebrochene Trad. menschlicher Votivstatuetten (Herrscher, Beamte und Privatpersonen), Götterbilder (Kultbilder nicht erhalten), Schutzfiguren und Tiere (Amulette, Göttersymbole, Torwächter) aus Stein, Metall und Schnitzerei (in Elfenbein und verm. in Holz) in unterschiedlichem Format; Monumental-P. ist nur in Syrien schon im 3. Jt. belegt. Ab der Mitte des 2. Jt. ist zwar die

Überlieferungslage für P. schlecht – nur wenige großformatige Statuen aus Stein sind erhalten –, über die reiche Metall-P. wissen wir jedoch Genaueres aus Texten. In Mesopotamien wurden im 2. Jt. teils großformatige → Terrakotten hergestellt; in Syrien haben sich in Tempelhorten eine große Anzahl kleinformatiger Bronzen erh., Votive in Form von Göttern, Betern und Tieren (→ Weihung).

Seit dem 2. Jt. wurden Tempel, später auch Paläste in Nordsyrien und Anatolien mit → Bauplastik ausgestattet, im 1. Jt. auch in Assyrien und bei den Achämeniden. Während das altorientalische Menschenbild kaum variiert und in Mesopotamien weitgehend die Formgebung des 3. Jt. tradiert wird, sind mesopot. Tierbilder oft sehr naturgetreu und abwechslungsreich. Im 2. und 1. Jt. war die Eigenständigkeit der syrischen, anatolischen und iranischen P. gegenüber der mesopot. ausgeprägt; wechselnde polit. Verhältnisse führten zu verschiedenen Interaktionen in ikonographischer und stilistischer Hinsicht; der äg. Einfluß spielte in der Levante und in Syrien eine prägende Rolle.

K. SCHMIDT, Frühneolithische Tempel, in: MDOG 130, 1998, 25–43 · A. SPYCKET, La statuaire du Proche-Orient ancien, 1981.   E. B.-H.

II. ÄGYPTEN

Aus prädynastischer Zeit (ca. 4000 v. Chr.) sind kleinformatige Tierfiguren und Idole aus Elfenbein, Ton oder Stein bekannt, die aus Siedlungen und Gräbern stammen. Mit Beginn des AR, um 2700 v. Chr., bildeten sich Statuentypen für Götter, Könige und Privatleute heraus, die in vielen Fällen bis in spätant. Zeit verbindlich blieben. In den Privatgräbern des AR fanden sich Stand-/Schreitfiguren, Sitzfiguren und als Hochrelief in die Wände gemeißelte Standfiguren des Verstorbenen mit seiner Familie. Statuen aus dem königlichen Bereich unterscheiden sich von privaten Darstellungen von Männern und Frauen durch eine restriktive Ikonographie des königl. Ornats. Sphinxfiguren, Mischgestalten aus Löwenleib und menschlichem Kopf, sind nur für den König belegt. Im privaten Bereich gibt es Beispiele für die Übernahme von Typen, die zunächst nur Mitgliedern der königl. Familie vorbehalten waren, z. B. die Schreiberfigur. Umgekehrt findet sich kein derartiges Beispiel. Würfelfiguren, die in der Tempel- und Grabskulptur belegt sind, erscheinen ausschließlich als Privat-P. Die Vielfalt der Statuentypen erreichte während des NR ihren Höhepunkt. Priester und hohe Beamte waren jetzt auch in den öffentlich zugänglichen Bereichen des Tempels durch Votivfiguren vertreten. Stehend, sitzend oder als Hock- und Kniefigur zeigten diese den Beamten als Stifter/Darbringer von Götterfiguren und götterspezifischen Kultinstrumenten, wie z. B. dem Sistrum für die Göttin Hathor. So nahmen die Beamten im Tempel durch ihre Statuen am Opferumlauf teil und hatten während der Prozessionen Anteil an der Göttlichkeit des Kultbildes.

Typisch für das äg. Rundbild ist die Herstellung aus einem einzigen Steinquader. Bei aus Holz und größeren aus Kupfer gefertigten Figuren wurde diese Regel mit einem anderen Werkverfahren durchbrochen. Groß-P. wurde vorrangig aus Granit- und Dioritgesteinen, Kalzit und Sandstein gearbeitet. Kupfer wurde seit dem MR für die Herstellung sowohl königl. als auch privater Statuen verwendet (erster königl. Beleg: Ende des AR). Bronze kam bes. häufig ab der Spätzeit (600–330 v. Chr.) bei kleinformatigen Götterfiguren vor. In der Klein-P. wurden zusätzlich Elfenbein, Holz, Halbedelsteine, Glas, Kieselkeramik (sog. → Fayence) oder Gesteine mit farbigen Glasuren benutzt. Zum Abschluß wurden die Statuen beschriftet und bemalt. Davon und von der rituellen Belebung durch einen Priester hing die Wirkmächtigkeit der Figuren ab, so daß sie ihrer Funktion in Tempel- und Jenseitskult gerecht werden konnten.

G. ROBINS, The Art of Ancient Egypt, 1997 ·
W. STEVENSON SMITH, W. K. SIMPSON, The Art and Architecture of Ancient Egypt, ³1998.   HE. BL.

III. KLASSISCHE ANTIKE

A. EINLEITUNG   B. ANTIKE TERMINOLOGIE
C. ANTIKE QUELLEN UND WERTUNGEN
D. FORSCHUNGSGESCHICHTE: RENAISSANCE BIS
18. JH.   E. FORSCHUNGSGESCHICHTE: 19. JH.
F. FORSCHUNGSGESCHICHTE: 20. JH.
G. AKTUELLE FORSCHUNGSTENDENZEN
H. GATTUNGEN ANTIKER PLASTIK

A. EINLEITUNG

Die Erforschung der griech. und röm. Kunstgesch. findet zu großem Teil anhand von Werken der P. statt. Dies erklärt sich zunächst aus dem erh. Denkmälerbestand, entspricht aber auch der Bed. der P. im ant. Kunstbetrieb. P. war für die Verbreitung von Ikonographien und Stilen wesentlich sowie für die ästhetische Bildung verantwortlich. Als Aufgabe der P. galt in der Ant. die Vermittlung und Festigung von Ideen, Werten und Stimmungen, die primär oder beiläufig rel. geprägt waren. Die Funktion des plastischen Werkes lag in einer qualitativen Erhöhung seines jeweiligen Darstellungsinhaltes und Ambientes. Ant. P. hat gegenständliche (v. a. figürliche und pflanzliche) Motive zum Inhalt; selbst abstrakte Schmuckformen sind meist aus pflanzlichen Vorbildern entwickelt. Das Abbild des Menschen ist in der Rund-P. gegenüber allen anderen Motiven vorrangig, während in der Relief-P. narrative und allegorische Darstellungen überwiegen. Grundsätzlich war P. in allen Lebensbereichen anzutreffen und entstand in allen ausführbaren Maßen und verfügbaren Materialien, vorzugsweise jedoch in → Marmor, → Bronze und → Terrakotta. Eine Bevorzugung bestimmter Formate und Materialien hängt vom jeweiligen zeitlichen und kulturellen Rahmen ab.
Werke der P. waren immer eng in ihren Aufstellungskontext eingebunden, sei es Landschaft und Garten, Architektur oder Gerät, Möbel und Gebrauchsgegenstand. Die Verwendung der P. lag vorwiegend in den Bereichen von → Weihung (im → Kult), Ehrung von Personen (Grabkult, öffentlicher Raum) und Ausstattung von Räumen. Weitere Kriterien der Bewertung wie sinnlicher Genuß, technische Raffinesse und handwerkliche Leistung (→ Könnensbewußtsein) konnten unter bestimmten Umständen zum vorrangigen Aspekt des Werkes werden.

B. ANTIKE TERMINOLOGIE

Eine Unt. der P. als eines abgegrenzten Ausschnitts ant. Kultur erfordert es, deren Definition und Gattungsgliederung sowohl nach ant. Vorstellungen als auch nach neuzeitlichen, forschungsgesch. Gepflogenheiten zu beschreiben. Ant. Termini für die Werke der P. und deren Schöpfer beziehen sich meist auf den dargestellten Inhalt, auf die Funktion oder seltener auf das Material. Die Benennung nach dem Darstellungsinhalt (wie etwa Gottheiten) war bei der Angabe von Einzelwerken üblich, oft mit dem Zusatz des Genus im Griech. als andriás, → anáthēma, → ágalma, eikṓn, → sphyrḗlaton, → kolossós, → xóanon, im Lat. als statua (→ Statue), signum, simulacrum, imago, effigies. Formbezogene Definitionen als → Herme, → Clipeus [1] und → Relief sind selten; wenig gebräuchlich sind auch in der Architektur-P. die genaueren Bezeichnungen der Anbringung in Giebel, Fries oder Metopen (→ Tempel). Als übergeordnete Gattungsbegriffe wurden solche generischen Termini in der Ant. kaum verwendet.

So wie die bildende Kunst über keine eigene Muse verfügt, hat auch die P. keine ant. Sammelbezeichnung, die eindeutig wäre. Wenn Plinius die plastice als »Mutter« der caelatura, der statuaria und der sculptura bezeichnet (Plin. nat. 35,156,6), hat er den künstlerischen/technischen Schaffensvorgang des Nachbildens im Sinn, nicht aber materialbezogene Genera. Im engeren Sinn bezieht sich koroplathikós/lat. ars figulina auf die Terrakotta-P., toreutikḗ/lat. caelatura auf die Arbeit in Metall. Umstritten bleibt die vermutete Einschränkung von ars statuaria und sculptura auf Bronzewerke. Dementsprechend sind Bezeichnungen für Bildhauer und Bronzebildner zumeist materialbezogen, so griech. beim toreutḗs, plástēs, koroplástēs, lat. beim statuarius, sculptor, scalptor, fictor, gemmarius (Gemmenschneider), bzw. poetisch durch Nennung eines Werkzeuges wie des Meißels. Es überwiegt also die handwerkliche Kennzeichnung. Andere Benennungen beruhen auf inhaltlichen bzw. funktionalen Kriterien; so stellte der anthrōpopoiós oder andriantopoiós Menschen statuarisch dar, der agalmatopoiós schuf Götterbilder. Erst bei besonderer Leistung erreichte der Bildhauer den über einen Handwerker hinausgehenden Ruf eines → Künstlers im allg. Sinn und gehörte zu den summi artifices oder artifices insignes (»bedeutendsten Künstlern«). Bei etwa 600 durch Signaturen bekannten Bildhauern wird deren Tätigkeit fast immer mit griech. epoíēse(n) (ἐποίησε(ν)) bzw. lat. fecit (»hat gemacht«) bezeichnet, selten mit lat. sculpsit (»hat gemeißelt«). Zum Spezialisten wurde der Bildhauer durch außergewöhnliche künstlerische Fähigkeiten bezüglich eines Motivs, seien es Pferde oder Frauenköpfe oder die Wiedergabe von Haaren, nicht aber als Vertreter einer spezifischen formalen Gattung wie → Relief oder → Porträt. Nicht selten sind daher neben der Bildhauerei auch → Malerei und → Toreutik und sogar technische Erfindungen als weitere Tätigkeitsbereiche hervorragender Künstler überliefert.

C. Antike Quellen und Wertungen

Zur ant. Wertung von P. im Kunstgeschehen und Kunstbetrieb geben die schriftlichen Quellen keine direkte Auskunft. Die fast ausschließlich hell. kunsthistor. Fachlit. ist nur in Zit. meist zu einzelnen Werken erh., aus denen Gattungsgliederungen und allgemeine Definitionen nicht hervorgehen. Die überl. Titel verlorener Schriften lassen hingegen sehr unterschiedliche Genera erkennen; so schrieben Antigonos von Karystos (vgl. → Antigonos [6] und [7]) und → Menaichmos [4] über Bronze-P. (De toreutice), → Heliodoros [2] über Weihungen in Athen (Atheniensium anathemata) und → Pasiteles über Meisterwerke (Mirabilia opera). Die meisten Notizen aus solchen Schriften überl. Plinius ([1]), der u.a. einen Apollodoros von Athen, → Polemon [2] von Skepsis, → Xenokrates, Duris und in großem Umfang → Varro verwendete, als Gliederung der P. in seinem Werk jedoch einzig das Material – d.h. Metalle, Steine, Farben – zugrundelegt. Die von ihm angedeutete Entstehung von Genera hingegen entwickelt er kulturhistor. vom Tempelornament über Kultstatuen zu Ehrenbildern (B. 35). Eine weitere Hauptquelle stellt → Pausanias [8] dar; bei ihm als Perihegeten (→ Periegetes) ist der Aufstellungskontext das entscheidende Kriterium zur Benennung. Alle weiteren Quellen zur P. – Historiographie ebenso wie Poesie, christl. Apologetik und die → Ekphrasis von Kunstwerken in den Gedicht-Anthologien (→ Anthologie) – beschreiben lediglich einzelne Werke ohne übergeordnete Zuweisungen.

Soweit aus den Fr. der lit. Überl. ersichtlich ist, galten bei kunstästhetischen Diskussionen zu Werken der P. dieselben Kriterien und Aspekte wie bei anderen Kunstgattungen; so wird die täuschende Lebendigkeit einer Darstellung (veritas) ebenso in der Malerei wie in der P. hervorgehoben. Es wurde also keine auf den künstlerischen Schaffensprozeß oder auf funktionale Aspekte bezogene spezielle → Kunsttheorie der P. entwickelt. Vielmehr konzentrierte sich die Beurteilung auf Künstler oder Verwendungsbereiche und kulturelle Zusammenhänge. Klass. Siegerstatuen galten als Bildnisse aufgrund der Umstände ihrer Entstehung in den agonalen Heiligtümern wie → Olympia; Götterstatuen bildeten einerseits eine rel.-funktionale Gattung (→ Kultbild), zählten bisweilen aber auch zur Spezies der technischen Wunderwerke. → Bauplastik war der → Architektur untergeordnet und daher als solche selten erwähnenswert; war dies dennoch der Fall, dann war entweder ein überragender Künstler zu nennen, oder das jeweilige Thema aus Mythos und Götterwelt diente der Zuordnung, nicht aber die formalen Eigenheiten einer Gattung von Bau-P.

In der Gesamtdarstellung bildhauerischen Schaffens werden Perioden des Niedergangs und der Blüte zwar wahrgenommen; wie bei Plinius' berühmter ›Unterbrechung der Kunst‹ zw. 197 und 153 v. Chr. (Plin. nat. 34,52,1) oder dem angeblichen Niedergang der röm. Porträtkunst bewegen sich die ant. Erklärungen jedoch im kulturgesch. Bereich und werden nicht mit einer gattungsbezogenen Kunstentwicklung zusammengebracht; deshalb stimmen sie auch nicht mit unserer Kenntnis und Bewertung hell. Kunst oder röm. Porträts überein. Allg. herrschte zumindest in röm. Zeit die Vorstellung von besonderen bildhauerischen Leistungen der Griechen, was aber für andere musische Gebiete wie Malerei, Lit. oder Philos. ebenso galt. Das abrupte Ende der Produktion von Ideal-P. (P. außer Sarkophagen, Porträts und Kleinkunst, s.u. H.) im 3. Jh. n. Chr. und der langsame Niedergang der dekorativen und der Porträt-P. im 5.–6. Jh. n. Chr. spiegeln sich in den spätant. Quellen nur indirekt, indem v.a. bei den christl. Autoren die Werke der P. nur mehr mit dem Beigeschmack von Magie und mit absurden Erklärungen erwähnt werden; P. wird nun tatsächlich als Kunstgattung wahrgenommen, wenn auch nur als Kennzeichen einer abgelehnten paganen Kulturstufe. Somit wurde P. in der Ant. im gesamten wie auch in einzelnen Gattungen stets nach Kriterien der unmittelbaren Funktion, des Darstellungsinhaltes und der Technik zusammengefaßt, nicht aber in ein kunsttheoretisches System eingefügt und nach jenen Kategorien untergliedert, die in der Neuzeit, v.a. der wiss. Epoche, angelegt wurden.

D. Forschungsgeschichte: Renaissance bis 18. Jh.

Die Unterteilung der ant. P. in die in der Arch. h. etablierten Gattungen ist wissenschaftsgesch. zu erklären und letztlich in Zusammenhang mit der jeweils geltenden Kunstauffassung zu sehen. Solange im vorwiss. Umgang mit P., also in Renaissance und Barock, deren kulturelle Einbindung unbekannt war, diente sie als ästhetisches Vorbild oder nobilitierendes Sammlerstück, oder sie speiste die antiquarischen Bemühungen einer auf Benennungen konzentrierten lit. Antikerezeption. Das aristokratische Sammlerwesen des 18. und frühen 19. Jh. brachte aus praktischen Gründen eine Unterscheidung nach Gattungen mit sich: Wegen der unterschiedlichen Aufstellungsbedingungen war die Größe ein Unterscheidungskriterium, wurde statuarische Rund-P. getrennt von Relief-P. bewertet. Klein-P. hingegen war auf wertvolle Bronzen beschränkt und wurde meist mit Glyptik (→ Steinschneidekunst) in den Kunstkabinetten zusammengefaßt. Die leicht verfügbaren Sarkophage wurden durch Zersägen der übrigen Relief-P. angeglichen und ebenso zum Wanddekor bestimmt; als Sepulkralgattung wurden Sarkophage daher nicht wahrgenommen. → Porträts, v.a. röm., wurden auf benennbare histor. Personen eingeschränkt, somit als histor. Information aufgefaßt, nicht aber als Kunstgattung. Aus dem gleichen Grund wurden Kaisergalerien zusammengestellt. → Bauplastik fand, von wenigen spektakulären Ausnahmen abgesehen, nicht als eigene Gattung Interesse.

In der durch J. J. WINCKELMANN geprägten Gründungsphase der Arch. erhielt die P., bes. die statuarische Rund-P., ihren ganz eigenen hohen Stellenwert. Sie wurde als nobelste Kunstgattung der Ant. aufgefaßt, um der spätbarocken Malerei entgegengesetzt zu werden. P. wurde im Geiste der Klassik zur idealisierenden Charakter- und Geschmacksbildung herangezogen; Beachtung fand daher fast ausschließlich figürliche P. Die kunstgesch. Auseinandersetzung setzte ästhetische und moralisierende Effekte höher an als die Erforschung der Stilentwicklung; Fragen der Benennung und Deutung waren entscheidend und brachten die statuarische P. in engen Kontakt mit der Glyptik.

E. FORSCHUNGSGESCHICHTE: 19. JH.

Die folgende wiss. Periode ist vom Positivismus des mittleren 19. Jh. geprägt. Aus der Forderung nach Berücksichtigung aller Denkmäler entstanden zumeist ab dem letzten Drittel des Jh. die Unternehmungen der großen Corpora. Die Abgrenzung der P. von anderen Sparten der bildenden Kunst wie → Malerei und → Medaillon erfolgte dabei in Analogie zum Kunstbetrieb und Geschmack des 19. Jh. So ging der Streit um die farbige Erscheinung ant. P. auf die gewollte Trennung von P. und Malerei zurück; P. mußte sich nach dem Verständnis des 19. Jh. durch das Fehlen von Farbe auszeichnen und weiß bleiben (→ Polychromie). Die ant. Reste der P. wurden nach Spezies gegliedert, und allmählich bildete sich eine feste Terminologie aus. Während vorher mehr oder weniger syn. von Relikten, Monumenten oder Geräten geredet wurde, verfestigte sich »Plastik« als Begriff nun systematisch neben den »Vasen« und »Geräten«. Neben den Vorhaben zur Dokumentation der gesamten P. [2; 3; 4; 5] wurden Corpora anhand der neu entstehenden Museen oder alten Slgg. publiziert [6; 7; 8; 9; 10]; Abgußslgg. wurden gleichwertig behandelt [11].

Geschult an naturwiss. und philol. Methoden des Ordnens führte man eine Gattungsgliederung ein, die primär der Bewältigung der Masse diente; sie fußte auf dem früheren Sammlerwesen bzw. den musealen Ausstellungsmöglichkeiten und blieb bis h. verbindlich. Formale Kriterien wie Größe, Form und Material waren gegenüber inhaltlichen Kriterien vorrangig. Auf die statuarische Rund-P. folgten daher das Porträt [12; 13; 14], Reliefs [15] mit eigener Behandlung der Sarkophagreliefs [16] und die kleinformatige Terrakotta-P. [17; 18]. Auch die eigenständige Behandlung etr. P. entsprach einem schon bestehenden Sammlerinteresse [19]. Gemmen-Slgg. waren aufgrund der antiquarischen und aristokratischen Interessen der Sammler des 18. Jh. bereits als Spezialbereich etabliert [20; 21]. In derselben Weise wie die Monumente wurden schriftliche Quellen zusammengestellt [22]. Als Erfolg stellte sich bald die

Identifizierung von in Schriftquellen genannten Monumenten ein, und die Rekonstruktion von Bildhauer-Œuvres wurde möglich. Den Höhepunkt dieser Bemühungen, die im ant. Bildhauer den zeitgenössischen wiedererkennen wollten, und gleichzeitig die Grenzen des Machbaren markierten A. FURTWÄNGLERS ›Meisterwerke der griech. P.‹ von 1893.

F. FORSCHUNGSGESCHICHTE: 20. JH.

Die folgende Phase der Arch. vom späten 19. Jh. bis in die Mitte des 20. Jh. war gekennzeichnet von neuen zeitgenössischen Kunsttheorien, die wie A. RIEGLS ›Kunstwollen‹ als Interpretationsmodell, wie die Strukturforsch. und wie die ethnologisch akzentuierte Suche nach Kunstlandschaften von außen an die Arch. herangetragen wurden und nicht mehr die P. alleine betrafen; damit wurden häufig die etablierten Gattungsgrenzen überschritten. Gleichzeitig wurden jedoch die begonnenen Corpora mit neuen Akzenten fortgeführt. Die Konzentration auf die myth. Sarkophage im Sarkophag-Corpus entsprach dem aktuellen Interesse an Mythen- und Rel.-Forsch. Die Psychologie weckte das Interesse am anon. Privatporträt als Alternative zum Herrscherporträt. Der mod. Bedarf an bürgerlicher Wohnausstattung brachte mit den zeitgenössischen Nippes und Alltagsmotiven die ant. Terrakotta-P. in den Vordergrund und verursachte in Verbindung mit einem neuen politisch-sozialen Interesse an »rassischen und gesellschaftlichen Außenseitern« die Etablierung der Kategorie einer sog. Alexandrinischen Kleinkunst. Derselbe bürgerliche Ausstattungsbedarf verstärkte die Unterscheidung zw. Kopien und Originalen, wodurch diese den Status eigener Gattungen erreichten. Bau-P. wurde nach streng architektonischen Gesichtspunkten systematisiert, da sie den Bedarf an neoklassizistischer Architekturausstattung zu decken half. Griech. Grabreliefs wurden aufgrund des rel. Interesses am Tod und der zeitgenössischen Friedhofskultur als eigene Gattung angemeldet. Gleichzeitig wurden viele Arten röm., aber auch späthell. Reliefs zwar ikonographisch, nicht aber als Ausstattungsgattungen untersucht.

Eine Übereinstimmung ant. Kategorien mit der zeitgenössischen Kunstpraxis wurde als selbstverständlich vorausgesetzt, weshalb die sog. Meister-Forsch., d. h. die Rekonstruktion eines individuellen Künstlerœuvres, über alle Unsicherheiten hinweg als erfolgreich galt. Meisterwerke (Opera nobilia) wie der Zeus des → Pheidias wurden unter die monumentale P. eingereiht, nicht aber als technische Wunderwerke gesehen wie in der Ant. Die Rezeption der ant. P. ist in dieser Epoche (analog zur Gattungseinteilung) ebenso vom eigenen Zeitgefühl bestimmt, etwa bei der Erfindung eines ant. »Rokoko«, bei der polit. von Faschisten wie von ihren Gegnern ausgeschlachteten »Klassik« des Doryphóros (→ Polykleitos [1], III.) oder bei den Zeitängsten vor, während und zw. den Weltkriegen, die im expressiven Stil und der kriegerischen Thematik der P. am E. des 2. Jh. n. Chr. wiedererkannt und als antoninischer Stilwandel thematisiert wurden.

Nach dem 2. Weltkrieg erfolgte als Reaktion auf jenes nun teilweise verpönte stark interpretierende Verständnis ant. P. eine Hinwendung zum Neopositivismus mit Wiederaufnahme bzw. Neubeginn von Corpora zunächst im Rahmen der herkömmlichen Gattungen [23; 24; 25]. Ein neues Corpus der gesamten P. wurde nach den meist provinziellen Herkunftsländern organisiert, womit neue Interpretationsansätze ermöglicht wurden, die sich von der »Meister-Forsch.« und Kunstästhetik entfernen und stärker an Rezeption und Funktion orientiert sind [26]; auch bei kleineren Gattungen setzte eine regionale Differenzierung ein [27]. Die Zusammenstellung der röm. Herrscherporträts, bereits 1939 begonnen, wurde fortgeführt und zugleich um Rezeptions- und Quellenfragen erweitert [28]. Neu ins Blickfeld traten späthell. und röm. Reliefgattungen, die vom Ausstattungszweck bestimmt, also ebenfalls kulturhist. relevant sind. Sie verlangen eine noch feinere Gattungsunterscheidung, so daß Corpora mit ihrem groben Raster zunehmend von Katalogen der jeweils zu untersuchenden Monumentgattung abgelöst wurden. Unter dem Oberbegriff der Ausstattungs-P. wurden u.a. Marmorkandelaber [29], Schmuckreliefs [30], Schmuckbasen [31], Marmorvasen [32] bis hin zu den frühchristl. Tischplatten [33] zusammenfassend bearbeitet. Dem Interesse an einer Neubewertung röm. P. entsprechend wurden Grabaltäre [34] und Kastengrabsteine [35] zusammengestellt. Mit dem ›Repertorium der christlichen antiken Sarkophage‹ (hrsg. von BRANDENBURG) wurde der spätant. Sepulkralkultur Rechnung getragen.

Von den Forsch. zur P. als Ausstattungselement eines räumlichen Ambientes [36; 37; 38] oder als Medium einer Repräsentationskunst in histor. Zusammenhängen [39] gelangte man zunehmend zu gesamtkulturellen Darstellungen, in denen P. keine Sonderrolle mehr gegenüber anderen Medien spielt und schließlich als Teil eines gesellschaftlichen Diskurses begriffen wird [40; 41]. Gleichzeitig und ebenfalls als Alternative zur traditionell stilgesch. arrangierten Kunstgesch. der P. traten materialorientierte Zusammenstellungen auf, in denen Bronze, Marmor und Terrakotta zu Gattungsbegriffen werden. Diese sind bei Grabungspublikationen die Regel, werden aber auch bei Gesamtdarstellungen der P. verwendet, womit sie sich unbewußt wieder der Systematik des Plinius nähern.

G. Aktuelle Forschungstendenzen

Die gegenwärtige Forsch. verfolgt sehr unterschiedliche Fragen und daher auch Methoden im Umgang mit P. Entsprechend unsicher ist der Umgang mit den Quellen und Hilfsmitteln geworden. Als primäre Quelle gilt immer noch die schriftliche Überl., wobei aber zu fragen ist, wieweit diese Texte in ihrer Gesamtheit überhaupt dem Denkmälerbestand entsprechen und somit als Zeugnisse zu werten sind; aufgrund ihrer oft um Jahrhunderte vom Zeitpunkt der Entstehung der einzelnen Werke entfernten Niederschrift sind sie eher als Texte späterer Rezeption zu betrachten. Für Informationen zur P. stehen daneben bildliche und epigraphische Zeugnisse zur Verfügung. Epigraphisch sind jedoch selten mehr als die Benennungen zu erfahren, informative → Epigramme gibt es nur wenige. Bildliche Zeugnisse wie die Wiederholung von Statuentypen auf Urkundenreliefs, auf histor. Reliefs oder in der Vasenmalerei sowie auf Mz. sind wertvoll zur Rückgewinnung, Benennung und Lokalisierung verlorener ant. Werke. Die ant. Praxis des Kopierens (→ Kopienwesen) liefert dafür seit jeher das wichtigste Hilfsmittel, wenn die Distanz zum gesuchten Original anhand einer Rezension der Repliken berücksichtigt wird. Der Erfolg ist von der Verfügbarkeit der Monumente abhängig, womit sich die Bereitstellung von Corpora als wichtige Aufgabe rechtfertigt. Der Festlegung von Kriterien für die Ausweisung von Gattungen kommt dabei eine entscheidende Rolle zu; die Gesch. der Erforschung ant. P. zeigt, wie einmal definierte Gattungsgrenzen dauerhaft werden können und wie das Spektrum an Fragestellungen dadurch eingeengt werden kann. Eine Zusammenstellung auf elektronischen Datenträgern [42] kann daher mehr Offenheit bieten, da sie gleichzeitig verschiedenartige Systematisierungen erlaubt.

H. Gattungen antiker Plastik

Der folgende Überblick über das gesamte Spektrum ant. P. ist an den o.g. eingeführten Gattungen orientiert. Rund-P. versteht sich als freistehend und umfaßt Statuen und Statuengruppen einschließlich stark unterlebensgroßer Statuetten und mehrfache Lebensgröße erreichender Kolossal-P. Als Gruppen [43] gelten nicht nur in Kontakt und auf einer Basis gearbeitete Statuen, sondern auch Zusammenstellungen von Einzelstatuen aufgrund einer inhaltlichen (Familien-Gruppen) oder funktionalen (Siegesvotiv) Verbindung. Innerhalb der Rund-P. gilt als Ideal-P. die Darstellung der Götter- und Heroenwelt; sie umfaßt aufgrund der oft nicht möglichen Benennung auch Athletenstatuen. Die Ideal-P. überschneidet sich häufig mit den Kategorien der Gewandstatue, der Sitzstatue sowie der Genre-P. mit Motiven aus der Alltagswelt. Tier-P. wird als eigene Gattung wahrgenommen. Als Porträtstatuen gelten solche mit Porträtköpfen, die aber stets auf idealen Körpertypen sitzen. Bei Bronzewerken spricht man von Großbronzen [44], auch wenn sie nur lebensgroßes Format erreichen, bei Statuettenformat hingegen von Kleinbronzen. Eine auf Bronzen beschränkte thematische Gattung bilden Lychnuchoi oder Lampadophoren, Lampen oder oft auch Tabletts haltende Jünglingsstatuen. Zumeist zwar noch rundplastisch gearbeitet, aber in Architektur eingebunden sind Stützfiguren (Atlanten, → Karyatiden, Telamone). Die Klein-P. umfaßt neben Statuetten vielfältige Geräteteile wie Appliken an Möbeln (Klinen-Fulcra), Spiegelstützen, Gewichte.

Die weitgehend fragmentierte Erhaltung der griech. und röm. P. ließ den Begriff des Torso aufkommen, bei dem in der Regel der Kopf und die Mehrzahl der Gliedmaßen fehlt. Einzeln gearbeitete Köpfe und Gliedmaßen sind hingegen meist Teile von → Akrolithen. Von der kompletten Körperdarstellung weichen die Gattungen der → Hermen und → Büsten ab. Sofern sie mit Porträts versehen sind, werden sie ebenso wie → Clipeus-Porträts der Gattung der → Porträts zugerechnet. Porträts werden unterschieden nach Privatporträts, die unbenennbare oder histor. nicht relevante Personen darstellen, nach den überwiegend griech. Philosophen- und Dichterporträts sowie nach hell. bzw. röm. Herrscherporträts, zu denen jeweils auch die Familienangehörigen zählen. Sie wurden in der Ant. in größeren Gruppen als Galerien verwendet, unter denen die Hermengalerien mit Hinzufügung von Idealköpfen wiederum eine Sondergruppe bildeten.

Eine differenzierte Gattungsgliederung gilt für → Reliefs je nach der Art des Reliefträgers. Basen, Altäre, Grabaltäre finden sich oft zu einer Gruppe zusammengefaßt, Urnen und Osteotheken werden hingegen den Sarkophagen zugerechnet [45], einschließlich der Klinenmonumente. Teils aufgrund der ähnlichen Bildthematik, teils wegen ähnlicher Ausstattungsfunktion sind → Oscilla, → Puteale, myth. Schmuckreliefs und neuattische Reliefs gemeinsam zu behandeln. Weihreliefs stehen ikonographisch den Urkundenreliefs nahe. Unter histor. Reliefs sind fast immer in Architektur eingebundene Darstellungen des polit. oder mil. Lebens zu verstehen.

Als Bau-P. gelten → Fries, → Metopen und Giebel-P. sowie rundplastische → Akrotere. Stylopinakia, an Säulen angebrachte Relieftafeln, sind eine seltene Form der Bau-P. Zur Bau-P. sind auch ornamentale, meist pflanzlich dekorierte Teile wie die Kapitelle (→ Säule) und Simen (→ Sima) zu rechnen. Großflächige Reliefs am Bau sind selten (→ Ara Pacis Augustae; Pergamon-Altar). Marmormöbel sind der P. zuzurechnen, wenn sie Reliefschmuck tragen; dazu zählen → Throne, Trapezophoren und rundplastische, in der Spätant. oft vielfigurige Tischstützen.

Im Unterschied zu Bronze, Marmor und anderen Steinsorten wird Terrakotta-P. zumeist als eigene Gattung vom kleinsten Statuettenformat bis zu lebensgroßen Figuren zusammengefaßt und häufig auch mit Terrakotta-Reliefs gemeinsam publiziert. Als gesonderte Gattungen gelten die sog. Campana-Reliefs (→ Relief) – nach einem Sammler benannte Wandverkleidungen mit figürlichen und pflanzlichen Darstellungen –, das gesamte Repertoire der Terrakotta-Verkleidungen an etr.-mittelital. Sakralbauten sowie die Votiv-Gattungen der sog. Lokrischen und Melischen Reliefs.

Im kleinsten Format erscheint Relief-P. in der Glyptik [46] (→ Steinschneidekunst), an Schmuck als oft rundplastische Anhänger, an Edelmetallgefäßen als Appliken (crustae) und an verschiedensten Möbeln, Geräten oder Fahrzeugen in der Form von rundplastischen Attachen oder reliefierten Zierbändern. Auf Mz. und Medaillen kann Relief-P. höchste Qualität erreichen.

Die Erforschung der P. im Rahmen der verschiedenen Gattungen wird h. immer noch als inzwischen umstrittene Domäne der vorrangig dt.-sprachigen

Kunst-Arch. gesehen. Es wird immer noch »Meister-Forsch.«, etwa um Polyklet (→ Polykleitos [1]), betrieben. Bildhauerschulen werden zusammengestellt, so die Polykletschule oder eine pergamenische Schule. Näher an der Rezeption orientierte Stud. gehen den Problemen der Differenzierung von Kopie, Variante oder Nachschöpfung eines Typus nach und untersuchen Stilphänomene wie Klassizismus, Eklektizismus oder Archaismus.

Als Ausweg aus dem Dilemma einer stets subjektiven Stilbetrachtung erscheint eine archäometrische, d. h. technisch-naturwiss. Untersuchung. Die Unt. von ant. Gußverfahren und Metallbearbeitung, Bildhauertechniken und Herkunftsbestimmungen von Marmorsorten sowie Produktionsvorgängen bei Terrakotten gerät zwar gerne zum Selbstzweck, kann aber zur Erkenntnis der Schaffensprozesse auch im künstlerischen Bereich klärend beitragen.

Par. wird ein kultur- und sozialgesch. Ansatz verfolgt. Ant. P. wird dabei in ihrem eigenen Entstehungs- und Wirkungsbereich betrachtet. Wichtige Bereiche sind hier die polit.-soziale Interpretation der P. der klass. Zeit, die Erklärung der staatlich-offiziellen Funktion der histor. Reliefs und rundplastischen Denkmäler in röm. Zeit, die mentalitätsgesch. Erforschung von P. verschiedenster Gattungen im privaten Wohnbereich des Hell. und der Kaiserzeit sowie in der sepulkralen Sphäre.

→ Bauplastik; Etrusci, Etruria C.2.; Kopienwesen; Künstler; Kunsttheorie; Minoische Kultur und Archäologie D.5.; Mykenische Kultur und Archäologie C.; Phönizier/Punier II.A.3.; Porträt; Pyrenäenhalbinsel; Relief; Sarkophag; Statue; Zypern; Abguss; Antikensammlung; Museum

1 A. Kalkmann, Die Quellen der Kunstgesch. des Plinius, 1896 2 BrBr 3 P. Arndt, W. Amelung, Photographische Einzelaufnahmen ant. Skulpturen, 1893–1941 4 Reinach, RSt 5 Reinach, RR 6 F. de Clarac, Musée de sculpture antique et moderne, 1841–1853 7 Matz/Duhn 8 Helbig 9 A. Michaelis, Ancient Marbles in Great Britain, 1882 10 Espérandieu, Rec. 11 C. Friederichs, Bausteine zur Gesch. der griech.-röm. P., 1868 12 ABr 13 J. J. Bernoulli, Röm. Ikonographie, 1882 14 Ders., Griech. Ikonographie, 1901 15 Conze 16 C. Robert, Die ant. Sarkophag-Reliefs, 1890ff. 17 R. Kekulé (Hrsg.), Die ant. Terrakotten, 1880–1911 18 P. Jacobsthal, Die melischen Reliefs, 1931 19 H. Brunn, I rilievi delle urne etrusche, 1870 20 T. Cades, Impronte gemmarie, 1831–68 21 Furtwängler 22 Overbeck 23 CMS 24 AGD 25 Clairmont 26 CSIR 27 Pfuhl/Möbius 28 Herrscherbild 29 H. U. Cain, Röm. Marmorkandelaber, 1985 30 H. Froning, Marmor-Schmuckreliefs mit griech. Mythen im 1. Jh. v. Chr., 1981 31 O. Dräger, Religionem significare, 1994 32 D. Grassinger, Röm. Marmorkratere, 1991 33 J. Dresken-Weiland, Reliefierte Tischplatten aus theodosianischer Zeit, 1991 34 D. Boschung, Ant. Grabaltäre aus den Nekropolen Roms, 1987 35 V. Kockel, Porträtreliefs stadtröm. Grabbauten, 1993 36 H. Manderscheid, Die Skulpturenausstattung der kaiserzeitlichen

Thermenanlagen, 1981 **37** M. KREEB, Unt. zur figürlichen Ausstattung delischer Privathäuser, 1988 **38** R. NEUDECKER, Die Skulpturenausstattung röm. Villen in It., 1988 **39** T. HÖLSCHER, Staatsdenkmal und Publikum, 1984 **40** G. P. R. MÉTRAUX, Sculptors and Physicians in Fifth-Century Greece, 1995 **41** A. STEWART, Art, Desire, and the Body in Ancient Greece, 1997 **42** J. BERGEMANN, Datenbank klass. Grabreliefs des 5.–4. Jh. v. Chr., 1998 **43** Hell. Gruppen. GS für Andreas Linfert, 1999 **44** K. KLUGE, K. LEHMANN-HARTLEBEN, Die ant. Großbronzen, 1927 **45** KOCH/SICHTERMANN **46** ZAZOFF, AG.

J. OVERBECK, Gesch. der griech. P., 1857–1858 · H. BRUNN, Gesch. der griech. Künstler, 1857–1859 · LOEWY · A. FURTWÄNGLER, Meisterwerke der griech. P., 1893 · G. LIPPOLD, Kopien und Umbildungen griech. Statuen, 1923 · PICARD · LIPPOLD · G. M. A. RICHTER, The Sculpture and Sculptors of the Greeks, 1950 · J. MARCADÉ, Recueil des signatures de sculpteurs grecs, 1953/1957 · A. RUMPF, Arch., 2 Bde., 1953/56 · W. H. SCHUCHHARDT (Hrsg.), Ant. P., 1962 ff. · B. SCHWEITZER, Zur Kunst der Ant., 1963 · HdArch., Bd. 1: Allgemeine Grundlagen der Arch., 1969 (= HdbA 6) · A. W. LAWRENCE, Greek and Roman Sculpture, 1972 · P. ZANKER, Klassizistische Statuen, 1974 · R. LULLIES, Griech. P. Von den Anf. bis zum Beginn der röm. Kaiserzeit, 1979 · F. COARELLI (Hrsg.), Artisti e artigiani in Grecia, 1980 · FUCHS/FLOREN · STEWART · D. E. E. KLEINER, Roman Sculpture, 1992 · W. FUCHS, Die Skulptur der Griechen, ⁴1993 · B. S. RIDGWAY, The Study of Classical Sculpture at the End of the 20th Century, in: AJA 98, 1994, 759–772 · C. ROLLEY, La sculpture grecque, Bd. 1: Des origines au milieu du Vᵉ siècle, 1994 · C. C. MATTUSCH, Classical Bronzes. The Art and Craft of Greek and Roman Statuary, 1996.   R. N.

Plataiai (Πλάταιαι, Πλαταιαί, lat. *Plataeae*; Ethnikon Πλαταιεύς). Stadt in Süd-Boiotia am Nordausläufer des → Kithairon, in der Nähe des Asopos. Die Siedlung war von helladischer bis in byz. Zeit besiedelt [1]. Die h. noch erkennbare Stadtmauer stammt aus unterschiedlichen Zeiten. Wohl unter → Philippos [4] II. wurde ein ca. 3 km langer Mauerring errichtet [2]. Im homerischen Schiffskatalog (Hom. Il. 2,504) erwähnt, stand P. in archa. Zeit in Konfrontation zu Theben (→ Thebai) und schloß sich um 519 v. Chr. Athen an [3]. Ob P. Bestandteil des athenischen Polis-Territoriums wurde, ist umstritten [4]. 490 v. Chr. beteiligte sich P. an der Schlacht bei Marathon [5] (→ Perserkriege). 480 v. Chr. wurde P. von den Persern zerstört. Hier fand 479 v. Chr. die entscheidende Schlacht gegen diese statt [6]. Nach 446 besetzte P. gemeinsam mit benachbarten Orten zwei Boiotarchen-Stellen des Boiot. Bundes (→ Boiotarchen). P. war zu Anf. des → Peloponnesischen Krieges mit Theben verfeindet. Nach zweijähriger Belagerung wurde die von einer att. Besatzung geschützte Stadt 427 von Sparta und Theben zerstört. Der nicht zerstörte Hera-Tempel blieb Stätte des Festes der Daidalia [7. Bd. 1, 242–259]. Um 380 v. Chr. wurde P. mit Hilfe von Sparta wiederhergestellt, von Theben 374/3

erneut zerstört. Philippos [4] II. sorgte für die Wiederbesiedlung, Alexandros [4] d. Gr. stattete P. mit Privilegien aus. Neben dem Hera-Tempel existierte in P. u. a. ein Heiligtum des Zeus Eleutherios [7. Bd. 3, 125–143], dessen Altar von Griechen nach der Schlacht bei P. geweiht worden war. Nach 479 v. Chr. wurde das Fest der Eleutheria [8] eingerichtet, das man nach Reorganisation unter Hadrianus noch im 3. Jh. n. Chr. beging. Für das 3. Jh. v. Chr. ist ein Doppelkult des Zeus Eleutherios und der → Homonoia in P. belegt. Das »Koinon der Hellenen« war nun für die Durchführung der Eleutheria zuständig [9].

1 FOSSEY, 102–112 **2** A. KONECNY, Der P.-Survey 1996–1997, in: JÖAI Beih. 67, 1998, 53–62 **3** N. G. L. HAMMOND, Plataea's Relations with Thebes, Sparta, and Athens, in: JHS 112, 1992, 143–150 **4** E. BADIAN, From Plataea to Potidaea, 1993, 109–124 **5** D. HENNIG, Herodot 6,108: Athen und P., in: Chiron 22, 1992, 13–24 **6** PRITCHETT 5, 92–137 **7** SCHACHTER **8** L. PRANDI, Platea: momenti e problemi della storia di una polis, 1988, 161–173 **9** R. ÉTIENNE, M. PIÉRART, Un décret du Koinon des Hellènes à Platées..., in: BCH 99, 1975, 51–75.   K. F.

Platane (πλάτανος/*plátanos*, poet. πλατάνιστος/*platánistos*, lat. *platanus*) bezeichnet den in Südeuropa schon mindestens seit Hom. (Il. 2,307–13) wachsenden Baum Platanus orientalis L. Nach Plin. nat. 12,6 wanderte die P. über das Ionische Meer nach Sizilien und von dort nach It. In Nordeuropa bürgerte man sie später ebenfalls ein. Durch die namengebenden breiten (πλατύς/*platýs*, »breit«, »weit«) Blätter spendete sie viel Schatten, in dem man sich wie in Platons *Phaidros* (Plat. Phaidr. 229a-230b) lagern konnte. Im Alt. war der Baum als Pfropfunterlage z. B. für Birnen- (Pall. agric. 3,25,17), Feigen- (ebd. 4,10,32), Kirsch- (ebd. 11,12,6) und Pfirsichreiser (ebd. 12,7,8) beliebt. Bei Gortyna auf Kreta soll eine P., unter der Zeus die → Europa geliebt habe, ihre Blätter nie verloren haben (Theophr. h. plant. 1,9,5). Dieses und weitere berühmte Exemplare erwähnt Plin. nat. 12,9–12. Durch Beschneiden erzielte man nach Plin. nat. 12,13 Zwerg-P. (*chamaeplatani*). In Wein gekochte zarte Blätter galten nach Dioskurides (1,79 WELLMANN = 1,107 BERENDES) als entzündungshemmend, die mit Essig gekochte Rinde sollte gegen Zahnschmerzen helfen. Die noch grünen kugeligen Früchte (τὰ σφαιρία/*sphairía*) sollten, in Wein getrunken, Schlangenbisse heilen.

H. GOSSEN, s. v. Platanos (1), RE 20, 2337 f.   C. HÜ.

Plataniston (Πλατανιστών). Fluß in Süd-Arkadia (Paus. 8,39,1), der im Tetrazio (1389 m H) entspringt, nördl. an → Lykosura vorüberfließt und östl. von Kalivia Karion linksseits in den Alpheios [1] mündet.

F. BÖLTE, s. v. P. (2), RE 20, 2335.   E. O.

Platon (Πλάτων).

[1] Athenischer Philosoph, 428/7 – 348/7 v. Chr.

A. Leben   B. Bildnis   C. Schriften

D. Indirekte Überlieferung

E. Kritik der Schriftlichkeit

F. Dialogform   G. Platons Philosophie

H. Nachwirkung

A. Leben

Unsere wichtigsten Quellen für das Leben P.s sind neben dem Siebten Brief (der aber keine vollständige Autobiographie geben will) und neben zahlreichen verstreuten Nachr. bei verschiedenen ant. Autoren (darunter bes. ergiebig → Plutarchos' [2] ›Leben des Dion‹ und → Philodemos' *Academica* Gaiser / *Academicorum Historia* Dorandi) die fortlaufenden Darstellungen bei Apuleius, *De Platone et eius dogmate* (→ Ap(p)uleius [III]), → Diogenes [17] Laertios, *Vitae philosophorum* (3. B.), → Olympiodoros in Plat. Alk. Kap. 1–2 Westerink und in den anon. *Prolegomena* (ed. L. G. Westerink) [1]. Diese Werke fußen ihrerseits auf einer umfangreichen verlorenen P.-Lit. (kurzer Überblick [2. 179f.]), die bereits mit der ersten Schülergeneration einsetzte (→ Speusippos, Πλάτωνος περίδειπνον/›Leichenschmaus für P.‹, fr. 1 Tarán; Xenokrates Περὶ τοῦ Πλάτωνος βίου/›Über P.s Leben‹, fr. 53 Heinze; Aristoteles fr. 650 Rose). Moderne biographische Versuche bei [3; 4].

P. wurde 428/7 v. Chr. in Athen (oder in Aigina) geboren als Sohn einer vornehmen und wohl auch reichen Familie, die sich väterlicherseits auf den mythischen König Kodros zurückführte, während die mütterliche Linie gemeinsame Ahnen mit → Solon nachweisen konnte. Sein Vater war Ariston, seine Mutter → Periktione; sein eigener Name soll urspr. Aristokles gewesen sein, P. sei er erst als Jüngling genannt worden (Diog. Laert. 3,4). Mit unbefangenem aristokratischen Familienstolz preist P. rep. 368a die Herkunft seiner Brüder Glaukon und Adeimantos – und damit seine eigene – sowie Charm. 157e f. die seines Onkels → Charmides [1]. Auch das Lob Solons (Plat. Tim. 21c-d) ist in diesem Licht zu sehen.

Nach einer sorgfältigen Erziehung soll der junge P. sich sowohl im Sport (als Ringer an den Isthmischen Spielen: Dikaiarchos fr. 40 W.) als auch in der Malerei und vor allem in der Dichtung versucht haben. Seine Tragödien habe er nach der Begegnung mit → Sokrates verbrannt (zu den P. zugeschriebenen Epigrammen s.u. C.). Sein erster philos. Lehrer war nach Aristot. metaph. 1,6,987a 32 der Herakliteer → Kratylos. Erst mit 20 J. schloß er sich Sokrates an. P.s Kindheit und Jugend fallen in die Zeit des → Peloponnesischen Krieges. Kriegsdienst, vermutlich in der Reiterei, in dessen letzten J. und/oder in späteren Kriegen Athens ist wahrscheinlich ([3. Bd. 1, 136f., Bd.2, 4], nach Diog. Laert. 3,8 und Ail. var. 7,14).

Nach der Eroberung Athens durch → Lysandros [1] (Frühjahr 404) übernahmen die sog. 30 Tyrannen (→ *triákonta*) die Führung in Athen, unter ihnen P.s Verwandte → Kritias und → Charmides [1], die ihn zur Beteiligung am polit. Leben aufforderten. P. zögerte zunächst, erkannte bald die verbrecherische Natur des Regimes (Plat. epist. 7,324c ff.). Doch auch unter der 403 restaurierten Demokratie, deren polit. Mäßigung P. anerkannte, ließ sich bei seinen hohen moralischen Maßstäben nicht Politik treiben (ebd. 325a ff.). Der Prozeß gegen Sokrates (Frühjahr 399) bestätigte ihn in dieser Auffassung. Bei der Verurteilung seines Lehrers durch ein Volksgericht war P. zugegen (Plat. apol. 34a; 38b), bei den Gesprächen in der Todeszelle nicht (Plat. Phaid. 59b). Den Tod des Sokrates wertete P. zeitlebens nicht als bloßen Justizirrtum, sondern als Ausdruck der systemimmanenten Moral- und Philos.-Feindlichkeit der att. Demokratie.

Nach dem Tod des Sokrates ging P. zu → Eukleides [2] nach Megara, vielleicht weil er sich in Athen gefährdet fühlte, kehrte aber bald zurück. Der Beginn seiner schriftstellerischen Tätigkeit fällt wohl in die Jahre ab 399 (für [3. Bd. 1, 98] sind Ἴων (*Íōn*), Ἱππίας β᾽ (*Hippías minor*) und Πρωταγόρας (*Prōtagóras*) vor Sokrates' Tod geschrieben). Nach Aussage des 7. Briefes hat P. die Grundüberzeugung der Πολιτεία (*Politeía*, lat. *Res publica*), daß das polit. Unheil erst aufhören würde, wenn die Philosophen die Herrschaft übernähmen oder die Herrscher zu Philosophen würden (sog. Philosophenkönigssatz), vor seiner Ankunft in Sizilien, also schon in den 390er Jahren, geäußert (epist. 7,326a-b) – ob schriftlich oder mündlich, wird nicht klar. Eine große Bildungsreise, wohl 390–388, führte P. erst nach Ägypten, dann nach Kyrene, wo der Mathematiker → Theodoros wirkte, von dort nach Unteritalien zum pythagoreischen Staatsmann und Philosophen → Archytas von Tarent und schließlich nach Syrakus an den Hof des Tyrannen → Dionysios [1] I. Dort gewann er in dessen Schwager → Dion [I 1] einen begeisterten Anhänger seiner Weltsicht (Plat. epist. 7,326e ff.). Auf der Rückreise geriet P. in Gefangenschaft und wurde in Aigina als Sklave verkauft. Sein neuer Herr Annikeris ließ ihn frei. Gleich nach seiner Rückkehr muß P. 388/7 die Akademie (→ *Akadēmeia*) gegründet haben, die bald hohes Ansehen gewann. Ort des Unterrichts war ein eigenes Grundstück und das Gymnasion im Hain des Akademos (nordwestlich vor den Toren Athens). P. erhob – da selbst begütert – keine Gebühren von den Schülern. Der Unterricht umfaßte eine Vielzahl von Fächern, Mathematik galt als bes. wichtig. Außer P. lehrten auch Fachwissenschaftler und Philosophen wie → Eudoxos [1], → Speusippos, → Xenokrates und → Aristoteles [6] an der Akademie. P.s Schule wurde insbes. wegen ihres polit. Anspruchs von → Isokrates als gefährliche Konkurrenz empfunden [5].

367 starb Dionysios I. Dion [I 1] bestürmte P., nach Sizilien zu kommen, mit dem Ziel einer Reform der Herrschaft in philos. Sinne, wofür das Interesse des jungen Thronfolgers Dionysios [2] II. an platon. Philos. eine günstige Gelegenheit zu bieten schien. P. reiste 366

nach Syrakus, mehr aus dem Gefühl der Verpflichtung gegen Dion als aus reformerischem Enthusiasmus (Plat. epist. 7,327c–329b). Polit. Gegner verhinderten die philos. Einflußnahme P.s auf Dionysios. Statt dessen entzweite sich letzterer mit Dion, der nach Athen ins Exil ging. Erst 365 konnte auch P. zurückkehren. Noch schlechter verlief ein zweiter Versuch: Dionysios sandte 361 ein Schiff nach Athen, um P. die Anreise zu erleichtern; es kam zu einem einzigen philos. Gespräch mit dem Tyrannen (ebd. 345a), die versprochene polit. Aussöhnung mit Dion blieb jedoch aus. Schließlich sah sich P. durch die Söldner des Dionysios, die am Erhalt der → Tyrannis interessiert waren, persönlich bedroht (ebd. 350a). Durch diplomatische Vermittlung des Archytas konnte er schließlich 360 abreisen. Trotz dieser negativen Erfahrungen verweigerte P. dem mil. Unternehmen, das Dion nun gegen Dionysios führte, seinen Segen, weil er in Dionysios weiterhin den Gastgeber sah, der sein Leben gegen den Rat der Verleumder geschont hatte (ebd. 350c).

Vermutlich in das letzte Jahrzehnt seines Lebens fällt P.s Vorlesung ›Über das Gute‹, die er nach Aristoxenos (Harmonica II, p. 30 M.) öffentlich vor einem ungeschulten Publikum hielt, das mit Unverständnis und Geringschätzung reagierte. Den im öffentlichen Auftreten liegenden Verstoß gegen P.s Auffassung vom richtigen (d. h. nur internen) philos. Umgang mit dem »größten Lehrgegenstand« (vgl. μέγιστον μάθημα/ mégiston máthēma, Plat. rep. 504d) erklärt K. GAISER plausibel durch den Zwang zur Rechtfertigung in einer Zeit polit. Intoleranz [6]. P. schrieb bis zu seinem Tod 348/7 an seinem letzten und umfangreichsten Werk, den ›Gesetzen‹, die er unfertig hinterließ (Diog. Laert. 3,37); sein Schüler und Sekretär → Philippos [29] von Opus gab das Werk heraus.

B. BILDNIS

Nach einer Nachricht bei Diog. Laert. 3,25 weihte ein Perser names Mithridates den Musen eine von Silanion gefertigte P.-Statue. Die 16 erh. röm. Kopien des Kopfes gehen alle auf dieses Bildnis zurück [7]. Als beste Kopie gilt die in der Münchener Glyptothek [8. 134 mit Abb. 58 a, b]. Die Datier. des Originals ist umstritten: für viele ist Silanions Statue nach P.s Tod entstanden, nach anderen vor 363 (Tod eines Mithridates von Kios). Lit. und Datier. um 360 [8. 134f., 497]. 11 der 16 Kopien sind abgebildet bei [9. nach S. 884].

C. SCHRIFTEN
1. BESTAND 2. ECHTHEIT
3. CHRONOLOGIE

1. BESTAND

Alles, was die Ant. unter P.s Namen führte, ist uns erh. Das *Corpus Platonicum* der hsl. Überl. umfaßt: (1) 36 in »Tetralogien« angeordnete Schriften, bestehend aus 34 Dialogen, der Ἀπολογία Σωκράτους (›Apologie des Sokrates‹) und einer Slg. von 13 Briefen, (2) 6 kurze

Dialoge, die schon in der Ant. als unecht galten, (3) eine Slg. von – wohl nachplatonischen – Definitionen (Ὅροι). Außerhalb des Corpus sind überl.: (4) 2 weitere Briefe (Epistolographi Graeci 531 f. HERCHER), (5) eine Slg. von Dihairesen bei Diog. Laert. 3,80–109 und vollständiger im Cod. Marcianus 257, (6) 32 Epigramme und ein Fr. von 7 Versen aus einem hexametrischen Gedicht [10].

Aristoteles zitiert im erh. Werk 17 der Dialoge, die auch h. als die philos. wichtigsten zählen [11. 598 f.], was natürlich nicht bedeutet, daß er die übrigen nicht kannte oder für unecht hielt. In Alexandreia befaßte man sich seit dem 3. Jh. v. Chr. mit den Dialogen; nach Diog. Laert. 3,61 ordnete → Aristophanes [4] von Byzanz sie in Trilogien an. Durchgesetzt hat sich die Anordnung in neun Tetralogien, die man (nach Diog. Laert. 3,56) mit dem Namen → Thrasyllos (1. Jh. n. Chr.) verbindet, obschon sie mit Sicherheit älter ist [3. Bd. 2, 324] (Kritik der Tetralogienordnung [12. 494 ff.], Würdigung ihres Grundgedankens bei [3. Bd. 2, 324 f.]). Die Slg. beginnt mit den vier Dialogen, für die der Prozeß des Sokrates wesentlich ist. In der zweiten Tetralogie findet sich der Θεαίτητος (*Theaítētos*), dessen fiktives Datum gleichfalls in die Zeit des Prozesses weist (Tht. 210d), sowie die mit ihm verknüpften Werke Σοφιστής (*Sophistḗs*) und Πολιτικός (*Politikós*). Die späte Entstehung der Νόμοι (*Nómoi*, lat. *Leges*) und einiger Briefe war stets bekannt, diese Schriften stehen daher in der neunten Tetralogie. Die übrigen Werke sind nach sachlichen Gesichtspunkten zusammengefaßt, z. B. enthalten die 6. und 7. Tetralogie die Auseinandersetzungen mit den Sophisten.

2. ECHTHEIT

Während Thrasyllos überzeugt war, daß die neun Tetralogien nur Echtes enthalten (Diog. Laert. 3,57), haben andere ant. Platoniker bereits die Echtheit einiger Werke angezweifelt, etwa von Ἀλκιβιάδης β' (*Alkibiádēs 2*), Ἵππαρχος (*Hípparchos*), Ἐρασταί (*Erastaí*) sowie der Ἐπινομίς (*Epinomís*), die heute bei allen als sicher nachplatonisch und sehr wahrscheinlich als Werk des → Philippos [29] von Opus gilt [13. bes. 133–139]. Eine neuartige Intensität erhielt die Echtheitskritik erst im 19. Jh., als F. SCHLEIERMACHER [14] nach einem durchgehenden didaktischen Plan in P.s Gesamtwerk suchte und durch sein Kriterium der »echt platonischen Form« die Probleme der Echtheit und der Chronologie zugleich lösen zu können glaubte, und als K. F. HERMANN [15] als erster die entwicklungsgesch. Betrachtungsweise auf P. anzuwenden begann. Eine überaus spitzfindige und allzu selbstsichere Philol. verdächtigte nach und nach fast alle wichtigen Dialoge (s. [12. 474–483]). Die Exzesse solcher Echtheitskritik wichen einer besonneneren Diskussion, vor allem seit sich zu Beginn des 20.Jh. in der Frage der Chronologie eine Art Konsens einzustellen begann (s. nächster Abschnitt).

Von den philos. bedeutenderen Dialogen ist heute nur noch der Ἀλκιβιάδης α' (*Alkibiádēs 1*) umstritten (für die Echtheit [16. Bd. 2, 214–226], dagegen [17]), während die Zweifel an Ἱππίας α' (*Hippías maior*) sich gelegt zu haben scheinen [18] und Ἱππίας β' (*Hippías minor*) sowie Μενέξενος (*Menéxenos*) keinen Anstoß mehr erregen. Von den kleineren Dialogen der Tetralogienordnung finden Κλειτοφῶν (*Kleitophṓn*) und Θεάγης (*Theágēs*) gelegentlich noch Verteidiger, während die Unechtheit von Μίνως (*Mínōs*), *Alkibiádēs 2*, *Hípparchos* und *Erastaí* kaum noch in Frage gestellt wird. Lit.-Angaben zur Echtheitsdiskussion aller Dialoge bei [19] (wo sich auch eine Liste von »Dubia et Spuria«, angezweifelten und unechten Schriften, findet, die – abweichend vom heute erreichten Konsens – auch Werke wie Κριτίας/*Kritías*, Λάχης/*Láchēs*, *Íōn*, *Hippías maior* und *minor* und Εὐθύφρων/*Euthýphrōn* einschließt [19. 204–235]). Von den nichtdialogischen Schriften ist die ›Apologie‹ unproblematisch; die Definitionen und Dihaeresen sind Produkte der Akademie, aber schwerlich von P. selbst redigiert. Von den Briefen kommen nur die im *Corpus Platonicum* überlieferten als authentisch in Frage, und von diesen nur die Briefe 3, 6, 7 und 8. Der oft versuchte Nachweis der Unechtheit des 7. Briefes ist bis heute nicht gelungen, seit [20] und [21] sind keine neuen Gesichtspunkte dazugekommen. Von den Gedichten können sehr wohl einige echt sein; so gilt insbes. das schöne Epigramm auf Dion ([10. Nr. 6] = Anth. Pal. 7,99) seit [3. Bd. 1, 509] als platonisch.

3. Chronologie

Die Ant. war an der Erstellung einer durchgehenden Chronologie der Dialoge nicht interessiert. Daß der Λύσις (*Lýsis*) noch zu Lebzeiten des Sokrates abgefaßt wurde (Diog. Laert. 3,35), ist immerhin denkbar, daß der Φαῖδρος (*Phaídros*) der früheste Dialog ist (ebd. 3,38), ist sicher falsch. Daß die *Nómoi* (lat. *Leges*) später sind als die *Politeía* (lat. *Res publica*), sagt Aristot. pol. 1264b 27, daß sie erst von Philippos [29] von Opus herausgegeben wurden, steht bei Diog. Laert. 3,37.

In der Neuzeit entwarf W. G. Tennemann 1792 eine relative Chronologie [22], die von h. Auffassungen nicht allzu weit entfernt war. F. Schleiermachers didaktische Anordnung der Dialoge, die zugleich die Abfassungszeit wiedergeben wollte [14] und in der der *Phaídros* am Anfang stand, war demgegenüber ein Rückschritt. Gegen F. Schleiermacher erklärte K. F. Hermann [15] die Abfolge der Dialoge nicht aus einem didaktischen Plan, sondern als Ausdruck der geistigen Entwicklung P.s. Entscheidend wurde die Einführung der sprachstatistischen Methode durch L. Campbell (1867) und W. Dittenberger (1881; Auswertung bei [23]), durch die sich eine stilistisch relativ homogene, vom übrigen Werk P.s deutlich getrennte Gruppe von Spätdialogen überzeugend isolieren läßt: *Sophistḗs*, *Politikós*, *Phílēbos* (Φίληβος), *Tímaios* (Τίμαιος), *Kritías*, *Nómoi*. Die ältere Dreiteilung in frühe, mittlere und späte Dialoge wurde durch dieses Ergebnis endgültig verfestigt, obwohl die Sprachstatistik [24] für die frühe und mittlere Periode bis heute keine allg. anerkannten Ergebnisse gebracht hat [25; 26].

Eine Übersicht über 132 Chronologie-Entwürfe zw. 1792 und 1981 bei [19. 8–17] zeigt, daß die Abfolge innerhalb der Gruppen weiterhin kontrovers ist und wohl auch bleiben wird, während die drei Gruppen selbst von fast allen Interpreten etwa gleich abgegrenzt werden: (a) Frühe Dialoge: *Hipp. min.*, *Íōn*, *Krítōn* (Κρίτων), *Euthýphrōn*, *Lach.*, *Charmídēs* (Χαρμίδης), *Lys.*, *Mx.*, *Prot.*, *Ménōn* (Μένων), *Gorgías* (Γοργίας), *Euthýdēmos* (Εὐθύδημος); (b) mittlere Dial.: *Kratýlos* (Κρατύλος), *Hipp. mai.* (diese beiden oft zu (a) gezählt), *Phaídōn* (Φαίδων), *Sympósion* (Συμπόσιον), *rep.* (B. 1 oft zu (a)), *Phaídr.* (bisweilen zu (c)); (c) späte Dial.: *Parmenídēs* (Παρμενίδης), *Tht.*, *soph.*, *polit.*, *Phil.*, *Tim.*, *Kritías*, *leg.* Die Überzeugung von [19], viele Dialoge seien von P. und auch von Schülern des P. überarbeitet worden, würde, wenn sie als richtig erweisbar wäre, sowohl den Begriff der »Echtheit« als auch den einer eindeutigen relativen Chronologie auflösen. Für unitarische Interpreten (z. B. [27; 35; 36]) ist die vieldiskutierte chronologische Frage nicht von entscheidender Bedeutung.

D. Indirekte Überlieferung

Aristoteles, der 20 Jahre in P.s Akademie lernte, lehrte und forschte, zeichnet ein Bild von P.s Ideen-, Zahlen- und Prinzipienlehre, das von dem der Dialoge deutlich abweicht [28]. Der Versuch von [29], alles Abweichende als Fehlinterpretation des Aristoteles zu erklären, darf als gescheitert gelten [30. 143]. Aristoteles pflegt sehr klar zu trennen zw. bloßem Bericht (λέγουσιν, φασίν, »sie behaupten, sagen«) und eigener Auswertung [31]. Aristot. phys. 209b 14–15 erwähnt eine Äußerung P.s über das Materie-Prinzip ›in dem, was man als (seine) »ungeschriebenen Lehrmeinungen« bezeichnet‹ (ἐν τοῖς λεγομένοις ἀγράφοις δόγμασιν – λεγομένοις hat nicht den ironisierenden Sinn von »sog.«, s. [32]). Ein wichtiger Teil – nicht notwendig die Gesamtheit – von P.s nicht verschriftlichten Philosophemen wurde von ihm dargelegt in der Vorlesung ›Über das Gute‹ (Περὶ τοῦ ἀγαθοῦ), von der die P.-Schüler Aristoteles, Speusippos, Xenokrates, Hestiaios und Herakleides Nachschriften anfertigten (Simpl. in Aristot. phys. 151,6 ff.; 453,22 ff. D.), vgl. [6]. Slg. der indirekten Überlieferung bei [33. 441–557]: *Testimonia Platonica*. Slg. von Texten zur Fortwirkung der *ágrapha dógmata* (»ungeschriebenen Lehrmeinungen«) in der Ant. bei [34]. Die Unentbehrlichkeit der indirekten Überl. als Quelle für P.s Philos. stand z. B. noch für [2. 331] fest. Die Versuche, die *ágrapha* in P.s letzte Jahre zu datieren (und so als irgendwie unfertig und unwichtig zu qualifizieren), entbehren jeder Grundlage in den Texten.

E. Kritik der Schriftlichkeit

Die Existenz einer umfangreichen indirekten Überl. neben dem lückenlos erh. Schriftwerk gerade bei P. ist kein Zufall: Das Schriftwerk selbst bezeugt mit aller Klarheit, daß die Mündlichkeit für ihn den Vorrang vor der Schriftlichkeit hatte. (a) Die Schrift hat nach Plat. Phaidr. 275d-e drei fatale Mängel: Sie kann auf Fragen nicht antworten, sie kann nicht je nach Bedarf reden oder schweigen, sie kann sich gegen Angriffe nicht helfen; all das kann nur ›die lebendige Rede des Wissenden‹ (276a), d. h. das mündliche Philosophieren des Dialektikers. Dieser wird sich verhalten wie der vernünftige Bauer, der das Saatgut, an dem ihm gelegen ist, nicht in »Adonisgärten« (Symbol der Schrift, da die Pflanzen in den Adonisgärten zwar schnell aufschießen, aber ertraglos bleiben – wie das angelesene Wissen) säen wird (276b-c). Der Philosoph schreibt im Besitz der Fähigkeit, seiner Schrift mündlich zu helfen und sie so als geringerwertig zu erweisen im Vergleich mit den »höherwertigen Dingen« (τιμιώτερα, *timiṓtera*) der mündlichen Hilfe (278c-d). Dies bedeutet – da *timiṓtera* inhaltlich zu verstehen ist und da die in den Dialogen nachweisbaren exemplarischen Fälle von »Hilfe« stets mit neuen, »wertvolleren« Theorieansätzen arbeiten [35] –, daß der Philosoph stets in der Lage sein muß, inhaltlich über sein geschriebenes Werk hinauszugehen.

(b) Im Siebten Brief wird die defiziente Natur der menschlichen Erkenntnismittel thematisiert, die es mit sich bringt, daß noetische Erkenntnis selbst mündlich nicht mit der nötigen Verläßlichkeit und Klarheit kommunizierbar ist, geschweige denn schriftlich. Daher wird ein vernünftiger Mensch seine σπουδαιότατα (*spudaiótata*, »ernsthaftesten Dinge«) niemals der Schrift anvertrauen (344c), wie es auch von P. selbst keine Schrift (σύγγραμμα, *sýngramma*) über das gibt, womit ihm ernst war (341c). Dionysios [2] II. profanierte die ihm von P. anvertrauten Gedanken über die letzten Erklärungsgründe der Wirklichkeit aus »schändlichem Ehrgeiz«, während P. sie (durch Verzicht auf schriftliche Fixierung) »in Ehren hielt« (344d-e).

(c) Was die Lenker des kretischen Idealstaates in den *Nómoi* an Philos. werden lernen müssen, ist nicht »geheim« (ἄρρητον, *árrhēton*), wohl aber »nicht vor der Zeit mitteilbar« (ἀπόρρητον, *aprórrhēton*), denn bei vorzeitiger Mitteilung würde es nichts klarmachen (Plat. leg. 968e 2–5). *Aprórrhēton* ist also P.s eigene Prägung für »Esoterik«: Geheimhaltung wird abgelehnt, hingegen wird die Zurückhaltung von Dingen, die erst bei geeigneter Vorbereitung der Rezipienten wirksam werden können, gefordert und praktiziert. Von hier aus sind die »Aussparungsstellen« der Dialoge zu verstehen, an denen weiterführende Probleme klar benannt und zugleich von der »jetzt« geführten Erörterung ausgeschlossen werden (Zusammenstellung bei [36. 389 ff.]). Hierher gehört auch die Zeichnung des Gesprächsführers als eines überlegenen Dialektikers, der bald seinem eigenen mündlichen Argument (mittels *timiṓtera*) »hilft«, bald in den Aussparungsstellen auf *aprórrhēta* verweist und insofern hinsichtlich der letzten Begründung »schweigt« (vgl. Phaidr. 276a). Die verharmlosende Deutung der Schriftkritik bei [37. 653] scheitert daran, daß ihr Verständnis der platon. Ausdrücke ›dem Logos helfen‹ (βοηθεῖν τῷ λόγῳ) und ›höherwertige Dinge‹ (*timiṓtera*) nicht dem der Dialoge entspricht ([38; 39. 71–78]).

F. DIALOGFORM

Seit SCHLEIERMACHERS wegweisenden Gedanken über die notwendige Zusammengehörigkeit von Form und Inhalt bei P. [14. 14] gibt es eine umfangreiche Diskussion um die Dialogform (→ Philosophische Literaturformen). In Fortführung der antiesoterischen Tendenz SCHLEIERMACHERS meinte man im 20. Jh., durch die dialogische Form wolle P. seine Werke immun machen gegen die Mängel der Schrift (s. z. B. [16. Bd. 1, 177]), was nach der Kritik dieser Position bei [35. 331–375] kaum noch vertreten wird. Weiterhin beliebt ist der Glaube, P. bediene sich der Dialogform, um seine »Anonymität« zu wahren (exemplarisch [40]; Kritik [35. 348–350]). Selbst der ant. Streit um »skeptische« oder »dogmatische« Auslegung der Dialoge ist wieder aufgeflackert, s. [42]. Die Auffassung, daß das Philosophieren notwendig dialogisch sei, schränkt P. bewußt ein: Das Denken als lautloser Dialog der Seele mit sich selbst (Plat. soph. 263e; Tht. 189e) bedarf nicht zweier Subjekte; Sokrates hat die Gewohnheit, alleine (Plat. symp. 175b-c, 220c) zu philosophieren oder auch mit einem imaginären Partner, also seinem *alter ego* (dies häufig, s. [39. 137–139]). Fragwürdig ist die Auffassung, der Dialog sei für P. die einzig legitime Form der philos. Darstellung – der große Monolog Tim. 27c–92c spricht dagegen. Die Schwäche der immer noch wachsenden Dialogform-Lit. ist die mangelnde Bereitschaft, deskriptiv eine Morphologie des platon. Dialogs zu erarbeiten, die von der dramatischen Struktur und der Charakterzeichnung ausgeht (Ansätze dazu bei [35] und [39. bes. 117–147]), sowie die weitverbreitete Nichtbeachtung der Vorgaben der Schriftkritik (Ausnahmen: [35; 39; 41]). Es läßt sich zeigen, daß die Handlung der wichtigsten Dialoge und die Zeichnung des Gesprächsführers als eines überlegenen Dialektikers nur von der Schriftkritik her voll zu verstehen sind [35]. Die Dialoge wollen das Erreichen von Homologien (»Übereinstimmungen«) zw. ungleichen Partnern [43] gestalten, die philos. vertretbar sind, auch wenn kein Dialog vorgibt, die letzte dem Gesprächsführer erreichbare Begründung zu entfalten [39. bes. 147].

G. PLATONS PHILOSOPHIE
1. GRUNDSÄTZLICHES
2. ETHIK UND ANTHROPOLOGIE
3. STAAT, RHETORIK, DICHTUNG, UTOPIE
4. KOSMOLOGIE
5. ONTOLOGIE UND PRINZIPIENLEHRE
6. DIALEKTIK, PHILOSOPHIEBEGRIFF

1. GRUNDSÄTZLICHES
Nach verbreiteter Auffassung bieten die Dialoge statt einer »Lehre« nur Fragen und unausgeführte Denkansätze oder gar eine Reihe von Widersprüchen (Aufzählung bei [44. Bd. 1, xiv-xvii]) und Lücken. Unbestreitbar ist indes, daß der Leser immer wieder zu Homologien über Grundfragen der Philos. geführt wird, die auch in anderen Dialogen nicht mehr aufgehoben wer-

den (»die Seele ist unsterblich«, »der Weltschöpfer ist gut«), und daß die meisten »Widersprüche« lediglich Aspektverschiedenheiten anzeigen. Die folgende Zusammenstellung von bleibenden Homologien muß notgedrungen davon abstrahieren, daß die spätere Unterscheidung autonomer philos. Disziplinen (zur sog. »Pragmatientrennung« vgl. [36. 552–571; 33. 308–325]) dem Geist der platon. Philos. nicht gerecht wird, in der → Logik und → Dialektik, → Ethik, → Anthropologie und → Ontologie stets nur Teil eines übergreifenden Argumentationszusammenhanges sind. Irreführend wäre es, P. allein (oder auch nur primär) als Fortsetzer des sokratischen Ansatzes sehen zu wollen: Ebenso unerläßlich für das Verständnis seiner Philos. sind die Einflüsse von → Herakleitos, → Anaxagoras (vgl. Phaid. 97c ff.), → Parmenides (soph., Parm.), von pythagoreischer → Kosmologie und Prinzipienspekulation (Tim., Phil.) und von orphisch-pythagoreischer Rel. (Phaid., Phaidr., Mythen; s. → Orphik, → Pythagoreische Schule).

2. Ethik und Anthropologie

An der Wurzel von P.s anthropologisch fundierter Ethik liegen zwei radikal neue Überzeugungen: daß unsere ethische Verantwortung nicht auf die kurze Zeit des menschlichen Lebens beschränkt ist (rep. 608c-d, Phaid. 107c) und daß Unrecht tun unter allen Umständen schlechter ist als Unrecht leiden (Gorg. 469b ff.). Die unreflektierte, aus bloßer Gewöhnung resultierende → »Tugend« des Normalbürgers wertet P. ab als »Volks-« oder »Bürgertugend« (δημοτικὴ oder πολιτικὴ ἀρετή; Phaid. 69b; 82ab; rep. 430c; 500d); wirkliche Tugend ist Wissen (epistếmē), Wiedererkenntnis der im Jenseits geschauten Ideen der Tugenden (Phaidr. 247d; 250b; → Ideenlehre). Aus solchem Wissen folgt unmittelbar das richtige Handeln: ›Niemand tut freiwillig Unrecht‹ (οὐδεὶς ἑκὼν ἁμαρτάνει, vgl. rep. 589c, Gorg. 488a, Men. 78b). Im Wissen liegt auch die Einheit der Tugenden (diskutiert in Prot. 329c ff.). Definitionen der Tugenden werden »aporetisch« (d. h. ohne Einigung auf eine zufriedenstellende Lösung; → Aporie) angebahnt in einigen frühen Dialogen (hierzu [45]), dann in rep. erarbeitet (429a–443e). Grundlage der Lehre von den vier Kardinaltugenden ist die Unterscheidung der drei Seelenteile epithymētikón – thymoeidés – logistikón (rep. 435c-441c: »begehrlicher« – »muthafter« – »denkender« Seelenteil). Die Tapferkeit (ἀνδρεία, andreía) ist dem thymoeidés zugeordnet, die Weisheit (σοφία, sophía) dem logistikón; Besonnenheit (σωφροσύνη, → sôphrosýnē) ist die Übereinstimmung des Überlegenen und des Geringeren in der Frage, wer herrschen soll, während die entscheidende Tugend der → Gerechtigkeit (δικαιοσύνη, dikaiosýnē) die Verfassung der → Seele ist, in der alle Teile »das Ihrige tun«, d. h. die ihnen von Natur zustehende Rolle spielen, was erst die Einheit der → Person ermöglicht (rep. 443d-e).

Die »urspr.« und »wahre« Natur des Menschen ist aber nicht die dreigeteilte Seele, sondern die göttliche Denkseele, die allein unsterblich sein kann (rep. 611b-

612a; Tim. 90a-d). Die anderen beiden Seelenteile sind sekundäre und sterbliche »Anbauten« (Tim. 69c, vgl. rep. 611d-e). Das menschliche → Glück besteht in der »Angleichung an Gott« (ὁμοίωσις θεῷ, homoíōsis theōí) als der höchsten zugleich ethischen wie auch philos. Möglichkeit; sie bedeutet eine Verähnlichung der Denkseele mit ihrem göttlichen Denkobjekt, der Ideenwelt (rep. 500cd) und dem Kosmos (Tim. 90cd). Möglich ist die homoíōsis dank der Verwandtschaft des logistikón mit der Ideenwelt (Phaid. 79d–80a; rep. 611e, Tim. ebd.). Die »Angleichung« hat ihre Grenze an der Natur des Menschen (εἰς ὅσον δυνατὸν ἀνθρώπῳ, eis hóson dynatón anthrópōi, rep. 613c): von der Ideenschau fällt er immer wieder zurück in »sterbliche« Besorgnisse. Die »Angleichung« ist zugleich eine »Flucht« vom Diesseitigen zum Jenseitigen (ἐνθένδε ἐκεῖσε, Tht. 176a-b, u.ö.). Sie bereitet auf den notwendigen Wiedereintritt in den Körper nach einer Periode der leibfreien Existenz der Seele vor (rep. 498d; → Seelenwanderung).

3. Staat, Rhetorik, Dichtung, Utopie

P.s idealer Staat (→ Utopie) bestünde, in ausdrücklicher Analogie (rep. 435e) zu den drei Seelenteilen, aus drei Schichten: aus der erwerbstätigen Bevölkerung, der mil. Schicht und den philos. Herrschern (worin [46. 271 ff.] wohl zu Recht eine alte indeur. Struktur wiedererkennt). Die Herrschaft gebührt den Philosophen, weil nur sie fähig sind, die Idee des Guten zu erkennen, die das Ziel des Handelns vorgibt (rep. 504d ff.; 519c; 540a-b). Von den beiden oberen Schichten verlangt der Entwurf den Verzicht auf Privateigentum und individuelle Familie, die gesamte Elite wäre eine große Kommune (ebd. 415d–423e; 457c–471d). Andere Verfassungsformen konstruiert P. als »Verfallsformen« des idealen Staates: Die »Aristokratie« wandelt sich über die Timokratie, Oligarchie und Demokratie zur Tyrannis, wobei zu jeder Staatsform ein entsprechender Menschentyp gehört (rep. 8–9; → Verfassungstheorie). Die Systematik der Staatsformen (polit. 291d ff). unterscheidet nach der Zahl der Herrschenden Monarchie, Oligarchie, Demokratie. Werden die Gesetze geachtet, ist die Monarchie die beste Staatsform, wenn nicht, ist es die Demokratie (ebd. 303a).

Teil der Kritik P.s an der Demokratie (hierzu insgesamt [47; 48; 49]) ist auch sein Kampf gegen die Rhet., die dem Wahrscheinlichen vor dem Wahren und der emotionalen Entscheidung vor der rationalen den Vorzug gibt und so tendenziell zur Instrumentalisierung der Rede im Dienst der Durchsetzung des »Rechts des Stärkeren« neigt (Gorg. 482c–486d). Eine im Phaidros (259e ff.) entworfene »wahre« Redekunst, die auf hinreichender Kenntnis der Dinge und der Seelen beruht, wäre nur vom Dialektiker zu verwirklichen. Da es die Aufgabe des Staates ist, die Bürger besser zu machen, enthalten Politeía und Nómoi detailreiche Konzepte der Erziehung. In diesem Rahmen wird die mimetische Dichtung, voran Homer und die Trag., einer scharfen Kritik unterzogen: Da sie Falsches über die Götter lehrt, nur Abbilder von Abbildern schafft und vorwiegend die niedrigen Seelenteile anspricht, wäre sie aus dem idealen Staat zu verbannen (rep. 376e–398c; 595a–608b).

Gleichwohl ist die dichterische Begeisterung eine göttliche *manía* (»Wahn«; Phaidr. 245a). P.s eigene Dialogdichtung versteht sich als göttlich inspiriert und soll als Modell für erzieherisch wertvolle Literatur dienen (leg. 811c, dazu [41. 108]). Der Entwurf eines künftigen »besten« Staates ist nicht Utopie im mod. Sinn, nicht bloße Wunschvorstellung (εὐχή, *euchḗ*, rep. 540a) und nicht lediglich zur Kritik des Bestehenden ersonnen. Schrittweise Annäherung ist denkbar (ebd. 473a-b) an ein Ziel, das ›schwer, aber nicht unmöglich‹ ist (ebd. 502c; 540d). Neben der *Politeía* als »Utopie der Zukunft« stehen die *Nómoi* als »Utopie der Gegenwart« und Atlantis als (negative) »Utopie der Vergangenheit« (Tim. 24e–26d; Kritias).

4. Kosmologie

In mythischer Form ist in polit. 272e–273e zum Ausdruck gebracht, daß die Welt eine destruktive »angeborene Begierde« in sich hat, die sie ohne Eingreifen eines göttlichen »Steuermanns« zerstören würde. Im *Tímaios* ist die Ursache der Geordnetheit der Welt ein »Werkmeister« (δημιουργός, → *dēmiurgós* [3], Tim. 28a), der auch »Gott« (θεός, *theós*) genannt wird (30a). Er ist wesenhaft gut und wollte deswegen alles nach Möglichkeit sich selbst gleich, d. h. der Ordnung teilhaftig werden lassen (29ef.). Im Blick auf den Ideenkosmos als sein Paradeigma (29a) schuf er den Kosmos als autarken und glückseligen sichtbaren Gott (34b; 92c). Er gestaltete aus der ungeordnet wogenden *chóra* (χώρα, 52a: zugleich → »Raum« und → »Materie«) mittels der geometrischen Elementardreiecke die Elemente (→ Elementenlehre), und aus diesen den Weltkörper. Ihn umfängt die Weltseele, die der *dēmiurgós* als ein ontologisch Mittleres aus teilbarem und unteilbarem Sein »mischte« und nach musikalischen Proportionen »unterteilte« (35a ff.). Sie ist das älteste Gewordene und der Ursprung aller Bewegung (leg. 896a; Phaidr. 245c-e). Die Verbindung von Weltseele und Weltkörper ist nicht wesensmäßig, wohl aber durch den Willen des *dēmiurgós* unauflösbar (Tim. 41a-b), die Welt also ewig. Sie ist andererseits »entstanden« (γέγονεν, 28b) – der schon in der Ant. geführte Streit, ob P. damit eine Entstehung in der Zeit oder nur die Seinsweise in der Zeit meinte, wird von [50] zu Recht im Sinne der zweiten Lösung, die auch die der Alten Akademie und des Neuplatonismus war, entschieden.

5. Ontologie und Prinzipienlehre

Grundlegend ist die Unterscheidung zw. den vielen sichtbaren Einzeldingen gleichen Namens und der einen, nur im Denken erfaßbaren Idee (rep. 476a; »Idee«, griech. ἰδέα/*idéa*, häufiger εἶδος/*eídos*), insgesamt zw. dem sichtbaren und dem intelligiblen »Ort« (rep. 509d; ὁρατὸς/νοητὸς τόπος, *horatós/noētós tópos*). Da die ontologischen Merkmale scharf getrennt sind (Vielheit gegen Einheit, Veränderlichkeit in der Zeit gegen außerzeitliche Selbstidentität), stellt sich die Frage der Art der Beziehung der beiden »Welten« (Phaid. 100d: »Gegen-

wart« oder »Gemeinschaft« der Idee; Parm. 130e–135b: Aporien der »getrennten« Existenz von Ideen und Einzeldingen). Die »Trennung« (*chorismós*) bleibt bis in die späten Dialoge hinein erhalten (Phil. 15a ff.; Tim. 51b-e). Versuche, sie aus P. wegzuinterpretieren (z. B. [51]), sind methodisch verfehlt, s. [52]. Die Seele wird in leg. 898e ein *noētón* genannt, obschon ihr Zeitlichkeit und Bewegung eignet; in Phaid. 78b–80b wird sie von der Sinnenwelt abgehoben, ohne voll der Ideenwelt zugerechnet zu werden: sie steht für eine mittlere Seinsart (vgl. auch Tim. 35a).

Die Zweiteilung gab wohl zu keiner Zeit P.s ontologische Sicht vollständig wieder. Nimmt man Andeutungen der Dialoge (Tim. 52a; rep. 525d–527b) und der indirekten Überl. (Aristot. metaph. 987b 14–29) zusammen, so ergibt sich folgender ontologischer Stufenbau: vorkosmische, amorphe *chóra* – geformte Sinnendinge – Seele und Gegenstände der Mathematik – Ideen. Die Ideenwelt ist ihrerseits hierarchisch gestuft (Plat. rep. 485b); als »höherrangiger Teil« (τιμιώτερον μέρος, *timiṓteron méros*, ebd.) kommt einmal die Theorie der Meta-Ideen oder »obersten Gattungen« in Frage, ebenso aber auch die in der indir. Überl. bezeugten Ideenzahlen. Den Ideen kommt »Leben« und (noetische) Bewegung zu (soph. 248e f.). Das Studium der Ideenwelt verläuft in zwei klar getrennten Phasen (ebd. 537d; 540a), was ebenfalls auf Gegenstände unterschiedlichen ontologischen Ranges führt: Erst am Ende steht die Beschäftigung mit dem höchsten → Prinzip, der Idee des Guten (ἡ τοῦ ἀγαθοῦ ἰδέα, τὸ ἀγαθὸν αὐτό, ebd. 505a 2; 540a 8), die ›jenseits des Seins‹ ist (ἐπέκεινα τῆς οὐσίας, rep. 509b, dazu [53]). Aristoteles bestätigt, daß der Akademie die Prinzipienlehre wichtiger war als die → Ideenlehre (Aristot. metaph. 990b 17–22). Außer der Idee des Guten wurde das negative Prinzip, die »unbestimmte Zweiheit« (→ Dyas) erörtert, ferner die Art des Zusammenwirkens der beiden Prinzipien sowie die Eigenschaften der Ideenzahlen als der ersten Produkte der ontologischen »Zeugung« (ebd. B. 13–14 *passim*).

6. Dialektik, Philosophiebegriff

Allein die Dialektik (ἡ τοῦ διαλέγεσθαι δύναμις oder ἐπιστήμη/*hē tu dialégesthai dýnamis* oder *epistḗmē*; ἡ διαλεκτικὴ μέθοδος oder τέχνη/*hē dialektikḗ méthodos* oder *téchnē*, rep. 511b-c; 533a-c; Phaidr. 276e) führt zum Ziel der Denkbewegung, der Erkenntnis des Prinzips (rep. 533a, c; vgl. [54]). Ihre Methode ist allg. das Fragen und Antworten, im bes. der *élenchos* (soph. 230d-e), das auf begriffliche Definition zielende »Zerlegen und Zusammenführen« (διαίρεσις καὶ συναγωγή, *dihaíresis kai synagōgḗ*, Phaidr. 266b), die damit verwandte »Synopsis« der mathematischen Wiss. (rep. 531d; 537c; leg. 967e; dazu [55]), das Emporführen zum Prinzip durch »Aufheben« der Hypothesen und das gegenstrebige Hinabführen vom Prinzip zum letzten *eídos* (rep. 511b; 533c; vgl. Phaid. 101d-e). Abzulehnen ist der Versuch von [56], P.s Dialektik auf Elenktik zu reduzieren, die letztlich im Negativen verharrt, während P. eine positive Seinserkenntnis anstrebt (s. [57; 58]).

Die dialektische Methode kann keinen linearen Er-
kenntnisfortschritt garantieren und führt den Forschen-
den oft in die → Aporie (Parm. 130c; Phil. 16b). Noetische Erkenntnis läßt sich nicht erzwingen (manchen ist
sie schlicht unerreichbar: rep. 476b) noch dem Außenstehenden glaubhaft machen, sie stellt sich nach langem
Bemühen »plötzlich« ein (epist. 7,343c–344c; 341c-d;
vgl. symp. 210e). Voraussetzung dafür sind nicht nur
intellektuelle, sondern auch charakterliche Qualitäten
(rep. 485b–487a; 537d; epist. 7,344a). Die menschliche
Seele ist prinzipiell geeignet für die vollgültige Erkenntnis der Idee des Guten (rep. 518d; 519d; 540a; anders
[59], Kritik dazu [60]). Doch anders als die Götter
(Phaidr. 249c) kann sie nicht in der Ideenschau verwei-
len: Wie Eros (symp. 203e) verliert sie wieder, was sie
gewonnen hat, wenn sie diesseitigen Aufgaben
nachgeht. In diesem Sinn ist die Philos. für P. ein unab-
schließbares Geschäft (nicht aber im Sinn der Uner-
reichbarkeit letzter Erkenntnis: [61]; → Erkenntnistheorie).

H. Nachwirkung

Der bekannte Ausspruch von A. N. Whitehead [62],
die europ. philos. Trad. bestehe aus ›einer Reihe von
Fußnoten zu P.‹, zeigt die Unmöglichkeit, P.s Nachwirkung angemessen zu erfassen: Sein Einfluß ist in allen späteren philos. Ansätzen zu spüren und reicht zugleich weit über die Philos. hinaus in das polit. und rel.
Denken, in die Theologie, in die utopische Lit. und
zahllose weitere Bereiche. Kein anderer einzelner Denker hat die europäische Identität so nachhaltig geprägt
wie P. Schon zu seinen Lebzeiten war P. Gegenstand
der Bewunderung und Verehrung wie auch der Kritik
und des Spottes. Schriften über P. entstanden bald nach
seinem Tod (s.o. A.; ferner Dikaiarchos fr. 40–45 W.,
Aristoxenos fr. 61–68 W., Klearchos fr. 2a-b W.). Nach
der vorübergehenden Abkehr der Akademie von P. in
ihrer skeptischen Phase (→ Akademeia; → Skeptizismus) erhob sich P.s Œuvre ab dem 1. Jh. v. Chr. zur
dominierenden (→ Mittelplatonismus), schließlich zur
allein bestimmenden Kraft (→ Neuplatonismus). Die
christl. Theologie der Kirchenväter wäre ohne die begriffliche Orientierung am Platonismus nicht möglich
gewesen. In der Zeit der Dominanz des aristotelischen
Denkens im MA war P. indirekt präsent, vermittelt
durch das Werk des (Ps.-)→ Dionysios [54] Areopagita,
der auf → Proklos aufbaut. Seit der platonischen Akademie des Marsilio Ficino in Florenz (2. H. 15. Jh.) ist
die explizite Auseinandersetzung mit P.s Denken fester
Bestandteil des philos. Lebens der westlichen Welt.
→ Akademeia; Ideenlehre; Mittelplatonismus;
Neuplatonismus; Philosophie; Sokrates; Platonismus

Ed.: J. Burnet (ed.), Platonis Opera, 5 Bde., Oxford
1900–1907 (²1905–1913) · E. A. Duke u.a. (ed.), Platonis
Opera: Bd. 1, Oxford 1995 · E. Chambry u.a. (ed., übers.),
P., Œuvres complètes, 13 Bde., Paris 1920–1956.
Übers.: Fr. Schleiermacher, P., Sämtliche Werke, Berlin
1804–1828 (zahlreiche Ndr.) · O. Apelt, P., Sämtliche
Dialoge, 1916–1926 (Ndr. 1988) · R. Rufener, P.,
Sämtliche Werke, 1960 u.ö.
Komm. und Lit.: Vgl. die umfassenden Bibliographien:
H. F. Cherniss, L. Brisson, H. Ioannidi, in: Lustrum 4,
1959, 5–308; 5, 1960, 323–648; 20, 1977, 5–304; 25, 1983,
31–320; 30, 1988, 11–285 und 286–294; 34, 1992, 7–338 ·
L. Brisson, F. Plin, P. 1990–1995, 1999 (Bibliogr.).

Lit.: 1 Anonymous Prolegomena to Platonic Philosophy,
ed. L. G. Westerink, 1962, 3.12–15.22 2 GGPh¹ 3 U. v.
Wilamowitz-Moellendorff, P., 2 Bde., 1919, ⁵1959
4 J. Platthy, Plato. A Critical Biography, 1990 5 K. Ries,
Isokrates und P. im Ringen um die Philosophia, Diss.
München 1959 6 K. Gaiser, Plato's Enigmatic Lecture ›On
the Good‹, in: Phronesis 25, 1980, 5–37 7 R. Boehringer,
P. Bildnisse und Nachweise, 1935 8 K. Schefold, Die
Bildnisse der ant. Dichter, Redner und Denker, ²1997
9 G. Reale (ed.), Platone. Tutti gli scritti, 1991 10 E. Diel
(ed.), Anthologia lyrica Graeca, Bd. 1, 1958, 102–110
11 H. Bonitz, Index Aristotelicus, 1870 12 Zeller 2, 16
13 L. Tarán, Academica: Plato, Philip of Opus, and the
Pseudo-Platonic Epinomis, 1975 14 F. Schleiermacher,
P.s Werke, Bd. 1.1, 1804, 5–36 (»Einleitung«) 15 K. F.
Hermann, Gesch. und System der platon. Philos., 1839
16 P. Friedländer, P., 3 Bde. ³1964–1975 17 C. A. Bos,
Interpretatie, vadership en datering van Alcibiades Maior,
1970 18 P. Woodruff, Hippias maior, 1982
19 H. Thesleff, Studies in Platonic Chronology, 1982
20 L. Edelstein, Plato's Seventh Letter, 1966
21 F. Solmsen, Rez. von [20], in: Gnomon 41, 1969, 29–34
22 W. G. Tennemann, System der platon. Philos., 1792–95
23 L. Brandwood, The Chronology of Plato's Dialogues,
1990 24 G. R. Ledger, Re-counting Plato: A Computer
Analysis of Plato's Style, 1989 25 P. T. Keyser, Rez. von
[24], in: BMClR 2, 1991, 422–427 26 Ders., Rez. von [23],
in: BMClR 3, 1992, 58–74 27 P. Shorey, The Unity of
Plato's Thought, 1903 28 L. Robin, La théorie
platonicienne des idées et des nombres d'après Aristote,
1908 29 H. Cherniss, Aristotle's Criticism of Plato and the
Academy, Bd. 1, 1944 30 D. W. Ross, Plato's Theory of
Ideas, 1951 31 Th. A. Szlezák, Die Lückenhaftigkeit der
akademischen Prinzipientheorien nach Aristoteles'
Darstellung in Met. M und N, in: A. Graeser (Hrsg.),
Mathematik und Metaphysik bei Aristoteles (X. Symposium
Aristotelicum), 1987, 45–67 32 Ders., Zur üblichen
Abneigung gegen die Agrapha dogmata, in: Méthexis 6,
1993, 155–174, bes. 158–160 33 K. Gaiser, P.s
ungeschriebene Lehre, 1962 34 J. R. Arana, Platón.
Doctrinas no escritas. Antologia, 1998 35 Th. A. Szlezák,
P. und die Schriftlichkeit der Philos., 1985 36 H. J.
Krämer, Arete bei P. und Aristoteles, 1959 37 G. Vlastos,
Rez. von [36], in: Gnomon 35, 1963, 641–655 38 Th.A.
Szlezák, Dialogform und Esoterik. Zur Deutung des
platon. Dialogs Phaidros, in: MH 35, 1978, 18–32 39 Ders.,
P. lesen, 1993 40 L. Edelstein, Platonic Anonymity, in:
AJPh 83, 1962, 1–22 41 K. Gaiser, Platone come scrittore
filosofico, 1984 42 F. J. Gonzalez (ed.), The Third Way.
New Directions in Platonic Studies, 1995 43 Th. A.
Szlezák, Gespräche zw. Ungleichen, in: A&A 34, 1988,
99–116 44 L. Stefanini, Platone, 2 Bde., 1949
45 M. Erler, Der Sinn der Aporien in den Dialogen P.s,
1987 46 B. Sergent, Les indo-européens, 1995
47 K. Popper, Die offene Ges. und ihre Feinde, Bd. 1: Der
Zauber P.s, 1957 (engl.: The Spell of Plato, 1947, ²1952)
48 R. Maurer, P.s ›Staat‹ und die Demokratie, 1970

49 TH.A. SZLEZÁK, Platone politico, 1993 50 M. BALTES, Γέγονεν (P., Tim. 28 B7). Ist die Welt real entstanden oder nicht?, in: K. A. ALGRA et al. (Hrsg.), Polyhistor. FS J. Mansfeld 1996, 76–96 51 W. WIELAND, P. und die Formen des Wissens, 1982 52 K. OEHLER, P.s Semiotik als Inszenierung der Ideen, in: R. ENSKAT (Hrsg.), Amicus Plato magis amica veritas. FS W. Wieland, 1998, 154–170 53 H. J. KRÄMER, ΕΠΕΚΕΙΝΑ ΤΗΣ ΟΥΣΙΑΣ. Zu P., Politeia 509b, in: AGPh 51, 1969, 1–30 54 Ders., Dialettica e definizione del Bene in Platone, 1989 55 K. GAISER, P.s Zusammenschau der mathematischen Wiss., in: A&A 32, 1986, 89–124 56 P. STEMMER, P.s Dialektik. Die frühen und mittleren Dialoge, 1992 57 J. HALFWASSEN, Rez. zu [56], in: AGPh 76, 1994, 220–225 58 K. GAISER, P.s Dialektik – damals und heute, in: Gymnasium Beih. 9, 1987, 77–107 59 R. FERBER, Die Unwissenheit des Philosophen, 1991 60 TH. A. SZLEZÁK, Rez. zu [59], in: Gnomon 69, 1997, 404–411 61 K. ALBERT, Über P.s Begriff der Philos., 1989 62 A. N. WHITEHEAD, Process and Reality, 1941, 63.

　　　　　　　　　　　　　　　　　　T.A.S.

[2] Dichter der attischen Alten Komödie. Die Zahl seiner Stücke wird mit 28 angegeben [1. test. 1; 3], an Titeln sind sogar 31 bekannt, davon waren jedoch vier (Λάκωνες, Μαμμάκυθοι, Σκευαί, Συμμαχία) schon in der Ant. umstritten. P. soll etwa gleichzeitig mit → Aristophanes [3] und → Eupolis debütiert [1. test. 6] und wie Aristophanes seine Stücke zunächst erfolgreich anderen Regisseuren anvertraut haben, wogegen ihm ein eigener Regieversuch mit den Ῥαβδοῦχοι (›Die Wettkampfrichter‹) eine »Rückversetzung« unter die Lenäendichter (→ Lenaia) eintrug [1. test. 7]; erst eine Reihe von Jahren nach Aristophanes und Eupolis gelangte auch er zu einem Dionysiensieg (→ Dionysia) [1. test. 8]; an den Lenäen von 405 wurde er mit dem Κλεοφῶν (›Kleophon‹) dritter [1. test. 9]. Seine Bühnentätigkeit läßt sich bis in die frühen 380er Jahre verfolgen (vgl. fr. *14; 196; 201).

Seine Fr. zeigen zum einen das Bild eines typischen Dichters der polit. Alten Komödie (vgl. fr. *14; 30; 65; 85; 109; 110; 114; 116; 141; 148; 176; 201; 202; 203; 236; 239); bes. notorischen Politikern widmete P. sogar ganze Stücke (Ὑπέρβολος/›Hyperbolos‹, Πείσανδρος/ ›Peisandros‹, Κλεοφῶν/›Kleophon‹); primär polit. Sujets dürften auch in den Stücken Ἑλλὰς ἢ Νῆσοι (›Griechenland oder die Inseln‹), Λάκωνες ἢ Ποιηταί (›Die Spartaner oder die Dichter‹), Μέτοικοι (›Die Metöken‹), Πρέσβεις (›Die Gesandten‹), Σοφισταί (›Die Sophisten‹), Συμμαχία (›Die Allianz‹) behandelt worden sein. Auch das Interesse an Dichtung und v. a. an der Tragödie ist charakteristisch für die Alte Komödie (Spott gegen Euripides: fr. 29; 142; Spott gegen andere Tragiker und gegen Schauspieler: fr. 72; 136; 140; 143; 175; 235; vgl. ferner die Stücktitel Ποιητής/›Der Dichter‹, Ῥαβδοῦχοι/›Die Wettkampfrichter‹, Σκευαί/›Die Schauspielerkostüme‹, und bestimmte formale Elemente sind es ebenso (fr. 99: Eupolideen aus der Parabase; fr. 182: aus einer dialogischen Eingangsszene, vgl. Aristophanes' ›Ritter‹, ›Wespen‹, ›Frieden‹; fr. 201: der personifizierte Demos spricht, vgl. Aristophanes' ›Ritter‹).

Auf der anderen Seite besteht ein großer Teil von P.s Œuvre aus Mythenstücken (Ἄδωνις/›Adonis‹, Δαίδαλος/›Daidalos‹, Εὐρώπη/›Europe‹, Ἰώ/›Io‹, Λάϊος/ ›Laios‹, Μενέλεως/›Meneleos‹, Νὺξ μακρά/›Die lange Nacht‹: wohl die erste komische Behandlung des → Amphitryon-Stoffes), Ξάνται ἢ Κέρκωπες/›Die Wollkrempler oder die Kerkopen‹: Herakles bei Omphale), und manche von ihnen behandelten ihr Thema mit »aktualisiertem« attischen Kolorit, wie es für die Endzeit der Alten und die frühe Zeit der Mittleren Komödie typisch war (im Ζεὺς κακούμενος/›Zeus in Nöten‹ nimmt Herakles an einem → Kottabosspiel teil, fr. 46–48; im Φάων/ Pháōn gab es eine längere parodistische Würdigung einer gastronomischen Dichtung des Philoxenos von Leukas, fr. 189). Vielleicht aufgrund solcher Elemente wurde P. seit der späteren Ant. vereinzelt als Vertreter der Mittleren Komödie angesehen [1. test. 16], was auch heute zum Teil Anklang findet ([3], vgl. aber [2. 35–38]). Weit überwiegend wurde er allerdings eindeutig – und wohl zu Recht – der Alten Komödie zugeordnet [1. test. 2, 3, 12, 13, 18; fr. 145, 239].

→ Komödie I.

1 PCG VII, 1989, 431–548 2 H.-G. NESSELRATH, Die attische Mittlere Komödie, 1990, 35–38 3 R. ROSEN, Plato Comicus and the Evolution of Greek Comedy, in: G. DOBROV (Hrsg.), Beyond Aristophanes, 1995, 119–137.

　　　　　　　　　　　　　　　　　　H.-G. NE.

[3] Epistratēgós der Thebais (→ Hoftitel B. 2.), der 88 v. Chr. bei der Zerschlagung des Aufstandes durch Ptolemaios X. entscheidend beteiligt war. Mehrere Homonyme in der Familie.

L. MOOREN, E. VAN'T DACK, Le stratège Platon et sa famille, in: AC 50, 1981, 535–544 · E. VAN'T DACK u. a., The Judaean-Syrian-Egyptian Conflict of 103–101 B.C., 1989, 147–149.

　　　　　　　　　　　　　　　　　　W.A.

[4] P. Epiphanes (Ἐπιφανής). Baktrischer König aus der Dyn. der Eukratiden im 2. Jh. v. Chr., nur durch seine Mz. belegt.

BOPEARACHCHI, 74, 220 f.

　　　　　　　　　　　　　　　　　　K.K.

[5] P. d. J. Diesem Autor, dessen Schaffensperiode wohl etwa in die Mitte des 1. Jh. n. Chr. fällt, schreibt die Anthologia Palatina drei aus jeweils einem Distichon bestehende Epigramme zu: eine Variation des Themas des Blinden mit dem Lahmen (Anth. Pal. 9,13) und zwei Beschreibungen von Kunstwerken (9,748; 751). Zu Recht werden ihm auch drei weitere epideiktische Epigramme derselben Art zugewiesen (9,747; 16,161; 248, die letzten beiden rein monostichisch), die mit der Zuschreibung »P.« versehen sind.

FGE 82–84 · GA II 2, 454 f. · M. LAUSBERG, Das Einzeldistichon. Studien zum ant. Epigramm, 1982, 162; 211–214; 365–368; 450.　　　　　　　M. G. A./Ü: G. K.

Platonios (Πλατώνιος). Lit.-Theoretiker unbekannter Zeit. In den Prolegomena in Aristophanem sind zwei peripatetisch beeinflußte, stark schematisierende, teils sachlich ungenaue Traktate des P. zur att. → Komödie überl. (eine Epitomierung [1] ist umstritten): 1. *Perí dia-phorás kōmōidíōn*, Begründung der Unterschiede zw. Alter und Mittlerer Komödie. Inhaltliche und formale Veränderungen (Lit.-Kritik, διασύρειν, statt polit. und persönlicher Angriffe, σκώπτειν; Verschwinden der Chorpartien/Parabasen; fratzenhafte statt individualisierter → Masken) erklärt P. jeweils polit. mit den Folgen des Überganges von der Demokratie zur Oligarchie (Angst vor Repressionen, verändertes Interesse der Bürger). P. nennt keine Autoren oder Stücke der Mittleren Komödie und verfügt wohl bereits nicht mehr über direkte Kenntnis. 2. *Perí diaphorás charaktḗrōn*, detailliert zu Charakteristika (Aufbau, Stil) der drei Hauptvertreter der Alten Komödie: → Kratinos [1], → Eupolis, → Aristophanes [3].

1 H.-G. NESSELRATH: Die att. Mittlere Komödie, 1990, 30–34, passim.

ED.: W. J. W. KOSTER (ed.), Scholia in Aristophanem 1,1 A, 1975, 3–7 · F. PERUSINO, Platonio: La commedia greca, 1989 (mit it. Übers., Komm.).   R. SI.

Platorius

[1] A. P. Nepos Aponius Italicus Manilianus C. Licinius Pollio. Senator, der unter → Traianus und → Hadrianus eine lange Laufbahn durchlief. Nach nicht vielversprechendem Beginn als *triumvir capitalis* erfuhr er erst als Praetor die Förderung des Traianus. Anschließend wurde er *curator viae Cassiae, Clodiae, Ciminiae novae, Traianae*, sodann Legat der *legio I Adiutrix* während des → Partherkrieges; praetorischer Legat von Thracia 117/8 n. Chr.; *cos. suff.* im J. 119 n. Chr. zusammen mit Hadrianus, was auch darauf schließen läßt, daß er mit diesem enger verbunden war. Nach HA Hadr. 4,1 f. geht diese Verbindung auf den Partherkrieg zurück. 119/120–122 war er consularer Statthalter von Germania inferior, von wo aus er nach Britannia ging und dabei die *legio VI Victrix* mit sich führte. Unter ihm wurde der Hadrianswall (→ Limes II.) von den Truppen der Prov. erbaut. Später kam es zum Zerwürfnis mit Hadrianus, vielleicht wegen der Nachfolgefrage; ein Teil seines Vermögens könnte für das kaiserl. Privatvermögen eingezogen worden sein. Er stammte wohl von der iberischen Halbinsel; in Aquileia [1] wurde ihm als Patron eine Reiterstatue errichtet (CIL V 877 = ILS 1052; vgl. [1. 107–112]). Sein Sohn oder Enkel ist P. [2]. PIR² P 449.

1 W. ECK, Mommsen e il metodo epigrafico, in: P. CROCE DAVILLA (Hrsg.), Concordia e la X Regio. Atti del Convegno Portogruaro 1994, 1995.

[2] A. P. Nepos Calpurnianus. *Cos. suff.* im März 160 (AE 1994,1914 = RMD 3, 173); noch im selben J. *curator alvei Tiberis*, wofür er auch noch 161 n. Chr. bezeugt ist. Nachkomme von P. [1]. Ob CIL VI 41128a sich auf ihn bezieht, muß offen bleiben. PIR² P 450.   W. E.

Plaustrum s. Wagen

Plausus s. Beifall

Plautia

[1] P. Urgulanilla. Tochter des M. Plautius [II 12] Silvanus, erste Frau des späteren Kaisers → Claudius [III 1] (Hochzeit zw. 9 und 10 n. Chr.), der sich aufgrund von Ausschweifung und Mordverdacht (Beihilfe bei der Beseitigung der Apronia [1], der Frau des Bruders des Plautius) wahrscheinlich 24 von ihr scheiden ließ (Tac. ann. 4,22; zum Datum Suet. Claud. 26,2; 27,1; [1. 430; 2. 24 f.]). Aus der Ehe gingen die Kinder Claudia [II 1] Iulia und Claudius [II 23] Drusus hervor (Suet. Claud. 27,1; [3. 135]).

1 R. SYME, The Augustan Aristocracy, 1986 2 B. LEVICK, Claudius, 1990 3 D. BALSDON, Die Frau in der röm. Ant., 1979 (engl. 1962, ⁴1974).

PIR² P 488 · RAEPSAET-CHARLIER, 619 · VOGEL-WEIDEMANN, 76, 416 Anm. 1541.   ME. STR.

[2] Mutter von L. Aelius Caesar (→ Ceionius [3]), verheiratet mit L. Ceionius [2] Commodus, C. Avidius [4] Nigrinus und Sex. → Vettulenus Civica Cerealis, *cos. ord.* 106 n. Chr.

SYME, RP 1, 325 ff.

[3] Ihr Name ist nur aus der Nomenklatur von Avidia [3] Plautia, der Tochter des Avidius [4] Nigrinus, zu erschließen, die ihrerseits *amita* (Tante) des Kaisers L. → Verus war. Ihre Mutter P. muß somit auch mit L. Ceionius [2] Commodus, *cos.* 106 n. Chr., der Großvater des Verus war, verheiratet gewesen sein. Sie war also Großmutter des Kaisers Verus. Verm. heiratete sie in dritter Ehe Sex. → Vettulenus Civica Cerialis. Sie nahm in der Genealogie des kaiserlichen Hauses seit → Hadrianus eine prominente Rolle ein ([1. 238 f.] mit Stemmata). PIR² P 484.

1 A. R. BIRLEY, Marcus Aurelius, ²1988, 238 f.   W. E.

Plautius. Name einer röm. plebeiischen Fanmilie, in der späten Republik auch häufig *Plotius* geschrieben, ohne daß ein deutlicher Unterschied im Gebrauch festzustellen ist (vgl. → Claudius/Clodius). Älteste inschr. Belege stammen aus Praeneste (darunter der Verfertiger der sog. Ficoronischen Ciste, Novios Plautios, CIL I² 561), während die Familie in Rom nach 367 v. Chr. zu eminenter polit. Bed. gelangte (MÜNZER hält sie deshalb für aus Praeneste eingewandert [1. 42; 44 f.; 412]) und zw. 358 und 318 sieben Consuln stellte; die Zuwanderung erklärt vielleicht das Interesse an der Integration der Latiner (vgl. P. [I 5]). Die Cogn. Proculus und Venox waren zunächst individuell, wurden dann vererbt, Decianus weist auf eine Verbindung zu den Deciern (→ Decius). Im 3. Jh. verlor die Fam. an Bed. und erscheint erst wieder im 2. und 1. Jh v. Chr. (Cogn. Hypsaeus). Freigelassene der Plautii sind als Händler auf

Delos gut bezeugt [2. 68 f.], Sklaven auf ihren Gütern im 1. Jh. v. Chr in Minturnae [3].

1 MÜNZER 2 J. HATZFELD, Les Italiens résidant à Délos, in: BCH 36, 1912, 5–101 3 J. JOHNSON, Excavations at Minturnae 2, 1, 1933.

I. REPUBLIKANISCHE ZEIT

[I 1] P. Brachte als Volkstribun wahrscheinlich 70 oder 69 v. Chr. (MRR 2,128; 3,158) mit Caesars Unterstützung ein Gesetz durch, das die Rückkehr der zu Q.→ Sertorius geflohenen Teilnehmer des Aufstandes des M. Aemilius [I 11] Lepidus gestattete (Suet. Iul. 5; Cass. Dio 44,47,4). Vielleicht war P. auch Urheber eines Ackergesetzes zugunsten von → Pompeius' [I 3] Veteranen (Cic. Att. 1,18,6); die *lex Plotia de vi* (gegen Gewaltanwendung) ist eher P. [I 12] zuzuweisen. K.-L. E.

[I 2] P., A. Als Volkstribun 56 v. Chr. im Interesse des → Pompeius [I 3] tätig (Cass. Dio 39,16,2); *aed. cur.* 55 (?) (Cic. Planc. 17; 53 f.; vgl. MRR 3,158), Praetor 51 zum Ärger Ciceros (Cic. Att. 5,15,1). 49/8 war er anscheinend – ohne Einhaltung der gesetzlichen Wartezeit – Propraetor von Bithynia-Pontus (Cic. fam. 13,29,4). Dort könnte P. in den Kämpfen gegen die Caesarianer umgekommen sein: 47 ließ Caesar beschlagnahmte *bona Plotiana* verkaufen (Cic. fam. 13,8,2). P.' Familie setzte sich über seinen Sohn M. P. (= PIR P 477) Silvanus und seinen Enkel P. [II 12] in die Kaiserzeit fort. Nicht mit A. P. identisch ist P. (oder Plotius?), Legat des Pompeius 67 gegen die Piraten (Flor. epit. 1,41,9) und vielleicht 63 in Iudaea (App. Mithr. 435). Eventuell ist er der 59 erwähnte *vir primarius* C. P. (Cic. Flacc. 50); eine Gleichsetzung mit P. [I 1] ist strittig. JÖ. F.

[I 3] P., C. Erhielt als Praetor 146 v. Chr. Hispania Ulterior als Provinz und zog gegen → Viriatus, wobei er eine verlustreiche Niederlage erlitt (App. Ib. 64; Liv. per. 52; Oros. 5,4,3). 145 wurde P. wegen Hochverrats (→ *maiestas*) verurteilt und verbannt (Diod. 33,2).

ALEXANDER, 3 f. P. N.

[I 4] P., C. Er soll den jugendlichen T. Veturius, den Sohn des gleichnamigen Consuls von 334 und 321 v. Chr., sexuell belästigt und geschlagen haben, als der in seine Schuldknechtschaft (→ *nexum*) verfallen war. Die Beschwerde des Jungen bei den Consuln habe auf Betreiben des Senates zur Verhaftung des P. geführt (Val. Max. 6,1,9). Dieselbe Anekdote wird mit anderen Personen als Vorgesch. der gesetzlichen Lockerung von Bestimmungen zur Schuldknechtschaft berichtet (Liv. 8,28,2–9 zum J. 326; → Poetelius [3]).

HÖLKESKAMP, 159–160.

[I 5] P. Decianus, C. 329 v. Chr. als zweiter von drei auffälligerweise direkt einander folgenden Plautii Consul (P. [I 14] und [I 11]), ein Höhepunkt in der Gesch. dieser in der 2. H. des 4. Jh. plötzlich prominent gewordenen → *gens*. Wegen der unmittelbaren Sequenz 330–328 ist es naheliegend zu vermuten, daß hier eine Familiengruppe zusammengewirkt und durch die Verknüpfung der jeweiligen Kontakte einen Vorrang errungen und behauptet hat. Dafür spricht auch, daß P. der erste Römer ist, der mit dem Cogn. *Decianus* angibt, aus welcher anderen *gens* er adoptiert wurde, und damit zugleich im Namen Zusammengehörigkeit anzeigt. Begünstigt wurde der Aufstieg der Plautii wahrscheinlich durch die Herkunft aus der lokalen Elite von → Tibur oder → Praeneste: Integrationsbereitschaft und -fähigkeit machten sie zu einem wesentlichen Faktor bei der Eingliederung der → Latini. Nach annalistischer Trad. eroberte P. → Privernum, befürwortete aber die Aufnahme der Besiegten in die röm. Bürgerschaft (Liv. 8,20–21). Sein Nachfahre P. [I 8] erinnerte als Münzmeister 58 v. Chr. lediglich an einen wirklichen oder vermeintlichen Triumph des P. über Privernum (RRC 420).

MÜNZER, 36–45. TA. S.

[I 6] P. Hypsaeus, L. Wurde 138 oder 135 v. Chr. (MRR 1,482 Anm. 1; 3,159) als Praetor mit 8000 Mann zur Unterdrückung des Sklavenaufstandes nach Sizilien entsandt, wo er von einem zahlenmäßig überlegenen Sklavenheer geschlagen wurde (Diod. 34/35,2,18; Flor. epit. 2,7,7).

[I 7] P. Hypsaeus, M. Cicero bescheinigte ihm mangelhafte Gesetzeskenntnisse als Anwalt in einem Vormundschaftprozeß um 126 v. Chr. (Cic. de orat. 1,166 f.). P. brachte es 125 als erster seines Geschlechts nach 200jähriger Gesch. seiner *gens* zum Konsulat (MRR 1,510). Während sein Kollege M. Fulvius [I 9] Flaccus als Anhänger der Gracchen (→ Sempronius Gracchus) vom Senat zum Kampf gegen die Gallier abgeschoben wurde, stand P. wohl auf der Seite der Senatsmehrheit (Rede des C. Gracchus gegen ihn, Val. Max. 9,5, externi 4). P. übernahm dann wohl die Verwaltung einer Prov. (Asia?), da kein Consul in Rom war, als → Fregellae rebellierte.

MÜNZER, 42, Anm. 1. P. N.

[I 8] P. Hypsaeus, P. Parteigänger des → Pompeius [I 3]. Etwa 66–63 v. Chr. war er für ihn Quaestor in den östl. Prov. (Ascon. 35 C.; vgl. Cic. Flacc. 20 mit Schol. Bobiensia 100 St.). Als *aed. cur.* 58 prägte er Mz., die seinen Vorfahren P. [I 5] verherrlichten (RRC 420). 56 drängte P. darauf, Pompeius mit der Rückführung Ptolemaios' XII. nach Ägypten zu beauftragen (Cic. fam. 1,1,3); ca. 55 muß er Praetor gewesen sein, da er 53 – u. a. gegen T. Annius [I 14] Milo – für den Konsulat kandidierte (Ascon. 30 C.), begünstigt von Pompeius und P. Clodius [I 4] Pulcher. Die polit. gewollte Anarchie in Rom vereitelte die Wahlen; P.' Anhänger verwüsteten 52 das Haus des Interrex M. Aemilius [I 12] Lepidus. Sobald Pompeius dank der Unruhen zum Consul gewählt war, ließ er sein Instrument P. fallen und duldete demonstrativ dessen Verurteilung wegen Bestechung (Val. Max. 9,5,3). Die Erwähnung eines Senators P. P. Mitte 44 (Ios. ant. Iud. 14,220) könnte auf eine Begnadigung P.' durch Caesar hindeuten. JÖ. F.

[I 9] P. Plancus, L., Praetor 43 v. Chr., s. → Munatius [I 2] Plancus, C. K.-L.E.

[I 10] P. Proculus, C. Consul 358 v. Chr. als erster Vertreter seiner *gens* im Konsulat (MRR 1, 121). Er kämpfte siegreich gegen die → Hernici (Liv. 7,12,6; 15,9), wofür die *acta triumphalia* einen – bei Livius freilich übergangenen – Triumph P.' ausweisen (InscrIt 13,1,68f; 402f.). 356 war P. als erst der zweite Plebeier in diesem Amt → *magister equitum* des → *dictator* C. Marcius [I 25] Rutilus (Liv. 7,16,6).

[I 11] P. Proculus, P. Sohn von P. [I 10]. In P.' Konsulat 328 v. Chr. wurde eine Kolonie nach → Fregellae deduziert (Liv. 8,22,1f.). Statt P. ist bei Diodoros (17,87,1) fälschlich ein A. Postumius angeführt, woraus sich auch noch für dieses Jahr ein rein patrizisches Consulnpaar ergäbe. C.MÜ.

[I 12] P. Silvanus, M. Volkstribun 89 oder 88 v. Chr. (MRR 3, 159), mit seinem Kollegen C. Papirius [I 6] Carbo nach E. des → Bundesgenossenkrieges [3] Urheber der *lex Plautia Papiria*, die die Verleihung des röm. Bürgerrechtes präzisierte: Diejenigen, die in den mit Rom verbündeten ital. Städten lokales Bürgerrecht erh. hatten (*ascripti*), aber dort nicht residierten, konnten das röm. Bürgerrecht innerhalb von 60 Tagen durch Meldung beim Praetor erlangen (Cic. Arch. 7; [1. 151f.]). P. erließ auch ein Gesetz, das Senatoren wieder den Zugang zu den Gerichtsjurys eröffnete (Cic. Pro Cornelio 1,54 SCHOELL mit Ascon. 79 C. [2. 274f.]; s. Q.→ Varius) und vielleicht ein Gesetz gegen Gewaltanwendung (*de vi*, Cic. Mil. 35; Sall. Catil. 34,1).

1 A.N. SHERWIN-WHITE, The Roman Citizenship, ²1973 · 2 B.H. MARSHALL, A Historical Comm. on Asconius, 1985. K.-L.E.

[I 13] P. Venox, C. 312 v. Chr. → Censor mit Ap. Claudius [I 2] Caecus. Seine Amtsführung steht ganz im Schatten des berühmten Collegen (Diod. 20,36,1–5); anders als dieser abdizierte er nach Ablauf der Amtsfrist (Liv. 9,29,7f.; 33,4).

[I 14] P. Venox, L., 330 v. Chr. der erste von drei aufeinander folgenden Consuln seiner *gens* (→ P. [I 5]). Im Krieg gegen → Privernum bekräftigte er durch eine Machtdemonstration die Treue von Fundi und beteiligte sich dann an der Belagerung des Gegners (Liv. 8,19–20,1).

[I 15] P. Venox, L. War 322 v. Chr. Praetor und 318 Consul. Sein Verwüstungsfeldzug in Apulien zwang Teanum und Canusium zur → *deditio*. Auf dem von seinem Vater (?) P. [I 14] eroberten Gebiet von Privernum wurde damals die → Tribus Oufentina geschaffen (Liv. 9,20,1–6); außerdem wurde die Tribus Falerna (→ Ager Falernus) eingerichtet. TA.S.

II. KAISERZEIT

[II 1] Der röm. Jurist schrieb E. des 1. Jh. n. Chr. ein wohl vornehmlich dem *ius honorarium* (→ *ius* B.) gewidmetes Werk unbekannten Titels [3. 66f.]. Das der prokulianischen (→ Proculus) Trad. folgende Werk [2. 50]

wurde von → Iavolenus [2], → Neratius [4], → Pomponius [II 3] und → Iulius [IV 16] Paulus, dessen Bearbeitung sieben direkte Zitate enthält [1], kommentiert. Trotz des Fehlens jeglicher Daten zur Person des P. ist die Hypothese [4], sein Name sei nur ein Pseudonym des → Pegasus, unbegründet.

1 O. LENEL (Hrsg.), Palingenesia Iuris Civilis, Bd. 2, 1889, 13f. 2 H. SIBER, s.v. Plautius, RE 21, 1951, 45–51 3 C.A. MASCHI, La scienza del diritto all'età dei Flavi, in: Atti del Congresso Internazionale di Studi Vespasianei (Rieti 1979), Bd. 1, 1981, 59–83 4 R.A. BAUMAN, Lawyers and Politics in the Early Roman Empire, 1989, 163f., 187f. T.G.

[II 2] A. P. Möglicherweise Sohn des gleichnamigen Proconsuls von Cyprus unter Augustus (PIR² P 455). Aus Trebula Suffenas stammend. *Cos. suff.* im J. 1 v. Chr. In Augustus' Auftrag nach Apulia gesandt, um eine Sklavenrevolte niederzuschlagen (ILS 961 = AE 1990, 222). Wohl Vater von P. [II 3]. PIR² P 456.

[II 3] A. P. Wohl Sohn von P. [II 2]. Geb. ca. 5 v. Chr. Quaestor des → Tiberius im J. 20/1 n. Chr.; er erstellte für Tiberius den Text des *SC de Cn. Pisone patre* auf 14 *tabellae* (Tafeln) [1. 103ff.]. *Praetor urbanus* 26, *cos. suff.* 29. Als Legat in einer Inschr., die nördl. von Tergeste gefunden wurde, genannt; daraus kann erschlossen werden, daß er entweder Legat von Pannonia oder – weit eher – Sonderlegat im Norden Italiens war [2. 39]. Claudius [III 1] beauftragte ihn mit dem Kommando über die Armee zur Eroberung Britanniens; unter ihm wurde von 43–46/7 der Süden der Insel erobert; an der ersten großen Schlacht nahm auch Claudius teil. Im J. 47 durfte er als letzter Senator in einem kleinen Triumph (→ *ovatio*) in Rom einziehen. Er war verheiratet mit Pomponia [II 3] Graecina, die im J. 57 eines fremden »Aberglaubens« angeklagt, aber von ihm in einem Hausgericht freigesprochen wurde (Tac. ann. 13,32,2). Zu seinem Einfluß vgl. auch Tacitus (ann. 11,36,4). PIR² P 457.

1 W. ECK, A. CABBALLOS, F. FERNÁNDEZ, Das s.c. de Cn. Pisone patre, 1996 2 BIRLEY.

[II 4] A. P. Vielleicht Sohn von P. [II 3]. Kaiser → Nero ließ ihn, der von Sueton als *iuvenis* bezeichnet wird, töten, weil er sich wegen seiner Verwandtschaft mit ihm und der Beziehung zu Agrippina [3] Hoffnung auf die Herrschaft machte (Suet. Nero 35,4). PIR² P 458.

[II 5] Q. P. *Cos. ord.* 36 n. Chr.; wohl jüngerer Bruder von P. [II 3]. PIR² P 459.

[II 6] L. Aelius Lamia P. Aelianus. Senator. Verheiratet mit → Domitia [6] Longina, der Tochter von Domitius [II 11] Corbulo; der Kaiser → Domitianus [1] heiratete sie im J. 70 n. Chr.; angeblich habe er sie dem P. weggenommen (Suet. Dom. 1). Im J. 80 *cos. suff.*; er gehörte verm. zu → Titus' Anhängern im Senat. Domitianus ließ ihn später hinrichten; ein konkreter Grund hierfür ist nicht bekannt. Sein Nachkomme ist L. Lamia Aelianus, *cos. suff.* 116. PIR² A 205.

SYME, RP 4, 168f.; 257.

[II 7] L. Titius P. Aquilinus. *Cos. ord.* 162 n. Chr., Bruder von P. [II 10]. PIR² P 460.

[II 8] P. Lateranus. Sohn von P. [II 5]. Des Ehebruchs mit → Messalina [2], Claudius' [III 1] Frau, im J. 48 n. Chr. angeklagt; wegen der Verdienste seines Onkels – wohl P. [II 3] – wurde er jedoch nicht hingerichtet, sondern nur aus dem Senat entfernt. Durch → Nero wurde er im J. 55 wieder zum Senat zugelassen. Als *consul designatus* nahm er im J. 65 an der Verschwörung gegen Nero teil, weshalb er hingerichtet wurde. Sein Besitz auf dem Lateran wurde eingezogen. PIR² P 468.

[II 9] P. P. Pulcher. Sohn von P. [II 12]. Seine frühe Laufbahn war vielversprechend: *IIIvir monetalis, quaestor* von → Tiberius im J. 31 n. Chr.; danach scheint sie sich verlangsamt zu haben, da er bis zum J. 47/8, als Claudius [III 1] ihn unter die Patrizier aufnahm, nur praetorischen Rang erreicht hatte; anschließend erst *proconsul Siciliae* und *augur*. Den Konsulat erreichte er nicht, was angesichts seines Alters und seiner sozio-polit. Stellung überrascht. Er wurde bei Tibur begraben (ILS 964). PIR² P 472.

[II 10] P. Quintillus. *Cos. ord.* 159 n. Chr. Schwager des Kaisers Lucius → Verus; Vater von P. [II 11]. PIR² P 473.

[II 11] M. Peducaeus P. Quintillus. Sohn von P. [II 10], adoptiert von einem Peducaeus. *Cos. ord.* zusammen mit → Commodus im J. 177 n. Chr.; Schwiegersohn von Marcus [2] Aurelius, durch Heirat wohl mit dessen Tochter Fadilla. 193 trat er im Senat gegen Didius [II 6] Iulianus auf; er wurde unter → Septimius Severus getötet [1. 238 f.]. PIR² P 474.

 1 A. R. BIRLEY, Marcus Aurelius, ²1988.

[II 12] M. P. Silvanus. Wohl Sohn des gleichnamigen Senators von AE 1972, 162 = 1984, 177, wodurch auch die Herkunft aus Trebula Suffenas geklärt ist. *Cos. ord.* zusammen mit → Augustus 2 v. Chr., bereits ca. 4/5 n. Chr. Proconsul von Asia, wohin ihn seine Frau Lartia begleitete (PIR² L 114). Als *legatus Augusti pro praetore* in Galatia und Pamphylia 6/7 n. Chr. tätig, von wo er Truppen nach Pannonia führte, um gegen die dortigen Aufständischen zu kämpfen. 8/9 n. Chr. siegte er über die → Breuci und → Dalmatae, weshalb er die Triumphalinsignien erhielt. Er ist mit seiner Familie im Grab der Plautier nahe Tibur begraben (ILS 964). Zur Frage der Zuschreibung des *titulus Tiburtinus* (CIL XIV 3613 = ILS 918 = InscrIt 4,1, 130; vgl. zuletzt [1. 199 f.]). PIR² P 478.

 1 G. ALFÖLDY, Un celebre frammento epigrafico Tiburtino, in: I. DI STEFANO MANZELLA (Hrsg.), Le iscrizioni dei Cristiani in Vaticano, 1997.

[II 13] M. P. Silvanus. Sohn von P. [II 12], wohl Adoptivvater von P. [II 14]. *Praetor urbanus* im J. 24 n. Chr. In zweiter Ehe mit einer Apronia verheiratet, die er aus ungeklärten Gründen zu Tode stürzte. Im Senat angeklagt, tötete er sich mit dem Dolch, den ihm seine Großmutter → Urgulania gesandt hatte (Tac. ann. 4,22,1 f.). PIR² P 479.

[II 14] Ti. P. Silvanus Aelianus. Zu seiner senatorischen Herkunft s. zusammenfassend PIR² VI p. 199: Wohl Sohn des Aelius [II 16] Lamia, *cos. ord.* 3 n. Chr., adoptiert von einem Plautius, entweder P. [II 12] oder P. [II 13]. Seine Laufbahn ist vollständig in CIL XIV 3608 = ILS 986 erh.; der Text ist in der Form von *res gestae* gestaltet. Als Patrizier wurde er *IIIvir monetalis* und *quaestor* des → Tiberius; als Quaestorier Legionslegat. Praetor; er begleitete Claudius [III 1] im J. 43 nach → Britannia; *cos. suff.* 45. Proconsul von Asia wohl 55/6. Unter → Nero, wohl nach 60, war er consularer Legat in Moesia (→ Moesi); er hatte Kämpfe mit → Sarmatae und → Skythai zu bestehen, brachte eine Reihe von Königen jenseits der Donau zur Anerkennung der röm. Herrschaft; mehr als 100 000 Leute siedelte er von jenseits der Donau in Moesia an. Die → *ornamenta triumphalia* erhielt er dafür erst unter → Vespasianus. Im J. 70 führte er als *pontifex* die Zeremonie zum Wiederaufbau des Iuppiter-Tempels auf dem → Capitolium in Rom an. Von Vespasianus war er zum Statthalter der Hispania Tarraconensis ernannt worden; doch übernahm er wahrscheinlich die Aufgabe gar nicht, da er in der Zwischenzeit zum → *praefectus urbi* in Rom ernannt wurde. *Cos. II suff.* als Nachfolger Vespasians am 13.1.74. Bestattet im Grabmal der Plautier bei Tibur. PIR² P 480.

                W. E.

Plautus. T. Maccius P. ist der bedeutendste röm. Komödiendichter, der die Gattung der → Palliata zu ihrem Höhepunkt führte. Zusammen mit Terenz (→ Terentius) kann er aufgrund einer ungewöhnlich reichen Rezeption als »Vater der Komödie der Neuzeit« bezeichnet werden. Zum allg. Hintergrund s. → Komödie II.

I. LEBEN II. KULTURELLER HINTERGRUND
III. WERKE IV. WELTBILD
V. DRAMATURGIE VI. SPRACHE
VII. ÜBERLIEFERUNG VIII. REZEPTION

I. LEBEN

So beliebt P. zu seiner Zeit war, so wenig Sicheres ist über sein Leben bekannt. Das Aufführungsdatum des *Pseudolus* 191 v. Chr. läßt in Verbindung mit Ciceros Nachricht, P. habe diesen und den *Truculentus* als *senex* (»alter Mann«: Cic. Cato 50) geschrieben, ein Geburtsdatum um 250 v. Chr. vermuten, doch mag es auch später liegen. P. stammt aus dem umbrischen → Sarsina. Nach Gell. 3,3,14 (unter Berufung auf Varro und andere) war er als Bühnenarbeiter tätig (*in operis artificum scaenicorum*), trieb Handel, bei dem er alles Geld verlor, und verdingte sich bei einem Müller. Von diesen bunten Nachrichten ist die erste von besonderem Interesse, da P. das Bühnenhandwerk von der Pike auf gelernt zu haben scheint. Sowohl Maccius als auch P. können Spitznamen des Umbrers Titus sein [14. 83; 1. 2]. Maccius (Maccus, der »Dummkopf«, ist stehende Figur der → Atellana fabula) deutet auf Vertrautheit mit der Atellane [1. 2; 3. 148], P. (»Plattfuß«) auf Vertrautheit mit dem → Mimus [2. 151; 1. 2; 3. 152]. Beide Genera waren ihm gut bekannt [1. 6; 2. 142, 151], ja er dürfte in ihnen selbst als Schauspieler aufgetreten sein [14. 84; 1. 2; 2. 142, 151].

II. KULTURELLER HINTERGRUND

Die Biographie könnte eine Erklärung dafür sein, warum P. den mündlichen ital. Spielformen in ungewöhnlich großem Maß Einlaß in sein Werk gewährte. Man möchte geradezu meinen, ein jahrelang im Stegreifspiel erfahrener Bühnenarbeiter und Schauspieler könne es nicht über sich bringen, die Übers. einer griech. Komödie Wort für Wort anzufertigen (was ohnehin ein unfruchtbarer Anachronismus gewesen wäre). Einerseits gelang es P., das Publikum durch die vertrauten Formen an die »hohe« Lit. heranzuführen, andererseits konnte er die einheimischen »Sketche« durch die Adaptation durchgehender Handlungen zu veritablen Theaterstücken ausbauen. Es handelte sich um eine geniale Kombination von griech. »Schriftlichkeit« und röm. »Mündlichkeit« [3. 154]. Wer den Wert der plautinischen Stücke allein auf die Nachbildung von griech. Originalen zurückführt, verkennt nicht nur ihre Eigenart, sondern auch die Absicht ihres Dichters. Wenngleich es erst im 1. Jh. v. Chr. zu elaborierten Nachbildungen griech. Texte durch röm. Dichter (→ Neoteriker) kommt, ist bereits bei P. das Bestreben vorauszusetzen, die zwar anerkannten, aber doch vergleichsweise »zahmen« Originale an Bühnenwirksamkeit und Witz zu übertreffen und etwas »Richtiges« aus ihnen zu machen. In den zahlreichen »metatheatralischen« Strukturen und Bemerkungen [15; 19] sowie den komplizierten Intrigen [20. 19; 4] zeigt sich ebenfalls die Trad. des Stegreifspiels.

III. WERKE

P. werden h. 21 Komödien zugeschrieben, die sogenannten *fabulae Varronianae* (vgl. u. VII.). Kein Stück des P. läßt sich mit Sicherheit in das 3. Jh. v. Chr. datieren ([18]; Ausnahmen sind vielleicht *Miles gloriosus* und *Cistellaria*). Offenbar trat P. erst spät als »lit.« Dichter hervor. Der *Stichus* wurde 200, der *Pseudolus* 191 aufgeführt. Die Vorbilder gehören wohl durchweg der griech. Neuen Komödie (→ Komödie I. H.) an. Kenntnis der Alten Komödie ist ebensowenig stringent nachgewiesen wie die Zuschreibung verschiedener Originale an die Mittlere Komödie (zuweilen vermutet für *Amphitruo, Persa* und *Poenulus*). Auf → Diphilos [5] gehen *Casina* (*Klērúmenoi*) und *Rudens* (*Epitropé*?) zurück, auf → Menandros [4] *Bacchides* (*Dís exapatôn*), *Cistellaria* (*Synaristôsai*) und teilweise *Stichus* (*Adelphoí*), auf → Philemon [2] *Mercator* (*Émporos*) und *Trinummus* (*Thēsaurós*). Alles andere ist unsicher.

Das Beispiel des *Stichus* ist für P.' Arbeitsweise bezeichnend. Die → Hypothesis nennt als Vorbild Menandros, aber es ist klar, daß das nur für den Anf. des (kurzen) Stücks gelten kann [22]. Es ist daher nicht auszuschließen, daß P. sich vielleicht auf eine länger zurückliegende Aufführung der Menander-Komödie in Süditalien bezieht (schließlich war er zur Abfassungszeit

etwa 50 J. alt) oder nach einer Inhaltsangabe dichtet. Dasselbe mag auch auf die Nachbildung anderer Stücke zutreffen, bei denen man erwägt, daß sie ohne direkte Vorlagen gedichtet sind (*Epidicus* [7]: sehr umstritten, *Menaechmi* [20], *Asinaria*, obwohl P. im Prolog einen sonst unbekannten Dichter Demophilus (vgl. → Demophilos [3]) nennt [21], und *Truculentus* [9]). Wahrscheinlich ist auch der *Persa* dazuzuzählen. In diesem Sinn ist es eine Frage der Definition, ob man bei den betreffenden Komödien von einer Umarbeitung griech. Originale spricht oder nicht. Singulär scheint der Fall des *Amphitruo* zu sein, der wahrscheinlich direkt auf eine Trag. zurückgeht (eine röm. Bearbeitung von Euripides' [1] nicht erh. *Alkmḗnē*; [11]). Für die *Aulularia* wird vielfach Menander als Vorlage vermutet (was aber sehr unsicher ist); über die Originale mehrerer Stücke läßt sich überhaupt nichts aussagen: *Captivi, Curculio, Epidicus, Miles gloriosus, Mostellaria, Poenulus, Pseudolus, Vidularia* (nur frg. erh.).

IV. WELTBILD

Das für das 3. Jh. charakteristische Weltbild der Neuen Komödie hat im Rom des 2. Jh. v. Chr. keine Geltung; daraus ergeben sich einige natürliche Konsequenzen, v. a. ist die griech. Anschauung über das Walten der *Agathḗ Týchē* (des »Guten Schicksals«), die dem Geschehen – und sei es noch so verwickelt – ein gutes Ende verleiht, nicht übertragbar. Eine theologische Deutung ist bei P. so wenig erkennbar wie eine Moral. Jeder ist auf seinen Vorteil bedacht. Überhaupt passen die Strukturen und Probleme der kleinbürgerlichen attischen Ges. nicht auf die röm. Verhältnisse. Es ist das Paradox der plautin. Komödie, daß sie nicht die röm. Ges. auf die Bühne bringt, sondern die Handlungsabläufe der griech. Stücke in einer Weise umbiegt und verschärft, daß sie keinerlei realen Verhältnissen – weder griech. noch röm. – entsprechen. P.' Komödie schwebt wie später die *Commedia dell'arte* im luftleeren Raum.

Die Träger der Autorität, bes. der → *pater familias*, aber auch Kuppler und Bankiers, die für die mittellosen liebenden Jünglinge wichtig sind, werden so drastisch verspottet und übervorteilt, daß den Initiatoren der Intrigen, die in der Regel Sklaven sind, in der Lebenswirklichkeit größte Strafen, auch Todesstrafen, drohten. Wenn Pseudolus seinem Herrn, den er nach Strich und Faden betrügt, am Ende ins Gesicht rülpst (1295) und mit den Worten des Gallierfürsten → Brennus *vae victis* (»wehe den Besiegten!«) (1318) den Fuß auf den Nacken setzt, ergibt sich ein ebenso unwirkliches wie zündendes Finale [10. 86–91], das wohl auch den Zuschauern höheren Standes Spaß bereitete. Dasselbe gilt etwa für den Schluß der *Bacchides*, in denen zwei ehrbare Väter versuchen, ihre Söhne vor den Fängen der beiden Hetären mit demselben Namen Bacchis zu bewahren, diesen am Ende aber selbst verfallen und als blökende Schafe (1123) erniedrigt werden. Die Stichwörter *deridere* (»verlachen«, 1126) und *stultae* (»dumm«, nämlich *oves*, »Schafe«, 1139) klingen deutlich genug auf. Da der Dialog gesungen wurde, spricht FRAENKEL treffend von einem »Schafduett« [6. 423]. Auch in der *Asinaria* oder der *Casina* werden *patres familias* von Frauen in peinlichsten Situationen bloßgestellt – ein für Rom unerhörter Vorgang, der zeigt, in welchem Maß die plautin. Komödie die gesellschaftl. Verhältnisse auf den Kopf stellt. Am Ende des *Mercator* kommt es sogar zu einer »Gerichtsverhandlung«, in der der *senex* (Alte) von dem Sohn und dessen Freund verurteilt wird. Hier ist die Welt der → *Saturnalia* am deutlichsten spürbar. Nicht alltäglich ist es, daß die Alten oft um beträchtliche Geldbeträge geprellt werden. Diese kühnen Betrugshandlungen werden in Rom auch deshalb akzeptiert, weil die Nutznießer der materiellen Erfolge in der Regel nicht die Sklaven, sondern die in eine Hetäre oder ein freies Mädchen verliebten Söhne der ebenso strengen wie geizigen Väter sind. Das verlorene Geld bleibt, wenn es, wie so oft, zu einer Heirat kommt, ohnehin in der Familie.

V. DRAMATURGIE

Durch die Bedeutungslosigkeit des griech. Weltbilds für Rom entfällt auch die griech. Dramaturgie, die dieses Weltbild versinnbildlichte, indem sie zielgerichtet auf den »guten« Ausgang zusteuerte, wozu v. a. die beliebte → Anagnorisis gehörte (Wiedererkennung eines verloren geglaubten Kindes, meist einer Tochter, im jugendlichen Alter). P. eliminiert solche sentimentalen Wiedererkennungen am Ende der Stücke, um statt dessen komischen Szenen eigener Prägung Raum zu geben. Überhaupt werden die einzelnen Teile der Handlung nicht mehr konsequent zusammengebunden, sondern gewinnen einen Eigenwert, der nach Belieben ebenso uferlose Verbreiterungen wie sinnstörende Verknappungen gestattet. Widersprüche und Unebenheiten sind nicht auf Unvermögen des Dichters, sondern auf das Bestreben zurückzuführen, der einzelnen Szene, ja dem einzelnen Gedanken notfalls auf Kosten der Handlungsführung die größtmögliche Wirkung zu verleihen.

Widersprüche sind bes. für die Quellenanalyse von großer Bed. In letzterer ragen TH. LADEWIG, F. LEO und seine Schüler E. FRAENKEL [6] und G. JACHMANN [8] heraus. Während die Forsch. des 19. Jh. Ungereimtheiten vielfach durch die Annahme von »Kontamination« – d. h. Kombination zweier griech. Originale, wie sie Terenz in den Prologen zu *Andria*, *Heautontimorumenos* und *Adelphoe* bezeugt – zu erklären versucht, ist die These dieser Methode h. nicht mehr in Geltung, obschon Terenz auch P. in diesem Zusammenhang nennt (Andr. 18). Einen Handlungsstrang von wenigen hundert Versen ohne Vorbild zu dichten ist für den erfahrenen und gewieften Umbrer P. kein Problem. Es kommt hinzu, daß die Versatzstücke der Handlungen in der Neuen Komödie und in der → Palliata sich immer wiederholen, so daß Vorsicht geboten ist, aus Ähnlichkeiten von Handlungskonstellationen und Motiven auf Abhängigkeiten zu schließen. Ein wichtiger Ansatzpunkt für die Quellenanalyse ist die Möglichkeit, in den Stücken griech. und röm. Recht zu scheiden [17].

VI. SPRACHE

Einzigartig ist die plautin. Sprache, die sich der umbrische Dichter, noch archa. Strukturen verhaftet [5], mit einer schier unerschöpflichen Phantasie und Geschicklichkeit bildet. Zwar ist er stark Eigenarten der mündlichen Sprache verpflichtet, doch gibt er in keiner Weise Umgangssprache wieder. Vielmehr handelt es sich bei seinem Idiom – auch bei den beliebten Schimpfwörtern – um ein hochartifizielles Gebilde, das ihn den größten Sprachschöpfern der Weltlit. an die Seite stellt. Seine skurrile Komik beruht zu einem wesentlichen Teil auf dem Wortwitz. Viele pointierte Techniken verdankt er den Feszenninen (→ *fescennini versus*). Betörender Klang und Lautmalerei triumphieren nicht selten über den banalen Inhalt. Durch die musikalische Begleitung dürften sie noch betont worden sein.

VII. ÜBERLIEFERUNG

Der P.-Text ist ungesichert. In der ersten Hälfte des 19. Jh. machte sich v. a. F. RITSCHL um ihn verdient. Gegenüber den trotz aller Gelehrsamkeit zum Teil willkürlichen Herstellungsversuchen jenes Jh. bedeuten die konservativen Ausgaben von F. LEO (1895/96) und W. M. LINDSAY (1904/5) insofern einen Fortschritt, als sie ein adäquates Bild der Überl. vermitteln. Das Problem der Interpolationen bleibt und ist bis h. nicht gelöst. Wenn man freilich bis zu 40% des tradierten Texts als interpoliert betrachtet [23], läuft man Gefahr, gerade das »Plautinische im P.« dem Umbrer abzusprechen. Andererseits besaß das 1. Jh. v. Chr. unter P.' Namen viel Unechtes: → Aelius [II 20] Stilo erkannte von 130 P. zugeschriebenen Komödien 25 (Gell. 3,3,13), → Varro 21 (Gell. 3,3,3) als echt an (*fabulae Varronianae*). Es ist daher wahrscheinlich, daß vieles Echte verloren und manches Unechte in den tradierten Stücken enthalten ist. Die »unechten« unter P.' Namen überl. Komödien müssen jedoch keineswegs gefälscht sein, da es Gellius (3,3,13) für unzweifelhaft hält, daß P. ältere röm. Stücke bearbeitete.

VIII. REZEPTION

P. wurde das ganze Alt. hindurch bis in die Spätantike hinein geschätzt. Das MA hatte keine vollständige Kenntnis seiner Komödien. Einen Auftrieb für die Rezeption bedeutete 1429 das Auffinden der übrigen Komödien. Den Humanisten wurde P. nun ein großartiges Vorbild für ihr eigenes Schaffen, zunächst in lat. Sprache (*comoedia erudita*), dann in *lingua volgare*. Von hier aus drangen seine Sujets und Techniken in die *Commedia dell'arte* ein, die sie über ganz Europa hin verbreitete. Auch große Dichter wie ARIOSTO, SHAKESPEARE und MOLIÈRE erkannten sein Genie und ließen sich von ihm anregen. Bis zu J. M. R. LENZ war er ein nahezu unerreichbares Muster. Erst der Griechenenthusiasmus im Gefolge WINCKELMANNS schränkte die bis dahin enorme Rezeption des P. [16] ein.

→ Komödie; Palliata; KOMÖDIE; LATEINISCHE KOMÖDIE

LIT.: **1** J. BARSBY (ed.), P., Bacchides, 1986 (mit engl. Übers. und Komm.) **2** W. BEARE, The Roman Stage, ³1964 **3** L. BENZ, Die röm.-ital. Stegreifspieltrad. zur Zeit der

Palliata, in: Dies., E. Stärk, G. Vogt-Spira (Hrsg.), P. und die Trad. des Stegreifspiels, 1995, 139–154 **4** M. Bettini, Verso un'antropologia dell'intreccio e altri studi su Plauto, 1991 **5** J. Blänsdorf, Archa. Gedankengänge in den Komödien des P., 1967 **6** E. Fraenkel, Plautinisches im P., 1922 **7** S. Goldberg, P.' Epidicus and the Case of the Missing Original, in: TAPhA 108, 1978, 81–91 **8** G. Jachmann, Plautinisches und Attisches, 1931 **9** E. Lefèvre, Truculentus oder der Triumph der Weisheit, in: [12], 175–200 **10** Ders., P.' Pseudolus, 1997 **11** Ders., P.' Amphitruo zw. Trag. und Stegreifspiel, in: Th. Baier (Hrsg.), Stud. zu P.' Amphitruo, 1999, 11–50 **12** Ders., E. Stärk, G. Vogt-Spira, P. barbarus, 1991 **13** P. Lejay, Plaute, 1925 **14** F. Leo, Plautinische Forsch., ²1912 **15** T. Moore, The Theater of P., 1998 **16** K. von Reinhardstoettner, Spätere Bearbeitungen plautinischer Lustspiele, 1886 **17** A. D. Scafuro, The Forensic Stage, 1997 **18** K. H. E. Schutter, Quibus annis comoediae Plautinae primum actae sint quaeritur, Diss. Groningen 1952 **19** N. W. Slater, P. in Performance, ²2000 **20** E. Stärk, Die Menaechmi des P. und kein griech. Original, 1989 **21** G. Vogt-Spira, Asinaria oder Maccus vortit Attice, in: [12], 11–69 **22** Ders., Stichus oder Ein Parasit wird Hauptperson, in: [12], 163–174 **23** O. Zwierlein, Zur Kritik und Exegese des P., 4 Bde., 1990–1992.

Gesamt-Ed.: F. Leo, 2 Bde., 1895/6 · W. M. Lindsay, 2 Bde., 1904/5 · C. Questa, Titi Macci Plauti Cantica, 1995. Lex.: G. Lodge, 2 Bde., 1924–1933.   E. L.

Plebiscitum

Plebiscitum (Pl. *Plebiscita*). Die Beschlüsse der röm. Plebeier-Versammlung (→ *concilium*; → *plebs*). Seit der *lex Hortensia* (287 v. Chr.) wurden diese Beschlüsse den *leges* (Gesetzen, → *lex*) gleichgestellt (*legibus exaequata sunt*, Gai. inst. 1,3) und auch so bezeichnet. Die Annahme einer noch älteren Allgemeinverbindlichkeit der *p.* kann heute als widerlegt gelten (zusammenfassend [1. 61 f.]). In den folgenden drei Jh. bildeten die *p.* den Schwerpunkt der röm. Gesetzgebungstätigkeit überhaupt. Dies mag u. a. daran gelegen haben, daß die Einberufung eines *concilium plebis* durch die Volkstribunen (→ *tribunus*) ohne die umständlichen Formalitäten möglich war, die für die Versammlungen des »ganzen« Volkes, die → *comitia* (*curiata*, *centuriata* und *tributa*), einzuhalten waren, z. B. die vorherige Einholung von Auspizien durch die Auguren (→ *augures*); zudem konnten sich die Volkstribunen stärker als die zur Einberufung der *comitia* befugten Consuln oder Praetoren auf die Vorbereitung und Durchführung eines Gesetzgebungsverfahrens konzentrieren [2. 128]. Auch wird es zuweilen opportun gewesen sein, den Volkstribunen die Gesetzesinitiative zur Vermeidung ihres Einspruchsrechts (→ *intercessio* [1], vgl. auch → *rogatio*) von vornherein zu überlassen. Bis zu den Gracchen (133–121 v. Chr.; → Sempronius) hat das arbeitsteilige Zusammenwirken von Senat und Tribunen bei der Herbeiführung von *p.* offenbar im allg. funktioniert [3. 614–625]. Die Konfliktpolitik des C. → Flaminius [1], der wahrscheinlich Initiator des *p.* über die Besiedlung des → *ager Gallicus* (232 v. Chr.) und Förderer (wenn nicht geistiger Ur-

heber) der gegen die Handelsaktivitäten der Senatoren gerichteten *lex Claudia* zur Beschränkung ihres Schiffsbesitzes (218 v. Chr.) war, dürfte eher eine Ausnahme gewesen sein (vgl. [3. 611 f.]). Dies änderte sich in der Zeit der Bürgerkriege (seit 133 v. Chr.), bis die Kaiser kraft ihrer eigenen Tribunengewalt (*tribunicia potestas*) auch *p.* herbeiführen konnten. Der Versuch → Cornelius [I 90] Sullas (wohl 81 v. Chr.), das Antragsrecht der Tribunen für *p.* (wie wohl schon vor 287 v. Chr.) wieder von der vorherigen Zustimmung des Senates abhängig zu machen, blieb Episode (bis 70 v. Chr.).

Für die Einleitung des Verfahrens zur Herbeiführung von *p.* genügte der Antrag eines einzelnen der 10 Tribunen, nach dem die verabschiedete *lex* dann im allg. auch benannt wurde. Obwohl die Auguren vor der Versammlung der *plebs* nicht befragt zu werden brauchten, mußten die Tribunen *obnuntiationes* (Hinweise) ihrer Kollegen auf »unerbetene« böse Zeichen beachten (Cic. leg. 2,31 und dazu [3. 626]). Sonst war das *p.* nichtig. Im übrigen entsprach das Verfahren demjenigen bei den *comitia*. Eine Verbindung mehrerer Anträge (*rogatio per saturam*) war unzulässig. Vor der Abstimmung mußte eine Bekanntmachung (*promulgatio*) des Antrages erfolgen. Abgestimmt wurde wie bei den → *comitia tributa* gleichzeitig in 35 *tribus* (Wahlkörpern).

P. ergingen zu allen röm. Rechtsgebieten, vor allem zum gesamten Privatrecht. Als *p.* erkennbar sind sie im allg. allein aus dem Namen des Antragstellers, wenn er z. Z. des Beschlusses Volkstribun war.

1 H. Siber, s. v. P., RE 21, 54–73 **2** J. M. Rainer, Einführung in das röm. Staatsrecht, 1997, 125–129 **3** W. Kunkel, R. Wittmann, Staatsordnung und Staatspraxis der Röm. Republik, 2. Bd.: Die Magistratur (HdbA 10,3,2,2), 1995, 607–626.

J. Bleicken, Lex publica. Gesetz und Recht in der Röm. Republik, 1978 · Rotondi · Wieacker, RRG, 403–406.
     G. S.

Plebs

Plebs I. Wortbedeutung II. Republik III. Prinzipatszeit

I. Wortbedeutung

Das Wort *p.* bedeutet zunächst einfach »Menge« (abgeleitet von der Wurzel *ple*; vgl. *plenus*, »voll« und griech. πλῆθος/*pléthos*, »Menge«). Als Sammelbegriff für alle röm. Bürger, die Patrizier (→ *patricii*) ausgenommen, kann er nur von letzteren (abwertend) konzipiert worden sein und ist in seiner Bed. wie in seiner gesch. Entwicklung nur als Korrelat zum Begriff des Patriziats verständlich. Als sich dieses durch den Aufstieg führender plebeiischer Familien zur Nobilität (→ *nobiles*) umgebildet und sich zudem der *ordo equester* (→ *equites Romani*) herausdifferenziert hatte, erhielt *p.* zunehmend die Bed. »niederes Volk« (Plaut. Poen. 515: *plebeii et pauperes*; Cato Fr. 152 ORF: *pauperem plebeium atque proletarium*; Hor. epist. 1,1,57–59: *plebs eris*). Die Einteilung in Patriziat und *p.* wird von der Überl. dem röm. Gründerkönig → Romulus zugeschrieben, wobei die *p.* den adligen *gentes* als Klientel (→ *cliens*) zugeordnet worden sei (Cic. rep. 2,16; Dion. Hal. ant. 2,9,f.). Das ist reine Konstruktion; es hat neben den Klienten immer freie Plebeier gegeben. Auch die These einer urspr. ethnischen Differenz zw. Patriziat und *p.* hat sich nicht bewährt. Im übrigen setzt das Erbrecht der XII-Tafeln (→ *tabulae duodecim*) bereits plebeiische *gentes* voraus.

II. REPUBLIK

Mit dem Ende der Monarchie schloß sich das Patriziat um 500 v.Chr. ständisch ab und monopolisierte den Zugang zu Priestertümern, Magistraturen und dem Senat. In Reaktion darauf politisierte sich auch die *p.* und entwickelte eine eigene Sonderorganisation, die in der Antike einzigartig war, in ma. Städten Italiens oder Deutschlands aber durchaus Parallelen findet. Sie bildete eine Schwurgemeinschaft (*lex sacrata*), an deren Spitze Volkstribune (→ *tribunus*) und plebeiische → *aediles* standen, die eigenständig zusammentrat (→ *concilium plebis*) und Beschlüsse faßte (→ *plebiscitum*). Als Kampfmaßnahmen gegen die patrizischen Magistrate garantierte die Solidarität der Plebeier ein Hilferecht (*ius auxilii ferendi*) sowie ein Interzessions-/Vetorecht der Volkstribune. Der gelegentliche Auszug (→ *secessio*) der bewaffneten Plebeier auf den Mons Sacer bzw. Aventin unterstrich die mil. Unentbehrlichkeit der plebeiischen Hopliten, ist also als eine Art »Militärstreik« zu verstehen. Als spezifisch plebeiischer Kult erscheint das von den *aediles plebei* verwaltete Heiligtum von → Ceres, → Liber und Libera auf dem Aventin, aber auch auf die Kapelle der → Pudicitia plebeia und auf die *ludi plebei* (→ *ludi* III. F.) ist zu verweisen. Die Verdoppelung des Stadtgründers Romulus in der Gestalt des Zwillingsbruders Remus ist ebenfalls als Ausdruck plebeiischer Eigenständigkeit angesprochen worden.

Die strikte ständische Trennung zw. Patriziat und *p.* entfiel mit der Aufhebung des wohl im XII-Tafelgesetz festgeschriebenen Eheverbotes um 445 v.Chr. durch die Initiative des Volkstribunen C. Canuleius [1]. Den führenden plebeiischen Familien öffnete der gemeinsame Kampf bis zum J. 300 den Zugang zum Senat, zu den Magistraturen und den meisten Priestertümern, den übrigen Plebeiern verschaffte er rechtliche Sicherung durch das Provokationsrecht (*lex Valeria*), v.a. aber wirtschaftliche Besserstellung durch die Milderung des Schuldrechts und Landzuweisungen. Die nach einer *secessio* erfolgte Gleichstellung von Plebisziten (→ *plebiscitum*) mit Gesetzen des Gesamtvolkes (*lex Hortensia*, 287 v.Chr.) bedeutete im nachhinein eine gewisse staatliche Anerkennung der plebeiischen Sonderorganisation, die sich nach dem Erreichen der urspr. Ziele jedoch nicht auflöste, sondern in die *res publica* integriert wurde und z.T. neue Aufgaben – so im Bereich der Gesetzgebung – übernahm.

In das Jahr 287 v.Chr. wird von der Forsch. gewöhnlich das »Ende des → Ständekampfs« gesetzt. Röm. Geschichtsauffassung und -periodisierung entspricht das nicht. Es gab auch weiterhin plebeiische Trad. und ein Sonderbewußtsein, das bei Bedarf aktiviert werden

konnte. Das gilt für die Zeit des C. Flaminius [1] (um 230 v.Chr.), insbes. aber für die Krise der späten Republik seit 133 v.Chr., in der die Popularen wiederholt den revolutionären Charakter des Volkstribunats wiederbeleben wollten und an die plebeiischen Kampfformen der Ständekämpfe zu appellieren und anzuknüpfen versuchten, bes. signifikant etwa im Rückzug des C. → Sempronius Gracchus und seiner Anhänger auf den Aventin im J. 121 v.Chr. Allerdings war die soziale Differenzierung inzwischen über den alten Gegensatz Patriziat – *p.* längst hinweggeschritten. Auch innerhalb der *p.* kamen neue Interessengegensätze auf. War für die *p. rustica*, insbes. für die von ihr gestellten Soldaten/Veteranen, weiterhin die Agrarfrage von entscheidender Bed., so bedurfte die *p. urbana* (vgl. Sall. Catil. 37,4) einer geregelten und erschwinglichen Getreideversorgung. In den Wirren der 50er Jahre fand P. Clodius [I 4] Pulcher für die *plebs* neue Formen der Mobilisierung.

III. PRINZIPATSZEIT

Vor allem (die kostenloses Getreide empfangende) *p. frumentaria* in Rom war in der Prinzipatszeit ein wichtiger Ansprechpartner der Kaiser. Obwohl die stadtröm. *p.* wichtige polit. Rechte verloren hatte, artikulierte sie im öffentlichen Raum, im → Circus und im Theater (*plebs sordida et circo ac theatris sueta*/›die schmutzige und an Circus und Theater gewöhnte *p.*‹: Tac. hist. 1,4,3; → *munera*), mit Nachdruck ihre Interessen; v.a. bei Getreideknappheit oder beim Ansteigen der Getreidepreise kam es zu Demonstrationen (Tac. ann. 2,87; Suet. Claud. 18,2). Nach Neros Tod (68 n.Chr.) hatte die Getreideversorgung einen erheblichen Einfluß auf die polit. Stimmung in Rom (Tac. hist. 1,89; 4,38,2; 4,52,2). Die Aktionen der *p.* beschränkten sich aber nicht auf Versorgungsfragen: Unter Nero versuchte die *p.*, die Hinrichtung der Sklaven des Pedanius [6] Secundus zu verhindern (Tac. ann. 14,42,2; 14,45). Selbst das Familienleben des → Princeps konnte zum Anlaß von Unruhen werden; die *p.* reagierte auf das Gerücht, Nero habe Octavia [3] aus der Verbannung zurückgerufen, mit einem Aufruhr (*seditio*), in dem die Standbilder Poppaeas niedergerissen wurden (Tac. ann. 14,61). Getreideverteilung und Spiele waren die bevorzugten Mittel, um die *p.* zufriedenzustellen (*panem et circenses*: Iuv. 10,77–81; vgl. auch Fronto 210 NABER: *annona* und *spectacula*). Ein kritisches Bild der spätant. Unterschichten Roms entwirft Ammianus Marcellinus (Amm. 14,6,25 f.; 28,4,28 ff.); auch in der Spätant. war die Bereitschaft zur Gewalttätigkeit außerordentlich hoch. V.a. der Mangel an Getreide und Wein wurde zum Anlaß von Unruhen in Rom (Amm. 14,6,1; 15,7,3; 19,10; 27,3,4).

→ Cura annonae; Patricii; Populares; Ständekampf

1 E. J. BICKERMAN, Some Reflections on Early Roman History (1969), in: Ders., E. GABBA (Hrsg.), Religions and Politics in the Hellenistic and Roman Periods, 1985, 523–540 **2** P. A. BRUNT, Der röm. Mob (1966), in: H. SCHNEIDER (Hrsg.), Zur Sozial- und Wirtschaftsgesch. der späten röm. Republik, 1976, 271–310 **3** T. J. CORNELL, The Beginnings of Rome. Italy and Rome from the Bronze

Age to the Punic Wars (c. 1000–264 BC), 1995 **4** J.-M. DAVID, La clientèle, d'une forme de l'analyse à l'autre, in: H. BRUHNS, J.-M. DAVID, W. NIPPEL (Hrsg.), La fin de la république romaine, 1997, 195–216 **5** W. EDER, Zw. Monarchie und Republik: Das Volkstribunat in der frühen röm. Republik, in: F. GABRIELI (Hrsg.), Bilancio critico su Roma arcaica fra Monarchia e Repubblica, 1993, 97–127 **6** A. GUARINO, La rivoluzione della plebe, 1975 **7** W. HOFFMANN, Die röm. Plebs, in: Neue Jb. für Ant. und dt. Bildung 1, 1938, 82–98 **8** K.-J. HÖLKESKAMP, Senat und Volkstribunat im frühen 3. Jh. v. Chr., in: W. EDER (Hrsg.), Staat und Staatlichkeit in der frühen röm. Republik, 1990, 437–457 **9** H. P. KOHNS, Versorgungskrisen und Hungerrevolten im spätant. Rom, 1961 **10** A. MOMIGLIANO, The Rise of the *plebs* in the Archaic Age of Rome, in: K. A. RAAFLAUB (Hrsg.), Social Struggles in Archaic Rome, 1986, 175–197 **11** W. NIPPEL, Public Order in Ancient Rome, 1995 **12** K. A. RAAFLAUB, Politics and Society in Fifth-Century Rome, in: s. [5], 129–157 **13** J.-C. RICHARD, Les origines de la plèbe romaine: Essai sur la formation du dualisme patricio-plébéien, 1978 **14** H. SCHNEIDER, Die polit. Rolle der *plebs urbana* während der Tribunate des L. Appuleius Saturninus, in: AncSoc 13/14, 1982/83, 193–221 **15** J. VON UNGERN-STERNBERG, Die Wahrnehmung des »Ständekampfes« in der röm. Geschichtsschreibung, in: s. [8], 92–102 **16** J. VON UNGERN-STERNBERG, The End of the Conflict of the Orders, in: s. [10], 353–377 **17** W. WILL, Der röm. Mob, 1991 **18** T. P. WISEMAN, Remus. A Roman Myth, 1995 **19** Z. YAVETZ, Plebs and Princeps, 1969 **20** Ders., The Living Conditions of the Urban Plebs in the Republican Rome, in: Latomus 17, 1958, 500–517. J. v. U.-S.

Pleiaden (πλειάδης/*pleiádēs*, lat. *pliades*, auch Βότρυς/ *Bótrys*, »Traube« oder »Locke«; lat. *Vergiliae*, »Zweiglein«). Im Gegensatz zu den → Hyaden schon früh seit Euripides und Hippokrates im kollektiven Singular Πλειάς/*Pleiás*: sieben dicht beieinanderstehende schwache, als »Nebel« bezeichnete Sterne, nach Nikandros [4] am Schwanz des umgekehrt aufgehenden Stiers, sonst – weil dieser nur mit dem Vorderteil verstirnt ist – am Anf. seines Sektors. Schon Hom. Il. 18,486 und Od. 5,272 erwähnen sie jeweils an erster Stelle, Hes. erg. 383 bezeichnet sie als Töchter des Atlas [2] und der → Pleione, nach Arat. 262 f. heißen sie Alkyone, Merope, Kelaino, Elektra, Sterope, Taygete und Maia. Eine unter den P. leuchtet nur schwach: entweder Merope aus Scham, sich als einzige mit einem Sterblichen, Sisyphos, vermählt zu haben, oder Elektra aus Trauer über den Untergang der von ihrem Sohn → Dardanos [1] gegründeten Stadt Troia. Nach Kall. fr. 693 gelten sie als Töchter der Amazonenkönigin und heißen Kokkymo, Glaukia, Protis, Parthenia, Maia, Stonychia und Lampado. Als Tauben (πελειάδες/*peleiádes*) fliehen sie ständig vor dem Riesensternbild → Orion.

Von den Babyloniern MUL.MUL genannt, markieren die P. den Beginn der Mondbahn, so auch bei → Euktemon [1. 11] und den Indern [2. 441]. Etym. leitete man von ihrem Namen u. a. die Vollendung des Jahres ab (schol. Arat. 254–255 p. 202,10 MARTIN συμπληροῦν/*symplērún*). Bauern und Seefahrer richteten

sich nach den P. (→ Paranatellonta). Um 430 wurden sie am 19. Mai morgens zuerst sichtbar und am 8. November morgens zuerst unsichtbar. Theophr. de signis tempestatum 6 teilt danach das Jahr (Πλειάς τε δυομένη καὶ ἀνατέλλουσα), vgl. Arat. 266: Sommer- und Winteranfang.

Ptol. apotelesmatika 1,9,3 ordnet die P. der Qualität des Mars und – wie alle Nebelsterne – der des Mondes zu, Prokl. in Hes. erg. 381 verteilt den arateischen Katalog auf die Planeten: Kelaino – Saturn, Sterope – Zeus, Merope – Mars, Elektra – Sonne, Alkyone – Venus, Maia – Merkur, Taygete – Mond. In der → Iatromathematik galten die P. wie alle schwachen Sterne als schädlich für die Augen [3], in der Astrologie verstärkten sie die Weiblich- und Weichlichkeit des Stiers (Manil. 5,140–156) und förderten bes. die Haarpflege, vgl. die Abb. im Cod. Leidensis Vossianus lat. 79 (9. Jh.), fol. 42ᵛ.

→ Astrologie; Astronomie; Sternbilder; Tierkreis

1 A. REHM, Das Parapegma des Euktemon, 1913 **2** D. PINGREE, MUL.APIN and Vedic Astronomy, in: H. BEHRENS (Hrsg.), FS Åke Sjöberg, 1989, 439–445 **3** W. HÜBNER, Die Eigenschaften der Tierkreiszeichen in der Ant., 1982, 193–196.

F. BOLL s. v. Fixsterne, RE 6, 2407–2431 · Ders. s. v. Hebdomas, RE 7, 2547–2578 · W. und H. GUNDEL, s. v. P., RE 21, 2485–2523 · W. HÜBNER, s. [3] · Ders., Grade und Gradbezirke der Tierkreiszeichen, 2 Bde., 1995 · A. REHM, Parapegmastudien, 1941 · J. RÖHR, Beitr. zur ant. Astrometeorologie, in: Philologus 83, 1928, 259–305, bes. 283–285. W. H.

Pleias (Πλειάς). Das »Siebengestirn« der griech. tragischen Dichter zur Zeit des Ptolemaios Philadelphos (285–246 v. Chr.). Die Namenslisten divergieren (wie bei den → Sieben Weisen oder den Sieben → Weltwundern): Als feste Namen erscheinen → Alexandros [21] Aitolos, → Lykophron [5] aus Chalkis, → Homeros [2] aus Byzantion, → Philikos aus Kerkyra, → Sositheos aus Alexandreia; dazu kommen → Sosiphanes aus Syrakus, → Aiantides, → Dionysiades aus Tarsos und Euphronios. Mit der Liste wird dem → Kanon [1] der klass. tragischen Trias Aischylos [1], Sophokles und Euripides [1], die bereits in den ›Fröschen‹ des Aristophanes [3] (405 v. Chr.) als unerreichbare Vorbilder hingestellt werden, ein hell. Pendant entgegengestellt.

A. LESKY, Die trag. Dichtung der Hellenen, ³1972, 535. B. Z.

Pleione (Πληίόνη, lat. *Plione*: Serv. georg. 1,138). Tochter des → Okeanos und der → Tethys (Ov. fast. 5,83 f.), Mutter der → Pleiaden (Apollod. 3,110; schol. Hom. Od. 5,272), die – nach geläufiger Version – nach ihrer Mutter benannt sind (schol. Hom. Il. 18,486 BEKKER nach dem → Epischen Zyklus; schol. Apoll. Rhod. 3,225–227a), des → Hyas und der → Hyaden (schol. Hes. erg. 383a; Hyg. astr. 2,21 nach Musaios; Hyg. fab. 192 und 248), Großmutter des → Mercurius (Ov. met. 2,742 f.; Ov. epist. 16,62; Val. Fl. 1,737 f.). Ob P. zusammen mit den Pleiaden auf der Flucht vor → Orion [1], der entweder ihr selbst (Athen. 11,490d. f; schol. Apoll. Rhod. l.c.) oder ihren Töchtern (schol. Hom. Il. l.c.) nachstellt, von Zeus an den Himmel versetzt wird, ist ungewiß. Vielleicht bezeichnet Pind. fr. 74 (vgl. schol. Pind. N. 2,17c) mit P. die ganze Gruppe der Pleiaden [1]. Dieselbe myth. Gestalt wird auch Aithra genannt (schol. Hes. erg. l.c.; Hyg. astr. l.c.).

1 M.C. VAN DER KOLF, s.v. P., RE 21, 192. SI.A.

Pleistainetos (Πλεισταίνετος). Einzig bei Plut. de gloria Athenensium 2,346 genannter griech. Maler; seine Lebenszeit ist nur durch chronologische Kombination in die Mitte des 5. Jh.v.Chr. datierbar. Er soll ein Bruder des Bildhauers → Pheidias gewesen sein und Schlachtengemälde mit siegreichen Feldherrn sowie Heroenbilder geschaffen haben. Etliche Forscher glauben, Plin. habe nat. 35,54 fälschlich → Panainos anstatt P. geschrieben, doch kann man ebenso von einem Irrtum Plutarchs ausgehen, da Panainos noch öfter in anderen Quellen genannt wird. Vom Stil des Malers haben wir keine Vorstellung.

G. LIPPOLD, s.v. P., RE 21, 192–195 · P. MORENO, s.v. P., EAA 6, 246 · R. KRUMEICH, Bildnisse griech. Herrscher und Staatsmänner im 5. Jh.v.Chr., 1997, 234, A25. N.H.

Pleistarchos (Πλείσταρχος).
[1] Spartanischer König aus dem Hause der → Agiadai, war beim Tod seines Vaters Leonidas [1], der 480 v.Chr. an den Thermopylen fiel, noch unmündig, so daß sein Vetter Pausanias [1], 479 v.Chr. Befehlshaber der griech. Streitmacht bei Plataiai, die Vormundschaft übernahm (Hdt. 9,10,2; Thuk. 1,132,1; Paus. 3,4,9; Plut. mor. 231c). Nachdem P. volljährig geworden war, übte er nur einige Jahre bis zu seinem Tod 458 v.Chr. die Funktion eines Königs aus (Paus. 3,5,1), ohne sich polit. oder mil. zu profilieren. K.-W.WEL.
[2] Sohn des → Antipatros [1], Bruder des → Kassandros, geb. kurz nach 350 v.Chr., wohl am maked. Hof aufgewachsen. P. wird erstmalig 312 als Kommandeur seines Bruders auf Euboia erwähnt, konnte jedoch Chalkis [1] nicht gegen Truppen des Antigonos [1] halten (Diod. 19,77,2–28,2). 304/3 v.Chr. unterlag er im Zuge mil. Aktionen seines Bruders auf der Peloponnes den Athenern (Paus. 1,15,1) und bei Argos [II 1] dem Demetrios [2] (MORETTI 1, 39). Als er 301 v.Chr. dem Kassandros Truppen zum Kampf gegen Antigonos in Kleinasien zuführen wollte, verlor er beim Übersetzen einen Großteil seiner Männer (Diod. 20,112,1–4). Nach der – offenbar erfolgreicheren – Teilnahme an der Schlacht von → Ipsos (301) erhielt er Kilikien (Plut. Demetrios 31,6), verlor es wenig später an Demetrios, gelangte aber kurz nach 298 v.Chr. auf ungeklärte Weise nach Ausweis von Inschr. (z.B. [4. Nr. 44]) in den Besitz eines Teils von Karien. Zweifelhaft ist, ob P. der Neugründer der von Stephanos von Byzantion (s.v. Πλειστάρχεια) erwähnten karischen Stadt Pleistarcheia ist, die vor- und nachher Herakleia geheißen haben soll

und deren Identifizierung mit Herakleia [5] am Latmos als gesichert gilt [2]. Das Ende seiner Herrschaft in Karien und deren Ursachen liegen im dunkeln.

1 A.P. GREGORY, A Makedonian dynastés. Evidence for the Life and Career of P. Antipatrou, in: Historia 44, 1995, 11–28 2 O. HÜLDEN, P. und die Befestigungsanlagen von Herakleia am Latmos, in: Klio 82, 2000, 382–408 3 J. KOBES, »Kleine Könige«. Unt. zu den Lokaldynasten im hell. Kleinasien (323–188 v.Chr.) (Pharos 8), 1996 4 L. ROBERT, Le sanctuaire de Sinuri près de Mylasa I. Les inscriptions grecques, 1945. O.HÜ.

Pleisthenes (Πλεισθένης).
[1] Myth. Gestalt aus dem Geschlecht des → Pelops, häufig auch als Eponym dieses Geschlechtes genannt (Aischyl. Ag. 1569 etc.): entweder Sohn des Pelops und der → Hippodameia [1] (mit → Atreus, → Thyestes und → Pittheus als Brüdern; schol. Pind. O. 1,144), oder als Sohn des Atreus und der Kleola im Exil in Makestos (Triphylien) geboren, Vater des → Agamemnon und des → Menelaos [1] (schol. Eur. Or. 4), oder Gatte der → Aërope, von dieser Vater des Agamemnon und des Menelaos (Apollod. 3,15; vgl. schol. Soph. Ai. 1297). Die Konkurrenz zwischen Atreus und P. als Vätern des Agamemnon und des Menelaos führte zu dem Harmonisierungsversuch, daß diese nach dem frühen Tod des P. bei ihrem Großvater Atreus aufgewachsen seien (schol. Eur. Or. 4; schol. Hom. Il. 2,249). Als Sohn des → Thyestes erscheint P. bei Sen. Thy. 726; Hyg. fab. 88; 244; 246.
[2] Sohn der → Helene [1] und des → Menelaos [1] (schol. Eur. Andr. 898).
[3] Sohn des → Akastos, → Peleus wird von ihm und seinem Bruder vertrieben (Diktys 6,8). L.K.

Pleistoanax (Πλειστοάναξ). Sohn des spartan. Regenten → Pausanias [1] aus dem Haus der → Agiadai, König 458–408/7 v.Chr. (Diod. 13,75,1), zunächst unter der Vormundschaft seines Onkels Nikomedes [1] (Thuk. 1,107,2; Diod. 11,79,6). P. befehligte 446 ein spartan. Heer, das faktisch von seinem Berater → Kleandridas geführt wurde und nach Attika einmarschieren sollte, um athen. Truppen während der Erhebung Euboias zu binden. Er kehrte jedoch nach einem Vorstoß in die Thriasische Ebene zurück, wurde in Sparta wegen angeblicher Bestechung durch → Perikles [1] verurteilt und ging ins Exil nach Arkadia (Thuk. 1,114,1–2; 2,21,1; 5,16,3; Plut. Perikles 22–23). Offenbar hatte Kleandridas erkannt, daß Athen auch unter schweren Verlusten nicht zu bezwingen sein werde. Nach seiner Rückberufung und Wiedereinsetzung (Thuk. 5,16,1; 17,1) trat P. für Aussöhnung mit Athen ein und beschwor 421 den Frieden des → Nikias [1] und die Symmachie mit Athen (Thuk. 5,19; 5,23 f.). 421 operierte er in Südarkadia (Thuk. 5,33); 418 sollte er König Agis [2] im Kampf gegen den peloponnesischen Sonderbund Verstärkungen zuführen, hielt dies aber nach dem spartan. Sieg bei Mantineia nicht mehr für nötig (Thuk. 5,75,1; → Peloponnesischer Krieg). K.-W.WEL.

Pleistonikos (Πλειστόνικος). Arzt, wirkte um 270 v. Chr., Schüler von → Praxagoras von Kos (Celsus, De medicina, praef. 20) und einer der »Klassiker« der griech. Medizin in der sog. Dogmatischen Trad. (→ Dogmatiker [2]; Gal. methodus medendi 2,5; Gal. de examinando medico 5,2). Seine Persönlichkeit auszumachen, fällt schwer, da der Überl. – d. h. im wesentlichen Galenos – zufolge seine Ansichten mit denen des Praxagoras oder anderer Dogmatiker übereinstimmten. Wie sein Lehrer war auch P. ein überzeugter Anhänger der → Säftelehre (Gal. de atra bile 1; Gal. de facultatibus naturalibus 2,8); unklar ist, wie er sie fortentwickelt haben mag, so daß Galen daran Anstoß nehmen konnte. P. hielt die Verdauung im Magen für einen Verwesungsprozeß (fr. 1 Steckerl) und glaubte, daß ihr Wasser förderlicher sei als Wein (fr. 3). Seine Ansichten in Anatomie und Pathologie decken sich im wesentlichen mit denen des Praxagoras. Wie dieser (Gal. de uteri dissectione 10) glaubte auch P., die Gebärmutter der → Frau (II. F.) bestehe aus zwei Kammern, die von sich stärker fortpflanzenden Lebewesen (z.B. der Sau) aus mehreren Kammern. Auch nahm er an (fr. 29–30), → Pneuma werde bei der Diastole aus dem gesamten Körper, nicht nur aus dem Herzen eingesogen, das er im übrigen für den Sitz der Seele hielt (Gal. an in arteriis 8; Athen. 15,687e).

Obwohl er nicht das Theorem von der eingeborenen Wärme vertrat (Gal. de tremore 6), glaubte P., ein Anstieg der vom Körper aufgenommenen Wärme sei an sich ein Fieberzeichen (fr. 3). Er stellte gern Prognosen und glaubte im Einklang mit der hippokratischen Trad., der Arzt müsse den gesamten Organismus in Betracht ziehen, nicht nur den erkrankten Körperteil (Gal. methodus medendi 4,4). Er praktizierte den → Aderlaß (Gal. de venae sectione adversus Erasistratum 5–6) und setzte Nieswurz (→ Helleborus) als starkes Brechmittel großzügig und in vielfältigen Zubereitungen ein, auch in Verbindung mit einem Vaginaltampon.
→ Dogmatiker

Fr.: F. Steckerl (ed.), The Fragments of Praxagoras of Cos and His School (mit engl. Übers.), 1958.   V. N./Ü: L. v. R.-B.

Pleistos (Πλειστός; lit. Πλεῖστος, Herodianus, De prosodia catholica 217). Fluß, h. Xeropotami, und Tal in der westl. → Phokis am Südfuß des Parnassos, wo sich → Delphoi befand. Er mündet im Osten der Ebene von Itea in den Korinthischen Golf. Materielle Überreste bezeugen Siedlungen seit dem Protohelladikum II; die höchste Siedlungsdichte läßt sich für myk. Zeit feststellen. Vgl. Paus. 10,8,8; 37,7; Strab. 9,3,3; Schol. Apoll. Rhod. 2,711.
→ Krisa

E. Kirsten, s. v. P., RE 21, 213–221 • E. Kase u. a., The Great Isthmus Corridor Route, Bd. 1, 1991, 14 f. • D. Skorda, Recherches dans la vallée du P., in: J.-F. Bommelaer (Hrsg.), Delphes, 1992, 39–66.
G. D. R./Ü: J. W. MA.

Plektron s. Musikinstrumente V. A. 1.

Pleminius, Q. Propraetor. Legat des Cornelius [I 71] Scipio in Lokroi [2] nach dessen Rückgewinnung im Hannibal-Krieg 205 v. Chr. (2. → Punischer Krieg). Eine Beschwerde der Lokrer beim röm. Senat 204 über die von Scipio geduldete Willkürherrschaft des P. und die Plünderung des Persephone-Heiligtums nutzte Q. Fabius [I 30] zum Antrag, Scipio das Kommando zu entziehen (Liv. 29,19,6). Eine scipiofreundliche Senatskommission stellte jedoch in Lokroi dessen Unschuld fest und brachte P. nach Rom, um ihn von den Volkstribunen wegen → perduellio vor Gericht stellen zu lassen. Er starb wohl noch im Gefängnis. MRR 1, 304.
W. ED.

Plemmyrion (Πλημ(μ)ύριον). Das Nordkap der Halbinsel Maddalena im Süden von → Syrakusai, h. Punta della Maddalena (vgl. [1. 13, 95 f., 102²³]). Das P. bildete mit der nördl. gegenüberliegenden Südspitze der Insel → Ortygia die Einfahrt in den großen Hafen (στόμα τοῦ λιμένος/stóma tu liménos) von Syrakusai (Thuk. 7,4,4). Für myk. Zeit bezeugt eine Nekropole mit 53 Gräbern eine Küstenstation; in griech. Zeit war hier eine dörfliche Siedlung (Gräbergruppe des 5. Jh. v. Chr.). Bei der Belagerung von Syrakusai durch die Athener 415–413 v. Chr. im → Peloponnesischen Krieg spielte das P. eine bes. strategische Rolle (vgl. Thuk. 7,22–24; 31 f.; 36), desgleichen bei der Belagerung der Stadt durch die Karthager unter → Himilkon [1] 397 v. Chr. (Diod. 14,63,3; 72,3). Arch.: Mit den Resten eines Rundturmes auf dem P. ist vielleicht ein Grabmal für die im Krieg gegen Athen gefallenen Bürger von Syrakusai zu identifizieren (anders aber [2. 220]).

1 H.-P. Drögemüller, Syrakus (Gymnasium-Beih. 6), 1969 2 E. Manni, Geografia fisica e politica della Sicilia antica, 1981, 220.

BTGCI 14, 497–499.   H.-P. DRÖ. u. E. O.

Plemnaios (Πλημναῖος). König von Aigialeia (= Sikyon), Sohn des Peratos, Vater des → Orthopolis, der als einziges von P.' Kindern durch → Demeter am Leben erhalten und aufgezogen wird (Paus. 2,5,8); ihr zum Dank stiftet P. ein Demeterheiligtum (ebd. 2,11,2). P. gilt als der 11. König von → Sikyon (Eus. chronicon 1 p. 175 f. Schoene).   SU. EI.

Pleraei (Πληραῖοι). Illyrischer Volksstamm, dessen Siedlungsgebiet sich am → Ionios Kolpos vom linken Mündungsbereich des → Naro und von → Korkyra Melaina bis nach Risinium erstreckte (Strab. 7,5,5; 7; Mela 2,3,56 f.; Plin. nat. 3,144; vgl. Steph. Byz. s. v. Πλαραῖοι, ihm zufolge auch Πλάριοι). Sie waren – wie die ihnen benachbarten Ardiaei – berüchtigte Piraten (→ Seeraub). 135 v. Chr. wurden sie von den Römern unterworfen (App. Ill. 29: Παλάριοι).

N. G. L. HAMMOND, The Kingdoms in Illyria circa 400–167 BC, in: ABSA 61, 1966, 239–253 • G. ALFÖLDY, A. MÓCSY, Bevölkerung und Ges. der röm. Prov. Dalmatia, 1965.

E.O.

Plestia. → *Municipium* der *tribus Oufentina, regio VI* (Plin. nat. 3,114), bei S. Maria di Pistia auf der Hochebene von Colfiorito im NO von Foligno/Umbria; in der Nähe lag der Lacus Plestinus (App. Hann. 37: Πλειστίνη λίμνη; h. ausgetrocknet). Inschr. bezeugt sind *octoviri, seviri Augustales, curator rei publicae*. In der Nähe wurden eine reiche vorröm. Nekropole und ein Heiligtum der Cupra entdeckt.

K. SHERLING, s. v. P., RE 21, 231–235 • BTCGI 5, 372–376 • L. BONOMI PONZI, La necropoli Plestina di Colfiorito di Foligno, 1997.

G. PA./Ü: H. D.

Plestina. Befestigte Stadt der Marsi [1], nicht lokalisiert, wurde 302 v. Chr. vom röm. Dictator M. Valerius Maximus (nach Liv. 10,3,5; weniger wahrscheinlich dessen Vater M. Valerius Corvus, wie aber die Acta Triumphalia CIL I² p. 171 für 301 schreiben) nach einem Sieg über die Marsi wie auch die beiden benachbarten – ebenfalls nicht lokalisierten – Städte Milionia und Fresilia erobert und nach Vertragsabschluß wieder in die Freiheit entlassen.

M. I. G./Ü: H. D.

Plethron (πλέθρον). Das *p.* (lat. *iugerum*) ist ein griech. Längenmaß zu 100 Fuß, entsprechend ⅙ στάδιον (→ *stádion*). Je nach dem zugrunde liegenden Fußmaß (→ *pus*) ergibt sich eine Länge von ca. 27 – 35 m; das attische *p.* beträgt 31 m. Im homerischen Epos ist *p.* gleichbedeutend mit einer Furchenlänge; dort findet sich das *p.* auch als Flächenmaß für ein Gelände von 100 Fuß im Quadrat (vgl. auch Hom. Il. 23,164: ἑκατόμπεδον ἔνθα καὶ ἔνθα).

→ Maße

1 F. HULTSCH, Griech. und röm. Metrologie, ²1882, 28.

H.-J. S.

Pleumoxii. Nur bei Caes. Gall. 5,39,1 im Zusammenhang mit den Ereignissen des Winters 54/3 v. Chr. genanntes Volk der Gallia → Belgica in unmittelbarer Nachbarschaft der → Nervii, zu denen es in einem Abhängigkeitsverhältnis stand. Ihre Wohnsitze befanden sich wohl in Brabant bzw. in der belgischen Prov. Namur.

F. SCH.

Pleuratos (Πλευράτος).
[1] Illyrerkönig, Sohn des → Skerdilaidas, seit 212 (?) v. Chr. dessen Mitregent [1. 256]; Neffe des → Agron [3]. Seine Alleinherrschaft über die südillyrischen Stämme seit 206 sicherte er durch das Bündnis mit Rom im 1. (Pol. 10,41,4; Liv. 26,24,9; 27,30,13; 28,5,7; 29,12,14) [2. 298–302] und 2. → Makedonischen Krieg (Pol. 21,11,7; 21,21,3; Liv. 31,28,1f) [2. 302–306], wofür er 196 die Städte Lychnis (h.: Ochrid) und Parthos erhielt (Pol. 18,47,12) [1. 618f; 2. 306f]. 189 attackierte er im Krieg gegen die Aitoler mit 60 Lemben deren Küste (Liv. 38,7,2) [2. 310].

[2] Sohn des P. [1] und der Eurydike, wurde von seinem Bruder → Genthios getötet (Pol. 29,13; Liv. 44,30,2–3: *Plator*; Athen. 10,440a: P.) [2. 313; 3. 377].

[3] Sohn des → Genthios, der 168 v. Chr. bei Meteon mit seiner Mutter Etleva und seinem Bruder Skerdilaidas in die Gewalt des L. → Anicius [I 4] geriet (Liv. 44,30,3–4), in dessen Triumphzug er dann mitgeführt wurde (App. Ill. 9,27).

[4] Exil-Illyrer bei → Perseus [2], als dessen Gesandter er 169 v. Chr. mehrfach zu → Genthios reiste (Pol. 28,8,1; Liv. 43,19,13–20,3; 23,8), vielleicht ein Verwandter des illyrischen Königshauses und wohl identisch mit dem P., der 2000 illyrische → Penestai [2] zur Verteidigung Kassandreias sandte (Liv. 44,11,7; vgl. 43,23,7) [2. 319f.; 4. 164].

1 F. W. WALBANK, A Historical Comm. on Polybius, Bd. 2, 1967 2 P. CABANES, Les Illyriens, 1988 3 F. W. WALBANK, A Historical Comm. on Polybius, Bd. 3, 1979 4 E. OLSHAUSEN, Prosopographie der hell. Königsgesandten, 1974.

L.-M. G.

Pleuron (Πλευρῶν). Stadt in der sw-aitolischen → Aiolis [2] (Ethnikon Πλευρώνιος und Πλευρωνεύς, die Landschaft hieß Πλευρωνία, Strab. 10,2,5). Im homer. Schiffskatalog als aitolische Stadt verzeichnet (Hom. Il. 2,639), hatte sich P. im 6./5. Jh. v. Chr. von den Aitoloi gelöst (Thuk. 3,102,5) und wurde E. des 5. Jh. Mitglied des Achaiischen Bundes (→ Achaioi, Achaia, mit Karte). Im 4. Jh. wurde P. gemeinsam mit Nachbarstädten in den Aitolischen Bund integriert [1]. Die Zugehörigkeit zu Aitolia wird aber erst im 3. Jh. v. Chr. bezeugt, als P. mehrfach Beamtenstellen des Bundes besetzte (→ Aitoloi, mit Karte). Nach der Zerstörung durch Demetrios [3] (bei Strab. 10,2,4 *Aitōlikós* zubenannt) im 3. Jh. v. Chr. [2] wurde Neu-P. an höher gelegenem Ort errichtet. Im 2. Jh. v. Chr. gehörte P. zeitweilig zum Achaiischen Bund (Paus. 7,11,3). Alt-P., nicht sicher lokalisiert, wird in der Küstenebene zw. Acheloos [1] und Euenos [3] in Nachbarschaft zu Kalydon angesetzt (Strab. 10,2,23) und lag wohl in der Nähe von Neu-P. am Südhang des Arakynthos beim h. Kato Retsina [3]. Von der hell. Stadtanlage [4] (Kastro Irinis) sind Stadtmauern, ein Theater, Agora, Zisternen sowie Gebäudefundamente erh. [5]. P. ist in den mit der Region verbundenen Mythen Heimat des → Meleagros [1] und der → Kureten. Ein Athena-Kult ist in P. bezeugt (Stat. Theb. 2,727; Dionysios Kalliphontos 57) [6].

1 S. BOMMELJÉ, Aeolis in Aetolia, in: Historia 37, 1988, 297–316 2 C. EHRHARDT, Demetrius ὁ Αἰτωλικός and Antigonid Nicknames, in: Hermes 106, 1978, 251–253 3 E. KIRSTEN, s. v. P., RE 21, 239–243 4 P. FUNKE, Zur Datier. befestigter Stadtanlagen in Aitolien, in: Boreas 10, 1987, 87–96 5 M. WEISSL, Die Befestigung der jüngeren Stadtanlage von P. in Aitolien, in: JÖAI 68, 1999, 106–158 6 C. ANTONETTI, Les Étoliens, 1990, 282.

K. F.

Plexippos (Πλήξιππος). Sohn des → Thestios, Bruder der → Althaia; Teilnehmer an der Kalydonischen Jagd; P. wird von seinem Neffen → Meleagros [1] erschlagen, weil er der → Atalante das Fell des kalydonischen Ebers rauben wollte, das dieser ihr geschenkt hatte (Apollod. 1,62; Ov. met. 8,305; 434; 440; Hyg. fab. 173; 174; 244).

L.K.

Plinius

[1] P. Secundus, C. (der Ältere). Röm. Ritter [1], Reiteroffizier, Verwaltungsbeamter, Historiker, Rhetor, Enzyklopädist.

I. LEBEN   II. VERLORENE SCHRIFTEN
III. NATURALIS HISTORIA   IV. REZEPTION

I. LEBEN

Geb. 23/4 n. Chr. in Novum Comum (Gallia Transpadana, h. Como), wurde P. unter Kaiser Claudius [III 1] Offizier und Finanzverwalter in den Prov. (*procurator*), betätigte sich aber zugleich als Wissenssammler und vielseitiger Schriftsteller. Offenbar unverheiratet, nahm er seine verwitwete Schwester Plinia und deren Sohn C. Plinius [2] Caecilius Secundus (Plinius d. J., testamentarisch adoptiert) in sein Hauswesen auf. Der Neffe schildert in berühmt gewordenen Briefen (epist. 3,5: Lebensweise und chronolog. Werkkatalog; epist. 6,16: letzte Aktivität und Tod) seinen gelehrten Onkel als fleißigen, pflichtbewußten und furchtlosen Mann [2; 3]. Damit stimmt – ungeachtet idealisierender und literarisierender Züge – das aus dem Werk gewonnene Bild eines patriotischen Moralisten und bis zur Pedanterie gewissenhaften Welterforschers weitgehend überein [4]. Die Biographie stützt sich v. a. auf diese Briefe, auf die Pliniusvita des → Suetonius (Fr. 80 REIFFERSCHEID) und auf die (angeblich autobiographischen) Angaben in der *Historia naturalis* (= *nat.*). Sollte der von TH. MOMMSEN behauptete, von F. MÜNZER, R. SYME u. a. bestrittene Bezug der 1836 gefundenen und bald wieder verschollenen Ehreninschr. aus Arados auf einen …]ινιον Σεκουν[… auf P. zutreffen, kämen sonst nicht belegte Ämter in Äg. und Syrien hinzu [5].

Die Chronologie bleibt im einzelnen ohnehin unsicher. Noch vor 47 trat P. die dreijährige *militia equestris* an, war *tribunus militum* und bald *praefectus alae* (Reiterkommandeur) in Germania superior, bestätigt durch das mit seinem Namen *Plinio praefec* gravierte Frg. eines Pferdegeschirrs aus den (niedergermanischen) Castra Vetera (h. Xanten; CIL XIII 100 26 Z. 22, London, BM; oder war er dort *praefectus castrorum?*) [6], nahm 47 an den Unternehmungen des Cn. Domitius [II 11] Corbulo gegen die → Chauci (Tac. ann. 11,18–22; Cass. 60, 30,4–6; vgl. Plin. nat. 16,2–6 *De Chaucis*) und 50/1 des P. Pomponius [III 8] Secundus gegen die → Chatti (Tac. ann. 12,27f.; vgl. nat. 31,20 Thermalquellen von Wiesbaden) teil, 51/2 war er wieder in Rom, nach Plin. epist. 3,5,7 als *patronus*. Seine Anwesenheit in It. wird Plin. nat. 33,63; 36,124 (Fucinersee) im J. 52, nat. 2,180 im J.

59 (Campanien) vorausgesetzt. Es folgten – nach den zurückgezogenen Studien unter Nero – unter Vespasianus (69–79) seine *continuae procurationes* (»weitere procuratorische Ämter«; Suet. de viris illustribus p. 92f. REITTERSCHEID), und zwar in den Prov. Africa (diese schon bald nach 54), Narbonensis, Tarraconensis, Belgica. Er nahm dann ein Hofamt wahr (Plin. epist. 3,5,9). Nach 76 war er *praefectus classis* in → Misenum (Spitzenamt), bis den 56jährigen am 24. August 79 bei einer durch den plötzlichen Vesuvausbruch (→ Vesuvius) bedingten Rettungsaktion in der Villa der Rectina bei Stabiae der Tod (unklar, ob durch Erstickung, Vergiftung, Asthma, Herzinfarkt oder Apoplexie) ereilte. Der vielbehandelte Bericht des Neffen, der nicht Augenzeuge war, 30 J. danach (Plin. epist. 6,16) ist z. T. widersprüchlich und unrealistisch und will nicht Faktenreport, sondern lit. Prosa sein.

II. VERLORENE SCHRIFTEN

A. HISTORISCHE SCHRIFTEN
B. GRAMMATISCH-RHETORISCHE SCHRIFTEN

A. HISTORISCHE SCHRIFTEN

1. DE IACULATIONE EQUESTRI LIBER UNUS

Der Werkkatalog (Plin. epist. 3,5,3–6) nennt dieses taktische Fachbuch über den Speerwurf als früheste Schrift; wegen des allg. Urteils (*pari ingenio curaque*) und dem Fehlen jededes Fr. bleibt die Vorstellung blaß. Vielleicht wollte P. den in der röm. Reiterei traditionellen Speerwurf aus der Distanz (ἀκροβολία/*akrobolía*) durch eine von den Germanen angewandte Wurftechnik im Nahkampf ablösen [7].

2. BELLORUM GERMANIAE LIBRI XX

Die ›Germanenkriege‹ (HRR II 109f.; vgl. CXXXVIIIf.), nach Plin. epist. 3,5,4 während der germanischen *militia* begonnen mit dem Ziel, die Verdienste des (älteren) Drusus (→ Claudius [II 24]), des eigentlichen Bezwingers Germaniens, ›vor dem Vergessen zu bewahren‹. Werkumfang (›alle Germanenkriege Roms‹) und die Zit. bei Tac. ann. 1,69 und Suet. Gaius 8 lassen mehr auf vergleichenden Überblick, dramatische Szenen und dynastische Details als auf polit. Kritik und Parteinahme schließen, die sich unter der Regierung des Drusussohns Claudius nicht gegen die tiberianische (Aufidius Bassus, → Velleius Paterculus) [8], eher gegen die den mißratenen Drususenkel → Caligula verherrlichende Historiographie (Cn. Cornelius [II 29] Lentulus Gaeticulus?) hätte richten müssen [9]; P. könnte Drusus' Programm der (von Tiberius und Claudius verworfenen) Elbgrenze propagiert haben [10]. Dahin weist auch der in Plin. epist. 3,5,4 (aus dem Werkproömium?) referierte Legitimationstraum, die Erscheinung des klageführenden Drusus im Feldlager [11].

3. A FINE AUFIDII BASSI HISTORIARUM LIBRI XXXI

Diese ›Fortsetzung der Historien des Aufidius Bassus‹ (HRR II 110–112), in Plin. epist. 3,5 ohne Erwähnung, bleibt, obwohl Großwerk, der Forsch. weitgehend verschlossen. Sogar das Anschlußjahr an Bassus, am ehesten 47, ist Vermutung. Da P. selbst postume Publikation verfügte (Plin. nat. praef. 20), nimmt man starke pro-flavische (*laudes Vespasiani et Titi*, nat. praef. 3–59) und antineronische (vgl. nat. 7,46: »Feind des Menschenge-schlechts«) Tendenz an. In welchen Umfang Tacitus den skrupulösen (Plin. epist. 3,5,7) P. für seine *Annales, Historiae* und *Germania* nutzte, ist strittig und hängt vom Bild der taciteischen Quellenstruktur ab. TOWNENDS [12] Formel, Parallelen zw. Tacitus und Sueton wiesen auf P., zw. Tacitus und Cassius Dio/Plutarchos auf Cluvius Rufus als Quelle, ist zu einfach. Auch thematische (z. B. Bataveraufstand, Tac. hist. 3,46–5,26) [13] oder stilistische Kriterien (Häufung von Details, Urkunden, Inschr. u. ä.) beweisen nichts [14]. Die Existenz weiterer, nicht in Plin. epist. 3,5 erwähnter Schriften (Zuschreibung von *De viris illustribus* an P. in den Hss.) ist nicht anzunehmen (anders [15]).

B. Grammatisch-rhetorische Schriften

1. De vita Pomponii Secundi libri II

Pietätvolles Denkmal für den geliebten Freund Pomponius [III 8] Secundus in Form einer Biographie (epist. 3,5,3; HRR 2,109). Das enkomiastische Porträt des Feldherrn und Dramatikers muß ein wichtiges Zeugnis der röm. Biographie vor Sueton gewesen sein. Im Kat. an zweiter Stelle, setzt es den Tod des P. → Pomponius nach 51 (Legat in Germania superior, s. o.) voraus; die ›Germanenkriege‹ sind somit zwar vor der Vita begonnen, aber erst danach vollendet worden. Die Eigenzitate (Plin. nat. 13,83: Pomponius' Hss.-Slg.; 14, 56 seine erlesenen Weine) sprechen für ein persönlich-privates Verhältnis zu dem nicht unbedeutenden (Quint. inst. 10,1,98), aber bald überholten Dichter.

2. Studiosi libri III

Sie bilden ein Redner-Curriculum von der Wiege an und wurden wegen der Stofffülle auf 6 B. verteilt (epist. 3,5,5), ein Werk des Rückzugs unter Nero (um 60?), von → Quintilianus (inst. 3,1,21) neben einem Verginius und Tutilus als zeitgenössisches rhet. Fachbuch aufgeführt, im übrigen nur selten und dann eher ironisch zitiert (z. B. Quint. inst. 11,3,43 über die Toga und 11,3,148 über das Schweißtuch des Redners). Die vielleicht als Ergänzung zu → Ciceros *Orator* (bei P. heißt er *Studiosus*) gedachte Schrift, eine pedantische Häufung kurioser Einzelvorschriften und Fälle (Gell. 9,16), wurde offenbar durch Quintilian überflüssig gemacht.

3. Dubii sermonis libri VIII

(epist. 3,5,5 spricht von gramm. Schriften der letzten J. unter Nero; nach nat. praef. 28 zehn J. vor nat., also 69, vollendet). Die Slg. und Beurteilung von Wörtern und Wortformen, bei denen der Sprachgebrauch schwankte (in Form einer *Ars?*), stand in der stoischen Trad. des Typs περὶ ἀμφιλολογίας/*perí amphilologías*, ›Über Zweifelsfälle‹ (Chrysippos bei Gell. 11,12,1) und muß, ungeachtet reicher Materialentnahme aus → Varros *De lingua Latina*, nicht in der varronischen Opposition Analogie-Anomalie gestanden haben; zahlreiche Exzerpte bei den *Grammatici Latini* (bes. → Charisius

über → Iulius Romanus) lassen freilich anomalistische Liberalität erkennen (nicht unbedingt die Sprache der nat.); hinzu kommt sein Tadel an der unangemessenen Detailversessenheit der Grammatiker (*perversa grammaticorum subtilitas*, nat. 35,13) und die Gegnerschaft des Analogisten → Remmius Palaemon. Wer daraus eine polit. oppositionelle Tendenz gegen die iulisch-claudische Dyn. ableitet, verkennt P.' enzyklopädische Interessen.

III. Naturalis historia

Naturae historiarum libri XXXVII (epist. 3,5,6: ein ausführliches, gelehrtes und bewußt facettenreiches Werk), in den etwa 130 (nicht stemmatisierbaren) Hss. [17] stets *Naturalis historia*.

A. Aufbau und Inhalt   B. Quellen

A. Aufbau und Inhalt

Dieses größte erh. Prosawerk der lat. Ant. umfaßt nach dem Indexbuch 1 (Inhaltsangaben, röm. und griech. Quellautoren, Materialstatistik) zwei Teile zu je 18 B. Teil I (B. 2–19) behandelt die Natur als solche, Teil II (B. 20–36) die Natur auf den Menschen bezogen als Heilerin und Fürsorgerin. Diese Leitideen scheinen manchmal zugunsten autonomer Exkurse und enzyklopädischer Ergänzungen aus dem Blick zu geraten, doch geht nie der pragmatische Sinn allen Wissens verloren.

Teil I enthält: ein B. Kosmologie und Astronomie (B. 2; [18; 19]), vier B. Geographie [20] (B. 3: West- und Südeuropa, B. 4: Ost- und Nordeuropa, B. 5: Nordafrika, Westasien, B. 6: Ost- und Südasien, Südafrika), ein B. Anthropologie (B. 7: biographische Details über röm. Politiker und Kaiser [21]), vier B. Zoologie [22] (B. 8: Landtiere. 9: Wassertiere, B. 10: Vögel [23], B. 11: Insekten), acht B. Botanik (B. 12–13: exotische Bäume, darin 13,68–88 über Papyrus [24], B. 14–15: Fruchtbäume, darunter Weinbau und Rebsorten, B. 16: Waldbäume und allg. Botanik, z. B. 16,156–173 über den *calamus*, das als → Feder verwendete Schilfrohr, B. 17: Nutzbäume und ihre Kultivation; Finale der Werkhälfte: B. 18: Ackerbau, durch eigenes Prooemium hervorgehoben (zu 18,34 s. [25]), B. 19: Gartenpflanzen, 19,1–6 über Segelschiffahrt, entwickelt als Wunder des Leinsamens).

In Teil II behandeln acht B. (B. 20–27) Heilmittel aus Pflanzen (Pharmazie), ein B. (B. 28) Heilmittel aus menschlichen Stoffen (zu denen 28,10–29 auch die Sprache zählt, der P. bedingt magische Kraft beimißt, [26; 27]), vier B. Heilmittel aus tierischen Stoffen (B. 29–30: aus Landtieren, darin 29,1–28 Gesch. der ant. Medizin [28], 30,1–20 Magiegesch.; B. 31–32: aus Wassertieren). Die letzten fünf B. gelten den Bodenschätzen, B. 33–34: Metalle, auch als Material für Waffen, Gerät und Kunstwerke (33,29–37 Gesch. des *ordo equester*; 33,42–49 Gesch. des Geldes mit Diatribe gegen die Habsucht, [29; 30]; 34,5–32 Gesch. der Bronzeplastik; 34,49–52 Künstlerkatalog); B. 35–36: Erden (auch Farben; 35,15–28 Gesch. der Malerei) und Steine (36,9–43 Gesch. der Marmorskulptur, darin 37 zur Laokoongruppe [31]; B. 33–36 gelten als »Kunstbücher« [32]); B. 37: Edelsteine, auch Bernstein und Perlen.

Außer dieser Dichotomie (18+18 B.) ist keine symmetrische Struktur erkennbar, statt dessen naturphilos. logische Progressionen: von großen zu kleinen Formen (B. 2–37: vom Kosmos zur Perle; Tiere, B. 7: vom Elefanten zum Hasen; bei den Heilmitteln, B. 29–30: *a capite ad calcem*, von Kopf bis Fuß; Mensch, B. 7: von der Geburt bis zum Tode) und eine ständige Präsenz der Ehrfurcht vor der Natur, die mitsamt ihrem göttlichen Prinzip (2,18 *deus est mortali iuvare mortalem et haec ad aeternam gloriam via*, ›Gott sein heißt, daß der Sterbliche dem Sterblichen hilft, und das ist der Weg zu ewigem Ruhm‹, dazu [33]), gänzlich auf den Menschen hingerichtet ist; doch läßt sie diesem die Freiheit des rechten oder unrechten Gebrauchs. Trotz dieser (undogmatisch-)stoischen Natur- und Moralauffassung trägt das utilitaristische Vertrauen auf eine dem Menschen gegenüber ambivalente Natur (unbewußt?) epikureische Züge [34; 35]. In der Zivilisationskritik berührt sich P. mit Senecas *Naturales quaestiones*. So erreicht dieses umfassende Datenwerk im moralischen Appell rhet. Anspruch und ideologische Durchdringung – am klarsten in der (lesenswerten) Praefatio (mit Widmung an den Prinzen Titus) formuliert [36; 37] – und schafft etwas Einmaliges, Neues, Normsetzendes. Allerdings hat die Distanzierung vom griech. Positivismus und die Vorliebe für altröm. Werte, z.B. in der Volksmedizin, P. zugleich das Odium der Unwissenschaftlichkeit eingetragen [38]. Das stimmt insoweit, als P. letztlich lit. arbeitet: Im Glauben, die Natur selbst zu beschreiben, arrangiert er doch fast nur, was über sie schon geschrieben wurde. Die Gegenwart findet sich nur im pädagogisch-moralischen Appell an den Leser, dem er eine realitätsorientierte Lebenstüchtigkeit und vernünftige Religiosität vermitteln will. Entsprechend heterogen seine Sprache, die Datenlisten, Erzählendes und rhet. Pathos verbindet [39; 40].

B. QUELLEN

Das naturwiss. Material stammt fast ganz aus griech. Fachbüchern (→ Aristoteles [6], → Theophrastos, Hippokrateer) [41], wohl meist direkt oder aus Epitomai und weniger, wie früher angenommen, durch Handbücher vermittelt. Histor. und geogr. Neues kommt aus Cato [1], Varro, Agrippa [1], Licinius [II 14] Mucianus, Corbulo u.a. Die Indices (B. 1) nennen 146 röm. und 327 (nicht immer direkt benutzte) griech. Autoren als P.' Vorlagen [42].

IV. REZEPTION

Trotz der Kritik des → Quintilianus (inst. 11,3,143) wurde P. von den Grammatikern, → Suetonius (Pratum), → Solinus, → Martianus Capella, → Isidorus [9] [43; 44] und im gesamten europäischen MA (mit erstaunlicher Priorität der Geographie) [45] benutzt. Die Erstausgabe erfolgte bereits 1469 (Venedig); P. fand lebhafte Beachtung bei den Humanisten (Komm. des HERMO-

LAUS BARBARUS 1492, GELENIUS 1554, DELECAMPIUS 1587, SALMASIUS 1629, HARDUINUS 1685), die die ›Naturgeschichte‹ als Sachbuch brauchten. Gleichwohl erschien die erste wiss. Ausgabe erst nach seiner Entthronung in der Aufklärungszeit 1851 (SILLIG, dann 1865 JAN, 1906ff. MAYHOFF [Ndr. 1967]). Mit DANNEMANN [46] begann die Rehabilitierung des Werkes als einzigartiges Zeitdokument, die auch mit der zweisprachigen Ausgabe von G. WINKLER/R. KÖNIG (1973 ff.) und der technischen Verifikation durch die Tübinger Projektgruppe des Arbeitskreises Archäometrie (F. LOCHER u.a., seit 1979) noch nicht abgeschlossen ist.

→ Enzyklopädie; Fachbuch; Stoizismus

1 H. G. PFLAUM, Les carrières equestres sur le haute-empire romain 1, 1960, 106–111 2 K. SALLMANN, Quo verius posteris tradere possis, in: WJA 5, 1979, 209–218 3 R. MARTIN, La mort étrange de Pline l'Ancien, in: VL 73, 1979, 13–21 4 V. COVA, Plinio il Vecchio o l'etica del funzionario, in: Atti del congr. internazionale di studi Varroniani, 1981, 325–334 5 PIR² P 373 6 J. JENKINS, A Group of Silvered Bronze Age Horse Trappings from Xanten, in: Britannia 16, 1985, 141–164 7 F. LAMMERT, Die röm. Taktik (Philologus Suppl. 22/23), 1931, 483 f. 8 K. CHRIST, Drusus und Germanicus, 1956, 587 9 D. W. HURLEY, Gaius Caligula in the Germanicus Tradition, in: AJPh 110, 1989, 316–338 10 K. SALLMANN, Der Traum des Historikers, in: ANRW II 32.1, 1984, 578–621 11 A. ÖNNERFORS, Traumerzählung und Traumtheorie beim älteren P., in: RhM 119, 1976, 353–365 12 G. B. TOWNEND, Cluvius Rufus in the 'Histories' of Tacitus, in: AJPh 85, 1964, 337–377 13 L. BESSONE, La rivolta batavica e la crisi del 65 d.C., 1972 14 J. WILKES, Julio-Claudian Historians, in: CW 65, 1971/72, 177–203, hier 182 15 L. BRACCHESI, Plinio storico, in: L. ALFONSI (Hrsg.), Plinio il Vecchio, 1982, 53–82 16 L. HOLTZ, Pline et les grammairiens, in: J. PIGEAUD (Hrsg.), Pline l'ancien, témoin de son temps, 1987, 549–570 17 H. WALTER, Stud. zur Hss.-Gesch. der Naturalis Historia des Älteren P., in: Univ. Mannheim Forsch.-Ber. 1978–1982, 227–239 18 F. TOULZE, Astronomie, mythe et vérité, in: B. BAKHOUCHE (Hrsg.), Les astres 2, 1996, 29–59 19 A. JONES, Pliny on the Planetary Cycles, in: Phoenix 44, 1990, 82 f.; 45, 1991, 148–161 20 K. SALLMANN, Die Geogr. des älteren P. in ihrem Verhältnis zu Varro, 1971 21 E. NOÈ, Echi di polemica anti-augustea in Plinio Nat. Hist. 7,147–150, in: RIL 113, 1979, 391–407 22 H. LEITNER, Zoologische Terminologie beim älteren P., 1972 23 F. CAPPONI, Le fonti del X libro della Naturalis Historia di Plinio, 1985 24 I. H. M. HENDRIKS, Pliny, Historia Naturalis 13, 74–82 and the Manufacture of Papyrus, in: ZPE 37, 1980, 212–236 25 A. COSSARINI, Plinio il Vecchio e l'ideologia della terra, in: P. SERRA ZANETTI (Hrsg.), In verbis verum amare, 1980, 143–163 26 T. KÖVES-ZULAUF, Reden und Schweigen, 1972 27 Ä. BÄUMER, Die Macht des Wortes in Rel. und Magie, in: Hermes 112, 1984, 84–99 28 J. HAHN, P. und die griech. Ärzte in Rom, in: Sudhoffs Archiv: Zschr. für Wiss.-Gesch. 75, 1991, 209–239 29 H. ZEHNACKER, Pline l'Ancien et l'histoire de la monnaie romaine, in: Ktema 4, 1979, 169–181 30 C. NICOLET, Pline, Paul et la théorie de la monnaie, in: Athenaeum 52, 1984, 105–135 31 O. ZWIERLEIN, P. über den Laokoon, in: H.-U. CAIN (Hrsg.), FS N. Himmelmann, 1989, 433–443

32 J. ISAGER, Pliny on Art and Society, 1991 33 S. CITRONI MARCHETTA, Iuvare mortalem, in: Atene e Roma 27, 1982, 124–148 34 S. CITRONI MARCHETTA, Plinio il Vecchio e la tradizione del moralismo romano, 1991 35 M. BEAGON, Roman Nature, the Thought of Pliny the Elder, 1992 36 T. KÖVES-ZULAUF, Die Vorrede der plinianischen Naturgesch., in: WS 7, 1973, 134–184 37 N. P. HOWE, In Defense of the Encyclopedic Mode, in: Latomus 44, 1985, 561–576 38 G. GRÜNINGER, Unt. zur Persönlichkeit des älteren P., Diss. Freiburg i.B. 1976 39 R. GAZICH, Modello narrativo del racconto nella Naturalis Historia, in: Bollettino di Studi Latini 18, 1988, 33–57 40 J. F. HEALY, The Language of Pliny the Elder, in: Filologia e forma letteraria 4, 1988, 3–24 41 G. A. SEECK, P. und Aristoteles als Naturwissenschaftler, in: Gymnasium 92, 1985, 419–434 42 F. MÜNZER, Beitr. zur Quellenkritik der Naturgesch. des P., 1897 43 A. LABHARDT, Quelques témoinages d'auteurs latin sur la personalité et l'œuvre de Pline l'Ancien, in: Mélanges M. Niedermann, 1944, 105–114 44 Ders., Plinio tardoantico, in: [15], 151–168 45 A. BORST, Das B. der Naturgesch., 1994 46 F. DANNEMANN, P. und seine Naturgesch., 1921 47 J. H. HEALY, Pliny the Elder on Science and Technology, 1999.

ED.: Historica: HRR 2, 109–112 · Dubius sermo: A. DELLA CASA, 1969 · Naturalis historia: C. MAYHOFF, 1906 (Ndr. 1996) · J. BEAUJEU, A. ERNOUT u.a., 1950 ff. · H. RACKHAM, 1938 ff. · R. KÖNIG, G. WINKLER u.a., 1973 ff. · E. GABBA, 1984 ff. · C. G. NAUERT, in: F. E. CRANZ (Hrsg.), Catalogus translationum et commentariorum, 1980, 297–422.
INDEX: F. SEMI, 1980.
FORSCH.-BER.: K. SALLMANN, in: Lustrum 19, 1975, 5–299 (1938–1970) · F. RÖMER, in: AAHG 31, 1978, 129–206, bes. 164–175 · G. SERBAT, in: ANRW II 32.4, 1986, 2069–2200. SAMMELBÄNDE: Plinio e la natura, 1982 · A. RONCORONI (Hrsg.), Plinio il Vecchio sotto il profilo storico e letterario, 1982 · J. PIGEAUD (Hrsg.), Pline l'Ancien, témoin de son temps, 1987.   KL. SA.

[2] P. Caecilius Secundus, C. (der Jüngere)

I. LEBEN   II. WERK

I. LEBEN

Geb. 61/2 n. Chr. (Plin. epist. 6,20,5) als Sohn eines Caecilius in Novum → Comum. Nach dem frühen Tod des Vaters wurde P. vom älteren → Plinius [1], einem Onkel mütterlicherseits, in dessen stadtröm. Haus aufgenommen und testamentarisch adoptiert. P. stammte aus der Schicht des vermögenden munizipalen Adels und genoß eine vorzügliche Ausbildung zunächst in Comum, später in Rom, wo er bei → Nicetes [2] Sacerdos und → Quintilianus Rhet. studierte. Es folgte eine glänzende polit. Karriere (CIL V 5262 f.; CIL XI 5272). P. war zunächst Xvir stlitibus iudicandis (→ decemviri [2]), ging dann ca. 82 als tribunus militum nach Syrien, wurde 90 quaestor, 92 tribunus plebis und erreichte 93 noch unter Domitian die Praetur; in den J. 94–96 fungierte er als praefectus aerarii militaris. Von 98–100 bekleidete er das Amt des praefectus aerarii Saturni, erreichte 100 das Suffektkonsulat (Plin. paneg. 60,4–5; 92,2–4) und übernahm wohl 104/5 das Amt eines curator alvei Tiberis

(→ cura [2]). Im J. 103 wurde er auf Vorschlag von → Frontinus in das Collegium der → augures aufgenommen (epist. 4,8 und 10,13). Ab ca. 109 amtierte er als legatus Augusti in der Prov. → Bithynia. P. starb mit Sicherheit vor dem E. der Herrschaft Traians (d. h. vor 117), möglicherweise sogar noch in Bithynien.

Neben seinen Aktivitäten in Politik und Verwaltung trat P. auch als Redner und als Anwalt bei Repetundenprozessen (→ repetundarum crimen; gemeinsam mit → Tacitus; epist. 2,11) und bei den Centumviralgerichten (→ centumviri) auf. In den Bereich des öffentlichen Auftretens gehört auch die Stiftung von Bildungseinrichtungen (Bibliothek; epist. 1,8). Generell wird kulturelles Engagement von P. als wesentlicher Teil seiner Selbstdarstellung verstanden.

II. WERK

Eng verknüpft mit seiner Ämterlaufbahn ist auch ein Teil seines lit. Œuvres. Das 10. B. seiner Brief-Slg. umfaßt neben einigen privaten Briefen an → Traianus aus den J. 98/9 v. a. den Briefwechsel mit dem Kaiser und seiner Kanzlei aus der Zeit in Bithynien (u. a. die Christenbriefe epist. 96 und 97). In einen unmittelbar polit. Kontext gehört auch der Panegyricus, die Dankesrede, die P. anläßlich seines Suffektkonsulates im Senat von Rom hielt. Zentrales Thema dieser aus gratiarum actio (Danksagung) und πανηγυρικὸς λόγος (Lobrede, vgl. → Panegyrik) gemischten Rede ist der ideale Herrscher, wobei Traian auf der Folie der Herrschaft des → Domitianus zu sehen ist.

Den eigentlichen Kern von P.' Werk bildet die von ihm selbst besorgte Slg. der Privatbriefe (Epistulae, B. 1–9). Dabei handelt es sich – anders als im Falle der Korrespondenz Ciceros – nicht um Briefe, die in erster Linie dem Informationsaustausch dienen, sondern um eine Kollektion von Briefessays, die jeweils in der Regel nur ein Thema behandeln. Allerdings darf man diese Texte nicht losgelöst von einer tatsächlichen Kommunikationssituation als fingierte Briefe betrachten. Ihre eigentliche Funktion haben die einzelnen Episteln im Horizont der auf kulturelle Zurschaustellung gegründeten Freundschaftskultur der röm. Oberschicht traianischer Zeit. In der bewußt auf thematische Buntheit und stilistische Variabilität angelegten Ed. der Briefe (epist. 2,5) finden sich höchst unterschiedliche Themen: Charakterporträts, Fragen der Lebensführung, Rechtsprobleme, das zeitgenössische Kulturleben, Anekdotisches, Mirabilien, ekphrastische Texte (sog. Villenbriefe: epist. 2,17; 5,6; → Garten; → Villa), theoretische Abh. (Gesch.-Schreibung: epist. 5,8; Rhetorik: epist. 7,9), essayistisch-autobiographische Gesch.-Schreibung (Vesuvbriefe: epist. 6,16; 6,20; → Vesuvius). Insgesamt gewinnt man ein vorzügliches Bild von der geistigen Umwelt des Verf. und den Wertvorstellungen der röm. Senatsaristokratie. Zu den Adressaten und behandelten Personen gehören u. a. → Silius Italicus, → Plinius [1] d. Ä., → Martialis [1], → Tacitus und → Suetonius. Darüber hinaus zeichnet P. im Spiegel seiner Sujets und der Briefadressaten ein elaboriertes Selbstbildnis, in dem er sich als souveräner Kenner der gesellschaftlichen Codes in Architektur, Lit., Geselligkeit, Rel. usw. seiner Zeit zu erkennen gibt.

Teil der Inszenierung von Kennerschaft sind auch die Gedichte des P., die er im wesentlichen im Anschluß an → Catullus [1], von dem er wohl nicht zuletzt aufgrund der Motive »Freundschaft« und »urbaner Witz« angezogen wird, unter dem Titel *Hendecasyllabi* (›Elfsilbler‹) in Umlauf gebracht hat. Bis auf wenige Reflexe im Briefwerk (epist. 4,27; 7,4) sind diese Gedichte allerdings vollständig verloren.

Die starke Konzentration auf die kulturellen Aspekte in der Selbstdarstellung des P. sind einerseits Folge des beständig wachsenden → Literaturbetriebs des 1. Jh. n. Chr. und der zunehmenden gesellschaftlichen Bed. von → Bildung, andererseits Ergebnis einer Reflexion des Autors auf die histor. Bedingungen und Möglichkeiten der Kaiserzeit. Eine Rolle spielt hier sicher auch die Erfahrung der Herrschaft Domitians, von der sich P. trotz seiner erfolgreichen Karriere unter dem letzten Flavier in seinen Werken zu distanzieren sucht (epist. 1,5; 9,13). Auf polit. Feld sind die Ruhmesmöglichkeiten beschränkt, Alternativen, gerade auch öffentlichkeitswirksam aufzutreten, bietet der kulturelle Bereich. Medium dieser Reflexion ist für P. der lit. Wettstreit mit → Cicero (epist. 3,15; 4,8; 9,2), den er trotz aller Par. in der Ämterlaufbahn angesichts der fundamentalen Differenzen zw. Republik und Kaiserzeit explizit auf das Feld intellektueller Betätigung (*studia*) begrenzt. Gleichwohl geschieht dies nicht aus einer resignativen Haltung, sondern mit entschlossener Hinwendung zu einem Konzept der kulturellen Tugendbewährung. Auf dieser Folie kommt es bei P. zu einer Neubewertung des traditionellen Begriffspaares *negotium–otium* (→ Muße). Anders als bei Cicero, dem die intellektuelle Betätigung v. a. als eine dem Handeln im Bereich der eigentlichen Geschäfte subsidiäre Tätigkeit erscheint, gewinnt bei P. das *otium* stärkeres Eigenrecht und wird zum eigentlichen Feld des Ruhmesstrebens (epist. 3,1; 4,3).

Das Briefwerk des P. wurde in der Ant. als modellhaft verstanden und hat Nachfolger in den Briefwerken des → Symmachus (4. Jh.) und des gallischen Bischofs → Sidonius Apollinaris (5. Jh.). Die Rezeption des *Panegyricus* reicht über die spätant. → Panegyrici latini bis ins barocke Fürstenlob.

→ Brief; Epistolographie; BRIEF, BRIEFLITERATUR

ED.: Gesamt: M. SCHUSTER, ²1952; M. SCHUSTER, R. HANSLIK ³1958. Briefe: R. A. B. MYNORS, 1966. Panegyricus: Ders., XII Panegyrici Latini, 1964 (Ndr. 1990) · W. KÜHN, 1985.
KOMM.: A. N. SHERWIN-WHITE, The Letters of Pliny. A Historical and Social Commentary, 1966.
LIT.: H.-P. BÜTLER, Die geistige Welt des jüngeren P., 1970 · S. FEIN, Die Beziehungen der Kaiser Trajan und Hadrian zu den Litterati, 1994 · M. FELL, Optimus Princeps?, 1992 · A. GIOVANNINI, Pline et les délateurs de Domitien, in: K. A. RAAFLAUB, A. GIOVANNINI (Hrsg.), Opposition et résistances à l'empire d'Auguste à Trajan (Entretiens 33), 1987, 219–248 · A.-M. GUILLEMIN, Pline et

la vie litteraire de son temps, 1929 · H. KRASSER, Claros colere viros oder über engagierte Bewunderung, in: Philologus 137, 1993, 62–71 · Ders., Extremos pudeat rediisse – P. im Wettstreit mit der Vergangenheit, in: A&A 39, 1993, 144–154 · E. LEFÈVRE, P.-Studien I, V, VI, VII, in: Gymnasium 84, 1977, 519–541; 96, 1989, 113–128; 103, 1996, 193–215 und 333–353 · M. LUDOLPH, Epistolographie und Selbstdarstellung, 1997 · G. MERWALD, Die B.-Komposition des jüngeren P., Diss. Erlangen 1964 · J. NICLAS, Pliny and the Patronage of Communities, in: Hermes 108, 1980, 365–385 · K. STROBEL, Laufbahn und Vermächtnis des jüngeren P., in: W. HUSS, K. STROBEL (Hrsg.), Beitr. zur Gesch. (Bamberger Hochschulschriften 9), 1983, 37–56 · Ders., Zu zeitgesch. Aspekten im Panegyricus des jüngeren P., in: J. KNOSPE, K. STROBEL, Zur Deutung von Gesch. in Ant. und MA (=Bamberger Hochschulschriften 11), 1985, 7–112 · F. TRISOGLIO, La personalità di Plinio il Giovane nei suoi rapporti con la politica, la società e la letteratura (=Memoria dell'Accademia delle Scienze di Torino, Cl. di Scienze Mor., Stor. e Fil. Ser.4 n.25), 1972 · K. ZELZER, Zur Frage des Charakters der Brief-Slg. des jüngeren P., in: WS 77, 1964, 144–161.   H. KR.

Plinta. Gote in röm. Dienst, Verwandter Aspars (→ Ardabur [1]; ILS 1299), evtl. Vorfahre des Basilikos [2. 426f.]. P. schlug 418 n. Chr. eine Rebellion in Palaestina nieder. 419 war er Consul, danach bis ca. 438/440 *magister militum*.

1 PLRE 2, 892f. 2 W. BRANDES, Familienbande?, in: Klio 75, 1993, 407–437.   WE. LÜ.

Pliska (slav.; griech. Πλίσκοβα/ *Plískoba*). Residenzstadt des ersten Reiches der → Bulgaroi, einem der Nachfolgestaaten auf dem Boden des Röm. Reiches, in den J. 681–843, 25 km östl. von Šumen beim h. Pliska (ehemals Aboba) in NO-Bulgaria, nördl. des → Haimos, wo sich wichtige Gebirgspässe kontrollieren ließen, wohl von Khan Asparuh gegr. Urspr. als Militärlager – 23 km² groß, mit viereckigen und runden Holzbauten, drei konzentrischen Wällen – errichtet; der innerste Ring umschloß den Palastbezirk (0,5 km²). Diese unter dem Khan Krum gestaltete Stadt wurde 811 von Nikephoros [2] I. völlig zerstört, nach dem Sieg der Bulgaroi über die Byzantiner von Omurtag in Stein wiedererrichtet. Zentrum seines Palasts war der große Thronsaal (48,50 × 28,54 m), ausgestattet mit bei Konstantinopolis erbeuteten Statuen. Westl. davon lag das Heiligtum des bulgarischen Hauptgottes Tangra. Als Boris I. im J. 864 den christl. Glauben annahm, begann man mit dem Bau von Kirchen (u. a. Bau der »Großen Basilika«, protobulgarische Architektur) und einem Kloster nahe dem Palastbereich, das für die kyrillo-methodianische Mission bed. werden sollte (→ Kyrillos [8], → Methodios [4]). Unter Symeon wurde P. 893 zugunsten der neuen, rein christl. Residenzstadt Preslav aufgegeben.

R. S. RASEV, P., 1985 · L. DONĚVA-PETKOVA, P. – heidnische und christl. Stadt der Bulgaren, in: Das Alt., 2000 (im Druck).   I. V. B.

Plistica (Plistia, Πλειστική/*Pleistikḗ*). Stadt in Samnium (→ Samnites) nahe Saticula (Liv. 9,21 f.; Diod. 19,72,3), möglicherweise beim h. Prestia ca. 4 km östl. von Sant' Agata dei Goti am → Mons Taburnus. Im 2. → Samnitenkrieg (326–304 v. Chr.) wurde die mit Rom verbündete Stadt 315 v. Chr. von den Samnites nach einjähriger Belagerung erobert.   M. I. G./Ü: H. D.

Ploiaphesia (πλοιαφέσια, lat. *navigium Isidis*). Das am 5. März an zahlreichen Orten begangene Fest der P. eröffnete die jährliche ant. Schiffahrtssaison. Es wird in Apul. met. 11,8–17 (dort wahrscheinlich mit dem korinth. Fest der *Hybristiká* verbunden [1. 87–89]) beschrieben [2]: Die dem Kultverein der → Isis angehörenden Nauarchen waren wohl die Offizianten [3. 76–87]. Nach Apuleius führten Frauen die Prozession an, Eingeweihte ohne spezielle Verantwortung im Isiskult bildeten die Mitte und Isis-Priester mit Kultsymbolen den Schluß. Am Strand wurde ein der Isis geweihtes kleines Modellschiff (*ploíon*) ins Meer gestoßen. Die Beteiligten kehrten dann zum Isisheiligtum zurück, wo nach Apuleius von einem *grammateús* der Wunsch für das allg. Wohl – einschließlich der Schiffer und ihrer Schiffe – ausgesprochen wurde.

Da das für Rom und andere Städte so wichtige Getreide aus Ägypten mit Beginn der Schiffahrtssaison wieder auf dem Seeweg transportiert werden konnte und somit die Getreideverteilung garantiert wurde (→ *cura annonae*), konnte Isis, wie auch der auf Mz. repräsentierte → Sarapis, als Beschützerin der *annona* gelten.

1 S. A. TAKÁCS, Isis and Sarapis in the Roman World (RGRW 124), 1995 2 J. GWYN GRIFFITHS (ed.), Apuleius of Madauros. The Isis-Book (mit engl. Übers. und Komm.; EPRO 39), 1975 3 L. VIDMAN, Isis und Sarapis bei den Griechen und Römern (RGVV 29), 1970.   S. TA.

Plomben s. Warenplomben

Plotheia (Πλώθεια; Demotikon Πλωθεεύς, Πλωθειεύς, ab dem 4. Jh. v. Chr. Πλωθεύς). Kleiner att. Asty-Demos, Phyle Aigeis, ein *buleutḗs* (später zwei). Lage südwestl. des h. Stamata am NO-Hang des → Pentelikon durch Weihinschr. (IG II² 4607, 4885, 4916) gesichert. Das Demendekret IG I³ 258 (425/413 v. Chr., ex IG II² 1172) regelt die Finanzen, bezeugt einen → *dḗmarchos* [3], *tamíai* (→ *tamías*) und Kulte für Apollon, Aphrodite und die Dioskuren (Anakes).

TRAILL, Attica, 41, 59 f., 69, 104, 112 Nr. 116, Tab. 2 · WHITEHEAD, Index s. v. P.   H. LO.

Plotia Isaurica. Besitzerin von Ziegeleien in der Nähe Roms in traianischer Zeit (98–117), deren Produkte in großer Zahl erh. sind (CIL XV 52–60; 63–68; 339 u. a.). Sie könnte einer senatorischen Familie angehört haben (vgl. → Plotius [II 3 und 4]).

RAEPSAET-CHARLIER, Nr. 620 · PIR² P 524.   W. E.

Plotina. Pompeia P., geb. zw. 62 und 72 n. Chr. Tochter eines L. Pompeius aus Nemausus [2] (h. Nîmes) und eventuell einer Plotia; Verwandtschaft mit den Familien der Kaiser von Traian bis Marc Aurel ist zu vermuten, aber nicht nachweisbar. Die mit → Traianus vor dessen Regierungsantritt 98 n. Chr. geschlossene Ehe blieb kinderlos. Von Plinius (Plin. paneg. 83 f.) wurde P. zusammen mit Traians Schwester → Marciana im J. 100 gepriesen; P. trug wie diese seit etwa 102 den *Augusta*-Titel, der jedoch erst seit 112 auf Reichsprägungen erschien (RIC II 297–299). Plotinopolis in Thrakien wurde 106 nach ihr benannt, doch ist nicht sicher, ob sie Traian in den Dakerkriegen (101–106) begleitet hat; gesichert ist dagegen ihr Aufenthalt (mit Matidia [1]) beim → Partherkrieg im Osten, von wo sie die Asche des 117 verstorbenen Traian nach Rom brachte.

Ihr persönliches Verhältnis zu → Hadrianus war offenbar gut; dies bezeugt ihr (erfolgreiches) Eintreten für die → Epikureische Schule in Athen, der sie nahestand [1. Nr. 442]. Nach ihrem Tod (123) wurde sie konsekriert und vielfach als *diva mater* Hadrians geehrt.

In der Überl. ist ihr Bild von der ambivalenten Trad. über Hadrian beeinflußt: Sie gilt als Verkörperung altröm. weiblicher Tugend (→ *pudicitia*), aber auch als Intrigantin, deren Gunst (*favor Plotinae*) Hadrian angeblich gegen Traians Wunsch die Thronfolge sicherte.

1 E. M. SMALLWOOD, Documents Illustrating the Principates of Nerva, Trajan and Hadrian, 1966.

PIR²: P 279 · RAEPSAET-CHARLIER, Nr. 631 · H. TEMPORINI, Die Frauen am Hofe Trajans, 1978, 10–183 · H. TEMPORINI-GRÄFIN VITZTHUM, Frauen im Bild der domus Augusta unter Trajan, in: E. SCHALLMAYER (Hrsg.), Traian in Germanien, Traian im Reich, 1999, 45–53.   H. T.-V.

Plotinos (Πλωτῖνος). Griech. Philosoph, Begründer des → Neuplatonismus.

A. LEBEN   B. WERKE   C. LEHRE
D. NACHWIRKUNG

A. LEBEN

P. wurde 205 n. Chr. (im 13. Regierungsjahr des Septimius Severus) geboren und starb 270 im Alter von 66 J. (Porph. vita Plotini 2,34). Seine ethnische Herkunft zu bestimmen, ist äußerst schwierig: Eunapios (p. 456 BOISSONNADE) nennt als Geburtsort Lykon in Ägypten (man hat diese Stadt mit → Lykonpolis identifiziert). Die Angabe ist zweifelhaft, denn P. hat Porphyrios zufolge seinen Geburtsort stets verschwiegen. Proklos (Platonis Theologia 1,1) bezeichnet ihn als »Ägypter«. Seine Namensform ist lat. [1]. Das einzige Detail, das P. aus seiner Kindheit erzählte, war, daß er noch im Alter von 7 Jahren versuchte, an der Brust seiner Amme zu trinken (Porph. vita Plotini 3,6). Diese Anekdote steht wahrscheinlich in Zusammenhang mit der stoischen Lehre vom Beginn des vernünftigen Alters mit 7 Jahren.

In Alexandreia hörte P. mehrere Philos.-Lehrer; mit 28 J. begegnete er dem Platoniker → Ammonios [9] Sakkas und war von seinem Unterricht begeistert. Er blieb 11 Jahre lang sein Schüler. 243 gelangte er, wohl durch den Einfluß seiner offenbar reichen und mächtigen Familie, an den Hof des Kaisers → Gordianus III. und begleitete diesen auf dem Feldzug gegen die Perser, um ›auch die bei den Persern und Indern gebräuchliche Philos.‹ kennenzulernen (Porph. vita Plotini 3,15–16). Nach der Ermordung des Gordianus Anfang 244 durch seine Armee (verm. auf Anstiftung des Präfekten Philippus Arabs) floh P. nach Antiocheia [1] am Orontes – wohl weil er sich wegen seiner Zugehörigkeit zum Kaiserhof bedroht fühlte. Von Antiocheia aus ging P. nach Rom, wo er verm. noch im selben Jahr eine Schule eröffnete. Zwei Jahre nach Aufnahme des Unterrichtsbetriebes wurde der Philosoph → Amelios Gentilianos sein Schüler, später sein »Assistent«.

263 begab sich der Philosoph → Porphyrios aus Athen nach Rom; er gehörte 6 J. lang der Schule des P. an (263–268). Wegen seines anfänglichen Zögerns, die plotinische Theorie vom Verhältnis des Intellekts (nus) zum Intelligiblen (noëtá) anzunehmen, wurde er nicht gleich in den engeren Kreis aufgenommen. Erst als er dieser Theorie zugestimmt hatte, erhielt Porphyrios Zugang zu den Schriften des P. und wurde sogar mit deren Edition beauftragt. Dank seiner P.-Biographie erhalten wir auch Einblick in das Leben des P. in Rom: Er wohnte im Hause der Gemina, einer Frau, die ›sich für seine Philos. interessierte‹. Dieses Haus scheint sehr groß gewesen zu sein; es wurde außer von Gemina (die nicht, wie vermutet wurde, die Witwe des Kaisers Trebonius sein kann [2], da diese vor 251 starb) und ihrer Tochter Gemina noch von einer Witwe namens Chione mit ihren Kindern und von zahlreichen anderen Kindern bewohnt, zu deren Vormund man P. bestellt hatte; hinzu kamen noch die Sklaven der einzelnen Familien.

Porphyrios berichtet, daß P. von Kaiser Gallienus (Alleinherrscher von 260 bis 268) und der Kaiserin Salonia hoch verehrt wurde (vita Plotini 12,2). In diesem Zusammenhang spricht er von der Absicht des P., eine »Philosophenstadt« in Campanien wiederherzustellen. Diese war verm. ein zw. Cumae und Bacoli gelegener Landsitz des → Cicero, eine echte, für philos. Gespräche geeignete Akademie [3]. Der Widerstand der Ratgeber des Gallienus vereitelte jedoch die Bemühungen um die Wiederherstellung der Domäne. 268 wurde Gallienus ermordet. Bereits ein Jahr später wurde die Schule aufgelöst. Möglich ist ein polit. Zusammenhang mit dem Regierungsantritt des Nachfolgers Claudius Gothicus. Der wahrscheinlichere Grund liegt aber in der fortschreitenden Erkrankung des P. (Tuberkulose laut [4]). Porphyrios war zu diesem Zeitpunkt in Sizilien, Amelios in Apameia in Syrien, und P. zog sich nach Campanien zurück, wo er im Beisein des Eustochius, eines seiner Schüler, 270 starb.

B. Werke

Erst 254, d. h. 10 J. nach Eröffnung seiner Schule, begann P., seine philos. Traktate zu schreiben (Porph. vita Plotini 3,35). In der vorangegangenen Periode hatte Amelios Scholien zu den Vorlesungen des P. verfaßt (ebd. 3,46–48; 4,4–6; nicht erh.). Daß P. lange Zeit nur mündlichen Unterricht gab, ist auf die zw. ihm und seinen beiden Mitschülern Herennios und Origenes [1] getroffene Vereinbarung zurückzuführen, die Doktrin ihres Lehrers Ammonios [9] Sakkas nicht zu verbreiten. Nachdem Herennios diese Abmachung gebrochen hatte, entschloß sich P., ebenfalls zu schreiben. P. verfaßte seine Traktate jedoch nicht, um seinen Lesern eine Darstellung seines philos. Systems zu liefern. Laut seinem Hrsg. Porphyrios (Porph. vita Plotini 5,5; 5,60) waren diese vielmehr den Problemen gewidmet, die sich jeweils aus den während des Unterrichts stattfindenden Diskussionen ergaben. Somit besteht eine gewisse Beziehung zw. den Traktaten des P. und seinem mündlichen Unterricht, doch sind seine Schriften nicht als Aufzeichnungen davon anzusehen.

Dank der von Porphyrios besorgten Ausgabe besitzen wir die Gesamtheit der Schriften des P. Porphyrios gibt sogar deren Chronologie an (in den Belegen unter C. jeweils in runden Klammern). Jedoch verformte er die Anordnung und die Zusammenhänge dieser Schriften erheblich: Pythagoreischem Geist entsprechend ordnete er sie eigenmächtig in einer systematischen Folge von sechs Gruppen zu jeweils neun Traktaten (sog. Enneaden) an, die den drei Teilen der Philos. (Ethik, Physik und Theologie) entsprachen. Er teilte die einzelnen Schriften willkürlich auf und erweckte somit den Eindruck, die so entstandenen einzelnen Teile entsprächen ebenso vielen eigenständigen Schriften. Diese Schriftenteile wurden über verschiedene Enneaden verstreut (so bildeten z. B. 3,8; 5,8; 5,5; 2,9 urspr. eine einzige Schrift) – eine Einteilung, die P. selbst niemals geplant hatte.

Fast alle Abh. des P. sind eine Art von »platonischen Fragen«: sie stellen z. B. die Lehre des P. vom Seelenfall nicht direkt dar, sondern indirekt durch Interpretation der Aussagen des → Platon. Einige dieser Abh. sind der Lösung eines eher technischen Problems gewidmet (z. B.: Warum erscheinen entfernte Objekte uns als klein?); die meisten jedoch sollten weniger ein philos. Problem lösen, als vielmehr eine seelische Wirkung beim Leser hervorrufen: sie leiten ihn v. a. an, über das vernünftige Denken hinauszugehen, um in einer das Aussagbare übersteigenden Erfahrung das zu erreichen zu versuchen, was sich jenseits der Vernunft (lógos) und sogar jenseits des Intellekts (nus) befindet. Porphyrios präsentiert die chronologische Liste der Schriften des P. aus einem recht egozentrischen Blickwinkel: er unterscheidet in der schriftstellerischen Tätigkeit des P. drei Perioden: eine erste, vor der Ankunft des Porphyrios, eine zweite, die die sechs Jahre umfaßt, die er in der Schule des P. zubrachte, und eine dritte, die mit seinem Weggang beginnt. Porphyrios zufolge stammten v. a.

aus der zweiten Periode die meisten und bedeutendsten Schriften des P. Die Anwesenheit des Porphyrios, der selbst ein schöpferischer Philosoph war, mag auf die Schuldiskussionen sehr anregend gewirkt haben und die Schriften, die sich auf diese Diskussionen beziehen, mögen bes. zahlreich und tiefgehend gewesen sein. Entgegen dem Urteil des Porphyrios zeigen jedoch auch die Werke der letzten Periode keine Anzeichen von Schwäche oder Senilität.

Die 21 Schriften der ersten Periode sind kürzer und weniger kompliziert als die der zweiten. Die spezifisch plotinische Lehre von der → Emanation (aporrhoía) der Ebenen des Intellekts und der Seele aus dem Einen ist in ihnen in aller Klarheit formuliert (in chronologischer Reihenfolge in den Traktaten 7, 9, 10, 11). Eine Gruppe von Werken ist Unt. über die Seele (psyché) gewidmet: über ihre Unsterblichkeit, ihre Essenz, ihre Anwesenheit im Körper (2, 4, 6, 8, 14 und 21), und über die Materie (hýlē, 12). Andere Schriften behandeln moralische Fragen: die Reinigung (kátharsis) durch die Tugend, die Stellung des Weisen (spudaíos) in der Hierarchie der Seienden (15, 19, 20). In der zweiten Periode finden sich sehr ausführliche Unt. über die Seele (26–29 und 41), und, verm. im Zusammenhang damit, Erörterungen über die Anwesenheit des Intelligiblen (noētá) in der sinnlichen Welt (22–23). Eine zusammengehörige Werkgruppe enthält Polemik gegen die → Gnostiker (30–33 und 38–39) und wendet sich gegen die Idee einer Weltentstehung aus dem Willen und den Überlegungen eines Schöpfers: Die sichtbare Welt leitet sich auf notwendige Weise, wie ein Widerschein (eídolon), aus der Welt der Ideen ab (eídē; → Ideenlehre). Die Traktate 34 und 42–45 handeln von der Struktur der intelligiblen Welt (Zahlen, Arten/génē des Seins, Ewigkeit). In der dritten Periode scheint P. seine Aufmerksamkeit auf moralische Probleme gerichtet zu haben. Abgesehen von der Schrift, die dem Begriff der Selbsterkenntnis im Bereich des Intelligiblen gewidmet ist (49), und einer weiteren (50), die eine Interpretation des Eros-Mythos bietet, handeln die letzten Traktate vom Bösen (kakón), von der Vorsehung (prónoia), dem Einfluß der Gestirne, vom Verhältnis des Ich und dem, was auf den Körper einwirkt, und schließlich von der traditionellen Frage, ob der Tod ein Gut sei (47–48, 51, 52, 54).

C. Lehre
1. Allgemeine Charakteristik
2. Die Ebene der Seele
3. Die Ebene des Intellekts
4. Der Kontakt mit dem Einen
5. Die Abwärtsbewegung

1. Allgemeine Charakteristik
P. wollte nichts anderes als ein Exeget Platons sein. Aber die Art seiner Exegese, die darin besteht, die Hierarchie seiner Hypostasen mit den Ideen der platonischen Dialektik in Einklang zu bringen, war schon bei Numenios [6] und verm. bei P.' Lehrer Ammonios [9] Sak-

kas, von dem wir nahezu nichts wissen, vorgebildet. Die grundlegende Methode des plotinischen Denkens besteht darin, von einer Realitätsebene zu der nächsthöheren aufzusteigen, zu der, die sie erzeugt hat. Dies geschieht auf zweifache Weise: auf dem begrifflichen Wege und auf dem Wege der Askese und der Mystik. Der begriffliche Weg sieht folgende Etappen vor: Die sinnlich wahrnehmbare Welt setzt ein Prinzip des Lebens und des Belebens voraus: die Weltseele (psyché tu pantós) und die Einzelseelen. Die Weltseele ihrerseits setzt ein höheres Prinzip voraus, das sie illuminiert und den Widerschein der Ideen auf sie ausstrahlt: den Intellekt (nus). Der Intellekt seinerseits setzt ein Prinzip voraus, das ihm Einheit verleiht und ihn bestimmt: das Eine (hen). Aber diese Ebenen der Realität entsprechen den hierarchisierten Ebenen und Zuständen der inneren Wirklichkeit, d.h. des Ich. Um diese verschiedenen Ebenen wirklich zu erreichen und sie auf lebendige und existentielle Weise zu kennen, bedarf es der Askese und der mystischen Erfahrung. Etwas wirklich verstehen heißt, es zu praktizieren. Wir wissen nicht, ob P. in seinem mündlichen Unterricht wie üblich die Fragen der Ethik, der Physik und der Theologie gesondert behandelt hat. Was aber seine Schriften betrifft, so kann man die meisten von ihnen nicht einem bestimmten Teil der Philos. zuordnen. Vielmehr umfassen sie (von einigen Ausnahmen abgesehen) alle Teile der Philos. in sich und lassen den Leser einen Weg durchlaufen, der ihn seiner selbst als → Seele, dann als → Intellekt bewußt werden läßt, um ihn schließlich die Möglichkeit eines Kontaktes mit dem Einen erahnen zu lassen. Um die Philos. des P. darzustellen, kann man den bequemen Rahmen der Teile der Philos. nicht benutzen; man sieht sich genötigt, stets den philos. Diskurs von den durch die innere Erfahrung des Ich erreichten Realitäten zu scheiden.

2. Die Ebene der Seele
Die erste Etappe des Aufstiegs (anábasis), zu der P. seine Schüler einlädt, ist für den, der seine Vernunft auf philos. Weise benutzt, das Bewußtwerden der Tatsache, daß er sich über die Ebene der unvernünftigen Seele hinaus erhoben hat (da sie die Aufgabe hat, den Körper zu beleben, wird sie von der Lust und den Schmerzen beunruhigt, die das Leben des Körpers begleiten). Abstraktes Argumentieren hilft hier nicht; um sich wirklich auf die Ebene der vernünftigen Seele zu erheben, muß man die Erfahrung der durch Askese erlangten Reinigung von den Leidenschaften gemacht haben: letztere, wesentlich mit der unvernünftigen Seele verbunden, hatten sich auch an die vernünftige Seele angeheftet (Plot. enneades 4,7 (2),10,27). Auf diese Weise gereinigt, kann die vernünftige Seele sich auf die Ebene der Weltseele (psyché tu pantós) erheben, die nicht durch ihr Verhältnis zum Weltkörper gestört wird und ständig dem Intellekt zugewendet ist. Die Beziehungen der Weltseele mit der → Hypostase (hypóstasis) der stets im Intelligiblen verharrenden Seele ist von P. nicht ganz klar definiert worden [5].

3. Die Ebene des Intellekts

Man darf jedoch nicht bei der vernünftigen Seele stehen bleiben. Der philos. Diskurs ist genötigt zuzugeben, daß die Seele nur vernünftig denken kann, wenn es ein substantielles Denken gibt, das zugleich in ihr anwesend ist und sie übersteigt, und das die Möglichkeit des vernünftigen Denkens begründet. Auch hier gibt es zwei Möglichkeiten der Selbsterkenntnis: eine Erkenntnis seiner selbst als vernünftige Seele, die vom Intellekt illuminiert wird, aber auf der Ebene der vernünftigen Seele verharrt, und eine Erkenntnis seiner selbst als werdender Intellekt, d. h. eine Erkenntnis (enneades 5,3 (43),4,8–14), die »nicht mehr als Menschen erkennt, sondern als ein zu etwas ganz anderem Gewordenes, das sich von sich selbst los- und in die Höhe gerissen hat«. Hier handelt es sich nicht mehr um einen Diskurs, sondern um mystische Erfahrung, da es sich um eine suprarationale Erkenntnis handelt. Das Ich erfährt auf diese Weise, daß es ständig unbewußt das Leben des Intellekts lebt (enneades 4,8 (6),8,3). Man muß den Intellekt als unser eigentliches Ich ansehen. »Intellekt werden« heißt, einen Zustand des Ich erreichen, in dem es dieselbe Transparenz sich selbst gegenüber aufweist wie der Intellekt. Dies geschieht, indem es den individuellen, an einen Körper und eine Seele gebundenen Aspekt des Ichs abwirft und sich zu einem Denken der Ganzheit erhebt. P. zufolge enthält der Intellekt nämlich die Totalität der Formen, die die intelligible Welt ausmacht, in der jedes in allem und alles in jedem ist. Sich als Intellekt denken heißt also, seine Individualität zu überwinden, um sich als Totalität zu denken, und zwar nicht, indem man die Totalität in Einzelheiten auflöst, sondern indem man fühlt, da sie eine Art von organischem System ist. Man wird das Ganze (hólon), indem man alle individuellen Unterschiede abstreift.

4. Der Kontakt mit dem Einen

In der Bildersprache, die P. gebraucht (6,7 (38), 36,17), ist der Intellekt, mit dem sich das Ich identifiziert, wie eine Welle, die uns durch ihr Anschwellen an das Ufer des Einen wirft. Der philos. Diskurs kann zeigen, daß das, was das Eine-Alles, d. h. den Intellekt, begründet, die absolute und erste Einheit ist. Aber damit erreicht der philos. Diskurs seine Grenze, denn sprechen heißt, an ein Subjekt Attribute und direkte oder indirekte Objekte anzuknüpfen. Das Eine aber besitzt weder Objekte noch Attribute, da es ganz und gar eins ist. In Bezug auf das Eine können wir nur alle Objekte und Attribute verneinen; dieses Verfahren nennt man apophatische Theologie. Wenn wir aber trotzdem glauben, etwas von ihm aussagen zu können, indem wir z. B. sagen: »Das Eine ist die Ursache aller Dinge«, dann sagen wir nicht, was es ist, sondern was wir im Verhältnis zu ihm sind, und das bedeutet, daß wir seine Wirkungen sind. In der Tat sprechen wir nicht von ihm, sondern nur von uns (6,9 (9),3,51–52). Der einzige Zugang zu ihm ist die mystische Erfahrung, eine Erfahrung des Kontaktes und des Gegenwärtigseins. Danach kann der philos. Diskurs wieder aufgenommen werden, zumindest um

zu erklären, warum es zwei Ebenen der mystischen Erfahrung gibt und wie die Erfahrung des Einen möglich ist.

Das Ich kann das Leben des Intellekts auf zwei Ebenen leben. Die eine ist die Ebene des denkenden Intellekts, d. h. des völlig strukturierten Intellekts, sie entspricht der suprarationalen Ebene, die in der ersten mystischen Erfahrung erreicht wird (4,8 (6),1,1; 5,8 (31), 10–11). Die zweite ist die Ebene, die P. »liebender Intellekt« nennt (nus érōn, 6,7 (38),35) und die man auch »entstehenden Intellekt« nennen könnte. Der Intellekt entsteht aus dem Einen wie eine unbestimmte Materie, die vom Einen wie ein Strahl ausgeht und zu ihm in einer vorintellektuellen Berührung zurückkehrt. Durch diese Berührung mit dem Einen, sagt P., ist der Intellekt voller Liebe, trunken von Nektar (6,7 (38),35). In dieser mystischen Erfahrung des Einen stellt sich das Ich an jenen Punkt des Ursprungs, von dem aus alle Dinge aus dem Einen hervorgehen und der nichts anderes ist als der entstehende Intellekt: wie ein Radius, der zu dem Punkt zurückkehrt, wo er mit dem Zentrum zusammenfällt, ohne selbst das Zentrum zu sein.

5. Die Abwärtsbewegung

Wenn die Philos. darin besteht, zum Einen und Guten zurückzukehren, so folgt daraus, daß sie auch darin besteht, sich des Hervorgangs (próodos) alles Seienden aus dem Guten (agathón) bewußt zu werden. Dies läuft darauf hinaus, daß man sich der Tatsache bewußt wird, daß alles Seiende und wir selbst uns anfänglich von ihm entfernt haben. Die Entstehung der Seienden hat eine doppelte Bed.: einerseits bezeugt sie die geheimnisvolle Fruchtbarkeit des Guten (im MA sagt man vom Guten, es sei diffusivum sui: »das sich ergießende Gute«). P. spricht von der Überfülle (hyperplerés) des Einen (5,2 (11),1,9), die eine Art ungeformter Materie oder Vermögen hervorbringt, die ihrerseits zur Existenz kommt, indem sie sich zum Einen zurückwendet. Andererseits aber geht die Entstehung der Seienden in gewisser Hinsicht auf eine Urschuld zurück. Mehr zu sein als das Gute, bedeutet gleichsam, im Bösen zu sein.

P. sagt vom ersten Erzeugnis des Einen, dem Intellekt, daß »er die Kühnheit (tólma) besessen habe, sich vom Einen zu entfernen« (6,9 (9),5,29), daß »es besser für ihn gewesen wäre, wenn er nicht alles Seiende in sich hätte besitzen wollen«. Mit diesen Worten spielt er auf → Kronos an, der sich gegen seinen Vater Uranos auflehnte und alle seine Kinder in sich behalten wollte (vgl. [6]). Die Gesamtseele und die einzelnen Seelen ihrerseits haben sich aufgelehnt wie Zeus gegen Kronos, sie haben sich vom Intellekt unterschieden, weil sie sie selbst sein und ihre Selbständigkeit erwerben wollten, und weil sie die Abbilder (eídola), den Widerschein ihrer selbst, d. h. die Körper, auf die Materie projizieren wollten. Die Bewegung der Bekehrung der Seelen, die Aufwärtsbewegung, setzt also eine Abwärtsbewegung voraus, in der die Seelen die Erfahrung des Bösen machen.

D. Nachwirkung

Die plotinische Hierarchie der Hypostasen bildete den Ausgangspunkt für die neuplatonische → Metaphysik von → Porphyrios (3. Jh. n. Chr.) bis → Damaskios (6. Jh.). Der Einfluß des → Iamblichos und seiner Exegese der Chaldäischen Orakel (→ Oracula Chaldaica) führte jedoch zu einer Vervielfältigung der verschiedenen Stufen dieser Hierarchie, was der plotinischen Denkweise zuwiderlief. Man kann sogar sagen, daß der Neuplatonismus des → Proklos zwangsläufig auf einer Kritik an P. aufbaut, zumal was dessen Theorie betrifft, daß ein Teil der Seele stets im Intelligiblen verbleibt. Man kann vier plotinische Zeitspannen in der Geschichte des abendländischen Denkens unterscheiden:

1. Die Wiederaufnahme der plotin. Spiritualität und Mystik durch die östl. und westl. christl. Schriftsteller: die Kappadokier → Gregorios [2] von Nyssa, → Gregorios [3] von Nazianz, Basileios [1] von Kaisareia; im Westen v. a. → Ambrosius und → Augustinus; letzterer hatte einige Schriften des P. in der lat. Übers. von → Marius [II 21] Victorinus gelesen (vgl. [7; 8]).

2. Die Verbreitung der Schrift, die die Araber ›Theologie des Aristoteles‹ nannten, in der arab. Welt und durch deren Vermittlung im westlichen MA. Diese Schrift besteht zum größten Teil aus Auszügen aus den Werken des P. und wurde zunächst aus dem Griech. ins Syr., vom Syr. ins Arab. und schließlich vom Arab. ins Lat. übersetzt.

3. Durch die Wiederentdeckung der Texte des P. in der Renaissance dank der ausgezeichneten Übers. des Marsilio Ficino Ende des 15. Jh. (1492) begann der christl. Platonismus; er breitete sich vom 16. bis zum 18. Jh. von Italien bis nach England aus, wo er durch die Platoniker von Cambridge wie R. Cuolworth, J. Smith, H. More über die Dichter der Romantik wie W. Blake, W. Coleridge, S. T. Worsworth bis hin zu modernen Romanautoren wie Ch. Morgan lebendig blieb.

4. Die P.-Rezeption der dt. Philos. Anfang des 19. Jh.: G. F. Creuzer, J. W. Goethe, G. Fichte, Novalis, G. F. Schelling. Hier sind es die Ideen der inneren Form, der Schönheit, des Absoluten, die vor dem Hintergrund der plotinischen Philos. gesehen werden müssen. Gegen Ende des 19. Jh. tritt H. Bergson das Erbe dieser romantischen Trad. an. Seine Vorstellung von den lebenden Organismen wurde von der plotinischen Beschreibung der Formen inspiriert [9], die immer vollständig und ganzheitlich sind und sich selbst genügen.

→ Neuplatonismus; Platon [1]; Porphyrios; Proklos

1 J.-L. Brisson, Plotin: une biographie, in: L. Brisson u. a., Porphyre, La vie de Plotin, Bd. 2, 1992, 2 2 P. Hadot, Plotin ou la simplicité du regard, 1997, 85 3 M. Gigante, L'Accademia flegrea da Cicerone a Plotino, in: Momenti e motivi dell'antica civiltà flegrea, 1985, 84–95 4 M. Grmek, Les maladies et la mort de Plotin, in: [1], Bd. 2, 355–344 5 H.-J. Blumenthal, Soul, World-Soul and Individual Soul in Plotinus, in: P. M. Schuhl, P. Hadot (Hrsg.), Le Néoplatonisme, 1971, 55–66 6 P. Hadot, Ouranos, Kronos and Zeus in Plotinus' Treatise Against the Gnostics, in: H. J. Blumenthal, R. A. Markus (Hrsg.), Neoplatonism and Early Christian Thought. FS A. H. Armstrong, 1981, 124–137 7 P. Courcelle, Les lettres grecques en occident de Macrobe à Cassiodore, 1948 8 Ders., Recherches sur les Confessions d'Augustin, 1968 9 R.-M. Mossé-Bastide, Bergson et P., 1959.

Gesamtausg., Gesamtübers.: A. H. Armstrong, Plotinus, 7 Bde., 1966–1988 (mit engl. Übers.) · É. Bréhier, Plotin, Ennéades, 7 Bde., 1924–1938, ²1963–1967 (mit frz. Übers.) · M. Casaglia et al., Enneadi di Plotino, 2 Bde., 1997 · V. Cilento, Plotino, Enneadi, 3 Bde., 1947–1949 (Text und krit. Komm.) · G. Faggin, Plotino, Ennadi, 1992 (ital. Übers. und Komm.) · R. Harder, R. Beutler, W. Theiler, Plotins Schriften, 6 Bde., 1956 (griech. Text, dt. Übers. und Komm.) · P. Henry, H.-R. Schwyzer, Plotini Opera, 3 Bde., 1951–1973 (editio maior); 1964–1982 (editio minor) · J. Igal, Porfirio, Vita de Plotino, Plotino, Ennéadas (Enn. I–IV), 2 Bde., 1982–1985 (span. Übers. und Komm.).

Komm. und Teilausgaben:
Enn. 1,6: D. Susannetti, Plotino, Sul Bello, 1995 (Einf., Übers., Komm.).
Enn. 1,8: E. Schröder, Plotins Abhandlungen Pothen ta kaka, 1916 (mit griech. Text) · D. O'Meara, Plotin, traité 51 (I 8), 1991.
Enn. 2,4: K. M. Narbonne, Plotin, Les deux matières, 1993 (mit griech. Text).
Enn. 2,5: J. M. Narbonne, Plotin, traité 25 (II 5), 1998.
Enn. 3,2–3: P. Boot, Over Voorzienigheid, 1984.
Enn. 3,5: A. M. Wolters, Plotinus ›On Eros‹, 1984 · P. Hadot, Plotin, Traité 50 (III 5), 1990.
Enn. 3,6 B. Fleet, Ennead III,6, On the Impassibility of the Bodiless, 1995 (Übers., Komm.).
Enn. 3,7: W. Beierwaltes, Plotin, Über Ewigkeit und Zeit, 1967, ³1981 (mit griech. Text).
Enn. 3,8; 5,8; 5,5; 2,9: V. Cilento, Paideia antignostica, 1971 (mit griech. Text).
Enn. 4,8; 5,1; 5,6; 5,3: K. Kremer, Seele, Geist, Eines 1990 (mit griech. Text)
Enn. 5,1: M. Atkinson, Plotinus, Ennead V 1, 1983, ²1985 (mit griech. Text).
Enn. 5,3: W. Beierwaltes, Selbsterkenntnis und Erfahrung der Einheit, 1991 (mit griech. Text), 1991 · H. Oosthout, Modes of Knowledge and the Transcendental. An Introduction to Plotinus, Ennead V 3 (49), 1991.
Enn. 5,9; 6,8: W. Beierwaltes, Plotin, Geist-Ideen-Freiheit, 1990 (mit griech. Text).
Enn. 6,6: J. Bertier, L. Brisson u. a., Plotin, Traité sur les nombres, 1980 (mit griech. Text).
Enn. 6,7: P. Hadot, Plotin, Traité 38 (VI 8), 1988.
Enn. 6,8: G. Leroux, Traité sur la liberté et la volonté de l'Un, 1990 (mit griech. Text).
Enn. 6,9: J. Igal, Commentaria in Plotini ›De Bono sive de Uno librum‹ in: Helmantica 22, 1971, 273–304 · P. Hadot, Plotin, Traité 9 (VI 9), 1994.

Bibliogr.: H. J. Blumenthal, Plotinus in the Light of Twenty Years Scholarship, 1951–1971 · K. Corrigan, P. O'Cleirigh, The Course of Plotinian Scholarship from 1971–1986, in: ANRW II 36.1, 1987, 571–623.

Lit.: A. H. Armstrong, Plotinian and Christian Studies, 1979 • Ders., Hellenic and Christian Studies, 1990 • W. Beierwaltes, Denken des Einen, 1985 • J. Bussanich, The One and its Relation to Intellect in Plotinus, 1988 • D. O'Meara, Plotin, Une Introduction aux Ennéades, 1992 (Bibliogr.) • H.-R. Schwyzer, s. v. P., RE 21, 471–592, 1276 • Ders., s. v. P., RE Suppl. 15, 311–328 • Th. A. Slezák, Platon und Aristoteles in der Nuslehre Plotins, 1979.   P. HA.

Plotius. Urspr. wohl vulgärlat. Form des röm. Eigennamen → Plautius, spätestens seit dem 1. Jh. v. Chr. eigenständiger Gentilname.   K.-L. E.

I. Republikanische Zeit

[I 1] P. Gallus, L. Der erste nachgewiesene lat. Rhet.-Lehrer in Rom vom Anf. 1. Jh. v. Chr., der seinen Unterricht in lat. Sprache und mit röm. Sujets abhielt und großen Zulauf hatte (vgl. Cic. bei Suet. gramm. 26). Ein Edikt der Censoren von 92 v. Chr., bes. Ciceros Lehrer Licinius [I 10] Crassus, versuchte – anscheinend ohne bleibenden Erfolg – die Schule zum Verschwinden zu bringen (Suet. gramm. 25, vgl. auch Cic. de orat. 3,93 f.); das Edikt kritisiert zumal die Neuartigkeit der schulischen Form, so den ganztägigen Unterricht. Eine speziell pro-populare, marianische Tendenz der Schule und eine entsprechende Reaktion des Edikts scheidet hingegen nach [1. 187–190; 196–201] aus. Noch 56 verfaßte P. für Atratinus, den Ankläger des von Cicero verteidigten Caelius, eine Rede (Suet. l. c.). In einem Traktat äußerte er sich zudem zum rhet. *gestus* (Quint. inst. 11,3,143).

1 P. L. Schmidt, Die Anf. der institutionellen Rhet. in Rom, in: E. Lefèvre (Hrsg.), Monumentum Chiloniense. FS E. Burck, 1975, 183–216.   P. L. S.

[I 2] P. Tucca. Lat. Dichter (? Werke sind nicht erh.) augusteischer Zeit, wohl aus der Gallia Cisalpina (schol. Pers. 2,42) stammend, ein enger Freund des L. → Varius Rufus und des → Vergilius; Horaz (sat. 1,5,40; 1,10,81) erwähnt ihn als Begleiter. Wenn die Quellen vertrauenswürdig sind, waren P. und Varius die Erben des nach allen Verbindlichkeiten verbliebenen materiellen, v. a. aber lit. Nachlasses Vergils. Entweder Varius oder beide sollen nach den Anordnungen des Augustus die unvollendete *Aeneis* herausgegeben haben, die Vergil vernichtet wissen wollte (Don. vita Vergilii 37; Hier. chron. a. Abr. 2000: nach Sueton).

R. Scarcia, s. v. P., EV, V* 307–308.   J. A. R./Ü: U. R.

[II 1] P. Firmus. Einfacher Soldat; unter → Galba [2] → *praefectus [12] vigilum* in Rom. Nach dessen Tod am 15.1.69 n. Chr. wurde er von Praetorianersoldaten zum → *praefectus praetorio* gewählt; nach → Othos Tod vereidigte er die Garde sogleich auf → Vitellius. Zu den möglichen verwandtschaftlichen Zusammenhängen vgl. PIR² P 503.

[II 2] P. Grypus. Statius richtete an ihn ca. 92/3 n. Chr. das Gedicht silv. 4,9. Darin spricht er von einer richter-lichen Aufgabe des P. sowie von der Leitung (*praeficere*) der *annona sequens* sowie der *stationes viarum*. Die Funktion, die damit beschrieben wird, wurde einerseits als eine senatorische Sonderaufgabe für die Beschaffung des Nachschubs im Sarmatenkrieg → Domitianus' [1] betrachtet (was völlig ungewöhnlich wäre), andererseits als die ritterliche Funktion des → *praefectus* [11] *vehiculorum*, der sich um die Stationen des → *cursus publicus* und den nötigen Nachschub für das Heer zu kümmern hatte. Danach bestimmt sich seine soziopolit. Stellung als Ritter (oder Senator; vgl. [1. 96 f.]). PIR² P 505.

1 W. Eck, L'Italia nell'Impero Romano, 1999.

[II 3] D. P. Grypus. Ritter, der von → Vespasianus bereits im J. 69 n. Chr. unter die Tribunizier aufgenommen und mit dem Kommando über die *legio VII Claudia* betraut worden war. 70 erhielt er die Praetur anstelle des → Tettius Iulianus. Erst im J. 88 gelangte er zum Suffektkonsulat. Sein Verwandtschaftsverhältnis zu anderen Plotii der flavischen Zeit ist umstritten, vgl. PIR² P 506.

[II 4] L. P. P[. . .]. Proconsul der Prov. Cyprus im J. 81/2 n. Chr. PIR² P 511.   W. E.

[II 5] Marius P. Sacerdos, *grammaticus urbis* im Rom des späten 3. Jh. n. Chr. Verf. von *Artes grammaticae* (›Grammatiken‹) in 3 B. verschiedener Zeit, B. 1 einem Gaianus, B. 2 seinem Vater Uranius, B. 3 den Freunden Maximus und Simplicius gewidmet. Der Anf. von B. 1 (*De institutis artium grammaticarum*) ist verloren; Rückverweise aus B. 2 lassen als Inhalt das übliche Schema (Grundbegriffe, Wortarten) erschließen. Als Hauptquelle kommt eine Schulgramm. in Betracht, die (wie Scaurus II, s. HLL 5, 522.2) die Grundlagen der Metrik einschloß. B. 2 (*De catholica nominum verborumque ratione*) enthält eine Flexionslehre (Nomen, Verb); der lückenhafte oder bearbeitete Text läßt sich durch Ps.-Probus, *Catholica* (vgl. Valerius → Probus) verbessern; als Quelle kommt etwa → Flavius [II 14] Caper in Betracht. In B. 3 (*De metris*) werden, vom Hexameter ausgehend, die einzelnen Versgattungen besprochen. Seit → Servius ging B. 2 als *Catholica Probi* eine Zwangsehe mit den ebenfalls ps.-probischen *Instituta artium* ein; der Gramm.-Teil (B. 1/2) wurde im 5. Jh unter dem Namen M. Claudius Sacerdos bearbeitet (Neapolitanus Latinus 2, ehemals Vindobonnensis 16), Ergänzungen bei [3], vgl. auch die Claudius-Zit. in der *Ars Ambrosiana, Ars Bernensis* u. a. [7. 113]); auch B. 3 ist isoliert in karolingischen Metrik-Hss. erh.

Ed.: GL 6, 415–546.
Lit.: 1 L. Jeep, Zur Gesch. der Lehre von den Redetheilen, 1893, 73–82 2 G. Hantsche, De Sacerdote grammatico, 1911 3 K. Barwick, Remmius Palaemon, 1922, 71–77 4 M. de Nonno, Frammenti misconosciuti di Plozio Sacerdote, in: RFIC 111, 1983, 385–421 5 R. A. Kaster, Guardians of Language, 352 f., Nr. 132 6 C. Simoni, Il secondo libro de Sacerdote e i Catholica Probi, in: RFIC 116, 1988, 129–153 7 P. L. Schmidt, in: HLL Bd. 5, 1989, 112–116.   P. L. S.

[II 6] P.P.Romanus. Senator der severischen Zeit. Seine lange Laufbahn ist in CIL VI 332 = ILS 1135 erh. Nach der Praetur wurde er *curator viae Labicanae*, → *iuridicus per Aemiliam et Liguriam*, *legatus Augusti censibus accipiendis in Hispania citerior* und *praefectus aerarii Saturni*; anschließend übernahm er zwei praetorische Statthalterschaften, zunächst in Galatia, dann in Arabia, wohl zw. 221 und 223 n.Chr.; *cos. suff.* Außerhalb Roms ließ P. an der Straße nach Ostia ein Heiligtum (*aedes*) für Hercules errichten. PIR² P 515.

[II 7] L.P.Sabinus. Senator der hadrianisch-antoninischen Zeit, der nach der Praetur in Formiae ums Leben kam (CIL VI 31746 = 41111 = ILS 1078). PIR² P 517.

[II 8] L.P.Vicina. Senator, der zw. 2 v. und 7 n.Chr. als Proconsul von Creta-Cyrenae amtierte; wohl aus Luceria stammend [1. 115; 145]. PIR² P 520.

1 G. CAMODECA, in: EOS 2.   W.E.

Plumbata s. Pfeil; Pilum

Plumbum s. Blei

Pluspetitio (Übermaßforderung, vgl. Cod. Iust. 3,10) – oder häufiger: *plus petere* – ist eine röm. Rechtsfigur, die aufs engste mit dem kunstvollen Aufbau der → *formula* im röm. Formularprozeß verbunden ist. Die *p.* führt zu Sanktionen bzw. Reaktionen des Prozeßrechts, die vom Prozeßverlust bis hin zu Korrekturen (wie heute noch bei den Kosten) innerhalb des Rechtsstreits reichen.

Laut Gaius [2] (inst. 4,53 ff.; 68) unterscheidet das klass. röm. Prozeßrecht des 1.–3. Jh. n. Chr. zw. vier Erscheinungsformen der *p.*: *re, tempore, loco, causa* (sachlich, zeitlich, örtlich oder wegen des Grundes). Beispiele dafür sind das Verlangen einer zu hohen (*re*) oder noch nicht fälligen (*tempore*, maßgeblicher Zeitpunkt ist die → *litis contestatio*) Summe oder ohne die Angabe des vereinbarten Leistungsortes (*loco*, vgl. Dig. 13,4), oder wenn der Kläger eine bestimmte Leistung verlangt und dadurch dem Beklagten ein ihm materiell zustehendes Wahlrecht abschneidet (*causa*).

Ist die *p.* in der → *intentio* (Begehren) der Formel enthalten, so führt sie grundsätzlich zum Prozeßverlust (*causa cadere*, Gai. inst. 4,53). Das hängt mit der Festlegung des Streitgegenstandes auf das in der *intentio* Genannte zusammen, gilt aber nur, wenn sich das Klagebegehren auf ein *certum* (etwas Bestimmtes) richtet; bei einer auf ein *incertum* lautenden Klage obliegt es nämlich dem Richter, den exakten Leistungsinhalt festzulegen, so daß eine *p.* im Rahmen der *intentio* (nicht aber der → *demonstratio*, s.u.) ausscheidet. Da mit diesem Prozeßverlust wegen des Grundsatzes *bis de eadem re ne sit actio* (»zweimal soll über dieselbe Sache keine Klage sein«) zugleich die Möglichkeit genommen war, eine auf den korrekten Umfang begrenzte erneute Klage anzustrengen, liegt die Vermutung nahe, daß die Rigorosität dieser Rechtsfolge ein »Erbe« eines (uns unbekannten) Vorläufers der *p.* aus dem überaus formalistischen Prozeßtyp der → *legis actio* ist. Das Einklagen einer zu geringen Summe bzw. Leistung ist unschädlich; allerdings kann der Rest nicht mehr in der Amtszeit desselben Praetors eingeklagt werden, Gai. inst. 4,56 (*exceptio litis dividuae*). Sofern bei Klagen, die auf ein *incertum* gerichtet sind, die → *demonstratio* (Sachverhaltsdarstellung) eine *p.* enthält – z.B. eine falsche Berechnungsgrundlage –, verliert der Kläger zwar auch hier den Prozeß, doch bleibt ihm die Möglichkeit einer erneuten Klage auf der richtigen Grundlage. Dieselbe Rechtsfolge sieht Gai. inst. 4,58 auch für den Fall vor, daß zu wenig verlangt wird (anders etwa Labeo oder Ulp. Dig. 19,1,33). Ist schließlich die *p.* in der → *condemnatio* (Urteilsformel) enthalten, so führt dies nicht zum Prozeßverlust; statt dessen wird in diesem Fall die Klagelast dem Beklagten aufgebürdet, der über eine → *restitutio in integrum* (Wiederherstellung des früheren Zustandes) die Reduzierung der Verurteilung auf das richtige Maß erstreiten muß, Gai. inst. 4,57.

Im spätant. Kognitionsverfahren (→ *cognitio*) wird der Bedeutungsgehalt der *p.* verändert: Der Richter kann entsprechend seiner umfassenden Gewalt von sich aus das zuviel Verlangte auf das gesollte Maß zurücksetzen, ohne die Klage insgesamt abweisen zu müssen. Doch kann die *p.* zum Anlaß verschiedener Sanktionen und Nachteile genommen werden, um leichtfertiges Prozessieren zu unterbinden, vgl. cons. 5,7 (Diocletianus, um 300 n. Chr.).

A. BÜRGE, Zum Edikt De edendo, in: ZRG 112, 1995, 1–50, bes. 9 · D. DAUBE, Exceptio litis dividuae, in: RIDA 6, 1959, 313–322 · M. KASER, K. HACKL, Das röm. Zivilprozeßrecht, ²1996, 323 ff., 586 · G. PROVERA, La plurispetitio nel processo romano, Bd. 1, 1958 · G. SACCONI, La »pluris petitio« nel processo formulare, 1977 · D. SIMON, Unt. zum justinianischen Zivilprozeß, 1969, 125 f. · H.-D. SPENGLER, Studien zur interrogatio in iure, 1994, 21.   C. PA.

Plutarchos (Πλούταρχος).

[1] Tyrann von → Eretria [1]. Als Gastfreund des reichen Demosthenes-Gegners → Meidias [2] (Demosth. or. 21,110; 21,200) wandte er sich 349 v.Chr. um Hilfe an Athen, als der verbannte Kleitarchos [1] und Kallias [9] von Chalkis mit Unterstützung des Phalaikos von Phokis und Philippos [4] II. seine Stellung bedrohten (Aischin. Ctes. 86–88 mit schol.). Die ›unrühmliche und teure Expedition‹ Anf. 348 (Demosth. or. 5,5 mit schol.; 39,16) leitete → Phokion. In der Schlacht bei Tamynai verdarb P. dessen Taktik und flüchtete. Phokion rettete den Sieg, vertrieb P. aus Eretria, setzte dort die Demokratie ein und legte eine Besatzung in die Festung Zaretra. Molossos trat an Phokions Stelle, fiel den Feinden aber in die Hände (Plut. Phokion 12–14; Demosth. or. 9,57; Aischin. leg. 169). Pausanias sah am Weg nach Eleusis das Grab dessen, ›der dem Plutarchos zu Hilfe geeilt war‹ (Paus. 1,36,4).

H. BERVE, Die Tyrannis bei den Griechen, 1967, 301 f., 675 · H.-J. GEHRKE, Phokion, 1976, 7–12, 32–35.   J. CO.

[2] I. Leben und Werküberblick
II. Biographien III. Philosophisches Werk
IV. Spezialabhandlungen

I. Leben und Werküberblick

P. ist um 45 n. Chr. geb. und verbrachte sein Leben in der boiotischen Stadt → Chaironeia. Seine Familie war einander eng verbunden, und P.s Beschreibung von Großvater, Vater und Brüdern zeichnet sich durch Wärme aus; Glück hatte P. auch mit seiner Frau Timoxena, die selbst eine Schrift ›Über die Putzsucht‹ (›Eheregeln‹ 145a) verfaßte und der er ebenso wie den gemeinsamen Kindern sehr zugetan war (s. bes. die ›Trostschrift an die Ehefrau‹). Da seine Familie begütert war, konnte P. z. B. nach Rom und Italien (mehrere Male) und nach Alexandreia reisen und sich die beste Ausbildung leisten: Sein Lehrer, der Ägypter → Ammonios [5], war ein führender Philosoph, und P.' eigene Werke weisen gründliche Vertrautheit mit rhet. Technik auf, die P. wohl in seiner Jugend, verm. in Athen, erworben hatte. Die rhet. Qualifikation bereitete ihn auf polit. und lit. Tätigkeiten vor.

In seiner Schrift ›Regeln der Staatskunst‹ (813c-d, vgl. 811a-c und ›Soll ein Greis polit. tätig sein?‹ 793c-d, 794b) rät P. einem jungen Bekannten aus Sardeis, sich nicht über Gebühr um ein städtisches Amt zu bemühen, aber entsprechende Angebote anzunehmen. P. selbst übernahm Gesandtschaften zu Proconsuln (seine Reisen nach Rom und Italien hatten offenkundig teilweise ebenso einen polit. Zweck) und städtische Ämter, selbst die Aufsicht über kleinere öffentliche Bauvorhaben (›Regeln der Staatskunst‹ 811b-c). Die Karrierechancen junger Griechen für das öffentliche Leben in Rom beurteilt er kühler und distanzierter (›Über die Gemütsruhe‹ 470d-d); die ›Regeln der Staatskunst‹ konzentrieren sich auf städtische Politik in Griechenland: Der weise Politiker solle seine Stadt zu Eintracht und Zurückhaltung anhalten und so die ständigen entwürdigenden Eingriffe durch die röm. Verwaltung vermeiden. P. selbst blieb in Chaironeia (Demetrios 2,2). Er übernahm Ämter auch im wieder aufstrebenden Delphi, ›viele Pythiaden lang‹ (›Soll ein Greis politisch tätig sein‹ 792f) und wurde schließlich einer der beiden ständigen Priester (›Themen zum Wein‹ 700e); seine Abh. ›Über die Orakel der Pythia‹, ›Über das E in Delphi‹ und ›Über die erloschenen Orakel‹ weisen immense Kenntnisse über delphische Altertümer aus. Nach seinem Tod errichteten die Delphier gemeinsam mit Chaironeia eine Büste mit seinem Porträt (Syll.³ 843A).

In späteren Lebensjahren sammelte sich in Chaironeia ein Kreis junger Schüler um ihn. Schließlich erlangte P. auch die Bekanntschaft zahlreicher hochrangiger Römer: Q. Sosius → Senecio (Adressat der Widmung der *Bíoi parállēloi*, von ›Über den Fortschritt in der Tugend‹ sowie der ›Themen zum Wein‹); L. → Mestrius [3] Florus (Consul unter Vespasian), in dessen Begleitung P. das Schlachtfeld von Bedriacum besichtigte (›Otho‹ 14,1) und dem er offenbar das röm. Bürgerrecht

verdankte (P.' röm. Name war Mestrius Plutarchus); Q. Iunius → Arulenus [2] Rusticus (*cos.* 92, von Kaiser Domitian ca. ein Jahr später hingerichtet); C. → Minicius [4] Fundanus (*cos.* 107); der verbannte Prinz von Kommagene, C → Iulius [II 12] Antiochus Philopappus (*cos. suff.* 109); und die Brüder T. → Avidius [5] Quietus und C. → Avidius [3] Nigrinus (verm. beide Proconsuln von Achaia). Möglicherweise erhielt P. auch kaiserliche Ehrungen, doch sind die überl. Details unzuverlässig. Die *ornamenta consularia* zeichneten – wenn er sie denn je (wie → Quintilianus) erh. hat – seine akademische Reputation aus; auch das Amt des Procurators der röm. Provinz Achaia des Jahres 119 war wohl – wenn es ihm tatsächlich verliehen wurde – angesichts seines Alters eher eine Ehrenstellung. P. starb vor 125.

P.' Schriften fallen in zwei große Gruppen: die philos. Schriften und histor.-biographischen Arbeiten. Der sog. »Lamprias-Katalog« – eigentlich ein Bibliothekskatalog, der wohl aus dem 3. oder 4. Jh. n. Chr. stammt – listet insgesamt 227 Werke auf, von denen eine große Zahl verloren ist; selbst dieser Katalog ist unvollständig, denn er übergeht einige erh. Werke (sowie andere, die nicht erh. sind, von denen wir aber unabhängig Kenntnis haben). Fr. oder sonstige erh. Testimonien von verlorenen Werken (gesammelt in [1]), werden nachfolgend mit * gekennzeichnet.

1 F. H. Sandbach (ed.), Plutarchi Moralia, Bd. 7, ¹1896, ²1967.

C. P. Jones, Plutarch and Rome, 1971 · S. Swain, Hellenism and Empire, 1996, 135–186 · Ders., Plutarch, Hadrian, and Delphi, in: Historia 40, 1991, 318–330.

II. Biographien
A. Caesarenviten B. Parallelbiographien
C. Weitere Biographien und Spuria

A. Caesarenviten

Die Caesarenviten behandeln die röm. Kaiser von Augustus bis Vitellius; sie wurden wahrscheinlich unter den Flaviern veröffentlicht, vielleicht unter Nerva (96–98 n. Chr.) [1], doch in jedem Fall vor den Parallelviten und auch vor der vergleichbaren lat. Biographienreihe des → Suetonius. Nur *Galba* und *Otho* sind erh.; von *Tiberius** und *Nero** besitzen wir Fragmente. Man kann annehmen, daß die Biographien so zusammengestellt wurden, daß sie eine fortlaufende Gesch. des → Prinzipats bildeten: So nimmt *Galba* die Erzählung an dem Punkt auf, wo *Nero* endet, und die frühere Laufbahn von Otho und Vitellius wird nicht in deren eigenen Viten, sondern im *Galba* skizziert (19–21, 22,7–23,1).

B. Parallelbiographien
1. Überblick 2. Charakteristik

1. Überblick

Die *Bíoi parállēloi* (*Vitae parallelae*, ›Parallele Lebensbeschreibungen‹), nach 96 begonnen, sind eine großangelegte und originelle Reihe von Vitenpaaren, in denen jeweils ein histor. herausragender Grieche (inkl. Makedonen) und ein Römer miteinander verglichen werden. Das erste Paar ist verloren: *Epameinondas** und *Scipio** (wahrscheinlich Cornelius [I 71] Scipio Africanus). Die relative Chronologie der übrigen Paare ist nicht ganz klar [2], doch scheinen sich mehrere der frühen Paare auf Figuren zu konzentrieren, bei denen sich Bildung (oder zumindest Fragen der Ausbildung) und Politik verbinden: Plut. *Demosthenes* [2] und *Cicero* (das fünfte Paar: Demosthenes 3,1); *Kimon* [2] und *Lucullus* (→ Licinius [I 26]; unter Betonung von dessen Sympathie für Griechenland und griech. Kultur); *Pelopidas* und *Marcellus* (Claudius [I 11]); sowie verm. *Philopoimen* (unter Betonung von gründlicher aber allzu mil. Erziehung: 1–4) und *Flaminius* [1]. Die nächste Gruppe von Werken befaßt sich mit der frühen Gesch., bes. der röm. (sie stammen wohl aus derselben Zeit wie die ›Fragen über den Ursprung röm. Sitten‹) und vielleicht auch mit »zweiten Gründern«, d. h. Männern, die ihre Stadt zu Größe zurückführten [3. 359]: *Lykurgos* und *Numa*, *Theseus* und *Romulus*, *Themistokles* und *Camillus*, *Lysandros* [1] und *Sulla* (Cornelius [I 90]). An zehnter Stelle (Perikles 2,5) standen *Perikles* und *Fabius* [I 30].

Dann kam eine Gruppe mit den großen Römern der späten Republik, die oft mit Griechen des 4. Jh. v. Chr. gepaart sind; diese Gruppe war offenbar als separates Projekt vorbereitet worden [4] – *Dion* [1] und *Brutus* [I 10] (an 12. Stelle: Plut. Dion 2,7), *Alexandros* [4] und *Caesar*, *Agesilaos* [2] und *Pompeius* [I 3], *Nikias* [1] und *Crassus* (Licinius [I 11]), *Demetrios* [2] und *Antonius* [I 9], *Phokion* und *Cato* [1] maior. Offenbar aus dieser Zeit stammt auch das Paar *Aemilius* [I 32] *Paullus* und *Timoleon*; die Arbeiten an letzterem überlappte sich wohl mit derjenigen an *Dion*.

Von Anfang an hatte P. Figuren mit negativen wie auch positiven Eigenschaften aufgenommen, und einige besaßen bei aller Größe genügend moralische Mängel, um als abschreckende Beispiele dargestellt werden zu können (Plut. Demetrios 1): Das mag auch auf *Coriolanus* und *Alkibiades* [3] sowie *Pyrrhos* und *Marius* [I 1] zutreffen, die offenbar an das Ende der Reihe gehören. Ein weiterer kühner Schritt, verm. wiederum spät in der Reihe, bestand in der Zusammenstellung des Doppelpaares *Agis* [4], *Kleomenes* mit den *Gracchi* (→ Sempronius). Weitere nicht sicher einzuordnende Paare sind *Solon* und *Publicola* (→ Valerius), *Aristeides* [1] und *Cato* [1] maior sowie *Sertorius* und *Eumenes* [1]: Dieses letzte Paar behandelt (wie *Coriolanus – Alkibiades* und *Aemilius – Timoleon*) den Römer gegen die Regel vor dem Griechen. P. beabsichtigte auch die Abfassung eines *Leonidas* (Plut. de malignitate Herodoti 866b) und eines *Metellus Numidicus* (Plut. Marius 29,12), doch gibt es kein Anzeichen für die Durchführung.

2. CHARAKTERISTIK

P. setzt seine ›Parallelviten‹ (als *bíoi*) von erzählender Geschichtsschreibung ab: ›Es sind nicht immer die berühmtesten Handlungen, die den guten oder schlechten Charakter eines Mannes erweisen: Oft gibt eine unbedeutende Sache, ein Wort oder ein Scherz, eher Einblick in den Charakter eines Mannes als Kämpfe mit Tausenden von Toten oder die größten Feldschlachten oder Belagerungen von Städten‹ (Plut. Alexandros 1,1–2). Eine fortlaufende Gesch. der Ereignisse lasse sich anderswo finden (Galba 2,5, Fabius Maximus 16,6); weniger bekanntes Material sei geeignet, den Charakter zu erhellen (Nikias 1,5), ohne Fehler zu verbergen oder sie über Gebühr zu betonen (Kimon 2,5). P. hofft, daß seine Leser sich von Vorbildern der Tugend (Perikles 1–2, Aemilius Paullus 1) – oder gelegentlich abschreckenden Beispielen (Demetrios 1,6) – leiten lassen; er habe selbst ebenso versucht, durch seine biographischen Studien ein besserer Mensch zu werden (Aemilius Paullus 1,1).

Charakteristisch sind persönliche Details und offenkundige moralische Absicht: exemplarisch sind Perikles' Großmut, Aristeides' Gerechtigkeit oder die Sorge des M. Porcius [I 7] Cato um die Bürger von Utica. Bes. Interesse gilt den Familien und dem Privatleben der Helden sowie der Wirkung ihrer Triumphe und Katastrophen auf ihre nächste Umgebung; ihre Persönlichkeiten zeigen sich in den großen Ereignissen.

Dazu bieten die *Bíoi* reiches Detailmaterial, doch wird meist Persönlicheres ins Zentrum gestellt als in der Geschichtsschreibung (z. B. Nikias' beispielhafte Hartnäckigkeit anläßlich der sizilischen Katastrophe, oder Alexandros' selbstzerstörerische Fehler beim Bericht über dessen Feldzüge). Manche *Bíoi* entwickeln auch weitreichendere histor. Thesen: Im ›Caesar‹ und in den ›Gracchen‹ liefert P. Analysen des polit. Hintergrunds in Rom, welche die polit. Bed. des Demos betonen; in ›Agis und Kleomenes‹ wird der soziale Hintergrund der spartanischen Revolution aufgezeigt; das Vitenpaar ›Philopoimen und Flaminius‹ entwickelt subtil den Kontrast zwischen der Streitsucht (*philoneikía*) der Griechen und den Qualitäten der Römer, welche ihnen die gesuchte Freiheit geben (bes. Flaminius 11). P. vergleicht nicht nur die Männer, sondern auch ihre Nationen.

Der Vergleich liegt in der Tat P.' Technik in den *Bíoi parállēloi* zugrunde. Die meisten Paare (vier Ausnahmen) enden mit einem vergleichenden Epilog, der häufig Themen der Proömien wiederaufnimmt und jede Figur als Folie für die andere einsetzt, um Stärken und Schwächen hervorzuheben. Zuweilen trägt eine der beiden einen klaren Sieg davon, wenn es sich einfach um den besseren oder bedeutenderen Mann handelt; in den meisten Fällen ist die Beurteilung jedoch ausgewogener. Neuere Unt. zeigen, daß die Themen des einen *Bíos* häufig die Akzentsetzungen des anderen steuern. Der Vergleich bezieht sich häufig auch auf den histor. Hintergrund und stellt die unterschiedlichen Welten, in denen die beiden Helden handeln, kontrastiv gegenüber (z. B. Phokion 1–3, Brutus 55(2), Crassus 37(4), Cato maior 28(1)).

Jeder *Bíos* ist in gewissem Sinne nicht nur mit seinem Gegenstück, sondern auch mit der ganzen Serie verbunden. Die *Bíoi* bieten einen breiten, geistreichen Überblick über die griech. und röm. Gesch. aus der Perspektive ihrer bedeutendsten Persönlichkeiten: eine Weiterentwicklung eines Prinzips schon der vorangehenden Caesarenviten, wo die Biographie zur Darstellung des frühen Prinzipats dient.

Schon vor P. gab es biographische Lit. – Enkomien, Autobiographien, Lit. über Feldzüge, in welcher der jeweilige General im Mittelpunkt stand (z. B. Alexanders Feldzüge) –, doch läßt sich die ant. Gattung der → Biographie nicht exakt definieren: P. selbst hat der polit. Biographie ihre eigentliche Kontur verliehen. Für einige seiner *Bíoi* stand Quellenmaterial in biographischer Form zur Verfügung (z. B. Xenophons ›Agesilaos‹, Polybios' ›Philopoimen‹ oder die Autobiographie des Aratos [4]), doch selbst da, wo es vorhanden war, benutzte es P. im allg. nicht als Hauptquelle: Die Mehrzahl der *Bíoi* beruht auf weitverbreiteten histor. Quellen (Herodotos, Thukydides, Polybios, Dionysios [18] von Halikarnassos), die P. jedoch unterschiedlich ergänzt. Bes. für die *Bíoi* von griech. Persönlichkeiten des 5. Jh. v. Chr. besaß er aufgrund seiner hervorragenden Kenntnis der klass. griech. Lit. reiches zusätzliches Material. Er las auch lat. Quellen, zu Beginn mit einiger Mühe (Demosthenes 2,2–4), und zog sie für die röm. *Bíoi* heran (für die Persönlichkeiten der späten Republik war Asinius [I 4] Pollio bes. wichtig). P. verwendete auch epigraphische Quellen, zuweilen mit Geschick (z. B. Aristeides 1); manchmal ist die Erscheinung der Persönlichkeit auch anhand von Statuen illustriert. Daneben zog P. auch mündliche Überl. heran (zu P.' Verwendung von Quellen vgl. [5; 6; 7]).

P.' Verwendung von histor. Unterlagen kann h. oft leichtfertig erscheinen, da Handlungen von einer Person auf eine andere übertragen, Zeitspannen verkürzt oder ausgedehnt werden und viel Phantasie zum Einsatz kommt, um glaubwürdige Details nachzubilden und plausible Motive zu konstruieren. Seine Methoden unterscheiden sich aber nicht deutlich von denen in der ant. Geschichtsschreibung geläufigen; gerade in den *Bíoi*, in denen P. v. a. den histor. Hintergrund erforschen möchte, hält er sich ziemlich eng an die Richtlinien »korrekter« Historiographie, die er selbst zu Beginn der Schrift ›Über die Boshaftigkeit Herodots‹ darstellt (855b–856d). Sein histor. Urteil ist bisweilen scharfsinnig, in Details (z. B. Phokion 4,1–2, Aristeides 26,2–5,27) wie in der allg. Interpretation (er ist z. B. eher als Thukydides bereit, die rel. Dimension der Mysterienhysterie von 415 anzuerkennen: Alkibiades 18, Nikias 13).

P. schrieb für ein gemischtes Publikum von einflußreichen Römern seines Bekanntenkreises bis hin zu Griechen, die an Leben und Sprache der Römer interessiert waren. Seine Werke hatten für seine eigene Generation Relevanz, bes. für die Schicht kultivierter Griechen in der röm. Welt. P. predigt auffallend selten

eine direkt polit. Moral, und viele seiner typischen polit. Themen (z. B. Gefahren der Tyrannei, Schwierigkeiten eines Soldaten im polit. Leben) sind genauso für andere Epochen bedeutsam. P. sucht vielmehr, seine Figuren zu verstehen, so in psychologischer Hinsicht (wenn er etwa Coriolanus' Fehler auf die ungewöhnliche Erziehung und Beziehung zur Mutter zurückführt) oder durch die Frage, wie dieselben Eigenschaften einer Person ihre Größe bewirken, sie aber auch wieder zerstören können (Antonius' unkomplizierte Soldatennatur; Caesars Beziehung zu seinen Truppen, seinen Freunden und dem röm. Volk; die kompromißlose Unbeirrbarkeit des älteren Cato oder des Coriolanus; Flaminius' Ehrgeiz; Alkibiades' Flair). Selbst gegenüber den Charakteren, die er mißbilligt (z. B. Alkibiades, Antonius und Demetrios), ist P. nicht verächtlich oder gleichgültig; er verbindet Bewunderung für die Größe von Menschen mit klarem Blick für ihre menschlichen Schwächen. Diese menschliche Sympathie hat seinen *Bíoi* eine große Leserschaft verschafft.

C. Weitere Biographien und Spuria

Ebenfalls erh., jedoch außerhalb der Reihe stehen der *Aratos*, der an Polykrates von Sikyon und dessen Söhne gerichtet ist, und der *Artaxerxes*. Der Lamprias-Katalog verzeichnet des weiteren Viten des Herakles*, Hesiodos, Pindaros*, Krates*, Daiphantos* und Aristomenes*. Die überlieferten *Bíoi tōn déka rhetórōn* (›Viten der zehn Redner‹) stammen nicht von P.

1 J. Geiger, Zum Bild Julius Caesars in der röm. Kaiserzeit, in: Historia 24, 1975, 444–453 **2** C. P. Jones, Towards a Chronology of Plutarch's Works, in: JRS 56, 1966, 61–74 (Ndr. in: B. Scardigli (Hrsg.), Essays on Plutarch's Lives, 1995, 95–123) **3** P. A. Stadter, Searching for Themistocles, in: CJ 79, 1983–1984, 359–363 **4** C. B. R. Pelling, Plutarch's Method of Work in the Roman Lives, in: JHS 99, 1979, 74–96 (Ndr. mit einem Postscript in: B. Scardigli (Hrsg.), s. [3], 1995, 265–318 **5** C. Theander, Plutarch und die Gesch., 1951 **6** P. Desideri, I documenti di Plutarco, in: ANRW II 33.6, 1991, 4536–4567 **7** J. Buckler, Plutarch and Autopsy, in: ANRW II 33.6, 1991, 4788–4830.

Gesamt-Ed. der Viten: C. Lindskog, K. Ziegler, 1914–1939 · K. Ziegler, 1957–1971.
Komm.: Zwei it. Gesamtkomm. von Rizzoli und der Fondazione Lorenzo Valla (L. Piccirelli, M. Manfredini et al.) sind in Arbeit.
Komm. zu einzelnen Viten: D. R. Shipley, Agesilaus, 1997 · J. R. Hamilton, Alexander, 1969 · C. B. R. Pelling, Antonius, 1988 · D. Sansone, Aristeides und Cato Maior, 1989 · J. L. Moles, Cicero, 1988 · A. Georgiadou, Pelopidas, 1997 · P. A. Stadter, Pericles, 1989 · H. Heftner, Pompeius 1. Bd., 1995 · C. F. Konrad, Sertorius, 1994 · F. Frost, Themistocles, 1980.
Text mit Übers.: B. Perrin, 1914–1926 (engl.) · R. Flacelière et al., 1957–1983 (frz.) · K. Ziegler, W. Wuhrmann, 1954–1965 (dt.).
Lit.: K. Ziegler, s. v. P., RE 21.1, 1951, 636–692 (auch gesondert: Ders., P. von Chaironeia, 1949, ²1964) · A. W. Gomme, A Historical Commentary on Thucydides 1, 1945, 54–84 · D. A. Russell, Plutarch, 1973 · T. Duff,

Plutarch's Lives, 1999 • B. SCARDIGLI, Die
Römerbiographien Plutarchs, 1979 • ANRW II 33.6, 1991
(ganzer Bd. zu P., 3963–4623 speziell zu den Biographien) •
Illinois Classical Studies 13.2, 1988 • P. A. STADTER,
Plutarch and the Historical Trad., 1992 • B. SCARDIGLI,
Essays on Plutarch's Lives, 1995 • J. M. MOSSMAN, Plutarch
and his Intellectual World, 1997 • Ploutarchos. Zschr. der
International Plutarch Society (Konferenzen seit 1985).

C. B. P./Ü: T. H.

III. PHILOSOPHISCHES WERK
A. AUSBILDUNG B. DIE AKADEMIE VON CHAIRONEIA C. PHILOSOPHISCHE SCHRIFTEN D. LEHRE E. NACHWIRKUNG

A. AUSBILDUNG

P. war Platoniker. Aufgrund der Überlieferungslage
ist er für uns nicht nur der wichtigste Vertreter des ant.
→ Mittelplatonismus, sondern wegen seiner umfassenden Bildung zugleich einer der bedeutendsten Zeugen
für das Geistesleben des 1. und 2. Jh. n. Chr. überhaupt
[1. 914 ff.]. Über seinen philos. Werdegang wissen wir
relativ wenig. Als einzigen seiner Lehrer nennt P.
→ Ammonios [5] mit Namen, den er während seines
Studiums in Athen kennengelernt und der ihn wohl
auch für die platonische Philos. gewonnen hat. Als
Schüler des Ammonios hat P. sich zunächst – → Platons
Programm entsprechend – mit der Mathematik befaßt
(Plut. mor. 387f; 391e), um sich anschließend mit der
skeptizistischen Richtung der Akademie (→ Akademeia) auseinanderzusetzen, deren Warnung vor allzu
großer Zuversicht hinsichtlich des menschlichen Erkenntnisvermögens er von nun an ein Leben lang teilte
(mor. 387f; 431a; 549e [1. 651 f., 939; 2. 257 ff.; 9. 20 ff.,
51 ff.]).

B. DIE AKADEMIE VON CHAIRONEIA

Später unterhielt P. in seinem Heimatort eine Art
Privat-Akad., an der sich außer den Angehörigen seiner
Familie zahlreiche Freunde und deren Söhne beteiligten. Von den Schülern und Teilnehmern, die sich zu
Platons Philos. bekannten, sind uns folgende Namen
überliefert [1. 664 ff.; 3. 4832 ff.]: Antipatros, Aristai-
netos von Nikaia; Aristodemos von Aigion, Aristoti-
mos, Diadumenos, Hagias, Herakleon von Megara,
Milon, Nikeratos aus Makedonien, Phaidimos, Pollianos, Theon, Zeuxippos und vielleicht auch Tyndares
von Lakedaimon. Der philos. Unterricht erfolgte teils
durch Vorträge, teils in dialogischer Form. Daneben trat
die Lektüre Platons, aber auch der Werke von Vertretern anderer Schulen (so ein Buch des → Kolotes [2],
Plut. mor. 1086c f.; 1001b; 1107d), zu welchen dann
kritisch Stellung genommen wurde. ›Hauptgegenstand
und Ziel des Unterrichts war die Philos. als Lebenskunst
(τέχνη βίου). Die Ethik stand also unbedingt im Vordergrund‹ [1. 664], doch wurden auch wichtige Fragen
der Physik, der Lehre von der Seele und der Theologie
diskutiert. Außerhalb der Schule trat P. durch öffentliche Vorträge und Diskussionen (Plut. mor. 1086d) als

philos. Lehrer auf, fungierte aber auch häufig als privater
Berater in Lebensfragen [1. 656, 662]. Zu vielen Vertretern anderer Schulen unterhielt er freundschaftliche
Beziehungen [1. 666 ff.; 3. 4832 ff.], beispielsweise zu
den Pythagoreern Alexikrates, Lucius aus Etrurien, T.
Flavius Philinus und Sextius Sylla; dem Akademiker
und Peripatetiker → Favorinus aus Arelate; den Peripatetikern Aristoteles, Menephylos, Mestrius Florus; den
Stoikern → Dion [I 3] von Prusa, Pharnakes, Philippos
von Prusias, Iunius Rusticus Arulenus, Sarapion, Themistokles von Athen, und wohl auch → Demetrios [38]
von Tarsos und Nigros; dem Kyniker Didymos Plane-
tiades; den Epikureern Alexandros, Boëthos, T. Flavius
Pemptides, Xenokles und Zopyros. Insgesamt hat P. in
seinem Leben die Forderung verwirklicht, daß Leben
und Lehre des Philosophen in Einklang stehen müssen
(Plut. mor. 1033a f.). Vgl. zusammenfassend [1. 662 ff.;
2. 265 f.; 5. 360 f.].

C. PHILOSOPHISCHE SCHRIFTEN

Von den rund 260 Schriften, die in der Ant. unter
dem Namen des P. umliefen [1. 696 ff.; 7. 64 ff.], waren
weit mehr als die Hälfte philos. Natur (s. die Auswahl in
der Aufstellung). Viele dieser Schriften waren als Dialoge gestaltet, doch hat P. auch die Form der rhet.
Deklamation und des Traktats verwendet [1. 890 f.]. Die
echten philos. Schriften lassen sich in folgende Gruppen
einteilen (E: = erh. Schriften in der üblichen Zählung,
L: = verlorene Schriften in der Zählung des Lamprias-
Katalogs; F: = fragmentarisch erh. Schriften, die in L
nicht bezeugt sind).

In der Slg. der *Moralia* sind 78 Schriften (darunter
einige unechte) zusammengestellt (vgl. den Überblick
Sp. 1167–1170). Die Bezeichnung der Slg. als *Moralia* ist
modern und nach dem in ihr überwiegenden Anteil der
ethischen Schriften erfolgt. Zahlreiche der erh. Werke
fallen jedoch unter andere Kategorien, wie die folgende
Übersicht und [1. 66 ff.] zeigen.

1. Zur Logik und Erkenntnistheorie (L: 49. 141. 144.
152. 162. 192. 225).

2. Zur Naturphilos.: über Prinzipien und Ursachen
(E: 59; L: 141. 145. 153); über die Götter (E: 23. 24; L:
80. 140. 155. 201); über die Ideen (L: 67. 68); über die
Materie (L: 68. 185); über die Elemente (E: 61); über
den Kosmos (E: 60; L: 66. 99. 119. 212); über die Vor-
sehung (E: 41); über das Fatum (E: 42; L: 58); über die
Mantik (E: 25. 26; L: 71. 131. 171. 181); über die Seele
(E: 68; L: 48. 177. 209. 226); über den menschlichen
Körper (L: 109); über die Tiere (E: 63. 64; L: 127); über
die Mathematik (L: 74. 163).

3. Zur Ethik (E: 1. 2. 4–9. 11. 12. 17. 21. 27–40. 44.
45. 47–54. 65. 66; L: 83. 84. 93. 105. 106. 111. 113. 114.
132. 137. 151. 154. 156. 157. 164. 172. 174. 179. 187.
194. 199. 203. 207. 211. 214. 217. 221. 223; F: 21. 121.
128. 134. 143. 149. 153. 172).

4. Zur Rhetorik (L: 47. 173. 204. 219. 227).

5. Erklärende Schriften: zu Homer (L: 42), Hesiod
(F: 25), Empedokles (L: 43), Platon (E: 67. 68; L: 70).

Die Schriften in Plutarchs *Moralia*

Nr. (E)	Teubner-Zählung	Stephanus-Zählung	Lat. Titel	Griech. Titel	Deutscher Titel
1	1. 1	1a – 13f	De liberis educandis	*Perí paídōn agōgḗs*	Über die Kindererziehung*
2	1. 28	14d – 36f	De audiendis poetis	*Pōs dei ton néon poiēmátōn akúein*	Wie ein junger Mensch Dichtung lesen soll
3	1. 75	37a – 48d	De audiendo	*Perí tu akúein*	Über das Zuhören
4	1. 97	48e – 74e	De adulatore et amico	*Pōs an tis diakríneie ton kólaka tu phílu*	Wie man einen Schmeichler von einem Freund unterscheidet
5	1. 149	75a – 86a	De profectibus in virtute	*Pōs an tis aísthoito heautú prokóptontos ep' aretḗi*	Wie man seine Fortschritte in der Tugend bemerkt
6	1. 172	86b – 92f	De capienda ex inimicis utilitate	*Pōs an tis ap' echthrōn ōpheiloíto*	Wie man von seinen Feinden Nutzen zieht
7	1. 186	93a – 97b	De amicorum multitudine	*Perí polyphilías*	Von der Menge der Freunde
8	1. 197	97c – 100a	De fortuna	*Perí týchēs*	Über den Zufall
9	1. 204	100b – 101d	De virtute et vitio	*Perí aretḗs kai kakías*	Über die Tugend und das Laster
10	1. 208	101e – 122a	Consolatio ad Apollonium	*Paramythētikós pros Apollṓnion*	Trostschrift an Apollonios
11	1. 253	122b – 137e	De tuenda sanitate praecepta	*Hygieiná parangélmata*	Gesundheitsregeln
12	1. 283	138a – 146a	Coniugalia praecepta	*Gamiká parangélmata*	Eheregeln
13	1. 300	146b – 164d	Septem sapientium convivium	*Tōn heptá sophōn sympósion*	Das Gastmahl der Sieben Weisen
14	1. 338	164e – 171e	De superstitione	*Perí deisidaimonías*	Über den Aberglauben
15	2/1. 1	172a – 208a	Regum et imperatorum apophthegmata	*Basiléōn apophthégmata kai stratēgōn*	Sprüche von Königen und Feldherrn*
16	2/1. 110	208b – 236d	Apophthegmata Laconica	*Apophthégmata Lakōniká*	Sprüche der Spartaner
	2/1. 204	236e – 240a	Instituta Laconica	*Ta palaiá tōn Lakedaimoníōn epitēdeúmata*	Die alten Bräuche der Spartaner
	2/1. 216	240b – 242d	Apophthegmata Lacaenarum	*Lakainōn apophthégmata*	Sprüche von Spartanerinnen
17	2/1. 225	224e – 263c	Mulierum virtutes	*Gynaikōn aretaí*	Über die Tugenden der Frauen
18	2/1. 273	263d – 291c	Aetia Romana	*Aítia Rhōmaiká*	Fragen über den Ursprung römischer Sitten
	2/1. 337	291d – 304f	Aetia Graeca	*Aítia Hellēniká*	Fragen über den Ursprung griechischer Sitten
19	2/2. 1	305a – 316b	Parallela minora	*Synagōgḗ historiōn parallḗlōn Hellēnikōn kai Rhōmaïkōn*	Parallelen griechischer und römischer Geschichte
20	2/2. 43	316c – 326c	De fortuna Romanorum	*Perí tēs Rhōmaíōn týchēs*	Über das Glück der Römer
21	2/2. 75 93	326d – 345b	De Alexandri Magni fortuna aut virtute or. I et II	*Perí tēs Alexándru týchēs ē aretḗs lógos a', b'*	Über das Glück oder die Tapferkeit Alexanders des Großen
22	2/2. 121	345c – 351b	De gloria Atheniensium	*Póteron Athēnaíoi katá pólemon ē katá sophían endoxóteroi*	Waren die Athener berühmter im Krieg oder in der Weisheit?
23	2/3. 1	351c – 384c	De Iside et Osiride	*Perí Ísidos kai Osíridos*	Über Isis und Osiris
24	3. 1	384d – 394c	De E apud Delphos	*Perí tu Ei tu en Delphoís*	Über das E in Delphi
25	3. 25	394d – 409d	De Pythiae oraculis	*Perí tu mē chran émmetra nyn tēn Pythían*	Über die nicht mehr metrisch gebundenen Orakel der Pythia
26	3. 59	409e – 438d	De defectu oraculorum	*Perí tōn ekleloipótōn chrēstēríōn*	Über die erloschenen Orakel
27	3. 123	439a – 440c	An virtus doceri possit	*Ei didaktón hē aretḗ*	Ist Tugend lehrbar?
28	3. 127	440d – 452d	De virtute morali	*Perí ēthikḗs aretḗs*	Über die moralische Tugend
29	3. 157	452e – 464d	De cohibenda ira	*Perí aorgēsías*	Über die Mäßigung des Zornes
30	3. 187	464e – 477f	De tranquillitate animi	*Perí euthymías*	Über die Gemütsruhe
31	3. 221	478a – 492d	De fraterno amore	*Perí philadelphías*	Über die Bruderliebe
32	3. 255	493a – 497e	De amore prolis	*Perí tēs eis ta éngona philostorgías*	Über die Liebe zu den Kindern
33	3. 268	498a – 500a	An vitiositas ad infelicitatem sufficiat	*Ei autárkēs hē kakía pros kakodaimonían*	Ist Schlechtigkeit ein ausreichender Grund für das Unglück?
34	3. 273	500b – 502a	Animine an corporis affectiones sint peiores	*Perí tu póteron ta psychḗs ē ta sṓmatos páthē cheírona*	Sind die Leiden der Seele oder die des Körpers schlimmer?
35	3. 279	502b – 515a	De garrulitate	*Perí adoleschías*	Über die Geschwätzigkeit
36	3. 311	515b – 523b	De curiositate	*Perí polypragmosýnēs*	Über die Neugierde
37	3. 332	532c – 528b	De cupiditate divitiarum	*Perí philoplutías*	Über die Geldgier
38	3. 346	528c – 536d	De vitioso pudore	*Perí dysōpías*	Über falsche Scham
39	3. 365	536e – 538e	De invidia et odio	*Perí phthónu kai mísus*	Über Neid und Haß
40	3. 371	539a – 547f	De laude ipsius	*Perí tu heautón epaineín anepiphthónōs*	Über unanstößiges Selbstlob
41	3. 394	548a – 568a	De sera numinis vindicta	*Perí tōn hypó tu theíu bradéōs timōruménōn*	Über die späten Bestrafungen durch die Gottheit

42	3. 445	568b – 574f	De fato	*Perí heimarménēs*	Über das Verhängnis*
43	3. 460	575a – 598f	De genio Socratis	*Perí tu Sōkrátus daimoníu*	Über das Daimonion des Sokrates
44	3. 512	599a – 607f	De exilio	*Perí phygḗs*	Über die Verbannung
45	3. 533	608a – 612b	Consolatio ad uxorem	*Paramythētikós pros tēn gynaíka*	Trostschrift an die Ehefrau
46	4. 1	612c – 748d	Quaestionum convivalium libri IX	*Symposiakôn biblía ennéa*	Themen zum Wein
47	4. 336	748e – 771e	Amatorius	*Erōtikós*	Über die Liebe
48	4. 396	771f – 775e	Amatoriae narrationes	*Erōtikaí diēgḗseis*	Liebesgeschichten*
49	5/1. 1	776a – 779c	Maxime cum principibus philosopho esse disserendum	*Perí tu hóti málista tois hēgemósi dei ton philósophon dialégesthai*	Philosophen sollen sich vor allem mit den Herrschern unterhalten
50	5/1. 11	779d – 782f	Ad principem ineruditum	*Pros hēgemóna apaídeuton*	An einen ungebildeten Herrscher
51	5/1. 20	783a – 797f	An seni sit gerenda res publica	*Ei presbutérōi politeutéon*	Soll ein Greis politisch tätig sein?
52	5/1. 58	798a – 825f	Praecepta gerendae rei publicae	*Politiká parangélmata*	Regeln der Staatskunst
53	5/1. 127	826a – 827c	De tribus rei publicae generibus	*Perí monarchías kai dēmokratías kai oligarchías*	Über Monarchie, Demokratie und Oligarchie
54	5/1. 131	827d – 832a	De vitando aere alieno	*Perí tu mē dein daneízesthai*	Über das Vermeiden von Schulden
55	5/2.1. 1	832b – 852e	Vitae decem oratorum	*Bíoi tōn déka rhētórōn*	Die Biographien der zehn Redner*
56	5/2.2. 1	853a – 854d	Aristophanis et Menandri comparationis epitoma	*Synkríseōs Aristophánus kai Menándru epitomḗ*	Kurzfassung eines Vergleichs zwischen Aristophanes und Menander
57	5/2.2. 6	854e – 874c	De Herodoti malignitate	*Perí tēs Hērodótu kakoētheías*	Über die Boshaftigkeit Herodots
58	5/2.1. 50	874a – 911c	Placita philosophorum	*Perí tōn areskóntōn philo-sóphois physikōn dogmátōn*	Lehrmeinungen der Philosophen zur Naturphilosophie*
59	5/3. 1	911d – 919e	Aetia physica	*Aítia physiká*	Natürliche Ursachen
60	5/3. 31	920a – 945e	De facie in orbe lunae	*Perí tu emphainoménu prosópu tōi kýklōi tēs selḗnēs*	Über das Mondgesicht
61	5/3. 90	945f – 955c	De primo frigido	*Perí tu prótōs psychrú*	Über das primär Kalte
62	6/1. 1	955d – 958e	Aqua an ignis utilior	*Póteron hýdōr ē pyr chrēsimóteron*	Ist das Wasser oder das Feuer nützlicher?
63	6/1. 11	959a – 985c	De sollertia animalium	*Pótera tōn zóiōn phronimótera*	Welche Tiere sind vernünftiger, die Wasser- oder die Landtiere?
64	6/1. 76	985d – 992e	Bruta ratione uti	*Perí tu ta áloga lógōi chrêsthai*	Die unvernünftigen Tiere besitzen Vernunft
65	6/1. 94	993a – 996c	De esu carnium I	*Perí sarkophagías A'*	Über das Essen von Fleisch I
66	6/1. 105	996d – 999b	De esu carnium II	*Perí sarkophagías B'*	Über das Essen von Fleisch II
67	6/1. 113	999c – 1011e	Platonicae quaestiones	*Platōniká zētḗmata*	Probleme der Platonischen Philosophie
68	6/1. 143	1012a – 1030c	De animae procreatione in Timaeo	*Perí tēs en tōi Timaíōi psychogonías*	Über die Entstehung der Seele im Timaios
69	6/1. 189	1030d – 1032f	Epitome libri de animae procreatione in Timaeo	*Epitomḗ tu perí tēs en tōi Timaíōi psychogonías*	Kurzfassung von ›Über die Entstehung der Seele im Timaios‹*
70	6/2. 1	1033a – 1057c	De Stoicorum repugnantiis	*Perí Stōikōn enantiōmátōn*	Über die Widersprüche der Stoiker
71	6/2. 59	1057d – 1058e	Stoicos absurdiora poetis dicere	*Hóti paradoxótera hoi Stōikoí tōn poiētōn légusin*	Die Behauptungen der Stoiker sind ungereimter als die der Dichter
72	6/2. 62	1058f – 1086b	De communibus notitiis contra Stoicos	*Perí tōn koinōn ennoiōn pros tus Stōikús*	Über die allgemeinen Begriffe gegen die Stoiker
73	6/2. 124	1086c – 1107c	Non posse suaviter vivi secundum Epicurum	*Hóti ud' hēdéōs zēn éstin kat' Epíkuron*	Die Lehre Epikurs macht ein angenehmes Leben unmöglich
74	6/2. 173	1107d – 1127e	Adversus Colotem	*Pros Kōlótēn*	Verteidigung der übrigen Philosophen gegen Kolotes
75	6/2. 216	1128a – 1128e	De latenter vivendo	*Ei kalōs eírētai to láthe biōsas*	Ist »Lebe im Verborgenen« eine kluge Regel?
76	6/3. 1	1131a – 1147a	De musica	*Perí musikḗs*	Über die Musik*
77	6/3. 49	—	De libidine et aegritudine	*Póteron psychēs ē sōmatos epithymía kai lýpē*	Gehören Verlangen und Unlust zur Seele oder zum Körper?
78	6/3. 60	—	Parsne an facultas animi sit vita passiva	*Ei méros to pathētikón tēs anthrṓpu psychḗs ē dýnamis*	Ist das Empfindungsfähige Teil oder Vermögen der Seele?*

6. Auseinandersetzungen mit (dem Leben und) den Lehren der → Sieben Weisen (E: 13), des → Herakleitos [1] (L: 205), des Sokrates (E: 43; L: 189. 190), des Protagoras (L: 141), des → Demokritos [1] von Abdera (L: 145), des Krates [4] von Theben (L: 37), des Peripatos (L: 44. 53. 56), der Kyrenaiker (L: 188), der Akademiker (L: 45. 63. 71. 131. 134), der Skeptiker (L: 64. 146. 158. 210), der Stoiker (E: 70–72; L: 59. 78. 86. 148. 149. 152. 154), der Epikureer (E: 73–75; L: 80. 129. 133. 143. 148. 155. 159).

8. Sammlungen wiss. Probleme (E: 46; L: 170. 193).

9. Doxographische Sammlungen (L: 50. 148. 165. 183. 184. 196. 200b).

Was die überl. Werke nicht zu zeigen vermögen, erweist diese Übersicht sehr deutlich: Zwar lag P.' Hauptinteresse auf dem Gebiet der Ethik, doch hat er sich auch mit allen anderen Gebieten der ant. Philos. befaßt. Hierbei fallen bes. die naturphilos. Schriften ins Auge, die darauf hinweisen, daß P. auch auf diesem Gebiet sehr präzise und durchaus ernstzunehmende Vorstellungen hatte.

D. LEHRE
1. NATURPHILOSOPHIE 2. ETHIK
3. ZUSAMMENFASSUNG

1. NATURPHILOSOPHIE
Wie die Systeme aller Mittelplatoniker ist auch das des P. kosmozentrisch. In der Mitte der Kosmoskugel ruht die Erde, umgeben von den Schichten Wasser, Luft und Feuer (Äther [6. 192ff., 567ff.]). All diese Bereiche des Kosmos sind von lebenden Wesen bewohnt, Erde und Wasser von Menschen und Tieren, die Luft von den → Dämonen und der Himmelsraum von den Sternengöttern. Der ganze Kosmos ist ein Lebewesen, das von einer vernunftbegabten Seele belebt wird. Jenseits des Kosmos waltet der höchste Gott, der als Vernunft (νοῦς, nus) in einer göttlichen Seele (θεία ψυχή, theía psychḗ) mit Platons Idee des Guten identisch ist und die Ideen aus sich hervorbringt, die sich dann in seiner göttlichen Seele befinden [8. 139ff., 178ff.; 4. 293; 6. 26ff., 256ff., 321; 12]. Die Welt ist in einem einmaligen Akt von Gott erschaffen worden. Vor dieser Erschaffung war die Materie in vollkommener Unordnung, bewegt von einer mit ihr natürlich verbundenen irrationalen Urseele. Der Gott brachte Ordnung in diese Unordnung, indem er aus sich (ἀφ' αὐτοῦ, aph' hautú) in die irrationale Seele Vernunft und in ihre ungeordneten Bewegungen Harmonie einbrachte, so daß die Urseele zur Weltseele, die Materie zum Weltkörper wurde. Ganz analog zur Weltseele schuf der Gott die menschliche Seele aus einem Teil der irrationalen Urseele und einem Teil seiner selbst. Die Folge davon ist ein unaufhebbarer innerer Widerstreit zw. Vernunft und Unvernunft, der nicht nur im Menschen, sondern auch im Kosmos ausgetragen wird (Plut. mor. 1026e f.). Gleichwohl behält insgesamt die Ordnung die Oberhand [6. 100ff., 114f., 408ff.; 7. 67; 12].

2. ETHIK
Da die Unordnung sozusagen etwas Naturgegebenes ist, kann sie nie ganz beseitigt werden. Infolgedessen kann auch das Ziel der Ethik nur die Beherrschung der Affekte durch die Vernunft (Metriopathie), nicht deren Ausrottung (Apathie) sein. In dieser Beherrschung der Affekte liegt die eigentliche Leistung (ἀρετή, aretē) des Menschen, deren Vollzug im Innern zur Glückseligkeit (εὐδαιμονία, eudaimonía), nach außen zur Menschenfreundlichkeit (φιλανθρωπία, philanthrōpía) führt, die P. wie kaum ein anderer ant. Philosoph in seinem Leben verwirklicht hat.

3. ZUSAMMENFASSUNG
Insgesamt wollte P. nichts anderes sein als ein Interpret Platons, doch war er kein blinder Verfechter aller platon. Lehren und auch kein Purist in platon. Fragen; vielmehr gab er sich aufgeschlossen gegenüber allem, was sich seiner Ansicht nach mit den Lehren Platons vereinbaren ließ, und übernahm daher auch peripatetische und gelegentlich sogar stoische Ansichten. Vor allem aber fühlte P. sich als Bewahrer der altüberkommenen Lehre (παλαιὸς λόγος, palaiós lógos), die seiner Ansicht nach auf eine Uroffenbarung zurückgeht und sich bei vielen alten Völkern, vor allem aber bei Platon, erh. hat [5. 162ff.; 11. 117ff.]. In diesem Zusammenhang sind auch seine Bemühungen um die vielfältigen Erscheinungsformen der ant. Religionen zu sehen, deren tieferen Sinn er mit Hilfe der Lehren Platons zu ergründen und seinen Mitmenschen nahezubringen suchte [10]. Vgl. zusammenfassend [1. 938ff.; 7. 66f.].

E. NACHWIRKUNG
Die Nachwirkung des P. war sehr groß, und zwar nicht nur auf die Mittelplatoniker → Attikos, → Demokritos [2] und Numenios [6] von Apameia, sondern auch auf die Neuplatoniker, die ihn wegen seiner Metaphysik zwar meistens abgelehnt, aber in nahezu allen anderen Fragen immer wieder herangezogen haben. Die Christen (Clemens [3] von Alexandreia, Eusebios [7] von Kaisareia, Basileios [1] von Kaisareia, Isidoros [6] von Pelusion, Iohannes Philoponos u.a.) haben P. vor allem wegen seiner Lehre von der einmaligen Schöpfung der Welt und wegen seiner ethischen Anschauungen geschätzt. Vgl. dazu zusammenfassend [1. 947ff.; 4. 16, 147f., 161, Anm. 6].

→ Mittelplatonismus; Neuplatonismus; Platon

1 K. ZIEGLER, s. v. Plutarchos (2), RE 21, 636–962
2 J. GLUCKER, Antiochus and the Late Academy, 1978
3 B. PUECH, Prosopographie des amis de Plutarque, in: ANRW II 33.6, 1992, 4831–4893 4 DÖRRIE/BALTES 3, 1993
5 DÖRRIE/BALTES 4, 1996 6 DÖRRIE/BALTES 5, 1998
7 DÖRRIE/BALTES Index zu Bd. 1–4, 1997 8 C. SCHOPPE, Plutarchs Interpretation der Ideenlehre Platons, 1994
9 F. FERRARI, Dio, idee e materia. La struttura del cosmo in Plutarco di Cheronea, 1995 10 I. GALLO (Hrsg.), Plutarco e la religione, 1996 11 M. BALTES, Der Platonismus und die Weisheit der Barbaren, in: J. J. CLEARY (Hrsg.), Traditions of Platonism. Essays in Honour of John Dillon, 1999, 115–138
12 Ders., La dottrina dell'anima in Plutarco, in: Elenchos 21.2 (erscheint 2000).

ED.: W. R. Paton, I. Wegehaupt, M. Pohlenz u. a.,
Plutarchi Moralia, 7 Bde., 1925 ff. (griech.) • F. C. Babbitt,
W. C. Helmbold u. a., Plutarch's Moralia, 16 Bde., 1927 ff.
(griech. und engl.) • J. Sirinelli, A. Philippon u. a.,
Plutarque, Œuvres Morales, 1972 ff. (griech. und frz.) •
I. Gallo, R. Laurenti, Corpus Plutarchi Moralium,
1988 ff. (griech. und ital.; mit Komm.).

LIT.: P. R. Hardie, Plutarch and the Interpretation of
Myth, in: ANRW II 33.6, 1992, 4743–4787 • F. E. Brenk,
An Imperial Heritage: The Religious Spirit of Plutarch of
Chaironeia, in: ANRW II 36.1, 1987, 248–349 • J. P.
Hershbell, Plutarch and Stoicism, in: ANRW II 36.5, 1992,
3336–3352 • Ders., Plutarch and Epicureanism, in: ANRW
II 36.5, 1992, 3353–3383 • G. J. D. Aalders, L. de Blois,
Plutarch und die polit. Philos. der Griechen, in: ANRW II
36.5, 1992, 3384–3404 • J. Mossman, Plutarch and His
Intellectual World, 1997.   M. BA.

IV. Spezialabhandlungen
A. De fluviis   B. De musica
C. Tierpsychologie

A. De fluviis

Bei der Schrift Περὶ ποταμῶν καὶ ὀρῶν ἐπωνυμίας καὶ
τῶν ἐν αὐτοῖς εὑρισκομένων ›Über die Benennung von
Flüssen und Bergen und den Dingen, die man dort finden kann‹ handelt es sich um eine aitiologische Abhandlung über die Namen von 25 Flüssen samt anlie-
genden Bergen in Hellas (Acheloos: Kap. 22; Lykormas:
8; Ismenos: 2; Inachos [2]: 18; Alpheios [1]: 19; Eurotas:
17), Kleinasien (Skamandros: 13; Kaïkos: 21; Paktolos:
7; Maiandros [2]: 9; Marsyas [5]: 10; Sagaris: 12), Armenia (Araxes [1]: 23; Tigris: 24), Parthia (Euphrates:
20), India (Ganges: 4; Hydaspes: 1; Indos: 25), Aigyptos
(Neilos: 16), Gallia (Arar: 6), Thrake (Hebros: 3; Strymon: 11) und Skythia (Phasis: 5; Tanais: 14; Thermo-
don: 15). Die Schrift ist nur in einer einzigen Hs. (Palatinus 398) überl.; ihre Zuweisung an P. ist zweifelhaft.

ED.: N. Bernardakis, Plutarchos, Moralia, Bd. 7, 1896,
282–328.

E. Olshausen, Einführung in die Histor. Geogr. der Alten
Welt, 1991, 74 f.   E. O.

B. De musica

Die kleine Schrift De musica (Mus., Περὶ μουσι-
κῆς/Perí musikḗs in Plut. mor. 1131a–1174a) ist die
wichtigste ant. Abh. zur Musikgesch. Als »Tischge-
spräch«, eine in der Spätant. beliebte Gattung gelehrter
Darlegung (vgl. Athenaios [3]; Macrobius, Saturnalia),
besteht Mus. aus Reden, die am 2. Tag der Krónia
(→ Kronos C.) von einem Onesikrates und seinen Gä-
sten Lysias und Soterichos vorgetragen werden. Die
Reden enthalten Teile h. verlorener Musiktraktate. Der
Autor versucht kaum, diese einander anzupassen, was
die Logik der Abfolge beeinträchtigt [2. v; 3. 103–104],
aber den Zeugniswert der Schrift nur steigert.

Das Proömium setzt Mus. in Beziehung zur hell. Bildung (paideía). Onesikrates gibt dann die Themen Ursprung, Gedeihen, Ausübende und Zwecke der Musik
vor, welche den tatsächlich behandelten Themen auch

einigermaßen entsprechen. Die Rede des Kitharoden
Lysias über Erfinder der Musik (Kap. 3–13) entstammt
größtenteils Herakleides [16] Pontikos und behandelt
die mythische Vorzeit (3), dann Kitharodie (4), Aulodie
(5) und Auletik (7), die Erfindung des enharmonischen
génos (11) [9] und Neuerer des 5./4. Jh. v. Chr. (→ Timotheos, → Philoxenos [2]). Die Rede des enzyklopä-
disch gebildeten Soterichos (14–42), der die Musik von
einem ethisch-philos. Standpunkt aus betrachtet, entstammt weitgehend → Aristoxenos [1] (vgl. [1. 19–21;
2. xiv–xix]). Einem Hinweis auf den göttlichen Ursprung der Musik folgen Kap. über die Tonarten der
Trag., die spondeische Tonart, Zahlenharmonik bei Platon und Aristoteles sowie Musikerziehung; Höhepunkt
ist eine Schimpfrede der allegorischen Figur Musikḗ auf
ihre Peiniger (30) [6; 7]. Diesen Ausführungen gemeinsam ist das Bestreben, nachzuweisen, daß die für archa.
Musik typische Beschränkung von Ausdrucksmitteln
freiwillige Mäßigung war, während die aktuelle musi-
kal. Entwicklung dekadent ist. Dieser aristoxenische
Pessimismus gilt für das 4. Jh. v. Chr., aber auch für die
kaiserzeitliche Entstehungszeit von Mus. Onesikrates
beendet die Unterredung mit Hinweisen auf die sym-
potischen und kosmischen Funktionen von Musik (43–
44).

Mus. ist in der Moralia-Slg. des Planudes enthalten;
die hsl. Überl. nennt P. als Verf. Sprachliche Indizien
[2. xxiv; 3. 101] und sorgloser Aufbau sprechen jedoch
gegen ihn als Autor. Seit dem 19. Jh. wird versucht,
Mus. durch andere Anordnung der Teile zu restituieren,
ohne daß bisher Konsens erreicht worden wäre.
→ Musik

ED. MIT KOMM.: 1 R. Westphal, 1865 (mit dt. Übers.)
2 H. Weil, Th. Reinach, 1900 (mit frz. Übers.)
3 F. Lasserre, 1954 (mit frz. Übers.) 4 K. Ziegler, 1959
(nur Ed.) 5 A. Barker, Greek Musical Writings, Bd. 1,
1984, 205–257 (engl. Übers. und Anm.).

LIT.: 6 E. Borthwick, Notes on the Plut. Mus. and the
Cheiron of Pherecrates, in: Hermes 94, 1968, 60–73
7 I. Düring, Stud. in Musical Terminology in 5th Century
Literature, in: Eranos 43, 1945, 176–197 8 Ders., Rez. von
[3], in: Gnomon 27, 1955, 431–436 9 R. Winnington-
Ingram, The Spondeion Scale, in: CQ 22, 1928, 83–91
10 K. Ziegler, Plutarchea I, in: L. Alfonsi (Hrsg.), FS
Castiglioni, 1960, 1107–1135.   RO. HA.

C. Tierpsychologie

Die beiden tierpsychologischen Dialoge De sollertia
animalium (Πότερα τῶν ζῴων φρονιμώτερα) mit 37 Kap.
(Plut. mor. 63,959a–985c [1]) und Bruta ratione uti (Περὶ
τοῦ τὰ ἄλογα λόγῳ χρῆσθαι (Plut. mor. 64,985d–992e
[1], unvollständig überl.) treten ebenso wie die beiden
aus den Jugendjahren stammenden Reden De esu carni-
um (Περὶ σαρκοφαγίας; mor. 65 und 66,993a–999b) aus
Mitleid mit dem ähnlich wie der Mensch empfindenden
Tier für den gesünderen Vegetarismus ein. Damit bezieht P. Position gegen die Stoiker (vgl. [2. 287–293;
3. 96–107]) und Peripatetiker. In De sollertia animalium
herrscht ein am Schluß für unentschieden erklärter

Wettstreit, ob die Wasser- oder die Landtiere mehr Vernunft hätten (vgl. [2. 254 f.]). Beide Streitenden führen viele Tiergeschichten (Tierarten bei [3. 101]) an, welche Parallelen u. a. mit Ailianos [2], Aristoteles [6] und Plinius [1] aufweisen.

1 C. HUBERT, H. DREXLER (Edd.), Plutarchus, moralia Bd. 6,1, 1959 2 DIERAUER 3 K. ZIEGLER, P., ²1964, 2–334 (= RE 21, 636–962).　　　　　　　　　　　　　　　C. HÜ.

[3] Neuplatoniker des 4./5. Jh. n. Chr.
A. LEBEN B. WERKE C. DIE »AKADEMIE«

A. LEBEN

Sohn des Nestorios (vgl. [1]), Enkel des Nestorios, der unter den Kaisern Valentinianus I. und Valens Hierophant von Athen war, wohl auch Ur-Enkel desjenigen P., der uns als Oberpriester in Attika und Priester des Dionysos und des Asklepios bekannt ist (vgl. [2]).

P. etablierte erneut die platonische Philos. in Athen, indem er dort eine Schule des → Neuplatonismus begründete, die bis 529 n. Chr. bestand. Er starb hochbetagt 423 n. Chr. Seine Nachkommen blieben seiner Schule und der Stadt Athen über vier Generationen hinweg verbunden. Von P. führt eine philos. Traditionslinie zurück zu Iamblichos [2] von Apameia in Syrien, vermittelt durch zwei Denker der zweiten Generation nach Iamblichos, die beide im 4. Jh. in Athen ansässig waren: zum einen durch → Priskos, einen Verwandten des Kaisers Iulianus [11] und Schüler des → Aidesios [1] (der selbst Schüler des Iamblichos war), zum anderen durch einen anderen Iamblichos, den Enkel des → Sopatros (ebenfalls Schüler des Iamblichos). Zu den Schülern des P. gehörten → Hierokles [7], → Lachares [2], Nikolaos, → Odaenathus (vgl. Damaskios, Vita Isidori, fr. 142), → Syrianos, → Proklos (vgl. Marinus, Vita Procli Kap. 12) sowie seine eigene Tochter Asklepigeneia. Man darf annehmen, daß P. in Athen einen umfassenden Lehrgang der platonischen Philos. nach dem von Iamblichos festgelegten Lehrplan einrichtete.

B. WERKE

Wir wissen, daß P. Komm. zu → Platons ›Gorgias‹, ›Phaidon‹ und ›Parmenides‹ verfaßte, ebenso zu → Aristoteles' [6] De anima. Verm. äußerte er sich auch zu anderen platonischen Dialogen, bes. zum ›Timaios‹. Von seinen Schriften ist jedoch nichts erh.; lediglich Teile seiner Lehre von den ersten Prinzipien und von der Seele wurden durch spätere Autoren vermittelt. Seine Interpretation der Hypothesen in Platons ›Parmenides‹ überl. Proklos (in Plat. Parm. 6, col. 1058,21–1061,20). P. kombinierte die traditionelle Lehre von den neun Hypothesen (→ Porphyrios) mit der Theorie von deren paarweisen Entsprechung (zuerst → Theodoros von Asine). Dabei stützte er sich auch auf Auslegungen von Platons ›Timaios‹ und ›Politeia.‹ Proklos sah diese Interpretation als richtig und endgültig an. Laut Proklos legten P. und Syrianos auch eine richtige Interpretation des Himmelsgewölbes im ›Phaidros‹ vor, und zwar in Abgrenzung zu Iamblichos und Theodoros von Asine (Proklos, Theologia Platonica 4,23).

Nach Stephanos in Aristot. an. 3, p. 535,13–19, wies P. (wie schon Iamblichos) die Annahme Platons zurück, ein Teil der Seele verbleibe im Bereich des Intelligiblen, ohne sich zu inkarnieren: Der Intellekt sei einfacher, nicht zweifacher Natur und operiere nicht ohne Unterbrechung, also gehe die Seele vollständig in den Körper ein. → Damaskios (vgl. Vita Isidori, fr. 218) berichtet, P. und der Philosoph Domninos hätten zusammen den Tempel des → Asklepios in Athen besucht und den Gott befragt [3]. Wie sein Urgroßvater wäre P. also ein Anhänger des Asklepios gewesen. An seine Tochter Asklepigeneia vermittelte er die chaldäische Lehre (→ Chaldaioi); diese gab sie wiederum an Proklos weiter (Marinos, Vita Procli Kap. 28). Der von Porphyrios und Proklos eingeführte Rückgriff auf die ›Chaldäischen Orakel‹ (→ Oracula Chaldaica) ist so über die Platoniker P., Syrianos und Proklos für das ganze 5. Jh. traditionsbildend geworden. Durch P. kam Proklos auch in Kontakt mit der Theorie zur Berechnung des günstigsten Zeitpunkts für die Empfängnis; diese wurde von Nestorios (dem Großvater des P.) entwickelt und war Teil des hieratischen Wissens (Proklos, in Plat. rep. dissertationes 13,2, p. 64.5–66.21 KROLL).

C. DIE »AKADEMIE«

Man hat oft fälschlich die neuplatonische Schule des P. als »Akademie« bezeichnet, doch befand sich seine Schule nachweislich nicht am Ort der urspr. → Akademeia Platons. Wir wissen jedoch, daß P. ein eigenes Haus für seine Schule errichten ließ; vielleicht handelt es sich dabei um den Bau, den amerikanische Archäologen südlich der Akropolis fanden. Die finanziellen Ressourcen der Schule werden von Damaskios (Vita Isidori, fr. 158 = § 265) für die Zeit des Proklos auf tausend *nomismata* beziffert – sie bildeten sich verm. aus den Erträgen des von P. eingebrachten Vermögens.
→ Akademeia

1 PLRE I, s. v. Nestorius (3) 2 PLRE I, s. v. Plutarchus (1) 3 A. SEGONDS, s. v. Domninus de Larissa, GOULET 2, 892–894.

R. BEUTLER, s. v. P., RE 21, 962–975 • E. EVRARD, Le maître de Plutarque d' Athènes et les origines du néoplatonisme athénien, in: AC 29, 1960, 108–133 und 391–406 • H. D. SAFFREY, L. G. WESTERINCK (Hrsg.), Proclus, Théologie platonicienne, Bd. 1, 1968, LXXX–LXXXIX • H. J. BLUMENTHAL, Plutarch's Exposition of the ›De anima‹ and the Psychology of Proclus, in: B. D. LARSEN, H. DÖRRIE (Hrsg.), De Jamblique à Proclus (Entretiens 21), 1975, 123–147 • Ders., Neoplatonic Elements in the ›De Anima‹ Commentaries, in: Phronesis 21, 1976, 64–87 (Ndr. in: R. SORABJI (Hrsg.), Aristoteles Transformed, 1990, 305–324) • D. P. TAORMINA, Plutarco di Atene, L'Uno, l'Anima, le forme (Coll. Symbolon 8), 1989 • P. CASTRÉN (Hrsg.), Post-Herulian Athens, 1994, 115–139.
　　　　　　　　　　　　　　　　　　　　H. SA./Ü: B. v. R.

Pluteus (auch *pluteum*). Die Grundbed., aus Brettern oder Geflecht hergestellte Umzäunung, Schirm oder Schutzdach, fächert sich in verschiedene Gegenstände auf:

[1] Als mil. t.t. eine besondere Brustwehr der → *testudo* (Vitr. 10,15,1; vgl. → Poliorketik).

[2] Ein Holzgitter (Liv. 10,38,5) oder sogar ein Holztempelchen (Anth. Lat. 139, 158).

[3] Als architektonischer t.t. Schranken bzw. Brüstungen aus Holz oder Stein (Vitr. 4,4,1; 5,1,5 u.ö.).

[4] Die Seiten- bzw. Rückenlehne des röm. Betts (*lectus*, vgl. → Kline; Mart. 3,91,10, Pers. 1,106 = Quint. inst. 10,3,21, Isid. orig. 20,11,5) oder auch das ganze Bett (Prop. 4,8,68, Mart. 8,44,13).　　　　　　　　W.H.GR.

[5] Röm. Regal für Bücher (Sidon. epist. 2,9,4) oder Büsten (Iuv. 1,2,7) u. a., das der *plutiarius* anfertigte. Auf röm. Darstellungen sind verschiedentlich Wandbretter zu sehen, auf denen Gefäße, Schuhe und andere Gegenstände plaziert sind [1. 128 mit Abb. 583 und 584]; bei Cic. Att. 4,8 werden solche Bücherbretter *pegma (Pl.-ata)* genannt, eine weitere Regalart hieß *loculamentum*.

→ Armarium; Möbel

1 G. M. A. RICHTER, The Furniture of the Greeks, Etruscans and Romans, 1966.　　　　　　　　　　　　　　　R.H.

Pluto (Πλουτώ).

[1] Mutter des → Tantalos von Zeus (Antoninus Liberalis 36,2; Hyg. fab. 82 und 155; Paus. 2,22,3; nach schol. Eur. Or. 5 von Tmolos); auch Tochter des → Kronos (schol. Pind. O. 3,41), berekyntische Nymphe (Nonn. Dion. 48,729–731). Nach Clemens Romanus (bei Rufin. recognitiones 10,21,7 und 10,23,1) heißt die Mutter des Tantalos Plutis oder Plute und ist Tochter des Atlas.

[2] Eine der → Okeaniden (Hes. theog. 355), Gefährtin der → Persephone (Hom. h. 2,422).　　　　　　　　T.J.

[3] s. Hades; Pluton

Pluton (Πλούτων, lat. *Pluto(n)*).

Alternativbezeichnung für eine Gestalt, welche die frühe griech. Dichtung als → Hades (= H.), den Herrn der Unterwelt und Gatten der → Persephone/Kore, kennt. P. ist Name und nicht, wie bisweilen behauptet, Epitheton: die Verbindung H. P. fehlt. Nach griech. Vorstellung existierten H. und P. nicht als zwei verschiedene Gestalten, entwickelten sich jedoch, von der sprachlichen Ebene ausgehend, zu einem gewissen Grad unterschiedlich. Während H. kaum Kult empfing, wurde P. regelmäßig gemeinsam mit Kore und → Demeter verehrt. Laut Platon (Plat. Krat. 403a) ist P. optimistische und euphemistische Benennung für H.: Er sorgt für den Reichtum (πλοῦτος/ *plútos*), der aus der Erde kommt. Bei Aischyl. Prom. 806 ist P. ein wohl legendärer Goldstrom; Demetrios von Phaleron spricht scherzhaft von attischen Bergleuten, die versucht haben sollen, P. selbst aus der Erde emporzuschaffen (FGrH 228 F 35; vgl. Poseidonios fr. 239, 240a KIDD; Aristoph. fr. 504 K.-A.). In bildlichen Darstellungen, auf denen er inschr. ausgewiesen ist, repräsentiert P. einen Mann reifen Alters, der im allg. ein Szepter und oft auch ein Füllhorn hält [1. 105; 2. Nr. 28f., 41, 44]; möglicherweise kann zwischen diesem P.-Typus und H., welcher eine andere Ikonographie aufweist, differenziert werden [1. 105–113].

Die frühen Zeugnisse für P., die um 500 v. Chr. einsetzen (so die wahrscheinliche Ergänzung in IG I³ 5,5; [2. Nr. 28]), stammen allesamt aus Attika; sie beziehen sich entweder direkt auf den Kult von → Eleusis [1] (→ Mysteria) oder sind wahrscheinlich von diesem beeinflußt (zu unmittelbarem eleusinischen Bezug s. IG I³ 386,156; IG II² 1363,21: Priesterin; IG II² 1672,169 und 182; 1933,2; 4701; 4751; SEG 35,113,7). P. ist oft mit Kore/Persephone verbunden, zusammen mit oder ohne deren Mutter Demeter (CEG 2,571; IG II² 1672,182; 4751; vgl. auch Isokr. or. 9,15 und häufig in der Kunst [1. 105]); der namenlose »Gott« und die »Göttin«, die zuweilen als die Hauptkultempfänger von Eleusis erscheinen, werden für gewöhnlich mit P. und Kore gleichgesetzt [1. 114f.]. Sein Name erinnert an zwei weitere eleusin. Gestalten: Plutodotas [2. Nr. 43] (möglicherweise identisch mit P.) und Plutos (als Kind in der Regel von P. unterschieden [1. 49–55, 91–94], in lit. Texten jedoch gelegentlich diesem angeglichen: Aristoph. Plut. 727 mit schol., wo Soph. fr. 273 und 283 zitiert ist; sicher sind beide verwandt). Ein kürzlich veröffentlichtes Weiherelief (4. Jh. v. Chr.?) vom »Heiligtum des Pankrates« am Ilissos zeigt P. (epigraphisch gesichert) als eine sitzende, bärtige Gestalt, die Trankopferschale und Füllhorn trägt [3. Nr. 23; 4. A2]; Reliefs mit identischem Bildmotiv aus diesem Heiligtum sind »Pankrates« und »Palaimon« geweiht [4. 7]. Daß P. hier außerhalb des eleusin. Kontextes in Erscheinung tritt, ist überraschend, doch ist der Schauplatz noch immer Attika.

Im Kult ist P. wohl nicht vor hell. Zeit außerhalb Attikas faßbar; hell. Beispiele sind bezeugt in IG XI 4,1235 (Delos, 3./2. Jh. v. Chr., mit Kore, Demeter, Hermes und Anubis); Polemon 1, 32 Nr. 40 (Demetrias, spätes 3. Jh. v. Chr.?, mit Demeter); [5. Nr. 70] und SEG 40,633 (beide Olbia, frühes 2. Jh. v. Chr.?, mit Demeter und Kore); IKnidos 141 (vgl. 147; frühes 2. Jh. v. Chr., mit Demeter, Kore, Epimachos und Hermes); [6. ED 5,15] (Kos, 2. Jh. v. Chr.). Seit dieser Zeit wird P. weithin verehrt [7]; daneben taucht ein *Pluteús/Plōteús* auf [8. 998]. Einen eigenen Gattungsbegriff bildeten laut Strabon (5,4,5) die *Pluténia*, offenbar Orte, für die ein Zugang zur Unterwelt reklamiert wurde; ebenfalls unter dem Namen *Pluto* fand der Entführer der Persephone Eingang in die lat. Lit. [9]. Ob der Name P. sich von Eleusis aus verbreitet hat oder ob er nur zufällig erst spät außerhalb Attikas bezeugt ist, läßt sich wohl nicht bestimmen; jedenfalls war der zugrundeliegende Impuls für die Diffusion – das Bedürfnis, den Gott der → Unterwelt auf andere Art und Weise zu verehren als den Gott des Todes – sicher stets in weiten Kreisen anzutreffen.

P. kann jedoch nicht völlig vom düsteren Aspekt des H. isoliert werden. Der Name tritt in att. Texten auch dann an die Stelle von H., wenn der Reichtum der Erde nicht hervorgehoben wird (Soph. Ant. 1200; Plat. Gorg. 523a); P. erscheint schließlich auf Fluchtafeln zusammen mit anderen Bewohnern der Unterwelt (z. B. [10.

Nr. 53, 84, 110, 134; 11. Nr. 127 u.ö.]) und wird auch in der gelehrten Spekulation mit Gottheiten, die der Unterwelt zugeordnet wurden (z. B. Isodaites: Hesych. s. v. Ἰσοδαίτης), gleichgesetzt. P. mußte nicht als Geber des Reichtums, sondern konnte als Empfänger gesehen werden: von Leichnamen, Grabbeigaben und allen Dingen, die mit dem Tod zusammenhängen (Cornutus 5; Lukian. de luctu 2) [8. 992]. Bereits Sophokles betreibt mit dieser Vorstellung ein düsteres Wortspiel in seiner Darstellung des H., der während einer Seuche »bereichert« (plutízesthai) wird mit Wehklagen (Soph. Oid. T. 30; vgl. Iambl. v. P. 123).

→ Hades; Unterwelt

1 K. Clinton, Myth and Cult. The Iconography of the Eleusinian Mysteries, 1992 2 R. Lindner u. a., s. v. Hades, LIMC 4.1, 367–394, bes. 390f. 3 E. Vikela, s. v. Pankrates (1), LIMC 7.1, 167–169 4 Dies., Die Weihreliefs aus dem Athener Pankrates-Heiligtum am Ilissos, 1994 5 T. N. Knipovic, E. I. Levi, Inscriptiones Olbiae, 1917–1965 (russ.), 1968 6 M. Segre, Iscrizioni di Cos, Bd. 1, 1993 7 Farnell, Cults, Bd. 3, 1907, 376–378 8 E. Wüst, s. v. P., RE 21, 990–1026 9 R. Lindner, s. v. Hades-Pluto, LIMC 4.1, 399–406 10 J. Gager, Curse Tablets and Binding Spells from the Ancient World, 1992 11 T. B. Mitford, The Inscriptions of Kourion, 1971. R. PA./Ü: HE. K.

Plutos (Πλοῦτος). Personifikation des Reichtums, bes. des agrarischen Ernterreichtums (vgl. auch Abundantia, → Consus, → Copia, → Ops [3]). Sohn der → Demeter und des → Iasion (Hes. theog. 969–974), in Kreta gezeugt (Hom. Od. 5,125–128). P. gewährt Wohlstand dem, der ihm begegnet. Seine Erwähnung in Hom. h. ad Cererem 483–489 weist auf seine prominente Rolle in den → Mysteria von → Eleusis [1]: Nach der Übergabe der Mysterien an die Menschen ziehen sich Demeter und ihre Tochter Kore auf den Olympos zurück und senden dem, den sie lieben, P., der Segen und Wohlstand bringt (ebd. 488f.), offenbar als Lohn für die Einweihung [1. 315–321]. Die Geburt des Knaben P. war möglicherweise auch ein Teil der geheimen Mysterienriten [1. 317f.]. Daher ist P. in der Kunst gemeinhin als Knabe dargestellt [2]. In einem att. Trinklied erscheint er im Reigen zwischen den jungen lieblichen → Horai (PMG 855). Bakchyl. fr. 4,61 f. M. ist der erste, der die fortan geläufige Verbindung mit der Friedensgöttin → Eirene [1] herstellt [3. 59–64]. → Aristophanes [3] bringt P. in einer nach ihm benannten Komödie leibhaftig auf die Bühne, allerdings – wohl um den komischen Effekt zu erhöhen – als blinden alten Mann (vgl. schon Hipponax fr. 36 West). Anders als → Pluton war P. immer nur eine Personifizierung eines abstrakten Begriffs, niemals eine eigene Gestalt mit einem Mythos; auch Kult hat er nicht genossen. Die Form Pluton statt P. ist selten (Aristoph. Plut. 727; vgl. Soph. TrGF 4 F 273, 283), sie ist wohl mehr um des stilistischen Effekts willen gewählt, als um auf eine Identität der Gottheiten hinzuweisen.

→ Personifikation

1 N. J. Richardson (ed.), The Homeric Hymn to Demeter (mit Komm.), 1974 2 K. Clinton, s. v. P., LIMC 7.1, 416–420; 7.2, 341f. 3 E. Simon, Eirene und Pax: Friedensgöttinnen in der Ant. (SB Frankfurt 24), 1988.

Th. Eisele, s. v. P., Roscher 3.2, 2572–2584 · M. P. Nilsson, Die eleusinischen Gottheiten, in: ARW 32, 1935, 79–141, bes. 97–101 · J. Zwicker, s. v. P., RE 21, 1027–1052. L. K.

Pluvialis (»regenspendend«), als Übers. des griech. Zeús hyétios Beiname des röm. → Iuppiter. Selten inschr. (CIL IX 324), v. a. in der Dichtung (in der Form pluvius) gebräuchlich (Tib. 1,7,26; Stat. Theb. 4,765 f.; Anth. Lat. 1,1, Nr. 391,46). Im Kult für Iuppiter als Regengott (→ aquaelicium; → manalis lapis; → Nudipedalia) hat der Beiname keine Bedeutung. K. Schl.

Plygonion (Πλυγόνιον). Westlokrische Ortschaft im Westen von → Delphoi, der ant. Lit. unbekannt. Auf delphischen Inschr. vor 190 v. Chr. – in diesem J. wurde P. Delphoi einverleibt – werden häufig Πλυγόνεις/ Plygóneis erwähnt. Davon zu unterscheiden ist ein phokisches → Phlgonion ([1] gegen [2]).

1 E. Meyer, s. v. P., RE Suppl. 14, 385–387 2 E. Kirsten, s. v. Phlgonion, RE 20, 306–308.

G. Daux, Delphes au IIᵉ et au Iᵉʳ siècle, 1936, 230–234, bes. 234 · L. Lérat, Les Locriens de l'Ouest, Bd. 1, 1952, 59; Bd. 2, 1952, 64, 74, 87. G. D. R./Ü: H. D.

Plynos (Πλυνός, Hdt. 4,168,2 und Lykophr. 149; Ps.-Skyl. 108: Πλῦνοι; Strab. 17,3,22: Πλῦνος). Hafenplatz an der nordafrikan. Küste zw. der → Kyrenaia und dem Nildelta, und zwar im Golf von Sollum [1. 225 f.], kaum jedoch das h. Sīdī Barrānī [2. 227]. P. war anscheinend eine alte griech. → apoikía. Im 5. Jh. v. Chr. wohnten östl. von P. die Adyrmachidai, westl. von P. die Giligamai (Hdt. 4,168 f.).

1 A. Laronde, Cyrène et la Libye hellénistique, 1987 2 F. Chamoux, Cyrène sous la monarchie des Battiades, 1953.

H. Treidler, s. v. P. (2), RE 21, 1053–1060. W. HU.

Plynteria (Πλυντήρια). Athenisches Fest, in dessen Verlauf Mitglieder des Geschlechts (génos) der Praxiergidai den Schmuck des alten Kultbildes der → Athena Polias abnahmen, das Kultbild verhüllten und geheime Riten vollzogen (Xen. hell. 1,4,12; Plut. Alkibiades 34,1 f.); das Gewand und das Kultbild der Göttin wurden verm. von jungen Frauen (den lutrídes oder plyntrídes) gereinigt (Hesych. s. v. λουτρίδες). Eine Prozession, in der → »Pallas« [3] von Epheben (→ ephēbeía) zum Meer geleitet wurde, ist bezeugt (IG II² 1011,11); sie stand wohl in Verbindung mit dem Fest [1]. Der Festtag zählte zu den Unglückstagen, da das Kultbild der Göttin verhüllt (Xen. l.c.; Plut. l.c.) und weitere Tempel geschlossen wurden (Poll. 8,141). Das Ritual erklärte man mit der Erinnerung an den Tag, an dem die athen. Frauen nach ihrer einjährigen Trauer um → Aglauros [2], die Tochter des → Kekrops, zum ersten Mal wieder ihre Kleider wuschen (Phot. s. v. Καλλυντήρια; Hesych. s. v. Π.); Gaben an Athena und Aglauros »an den P.« sind für den Demos Thorikos im SO Attikas bezeugt (SEG 33,147,52–54). Diese sind unter dem Monat Skirophorion aufgelistet, während das zentrale athen. Fest. der P. am 25. oder 29. des vorhergehenden Monats Thargelion stattfand. Es scheint also, daß mindestens ein att. Demos seine eigenen P. – wohl in bezug auf ein eigenes Kultbild der Athena – feierte. Weitere P. sind nicht bekannt, obgleich sich der Monatsname *Plyntḗriṓn* in einigen ionischen Städten findet [2] und vergleichbare rituelle Reinigungen von Kultbildern recht verbreitet waren. Nahezu unbekannt ist ein mit den P. verbundenes Fest *Kallyntḗria* (Phot. l.c.; Hesych. l.c.); vielleicht wurde an diesem der Tempel rein gefegt (*kallýnein*).

→ Athena (C. 4.); Kultbild

1 R. PARKER, Athenian Rel., 1996, 307 Anm. 63
2 C. TRÜMPY, Unt. zu den altgriech. Monatsnamen und Monatsfolgen, 1997, s. v. P.

J. M. MANSFIELD, The Robe of Athena and the Panathenaic »Peplos«, Diss. Berkeley 1985, 370 f. · R. PARKER, Miasma, 1983, 26 f.   R. PA./Ü: HE. K.

Pneuma (πνεῦμα, lat. *spiritus*).

A. GENERELLES
B. HISTORISCHER ÜBERBLICK   C. CHRISTLICH

A. GENERELLES

Die primäre Bed. von »p.« (< πνέω, »blasen, wehen«) ist Wind oder Atem. In der wiss. und philos. Lit. gewinnt der Terminus allmählich eine mehr technische Bed. Im Hell. und später ist das P. ein zentrales Konzept in einigen wichtigen medizinischen und naturphilos. (einschließlich theologischen) Systemen.

B. HISTORISCHER ÜBERBLICK

Bereits bei Autoren des 5. und 4. Jh. v. Chr. erscheint das *p.* als Erklärungsprinzip physiologischer Vorgänge. Ein früher Zeuge ist der Verf. der Hippokratischen Schrift Περὶ πνευμάτων (*Perí pneumátōn*, ›Von Hauchen‹, 5. Jh. v. Chr.), der zw. dem *p.* im Körper (»Hauch«) und demjenigen draußen (ἀήρ/*aḗr*, »Luft«) unterscheidet. Das innere *p.* ist Lebensprinzip sowie potentielle Ursache von Krankheiten (Kap. 3). Die Vorsokratiker → Anaximenes [1] (13 B 2 DK) und → Diogenes [12] von Apollonia (64 B 5 DK), angeregt von der volkstümlichen Verbindung zw. Luft, Atem und Seele, bezeichnen Luft/Atem als Substanz der Seele und betonen deren Verbindung (durch die Atmung) mit der Luft im Kosmos als Ganzen. Obgleich sie das Wort *p.* noch nicht technisch oder systematisch verwenden, nimmt ihre Konzeption wichtige Entwicklungen vorweg. Auch → Aristoteles [6] verweist bei der Erörterung physiologischer Probleme in Anlehnung an medizinische Ansichten gelegentlich auf das innere *p.*, das er als eine

warme, feuchte Luft betrachtet, (Aristot. gen. an. 2,3,736b 29 ff., 6,744a 1 ff., mot. an. 10). Erst im nacharistotelischen → Peripatos (Straton) und der hell. Wiss. erlangt das P. eine zentrale und systematisch ausgearbeitete Rolle. → Erasistratos meint, daß das arterielle System nur mit »vitalem« *p.* gefüllt ist, während → Herophilos annimmt, daß das Herz mit *p.* gemischtes Blut durch den Körper pumpt. Beide Ärzte lokalisieren die höheren geistigen Funktionen im psychischen *p.* im Gehirn. Die Stoiker (→ Stoizismus) dehnen die P.-Lehre auf den gesamten Kosmos aus, indem sie das *p.* als aktives, alles durchdringendes und zusammenhaltendes Prinzip der passiven Materie gegenüberstellen. Dieses kosmische *p.* ist identisch mit der Weltseele, d. h. dem Geist Gottes (griech. *nus*, lat. *mens*); die einzelnen Seelen sind Teilchen davon. Die Stoiker betrachten das *p.* als eine körperliche Substanz, eine Art warmen Hauch. An diese Lehre lehnte sich auch die medizinische Schule der → Pneumatiker (ab 1. Jh. v. Chr.) an. Ausgehend von der hell. Medizin verwendete auch der große Arzt → Galenos von Pergamon (2. Jh. n. Chr.) das *p.* in seiner Physiologie und verhalf ihm so zu einem bis ins MA und in die Neuzeit dauernden Einfluß. Beachtenswert ist auch die Rolle des *p.* in der christl. Lit., nämlich als Geist Gottes (Jo 4,24, 2 Kor 3,17), der u. a. von → Augustinus als spirituell (vgl. *spiritus*), d. h. als rein unkörperlich, aufgefaßt wird.

→ Spiritus

1 W. W. JAEGER, Das P. im »Lykeion«, in: Hermes 48, 1913, 29–74 (Ndr. in: Ders., Scripta Minora, 1960, Bd. 1, 57–102) 2 V. LANGHOLFF, L'air (p.) et les maladies, in: P. POTTER et al. (Hrsg.), La maladie et les maladies dans la Collection Hippocratique, 1990, 339–359 3 M. PUTSCHER, P., Spiritus, Geist. Vorstellungen vom Lebensantrieb in ihren geschichtlichen Wandlungen, 1973 4 F. RÜSCHE, Blut, Leben und Seele, 1930 (Ndr. 1968) 5 F. SOLMSEN, Griech. Philos. und die Entdeckung der Nerven, in: H. FLASHAR (Hrsg.), Ant. Medizin, 1971, 202–279 6 G. VERBEKE, L'évolution de la doctrine du p., 1945.   TE. TI.

C. CHRISTLICH

Die LXX übersetzt mit *p.* fast ausschließlich das gleichbedeutende hebr. *rûah* »Wind«, »Atem«, »Geistkraft«. Das hebr. Wort meint nicht wie im Griech. eine innerweltliche, körperhafte und naturhafte Substanz, sondern rein funktional den dem Menschen von Gott eingehauchten Lebensodem und auch die Lebensenergie, die dem Menschen zu einem außergewöhnlichen Tun verhilft (z.B die rettende Tat der Richter, das Amt und die Rede des Propheten). Die *rûah* ist dem Menschen nicht verfügbar, überfällt ihn willkürlich und ist unberechenbar. Sie ist im nachbiblischen Judentum unter griech. Einfluß als selbständiger Teil des Menschen dem Leib gegenübergestellt worden: Der Leib ist irdisch, das *p.* stammt vom Himmel, ist unsterblich und später auch präexistent, doch ist es nie Person.

→ Paulus [2] verbindet den genuin griech. und den jüd. geprägten *p.*-Begriff: Er eliminiert das Naturhafte am griech. Begriff, behält aber das Substanzhafte bei;

vom hebr. übernimmt er das Nicht-Verfügbare, eliminiert aber das Willkürliche und Unberechenbare. So wird *p.* zu einer Art »Sphäre«, »Dimension«. Wer nicht ›nach dem Fleisch‹ (d. h. nach den Maßstäben dieser Welt) lebt, lebt in der Dimension des Geistes (Röm 8,4). So ist bei Paulus das *p.* nicht mehr Werkzeug Gottes, sondern die Heilswirklichkeit selbst. Der Evangelist → Iohannes [1] vollzieht analog zu Paulus eine (nun ontologische) Synthese: ›Gott ist *p.*‹ (Jo 4,24). *P.* meint hier wie *alḗtheia* (Wahrheit) die Wirklichkeit Gottes, gut jüd. von der Welt unterschieden, gut griech. als Sein gegenüber dem Schein.

Diese Synthese wurde bestimmend für die Entwicklung des Gottesbegriffs zur → Trinität. Im Anschluß an Jo ist in der alten Kirche *p.* nur noch Prädikat Gottes. Zunächst steht es unverbunden und unreflektiert neben Vater und Sohn, meist ihnen nachgeordnet. Erst die Kappadokier (→ Basileios [1] von Kaisareia; → Gregorios [2] von Nyssa; → Gregorios [3] von Nazianzos) halten die Wesensgleichheit des Heiligen Geistes ausdrücklich fest, und seine Göttlichkeit wird vom Konzil von Konstantinopel (381 n. Chr.; → Nicaeno-Constantinopolitanum) zum Dogma erhoben. So hat am Ende des Alt. *p.* seine genuin körperliche Substanzhaftigkeit völlig verloren zugunsten einer rein geistigen, nun als Person verstandenen Wirklichkeit.

→ Spiritus

E. KAMLAH, W. KLAIBER, s. v. πνεῦμα, in: Theologisches Begriffslex. zum NT, Bd. 1, ²1997, 698–712 • H. KLEINKNECHT u. a., s. v. πνεῦμα, πνευματικός, ThWB 6, 330–453 • B. SCHROTT, s. v. Geist. (2), HWdPh 3, 162–169 (Lit.). J. BÜ.

Pneumatik s. Vacuum

Pneumatiker (πνευματικοί, lat. *pneumatici*). Medizinische Schule innerhalb der griech. Medizin, gegründet von → Athenaios [6] von Attaleia unter dem Einfluß des → Stoizismus. → Galenos (de causis contentivis 2) erklärt Athenaios zum Schüler des → Poseidonios [2], was auf eine Lebenszeit in der 2. H. des 1. Jh. v. Chr. hindeutet. Allerdings weiß Cornelius → Celsus [7], der Mitte des 1. Jh. n. Chr. in Rom schrieb, offenbar nichts von dieser Schulrichtung, deren berühmteste Vertreter → Agathinos, → Herodotos [3], → Antyllos [2] und → Archigenes im übrigen allesamt in der 2. H. des 1. Jh. n. Chr. oder noch später lebten. In welchem Maß es sich bei den P. um eine geschlossene Richtung handelt, ist schwer zu sagen, zumal viele der mit den P. assoziierten Ärzte, wie z. B. → Leonides [3], in ant. Quellen auch als Eklektiker (ἐκλεκτικός) oder Episynthetiker (ἐπισυνθετικός) bezeichnet werden. Deutlicheren pneumatischen Einfluß verraten → Aretaios, der → Anonymus Parisinus sowie die Verf. der pseudogalenischen → *Definitiones medicae* und der *Introductio* [2]. Der letzte bekannte P. war vielleicht Alexander, den sein Grabstein in Rom (CIG 9578) als »Christ und Pneumatiker« ausweist. Doch mag dem Wort P. in diesem Zusammenhang lediglich eine rel. Bed. zukommen und einen »geisterfüllten Mann« bezeichnen [3. 208].

Die P. maßen dem → Pneuma, dessen Sitz sie in der linken Herzkammer vermuteten, die ausschlaggebende Rolle im Gesundheits- und Krankheitsgeschehen zu. Ihr bes. Augenmerk galt dem Puls als wichtigster Diagnosehilfe (→ Archigenes). Die P. waren zutiefst überzeugt von der Analogie zw. Mikro- und Makrokosmos und glaubten an die kreative Rolle der Natur im Körpergeschehen, das sie teleologisch deuteten. Sie achteten bes. auf die *dynámeis*, die potentiellen und aktuellen Körperkräfte, die die Körperaktionen erst möglich machen. Keine dieser Ideen stammt ursprünglich von den P. oder von Poseidonios, einige lassen sich in älteren Texten finden wie z. B. in der hippokratischen Schrift de flatibus 3–5 [4]. Die Vorstellung eines vorrangigen Pneumas war bei einigen Autoren gepaart mit dem Glauben an die Hippokrates [6] zugeschriebene Lehre von den vier Körpersäften (→ Säftelehre).

Aretaios verfaßte sein Werk in einem stilisierten ionischen Dialekt. Einige Texte aus dem *Corpus Hippocraticum*, z. B. *De medico* und *De alimento*, sind ebenfalls archaisierenden P. zugeschrieben worden [4]. Doch erschweren die eklektischen Tendenzen innerhalb der P. jede Identifizierung spezifisch pneumatischer Lehrmeinungen. Während die Medizin der P. sich nahtlos in den Leib-Seele-Dualismus der Christen fügt, ist ein unmittelbarer Einfluß der P. auf Autoren wie → Nemesios von Emesa und → Gregorios [2] von Nyssa schwerlich nachzuweisen, besonders da Galen einige Ideen und Therapien, z. B. Badekuren, von den P. übernahm.

→ Pneuma

1 F. KUDLIEN, Poseidonios und die Ärzteschule der P., in: Hermes 90, 1962, 419–429 2 J. KOLLESCH, Unt. zu den pseudogalenischen Definitiones medicae, 1973 3 J. KORPELA, Das Medizinalpersonal im ant. Rom, 1987 4 F. KUDLIEN, s. v. P., RE Suppl. 11, 1097–1108.

ED./FR.: M. WELLMANN, Die pneumatische Schule bis auf Archigenes, 1895. V. N./Ü: L. v. R.-B.

Pneumatomachoi (Πνευματομάχοι, »Bekämpfer des [Hl.] Geistes«). Bezeichnung für eine vornehmlich in der 2. H. des 4. Jh. in Kleinasien wirkmächtige Gruppe von christl. Theologen, welche die Gottheit (Homousie) des Hl. Geistes leugnete. Erstmals begegnet der Ausdruck P. in der Form πνευματομαχοῦντες/*pneumatomachúntes* 358 in den Briefen des → Athanasios von Alexandreia an Bischof → Serapion von Thmuis (Athan. epist. ad Serapionem 1,32; 4,1). Die dort als »Tropiker« bezeichnete lokale ägypt. Gruppe betrachtete den Geist als Geschöpf und begründete dies biblisch. In Herkunft und Theologie gehen die zuweilen auch als Semiarianer bezeichneten P. aus der im Gefolge des arianischen Streites (→ Arianismus) entstandenen Kirchenpartei der Homöusianer (Kernaussage: ὅμοιος κατ'οὐσίαν/*hómoios kat'usían*, »der Sohn ist dem Vater wesensähnlich«) hervor. Auf den Synoden von Kyzikos 376 und Antiocheia (Karien) 378 konstituierten sie sich unter Führung des angesehenen Asketen → Eustathios [6] von Sebaste, der sich bereits 373 in dieser Frage mit → Basileios [1] von Kaisareia überworfen hatte, als Kirchenpartei. Hauptverbreitungsgebiete waren Ägypten und Kleinasien. Pneumatomachische Anschauungen wurden wiederholt verurteilt, erstmals auf der Synode von Alexandreia 362. Das Konzil von Konstantinopolis 381, an welchem auf kaiserlichen Wunsch P. teilnahmen, zählte diese namentlich unter die Häretiker (Kanon 1). Auf das Scheitern von Dialogversuchen folgten schließlich kaiserliche Sanktionen (Cod. Theod. 16, 5,11–13).

Originaltexte der P. sind nicht erh., ihre Anschauungen können aber aus den Schriften der Gegner erschlossen werden (Übersicht [3. 1090–1093]). Ab 380 (nach [3. 1073] ab 383) wurden die P. nach Bischof Makedonios von Konstantinopel († vor 364), der so irrtümlich zu ihrem Begründer wurde, auch als → Makedonianer bezeichnet und der ältere Name zunehmend verdrängt.

→ Häresie; Pneuma; Trinität

1 W.-D. HAUSCHILD, Die Pneumatomachen, Diss. Hamburg 1967 (Rez.: A. M. RITTER, in: ZKG 80, 1969, 397–406) 2 M. A. G. HAYKIN, The Spirit of God (Suppl. to Vigiliae Christianae 27), 1994 3 P. MEINHOLD, s. v. P., RE 21, 1066–1101.   J.RI.

Pnytagoras (Πνυταγόρας).

[1] Sohn des → Euagoras [1] von Salamis auf → Kypros (Zypern). P. half seinem Vater beim Aufstand gegen die Perser und verteidigte nach der Seeschlacht bei → Kition (381 v.Chr.) das belagerte Salamis (Isokr. or. 9,62; Diod. 15,4). Vater und Sohn sollen mit der Tochter des Nikokreon [1] Umgang gehabt haben, und beide wurden von dem Eunuchen Thrasydaios ermordet (Theop. FGrH 115 F 103,12; Aristot. pol. 5,1311b 4ff.).

F. G. MAIER, Cyprus and Phoenicia, in: CAH 6, ²1994, 297–336.

[2] König von Salamis auf → Kypros, der ca. 360 v.Chr. den pro-persischen Euagoras [2] II. stürzte und sich dem von König → Tennes von → Sidon initiierten Aufstand gegen Artaxerxes [3] III. anschloß (Diod. 16,42,5). Von → Phokion und Euagoras längere Zeit belagert, unterwarf sich P. schließlich 344/3 den Persern und wurde von ihnen, entgegen den Erwartungen des Euagoras, in seiner Stellung bestätigt (Diod. 16,40,5; 42,6ff; 46,2). Nach der Schlacht von → Issos (333) ging P. zu → Alexandros [4] d.Gr. über (Arr. an. 2,20,3 und 6) und beteiligte sich an der Belagerung von Tyros, wobei sein Flaggschiff 332 versenkt wurde (Arr. an. 2,22,2). Nach der Eroberung dieser Stadt erhielt er aus dem Besitz → Kitions → Tamassos (Duris FGrH 76 F 4). Seine Söhne waren → Nikokreon [2] und der Trierarch Nitaphon (Arr. Ind. 18,8).

D. S. WHITCOMB, Before the Roses and Nightingales. Excavations at Qasr-i Abu Nasr, Old Shiraz, 1985 · H. KOCH, Verwaltung und Wirtschaft im persischen Kernland zur Zeit der Achämeniden, 1990, 41 ff.   J.W.

Pnyx (πνύξ).

Pnyx (πνύξ). Markante, großflächige und mit Häusern bebaute Erhebung im Stadtgebiet von Athen westl. der Akropolis (→ Athenai II. 3, Musenhügel). Seit dem späten 6. Jh. v.Chr. war hier der Ort der Volksversammlung (→ ekklēsía). Zunächst tagte sie in dem einem natürlichem Halbrund folgenden, sanft abfallenden Gelände, das kaum baulich ausgestaltet war; einziges Bauwerk war eine → Rednerbühne (βῆμα/bēma). Im späten 5. Jh. v.Chr. wurde die gesamte Anlage architektonisch ausgeformt und dabei in der Ausrichtung um ca. 180° gedreht. Die noch h. in Resten erh. orchestraförmige, aufwendig und repräsentativ erbaute Konstruktion mit einer großen Freifläche und zwei langen Hallenbauten entstammt der Zeit des Lykurgos [9].

TRAVLOS, Athen, s. v. Museion/Musenhügel; Pnyx.
          C.HÖ.

Po s. Padus

Poblicola

Poblicola (Fast. Capitolini, InscrIt 13,1,25; lit. *Publicola*, griech. Ποπλικόλας/*Poblikólas*). Röm. Cogn. Die Etym. ist ungeklärt, nach ant. (sicherlich falscher) Auffassung »Volksfreund« bedeutend (Liv. 3,18,6). Verbreitet in den Familien der Gellii (→ Gellius [1 5]) und Valerii. Bekanntester Träger ist P. Valerius P. (*cos. suff.* 509 v.Chr.).

KAJANTO, Cognomina, 256 · R. M. OGILVIE, A Comm. on Livy, Books 1–5, ²1970, 253 · H. VOLKMANN, s. v. Valerius (302), RE 8A, 180 · WALDE/HOFMANN 2, 339.   K.-L.E.

Podaleirios

Podaleirios (Ποδαλείριος). Sohn des → Asklepios und der → Epione, Bruder des → Machaon, wie dieser heroischer bzw. göttlicher Arzt (Hom. Il. 11,833; vgl. ebd. 2,731). Er wird unter den Freiern der Helene [1] genannt (Apollod. 3,131). In den kyklischen Epen heilt er den → Philoktetes (Apollod. epit. 4,8; vgl. Soph. Phil. 1333), diagnostiziert den Wahnsinn des → Aias [1] und wird schließlich nach Karien verschlagen, wo er Syrnos gründet (Apollod. epit. 6,2; 6,18; Paus. 3,26,10). Ansonsten spielt P. – wie auch die übrigen Kinder des Asklepios – in der ant. Myth. kaum eine Rolle, sehr wohl aber im Kult und in der Kunst: Zahlreiche Kulthymnen (Erythräischer Paian, PMG 934, 11; Makedonios, Coll-Alex 138–140 etc. [1. 372–374, 383 f. mit 193 f. 200 f.]) nennen P. mit seinen Geschwistern (→ Aigle [6], → Akeso, Panakeia, → Hygieia, → Machaon), um die Aspekte der heilenden Macht des Vaters Asklepios zu veranschaulichen; bildliche Darstellungen des P. und seiner Arztfamilie finden sich in erster Linie auf att. Weihreliefs des späten 5. und des 4. Jh. v.Chr. [2. 34–48, 140–147; 3. 777–780].

1 L. KÄPPEL, Paian, 1992 2 G. GÜNTNER, Göttervereine und Götterversammlungen auf att. Weihreliefs, 1994, 34–48, 140–147 3 D. PANDERMALIS, I. LEVENTI, s. v. Machaon, LIMC 8.1, 777–780.

U. HAUSMANN, Kult und Heiltum, 1948, 28–43, 87 f., 172 f., 178 f. · H. KENNER, s. v. P., RE 21, 1131–1136.   L.K.

Podanala (Πωδανάλα). Befestigte Siedlung der nordöstl. Tetrarchie der → Trokmoi auf der Oberstadt der
hethit. Kultstadt Zippalanda (Kuşaklı Hüyük) bei Sor-
gun; Ort des Treffens zw. → Pompeius [I 3] und Licinius [I 26] Lucullus im J. 66 v. Chr. (Strab. 12,5,2).

K. STROBEL, Galatica I, in: Orbis Terrarum 3, 1997, 131–153.
K. ST.

Podarge (Ποδάργη, »die Fußschnelle«). Eine der
→ Harpyien; Mutter der Achilleus-Pferde Balios und
Xanthos (Hom. Il. 19,400). → Zephyros schwängert P.,
während sie am Okeanos-Fluß weidet (Hom. Il.
16,150f.; Eust. ad Hom. Il. 16,150f., p. 1050,58ff.). P.
ist ferner die Mutter der Dioskuren-Pferde Phlogeos
und Harpagos (Stesich. PMGF fr. 178). Das Erechtheus-
Pferd P. hat Boreas und eine Harpyie als Eltern (Nonn.
Dion. 37,157), hier geht der Muttername auf die Tochter über. Auch → Areion ist nach einer Version Sproß
einer Harpyie und des Zephyros (Q. Smyrn. 4,569ff.).
S. T.

Podargos (Πόδαργος). Name verschiedener myth.
Pferde. P. heißt das Pferd des → Hektor (Hom. Il.
8,185), das des → Menelaos [1] (ebd. 23,295), sowie eines der menschenfressenden Pferde des thrakischen Königs Diomedes [1], die von → Herakles [1] getötet werden (Hyg. fab. 30). NI. JO.

Podarkes (Ποδάρκης).
[1] Sohn des → Iphikles, im Troianischen Krieg nach
dem Tod seines Bruders → Protesilaos Anführer der
Thessaler aus Phylake u. a. Städten (Hom. Il. 2,704;
13,693). Er tötet die Amazone Klonie und wird von
→ Penthesileia getötet (nach der ›Kleinen Ilias‹ Q.
Smyrn. 1,233–248; 818–829).
[2] Sohn des troian. Königs → Laomedon [1], urspr.
Name des → Priamos. Im ersten Troianischen Krieg
wird er von → Herakles [1] als einziger der Laomedon-
söhne verschont, »erkauft« (apó tu príasthai, Hyg. fab. 89)
durch den Schleier der → Hesione [4] (Soph. Ai. 1299–
1303; Lykophr. 337 mit schol.; Apollod. 2,136; 3,146).
L. K.

Poduke s. Arikamedu

Poena, urspr. Lehnwort aus dem Griech. (ποινή, → poi-
né), umschreibt im röm. Recht. generell Buße und Strafe. Zunächst bezeichnete p. allein das Sühnegeld, mit
dem der Verletzte oder dessen Verwandte rechtlich zum
Verzicht auf Rache bewegt werden konnten (Zwölf
Tafeln, tab. 8,3–4). Im Laufe der Zeit wurde die Bed. in
Richtung eines allgemeineren Begriffes erweitert. P.
bezeichnete daher schon in den letzten beiden Jh.
v. Chr. jede Zufügung von Übel, mit der ein Verstoß
gegen die Rechtsordnung geahndet wird, unabhängig
davon, ob es sich um ein öffentlichrechtliches (→ crimen) oder ein privatrechtliches (→ delictum) Vergehen
handelt. Privatrechtliche Klagen können rein pönal (actiones poenales, z. B. die actio furti, Diebstahlsklage, → fur-

tum), rein sachverfolgend (actiones ad rem persequendam,
etwa die → rei vindicatio, Eigentumsherausgabeklage)
oder sowohl pönal als auch sachverfolgend (actiones mix-
tae, gemischte Klagen) gestaltet sein. Mit der gemischten
Klage erhält der Kläger nicht allein Ersatz seines Scha-
dens, sondern auch – wie bei den Pönalklagen – eine
Buße, die ihm und nicht der Allgemeinheit zukommt,
welche ihm das rechtsförmige Verfahren für seine Ansprüche zur Verfügung stellt. Einige Klagen, wie die
actio furti und die actio legis Aquiliae (→ lex Aquilia), fußen
auf dem ius civile (→ ius), andere, wie die actio quod metus
causa (Klage wegen Erpressung) und die actio de dolo
(→ dolus), auf dem ius honorarium. Die Anspruchshöhe
wird entweder – etwa bei der actio iniuriarum (Klage
wegen rechtswidriger Verletzungen der Person, → iniuria) – vom Richter im konkreten Fall ermittelt, fest beziffert oder als Vielfaches (duplum, triplum, quadruplum)
des Werts des Schädigungsobjektes bemessen. Das
Recht zur privaten Pönalklage erlischt mit dem Tode
des Täters, geht aber auf die Erben des Opfers über.

P. wird auch als Begriff für die private Vertragsstrafe
verwendet, die aber vererblich ist (Paulus Dig. 19,1,47).

Im öffentlichen Strafrecht wird p. als umfassender
Begriff jeder Sanktion verwendet, bisweilen durch Bei-
fügungen wie etwa capitis oder capitalis (→ capitale) für
(nicht allein, Dig. 48,19,2 pr.) die → Todesstrafe präzisiert. Der Katalog dieser poenae reicht von der Todesstrafe – regelmäßig durch Enthauptung, bei schwereren
Delikten oder bei Personen niedrigen Standes auch
grausamer, etwa durch Kreuzigung oder Verbrennung
bei lebendigem Leib – über die Verurteilung zur
Zwangsarbeit in Bergwerken (metallum) oder zur öffentlichen Zwangsarbeit (opus publicum) bis zur Deportation. Strafen, mit denen der Tod oder der dauernde
Verlust der Freiheit verbunden war, machten den Verurteilten zum Strafsklaven (servus poenae), wodurch er
seiner Rechtsfähigkeit verlustig ging (→ Sklaverei).

R. BAUMAN, Crime and Punishment in Ancient Rome,
1996 · A. GEBHARDT, Prügelstrafe und Züchtigungsrecht
im ant. Rom und in der Gegenwart, 1994 · KASER, RPR 1,
148, 498–502, 609–614 · MOMMSEN, Strafrecht, 1899 ·
O. F. ROBINSON, The Criminal Law of Ancient Rome,
1995 · B. SANTALUCIA, Verbrechen und ihre Verfolgung im
ant. Rom, 1997 (ital. 1994, ²1998) · R. ZIMMERMANN, The
Law of Obligations, 1990, 915–921. N. F.

Poenius Postumus. Ritterlicher → praefectus [5] castrorum der legio II Augusta in Britannia, der im J. 60
n. Chr. beim Aufstand der → Boudicca dem Befehl des
Statthalters → Suetonius Paulinus nicht gefolgt war. Da
er seine Legion um die Beteiligung an dem Sieg gebracht hatte, tötete er sich selbst (Tac. ann. 14,34–37,
bes. 37,3). PIR² P 530. W. E.

Poetae novelli. Gängige, aber nicht authentisch ant.
verwendete und h. abgelehnte Bezeichnung für lat.
Dichter des 2., nach neuen Erkenntnissen z. T. auch erst
3. Jh. n. Chr. (→ Alfius [4] Avitus, → Annianus, → Flo-

rus [1], → Hadrianos [1], → Septimius Serenus), die von der früheren Forsch. aus der ›Metrik‹ des im allg. jüngere und ältere Beispielautoren gegenüberstellenden → Terentianus Maurus (V. 1973; 2528) gewonnen wurde. Die *p.n.* galten der älteren Forsch. fälschlich als eine eng zusammengehörige und -arbeitende, den → Neoterikern des 1. Jh. v. Chr. vergleichbare Gruppe oder Schule.

ED., KOMM.: S. MATTIACCI, I frammenti dei *P.n.*, 1982.
LIT.: A. CAMERON, P.n., in: HSPh 84, 1980, 127–175 ·
P. STEINMETZ, Lyrische Dichtung im 2. Jh. n. Chr., in:
ANRW II 33.1, 1989, 259–302.   J.-W.B.

Poetelius. Plebeiisches Geschlecht, das im 4. Jh. v. Chr. eine Reihe bedeutender Vertreter hervorbrachte (Stammbaum bei [1]).

1 F. MÜNZER, s. v. P., RE 21, 1163 f.

[1] P., Q. Als Mitglied des zweiten Collegiums der → *decemviri* 450 v. Chr. (MRR 1, 46 f.) soll er gegen einen Einfall der Sabiner ins Feld geschickt sein (Liv. 3,41,9; Dion. Hal. ant. 11,23,1).

[2] P. Libo, M. Als *cos.* 314 v. Chr. kämpfte P. mit seinem Kollegen Sulpicius Longus siegreich gegen die Samnites (Liv. 9,24–26; Diod. 19,76,1–5). Nach den Fast. Capitolini 313 → *magister equitum* des *dictator* P. [4] (InscrIt 13,1, 36 f.; 101; 418 f.).

[3] P. Libo Visolus, C. *Cos.* 360 (als erster Plebeier), 346, 326 v. Chr. (MRR 1, 120; 131; 146 f.). Als *cos. I* 360 triumphierte er über die Gallier und Tiburtiner (InscrIt 13,1,68 f.; Liv. 7,11,9 f.). Verm. ist er identisch mit dem gleichnamigen *tr. pl.*, der 358 mit Zustimmung des Senats das erste Gesetz über → *ambitus* einbrachte (Liv. 7,15,12 f.). Danach brachte er als *cos. III* 326 die *lex Poetelia (Papiria)* ein (8,28,8 f.; anders Varro ling. 7,105; vgl. P. [4]), die – wie auch immer ihr genauer Inhalt lautete – die Folgen der Schuldknechtschaft minderte, diese aber wohl nicht gänzlich abschaffte (→ *nexum*; vgl. hierzu [1. 159 f.; 2. 145] mit Diskussion der Forsch.). Anlaß für das Gesetz war angeblich die sexuelle Bedrängung eines verschuldeten jungen Mannes »aus gutem Haus« durch den Gläubiger (Liv. 8,28,1–9; Dion. Hal. ant. 16,5,1–3; Val. Max. 6,1,9; Cic. rep. 2,59). Dahinter steht, daß Verschuldung bzw. Schuldknechtschaft im 4. Jh. in der Tat ein drängendes Problem war [3. 330–333].

1 HÖLKESKAMP 2 KASER, RZ, ²1996 3 T. J. CORNELL, The
Beginnings of Rome, 1995.

S. P. OAKLEY, A Comm. on Livy, Books VI–X, Bd. 2, 1998,
688–691.

[4] P. Libo Visolus, C. → Dictator 313 v. Chr., der Überl. nach (bei Liv. 9,28,2–6) entweder zur Kriegsführung oder zum ›Einschlag des Jahresnagels‹. Zudem soll er nach Varro (ling. 7,105) als Dictator die *lex Poetelia* eingebracht haben, die meist seinem gleichnamigen Vater P. [3] als *cos. III* 326 zugeschrieben wird, der dann freilich sein 2. und 3. Konsulat im Abstand von 20 J. bekleidete. Durchaus möglich ist es daher, daß P. selbst,

nicht sein Vater *cos.* 326 war [1. 70], was jedenfalls die Identifizierung des Antragstellers mit dem Dictator P. bei Varro erklärte.

1 BELOCH, RG.   C. MÜ.

Poetik s. Literaturtheorie

Poetovio. Röm. Siedlung in → Pannonia Superior, seit → Diocletianus in Noricum Mediterraneum, h. Ptuj (Pettau) in Slowenien. Der offensichtlich illyr. ON ist in verschiedenen Varianten bezeugt (CIL V 4371; VI 2552; 32561: *Petovio*; CIL XVI 155: *Petabio*; CIL VI 2579; 32515: *Petavio*; CIL XI 1016: *Poetavio*; Amm. 14,11,19: *Potabio*; Cod. Theod. 12,1,78: *Patavio*; Ptol. 2,14,4; Zos. 2,46: Ποτόβιον; Priskos fr. 8: Παταβίων).

Der Raum von P. war schon in vorröm. Zeit besiedelt (Funde aus der Hallstatt- und Latènezeit). In der Nähe siedelten Serretes und Serapilli; das Gebiet bildete eine Übergangszone zw. Kelten und Illyrioi. P. lag am → Dravus (Drau) an einer Furt. 16 v. Chr. geriet der Raum um P. unter röm. Herrschaft. Als mil. Stützpunkt diente P. den Römern seit augusteischer Zeit, als auf dem rechten Flußufer in der Nähe von Ptuj ein Lager errichtet wurde. Im Laufe der Zeit entstand hier eine Zivilsiedlung. Als Besatzung sind die *legio VIII Augusta*, seit 45/46 n. Chr. die *legio XIII Augusta* bezeugt. Unter Traianus (98–117 n. Chr.) wurde diese Legion abgezogen und P. (ohne vorher den Rang eines *municipium* erreicht zu haben) zur Veteranenkolonie *colonia Ulpia Traiana* erhoben. Im 3. Jh. behielt P. seine mil. Bed. (Präsenz von Einheiten der *legio V Macedonica* und der *legio XIII Gemina* unter Gallienus).

Unter dem Prinzipat war P. ein wichtiger Stützpunkt der röm. Provinzialverwaltung. P. war vorübergehend Sitz des Statthalters und des → *tabularium* von Pannonia Superior. Die wirtschaftliche Entfaltung der Stadt wurde durch ihre Lage am Dravus begünstigt, den hier die Bernsteinstraße (→ Bernstein) überquerte. Unter Hadrianus (117–138 n. Chr.) wurde offensichtlich an der Stelle eines früheren Übergangs eine Brücke geschlagen. Die Stadt war eine Zollstation des *publicum portorii Illyrici*, wozu ihre Lage an frequentierten Straßen beitrug (Siscia – P. – Flavia Solva und weiter nach Norden, P. – Savaria – Scarbantia – Carnuntum, P. – Savaria – Arrabona, Emona – Celeia – P.). Im Flußhafen war eine örtlichen Flotte stationiert. Zwei Aquädukte versorgten die Stadt mit Wasser. Nahe Poststationen (*mansiones*) lagen in Pultovia, Remista und Curta. In der Umgebung wurden Nekropolen entdeckt. Seit Traianus gehörten die Bewohner zur *tribus Papiria*. Im 2. und zu Anf. des 3. Jh. erlebte P. eine Blütezeit. Als Stadtbeamte sind *duoviri* bzw. *quattuorviri, aediles, quaestores* und *decuriones* bekannt. P. war Sitz eines *collegium fabrum tignariorum*, einer *schola calciolarium* und eines *collegium iuventutis*. Im rel. Leben spielten Diana, Nymphae (mit einem *collegium*) und örtliche Gottheiten wie Marmogius und Nutrices Augusti (→ Nutrix) eine Rolle. Verbreitet war der Kult des → Mithras (vier Heiligtümer).

In der Spätant. wurden in P. neue Befestigungsmaßnahmen vorgenommen. In der Nähe der Stadt wurde im J. 354 Constantius [5] von Truppen des Constantius [2] gefangengenommen (Amm. 14,11,19f.). Im J. 372 hielt sich Valentinianus I. in P. auf. Nach ihrem Sieg bei Hadrianopolis drangen die → Goti bis nach P. vor. Im 5. Jh. stand P. jedoch wieder unter röm. Herrschaft. Seit dem ausgehenden 3. Jh. verbreitete sich in P. das Christentum. Unter Diocletianus fiel der Bischof → Victorinus der Christenverfolgung zum Opfer.

TIR L 33 Tergeste, 1961, 58 (mit älterer Lit.) · J. und
I. CURK, Ptuj, 1970 · J. ŠAŠEL, s. v. P., PE, 718 f.   J. BU.

Poggio Buco. Die etr. Siedlung von P. B. bei Pitigliano (Prov. Grasseto, It.) wird meist mit dem bei Strab. 5,2,9 erwähnten Statonia (etr. Statne) gleichgesetzt [1; 2], das aber auch in den Monti Cimini westl. von Viterbo lokalisiert wird [4]. Von der ant. Siedlung auf dem Felsplateau Le Sparne sind nur geringe Reste der Ummauerung und eines Tempelbezirks erhalten. Die seit 1897 ausgegrabene Nekropole besitzt Felskammergräber, die ins 7. und 6. Jh. v. Chr. sowie in die Zeit vom 3. bis 1. Jh. zu datieren sind. Der Ort war also nicht durchgehend besiedelt. Die Funde (u. a. Keramik, Terrakotta) der älteren Grabungen sind auf die Museen in Berlin, Florenz und Berkeley verteilt.

→ Grabbauten II. C. 1.

1 G. MATTEUCIG, P. B. The Necropolis of Statonia, 1951
2 G. BARTOLONI, Le tombe da P. B. nel Museo
Archeologico di Firenze, 1972 3 E. PELLEGRINI, La
necropoli di P. B., 1989 4 E. STANCO, La localizzazione di
Statonia: nuove considerazioni in base alle antiche fonti, in:
MEFRA 106, 1994, 247–258 5 G. BARTOLONI, s. v. Statonia,
EAA 2. Suppl., 1971–1994, Bd. 4, 1996, 382.   M. M.

Poias (Ποίας). Vater des → Philoktetes (Hom. Od. 3,190), Sohn des Thaumakos, Gatte der Demonassa [2]; als Teilnehmer am Argonautenzug (Apollod. 1,112; 141) tötet er den Kreter Talos. Sein Sohn ist Herrscher über die Gebiete Meliboia, Methone, Olizon und Thaumakie auf der Halbinsel Magnesia (Hom. Il. 2,716). P. entzündet den Scheiterhaufen des → Herakles [1] am Fluß Oite, wofür er dessen Bogen erhält, den er an seinen Sohn weitervererbt (Apollod. 2,160).   S. T.

Poieessa (Ποιήεσσα, Ποιᾱσσα, Ποιῆσσα). Stadt im SW von Keos [1] beim h. Pisses. Die Akropolis mit Mauerresten liegt auf steilem Kap. In der Umgebung fand sich frühkykladische Keramik (3. Jt. v. Chr.). Wenige Überreste sind erh. (Fundamente, Säulen). Tempel des Apollon Smintheus und der Athena Nedusia sind bei Strab. 10,5,6 bezeugt. Nordöstl. von P. wurde ein mächtiger hell. Wachturm gefunden. In hell. Zeit ging P. in der Polis Karthaia an der SO-Küste auf, wurde aber weiterhin bewohnt. Vgl. Kall. fr. 75,73; Plin. nat. 4,62; Steph. Byz. s. v. Π.; Suda s. v. Βακχυλίδης. Inschr.: IG XII 5, 568–592; 1100 f.; SEG 14, 547 f.; [1. 238–241].

1 G. GALANE u. a., Ἐπιφανειακή ἔρευνα στήν Κέα, in:
Archaiognosia 3 (1982–1984), 1987, 237–244.

E. KIRSTEN, s. v. P., RE 21, 1270–1275 ·
PHILIPPSON/KIRSTEN 4, 66, 69 · F. G. MAIER, Stadtmauern
auf Keos, in: MDAI(A) 73, 1958, 11–13.   A. KÜ.

Poimandres (Ποιμάνδρης). Göttlicher Offenbarer im ersten nach ihm benannten Traktat des → Corpus Hermeticum (= CH). Dem Namen liegt wohl die (nicht belegte) kopt. Verbindung *p-eime nte-rē* (»geistiges Vermögen des Sonnengottes«) unter Weglassung eines Artikels vor *rē* zugrunde, eine Umschreibung des ägypt. Gottes Thoth (vgl. Psenprēs, »Sohn von Re«). Der Name entspricht der Selbstbezeichnung des P.: *ho tēs authentías Nus*, »der Geist der höchsten Macht« (CH I 1; vgl. PGM XIII 258: Re als *authéntēs*). Gleichzeitig steht eine griech. Etym. im Hintergrund: ›Der Geist weidet (*poimaínei*) deinen Logos‹ (CH XIII 19); vgl. Zosimos (120,28 ff. TONELLI): *Poimenándra* als »Hirte der Menschen« (s. Hiob 7,20: Gott als »Menschenhüter«; vgl. Plat. polit. 274e und Plat. Min. 321b-c; *Poimánōr* in Aischyl. Pers. 241; *Poimandros* in Plut. qu.Gr. 37). Ein in beiden Trad. Bewanderter hat den kopt. Wortstamm und die griech. Etym. verbunden und den Namen erfunden.

Die Einsichten, die der Autor unter P.' Namen dem Leser von CH I vermittelt, sind in ihrem Kern mittelplatonischer Herkunft (→ Mittelplatonismus). Der Text dürfte im 2. Jh. n. Chr. entstanden sein. Dabei ist die Identität von menschlichem und göttlichem Geist (*nus*) konstitutiv, vgl. CH I 30: ›Ich (Hermes) habe von meinem Geist empfangen, das bedeutet: von P.‹. Der Mensch besitzt ein göttliches Element in sich; erkennt er es, weiß er auch um den göttlichen *nus*, der den Kosmos geschaffen hat, denn sonst könnte sich dieser nicht in jedem einzelnen Menschen befinden: Selbst-, Gottes- und Welterkenntnis bedingen einander. Richtet der Mensch sein Streben auf das Geistige, das Leben und Licht ist, und auf Gott, nicht aber auf die Materie, die aus der Finsternis entstand, ist der Aufstieg zum Göttlichen nach dem Tod möglich. P., der göttliche *nus*, tritt also nicht in personaler Weise von außen an den Menschen heran, sondern umschreibt die soteriologische Funktion des individuellen menschlichen *nus*, der seiner selbst gewahr werden kann und damit auch die kosmischen Vorgänge und Strukturen in einer inneren Vision schaut. Der soteriologische Aspekt von P. liegt darin, daß die Erkenntnis, die der Geist im Menschen ermöglicht, Heil schafft.

Allein CH XIII 15 bezieht sich explizit auf CH I und versucht, ihn zu überbieten. Hatte P. in CH I 26 vom Gesang der göttlichen Kräfte gesprochen, die der aufsteigende innere Mensch nach dem Tod hört, so wird dies in CH XIII in einer Ekstase vorweggenommen. Der Autor betont dabei, daß ihm keine weiteren schriftlichen Trad. von P. zur Verfügung stehen. Die Gestalt des P. scheint also im hermetischen Schrifttum nicht verbreitet gewesen zu sein.

→ Hermetische Schriften

J. Büchli, Der P. Ein paganisiertes Evangelium, 1987 ·
J. Holzhausen, Der Mythos vom Menschen im hell.
Ägypten. Eine Studie zum »P.« (= CH I), zu Valentin und
dem gnostischen Mythos, 1994 · P. Kingsley, P. The
Etymology of the Name ..., in: JWI 56, 1993, 1–24 ·
R. Reitzenstein, P. Stud. zur griech.-ägypt. und
früh-christl. Lit., 1904.   J.HO.

Poimandros (Ποίμανδρος). Sohn des Chairesileos und
der Stratonike (Paus. 9,20,1). P. soll die boiotische Stadt
Poimandria (Plut. qu.Gr. 37) gegründet haben. Diese
Stadt wird auch Tanagra genannt (Steph. Byz. s.v.
Ποιμανδρία; schol. Lykophr. 326). Polykrithos, der Ar-
chitekt der Neugründung, verhöhnt die Mauern der
Stadt, indem er über diese hinwegspringt. P. gerät des-
wegen in Zorn und wirft einen Stein. Allerdings ver-
fehlt er Polykrithos und trifft statt dessen seinen Sohn
Leukippos tödlich. → Achilleus [1] aber sorgt dafür, daß
P. von seiner Blutschuld gereinigt wird, woraufhin die-
ser ihm zu Ehren das Achilleion in Poimandria erbaut
(Plut. l.c.).   S.T.

Poine (ποινή). Bei Homer ganz konkret für Wergeld
(Hom. Il. 18,498; → aídesis), aber auch allg. für Rache,
Vergeltung gebraucht, später auf alle Geldbußen ausgedehnt, die ein Privater wegen eines Delikts verlangen
konnte ([4. 10, 35]; vgl. lat. → poena; jedoch trat im
Griech. die Erweiterung auf an den Staat zu zahlende
Geldstrafen oder auf Leibesstrafen erst über die Rück-
übersetzung des lat. Terminus ein). Der Zusammenhang
mit Wergeld (auch ἄποινα, ápoina; vgl. ἀποινᾶν, apoinán,
eine p. verlangen, Demosth. or. 23,28 und 33; IPArk
7,14) lebt in der Verneinung νηποινεὶ τεθνάναι fort
(nēpoineí tethnánai, »straflos töten«, Demosth. or. 23,60,
entspricht etwa der alten Bed. von ἄτιμος, átimos, → ati-
mía) und bedeutete als polit. Sanktion den Entzug jeglichen Rechtsschutzes; der Geächtete durfte bußlos erschlagen werden [3]. Im Alltag kommt p. als Delikts-
buße vor (IG IV 1² 122,98), die Papyri setzen regelmäßig
Vertragsstrafen für Schlecht- oder Nichterfüllung der
Leistung fest [2. 114].

1 E. Berneker, s.v. P., RE 21, 1213–1215 2 H.-A.
Rupprecht, Kleine Einführung in die Papyruskunde, 1994
3 J. Velissaropoulos, Nēpoineí tethnánai, in: M. Gagarin
(Hrsg.), Symposion 1990, 1991, 93–105 4 H.J. Wolff,
Beitr. zur Rechtsgesch. Altgriechenlands und des hell.-röm.
Ägyptens, 1961 5 IPArk.   G.T.

Corrigenda zu Band 6 bis 8

DNP-Spalten haben – je nach Seitenlayout – etwa 55–59 Zeilen. Die Zeilenzählung in
der folgenden Liste geht jeweils vom Beginn der Spalte aus; Leerzeilen werden nicht mitgezählt.
Die korrigierten Wörter sind durch *Kursivierung* hervorgehoben.

Stichwort   Spalte, Zeile   *neu* (im Kontext)

BAND 6

Kadmos [2]   131, 1   Berges *K.* [3] bei Laodikeia
Kaiserkult   144, 39   *Apocolocyntosis*
Kaputtasaccura   265, 32   *Libyca* 3
Kares, Karia   272, 53   chron. 1,225 *Schoene*
Karnaim   286, 55   besiegte hier um *164* v. Chr.
Karthago   297, 12   S. Lancel, Carthage, *1995 (frz. 1992)*
Kastolos   325, 14   (des *Kogamos* ?)
Katakekaumene [1]   331, 38   des *Kogamos*-Tals
Kathartik   353, 7   In den → *Mysteria* bereiteten
Kerinthos [2]   442, 14   als *Merinthianer*
Kernos   446, 46   und breitem *Gefäßfuß*
Knidos   614, 37–38   Die Ärzteschule von K. (*Ber. über die* Verhandlungen
Kosmologie   774, 38–39   *(κινοῦν ἀκίνητον*, Aristot. met. *1012b 31)*
Kybele   952, 27   (um *540* v. Chr.)
Kyme [3]   967, 35   *(Poll. 9,83)*
   968, 1   *Hesiodos'* Vater
Kyn(n)ane   977, 54   Arridaios *[4]*
Kyrenaia   998, 46   *(Κυρηναία*
Kyrillos [2]   1008, 8   (Mitschuld K.' nach [*14.* 500])
   1008, 14   übers. bei [*12.* 244–399]
   1008, 26   *[5].* Frühe
   1008, 27   *dialogi VII [7]*
   1008, 29   Briefen *[8; 11]* und
   1008, 32   [6. 302–515]. Kaiser
   1008, 34   *[9]* bekämpft. K. schrieb alljährlich »Osterfestbriefe« *[10]*.
Labraunda, Labranda   1034, 21   (*Λάβραυνδα, Λάβρανδα*).
Lagina   1063, 47   Feste, *400f.*

BERICHTIGTE KÜRZEL VON AUTORENNAMEN

Laqueus   1145, 6   *C. E. (Constanze Ebner)*
Latrocinium   1181, 46   *C. E. (Constanze Ebner)*
Laudatio [2]   1184, 5   *C. E. (Constanze Ebner)*

BAND 7

Autoren   IX, 24   Joost *Hazenbos*   Leipzig

Lehrgedicht   28, 36   *Hēdypátheia*

Leontios [6]   65, 39   vgl. [6. 204–208]

Lukkā   505, 40   *Pinala* (1. Jt. ... griech. *Πίναλα*)

   506, 9   einheim.-lyk. *Tñmmis-,* < Nom. **Tr̥mint-s)*

Lydia   540, 9   *Harpagos* mit Härte

Lykurgos [1]   578, 24   Nonnos' *epische Lykurgeía*

Makrobioi [1]   760, 11   *(νοτίη Θαλάσσῃ*

   760, 12   *notíēi thalássēi*

Malichu insula   777, 37; 41; 42   *Hanīš*

Mapharitis   842, 30   *Sawe (Σαυή)*

   842, 32   *Sharʿabi-as-Sawā*

   842, 42   (*Répertoire d'Épigraphie* Sémitique

   843, 3   Stadt *Taʿizz*

Marinos [2]   898, 16   (Gal. 18*A* 113, 123 K.)

Mazyes   1083, 33   als *»die Umherschweifenden Libyens«*

Men   1210, 44   [ἡ] *Γῆ*

BAND 8

Fachgebietsherausgeber   II, 22   Prof. Dr. Max Haas, *Basel*

Messana, Messene [1]   43,43   Cic. Verr. 2,2,13

Miletos [2]   173, 26   von *Aḫḫijawa*

Mirā   255, 11   in: AS 33, *1983*

Modius [3]   317, 12–13   Museum von *Chesters*

Mosomagus   419, 21–22   secondaires *de la Gaule Belgique et des Germanies, 1994*

Mylasa   590, 26–27   deren Einkünfte *der* König *dem* → Phokion anbot.

Myrmidon   598, 51   *[1]* Eponymer Stammvater

Neuplatonismus   873, 40   *(→ Platon)*

Novar   1020, 11   *20431–20483*

Noviomagus [4]   1033, 14–15   secondaires *de la Gaule Belgique et des Germanies, 1994*

Numidae, Numidia   1057, 5–6   → *Masaesyli*

Oltos   1168, 12   in New York, *MMA*